MAPL SYNERGY'S
PHILOSOPHY

예술작품, 건축물, 자동차...
하다 못해 우리가 매일 쓰는 밥숟가락까지
인간이 만드는 모든 물건에는
그것을 만든 이의 '철학'이 깃들어야합니다

당 신 의

일 등 급 이

이 교 재 의

철 학

입 니 다 Σ

목차
CONTENTS

mapl YOUR MASTER PLAN
SYNERGY
마플시너지 **수학2**

Ⅲ 적분

내신 1등급
단원별 모의평가

내신대비 복습용 문항 다운로드 안내

내신연계 출제문항 다운로드
마플 시너지를 다시 한 번 정리할 수 있도록 해설에 수록된 '내신연계 출제문항'을
별도의 시험지 형태로 정리한 파일을 다운로드 해서 사용할 수 있습니다.

**복습용 자료는 언제든
다운로드 가능합니다**
마플북스 www.mapl.co.kr
자료실 또는 학습자료실

GUIDE

About **Mapl Synergy**

마플시너지의 구성과 특징

마플 시너지 시리즈는 모든 교과서의 내신문제를 총 망라하여
출제될 수 있는 문제를 유형별로 정리한 교재입니다.

내 신 일 등 급 을
반 드 시 만 드 는
신 개 념 내 신 문 제 집
마 플 시 너 지

시너지의 흐름

꼭 풀어야하는 핵심 기출유형과 서술형, 일등급 완성에 빠져서는 안될 최고난도 문제,
그리고 실전 모의평가로 이어지는 마플시너지 내신문제집의 흐름을 충실히 따라가다
보면 어느새 1등급!

최다빈출 왕중요
1489Q

– 내신정복 기출유형
– 서술형 기출유형
– 행복한 일등급 문제
출제율 100%우수 대표문제

내신연계 출제문항
0613Q

한 단계 UP된
실제 반복 출제되는
우수문항

실전!
단원별
모의평가

새로운
교과과정에 맞춘
실전 모의고사

단원별
각 3회
중간/기말
각 2회
총 13회

내신
1등급
완성

해설에 있는 내신연계 출제문항은 별도의 PDF문서를
마플북스(www.mapl.co.kr)의 자료실에서 다운로드
하실 수 있습니다.

구성과 특징 ❶
단계별 구성

학교내신일등급만들기
마플시너지
단계별학습프로젝트

mapl YOUR MASTER PLAN
SYNERGY'S
GUIDE

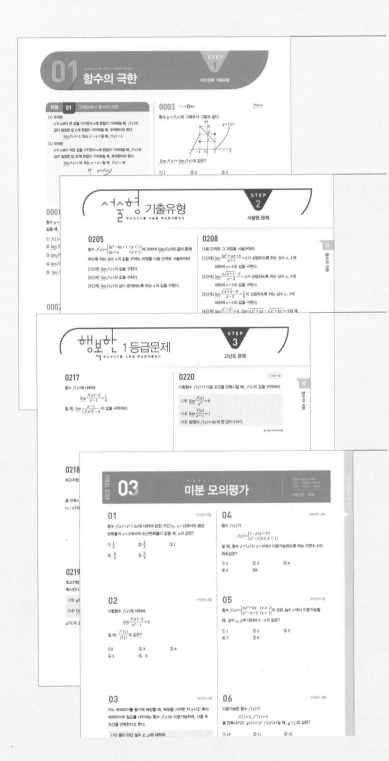

STEP1 내신정복 기출유형

학교 교과서에서 자주 출제되는 핵심 객관식 기출 유형

학교 내신을 준비하는 학생들을 위해 각 개념별로 엄선한 출제율이 높은 우수 기출 유형으로 변별력 있는 신경향 문제로 구성하였습니다.

STEP2 서술형 기출유형

단계별로 출제되는 서술형 기출 유형

서술형은 풀이 과정이 하나라도 누락이 되면 감점되기 때문에 출제의도를 파악하고 답안을 작성해보는 연습을 위해 단계별로 서술하여 서술형 대비에 완벽을 기했습니다.

STEP3 행복한 일등급 문제

1등급을 위한 최고의 변별력 기출 유형

1등급 발목을 잡는 두 가지 이상의 복잡한 개념과 문제 해결과정이 복잡한 문제를 대비해 내신 고득점 달성 및 수능 실력 쌓기 알맞는 교과서 고난도 문제 등 다양한 HOT한 유형을 수록하여 구성했습니다.

FINAL STEP 단원별 모의평가

▶ 단원별 모의평가 수록

학교 교과서 내용을 바탕으로 단원별(함수의 극한/미분/적분) 모의평가를 수록하였습니다.

▶ 내신대비 중간/기말고사 모의평가 수록

중간고사 : 함수의 극한~접선의 방정식
기말고사 : 함수의 극대 극소와 그래프~
　　　　　속도와 거리

구성과 특징 ❷

입체적 구성

학교내신일등급을
完成
완성하는
마플시너지
입체적인구성

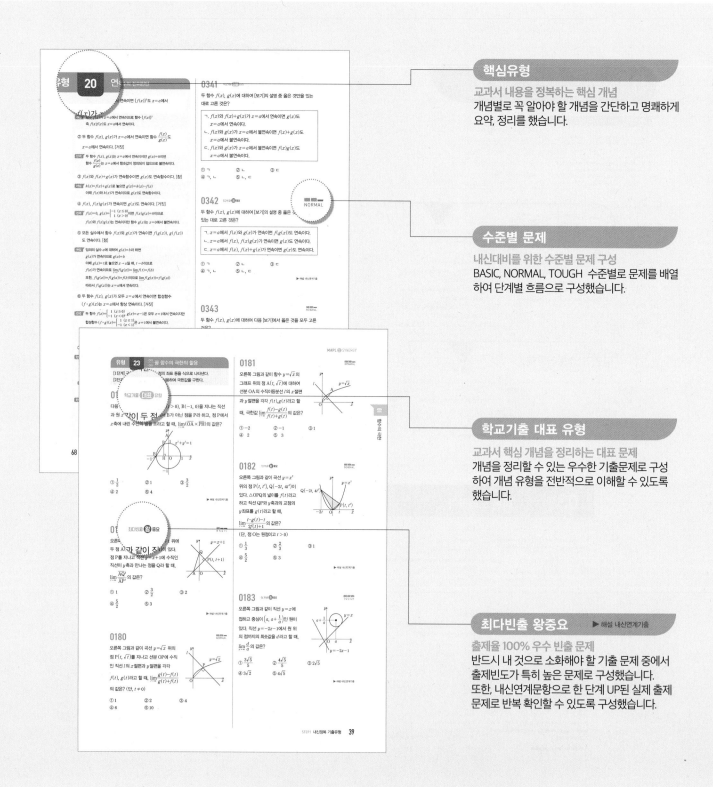

핵심유형

교과서 내용을 정복하는 핵심 개념
개념별로 꼭 알아야 할 개념을 간단하고 명쾌하게
요약, 정리를 했습니다.

수준별 문제

내신대비를 위한 수준별 문제 구성
BASIC, NORMAL, TOUGH 수준별로 문제를 배열
하여 단계별 흐름으로 구성했습니다.

학교기출 대표 유형

교과서 핵심 개념을 정리하는 대표 문제
개념을 정리할 수 있는 우수한 기출문제로 구성
하여 개념 유형을 전반적으로 이해할 수 있도록
했습니다.

최다빈출 왕중요   ▶ 해설 내신연계기출

출제율 100% 우수 빈출 문제
반드시 내 것으로 소화해야 할 기출 문제 중에서
출제빈도가 특히 높은 문제로 구성했습니다.
또한, 내신연계문항으로 한 단계 UP된 실제 출제
문제로 반복 확인할 수 있도록 구성했습니다.

학 교 내 신 일 등 급 을
견 인 하 는
마 플 시 너 지
입 체 적 인 해 설

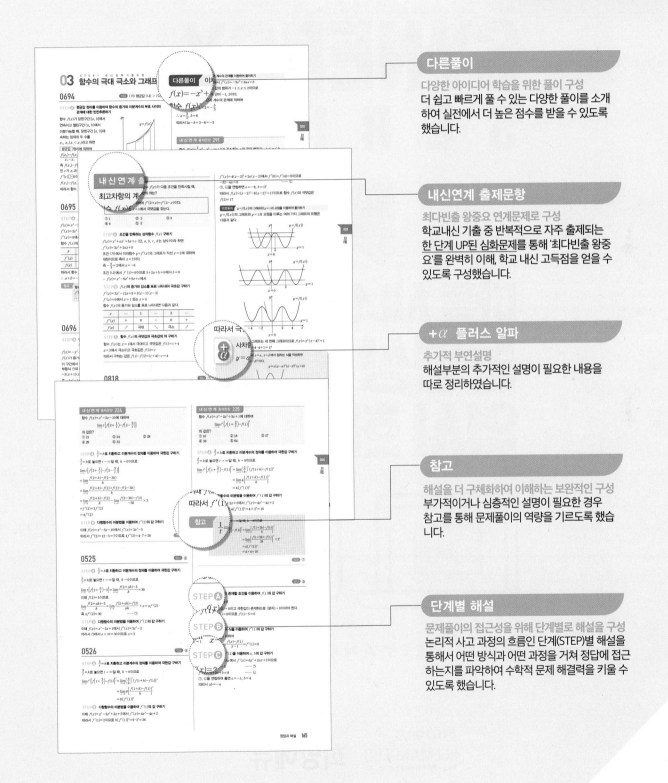

다른풀이

다양한 아이디어 학습을 위한 풀이 구성
더 쉽고 빠르게 풀 수 있는 다양한 풀이를 소개
하여 실전에서 더 높은 점수를 받을 수 있도록
했습니다.

내신연계 출제문항

최다빈출 왕중요 연계문제로 구성
학교내신 기출 중 반복적으로 자주 출제되는
한 단계 UP된 심화문제를 통해 '최다빈출 왕중
요'를 완벽히 이해, 학교 내신 고득점을 얻을 수
있도록 구성했습니다.

+α 플러스 알파

추가적 부연설명
해설부분의 추가적인 설명이 필요한 내용을
따로 정리하였습니다.

참고

해설을 더 구체화하여 이해하는 보완적인 구성
부가적이거나 심층적인 설명이 필요한 경우
참고를 통해 문제풀이의 역량을 기르도록 했습
니다.

단계별 해설

문제풀이의 접근성을 위해 단계별로 해설을 구성
논리적 사고 과정의 흐름인 단계(STEP)별 해설을
통해서 어떤 방식과 어떤 과정을 거쳐 정답에 접근
하는지를 파악하여 수학적 문제 해결력을 키울 수
있도록 했습니다.

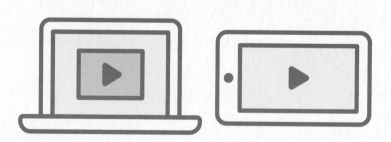

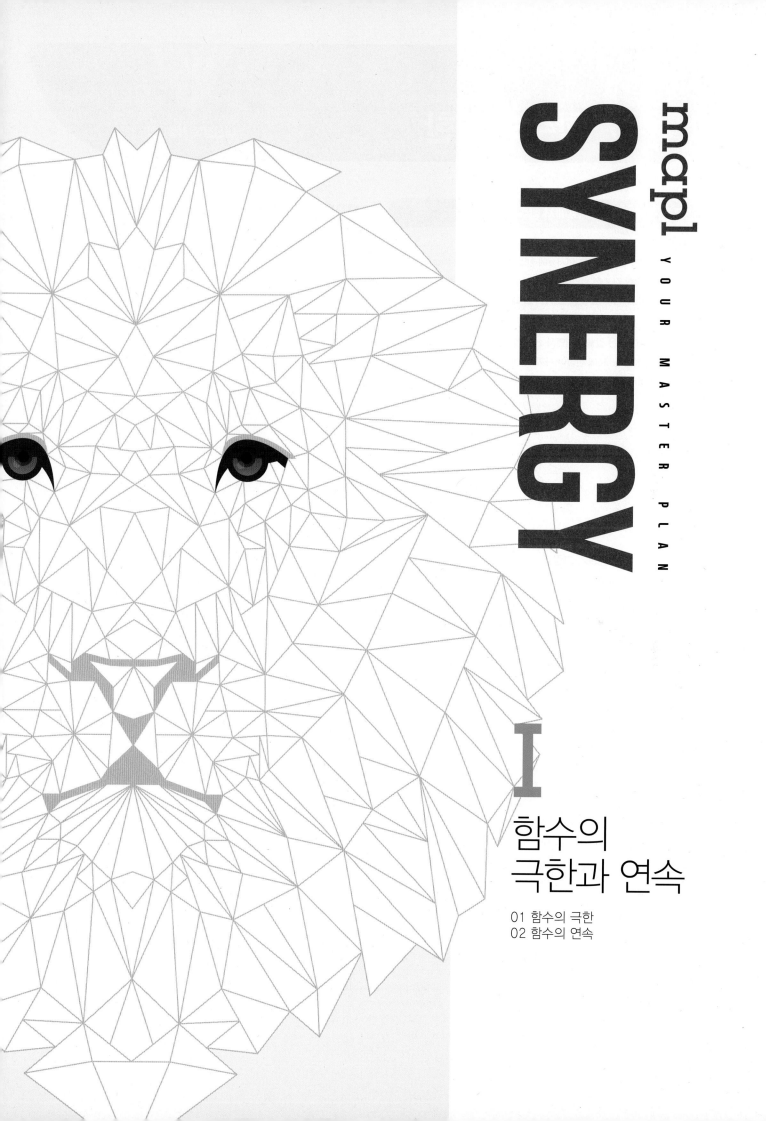

mapl

SYNERGY

YOUR MASTER PLAN

I

함수의
극한과 연속

01 함수의 극한

학교내신기출 객관식 핵심문제총정리

내신정복 기출유형

유형 01 그래프에서 함수의 극한

(1) 우극한

x가 a보다 큰 값을 가지면서 a에 한없이 가까워질 때, $f(x)$의 값이 일정한 값 L에 한없이 가까워질 때, 우극한이라 한다.

$$\lim_{x \to a+} f(x) = L \text{ 또는 } x \to a+ \text{일 때, } f(x) \to L$$

(2) 좌극한

x가 a보다 작은 값을 가지면서 a에 한없이 가까워질 때, $f(x)$의 값이 일정한 값 M에 한없이 가까워질 때, 좌극한이라 한다.

$$\lim_{x \to a-} f(x) = M \text{ 또는 } x \to a- \text{일 때, } f(x) \to M$$

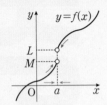

0001 학교기출 대표 유형

함수 $y = f(x)$의 그래프가 그림과 같을 때, 다음 중 옳은 것은?

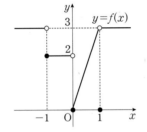

① $f(1) = 3$이다.

② $\lim\limits_{x \to 0-} f(x) = f(0)$이다.

③ $\lim\limits_{x \to -1} f(x)$는 존재하지 않는다.

④ $\lim\limits_{x \to 1} f(x)$는 존재하지 않는다.

⑤ $\lim\limits_{x \to -1-} f(x) + \lim\limits_{x \to 0+} f(x) = 6$이다.

▶ 해설 내신연계기출

0002

함수 $y = f(x)$의 그래프가 그림과 같을 때, 다음 중 옳지 않은 것은?

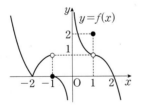

① $f(1) = 2$

② $\lim\limits_{x \to 0} f(x)$는 존재하지 않는다.

③ $\lim\limits_{x \to 1} f(x) = 1$

④ $\lim\limits_{x \to -1} f(x) = 0$

⑤ $\lim\limits_{x \to -2} f(x) = 0$

0003 최다빈출 상 중요 BASIC

함수 $y = f(x)$의 그래프가 그림과 같다.

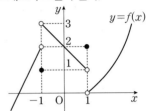

$\lim\limits_{x \to -1-} f(x) + \lim\limits_{x \to 1+} f(x)$의 값은?

① 1　　　② 2　　　③ 3

④ 4　　　⑤ 5

▶ 해설 내신연계기출

0004 BASIC

함수 $y = f(x)$의 그래프가 다음 그림과 같을 때,

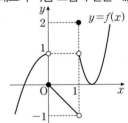

$\lim\limits_{x \to 1+} f(x) + \lim\limits_{x \to 1-} f(x) + \lim\limits_{x \to 0-} f(x)$의 값은?

① 6　　　② 4　　　③ 3

④ 2　　　⑤ 1

0005 BASIC

함수 $y = f(x)$의 그래프가 다음 그림과 같다.

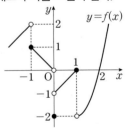

$\lim\limits_{x \to 0-} f(x) + \lim\limits_{x \to 1+} f(x)$의 값은?

① -2　　　② -1　　　③ 0

④ 1　　　⑤ 2

0006
BASIC

정의역이 $\{x \mid -1 \leq x \leq 2\}$인 함수 $y=f(x)$의 그래프가 그림과 같다.

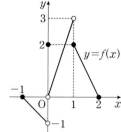

$\lim\limits_{x \to 0-} f(x) + \lim\limits_{x \to 1+} f(x)$의 값은?

① 1   ② 2   ③ 3
④ 4   ⑤ 5

0007
BASIC

함수 $y=f(x)$의 그래프가 그림과 같다.

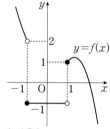

$\lim\limits_{x \to -1-} f(x) - \lim\limits_{x \to 1+} f(x)$의 값은?

① -2 ② -1 ③ 0
④ 1   ⑤ 2

0008
최다빈출 왕 중요
BASIC

함수 $y=f(x)$의 그래프가 그림과 같다.

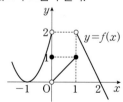

$\lim\limits_{x \to 0-} f(x) + \lim\limits_{x \to 1+} f(x)$의 값은?

① 1   ② 2   ③ 3
④ 4   ⑤ 5

▶ 해설 내신연계기출

0009
NORMAL

함수 $y=f(x)$의 그래프가 그림과 같다.

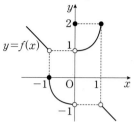

$\lim\limits_{x \to -1-} f(x) + f(0) + \lim\limits_{x \to 1+} f(x)$의 값은?

① -2 ② -1 ③ 0
④ 1   ⑤ 2

0010
최다빈출 왕 중요
NORMAL

함수 $y=f(x)$의 그래프가 그림과 같다.

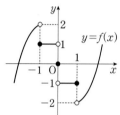

$\lim\limits_{x \to 1+} f(x) + \lim\limits_{x \to -1+} f(x)$의 값은?

① -2 ② -1 ③ 0
④ 1   ⑤ 2

▶ 해설 내신연계기출

0011
NORMAL

함수 $y=f(x)$의 그래프가 다음 그림과 같을 때, $\lim\limits_{x \to 1-} f(x) + \lim\limits_{x \to 1+} f(x) + \lim\limits_{x \to 0+} f(x)$의 값은?

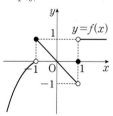

① -2 ② -1 ③ 0
④ 1   ⑤ 2

함수의 극한

0012

정의역이 $\{x \mid -3 \le x \le 3\}$인 함수 $y = f(x)$의 그래프가 다음 그림과 같다.

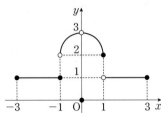

$\lim\limits_{x \to -1+} f(x) + \lim\limits_{x \to 0} f(x) + \lim\limits_{x \to 1+} f(x)$의 값은?

① 6   ② 4   ③ 3
④ 2   ⑤ 1

0013

$-3 < x < 3$에서 정의된 함수 $y = f(x)$의 그래프가 그림과 같다.

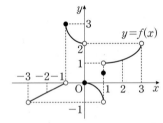

부등식 $\lim\limits_{x \to a-} f(x) > \lim\limits_{x \to a+} f(x)$를 만족시키는 상수 a의 값은? (단, $-3 < a < 3$)

① -2 ② -1 ③ 0
④ 1   ⑤ 2

0014

최다빈출 왕중요

두 함수 $y = f(x)$와 $y = g(x)$의 그래프가 그림과 같을 때,
$$\lim\limits_{x \to -1-} f(x) + \lim\limits_{x \to 2+} g(x) = \lim\limits_{x \to 1+} f(x) + k$$
를 만족시키는 상수 k의 값은?

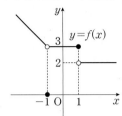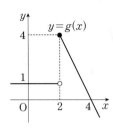

① 1   ② 2   ③ 3
④ 4   ⑤ 5

▶ 해설 내신연계기출

0015

두 함수 $y = f(x)$, $y = g(x)$의 그래프가 다음 그림과 같을 때,
$$\lim\limits_{x \to 1-} f(x) + \lim\limits_{x \to 2+} \{f(x)g(x)\}$$의 값은?

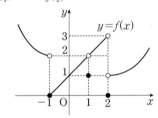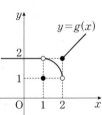

① -2 ② -1 ③ 1
④ 2   ⑤ 4

유형 **02** 함수의 극한의 존재조건

함수 $f(x)$에서 우극한 $\lim\limits_{x \to a+} f(x)$와 좌극한 $\lim\limits_{x \to a-} f(x)$가 모두 존재하고

그 값이 서로 같으면 극한값 $\lim\limits_{x \to a} f(x)$가 존재한다.

또, 그 역도 성립한다.

① $\lim\limits_{x \to a+} f(x) = \lim\limits_{x \to a-} f(x)$ ⇨ 극한값 $\lim\limits_{x \to a} f(x)$가 존재한다.

② $\lim\limits_{x \to a+} f(x) \neq \lim\limits_{x \to a-} f(x)$ ⇨ 극한값 $\lim\limits_{x \to a} f(x)$가 존재하지 않는다.

0016 학교기출 대표 유형

함수 $f(x) = \begin{cases} x^2 + x - k & (x > 3) \\ -2x + k & (x \leq 3) \end{cases}$ 에 대하여 $\lim\limits_{x \to 3} f(x)$의 값이 존재하기 위한 실수 k의 값은?

① 6   ② 7   ③ 8

④ 9   ⑤ 10

0017 최다빈출 왕 중요 ▰▰▱▱ BASIC

함수 $f(x) = \begin{cases} x^2 - 3x + 4 & (x \geq 2) \\ -2x + k & (x < 2) \end{cases}$ 에서 극한값 $\lim\limits_{x \to 2} f(x)$가 존재할 때, 상수 k의 값은?

① 4   ② 5   ③ 6

④ 7   ⑤ 8

▶ 해설 내신연계기출

0018 ▰▰▰▱ NORMAL

함수 $f(x) = \begin{cases} x^2 - k^2 & (x \geq 2) \\ -x - k & (x < 2) \end{cases}$ 에서 $\lim\limits_{x \to 2} f(x)$가 존재할 때, 양수 k의 값은?

① 2   ② 3   ③ 4

④ 5   ⑤ 6

0019 ▰▰▰▱ NORMAL

함수 $f(x) = \begin{cases} x + k & (x < 1) \\ 2 & (x = 1) \\ x^2 + 5x & (x > 1) \end{cases}$ 에서 $\lim\limits_{x \to 1} f(x)$가 존재할 때, 상수 k의 값은?

① 2   ② 3   ③ 4

④ 5   ⑤ 6

0020 최다빈출 왕 중요 ▰▰▰▰ TOUGH

함수 $f(x)$가

$$\lim_{x \to 1+} f(x) = \infty, \quad \lim_{x \to 1-} f(x) = 0$$

을 만족하고 극한값 $\lim\limits_{x \to 1} \dfrac{2f(x) + a}{f(x) + 2}$가 존재할 때, 상수 a의 값은?

① 1   ② 2   ③ 3

④ 4   ⑤ 5

▶ 해설 내신연계기출

0021 최다빈출 왕 중요 ▰▰▰▰ TOUGH

유리함수 $f(x) = \dfrac{1}{x + a} + b$가 다음 조건을 모두 만족시킬 때, a, b에 대하여 $a + b$의 값은?

(가) $\lim\limits_{x \to \infty} f(x) = 2$

(나) $x = 1$에서 $f(x)$의 극한이 존재하지 않는다.

① −1   ② 0   ③ 1

④ 2   ⑤ 3

▶ 해설 내신연계기출

① $\lim\limits_{x \to a+}\{f(x)\pm g(x)\}=\lim\limits_{x \to a-}\{f(x)\pm g(x)\}$

⇨ 극한값 $\lim\limits_{x \to a}\{f(x)\pm g(x)\}$가 존재한다.

② $\lim\limits_{x \to a+}f(x)g(x)=\lim\limits_{x \to a-}f(x)g(x)$

⇨ 극한값 $\lim\limits_{x \to a}f(x)g(x)$가 존재한다.

③ $\lim\limits_{x \to a+}[\{f(x)\}^2+\{g(x)\}^2]=\lim\limits_{x \to a-}[\{f(x)\}^2+\{g(x)\}^2]$

⇨ 극한값 $\lim\limits_{x \to a}[\{f(x)\}^2+\{g(x)\}^2]$가 존재한다.

0022 학교기출 대표 유형

두 함수 $y=f(x)$, $y=g(x)$의 그래프가 다음 그림과 같을 때, 다음 [보기] 중 극한값이 존재하는 것을 모두 고른 것은?

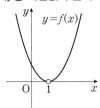 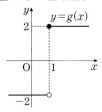

ㄱ. $\lim\limits_{x \to 1}\{f(x)+g(x)\}$

ㄴ. $\lim\limits_{x \to 1}[\{f(x)\}^2+\{g(x)\}^2]$

ㄷ. $\lim\limits_{x \to 1}f(x)g(x)$

① ㄱ   ② ㄴ   ③ ㄷ

④ ㄱ, ㄴ   ⑤ ㄴ, ㄷ

0023   NORMAL

두 함수 $y=f(x)$, $y=g(x)$의 그래프가 다음 그림과 같을 때, 다음 [보기] 중 극한값이 존재하는 것을 모두 고른 것은?

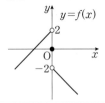 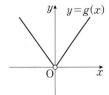

ㄱ. $\lim\limits_{x \to 0}\{f(x)-g(x)\}$

ㄴ. $\lim\limits_{x \to 0}[\{f(x)\}^2+\{g(x)\}^2]$

ㄷ. $\lim\limits_{x \to 0}f(x)g(x)$

① ㄱ   ② ㄴ   ③ ㄷ

④ ㄱ, ㄴ   ⑤ ㄴ, ㄷ

0024   NORMAL

두 함수 $f(x)$, $g(x)$의 그래프가 그림과 같을 때, 극한값이 존재하는 것만을 [보기]에서 있는 대로 고르면?

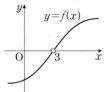

ㄱ. $\lim\limits_{x \to 3}\{f(x)+g(x)\}$

ㄴ. $\lim\limits_{x \to 3}f(x)g(x)$

ㄷ. $\lim\limits_{x \to 3}\dfrac{f(x)}{g(x)}$

ㄹ. $\lim\limits_{x \to 3}[\{f(x)\}^2+\{g(x)\}^2]$

① ㄱ   ② ㄴ, ㄷ   ③ ㄷ, ㄹ

④ ㄱ, ㄴ, ㄷ   ⑤ ㄴ, ㄷ, ㄹ

0025   TOUGH

다음 그림과 같은 함수 $f(x)$와 $g(x)$에 대하여 [보기]에서 극한값이 존재하는 것을 모두 고른 것은?

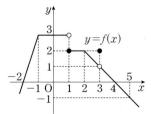 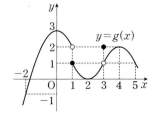

ㄱ. $\lim\limits_{x \to 3}\{f(x)+g(x)\}=2$

ㄴ. $\lim\limits_{x \to 1}\{f(x)-g(x)\}=1$

ㄷ. $\lim\limits_{x \to 2}\dfrac{f(x)}{g(x)}=\dfrac{\lim\limits_{x \to 2}f(x)}{\lim\limits_{x \to 2}g(x)}$

① ㄱ   ② ㄴ   ③ ㄱ, ㄴ

④ ㄴ, ㄷ   ⑤ ㄱ, ㄴ, ㄷ

유형 04 절댓값함수의 극한의 존재조건

절댓값 기호를 포함한 함수의 극한값
[1단계] 절댓값 기호 안의 식의 값이 0이 되게 하는 x의 값을 기준으로
구간을 나누어 함수의 식을 구한다.
[2단계] 좌극한값과 우극한값을 구한다.

0026 학교기출 대표유형

함수 $f(x)=\begin{cases} \dfrac{x^2-9}{|x-3|} & (x>3) \\ a & (x\le 3) \end{cases}$에 대하여 극한값 $\lim\limits_{x\to 3}f(x)$가

존재할 때, 상수 a의 값은?

① 2 　　　　② 3 　　　　③ 6
④ 7 　　　　⑤ 8

0027 최다빈출 중요　BASIC

함수 $f(x)=\dfrac{x^2-3x-10}{|x-5|}$에 대하여

$$\lim_{x\to 5+}f(x)=a, \quad \lim_{x\to 5-}f(x)=b$$

일 때, 두 상수 a, b에 대하여 $a-b$의 값은?

① 0 　　　　② 7 　　　　③ 10
④ 14 　　　　⑤ 15

▶ 해설 내신연계기출

0028 NORMAL

함수 $f(x)=\dfrac{x^2-3x+2}{|x-1|}$에 대하여

$$\lim_{x\to 1+}f(x)=a, \quad \lim_{x\to 1-}f(x)=b$$

라고 할 때, 두 상수 a, b에 대하여 $a+b$의 값은?

① 0 　　　　② 2 　　　　③ 3
④ 4 　　　　⑤ 5

0029 NORMAL

함수 $f(x)=\dfrac{x^2-1}{|x+1|}$에 대하여

$$\lim_{x\to -1-}f(x)=a, \quad \lim_{x\to -1+}f(x)=b$$

일 때, $a+2b$의 값은?

① -4 　　　　② -3 　　　　③ -2
④ -1 　　　　⑤ 0

0030 최다빈출 중요　NORMAL

함수 $f(x)=\dfrac{|x^2-4|}{x+2}$에 대하여

$$\lim_{x\to -2+}f(x)+\lim_{x\to 2+}f(x)$$의 값은?

① -4 　　　　② -2 　　　　③ 0
④ 2 　　　　⑤ 4

▶ 해설 내신연계기출

0031 NORMAL

함수 $f(x)=\dfrac{x^2-2x}{|x-2|}$에 대하여

$$\lim_{x\to 2+}f(x)=\alpha, \quad \lim_{x\to 2-}f(x)=\beta$$

일 때, $\lim\limits_{x\to \alpha}\dfrac{x^2+\beta x}{x^3-\alpha^3}$의 값은?

① $\dfrac{1}{6}$ 　　　　② $\dfrac{1}{5}$ 　　　　③ $\dfrac{1}{4}$
④ $\dfrac{1}{3}$ 　　　　⑤ $\dfrac{1}{2}$

0032 TOUGH

함수 $f(x)=\dfrac{|x-1|}{x-1}+\dfrac{x^2-4}{|x-2|}$에 대하여

$$\lim_{x\to 1-}f(x)+\lim_{x\to 2+}f(x)$$의 값은?

① 1 　　　　② 2 　　　　③ 3
④ 4 　　　　⑤ 5

유형 05 가우스함수의 극한

가우스 기호를 포함한 함수의 극한

$[x]$는 x보다 크지 않은 최대정수일 때, 정수 n에 대하여

① $x \to n+$일 때, $n \le x < n+1$이므로 $\lim\limits_{x \to n+}[x]=n$

② $x \to n-$일 때, $n-1 \le x < n$이므로 $\lim\limits_{x \to n-}[x]=n-1$

참고

① 가우스 기호를 포함한 함수 $y=[x]$는 정수 n을 기준으로
그 값이 달라진다는 점을 주의해야 한다.
즉 가우스의 극한값은 모든 정수 n을 기준으로 좌극한과 우극한이 다르다.

② $x \to \infty$일 때는 $[x] \to \infty$이고 x와 $[x]$의 차이는 무시할 수 있을 정도로
작으므로 가우스 기호가 포함되어 있더라도 가우스 기호를 무시하고
다항함수나 유리함수 또는 무리함수의 극한을 구하는 것과 같이 생각한다.

예 $\lim\limits_{x \to \infty}\dfrac{[\sqrt{x^2+x}]-\sqrt{x}}{x}$의 값을 구하면

$x \to \infty$일 때, $[\sqrt{x^2+x}] \to \infty$이므로

$\lim\limits_{x \to \infty}\dfrac{[\sqrt{x^2+x}]-\sqrt{x}}{x}=\lim\limits_{x \to \infty}\dfrac{\sqrt{x^2+x}-\sqrt{x}}{x}=1$

0033 학교기출 대표유형

상수 a, b, c, d에 대하여

$$\lim_{x \to 1+}[x-2]=a, \quad \lim_{x \to 1-}[-x+2]=b,$$

$$\lim_{x \to 3+}\frac{|2x-6|}{x-3}=c, \quad \lim_{x \to 3-}\frac{|x-3|}{x-3}=d$$

일 때, $a+b+c+d$의 값은?
(단, $[x]$는 x보다 크지 않은 최대의 정수이다.)

① -1 ② 0 ③ 1
④ 2 ⑤ 3

▶ 해설 내신연계기출

0034 최다빈출 왕중요 BASIC

함수 $f(x)=[x]^2+a[x]$에 대하여 등식

$$\lim_{x \to 2+}f(x)=\lim_{x \to 2-}f(x)$$

가 성립할 때, 상수 a의 값은?
(단, $[x]$는 x보다 크지 않은 최대의 정수이다.)

① -4 ② -3 ③ -2
④ 2 ⑤ 3

▶ 해설 내신연계기출

0035 NORMAL

함수 $f(x)=[x]^2-a[x]$에 대하여 $\lim\limits_{x \to 2}f(x)$가 존재하기 위한 실수 a의 값은? (단, $[x]$는 x보다 크지 않은 최대의 정수이다.)

① 2 ② 3 ③ 4
④ 5 ⑤ 6

0036 최다빈출 왕중요 NORMAL

어떤 정수 n에 대하여 $\lim\limits_{x \to n}\dfrac{[x]^2+x}{[x]}=k$일 때, 상수 k의 값은?
(단, $[x]$는 x보다 크지 않은 최대의 정수이다.)

① 1 ② 2 ③ 3
④ 4 ⑤ 5

▶ 해설 내신연계기출

0037 NORMAL

닫힌구간 $[-1, 3]$에서 정의된 함수 $y=f(x)$의 그래프가 다음
그림과 같을 때, $\lim\limits_{x \to 1-}\{f(x)+[f(x-1)]\}$의 값은?
(단, $[x]$는 x보다 크지 않은 최대의 정수이다.)

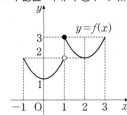

① -4 ② -3 ③ -2
④ 2 ⑤ 3

0038 TOUGH

이차함수 $f(x)$가 임의의 실수 x에 대하여

$$f(3-x)=f(3+x)$$

를 만족시킨다고 한다. 최댓값이 4일 때, $\lim\limits_{x \to 3}[f(x)]$의 값은?
(단, $[x]$는 x보다 크지 않은 최대의 정수이다.)

① 1 ② 2 ③ 3
④ 4 ⑤ 5

유형 06 함수의 극한값

좌극한과 우극한을 각각 구하였을 때,
① 두 값이 같으면 ⇨ 극한값이 존재한다.
② 두 값이 다르거나 수렴하지 않으면 ⇨ 극한값이 존재하지 않는다.

0039 학교기출 대표유형

다음 [보기]의 함수 $f(x)$에 대하여 $\lim_{x \to 0} f(x)$의 값이 존재하는 것을 있는 대로 고른 것은?

> ㄱ. $f(x) = \dfrac{1}{x}$
>
> ㄴ. $f(x) = x^2 - 1$
>
> ㄷ. $f(x) = \dfrac{|x|}{x}$

① ㄱ   ② ㄴ   ③ ㄱ, ㄴ
④ ㄴ, ㄷ   ⑤ ㄱ, ㄴ, ㄷ

0040   BASIC

다음 중 $x = 1$에서 극한값이 존재하는 함수의 그래프는?

0041   BASIC

다음 [보기]에서 극한값이 존재하는 것을 고른 것은?

> ㄱ. $\lim_{x \to 0} \dfrac{x^2 + x}{x}$ ㄴ. $\lim_{x \to 1} \dfrac{x^2 - 1}{x - 1}$
>
> ㄷ. $\lim_{x \to 0} \dfrac{1}{x}$ ㄹ. $\lim_{x \to 0} \dfrac{|x|}{x}$

① ㄱ, ㄴ   ② ㄱ, ㄷ   ③ ㄴ, ㄷ
④ ㄴ, ㄹ   ⑤ ㄷ, ㄹ

0042   BASIC

다음 중에서 극한값이 존재하는 것은?

① $\lim_{x \to 1} \dfrac{1}{x - 1}$ ② $\lim_{x \to 1} \sqrt{x + 3}$

③ $\lim_{x \to 1} \dfrac{|x - 1|}{x - 1}$ ④ $\lim_{x \to 0} \dfrac{x^2 - 2x}{|x|}$

⑤ $\lim_{x \to -\infty} (-4x^2 + 3)$

0043 최다빈출 왕중요   NORMAL

다음 [보기]에서 극한값이 존재하는 것을 고른 것은?

> ㄱ. $\lim_{x \to 0} \dfrac{x^2 + x}{|x|}$ ㄴ. $\lim_{x \to 1} \dfrac{x^2 - 2x + 1}{|x - 1|}$
>
> ㄷ. $\lim_{x \to 2} \dfrac{x^2 - 4}{|x - 2|}$ ㄹ. $\lim_{x \to 1} (x - 1)|x - 1|$

① ㄱ   ② ㄱ, ㄴ   ③ ㄴ, ㄹ
④ ㄴ, ㄷ, ㄹ   ⑤ ㄱ, ㄴ, ㄷ, ㄹ

▶ 해설 내신연계기출

0044   NORMAL

함수 $f(x)$가 다음과 같을 때, $\lim_{x \to 1} f(x)$의 값이 존재하지 않는 것은?

① $f(x) = \dfrac{(x - 1)^2}{x - 1}$ ② $f(x) = \dfrac{|x - 1|}{x - 1}$

③ $f(x) = \dfrac{x^3 - 1}{x - 1}$ ④ $f(x) = \dfrac{x^2 - 1}{x - 1}$

⑤ $f(x) = \dfrac{x^2 - 2x + 1}{|x - 1|}$

① $\lim_{x \to a+} f(x-a)$에서 $x-a=t$로 치환하면

$x \to a+$이면 $t \to 0+$이므로 $\lim_{x \to a+} f(x-a) = \lim_{t \to 0+} f(t)$

② $\lim_{x \to a+} f(-x)$에서 $-x=t$로 치환하면

$x \to a+$이면 $t \to -a-$이므로 $\lim_{x \to a+} f(-x) = \lim_{t \to -a-} f(t)$

③ $\lim_{x \to a+} f(a-x)$에서 $a-x=t$로 치환하면

$x \to a+$이면 $t \to 0-$이므로 $\lim_{x \to a+} f(a-x) = \lim_{t \to 0-} f(t)$

0045 학교기출 대표 유형

정의역이 $\{x \mid -2 \le x \le 2\}$인 함수 $y=f(x)$의 그래프는 다음 그림과 같을 때, $\lim_{x \to -1} f(x) + \lim_{x \to 1+} f(x-1)$의 값은?

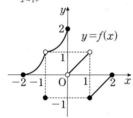

① -2 ② -1 ③ 0
④ 1 ⑤ 2

0046 최다빈출 왕 중요

BASIC

함수 $y=f(x)$의 그래프가 다음 그림과 같을 때, $\lim_{x \to 1+} f(x) + \lim_{x \to 1-} f(-x)$의 값은?

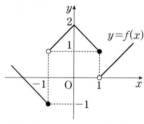

① -2 ② -1 ③ 0
④ 1 ⑤ 2

▶ 해설 내신연계기출

0047

BASIC

함수 $y=f(x)$의 그래프가 그림과 같다.

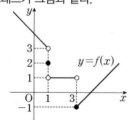

$\lim_{x \to 1-} f(x) + \lim_{x \to 2+} f(5-x)$의 값은?

① 1 ② 2 ③ 3
④ 4 ⑤ 5

0048

BASIC

함수 $y=f(x)$의 그래프가 다음 그림과 같을 때, $\lim_{x \to 1+} f(x) f(1-x)$의 값은?

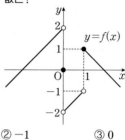

① -2 ② -1 ③ 0
④ 1 ⑤ 2

0049

NORMAL

함수 $f(x)$의 그래프가 다음 그림과 같을 때, 극한값이 존재하는 것을 [보기]에서 있는 대로 고른 것은?

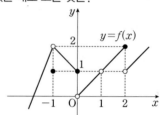

ㄱ. $\lim_{x \to -1} f(x)$

ㄴ. $\lim_{x \to 1} \{f(x) f(-x)\}$

ㄷ. $\lim_{x \to 2} \{f(x) + f(x-1)\}$

① ㄱ   ② ㄱ, ㄴ   ③ ㄱ, ㄷ
④ ㄴ, ㄷ   ⑤ ㄱ, ㄴ, ㄷ

0050 최다빈출 왕 중요

NORMAL

함수 $y=f(x)$의 그래프가 다음 그림과 같을 때, $\lim_{x \to 1-} f(x) f(x-1) + \lim_{x \to -1+} f(x) f(x+1)$의 값은?

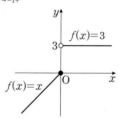

① -3 ② -2 ③ -1
④ 1 ⑤ 2

▶ 해설 내신연계기출

0051

NORMAL

함수 $y=f(x)$의 그래프가 다음 그림과 같다.

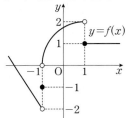

$\lim\limits_{x \to -1-} f(x)=a$일 때, $\lim\limits_{x \to a+} f(x+3)$의 값은?

① -2 ② -1 ③ 0

④ 1 ⑤ 2

0052

NORMAL

정의역이 $\{x \mid -2 \leq x \leq 2\}$인 함수 $y=f(x)$의 그래프가 구간 $[0, 2]$에서 그림과 같고 정의역에 속하는 모든 실수 x에 대하여 $f(-x)=-f(x)$이다. 이때 $\lim\limits_{x \to -1+} f(x) + \lim\limits_{x \to 2-} f(x)$의 값은?

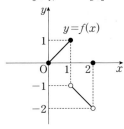

① -3 ② -1 ③ 0

④ 1 ⑤ 3

0053

TOUGH

$0 \leq x \leq 4$에서 함수 $y=f(x)$의 그래프가 그림과 같다. [보기]에서 옳은 것만을 있는 대로 고른 것은?

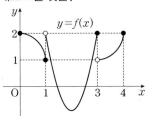

ㄱ. $\lim\limits_{x \to 0+} f(x)=2$

ㄴ. $\lim\limits_{x \to 1+} f(x) + \lim\limits_{x \to 4-} f(x-1)=3$

ㄷ. $\lim\limits_{x \to a+} f(x) > \lim\limits_{x \to a-} f(x)$를 만족시키는 실수 a가 적어도 2개 존재한다. (단, $0 < a < 4$)

① ㄱ   ② ㄴ   ③ ㄱ, ㄴ

④ ㄱ, ㄷ   ⑤ ㄱ, ㄴ, ㄷ

0054

최다빈출 왕중요   TOUGH

실수 전체의 집합에서 정의된 함수 $y=f(x)$의 그래프가 다음 그림과 같다.

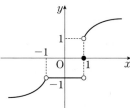

$\lim\limits_{x \to \infty} f\left(\dfrac{x+1}{x-1}\right) + \lim\limits_{x \to -1} f(x)$의 값은?

① -3 ② -2 ③ -1

④ 0 ⑤ 1

▶ 해설 내신연계기출

0055

TOUGH

실수 전체의 집합에서 정의된 함수 $y=f(x)$의 그래프가 다음 그림과 같다.

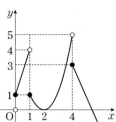

이때 $\lim\limits_{t \to \infty} f\left(f\left(\dfrac{2t-1}{t+1}\right)\right) - \lim\limits_{t \to -\infty} f\left(f\left(\dfrac{t+3}{t+1}\right)\right)$의 값은?

① -4 ② -2 ③ 0

④ 2 ⑤ 4

두 함수 $f(x)$, $g(x)$에 대하여 $\lim\limits_{x \to a+} g(f(x))$의 값은 $f(x)=t$로 놓고 다음 단계를 이용하여 구한다.

[1단계] 합성함수 $(g \circ f)(x)$에서 $x \to a+$일 때, $t \to k+$이면
$$\lim_{x \to a+} g(f(x))=\lim_{t \to k+} g(t)$$

[2단계] 합성함수 $(g \circ f)(x)$에서 $x \to a+$일 때, $t \to k-$이면
$$\lim_{x \to a+} g(f(x))=\lim_{t \to k-} g(t)$$

[3단계] 합성함수 $(g \circ f)(x)$에서 $x \to a+$일 때, $t=k$이면
$$\lim_{x \to a+} g(f(x))=\lim_{t \to k} g(t)=g(k)$$

0056 학교기출 대표 유형

두 함수 $f(x)$, $g(x)$의 그래프가 각각 다음과 같을 때, $\lim\limits_{x \to 2-} f(x) + \lim\limits_{x \to 1+} f(g(x))$의 값은?

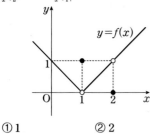 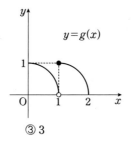

① 1   ② 2   ③ 3
④ 4   ⑤ 5

0057 최다빈출 왕 중요 NORMAL

함수 $y=f(x)$의 그래프가 그림과 같을 때,
$$\lim_{x \to -1+} f(x) + \lim_{x \to 1-} \{f(x)\}^2 + \lim_{x \to 0-} f(f(x))$$
의 값은?

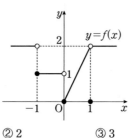

① 1   ② 2   ③ 3
④ 4   ⑤ 5

▶ 해설 내신연계기출

0058 NORMAL

$-2 \le x \le 2$에서 정의된 함수 $f(x)$의 그래프가 그림과 같다.

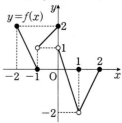

$\lim\limits_{x \to 0-} f(x) + \lim\limits_{x \to -1-} f(f(x)) + \lim\limits_{x \to 0+} f(f(x))$의 값은?

① -2 ② -1 ③ 0
④ 1   ⑤ 2

0059 NORMAL

두 함수 $y=f(x)$, $y=g(x)$의 그래프가 각각 다음과 같을 때, [보기]에서 옳은 것만을 있는 대로 고른 것은?

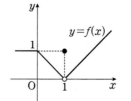 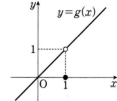

ㄱ. $\lim\limits_{x \to 1} f(x)=0$ ㄴ. $\lim\limits_{x \to 1} f(g(x))=1$
ㄷ. $\lim\limits_{x \to 1} g(f(x))=g(1)$

① ㄱ   ② ㄱ, ㄴ   ③ ㄱ, ㄷ
④ ㄴ, ㄷ   ⑤ ㄱ, ㄴ, ㄷ

0060 NORMAL

두 함수 $y=f(x)$와 $y=g(x)$의 그래프가 다음 그림과 같다.

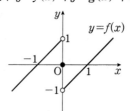 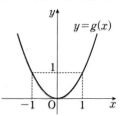

이때 [보기]에서 옳은 것만을 있는 대로 고른 것은?

ㄱ. $\lim\limits_{x \to 0} f(g(x))=0$ ㄴ. $\lim\limits_{x \to 0} f(f(x))=1$
ㄷ. $\lim\limits_{x \to 0} g(f(x))=1$

① ㄱ   ② ㄷ   ③ ㄱ, ㄷ
④ ㄴ, ㄷ   ⑤ ㄱ, ㄴ, ㄷ

0061

두 함수 $y=f(x)$, $y=g(x)$의 그래프가 각각 다음과 같을 때,

$$\lim_{x \to -1-} f(g(x))=a, \quad \lim_{x \to 1+} g(f(x))=b$$

일 때, $a+b$의 값은?

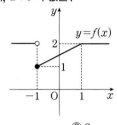 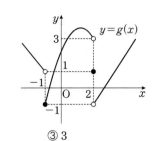

① 1   ② 2   ③ 3

④ 4   ⑤ 5

0063

최다빈출 왕 중요

다음 그림은 정의역이 $\{x \mid -2 \le x \le 3\}$인 함수 $y=f(x)$의 그래프이다. 함수 $g(x)=x^2-x$에 대하여

$$\lim_{x \to -1-} f(g(x)) + \lim_{x \to 1+} g(f(x))$$

의 값은?

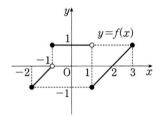

① −1   ② 0   ③ 1

④ 2   ⑤ 3

▶ 해설 내신연계기출

0062

최다빈출 왕 중요

두 함수 $y=f(x)$, $y=g(x)$의 그래프가 각각 다음과 같을 때,

$$\lim_{x \to 0-} f(g(x)) + \lim_{x \to 1-} g(f(x)) + \lim_{x \to -1-} f(f(x))$$

의 값은?

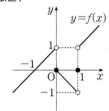 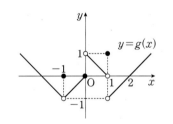

① 1   ② 2   ③ 3

④ 4   ⑤ 5

▶ 해설 내신연계기출

0064

두 함수 $y=f(x)$, $y=g(x)$의 그래프가 그림과 같을 때,

$$\lim_{x \to 0+} f(x+2)g(-1-x) + \lim_{x \to -1-} g(f(x))$$의 값은?

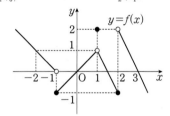 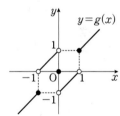

① −3   ② −2   ③ −1

④ 1   ⑤ 2

$\lim_{x \to a} f(x) = \alpha$, $\lim_{x \to a} g(x) = \beta$ (α, β는 실수)일 때,

① $\lim_{x \to a} \{f(x) \pm g(x)\} = \lim_{x \to a} f(x) \pm \lim_{x \to a} g(x) = \alpha \pm \beta$

② $\lim_{x \to a} c = c$ (단, c는 상수)

③ $\lim_{x \to a} kf(x) = k \lim_{x \to a} f(x) = k\alpha$ (단, k는 상수)

④ $\lim_{x \to a} f(x)g(x) = \lim_{x \to a} f(x) \times \lim_{x \to a} g(x) = \alpha\beta$

⑤ $\lim_{x \to a} \dfrac{f(x)}{g(x)} = \dfrac{\lim_{x \to a} f(x)}{\lim_{x \to a} g(x)} = \dfrac{\alpha}{\beta}$ (단, $g(x) \neq 0$, $\beta \neq 0$)

⑥ $f(x) \leq g(x)$이면 $\alpha \leq \beta$

참고 함수의 극한에 대한 성질은 $x \to \infty$, $x \to -\infty$일 때에도 모두 성립한다.

0065 학교기출 대표 유형

두 함수 $f(x)$, $g(x)$가

$$\lim_{x \to 2} f(x) = 1, \quad \lim_{x \to 2} g(x) = 2$$

를 만족시킬 때, $\lim_{x \to 2} \{3f(x) - 2g(x)\}$의 값은?

① -2 ② -1 ③ 0
④ 1 ⑤ 2

0066   BASIC

두 함수 $f(x)$, $g(x)$가

$$\lim_{x \to \infty} f(x) = 6, \quad \lim_{x \to \infty} g(x) = a$$

일 때, $\lim_{x \to \infty} \dfrac{f(x) - g(x)}{2f(x) - 3g(x)} = 1$을 만족시키는 실수 a의 값은?

① -3 ② -2 ③ 0
④ 2 ⑤ 3

0067 최다빈출 왕중요   BASIC

두 함수 $f(x)$, $g(x)$에 대하여

$$\lim_{x \to 1} f(x) = 6, \quad \lim_{x \to 1} \{2f(x) - 3g(x)\} = 18$$

일 때, $\lim_{x \to 1} g(x)$의 값은?

① -2 ② -1 ③ 1
④ 2 ⑤ 3

▶ 해설 내신연계기출

0068 최다빈출 왕중요   NORMAL

두 함수 $f(x)$, $g(x)$에 대하여

$$\lim_{x \to \infty} \{f(x) + 2g(x)\} = 7, \quad \lim_{x \to \infty} \{2f(x) - g(x)\} = 4$$

일 때, $\lim_{x \to \infty} \{f(x) + g(x)\}$의 값은?

① 4 ② 5 ③ 6
④ 7 ⑤ 8

▶ 해설 내신연계기출

0069   NORMAL

두 함수 $f(x)$, $g(x)$가

$$\lim_{x \to 2} \{f(x) + g(x)\} = 5, \quad \lim_{x \to 2} \dfrac{g(x)}{x^2 + x} = 1$$

을 만족시킬 때, $\lim_{x \to 2} f(x)$의 값은?

① -5 ② -4 ③ -3
④ -2 ⑤ -1

0070 최다빈출 왕중요   NORMAL

두 함수 $f(x)$, $g(x)$에 대하여 $\lim_{x \to 2} f(x) = \alpha$, $\lim_{x \to 2} g(x) = \beta$이고

$$\lim_{x \to 2} \{f(x) + g(x)\} = 3, \quad \lim_{x \to 2} f(x)g(x) = 2$$

일 때, 극한값 $\lim_{x \to 2} \dfrac{f(x) + 2}{3g(x) - 2}$의 값은? (단, $\alpha > \beta$)

① 2 ② 3 ③ 4
④ 5 ⑤ 6

▶ 해설 내신연계기출

0071   NORMAL

두 함수 $f(x)$, $g(x)$에 대하여 $\lim_{x \to 1} f(x) = \alpha$, $\lim_{x \to 1} g(x) = \beta$이고

$$\lim_{x \to 1} \{f(x) + g(x)\} = 1, \quad \lim_{x \to 1} f(x)g(x) = -2$$

일 때, 극한값 $\lim_{x \to 1} \dfrac{f(x) + 2}{2g(x) + 4}$의 값은? (단, $\alpha > \beta$)

① 1 ② 2 ③ 3
④ 4 ⑤ 5

유형 **10** 함수의 극한의 기본성질 (2)

(1) $\lim\limits_{x \to 0} \dfrac{f(x)}{x^n} = \alpha$ (단, α는 상수, n은 자연수)일 때,

⇨ 주어진 식의 양변을 x로 나누어 $\lim\limits_{x \to 0} \dfrac{f(x)}{x^n}$꼴을 유도하여

함수의 극한의 성질을 이용하여 극한값을 구한다.

(2) $\lim\limits_{x \to a} \dfrac{f(x)}{x-a} = \alpha$, $\lim\limits_{x \to b} \dfrac{f(x)}{x-b} = \beta$ (단, α, β는 상수)일 때,

⇨ 주어진 식의 양변을 $x-a$, $x-b$로 나누어

$\lim\limits_{x \to a} \dfrac{f(x)}{x-a} = \alpha$, $\lim\limits_{x \to b} \dfrac{f(x)}{x-b} = \beta$꼴을 유도하여

함수의 극한의 성질을 이용하여 극한값을 구한다.

0072 학교기출 대표 유형

함수 $f(x)$에 대하여 $\lim\limits_{x \to 0} \dfrac{f(x)}{x} = 5$일 때, $\lim\limits_{x \to 0} \dfrac{2x^2 + f(x)}{x^2 - f(x)}$의 값은?

① -2 ② -1 ③ 0
④ 1 ⑤ 2

0073 최다빈출 왕중요   BASIC

함수 $f(x)$에 대하여 $\lim\limits_{x \to 0} \dfrac{f(x)}{x} = 3$일 때, 다음 조건을 만족하는 극한값 a, b에 대하여 ab의 값은?

(가) $\lim\limits_{x \to 0} \dfrac{x + f(x)}{x - f(x)} = a$

(나) $\lim\limits_{x \to 0} \dfrac{2x^2 + 3f(x)}{3x^2 - 2f(x)} = b$

① -3 ② -2 ③ $-\dfrac{3}{2}$
④ 2 ⑤ 3

▶ 해설 내신연계기출

0074 최다빈출 왕중요   NORMAL

두 함수 $f(x)$, $g(x)$가

$$\lim\limits_{x \to 0} \dfrac{f(x)}{x^2} = 1, \ \lim\limits_{x \to 0} \dfrac{g(x)}{x} = 2$$

를 만족시킬 때, 극한값 $\lim\limits_{x \to 0} \dfrac{f(x) + x}{g(x) - x}$의 값은?

① 1 ② 2 ③ 3
④ 4 ⑤ 5

▶ 해설 내신연계기출

0075   NORMAL

두 함수 $f(x)$, $g(x)$가

$$\lim\limits_{x \to 1} \dfrac{f(x)}{x^2 - 1} = 9, \ \lim\limits_{x \to 1} \dfrac{g(x)}{x - 1} = 3$$

을 만족시킬 때, $\lim\limits_{x \to 1} \dfrac{f(x)}{g(x)}$의 값은?

① 6 ② 5 ③ 4
④ 3 ⑤ 2

0076   NORMAL

두 다항함수 $f(x)$, $g(x)$에 대하여

$$\lim\limits_{x \to -1} \dfrac{f(x)}{x + 1} = 3, \ \lim\limits_{x \to 0} \dfrac{g(x - 1)}{x} = 2$$

가 성립할 때, $\lim\limits_{x \to -1} \dfrac{g(x)}{2f(x)}$의 값은?

① $\dfrac{1}{3}$ ② $\dfrac{2}{3}$ ③ $\dfrac{3}{4}$
④ $\dfrac{3}{2}$ ⑤ 3

0077 최다빈출 왕중요   NORMAL

함수 $f(x)$가 $\lim\limits_{x \to 1}(x + 1)f(x) = 1$을 만족시킬 때, $\lim\limits_{x \to 1}(2x^2 + 1)f(x) = a$이다. $20a$의 값은?

① 10 ② 15 ③ 20
④ 25 ⑤ 30

▶ 해설 내신연계기출

0078 최다빈출 왕중요   TOUGH

두 함수 $f(x)$, $g(x)$가

$$\lim\limits_{x \to 2}(x + 1)f(x) = 6, \ \lim\limits_{x \to 2} \dfrac{g(x)}{x + 2} = 1$$

을 만족시킬 때, $\lim\limits_{x \to 2} \dfrac{\{2f(x)\}^2 + f(x)}{xg(x)}$의 값은?

① $\dfrac{3}{2}$ ② $\dfrac{7}{4}$ ③ 2
④ $\dfrac{9}{4}$ ⑤ $\dfrac{5}{2}$

▶ 해설 내신연계기출

$\lim\limits_{x \to a} \dfrac{f(x-a)}{x-a} = M$ (M은 실수)일 때,

⇨ $x-a = t$로 놓고 $\lim\limits_{t \to 0} \dfrac{f(t)}{t} = M$임을 이용한다.

0079 학교기출 대표유형

함수 $f(x)$가 $\lim\limits_{x \to a} \dfrac{f(x-a)}{x-a} = 2$를 만족시킬 때,

$\lim\limits_{x \to 0} \dfrac{2x+3f(x)}{3x^2+4f(x)}$의 값은? (단, a는 상수이다.)

① -1 ② 1 ③ 2
④ 3 ⑤ 4

0080 BASIC

함수 $f(x)$에 대하여 $\lim\limits_{x \to 2} \dfrac{f(x-2)}{x-2}$가 0이 아닌 일정한 값일 때,

극한값 $\lim\limits_{x \to 0} \dfrac{3f(x)+x^2}{f(x)-x^2}$은?

① -3 ② -2 ③ 1
④ 2 ⑤ 3

0081 최다빈출 상 중요   NORMAL

함수 $f(x)$에 대하여

$$\lim\limits_{x \to 1} \dfrac{f(x-1)}{x-1} = 2$$

일 때, $\lim\limits_{x \to 0} \dfrac{f(x)-3x^2}{f(x)+2x^2}$의 값은?

① -1 ② 0 ③ 1
④ 2 ⑤ 4

▶ 해설 내신연계기출

0082 NORMAL

함수 $f(x)$에 대하여 $\lim\limits_{x \to -1} \dfrac{f(x+1)}{2(x+1)} = \dfrac{1}{2}$일 때,

$\lim\limits_{x \to 0} \dfrac{x^2-3xf(x)}{4xf(x)-3x^2}$의 값은?

① -2 ② -1 ③ 0
④ 1 ⑤ 2

0083 NORMAL

함수 $f(x)$에 대하여 $\lim\limits_{x \to 2} \dfrac{f(x-2)}{x^2-2x} = 4$일 때, $\lim\limits_{x \to 0} \dfrac{f(x)}{x}$의 값은?

① 2 ② 4 ③ 6
④ 8 ⑤ 10

0084 최다빈출 상 중요   NORMAL

함수 $f(x)$에 대하여 $\lim\limits_{x \to 0} \dfrac{f(x)}{x} = 3$이 성립할 때,

$\lim\limits_{x \to 2} \dfrac{f(x-2)}{x^2-4}$의 값은?

① $\dfrac{1}{4}$ ② $\dfrac{1}{2}$ ③ $\dfrac{3}{4}$
④ 1 ⑤ $\dfrac{5}{4}$

▶ 해설 내신연계기출

0085 TOUGH

함수 $f(x)$에 대하여 $\lim\limits_{x \to 0} \dfrac{f(x)}{x} = 2$가 성립할 때,

$\lim\limits_{x \to -1} \dfrac{f(x+1)+x+1}{x^2-1}$의 값은?

① $-\dfrac{5}{2}$ ② $-\dfrac{3}{2}$ ③ $-\dfrac{1}{2}$
④ 0 ⑤ $\dfrac{1}{2}$

유형 12 함수의 기본성질의 활용

① 두 함수 $f(x)$, $g(x)$에 대하여 $\lim\limits_{x \to a}\{f(x)-g(x)\}=\alpha$일 때,

$f(x)-g(x)=h(x)$로 놓으면

$g(x)=f(x)-h(x)$이고, $\lim\limits_{x \to a}h(x)=\alpha$임을 이용한다.

② $\lim\limits_{x \to \infty}f(x)=\infty$, $\lim\limits_{x \to \infty}g(x)=\alpha$이면 $\lim\limits_{x \to \infty}\dfrac{g(x)}{f(x)}=0$임을 이용한다.

(단, α는 상수, $f(x)\neq 0$이다.)

$\Rightarrow \lim\limits_{x \to \infty}\{mf(x)-ng(x)\}=\alpha$ (단, α는 상수)일 때,

$\lim\limits_{x \to \infty}f(x)=\infty$이면 $\lim\limits_{x \to \infty}f(x)\left\{m-n\dfrac{g(x)}{f(x)}\right\}=\alpha$

$\therefore \lim\limits_{x \to \infty}\dfrac{g(x)}{f(x)}=\dfrac{m}{n}$

③ $\lim\limits_{x \to \infty}f(x)=\alpha$, $\lim\limits_{x \to \infty}g(x)=\infty$이면 $\lim\limits_{x \to \infty}\dfrac{f(x)}{g(x)}=0$임을 이용한다.

(단, α는 상수, $g(x)\neq 0$이다.)

$\Rightarrow \lim\limits_{x \to \infty}\{mf(x)-ng(x)\}=\alpha$ (단, α는 상수)일 때,

$\lim\limits_{x \to \infty}g(x)=\infty$이면 $\lim\limits_{x \to \infty}g(x)\left\{m\dfrac{f(x)}{g(x)}-n\right\}=\alpha$

$\therefore \lim\limits_{x \to \infty}\dfrac{f(x)}{g(x)}=\dfrac{n}{m}$

0086 학교기출 대표유형

두 함수 $f(x)$, $g(x)$에 대하여

$$\lim_{x \to \infty}f(x)=\infty, \quad \lim_{x \to \infty}\{f(x)-g(x)\}=1$$

일 때, $\lim\limits_{x \to \infty}\dfrac{f(x)+g(x)}{f(x)}$의 값은?

① -2 ② -1 ③ 0

④ 1 ⑤ 2

0087 최다빈출 왕중요 NORMAL

두 함수 $f(x)$, $g(x)$가 다음 조건을 모두 만족시킨다.

(가) $\lim\limits_{x \to \infty}f(x)=\infty$

(나) $\lim\limits_{x \to \infty}\{2f(x)-g(x)\}=1$

$\lim\limits_{x \to \infty}\dfrac{3f(x)+2g(x)}{9f(x)-2g(x)}$의 값은?

① $\dfrac{1}{2}$ ② $\dfrac{7}{5}$ ③ $\dfrac{9}{5}$

④ $\dfrac{7}{2}$ ⑤ $\dfrac{9}{2}$

▶ 해설 내신연계기출

0088 최다빈출 왕중요 NORMAL

두 함수 $f(x)$, $g(x)$가

$$\lim_{x \to \infty}\{f(x)-g(x)\}=2, \quad \lim_{x \to \infty}g(x)=\infty$$

를 만족할 때, $\lim\limits_{x \to \infty}\dfrac{g(x)-2f(x)}{2f(x)+3g(x)}$의 값은?

① $-\dfrac{1}{2}$ ② $-\dfrac{1}{3}$ ③ $-\dfrac{1}{4}$

④ $-\dfrac{1}{5}$ ⑤ $-\dfrac{1}{6}$

▶ 해설 내신연계기출

0089 NORMAL

두 함수 $f(x)$, $g(x)$에 대하여

$$\lim_{x \to \infty}f(x)=\infty, \quad \lim_{x \to \infty}\{2g(x)-5f(x)\}=10$$

일 때, $\lim\limits_{x \to \infty}\dfrac{3g(x)+f(x)}{4f(x)-2g(x)}$의 값은?

① $-\dfrac{17}{2}$ ② $-\dfrac{17}{5}$ ③ $-\dfrac{9}{5}$

④ $\dfrac{17}{5}$ ⑤ $\dfrac{17}{2}$

0090 최다빈출 왕중요 NORMAL

두 함수 $f(x)$, $g(x)$에 대하여

$$\lim_{x \to 3}f(x)=\infty, \quad \lim_{x \to 3}\dfrac{2f(x)-g(x)}{f(x)}=0$$

일 때, $\lim\limits_{x \to 3}\dfrac{f(x)+2g(x)}{f(x)-g(x)}$의 값은?

① -5 ② -3 ③ 0

④ 3 ⑤ 5

▶ 해설 내신연계기출

0091 TOUGH

실수 전체의 집합에서 정의된 두 함수 $f(x)$, $g(x)$에 대하여

$$\lim_{x \to 1}f(x)=\infty, \quad \lim_{x \to 1}\{f(x)-3g(x)\}=2$$

일 때, 옳은 것만을 [보기]에서 있는 대로 고른 것은?

ㄱ. $\lim\limits_{x \to 1}\dfrac{g(x)}{f(x)}=\dfrac{1}{3}$

ㄴ. $\lim\limits_{x \to 1}\{f(x)-g(x)\}=2$

ㄷ. $\lim\limits_{x \to 1}\dfrac{f(x)+2g(x)}{f(x)-2g(x)}=5$

① ㄱ   ② ㄷ   ③ ㄱ, ㄷ

④ ㄴ, ㄷ   ⑤ ㄱ, ㄴ, ㄷ

① 유리함수 ⇨ 분모, 분자를 각각 인수분해한 후 공통인수는 약분한다.

② 무리함수 ⇨ 분모, 분자에 $\sqrt{\ }$ 가 있는 쪽을 먼저 유리화한다.

참고 로피탈 정리 이용

$$\lim_{x \to a} \frac{g(x)}{f(x)} = \lim_{x \to a} \frac{g'(x)}{f'(x)} = \frac{g'(a)}{f'(a)}$$

(단, $f(x)$와 $g(x)$는 미분가능한 함수)

0092 학교기출 대표유형

$\lim\limits_{x \to 1} \dfrac{x^2+x-2}{x^2-x} + \lim\limits_{x \to -3} \dfrac{x+3}{\sqrt{x+4}-1}$의 값은?

① 2   ② 3   ③ 5

④ 7   ⑤ 8

0093 최다빈출 왕중요   BASIC

$\lim\limits_{x \to 1} \dfrac{x^2-3x+2}{x-1} + \lim\limits_{x \to -4} \dfrac{\sqrt{x+5}-1}{x+4}$의 값은?

① -1 ② $-\dfrac{1}{2}$ ③ $\dfrac{1}{2}$

④ 1 ⑤ $\dfrac{3}{2}$

▶ 해설 내신연계기출

0094 최다빈출 왕중요   BASIC

다음 조건을 만족하는 극한값 a, b에 대하여 ab의 값은?

(가) $\lim\limits_{x \to -1} \dfrac{x^2-1}{x^2-x-2} = a$

(나) $\lim\limits_{x \to 0} \dfrac{4x}{\sqrt{9+x}-\sqrt{9-x}} = b$

① 4   ② 6   ③ 8

④ 10   ⑤ 12

▶ 해설 내신연계기출

0095   BASIC

다음 조건을 만족하는 극한값 a, b에 대하여 ab의 값은?

(가) $\lim\limits_{x \to 1} \dfrac{x^2-1}{\sqrt{x+3}-2} = a$

(나) $\lim\limits_{x \to 2} \dfrac{\sqrt{6-x}-2}{\sqrt{3-x}-1} = b$

① 2   ② 3   ③ 4

④ 6   ⑤ 8

0096   BASIC

함수 $f(x) = \dfrac{1+x^3}{1+x}$에 대하여 $\lim\limits_{x \to 1} f(x)f(-x)$의 값은?

① -3 ② -1 ③ 1

④ 3 ⑤ 5

0097   NORMAL

$\lim\limits_{x \to a} \dfrac{x^3-a^3}{x^2-a^2} = 3$일 때, $\lim\limits_{x \to a} \dfrac{x^3-ax^2+a^2x-a^3}{x-a}$의 값은?

① -3 ② -2 ③ -1

④ 6 ⑤ 8

0098 최다빈출 왕중요   TOUGH

$\lim\limits_{x \to 0} \dfrac{\sqrt{x^2-ax+a^2}-a}{x}$의 값이 존재하기 위한 실수 a의 값의 범위는?

① $a > 0$ ② $a < 0$ ③ $a \geq 0$

④ $a \leq 0$ ⑤ $a > -1$

▶ 해설 내신연계기출

유형 14 $f(x)$를 포함한 $\dfrac{0}{0}$ 꼴의 극한값의 계산

분자, 분모가 모두 다항식인 $f(x)$를 포함한 유리식의 극한

⇨ 분자, 분모를 인수분해하여 공통인수를 약분하고 대입한다.

참고 함수 $f(x)$가 $x=a$에서 연속이면 $\lim\limits_{x\to a}f(x)=f(a)$이다.

0099 학교기출 대표 유형

$\lim\limits_{x\to 2}f(x)=7$일 때, $\lim\limits_{x\to 2}\dfrac{(x^2-4)f(x)}{x-2}$의 값은?

① 25 　　　② 26 　　　③ 27
④ 28 　　　⑤ 29

0100 최다빈출 왕 중요 　BASIC

모든 실수 x에서 연속인 함수 $f(x)$가

$$\lim_{x\to 1}\frac{(x^2-1)f(x)}{x-1}=4$$

를 만족시킬 때, $f(1)$의 값은?

① 1 　　　② 2 　　　③ 4
④ 5 　　　⑤ 6

▶ 해설 내신연계기출

0101 최다빈출 왕 중요 　BASIC

다항함수 $f(x)$에 대하여

$$\lim_{x\to 1}\frac{4(x^3-1)}{(x^2-1)f(x)}=1$$

일 때, $f(1)$의 값은?

① 6 　　　② 8 　　　③ 10
④ 12 　　　⑤ 14

▶ 해설 내신연계기출

0102 　NORMAL

다항함수 $f(x)$에 대하여

$$\lim_{x\to 2}\frac{3(x^3-8)}{(x^2-4)f(x)}=2$$

일 때, 다항식 $f(x)$를 $x-2$로 나누었을 때의 나머지는?

① 1 　　　② $\dfrac{3}{2}$ 　　　③ $\dfrac{7}{2}$
④ $\dfrac{9}{2}$ 　　　⑤ $\dfrac{11}{2}$

0103 　NORMAL

함수 $f(x)$에 대하여 $\lim\limits_{x\to 0}f(x)=3$일 때,

$$\lim_{x\to 0}\frac{\sqrt{1+xf(x)}-\sqrt{1-xf(x)}}{x}$$

의 값은?

① $\dfrac{1}{3}$ 　　　② 1 　　　③ 3
④ 4 　　　⑤ 5

0104 최다빈출 왕 중요 　NORMAL

함수 $f(x)$에 대하여 $\lim\limits_{x\to 2}\dfrac{f(x)-3}{x-2}=5$일 때,

$\lim\limits_{x\to 2}\dfrac{x-2}{\{f(x)\}^2-9}$의 값은?

① $\dfrac{1}{81}$ 　　　② $\dfrac{1}{21}$ 　　　③ $\dfrac{1}{24}$
④ $\dfrac{1}{27}$ 　　　⑤ $\dfrac{1}{30}$

▶ 해설 내신연계기출

0105 최다빈출 왕중요 · NORMAL

다항함수 $f(x)$가

$$\lim_{x \to -3} \frac{f(x)+1}{x+3}=5$$

를 만족시킬 때, $\lim_{x \to -3} \dfrac{\{f(x)\}^2+20f(x)+19}{x^2-9}$의 값은?

① -25 ② -20 ③ -15
④ -10 ⑤ -5

▶ 해설 내신연계기출

0106 · NORMAL

다항함수 $f(x)$에 대하여

$$\lim_{x \to 0} \frac{f(x)+2}{x}=3$$

이 성립할 때, $\lim_{x \to -2} \dfrac{\{f(x+2)\}^2-4}{x^2+2x}$의 값은?

① 6   ② 7   ③ 8
④ 9   ⑤ 10

0107 최다빈출 왕중요 · TOUGH

다항함수 $g(x)$에 대하여 극한값 $\lim_{x \to 1} \dfrac{g(x)-2x}{x-1}$가 존재한다.
다항함수 $f(x)$가

$$f(x)+x-1=(x-1)g(x)$$

를 만족시킬 때, $\lim_{x \to 1} \dfrac{f(x)g(x)}{x^2-1}$의 값은?

① 1   ② 2   ③ 3
④ 4   ⑤ 5

▶ 해설 내신연계기출

유형 15 $\dfrac{\infty}{\infty}$꼴의 극한값의 계산

① 유리함수 : 분모의 최고차항으로 분모 분자를 나눈다.
② 무리함수 : 근호 밖의 최고차항으로 분모 분자를 나눈다.

속해법 분모 분자의 차수를 비교하여 계산한다.
  ① (분자의 차수)>(분모의 차수)일 때 ⇨ ∞ 또는 $-\infty$로 발산한다.
  ② (분자의 차수)=(분모의 차수)일 때 ⇨ 최고차항의 계수의 비에 수렴한다.
  ③ (분자의 차수)<(분모의 차수)일 때 ⇨ 0에 수렴한다.

참고 $\dfrac{\infty}{\infty}$꼴의 극한에서 $x \to -\infty$일 때에는 $-x=t$로 놓고 식을 변형한 후
  $x \to -\infty$일 때, $t \to \infty$임을 이용하여 극한값을 구한다.

0108 학교기출 대표 유형

다음 [보기] 중 옳은 것을 있는 대로 고른 것은?

$$\text{ㄱ. } \lim_{x \to \infty} \frac{8x^2-3x+1}{(2x+1)^2}=2$$
$$\text{ㄴ. } \lim_{x \to \infty} \frac{2x+1}{\sqrt{x^2-2}}=2$$
$$\text{ㄷ. } \lim_{x \to \infty} \frac{3x+1}{\sqrt{x^2+1}+x}=3$$

① ㄱ   ② ㄴ   ③ ㄱ, ㄴ
④ ㄴ, ㄷ   ⑤ ㄱ, ㄴ, ㄷ

0109 최다빈출 왕중요 · NORMAL

다음 조건을 만족하는 극한값 a, b에 대하여 ab의 값은?

(가) $\lim_{x \to \infty} \dfrac{2x^2+x+5}{x^2-3x+1}=a$

(나) $\lim_{x \to 0} \dfrac{1-\sqrt{1-x^2}}{x^2}=b$

① $\dfrac{1}{2}$ ② 1   ③ 2
④ 4   ⑤ $\dfrac{1}{4}$

▶ 해설 내신연계기출

0110 · NORMAL

두 상수 a, b에 대하여

$$\lim_{x \to \infty} \frac{ax^2}{x^2-1}=2, \quad \lim_{x \to 1} \frac{a(x-1)}{x^2-1}=b$$

일 때, $a+b$의 값은?

① 1   ② 2   ③ 3
④ 4   ⑤ 5

0111

NORMAL

$\lim\limits_{x \to -\infty} \dfrac{\sqrt{x^2+2}-6}{x+3}$ 의 값은?

① -1 ② -2 ③ -3
④ -4 ⑤ -5

유형 16 ∞−∞꼴의 극한값 계산

① 다항식으로 주어진 경우
⇨ 최고차항으로 묶어 ∞×(0이 아닌 상수)꼴로 변형한다.

② 무리식으로 주어진 경우
⇨ 근호가 있는 식을 유리화 하여 $\dfrac{\infty}{\infty}$꼴로 변형한 다음 분모의 최고차항으로 분모 분자를 나눈다.

0112 최다빈출 왕중요

NORMAL

$\lim\limits_{x \to -\infty} \dfrac{-2x-1}{\sqrt{x^2+x}-x}$ 의 값은?

① -2 ② -1 ③ 0
④ 1 ⑤ 2

▶ 해설 내신연계기출

0115 학교기출 대표 유형

$\lim\limits_{x \to \infty} \dfrac{x^2+3x-4}{2x^2-1} + \lim\limits_{x \to \infty}(\sqrt{x^2+2x}-x)$ 의 값은?

① -1 ② $-\dfrac{1}{2}$ ③ $\dfrac{1}{2}$
④ 1 ⑤ $\dfrac{3}{2}$

▶ 해설 내신연계기출

0113 최다빈출 왕중요

NORMAL

함수 $f(x)=x^2+ax$에 대하여 $\lim\limits_{x \to 0} \dfrac{f(x)}{x}=3$일 때,

$\lim\limits_{x \to \infty} \dfrac{ax^3+3f(x)}{xf(x)}$ 의 값은?

① 1 ② 2 ③ 3
④ 4 ⑤ 5

▶ 해설 내신연계기출

0116 최다빈출 왕중요

NORMAL

다음 조건을 만족하는 극한값 a, b에 대하여 $a+b$의 값은?

(가) $\lim\limits_{x \to \infty}(\sqrt{x^2+3x-2}-\sqrt{x^2-x+2})=a$

(나) $\lim\limits_{x \to \infty} \dfrac{1}{\sqrt{x^2+2x+4}-x}=b$

① 2 ② 3 ③ 5
④ 7 ⑤ 8

▶ 해설 내신연계기출

0114

TOUGH

$\lim\limits_{x \to a} \dfrac{2x^2-(3+2a)x+3a}{x^2-3ax+2a^2}=1$일 때, $\lim\limits_{x \to \infty} \dfrac{5x}{\sqrt{2+4ax^2}-3a}$ 의 값은?

① $\dfrac{1}{2}$ ② 1 ③ $\dfrac{3}{2}$
④ 2 ⑤ $\dfrac{5}{2}$

0117

NORMAL

$\lim\limits_{x \to -\infty}(\sqrt{x^2+2x-3}+x)$ 의 값은?

① -2 ② -1 ③ 1
④ 2 ⑤ 3

0118

$\lim\limits_{x \to -\infty}(\sqrt{4x^2-2x}+2x)$의 값은?

① $\dfrac{1}{2}$ ② 1 ③ $\dfrac{3}{2}$

④ 2 ⑤ $\dfrac{5}{2}$

0119

$\lim\limits_{x \to -\infty}\dfrac{\sqrt{x^2+2}+4x}{\sqrt{4x^2+x}-x}$의 값은?

① -5 ② $-\dfrac{3}{5}$ ③ -1

④ 0 ⑤ 1

0120 최다빈출 왕중요

다음 조건을 만족하는 극한값 a, b에 대하여 $a+b$의 값은?

> (가) $\lim\limits_{x \to -\infty}\dfrac{4x}{\sqrt{x^2+2}-1}=a$
>
> (나) $\lim\limits_{x \to -\infty}(\sqrt{x^2+2x}+x)=b$

① -6 ② -5 ③ -3

④ -2 ⑤ -1

▶ 해설 내신연계기출

∞×0꼴의 극한은 통분하거나 유리화하여 $\dfrac{0}{0}$ 또는 $\dfrac{\infty}{\infty}$꼴로 변형한다.

0121 학교기출 대표 유형

$\lim\limits_{x \to 0}\dfrac{1}{x}\left(\dfrac{1}{x-1}+1\right)$의 값은?

① -2 ② -1 ③ 0

④ 1 ⑤ 2

0122 최다빈출 왕중요

$\lim\limits_{x \to 2}\dfrac{32x}{x^2-4}\left(\dfrac{1}{\sqrt{x+2}}-\dfrac{1}{2}\right)$의 값은?

① -2 ② -1 ③ $-\dfrac{1}{4}$

④ $-\dfrac{1}{2}$ ⑤ $-\dfrac{1}{16}$

▶ 해설 내신연계기출

0123

다음 중 극한값이 옳지 않은 것은?

① $\lim\limits_{x \to -1}\dfrac{x^2-1}{x+1}=-2$

② $\lim\limits_{x \to \infty}\dfrac{x^3-1}{3x^3-x+1}=\dfrac{1}{3}$

③ $\lim\limits_{x \to -2}\dfrac{2x^2+3x-2}{3x^2+5x-2}=\dfrac{2}{3}$

④ $\lim\limits_{x \to 0}\dfrac{1}{x}\left(\dfrac{1}{x+3}-\dfrac{1}{3}\right)=-\dfrac{1}{9}$

⑤ $\lim\limits_{x \to \infty}\left\{\sqrt{x(x+1)}-\sqrt{x(x-1)}\right\}=1$

0124 최다빈출 상 중요 NORMAL

다음 중에서 옳지 않은 것은?

① $\lim\limits_{x \to 2} \dfrac{x^2+3x-10}{x-2} = 7$

② $\lim\limits_{x \to \infty} \dfrac{6x^2+x}{2x^2+3} = 3$

③ $\lim\limits_{x \to 0} \dfrac{1-\sqrt{1-x^2}}{x^2} = 2$

④ $\lim\limits_{x \to 3} \dfrac{1}{x-3}\left(\dfrac{1}{2} - \dfrac{1}{\sqrt{x+1}}\right) = \dfrac{1}{16}$

⑤ $\lim\limits_{x \to \infty}(\sqrt{x^2+4x+1} - \sqrt{x^2-4x+1}) = 4$

▶ 해설 내신연계기출

0125 NORMAL

다음 중에서 옳지 않은 것은?

① $\lim\limits_{x \to -1} \dfrac{x^3-x^2-x+1}{x^2-1} = -2$

② $\lim\limits_{x \to 0} \dfrac{2-\sqrt{4-x}}{x} = 4$

③ $\lim\limits_{x \to 2}(x-2)\left(1+\dfrac{1}{x^2-4}\right) = \dfrac{1}{4}$

④ $\lim\limits_{x \to \infty}(\sqrt{x^2+8x}-x) = 4$

⑤ $\lim\limits_{x \to -2-} \dfrac{x^2-4}{|x+2|} = 4$

0126 NORMAL

다음 중에서 옳지 않은 것은?

① $\lim\limits_{x \to -1} \dfrac{x^2+3x+2}{x+1} = 1$

② $\lim\limits_{x \to 0} \dfrac{x}{\sqrt{1-x}-\sqrt{1+x}} = -1$

③ $\lim\limits_{x \to \infty} \dfrac{(2x+1)(4x-1)}{x^2-x+5} = 8$

④ $\lim\limits_{x \to \infty}(\sqrt{x^2+x} - \sqrt{x^2-x}) = 2$

⑤ $\lim\limits_{x \to -\infty} \dfrac{\sqrt{4x^2+3}}{x-2} = -2$

0127 최다빈출 상 중요 NORMAL

다음 [보기]에서 옳은 것을 모두 고르면?

> ㄱ. $\lim\limits_{x \to 1}(2x^2+3x-3) = 2$
>
> ㄴ. $\lim\limits_{x \to 2} \dfrac{\sqrt{x+23}-5}{x-2} = \dfrac{1}{5}$
>
> ㄷ. $\lim\limits_{x \to \infty} \dfrac{2x^2+5x-2}{(x+1)(2x+1)} = 1$
>
> ㄹ. $\lim\limits_{x \to -\infty}(x + \sqrt{x^2-4x+3}) = 2$

① ㄱ   ② ㄴ   ③ ㄱ, ㄷ

④ ㄱ, ㄷ, ㄹ   ⑤ ㄱ, ㄴ, ㄷ, ㄹ

▶ 해설 내신연계기출

두 함수 $f(x)$, $g(x)$에 대하여

① $\lim\limits_{x \to a} \dfrac{f(x)}{g(x)} = \alpha (\alpha$는 실수)이고,

$\lim\limits_{x \to a} g(x) = 0$이면 $\lim\limits_{x \to a} f(x) = 0$이다.

즉, (분모)$\to 0$이고 극한값이 존재하면 ⇨ (분자)$\to 0$

> 설명 함수의 극한에 대한 성질에 의하여
>
> $$\lim_{x \to a} f(x) = \lim_{x \to a} \left\{ \frac{f(x)}{g(x)} \times g(x) \right\} = \lim_{x \to a} \frac{f(x)}{g(x)} \times \lim_{x \to a} g(x) = \alpha \times 0 = 0$$

② $\lim\limits_{x \to a} \dfrac{f(x)}{g(x)} = \alpha (\alpha \neq 0$인 상수)이고,

$\lim\limits_{x \to a} f(x) = 0$이면 $\lim\limits_{x \to a} g(x) = 0$이다.

즉, (분자)$\to 0$이고 0이 아닌 극한값이 존재하면 ⇨ (분모)$\to 0$

> 설명 $\lim\limits_{x \to a} \dfrac{f(x)}{g(x)} = \alpha$이고 $\alpha \neq 0$이면 $\lim\limits_{x \to a} \dfrac{g(x)}{f(x)} = \dfrac{1}{\alpha}$
>
> 이때 $\lim\limits_{x \to a} f(x) = 0$이므로 함수의 극한에 대한 성질에 의하여
>
> $$\lim_{x \to a} g(x) = \lim_{x \to a} \left\{ \frac{g(x)}{f(x)} \times f(x) \right\} = \lim_{x \to a} \frac{g(x)}{f(x)} \times \lim_{x \to a} f(x) = \frac{1}{\alpha} \times 0 = 0$$

0128 학교기출 대표유형

$\lim\limits_{x \to 1} \dfrac{x^2 + ax + 3}{x - 1} = b$가 성립할 때 상수 a, b에 대하여 $a + b$의 값은?

① -6 ② -3 ③ -1

④ 3   ⑤ 6

0129 최다빈출 왕중요 BASIC

$\lim\limits_{x \to -1} \dfrac{x^2 - ax - b}{x + 1} = -3$가 성립할 때 상수 a, b에 대하여 $a + b$의 값은?

① -5 ② -3 ③ -1

④ 3   ⑤ 5

▶ 해설 내신연계기출

0130 최다빈출 왕중요 BASIC

$\lim\limits_{x \to 2} \dfrac{x^2 - ax + b}{x - 2} = 1$이 성립할 때 상수 a, b에 대하여 $a + b$의 값은?

① 5   ② 10   ③ 15

④ 20   ⑤ 25

▶ 해설 내신연계기출

0131 BASIC

$\lim\limits_{x \to 2} \dfrac{ax^2 + bx + 2}{x - 2} = 5$가 성립할 때 상수 a, b에 대하여 $a + b$의 값은?

① -5 ② -4 ③ -3

④ -2 ⑤ -1

0132 BASIC

$\lim\limits_{x \to -1} \dfrac{x + 1}{x^2 + ax + b} = \dfrac{1}{3}$가 성립할 때 상수 a, b에 대하여 ab의 값은?

① 8   ② 10   ③ 12

④ 15   ⑤ 20

0133 최다빈출 왕중요 BASIC

$\lim\limits_{x \to 2} \dfrac{x^2 - (a+2)x + 2a}{x^2 - b} = 3$을 만족시킬 때, 상수 a, b에 대하여 $a + b$의 값은?

① -6 ② -4 ③ -2

④ 0   ⑤ 2

▶ 해설 내신연계기출

0134 NORMAL

상수 a, b에 대하여

$$\lim_{x \to 2} \frac{x^3 - x^2 + ax + b}{x - 2} = 7$$

일 때, $a + b$의 값은?

① -5 ② -3 ③ -1

④ 3   ⑤ 5

0135 최다빈출 왕 중요

NORMAL

$\lim\limits_{x \to 2} \dfrac{x^2 - ax + b}{x^2 - 3x + 2} = 3$일 때, 상수 a, b에 대하여 $a+b$의 값은?

① -1 ② 0 ③ 1

④ 2 ⑤ 3

▶ 해설 내신연계기출

0136

NORMAL

두 상수 a, b에 대하여

$$\lim\limits_{x \to 2} \dfrac{1}{x-2}\left(\dfrac{1}{x+a} - \dfrac{1}{b}\right) = -\dfrac{1}{9}$$

일 때, $a+b$의 값은? (단, $b > 0$)

① 1 ② 2 ③ 3

④ 4 ⑤ 5

0137 최다빈출 왕 중요

NORMAL

$\lim\limits_{x \to 1} \dfrac{\sqrt{x+a} - 2}{x-1} = b$가 성립할 때, 상수 a, b에 대하여 ab의 값은?

① $\dfrac{1}{2}$ ② $\dfrac{2}{3}$ ③ $\dfrac{3}{4}$

④ $\dfrac{4}{5}$ ⑤ 4

▶ 해설 내신연계기출

0138 최다빈출 왕 중요

NORMAL

$\lim\limits_{x \to 3} \dfrac{\sqrt{x+a} - b}{x-3} = \dfrac{1}{2}$가 성립할 때, 상수 a, b에 대하여 $a+b$의 값은?

① -4 ② -3 ③ -2

④ -1 ⑤ 0

▶ 해설 내신연계기출

0139

NORMAL

두 상수 a, b에 대하여

$$\lim\limits_{x \to 3} \dfrac{\sqrt{x+a} - b}{x-3} = \dfrac{1}{4}$$

일 때, $a+b$의 값은?

① 3 ② 5 ③ 7

④ 9 ⑤ 11

0140

NORMAL

두 상수 a, b에 대하여

$$\lim\limits_{x \to 2} \dfrac{ax+b}{\sqrt{x+2} - 2} = 2$$

일 때, $a+b$의 값은?

① -1 ② $-\dfrac{1}{2}$ ③ 0

④ $\dfrac{1}{2}$ ⑤ 1

0141

NORMAL

두 상수 a, b에 대하여

$$\lim\limits_{x \to 2} \dfrac{\sqrt{x^2 + a} + b}{x-2} = \dfrac{2}{3}$$

일 때, $a+b$의 값은?

① -2 ② -1 ③ 0

④ 1 ⑤ 2

0142 최다빈출 왕 중요

NORMAL

상수 a, b에 대하여

$$\lim\limits_{x \to 2} \dfrac{x-2}{\sqrt{2x+a} + b} = 3$$

을 만족할 때, ab의 값은?

① -35 ② -25 ③ -15

④ -10 ⑤ 25

▶ 해설 내신연계기출

0143 최다빈출 왕중요

NORMAL

오른쪽 그림은 이차함수 $y=f(x)$의
그래프이다.

$$\lim_{x \to -2} \frac{f(x)}{x+2} = -8$$

일 때, $\lim_{x \to 2} \frac{f(x)}{x-2}$의 값은?

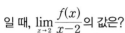

① 6   ② 7   ③ 8
④ 9   ⑤ 12

▶ 해설 내신연계기출

0144 최다빈출 왕중요

TOUGH

상수 a, b에 대하여

$$\lim_{x \to 3} \frac{x^2+ax+3}{x-3} = 2, \quad \lim_{x \to 1} \frac{x^2-1}{x^2+2x+b} = \frac{1}{2}$$

을 만족시킬 때, $\lim_{x \to \infty} \frac{3ax^2-x+2}{bx^2+2x+1}$의 값은?

① $\frac{1}{2}$ ② $\frac{3}{4}$ ③ 1
④ 4   ⑤ 6

▶ 해설 내신연계기출

0145

TOUGH

실수 a, b에 대하여 $\lim_{x \to 1} \frac{2a\sqrt{x}-b}{x-1} = 1$을 만족시킬 때,

$\lim_{x \to \infty} \frac{b}{\sqrt{ax^2+2x}-x}$의 값은?

① -4 ② -2 ③ 2
④ 4   ⑤ 6

유형 19   ∞−∞꼴 미정계수의 결정

$$\lim_{x \to \infty}\{f(x)-g(x)\}=a꼴$$

[1단계] 무리함수를 유리화 하여 $\frac{\infty}{\infty}$꼴로 변형한다.

[2단계] 분모의 최고차항으로 분모 분자를 나누어 미지수를 계산한다.

0146 학교기출 대표유형

$$\lim_{x \to \infty}(\sqrt{x^2+ax}-\sqrt{x^2-ax})=3$$을 만족하는 상수 a의 값은?

① 2   ② 3   ③ 4
④ 5   ⑤ 6

▶ 해설 내신연계기출

0147

BASIC

$\lim_{x \to \infty}(x+a-\sqrt{x^2+x+1})=0$을 만족시킬 때, 상수 a의 값은?

① $\frac{1}{2}$ ② 1   ③ $\frac{3}{2}$
④ 2   ⑤ $\frac{5}{2}$

0148

NORMAL

$\lim_{x \to -\infty}(\sqrt{ax^2+bx}+x)=-1$를 만족시키는 상수 a, b에 대하여 $a+b$의 값은?

① -3 ② -2 ③ 0
④ 3   ⑤ 6

0149 최다빈출 왕중요 | NORMAL

$\lim\limits_{x \to -\infty}(\sqrt{x^2+1}+ax)=b$를 만족시키는 상수 a, b에 대하여 $a+b$의 값은?

① -2 ② -1 ③ 0
④ 1 ⑤ 2

▶ 해설 내신연계기출

0150 최다빈출 왕중요 | NORMAL

상수 a, b에 대하여

$$\lim\limits_{x \to a}\frac{x^2-a^2}{x-a}=2 \text{이고 } \lim\limits_{x \to \infty}(\sqrt{x^2+ax}-\sqrt{x^2+bx})=8$$

일 때, $a+b$의 값은?

① -14 ② -12 ③ -10
④ -8 ⑤ -6

▶ 해설 내신연계기출

0151 | NORMAL

두 등식

$$\lim\limits_{x \to a}\frac{x^3-a^3}{x^2-a^2}=6, \ \lim\limits_{x \to \infty}(\sqrt{x^2+ax}-\sqrt{x^2+bx})=5$$

가 성립할 때, $a+b$의 값은? (단, a, b는 상수)

① -2 ② -1 ③ 1
④ 2 ⑤ 4

0152 최다빈출 왕중요 | TOUGH

서로 다른 두 실수 a, b에 대하여 $a+b=2$일 때,

$\lim\limits_{x \to \infty}\dfrac{\sqrt{x+a^2}-\sqrt{x+b^2}}{\sqrt{9x+a}-\sqrt{9x+b}}$ 의 값은?

① 2 ② 4 ③ 6
④ 8 ⑤ 10

▶ 해설 내신연계기출

유형 20 극한값을 이용한 다항함수의 결정 (1)

다항함수 $f(x)$에 대하여 $\lim\limits_{x \to a}\dfrac{f(x)}{x-a}=k$ (k는 상수)

⇨ $f(a)=0$이므로 $f(x)=(x-a)g(x)$

0153 학교기출 대표유형

삼차함수 $f(x)$가

$$\lim\limits_{x \to -1}\frac{f(x)}{x+1}=-3, \ \lim\limits_{x \to 2}\frac{f(x)}{x-2}=-6$$

을 만족시킬 때, $f(3)$의 값은?

① -18 ② -16 ③ -14
④ -12 ⑤ -10

▶ 해설 내신연계기출

0154 최다빈출 왕중요 | NORMAL

삼차함수 $f(x)$에 대하여

$$\lim\limits_{x \to 1}\frac{f(x)}{x-1}=2, \ \lim\limits_{x \to 2}\frac{f(x)}{x-2}=-1$$

을 만족시킬 때, $\lim\limits_{x \to 3}\dfrac{f(x)}{x-3}$의 값은?

① 1 ② 2 ③ 3
④ 4 ⑤ 5

▶ 해설 내신연계기출

0155 | NORMAL

삼차함수 $f(x)$가 다음 조건을 만족시킨다.

(가) $\lim\limits_{x \to 1}\dfrac{f(x)}{x-1}=a, \ \lim\limits_{x \to 2}\dfrac{f(x)}{x-2}=-6$

(나) 방정식 $f(x)=0$의 세 실근의 합은 7이다.

상수 a의 값은?

① 7 ② 8 ③ 9
④ 10 ⑤ 11

01 함수의 극한

다항함수 $f(x)$, $g(x)$에 대하여

① $\lim_{x \to a} \dfrac{f(x)}{x-a} = L$ (L은 실수)이면

    ⇨ $f(a)=0$이므로 $f(x)=(x-a)g(x)$로 놓을 수 있다.

② $\lim_{x \to \infty} \dfrac{f(x)}{g(x)} = M$ ($M \neq 0$인 실수)이면

    ⇨ $f(x)$와 $g(x)$의 차수가 같고, 최고차항의 계수의 비는 M이다.

참고 $\lim_{x \to \infty} \dfrac{f(x)}{ax^n+bx^{n-1}+\cdots+cx+d} = M$ ($M \neq 0$인 실수)

    ⇨ $f(x)=Max^n+b'x^{n-1}+\cdots+c'x+d'$

0156 학교기출 대표유형

x에 대한 다항함수 $f(x)$에 대하여

$$\lim_{x \to \infty} \frac{f(x)}{2x^2+3x+5} = 1, \quad \lim_{x \to 2} \frac{f(x)}{x-2} = 6$$

일 때, $f(1)$의 값은?

① -4 ② -2 ③ -1

④ 0 ⑤ 4

0157

x에 대한 다항식 $f(x)$에 대하여

$$\lim_{x \to \infty} \frac{f(x)}{2x^2+x+1} = 1, \quad \lim_{x \to 1} \frac{f(x)}{x^2+x-2} = 2$$

가 성립할 때, $f(2)$의 값은?

① 8 ② 9 ③ 10

④ 11 ⑤ 12

0158 최다빈출 왕중요

다항함수 $f(x)$가

$$\lim_{x \to \infty} \frac{f(x)}{x^2+4x+3} = 2, \quad \lim_{x \to 1} \frac{x-1}{f(x)} = -1$$

을 만족시킬 때, $f(3)$의 값은?

① 2 ② 4 ③ 6

④ 8 ⑤ 10

▶ 해설 내신연계기출

0159 최다빈출 왕중요   NORMAL

x에 대한 다항함수 $f(x)$가

$$\lim_{x \to \infty} \frac{f(x)-3x^3}{x^2} = 2, \quad \lim_{x \to 0} \frac{f(x)}{x} = 2$$

를 만족시킬 때, $f(1)$의 값은?

① 1 ② 2 ③ 3

④ 4 ⑤ 7

▶ 해설 내신연계기출

0160   NORMAL

다항함수 $f(x)$가

$$\lim_{x \to \infty} \frac{f(x)-x^3}{x^2} = 2, \quad \lim_{x \to 0} \frac{f(x)-6}{x} = -3$$

을 만족시킬 때, $f(1)$의 값은?

① -6 ② -2 ③ -1

④ 2 ⑤ 6

0161 최다빈출 왕중요   NORMAL

x에 대한 다항식 $f(x)$가

$$\lim_{x \to \infty} \frac{f(x)-2x^2}{2x+3} = a, \quad \lim_{x \to 2} \frac{f(x)}{x-2} = 6$$

을 만족시킬 때, 실수 a의 값은? (단, $a \neq 0$)

① -4 ② -3 ③ -2

④ -1 ⑤ 1

▶ 해설 내신연계기출

0162   NORMAL

함수 $f(x) = \dfrac{ax^3+bx^2+cx+d}{x^2-1}$에 대하여

$$\lim_{x \to \infty} f(x) = 3, \quad \lim_{x \to 1} f(x) = 2$$

가 성립하도록 하는 상수 a, b, c, d에 대하여 $a+b+c+d$의 값은?

① -2 ② -1 ③ 0

④ 1 ⑤ 2

0163 최다빈출 ⊕ 중요 NORMAL

다항함수 $f(x)$가

$$\lim_{x \to \infty} \frac{f(x)-x^2}{x}=3, \quad \lim_{x \to 1} \frac{x^2-1}{(x-1)f(x)}=1$$

을 만족시킬 때, $f(2)$의 값은?

① 4　　　　② 5　　　　③ 6
④ 7　　　　⑤ 8

▶ 해설 내신연계기출

0164 TOUGH

다항함수 $f(x)$에 대하여

$$\lim_{x \to \infty} \frac{f(x)}{x^3+5}=2, \quad \lim_{x \to -1} \frac{f(x)}{x+1}=6, \quad \lim_{x \to 2} \frac{f(x)}{x-2}=p$$

일 때, 실수 p의 값은?

① 8　　　　② 10　　　　③ 12
④ 14　　　　⑤ 16

0165 최다빈출 ⊕ 중요 TOUGH

다항함수 $f(x)$가

$$\lim_{x \to 0+} \frac{x^3 f\left(\frac{1}{x}\right)-1}{x^3+x}=5, \quad \lim_{x \to 1} \frac{f(x)}{x^2+x-2}=\frac{1}{3}$$

을 만족시킬 때, $f(2)$의 값은?

① 8　　　　② 10　　　　③ 12
④ 14　　　　⑤ 16

▶ 해설 내신연계기출

0166 TOUGH

다항함수 $f(x)$가 다음 두 조건을 만족시킬 때, $\lim_{x \to 1} f(x)$의 값은?

(가) $\lim_{x \to 0+} x^2 f\left(\frac{1}{x}\right)=2$

(나) $\lim_{x \to 2} \frac{f(x)}{x^2-4}=3$

① −10　　　② −8　　　③ −6
④ −4　　　⑤ −2

유형 22 함수의 극한의 대소 관계

두 함수 $f(x)$, $g(x)$에 대하여

$$\lim_{x \to a} f(x)=\alpha, \quad \lim_{x \to a} g(x)=\beta \ (\alpha, \beta \text{는 실수})$$

일 때, a에 가까운 모든 실수 x에 대하여 다음이 성립한다.

① $f(x) \leq g(x)$이면 $\lim_{x \to a} f(x) \leq \lim_{x \to a} g(x)$, 즉 $\alpha \leq \beta$

② $f(x) < g(x)$이면 $\lim_{x \to a} f(x) \leq \lim_{x \to a} g(x)$, 즉 $\alpha \leq \beta$

③ 함수 $h(x)$에 대하여 $f(x) \leq h(x) \leq g(x)$이고 $\alpha=\beta$이면

$$\lim_{x \to a} h(x)=\alpha$$

참고 함수의 극한의 대소 관계는 $x \to a$를
$x \to a-$, $x \to a+$, $x \to \infty$, $x \to -\infty$ 중 하나로 바꾸어도 성립한다.

0167 학교기출 대표 유형

모든 양수 x에 대하여 함수 $f(x)$가

$$\frac{2x-3}{x} < f(x) < \frac{2x^2+x}{x^2}$$

를 만족시킬 때, $\lim_{x \to \infty} f(x)$의 값은?

① −3　　　　② −2　　　　③ 1
④ 2　　　　⑤ 3

▶ 해설 내신연계기출

0168 최다빈출 ⊕ 중요 BASIC

함수 $f(x)$가 모든 양수 x에서

$$5x-1 < xf(x) < 5x+1$$

을 만족시킬 때, $\lim_{x \to \infty} f(x)$의 값은?

① −5　　　　② −1　　　　③ $-\frac{1}{5}$
④ 1　　　　⑤ 5

▶ 해설 내신연계기출

0169 최다빈출 ⊕ 중요 BASIC

임의의 양의 실수 x에 대하여 함수 $f(x)$가 부등식

$$\frac{3x^2-1}{x+3} \leq f(x) \leq \frac{6x^2}{2x+1}$$

을 만족시킬 때, $\lim_{x \to \infty} \frac{f(x)}{x}$의 값은?

① −3　　　　② −2　　　　③ 1
④ 2　　　　⑤ 3

▶ 해설 내신연계기출

0170

양의 실수 전체의 집합에서 정의된 함수 $f(x)$가

$$\frac{x^2-x}{2x+3} \le f(x) \le \frac{x^2+x}{2x+1}$$

를 만족시킬 때, $\lim\limits_{x \to \infty} \dfrac{f(3x)}{x}$의 값은?

① $\dfrac{1}{2}$ ② 1 ③ $\dfrac{3}{2}$

④ 2 ⑤ $\dfrac{5}{2}$

0171

임의의 양의 실수 x에 대하여 함수 $f(x)$가 부등식

$$2ax^3+x^2+1 < 3x^3 f(x) < 2ax^3+2x^2+2$$

를 만족시키고 $\lim\limits_{x \to \infty} f(x)=2$일 때, 상수 a의 값은?

① $\dfrac{1}{3}$ ② $\dfrac{1}{2}$ ③ 1

④ 2 ⑤ 3

0172

함수 $f(x)$가 모든 실수 x에 대하여

$$2x-5 < f(x) < 2x+3$$

을 만족시킬 때, $\lim\limits_{x \to \infty} \dfrac{\{f(x)\}^2}{x^2+1}$의 값은?

① 1 ② 2 ③ 3

④ 4 ⑤ 5

0173 최다빈출 왕중요

함수 $f(x)$가 모든 실수 x에 대하여

$$2x+1 < f(x) < 2x+4$$

를 만족시킬 때, $\lim\limits_{x \to \infty} \dfrac{\{f(x)\}^3}{x^3+1}$의 값은?

① 8 ② 9 ③ 27

④ 36 ⑤ 64

▶ 해설 내신연계기출

0174

함수 $f(x)$가 모든 실수 x에 대하여

$$-x^2+2x \le f(x) \le x^2+2x$$

를 만족시킬 때, 극한값 $\lim\limits_{x \to 0+} \dfrac{\{f(x)\}^2}{x\{2x+f(x)\}}$의 값은?

① -2 ② -1 ③ 0

④ 1 ⑤ 3

0175

이차함수 $f(x)=2x^2-4x+5$의 그래프를 y축의 방향으로 a만큼 평행이동시킨 이차함수 $y=g(x)$의 그래프에 대하여 $y=f(x)$와 $y=g(x)$의 그래프 사이에 $y=h(x)$의 그래프가 존재할 때, $\lim\limits_{x \to \infty} \dfrac{h(x)}{x^2}$의 값은? (단, $a>0$)

① 1 ② 2 ③ 3

④ 4 ⑤ 5

0176 최다빈출 왕중요

실수 전체의 집합에서 정의된 함수 $f(x)$가 부등식

$$2x^3-6x^2+4x \le f(x) \le x^4-2x^3+1$$

을 만족시킬 때, $\lim\limits_{x \to 1} \dfrac{f(x)}{x-1}$의 값은?

① -4 ② -3 ③ -2

④ -1 ⑤ 0

▶ 해설 내신연계기출

0177

함수 $f(x)$가 모든 실수 x에 대하여 $|f(x)-2x| < 1$을 만족시킬 때, $\lim\limits_{x \to \infty} \dfrac{\{f(x)\}^2}{x^2-x+1}$의 값은?

① 2 ② 3 ③ 4

④ 5 ⑤ 6

유형 23 $\frac{\infty}{\infty}$꼴 함수의 극한의 활용

[1단계] 구하는 선분의 길이, 점의 좌표 등을 식으로 나타낸다.
[2단계] $\frac{\infty}{\infty}$꼴의 극한의 성질을 이용하여 극한값을 구한다.

0178 학교기출 대표유형

다음 그림과 같이 두 점 A$(0, t)(t > 0)$, B$(-1, 0)$을 지나는 직선과 원 $x^2+y^2=1$의 교점 중에서 B가 아닌 점을 P라 하고, 점 P에서 x축에 내린 수선의 발을 H라고 할 때, $\lim_{t \to \infty}(\overline{OA} \times \overline{PH})$의 값은?

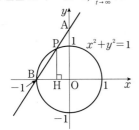

① $\frac{1}{2}$ ② 1   ③ $\frac{3}{2}$

④ 2   ⑤ 4

▶ 해설 내신연계기출

0179 최다빈출 왕중요

오른쪽 그림과 같이 직선 $y=x+1$ 위에 두 점 A$(-1, 0)$과 P$(t, t+1)$이 있다. 점 P를 지나고 직선 $y=x+1$에 수직인 직선이 y축과 만나는 점을 Q라 할 때, $\lim_{t \to \infty}\dfrac{\overline{AQ}^2}{\overline{AP}^2}$의 값은?

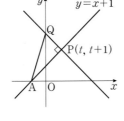

① 1   ② $\frac{3}{2}$ ③ 2

④ $\frac{5}{2}$ ⑤ 3

▶ 해설 내신연계기출

0180 NORMAL

오른쪽 그림과 같이 곡선 $y=\sqrt{x}$ 위의 점 P$(t, \sqrt{t})$를 지나고 선분 OP에 수직인 직선 l의 x절편과 y절편을 각각 $f(t)$, $g(t)$라고 할 때, $\lim_{t \to \infty}\dfrac{g(t)-f(t)}{g(t)+f(t)}$의 값은? (단, $t \neq 0$)

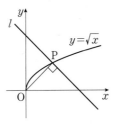

① 1   ② 2   ③ 4

④ 6   ⑤ 10

0181 NORMAL

오른쪽 그림과 같이 함수 $y=\sqrt{x}$의 그래프 위의 점 A$(t, \sqrt{t})$에 대하여 선분 OA의 수직이등분선 l의 x절편과 y절편을 각각 $f(t)$, $g(t)$라고 할 때, 극한값 $\lim_{t \to \infty}\dfrac{f(t)-g(t)}{f(t)+g(t)}$의 값은?

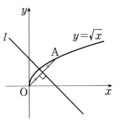

① -2 ② -1 ③ 1

④ 2   ⑤ 3

0182 최다빈출 왕중요 TOUGH

오른쪽 그림과 같이 곡선 $y=x^2$ 위의 점 P(t, t^2), Q$(-2t, 4t^2)$이 있다. △OPQ의 넓이를 $f(t)$라고 하고 직선 QP와 y축과의 교점의 y좌표를 $g(t)$라고 할 때, $\lim_{t \to \infty}\dfrac{t \cdot g(t)-t}{2f(t)+1}$의 값은? (단, 점 O는 원점이고 $t > 0$)

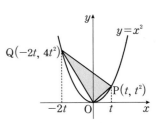

① $\frac{1}{3}$ ② $\frac{2}{3}$ ③ 1

④ $\frac{5}{2}$ ⑤ 3

▶ 해설 내신연계기출

0183 최다빈출 왕중요 TOUGH

오른쪽 그림과 같이 직선 $y=x$에 접하고 중심이 $\left(a, a+\dfrac{1}{a}\right)$인 원이 있다. 직선 $y=-2x-1$에서 원 위의 점까지의 최솟값을 d라고 할 때, $\lim_{a \to \infty}\dfrac{d}{a}$의 값은?

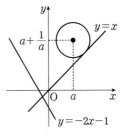

① $\frac{3\sqrt{5}}{5}$ ② $\frac{4\sqrt{5}}{5}$ ③ $2\sqrt{5}$

④ $3\sqrt{2}$ ⑤ $4\sqrt{5}$

▶ 해설 내신연계기출

[1단계] 구하는 선분의 길이, 점의 좌표 등을 식으로 나타낸다.
[2단계] ∞−∞꼴의 극한의 성질을 이용하여 극한값을 구한다.

0184 학교기출 대표유형

오른쪽 그림과 같이 곡선 $y=\sqrt{2x}$ 위의
점 $A(a, b)$에서 x축에 내린 수선의 발
을 B라고 하자. $f(a)=\overline{OA}-\overline{OB}$일 때,
$\lim_{a \to \infty} f(a)$의 값은? (단, $a \neq 0$이고 O는
원점이다.)

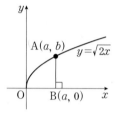

① 1
② $\frac{1}{2}$
③ $\frac{1}{3}$
④ $\frac{1}{4}$
⑤ $\frac{1}{5}$

0185 최다빈출 상중요 NORMAL

오른쪽 그림과 같이 곡선 $y=x^2$ 위의
점 P가 제 1사분면 위에 있다. 점 P에
서 x축에 내린 수선의 발을 H라 하고
$\overline{OH}=x$라 할 때, $\lim_{x \to \infty} (\overline{PO}-\overline{PH})$의
값은? (단, O는 원점)

① $\frac{1}{2}$
② 1
③ $\frac{3}{2}$
④ 2
⑤ 4

▶ 해설 내신연계기출

0186 NORMAL

오른쪽 그림과 같이 두 곡선
$y=\sqrt{3x}$, $y=\sqrt{x}$와 직선
$x=k(k>0)$의 교점을 각각 A, B
라고 할 때, $\lim_{k \to \infty} \{\overline{OA}-\overline{OB}\}$의 값
은? (단, O는 원점이다.)

① $\frac{1}{2}$
② 1
③ $\frac{3}{2}$
④ 2
⑤ 4

0187 최다빈출 상중요 TOUGH

오른쪽 그림과 같이 곡선 $y=x^2$ 위의
점 $P(t, t^2)$을 지나고 직선 OP에 수
직인 직선 l과 y축과의 교점을 A라고
할 때, $\lim_{t \to \infty} (\overline{OA}-\overline{OP})$의 값은?
(단, O는 원점이고, $t>0$이다.)

① $\frac{1}{2}$
② 1
③ $\frac{3}{2}$
④ 2
⑤ 4

▶ 해설 내신연계기출

주어진 문제에서 함수 $f(x)$의 식을 세워서 $f(x)$의 극한값을 구한다.
점 (x, y)가 점 (a, b)에 가까워질 때 $f(x)$의 극한값은 $\lim_{x \to a} f(x)$이다.

0188 학교기출 대표유형

오른쪽 그림과 같이 곡선 $y=x^2$ 위
의 원점이 아닌 점 P에 대하여 점 P
와 원점 O를 지나고 y축 위의 점 Q
를 중심으로 하는 원이 있다. 점 P가
곡선 $y=x^2$을 따라 원점 O에 한없
이 가까워질 때, 점 Q는 점 $(0, a)$에
한없이 가까워진다. 이때 a의 값은?

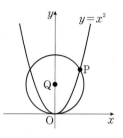

① $\frac{1}{2}$
② $\frac{1}{3}$
③ 1
④ 2
⑤ 3

0189 NORMAL

오른쪽 그림과 같이 x축 위의 점
$P(a, 0)$을 지나고 y축에 평행한
직선이 곡선 $y=\frac{1}{8}x^2$,
원 $x^2+(y-3)^2=9$와 만나는 점
을 아래부터 차례로 A, B라 하
자. $\lim_{a \to 0+} \dfrac{\overline{PA}}{\overline{PB}}$의 값은?

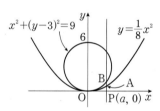

① $\frac{1}{3}$
② $\frac{1}{2}$
③ $\frac{2}{3}$
④ $\frac{3}{4}$
⑤ 3

0190 NORMAL

오른쪽 그림과 같이 곡선
$y=\sqrt{2x-2}$ 위를 움직이는 점 P에서
x축에 내린 수선 또는 수선의 연장선
위에 점 $A(3, 2)$에서 내린 수선의 발
을 Q라고 하자. 점 P가 점 A에 한없
이 가까워질 때, $\dfrac{\overline{PQ}}{\overline{AQ}}$의 극한값은?

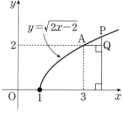

① $\frac{1}{5}$
② $\frac{1}{4}$
③ $\frac{1}{3}$
④ $\frac{1}{2}$
⑤ $\frac{3}{2}$

0191 최다빈출 왕중요 NORMAL

오른쪽 그림과 같이 곡선 $y=x^2$ 위의
점 P에 대하여 $\overline{OP}=\overline{OQ}$를 만족시키
도록 점 Q를 x축 위에 잡고 두 점
P, Q를 지나는 직선이 y축과 만나는
점을 R이라 하자. 점 P가 원점에 한
없이 가까워질 때, 점 R는 점 $(0, a)$
에 한없이 가까워질 때, a의 값은?
(단, O는 원점이고 점 P의 x좌표는 양수이다.)

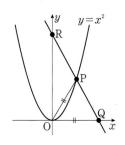

① $\frac{1}{2}$ ② $\frac{1}{3}$ ③ 1

④ 2 ⑤ 3

▶ 해설 내신연계기출

0192 최다빈출 왕중요 NORMAL

오른쪽 그림과 같이 곡선 $y=x^2$ 위
의 한 점 $P(t, t^2)$과 세 점 A(2, 0),
B(0, 4), C(2, 4)가 있다. 삼각형
PBC와 삼각형 PCA의 넓이의 합을
$f(t)$라 할 때, $\lim_{t \to 2+}\frac{f(t)}{t-2}$의 값은?
(단, $t > 2$)

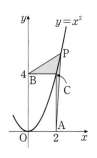

① 1 ② 2 ③ 4

④ 6 ⑤ 8

▶ 해설 내신연계기출

0193 최다빈출 왕중요 NORMAL

원 $x^2+y^2=1$ 위의 점
$P(t, \sqrt{1-t^2})(0<t<1)$에서의 접
선이 x축과 만나는 점을 Q, 선분
OQ의 중점을 M이라고 하자. 삼각
형 PMQ의 넓이를 $S(t)$라 할 때,
$\lim_{t \to 1-}\frac{\{S(t)\}^2}{1-t}$의 값은?

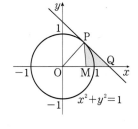

① $\frac{1}{8}$ ② $\frac{1}{6}$ ③ $\frac{1}{4}$

④ $\frac{1}{3}$ ⑤ $\frac{1}{2}$

▶ 해설 내신연계기출

0194 최다빈출 왕중요 NORMAL

그림과 같이 두 점 A$(a, 0)$, B(0, 3)에 대하여 삼각형 OAB에
내접하는 원 C가 있다. 원 C의 반지름의 길이를 r이라 할 때,
$\lim_{a \to 0+}\frac{r}{a}$의 값은? (단, O는 원점이다.)

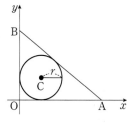

① $\frac{1}{6}$ ② $\frac{1}{5}$ ③ $\frac{1}{4}$

④ $\frac{1}{3}$ ⑤ $\frac{1}{2}$

▶ 해설 내신연계기출

0195 TOUGH

오른쪽 그림과 같이 반지름의 길이가
1인 원 O 위에 점 A가 있고 선분 OA
위를 움직이는 점 P가 있다. 또, 점 P
를 지나고 선분 OA에 수직인 직선이
원 O와 만나는 한 점을 P′이라 하고
점 P′에서의 접선이 선분 OA의 연장
선과 만나는 점을 Q라고 하자.

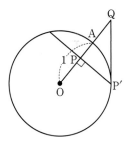

점 P가 점 A에 한없이 가까워질 때, $\frac{\overline{PQ}}{\overline{PA}}$의 값은 얼마에 가까워질
까? (단, 점 P는 선분 OA의 양 끝점이 아니다.)

① 1 ② 2 ③ 3

④ 4 ⑤ 5

0196 최다빈출 왕중요 TOUGH

x축 위에 점 A(2, 0), y축 위에 점 B(0, 1)이 있다.
그림과 같이 점 P$(p, 0)$, Q$(0, q)$가 $\overline{PA}=\overline{QB}$를 만족하면서
각각 점 A, B에 한없이 가까워질 때, $\overline{PQ}$와 $\overline{AB}$의 교점 R의
좌표의 극한값 (a, b)에 대하여 $3(a+b)$의 값은?

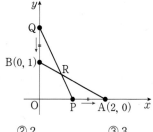

① 1 ② 2 ③ 3

④ 4 ⑤ 5

▶ 해설 내신연계기출

① $\lim_{x \to a}\{f(x) \pm g(x)\}$의 값이 존재하면 $\lim_{x \to a}f(x)$의 값도 존재한다. [거짓]

반례 $f(x)=\dfrac{x}{x-1}$, $g(x)=-\dfrac{1}{x-1}$라 하면

$\lim_{x \to 1}\{f(x)+g(x)\}=\lim_{x \to 1}\dfrac{x-1}{x-1}=1$로 극한값이 존재하지만

$\lim_{x \to 1}f(x)$의 값은 존재하지 않는다.

② $\lim_{x \to a}\{f(x)+g(x)\}$와 $\lim_{x \to a}\{f(x)-g(x)\}$의 값이 각각 존재하면 $\lim_{x \to a}f(x)$, $\lim_{x \to a}g(x)$의 값도 존재한다. [참]

해설 $\lim_{x \to a}\{f(x)+g(x)\}=\alpha$, $\lim_{x \to a}\{f(x)-g(x)\}=\beta$ (α, β는 실수)로 놓으면

$\lim_{x \to a}f(x)=\lim_{x \to a}\dfrac{\{f(x)+g(x)\}+\{f(x)-g(x)\}}{2}=\dfrac{\alpha+\beta}{2}$

$\lim_{x \to a}g(x)=\lim_{x \to a}\dfrac{\{f(x)+g(x)\}-\{f(x)-g(x)\}}{2}=\dfrac{\alpha-\beta}{2}$

이므로

$\lim_{x \to a}f(x)$, $\lim_{x \to a}g(x)$의 값이 존재한다.

③ $\lim_{x \to a}f(x)$와 $\lim_{x \to a}\{f(x)g(x)\}$의 값이 각각 존재하면 $\lim_{x \to a}g(x)$의 값도 존재한다. [거짓]

반례 $f(x)=\dfrac{x-a}{a}$, $g(x)=\dfrac{a}{x-a}$ (단, $a \neq 0$)라 하면

$\lim_{x \to a}f(x)=\lim_{x \to a}\dfrac{x-a}{a}=0$,

$\lim_{x \to a}f(x)g(x)=\lim_{x \to a}\left(\dfrac{x-a}{a} \cdot \dfrac{a}{x-a}\right)=1$이므로

$\lim_{x \to a}f(x)$와 $\lim_{x \to a}\{f(x)g(x)\}$의 값이 각각 존재하지만

$\lim_{x \to a}g(x)=\lim_{x \to a}\dfrac{a}{x-a}$의 값은 존재하지 않는다.

④ $\lim_{x \to a}f(x)$와 $\lim_{x \to a}\{f(x)g(x)\}$의 값이 각각 존재하고 $\lim_{x \to a}f(x) \neq 0$이면 $\lim_{x \to a}g(x)$의 값도 존재한다. [참]

해설 $\lim_{x \to a}f(x)=\alpha(\alpha \neq 0)$, $\lim_{x \to a}f(x)g(x)=\beta$ (단 α, β는 실수)라 하면

$\lim_{x \to a}g(x)=\lim_{x \to a}\left\{f(x)g(x) \cdot \dfrac{1}{f(x)}\right\}=\lim_{x \to a}f(x)g(x) \cdot \lim_{x \to a}\dfrac{1}{f(x)}$

$=\beta \cdot \dfrac{1}{\alpha}=\dfrac{\beta}{\alpha}$

⑤ $\lim_{x \to a}g(x)$와 $\lim_{x \to a}\dfrac{f(x)}{g(x)}$의 값이 존재하면 $\lim_{x \to a}f(x)$의 값도 존재한다. [참]

해설 $\lim_{x \to a}g(x)=\alpha(\alpha \neq 0)$, $\lim_{x \to a}\dfrac{f(x)}{g(x)}=\beta$ (단 α, β는 실수)라 하면

$\lim_{x \to a}f(x)=\lim_{x \to a}\left\{g(x) \cdot \dfrac{f(x)}{g(x)}\right\}=\lim_{x \to a}g(x) \cdot \lim_{x \to a}\dfrac{f(x)}{g(x)}=\alpha\beta$

· $\lim_{x \to a}f(x)=\infty$, $\lim_{x \to a}g(x)=\infty$이면 $\lim_{x \to a}\{f(x)-g(x)\}=0$ [거짓]

· $\lim_{x \to a}f(x)=\infty$, $\lim_{x \to a}g(x)=\infty$이면 $\lim_{x \to a}\dfrac{f(x)}{g(x)}=1$ [거짓]

⑥ $\lim_{x \to a}f(x)$와 $\lim_{x \to a}\dfrac{f(x)}{g(x)}$의 값이 존재하면 $\lim_{x \to a}g(x)$의 값도 존재한다. [거짓]

반례 $f(x)=\dfrac{a}{x+a}$, $g(x)=\dfrac{a}{x-a}$ (단, $a \neq 0$)라 하면

$\lim_{x \to a}f(x)=\lim_{x \to a}\dfrac{a}{x+a}=\dfrac{1}{2}$,

$\lim_{x \to a}\dfrac{f(x)}{g(x)}=\lim_{x \to a}\left(\dfrac{a}{x+a} \cdot \dfrac{x-a}{a}\right)=\lim_{x \to a}\dfrac{x-a}{x+a}=0$이므로

$\lim_{x \to a}f(x)$와 $\lim_{x \to a}\dfrac{f(x)}{g(x)}$의 값이 각각 존재하지만

$\lim_{x \to a}g(x)=\lim_{x \to a}\dfrac{a}{x-a}$의 값은 존재하지 않는다.

⑦ $\lim_{x \to a}\{f(x)-g(x)\}=0$이면 $\lim_{x \to a}f(x)=\lim_{x \to a}g(x)$이다. [거짓]

반례 $f(x)=\begin{cases} x-1 \,(x \leq 0) \\ x+1 \,(x > 0) \end{cases}$, $g(x)=\begin{cases} -x-1 \,\,(x \leq 0) \\ 2x+1 \,\,(x > 0) \end{cases}$이라 하면

$\lim_{x \to 0}\{f(x)-g(x)\}$에 대하여

$\lim_{x \to 0-}\{f(x)-g(x)\}=\lim_{x \to 0-}2x=0$, $\lim_{x \to 0+}\{f(x)-g(x)\}=\lim_{x \to 0+}(-x)=0$

따라서 $\lim_{x \to 0}\{f(x)-g(x)\}$의 값은 존재하지만

$\lim_{x \to 0}f(x)$, $\lim_{x \to 0}g(x)$의 값은 존재하지 않는다.

⑧ $\lim_{x \to a}g(x)$의 값이 존재하면 함수 $f(x)$에 대하여 $\lim_{x \to a}f(g(x))$의 값도 존재한다. [거짓]

반례 $f(x)=\dfrac{1}{x}$, $g(x)=x-a$라 하면

$\lim_{x \to a}g(x)=\lim_{x \to a}(x-a)=0$이므로 $\lim_{x \to a}g(x)$의 값은 존재하지만

$\lim_{x \to a}f(g(x))=\lim_{x \to a}f(x-a)=\lim_{x \to a}\dfrac{1}{x-a}$의 값은 존재하지 않는다.

⑨ $x \neq 0$인 모든 실수 x에 대하여 $f(x) < g(x)$이면 $\lim_{x \to 0}f(x) < \lim_{x \to 0}g(x)$ [거짓]

반례 $f(x)=\begin{cases} x+1 \,(x < 0) \\ -x+1 \,(x > 0) \end{cases}$,

$g(x)=1 \,(x \neq 0)$이면

$x \neq 0$인 모든 실수 x에 대하여

$f(x) < g(x)$이지만

$\lim_{x \to 0}f(x)=\lim_{x \to 0}g(x)=1$이다.

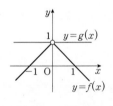

⑩ 모든 실수 x에 대하여 $f(x) < g(x)$이면 $\lim_{x \to 0}f(x) < \lim_{x \to 0}g(x)$ [거짓]

반례 $f(x)=\begin{cases} x+1 \,\,(x < 0) \\ 0 \,\,\,\,\,(x=0) \\ -x+1 \,\,(x > 0) \end{cases}$

$g(x)=1$이라 하면

모든 실수 x에 대하여 $f(x) < g(x)$이지만

$\lim_{x \to 0}f(x)=\lim_{x \to 0}g(x)=1$이다.

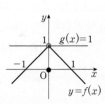

· $\lim_{x \to a}g(x)$, $\lim_{x \to a}\dfrac{f(x)}{g(x)}$가 존재하면 극한값 $\lim_{x \to a}f(x)$가 존재한다.

(단, $g(x) \neq 0$) [참]

· $\lim_{x \to a}f(x)$, $\lim_{x \to a}\dfrac{f(x)}{g(x)}$가 존재하면 극한값 $\lim_{x \to a}g(x)$가 존재한다.

(단, $g(x) \neq 0$) [거짓]

0197 학교가출 대표유형

두 함수 $f(x)$, $g(x)$에 대하여 다음 [보기]에서 옳은 것을 모두 고르면? (단, a는 실수)

ㄱ. $\lim\limits_{x \to a} f(x)$와 $\lim\limits_{x \to a} g(x)$의 값이 존재하면 $\lim\limits_{x \to a} \dfrac{f(x)}{g(x)}$의 값도 존재한다.

ㄴ. $\lim\limits_{x \to a} f(x)$와 $\lim\limits_{x \to a} \{f(x)+g(x)\}$의 값이 존재하면 $\lim\limits_{x \to a} g(x)$의 값도 존재한다.

ㄷ. $\lim\limits_{x \to a} f(x)$와 $\lim\limits_{x \to a} f(x)g(x)$의 값이 존재하면 $\lim\limits_{x \to a} g(x)$의 값도 존재한다.

ㄹ. $x > 0$인 모든 실수 x에 대하여 $x^2 < f(x) < x^2 + 2x$가 성립하면 $\lim\limits_{x \to \infty} \dfrac{f(x)-x}{\sqrt{9x^4+1}} = \dfrac{1}{3}$이다.

① ㄱ   ② ㄴ, ㄷ   ③ ㄴ, ㄹ
④ ㄱ, ㄴ, ㄷ   ⑤ ㄱ, ㄴ, ㄷ, ㄹ

0198 최다빈출 중요 NORMAL

두 함수 $f(x)$, $g(x)$에 대하여 [보기]의 설명 중 옳은 것을 모두 고른 것은?

ㄱ. $\lim\limits_{x \to \infty} f(x)$와 $\lim\limits_{x \to \infty} \{f(x)+g(x)\}$의 값이 모두 존재하면 $\lim\limits_{x \to \infty} g(x)$의 값도 존재한다.

ㄴ. $\lim\limits_{x \to \infty} f(x)$와 $\lim\limits_{x \to \infty} f(x)g(x)$의 값이 모두 존재하면 $\lim\limits_{x \to \infty} g(x)$의 값도 존재한다.

ㄷ. $\lim\limits_{x \to \infty} f(x)$와 $\lim\limits_{x \to \infty} \dfrac{g(x)}{f(x)}$의 값이 모두 존재하면 $\lim\limits_{x \to \infty} g(x)$의 값도 존재한다. (단, $f(x) \neq 0$)

ㄹ. $\lim\limits_{x \to a} f(x)$, $\lim\limits_{x \to a} \dfrac{f(x)}{g(x)}$가 존재하면 극한값 $\lim\limits_{x \to a} g(x)$가 존재한다. (단, $g(x) \neq 0$)

① ㄴ   ② ㄱ, ㄷ   ③ ㄴ, ㄹ
④ ㄱ, ㄴ, ㄷ   ⑤ ㄱ, ㄷ, ㄹ

▶ 해설 내신연계기출

0199 최다빈출 중요 NORMAL

두 함수 $f(x)$, $g(x)$에 대하여 다음 [보기]에서 옳은 것은? (단, a는 실수)

ㄱ. $\lim\limits_{x \to a} \{f(x)+g(x)\}$와 $\lim\limits_{x \to a} \{f(x)-g(x)\}$의 값이 존재하면 $\lim\limits_{x \to a} f(x)$의 값도 존재한다.

ㄴ. $\lim\limits_{x \to a} f(x)$와 $\lim\limits_{x \to a} f(x)g(x)$의 값이 각각 존재하면 $\lim\limits_{x \to a} g(x)$의 값도 존재한다.

ㄷ. $\lim\limits_{x \to a} g(x)$와 $\lim\limits_{x \to a} \dfrac{f(x)}{g(x)}$의 값이 각각 존재하면 $\lim\limits_{x \to a} f(x)$의 값도 존재한다. (단, $g(x) \neq 0$)

ㄹ. 모든 실수 x에 대하여 $f(x) < g(x)$이고 $\lim\limits_{x \to a} f(x)$와 $\lim\limits_{x \to a} g(x)$의 값이 각각 존재하면 $\lim\limits_{x \to a} f(x) < \lim\limits_{x \to a} g(x)$이다.

① ㄱ   ② ㄴ   ③ ㄱ, ㄷ
④ ㄱ, ㄹ   ⑤ ㄱ, ㄴ, ㄷ, ㄹ

▶ 해설 내신연계기출

0200 NORMAL

다음 [보기] 중 두 함수 $f(x)$, $g(x)$에 대한 설명으로 옳은 것의 개수는?

ㄱ. $\lim\limits_{x \to a} f(x) = \infty$, $\lim\limits_{x \to a} g(x) = \infty$이면 $\lim\limits_{x \to a} \{f(x)-g(x)\} = 0$이다.

ㄴ. 모든 실수 x에 대하여 $f(x) < g(x)$이면 $\lim\limits_{x \to a} f(x) < \lim\limits_{x \to a} g(x)$이다.

ㄷ. $\lim\limits_{x \to a} f(x)$, $\lim\limits_{x \to a} \{f(x)+g(x)\}$가 존재하면 $\lim\limits_{x \to a} g(x)$가 존재한다.

ㄹ. $\lim\limits_{x \to 0} \dfrac{x}{f(x)} = 0$이면 $\lim\limits_{x \to 0} f(x) = 0$이다. (단, $f(x) \neq 0$)

① 0   ② 1   ③ 2
④ 3   ⑤ 4

0201 최다빈출 👑중요

다음 [보기]에서 두 함수 $f(x)$, $g(x)$에 대한 설명으로 옳은 것을 모두 고르면?

ㄱ. $\lim\limits_{x \to a} f(x) = \infty$, $\lim\limits_{x \to a} g(x) = \infty$이면

   $\lim\limits_{x \to a} \{f(x) - g(x)\} = 0$이다.

ㄴ. $\lim\limits_{x \to a} \{f(x) + g(x)\}$의 값과 $\lim\limits_{x \to a} \{f(x) - g(x)\}$의 값이

   각각 존재하면 $\lim\limits_{x \to a} f(x)$의 값도 존재한다.

ㄷ. $\lim\limits_{x \to a} g(x)$의 값과 $\lim\limits_{x \to a} \dfrac{f(x)}{g(x)}$의 값이 각각 존재하면

   $\lim\limits_{x \to a} f(x)$의 값도 존재한다. (단, $g(a) \neq 0$)

ㄹ. $\lim\limits_{x \to a} f(x)$의 값과 $\lim\limits_{x \to a} f(x)g(x)$의 값이 각각 존재하면

   $\lim\limits_{x \to a} g(x)$의 값도 존재한다.

---

① ㄴ   ② ㄴ, ㄷ   ③ ㄷ, ㄹ
④ ㄱ, ㄴ, ㄷ   ⑤ ㄴ, ㄷ, ㄹ

▶ 해설 내신연계기출

0202

두 함수 $f(x)$, $g(x)$에 대하여 [보기]에서 옳은 것만을 있는 대로 고른 것은?

ㄱ. $\lim\limits_{x \to \infty} x^2 f(x) = 2$이면 $\lim\limits_{x \to \infty} f(x) = 0$이다.

ㄴ. $\lim\limits_{x \to \infty} \dfrac{f(x)}{g(x)} = 3$이고 $\lim\limits_{x \to \infty} g(x) = \infty$이면

   $\lim\limits_{x \to \infty} \{f(x) - g(x)\} = 0$이다

ㄷ. 모든 실수 x에 대하여 $f(x) < g(x) < f(x+1)$이고

   $\lim\limits_{x \to \infty} f(x) = 2$이면 $\lim\limits_{x \to \infty} \dfrac{g(x)}{x} = 0$이다.

ㄹ. 함수 $f(x)$가 모든 양의 실수 x에 대하여

   $\dfrac{5x+1}{x+3} < f(x) < \dfrac{5x^2 - 2x + 4}{x^2}$이면 $\lim\limits_{x \to \infty} f(x) = 5$

---

① ㄱ   ② ㄴ, ㄷ   ③ ㄷ, ㄹ
④ ㄱ, ㄷ, ㄹ   ⑤ ㄱ, ㄴ, ㄷ, ㄹ

0203

두 함수 $f(x)$, $g(x)$에 대하여 [보기]에서 옳은 것만을 있는 대로 고른 것은?

ㄱ. $\lim\limits_{x \to 9} f(x) = 2$이면 극한값 $\lim\limits_{x \to 9} \dfrac{(x-9)f(x)}{\sqrt{x} - 3} = 12$이다.

ㄴ. 함수 $f(x)$가 $0 \leq x \leq 2$에서 $3x \leq f(x) \leq x^3 + 2$을

   만족시킬 때, $\lim\limits_{x \to 1} f(x) = 3$이다.

ㄷ. $f(x) < g(x) < h(x)$이고 $\lim\limits_{x \to \infty} \{h(x) - f(x)\} = 0$이면

   $\lim\limits_{x \to \infty} g(x)$는 수렴한다.

---

① ㄱ   ② ㄴ   ③ ㄷ
④ ㄱ, ㄴ   ⑤ ㄱ, ㄴ, ㄷ

0204

두 함수 $f(x)$, $g(x)$에 대하여 [보기]에서 옳은 것만을 있는 대로 고른 것은?

ㄱ. $f(1) = 3$이면 $\lim\limits_{x \to 1} f(x) = 3$이다.

ㄴ. $\lim\limits_{x \to 1} f(x) = \infty$, $\lim\limits_{x \to 1} g(x) = 3$이면 $\lim\limits_{x \to 1} \dfrac{f(x)}{f(x) - g(x)} = 1$이다.

ㄷ. 두 극한값 $\lim\limits_{x \to 1} \{f(x) + g(x)\}$, $\lim\limits_{x \to 1} \{f(x) - g(x)\}$가

   모두 존재하면 $\lim\limits_{x \to 1} f(x)g(x)$의 값도 존재한다.

ㄹ. 함수 $f(x)$가 모든 실수 x에 대하여

   $-x^2 + 2x + 2 \leq f(x) \leq \dfrac{1}{2}x^2 - 4x + 8$을 만족시킬 때,

   $\lim\limits_{x \to 2} f(x) = 2$이다.

---

① ㄴ   ② ㄱ, ㄷ   ③ ㄴ, ㄹ
④ ㄱ, ㄴ, ㄷ   ⑤ ㄴ, ㄷ, ㄹ

서술형 기출유형

학교 내신 기출 서술형 핵심문제 총정리

0205

함수 $f(x)=\begin{cases}3x^2-6x+1 & (x<1)\\2x+a & (x\geq 1)\end{cases}$ 에 대하여 $\lim_{x\to 1}f(x)$의 값이 존재하도록 하는 상수 a의 값을 구하는 과정을 다음 단계로 서술하여라.

[1단계] $\lim_{x\to 1+}f(x)$의 값을 구한다.

[2단계] $\lim_{x\to 1-}f(x)$의 값을 구한다.

[3단계] $\lim_{x\to 1}f(x)$의 값이 존재하도록 하는 a의 값을 구한다.

0206

함수 $f(x)=\dfrac{x^2-x-2}{|x-2|}$에 대하여 극한값 $\lim_{x\to 2}f(x)$를 구하는 과정을 다음 단계로 서술하여라.

[1단계] $\lim_{x\to 2+}f(x)$의 값을 구한다.

[2단계] $\lim_{x\to 2-}f(x)$의 값을 구한다.

[3단계] 극한값 $\lim_{x\to 2}f(x)$의 값을 구한다.

0207

두 함수 $f(x)$, $g(x)$가 아래 조건을 모두 만족시킬 때,

$$\lim_{x\to 0}\frac{x-f(x)g(x)}{x^2+f(x)}$$

의 값을 구하는 과정을 다음 단계로 서술하여라. (단, $g(x)\neq -1$)

(가) $x+f(x)=g(x)\{x-f(x)\}$
(나) $\lim_{x\to 0}g(x)=3$

[1단계] 조건 (가)에서 $\dfrac{f(x)}{x}$를 구한다.

[2단계] $\lim_{x\to 0}\dfrac{f(x)}{x}$를 구한다.

[3단계] $\lim_{x\to 0}\dfrac{x-f(x)g(x)}{x^2+f(x)}$의 값을 구한다.

0208

다음 단계로 그 과정을 서술하여라.

[1단계] $\lim_{x\to -1}\dfrac{2x^2+ax+b}{x+1}=5$가 성립하도록 하는 상수 a, b에 대하여 $a+b$의 값을 구한다.

[2단계] $\lim_{x\to 3}\dfrac{a\sqrt{x+1}-2}{x-3}=b$가 성립하도록 하는 상수 a, b에 대하여 $a+b$의 값을 구한다.

[3단계] $\lim_{x\to 2}\dfrac{\sqrt{x+a}-b}{x-2}=\dfrac{1}{6}$이 성립하도록 하는 상수 a, b에 대하여 $a+b$의 값을 구한다.

[4단계] $\lim_{x\to a}\dfrac{x^2-a^2}{x-a}=8$, $\lim_{x\to\infty}(\sqrt{x^2+ax}-\sqrt{x^2+bx})=3$일 때, 상수 a, b에 대하여 $a+b$의 값을 구한다.

0209

삼차함수 $f(x)$가

$$\lim_{x\to 1}\frac{f(x)}{x-1}=3,\quad \lim_{x\to 2}\frac{f(x)}{x-2}=-1$$

을 만족시킬 때, 방정식 $f(x)=0$의 모든 실근의 합을 구하는 과정을 다음 단계로 서술하여라.

[1단계] $\lim_{x\to 1}\dfrac{f(x)}{g(x)}=M$ (M은 실수)일 때, $\lim_{x\to 1}g(x)=0$이면 $\lim_{x\to 1}f(x)=0$임을 이용하여 삼차함수 $f(x)$의 식을 작성한다.

[2단계] 함수의 극한의 성질을 이용하여 삼차함수 $f(x)$을 구한다.

[3단계] 방정식 $f(x)=0$의 모든 실근의 합을 구한다.

0210

최고차항의 계수가 1인 이차함수 $f(x)$가

$$f(-1)=f(1)=2$$

를 만족시킬 때, [보기]의 극한값이 존재하는 것을 구하는 과정에서 다음 단계로 서술하여라.

ㄱ. $\lim_{x\to 1}\dfrac{f(x)-2}{x-1}$	ㄴ. $\lim_{x\to 1}\dfrac{f(x-1)}{x-1}$
ㄷ. $\lim_{x\to 1}\dfrac{x-1}{f(x-1)}$	ㄹ. $\lim_{x\to 1}\dfrac{f(x)-2}{f(x-1)}$

[1단계] 방정식 $f(x)-2=0$의 근을 구한다.

[2단계] 함수 $f(x)$를 구한다.

[3단계] $f(x)$를 이용하여 [보기]의 각 극한값을 구한다.

0211

다항함수 $f(x)$가 다음 조건을 모두 만족시킬 때, $f(1)$의 값을 구하는 과정을 다음 단계로 서술하여라.

$$\lim_{x\to\infty}\frac{f(x)}{3x^2-x+1}=1,\ \lim_{x\to2}\frac{f(x)}{x-2}=9$$

[1단계] $\lim\limits_{x\to\infty}\dfrac{f(x)}{3x^2-x+1}=1$을 만족하는 다항함수 $f(x)$의 최고차항의 계수와 차수를 결정한다.

[2단계] $\lim\limits_{x\to2}\dfrac{f(x)}{x-2}=9$에서 다항함수 $f(x)$의 식을 구한다.

[3단계] $f(1)$의 값을 구한다.

0212

다항함수 $f(x)$가 다음 조건을 만족할 때 $\lim\limits_{x\to-1}\dfrac{f(x)}{x+1}$의 값을 구하는 과정을 다음 단계로 서술하여라.

(가) $\lim\limits_{x\to\infty}\dfrac{f(x)-x^3}{x^2+1}=2$

(나) $\lim\limits_{x\to1}\dfrac{f(x)}{x-1}=6$

[1단계] $\lim\limits_{x\to\infty}\dfrac{f(x)-x^3}{x^2+1}=2$에서 다항함수 $f(x)$의 최고차항의 계수와 차수를 결정한다.

[2단계] $\lim\limits_{x\to1}\dfrac{f(x)}{x-1}=6$에서 함수 $f(x)$를 구한다.

[3단계] $\lim\limits_{x\to-1}\dfrac{f(x)}{x+1}$의 값을 구한다.

▶ 해설 내신연계기출

0213

함수 $f(x)$가 모든 실수 x에 대하여

$$-x^2+x\leq f(x)\leq x^2+x$$

를 만족시킬 때, 극한값 $\lim\limits_{x\to0+}\dfrac{\{f(x)\}^2}{x\{2x+f(x)\}}$을 구하는 과정을 다음 단계로 서술하여라.

[1단계] $\lim\limits_{x\to0+}\dfrac{f(x)}{x}$의 값을 구한다.

[2단계] $\lim\limits_{x\to0+}\dfrac{\{f(x)\}^2}{x\{2x+f(x)\}}$의 값을 구한다.

0214

오른쪽 그림과 같이 곡선 $y=\sqrt{2x}$ 위의 점 $P(a,\sqrt{2a})$에서 x축에 내린 수선의 발을 Q라 할 때, 다음 단계로 서술하여라. (단, $a\neq0$이고, O는 원점이다.)

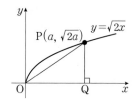

[1단계] $\lim\limits_{a\to\infty}(\overline{OP}-\overline{OQ})$의 값을 구한다.

[2단계] $\lim\limits_{a\to\infty}\dfrac{\overline{OP}}{\overline{OQ}}$의 값을 구한다.

0215

오른쪽 그림과 같이 원점 O가 중심이고 곡선 $y=\sqrt{x}$ 위를 움직이는 점 $P(a,b)$를 지나는 원이 x축의 양의 부분과 만나는 점을 Q라고 하자. 점 P에서 x축에 내린 수선의 발을 H라 할 때, 다음 단계로 구하는 과정을 서술하여라.

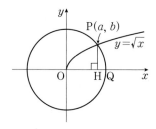

[1단계] $\lim\limits_{a\to\infty}\dfrac{\overline{OQ}}{\overline{OH}}$을 구한다.

[2단계] $\lim\limits_{a\to1}\dfrac{\overline{PH}^2}{\overline{QH}}$을 구한다.

[3단계] $\lim\limits_{a\to\infty}(\overline{OQ}-\overline{OH})$을 구한다.

0216

좌표평면 위에 두 점 $A(10,0)$, $B(0,8)$이 있다. 다음 그림과 같이 x축 위의 점 P와 y축 위의 점 Q가 $\overline{PA}=\overline{QB}$를 만족시키면서 각각 점 A와 점 B에 한없이 가까워 질 때, 두 직선 AB, PQ의 교점을 R라 하자. 이때 점 R가 한없이 가까워지는 점의 좌표를 구하는 과정을 다음 단계로 서술하여라. (단, 점 R는 제1사분면의 점이다.)

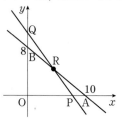

[1단계] $\overline{OP}=t$라 할 때, 두 직선 AB, PQ의 방정식을 구한다.

[2단계] 점 R의 좌표를 t의 식으로 나타낸다.

[3단계] 점 R가 한없이 가까워지는 점의 좌표를 구한다.

0217

함수 $f(x)$에 대하여

$$\lim_{x \to 1} \frac{f(x)-2}{x-1} = \frac{1}{4}$$

일 때, $\lim_{x \to 1} \frac{x-1}{\{f(x)\}^2 - 4}$ 의 값을 구하여라.

0218

수능기출

최고차항의 계수가 1인 이차함수 $f(x)$가

$$\lim_{x \to a} \frac{f(x)-(x-a)}{f(x)+(x-a)} = \frac{3}{5}$$

을 만족시킨다. 방정식 $f(x)=0$의 두 근을 α, β라 할 때, $|\alpha - \beta|$의 값을 구하여라. (단, a는 상수이다.)

0219

평가원기출

최고차항의 계수가 1인 두 삼차함수 $f(x)$, $g(x)$가 다음 조건을 만족시킨다.

(가) $g(1)=0$

(나) $\lim_{x \to n} \dfrac{f(x)}{g(x)} = (n-1)(n-2)\,(n=1,\ 2,\ 3,\ 4)$

$g(5)$의 값을 구하여라.

0220

교육청기출

다항함수 $f(x)$가 다음 조건을 만족시킬 때, $f(3)$의 값을 구하여라.

(가) $\lim_{x \to \infty} \dfrac{f(x)}{x^3} = 0$

(나) $\lim_{x \to 1} \dfrac{f(x)}{x-1} = 1$

(다) 방정식 $f(x)=2x$의 한 근이 2이다.

0221

평가원기출

다항함수 $f(x)$가

$$\lim_{x \to \infty} \frac{f(x)-x^3}{x^2} = -11,\ \lim_{x \to 1} \frac{f(x)}{x-1} = -9$$

를 만족시킬 때, $\lim_{x \to \infty} xf\left(\dfrac{1}{x}\right)$의 값을 구하여라.

0222

다항함수 $f(x)$가

$$\lim_{x \to \infty} \frac{f(x)}{2x^3 - x^2 + x - 1} = 1,\ \lim_{x \to 3} \frac{f(x)}{(x-3)^2} = 5$$

를 만족시킬 때, $f(2)$의 값을 구하여라.

▶ 해설 내신연계기출

0223

평가원기출

다음 조건을 만족시키는 모든 다항함수 $f(x)$에 대하여 $f(1)$의 최댓값을 구하여라.

$$\lim_{x \to \infty} \frac{f(x) - 4x^3 + 3x^2}{x^{n+1} + 1} = 6, \quad \lim_{x \to 0} \frac{f(x)}{x^n} = 4$$

인 자연수 n이 존재한다.

▶ 해설 내신연계기출

0224

함수 $f(x) = \begin{cases} \dfrac{x+2}{x-1} & (x > 1) \\ -x^2 - 2x + 2 & (x \le 1) \end{cases}$ 의 그래프가 직선 $y = k$와

만나는 점의 개수를 $g(k)$라 할 때,

$$\lim_{k \to -1+} g(k) + \lim_{k \to 3-} g(g(k))$$

의 값을 구하여라. (단, k는 실수이다.)

0225

사관기출

함수 $y = f(x)$의 그래프가 그림과 같다.

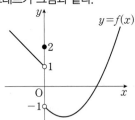

최고차항의 계수가 1인 이차함수 $g(x)$에 대하여

$$\lim_{x \to 0+} \frac{g(x)}{f(x)} = 1, \quad \lim_{x \to 1-} f(x-1)g(x) = 3$$

일 때, $g(2)$의 값을 구하여라.

0226

$\lim_{x \to \infty} (\sqrt{[x^2 + 4x]} - x)$의 값을 구하여라.

(단, $[x]$는 x보다 크지 않은 최대의 정수이다.)

0227

다음 그림과 같이 $\overline{AB} = 1$인 종이테이프를 선분 RQ를 접는 선으로 하여 꼭짓점 B가 선분 AD 위의 점 P에 오도록 접었다.

$\overline{AP} = x$, $\overline{BQ} = y$라 할 때, $\lim_{x \to 0+} xy$의 값을 구하여라.

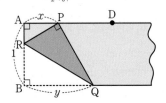

0228

다음 그림과 같이 원점을 중심으로 하고 반지름의 길이가 r인 원이 y축과 만나는 점을 P, 원 $(x-1)^2 + y^2 = 1$과 만나는 점을 Q라 하고 직선 PQ와 x축이 만나는 점을 R이라 하자.

r이 0에 한없이 가까워질 때, 점 R는 점 $(a, 0)$에 한없이 가까워질 때, a의 값을 구하여라. (단, 두 점 P, Q의 y좌표는 양수이다.)

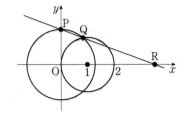

02 함수의 연속

학교내신기출 객관식 핵심문제총정리

STEP 1

내신정복 기출유형

유형 01 함수의 연속

① 함수 $y=f(x)$의 그래프에서 $\lim\limits_{x \to a} f(x)=f(a)$이면 $f(x)$는 $x=a$에서 연속이다.

② 함수 $y=f(x)$의 그래프가 $x=a$에서 끊어져 있으면 $f(x)$는 $x=a$에서 불연속이다.

0229 학교기출 대표 유형

열린구간 $(-2, 7)$에서 함수 $y=f(x)$의 그래프를 나타낸 것이다.

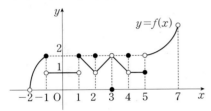

두 집합 A, B에 대하여

$$A=\{a \mid \lim_{x \to a-} f(x) \neq \lim_{x \to a+} f(x),\ a\text{는 실수}\}$$

$$B=\{b \mid \lim_{x \to b} f(x) \neq f(b),\ b\text{는 실수}\}$$

일 때, $n(A)+n(B)$의 값은?

(단, $n(A)$는 집합 A의 원소의 개수이다.)

① 6   ② 7   ③ 8
④ 9   ⑤ 10

0230

BASIC

$0<x<4$에서 정의된 함수 $y=f(x)$의 그래프가 오른쪽 그림과 같을 때, [보기]에서 옳은 것만을 있는 대로 고른 것은?

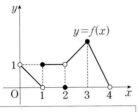

ㄱ. $x=1$에서의 $f(x)$의 극한값이 존재한다.

ㄴ. $f(x)$의 불연속인 점은 3개이다.

ㄷ. $\lim\limits_{x \to 2} f(x)=1$

① ㄱ   ② ㄴ   ③ ㄷ
④ ㄱ, ㄷ   ⑤ ㄱ, ㄴ, ㄷ

0231 최다빈출 상 중요

BASIC

함수 $y=f(x)$의 그래프가 오른쪽 그림과 같을 때, 다음 [보기]에서 옳은 것을 모두 고르면?

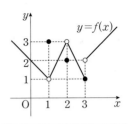

ㄱ. $x=1$에서의 $f(x)$의 극한값이 존재한다.

ㄴ. $\lim\limits_{x \to 2} f(x)=f(2)$이다.

ㄷ. $x=3$에서 $f(x)$는 연속이다.

① ㄱ   ② ㄴ   ③ ㄷ
④ ㄱ, ㄷ   ⑤ ㄱ, ㄴ, ㄷ

▶ 해설 내신연계기출

0232 최다빈출 상 중요

BASIC

오른쪽 그림은 함수 $y=f(x)$의 그래프이다. 극한값이 존재하지 않는 점의 개수를 a, 불연속인 점의 개수를 b라 할 때, $a+b$의 값은?

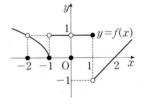

① 2   ② 3   ③ 4
④ 5   ⑤ 6

▶ 해설 내신연계기출

0233

NORMAL

함수 $y=f(x)$의 그래프가 오른쪽 그림과 같을 때, 옳은 것만을 [보기]에서 있는 대로 고르면?

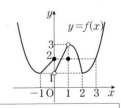

ㄱ. $\lim\limits_{x \to 1} f(x)=3$

ㄴ. $\lim\limits_{x \to 1-} f(x-1)=1$

ㄷ. 열린구간 $(-1, 3)$에서 함수 $f(x)$가 불연속인 x의 값은 2개이다.

ㄹ. 열린구간 $(-1, 3)$에서 함수 $f(x)$의 극한값이 존재하지 않는 x의 값은 2개이다.

① ㄴ   ② ㄱ, ㄷ   ③ ㄴ, ㄹ
④ ㄱ, ㄴ, ㄷ   ⑤ ㄴ, ㄷ, ㄹ

0234

닫힌구간 $[0, 4]$에서 정의된 함수 $y=f(x)$의 그래프가 오른쪽 그림과 같을 때, 다음 조건을 모두 만족시키는 실수 a, b에 대하여 $a+b$의 값은?

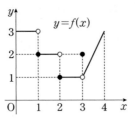

(가) $\lim\limits_{x \to a} f(x)$가 존재한다.

(나) $\lim\limits_{x \to a} f(x) \neq f(a)$

(다) $f(a)=b$

① 2   ② 3   ③ 4

④ 5   ⑤ 6

0235

함수 $y=f(x)$의 그래프가 오른쪽 그림과 같다. [보기]에서 옳은 것만을 있는 대로 고른 것은?

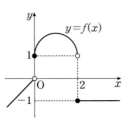

ㄱ. $\lim\limits_{x \to 0+} f(x)=1$

ㄴ. $\lim\limits_{x \to 2-} f(x)=-1$

ㄷ. 함수 $|f(x)|$는 $x=2$에서 연속이다.

① ㄱ   ② ㄴ   ③ ㄱ, ㄷ

④ ㄴ, ㄷ   ⑤ ㄱ, ㄴ, ㄷ

0236

다음 중 $x=0$에서 연속인 함수는?

① $f(x)=x|x|$ ② $f(x)=\dfrac{1}{x}$

③ $f(x)=\dfrac{|x|}{x}$ ④ $f(x)=\sqrt{x-2}$

⑤ $f(x)=-\sqrt{3x-1}$

0237

다음 함수 중 $x=2$에서 불연속인 함수는?

① $f(x)=x|x-2|$

② $f(x)=\begin{cases}|x-1| & (x \neq 2) \\ 1 & (x=2)\end{cases}$

③ $f(x)=\begin{cases}x^2-1 & (x \geq 2) \\ 5-x & (x < 2)\end{cases}$

④ $f(x)=\begin{cases}\dfrac{x^2-4}{x-2} & (x \neq 2) \\ 4 & (x=2)\end{cases}$

⑤ $f(x)=\begin{cases}\dfrac{x^2-x-2}{x-2} & (x \neq 2) \\ 2 & (x=2)\end{cases}$

▶ 해설 내신연계기출

0238

다음 함수가 $x=2$에서 불연속인 것을 있는 대로 고르면?

ㄱ. $f(x)=\begin{cases}\dfrac{2x^2-3x-2}{x-2} & (x \neq 2) \\ 5 & (x=2)\end{cases}$

ㄴ. $f(x)=\begin{cases}\dfrac{x|x-2|}{x-2} & (x \neq 2) \\ 0 & (x=2)\end{cases}$

ㄷ. $f(x)=\begin{cases}\dfrac{x^2-3x+2}{x-2} & (x \neq 2) \\ 1 & (x=2)\end{cases}$

ㄹ. $f(x)=\begin{cases}\dfrac{|x-2|}{x-2} & (x \neq 2) \\ 0 & (x=2)\end{cases}$

① ㄱ   ② ㄴ, ㄹ   ③ ㄱ, ㄴ

④ ㄴ, ㄷ   ⑤ ㄱ, ㄷ, ㄹ

▶ 해설 내신연계기출

0239

다항함수 $f(x)$에 대하여 함수 $g(x)$를

$$g(x)=\begin{cases}\dfrac{f(x)-f(0)}{x} & (x \neq 0) \\ f(0) & (x=0)\end{cases}$$

로 정의할 때, 함수 $g(x)$가 $x=0$에서 연속이 되도록 하는 함수 $f(x)$를 다음 [보기]에서 있는 대로 고른 것은?

ㄱ. $f(x)=x+1$

ㄴ. $f(x)=x^3+5x+5$

ㄷ. $f(x)=\dfrac{1}{x+1}$

① ㄱ   ② ㄴ   ③ ㄱ, ㄴ

④ ㄱ, ㄷ   ⑤ ㄱ, ㄴ, ㄷ

▶ 해설 내신연계기출

유형 02 함수의 그래프에서 극한값과 연속

① 함수 $y=f(x)$의 그래프에서 $\lim_{x \to a}f(x)=f(a)$이면

　$f(x)$는 $x=a$에서 연속이다.

② 함수 $y=f(x)$의 그래프가 $x=a$에서 끊어져 있으면

　$f(x)$는 $x=a$에서 불연속이다.

0240 학교기출 대표유형

다음 그림은 두 함수 $y=f(x)$, $y=g(x)$의 그래프이다.

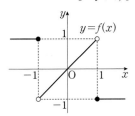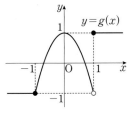

[보기]에서 옳은 것만을 있는 대로 고른 것은?

> ㄱ. $\lim_{x \to 1}f(x)g(x)=-1$
>
> ㄴ. 함수 $y=f(x)+g(x)$는 $x=1$에서 연속이다.
>
> ㄷ. 함수 $y=f(x)g(x)$는 $x=-1$에서 연속이다.

① ㄱ　　　　② ㄴ　　　　③ ㄱ, ㄴ

④ ㄴ, ㄷ　　　⑤ ㄱ, ㄴ, ㄷ

▶ 해설 내신연계기출

0241

NORMAL

다음 그림은 두 함수 $y=f(x)$, $y=g(x)$의 그래프이다.

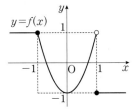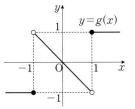

[보기]에서 옳은 것만을 있는 대로 고른 것은?

> ㄱ. $\lim_{x \to -1}\{f(x)+g(x)\}=0$
>
> ㄴ. 함수 $f(x)-g(x)$는 $x=-1$에서 연속이다.
>
> ㄷ. 함수 $f(x)g(x)$는 $x=1$에서 연속이다.

① ㄱ　　　　② ㄴ　　　　③ ㄷ

④ ㄴ, ㄷ　　　⑤ ㄱ, ㄴ, ㄷ

0242 최다빈출 앱중요

NORMAL

두 함수

$$f(x)=\begin{cases}-1 & (|x| \ge 1) \\ 1 & (|x| < 1)\end{cases}, \quad g(x)=\begin{cases}1 & (|x| \ge 1) \\ -x & (|x| < 1)\end{cases}$$

에 대한 다음 [보기]중 옳은 것을 모두 고르면?

> ㄱ. $\lim_{x \to -1}f(x)g(x)=-1$
>
> ㄴ. 함수 $f(x)+g(x)$는 $x=-1$에서 불연속이다.
>
> ㄷ. 함수 $f(x)g(x)$는 $x=1$에서 연속이다.

① ㄱ　　　　② ㄴ　　　　③ ㄱ, ㄴ

④ ㄴ, ㄷ　　　⑤ ㄱ, ㄴ, ㄷ

▶ 해설 내신연계기출

0243 최다빈출 앱중요

NORMAL

두 함수 $f(x)$, $g(x)$의 그래프가 다음과 같을 때, 다음 [보기] 중 $x=0$에서 연속인 함수는?

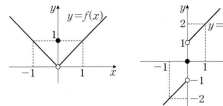

> ㄱ. $f(x)+g(x)$
>
> ㄴ. $f(x)g(x)$
>
> ㄷ. $f(x-1)$

① ㄱ　　　　② ㄴ　　　　③ ㄱ, ㄷ

④ ㄴ, ㄷ　　　⑤ ㄱ, ㄴ, ㄷ

▶ 해설 내신연계기출

0244

NORMAL

두 함수 $y=f(x)$, $y=g(x)$의 그래프는 아래와 같다.

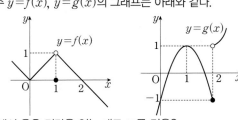

[보기]에서 옳은 것만을 있는 대로 고른 것은?

> ㄱ. 함수 $f(x)g(x)$는 $x=1$에서 연속이다.
>
> ㄴ. 함수 $f(x)-g(x)$는 $x=1$에서 연속이다.
>
> ㄷ. 함수 $\dfrac{f(x)}{\{g(x)\}^2}$는 $x=2$에서 연속이다.

① ㄷ　　　　② ㄱ, ㄴ　　　③ ㄱ, ㄷ

④ ㄴ, ㄷ　　　⑤ ㄱ, ㄴ, ㄷ

02

함수의 연속

0245

TOUGH

함수 $y=f(x)$의 그래프가 오른쪽 그림과 같다. [보기]에서 옳은 것만을 있는 대로 고른 것은?

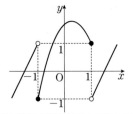

> ㄱ. $\lim\limits_{x \to -1^-} f(x) + \lim\limits_{x \to 1^+} f(x) = 0$
>
> ㄴ. $\lim\limits_{x \to 1} f(-x)$는 존재한다.
>
> ㄷ. 함수 $f(x)f(-x)$는 $x=1$에서 연속이다.

① ㄱ   ② ㄴ   ③ ㄱ, ㄷ
④ ㄴ, ㄷ   ⑤ ㄱ, ㄴ, ㄷ

0246

최다빈출 🕯️중요   TOUGH

두 함수 $f(x)=\begin{cases} -1 & (|x| \geq 1) \\ x^2 & (|x| < 1) \end{cases}$, $g(x)=\begin{cases} 1 & (|x| \geq 1) \\ -x^3 & (|x| < 1) \end{cases}$에 대하여 옳은 것만을 [보기]에서 있는 대로 고른 것은?

> ㄱ. $\lim\limits_{x \to 1} f(x)g(x) = -1$
>
> ㄴ. 함수 $g(x-1)$은 $x=0$에서 연속이다.
>
> ㄷ. 함수 $f(x)g(x-1)$은 $x=1$에서 연속이다.

① ㄱ   ② ㄴ   ③ ㄱ, ㄴ
④ ㄱ, ㄷ   ⑤ ㄱ, ㄴ, ㄷ

▶ 해설 내신연계기출

유형 03   합성함수의 극한값과 연속 판정

① 그래프로 주어진 두 함수 $f(x)$, $g(x)$에 대하여 합성함수 $f(g(x))$의 $x=a$에서의 연속성을 따질 때도 함숫값 $f(g(a))$와 극한값 $\lim\limits_{x \to a} f(g(x))$를 비교해야 한다.

② 극한값은 $x \to a+$일 때, $g(x) \to b+$이면 $g(x)=t$라 하면
$$\lim\limits_{x \to a+} f(g(x)) = \lim\limits_{t \to b+} f(t)$$

참고   그래프에서 끊어진 점의 연속성을 묻는 경우가 많으므로 극한값을 구할 때는 반드시 좌극한과 우극한을 각각 비교해 본다.

0247

학교기출 대표 유형

함수 $y=f(x)$와 $y=g(x)$의 그래프가 다음과 같을 때, [보기] 중 옳은 것을 모두 고른 것은?

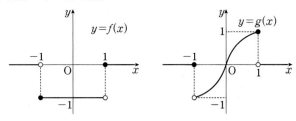

> ㄱ. $\lim\limits_{x \to 1^-} f(g(x)) = 1$이다.
>
> ㄴ. 함수 $f(x)g(x)$는 $x=1$에서 불연속이다.
>
> ㄷ. 함수 $(g \circ f)(x)$는 $x=-1$에서 연속이다.

① ㄱ   ② ㄴ   ③ ㄱ, ㄷ
④ ㄴ, ㄷ   ⑤ ㄱ, ㄴ, ㄷ

0248

NORMAL

그림은 $-2 \leq x \leq 2$에서 정의된 두 함수 $y=f(x)$, $y=g(x)$의 그래프이다.

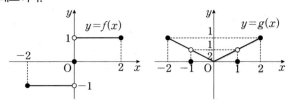

두 함수 $y=f(x)$, $y=g(x)$에 대한 [보기]의 설명 중 옳은 것만을 있는 대로 고른 것은?

> ㄱ. $\lim\limits_{x \to 0} f(x) = 0$이다.
>
> ㄴ. $\lim\limits_{x \to 0} f(g(x)) = 1$이다.
>
> ㄷ. 함수 $f(x)g(x)$는 $x=0$에서 연속이다.

① ㄱ   ② ㄴ   ③ ㄱ, ㄷ
④ ㄴ, ㄷ   ⑤ ㄱ, ㄴ, ㄷ

0249

NORMAL

닫힌구간 $[-1, 4]$에서 정의된 함수 $y=f(x)$의 그래프가 다음 그림과 같다.

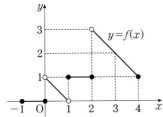

[보기]에서 옳은 것만을 있는 대로 고른 것은?

ㄱ. $\lim_{x \to 1-} f(x) < \lim_{x \to 1+} f(x)$

ㄴ. $\lim_{t \to \infty} f\left(\dfrac{1}{t}\right) = 1$

ㄷ. 함수 $f(f(x))$는 $x=3$에서 연속이다.

① ㄱ　　　② ㄷ　　　③ ㄱ, ㄴ
④ ㄴ, ㄷ　　　⑤ ㄱ, ㄴ, ㄷ

0250

TOUGH

함수 $y=f(x)$의 그래프가 그림과 같다.

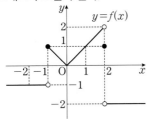

[보기]에서 옳은 것만을 있는 대로 고른 것은?

ㄱ. $\lim_{x \to -1+} f(x) = 1$

ㄴ. $\lim_{x \to 2} f(x)f(x-3) = 2$

ㄷ. 함수 $(f \circ f)(x)$는 $x=-1$에서 연속이다.

① ㄱ　　　② ㄱ, ㄴ　　　③ ㄱ, ㄷ
④ ㄴ, ㄷ　　　⑤ ㄱ, ㄴ, ㄷ

0251

TOUGH

함수 $y=f(x)$의 그래프가 그림과 같다.

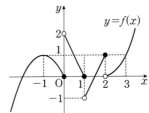

[보기]에서 옳은 것만을 있는 대로 고른 것은?

ㄱ. 함수 $f(x-1)$은 $x=0$에서 연속이다.

ㄴ. 함수 $f(x)f(-x)$는 $x=1$에서 연속이다.

ㄷ. 함수 $f(f(x))$는 $x=3$에서 불연속이다.

① ㄱ　　　② ㄱ, ㄴ　　　③ ㄱ, ㄷ
④ ㄴ, ㄷ　　　⑤ ㄱ, ㄴ, ㄷ

0252

최다빈출 왕 중요　　　TOUGH

두 함수 $f(x)$와 $g(x)$의 그래프가 그림과 같다. [보기]에서 옳은 것만을 있는 대로 고른 것은?

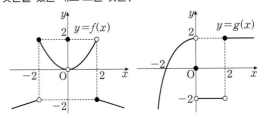

ㄱ. 함수 $f(x)+g(x)$는 $x=2$에서 연속이다.

ㄴ. 함수 $f(x)g(x)$는 $x=0$에서 연속이다.

ㄷ. 함수 $f(g(x))$는 $x=-2$에서 연속이다.

ㄹ. 함수 $\dfrac{g(x)}{f(x)}$는 $x=2$에서 연속이다.

① ㄱ　　　② ㄱ, ㄷ　　　③ ㄴ, ㄹ
④ ㄱ, ㄴ, ㄹ　　　⑤ ㄱ, ㄴ, ㄷ, ㄹ

▶ 해설 내신연계기출

두 함수 $f(x)$, $g(x)$가 연속함수일 때,

$$y=\begin{cases} f(x)\,(x \ge a) \\ g(x)\,(x < a) \end{cases}$$ 가 모든 실수 x에서 연속이려면

$$\Rightarrow \lim_{x \to a+} f(x)=\lim_{x \to a-} g(x)=f(a)$$

0253 학교기출 대표유형

함수 $f(x)=\begin{cases} 3x+6 & (x < 2) \\ x^2+ax-4 & (x \ge 2) \end{cases}$ 가 실수 전체의 집합에서 연속

일 때, 상수 a의 값은?

① 2 　　　　② 4 　　　　③ 6

④ 8 　　　　⑤ 10

0254 최다빈출 킹 중요 　　BASIC

함수 $f(x)=\begin{cases} -x+a & (x \ge 1) \\ x^2+3x-1 & (x < 1) \end{cases}$ 이 모든 실수 x에서 연속이

되도록 하는 상수 a의 값은?

① -4 　　　　② -2 　　　　③ -1

④ 2 　　　　⑤ 4

▶ 해설 내신연계기출

0255 　　BASIC

함수 $f(x)=\begin{cases} \sqrt{-x+a} & (x > -1) \\ -x^2+2x+7 & (x \le -1) \end{cases}$ 가 모든 실수 x에서 연속이

되도록 하는 상수 a의 값은?

① 11 　　　　② 13 　　　　③ 15

④ 17 　　　　⑤ 19

0256 　　NORMAL

함수 $f(x)=\begin{cases} 2x-1 & (x \le -1) \\ x^2+ax+b & (-1 < x \le 2) \\ 3x+3 & (x > 2) \end{cases}$ 이 모든 실수 x에서

연속이 되도록 하는 두 실수 a, b에 대하여 $a+b$의 값은?

① -2 　　　　② -1 　　　　③ 0

④ 1 　　　　⑤ 2

0257 최다빈출 킹 중요 　　NORMAL

함수 $f(x)=\begin{cases} 4x-1 & (x \le 1) \\ x^2-ax+b & (1 < x \le 3) \\ x+2 & (x > 3) \end{cases}$ 가 모든 실수 x에서

연속이 되도록 하는 상수 a, b에 대하여 $a+b$의 값은?

① 4 　　　　② 5 　　　　③ 6

④ 7 　　　　⑤ 8

▶ 해설 내신연계기출

0258 　　NORMAL

함수

$$f(x)=\begin{cases} x+2 & (x \le a) \\ x^2-4 & (x > a) \end{cases}$$

에 대하여 함수 $|f(x)|$가 실수 전체의 집합에서 연속이 되도록 하는 모든 실수 a의 값의 합은?

① -3 　　　　② -2 　　　　③ -1

④ 1 　　　　⑤ 2

0259 최다빈출 킹 중요 　　TOUGH

열린구간 $(-2, 2)$에서 정의된 함수 $y=f(x)$의 그래프가 오른쪽 그림과 같다. 함수

$$|f(x)-k|$$

가 불연속인 실수 $x\,(-2 < x < 2)$의 개수가 1이 되도록 하는 상수 k의 값은?

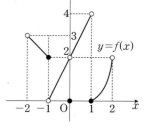

① 0 　　　　② $\dfrac{1}{2}$ 　　　　③ 1

④ $\dfrac{3}{2}$ 　　　　⑤ 2

▶ 해설 내신연계기출

유형 05 함수의 연속과 미정계수의 결정 (2)

(1) $x \neq a$에서 연속인 함수 $g(x)$에 대하여

$$f(x) = \begin{cases} g(x) & (x \neq a) \\ b & (x = a) \end{cases}$$ 일 때,

함수 $f(x)$가 $x = a$에서 연속이려면 $\lim_{x \to a} g(x) = b$ 이다.

(2) 분수 꼴의 함수에서 $x \to a$일 때,

① (분모)→ 0이고 극한값이 존재하면 (분자)→ 0이어야 한다.

② (분자)→ 0이고 0아닌 극한값이 존재하면 (분모)→ 0이어야 한다.

0260 학교기출 대표 유형

함수

$$f(x) = \begin{cases} \dfrac{x^2 + x - 12}{x - 3} & (x \neq 3) \\ a & (x = 3) \end{cases}$$

이 모든 실수 x에서 연속일 때, 상수 a의 값은?

① 10   ② 9   ③ 8

④ 7   ⑤ 6

0261 최다빈출 왕 중요   BASIC

함수

$$f(x) = \begin{cases} \dfrac{2x^3 - 4x^2 - x + 2}{x - 2} & (x \neq 2) \\ a & (x = 2) \end{cases}$$

가 모든 실수 x에서 연속이 되도록 하는 실수 a의 값은?

① 1   ② 3   ③ 5

④ 7   ⑤ 9

▶ 해설 내신연계기출

0262   BASIC

함수

$$f(x) = \begin{cases} \dfrac{\sqrt{x+8} - 3}{x - 1} & (x > 1) \\ a & (x \leq 1) \end{cases}$$

가 $x = 1$에서 연속일 때, 상수 a의 값은?

① $\dfrac{1}{6}$ ② $\dfrac{1}{3}$ ③ $\dfrac{1}{2}$

④ 1   ⑤ 2

0263 최다빈출 왕 중요   BASIC

함수

$$f(x) = \begin{cases} \dfrac{x^2 - x + a}{x - 3} & (x \neq 3) \\ b & (x = 3) \end{cases}$$

이 모든 실수 x에서 연속이 되도록 하는 두 상수 a, b의 값을 정할 때, $a + b$의 값은?

① -1 ② 0   ③ 1

④ 2   ⑤ 3

▶ 해설 내신연계기출

0264 최다빈출 왕 중요   BASIC

함수

$$f(x) = \begin{cases} \dfrac{x^2 + ax - 4}{x + 1} & (x \neq -1) \\ b & (x = -1) \end{cases}$$

가 모든 실수 x에서 연속이 되도록 하는 실수 a, b에 대하여 ab의 값은?

① -15 ② -10 ③ -5

④ 10   ⑤ 15

▶ 해설 내신연계기출

0265   BASIC

상수 a, b에 대하여 함수

$$f(x) = \begin{cases} \dfrac{x^2 + ax + b}{x + 1} & (x \neq -1) \\ 5 & (x = -1) \end{cases}$$

이 모든 실수 x에서 연속일 때, $f(2)$의 값은?

① 4   ② 5   ③ 6

④ 7   ⑤ 8

0266   NORMAL

함수

$$f(x) = \begin{cases} \dfrac{x^3 + ax - b}{(x + 1)^2} & (x \neq -1) \\ c & (x = -1) \end{cases}$$

가 모든 실수 x에서 연속일 때, 상수 a, b, c에 대하여 $a + b + c$의 값은?

① -4 ② -3 ③ -2

④ -1 ⑤ 2

0267 최다빈출 왕중요   NORMAL

함수

$$f(x)=\begin{cases}\dfrac{a\sqrt{x+3}+b}{x-1} & (x\neq 1)\\ 2 & (x=1)\end{cases}$$

이 $x=1$에서 연속이 되도록 하는 두 상수 a, b에 대하여 $a+b$의 값은?

① -10 ② -8 ③ -6
④ -4 ⑤ -2

▶ 해설 내신연계기출

0268 최다빈출 왕중요   NORMAL

함수

$$f(x)=\begin{cases}\dfrac{\sqrt{x^2+5}-a}{x-2} & (x\neq 2)\\ b & (x=2)\end{cases}$$

가 $x=2$에서 연속일 때, 상수 a, b의 곱 ab의 값은?

① -4 ② -3 ③ -2
④ -1 ⑤ 2

▶ 해설 내신연계기출

0269   NORMAL

상수 a, b에 대하여 함수

$$f(x)=\begin{cases}\dfrac{\sqrt{x^2+a}+b}{x+1} & (x\neq -1)\\ -\dfrac{1}{2} & (x=-1)\end{cases}$$

이 모든 실수 x에 대하여 연속일 때, a^2+b^2의 값은?

① 1 ② 5 ③ 10
④ 13 ⑤ 18

0270   TOUGH

함수

$$f(x)=\begin{cases}\dfrac{\sqrt{x+3}+a}{x^3-1} & (x\neq 1)\\ b & (x=1)\end{cases}$$

가 모든 실수 x에서 연속이 되도록 하는 두 상수 a, b에 대하여 ab의 값은?

① $-\dfrac{1}{6}$ ② $-\dfrac{1}{3}$ ③ $-\dfrac{1}{2}$
④ $\dfrac{1}{6}$ ⑤ $\dfrac{1}{2}$

0271 최다빈출 왕중요   TOUGH

두 함수

$$f(x)=\begin{cases}-x+1 & (x<0)\\ x^3 & (x\geq 0)\end{cases},\ g(x)=\begin{cases}x^2+3 & (x<0)\\ x+k & (x\geq 0)\end{cases}$$

에 대하여 함수 $f(x)+g(x)$가 $x=0$에서 연속이 되도록 하는 상수 k의 값은?

① 2 ② 3 ③ 4
④ 5 ⑤ 6

▶ 해설 내신연계기출

0272   TOUGH

함수

$$f(x)=\begin{cases}ax+b & (|x|\geq 3)\\ \dfrac{|x|-3}{9-x^2} & (|x|<3)\end{cases}$$

이 모든 실수 x에서 연속일 때, 상수 a, b에 대하여 $a-b$의 값은?

① $-\dfrac{1}{6}$ ② $-\dfrac{1}{3}$ ③ $-\dfrac{1}{2}$
④ $\dfrac{1}{6}$ ⑤ $\dfrac{1}{2}$

유형 06 함수의 연속과 미정계수의 결정 (3)

구간별로 정의된 함수의 연속성
⇨ 각 구간의 경계점에서의 연속성을 조사한다.

$x < a$에서 연속인 함수 $f(x)$와 $x \geq a$에서 연속인 함수 $g(x)$에 대하여

함수 $y = \begin{cases} f(x) & (x < a) \\ g(x) & (x \geq a) \end{cases}$ 가 모든 실수 x에서 연속이려면

$\lim\limits_{x \to a-} f(x) = \lim\limits_{x \to a+} g(x) = g(a)$이어야 한다.

0273 학교기출 대표 유형

함수

$$f(x) = \begin{cases} ax+1 & (x < 1 \text{ 또는 } x > 2) \\ x^2 - x + b & (1 \leq x \leq 2) \end{cases}$$

가 모든 실수 x에서 연속이 되도록 하는 상수 a, b에 대하여 ab의 값은?

① 2 ② 3 ③ 6
④ 8 ⑤ 12

▶ 해설 내신연계기출

0274 NORMAL

함수 $f(x) = \begin{cases} x^2+x-b & (|x| < 1) \\ ax+2 & (|x| \geq 1) \end{cases}$ 가 모든 실수 x에서 연속이 되

도록 하는 상수 a, b에 대하여 $a+b$의 값은?

① -1 ② 0 ③ 1
④ 2 ⑤ 3

0275 최다빈출 왕중요 NORMAL

함수 $f(x) = \begin{cases} -x^2+ax+b & (|x| < 1) \\ x(x-1) & (|x| \geq 1) \end{cases}$ 가 모든 실수 x에서 연속이

되도록 하는 상수 a, b에 대하여 $2a-b$의 값은?

① -4 ② -1 ③ 0
④ 1 ⑤ 3

▶ 해설 내신연계기출

0276 최다빈출 왕중요 TOUGH

실수 전체의 집합에서 정의된 두 함수 $f(x)$와 $g(x)$에 대하여

$x < 0$일 때, $f(x) + g(x) = x^2 + 4$

$x > 0$일 때, $f(x) - g(x) = x^2 + 2x + 8$

이다. 함수 $f(x)$가 $x = 0$에서 연속이고

$\lim\limits_{x \to 0-} g(x) - \lim\limits_{x \to 0+} g(x) = 6$일 때, $f(0)$의 값은?

① -3 ② -1 ③ 0
④ 1 ⑤ 3

▶ 해설 내신연계기출

유형 07 $(x-a)f(x)$꼴의 함수의 연속

연속함수 $g(x)$에 대하여 함수 $f(x)$가 $(x-a)f(x) = g(x)$를 만족할 때, $f(x)$가 모든 실수 x에서 연속이면
⇨ $f(x)$가 $x = a$에서 연속이다.
⇨ $f(a) = \lim\limits_{x \to a} \dfrac{g(x)}{x-a}$ ◀ $f(x) = \dfrac{g(x)}{x-a}(x \neq a)$

0277 학교기출 대표 유형

실수 전체의 집합에서 연속인 함수 $f(x)$가

$$(x+1)f(x) = x^2 - 2x - 3$$

을 만족시킬 때, $f(-1)$의 값은?

① -4 ② -2 ③ 0
④ 1 ⑤ 3

0278 NORMAL

모든 실수 x에서 연속인 함수 $f(x)$가

$$(x^2-1)f(x) = x^3 + 3x^2 - x - 3$$

을 만족시킬 때, $f(-1) + f(1)$의 값은?

① 2 ② 4 ③ 6
④ 8 ⑤ 10

0279 최다빈출 왕중요 NORMAL

$x \geq -7$인 모든 실수 x에서 연속인 함수 $f(x)$에 대하여

$$(x-2)f(x) = \sqrt{x+7} - 3$$

을 만족할 때, $f(2)$의 값은?

① $\dfrac{1}{8}$ ② $\dfrac{2}{7}$ ③ $\dfrac{1}{6}$
④ $\dfrac{1}{4}$ ⑤ $\dfrac{1}{3}$

▶ 해설 내신연계기출

0280 최다빈출 왕중요 NORMAL

$x \neq -1$인 모든 실수 x에서 연속인 함수 $f(x)$가

$$(x-2)f(x) = \dfrac{1}{3} - \dfrac{1}{x+1}$$

을 만족시킬 때, $f(2)$의 값은?

① $\dfrac{1}{3}$ ② $\dfrac{1}{4}$ ③ $\dfrac{1}{6}$
④ $\dfrac{1}{8}$ ⑤ $\dfrac{1}{9}$

▶ 해설 내신연계기출

연속함수 $g(x)$에 대하여 함수 $f(x)$가 $(x-a)f(x)=g(x)$를 만족할 때, $f(x)$가 모든 실수 x에서 연속이면

$\Rightarrow f(x)$가 $x=a$에서 연속이다.

$\Rightarrow f(a)=\lim\limits_{x\to a}\dfrac{g(x)}{x-a}$ $\leftarrow f(x)=\dfrac{g(x)}{x-a}(x\neq a)$

0281 학교기출 대표유형

모든 실수 x에서 연속인 함수 $f(x)$에 대하여

$$(x-1)f(x)=x^2+x-a$$

를 만족시킬 때, $f(1)$의 값은?

① 1   ② 2   ③ 3
④ 4   ⑤ 5

▶ 해설 내신연계기출

0282   NORMAL

실수 전체의 집합에서 연속인 함수 $f(x)$가

$$(x-1)f(x)=x^2+ax-5$$

를 만족시킬 때, $a+f(1)$의 값은? (단, a는 상수이다.)

① 7   ② 8   ③ 9
④ 10   ⑤ 11

0283 최다빈출 왕중요   NORMAL

모든 실수 x에서 연속인 함수 $f(x)$가

$$(x+3)f(x)=ax^3+bx, \; f(2)=4$$

를 만족시킬 때, $f(-3)$의 값은? (단, a, b는 상수)

① -42 ② -36 ③ -25
④ -16 ⑤ -9

▶ 해설 내신연계기출

0284   NORMAL

모든 실수 x에서 연속인 함수 $f(x)$가

$$(x+1)f(x)=ax^2-bx, \; f(1)=3$$

을 만족시킬 때, $f(-1)$의 값은? (단, a, b는 상수)

① -9 ② -7 ③ -5
④ -3 ⑤ -1

0285   NORMAL

모든 실수에서 연속인 함수 $f(x)$가

$$f(a)=3, \; (x-a)f(x)=x^2-x+b$$

를 만족할 때, $a+b+f(1)$의 값은? (단, a, b는 상수)

① -2 ② -1 ③ 0
④ 1   ⑤ 2

0286 최다빈출 왕중요   TOUGH

모든 실수 x에서 연속인 함수 $f(x)$가

$$(x^2-1)f(x)=ax^3+bx^2-ax-b$$

를 만족시키고 $f(-1)=1$, $f(1)=2$일 때, 상수 ab의 값은?

① $\dfrac{1}{4}$ ② $\dfrac{1}{2}$ ③ $\dfrac{3}{4}$
④ $\dfrac{3}{2}$ ⑤ $\dfrac{5}{4}$

▶ 해설 내신연계기출

0287 최다빈출 왕중요   TOUGH

실수 전체의 집합에서 연속인 함수 $f(x)$가

$$(x^2-3x+2)f(x)=x^3+ax+b$$

를 만족시킬 때, $f(1)+f(2)$의 값은? (단, a, b는 상수)

① 7   ② 8   ③ 9
④ 10   ⑤ 11

▶ 해설 내신연계기출

유형 09 합성함수 $g(f(x))$의 연속

모든 실수에서 $g(x)$는 연속이고 $f(x)$가 $x=a$에서 불연속일 때,
합성함수 $(g \circ f)(x)$가 모든 실수 x에서 연속일 조건

⇨ $x=a$에서 연속이 된다.

즉 $\lim\limits_{x \to a^-} g(f(x)) = \lim\limits_{x \to a^+} g(f(x)) = g(f(a))$

2015개정교과서에서는 합성함수의 연속은 다루지 않지만 학교내신에서는
자주 출제되기에 수록 하였습니다.

0288 학교기출 대표 유형

두 함수

$$f(x) = x^2 + ax, \quad g(x) = \begin{cases} 1 & (x > 0) \\ -1 & (x \le 0) \end{cases}$$

에 대하여 함수 $f(g(x))$가 $x=0$에서 연속이 되도록 하는 상수 a의 값은?

① 0 ② 1 ③ 2
④ 3 ⑤ 4

0289 최다빈출 상 중요   NORMAL

두 함수

$$f(x) = \begin{cases} x^2 - 3 & (x < 2) \\ 4 - x & (x \ge 2) \end{cases}, \quad g(x) = x^2 + kx$$

에 대하여 합성함수 $g(f(x))$가 모든 실수 x에서 연속일 때, 상수 k의 값은?

① -5 ② -4 ③ -3
④ -2 ⑤ -1

▶ 해설 내신연계기출

0290   NORMAL

함수 $f(x)$가

$$f(x) = \begin{cases} \dfrac{x^2 - 4}{x - 2} & (x \ne 2) \\ a & (x = 2) \end{cases}$$

일 때, 합성함수 $(f \circ f)(x)$가 $x=2$에서 연속일 때, 상수 a의 값은?

① 1 ② 2 ③ 3
④ 4 ⑤ 5

0291 최다빈출 상 중요   TOUGH

실수 전체의 집합에서 정의된 함수 $y=f(x)$의 그래프는 그림과 같고 최고차항의 계수가 1인 삼차함수 $g(x)$에 대하여 $g(0)=3$이다.
합성함수 $(g \circ f)(x)$가 실수 전체의 집합에서 연속일 때, $g(3)$의 값은?

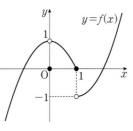

① 21 ② 24 ③ 27
④ 30 ⑤ 33

▶ 해설 내신연계기출

0292   TOUGH

실수 전체의 집합에서 정의된 함수 $y=f(x)$의 그래프는 그림과 같다. 함수 $g(x) = ax^3 + bx^2 + cx + 10$ (a, b, c는 상수)에 대하여 합성함수 $(g \circ f)(x)$가 실수 전체의 집합에서 연속이다.
$g(1) + g(2)$의 값은?

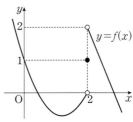

① 10 ② 15 ③ 20
④ 25 ⑤ 30

0293   TOUGH

그림은 실수 전체의 집합에서 정의된 함수 $y=f(x)$의 그래프이다.

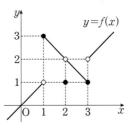

함수 $f(x)$는 $x=1$, $x=2$, $x=3$에서만 불연속이다.
이차함수 $g(x) = x^2 - 4x + k$에 대하여 함수 $(f \circ g)(x)$가 $x=2$에서 불연속이 되도록 하는 모든 실수 k의 합은?

① 11 ② 12 ③ 13
④ 14 ⑤ 15

유형 10 $f(x)g(x)$가 $x=a$에서 연속일 조건

(1) 함수 $g(x)$가 $x=a$에서 연속이고 $f(x)=\begin{cases} f_1(x) & (x \geq a) \\ f_2(x) & (x < a) \end{cases}$일 때,

함수 $f(x)$가 $x=a$에서 불연속이고

함수 $f(x)g(x)$가 $x=a$에서 연속이려면

⇨ $\lim_{x \to a} g(x)=g(a)=0$이 성립한다.

(2) $f(x)g(x)$가 모든 실수에서 연속일 때,

① $f(x)$가 일차함수이고 $g(x)$가 $x=\alpha$에서 불연속이면

⇨ $f(\alpha)=0$이어야 한다.

② $f(x)$가 이차함수이고 $g(x)$가 $x=\alpha$, $x=\beta$에서 불연속이면

⇨ $f(\alpha)=0$, $f(\beta)=0$이어야 한다.

0294 학교기출 대표유형

두 함수

$$f(x)=\begin{cases} x+3 & (x \leq 1) \\ -x+2 & (x > 1) \end{cases}, \ g(x)=x+a$$

에 대하여 함수 $f(x)g(x)$가 $x=1$에서 연속이 되도록 하는 상수 a의 값은?

① -2 ② -1 ③ 0

④ 1 ⑤ 2

0295 최다빈출 왕중요

두 함수

$$f(x)=\begin{cases} x-1 & (x < 3) \\ x-2 & (x \geq 3) \end{cases}, \ g(x)=x+a$$

에 대하여 함수 $f(x)g(x)$가 $x=3$에서 연속일 때, 상수 a의 값은?

① -3 ② -2 ③ -1

④ 1 ⑤ 2

▶ 해설 내신연계기출

0296

함수 $y=f(x)$의 그래프가 오른쪽 그림과 같다.

함수 $g(x)=x^2+ax-9$일 때,

함수 $f(x)g(x)$가 $x=1$에서 연속이 되도록 하는 상수 a의 값은?

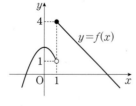

① 6 ② 7 ③ 8

④ 9 ⑤ 10

0297

두 함수

$$f(x)=\begin{cases} x+a & (x < -1) \\ x^2 & (x \geq -1) \end{cases}, \ g(x)=x-a$$

에 대하여 함수 $f(x)g(x)$가 실수 전체의 집합에서 연속이 되도록 하는 모든 상수 a의 값의 합은?

① -2 ② -1 ③ 0

④ 1 ⑤ 2

0298

두 함수

$$f(x)=\begin{cases} x+3 & (x \leq a) \\ x^2-x & (x > a) \end{cases}, \ g(x)=x-(2a+7)$$

에 대하여 함수 $f(x)g(x)$가 실수 전체의 집합에서 연속이 되도록 하는 모든 실수 a의 값의 곱은?

① -7 ② 3 ③ 12

④ 18 ⑤ 21

0299 최다빈출 왕중요

최고차항의 계수가 1인 이차함수 $f(x)$와 함수

$$g(x)=\begin{cases} -1 & (x \leq 0) \\ -x+1 & (0 < x < 2) \\ 1 & (x \geq 2) \end{cases}$$

에 대하여 함수 $f(x)g(x)$가 실수 전체의 집합에서 연속이다.

$f(5)$의 값은?

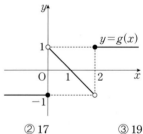

① 15 ② 17 ③ 19

④ 21 ⑤ 23

▶ 해설 내신연계기출

0300

TOUGH

함수 $y=f(x)$의 그래프가 오른쪽 그림과 같을 때, [보기]에서 옳은 것을 모두 고르면?

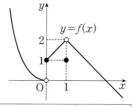

ㄱ. $\lim_{x \to 0^+} f(x)=1$

ㄴ. $\lim_{x \to 1} f(x)=f(1)$

ㄷ. 함수 $(x-1)f(x)$는 $x=1$에서 연속이다.

ㄹ. 함수 $(x+1)f(x)$가 불연속이 되는 x의 값은 2개이다.

① ㄱ   ② ㄴ, ㄹ   ③ ㄱ, ㄴ

④ ㄴ, ㄷ   ⑤ ㄱ, ㄷ, ㄹ

0301

최다빈출 ⑧ 중요   TOUGH

함수 $f(x)$가 $f(x)=\begin{cases} a & (x \le 1) \\ -x+2 & (x>1) \end{cases}$일 때, [보기]에서 옳은 것을 모두 고르면? (단, a는 상수이다.)

ㄱ. $\lim_{x \to 1^+} f(x)=1$

ㄴ. $a=0$이면 함수 $f(x)$는 $x=1$에서 연속이다.

ㄷ. 함수 $y=(x-1)f(x)$는 실수 전체의 집합에서 연속이다.

① ㄱ   ② ㄴ   ③ ㄱ, ㄷ

④ ㄴ, ㄷ   ⑤ ㄱ, ㄴ, ㄷ

▶ 해설 내신연계기출

0302

TOUGH

함수

$$f(x)=\begin{cases} x & (|x| \ge 1) \\ -x & (|x|<1) \end{cases}$$

에 대하여 옳은 것을 다음 [보기]에서 모두 고른 것은?

ㄱ. 함수 $f(x)$가 불연속이 되는 x의 값은 2개이다.

ㄴ. 함수 $(x-1)f(x)$는 $x=1$에서 연속이다.

ㄷ. 함수 $\{f(x)\}^2$은 실수 전체의 집합에서 연속이다.

① ㄱ   ② ㄴ   ③ ㄱ, ㄷ

④ ㄴ, ㄷ   ⑤ ㄱ, ㄴ, ㄷ

유형 11 $f(x)g(x)$, $\dfrac{g(x)}{f(x)}$의 연속

① 함수 $f(x)g(x)$가 $x=a$에서 연속이면 ⇨ $\lim_{x \to a} f(x)g(x)=f(a)g(a)$

② 함수 $\dfrac{g(x)}{f(x)}$가 $x=a$에서 연속이면 ⇨ $\lim_{x \to a}\dfrac{g(x)}{f(x)}=\dfrac{g(a)}{f(a)}$

0303

학교기출 대표 유형

두 함수

$$f(x)=\begin{cases} x^2-4x+6 & (x<2) \\ 1 & (x \ge 2) \end{cases}, \; g(x)=ax+1$$

에 대하여 함수 $\dfrac{g(x)}{f(x)}$가 실수 전체의 집합에서 연속일 때, 상수 a의 값은?

① $-\dfrac{1}{2}$ ② $-\dfrac{1}{3}$ ③ $-\dfrac{1}{4}$

④ $\dfrac{1}{2}$ ⑤ $\dfrac{1}{3}$

▶ 해설 내신연계기출

0304

최다빈출 ⑧ 중요   NORMAL

함수 $f(x)=\begin{cases} \dfrac{2}{x-2} & (x \ne 2) \\ 1 & (x=2) \end{cases}$와 이차함수 $g(x)$가 다음 두 조건을 만족시킨다.

(가) $g(0)=8$

(나) 함수 $f(x)g(x)$는 모든 실수에서 연속이다.

이때 $g(6)$의 값은?

① 30   ② 32   ③ 34

④ 36   ⑤ 38

▶ 해설 내신연계기출

0305

TOUGH

이차함수 $f(x)$가 다음 조건을 만족시킨다.

(가) 함수 $\dfrac{x}{f(x)}$는 $x=1$, $x=2$에서 불연속이다.

(나) $\lim_{x \to 2}\dfrac{f(x)}{x-2}=4$

$f(4)$의 값은?

① 20   ② 22   ③ 24

④ 26   ⑤ 28

02 함수의 연속

함수 $f(x)$가 $x \neq 0$인 실수 전체의 집합에서 연속이고

함수 $f(x)f(x-a)$가 실수 전체에서 연속이려면

⟹ $f(x)f(x-a)$가 $x=0$, $x=a$에서 연속이어야 한다.

설명 함수 $f(x)$는 $x \neq 0$인 실수 전체의 집합에서 연속이고

함수 $f(x-a)$는 $x \neq a$인 실수 전체의 집합에서 연속이다.

즉 a의 값에 관계없이 함수 $f(x)f(x-a)$는 $x \neq 0$, $x \neq a$인

실수 전체의 집합에서 연속이다.

함수 $f(x)f(x-a)$가 실수 전체의 집합에서 연속이기 위해서는

함수 $f(x)f(x-a)$가 $x=0$, $x=a$에서 연속이어야 한다.

0306 학교기출 대표 유형

함수

$$f(x) = \begin{cases} x+2 & (x \leq 0) \\ -x+a & (x > 0) \end{cases}$$

가 $x=0$에서 불연속이고 함수 $f(x)f(x-1)$은 $x=1$에서 연속일 때, 상수 a의 값은?

① 1 ② 2 ③ 3

④ 4 ⑤ 5

0307 최다빈출 왕 중요

NORMAL

-1이 아닌 실수 a에 대하여 함수 $f(x)$가

$$f(x) = \begin{cases} -x-1 & (x \leq 0) \\ 2x+a & (x > 0) \end{cases}$$

일 때, 함수 $g(x) = f(x)f(x-1)$이 실수 전체의 집합에서 연속이 되도록 하는 a의 값은?

① $-\dfrac{7}{2}$ ② -3 ③ $-\dfrac{5}{2}$

④ -2 ⑤ $-\dfrac{3}{2}$

▶ 해설 내신연계기출

0308 최다빈출 왕 중요

TOUGH

함수 $f(x) = \begin{cases} x+2 & (x \leq 0) \\ -\dfrac{1}{2}x & (x > 0) \end{cases}$ 의 그래프가 다음 그림과 같다.

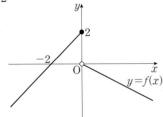

함수 $g(x) = f(x)\{f(x)+k\}$가 $x=0$에서 연속이 되도록 하는 상수 k의 값은?

① -2 ② -1 ③ 0

④ 1 ⑤ 2

▶ 해설 내신연계기출

함수 $f(x)$가 $x=a$에서 불연속이고 함수 $f(x)g(x)$가 $x=a$에서 연속이려면

⟹ $\displaystyle\lim_{x \to a} g(x) = g(a) = 0$

즉, 함수 $y=g(x)$의 그래프가 $x=a$에서 함숫값이 0이어야 한다.

0309 학교기출 대표 유형

함수 $y=f(x)$의 그래프가 오른쪽 그림과 같을 때, 함수 $f(x)g(x)$가 닫힌구간 $[-1, 3]$에서 연속이 되도록 하는 함수 $y=g(x)$의 그래프인 것만을 [보기]에서 있는 대로 고르면?

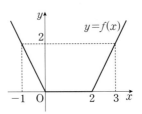

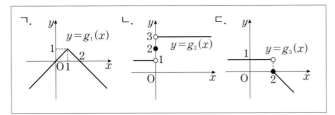

① ㄱ ② ㄴ ③ ㄱ, ㄴ

④ ㄴ, ㄷ ⑤ ㄱ, ㄴ, ㄷ

0310 최다빈출 왕 중요

TOUGH

함수 $y=f(x)$의 그래프가 오른쪽 그림과 같을 때, 함수 $f(x)g(x)$가 닫힌구간 $[-2, 1]$에서 연속이 되도록 하는 함수 $g(x)$로 알맞은 것을 [보기]에서 있는 대로 고르면?

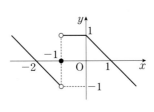

ㄱ. $g_1(x) = x^2-1$

ㄴ. $g_2(x) = |x|-1$

ㄷ. $g_3(x) = x-1$

① ㄱ ② ㄴ ③ ㄱ, ㄴ

④ ㄴ, ㄷ ⑤ ㄱ, ㄴ, ㄷ

▶ 해설 내신연계기출

유형 14 $y=f(x)+f(-x)$꼴의 연속

① $y=f(x)+f(-x)$

  ⇒ $y=f(x)$의 그래프와 $y=f(-x)$의 그래프를 더한다.

② $y=f(x)-f(-x)$

  ⇒ $y=f(x)$의 그래프와 $y=-f(-x)$의 그래프를 더한다.

③ $y=\dfrac{f(x)+|f(x)|}{2}$ ⇒ $y=\begin{cases} f(x) & (f(x)\geq 0) \\ 0 & (f(x)<0) \end{cases}$

0311 학교기출 대표유형

함수

$$f(x)=\begin{cases} -1 & (x\leq -1) \\ -x & (-1<x<1) \\ 1 & (x\geq 1) \end{cases}$$

일 때, [보기]에서 옳은 것을 모두 고르면?

ㄱ. $\displaystyle\lim_{x\to 1+}\{f(x)+f(-x)\}=0$

ㄴ. 함수 $f(x)+f(-x)$는 $x=1$에서 연속이다.

ㄷ. 함수 $f(x)+f(-x)$는 실수 전체의 집합에서 연속이다.

① ㄱ   ② ㄱ, ㄴ   ③ ㄱ, ㄷ

④ ㄴ, ㄷ   ⑤ ㄱ, ㄴ, ㄷ

0312   NORMAL

함수 $f(x)$가

$$f(x)=\begin{cases} |x| & (|x|\geq 1) \\ -x+1 & (|x|<1,\ x\neq 0) \\ 0 & (x=0) \end{cases}$$

일 때, [보기]에서 옳은 것을 모두 고르면?

ㄱ. $\displaystyle\lim_{x\to 1+}\{f(x)+f(-x)\}=3$

ㄴ. 함수 $f(x)+f(-x)$는 $x=1$에서 연속이다.

ㄷ. 함수 $f(x)+f(-x)$는 실수 전체의 집합에서 연속이다.

① ㄱ   ② ㄴ   ③ ㄱ, ㄷ

④ ㄴ, ㄷ   ⑤ ㄱ, ㄴ, ㄷ

0313   TOUGH

함수 $f(x)=\begin{cases} 0 & (|x|>1) \\ 1 & (x=1) \\ 1-|x| & (|x|<1) \\ -1 & (x=-1) \end{cases}$ 에 대하여 두 함수

$f(x)+f(-x)$, $f(x)-f(-x)$가 불연속인 x의 값의 개수를 각각 m, n이라고 할 때, $m+n$의 값은?

① 1   ② 2   ③ 3

④ 4   ⑤ 5

0314   TOUGH

열린구간 $(-2, 2)$에서 정의된 함수 $y=f(x)$의 그래프가 오른쪽 그림과 같다. 열린구간 $(-2, 2)$에서 함수 $g(x)$를 $g(x)=f(x)+f(-x)$로 정의할 때, [보기]에서 옳은 것을 모두 고른 것은?

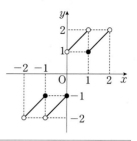

ㄱ. $\displaystyle\lim_{x\to 0}f(x)$가 존재한다.

ㄴ. $\displaystyle\lim_{x\to 0}g(x)$가 존재한다.

ㄷ. 함수 $g(x)$는 $x=1$에서 연속이다.

① ㄴ   ② ㄷ   ③ ㄱ, ㄴ

④ ㄱ, ㄷ   ⑤ ㄴ, ㄷ

0315   TOUGH

함수 $f(x)=\begin{cases} x+3 & (x<-1) \\ ax-1 & (-1\leq x<1) \\ x-1 & (x\geq 1) \end{cases}$에 대하여 함수 $g(x)$를

$$g(x)=\dfrac{f(x)+|f(x)|}{2}$$

라 하자. 함수 $g(x)$가 실수 전체의 집합에서 연속이기 위한 상수 a의 값은?

① -6 ② -5 ③ -4

④ -3 ⑤ -2

0316 최다빈출 왕중요   TOUGH

닫힌구간 $[-1, 1]$에서 정의된 함수 $y=f(x)$의 그래프가 그림과 같다.

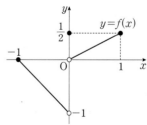

닫힌구간 $[-1, 1]$에서 두 함수 $g(x)$, $h(x)$가

$$g(x)=f(x)+|f(x)|,\ h(x)=f(x)+f(-x)$$

일 때, [보기]에서 옳은 것만을 있는 대로 고른 것은?

ㄱ. $\displaystyle\lim_{x\to 0}g(x)=0$

ㄴ. 함수 $|h(x)|$는 $x=0$에서 연속이다.

ㄷ. 함수 $g(x)|h(x)|$는 $x=0$에서 연속이다.

① ㄱ   ② ㄷ   ③ ㄱ, ㄴ

④ ㄴ, ㄷ   ⑤ ㄱ, ㄴ, ㄷ

▶ 해설 내신연계기출

02 함수의 연속

$[x]$는 정수를 기준으로 그 값이 변하므로 함수 $y=[x]$는 모든 정수에서 **불연속**이다.

따라서 가우스 기호를 포함한 함수 $g(x)=[f(x)]$가 불연속이 되는 x의 값을 찾으려면 $f(x)=n$ (n은 정수)인 x의 값을 조사하면 된다.

0317 학교기출 [대표] 유형

닫힌구간 $[0, 3]$에서 함수 $f(x)=[x-1]$이 불연속이 되는 실수 x의 개수는? (단, $[x]$는 x보다 크지 않은 최대의 정수이다.)

① 3   ② 5   ③ 6
④ 7   ⑤ 8

▶ 해설 내신연계기출

0318   NORMAL

함수 $f(x)=\dfrac{[x]^2+x}{[x]}$가 $x=n$에서 연속일 때, 정수 n의 값은?

(단, $[x]$는 x를 넘지 않는 최대의 정수이다.)

① -1 ② 0   ③ 1
④ 2   ⑤ 3

0319 최다빈출 👑중요   NORMAL

함수
$$f(x)=[x]^2+a[x]$$
가 $x=1$에서 연속이 되도록 하는 상수 a의 값은? (단, $[x]$는 x를 넘지 않는 최대의 정수이다.)

① -3 ② -2 ③ -1
④ 0   ⑤ 1

▶ 해설 내신연계기출

0320   TOUGH

함수 $f(x)=[x+1]^2+(ax+b)[x]$가 모든 실수 x에서 연속이 되도록 하는 상수 a, b에 대하여 $a+b$의 값은?

(단, $[x]$는 x보다 크지 않은 최대의 정수이다.)

① -3 ② -2 ③ -1
④ 0   ⑤ 1

두 연속인 함수 $g(x)$, $h(x)$에 대하여 실수 전체의 집합에서 연속인 함수 $f(x)$가 구간 $[a, c]$에서

$$f(x)=\begin{cases} g(x)\,(a \le x < b) \\ h(x)\,(b \le x \le c) \end{cases}$$ 로 정의되고 $f(x+p)=f(x)$를 만족시킬 때,

한 주기의 끝과 다음 주기의 시작이 연속이어야 한다. (단, $c-a=p$)

① $\lim\limits_{x \to b-}g(x)=\lim\limits_{x \to b+}h(x)=h(b)$

② $\lim\limits_{x \to a+}g(x)=\lim\limits_{x \to c-}h(x)=g(a)$

③ $f(x+p)=f(x)$에서 $f(0)=f(p)=f(2p)=\cdots$

0321 학교기출 [대표] 유형

모든 실수 x에서 연속인 함수 $f(x)$가 닫힌구간 $[-1, 3]$에서
$$f(x)=\begin{cases} ax+1 & (-1 \le x < 1) \\ -x^2-3ax+b & (1 \le x \le 3) \end{cases}$$
이고, 모든 실수 x에 대하여 $f(x+4)=f(x)$를 만족시킬 때, $f(10)$의 값은? (단, a, b는 상수)

① 2   ② 4   ③ 6
④ 8   ⑤ 10

0322 최다빈출 👑중요   NORMAL

모든 실수 x에 대하여 연속인 함수 $f(x)$가 닫힌 구간 $[0, 4]$에서
$$f(x)=\begin{cases} 2x & (0 \le x < 2) \\ ax+b & (2 \le x \le 4) \end{cases}$$
로 정의되고 모든 실수 x에 대하여 $f(x+4)=f(x)$를 만족시킬 때, $f(7)$의 값은? (단, a, b는 상수)

① -1 ② 0   ③ $\dfrac{1}{2}$
④ 1   ⑤ 2

▶ 해설 내신연계기출

0323 최다빈출 👑중요   NORMAL

함수 $f(x)$가 다음 조건을 만족시킨다.

> (가) $f(x)=\begin{cases} x+2 & (0 \le x \le 3) \\ a(x-3)^2+b & (3 < x \le 5) \end{cases}$
>
> (나) 모든 실수 x에 대하여 $f(x)=f(x+5)$이다.

함수 $f(x)$가 실수 전체의 집합에서 연속일 때, $f(39)$의 값은? (단, a, b는 상수)

① $\dfrac{15}{4}$ ② 4   ③ $\dfrac{17}{4}$
④ 5   ⑤ 6

▶ 해설 내신연계기출

유형 17 두 그래프의 교점에서 연속의 활용

[1단계] 조건을 만족하는 그래프를 그린다.
[2단계] 범위에 따른 실근을 만족하는 함수식을 작성한다.
[3단계] 극한값과 연속 조건을 만족하는 것을 찾는다.

0324 학교기출 대표 유형

실수 t에 대하여 직선 $y=t$가 함수 $y=|x^2-1|$의 그래프와 만나는 점의 개수를 $f(t)$라 할 때, 다음 [보기]에서 옳은 것을 모두 고른 것은?

> ㄱ. $f(1)=3$
> ㄴ. $\lim\limits_{t \to 1-}f(t)=4$
> ㄷ. 열린구간 $(-1, 4)$에서 함수 $f(t)$의 불연속점은 2개이다.

① ㄱ ② ㄴ ③ ㄷ
④ ㄱ, ㄷ ⑤ ㄱ, ㄴ, ㄷ

▶ 해설 내신연계기출

0325 최다빈출 왕중요

실수 a에 대하여 집합
$$\{x \mid x^2+2(a-2)x+a-2=0, \ x는 \ 실수\}$$
의 원소의 개수를 $f(a)$라고 할 때, 함수 $f(a)$가 불연속인 모든 a의 값의 합은?

① 4 ② 5 ③ 6
④ 7 ⑤ 8

▶ 해설 내신연계기출

0326 최다빈출 왕중요

함수 $f(x)=x^2-2|x|+3$과 실수 t에 대하여 $f(x)=t$의 서로 다른 실근의 개수를 함수 $g(t)$라 하자.
$\lim\limits_{t \to 3+}g(t)=a$, $\lim\limits_{t \to 2+}g(t)=b$라 할 때, 상수 a, b에 대하여 $a+b$의 값은?

① 2 ② 4 ③ 6
④ 8 ⑤ 10

▶ 해설 내신연계기출

0327 최다빈출 왕중요 NORMAL

원 $x^2+y^2=t^2$과 직선 $y=1$이 만나는 점의 개수를 $f(t)$라 하자. 함수 $(x+k)f(x)$가 구간 $(0, \infty)$에서 연속일 때, $f(1)+k$의 값은? (단, k는 상수이다.)

① -2 ② -1 ③ 0
④ 1 ⑤ 2

▶ 해설 내신연계기출

0328 TOUGH

다음 그림과 같이 원 $(x-1)^2+y^2=1$과 직선 $y=x+k$가 만나는 점의 개수를 $f(k)$라고 하자.

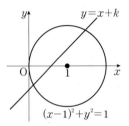

다음 [보기]에서 옳은 것을 모두 고른 것은?

> ㄱ. $f(-1-\sqrt{2})=1$
> ㄴ. $\lim\limits_{k \to (-1+\sqrt{2})-}f(k)=0$
> ㄷ. 함수 $f(k)$의 불연속점은 2개이다.

① ㄱ ② ㄴ ③ ㄷ
④ ㄱ, ㄷ ⑤ ㄱ, ㄴ, ㄷ

0329 TOUGH

실수 t에 대하여 직선 $x-2y+t=0$과 원 $x^2+(y-3)^2=5$의 교점의 개수를 $f(t)$라 정의할 때, 최고차항의 계수가 1인 이차함수 $g(t)$에 대하여 함수 $f(t)g(t)$가 모든 실수 t에서 연속일 때, $f(2)+g(2)$의 값은?

① -9 ② -7 ③ -5
④ 7 ⑤ 9

(1) 모든 다항함수는 실수 전체의 집합에서 연속이다.

(2) 두 다항함수 $f(x)$, $g(x)$에 대하여 유리함수 $\dfrac{f(x)}{g(x)}$에 대하여

  ① $g(x)=0$인 실수 x에서 불연속이다.

  ② $g(x)\neq 0$인 모든 실수 x에서 연속이다.

(3) 다항함수 $f(x)$에 대하여 무리함수 $y=\sqrt{f(x)}$는

  $f(x)\geq 0$인 구간에서 연속이다.

0330 학교기출 대표 유형

다음 함수의 연속성에 대한 설명으로 [보기]에서 옳은 것은?

> ㄱ. 함수 $f(x)=\dfrac{1}{x-1}$는 구간 $(-\infty,1)\cup(1,\infty)$에서
>
>   연속이다.
>
> ㄴ. 함수 $f(x)=\sqrt{2-x}$는 구간 $(-\infty,2]$에서 연속이다.
>
> ㄷ. 함수 $f(x)=\dfrac{x^2-3}{x^2+x+1}$는 구간 $(-\infty,\infty)$에서 연속이다.

① ㄱ   ② ㄴ   ③ ㄱ, ㄴ

④ ㄱ, ㄷ   ⑤ ㄱ, ㄴ, ㄷ

▶ 해설 내신연계기출

0331   BASIC

다음 함수의 연속성에 대한 설명으로 옳지 않은 것은?

① $f(x)=\dfrac{2}{x-3}$가 연속인 구간은 $(-\infty,3)$, $(3,\infty)$이다.

② $f(x)=\sqrt{2x-1}+1$이 연속인 구간은 $\left[\dfrac{1}{2},\infty\right)$이다.

③ $f(x)=\dfrac{x-2}{x^2+3x+2}$가 연속인 구간은 $(-\infty,-2)$, $(-1,\infty)$이다.

④ $f(x)=\dfrac{1}{x^2+1}$이 연속인 구간은 $(-\infty,\infty)$이다.

⑤ $f(x)=\begin{cases} x-1 & (x\geq 0) \\ x+1 & (x<0) \end{cases}$가 연속인 구간은 $(-\infty,0)\cup(0,\infty)$이다.

0332   BASIC

두 함수 $f(x)=x^2+x$, $g(x)=2x+2$에 대하여 [보기]에서 옳은 것은?

> ㄱ. 함수 $\dfrac{g(x)}{f(x)}$는 구간 $(-\infty,-1)$, $(-1,0)$, $(0,\infty)$에서
>
>   연속이다.
>
> ㄴ. 함수 $\sqrt{f(x)g(x)}$는 구간 $[0,\infty)$에서 연속이다.
>
> ㄷ. 함수 $\dfrac{f(x)+g(x)}{f(x)-g(x)}$는 구간
>
> $(-\infty,-1)$, $(-1,2)$, $(2,\infty)$에서 연속이다.

① ㄱ   ② ㄴ   ③ ㄱ, ㄴ

④ ㄴ, ㄷ   ⑤ ㄱ, ㄴ, ㄷ

0333   NORMAL

모든 실수 x에서 연속인 함수만을 [보기]에서 있는 대로 고른 것은?

> ㄱ. $f(x)=\begin{cases} \dfrac{x^2-x-2}{x-2} & (x\neq 2) \\ 3 & (x=2) \end{cases}$
>
> ㄴ. $f(x)=\begin{cases} \dfrac{x^2}{|x|} & (x\neq 0) \\ 0 & (x=0) \end{cases}$
>
> ㄷ. $f(x)=\dfrac{1}{x^2+x+1}$

① ㄱ   ② ㄴ   ③ ㄱ, ㄴ

④ ㄱ, ㄷ   ⑤ ㄱ, ㄴ, ㄷ

0334 최다빈출 왕 중요   NORMAL

두 함수

$$f(x)=x^2+2x+2,\ g(x)=x^2-1$$

에 대하여 다음 중 모든 실수 x에서 연속인 함수가 아닌 것은?

① $f(x)+g(x)$ ② $f(x)-g(x)$ ③ $f(x)g(x)$

④ $\dfrac{f(x)}{g(x)}$ ⑤ $\dfrac{g(x)}{f(x)}$

▶ 해설 내신연계기출

0335 최다빈출 왕 중요   NORMAL

두 함수

$$f(x)=x^2+2,\ g(x)=\dfrac{1}{x-1}$$

에 대하여 다음 중 모든 실수 x에서 연속인 함수는?

① $f(x)+g(x)$ ② $f(x)g(x)$ ③ $f(g(x))$

④ $g(f(x))$ ⑤ $\dfrac{g(x)}{f(x)}$

▶ 해설 내신연계기출

유형 19 연속함수의 성질 (2)

(1) 연속함수의 성질

두 함수 $f(x)$, $g(x)$가 각각 $x=a$에서 연속이면 다음 함수도 $x=a$에서 연속이다.

① $f(x)+g(x)$, $f(x)-g(x)$ ② $cf(x)$ (단, c는 상수)

③ $f(x)g(x)$ ④ $\dfrac{f(x)}{g(x)}$ (단, $g(a)\neq 0$)

(2) 두 함수 $f(x)$, $g(x)$가 $x=a$에서 연속이면

⇨ 함수 $\dfrac{f(x)}{g(x)}$(단, $g(a)\neq 0$)는 $x=a$에서 연속이다.

(3) 두 함수 $f(x)$, $g(x)$가 연속함수일 때,

⇨ 함수 $\dfrac{f(x)}{g(x)}$는 $g(x)\neq 0$인 모든 실수 x에 대하여 연속이다.

0336 학교기출 대표유형

함수 $f(x)=\dfrac{x+1}{x^2+ax+2a}$ 이 실수 전체의 집합에서 연속이 되도록 하는 정수 a의 합은?

① 20   ② 23   ③ 26

④ 28   ⑤ 32

0337 최다빈출 왕중요   BASIC

두 함수

$$f(x)=2x^3-3x+4, \ g(x)=3x^2-2ax+3$$

에 대하여 함수 $\dfrac{f(x)}{g(x)}$가 모든 실수에서 연속이 되도록 하는 정수 a의 개수는?

① 1   ② 3   ③ 5

④ 7   ⑤ 9

▶ 해설 내신연계기출

0338   NORMAL

두 함수 $f(x)$, $g(x)$가 $x=a$에서 연속일 때, 다음 중 $x=a$에서 연속이라고 할 수 없는 함수는?

① $f(x)+2g(x)$ ② $3f(x)-g(x)$

③ $\{f(x)\}^2+g(x)$ ④ $\dfrac{f(x)+g(x)}{\{g(x)\}^2}$

⑤ $f(x)g(x)\{f(x)-2g(x)\}$

0339   NORMAL

두 함수 $f(x)$, $g(x)$가 모두 $x=a$에서 연속일 때, 다음 [보기] 중 $x=a$에서 반드시 연속인 함수를 모두 고르면? (단, a는 상수)

ㄱ. $f(x)+2g(x)$

ㄴ. $\{g(x)\}^2$

ㄷ. $\{f(x)-g(x)\}\{f(x)+g(x)\}$

ㄹ. $\dfrac{3g(x)}{f(x)}+f(x)$

① ㄷ   ② ㄱ, ㄴ   ③ ㄴ, ㄹ

④ ㄱ, ㄴ, ㄷ   ⑤ ㄴ, ㄷ, ㄹ

0340 최다빈출 왕중요   TOUGH

두 함수 $f(x)$, $g(x)$가 모두 $x=a$에서 연속일 때, 다음 [보기] 중 $x=a$에서 반드시 연속인 것을 있는 대로 고른 것은?
(단, $f(x)$의 치역은 $g(x)$의 정의역에 포함된다.)

ㄱ. $3f(x)g(x)$ ㄴ. $f(x)-\dfrac{f(x)}{g(x)}$

ㄷ. $\dfrac{g(x)}{|f(x)|+1}$ ㄹ. $g(f(x))$

① ㄱ   ② ㄷ   ③ ㄱ, ㄷ

④ ㄷ, ㄹ   ⑤ ㄴ, ㄷ, ㄹ

▶ 해설 내신연계기출

① 함수 $f(x)$가 $x=a$에서 연속이면 $\{f(x)\}^2$도 $x=a$에서 연속이다. [참]

해설 함수 $f(x)$가 $x=a$에서 연속이므로 함수 $\{f(x)\}^2$
즉 $f(x)f(x)$도 $x=a$에서 연속이다.

② 두 함수 $f(x)$, $g(x)$가 $x=a$에서 연속이면 함수 $\dfrac{f(x)}{g(x)}$도 $x=a$에서 연속이다. [거짓]

반례 두 함수 $f(x)$, $g(x)$는 $x=a$에서 연속이지만 $g(a)=0$이면 함수 $\dfrac{f(x)}{g(x)}$는 $x=a$에서 함숫값이 정의되지 않으므로 불연속이다.

③ $f(x)$와 $f(x)+g(x)$가 연속함수이면 $g(x)$도 연속함수이다. [참]

해설 $h(x)=f(x)+g(x)$로 놓으면 $g(x)=h(x)-f(x)$
이때 $f(x)$와 $h(x)$가 연속이므로 $g(x)$도 연속함수이다.

④ $f(x)$, $f(x)g(x)$가 연속이면 $g(x)$도 연속이다. [거짓]

반례 $f(x)=0$, $g(x)=\begin{cases} -1 & (x\le 0) \\ 1 & (x>0) \end{cases}$이면 $f(x)g(x)=0$이므로 $f(x)$와 $f(x)g(x)$는 연속이지만 함수 $g(x)$는 $x=0$에서 불연속이다.

⑤ 모든 실수에서 함수 $f(x)$와 $g(x)$가 연속이면 $f(g(x))$, $g(f(x))$도 연속이다. [참]

해설 임의의 실수 a에 대하여 $g(a)=b$라 하면
$g(x)$가 연속이므로 $g(a)=b$
이때 $g(x)=t$로 놓으면 $x\to a$일 때, $t\to b$이므로
$f(x)$가 연속이므로 $\lim\limits_{x\to a}f(g(x))=\lim\limits_{t\to b}f(t)=f(b)$
또한, $f(g(x))=f(g(a))=f(b)$이므로 $\lim\limits_{x\to a}f(g(x))=f(g(a))$
따라서 $f(g(x))$는 $x=a$에서 연속이다.

⑥ 두 함수 $f(x)$, $g(x)$가 모두 $x=a$에서 연속이면 합성함수 $(f\circ g)(x)$는 $x=a$에서 항상 연속이다. [거짓]

반례 두 함수 $f(x)=\begin{cases} 1 & (x\ge 0) \\ -1 & (x<0) \end{cases}$, $g(x)=x-1$은 모두 $x=1$에서 연속이지만
합성함수 $(f\circ g)(x)=\begin{cases} 1 & (x\ge 1) \\ -1 & (x<1) \end{cases}$은 $x=1$에서 불연속이다.
← $f(x)=\dfrac{1}{x-2}$, $g(x)=x+1$이면 $x=1$에서 연속이지만
  $f(g(x))$는 $x=1$에서 불연속이다.

⑦ $f(g(x))$가 연속함수이면 $g(x)$도 연속함수이다. [거짓]

반례 $f(x)=|x|$, $g(x)=\begin{cases} -1 & (x\le 0) \\ 1 & (x>0) \end{cases}$이면
$f(g(x))=1$이므로 $f(g(x))$는 연속함수이지만 함수 $g(x)$는 $x=0$에서 불연속이다. [거짓]

⑧ $x=a$에서 $f(x)$, $g(x)$가 불연속이면 반드시 $f(x)g(x)$도 불연속이다. [거짓]

반례 $f(x)=\begin{cases} -1 & (x>0) \\ 1 & (x\le 0) \end{cases}$, $g(x)=\begin{cases} 1 & (x>0) \\ -1 & (x\le 0) \end{cases}$이면
$x=0$에서 $f(0)=1$, $g(0)=-1$이므로 $f(0)g(0)=-1$이고
$\lim\limits_{x\to 0-}f(x)=1$, $\lim\limits_{x\to 0-}g(x)=-1$이므로 $\lim\limits_{x\to 0-}f(x)g(x)=-1$
$\lim\limits_{x\to 0+}f(x)=-1$, $\lim\limits_{x\to 0+}g(x)=1$이므로 $\lim\limits_{x\to 0+}f(x)g(x)=-1$
따라서 $x=0$에서 $f(x)$, $g(x)$는 불연속이지만 $f(x)g(x)$는 $x=0$에서 연속이다.

0341 학교기출 대표 유형

두 함수 $f(x)$, $g(x)$에 대하여 [보기]의 설명 중 옳은 것만을 있는 대로 고른 것은?

> ㄱ. $f(x)$와 $f(x)+g(x)$가 $x=a$에서 연속이면 $g(x)$도 $x=a$에서 연속이다.
> ㄴ. $f(x)$와 $g(x)$가 $x=a$에서 불연속이면 $f(x)+g(x)$도 $x=a$에서 불연속이다.
> ㄷ. $f(x)$와 $g(x)$가 $x=a$에서 불연속이면 $f(x)g(x)$도 $x=a$에서 불연속이다.

① ㄱ ② ㄴ ③ ㄷ
④ ㄱ, ㄴ ⑤ ㄴ, ㄷ

0342 최다빈출 앙중요 NORMAL

두 함수 $f(x)$, $g(x)$에 대하여 [보기]의 설명 중 옳은 것만을 있는 대로 고른 것은?

> ㄱ. $x=a$에서 $f(x)$와 $g(x)$가 연속이면 $f(g(x))$도 연속이다.
> ㄴ. $x=a$에서 $f(x)$, $f(x)g(x)$가 연속이면 $g(x)$도 연속이다.
> ㄷ. $x=a$에서 $f(x)$, $f(x)+g(x)$가 연속이면 $g(x)$도 연속이다.

① ㄱ ② ㄴ ③ ㄷ
④ ㄱ, ㄴ ⑤ ㄴ, ㄷ

▶ 해설 내신연계기출

0343 NORMAL

두 함수 $f(x)$, $g(x)$에 대하여 다음 [보기]에서 옳은 것을 모두 고른 것은?

> ㄱ. 두 함수의 곱 $f(x)g(x)$가 $x=a$에서 연속이면 두 함수 $f(x)$, $g(x)$는 $x=a$에서 모두 연속이다.
> ㄴ. 함수 $|f(x)|$가 $x=a$에서 연속이면 함수 $f(x)$도 $x=a$에서 연속이다.
> ㄷ. 두 함수 $f(x)$, $\dfrac{f(x)}{g(x)}$가 $x=a$에서 연속이면 함수 $g(x)$도 $x=a$에서 연속이다.
> ㄹ. 함수 $f(x)$가 $x=a$에서 연속이면 함수 $\{f(x)\}^2$도 $x=a$에서 연속이다.

① ㄱ ② ㄹ ③ ㄱ, ㄷ
④ ㄱ, ㄹ ⑤ ㄱ, ㄴ, ㄷ, ㄹ

유형 21 최대 최소의 정리

함수 $f(x)$가 닫힌구간 $[a, b]$에서 연속이면 $f(x)$는 그 구간에서 반드시 최댓값과 최솟값을 갖는다. (역은 성립하지 않는다.)

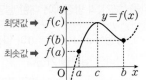

0344 학교기출 대표유형

열린구간 $(0, 5)$에서 정의된 함수 $y=f(x)$의 그래프가 오른쪽 그림과 같을 때, 함수 $f(x)$에 대한 설명으로 옳은 것만을 [보기]에서 고르면?

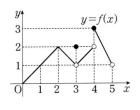

ㄱ. 닫힌구간 $[1, 2]$에서 최댓값을 갖는다.

ㄴ. 닫힌구간 $[2, 4]$에서 최솟값을 갖는다.

ㄷ. 닫힌구간 $[3, 4]$에서 최댓값을 갖지 않는다.

① ㄱ ② ㄴ ③ ㄱ, ㄴ
④ ㄱ, ㄷ ⑤ ㄱ, ㄴ, ㄷ

0345 최다빈출 상 중요 NORMAL

닫힌구간 $[-1, 1]$에서 함수 $f(x)=x^2+2x$의 최댓값을 M, 함수 $g(x)=\dfrac{3}{x-2}$의 최솟값을 m이라 할 때, $M+m$의 값은?

① -2 ② -1 ③ 0
④ 1 ⑤ 2

▶ 해설 내신연계기출

0346 NORMAL

닫힌구간 $[-1, 1]$에서 함수 $f(x)=-4x^2-4x+7$의 최댓값을 M, 함수 $g(x)=-\sqrt{x+3}+1$의 최솟값을 m이라 할 때, $M+m$의 값은?

① 7 ② 8 ③ 9
④ 10 ⑤ 11

0347 NORMAL

닫힌구간 $[-1, 2]$에서 함수

$$f(x)=|x^2-4x+3|+2$$

의 최댓값을 M, 최솟값을 m이라 할 때, $M+m$의 값은?

① 8 ② 10 ③ 12
④ 14 ⑤ 16

0348 최다빈출 상 중요 NORMAL

닫힌구간 $[-1, 4]$에서 정의된 함수

$$f(x)=\lim_{s\to\infty}\frac{(x^2-2x)s^2+5s}{s^2-2x}$$

의 최댓값을 M, 최솟값을 m이라 할 때, $M+m$의 값은?

① 7 ② 8 ③ 9
④ 10 ⑤ 11

▶ 해설 내신연계기출

0349 최다빈출 상 중요 TOUGH

함수 $y=f(x)$의 그래프에 대하여 다음 [보기] 중 옳은 것만을 있는 대로 고른 것은? (단, $-2\le x\le 5$)

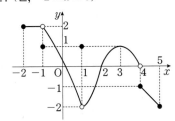

ㄱ. $\lim_{x\to 1}f(x)$가 존재한다.

ㄴ. 함수 $f(x)$는 닫힌구간 $[0, 2]$에서 최솟값이 존재한다.

ㄷ. 불연속이 되는 x의 값은 2개이다.

ㄹ. 함수 $f(x)$는 열린구간 $(1, 3)$에서 최댓값을 갖는다.

① ㄱ ② ㄱ, ㄴ ③ ㄷ, ㄹ
④ ㄱ, ㄴ, ㄷ ⑤ ㄱ, ㄷ, ㄹ

▶ 해설 내신연계기출

(1) 사잇값 정리

함수 $f(x)$가 닫힌구간 $[a, b]$에서 연속이고 $f(a) \neq f(b)$일 때, $f(a)$와 $f(b)$ 사이에 있는 임의의 값 k에 대하여

$$f(c) = k \, (a < c < b)$$

인 c가 열린구간 (a, b)에 적어도 하나 존재한다.

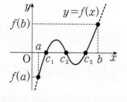

(2) 사잇값 정리의 활용 (실근 위치)

함수 $f(x)$가 닫힌구간 $[a, b]$에서 연속이고 $f(a)$와 $f(b)$의 부호가 서로 다르면 사잇값의 정리에 의하여

$$f(c) = 0$$

인 c가 열린구간 (a, b)에 적어도 하나 존재한다.

즉, 방정식 $f(x) = 0$은 구간 (a, b)에서 적어도 하나의 실근을 갖는다.

참고 $f(x)$가 $[a, b]$에서 연속이고 $f(a)f(b) < 0$이면 $f(x) = 0$인 x가 (a, b) 안에 적어도 하나 존재한다.

0350 학교기출 대표 유형

방정식 $x^3 - x^2 + a = 0$이 열린구간 $(-1, 2)$에서 적어도 하나의 실근을 갖기 위한 상수 a의 값의 범위는?

① $-1 < a < 2$ ② $-2 < a < 3$ ③ $-4 < a < 2$
④ $-3 < a < 3$ ⑤ $-3 < a < 1$

▶ 해설 내신연계기출

0351

NORMAL

다음 [보기]의 방정식에 대한 설명 중 옳은 것은?

ㄱ. 방정식 $x^3 - x^2 + 2x + 1 = 0$이 열린구간 $(-1, 1)$에서 적어도 하나의 실근을 가진다.

ㄴ. 방정식 $x^4 + x^3 - 7x + 1 = 0$이 열린구간 $(1, 2)$에서 적어도 하나의 실근을 가진다.

ㄷ. 방정식 $x^3 + 4x + 3 = 0$이 열린구간 $(-1, 0)$에서 적어도 하나의 실근을 가진다.

① ㄱ ② ㄴ ③ ㄱ, ㄷ
④ ㄴ, ㄷ ⑤ ㄱ, ㄴ, ㄷ

0352

NORMAL

다음 [보기]의 방정식에 대한 설명 중 옳은 것은?

ㄱ. 방정식 $x^3 + x - 1 = 0$이 열린구간 $(0, 1)$에서 적어도 하나의 실근을 가진다.

ㄴ. $2x^3 + x^2 - 4 = 0$이 열린구간 $(0, 2)$에서 적어도 하나의 실근을 가진다.

ㄷ. $x^4 + x^3 + 2x - 3 = 0$이 열린구간 $(-1, 1)$에서 적어도 하나의 실근을 가진다.

ㄹ. $2x + 1 = \dfrac{3}{x}$이 열린구간 $(-2, -1)$에서 적어도 하나의 실근을 가진다.

① ㄱ ② ㄱ, ㄷ ③ ㄴ, ㄹ
④ ㄴ, ㄷ ⑤ ㄱ, ㄴ, ㄷ, ㄹ

0353 최다빈출 왕중요

NORMAL

방정식 $x^3 - x^2 - 2 = 0$이 적어도 하나의 실근을 가지는 열린구간은?

① $(-1, 0)$ ② $(0, 1)$ ③ $(1, 2)$
④ $(2, 3)$ ⑤ $(3, 4)$

▶ 해설 내신연계기출

0354

NORMAL

다음 [보기] 중 방정식 $2x^3 + 3x^2 - x - 1 = 0$의 실근이 속하는 구간을 모두 고르면?

ㄱ. $(-2, -1)$ ㄴ. $(-1, 0)$
ㄷ. $(0, 1)$ ㄹ. $(1, 2)$

① ㄱ ② ㄴ ③ ㄱ, ㄷ
④ ㄱ, ㄴ, ㄷ ⑤ ㄴ, ㄷ, ㄹ

0355

TOUGH

다음 중 방정식 $x^3 - 2x^2 - 5x + 8 = 0$의 실근이 속하는 구간을 모두 찾으면?

ㄱ. $(-3, -2)$ ㄴ. $(-1, 0)$
ㄷ. $(1, 2)$ ㄹ. $(3, 4)$

① ㄱ ② ㄴ ③ ㄱ, ㄷ
④ ㄱ, ㄴ, ㄷ ⑤ ㄴ, ㄷ, ㄹ

유형 23 사잇값 정리의 활용

함수 $f(x)$가 닫힌구간 $[a, b]$에서 연속이고 $f(a)$와 $f(b)$의 부호가 서로 다르면, 사잇값의 정리에 의하여 $f(c)=0$인 c가 열린구간 (a, b)에 적어도 하나 존재한다.

즉, 방정식 $f(x)=0$은 구간 (a, b)에서 적어도 하나의 실근을 갖는다.

0356 학교기출 대표유형

다항함수 $f(x)$에 대하여 $f(-3)=a+2$, $f(1)=a-5$이다. 방정식 $f(x)=0$이 중근이 아닌 오직 하나의 실근을 가질 때, 이 실근이 열린구간 $(-3, 1)$에 존재하도록 하는 정수 a의 개수는?

① 2　　　　② 3　　　　③ 4
④ 5　　　　⑤ 6

▶ 해설 내신연계기출

0357 최다빈출 상중요 BASIC

다항함수 $f(x)$가 $f(0)=k+2$, $f(1)=k-3$을 만족시킬 때, 방정식 $f(x)=0$이 구간 $(0, 1)$에서 실근을 갖도록 하는 정수 k의 개수는?

① 3　　　　② 4　　　　③ 5
④ 6　　　　⑤ 7

0358 최다빈출 상중요 BASIC

다음 조건을 만족하는 상수 a, b에 대하여 $a+b$의 값은?

(가) 연속함수 $f(x)$가
$$f(-1)=1, f(0)=2, f(1)=-1, f(2)=2$$
일 때, 닫힌구간 $[-1, 2]$에서 방정식 $f(x)=0$은 적어도 a개의 실근을 가진다.
(나) 모든 실수 x에서 연속인 함수 $f(x)$에 대하여
$$f(-2)=2, f(-1)=5, f(0)=-1, f(1)=3, f(2)=-6$$
일 때, 방정식 $f(x)=0$은 열린구간 $(-2, 2)$에서 적어도 b개의 실근을 가진다.

① 4　　　　② 5　　　　③ 6
④ 7　　　　⑤ 8

▶ 해설 내신연계기출

0359 최다빈출 상중요 NORMAL

연속함수 $f(x)$가 모든 실수 x에 대하여 $f(x)=f(-x)$를 만족시키고
$$f(1)f(2)<0, f(3)f(4)<0$$
이 성립할 때, 방정식 $f(x)=0$의 실근은 적어도 몇 개인가?

① 1　　　　② 2　　　　③ 3
④ 4　　　　⑤ 6

▶ 해설 내신연계기출

0360 최다빈출 상중요 NORMAL

연속함수 $y=f(x)$의 그래프가
네 점 A$(-1, 1)$, B$(0, -1)$, C$(1, 2)$, D$(2, 1)$을 지날 때, 방정식 $f(x)=x$의 열린구간 $(-1, 2)$에서의 실근의 개수에 대한 설명으로 옳은 것은?

① 실근을 가지지 않는다.
② 오직 하나의 실근을 가진다.
③ 서로 다른 실근은 두 개뿐이다.
④ 서로 다른 실근이 적어도 세 개이다.
⑤ 서로 다른 실근이 적어도 네 개이다.

▶ 해설 내신연계기출

0361 NORMAL

다음 조건을 만족하는 상수 a, b에 대하여 $a+b$의 값은?

(가) 연속함수 $y=f(x)$에 대하여
$$f(-2)=-4, f(-1)=1, f(0)=-1, f(1)=2, f(2)=4$$
를 만족할 때, 방정식 $f(x)-x=0$은 열린구간 $(-2, 2)$에서 적어도 a개의 실근을 가진다.
(나) 연속함수 $f(x)$가
$$f(1)=1, f(2)=6, f(3)=\frac{4}{3}, f(4)=-1, f(5)=0$$
을 만족시킨다. 열린구간 $(1, 5)$에서 방정식 $xf(x)=4$가 적어도 b개의 실근을 가진다.

① 4　　　　② 5　　　　③ 6
④ 7　　　　⑤ 8

0362 NORMAL

연속함수 $f(x)$가
$$f(-1)=1, f(0)=2, f(1)=3, f(2)=2$$
를 만족시킨다. 열린구간 $(-1, 2)$에서 방정식 $x^2f(x)=2x+1$이 적어도 m개의 실근을 가질 때, m의 값은?

① 1　　　　② 2　　　　③ 3
④ 4　　　　⑤ 5

0363 최다빈출 왕 중요

연속함수 $f(x)$가

$$f(0)=a+1, \ f(1)=a-2, \ f(-1)>1, \ f(2)<4$$

를 만족하고 방정식 $f(x)-x^2=0$의 실근이 오직 하나 존재한다. 이 실근이 열린구간 $(0, 1)$에 존재할 때, 정수 a의 개수는?

① 2   ② 3   ③ 4
④ 5   ⑤ 6

▶ 해설 내신연계기출

0364 최다빈출 왕 중요

모든 실수에서 연속인 함수 $f(x)$가

$$f(-1)=-2, \ f(1)=2$$

를 만족할 때, 다음 [보기]의 방정식 중 열린구간 $(-1, 1)$에서 반드시 실근을 가지는 것을 모두 찾으면?

ㄱ. $f(x)=x$
ㄴ. $xf(x)=1$
ㄷ. $xf(x)=x+2$

① ㄱ   ② ㄴ   ③ ㄷ
④ ㄱ, ㄷ   ⑤ ㄱ, ㄴ, ㄷ

▶ 해설 내신연계기출

0365 최다빈출 왕 중요

$a<b<c$인 세 실수 a, b, c에 대하여 이차방정식

$$(x-a)(x-b)+(x-b)(x-c)+(x-c)(x-a)=0$$

의 두 실근이 $\alpha, \beta(\alpha<\beta)$일 때, 다음 중 대소 관계로 옳은 것은?

① $a<b<\alpha<\beta<c$ ② $a<\alpha<b<c<\beta$
③ $a<\alpha<b<\beta<c$ ④ $a<\alpha<b<c<\beta$
⑤ $\alpha<a<b<\beta<c$

▶ 해설 내신연계기출

0366 최다빈출 왕 중요

다항함수 $f(x)$가 $\displaystyle\lim_{x\to-1}\frac{f(x)}{x+1}=p, \ \lim_{x\to1}\frac{f(x)}{1-x}=q$를 만족하고 $p>0, \ q<0$일 때, 방정식 $f(x)=0$은 적어도 몇 개의 실근을 가지는가? (단, p, q는 상수)

① 0   ② 1   ③ 2
④ 3   ⑤ 4

▶ 해설 내신연계기출

유형 24   사잇값 정리의 실생활에의 활용

함수 $f(x)$를 세워 연속인 구간을 찾은 다음 사잇값의 정리를 이용한다.

0367 학교기출 대표 유형

어떤 버스가 A정류장을 출발하여 B정류장에 정차한 후 다시 출발하여 C정류장에 도착하였다. 이 버스가 A정류장에서 B정류장까지 갈 때와 B정류장에서 C정류장까지 갈 때의 최고 속력이 각각 시속 60km일 때, A정류장에서 C정류장으로 갈 때까지 이 버스의 속력이 시속 40km인 순간은 적어도 몇 번인지 구하면?
(단, 버스는 정류장이 아닌 곳에서는 멈추지 않았다고 한다.)

① 1   ② 2   ③ 3
④ 4   ⑤ 5

0368

다음 그림과 같은 호수에서 수지가 P지점을 출발하여 호수를 한 바퀴 돌면서 수온을 측정하였더니 수온이 가장 낮은 지점은 A지점으로 6°C였고 가장 높은 지점은 B지점으로 15°C였다. P지점의 수온이 10°C일 때, 수온이 12°C인 지점은 적어도 k군데 있다. k의 최솟값은?

① 1   ② 2   ③ 3
④ 4   ⑤ 5

0369

어떤 육상 선수가 11m/s의 속력으로 출발선을 떠난 후 정지하지 않고 트랙을 한 바퀴 돌아 다시 출발선에 왔을 때의 속력을 재어보니 똑같이 11m/s이었다. 다음 [보기]에서 옳은 것만을 있는 대로 고르면?

ㄱ. 속력이 11m/s인 순간이 적어도 3번은 존재한다.
ㄴ. 모든 순간의 속력은 11m/s보다 빠르다.
ㄷ. 출발선을 떠날 때와 다시 출발선에 왔을 때를 제외하고 어느 두 순간의 속력이 같은 경우가 있다.

① ㄱ   ② ㄴ   ③ ㄷ
④ ㄱ, ㄷ   ⑤ ㄱ, ㄴ, ㄷ

서술형 기출유형

학교내신기출 서술형 핵심문제총정리

0370

함수 $f(x)$의 그래프가 다음과 같을 때, 함수 $f(x)$가 $x=a$에서 불연속인 이유를 서술하여라.

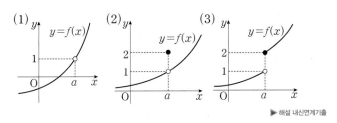

▶ 해설 내신연계기출

0371

함수 $y=f(x)$의 그래프가 오른쪽 그림과 같을 때, 함수 $g(x)=\{f(x)-1\}\{f(x)-2\}$가 $x=1$에서 연속인지 불연속인지를 다음 단계로 서술하여라.

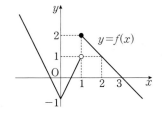

[1단계] $g(1)$의 값을 구한다.

[2단계] 극한값 $\lim_{x\to 1}g(x)$를 구한다.

[3단계] 함수 $g(x)$가 $x=1$에서 연속인지 불연속인지를 구한다.

0372

두 함수

$$f(x)=x^3+2x+3,\ g(x)=x^2+ax+4$$

에 대하여 함수 $\dfrac{f(x)}{g(x)}$가 모든 실수 x에서 연속이 되도록 하는 정수 a의 개수를 구하는 과정을 다음 단계로 서술하여라.

[1단계] 함수 $\dfrac{f(x)}{g(x)}$가 모든 실수 x에서 연속이 되기 위한 조건을 구한다.

[2단계] a의 범위를 구한다.

[3단계] 정수 a의 개수를 구한다.

0373

함수

$$f(x)=\begin{cases} \dfrac{2x^2+ax+1}{x-1} & (x\neq 1) \\ b & (x=1) \end{cases}$$

가 모든 실수에서 연속이 되도록 하는 실수 a, b에 대하여 $a+b$를 구하는 과정을 다음 단계로 서술하여라.

[1단계] 함수 $f(x)$가 모든 실수에서 연속일 조건을 구한다.

[2단계] 함수의 극한의 성질을 이용하여 a를 구한다.

[3단계] 극한값을 구하여 b의 값을 구한다.

[4단계] $a+b$의 값을 구한다,

0374

실수 전체의 집합에서 연속인 함수 $f(x)$가

$$(x-1)f(x)=x^2+2x+a$$

를 만족시킬 때, 다음 단계로 서술하여라. (단, a는 상수)

[1단계] $x\neq 1$일 때, $f(x)$구한다.

[2단계] $\lim_{x\to 1}f(x)=f(1)$임을 이용하여 상수 a의 값을 구한다.

[3단계] $f(1)$의 값을 구한다.

0375

닫힌구간 $[0,\ 4]$에서 정의된 함수 $f(x)$의 최댓값 M과 최솟값 m에 대하여 $M+m$의 값을 구하는 과정을 다음 단계로 서술하여라.

$$f(x)=\lim_{t\to -\infty}\frac{(x-2)-(x^2-2x)t}{1+t}$$

[1단계] 다항함수 $f(x)$를 구한다.

[2단계] 함수 $f(x)$의 최댓값 M과 최솟값 m을 구한다.

[3단계] $M+m$의 값을 구한다.

0376

함수 $f(x)$는 모든 실수 x에 대하여 $f(x+2)=f(x)$를 만족시키고, 닫힌구간 $[0, 2]$에서

$$f(x)=\begin{cases} x+1 & (0 \le x < 1) \\ a(x-1)^2+b & (1 \le x \le 2) \end{cases}$$

이다. 함수 $f(x)$가 실수 전체의 집합에서 연속일 때, $f\left(\dfrac{23}{2}\right)$의 값을 구하는 과정을 다음 단계로 서술하여라. (단, a, b는 상수)

[1단계] $x=1$에서 연속이 되기 위한 조건을 이용하여 b의 값을 구한다.

[2단계] 조건 $f(x+2)=f(x)$를 이용하여 a의 값을 구한다.

[3단계] $f\left(\dfrac{23}{2}\right)$의 값을 구한다.

0377

다항함수 $f(x)$가 $\displaystyle\lim_{x\to\infty}\dfrac{f(x)}{x^2}=1$, $\displaystyle\lim_{x\to 1}\dfrac{f(x)}{x-1}=k$를 만족시키고

함수 $g(x)$는 $g(x)=\begin{cases} x+1 & (x \le 2) \\ 2-x & (x > 2) \end{cases}$ 이다.

함수 $f(x)g(x)$가 $x=2$에서 연속이 되도록 하는 상수 k의 값을 구하는 과정을 다음 단계로 서술하여라.

[1단계] $\displaystyle\lim_{x\to\infty}\dfrac{f(x)}{x^2}=1$, $\displaystyle\lim_{x\to 1}\dfrac{f(x)}{x-1}=k$를 만족하는 다항함수 $f(x)$의 식을 작성한다.

[2단계] 함수 $f(x)g(x)$가 $x=2$에서 연속이 되는 조건을 구한다.

[3단계] 상수 k의 값을 구한다.

0378

함수 $y=|x^2-2x|$의 그래프와 직선 $y=k$ (k는 실수)의 교점의 개수를 $f(k)$라 하면 함수 $f(k)$는 $k=a$에서 불연속일 때, 상수 a를 구하고 최고차항의 계수가 1인 이차함수 $g(k)$에 대하여 함수 $f(k)g(k)$가 모든 실수 k에서 연속일 때, $f(1)+g(2)$의 값을 구하는 과정을 다음 단계로 서술하여라.

[1단계] $y=|x^2-2x|$의 그래프를 그린다.

[2단계] 직선 $y=k$ (k는 실수)의 교점의 개수인 $f(k)$의 식을 세운다.

[3단계] $k=a$에서 불연속인 상수 a의 값을 구한다.

[4단계] 함수 $f(k)g(k)$가 모든 실수 k에서 연속이 되도록 하는 최고차항의 계수가 1인 이차함수 $g(k)$를 구한다.

[5단계] $f(1)+g(2)$의 값을 구한다.

0379

$f(x)$가 다항함수일 때, 모든 실수에서 연속인 함수 $g(x)$를

$$g(x)=\begin{cases} \dfrac{f(x)-x^2}{x-1} & (x \ne 1) \\ k & (x = 1) \end{cases}$$

로 정의하자. $\displaystyle\lim_{x\to\infty}g(x)=2$일 때, $k+f(3)$의 값을 구하는 과정을 다음 단계로 서술하여라. (단, k는 상수)

[1단계] $\displaystyle\lim_{x\to\infty}g(x)=2$를 이용하여 다항함수 $f(x)$의 차수를 결정한다.

[2단계] 함수 $g(x)$가 $x=1$에서 연속조건을 이용하여 함수 $f(x)$를 구한다.

[3단계] k를 구한다.

[4단계] $k+f(3)$의 값을 구한다.

0380

$a < b < c$인 세 실수 a, b, c에 대하여 이차방정식

$$(x-a)(x-b)+(x-a)(x-c)+(x-b)(x-c)=0$$

이 열린구간 (a, c)에서 서로 다른 2개의 실근을 가짐을 보이고 그 과정을 서술하여라.

[1단계] 열린구간 (a, b)에서 적어도 하나의 실근이 존재함을 보인다.

[2단계] 열린구간 (b, c)에서 적어도 하나의 실근이 존재함을 보인다.

[3단계] 방정식 $f(x)=0$이 서로 다른 실근을 가짐을 파악한다.

0381

연속함수 $f(x)$가

$$f(0)=-\frac{1}{2}, \quad f\left(\frac{1}{3}\right)=\frac{1}{2}, \quad f\left(\frac{1}{2}\right)=-\frac{1}{3},$$

$$f\left(\frac{2}{3}\right)=\frac{3}{4}, \quad f\left(\frac{3}{4}\right)=\frac{4}{5}, \quad f(1)=\frac{5}{6}$$

를 만족시킬 때, 방정식 $f(x)-x=0$은 열린구간 $(0, 1)$에서 적어도 몇 개의 실근을 갖는지 구하는 과정을 다음 단계로 서술하여라.

[1단계] $g(x)=f(x)-x$로 놓고

$$g(0), \ g\left(\frac{1}{3}\right), \ g\left(\frac{1}{2}\right), \ g\left(\frac{2}{3}\right), \ g\left(\frac{3}{4}\right), \ g(1) \ 의 값의 부호를$$

구한다.

[2단계] 함수 $g(x)$에 사잇값의 정리를 적용하여 실근의 위치를 파악한다.

[3단계] 방정식 $f(x)-x=0$의 실근의 개수를 구한다.

0382

함수 $f(x)=\begin{cases} \dfrac{\sqrt{x+a}-\sqrt{1+bx}}{x^n} & (x \neq 0) \\ -1 & (x=0) \end{cases}$ 가

실수 전체의 집합에서 정의된 함수가 $x=0$에서 연속일 때,
상수 a, b, n의 합 $a+b+n$의 값을 구하여라. (단, n은 자연수)

0383

평가원기출

함수 $f(x)=x^2-x+a$에 대하여 함수 $g(x)$를

$$g(x)=\begin{cases} f(x+1) & (x \leq 0) \\ f(x-1) & (x > 0) \end{cases}$$

이라 하자. 함수 $y=\{g(x)\}^2$이 $x=0$에서 연속일 때,
상수 a를 구하여라.

▶ 해설 내신연계기출

0384

함수 $g(x)=x^3-ax$이고 연속함수 $f(x)$가 모든 실수 x에
대하여

$$(x-1)f(x)=g(x)-g(1)$$

을 만족한다. $f(1)=-1$일 때, 상수 a의 값을 구하여라.

0385

모든 실수 x에서 연속인 함수 $f(x)$가

$$(x^2-x-2)f(x)=ax^2+bx-4$$

를 만족시키고, 다음 두 조건을 만족시킬 때, 상수 a, b, c에 대하여
abc의 값을 구하여라.

(가) $\lim\limits_{x \to \infty} f(x) = 2$

(나) $f(2) = c$

0386

두 함수

$$f(x)=\begin{cases} \dfrac{x-1}{|x-1|} & (x \neq 1) \\ 0 & (x=1) \end{cases}, \quad g(x)=3x^2-2$$

에 대하여 합성함수 $(f \circ g)(x)$가 불연속이 되는 모든 실수 x의
값의 합을 구하여라.

0387

$f(x+2)=f(x-2)$를 만족시키는 함수 $f(x)$가 모든 실수 x에
서 연속이고 구간 $[1, 5)$에서

$$f(x)=\begin{cases} 5-2x & (1 \leq x < 2) \\ ax+b & (2 \leq x < 5) \end{cases}$$

일 때, $f(11)$의 값을 구하여라.

0388

구간 $[-2, 3]$에서 연속인 함수

$$f(x)=\begin{cases} ax+b & (-2 \le x \le 1) \\ \dfrac{x^3-5x^2+5x-a}{x-1} & (1 < x \le 3) \end{cases}$$

의 최댓값과 최솟값의 합을 구하여라.

0389

함수

$$f(x)=\begin{cases} 2x+a & (x > 1) \\ x^2+3x+5 & (x \le 1) \end{cases}$$

가 $x=1$에서 불연속이고 함수 $f(x)f(3-x)$는 $x=2$에서 연속일 때, 상수 a의 값을 구하여라.

0390

함수

$$f(x)=\begin{cases} -x-3 & (x < 0) \\ x^2-4x+3 & (x \ge 0) \end{cases}$$

에 대하여 함수 $f(x)f(x-a)$가 실수 전체의 집합에서 연속이 되도록 하는 상수 a의 개수를 구하여라.

0391

평가원기출

두 함수

$$f(x)=\begin{cases} -2x+3 & (x < 0) \\ -2x+2 & (x \ge 0) \end{cases}, \quad g(x)=\begin{cases} 2x & (x < a) \\ 2x-1 & (x \ge a) \end{cases}$$

가 있다. 함수 $f(x)g(x)$가 실수 전체의 집합에서 연속이 되도록 하는 상수 a의 값을 구하여라.

▶ 해설 내신연계기출

0392

수능기출

최고차항의 계수가 1인 삼차함수 $f(x)$에 대하여 실수 전체의 집합에서 연속인 함수 $g(x)$가 다음 조건을 만족시킨다.

> (가) 모든 실수 x에 대하여 $f(x)g(x)=x(x+3)$이다.
> (나) $g(0)=1$

$f(1)$이 자연수일 때, $g(2)$의 최솟값을 구하여라.

0393

수능기출

모든 실수에서 정의된 함수 $f(x)$가

$$f(x)=\begin{cases} \dfrac{ax}{x-1} & (|x| > 1) \\ \dfrac{a}{1-x} & (|x| < 1) \\ \dfrac{a}{2} & (|x|=1) \end{cases}$$

일 때, [보기]에서 옳은 것만을 있는 대로 고른 것은?
(단, a는 실수이다.)

> ㄱ. 함수 $f(x)$는 $x=-1$에서 연속이다.
> ㄴ. 함수 $f(x)$가 모든 실수에서 연속이 되도록 하는 a의 값이 존재한다.
> ㄷ. 방정식 $f(x)=a$는 한 개의 실근을 갖는다. (단, $a \ne 0$)

① ㄱ   ② ㄷ   ③ ㄱ, ㄴ
④ ㄴ, ㄷ   ⑤ ㄱ, ㄴ, ㄷ

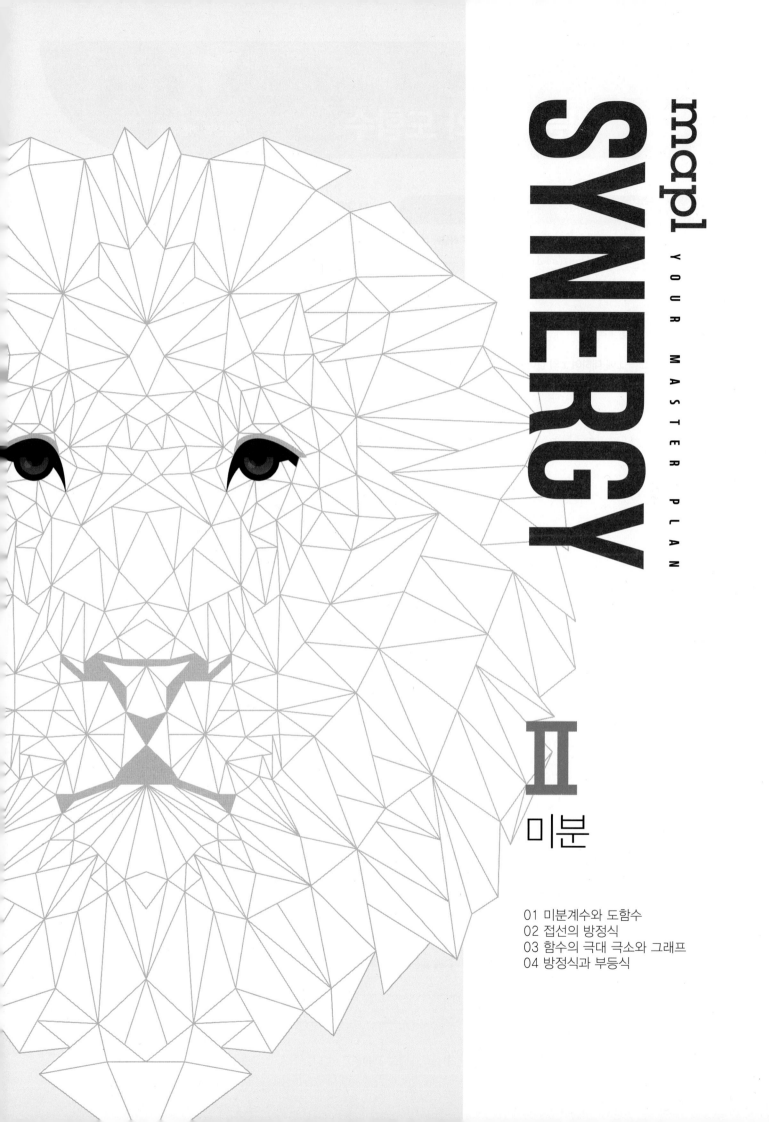

mapl

SYNERGY

YOUR MASTER PLAN

II

미분

01 미분계수와 도함수

학교내신기출 객관식 핵심문제총정리

유형 01 평균변화율

함수 $y=f(x)$에서 x의 값이 a에서 b까지 변할 때의 평균변화율은

$$\frac{\Delta y}{\Delta x}=\frac{f(b)-f(a)}{b-a}=\frac{f(a+\Delta x)-f(a)}{\Delta x}$$

이는 두 점 $(a, f(a))$, $(b, f(b))$를 지나는 직선의 기울기를 의미한다.

0394 학교기출 대표유형

함수 $f(x)=2x^2+x$에 대하여 x의 값이 a에서 $a+2$까지 변할 때의 평균변화율이 13일 때, 상수 a의 값은?

① -2 ② -1 ③ 0
④ 1 ⑤ 2

▶ 해설 내신연계기출

0395 최다빈출 왕중요   BASIC

함수 $f(x)=2x^2+ax+3$에서 x의 값이 -1에서 1까지 변할 때, 평균변화율이 3이다. 이때 상수 a의 값은?

① 2 ② 3 ③ 4
④ 5 ⑤ 6

▶ 해설 내신연계기출

0396 최다빈출 왕중요   NORMAL

함수 $y=f(x)$에 대하여 x의 값이 1에서 3까지 변할 때의 평균변화율은 5이고 x의 값이 3에서 4까지 변할 때의 평균변화율은 2이다. 이때 x의 값이 1에서 4까지 변할 때의 평균변화율은?

① 1 ② 2 ③ 3
④ 4 ⑤ 5

▶ 해설 내신연계기출

0397   NORMAL

임의의 자연수 n에 대하여 구간 $[n, n+1]$에서 함수 $y=f(x)$의 평균변화율이 n일 때, 구간 $[1, 16]$에서 함수 $y=f(x)$의 평균변화율은?

① 4 ② 6 ③ 8
④ 10 ⑤ 12

0398   NORMAL

오른쪽 그림과 같은 함수 $f(x)$에 대하여 역함수 $g(x)$가 존재할 때, 함수 $g(x)$에 대하여 닫힌구간 $[b, c]$에서의 평균변화율은?

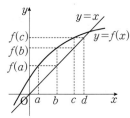

① $\dfrac{d-c}{c-b}$ ② $\dfrac{b-a}{c-b}$

③ $\dfrac{c-b}{d-c}$ ④ $\dfrac{b-a}{d-c}$

⑤ $\dfrac{c-b}{b-a}$

0399 최다빈출 왕중요   TOUGH

함수 $f(x)=x^3+x$의 역함수를 $y=g(x)$라고 할 때, 함수 $y=g(x)$에 대하여 x의 값이 -2에서 2까지 변할 때의 평균변화율은?

① $\dfrac{1}{2}$ ② $\dfrac{2}{3}$ ③ $\dfrac{3}{4}$
④ 3 ⑤ 5

▶ 해설 내신연계기출

유형 02 미분계수 (순간변화율)

함수 $y=f(x)$에서 $x=a$에서의 순간변화율 또는 미분계수 $f'(a)$는

$$f'(a)=\lim_{\Delta x \to 0}\frac{f(a+\Delta x)-f(a)}{\Delta x}=\lim_{h \to 0}\frac{f(a+h)-f(a)}{h}$$

곡선 $y=f(x)$ 위의 점 $(a,\ f(a))$에서의 접선의 기울기와 같다.

0400 학교기출 대표 유형

오른쪽 그림과 같이 함수 $f(x)=x^3-1$의 그래프 위의 점 A$(1, 0)$과 동점 Q$(t, f(t))$가 있다. 점 Q가 점 A에 한없이 가까워질 때, 직선 AQ의 기울기는 어떤 값에 가까워지는가?

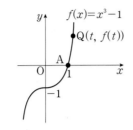

① 2   ② 3   ③ 6
④ 8   ⑤ 10

0401 최다빈출 왕중요   NORMAL

시각 t일 때, 어떤 전선을 지나는 전하량이

$$Q(t)=t^3-t^2+3t+3$$

이라고 할 때, $t=3$일 때 전선을 지나는 전하량의 순간변화율은?

① 12   ② 16   ③ 24
④ 36   ⑤ 47

▶ 해설 내신연계기출

0402   NORMAL

이차함수 $f(x)=x^2+ax+b$에 대하여 구간 $[1, 4]$에서의 평균변화율이 3일 때, 함수 $f(x)$의 $x=4$에서 미분계수의 값은?

① 2   ② 4   ③ 6
④ 8   ⑤ 10

유형 03 평균변화율과 미분계수

① 함수 $f(x)$에서 x의 값이 a에서 b까지 변할 때의 평균변화율은

$$\frac{\Delta y}{\Delta x}=\frac{f(a+\Delta x)-f(a)}{\Delta x}=\frac{f(b)-f(a)}{b-a}$$

② 함수 $f(x)$에서 $x=a$에서의 순간변화율 또는 미분계수 $f'(a)$는

$$f'(a)=\lim_{h \to 0}\frac{f(a+h)-f(a)}{h}=\lim_{x \to a}\frac{f(x)-f(a)}{x-a}$$

참고 이차함수 $f(x)=ax^2+bx+c(a \neq 0)$에 대하여 x의 값이

α에서 β까지 변할 때의 평균변화율과 $x=\dfrac{\alpha+\beta}{2}$에서의

순간변화율이 같다.

0403 학교기출 대표 유형

함수 $f(x)=x^2-3x$에 대하여 x의 값이 1에서 3까지 변할 때의 평균변화율과 $x=c$에서의 미분계수가 같을 때, 상수 c의 값은?

① $\dfrac{3}{2}$ ② $\dfrac{6}{5}$ ③ $\dfrac{4}{3}$
④ 2   ⑤ $\dfrac{5}{2}$

0404 최다빈출 왕중요   BASIC

함수 $f(x)=x^2+2x+3$에서 x의 값이 -1에서 3까지 변할 때의 평균변화율과 $x=a$에서의 미분계수가 같을 때, 상수 a의 값은?

① $\dfrac{1}{2}$ ② $\dfrac{2}{3}$ ③ 1
④ $\dfrac{3}{2}$ ⑤ 2

▶ 해설 내신연계기출

0405   BASIC

함수 $f(x)=-x^2+3x+1$에서 x의 값이 -1에서 2까지 변할 때의 평균변화율과 곡선 $y=f(x)$ 위의 점 $(a,\ f(a))$에서의 접선의 기울기가 같을 때, a의 값은?

① $-\dfrac{2}{3}$ ② $-\dfrac{1}{2}$ ③ 0
④ $\dfrac{1}{2}$ ⑤ $\dfrac{3}{2}$

0406 최다빈출 왕중요

함수 $f(x)=2x^3-9x^2+12x$에 대하여 x의 값이 0에서 3까지 변할 때의 평균변화율과 $x=a\,(0<a<3)$에서의 순간변화율이 같아지는 a의 값의 곱은?

① $\dfrac{1}{2}$　　　② $\dfrac{2}{3}$　　　③ 1

④ $\dfrac{3}{2}$　　　⑤ $\dfrac{5}{2}$

▶ 해설 내신연계기출

0407

함수 $f(x)$가

$$f(x+2)-f(2)=x^3+6x^2+14x$$

를 만족시킬 때, $f'(2)$의 값은?

① 10　　　② 11　　　③ 12

④ 13　　　⑤ 14

0408 최다빈출 왕중요

다음 그림은 다항함수 $y=f(x)$의 그래프이다. x가 a에서 b까지 변할 때, $f(x)$의 평균변화율과 $x=c$에서의 미분계수가 같게 되는 실수 c의 개수는? (단, $a<c<b$)

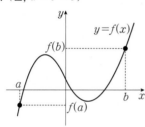

① 1　　　② 2　　　③ 3

④ 4　　　⑤ 5

▶ 해설 내신연계기출

0409 최다빈출 왕중요

양의 실수 전체의 집합에서 증가하는 함수 $f(x)$가 $x=2$에서 미분가능하다. 2보다 큰 모든 실수 a에 대하여 점 $(2,\,f(2))$와 점 $(a,\,f(a))$ 사이의 거리가 a^2-4일 때, $f'(2)$의 값은?

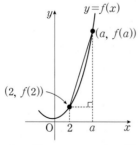

① $\sqrt{7}$　　　② $2\sqrt{2}$　　　③ $2\sqrt{3}$

④ $\sqrt{15}$　　　⑤ 4

▶ 해설 내신연계기출

유형 04 미분계수와 평균변화율의 그래프 관계

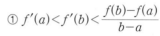

① 미분계수 $f'(a)$ ⇨ 곡선 $y=f(x)$ 위의 점 $(a,\,f(a))$에서의 접선의 기울기와 같다.

② $\dfrac{f(b)-f(a)}{b-a}$ ⇨ 두 점 $(a,\,f(a))$, $(b,\,f(b))$를 지나는 직선의 기울기이다.

③ $\dfrac{f(a)}{a}$ ⇨ 두 점 $(0,\,0)$, $(a,\,f(a))$를 지나는 직선의 기울기이다.

0410 학교기출 대표유형

오른쪽 그림은 미분가능한 함수 $y=f(x)$의 그래프이다. $0<a<b$일 때, 다음 중 옳은 것을 고르면?

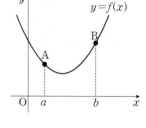

① $f'(a)<f'(b)<\dfrac{f(b)-f(a)}{b-a}$

② $f'(b)<f'(a)<\dfrac{f(b)-f(a)}{b-a}$

③ $\dfrac{f(b)-f(a)}{b-a}<f'(a)<f'(b)$

④ $f'(a)<\dfrac{f(b)-f(a)}{b-a}<f'(b)$

⑤ $f'(b)<\dfrac{f(b)-f(a)}{b-a}<f'(a)$

0411

미분가능한 함수 $y=f(x)$가 $a<b$인 두 실수 a, b에 대하여 $\dfrac{f(a)-f(b)}{a-b}>f'(a)$일 때, $y=f(x)$의 그래프의 개형은?

①
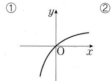
②

③

④

⑤

0412

NORMAL

미분가능한 함수 $f(x)$에 대하여

$$f(x_1+h)-f(x_1)>f'(x_1)\times h\,(h>x_1>0)$$

를 만족시키는 함수를 [보기] 중 있는 대로 고른 것은?

> ㄱ. $f(x)=2x+1$
>
> ㄴ. $f(x)=\dfrac{1}{x}\,(x>0)$
>
> ㄷ. $f(x)=x^2+1$
>
> ㄹ. $f(x)=-\sqrt{x}$

① ㄱ   ② ㄱ, ㄴ   ③ ㄷ, ㄹ

④ ㄴ, ㄷ, ㄹ   ⑤ ㄱ, ㄴ, ㄷ, ㄹ

0413 최다빈출 👑중요

NORMAL

오른쪽 그림은 미분가능한 함수 $y=f(x)$와 $y=x$의 그래프이다. $0<a<b$일 때, 다음 [보기]에서 옳은 것을 모두 고르면?

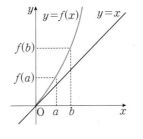

> ㄱ. $\dfrac{f(a)}{a}>\dfrac{f(b)}{b}$
>
> ㄴ. $f(b)-f(a)>b-a$
>
> ㄷ. $f'(a)<f'(b)$
>
> ㄹ. $f'\!\left(\dfrac{a+b}{2}\right)>f'(\sqrt{ab})$

① ㄱ   ② ㄱ, ㄴ   ③ ㄴ, ㄹ

④ ㄴ, ㄷ, ㄹ   ⑤ ㄱ, ㄴ, ㄷ

▶ 해설 내신연계기출

0414 최다빈출 👑중요

NORMAL

오른쪽 그림은 미분가능한 두 함수 $y=f(x)$, $y=x$의 그래프이다. $0<a<b$일 때, 다음 [보기]에서 옳은 것만을 있는 대로 고르면?

> ㄱ. $\dfrac{f(a)}{a}>\dfrac{f(b)}{b}$
>
> ㄴ. $f'(a)<f'(b)$
>
> ㄷ. $f(b)-f(a)>b-a$

① ㄱ   ② ㄱ, ㄴ   ③ ㄴ, ㄷ

④ ㄱ, ㄷ   ⑤ ㄱ, ㄴ, ㄷ

▶ 해설 내신연계기출

0415

NORMAL

미분가능한 함수 $y=f(x)$의 그래프와 직선 $y=\dfrac{1}{2}x$가 오른쪽 그림과 같다. $0<a<b$일 때, 옳은 것만을 [보기]에서 있는 대로 고르면?

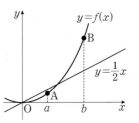

> ㄱ. $\dfrac{f(a)}{a}>\dfrac{f(b)}{b}$
>
> ㄴ. $f'(a)<f'(b)$
>
> ㄷ. $f(b)-f(a)<\dfrac{b-a}{2}$

① ㄱ   ② ㄴ   ③ ㄴ, ㄷ

④ ㄱ, ㄷ   ⑤ ㄱ, ㄴ, ㄷ

0416 최다빈출 👑중요

TOUGH

구간 $[1, 5]$에서 함수 $f(x)=(x-2)^2$의 그래프가 오른쪽 그림과 같을 때, 함수 $g(x)=\dfrac{f(x)-f(1)}{x-1}\,(1<x\le5)$에 대하여 다음 [보기] 중 옳은 것을 모두 고른 것은?

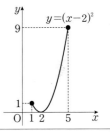

> ㄱ. $g(4)<g(5)$
>
> ㄴ. $g(x)=0$인 x의 값은 2개이다.
>
> ㄷ. $g(3)<f'(3)$

① ㄱ   ② ㄱ, ㄴ   ③ ㄱ, ㄷ

④ ㄴ, ㄷ   ⑤ ㄱ, ㄴ, ㄷ

▶ 해설 내신연계기출

0417

TOUGH

구간 $[0, 9]$에서 함수 $y=f(x)$의 그래프가 오른쪽 그림과 같을 때, 함수

$$g(x)=\dfrac{f(x)-f(1)}{x-1}$$

$(1<x\le9)$에 대하여 다음 [보기]에서 옳은 것을 모두 고르면?

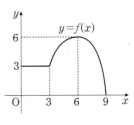

> ㄱ. $g(3)<g(6)$
>
> ㄴ. $g(x)=\dfrac{1}{2}$인 x의 값은 1개이다.
>
> ㄷ. $g(x)$는 $x=9$일 때, 최솟값을 가진다.

① ㄱ   ② ㄴ   ③ ㄱ, ㄷ

④ ㄴ, ㄷ   ⑤ ㄱ, ㄴ, ㄷ

01 미분계수와 도함수

미분가능한 함수 $f(x)$에 대하여

$$\lim_{\blacksquare \to 0} \frac{f(a+\blacksquare)-f(a)}{\blacksquare} = f'(a)$$ ← $\blacksquare$ 부분이 서로 같아야 $f'(a)$가 된다.

서로 같지 않으면 같게 만들어 준다.

① $\displaystyle\lim_{h \to 0} \frac{f(a+h)-f(a)}{h} = f'(a)$

② $\displaystyle\lim_{h \to 0} \frac{f(a+nh)-f(a)}{mh} = \frac{n}{m}f'(a)$

③ $\displaystyle\lim_{h \to 0} \frac{f(a+mh)-f(a+nh)}{h} = (m-n)f'(a)$

④ $\displaystyle\lim_{x \to \infty} x\left\{f\left(a+\frac{\alpha}{x}\right)-f\left(a+\frac{\beta}{x}\right)\right\} = (\alpha-\beta)f'(a)$

0418 학교기출 대표유형

미분가능한 함수 $f(x)$에 대하여

$$\lim_{h \to 0} \frac{f(1+3h)-f(1)}{2h} = 2$$

일 때, $f'(1)$의 값은?

① $\dfrac{1}{2}$ ② $\dfrac{2}{3}$ ③ 1

④ $\dfrac{4}{3}$ ⑤ 2

0419   BASIC

함수 $f(x)$에 대하여 $f'(a)=2$일 때,

$$\lim_{h \to 0} \frac{f(a+h)-f(a-h)}{h}$$

의 값은?

① -4 ② -2 ③ 0

④ 2 ⑤ 4

0420 최다빈출 왕중요   BASIC

미분가능한 함수 $f(x)$에 대하여 $f'(4)=3$일 때,

$$\lim_{h \to 0} \frac{f(4+2h)-f(4-5h)}{3h}$$

의 값은?

① 7 ② 8 ③ 9

④ 10 ⑤ 11

▶해설 내신연계기출

0421 최다빈출 왕중요   NORMAL

다항함수 $f(x)$에 대하여

$$\lim_{h \to 0} \frac{f(1+2h)-f(1-4h)}{3h} = 10$$

일 때, 곡선 $y=f(x)$ 위의 점 $(1, f(1))$에서의 접선의 기울기는?

① 2 ② 4 ③ 5

④ 8 ⑤ 10

▶해설 내신연계기출

0422   NORMAL

함수 $f(x)$에 대하여 $f'(3)=6$일 때,

$$\lim_{x \to \infty} x\left\{f\left(3+\frac{1}{x}\right)-f(3)\right\}$$

의 값은?

① 3 ② 4 ③ 5

④ 6 ⑤ 7

0423 최다빈출 왕중요   NORMAL

함수 $f(x)$에 대하여 $f'(1)=6$일 때,

$$\lim_{x \to \infty} x\left\{f\left(1+\frac{2}{x}\right)-f\left(1-\frac{3}{x}\right)\right\}$$

의 값은?

① 12 ② 16 ③ 24

④ 30 ⑤ 36

▶해설 내신연계기출

0424 최다빈출 왕중요   TOUGH

미분가능한 함수 $f(x)$에 대하여 $f'(1)=2$일 때,

$$\lim_{h \to 0} \frac{1}{h}\left\{\sum_{k=1}^{20} f(1+kh)-20f(1)\right\}$$

의 값은?

① 210 ② 410 ③ 420

④ 430 ⑤ 440

▶해설 내신연계기출

유형 06 미분계수를 이용한 극한값 계산 (2)

미분가능한 함수 $f(x)$에 대하여

$\lim_{\blacktriangle \to a} \dfrac{f(\blacktriangle)-f(a)}{\blacktriangle - a}=f'(a)$ ← ▲에 들어갈 부분이 서로 같아야 한다.

서로 같지 않으면 같게 만들어 준다.

① $\lim_{x \to a} \dfrac{f(x)-f(a)}{x-a}=f'(a)$

② $\lim_{x \to a} \dfrac{af(x)-xf(a)}{x-a}=af'(a)-f(a)$

③ $\lim_{x \to a} \dfrac{x^2 f(a)-a^2 f(x)}{x-a}=2af(a)-a^2 f'(a)$

참고 분자가 $x^n f(a)-a^n f(x)$의 꼴인 경우 $a^n f(a)$를 뺀 후 다시 더한다.

$x^n f(a)-a^n f(x)=x^n f(a)-a^n f(a)+a^n f(a)-a^n f(x)$와 같이 분자를
변형하여 두 개의 극한값으로 분리한 후, 미분계수의 정의를 이용한다.

0425 학교기출 대표 유형

다항함수 $f(x)$에 대하여 $f'(2)=12$일 때, 극한값이 가장 큰 것은?

① $\lim_{x \to 2} \dfrac{f(x)-f(2)}{x^2-4}$

② $\lim_{\triangle x \to 0} \dfrac{f(2+\triangle x)-f(2)}{\triangle x}$

③ $\lim_{h \to 0} \dfrac{f(2-3h)-f(2)}{2h}$

④ $\lim_{h \to 0} \dfrac{f(2-3h)-f(2+2h)}{6h}$

⑤ $\lim_{h \to 0} \dfrac{f(2h+2)-f(-2h+2)}{3h}$

0426 BASIC

곡선 $y=f(x)$ 위의 점 $(1, f(1))$에서의 접선의 기울기가 5일 때,
$\lim_{x \to 1} \dfrac{f(x^2)-f(1)}{x-1}$의 값은?

① 8   ② 10   ③ 12
④ 14   ⑤ 16

0427 최다빈출 왕중요 BASIC

다항함수 $f(x)$와 두 점 $A(-1, 1)$, $B(5, 2)$에 대하여 곡선
$y=f(x)$ 위의 점 $(1, f(1))$에서의 접선이 직선 AB와 수직일 때,
$\lim_{x \to 1} \dfrac{f(x)-f(1)}{x^3-1}$의 값은?

① -6 ② -4 ③ -2
④ 2 ⑤ 4

▶ 해설 내신연계기출

0428 NORMAL

다항함수 $f(x)$에 대하여 $f'(2)=4$, $f'(4)=5$일 때,

$$\lim_{h \to 0} \dfrac{f(2+5h)-f(2)}{h}+\lim_{x \to 2} \dfrac{f(x^2)-f(4)}{x-2}$$

의 값은?

① 18   ② 20   ③ 25
④ 30   ⑤ 40

0429 BASIC

다항함수 $f(x)$에 대하여 $\lim_{x \to 3} \dfrac{f(x)-f(3)}{x-3}=2$일 때,
$\lim_{x \to 3} \dfrac{f(x)-f(3)}{x^2-9}$의 값은?

① $\dfrac{1}{3}$ ② $\dfrac{1}{2}$ ③ 1
④ 2 ⑤ 3

0430 최다빈출 왕중요 NORMAL

다항함수 $f(x)$에 대하여

$$\lim_{x \to 1} \dfrac{f(x)-f(1)}{x^2-1}=-1$$

일 때, $\lim_{h \to 0} \dfrac{f(1-2h)-f(1+5h)}{h}$의 값은?

① 7   ② 11   ③ 14
④ 15   ⑤ 16

▶ 해설 내신연계기출

0431 최다빈출 왕중요 NORMAL

다항함수 $f(x)$가

$$f(1)=3, \ f'(1)=-2$$

를 만족시킬 때, $\lim_{x \to 1} \dfrac{f(x^2)-xf(1)}{x-1}$의 값은?

① -10 ② -9 ③ -8
④ -7 ⑤ -6

▶ 해설 내신연계기출

0432

NORMAL

다항함수 $f(x)$에 대하여 $f(3)=2$, $f'(3)=1$일 때,

$$\lim_{x \to 3}\frac{xf(3)-3f(x)}{x-3}$$

의 값은?

① -5 ② -1 ③ 0
④ 1 ⑤ 5

0433 최다빈출 양 중요

NORMAL

다항함수 $f(x)$가 $f(1)=5$, $f'(1)=2$를 만족시킬 때,

$$\lim_{x \to 1}\frac{x^3f(1)-f(x^3)}{x-1}$$

의 값은?

① 8 ② 9 ③ 10
④ 11 ⑤ 12

▶ 해설 내신연계기출

0434

NORMAL

다항함수 $f(x)$에 대하여

$$f'(3)=-1,\ \lim_{x \to 3}\frac{9f(x)-x^2f(3)}{x-3}=3$$

일 때, $f(3)$의 값은?

① -3 ② -2 ③ -1
④ 1 ⑤ 2

0435

TOUGH

함수 $f(x)$의 도함수 $f'(x)$가 연속함수이고, 모든 실수 x에 대하여

$$(x-1)f'(x)=x^2-1-f(x)$$

를 만족시킬 때, $f'(1)$의 값은?

① 1 ② 2 ③ 3
④ 4 ⑤ 5

유형 07 미분계수를 이용한 극한값 계산 (3)

미분가능한 함수 $f(x)$에 대하여

① $\lim_{x \to a}\dfrac{f(x)-f(a)}{x-a}=f'(a)$

② $\lim_{h \to 0}\dfrac{f(a+mh)-f(a+nh)}{h}=(m-n)f'(a)$

0436 학교기출 대표 유형

다항함수 $f(x)$에 대하여 $\lim\limits_{x \to 2}\dfrac{f(x)-3}{x^3-8}=\dfrac{1}{2}$이 성립할 때, $f(2)f'(2)$의 값은?

① 6 ② 8 ③ 10
④ 16 ⑤ 18

▶ 해설 내신연계기출

0437 최다빈출 양 중요

NORMAL

다항함수 $f(x)$에 대하여

$$\lim_{x \to 2}\frac{f(x)-1}{x-2}=2$$

일 때, $\lim\limits_{h \to 0}\dfrac{f(2+h)-f(2-h)}{h}$의 값은?

① -2 ② -1 ③ 1
④ 2 ⑤ 4

▶ 해설 내신연계기출

0438

NORMAL

다항함수 $f(x)$에 대하여

$$\lim_{x \to 1}\frac{f(x^2)-f(1)}{x-1}=6,$$

$$\lim_{h \to 0}\frac{f(1+h^2)-f(1)}{h}=\lim_{h \to 0}\frac{f(2+3h)-f(2)}{h}$$

일 때, $f'(1)+f'(2)$의 값은?

① 1 ② 2 ③ 3
④ 4 ⑤ 5

0439

NORMAL

다항함수 $f(x)$에 대하여

$$\lim_{x \to 2} \frac{f(x)-5}{x-2}=3$$

일 때, $\lim_{h \to 0} \frac{f(2+h)-(1+h)f(2)}{h}$ 의 값은?

① -2　　　② -1　　　③ 0
④ 1　　　⑤ 2

유형 08 치환하여 미분계수 구하기

[1단계] 복잡한 식은 적당히 치환하여 $h \to 0$으로 만든다.

[2단계] 미분계수 $f'(a)=\lim_{h \to 0}\dfrac{f(a+h)-f(a)}{h}=\lim_{x \to a}\dfrac{f(x)-f(a)}{x-a}$

를 이용한다.

0442 학교기출 대표유형

함수 $f(x)$에 대하여 $f(3)=4$, $f'(3)=24$일 때,

$$\lim_{x \to 2} \frac{f(x+1)-4}{x^2-4}$$의 값은?

① 2　　　② 3　　　③ 5
④ 6　　　⑤ 7

0440

NORMAL

다항함수 $f(x)$에 대하여

$$\lim_{x \to 2} \frac{f(x)}{x^2-4}=1$$

일 때, $\lim_{h \to 0} \frac{f(2+5h)}{h}$ 의 값은?

① 10　　　② 15　　　③ 20
④ 25　　　⑤ 30

0443 최다빈출 왕중요

NORMAL

미분가능한 함수 $f(x)$에 대하여

$$\lim_{x \to 2} \frac{f(x+2)-3}{x^2-4}=6$$

일 때, $f(4)+f'(4)$의 값은?

① 17　　　② 23　　　③ 24
④ 27　　　⑤ 30

 해설 내신연계기출

0441 최다빈출 왕중요

TOUGH

함수 $y=f(x)$의 그래프는 y축에 대하여 대칭이고

$f'(2)=-3$, $f'(4)=6$일 때, $\lim_{x \to -2} \frac{f(x^2)-f(4)}{f(x)-f(2)}$ 의 값은?

① -8　　　② -4　　　③ 4
④ 8　　　⑤ 12

▶ 해설 내신연계기출

0444

NORMAL

다항함수 $f(x)$에 대하여 $f'(1)=2$일 때,

$$\lim_{x \to 2} \frac{x^3-8}{f(x-1)-4}$$의 값이 0이 아닌 값을 가질 때, 그 값은?

① $\dfrac{1}{6}$　　　② $\dfrac{1}{4}$　　　③ 2
④ 4　　　⑤ 6

[1단계] 주어진 등식의 x, y에 적당한 수를 대입하여 함숫값 $f(0)$을 구한다.

[2단계] 미분계수의 정의 $f'(a)=\displaystyle\lim_{h\to0}\frac{f(a+h)-f(a)}{h}$ 의 $f(a+h)$에 주어진 항등식을 대입하여 $f'(a)$의 값을 구한다.

0445 학교기출 대표유형

미분가능한 함수 $f(x)$가 모든 실수 x, y에 대하여

$$f(x+y)=f(x)+f(y)$$

를 만족시키고 $f'(7)=3$일 때, $f'(0)$의 값은?

① 1   ② 3   ③ 5

④ 7   ⑤ 9

0446 최다빈출 상중요

NORMAL

미분가능한 함수 $f(x)$가 임의의 두 실수 x, y에 대하여

$$f(x+y)=f(x)+f(y)+xy$$

를 만족하고 $f'(0)=3$일 때, $f'(2)$의 값은?

① 4   ② 5   ③ 6

④ 7   ⑤ 8

▶ 해설 내신연계기출

0447

NORMAL

미분가능한 함수 $f(x)$가 모든 실수 x, y에 대하여

$$f(x+y)=f(x)+f(y)-xy$$

를 만족시키고, $f'(2)=4$일 때, 다음 [보기] 중 옳은 것을 고르면?

> ㄱ. $f(0)=0$
>
> ㄴ. $f'(x)=-x+6$
>
> ㄷ. 모든 실수 a에 대하여 $\displaystyle\lim_{x\to a^-}f(x)=f(a)$이다.

① ㄱ   ② ㄴ   ③ ㄱ, ㄷ

④ ㄴ, ㄷ   ⑤ ㄱ, ㄴ, ㄷ

0448 최다빈출 상중요

NORMAL

함수 $f(x)$가 임의의 두 실수 x, y에 대하여

$$f(x+y)=f(x)+f(y)+2xy-3$$

을 만족하고 $f'(2)=1$일 때, $f'(5)$의 값은?

① 1   ② 3   ③ 5

④ 7   ⑤ 9

▶ 해설 내신연계기출

0449

NORMAL

함수 $f(x)$가 임의의 두 실수 x, y에 대하여

$$f(x+y)=f(x)+f(y)+axy$$

을 만족시킨다. $f'(0)=5$이고 $f'(x)=3x+5$일 때, 상수 a의 값은?

① 1   ② 3   ③ 5

④ 7   ⑤ 9

0450 최다빈출 상중요

NORMAL

미분가능한 함수 $f(x)$가 다음 조건을 만족시킬 때, $\dfrac{f'(x)}{f(x)}$의 값은?

> (가) 임의의 실수 x, y에 대하여 $f(x+y)=f(x)f(y)$
>
> (나) 모든 실수 x에 대하여 $f(x)>0$
>
> (다) $f'(0)=3$

① 1   ② 2   ③ 3

④ 4   ⑤ 5

▶ 해설 내신연계기출

0451 최다빈출 상중요

TOUGH

다항함수 $f(x)$가 다음 두 조건을 만족시킬 때, $f'(0)$의 값은?

> (가) 모든 실수 x, y에 대하여 $f(x+y)=f(x)+f(y)+4xy+2$
>
> (나) $\displaystyle\lim_{x\to2}\frac{f(x)}{x-2}=5$

① -1 ② -3 ③ -5

④ -7 ⑤ -9

▶ 해설 내신연계기출

유형 **10** 식이 주어진 미분가능성과 연속성

함수 $f(x)$가 실수 a에서 미분가능할 조건

[조건1] $x=a$에서 $f(x)$가 연속이다. 즉 $\lim\limits_{x \to a} f(x)=f(a)$

[조건2] $\lim\limits_{h \to 0} \dfrac{f(a+h)-f(a)}{h}$가 존재한다.

참고 함수 $f(x)$가 $x=a$에서 미분가능하면 함수 $f(x)$는 $x=a$에서 연속이다.

◀ [대우] 함수 $f(x)$가 $x=a$에서 불연속이면 $x=a$에서 미분가능하지 않는다.

0452 학교기출 **대표** 유형

함수 $f(x)$가 $x=a$에서 미분가능하면 $f(x)$는 $x=a$에서 연속임을 증명하는 과정이다.

함수 $y=f(x)$가 $x=a$에서 미분가능하면

$$\lim_{x \to a}\{f(x)-f(a)\}=\lim_{x \to a}\left\{\frac{f(x)-f(a)}{\boxed{(가)}}\times(x-a)\right\}$$

$$=\lim_{x \to a}\frac{f(x)-f(a)}{\boxed{(가)}}\times\lim_{x \to a}(x-a)$$

$$=\boxed{(나)}\times 0=0$$

이므로 다음이 성립한다.

$$\lim_{x \to a}f(x)=\boxed{(다)}$$

다음 중 (가), (나), (다)에 알맞은 것을 순서대로 적으면?

	(가)	(나)	(다)
①	$x-a$	$f'(0)$	$f(a)$
②	$x-a$	$f'(a)$	$f'(a)$
③	$x-a$	$f'(a)$	$f(a)$
④	x	$f'(0)$	$f(0)$
⑤	x	$f'(a)$	$f(0)$

0453 BASIC

어떤 구간에서 연속인 함수 $f(x)$에 대하여 두 집합 A, B가

$$A=\left\{a \,\middle|\, \lim_{x \to a}\frac{f(x)-f(a)}{x-a}\text{가 존재한다.}\right\}$$

$$B=\left\{a \,\middle|\, \lim_{x \to a}f(x)=f(a)\right\}$$

일 때, 다음 [보기] 중에서 옳은 것을 모두 고르면?

ㄱ. $A \cap B=\varnothing$	ㄴ. $A \cup B=B$
ㄷ. $A-B=\varnothing$	ㄹ. $A=B$

① ㄱ   ② ㄴ, ㄷ   ③ ㄷ, ㄹ

④ ㄱ, ㄷ, ㄹ   ⑤ ㄴ, ㄷ, ㄹ

0454 NORMAL

다음은 함수 $f(x)=|x-1|$이 $x=1$에서 연속이지만 미분가능하지 않음을 보이는 과정이다.

$\lim\limits_{x \to 1}f(x)=0$이고 $\boxed{(가)}=0$이므로

$f(x)$는 $x=1$에서 연속이다.

한편

$$\lim_{x \to 1+}\frac{f(x)-f(1)}{x-1}=\boxed{(나)}$$

$$\lim_{x \to 1-}\frac{f(x)-f(1)}{x-1}=\boxed{(다)}$$

이므로 $\lim\limits_{x \to 1}\dfrac{f(x)-f(1)}{x-1}$은 존재하지 않는다.

따라서 함수 $f(x)=|x-1|$은 $x=1$에서 연속이지만 미분가능하지 않다.

다음 중 (가), (나), (다)에 알맞은 것을 순서대로 적으면?

	(가)	(나)	(다)
①	$f(-1)$	2	-2
②	$f(-1)$	1	-1
③	$f(0)$	1	-1
④	$f(1)$	1	-1
⑤	$f(1)$	2	-2

0455 NORMAL

다음은 함수 $f(x)=|x^2-1|$이 $x=1$에서 연속이지만 미분가능하지 않음을 보이는 과정이다.

$\lim\limits_{x \to 1}f(x)=0$이고 $\boxed{(가)}=0$이므로

$f(x)$는 $x=1$에서 연속이다.

한편

$$\lim_{x \to 1+}\frac{f(x)-f(1)}{x-1}=\boxed{(나)}$$

$$\lim_{x \to 1-}\frac{f(x)-f(1)}{x-1}=\boxed{(다)}$$

이므로 $\lim\limits_{x \to 1}\dfrac{f(x)-f(1)}{x-1}$은 존재하지 않는다.

따라서 함수 $f(x)=|x^2-1|$은 $x=1$에서 연속이지만 미분가능하지 않다.

다음 중 (가), (나), (다)에 알맞은 것을 순서대로 적으면?

	(가)	(나)	(다)
①	$f(-1)$	2	-2
②	$f(-1)$	1	-1
③	$f(0)$	1	-1
④	$f(1)$	1	-1
⑤	$f(1)$	2	-2

0456

NORMAL

다음 [보기]의 함수 중 $x=0$에서 연속이지만 미분가능하지 않은 것만을 있는 대로 고른 것은?

> ㄱ. $f(x)=|x|$
>
> ㄴ. $f(x)=x|x|$
>
> ㄷ. $f(x)=x+|x|$

① ㄱ   ② ㄴ   ③ ㄷ
④ ㄱ, ㄷ   ⑤ ㄴ, ㄷ

0457 최다빈출 상 중요

NORMAL

다음 [보기]의 함수 중 $x=0$에서 연속이지만 미분가능하지 않은 함수를 있는 대로 고른 것은?
(단, $[x]$는 x보다 크지 않은 최대의 정수이다.)

> ㄱ. $f(x)=[x]$ ㄴ. $g(x)=\sqrt{x^2}$
>
> ㄷ. $k(x)=x|x|$ ㄹ. $p(x)=x^2|x|$

① ㄱ   ② ㄴ   ③ ㄷ, ㄹ
④ ㄱ, ㄴ, ㄹ   ⑤ ㄴ, ㄷ, ㄹ

▶ 해설 내신연계기출

0458 최다빈출 상 중요

NORMAL

다음 [보기] 중 $x=0$에서 미분가능한 함수를 있는 대로 고른 것은?

> ㄱ. $f(x)=\begin{cases} x^2 & (x \geq 0) \\ -x^2 & (x < 0) \end{cases}$
>
> ㄴ. $g(x)=\begin{cases} x^2-1 & (x \leq 0) \\ -1 & (x > 0) \end{cases}$
>
> ㄷ. $h(x)=\begin{cases} x^2+x & (x \geq 0) \\ 2x+1 & (x < 0) \end{cases}$

① ㄴ   ② ㄷ   ③ ㄱ, ㄴ
④ ㄱ, ㄷ   ⑤ ㄱ, ㄴ, ㄷ

▶ 해설 내신연계기출

0459

TOUGH

두 함수 $f(x)=|x|$, $g(x)=\begin{cases} 2x+1 & (x \geq 0) \\ -x-1 & (x < 0) \end{cases}$ 에 대하여 $x=0$에서
미분가능한 함수만을 [보기]에서 있는 대로 고른 것은?

> ㄱ. $xf(x)$
>
> ㄴ. $f(x)g(x)$
>
> ㄷ. $|f(x)-g(x)|$

① ㄱ   ② ㄷ   ③ ㄱ, ㄴ
④ ㄴ, ㄷ   ⑤ ㄱ, ㄴ, ㄷ

유형 11   그래프에서 미분가능성과 연속성

그래프에서 미분가능하지 않은 점
① 불연속 점 ⇨ 끊어져 있는 점
② 연속이지만 꺾인 점 (직선의 절댓값, 곡선의 절댓값)
  ⇨ (절댓값 기호안의 식)=0으로 하는 값에서 미분 불능
  예 $y=|x-4|$이면 $x=4$에서 미분가능하지 않는다.
③ 연속이지만 뾰족점(첨점)

0460 학교기출 대표 유형

$-1 < x < 4$에서 함수 $y=f(x)$의 그래프가 그림과 같을 때,
함수 $f(x)$가 미분가능하지 않는 점의 개수는?

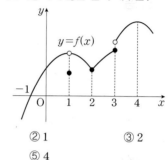

① 0   ② 1   ③ 2
④ 3   ⑤ 4

0461 최다빈출 상 중요

BASIC

그림은 $-1 < x < 6$에서 정의된 함수 $y=f(x)$의 그래프를 나타낸
것이다. 다음 중 옳지 않은 것은?

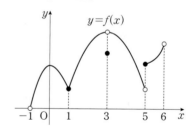

① $f'(2)$는 양수이다.
② $\lim_{x \to 3} f(x)$가 존재한다.
③ $f(x)$가 불연속인 점은 2개이다.
④ $f(x)$가 미분 가능하지 않은 x의 값은 3개이다.
⑤ $f'(x)=0$인 점은 2개이다.

▶ 해설 내신연계기출

0462

NORMAL

오른쪽 그림은 $0 < x < 7$에서 정의된 함수 $y=f(x)$의 그래프 이다. 함수 $f(x)$에 대한 다음 설명 중 옳지 않은 것은?

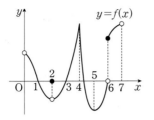

① $\lim\limits_{x \to 2} f(x)$의 값이 존재한다.

② 함수 $f(x)$가 불연속인 점이 2개이다.

③ 함수 $f(x)$에서 연속이지만 미분가능하지 않은 점은 1개이다.

④ $f'(4)=\lim\limits_{x \to 4} f'(x)$

⑤ 함수 $f(x)$에서 미분가능하지 않은 점이 3개이다.

0463

NORMAL

오른쪽 그림은 $-2 < x < 6$에서 정의 된 함수 $y=f(x)$의 그래프 이다. 다음 중 함수 $f(x)$에 대한 설명으로 옳은 것은?

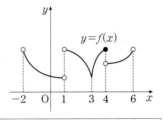

ㄱ. $\lim\limits_{x \to 1} f(x)$는 존재하지 않는다.

ㄴ. $f(x)$의 불연속점은 2개이다.

ㄷ. $f(x)$의 미분가능하지 않은 점은 3개이다.

ㄹ. $f'(-1)$은 음수이다.

① ㄱ   ② ㄴ   ③ ㄷ, ㄹ

④ ㄱ, ㄴ, ㄹ   ⑤ ㄱ, ㄴ, ㄷ, ㄹ

0464

NORMAL

함수 $y=f(x)$의 그래프가 오른쪽 그림과 같을 때, 다음 [보기] 중 옳 은 것을 모두 고른 것은?

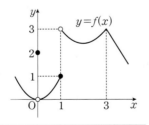

ㄱ. $f(x)$는 불연속인 점이 2개이다.

ㄴ. $f(x)$는 $x=3$에서 미분가능하다.

ㄷ. $f'(x)$는 $x=3$에서 연속이다.

① ㄱ   ② ㄴ   ③ ㄱ, ㄴ

④ ㄱ, ㄷ   ⑤ ㄱ, ㄴ, ㄷ

유형 12 미분가능할 조건에서 미정계수 결정

다항함수 $f(x)$, $g(x)$에 대하여 $h(x)=\begin{cases} f(x) & (x \geq a) \\ g(x) & (x < a) \end{cases}$ 가

$x=a$에서 미분가능하면

① 함수 $h(x)$는 $x=a$에서 연속이므로 ⇨ $\lim\limits_{x \to a^-} g(x)=f(a)$

② 함수 $h(x)$는 $x=a$에서 미분계수가 존재하므로 ⇨ $f'(a)=g'(a)$

[방법1] 미분계수의 정의를 활용하는 경우

$$\lim_{x \to a^-}\frac{f(x)-f(a)}{x-a}=\lim_{x \to a^+}\frac{g(x)-g(a)}{x-a}$$

[방법2] 미분법을 활용하는 경우

$h'(x)=\begin{cases} f'(x) & (x > a) \\ g'(x) & (x < a) \end{cases}$ 에서 $f'(a)=g'(a)$

0465 학교기출 대표 유형

함수

$$f(x)=\begin{cases} x^2+ax+b & (x \leq -2) \\ 2x & (x > -2) \end{cases}$$

가 실수 전체의 집합에서 미분가능할 때, 상수 a, b에 대하여 $a+b$의 값은?

① 6   ② 7   ③ 8

④ 9   ⑤ 10

0466 최다빈출 왕중요

BASIC

함수

$$f(x)=\begin{cases} x^2 & (x < 1) \\ ax+b & (x \geq 1) \end{cases}$$

가 모든 실수 x에서 미분가능하도록 하는 상수 a, b에 대하여 $2a+b$의 값은?

① -1 ② 1   ③ 3

④ 5   ⑤ 7

▶ 해설 내신연계기출

0467 최다빈출 왕중요

BASIC

실수 a, b에 대하여 함수

$$f(x)=\begin{cases} 2x+1 & (x \geq 1) \\ ax^2+2bx+3 & (x < 1) \end{cases}$$

이 $x=1$에서 미분가능할 때, $f(-1)$의 값은?

① -1 ② 3   ③ 4

④ 6   ⑤ 7

▶ 해설 내신연계기출

0468

함수

$$f(x)=\begin{cases} -x+1 & (x<0) \\ a(x-1)^2+b & (x\geq 0) \end{cases}$$

가 모든 실수 x에서 미분가능 할 때, $f(1)$의 값은?
(단, a, b는 상수이다.)

① $\dfrac{1}{4}$ ② $\dfrac{1}{2}$ ③ 1

④ $\dfrac{3}{2}$ ⑤ 2

0469 최다빈출 왕중요

함수

$$f(x)=\begin{cases} x^2+a & (x<1) \\ -x^2+bx & (x\geq 1) \end{cases}$$

가 $x=1$에서 미분가능할 때. $f(-1)+f(2)$의 값은?
(단, a, b는 상수이다.)

① 1   ② 3   ③ 5

④ 7   ⑤ 9

▶ 해설 내신연계기출

0470

함수 $f(x)=\begin{cases} 3x+b & (x<a) \\ \dfrac{1}{3}x^3+2x-1 & (x\geq a) \end{cases}$ 가 $x=a$에서 미분가능할 때,

$a+b$의 값은? (단, a, b는 상수이고, $a>0$이다.)

① $-\dfrac{5}{6}$ ② $-\dfrac{2}{3}$ ③ $-\dfrac{1}{2}$

④ $-\dfrac{1}{3}$ ⑤ $-\dfrac{1}{6}$

0471

함수

$$f(x)=\begin{cases} ax^2 & (x<1) \\ -ax^2+bx+c & (1\leq x<2) \\ 1 & (2\leq x) \end{cases}$$

가 에서 모든 실수 x에 대하여 미분가능할 때, 상수 a, b, c에
대하여 abc의 값은? (단, $a\neq 0$)

① -4 ② -2 ③ -1

④ 2   ⑤ 4

0472 최다빈출 왕중요

이차함수 $f(x)=ax^2+bx+c$에 대하여 함수 $g(x)$를

$$g(x)=\begin{cases} -x-1 & (x<-1) \\ f(x) & (-1\leq x<1) \\ x-1 & (x\geq 1) \end{cases}$$

으로 정의할 때, 함수 $g(x)$가 모든 실수 x에 대하여 미분가능하도
록 하는 상수 a, b, c에 대하여 $a+b-c$의 값은?

① $-\dfrac{1}{2}$ ② 0   ③ $\dfrac{1}{2}$

④ 1   ⑤ 2

▶ 해설 내신연계기출

0473 최다빈출 왕중요

두 함수 $f(x)=|x-2|$, $g(x)=\begin{cases} x & (x<2) \\ x+a & (x\geq 2) \end{cases}$ 에 대하여

함수 $f(x)g(x)$가 실수 전체의 집합에서 미분가능할 때,
함수 $x^2g(x)$의 $x=a$에서의 미분계수는? (단, a는 상수이다.)

① 56   ② 48   ③ 42

④ 28   ⑤ 36

▶ 해설 내신연계기출

유형 **13** 미분법의 공식

(1) 함수 $y=x^n$ (n은 양의 정수)의 도함수

　① $y=x^n \Rightarrow y'=nx^{n-1}$

　② $y=c$ (c는 상수) $\Rightarrow y'=0$

(2) 함수의 실수배, 합 차의 도함수

　함수 $f(x)$, $g(x)$가 미분가능할 때,

　① 실수배의 도함수 $y=cf(x) \Rightarrow y'=cf'(x)$

　② 합과 차의 도함수 $y=f(x)\pm g(x) \Rightarrow y'=f'(x)\pm g'(x)$

0474 학교기출 대표 유형

함수 $f(x)=\dfrac{1}{2}x^2+\dfrac{1}{4}x^4+\cdots+\dfrac{1}{100}x^{100}$에 대하여 $f'(1)$의 값은?

① 48　　② 49　　③ 50

④ 51　　⑤ 52

0475 최다빈출 왕중요　NORMAL

함수 $f(x)=\displaystyle\sum_{k=1}^{10}x^k$에 대하여 $f'(1)$의 값은?

① 45　　② 55　　③ 65

④ 75　　⑤ 125

▶ 해설 내신연계기출

0476 최다빈출 왕중요　NORMAL

다항함수 $f(x)$가

$$f(x)=3x^2-xf'(2)$$

를 만족할 때, $f'(1)$의 값은?

① -2　　② -1　　③ 0

④ 1　　⑤ 2

▶ 해설 내신연계기출

0477　NORMAL

다항함수 $f(x)$가 모든 실수 x에 대하여

$$f(x)=30x^3-f'(1)x^2+5$$

를 만족시킬 때, $f(1)$의 값은?

① 5　　② 10　　③ 15

④ 20　　⑤ 25

유형 **14** 미분법 공식을 이용한 미정계수 결정

[1단계] 도함수를 구한 후 미분계수의 값을 구한다.

[2단계] 연립하여 미지수를 구한다.

0478 학교기출 대표 유형

함수 $f(x)=7x^3-ax+3$에 대하여 $f'(1)=2$를 만족시키는 상수 a의 값은?

① 10　　② 12　　③ 14

④ 16　　⑤ 19

0479 최다빈출 왕중요　BASIC

함수 $f(x)=x^2+ax+b$에 대하여

$$f(1)=2, \quad f'(2)=0$$

일 때, $f(3)$의 값은? (단, a, b는 상수이다.)

① 1　　② 2　　③ 3

④ 4　　⑤ 5

▶ 해설 내신연계기출

0480 최다빈출 왕중요　NORMAL

이차함수 $f(x)$에 대하여

$$f(1)=6, \quad f'(-1)=-5, \quad f'(1)=3$$

일 때, $f(3)$의 값은?

① 10　　② 20　　③ 30

④ 40　　⑤ 50

▶ 해설 내신연계기출

0481　NORMAL

삼차함수 $f(x)=x^3+ax+b$가 다음 조건을 모두 만족시킬 때, $f(2)$의 값은? (단, a, b는 상수)

(가) 곡선 $y=f(x)$ 위의 $x=0$인 점에서의 접선의 기울기는 $f(0)$의 값과 같다.

(나) 함수 $y=f(x)$의 그래프는 점 $(1, 5)$를 지난다.

① 10　　② 12　　③ 14

④ 16　　⑤ 18

함수의 곱의 미분법

① $y=f(x)g(x) \Rightarrow y'=f'(x)g(x)+f(x)g'(x)$

② $y=f(x)g(x)h(x)$

$\Rightarrow y'=f'(x)g(x)h(x)+f(x)g'(x)h(x)+f(x)g(x)h'(x)$

③ $y=\{f(x)\}^n$ (n은 양의 정수) $\Rightarrow y'=n\{f(x)\}^{n-1}f'(x)$

0482 학교기출 대표유형

다음은 곱의 미분법에 대해 증명한 것이다.

두 함수 $f(x)$, $g(x)$가 미분가능할 때, $y=f(x)g(x)$의 도함수는 다음과 같다.

$$y'=\lim_{h \to 0}\frac{f(x+h)g(x+h)-f(x)g(x)}{h}$$

$$=\lim_{h \to 0}\frac{f(x+h)g(x+h)-\boxed{(가)}+\boxed{(가)}-f(x)g(x)}{h}$$

$$=\lim_{h \to 0}\frac{\boxed{(나)}\times g(x+h)+f(x)\times \boxed{(다)}}{h}$$

$$=\lim_{h \to 0}\frac{\boxed{(나)}}{h}\times \lim_{h \to 0}g(x+h)+f(x)\times \lim_{h \to 0}\frac{\boxed{(다)}}{h}$$

$$=f'(x)g(x)+f(x)g'(x)$$

위의 증명에서 (가), (나), (다)에 들어갈 말로 알맞은 것은?

	(가)	(나)	(다)
①	$f(x)g(x+h)$	$\{f(x+h)-f(x)\}$	$\{g(x+h)-g(x)\}$
②	$f(x+h)g(x)$	$\{f(x+h)-f(x)\}$	$\{g(x+h)-g(x)\}$
③	$f(x)g(x+h)$	$\{g(x+h)-g(x)\}$	$\{f(x+h)-f(x)\}$
④	$f(x+h)g(x)$	$\{f(x)-f(x+h)\}$	$\{g(x)-g(x+h)\}$
⑤	$f(x)g(x+h)$	$\{f(x)-f(x+h)\}$	$\{g(x)-g(x+h)\}$

0483 · BASIC

다음은 미분가능한 함수 $f(x)$에 대하여 도함수의 정의를 이용하여 $y=\{f(x)\}^2$의 도함수를 구하는 과정이다.

$F(x)=\{f(x)\}^2$으로 놓으면 $y=F(x)$에서

$$y'=\lim_{h \to 0}\frac{F(x+h)-F(x)}{h}=\lim_{h \to 0}\frac{\{f(x+h)\}^2-\{f(x)\}^2}{h}$$

$$=\lim_{h \to 0}\frac{f(x+h)-f(x)}{h}\times \lim_{h \to 0}\boxed{(가)}$$

$$=\boxed{(나)}$$

위의 과정에서 (가), (나)에 알맞은 것을 차례대로 나열한 것은?

	(가)	(나)
①	$f(x+h)-f(x)$	$2f(x)f'(x)$
②	$f(x+h)+f(x)$	$2f(x)f'(x)$
③	$f(x+h)+f(x)$	$2f(x)$
④	$f(x+h)-f(x)$	$2f(x)$
⑤	$f(x+h)-f(x)$	$f(x)f'(x)$

[1단계] 곱의 미분법을 구한 후 미분계수의 값을 구한다.

[2단계] 연립하여 미지수를 구한다.

0484 학교기출 대표유형

함수 $f(x)=(x-1)(x^3+x^2+x+1)$에 대하여 $f'(1)$의 값은?

① 1   ② 2   ③ 3

④ 4   ⑤ 5

0485 · BASIC

함수 $f(x)=(x^2+1)(x^2+x-2)+(x^2+2x-2)^2$에 대하여 $f'(1)$의 값은?

① 6   ② 8   ③ 10

④ 12   ⑤ 14

0486 최다빈출 중요 · BASIC

두 함수

$$f(x)=x^3+3x^2-x+1, \quad g(x)=x^2+5x+2$$

에 대하여 함수 $h(x)$를 $h(x)=f(x)g(x)$로 정의할 때, $h'(0)$의 값은?

① -3 ② -2 ③ 0

④ 1   ⑤ 3

▶ 해설 내신연계기출

0487 최다빈출 중요 · NORMAL

$x=2$에서 미분가능한 두 함수 $f(x)$, $g(x)$에 대하여

$$f(x)=(x^2-1)g(x)$$이고 $f(2)=6$, $g'(2)=-3$

일 때, $f'(2)$의 값은?

① -4 ② -3 ③ -2

④ -1 ⑤ 0

▶ 해설 내신연계기출

0488 최다빈출 왕중요 　NORMAL

다항함수 $f(x)$에 대하여 곡선 $y=f(x)$ 위의 점 $(2, 3)$에서의 접선의 기울기가 2이다. $g(x)=xf(x)$일 때, $g'(2)$의 값을 구하면?

① 3　　　　② 4　　　　③ 5
④ 6　　　　⑤ 7

▶ 해설 내신연계기출

0489 최다빈출 왕중요 　NORMAL

미분가능한 두 함수 $f(x)$, $g(x)$에 대하여 곡선 $y=f(x)$ 위의 점 $(1, 1)$에서의 접선의 기울기가 2이다. $g(x)=(x^2+3x)f(x)$일 때, $g'(1)$의 값은?

① 9　　　　② 11　　　　③ 13
④ 15　　　⑤ 17

▶ 해설 내신연계기출

0490 최다빈출 왕중요 　NORMAL

그림은 모든 실수 x에 대하여 미분가능한 함수 $f(x)$의 그래프의 개형이다. $g(x)=x^3f(x)$로 정의되는 함수 $g(x)$에 대하여 다음 중 $g'(x)$의 값을 양이 되게 하는 x의 값은?

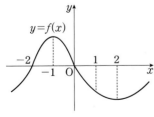

① -2　　　② -1　　　③ 0
④ 1　　　　⑤ 2

▶ 해설 내신연계기출

유형 17 곱의 미분법을 이용한 미정계수 결정 (2)

함수 $y=f(x)$의 그래프 위의 점 (a, b)에서의 접선의 기울기가 m이면
① $f(a)=b$ ← 함수 $y=f(x)$가 (a,b)를 지난다.
② $f'(a)=m$ ← $x=a$에서 미분계수가 m이다.

0491 학교기출 대표 유형

함수 $f(x)=(x^3+a)(x^3+x^2+x+2)$에 대하여 $f'(1)=3$일 때, 상수 a의 값은?

① -5　　　② -3　　　③ -1
④ 3　　　　⑤ 5

▶ 해설 내신연계기출

0492 최다빈출 왕중요 　BASIC

다항함수 $f(x)=(x^2-5)(ax+b)$ 위의 점 $(1, 4)$에서의 접선의 기울기가 -6일 때, ab의 값은? (단, a, b는 상수)

① -2　　　② -1　　　③ 2
④ 4　　　　⑤ 6

▶ 해설 내신연계기출

0493 　NORMAL

이차함수 $f(x)=(x-k)^2$과 다항함수 $g(x)$에 대하여 x좌표가 1인 점에서의 곡선 $y=f(x)g(x)$의 접선의 기울기가 -8이라 한다. $g(1)=1$, $g'(1)=-3$일 때, 양수 k의 값은?

① $\dfrac{5}{3}$　　　② 2　　　③ $\dfrac{7}{3}$
④ $\dfrac{8}{3}$　　　⑤ 3

0494 최다빈출 왕중요 　NORMAL

함수 $f(x)=(2x-1)(x-3)(x-a)$에 대하여 $f'(2)=2$일 때, 상수 a의 값은?

① -4　　　② -3　　　③ -2
④ -1　　　⑤ 3

▶ 해설 내신연계기출

0495

최고차항의 계수가 1인 삼차함수 $f(x)$가
$$f(-1)=f(1)=f(2)$$
를 만족시킬 때, $f'(0)$의 값은?

① -1 ② 0 ③ 1
④ 2 ⑤ 3

0496

최고차항의 계수가 1인 삼차함수 $f(x)$에 대하여 곡선 $y=f(x)$가 세 점 $(1, 8)$, $(2, 8)$, $(4, 8)$을 지날 때, $f'(1)$의 값은?

① 6 ② 5 ③ 4
④ 3 ⑤ 2

0497
최다빈출 왕중요

삼차함수 $f(x)=x^3+ax^2+bx+c$가
$$f(2)=f(4)=f(6)$$
을 만족시킬 때, $f'(2)+f'(4)+f'(6)$의 값은? (단, a, b, c는 상수)

① 10 ② 11 ③ 12
④ 13 ⑤ 14

▶ 해설 내신연계기출

0498

최고차항의 계수가 1인 삼차함수 $f(x)$와 실수 a가 다음 조건을 만족시킬 때, $f'(a)$의 값은?

(가) $f(a)=f(2)=f(6)$
(나) $f'(2)=-4$

① 1 ② 2 ③ 3
④ 4 ⑤ 5

0499
최다빈출 왕중요

곡선 $y=(x-a)(x-b)(x-c)$ 위의 점 $(3, 4)$에서의 접선의 기울기가 4일 때, $\dfrac{1}{a-3}+\dfrac{1}{b-3}+\dfrac{1}{c-3}$의 값은? (단, a, b, c는 상수이다.)

① -3 ② -1 ③ -2
④ 0 ⑤ 1

▶ 해설 내신연계기출

0500
최다빈출 왕중요

함수 $f(x)=(x-a)(x-b)(x-c)$에 대하여
$$\frac{a}{f'(a)}+\frac{b}{f'(b)}+\frac{c}{f'(c)}$$
의 값은?

① -1 ② 0 ③ 1
④ 2 ⑤ 3

▶ 해설 내신연계기출

0501
최다빈출 왕중요

아래 그림과 같이 최고차항의 계수가 1인 삼차함수 $y=f(x)$의 그래프와 직선 $y=k(k>0)$가 만나는 점의 x좌표가 a, b, c일 때, 다음 [보기]에서 옳은 것은?

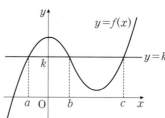

ㄱ. $f'(a)+f'(b)>0$
ㄴ. $f'(b)+f'(c)>0$
ㄷ. $f'(c)+f'(a)>0$

① ㄱ   ② ㄴ   ③ ㄱ, ㄴ
④ ㄴ, ㄷ   ⑤ ㄱ, ㄴ, ㄷ

▶ 해설 내신연계기출

유형 18 극한값을 이용한 곱의 미분법

[1단계] 다항함수 $f(x)$에 대하여 $\lim_{x \to a} \dfrac{f(x)-b}{x-a}=c$ (c는 상수)이면

극한값 존재조건에서 $f(a)=b$

미분계수의 정의를 이용하여 $f'(a)=c$

[2단계] 곱의 미분법

$y=f(x)g(x) \Rightarrow y'=f'(x)g(x)+f(x)g'(x)$를 이용하여

구하는 미분계수를 구한다.

0502 학교기출 대표 유형

다항함수 $f(x)$가 $\lim_{x \to 2} \dfrac{f(x)-3}{x-2}=4$를 만족시킨다.

함수 $g(x)=x^2 f(x)$에 대하여 $g'(2)$의 값은?

① 15   ② 19   ③ 21

④ 25   ⑤ 28

▶ 해설 내신연계기출

0503 NORMAL

두 함수 $f(x)$, $g(x)$에 대하여

$$\lim_{x \to 1} \dfrac{f(x)-2}{x-1}=3, \ \lim_{x \to 1} \dfrac{g(x)+2}{x-1}=5$$

를 만족할 때, 함수 $h(x)=f(x)g(x)$에 대하여 $h'(1)$의 값은?

① 1   ② 2   ③ 3

④ 4   ⑤ 5

0504 NORMAL

두 다항함수 $f(x)$, $g(x)$에 대하여

$$\lim_{x \to 2} \dfrac{f(x)-2}{x^2-4}=2, \ \lim_{x \to 2} \dfrac{g(x)-1}{x^3-8}=1$$

를 만족할 때, 함수 $y=f(x)g(x)$의 $x=2$에서의 접선의 기울기는?

① 12   ② 24   ③ 30

④ 32   ⑤ 36

0505 최다빈출 왕중요 BASIC

두 다항함수 $f(x)$, $g(x)$가

$$\lim_{x \to 3} \dfrac{f(x)-2}{x-3}=1, \ \lim_{x \to 3} \dfrac{g(x)-1}{x-3}=2$$

를 만족할 때, 함수 $y=f(x)g(x)$의 $x=3$에서의 미분계수는?

① 1   ② 2   ③ 3

④ 4   ⑤ 5

▶ 해설 내신연계기출

0506 NORMAL

두 다항함수 $f(x)$, $g(x)$가

$$\lim_{x \to 0} \dfrac{f(x)-2}{x}=3, \ \lim_{x \to 3} \dfrac{g(x-3)-1}{x-3}=6$$

를 만족할 때, 함수 $h(x)=f(x)g(x)$의 $x=0$에서의 미분계수는?

① 11   ② 13   ③ 15

④ 17   ⑤ 19

0507 최다빈출 왕중요 NORMAL

두 함수 $f(x)=x^{10}+1$, $g(x)=1+x+x^2+\cdots+x^{10}$에 대하여

$\lim_{x \to 1} \dfrac{f(x)g(x)-f(1)g(1)}{x-1}$의 값은?

① 125   ② 169   ③ 205

④ 220   ⑤ 320

▶ 해설 내신연계기출

0508

다항함수

$$f(x)=x^2+2x+3, \quad g(x)=(x^3+2x)^2$$

에 대하여 $\displaystyle\lim_{x \to 1}\frac{f(x)g(x)-f(1)g(1)}{x^2-1}$ 의 값은?

① 27   ② 81   ③ 108

④ 129   ⑤ 169

0509 최다빈출 왕중요

다항함수 $f(x)$에 대하여 $f(2)=3$, $f'(2)=4$일 때,

$\displaystyle\lim_{x \to 2}\frac{(x^2+3x)f(x)-30}{x-2}$ 의 값은?

① 20   ② 31   ③ 51

④ 61   ⑤ 81

▶ 해설 내신연계기출

0510 최다빈출 왕중요

최고차항의 계수가 1인 이차함수 $f(x)$에 대하여

함수 $g(x)=(x^2+2x)f(x)$가 $\displaystyle\lim_{x \to 1}\frac{g(x)}{x-1}=-3$을 만족시킬 때,

$g'(0)$의 값은?

① 3   ② 4   ③ 5

④ 6   ⑤ 7

▶ 해설 내신연계기출

0511 최다빈출 왕중요

두 다항함수 $f(x)$, $g(x)$가 다음 조건을 만족시킬 때, $g'(0)$의 값은?

> (가) $f(0)=1$, $f'(0)=-6$, $g(0)=4$
>
> (나) $\displaystyle\lim_{x \to 0}\frac{f(x)g(x)-4}{x}=0$

① 20   ② 24   ③ 36

④ 42   ⑤ 46

▶ 해설 내신연계기출

0512

두 다항함수 $f(x)$, $g(x)$가

$$\lim_{x \to 0}\frac{f(x)-1}{x}=-5, \quad \lim_{x \to 0}\frac{g(x)+2}{x}=3$$

을 만족시킬 때, $\displaystyle\lim_{x \to 0}\frac{f(x)g(x)+2}{x}$ 의 값은?

① 11   ② 12   ③ 13

④ 14   ⑤ 15

0513

두 다항함수 $f(x)$, $g(x)$에 대하여

$$\lim_{x \to 2}\frac{f(x)+1}{x-2}=3, \quad \lim_{x \to 2}\frac{g(x)-3}{x-2}=1$$

이 성립할 때, $\displaystyle\lim_{x \to 2}\frac{f(x)g(x)-f(2)g(2)}{x-2}$ 의 값은?

① 6   ② 7   ③ 8

④ 9   ⑤ 10

유형 19 치환을 이용한 미분계수의 극한값 계산

분자에 인수분해하기 힘든 복잡한 식이 있는 경우

[방법1] $\frac{0}{0}$꼴의 극한에서 분모나 분자의 차수가 높으면 일부를 $f(x)$로 놓고 $\lim\limits_{x \to a}\dfrac{f(x)-f(a)}{x-a}$꼴로 고쳐 미분계수의 정의를 이용한다.

[방법2] 함수가 주어지지 않은 경우 분자를 적당한 식 $f(x)$로 치환한 다음, 미분계수의 정의를 이용한다.

0514 학교기출 대표 유형

$\lim\limits_{x \to 1}\dfrac{x^9-5x^3+10x-6}{x-1}$의 값은?

① 4   ② 5   ③ 6
④ 7   ⑤ 8

▶ 해설 내신연계기출

0515 최다빈출 상 중요   NORMAL

자연수 n과 상수 a에 대하여

$$\lim_{x \to 2}\frac{x^n+x-34}{x-2}=a$$

가 존재할 때, $n+a$의 값은?

① 24   ② 36   ③ 56
④ 81   ⑤ 86

▶ 해설 내신연계기출

0516 최다빈출 상 중요   NORMAL

자연수 n에 대하여

$$a_n=\lim_{x \to 1}\frac{x^n+5x-6}{x-1}$$

일 때, $\sum\limits_{n=1}^{15}a_n$의 값은?

① 45   ② 55   ③ 85
④ 120   ⑤ 195

▶ 해설 내신연계기출

유형 20 도함수와 미분계수를 이용한 극한값 계산

[1단계] 다항함수 $f(x)$에 대하여 주어진 식을 $f'(a)$가 포함된 식으로 변형한다.

① $\lim\limits_{x \to a}\dfrac{f(x)-f(a)}{x-a}=c$ (c는 상수) ⇨ $f'(a)=c$

② $\lim\limits_{x \to a}\dfrac{f(x)}{x-a}=c$ (c는 상수) ⇨ $f(a)=0,\ f'(a)=c$

③ $\lim\limits_{h \to 0}\dfrac{f(a+mh)-f(a+nh)}{h}=(m-n)f'(a)$

[2단계] $f(x)$의 도함수 $f'(x)$를 구한 후, $f'(x)$에 $x=a$를 대입하여 $f'(a)$의 값을 구한다.

[3단계] 주어진 식의 값을 구한다.

0517 학교기출 대표 유형

다음 조건을 만족하는 극한값 a, b에 대하여 $a+b$의 값은?

> (가) 함수 $f(x)=x^3+9x+2$에 대하여
> $$\lim_{x \to 1}\frac{f(x)-f(1)}{x^2-1}=a$$
> (나) 함수 $f(x)=x^3+4x-2$에 대하여
> $$\lim_{h \to 0}\frac{f(1+3h)-f(1)}{h}=b$$

① 20   ② 24   ③ 27
④ 30   ⑤ 33

▶ 해설 내신연계기출

0518   NORMAL

다음 조건을 만족하는 극한값 a, b에 대하여 ab의 값은?

> (가) 함수 $f(x)=x^3-4x+2$에 대하여
> $$\lim_{x \to 2}\frac{f(x)-2}{x^2-4}=a$$
> (나) 함수 $f(x)=5x^2+1$에 대하여
> $$\lim_{h \to 0}\frac{f(4-h)-f(4)}{8h}=b$$

① -18   ② -16   ③ -14
④ -12   ⑤ -10

0519   NORMAL

함수 $f(x)=2x^3+x^2-4x+5$에 대하여

$$\lim_{h \to 0}\frac{f(1+5h)-f(1-2h)}{h}$$

의 값은?

① 21   ② 24   ③ 28
④ 32   ⑤ 34

0520

함수 $f(x)$에 대하여 $f(x)=x^4+x+1$일 때,

$$\lim_{x \to 1}\frac{x^3-1}{f(x^2)-f(1)}$$

의 값은?

① $\dfrac{3}{10}$ ② $\dfrac{1}{5}$ ③ $\dfrac{7}{10}$

④ $\dfrac{9}{10}$ ⑤ $\dfrac{11}{13}$

0521

함수 $f(x)=2x^3-3x^2+x+1$ 에 대하여

$$\lim_{x \to 1}\frac{\{f(x)\}^2-\{f(1)\}^2}{x-1}$$

의 값은?

① -2 ② -1 ③ 1

④ 2 ⑤ 4

0522 최다빈출 왕중요 TOUGH

두 다항함수 $f(x)$, $g(x)$가 다음 조건을 만족할 때, 곡선 $y=g(x)$ 위의 점 $(2, g(2))$에서의 접선의 기울기는?

(가) $g(x)=x^3 f(x)-7$

(나) $\displaystyle\lim_{x \to 2}\frac{f(x)-g(x)}{x-2}=2$

---

① -6 ② -5 ③ -4

④ -3 ⑤ -2

▶ 해설 내신연계기출

[1단계] $x \to \infty$일 때, $\dfrac{1}{x} \to 0$이므로 $\dfrac{1}{x}=h$로 치환하여

$$\lim_{h \to 0}\frac{f(a+mh)-f(a)}{nh}=\frac{m}{n}f'(a)$$을 이용하여 식을 정리한다.

[2단계] $f(x)$의 도함수 $f'(x)$를 구한 후, $f'(x)$에 $x=a$를 대입하여 $f'(a)$의 값을 구한다.

[3단계] 주어진 식의 값을 구한다.

0523 학교기출 대표유형

함수 $f(x)=(x+1)(x^2+5)$에 대하여

$$\lim_{x \to \infty}x\left\{f\left(2+\frac{1}{x}\right)-f(2)\right\}$$

의 값은?

① 15 ② 17 ③ 19

④ 21 ⑤ 23

0524 최다빈출 왕중요 NORMAL

함수 $f(x)=x^5-x^4+x^3$에 대하여

$$\lim_{t \to \infty}t\left\{f\left(1+\frac{3}{t}\right)-f\left(1-\frac{4}{t}\right)\right\}$$

의 값은?

① 21 ② 24 ③ 28

④ 29 ⑤ 32

▶ 해설 내신연계기출

0525 NORMAL

함수 $f(x)=x^3-2x+1$에 대하여

$$\lim_{t \to \infty}t\left\{f\left(2+\frac{a}{t}\right)-5\right\}=30$$

일 때, 상수 a의 값은?

① 1 ② 2 ③ 3

④ 4 ⑤ 5

0526 최다빈출 왕중요 NORMAL

함수 $f(x)=x^4-2x^2+2x+5$에 대하여

$$\lim_{t \to \infty}t^2\left\{f\left(1+\frac{3}{t}\right)-f(1)\right\}^2$$

의 값은?

① 3 ② 9 ③ 27

④ 36 ⑤ 81

▶ 해설 내신연계기출

유형 22 미분계수를 이용한 미정계수의 결정

다항함수 $f(x)$에 대하여 다음을 이용하여 함수 $f(x)$의 미정계수를 구한다.

① $\lim_{x \to a} \dfrac{f(x)-P}{x-a} = Q$ (P, Q는 상수) $\Rightarrow P=f(a)$, $Q=f'(a)$

② $\lim_{x \to a} \dfrac{f(x)}{x-a} = c$ (c는 상수) $\Rightarrow f(a)=0$, $f'(a)=c$

③ $\lim_{h \to 0} \dfrac{f(a+mh)-f(a+nh)}{h} = (m-n)f'(a)$

0527 학교기출 대표 유형

함수 $f(x)=2x^3+ax^2+bx$가

$$\lim_{x \to 1} \dfrac{f(x)-5}{x-1} = 8$$

을 만족할 때, 상수 a, b에 대하여 ab의 값은?

① -6　　　　② -5　　　　③ -4

④ -3　　　　⑤ -2

0528 최다빈출 왕 중요 BASIC

함수 $f(x)=x^5+ax+b$에 대하여

$$\lim_{x \to 1} \dfrac{f(x)-2}{x-1} = 3$$

일 때, $f(-1)$의 값은? (단, a, b는 상수이다.)

① 1　　　　② 2　　　　③ 3

④ 4　　　　⑤ 5

▶ 해설 내신연계기출

0529 최다빈출 왕 중요 BASIC

함수 $f(x)=x^2+ax$에 대하여

$$\lim_{h \to 0} \dfrac{f(1+h)-f(1)}{2h} = 6$$

일 때, 상수 a의 값은?

① 10　　　　② 11　　　　③ 12

④ 13　　　　⑤ 14

▶ 해설 내신연계기출

0530 BASIC

함수 $f(x)=x^3+ax^2+b$에 대하여

$$\lim_{h \to 0} \dfrac{f(2+2h)-4}{h} = 12$$

일 때, $f(-2)$의 값은? (단, a, b는 상수)

① -16　　　　② -14　　　　③ -12

④ -10　　　　⑤ -8

0531 최다빈출 왕 중요 NORMAL

함수 $f(x)=x^3+x^2+ax+1$에 대하여

$$\lim_{h \to 0} \dfrac{f(1+h)-f(1-h)}{h} = 20$$

일 때, 상수 a의 값은?

① 1　　　　② 2　　　　③ 3

④ 4　　　　⑤ 5

▶ 해설 내신연계기출

0532 NORMAL

함수 $f(x)=x^2-6x+5$에 대하여

$$\lim_{h \to 0} \dfrac{f(a+h)-f(a-h)}{h} = 8$$

을 만족하는 상수 a의 값은?

① 5　　　　② 6　　　　③ 7

④ 8　　　　⑤ 9

0533 NORMAL

삼차함수 $f(x)=2x^3+5x^2-4x+a$가

$$\lim_{x \to 1} \dfrac{f(x)}{x-1} = k$$

일 때, 상수 a, k에 대하여 ak의 값은?

① -36　　　　② -12　　　　③ 9

④ 12　　　　⑤ 36

0534 최다빈출 왕중요

함수 $f(x)=x^3+ax^2+bx+c$에 대하여

$$\lim_{x\to 2}\frac{f(x)}{x-2}=12, \ \lim_{h\to 0}\frac{f(1+h)-f(1-h)}{h}=2$$

를 만족할 때, $f(1)$의 값은? (단, a, b, c는 상수)

① -6 ② -5 ③ -4
④ -3 ⑤ -2

0535

이차함수 $f(x)$가

$$\lim_{x\to 1}\frac{f(x)}{x^2+2x-3}=\frac{1}{2}, \ \lim_{h\to 0}\frac{f(2+h)-f(2)}{2h}=4$$

를 만족할 때, $f(3)$의 값은?

① 9 ② 10 ③ 11
④ 14 ⑤ 16

0536

다항함수 $f(x)$가

$$\lim_{x\to\infty}\frac{f(x)}{x^2+x-3}=2, \ \lim_{x\to 1}\frac{f(x)-10}{x-1}=5$$

을 만족시킬 때, $f(3)$의 값은?

① 24 ② 28 ③ 32
④ 36 ⑤ 40

0537 최다빈출 왕중요

다항함수 $f(x)$가 다음 조건을 만족시킬 때, $f'(5)$의 값은?

(가) $\displaystyle\lim_{x\to\infty}\frac{f(x)-2x^2}{x^2-1}=2$

(나) $\displaystyle\lim_{x\to 1}\frac{f(x)-2x^2}{x^2-1}=2$

① 10 ② 20 ③ 30
④ 40 ⑤ 50

▶ 해설 내신연계기출

0538

다항함수 $f(x)$가

$$\lim_{x\to\infty}\frac{f(x)}{2x^3+3x-1}=1, \ \lim_{x\to 0}\frac{f'(x)}{x}=1$$

을 만족시킬 때, $f'(1)$의 값은?

① 3 ② 5 ③ 7
④ 9 ⑤ 11

0539 최다빈출 왕중요

함수 $f(x)=x^2+7ax+b$에 대하여

$$\lim_{x\to 2}\frac{f(x+1)-8}{x^2-4}=5$$

일 때, $f(2)$의 값은?

① -15 ② -13 ③ -11
④ -10 ⑤ -8

▶ 해설 내신연계기출

0540

다항함수 $f(x)=x^n+x^{n-1}+\cdots+x^2+x+a$가 다음을 만족한다고 한다. (단, n은 자연수)

(가) $\displaystyle\lim_{x\to 0}\frac{f(x)}{x}=1$

(나) $\displaystyle\lim_{x\to 1}\frac{f(x)-f(1)}{x-1}=66$

이때 $f(1)$의 값은?

① 11 ② 12 ③ 13
④ 14 ⑤ 15

0541

최고차항의 계수가 1이고 $f(1)=0$인 삼차함수 $f(x)$가

$$\lim_{x\to 2}\frac{f(x)}{(x-2)\{f'(x)\}^2}=\frac{1}{4}$$

을 만족시킬 때, $f(3)$의 값은?

① 4 ② 6 ③ 8
④ 10 ⑤ 12

유형 23 도함수와 항등식

조건에 맞게 $f(x)$의 식을 세우고, $f(x)$, $f'(x)$를 주어진 식에 대입한 후 항등식의 성질인 계수비교를 통해 미정계수를 구한다.

① $ax^2+bx+c=0$이 x에 대한 항등식
$\iff a=0,\ b=0,\ c=0$

② $ax^2+bx+c=a'x^2+b'x+c'$이 x에 대한 항등식
$\iff a=a',\ b=b',\ c=c'$

참고 $f(x)$가 n차식이면 $\Rightarrow f'(x)$는 $(n-1)$차식

0542 학교기출 대표 유형

x에 관한 이차함수 $f(x)$가 모든 실수 x에 대하여 다음 두 조건을 모두 만족할 때, $f(2)$는?

(가) $f(0)=2$
(나) $2f(x)-(x-1)f'(x)=2$

① -1 ② 0 ③ 1
④ 2 ⑤ 3

0543 NORMAL

함수 $f(x)=ax^2+b$가 모든 실수 x에 대하여
$$4f(x)=\{f'(x)\}^2+x^2+4$$
를 만족시킨다. $f(2)$의 값은? (단, a, b는 상수이다.)

① 3 ② 4 ③ 5
④ 6 ⑤ 7

0544 최다빈출 왕 중요 NORMAL

다항함수 $f(x)$와 그 도함수 $f'(x)$에 대하여
$$\{f'(x)\}^2=4f(x),\ f(1)=0$$
이 성립할 때, $f(2)$의 값은?

① -3 ② -2 ③ -1
④ 1 ⑤ 2

▶ 해설 내신연계기출

0545 최다빈출 왕 중요 TOUGH

다항함수 $f(x)$가 다음 조건을 만족시킨다.

(가) 모든 실수 x에 대하여 $2f(x)-xf'(x)=5x-4$이다.
(나) $f(1)=2$

$f(2)$의 값은?

① 2 ② 4 ③ 6
④ 8 ⑤ 10

▶ 해설 내신연계기출

유형 24 미분법과 다항식의 나눗셈

① 다항식 $f(x)$를 $(x-a)^2$으로 나누었을 때, 나머지 $R(x)$
$\Rightarrow R(x)=f'(a)x+f(a)-af'(a)$

증명 다항식 $f(x)$를 $(x-a)^2$으로 나누었을 때 몫을 $Q(x)$, 나머지를 $R(x)=px+q$라고 하면

$f(x)=(x-a)^2Q(x)+px+q$ ······ ㉠

㉠의 양변에 $x=a$를 대입하면 $f(a)=ap+q$ ······ ㉡

㉠의 양변을 x에 대하여 미분하면
$f'(x)=2(x-a)Q(x)+(x-a)^2Q'(x)+p$이고
$x=a$를 대입하면 $f'(a)=p$ ······ ㉢

㉢을 ㉡에 대입하면 $q=f(a)-af'(a)$이다.

따라서 나머지 $R(x)=f'(a)x+f(a)-af'(a)$

② 다항식 $f(x)$가 $(x-a)^2$으로 나누어떨어질 조건
$\Rightarrow f(x)=0$이 $x=a$를 이중근으로 가질 조건은
$\Rightarrow f(a)=0,\ f'(a)=0$

증명 다항식 $f(x)$가 $(x-a)^2$으로 나누어떨어질 때, 몫을 $Q(x)$라 하면

$f(x)=(x-a)^2Q(x)$ ······ ㉠

㉠의 양변에 $x=a$를 대입하면 $f(a)=0$

㉠의 양변을 x에 대하여 미분하면
$f'(x)=2(x-a)Q(x)+(x-a)^2Q'(x)$이고
$x=a$를 대입하면 $f'(a)=0$

따라서 $f(a)=0,\ f'(a)=0$

참고 다항식 $f(x)$가 $f(a)=0$, $f'(a)=0$을 만족시키면
$\Rightarrow f(x)$는 $(x-a)^2$을 인수로 가진다.

0546 학교기출 대표 유형

다항식 $x^{10}-3x^2+4$를 이차식 $(x+1)^2$으로 나누었을 때의 나머지를 $R(x)$라 할 때, $R\left(\dfrac{1}{2}\right)$의 값은?

① -5 ② -4 ③ $-\dfrac{1}{2}$
④ 1 ⑤ 4

▶ 해설 내신연계기출

0547 최다빈출 왕 중요 BASIC

다항식 x^5+ax+b를 $(x-2)^2$으로 나누어떨어지도록 하는 상수 a, b에 대하여 $a+b$의 값은?

① 28 ② 38 ③ 48
④ 120 ⑤ 128

▶ 해설 내신연계기출

0548

BASIC

다항식 $x^4 - ax^2 + b$를 $(x+1)^2$으로 나누었을 때의 나머지가 $2x - 1$일 때, 상수 a, b에 대하여 $a+b$의 값은?

① -3 ② -2 ③ -1
④ 1 ⑤ 2

0549

NORMAL

다항함수 $f(x)$에 대하여 $\lim\limits_{x \to 2} \dfrac{f(x)+3}{x-2} = -2$이 성립할 때, 다항식 $f(x)$를 $(x-2)^2$으로 나누었을 때의 나머지를 $R(x)$라 하면 $R(5)$의 값은?

① -12 ② -9 ③ -6
④ -4 ⑤ -2

▶ 해설 내신연계기출

0550

NORMAL

다항식 $f(x)$에 대하여 $\lim\limits_{x \to 2} \dfrac{f(x)-a}{x-2} = 4$이고 $f(x)$를 $(x-2)^2$으로 나눈 나머지를 $bx+3$이라 할 때, 상수 a, b에 대하여 $a+b$의 값은?

① 14 ② 15 ③ 18
④ 20 ⑤ 22

0551

NORMAL

다항함수 $y=f(x)$의 그래프 위의 점 $(2, 1)$에서의 접선의 기울기가 -3이다. $f(x)$를 $(x-2)^2$으로 나누었을 때의 나머지를 $R(x)$라 할 때, $R(1)$의 값은?

① 4 ② 6 ③ 8
④ 9 ⑤ 10

▶ 해설 내신연계기출

0552

NORMAL

그림과 같이 다항함수 $y=f(x)$의 그래프에서 $x=1$에서 접선을 l이라 하고 $f(x)$를 $(x-1)^2$으로 나눈 나머지를 $R(x)$라고 할 때, $R(2)$의 값은?

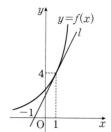

① 4 ② 6 ③ 8
④ 10 ⑤ 16

0553

TOUGH

다항함수 $f(x)$에 대하여 $f(x)$를 $(x-1)^2$으로 나눈 나머지가 $3x+2$일 때, 곡선 $y=x^2 f(x)$ 위의 $x=1$인 점에서의 접선의 기울기는?

① 11 ② 12 ③ 13
④ 14 ⑤ 15

서술형 기출유형

0554

함수 $f(x)=2x^2+x+1$에 대하여 x의 값이 1에서 3까지 변할 때의 평균변화율과 $x=a$에서의 미분계수와 같을 때, 상수 a의 값을 구하는 과정을 다음 단계로 서술하여라.

[1단계] 함수 $f(x)$가 x의 값이 1에서 3까지 변할 때의 평균변화율을 구한다.

[2단계] 함수 $f(x)$의 $x=a$에서의 미분계수를 구한다.

[3단계] 1, 2단계에서 평균변화율과 미분계수가 같을 때, a의 값을 구한다.

0555

모든 실수 x에서 미분가능한 함수 $f(x)$에 대하여

$$\lim_{x \to 2}\frac{f(x)-5}{x^3-8}=\frac{1}{6}$$

이 성립할 때, $f(2)f'(2)$의 값을 구하는 과정을 다음 단계로 서술하여라.

[1단계] $f(2)$의 값을 구한다.

[2단계] 미분계수의 정의를 이용하여 $f'(2)$의 값을 구한다.

[3단계] $f(2)f'(2)$의 값을 구한다.

0556

함수 $f(x)=2x^2-3x+7$에 대하여 미분계수의 정의를 이용하여

$\lim_{x \to 4}\dfrac{x^2 f(4)-16f(x)}{x^2-16}$를 구하는 과정을 다음 단계로 서술하여라.

[1단계] $\lim_{x \to 4}\dfrac{f(x)-f(4)}{x-4}$을 구한다.

[2단계] $\lim_{x \to 4}\dfrac{x^2 f(4)-16f(x)}{x^2-16}$을 구한다.

0557

미분가능한 함수 $f(x)$가 모든 실수 x, y에 대하여

$$f(x+y)=f(x)+f(y)-3xy-2$$

를 만족시키고 $f'(0)=5$일 때, $f'(x)$를 구하는 과정을 다음 단계로 서술하여라.

[1단계] $f(0)$의 값을 구한다.

[2단계] $f'(0)=5$를 이용하여 $\lim\limits_{h \to 0}\dfrac{f(h)-2}{h}$의 값을 구한다.

[3단계] 도함수의 정의를 이용하여 $f'(x)$를 $f'(x)=ax+b\,(a,\ b$는 실수)의 형태로 나타내어라.

0558

다항함수 $f(x)$가 모든 실수 x에 대하여

$$xf(x)+(x^2+1)f'(x)=6x^3+4x^2+2$$

를 만족시킬 때, $f(2)$의 값을 구하는 과정을 다음 단계로 서술하여라.

[1단계] $f(x)$의 차수를 구한다.

[2단계] x에 대한 항등식의 미정계수법을 이용하여 $f(x)$를 구한다.

[3단계] $f(2)$의 값을 구한다.

0559

이차함수 $f(x)=ax^2-4x+b$에 대하여

$$\lim_{x \to 1}\frac{f(x)}{x-1}=8$$

을 만족할 때, $f(2)$의 값을 구하는 과정을 다음 단계로 서술하여라. (단, a, b는 상수)

[1단계] 극한값 존재조건과 미분계수의 정의를 이용하여 $f(1)$, $f'(1)$의 값을 구한다.

[2단계] 상수 a, b의 값을 구한다.

[3단계] $f(2)$의 값을 구한다.

0560

다항식 $x^{10} - 2x^3 + 4$를 $(x-1)^2$으로 나누었을 때의 몫을 $Q(x)$, 나머지를 $R(x)$라고 하면 나머지 $R(x)$를 구하는 과정을 다음 단계로 서술하여라.

[1단계] 다항식 $x^{10} - 2x^3 + 4$를 $(x-1)^2$, $Q(x)$, $R(x)$를 이용하여 나타낸다.

[2단계] 함수 $y = \{f(x)\}^2$의 도함수를 이용하여 a, b의 값을 구한다.

[3단계] 나머지 $R(x)$를 구한다.

0561

함수 $f(x) = \begin{cases} x^2 + ax & (x \leq 2) \\ bx^2 + 4 & (x > 2) \end{cases}$가 $x = 2$에서 미분가능할 때, $f(-1) + f(3)$의 값을 구하는 과정을 다음 단계로 서술하여라.

[1단계] $x = 2$에서 연속임을 이용하여 a, b의 관계식을 구한다.

[2단계] $x = 2$에서 미분계수가 같음을 이용하여 a, b의 관계식을 구한다.

[3단계] 상수 a, b의 값을 구한다.

[4단계] $f(-1) + f(3)$의 값을 구한다.

0562

미분가능한 두 함수 $f(x)$, $g(x)$가

$$\lim_{x \to 1} \frac{f(x) - 2}{x - 1} = 2, \ \lim_{x \to 1} \frac{g(x) + 2}{x - 1} = -2$$

를 만족시킬 때, 함수 $y = f(x)g(x) + 2f(x)$의 $x = 1$에서의 미분계수를 구하는 과정을 다음 단계로 서술하여라.

[1단계] $\lim_{x \to 1} \dfrac{f(x) - 2}{x - 1} = 2$에서 $f(1)$, $f'(1)$의 값을 구한다.

[2단계] $\lim_{x \to 1} \dfrac{g(x) + 2}{x - 1} = -2$에서 $g(1)$, $g'(1)$의 값을 구한다.

[3단계] 곱의 미분법을 이용하여 $x = 1$에서 미분계수를 구한다.

0563

삼차함수 $f(x)$가

$$f(0) = -3, \ f(1) = f(2) = f(3) = 3$$

을 만족시킬 때, $f'(4)$의 값을 구하고 그 과정을 다음 단계로 서술하여라.

[1단계] 최고차항의 계수를 k라 하면 $f(1) = f(2) = f(3) = 3$을 만족하는 삼차함수 $f(x)$의 식을 작성한다.

[2단계] $f(0) = -3$을 만족하는 k를 구한다.

[3단계] $f'(4)$의 값을 구한다.

0564

다항함수 $f(x)$에 대하여 $\lim_{x \to 1} \dfrac{f(x) - 3}{x - 1} = -3$이 성립할 때, 다항식 $f(x)$를 $(x-1)^2$으로 나눈 나머지를 구하는 과정을 다음 단계로 서술하여라.

[1단계] $\lim_{x \to 1} \dfrac{f(x) - 3}{x - 1} = -3$에서 $f(1)$, $f'(1)$의 값을 구한다.

[2단계] 몫과 나머지를 정하여 나눗셈의 관계식을 세운다.

[3단계] 수치대입법과 곱의 미분법을 이용하여 나머지를 구한다.

0565

함수 $f(x) = |x^3 - 1|$은 $x = 1$에서 연속이지만 미분가능하지 않음을 다음 단계로 그 과정을 서술하여라.

[1단계] $x = 1$에서 연속임을 서술한다.

[2단계] $x = 1$에서 미분가능하지 않음을 서술한다.

행복한 1등급문제
학교내신기출 고득점 핵심문제총정리

0566
평가원기출

$x>0$에서 함수 $f(x)$가 미분가능하고 $2x \le f(x) \le 3x$이다. $f(1)=2$이고 $f(2)=6$일 때, $f'(1)+f'(2)$의 값을 구하여라.

0567
평가원기출

최고차항의 계수가 1인 다항함수 $f(x)$가 다음 조건을 만족시킬 때, $f(3)$의 값을 구하여라.

(가) $f(0)=-3$
(나) 모든 양의 실수 x에 대하여 $6x-6 \le f(x) \le 2x^3-2$이다.

0568

함수 $f(x)$에서 $f(a)=4$, $f'(a)=2$일 때, 극한값

$$\lim_{x \to a} \frac{x^2 f(a) - a^2 f(x)}{x-a}$$

의 최댓값을 구하여라.

0569

최고차항의 계수가 1인 사차함수 $f(x)$가 다음 조건을 만족할 때, $f(3)$의 값을 구하여라.

(가) $f(x)$는 $(x-2)^3$으로 나누어떨어진다.
(나) $\displaystyle\lim_{x \to 1} \frac{f(x)-x^2 f(1)}{x^2-1}=7$

0570

삼차함수 $f(x)=x^3+x^2+ax+b$에 대하여

$$f(1)=4, \lim_{h \to 0} \frac{1}{h}\left\{-20+\sum_{k=1}^{5} f(1+k^2 h)\right\}=110$$

이 성립한다고 할 때, 상수 a, b에 대하여 ab의 값을 구하여라.

0571

함수 $f(x)=x^2$에 대하여 다음 식의 값을 구하여라.

$$\lim_{n \to \infty} n\left\{f\left(1+\frac{1}{n}\right)+f\left(1+\frac{2}{n}\right)+f\left(1+\frac{2^2}{n}\right)+\cdots+f\left(1+\frac{2^9}{n}\right)-10\right\}$$

0572

함수

$$f(x)=\begin{cases} x+1 & (x \le a) \\ x^3-2x+b & (x > a) \end{cases}$$

이 다음 조건을 만족시킨다.

> (가) 함수 $f(x)$가 실수 전체의 집합에서 미분가능하다.
> (나) 함수 $f(x)$의 역함수가 존재한다.

$a+b+f(3)$의 값을 구하여라. (단, a, b는 상수이다.)

0573 <small>교육청기출</small>

함수 $f(x)$가 다음과 같다.

$$f(x)=\begin{cases} -3x+a & (x < -1) \\ x^3+bx^2+cx & (-1 \le x < 1) \\ -3x+d & (x \ge 1) \end{cases}$$

함수 $f(x)$가 모든 실수 x에 대하여 미분가능하도록 네 실수 a, b, c, d의 값을 정할 때, $a+b+c+d$의 값을 구하여라.

0574

좌표평면 위의 세 점 $A(0, 4)$, $B(2, 0)$, $P(x, x-2)$에 대하여 $\overline{PA}^2$과 $\overline{PB}^2$ 중 크지 않은 값을 $f(x)$라고 하자. 함수 $f(x)$가 $x=a$에서 미분가능하지 않을 때, a의 값을 구하여라.

0575 <small>평가원기출</small>

두 다항함수 $f_1(x)$, $f_2(x)$가 다음 세 조건을 만족시킬 때, 상수 k의 값을 구하여라.

> (가) $f_1(0)=0$, $f_2(0)=0$
> (나) $f_i'(0)=\lim\limits_{x \to 0} \dfrac{f_i(x)+2kx}{f_i(x)+kx}$ $(i=1, 2)$
> (다) $y=f_1(x)$와 $y=f_2(x)$의 원점에서의 접선이 서로 직교한다.

0576 <small>수능기출</small>

함수 $f(x)$가 $f(x)=\begin{cases} 1-x & (x < 0) \\ x^2-1 & (0 \le x < 1) \\ \dfrac{2}{3}(x^3-1) & (x \ge 1) \end{cases}$일 때,

[보기]에서 옳은 것을 모두 고른 것은?

> ㄱ. $f(x)$는 $x=1$에서 미분가능하다.
> ㄴ. $|f(x)|$는 $x=0$에서 미분가능하다.
> ㄷ. $x^k f(x)$가 $x=0$에서 미분가능 하도록 하는 최소의 자연수 k는 2이다.

① ㄱ   ② ㄴ   ③ ㄱ, ㄷ
④ ㄴ, ㄷ   ⑤ ㄱ, ㄴ, ㄷ

0577 <small>수능기출</small>

두 실수 a와 k에 대하여 두 함수 $f(x)$와 $g(x)$는

$$f(x)=\begin{cases} 0 & (x \le a) \\ (x-1)^2(2x+1) & (x > a) \end{cases},$$

$$g(x)=\begin{cases} 0 & (x \le k) \\ 12(x-k) & (x > k) \end{cases}$$

이고 다음 조건을 만족시킨다.

> (가) 함수 $f(x)$는 실수 전체의 집합에서 미분가능하다.
> (나) 모든 실수 x에 대하여 $f(x) \ge g(x)$이다.

k의 최솟값이 $\dfrac{q}{p}$일 때, $a+p+q$의 값을 구하여라.
(단, p와 q는 서로소인 자연수이다.)

02 접선의 방정식

STEP 1

내신정복 기출유형

유형 01 접선의 기울기를 이용한 미분계수 구하기

곡선 $y=f(x)$에 대하여

① $x=a$인 점에서의 접선의 기울기

 ⇨ $x=a$에서의 미분계수 $f'(a)$와 같다.

② 곡선 $y=f(x)$ 위의 점 $(a, f(a))$에서의 접선의 기울기

 ⇨ $x=a$에서의 미분계수 $f'(a)$와 같다.

0578 학교기출 대표 유형

곡선 $y=f(x)$와 직선 $y=x+1$이 점 $(2, 3)$에서 접할 때,

$$\lim_{h \to 0} \frac{f(2+h)-f(2-h)}{h}$$의 값은?

① 1 　　　② 2 　　　③ 3

④ 4 　　　⑤ 5

0579 최다빈출 왕 중요

NORMAL

미분가능한 함수 $y=f(x)$의 그래프 위의 점 $(1, f(1))$에서의

접선의 기울기가 4일 때,

$$\lim_{n \to \infty} \frac{n}{2}\left\{f\left(1+\frac{1}{n}\right)-f(1)\right\}$$

의 값은?

① 1 　　　② 2 　　　③ 3

④ 4 　　　⑤ 5

▶ 해설 내신연계기출

0580

TOUGH

삼차함수 $f(x)$에 대하여 곡선 $y=f(x)$ 위의 점 $(1, f(1))$에서의

접선과 직선 $y=-\frac{1}{3}x+2$가 서로 수직일 때,

$$\lim_{n \to \infty} n\left\{f\left(1+\frac{1}{2n}\right)-f\left(1-\frac{1}{3n}\right)\right\}$$

의 값은?

① $\frac{5}{6}$ 　　　② 1 　　　③ $\frac{5}{4}$

④ $\frac{5}{3}$ 　　　⑤ $\frac{5}{2}$

유형 02 접선의 기울기를 이용한 미정계수의 결정

① 곡선 $y=f(x)$ 위의 점 (a, b)에서의 접선의 방정식이

 $y=mx+n$일 때, ⇨ $f(a)=b$, $f'(a)=m$

② 서로 수직인 두 직선의 기울기를 m_1, m_2이라 하면

 ⇨ $m_1 \cdot m_2=-1$

참고 점 (a, b)가 「~지난다, ~ 위에 있다.」는 표현이 있으면

 그 점을 곡선에 대입한다.

0581 학교기출 대표 유형

함수 $f(x)=x^2-5x+3$의 그래프 위의 점 (a, b)에서의 접선의

기울기가 3일 때, 상수 a, b에 대하여 $a+b$의 값은?

① -1 　　　② -2 　　　③ 3

④ 6 　　　⑤ 7

0582 최다빈출 왕 중요

BASIC

곡선 $y=x^2+ax+b$가 점 $(1, 2)$를 지나고 이 점에서의 접선의

기울기가 -2일 때, 상수 a, b에 대하여 ab의 값은?

① -20 　　　② -10 　　　③ 0

④ 10 　　　⑤ 20

▶ 해설 내신연계기출

0583

BASIC

곡선 $y=x^4-3x^2+1$ 위의 점 $(1, -1)$에서의 접선이 직선

$ax+y-3=0$과 평행할 때, 상수 a의 값은?

① 1 　　　② 2 　　　③ 3

④ 4 　　　⑤ 5

0584 최다빈출 왕 중요   NORMAL

곡선 $y=-x^3+8x-1$ 위의 점 (a,b)에서의 접선과 직선
$x-4y+8=0$이 서로 수직일 때, 상수 a, b에 대하여 $a+b$의
값은? (단, 점 (a,b)는 제1사분면 위의 점이다.)

① 5   ② 6   ③ 7
④ 8   ⑤ 9

▶ 해설 내신연계기출

0585 최다빈출 왕 중요   NORMAL

곡선 $y=2x^3+ax+b$ 위의 점 $(1,1)$에서의 접선과 수직인 기울기
가 $-\dfrac{1}{2}$일 때, 상수 a, b에 대하여 a^2+b^2의 값은?

① 25   ② 27   ③ 29
④ 31   ⑤ 33

▶ 해설 내신연계기출

0586 최다빈출 왕 중요   NORMAL

점 $(1,5)$를 지나는 곡선 $y=x^3+ax^2+b$가 있다. 이 곡선의
$x=-1$인 점에서의 접선에 수직인 직선의 기울기가 $-\dfrac{1}{4}$일 때,
상수 a, b에 대하여 $b-a$의 값은?

① 1   ② 2   ③ 3
④ 4   ⑤ 5

▶ 해설 내신연계기출

0587 최다빈출 왕 중요   NORMAL

곡선 $y=x^3+px+q$ 위의 점 $(1,2)$에서 그은 접선이 원점을 지날
때, 상수 p, q에 대하여 $q-p$의 값은?

① 2   ② 3   ③ 4
④ 5   ⑤ 6

▶ 해설 내신연계기출

0588 최다빈출 왕 중요   NORMAL

곡선 $y=\dfrac{1}{3}x^3+\dfrac{4}{3}$ 위의 점 $(2,4)$에서의 접선과 곡선
$y=x^2+ax+b$ 위의 점 $(1,0)$에서의 접선이 일치할 때,
두 상수 a, b의 곱 ab의 값은?

① -8   ② -7   ③ -6
④ 1   ⑤ 6

▶ 해설 내신연계기출

0589   TOUGH

그림과 같이 삼차함수 $f(x)=-x^3+4x^2-3x$의 그래프 위의
점 $(a, f(a))$에서 기울기가 양의 값인 접선을 그어 x축과 만나는
점을 A, 점 B$(3,0)$에서 접선을 그어 두 접선이 만나는 점을 C,
점 C에서 x축에 수선을 그어 만나는 점을 D라 하고
$\overline{\mathrm{AD}}:\overline{\mathrm{DB}}=3:1$일 때, a의 값들의 곱은?

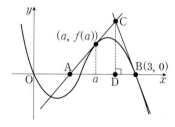

① $\dfrac{1}{3}$ ② $\dfrac{2}{3}$ ③ 1
④ $\dfrac{4}{3}$ ⑤ $\dfrac{5}{3}$

유형 03 접점의 좌표가 주어진 접선의 방정식

접점의 좌표 $(a, f(a))$가 주어지는 경우

⇨ **기울기를 구하는 것이 핵심**

[1단계] 접점의 좌표 $(a, f(a))$에서 접선의 기울기 $f'(a)$를 구한다.

[2단계] 접선의 방정식 : $y - f(a) = f'(a)(x-a)$

참고 한 점 (x_1, y_1)과 기울기 (m)가 주어진 경우 직선의 방정식

⇨ $y - y_1 = m(x - x_1)$

0590 학교기출 대표유형

곡선 $y = x^3 + 6x^2 - 11x + 7$ 위의 점 $(1, 3)$에서의 접선의 방정식을 $y = mx + n$이라 할 때, 상수 m, n에 대하여 $m - n$의 값은?

① 5   ② 7   ③ 9

④ 11   ⑤ 13

0591   BASIC

곡선 $y = (x^2 - x)(x - 3)$ 위의 점 $(2, -2)$에서의 접선의 방정식이 $y = ax + b$일 때, $b - a$의 값은?

① 1   ② 2   ③ 3

④ 4   ⑤ 5

0592 최다빈출 왕중요   BASIC

곡선 $y = x^3 + ax + b$ 위의 점 $(1, 2)$에서의 접선의 방정식이 $y = -2x + 4$일 때, 상수 a, b에 대하여 $a - b$의 값은?

① -11 ② -7 ③ -3

④ 1   ⑤ 5

▶ 해설 내신연계기출

0593   NORMAL

곡선 $y = -x^3 + 2x$ 위의 점 $(1, 1)$에서의 접선이 점 $(-10, a)$를 지날 때, a의 값은?

① 8   ② 12   ③ 13

④ 15   ⑤ 16

0594 최다빈출 왕중요   NORMAL

곡선 $y = x^3 - x^2 + a$ 위의 점 $(1, a)$에서의 접선이 점 $(0, 12)$를 지날 때, 상수 a의 값은?

① 11   ② 12   ③ 13

④ 15   ⑤ 16

▶ 해설 내신연계기출

0595   NORMAL

삼차함수 $f(x) = x^3 + ax^2 + 9x + 3$의 그래프 위의 점 $(1, f(1))$에서의 접선의 방정식이 $y = 2x + b$일 때, 상수 a, b에 대하여 $a + b$의 값은?

① 1   ② 2   ③ 3

④ 4   ⑤ 5

0596 최다빈출 왕중요   NORMAL

다항함수 $f(x)$에 대하여 곡선 $y = f(x)$ 위의 점 $(2, f(2))$에서의 접선의 방정식이 $y = 2x - 3$일 때, 곡선 $y = (x-1)f(x)$ 위의 점 $(2, f(2))$에서의 접선의 기울기는?

① 1   ② 2   ③ 3

④ 4   ⑤ 5

▶ 해설 내신연계기출

0597

두 다항함수 $f(x)$, $g(x)$에 대하여 곡선 $y=f(x)$ 위의 점 $(1, f(1))$에서의 접선의 방정식이 $y=2x+1$이고 곡선 $y=g(x)$ 위의 점 $(1, g(1))$에서의 접선의 방정식이 $y=3x-2$일 때, 곡선 $y=f(x)g(x)$ 위의 점 $(1, f(1)g(1))$에서의 접선의 기울기는?

① 11   ② 12   ③ 13
④ 14   ⑤ 15

0598 최다빈출 왕중요

함수 $f(x)$가 $f(x)=(x-3)^2$일 때, 함수 $g(x)$의 도함수가 $f(x)$이고 곡선 $y=g(x)$ 위의 점 $(2, g(2))$에서의 접선의 y절편이 -5일 때, 이 접선의 x절편은?

① 1   ② 2   ③ 3
④ 4   ⑤ 5

▶ 해설 내신연계기출

0599 최다빈출 왕중요

두 다항함수 $f(x)$, $g(x)$가 다음 조건을 만족시킨다.

(가) $g(x)=x^3 f(x)-7$

(나) $\lim_{x \to 2} \dfrac{f(x)-g(x)}{x-2}=2$

곡선 $y=g(x)$ 위의 점 $(2, g(2))$에서의 접선의 방정식이 $y=ax+b$일 때, a^2+b^2의 값은?

① 64   ② 72   ③ 81
④ 92   ⑤ 97

▶ 해설 내신연계기출

유형 04   항등식을 이용한 접선의 방정식

항등식의 성질을 이용하여 접점의 좌표 $(a, f(a))$를 구한다.

[1단계] 접점의 좌표 $(a, f(a))$에서 접선의 기울기 $f'(a)$를 구한다.

[2단계] 접선의 방정식 : $y-f(a)=f'(a)(x-a)$

0600 학교기출 대표유형

곡선 $y=x^3+ax^2+(2a-1)x+a+2$는 a의 값에 관계없이 항상 일정한 점 P를 지난다. 이 점 P에서의 접선의 방정식을 $y=mx+n$이라 할 때, 상수 m, n에 대하여 $m+n$의 값은?

① 2   ② 4   ③ 6
④ 8   ⑤ 10

0601

곡선 $y=x^3+ax^2+(2a+1)x+a+5$는 a의 값에 관계없이 항상 점 P를 지난다. 점 P에서의 접선에 수직인 직선을 $y=mx+n$라 할 때, 상수 m, n에 대하여 $\dfrac{n}{m}$의 값은?

① -14 ② -11 ③ -10
④ -8 ⑤ -7

0602

곡선 $y=x^3-ax^2+2ax+1$이 실수 a의 값에 관계없이 항상 지나는 점을 P, Q라고 하자. 이때 두 점 P, Q에서의 접선이 수직이 되도록 하는 모든 실수 a의 값의 합은?

① 2   ② 4   ③ 6
④ 8   ⑤ 10

유형 **05** 함수의 극한과 접선의 방정식

$\lim\limits_{x \to a} \dfrac{f(x)}{x-a} = c$ (c는 상수)이면 $f(a)=0$, $f'(a)=c$이므로 이를 이용하여
곡선 $y=f(x)$ 위의 점 $x=a$에서의 접선의 방정식을 구한다.

0603 학교기출 대표유형

다항함수 $f(x)$에 대하여 $\lim\limits_{x \to 2} \dfrac{f(x)-1}{x-2} = 4$일 때, 곡선 $y=f(x)$
위의 $x=2$인 점에서의 접선의 방정식을 $y=ax+b$라 하면
ab의 값은? (단, a, b는 상수이다.)

① -32 ② -28 ③ -24

④ -12 ⑤ -10

0604 최다빈출 왕중요   NORMAL

다항함수 $f(x)$에 대하여 $\lim\limits_{x \to 1} \dfrac{f(x)+1}{x^3-1} = -1$일 때, 곡선 $y=f(x)$
위의 점 $(1, f(1))$에서의 접선의 방정식은?

① $y=-3x-2$ ② $y=-3x+1$ ③ $y=-3x+2$

④ $y=2x-1$ ⑤ $y=2x-3$

▶ 해설 내신연계기출

0605 최다빈출 왕중요   NORMAL

미분가능한 함수 $f(x)$에 대하여

$$\lim\limits_{x \to 0} \dfrac{f(x-1)}{x} = -2$$

일 때, 곡선 $y=f(x)$ 위의 $x=-1$인 점에서의 접선의 x절편을 m,
y절편을 n이라 하자. 이때 두 상수 m, n에 대하여 $m+n$의 값은?

① -3 ② -1 ③ 0

④ 1 ⑤ 3

▶ 해설 내신연계기출

0606   TOUGH

미분가능한 함수 $f(x)$에 대하여

$$\lim\limits_{x \to 2} \dfrac{f(x)-2}{x-2} = -3$$

이 성립한다. 함수 $g(x)=(x-1)^2$일 때, 곡선 $y=f(x)g(x)$ 위의
점 중 x좌표가 2인 점에서의 접선의 방정식은 $y=ax+b$이다.
이때 상수 a, b에 대하여 $a+b$의 값은?

① 1 ② 2 ③ 3

④ 4 ⑤ 5

유형 **06** 접선에 수직인 직선의 방정식

[1단계] 접점의 좌표 $(a, f(a))$에서
접선의 기울기 $f'(a)$를 구한다.
접선에 수직인 직선의 기울기 $-\dfrac{1}{f'(a)}$를 구한다.

[2단계] 접선에 수직인 직선의 방정식 : $y-f(a) = -\dfrac{1}{f'(a)}(x-a)$

0607 학교기출 대표유형

곡선 $y=x^3-3x^2+4$ 위의 점 $(1, 2)$를 지나고 이 점에서의 접선에
수직인 직선의 방정식을 $y=ax+b$라 할 때, 상수 a, b에 대하여
$b-a$의 값은?

① $\dfrac{1}{3}$ ② 1 ③ $\dfrac{4}{3}$

④ $\dfrac{5}{3}$ ⑤ 2

▶ 해설 내신연계기출

0608   NORMAL

곡선 $y=2x^3-x+3$ 위의 점 $(-1, 2)$에서의 접선에 수직이고
점 $(0, 1)$을 지나는 직선의 방정식이 $x+ay+b=0$일 때, 상수
a, b에 대하여 $a+b$의 값은?

① -5 ② -3 ③ 0

④ 3 ⑤ 5

0609 최다빈출 왕중요   TOUGH

곡선 $y=x^2$ 위의 점 $\mathrm{P}(t, t^2)$에서의 접선을 l이라 하고, 점 P를 지
나고 직선 l에 수직인 직선을 m이라 하자. 직선 l의 x절편을 $f(t)$,
직선 m의 y절편을 $g(t)$라 할 때, $\lim\limits_{t \to \infty} \dfrac{g(t)}{t \times f(t)}$의 값은?
(단, $t \neq 0$)

① $\dfrac{1}{2}$ ② 1 ③ $\dfrac{3}{2}$

④ 2 ⑤ $\dfrac{5}{2}$

▶ 해설 내신연계기출

곡선 $y=f(x)$ 위의 점 (a, b)에서의 접선을 좌표평면에 나타내고 x축 및 y축으로 둘러싸인 삼각형의 넓이를 구한다.

0610 학교기출 대표유형

곡선 $y=x^3-2x^2+4$ 위의 점 $(1, 3)$에서의 접선과 x축 및 y축으로 둘러싸인 부분의 넓이는?

① 4　　　　　② 6　　　　　③ 8
④ 10　　　　　⑤ 12

0611 ▪▪▪▫ NORMAL

함수 $f(x)=ax^4 (a>0)$의 그래프 위의 점 $(1, f(1))$에서의 접선과 x축 및 y축으로 둘러싸인 삼각형의 넓이가 9일 때, 상수 a의 값은?

① 4　　　　　② 6　　　　　③ 8
④ 10　　　　　⑤ 12

0612 최다빈출 왕중요 ▪▪▪▫ NORMAL

곡선 $y=\dfrac{1}{3}x^3-2x+\dfrac{1}{3}$ 위의 점 $\mathrm{P}(2, -1)$에서의 접선을 l, 점 P를 지나고 직선 l에 수직인 직선을 m이라 할 때, 두 직선 l, m 및 y축으로 둘러싸인 도형의 넓이는?

① 1　　　　　② 2　　　　　③ 3
④ 4　　　　　⑤ 5

▶ 해설 내신연계기출

[1단계] 곡선 $y=f(x)$ 위의 점 $(a, f(a))$에서의 접선의 방정식
$y-f(a)=f'(a)(x-a)$를 구한다.

[2단계] 곡선 $y=f(x)$ 위의 점에서의 접선 $y=g(x)$가 이 곡선과 다시 만나는 점의 x좌표는 방정식 $f(x)=g(x)$의 실근의 x좌표를 구한다.

0613 학교기출 대표유형

곡선 $y=x^3-6x^2+12x-3$ 위의 점 $(1, 4)$에서의 접선이 이 곡선과 다시 만나는 점의 좌표가 (a, b)일 때, $b-a$의 값은? (단, $a \neq 1$)

① 7　　　　　② 8　　　　　③ 9
④ 10　　　　　⑤ 11

0614 최다빈출 왕중요 ▪▪▪▫ NORMAL

곡선 $y=x^3+2x^2-3x-6$ 위의 점 $(0, -6)$에서의 접선이 이 곡선과 다시 만나는 점의 좌표가 (a, b)일 때, $a+b$의 값은?

① -1　　　　　② -2　　　　　③ -3
④ -4　　　　　⑤ -5

 ▶ 해설 내신연계기출

0615 ▪▪▪▫ NORMAL

곡선 $y=x^4+ax^3+x^2+x+1$ 위의 점 $\mathrm{P}(0, 1)$에서의 접선이 곡선 위의 다른 점에서 다시 이 곡선에 접할 때, 상수 a의 값의 곱은?

① -6　　　　　② -4　　　　　③ 4
④ 6　　　　　⑤ 8

0616

NORMAL

곡선 $y=x^3$ 위의 점 A$(1, 1)$에서의 접선이 곡선과 만나는 점 중 A 가 아닌 점을 B라고 할 때, 선분 AB의 길이는?

① $\sqrt{10}$ ② $2\sqrt{10}$ ③ $3\sqrt{10}$

④ $4\sqrt{10}$ ⑤ $5\sqrt{10}$

0617 최다빈출 왕중요

TOUGH

오른쪽 그림과 같이 곡선 $y=x^3-5x$ 위의 점 A$(1, -4)$에서의 접선이 y축 과 만나는 점을 B, 이 곡선과 다시 만 나는 점을 C라 할 때, $\overline{AB}:\overline{BC}$는?

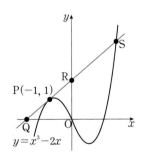

① $1:2$ ② $1:3$

③ $2:3$ ④ $2:5$

⑤ $3:4$

▶ 해설 내신연계기출

0618 최다빈출 왕중요

TOUGH

곡선 $y=x^3-2x$ 위의 점 P$(-1, 1)$ 에서 접하는 접선이 x축, y축과 만나 는 점을 각각 Q, R, 곡선 $y=x^3-2x$ 와 다시 만나는 점을 S라고 할 때, $\overline{PQ}:\overline{QR}:\overline{RS}=1:a:b$ 일 때, 상수 a, b에 대하여 $a+b$의 값 은?

① 2 ② 4 ③ 6

④ 8 ⑤ 10

▶ 해설 내신연계기출

기울기 m이 주어지는 경우 ⇨ 접점을 구하는 것이 핵심

[1단계] 접점의 좌표를 $(t, f(t))$로 놓는다.

[2단계] $f'(x)=m$임을 이용하여 t의 값과 접점의 좌표 $(t, f(t))$를 구한다.

[3단계] 접선의 방정식 $y-f(t)=m(x-t)$를 구한다.

참고 기울기가 직접적으로 주어지지 않은 경우
① 평행한 두 직선은 기울기가 서로 같다.
② 수직인 두 직선은 기울기의 곱이 -1이다.
③ 직선이 x축의 양의 방향과 이루는 각의 크기 $\theta(0° \leq \theta \leq 90°)$가 주어지면 (기울기)$=\tan\theta$임을 이용한다.

0619 학교기출 대표유형

곡선 $y=x^3-3x+1$에 접하고 기울기가 9인 직선은 두 개 있다. 이때 두 접점 사이의 거리는?

① $\sqrt{2}$ ② $2\sqrt{2}$ ③ $3\sqrt{2}$

④ $4\sqrt{2}$ ⑤ $5\sqrt{2}$

0620

NORMAL

곡선 $y=-x^2+1$ 위에 두 점 A$(0, 1)$, B$(1, 0)$이 있다. 곡선 위의 한 점 P에서의 접선 l 이 직선 AB와 평행할 때, 접선 l의 방정식은 $y=ax+b$이다. 두 상수 a, b에 대하여 $a+b$의 값은?

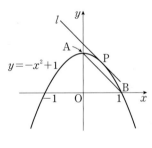

① $\dfrac{1}{4}$ ② $\dfrac{1}{2}$ ③ $\dfrac{3}{4}$

④ 1 ⑤ $\dfrac{5}{4}$

0621

NORMAL

곡선 $y=-2x^2+5x$에 접하고 기울기가 -3인 접선의 방정식을 l이라 하면 원점에서 l까지 거리는?

① $\dfrac{\sqrt{10}}{2}$ ② $\dfrac{2\sqrt{10}}{5}$ ③ $\dfrac{3\sqrt{10}}{5}$

④ $\dfrac{4\sqrt{10}}{5}$ ⑤ $4\sqrt{10}$

0622 최다빈출 왕중요
BASIC

곡선 $y=x^3-3x^2+3x-1$의 접선 중에서 직선 $y=3x+2$와 평행한 두 접선 사이의 거리는?

① $\dfrac{\sqrt{10}}{5}$ ② $\dfrac{2\sqrt{10}}{5}$ ③ $\dfrac{3\sqrt{10}}{5}$

④ $\dfrac{2\sqrt{10}}{3}$ ⑤ $\dfrac{3\sqrt{10}}{4}$

▶ 해설 내신연계기출

0623
NORMAL

곡선 $y=x^3-ax^2+5x+1$의 접선 중 직선 $y=2x+1$과 **평행한 직선이 존재하지 않도록** 하는 모든 정수 a의 개수는?

① 5 ② 6 ③ 7
④ 8 ⑤ 9

0624
NORMAL

직선 $y=12x+k$가 곡선 $y=2x^3-3x^2$에 접할 때, 양수 k의 값은?

① 3 ② 5 ③ 7
④ 9 ⑤ 10

0625 최다빈출 왕중요
NORMAL

직선 $y=x+3$을 x축의 방향으로 k만큼 평행이동하면 곡선 $y=x^3+x^2-2$에 접한다고 한다. 접점의 x좌표를 t라 할 때, 정수 k, t에 대하여 $k+t$의 값은?

① 2 ② 3 ③ 4
④ 5 ⑤ 6

▶ 해설 내신연계기출

0626 최다빈출 왕중요
NORMAL

곡선 $y=x^4+2x^2+a$가 직선 $y=8x+2$에 접하도록 하는 상수 a의 값은?

① 1 ② 3 ③ 5
④ 7 ⑤ 9

▶ 해설 내신연계기출

0627
NORMAL

곡선 $y=x^3-3x^2+x+1$ 위의 서로 다른 두 점 A, B에서의 접선이 서로 평행하다. 점 A의 x좌표가 3이고, 점 B에서의 접선이 점 $(a, -4)$를 지날 때, 상수 a의 값은?

① -5 ② -4 ③ -3
④ -2 ⑤ -1

0628 최다빈출 왕중요
TOUGH

다음 그림과 같이 정사각형 ABCD의 두 꼭짓점 A, C는 y축 위에 있고 두 꼭짓점 B, D는 x축 위에 있다. 변 AB와 변 CD가 각각 삼차함수 $y=x^3-5x$의 그래프에 접할 때, 정사각형 ABCD의 둘레의 길이는?

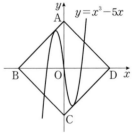

① 24 ② 28 ③ 32
④ 36 ⑤ 40

▶ 해설 내신연계기출

유형 10 직선과 삼차함수가 두 점에서 만나기 위한 조건

직선 $y=f(x)$와 삼차함수 $y=g(x)$의 그래프가 서로 다른 두 점에서 만나는 경우 ➡ 직선과 삼차함수의 그래프가 접해야 한다.

주의 방정식 $f(x)=k$의 서로 다른 실근의 개수는 곡선 $y=f(x)$와 직선 $y=k$ (상수함수)의 교점의 개수와 같다.

하지만 기울기가 미지수인 직선에서는 접선의 방정식을 유도하여 구한다.

0629 학교기출 대표유형

직선 $y=mx+2$가 곡선 $y=-x^3+2x$와 서로 다른 두 점에서 만날 때, 상수 m의 값은?

① -3
② -2
③ -1
④ 1
⑤ 2

▶ 해설 내신연계기출

0630 최다빈출 중요

TOUGH

직선 $y=4x+5$가 곡선 $y=x^3-3x^2+4x+k$와 서로 다른 두 점에서 만날 때, 상수 k의 값의 합은?

① 12
② 14
③ 16
④ 18
⑤ 20

▶ 해설 내신연계기출

0631

TOUGH

함수 $f(x)=\dfrac{1}{3}x^3+a$의 역함수를 $g(x)$라 하자.

두 함수 $y=f(x)$와 $y=g(x)$의 그래프가 서로 다른 두 점에서 만나도록 하는 모든 상수 a의 값의 곱은?

① $-\dfrac{4}{9}$
② $-\dfrac{2}{3}$
③ $-\dfrac{1}{4}$
④ $\dfrac{2}{3}$
⑤ $\dfrac{4}{9}$

유형 11 접선의 기울기의 최대 최소

$f(x)$가 삼차함수일 때, 접선의 기울기의 최대 최소

[1단계] 곡선 $y=f(x)$의 접선의 기울기 $f'(x)$의 최댓값(또는 최솟값)은 이차함수의 최댓값(또는 최솟값)을 구한다.

[2단계] 접선의 접점과 최대가 되는 기울기(또는 최소가 되는 기울기)를 구하여 접선의 방정식을 구한다.

0632 학교기출 대표유형

곡선 $y=-\dfrac{2}{3}x^3-2x^2+x+\dfrac{1}{3}$의 접선 중에서 기울기가 최대인 접선의 방정식을 $y=ax+b$라 할 때, $a+b$의 값은?

① 2
② 3
③ 4
④ 5
⑤ 6

▶ 해설 내신연계기출

0633

NORMAL

곡선 $y=x^3+3x^2+7x+1$의 접선 중에서 기울기가 가장 작은 접선의 방정식이 $y=ax+b$일 때, 상수 a, b에 대하여 $a+b$의 값은?

① 1
② 2
③ 3
④ 4
⑤ 5

0634 최다빈출 중요

NORMAL

곡선 $y=x^3-6x^2+4$의 접선 중에서 기울기가 최소인 접선과 x축, y축으로 둘러싸인 도형의 넓이는?

① $\dfrac{11}{2}$
② 6
③ $\dfrac{13}{2}$
④ 7
⑤ 8

▶ 해설 내신연계기출

곡선 위의 점과 직선 사이의 거리의 최솟값 구하는 순서
[1단계] 주어진 직선과 평행한 곡선의 접선의 접점의 좌표를 찾는다.
[2단계] 이 접점과 직선 사이의 거리가 구하는 거리의 최솟값이다.

참고 한 점 (x_1, y_1)과 직선 $ax+by+c=0$ 사이의 거리 d공식

$$\Rightarrow d=\frac{|ax_1+by_1+c|}{\sqrt{a^2+b^2}}$$

0635 학교기출 대표 유형

곡선 $y=x^2$ 위의 점과 직선 $y=2x-3$ 사이의 거리의 최솟값은?

① $\dfrac{\sqrt{5}}{5}$ ② $\dfrac{2\sqrt{5}}{5}$ ③ $\dfrac{3\sqrt{5}}{5}$

④ $\dfrac{4\sqrt{5}}{5}$ ⑤ $\sqrt{5}$

0636 최다빈출 왕중요

곡선 $y=x^2+4x+3$과 직선 $y=2x-5$ 사이의 최단 거리는?

① $\dfrac{12}{5}$ ② $\dfrac{7\sqrt{5}}{5}$ ③ $\dfrac{9\sqrt{5}}{5}$

④ $\dfrac{11\sqrt{5}}{5}$ ⑤ $\dfrac{13\sqrt{5}}{5}$

▶ 해설 내신연계기출

0637 NORMAL

함수 $f(x)=-x^2+4x+1$의 그래프 위에 두 점 A(1, 4), B(4, 1)과 두 점 A, B 사이를 움직이는 점 P가 있다. 삼각형 ABP의 넓이가 최대가 될 때, 점 P의 x좌표는?

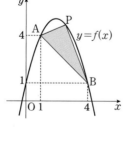

① $\dfrac{3}{2}$ ② 2

③ $\dfrac{5}{2}$ ④ 3

⑤ $\dfrac{7}{2}$

0638 최다빈출 왕중요 NORMAL

닫힌구간 [0, 2]에서 정의된 함수 $f(x)=ax(x-2)^2\left(a>\dfrac{1}{2}\right)$ 에 대하여 곡선 $y=f(x)$와 직선 $y=x$의 교점 중 원점 O가 아닌 점을 A라 하자. 점 P가 원점으로부터 점 A까지 곡선 $y=f(x)$ 위를 움직일 때, 삼각형 OAP의 넓이가 최대가 되는 점 P의 x좌표가 $\dfrac{1}{2}$이다. 상수 a의 값은?

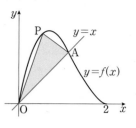

① $\dfrac{5}{4}$ ② $\dfrac{4}{3}$ ③ $\dfrac{17}{12}$

④ $\dfrac{3}{2}$ ⑤ $\dfrac{19}{12}$

▶ 해설 내신연계기출

0639 최다빈출 왕중요 NORMAL

오른쪽 그림과 같이 곡선 $y=x^2$ 위의 세 점 A(−1, 1), B(2, 4), P(t, t^2)을 꼭짓점으로 하는 삼각형 ABP의 넓이의 최댓값은?
(단, $-1<t<2$)

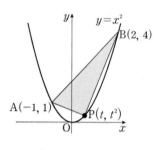

① 3   ② $\dfrac{25}{8}$

③ $\dfrac{13}{4}$ ④ $\dfrac{27}{8}$

⑤ $\dfrac{7}{2}$

▶ 해설 내신연계기출

0640 최다빈출 왕중요 TOUGH

오른쪽 그림과 같이 곡선 $y=\dfrac{1}{2}x^2+\dfrac{3}{2}$ 위의 점 P와 직선 $y=x-1$ 위의 두 점 A(0, −1), B(3, 2)에 대하여 점 P와 직선 $y=x-1$ 사이의 최단거리를 구하고 이때의 점 P에서 삼각형 PAB의 넓이는?

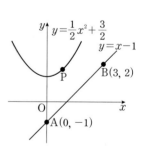

	(최단거리)	(삼각형의 넓이)
①	$\sqrt{2}$	3
②	$\sqrt{2}$	4
③	$\sqrt{3}$	3
④	$\sqrt{3}$	4
⑤	$\sqrt{5}$	2

▶ 해설 내신연계기출

유형 13 곡선 밖의 점에서 그은 접선의 방정식

곡선 $y=f(x)$ 밖의 한 점 (a, b)에서 곡선에 그은 접선의 방정식은 다음과 같은 순서로 구한다.
⇨ 접점의 좌표를 $(t, f(t))$로 놓고 t의 값을 구하는 것이 핵심

[1단계] 접점을 $(t, f(t))$로 놓는다.

기울기$=f'(t)$

접선의 방정식 $y-f(t)=f'(t)(x-t)$

[2단계] 곡선 밖의 점(주어진 점)을 접선에 대입하여 방정식의 실근을 구한다.

참고 실근의 개수=접점의 개수=접선의 개수

[3단계] 접점 유도하고 접선 작성

0641 학교기출 대표 유형

점 $(0, 3)$에서 곡선 $y=x^3-6x+1$에 그은 접선의 방정식을 $y=ax+b$라 할 때, 상수 a, b에 대하여 ab의 값은?

① -9 ② -6 ③ -4
④ -2 ⑤ -1

0642 최다빈출 왕중요 BASIC

점 $(-1, 4)$에서 곡선 $y=-2x^2+3x+1$에 그은 두 접선의 방정식의 기울기의 곱은?

① -15 ② -14 ③ -3
④ 7 ⑤ 9

▶ 해설 내신연계기출

0643 BASIC

원점에서 곡선 $y=x^4+12$에 그은 접선이 점 $(k, 32)$를 지날 때, k의 값은? (단, 접점은 제1사분면에 있다.)

① $\sqrt{2}$ ② $2\sqrt{2}$ ③ $3\sqrt{2}$
④ $4\sqrt{2}$ ⑤ $5\sqrt{2}$

0644 최다빈출 왕중요 NORMAL

원점 O에서 곡선 $y=x^3+2x+2$에 그은 접선의 접점을 P라 할 때, $\overline{OP}$의 길이는?

① $\sqrt{13}$ ② $\sqrt{15}$ ③ $\sqrt{21}$
④ $\sqrt{26}$ ⑤ $\sqrt{31}$

▶ 해설 내신연계기출

0645 최다빈출 왕중요 NORMAL

점 $(0, -3)$에서 곡선 $y=x^3-1$에 그은 접선이 x축과 만나는 점의 좌표를 $(a, 0)$이라고 할 때, 상수 a의 값은?

① $\dfrac{1}{2}$ ② 1 ③ $\dfrac{3}{2}$
④ 2 ⑤ $\dfrac{5}{2}$

▶ 해설 내신연계기출

0646 NORMAL

점 $(-1, 0)$에서 곡선 $y=-x^2+k$에 그은 두 접선이 서로 직교할 때, 상수 k의 값은?

① $-\dfrac{1}{5}$ ② $-\dfrac{1}{4}$ ③ $-\dfrac{1}{3}$
④ $-\dfrac{1}{2}$ ⑤ -1

0647 최다빈출 왕중요 NORMAL

점 P$(-1, 2)$에서 곡선 $y=-x^2-2x$에 그은 두 접선의 접점을 각각 A, B라 할 때, 삼각형 PAB의 넓이는?

① 2 ② $2\sqrt{2}$ ③ 3
④ $\sqrt{10}$ ⑤ $2\sqrt{3}$

▶ 해설 내신연계기출

0648 최다빈출 왕 중요

원점에서 곡선 $y=x^4-x^2+2$에 그은 두 접선의 접점과 원점이 이루는 삼각형의 넓이는?

① 1   ② 2   ③ 3
④ 4   ⑤ 5

▶ 해설 내신연계기출

0649 최다빈출 왕 중요

오른쪽 그림과 같이 점 $(0, 2)$에서 곡선 $y=x^3-2x$에 그은 접선이 곡선과 접하는 점을 A, 곡선과 만나는 점을 B라 하자. 이때 $\overline{AB}$의 길이는?

① 4   ② $\sqrt{17}$
③ $3\sqrt{2}$ ④ $\sqrt{19}$
⑤ $2\sqrt{5}$

▶ 해설 내신연계기출

0650 최다빈출 왕 중요

오른쪽 그림과 같이 점 $P(1, -4)$에서 곡선 $y=x^2-1$에 그은 두 접선의 접점을 각각 Q, R이라고 할 때, 삼각형 PQR의 넓이는?

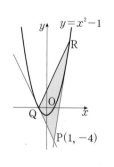

① 12   ② 14
③ 16   ④ 18
⑤ 20

▶ 해설 내신연계기출

접점이 서로 같은 경우 공통접선의 미정계수 구하기

두 곡선 $y=f(x)$, $y=g(x)$가 점 (a, b)에서 서로 접하면 두 곡선이 모두 점 (a, b)를 지나고 이 점에서의 접선의 기울기가 서로 같다.
즉 $x=a$에서 함숫값과 미분계수가 같다.
$f(a)=g(a)=b$, $f'(a)=g'(a)$

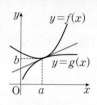

0651 학교기출 대표 유형

x좌표가 1인 점에서 두 곡선
$$y=x^3+ax, \ y=bx^2+x+4$$
의 접선이 일치할 때, 상수 a, b에 대하여 ab의 값은?

① 10   ② 30   ③ 40
④ 60   ⑤ 80

▶ 해설 내신연계기출

0652 최다빈출 왕 중요

두 곡선
$$y=x^3+ax+b, \ y=x^2+cx$$
가 모두 점 $(1, 2)$을 지나고 이 점에서 공통인 접선을 가질 때, 상수 a, b, c에 대하여 $a+b+c$의 값은?

① -1 ② 0   ③ 1
④ 2   ⑤ 3

▶ 해설 내신연계기출

0653 최다빈출 왕 중요

두 곡선
$$f(x)=x^3+ax^2+bx+3, \ g(x)=x^2-1$$
은 점 $(1, 0)$에서 만나고 이 점에서 각 곡선에 접하는 두 직선은 서로 수직일 때, 상수 $b-a$의 값은?

① -6 ② -5 ③ -3
④ 3   ⑤ 6

▶ 해설 내신연계기출

유형 15 접점이 서로 다른 경우 공통접선의 미정계수 구하기

접점이 서로 다른 경우

곡선 $y=f(x)$ 위의 점 $P(a, f(a))$와 곡선 $y=g(x)$ 위의 점
$Q(b, g(b))$에서의 접선이 서로 일치할 때, 두 접선의 기울기가 같고
y절편끼리 서로 같다.

즉 두 점에서의 접선의 기울기와 두 점을 연결한 직선의 기울기가 같다.

$$f'(a)=g'(b)=\frac{g(b)-f(a)}{b-a} \ (단, a \neq b)$$

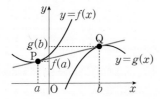

곡선 $y=f(x)$와 직선 $y=mx+n$이 점 $(t, f(t))$에서 접하면

① $f'(t)=m$을 이용하여 접점의 좌표를 구한다.

② 접점의 좌표를 $y=f(x)$ 또는 $y=mx+n$에 대입하여 미지수를
구한다.

0654 학교기출 대표유형

곡선 $y=2x^2+1$ 위의 점 $(-1, 3)$에서의 접선이 곡선
$y=2x^3-ax+3$에 접할 때, 상수 a의 값은?

① 5   ② 10   ③ 15
④ 20   ⑤ 25

0655 최다빈출 하중요   NORMAL

곡선 $y=x^3-4x$ 위의 점 $(-1, 3)$에서의 접선이 곡선
$y=x^2+ax+6$에 접할 때, 모든 실수 a의 값의 곱은?

① -15 ② -10 ③ -5
④ 5 ⑤ 15

▶ 해설 내신연계기출

0656   NORMAL

최고차항의 계수가 1인 이차함수 $f(x)$에 대하여 곡선
$y=x^3-2x+2$ 위의 점 $(1, 1)$에서의 접선이 곡선 $y=f(x)$와
점 A에서 접한다. 점 A의 x좌표가 2일 때, $f(3)$의 값은?

① 2   ② 4   ③ 6
④ 8   ⑤ 9

0657   TOUGH

두 함수 $f(x)=x^2$과 $g(x)=-(x-3)^2+k(k>0)$에 대하여 곡선
$y=f(x)$ 위의 점 $P(1, 1)$에서의 접선을 l이라 하자. 직선 l에 곡선
$y=g(x)$가 접할 때의 접점을 Q, 곡선 $y=g(x)$와 x축이 만나는
두 점을 각각 R, S라 할 때, 삼각형 QRS의 넓이는?

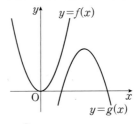

① 4   ② $\frac{9}{2}$ ③ 5
④ $\frac{11}{2}$ ⑤ 6

0658   TOUGH

오른쪽 그림과 같이 중심이 원점인
원이 곡선 $y=-x^2+4$와 서로 다른
두 점에서 접할 때, 원의 넓이는?

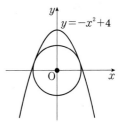

① $\frac{15}{4}\pi$ ② 15π

③ $2\sqrt{15}\pi$ ④ 17π

⑤ $2\sqrt{17}\pi$

0659 최다빈출 하중요   TOUGH

곡선 $y=x^4$과 점 $(1, 1)$에서 접하고 중심이 y축 위에 있는
원의 반지름의 길이는?

① 1   ② $\frac{2\sqrt{3}}{3}$ ③ $\frac{\sqrt{17}}{4}$
④ $\frac{4}{3}$ ⑤ $\frac{5}{4}$

▶ 해설 내신연계기출

함수 $f(x)$가 닫힌구간 $[a, b]$에서 연속이고 열린구간 (a, b)에서 미분가능할 때, $f(a)=f(b)$이면 $f'(c)=0$인 c가 열린구간 (a, b)에 적어도 하나 존재한다.

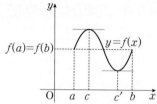

> 참고 롤의 정리는 열린구간 (a, b)에서 곡선 $y=f(x)$의 접선이 x축과 평행하게 되는 곳이 적어도 하나 존재함을 뜻한다.

0660 학교기출 대표유형

함수 $f(x)=-x^2+2x+4$에 대하여 구간 $[0, 2]$에서 롤의 정리를 만족하는 상수 c의 값은?

① 1　　　　② 2　　　　③ 3
④ 4　　　　⑤ 5

0661 BASIC

다음 [보기]의 함수 중 닫힌구간 $[-1, 1]$에서 롤의 정리가 성립하는 것을 있는 대로 고른 것은?

> ㄱ. $f(x)=x^2-1$
> ㄴ. $f(x)=|x|$
> ㄷ. $f(x)=\begin{cases} -x+1 & (x<-1) \\ 2 & (-1 \le x <1) \\ x+1 & (x \ge 1) \end{cases}$

① ㄱ　　　　② ㄴ　　　　③ ㄷ
④ ㄱ, ㄴ　　　　⑤ ㄱ, ㄷ

0662 최다빈출 앙중요 NORMAL

함수 $f(x)=x^3-6x^2+9x+1$에 대하여 닫힌구간 $[0, a]$에서 롤의 정리를 만족시키는 상수의 값이 b일 때, $a+b$의 값은? (단, $a>0$)

① 1　　　　② 2　　　　③ 3
④ 4　　　　⑤ 5

▶ 해설 내신연계기출

함수 $f(x)$가 닫힌구간 $[a, b]$에서 연속이고 열린구간 (a, b)에서 미분가능할 때, $\dfrac{f(b)-f(a)}{b-a}=f'(c)$인 c가 열린구간 (a, b)에 적어도 하나 존재한다.

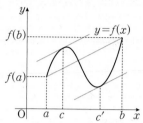

> 참고 평균값의 정리는 열린구간 (a, b)에서 곡선 $y=f(x)$의 접선이 두 점 $(a, f(a))$, $(b, f(b))$를 연결하는 직선에 평행하게 되는 곳이 적어도 하나 존재함을 뜻한다.

0663 학교기출 대표유형

다항함수 $y=f(x)$의 그래프가 그림과 같을 때, 열린구간 (a, b)에서 롤의 정리를 만족하는 실수 x는 p개, 열린구간 (a, c)에서 평균값 정리를 만족하는 실수 x는 q개가 있다. 이때 $p+q$의 값은? (단, $a<0<b<c$)

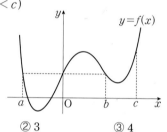

① 2　　　　② 3　　　　③ 4
④ 5　　　　⑤ 6

0664 BASIC

함수 $f(x)=2x^2-4x+3$에 대하여 주어진 구간 $[-1, 2]$에서 평균값 정리를 만족하는 상수 c의 값은?

① -1　　　　② $\dfrac{1}{2}$　　　　③ -2
④ $-\dfrac{5}{2}$　　　　⑤ -3

0665 최다빈출 앙중요 NORMAL

다음 조건을 만족하는 상수 a, b에 대하여 ab의 값은?

> (가) 함수 $f(x)=x^2-4x+3$에 대하여 닫힌구간 $[1, 3]$에서 롤의 정리를 만족시키는 상수 a의 값을 구한다.
> (나) 함수 $f(x)=-x^2+4x$에 대하여 닫힌구간 $[0, 3]$에서 평균값 정리를 만족시키는 상수 b의 값을 구한다.

① 1　　　　② $\dfrac{3}{2}$　　　　③ 2
④ $\dfrac{5}{2}$　　　　⑤ 3

▶ 해설 내신연계기출

0666

다음 [보기]에서 옳은 것을 있는 대로 고른 것은?

ㄱ. 함수 $f(x)=x^2-2x+7$에 대하여 구간 $[0, 2]$에서
   롤의 정리를 만족시키는 실수 c는 1이다.
ㄴ. 함수 $f(x)=x^2-4x+2$에 대하여 구간 $[-2, 3]$에서
   평균값 정리를 만족하는 실수 c는 $\frac{1}{2}$이다.
ㄷ. 다항함수 $f(x)$가 $f(1)=1$, $f(3)=2$일 때,
   $g(x)=f(x)-\frac{1}{2}x$에 대하여 $g'(c)=0$인 c가 열린구간
   $(1, 3)$에서 적어도 하나 존재한다.

① ㄱ   ② ㄴ   ③ ㄱ, ㄷ
④ ㄴ, ㄷ   ⑤ ㄱ, ㄴ, ㄷ

0667

최다빈출 🏆 중요

다음 조건을 만족할 때, 실수 a, b에 대하여 ab의 값은?

(가) 함수 $f(x)=x^2(x-a)$에 대하여 닫힌구간 $[0, a]$에서
   롤의 정리를 만족시키는 c의 값이 $\frac{1}{3}$일 때, 실수 a의 값
(나) 함수 $f(x)=x^2-3$에 대하여 닫힌구간 $[-1, b]$에서
   평균값 정리를 만족시키는 c의 값이 $\frac{1}{2}$일 때, 실수 b의 값

① 1   ② 2   ③ 3
④ 4   ⑤ 5

▶ 해설 내신연계기출

0668

최다빈출 🏆 중요

닫힌구간 $[-1, 2]$에서 평균값 정리를 만족시키는 실수 c가 존재하는 함수인 것만을 [보기]에서 있는 대로 고른 것은?

ㄱ. $f(x)=3$
ㄴ. $f(x)=|x-1|$
ㄷ. $f(x)=x^4-3x^3+x+\frac{1}{2}$
ㄹ. $f(x)=\begin{cases} 3(x-1)^3 & (x \geq 1) \\ -2x+2 & (x < 1) \end{cases}$

① ㄱ, ㄴ   ② ㄱ, ㄷ   ③ ㄱ, ㄹ
④ ㄴ, ㄹ   ⑤ ㄷ, ㄹ

▶ 해설 내신연계기출

0669

다음 함수 중
$$f(1)-f(-1)=2f'(c)$$
인 c가 열린구간 $(-1, 1)$에 존재하는 것은?
(단, $[x]$는 x보다 크지 않은 최대의 정수이다.)

① $f(x)=[x]$ ② $f(x)=|x|$ ③ $f(x)=x+|x|$
④ $f(x)=\frac{|x|}{x}$ ⑤ $f(x)=x|x|$

0670

닫힌구간 $[0, 3]$에서 정의된 함수 $f(x)=\frac{1}{3}x^3-x^2+1$이 있다.
열린구간 $(0, 3)$에 속하는 서로 다른 임의의 두 수 a, b에 대하여
$\frac{f(b)-f(a)}{b-a}=k$를 만족시키는 실수 k의 값의 범위는?

① $-3 \leq k < 2$ ② $-3 \leq k \leq 1$ ③ $-2 \leq k < 2$
④ $-1 < k < 3$ ⑤ $0 < k \leq 4$

0671

최다빈출 🏆 중요

미분가능한 함수 $f(x)$가 다음 조건을 만족시킬 때, $f(1)$의 최댓값과 최솟값의 합은?

(가) 모든 실수 x에 대하여 $|f'(x)| \leq 2$이다.
(나) $f(0)=3$

① 5   ② 6   ③ 7
④ 8   ⑤ 9

▶ 해설 내신연계기출

(1) 평균값 정리를 이용하여 극한값 구하기

평균값 정리에 의하여 $\dfrac{f(b)-f(a)}{b-a}=f'(c)$인 c가 열린구간 (a, b)에

적어도 하나 존재하므로 주어진 $\lim\limits_{x \to \infty}f'(x)$의 값을 이용하여 극한값

을 구한다.

(2) 평균값 정리의 변형

평균값 정리에서 $h=b-a$, $\theta=\dfrac{c-a}{b-a}$로 놓으면

$h>0$, $0<\theta<1$이고 $b=a+h$, $c=a+\theta h$이므로

$\dfrac{f(a+h)-f(a)}{h}=f'(a+\theta h)$로 나타낼 수 있다.

즉, 상수 $\theta(0<\theta<1)$가 $f(a+h)-f(a)=hf'(a+\theta h)$를

만족시킨다고 하면 평균값 정리를 의미한다.

⇨ 주어진 식에 $f(x)$와 $f'(x)$를 대입하여 θ에 대한 식으로

정리한 후 극한값을 구한다.

0672 학교기출 대표 유형

미분가능한 함수 $f(x)$가 $\lim\limits_{x \to \infty}f'(x)=2$일 때,

$$\lim_{x \to \infty}\{f(x+2)-f(x-1)\}$$

의 값은?

① 2　　　　　② 3　　　　　③ 4

④ 5　　　　　⑤ 6

▶ 해설 내신연계기출

0673

NORMAL

함수 $f(x)=x^2$에 대하여

$$\dfrac{f(a+h)-f(a)}{h}=f'(a+\theta h)$$

를 만족시키는 상수 $\theta(0<\theta<1)$의 값은? (단, $h>0$)

① $\dfrac{1}{6}$　　　　② $\dfrac{1}{5}$　　　　③ $\dfrac{1}{4}$

④ $\dfrac{1}{3}$　　　　⑤ $\dfrac{1}{2}$

0674 최다빈출 앙 중요

NORMAL

함수 $f(x)=x^3+1$에 대하여 상수 $\theta(0<\theta<1)$가

$$f(x+h)-f(x)=hf'(x+\theta h)$$

를 만족시킬 때, $\lim\limits_{h \to 0}\theta$ 값은? (단, $x>0$, $h>0$)

① $\dfrac{1}{6}$　　　　② $\dfrac{1}{5}$　　　　③ $\dfrac{1}{4}$

④ $\dfrac{1}{3}$　　　　⑤ $\dfrac{1}{2}$

▶ 해설 내신연계기출

0675

TOUGH

다항함수 $f(x)$, $g(x)$에 대하여 닫힌구간 $[a, b]$에서 연속이고 열린

구간 (a, b)에서 미분가능하다고 할 때, 다음 [보기]에서 옳은 것은?

> ㄱ. $f(1)=1$, $f(4)=7$일 때, $f'(x)=2$인 x가 열린구간 $(1, 4)$
> 에 적어도 하나 존재한다.
> ㄴ. 구간 (a, b)에 속하는 모든 x에 대하여 $f'(x)=0$이면 $f(x)$
> 는 구간 $[a, b]$에서 상수함수이다.
> ㄷ. 구간 (a, b)에 속하는 모든 x에 대하여 $f'(x)=g'(x)$이면
> $f(x)$는 구간 $[a, b]$에서 $f(x)=g(x)$이다.

① ㄱ　　　　② ㄴ　　　　③ ㄱ, ㄴ

④ ㄴ, ㄷ　　　⑤ ㄱ, ㄴ, ㄷ

0676

TOUGH

다음은 함수 $f(x)$가 닫힌구간 $[a, b]$에서 연속이고 열린구간 (a, b)

에서 미분가능하다고 하자. 구간 (a, b)에 속하는 모든 x에 대하여

$f'(x)=0$이면, $f(x)$는 구간 $[a, b]$에서 상수함수임을 보이는 과정

이다. 빈칸에 알맞은 것을 써넣으시오.

$a<x \leq b$인 x에 대하여 닫힌구간 $[a, x]$에서 $\boxed{(가)}$ 이고

열린구간 (a, x)에서 $\boxed{(나)}$ 하므로 $\boxed{(다)}$ 에 의하여

$$\dfrac{f(x)-f(a)}{x-a}=f'(c)$$

인 c가 열린구간 (a, x)에 적어도 하나 존재한다.

이때 $f'(c)=\boxed{(라)}$ 이므로 $\dfrac{f(x)-f(a)}{x-a}=0$

즉, $f(x)-f(a)=0$이므로 $f(x)=\boxed{(마)}$

따라서 함수 $f(x)$는 닫힌구간 $[a, b]$에서 상수함수이다.

0677

오른쪽 그림과 같이 곡선
$y=x^3-5x+1$ 위의 점 A$(1, -3)$에
서의 접선이 점 A가 아닌 점 B에서
곡선과 만난다. 이때 선분 AB의 길이
를 구하는 과정을 다음 단계로 서술
하여라.

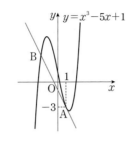

[1단계] 곡선 위의 점 A$(1, -3)$에서 접선의 방정식을 구한다.
[2단계] 1단계에서 구한 접선과 곡선 $y=x^3-5x+1$의 교점의
한 점 B의 좌표를 구한다.
[3단계] $\overline{AB}$의 길이를 구한다.

0678

삼차항의 계수가 1인 삼차함수 $f(x)$가
$$f(-1)=f(0)=f(1)=1$$
을 만족시킬 때, 곡선 $y=f(x)$ 위의 점 $(1, f(1))$에서의 접선의 방
정식을 구하는 과정을 다음 단계로 서술하여라.

[1단계] 삼차항의 계수가 1인 삼차함수 $f(x)$를 구한다.
[2단계] 곡선 $y=f(x)$ 위의 점 $(1, f(1))$에서의 접선의 기울기를
구한다.
[3단계] 접선의 방정식을 구한다.

0679

곡선 $y=x^3-x+3$의 접선 중에서 직선 $x+2y-2=0$과 수직인 두
접선 사이의 거리를 다음 단계로 서술하여라.

[1단계] 직선 $x+2y-2=0$에 수직인 접선의 접점의 좌표를 구한다.
[2단계] 수직인 두 접선의 방정식을 구한다.
[3단계] 수직인 두 접선 사이의 거리를 구한다.

0680

함수 $f(x)=x^3+5$에 대하여 닫힌구간 $[-1, 2a]$에서 평균값 정리를
만족시키는 상수 a의 값을 구하는 과정을 다음 단계로 서술하여라.

[1단계] 도함수 $f'(x)$를 구한다.
[2단계] 닫힌구간 $[-1, 2a]$에서 함수 $f(x)$에 대한 평균값 정리를
이용하여 관계식을 구한다.
[3단계] 2단계의 관계식으로 부터 상수 a의 값을 구한다.

0681

곡선 $y=2x^3-x^2+1$ 위의 점 $(1, 2)$를 지나고 이 점에서의 접선에
수직인 직선이 x축, y축과 만나는 점을 각각 A, B라 할 때, 삼각형
OAB의 넓이를 구하는 과정을 다음 단계로 서술하여라.
(단, O는 원점이다.)

[1단계] 점 $(1, 2)$에서의 접선의 기울기를 구한다.
[2단계] 접선과 수직이고 점 $(1, 2)$를 지나는 직선의 방정식을
구한다.
[3단계] 삼각형 OAB의 넓이를 구한다.

0682

곡선 $y=x^2-1$ 위의 점 P(t, t^2-1)에서의 접선이 y축과 만나는
점을 Q라 하고, 점 P를 지나고 점 P에서의 접선에 수직인 직선이
y축과 만나는 점을 R이라 하고, 삼각형 PQR의 넓이를 S(t)라 할
때, $\lim_{t \to 1} \overline{QR}$과 $\lim_{t \to 2} S(t)$의 값을 다음 단계로 구하는 과정을 서술하
여라.

[1단계] 점 Q의 좌표를 구한다.
[2단계] 점 R의 좌표를 구한다.
[3단계] $\lim_{t \to 1} \overline{QR}$의 값을 구한다.
[4단계] $\lim_{t \to 2} S(t)$의 값을 구한다.

0683

점 $A(2, k)$에서 곡선 $y=-x^2+4$에 그은 접선의 개수를 k의 값의 범위에 따라 구하는 과정을 다음 단계로 서술하여라.

[1단계] 곡선 $y=-x^2+4$ 위의 점 $(t, -t^2+4)$에서 접선의 방정식을 구한다.
[2단계] 1단계의 접선이 점 $A(2, k)$를 지남을 이용하여 t에 대한 이차방정식을 구한다.
[3단계] k의 값의 범위에 따라 접선의 개수를 구한다.

0684

곡선 $y=-\dfrac{1}{2}x^2+2$ 위의 두 점 $A(0, 2)$, $B(2, 0)$에 대하여 곡선 위의 점 P에서의 접선이 직선 AB와 평행할 때, 삼각형 PAB의 넓이를 다음 단계로 서술하여라.

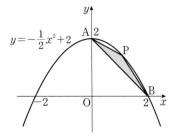

[1단계] 점 P의 좌표를 구한다.
[2단계] 점 P에서 직선 AB까지 거리를 구한다.
[3단계] 삼각형 PAB의 넓이를 구한다.

0685

두 점 $A(2, -2)$, $B(4, 2)$와 곡선 $y=x^2$ 위의 임의의 한 점 P에 대하여 삼각형 ABP의 넓이의 최솟값을 구하는 과정을 다음 단계로 서술하여라.

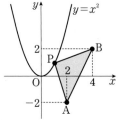

[1단계] 두 점 A, B를 지나는 직선에 평행하고 곡선 $y=x^2$에 접하는 직선의 방정식을 구한다.
[2단계] 곡선 위의 한 점 P와 직선 AB 사이의 거리의 최솟값을 구한다.
[3단계] 삼각형 ABP의 넓이의 최솟값을 구한다.

0686

다음은 다항함수 $f(x)$가 닫힌구간 $[0, 2]$에 속하는 모든 x에 대하여

$$f'(x) \leq 5 \text{이고} \ f(0) = -3$$

일 때, $f(2)$의 최댓값을 구하는 과정이다. (가), (나), (다)에 알맞은 것을 써넣으시오.

> 함수 $f(x)$는 닫힌구간 $[0, 2]$에서 연속이고 열린구간 $(0, 2)$에서 미분가능하므로 평균값 정리에 의하여
>
> $$f'(c) = \dfrac{\boxed{\text{(가)}}}{2-0}$$
>
> 인 c가 열린구간 $(0, 2)$에 적어도 하나 존재한다.
>
> 이때 $f'(c) \leq 5$이므로
>
> $$f(2) = \boxed{\text{(나)}} \, f'(c) - 3 \leq \boxed{\text{(다)}} \text{이다.}$$
>
> (중략)
>
> 따라서 $f(2)$의 최댓값은 $\boxed{\text{(다)}}$ 이다.

▶ 해설 내신연계기출

0687

롤의 정리를 이용하여 평균값 정리를 증명한 것이다.
다음 (가), (나)에 알맞은 것을 구하여라.

> 함수 $f(x)$가 닫힌구간 $[a, b]$에서 연속이고 열린구간 (a, b)에서 미분가능하다고 하자.
>
> 함수 $y=f(x)$의 그래프 위의 두 점 $A(a, f(a))$, $B(b, f(b))$를 지나는 직선의 방정식을 $y=g(x)$라고 하면
>
> $$g(x) = \boxed{\text{(가)}} (x-a) + f(a)$$
>
> 이때 함수 $h(x) = f(x) - g(x)$라 하면
>
> $$h(x) = f(x) - g(x) = f(x) - \left\{ \boxed{\text{(가)}} (x-a) + f(a) \right\}$$
>
> 이므로
>
> 함수 $h(x)$는 닫힌구간 $[a, b]$에서 연속이고 열린구간 (a, b)에서 미분가능하며 $\boxed{\text{(나)}}$ 이다.
>
> 따라서 롤의 정리에 의하여
>
> $$h'(c) = f'(c) - g'(c) = f'(c) - \boxed{\text{(가)}} = 0$$
>
> 인 c가 a와 b 사이에 적어도 하나 존재한다.
>
> 즉, $f'(c) = \boxed{\text{(가)}}$ 를 만족하는 c가 a와 b 사이에서 적어도 하나 존재한다.

0688

함수 $y=f(x)$의 그래프가 다음 그림과 같다.

$g(x)=(x^2+2x-2)f(x)$라 할 때, 함수 $y=g(x)$의 그래프 위의 $x=1$인 점에서의 접선의 방정식을 $y=ax+b$라 할 때, 상수 a, b에 대하여 ab의 값을 구하여라.

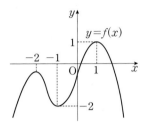

0689

다음 그림과 같이 곡선 $y=-x^2+2x+4$ 위의 한 점 A(α, β)에서의 접선이 x축, y축과 만나는 점을 각각 P, Q라고 한다. 직선 OA 가 삼각형 POQ의 넓이를 이등분할 때, $\alpha-\beta$의 값을 구하여라. (단, $\alpha>0$)

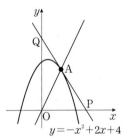

0690

점 $(a, 2)$에서 곡선 $y=x^3-3x^2+2$에 두 개의 접선을 그을 수 있을 때, 모든 상수 a의 값의 합을 구하여라.

0691

평가원기출

양수 a에 대하여 점 $(a, 0)$에서 곡선 $y=3x^3$에 그은 접선과 점 $(0, a)$에서 곡선 $y=3x^3$에 그은 접선이 서로 평행할 때, $90a$의 값을 구하여라.

0692

함수 $f(x)=\dfrac{1}{4}x^2(x^2-6x+12)$에 대하여 곡선 $y=f(x)$와 직선 $y=2x$의 교점 중 원점이 아닌 점을 A라 하자. 원점 O에서 점 A 까지 곡선 $y=f(x)$ 위를 움직이는 점 P$(t, f(t))$에 대하여 삼각형 OPA의 넓이는 $t=a$일 때 최대이다. a의 값을 구하여라.

0693

교육청기출

최고차항의 계수가 양수인 사차함수

$$f(x)=ax^4+bx^2+c \ (a, b, c는 상수)$$

가 다음 조건을 만족시킨다.

(가) 방정식 $f(x)=0$의 모든 실근이 α, β, γ이다.
    (단, $\alpha<\beta<\gamma$)

(나) $f(1)=-\dfrac{3}{4}$, $f'(-1)=1$

[보기]에서 옳은 것만을 있는 대로 고른 것은?

ㄱ. $f(0)=0$
ㄴ. $f'(\alpha)=-4$
ㄷ. 방정식 $|f(x)|=k(x-\alpha)$의 서로 다른 실근의 개수가
    3이 되도록 하는 양수 k의 범위는 $\dfrac{8}{27}<k<4$이다.

① ㄱ　　　　② ㄱ, ㄴ　　　　③ ㄱ, ㄷ
④ ㄴ, ㄷ　　　⑤ ㄱ, ㄴ, ㄷ

함수의 극대 극소와 그래프 내신정복 기출유형

유형 01 함수의 증가와 감소

(1) 함수 $f(x)$가 어떤 구간에서 미분가능하고, 이 구간에 대하여
  ① $f'(x)>0$이면 $f(x)$는 이 구간에서 증가한다.
  ② $f'(x)<0$이면 $f(x)$는 이 구간에서 감소한다.
  ← 위의 역은 성립하지 않는다. 예를 들어 함수 $f(x)=x^3$은 구간 $(-\infty,\infty)$에서
    증가하지만 $f'(x)=3x^2$에서 $f'(0)=0$이다.

(2) 함수 $f(x)$가 어떤 구간에서 미분가능할 때,
  ① $f(x)$가 주어진 구간에서 증가하면 이 구간의 모든 x에 대하여
    $f'(x)\geq0$이다.
  ② $f(x)$가 주어진 구간에서 감소하면 이 구간의 모든 x에 대하여
    $f'(x)\leq0$이다.

0694 학교기출 대표유형

'함수 $f(x)$가 구간 $[a, b]$에서 연속이고 구간 (a, b)에서 미분가능할 때, 구간 (a, b)에서 $f'(x)>0$이면 함수 $f(x)$는 그 구간에서 증가한다.' 를 증명하는 과정이다. 다음 (가), (나), (다)에 알맞은 것을 써 넣어라.

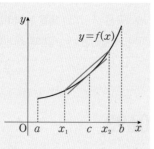

함수 $f(x)$가 닫힌구간 $[a, b]$에서 연속이고 열린구간 (a, b)에서 미분가능할 때, 닫힌구간 $[a, b]$에 속하는 임의의 두 수를 $x_1, x_2(x_1<x_2)$라고 하면

$\boxed{\text{(가)}}$ 정리에 의하여

$$\frac{f(x_2)-f(x_1)}{x_2-x_1}=f'(c)$$

즉, $f(x_2)-f(x_1)=f'(c)(x_2-x_1)$ ······ ㉠
인 c가 x_1과 x_2 사이에 존재한다.
$f'(c)\boxed{\text{(나)}}0$이고 $x_2-x_1\boxed{\text{(나)}}0$이므로 ㉠에 의하여
$f(x_2)-f(x_1)\boxed{\text{(나)}}0$, 즉 $f(x_1)\boxed{\text{(다)}}f(x_2)$이다.
따라서 함수 $f(x)$는 이 구간에서 증가한다.

0695 BASIC

함수 $f(x)=x^3-3x^2-24x+2$가 감소하는 구간이 $[\alpha, \beta]$일 때, $\alpha+\beta$의 값은? (단, α, β는 상수)

① -3 ② -2 ③ -1
④ 2 ⑤ 3

0696 최다빈출 왕중요 NORMAL

함수 $f(x)=-x^3+ax^2+bx-2$의 증가하는 부분이 $-1\leq x\leq2$일 때, 상수 a, b에 대하여 $2a-b$의 값은?

① -6 ② -5 ③ -4
④ -3 ⑤ -2

▶ 해설 내신연계기출

0697 최다빈출 왕중요 NORMAL

함수 $f(x)=-x^3-3x^2+24x-2$가 열린구간 (a, b)에서 증가할 때, a의 최솟값 m과 b의 최댓값 M에 대하여 $M-m$의 값은?

① 2 ② 4 ③ 6
④ 8 ⑤ 10

▶ 해설 내신연계기출

0698 NORMAL

함수 $f(x)=\dfrac{1}{3}x^3-9x+3$이 열린구간 $(-a, a)$에서 감소할 때, 양수 a의 최댓값은?

① 1 ② 2 ③ 3
④ 4 ⑤ 5

0699 최다빈출 왕중요 NORMAL

최고차항의 계수가 1인 삼차함수 $f(x)$가 다음 조건을 만족시킨다.

(가) 함수 $f(x)$는 열린구간 $(-1, 3)$에서 감소한다.
(나) 함수 $f(x)$는 열린구간 $(-3, -1)$과 열린구간 $(3, 4)$에서 증가한다.

$f(0)=0$일 때, $f(3)$의 값은?

① -27 ② -18 ③ -9
④ -8 ⑤ -6

▶ 해설 내신연계기출

유형 02 삼차함수가 증가 또는 감소하기 위한 조건

삼차함수 $f(x)$가 실수전체의 집합에서

(1) 증가하면 ⇨ 모든 실수 x에 대하여 $f'(x) \geq 0$이다.

(2) 감소하면 ⇨ 모든 실수 x에 대하여 $f'(x) \leq 0$이다.

참고 삼차함수 $f(x)$가 실수 전체의 집합에서 증가하거나 감소함을 나타내는
여러 가지 표현

① $x_1 < x_2$인 임의의 두 실수 x_1, x_2에 대하여 항상 $f(x_1) < f(x_2)$를 만족

⇨ 함수 $f(x)$는 실수 전체의 집합에서 증가

② $x_1 < x_2$인 임의의 두 실수 x_1, x_2에 대하여 항상 $f(x_1) > f(x_2)$를 만족

⇨ 함수 $f(x)$는 실수 전체의 집합에서 감소

③ 함수 $f(x)$가 일대일대응(또는 일대일함수)이다.

④ 함수 $f(x)$가 역함수가 존재한다.

0700 학교기출 대표 유형

함수 $f(x) = \frac{1}{3}x^3 + ax^2 + (a+6)x$가 실수 전체의 집합에서 증가하는 실수 a의 값의 범위는?

① $-2 \leq a \leq 3$ ② $-2 \leq a \leq 1$ ③ $-1 \leq a \leq 3$
④ $0 \leq a \leq 2$ ⑤ $2 \leq a \leq 3$

0701 BASIC

함수 $f(x) = -x^3 + kx^2 - 3x$가 실수 전체의 구간에서 감소할 때, 정수 k의 개수는?

① 6 ② 7 ③ 8
④ 9 ⑤ 10

0702 BASIC

실수 전체의 집합에서 정의된 함수

$$f(x) = -\frac{1}{3}x^3 + ax^2 - x + a$$

가 임의의 두 실수 x_1, x_2에 대하여 $x_1 \neq x_2$이면 $f(x_1) \neq f(x_2)$가 성립하도록 하는 실수 a의 범위는?

① $-2 \leq a \leq 3$ ② $-2 \leq a \leq 2$ ③ $-1 \leq a \leq 1$
④ $0 \leq a \leq 2$ ⑤ $2 \leq a \leq 3$

0703 최다빈출 왕중요 NORMAL

삼차함수 $f(x) = x^3 + kx^2 + 2kx + 7$이 임의의 두 실수 x_1, x_2에 대하여 $x_1 < x_2$이면 $f(x_1) < f(x_2)$가 성립할 때, 상수 k의 값의 범위는?

① $-6 < k < 0$ ② $-6 \leq k \leq 0$ ③ $0 \leq k \leq 6$
④ $k < 6$ ⑤ $k \geq 0$

▶ 해설 내신연계기출

0704 최다빈출 왕중요 NORMAL

함수 $f(x) = x^3 - ax^2 + ax$가 일대일 대응이 되도록 하는 상수 a값의 범위는?

① $0 \leq a \leq 2$ ② $1 \leq a \leq 3$ ③ $1 \leq a \leq 2$
④ $1 \leq a \leq 4$ ⑤ $0 \leq a \leq 3$

▶ 해설 내신연계기출

0705 NORMAL

함수 $f(x) = -x^3 + ax^2 + (a-6)x + 3$이 역함수를 가지도록 하는 실수 a의 최댓값을 M, 최솟값을 m이라 할 때, $M+m$의 값은?

① -1 ② -2 ③ -3
④ -4 ⑤ -5

0706 최다빈출 왕중요 NORMAL

함수 $f(x) = \frac{1}{3}x^3 - ax^2 + 3ax$의 역함수가 존재하도록 하는 모든 정수 a의 개수는?

① 3 ② 4 ③ 5
④ 6 ⑤ 7

▶ 해설 내신연계기출

0707

구간 $(-\infty, \infty)$에서 두 함수

$$f(x)=x^3+ax^2+ax,$$
$$g(x)=-x^3+(a+1)x^2-(a+1)x$$

에 대하여 $f(x)$는 증가하고 $g(x)$는 감소할 때, a의 범위는?

① $-1 \leq a \leq 2$ ② $0 \leq a \leq 2$ ③ $0 \leq a \leq 3$

④ $-2 \leq a \leq 2$ ⑤ $-2 \leq a \leq 0$

0708

함수 $f(x)=ax^3-3x^2+(a+2)x+1$이 $x_1 < x_2$인 임의의 실수 x_1, x_2에 대하여 항상 $f(x_1) > f(x_2)$일 때, 실수 a의 값의 범위는?

① $a \geq 1$ ② $a \leq 0$ ③ $a \leq -3$

④ $a \leq -1$ ⑤ $a \geq -3$

0709

최다빈출 왕 중요

함수 $f(x)=\dfrac{1}{3}x^3-\dfrac{5}{2}x^2+6x+1$이 $x \geq a$에서 임의의 두 실수 x_1, x_2에 대하여 $x_1 \neq x_2$이면 $f(x_1) \neq f(x_2)$가 성립하도록 하는 실수 a의 최솟값은?

① 2   ② 3   ③ 4

④ 5   ⑤ 6

▶ 해설 내신연계기출

0710

최다빈출 왕 중요

함수 $f(x)=-x^3+ax^2+ax$와 실수 t에 대하여 $x \leq t$에서 함수 $f(x)$의 최솟값을 $g(t)$라 할 때, 모든 실수 t에 대하여 $g(t)=f(t)$가 성립하도록 하는 정수 a의 개수는?

① 2   ② 3   ③ 4

④ 5   ⑤ 6

▶ 해설 내신연계기출

0711

함수 $f(x)=\dfrac{2}{3}x^3+\dfrac{1}{2}(a-1)x^2+2x$와 모든 실수 t에 대하여 직선 $y=t$와 곡선 $y=f(x)$가 만나는 점의 개수가 1이 되도록 하는 정수 a의 개수는?

① 6   ② 7   ③ 8

④ 9   ⑤ 10

0712

최다빈출 왕 중요

임의의 실수 t에 대하여 x에 대한 방정식

$$2x^3+ax^2+6x-3=t$$

의 서로 다른 실근의 개수를 $g(t)$라 하자. $g(t)$가 실수전체의 집합에서 연속이 되도록 하는 실수 a의 최댓값을 M, 최솟값을 m이라 할 때, $M-m$의 값은?

① 6   ② 8   ③ 10

④ 12   ⑤ 14

▶ 해설 내신연계기출

0713

함수 $f(x)=x^3+6x^2+15|x-2a|+3$이 실수 전체의 집합에서 증가하도록 하는 실수 a의 최댓값은?

① $-\dfrac{5}{2}$ ② -2 ③ $-\dfrac{3}{2}$

④ -1 ⑤ $-\dfrac{1}{2}$

유형 03 주어진 구간에서 삼차함수의 증가·감소

삼차함수 $y=f(x)$가 특정한 구간 (a, b)에서 증가하거나 특정한 구간 (c, d)에서 감소하는 조건으로부터 미정계수를 구하는 경우

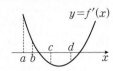

$y=f'(x)$의 그래프를 이용한다.

① 함수 $f(x)$가 증가 구간에서 $f'(x)\geq 0$이다.

 ⇨ $f'(a)\geq 0$, $f'(b)\geq 0$

② 함수 $f(x)$가 감소 구간에서 $f'(x)\leq 0$이다.

 ⇨ $f'(c)\leq 0$, $f'(d)\leq 0$

0714 학교기출 대표유형

함수 $f(x)=-x^3-3x^2+kx-1$이 열린구간 $(1, 4)$에서 증가하기 위한 상수 k의 값의 범위는?

① $k\geq 24$ ② $k\geq 72$ ③ $k\leq 9$

④ $9\leq k\leq 55$ ⑤ $9\leq k\leq 72$

▶ 해설 내신연계기출

0715 최다빈출 상중요 NORMAL

함수 $f(x)=x^3-3x^2+2ax+5$가 열린구간 $(1, 3)$에 속하는 임의의 두 실수 x_1, x_2에 대하여 $x_1<x_2$이면 $f(x_1)>f(x_2)$가 성립하도록 하는 실수 a의 최댓값은?

① $-\dfrac{3}{2}$ ② $-\dfrac{4}{3}$ ③ $-\dfrac{6}{5}$

④ $-\dfrac{9}{2}$ ⑤ $-\dfrac{7}{2}$

▶ 해설 내신연계기출

0716 최다빈출 상중요 TOUGH

함수 $f(x)=x^3+2ax^2-ax$에 대하여 곡선 $y=f(x)$ 위의 점 $(t, f(t))$에서의 접선의 y의 절편을 $g(t)$라고 하자.

함수 $g(t)$가 구간 $(0, 4)$에서 증가할 때, 실수 a의 최댓값은?

① -8 ② -6 ③ -4

④ -2 ⑤ 6

▶ 해설 내신연계기출

유형 04 다항함수의 극대와 극소

(1) 함수의 극대와 극소의 정의

 함수 $f(x)$에서 $x=a$를 포함하는 어떤 열린구간에 속하는 모든 x에 대하여

 ① $f(x)\leq f(a)$일 때, 함수 $f(x)$는 $x=a$에서 극대라 하며 $f(a)$를 극댓값이라 한다.

 ② $f(x)\geq f(a)$일 때, 함수 $f(x)$는 $x=a$에서 극소라 하며 $f(a)$를 극솟값이라 한다.

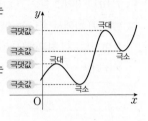

(2) 함수의 극대와 극소의 판정

 $x=a$에서 연속인 함수 $f(x)$가 $x=a$의 좌우에서 $f'(x)$의 부호가

 ① 양 $(+)$에서 음 $(-)$으로 바뀌면 함수 $f(x)$는 $x=a$에서 극대이다.

 ② 음 $(-)$에서 양 $(+)$으로 바뀌면, 함수 $f(x)$는 $x=a$에서 극소이다.

(3) 극값과 미분계수의 관계

> 함수 $f(x)$가 $x=a$에서 미분가능하고 $x=a$에서 극값을 가지면 $f'(a)=0$이다.

참고 극값의 판정의 예외

 ① 함수 $f(x)$가 $x=a$에서 $f'(a)=0$이면 $x=a$에서 극값을 갖는다. [거짓]

 반례 $f(x)=x^3$에서 $x=0$에서의 $f'(0)=0$이지만 $x=0$에서 극값을 갖지 않는다.

 ② 함수 $f(x)$가 $x=a$에서 극값을 가지면 $f'(a)=0$이 존재한다. [거짓]

 반례 $f(x)=|x|$는 $x=0$에서 극솟값을 갖지만 $x=0$에서 뾰족점을 가지므로 $x=0$에서 미분가능하지 않다.

0717 학교기출 대표유형

열린구간 $(1, 5)$에서 미분가능한 함수 $f(x)$에 대한 설명으로 옳은 것만을 [보기]에서 있는 대로 고른 것은?

> ㄱ. $x=2$에서 극값을 가지면 $f'(2)=0$이다.
>
> ㄴ. 열린구간 $(1, 5)$에서 함수 $f(x)$는 연속이다.
>
> ㄷ. 열린구간 $(3, 4)$의 모든 x에 대하여 $f'(x)>0$이면 $f(x)$는 이 구간에서 증가한다.
>
> ㄹ. 구간에 속하는 어떤 a에 대하여 $f'(a)=0$이면 $x=a$에서 극댓값 또는 극솟값을 가진다.

① ㄱ, ㄷ ② ㄴ, ㄹ ③ ㄱ, ㄴ, ㄷ

④ ㄱ, ㄴ, ㄹ ⑤ ㄴ, ㄷ, ㄹ

0718

다음 [보기]의 설명 중 옳은 것은?

ㄱ. 다항함수 $f(x)$가 $x=a$에서 극값을 가지면 $f'(a)=0$이다.

ㄴ. $f'(a)>0$이면 함수 $f(x)$는 $x=a$에서 극값을 갖지 않는다.

ㄷ. 함수 $f(x)$에서 $f'(a)=0$인데도 $x=a$에서 극값을 갖지 않으면 $x=a$의 좌우에서 $f'(x)$의 부호가 계속하여 양이거나 음이다.

① ㄱ   ② ㄴ   ③ ㄷ
④ ㄱ, ㄴ   ⑤ ㄱ, ㄴ, ㄷ

0719
최다빈출 왕 중요

함수 $f(x)$에 대하여 다음 [보기]의 설명 중 옳은 것은?

ㄱ. 함수 $f(x)$가 $x=a$를 포함하는 어떤 열린구간에 속하는 모든 x에 대하여 $f(a) \le f(x)$일 때, 함수 $f(x)$는 $x=a$에서 극소라고 하며, 이때의 함숫값 $f(a)$를 극솟값이라고 한다.

ㄴ. 함수 $f(x)$가 $x=a$에서 미분가능하고 $x=a$에서 극값을 가지면 $f'(a)=0$이다.

ㄷ. 열린구간 (a, b)에서 함수 $f(x)$가 상수함수가 아닌 다항함수일 때, 함수 $f(x)$가 증가할 필요충분조건은 이 구간에서 $f'(x) \ge 0$이다.

① ㄱ   ② ㄴ   ③ ㄷ
④ ㄱ, ㄴ   ⑤ ㄱ, ㄴ, ㄷ

▶ 해설 내신연계기출

0720
최다빈출 왕 중요

다항함수 $f(x)$에 대하여 다음 중 옳지 않은 것은?

① 함수 $f(x)$가 어떤 구간에서 증가하면 $f'(x)>0$이다.

② 함수 $f(x)$가 임의의 두 실수 a, b에 대하여 $a<b$일 때, $f(a)<f(b)$를 만족시키면 $f'(x) \ge 0$이다.

③ $x=a$의 좌우에서 $f'(x)$의 값의 부호가 음에서 양으로 바뀌면 $f(x)$는 $x=a$에서 극소이다.

④ $x=a$를 포함하는 어떤 열린구간에 속하는 모든 x에 대하여 $f(x) \le f(a)$이면 함수 $f(x)$는 $x=a$에서 극대이다.

⑤ 함수 $f(x)$의 극댓값은 극솟값보다 반드시 큰 것은 아니다.

▶ 해설 내신연계기출

0721
최다빈출 왕 중요

함수 $f(x)=x^3-6x^2+9x+9$는 $x=a$에서 극솟값 b를 가질 때, 두 상수 a, b에 대하여 $a+b$의 값은?

① 6   ② 9   ③ 12
④ 15   ⑤ 18

▶ 해설 내신연계기출

0722
최다빈출 왕 중요

삼차함수 $f(x)=-x^3+3x+1$이 $x=\alpha$, $x=\beta$에서 극값을 가질 때, 두 점 $(\alpha, f(\alpha))$, $(\beta, f(\beta))$를 지나는 직선의 기울기는?

① 1   ② 2   ③ 3
④ 4   ⑤ 5

▶ 해설 내신연계기출

0723
최다빈출 왕 중요

함수 $f(x)=x^3-3x-2$의 극대가 되는 점을 P, 극소가 되는 점을 Q라 할 때, 두 점 P, Q와 원점 O를 꼭짓점으로 하는 삼각형 OPQ의 넓이는?

① 2   ② 8   ③ 10
④ 14   ⑤ 24

▶ 해설 내신연계기출

0724

함수 $f(x)=x^3-3x^2+2x$에 대하여 곡선 $y=f(x)$ 위의 점 $(t, f(t))$에서의 접선의 y절편을 $g(t)$라 할 때, $g(t)$의 극솟값 a와 극댓값 b를 가질 때 두 상수 a, b에 대하여 $a+b$의 값은?

① 1   ② 2   ③ 3
④ 4   ⑤ 5

유형 05 함수의 극대 극소를 이용한 미정계수의 결정 (1)

① 미분가능한 함수 $f(x)$가 $x=a$에서 극값 b를 가지면
   ⇨ $f(a)=b$, $f'(a)=0$
② 삼차함수 $f(x)$가 $x=\alpha$, $x=\beta$에서 극값을 가지면
   ⇨ α, β는 이차방정식 $f'(x)=0$의 두 근이다.

0725 학교기출 대표 유형

함수

$$f(x)=(x+1)^2(x-3)+a$$

의 극댓값이 5일 때, 상수 a의 값은?

① 2   ② 3   ③ 4
④ 5   ⑤ 6

▶ 해설 내신연계기출

0726 BASIC

함수

$$f(x)=x^3+ax^2-9x+3$$

이 $x=1$에서 극솟값을 가질 때, 함수 $f(x)$의 극댓값은?
(단, a는 상수)

① 29   ② 30   ③ 31
④ 32   ⑤ 33

0727 최다빈출 왕 중요 NORMAL

함수

$$f(x)=x^3-9x^2+24x+a$$

의 극댓값이 10일 때, 함수 $f(x)$의 극솟값은? (단, a는 상수)

① 6   ② 8   ③ 10
④ 12   ⑤ 14

▶ 해설 내신연계기출

0728 최다빈출 왕 중요 NORMAL

함수 $f(x)=x^3-6ax^2+9a^2x+1$의 극댓값과 극솟값의 합이 34일 때, 양수 a의 값은?

① 1   ② 2   ③ 3
④ 4   ⑤ 5

▶ 해설 내신연계기출

0729 최다빈출 왕 중요 NORMAL

함수 $f(x)=x^3-3x^2-9x+k$의 극댓값과 극솟값의 절댓값이 같고 그 부호가 서로 다를 때, 상수 k의 값은?

① 8   ② 10   ③ 11
④ 13   ⑤ 15

▶ 해설 내신연계기출

0730 NORMAL

함수 $f(x)=2x^3-6x^2+a$의 모든 극값의 곱이 -12일 때, 상수 a의 값의 합은?

① 8   ② 10   ③ 12
④ 14   ⑤ 16

0731 NORMAL

함수 $f(x)=\frac{1}{3}x^3-(a-2)x^2-2x$의 그래프에서 극대인 점과 극소인 점이 원점에 대하여 대칭일 때, a의 값은?

① 1   ② 2   ③ 3
④ 4   ⑤ 5

① 미분가능한 함수 $f(x)$가 $x=a$에서 극값 b를 가지면
⇨ $f(a)=b$, $f'(a)=0$
② 삼차함수 $f(x)$가 $x=\alpha$, $x=\beta$에서 극값을 가지면
⇨ α, β는 이차방정식 $f'(x)=0$의 두 근이다.

0732 학교기출 대표유형

함수 $f(x)=2x^3-6x+a$가 $x=b$에서 극솟값 -1을 가질 때, 실수 a, b에 대하여 ab의 값은?

① 2   ② 3   ③ 4
④ 5   ⑤ 6

0733 최다빈출 왕중요 NORMAL

함수 $f(x)=4x^3+3ax^2+b$가 $x=2$에서 극솟값 -7을 가질 때, 함수 $f(x)$의 극댓값은? (단, a, b는 상수)

① 3   ② 6   ③ 9
④ 12   ⑤ 15

▶ 해설 내신연계기출

0734 NORMAL

함수 $f(x)=x^3+ax^2+bx+1$이 $x=1$에서 극댓값 5를 가질 때, 두 상수 a, b의 값과 극솟값의 합은?

① 3   ② 4   ③ 5
④ 6   ⑤ 7

0735 최다빈출 왕중요 NORMAL

함수 $f(x)=x^3+ax^2+bx+c$가 $x=3$에서 극솟값 2를 갖고 $x=1$에서 극댓값을 가질 때, 함수 $f(x)$의 극댓값은? (단, a, b, c는 상수)

① -4 ② -2 ③ 0
④ 3   ⑤ 6

▶ 해설 내신연계기출

0736 최다빈출 왕중요 NORMAL

함수 $f(x)=x^3+ax^2+bx+c$가 다음 조건을 만족시킬 때, $a+b+c$의 값은? (단, a, b, c는 상수이다.)

(가) 함수 $f(x)$는 $x=-1$, $x=3$에서 각각 극값을 갖는다.
(나) $f(4)=0$

① 2   ② 4   ③ 6
④ 8   ⑤ 10

▶ 해설 내신연계기출

0737 NORMAL

최고차항의 계수가 1인 삼차함수 $f(x)$가 $x=0$에서 극솟값을 가지고 $x=-2$에서 극댓값 0을 가질 때, $f(2)$의 값은?

① -16 ② -12 ③ 10
④ 12   ⑤ 16

0738 최다빈출 왕중요 NORMAL

다항함수 $f(x)$에 대하여 함수 $g(x)$를
$$g(x)=(x^2+2x)f(x)$$
라 하자. 함수 $g(x)$가 $x=2$에서 극댓값 32를 갖는다고 할 때, $f'(2)$의 값은?

① -3 ② -1 ③ 0
④ 1   ⑤ 3

▶ 해설 내신연계기출

0739 최다빈출 😊중요

NORMAL

두 다항함수 $f(x)$와 $g(x)$가 모든 실수 x에 대하여

$$g(x)=(x^2+2)f(x)$$

를 만족시킨다. $f(x)$가 $x=2$에서 극솟값 3을 가질 때, $y=g(x)$ 위의 $x=2$인 점에서의 접선이 점 $(0, a)$를 지날 때, 상수 a의 값은?

① -8 ② -6 ③ -4

④ -2 ⑤ 4

▶ 해설 내신연계기출

0740 최다빈출 😊중요

TOUGH

최고차항의 계수가 1인 삼차함수 $f(x)$가 다음 조건을 모두 만족시킬 때, $f(2)$의 값은?

(가) $\lim\limits_{x \to -1} \dfrac{f(x)+2}{x+1}=0$

(나) 함수 $f(x)$는 $x=3$에서 극솟값을 가진다.

① -30 ② -29 ③ -20

④ 20 ⑤ 30

▶ 해설 내신연계기출

0741 최다빈출 😊중요

TOUGH

다항함수 $f(x)$는 다음 조건을 만족시킨다.

(가) $\lim\limits_{x \to \infty} \dfrac{f(x)}{x^3}=1$

(나) $x=-1$과 $x=2$에서 극값을 갖는다.

$\lim\limits_{h \to 0} \dfrac{f(3+h)-f(3-h)}{h}$의 값은?

① 8 ② 12 ③ 16

④ 20 ⑤ 24

▶ 해설 내신연계기출

0742

TOUGH

함수

$$f(x)=\begin{cases} x^3-3ax^2-1 & (x<1) \\ a(x-4) & (x \geq 1) \end{cases}$$

의 모든 극값의 합이 5일 때, $f(-3)$의 값은? (단, $a<0$)

① -3 ② -2 ③ -1

④ 1 ⑤ 2

유형 **07** 도함수 $y=f'(x)$의 그래프와 극값

[1단계] 도함수 $y=f'(x)$의 그래프를 보고 함수 $f(x)$에 대한 증감표를 만든다.

[2단계] 함수 $f(x)$가 $x=a$에서 극값 b를 가지며 $f(a)=b$, $f'(a)=0$임을 이용한다.

0743 학교기출 대표유형

함수 $f(x)=2x^3+ax^2+bx$의 그래프가 오른쪽 그림과 같을 때, 극댓값과 극솟값의 합은? (단, a, b는 상수)

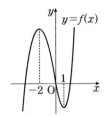

① 9 ② 10

③ 11 ④ 12

⑤ 13

0744 최다빈출 😊중요

NORMAL

최고차항의 계수가 1인 삼차함수 $f(x)$에 대하여 도함수 $y=f'(x)$의 그래프가 그림과 같다. 함수 $f(x)$의 극솟값이 1일 때, 극댓값은?

① 2 ② 3

③ 4 ④ 5

⑤ 6

▶ 해설 내신연계기출

0745 최다빈출 😊중요

NORMAL

함수 $f(x)=-2x^3+ax^2+bx+c$의 도함수 $y=f'(x)$의 그래프가 그림과 같다. 함수 $f(x)$의 극솟값이 -2일 때, 극댓값은? (단, a, b, c는 상수)

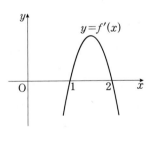

① -9 ② -7

③ -5 ④ -3

⑤ -1

▶ 해설 내신연계기출

[1단계] 함수 $f(x)$가 (a, b)에서 극값을 가지면
　　　$\Rightarrow f(a)=b$, $f'(a)=0$
[2단계] 함수 $f(x)$가 점 $(a, f(a))$에서
　　　접선의 기울기 $f'(a)$이므로
　　　접선의 방정식은 $y-f(a)=f'(a)(x-a)$

0746 학교기출 대표 유형

미분가능한 함수 $f(x)$는 $x=a$에서 극댓값 b를 갖는다.
이때 곡선 $y=xf(x)$의 $x=a$인 점에서의 접선의 방정식은?

① $y=ax$　　　　　　② $y=bx$
③ $y=a(x-a)+b$　　④ $y=b(x-a)+b$
⑤ $y=b(x-b)$

0747 최다빈출 왕중요

NORMAL

최고차항의 계수가 1인 삼차함수 $f(x)$가 다음 조건을 만족할 때,
함수 $f(2)$의 값은?

（가） $x=1$에서 극댓값 3이다.
（나） 곡선 $y=f(x)$ 위의 점 $x=2$에서의 접선의 기울기가 -5
　　이다.

① -12　　　② -6　　　③ 0
④ 6　　　　　⑤ 12

▶ 해설 내신연계기출

0748 최다빈출 왕중요

TOUGH

삼차함수 $f(x)$가 다음 조건을 만족할 때, $f(x)$의 극솟값은?

（가） $x=-1$에서 극댓값 7을 갖는다.
（나） 곡선 $y=f(x)$ 위의 점 $(0, 0)$에서의 접선의 방정식은
　　$y=-12x$이다.

① -20　　　② -18　　　③ -16
④ -10　　　⑤ -8

▶ 해설 내신연계기출

① 함수 $y=f(x)$의 그래프가 x축에 접한다.
　　$\Rightarrow$ 함수 $f(x)$의 극댓값 또는 극솟값이 0이다.
② 삼차함수 $y=f(x)$의 그래프가 $x=a$에서 x축에 접하면
　　$\Rightarrow f(a)=f'(a)=0$
　　$\Rightarrow f(x)=k(x-a)^2(x-b)$ (단, $a \neq b$, $k \neq 0$)

0749 학교기출 대표 유형

삼차함수 $f(x)=x^3-3ax^2+4a$의 그래프가 x축에 접할 때,
$f(4)$의 값은? (단, $a>0$)

① 10　　　② 20　　　③ 30
④ 40　　　⑤ 50

0750 최다빈출 왕중요

NORMAL

함수 $y=x^3-3x^2-9x+a$ 의 그래프가 x축과 서로 다른 두 점에서
만날 때, 모든 상수 a의 값의 합은?

① 20　　　② 22　　　③ 24
④ 26　　　⑤ 28

▶ 해설 내신연계기출

0751 최다빈출 왕중요

NORMAL

최고차항의 계수가 1인 삼차함수 $f(x)$가 다음 조건을 만족할 때,
함수 $f(x)$의 극댓값은?

（가） $f(1)=f'(1)=0$
（나） $f(0)=2$

① 2　　　② 4　　　③ 6
④ 8　　　⑤ 10

▶ 해설 내신연계기출

0752 최다빈출 왕중요

NORMAL

함수 $f(x)=x^3+ax^2+bx$에 대하
여 곡선 $y=f(x)$가 오른쪽 그림과
같고 극댓값이 0, 극솟값이 -4일
때, 상수 a, b에 대하여 $a+b$값은?

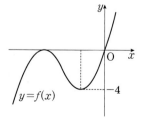

① 10　　　② 11
③ 12　　　④ 13
⑤ 15

▶ 해설 내신연계기출

유형 10 삼차함수가 극값을 가질 조건

삼차함수 $f(x)=ax^3+bx^2+cx+d\,(a>0)$에 대하여

① $f(x)$가 극댓값과 극솟값을 가질 조건

   ⇨ 이차방정식 $f'(x)=0$이 서로 다른 두 실근을 가진다. $(D>0)$

② $f(x)$가 극값을 갖지 않을 조건

   ⇨ 이차방정식 $f'(x)=0$이 중근 또는 허근을 가진다. $(D\le 0)$

③ 삼차함수 $f(x)=ax^3+bx^2+cx+d\,(a>0)$의 그래프가 d의 값에 관계없이 x축과 한 번만 만난다.

   ⇨ 삼차함수 $f(x)$는 극값을 갖지 않는다.

④ 삼차함수 $f(x)=ax^3+bx^2+cx+d\,(a>0)$의 그래프가 d의 값에 따라 x축과 한 번 또는 두 번 또는 세 번 만난다.

   ⇨ 삼차함수 $f(x)$는 극값을 가진다.

0753 학교기출 대표유형

함수 $f(x)=x^3-ax^2+2ax+2$가 극값을 갖기 위한 양의 정수 a의 최솟값은?

① 7   ② 8   ③ 9
④ 10   ⑤ 11

▶ 해설 내신연계기출

0754 NORMAL

삼차함수 $f(x)=x^3+ax^2+(a+6)x+2$가 극값을 갖지 않도록 하는 정수 a의 개수는?

① 8   ② 9   ③ 10
④ 11   ⑤ 12

0755 최다빈출 상중요 NORMAL

함수 $f(x)=x^3+kx^2-2kx+3$이 극값을 갖지 않도록 하는 정수 k의 개수는?

① 3   ② 4   ③ 5
④ 6   ⑤ 7

▶ 해설 내신연계기출

0756 NORMAL

함수 $f(x)=-x^3+ax^2+2ax+3$이 극값을 갖지 않도록 하는 실수 a의 값의 범위는 $\alpha\le a\le\beta$이다. 이때 $\beta-\alpha$의 값은?

① 2   ② 4   ③ 6
④ 8   ⑤ 10

0757 NORMAL

함수 $f(x)=x^3-ax^2+(a^2-2a)x$는 극댓값과 극솟값을 모두 갖고 함수 $g(x)=\dfrac{1}{3}x^3+ax^2+(5a-4)x+2$는 극댓값과 극솟값을 갖지 않을 때, 정수 a의 값의 합은?

① 1   ② 2   ③ 3
④ 4   ⑤ 5

0758 최다빈출 상중요 TOUGH

함수 $f(x)=\dfrac{1}{3}x^3+ax^2+x+k$이 그래프가 실수 k의 값에 관계없이 x축과 한 번만 만난다고 할 때, 정수 a의 개수는?

① 1   ② 2   ③ 3
④ 4   ⑤ 5

▶ 해설 내신연계기출

0759 최다빈출 상중요 TOUGH

삼차함수 $y=f(x)$의 도함수 $y=f'(x)$에 대하여 $f'(x)$의 최고차항의 계수는 1이고 $y=f'(x)-a$의 그래프는 오른쪽 그림과 같다.

함수 $f(x)$가 극댓값과 극솟값을 모두 가지도록 a의 값을 정할 때, 정수 a의 최댓값은?

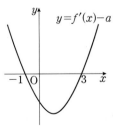

① 1   ② 2   ③ 3
④ 4   ⑤ 5

▶ 해설 내신연계기출

삼차함수 $f(x)$가 열린구간 (a, b)에서 극댓값과 극솟값을 모두 가진다.

⇨ 이차방정식 $f'(x)=0$이 열린구간 (a, b)에서 서로 다른 두 실근을 가지므로 이차방정식의 실근의 위치관계를 이용하여 미지수의 범위를 구한다.

참고 이차방정식 $f'(x)=ax^2+bx+c=0$의 근의 위치 판별 조건

(ⅰ) 판별식 (ⅱ) 함숫값 (ⅲ) $y=f'(x)$의 그래프에서 축의 위치

참고 이차방정식 $ax^2+bx+c=0$에서 $f(x)=ax^2+bx+c$로 놓으면

이차방정식 $ax^2+bx+c=0(a>0)$의 근의 위치 판별은 다음과 같다.

① 두 근이 모두 p보다 크다. ⟺ $D \geq 0$, $f(p)>0$, $-\dfrac{b}{2a}>p$

② 두 근이 모두 p보다 작다. ⟺ $D \geq 0$, $f(p)>0$, $-\dfrac{b}{2a}<p$

③ 두 근 사이에 p가 있다. ⟺ $f(p)<0$

0760 학교기출 대표 유형

함수 $f(x)=x^3-3x^2+ax+1$이 $-1<x<2$에서 극댓값과 극솟값을 모두 가질 때, 상수 a의 값의 범위는?

① $a>0$ ② $a>5$ ③ $0<a<3$

④ $2<a<3$ ⑤ $3<a<5$

0761 최다빈출 강 중요   NORMAL

함수 $f(x)=x^3-2x^2+ax+1$이 열린구간 $(-1, 2)$에서 극댓값과 극솟값을 모두 갖도록 하는 정수 a의 개수는?

① 1   ② 2   ③ 3

④ 4   ⑤ 5

▶ 해설 내신연계기출

0762   NORMAL

함수 $f(x)=x^3-6x^2+2ax+3$이 열린 구간 $(-1, 3)$에서 극댓값과 극솟값을 모두 가질 때, 상수 a의 값의 범위는?

① $a>-\dfrac{15}{2}$ ② $a<6$ ③ $\dfrac{1}{2}<a<3$

④ $\dfrac{9}{2}<a<6$ ⑤ $3<a<6$

0763   NORMAL

삼차함수 $f(x)=x^3-3ax^2+3ax-1$이 $x>-1$에서 극댓값과 극솟값을 모두 갖기 위한 실수 a의 값의 범위는?

① $-\dfrac{1}{3}<a<0$ 또는 $a>1$ ② $-1<a<0$ 또는 $a>1$

③ $-1 \leq a \leq 1$ ④ $-2 \leq a \leq 2$

⑤ $a<-\dfrac{1}{3}$ 또는 $a>1$

0764 최다빈출 강 중요   NORMAL

삼차함수 $f(x)=-2x^3+ax^2+4a^2x-3$이 $-1<x<1$에서 극솟값, $x>1$에서 극댓값을 갖도록 하는 실수 a의 값의 범위는?

① $a<-\dfrac{3}{2}$ 또는 $a>1$ ② $-1<a<0$ 또는 $a>1$

③ $1<a<\dfrac{3}{2}$ ④ $-1<a<\dfrac{3}{2}$

⑤ $a<-\dfrac{2}{3}$ 또는 $a>1$

▶ 해설 내신연계기출

0765 최다빈출 강 중요   NORMAL

삼차함수 $f(x)=x^3-kx^2-k^2x+3$이 $-2<x<2$에서 극댓값을 갖고 $x>2$에서 극솟값을 갖기 위한 정수 k의 개수는?

① 0   ② 1   ③ 2

④ 3   ⑤ 4

▶ 해설 내신연계기출

0766   TOUGH

직선 $x=a$가 곡선 $f(x)=x^3-ax^2-100x+10$의 극대가 되는 점과 극소가 되는 점 사이를 지날 때, 정수 a의 개수는?

① 17   ② 19   ③ 21

④ 23   ⑤ 25

유형 12 사차함수가 극댓값 또는 극솟값을 가질 조건과 갖지 않을 조건

사차함수 $f(x)=ax^4+bx^3+cx^2+dx+e\,(a>0)$에 대하여
(1) $f(x)$가 극댓값을 가질 조건
   ⇨ $f'(x)=0$이 서로 다른 세 실근을 가질 조건을 구한다.
(2) $f(x)$가 극댓값 또는 극솟값을 갖지 않는 경우
   ⇨ 삼차방정식 $f'(x)=0$은 한 실근과 두 허근 또는 한 실근과 중근 또는 삼중근을 갖는다.
   ⇨ 극댓값 (또는 극솟값)을 가질 조건을 구한 다음, 그 조건을 부정하여 구한다.

참고 사차함수는 일반적으로 극댓값과 극솟값을 모두 가지거나 두 값 중 하나만 가진다. 즉 극댓값과 극솟값 중 하나만 가질 조건은 극댓값과 극솟값을 모두 가질 조건을 구해 그 결과를 부정하여 구할 수도 있다.

0767 학교기출 대표유형

함수 $f(x)=x^4+4x^3-4ax^2$이 극댓값을 갖기 위한 상수 a의 값의 범위는?

① $-\dfrac{9}{8}<a<0$ ② $-3<a<0$

③ $-\dfrac{3}{2}<a<0$ 또는 $a>0$ ④ $-\dfrac{8}{7}<a<0$ 또는 $a>0$

⑤ $-\dfrac{9}{8}<a<0$ 또는 $a>0$

▶ 해설 내신연계기출

0768 최다빈출 왕중요   NORMAL

함수 $f(x)=2x^4-px^3+x^2$의 극값이 한 개뿐일 때, 상수 p의 최댓값을 M, 최솟값을 m이라 할 때, $\dfrac{M}{m}$의 값은?

① -3 ② -2 ③ $-\dfrac{3}{2}$

④ -1 ⑤ $-\dfrac{1}{2}$

▶ 해설 내신연계기출

0769 TOUGH

함수 $f(x)=3x^4-8x^3+2ax^2+1$이 극댓값을 갖지 않도록 하는 실수 a의 값의 범위는?

① $a=0$ 또는 $a>1$ ② $a=0$ 또는 $a\geq3$
③ $-1<a\leq1$ 또는 $a\geq3$ ④ $a=-3$ 또는 $a\geq0$
⑤ $a=-6$ 또는 $a\geq0$

0770 TOUGH

사차함수 $f(x)=\dfrac{1}{4}x^4+\dfrac{1}{3}(a+1)x^3-ax$가 $x=\alpha,\ \gamma$에서 극소, $x=\beta$에서 극대일 때, 실수 a의 값의 범위는? (단, $\alpha<0<\beta<\gamma<3$)

① $-\dfrac{9}{2}<a<-4$ ② $-4<a<-\dfrac{7}{2}$ ③ $-\dfrac{7}{2}<a<-3$
④ $-3<a<\dfrac{5}{2}$ ⑤ $-\dfrac{5}{2}<a<2$

유형 13 도함수의 그래프를 이용한 다항함수의 해석 (1)

함수 $y=f'(x)$의 그래프에서 $x=a$의 좌우에서 $f'(x)$의 부호가 어떻게 바뀌는지 살핀다.
[1단계] 양 $(+)$에서 음 $(-)$으로 바뀌면
   ⇨ $x=a$에서 극댓값 $f(a)$
[2단계] 음 $(-)$에서 양 $(+)$으로 바뀌면
   ⇨ $x=b$에서 극솟값 $f(b)$

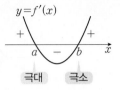

0771 학교기출 대표유형

함수 $f(x)$의 도함수 $y=f'(x)$의 그래프가 오른쪽 그림과 같을 때, [보기] 중에서 옳은 것을 모두 고른 것은?

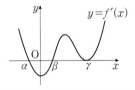

ㄱ. 함수 $f(x)$가 극값을 갖는 점의 개수는 3이다.
ㄴ. 함수 $f(x)$는 $x=\beta$에서 극솟값을 갖는다.
ㄷ. 함수 $f(x)$는 열린구간 $(\beta,\ \gamma)$에서 $f(x)$는 증가한다.

① ㄱ   ② ㄴ   ③ ㄱ, ㄴ
④ ㄴ, ㄷ   ⑤ ㄱ, ㄴ, ㄷ

0772 BASIC

함수 $y=f(x)$의 도함수 $y=f'(x)$의 그래프가 오른쪽 그림과 같을 때, 다음 중 옳지 않은 것은?

① $f(x)$는 구간 $(-2,\ 1)$에서 증가한다.
② $f(x)$는 구간 $(1,\ 3)$에서 감소한다.
③ $f(x)$는 $x=-2$에서 극솟값을 갖는다.
④ $f(x)$는 $x=1$에서 극댓값을 갖는다.
⑤ $f(x)$가 극값을 갖는 점의 개수는 2개이다.

0773 최다빈출 왕중요   BASIC

함수 $f(x)$의 도함수 $y=f'(x)$의 그래프가 오른쪽 그림과 같을 때, 다음 설명 중 옳은 것은?

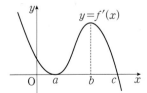

① $f(x)$는 $x>b$에서 감소한다.
② $f(x)$는 $x=a$에서 극소이다.
③ $f(x)$는 $x=b$에서 극대이다.
④ $f(x)$는 $x=c$에서 최댓값을 갖는다.
⑤ $f(x)$는 구간 $(a,\ b)$에서만 증가한다.

▶ 해설 내신연계기출

0774

최다빈출 왕중요

함수 $y=f(x)$의 도함수 $y=f'(x)$의 그래프가 그림과 같을 때, 다음 중 옳은 것은?

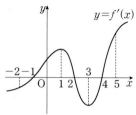

① $f(x)$는 구간 $(-2, 1)$에서 증가한다.

② $f(x)$는 구간 $(1, 2)$에서 감소한다.

③ $f(x)$는 구간 $(4, 5)$에서 증가한다.

④ $f(x)$는 $x=2$에서 극소이다.

⑤ $f(x)$는 $x=3$에서 극소이다.

▶ 해설 내신연계기출

0775

구간 $(-8, 8)$에서 정의된 미분가능한 함수 $y=f(x)$의 도함수 $y=f'(x)$의 그래프가 다음 그림과 같다고 한다. 함수 $y=f(x)$가 극대가 되는 x의 개수를 a, 극소가 되는 x의 개수를 b라 할 때, $b-a$의 값은?

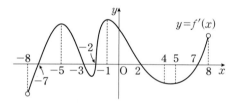

① -1 ② 1 ③ 2

④ 3 ⑤ 4

0776

함수 $y=f(x)$의 도함수 $f'(x)$에 대하여
$$f'(x)=(2x+1)(x-2)(x^2-1)(x^3-1)$$
일 때, 함수 $f(x)$가 극댓값을 갖는 x의 개수를 a, 극솟값을 갖는 x의 개수를 b라 할 때, $2a+b$의 값은?

① 1 ② 3 ③ 4

④ 5 ⑤ 6

0777

삼차함수 $y=f(x)$의 그래프가 다음 그림과 같을 때, 부등식 $f'(x)f(x)\geq 0$을 만족하는 점의 개수는? (단, 점 C, F는 각각 극소, 극대가 되는 점이다.)

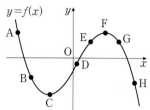

① 1 ② 2 ③ 3

④ 4 ⑤ 5

0778

사차함수 $y=f(x)$의 도함수 $y=f'(x)$의 그래프가 오른쪽 그림과 같을 때, 방정식 $f(x)=0$이 한 개의 실근을 가질 필요충분조건은? (단, 중근은 하나로 생각한다.)

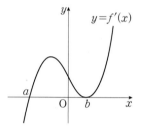

① $f(a)=0$ ② $f(b)=0$

③ $f(a)>0$ ④ $f(b)>0$

⑤ $f(a)<0$

0779

최다빈출 왕중요

연속함수 $f(x)$의 도함수를 $f'(x)$라고 하자. 함수 $y=f'(x)$의 그래프가 그림과 같을 때, 다음 중 옳은 것은? (단, $f(c)\neq f(g)$)

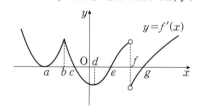

① 함수 $f(x)$는 $x=b$에서 미분가능하지 않는다.

② 함수 $f(x)$는 $x=f$에서 극대이다.

③ 함수 $f(x)$는 (d, f)에서 증가한다.

④ 함수 $f(x)$는 $x=c$에서 극댓값이 0이다.

⑤ 함수 $f(x)$의 극값은 3개이다.

▶ 해설 내신연계기출

0780

연속함수 $f(x)$의 도함수를 $f'(x)$ 라고 하자. 함수 $y=f'(x)$의 그래프가 오른쪽 그림과 같을 때, [보기]에서 옳은 것을 모두 고른 것은?

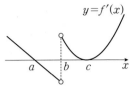

ㄱ. 함수 $f(x)$는 $x=a$일 때, 극대이다.
ㄴ. 함수 $f(x)$는 $x=b$에서 극값을 갖지 않는다.
ㄷ. 구간 (b, c)에서 $f(x)$는 증가한다.

① ㄱ   　　② ㄴ   　　③ ㄷ
④ ㄱ, ㄷ   ⑤ ㄱ, ㄴ, ㄷ

0781

최다빈출 😊중요

삼차함수 $y=f(x)$의 도함수 $y=f'(x)$의 그래프가 오른쪽 그림과 같을 때, 다음 설명 중 옳은 것은?
(단, $f(0)=0$)

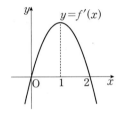

① $f(x)$의 극솟값은 2이다.
② $f(x)$는 $x=1$일 때, 극댓값을 갖는다.
③ 함수 $y=f(x)$의 그래프는 x축과 한 점에서 만난다.
④ $f(x)$는 열린구간 $(1, \infty)$에서 감소한다.
⑤ $f(x)$는 $x=2$에서 극댓값을 가진다.

▶ 해설 내신연계기출

0782

6차 함수 $y=f(x)$를 미분하여 다음과 같은 증감표를 완성하였다.

x	$\cdots$	-2	$\cdots$	0	$\cdots$	1	$\cdots$	3	$\cdots$
$f'(x)$	$+$	0	$-$	0	$+$	0	$-$	0	$-$
$f(x)$		5		2		5		-1	

다음 [보기]에서 항상 옳은 것을 모두 고른 것은?

ㄱ. 극댓값과 극솟값의 총합은 11이다.
ㄴ. 방정식 $f(x)=0$은 한 개의 음근과 한 개의 양근을 갖는다.
ㄷ. 상수 a의 값에 따라 방정식 $f(x)-a=0$은 최대 5개의 실근을 갖는다.
ㄹ. 방정식 $f(x)-5=0$의 서로 다른 실근은 -2, 1이다.

① ㄱ, ㄴ   ② ㄴ, ㄷ   ③ ㄱ, ㄷ
④ ㄴ, ㄹ   ⑤ ㄷ, ㄹ

0783

열린구간 $(-4, 4)$에서 정의된 연속함수 $f(x)$에 대하여 함수 $y=f'(x)$의 그래프는 다음 그림과 같고, $f'(-3)=f'(-1)=f'(1)=0$이다.

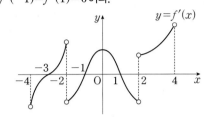

집합 $\{-3, -2, -1, 0, 1, 2, 3\}$의 세 부분집합 A, B, C가 다음 조건을 만족한다.

(가) $A=\left\{a \mid \text{열린구간} \left(a-\dfrac{1}{2}, a+\dfrac{1}{2}\right)\text{에 속하는 모든 실수} \right.$
　　　$\left. x\text{에 대하여 } f(x) \leq f(a)\text{이다.}\right\}$

(나) $B=\left\{b \mid \text{열린구간} \left(b-\dfrac{1}{2}, b+\dfrac{1}{2}\right)\text{에 속하는 모든 실수} \right.$
　　　$\left. x\text{에 대하여 } f(x) \geq f(b)\text{이다.}\right\}$

(다) $C=\left\{c \mid \text{열린구간} \left(c-\dfrac{1}{2}, c+\dfrac{1}{2}\right)\text{에 속하는 모든 실수} \right.$
　　　x_1, x_2에 대하여 $x_1 < c < x_2$이면 $f'(x_1)f'(x_2) < 0$
　　　이고 $\displaystyle\lim_{h \to 0} \dfrac{f(c+h)-f(c)}{h}$의 값이 존재한다.$\Big\}$

이때 $n(A)+n(B)+n(C)$의 값은?

① 4   　　② 5   　　③ 6
④ 7   　　⑤ 8

① 도함수 $y=f'(x)$의 그래프를 보고 함수 $f(x)$에 대한 증감표를 만든다.
② 함수 $f(x)$가 증가 또는 감소하는 구간, 극값을 갖는 x의 값 등을 찾아 $y=f(x)$의 그래프의 개형을 유추한다.

0784 학교기출 대표유형

함수 $y=f(x)$의 도함수 $y=f'(x)$의 그래프가 오른쪽 그림과 같을 때, 다음 중 함수 $y=f(x)$의 그래프의 개형으로 옳은 것은?

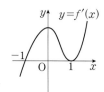

① ② ③

④ ⑤

▶ 해설 내신연계기출

0785 NORMAL

함수 $y=f(x)$의 도함수 $y=f'(x)$의 그래프가 오른쪽 그림과 같을 때, 다음 중 함수 $y=f(x)$의 그래프의 개형으로 옳은 것은?

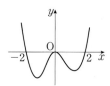

① ② ③

④ ⑤

0786 NORMAL

$-3 < x < 3$에서 연속인 함수 $y=f(x)$의 도함수 $y=f'(x)$의 그래프는 오른쪽 그림과 같다. 옳은 것만을 [보기]에서 있는 대로 고른 것은? (단, $f(0)=0$)

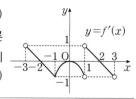

ㄱ. $\lim_{x \to 1+} f'(x) = -1$ ㄴ. $f(-2) > 0$
ㄷ. 구간 $(-3, 3)$에서 함수 $f(x)$는 오직 3개의 극값을 가진다.

① ㄱ ② ㄴ ③ ㄷ
④ ㄱ, ㄷ ⑤ ㄴ, ㄷ

삼차함수 $f(x)=ax^3+bx^2+cx+d\,(a \neq 0,\ b,\ c,\ d$는 상수$)$에서
(1) $x \to \infty$일 때, $f(x) \to \infty$이면 $a > 0$
  $x \to \infty$일 때, $f(x) \to -\infty$이면 $a < 0$
(2) $f(0) > 0$이면 $d > 0$이고 $f(0) < 0$이면 $d < 0$
(3) $f(x)$가 $x=\alpha$, $x=\beta$에서 극값을 가지면
  $\Rightarrow f'(x)=0$의 두 실근은 α, β

0787 학교기출 대표유형

함수 $f(x)=ax^3+bx^2+cx+d$의 그래프가 그림과 같을 때, 다음 중 그 값이 양수인 것은? (단, $\alpha+\beta > 0$)

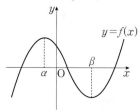

① ab ② ac ③ bc
④ bd ⑤ cd

▶ 해설 내신연계기출

0788 최다빈출 왕중요 NORMAL

삼차함수 $f(x)=ax^3+bx^2+cx+d$의 그래프가 다음 그림과 같이 $x=\alpha$, $x=\beta$에서 극값을 가질 때, $\dfrac{a}{|a|}+\dfrac{2b}{|b|}+\dfrac{3c}{|c|}+\dfrac{4d}{|d|}$의 값은?

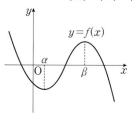

① -10 ② -8 ③ -6
④ -4 ⑤ -2

▶ 해설 내신연계기출

0789 TOUGH

함수 $f(x)=ax^4+bx^3+cx^2+dx+e$의 그래프의 개형이 다음 그림과 같을 때, 상수 a, b, c, d, e 중 음수인 것의 개수는?

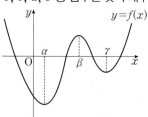

① 1 ② 2 ③ 3
④ 4 ⑤ 5

유형 16 삼차방정식 $f(x)=f(a)$의 실근

삼차함수 $f(x)$에 대하여 $x=\alpha$에서 극대, $x=\beta$에서 극소라 하면

① 방정식 $f(x)=f(\alpha)$가 서로 다른 두 실근을 가지려면
  ⇨ 함수 $y=f(x)$와 극댓값 $f(\alpha)$에 대하여
  상수함수 $y=f(\alpha)$가 $x=\alpha$에서 접한다.

② 방정식 $f(x)=f(\beta)$가 서로 다른 두 실근을 가지려면
  ⇨ 함수 $y=f(x)$와 극솟값 $f(\beta)$에 대하여
  상수함수 $y=f(\beta)$가 $x=\beta$에서 접한다.

③ 방정식 $f(x)=f(k)$가 서로 다른 세 실근을 가지려면
  ⇨ 상수함수 $y=f(k)$는 $f(\beta)<f(k)<f(\alpha)$
  이어야 한다.

0790 학교기출 대표 유형

최고차항의 계수가 1인 삼차함수 $f(x)$가 다음 조건을 만족시킨다.

(가) $f'\left(\dfrac{11}{3}\right)<0$

(나) 함수 $f(x)$는 $x=2$에서 극댓값 35를 갖는다.

(다) 방정식 $f(x)=f(4)$는 서로 다른 두 실근을 갖는다.

$f(0)$의 값은?

① 12   ② 13   ③ 14
④ 15   ⑤ 16

0791 TOUGH

최고차항의 계수가 1이고 $f(0)=0$인 삼차함수 $f(x)$가 다음 조건을 만족시킨다.

(가) $f(2)=f(5)$

(나) 방정식 $f(x)-p=0$의 서로 다른 실근의 개수가 2가 되게 하는 실수 p의 최댓값은 $f(2)$이다.

함수 $f(x)$는 $x=a$에서 극솟값 m을 가질 때, $a+m$의 값은?

① 16   ② 18   ③ 20
④ 22   ⑤ 24

0792 TOUGH

삼차함수 $f(x)$가 다음 조건을 만족시킨다.

(가) $x=-2$에서 극댓값을 갖는다.

(나) $f'(-3)=f'(3)$

[보기]에서 옳은 것만을 있는 대로 고른 것은?

ㄱ. 도함수 $f'(x)$는 $x=0$에서 최솟값을 갖는다.

ㄴ. 방정식 $f(x)=f(2)$는 서로 다른 두 실근을 갖는다.

ㄷ. 곡선 $y=f(x)$ 위의 점 $(-1, f(-1))$에서의 접선은 점 $(2, f(2))$를 지난다.

① ㄱ   ② ㄷ   ③ ㄱ, ㄴ
④ ㄴ, ㄷ   ⑤ ㄱ, ㄴ, ㄷ

유형 17 절댓값을 포함한 함수의 극대 극소

실수 전체의 집합에서 미분가능한 함수 $f(x)$에 대하여 함수 $g(x)=|f(x)|$라 할 때, 실수 a에 대하여

(1) 함수 $g(x)=|f(x)|$가 $x=a$에서 미분가능하기 위한 조건

① $f(a)\neq0$일 때, $f(a)>0$이거나 $f(a)<0$인 경우

② $f(a)=0$일 때, $f'(a)=0$인 경우

← 꺾어 올린 그래프가 뾰족점이 없이 부드럽게 이어져야 한다.

(2) 함수 $g(x)=|f(x)|$가 $x=a$에서 미분가능하지 않은 경우

$f(a)=0$일 때, $f'(a)\neq0$인 경우

← $x=a$에서 함수 $g(x)$는 꺾인 점인 경우

참고 ┃ 절댓값 기호를 포함한 식의 그래프

① $y=|f(x)|$의 그래프

$y=f(x)$의 그래프를 그린 후 $y\geq0$인 부분은 그대로 두고 $y<0$인 부분을 x축에 대하여 대칭이동하여 그린다.

② $y=f(|x|)$의 그래프

$y=f(x)$의 그래프를 그린 후 $x\geq0$인 부분은 그대로 두고 $x<0$인 부분은 $x\geq0$인 부분을 y축에 대하여 대칭이동하여 그린다.

0793 학교기출 대표 유형

함수 $f(x)=(x-1)(x-2)(x-3)^2$에 대하여 $g(x)=|f(x)|$라 할 때, 미분가능하지 않은 x의 값의 합은?

① 1   ② 2   ③ 3
④ 4   ⑤ 5

0794 최다빈출 중요 NORMAL

자연수 n에 대하여 함수 $f(x)=x^3+3x^2-9x+n$일 때, 함수 $g(x)=|f(x)|$의 미분가능하지 않은 점이 1개가 되도록 하는 n의 최솟값은?

① 3   ② 4   ③ 5
④ 6   ⑤ 7

▶ 해설 내신연계기출

0795 NORMAL

함수 $f(x)=x^3-3x^2-9x+a$에 대하여 함수 $g(x)=|f(x)|$라 하자. $g(x)$는 $x=\alpha$, $x=\beta$ $(\alpha<\beta)$에서 극댓값을 가질 때, 정수 a의 개수는?

① 21   ② 25   ③ 31
④ 37   ⑤ 42

0796 최다빈출 왕중요

함수 $f(x)=x^4-4x^3-2x^2+12x+a$일 때, 함수 $g(x)=|f(x)|$의 미분가능하지 않은 점이 2개가 되도록 하는 실수 a의 최댓값은?

① -9 ② -7 ③ -5

④ -3 ⑤ -1

▶ 해설 내신연계기출

0797 TOUGH

최고차항의 계수가 1인 사차함수 $f(x)$에 대하여 함수 $g(x)=|f(x)|$가 다음 조건을 만족시킨다.

> (가) $g(x)$는 $x=1$에서 미분가능하고 $g(1)=g'(1)$이다.
> (나) $g(x)$는 $x=-1$, $x=0$, $x=1$에서 극솟값을 갖는다.

$g(2)$의 값은?

① 2   ② 4   ③ 6

④ 8   ⑤ 10

0798 최다빈출 왕중요

다음 조건을 만족시키는 모든 삼차함수 $f(x)$에 대하여 $\dfrac{f'(0)}{f(0)}$의 최댓값을 M, 최솟값을 m이라 하자. Mm의 값은?

> (가) 함수 $|f(x)|$는 $x=-1$에서만 미분가능하지 않다.
> (나) 방정식 $f(x)=0$은 닫힌구간 $[3, 5]$에서 적어도 하나의 실근을 갖는다.

① $\dfrac{1}{15}$ ② $\dfrac{1}{10}$ ③ $\dfrac{2}{15}$

④ $\dfrac{1}{6}$ ⑤ $\dfrac{1}{5}$

▶ 해설 내신연계기출

0799 TOUGH

최고차항의 계수가 1인 삼차함수 $f(x)$가 다음 조건을 만족시킬 때, 함수 $f(x)$의 극솟값은?

> (가) $f(0)=8$
> (나) 함수 $|f(x)|$는 $x=-2$에서만 미분가능하지 않다.
> (다) 방정식 $f(x)=0$의 서로 다른 실근의 개수는 2이다.

① -4 ② -2 ③ 0

④ 2   ⑤ 4

0800 TOUGH

최고차항의 계수가 1이고 상수항을 포함한 모든 항의 계수가 정수인 삼차함수 $f(x)$가 다음 조건을 만족시킨다.

> (가) 방정식 $f(x)=0$은 서로 다른 세 실근을 갖는다.
> (나) 함수 $|f(x)|$는 $x=3$에서 극댓값 1을 갖는다.
> (다) $f'(0)\times f'(1)=-12$

$f(4)$의 값은?

① 2   ② 4   ③ 6

④ 8   ⑤ 10

0801 TOUGH

다항함수 $f(x)$가 다음 조건을 만족시킨다.

> (가) $\displaystyle\lim_{x\to\infty}\dfrac{f(x)-x^3}{2x^2}=-3$
> (나) $f'(1)=0$
> (다) 방정식 $|f(x)|=1$의 서로 다른 실근의 개수는 5이다.

$f(0)>-2$일 때, $f(1)$의 값은?

① 1   ② 2   ③ 3

④ 4   ⑤ 5

유형 18 $g(x)=|f(x)-t|$에서 미분가능

$y=|f(x)-t|$의 그래프는 함수 $y=f(x)$의 그래프를 y축으로 $-t$만큼 평행이동한 후 x축 아래 부분을 접어올린 그래프이므로 함수 $f(x)$의 그래프를 직선 $y=t$를 기준으로 그 아랫부분에 있는 그래프를 직선 $y=t$ 위로 꺾어 올린 그래프의 모양이다.

실수 전체의 집합에서 미분가능한 함수 $f(x)$에 대하여

함수 $g(x)=|f(x)-t|$라 할 때, 실수 a에 대하여

(1) 함수 $g(x)=|f(x)-t|$가 $x=a$에서 미분가능하기 위한 조건

> ① $f(a)=t$일 때, $f'(a)=0$인 경우
> ← $x=a$에서 $f'(x)=0$인 x가 중근이 존재하는 경우
> ② $x=a$에서 $f(x)-t$가 극대 또는 극소인 경우

(2) 함수 $g(x)=|f(x)-t|$가 $x=a$에서 미분가능하지 않은 경우

> $f(a)=t$일 때, $f'(a)\neq0$인 경우
> ← $x=a$에서 함수 $g(x)$는 꺾인점인 경우

참고 $y=|f(x)-t|$의 그래프 그리기

[1단계] 함수 $y=f(x)-t$의 그래프는 함수 $y=f(x)$의 그래프를 y축의 방향으로 $-t$만큼 평행이동 시킨다.

[2단계] $y=|f(x)-t|$의 그래프는 함수 $y=f(x)-t$의 그래프에서 x축 아래에 있는 부분을 x축에 대하여 대칭이동시켜 위로 꺾어 올린 모양이다.

즉 t의 값에 따라 $y=|f(x)-t|$의 그래프의 형태가 달라지기 때문에 미분가능한 점의 개수가 달라진다.

0802 학교기출 대표 유형

함수 $f(x)=x^4-6x^2-8x+13$과 실수인 상수 k에 대하여 함수 $g(x)$를 $g(x)=|f(x)-k|$로 정의할 때, 함수 $g(x)$가 $x=a$에서만 미분가능하지 않도록 하는 k의 값과 그때의 a의 값의 합 $a+k$는?

① 12   ② 14   ③ 16
④ 19   ⑤ 22

0803   NORMAL

함수 $f(x)=2x^3-9x^2+12x-5$에 대하여

함수 $g(x)=|f(x)+a|$는 $x=k$에서만 미분가능하지 않을 때, 양수 a의 값의 범위는? (단, k는 상수)

① $a\geq-2$ ② $a\geq-1$ ③ $a\geq0$
④ $a\geq1$ ⑤ $a\geq2$

0804   TOUGH

사차함수 $f(x)$가 다음 조건을 만족시킬 때, $\dfrac{f'(5)}{f'(3)}$의 값은?

(가) 함수 $f(x)$는 $x=2$에서 극값을 갖는다.
(나) 함수 $|f(x)-f(1)|$은 오직 $x=a\,(a>2)$에서만 미분가능하지 않다.

① 8   ② 10   ③ 12
④ 14   ⑤ 16

0805   TOUGH

사차함수 $f(x)$가 다음 조건을 만족시킨다.

(가) $f'(x)=x(x-2)(x-a)$ (단, a는 실수)
(나) 방정식 $|f(x)|=f(0)$은 실근을 갖지 않는다.

[보기]에서 옳은 것만을 있는 대로 고른 것은?

> ㄱ. $a=0$이면 방정식 $f(x)=0$은 서로 다른 두 실근을 갖는다.
> ㄴ. $0<a<2$이고 $f(a)>0$이면, 방정식 $f(x)=0$은 서로 다른 네 실근을 갖는다.
> ㄷ. 함수 $|f(x)-f(2)|$가 $x=k$에서만 미분가능하지 않으면 $k<0$이다.

① ㄱ   ② ㄱ, ㄴ   ③ ㄱ, ㄷ
④ ㄴ, ㄷ   ⑤ ㄱ, ㄴ, ㄷ

0806   TOUGH

최고차항의 계수가 1인 삼차함수 $f(x)$가 다음 조건을 만족시킨다.

(가) 방정식 $f(x)=f(2)$는 서로 다른 두 실근을 갖는다.
(나) $f'(-1)=f'(3)$

함수 $|f(x)-f(2)|$의 극댓값이 자연수일 때, $f(3)-f(1)$의 값은?

① 2   ② 4   ③ 6
④ 8   ⑤ 10

미분가능한 두 함수 $f(x)$, $g(x)$에 대하여 $h(x)=f(x)-g(x)$의 극값을
구할 때는 다음의 순서로 구한다.
[1단계] $h'(x)=0$으로 하는 x의 값을 구한다.
[2단계] [1단계]에서 구한 x의 값의 좌우에서 $h'(x)$의 부호를 조사하여
　　　　증감표를 만든다.

0807 학교기출 대표 유형

사차함수 $f(x)$와 삼차함수 $g(x)$의 도함수 $y=f'(x)$, $y=g'(x)$의
그래프가 다음 그림과 같을 때, 함수 $h(x)=f(x)-g(x)$가 극대가
되는 x의 값은?

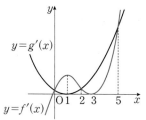

① 0　　　　　② 1　　　　　③ 2
④ 3　　　　　⑤ 5

0808 최다빈출 왕 중요 　　　　　BASIC

삼차함수 $f(x)$와 사차함수 $g(x)$의 도함수 $y=f'(x)$, $y=g'(x)$의
그래프가 다음 그림과 같을 때, 함수 $h(x)=f(x)-g(x)$가 극소인
x의 값은?

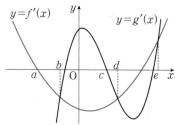

① a　　　　　② b　　　　　③ c
④ d　　　　　⑤ e

▶ 해설 내신연계기출

0809 최다빈출 왕 중요 　　　　　NORMAL

삼차함수 $f(x)$의 도함수의 그래프와 이차함수 $g(x)$의 도함수의
그래프가 그림과 같다. 함수 $h(x)$를 $h(x)=f(x)-g(x)$라 하자.
$f(0)=g(0)$일 때, 옳은 것만을 [보기]에서 있는 대로 고른 것은?

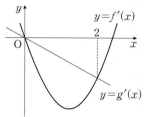

　ㄱ. $0<x<2$에서 $h(x)$는 감소한다.
　ㄴ. $h(x)$는 $x=2$에서 극솟값을 갖는다.
　ㄷ. 방정식 $h(x)=0$은 서로 다른 세 실근을 갖는다.

① ㄱ　　　　　② ㄴ　　　　　③ ㄱ, ㄴ
④ ㄱ, ㄷ　　　　⑤ ㄱ, ㄴ, ㄷ

▶ 해설 내신연계기출

0810 　　　　　NORMAL

이차함수 $f(x)$와 삼차함수 $g(x)$에 대하여 $y=f'(x)$, $y=g'(x)$의
그래프가 그림과 같을 때, 함수 $h(x)$를 $h(x)=g(x)-f(x)$라 하자.
$g(e)>f(e)$일 때, 옳은 것만을 [보기]에서 있는 대로 고른 것은?

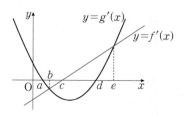

　ㄱ. 열린구간 $(a,\,b)$에서 $h(x)$는 감소한다.
　ㄴ. $h(x)$는 $x=e$에서 극솟값을 갖는다.
　ㄷ. 방정식 $h(x)=0$는 한 개의 실근을 가진다.

① ㄱ　　　　　② ㄴ　　　　　③ ㄱ, ㄴ
④ ㄴ, ㄷ　　　　⑤ ㄱ, ㄴ, ㄷ

0811

다음 그림은 삼차함수 $y=f(x)$와 사차함수 $y=g(x)$의 도함수 $y=f'(x)$와 $y=g'(x)$의 그래프이다. 옳은 것을 [보기]에서 모두 고른 것은? (단, $f'(0)=0$, $g'(0)=0$)

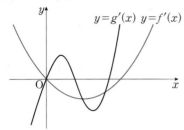

ㄱ. $x<0$에서 $y=f(x)-g(x)$는 증가한다.
ㄴ. $y=f(x)-g(x)$는 한 개의 극솟값을 갖는다.
ㄷ. $h(x)=f'(x)-g'(x)$라 할 때, $h'(x)=0$은 서로 다른 2개의 양의 실근을 갖는다.

① ㄱ   ② ㄴ   ③ ㄱ, ㄴ
④ ㄴ, ㄷ   ⑤ ㄱ, ㄴ, ㄷ

0812

다음 그림과 같이 두 삼차함수 $f(x)$, $g(x)$의 도함수 $y=f'(x)$, $y=g'(x)$의 그래프가 만나는 서로 다른 두 점의 x좌표는 a, b $(0<a<b)$이다. 함수 $h(x)$를 $h(x)=f(x)-g(x)$라 할 때, [보기] 에서 옳은 것만을 있는 대로 고른 것은? (단, $f'(0)=7$, $g'(0)=2$)

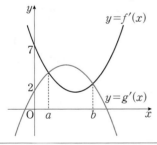

ㄱ. 함수 $h(x)$는 $x=a$에서 극댓값을 갖는다.
ㄴ. $h(b)=0$이면 방정식 $h(x)=0$의 서로 다른 실근의 개수는 2이다.
ㄷ. $0<\alpha<\beta<b$인 두 실수 α, β에 대하여 $h(\beta)-h(\alpha)<5(\beta-\alpha)$이다.

① ㄱ   ② ㄷ   ③ ㄱ, ㄴ
④ ㄴ, ㄷ   ⑤ ㄱ, ㄴ, ㄷ

유형 20   대칭성을 갖는 다항함수의 극대 극소

① 미분가능한 함수 $f(x)$가 y축에 대하여 대칭일 때,
$f(-x)=f(x)$ ⇨ $f'(-x)=-f'(x)$, 특히 $f'(0)=0$
② 미분가능한 함수 $f(x)$가 원점에 대하여 대칭일 때,
$f(-x)=-f(x)$ ⇨ $f'(-x)=f'(x)$
③ $f(a-x)=f(b+x)$ ⇨ $x=\dfrac{a+b}{2}$에 대칭

참고 ① $f(-x)=f(x)$인 함수는 지수가 짝수차 함수, 상수함수
② $f(-x)=-f(x)$인 함수는 지수가 홀수차 함수

0813

세 다항함수 $f(x)$, $g(x)$, $h(x)$에 대하여 [보기]에서 옳은 것은?

ㄱ. $f'(0)=0$이면 $f(0)=0$이다.
ㄴ. 모든 실수 a에서 $\lim\limits_{x\to a}g(x)=g(a)$이다
ㄷ. 모든 실수 x에서 $h(x)=h(-x)$이면 $h'(0)=0$이다.

① ㄱ   ② ㄴ   ③ ㄱ, ㄴ
④ ㄴ, ㄷ   ⑤ ㄱ, ㄴ, ㄷ

0814

사차함수 $f(x)=x^4+ax^3+bx^2+cx+6$이 다음 조건을 만족할 때, $f(3)$의 값은?

(가) 모든 실수 x에 대하여 $f(-x)=f(x)$
(나) 함수 $f(x)$의 극솟값 -10을 갖는다.

① 10   ② 15   ③ 20
④ 25   ⑤ 30

▶ 해설 내신연계기출

0815

원점을 지나는 최고차항의 계수가 1인 사차함수 $y=f(x)$가 다음 두 조건을 만족한다.

(가) $f(2+x)=f(2-x)$
(나) $x=1$에서 극솟값을 갖는다.

이때 $f(x)$의 극댓값을 α라 할 때, α^2의 값은?

① 23   ② 25   ③ 36
④ 49   ⑤ 64

0816 최다빈출 왕 중요

최고차항의 계수가 1인 삼차함수 $f(x)$가 다음 조건을 만족시킬 때, $f(x)$의 극댓값은?

> (가) 모든 실수 x에 대하여 $f'(x)=f'(-x)$이다.
> (나) 함수 $f(x)$는 $x=1$에서 극솟값 0을 갖는다.

① -2 ② -1 ③ 0

④ 2   ⑤ 4

▶ 해설 내신연계기출

0817 최다빈출 왕 중요

최고차항의 계수가 1인 삼차함수 $f(x)$와 그 도함수 $f'(x)$가 다음 조건을 모두 만족시킬 때 함수 $f(x)$의 극댓값과 극솟값의 차는?

> (가) 함수 $f(x)$는 $x=-1$에서 극댓값을 갖는다.
> (나) 모든 실수 x에서 $f'(1-x)=f'(1+x)$

① 30   ② 32   ③ 34

④ 36   ⑤ 38

▶ 해설 내신연계기출

0818

최고차항의 계수가 1이고 $f(0)<f(2)$인 사차함수 $f(x)$가 모든 실수 x에 대하여 $f(2+x)=f(2-x)$를 만족시킨다. 방정식 $f(|x|)=1$의 서로 다른 실근의 개수가 3일 때, 함수 $f(x)$의 극댓값은?

① 17   ② 19   ③ 21

④ 23   ⑤ 27

유형 21   방정식 $|f(x)|=a$의 서로 다른 실근의 개수

삼차함수 $f(x)$에 대하여 $f(-x)=-f(x)$이고 극댓값이 $a(a>0)$일 때, 방정식 $|f(x)|=a(a>0)$의 서로 다른 실근의 개수가 4이면
⇨ 삼차함수 $f(x)$의 극댓값은 a, 극솟값은 $-a$이어야 한다.

0819 학교기출 대표 유형

최고차항의 계수가 1인 삼차함수 $f(x)$가 다음 조건을 모두 만족시킬 때, $f(3)$의 값은?

> (가) 함수 $f(x)$는 $x=0$에서 극댓값 2를 갖는다.
> (나) 방정식 $|f(x)|=2$의 서로 다른 실근의 개수는 4이다.

① 1   ② 2   ③ 3

④ 4   ⑤ 5

0820 최다빈출 왕 중요

최고차항의 계수가 1인 삼차함수 $f(x)$가 모든 실수 x에 대하여
$$f(-x)=-f(x)$$
를 만족시킨다. 방정식 $|f(x)|=2$의 서로 다른 실근의 개수가 4일 때, $f(3)$의 값은?

① 10   ② 12   ③ 14

④ 16   ⑤ 18

▶ 해설 내신연계기출

0821 최다빈출 왕 중요

최고차항의 계수가 1인 사차함수 $f(x)$가 모든 실수 x에 대하여
$$f(-x)=f(x)$$
를 만족시킨다. 함수 $f(x)$는 $x=2$에서 극솟값 -6을 가질 때, 방정식 $|f(x)|=6$을 만족하는 서로 다른 실근의 개수는?

① 2   ② 3   ③ 4

④ 5   ⑤ 6

▶ 해설 내신연계기출

0822

최고차항의 계수가 1이고 상수항이 2인 사차함수 $f(x)$가 모든 실수 x에 대하여 $f(-x)=f(x)$를 만족시킨다. 방정식 $|f(x)|=2$의 서로 다른 실근의 개수가 5일 때, $f(1)$의 값은?

① -1 ② 0   ③ 1

④ 3   ⑤ 5

유형 22 다항함수의 최대 최소

다항함수 $f(x)$가 닫힌구간 $[a, b]$에서 연속일 때, 최댓값과 최솟값은
다음과 같이 구한다.
[1단계] 닫힌구간 $[a, b]$에서 $f'(x)$의 극값을 구한다.
[2단계] $f(a)$, $f(b)$를 구한다.
[3단계] 1, 2단계에서 구한 극값 $f(a)$, $f(b)$ 중에서 가장 큰 값이 최댓값,
　　　　 가장 작은 값이 최솟값이다.

참고 최대 최소의 정리

함수 $f(x)$가 닫힌구간 $[a, b]$에서 연속이면 이 구간에서 $f(x)$는
반드시 최댓값과 최솟값을 갖는다.

0823 학교기출 대표 유형

닫힌구간 $[0, 2]$에서 함수
$$f(x) = x^3 - 3x + 5$$
의 최댓값을 M, 최솟값을 m이라 할 때, $M+m$의 값은?

① 3　　　　② 5　　　　③ 7
④ 9　　　　⑤ 10

0824 최대빈출 왕 중요 BASIC

닫힌구간 $[0, 2]$에서 함수
$$f(x) = 2x^3 - 3x^2 + 1$$
의 최댓값을 M, 최솟값을 m이라 할 때, $M+m$의 값은?

① 4　　　　② 5　　　　③ 7
④ 8　　　　⑤ 11

▶ 해설 내신연계기출

0825 BASIC

닫힌구간 $[0, 2]$에서 함수
$$f(x) = 2x^3 - 9x^2 + 12x - 2$$
의 최댓값을 M, 최솟값을 m이라 할 때, $M+m$의 값은?

① -2　　　② -1　　　③ 1
④ 2　　　　⑤ 3

0826 최대빈출 왕 중요 NORMAL

$a > -1$인 실수 a에 대하여 닫힌구간 $[-1, a]$에서 함수
$y = x^3 - 3x$의 최댓값을 $f(a)$라고 할 때, $f(1)+f(2)+f(3)$의
값은?

① 18　　　　② 20　　　　③ 22
④ 24　　　　⑤ 26

▶ 해설 내신연계기출

0827 최대빈출 왕 중요 NORMAL

닫힌구간 $[-3, 1]$에서 함수
$$f(x) = x^4 - 8x^2 + 5$$
의 최댓값을 M, 최솟값을 m이라 할 때, $M-m$의 값은?

① 20　　　　② 23　　　　③ 25
④ 27　　　　⑤ 30

▶ 해설 내신연계기출

0828 최대빈출 왕 중요 NORMAL

삼차함수 $y = f(x)$의 도함수 $y = f'(x)$
의 그래프가 오른쪽 그림과 같을 때, 구
간 $[-1, 3]$에서 $f(x)$의 최댓값은?

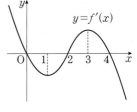

① $f(-1)$　　② $f(0)$
③ $f(1)$　　　④ $f(2)$
⑤ $f(3)$

▶ 해설 내신연계기출

0829 NORMAL

함수 $y = f(x)$의 도함수 $y = f'(x)$
의 그래프가 오른쪽 그림과 같을
때, 구간 $[0, 4]$에서의 함수 $f(x)$의
최솟값은 $x = a$일 때이다. 이때 a
의 값은?

① 2　　　　② 3
③ 4　　　　④ 5
⑤ 6

0830 최다빈출 왕 중요

오른쪽 그림은 함수
$f(x)=x^3+ax^2+bx+c$ 의 도함수
$y=f'(x)$의 그래프이다. 함수 $f(x)$
의 극댓값이 5일 때, 구간 $[-2, 3]$에
서 최댓값은?

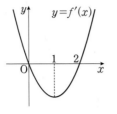

① 1   ② 2
③ 4   ④ 5
⑤ 8

▶ 해설 내신연계기출

0831

오른쪽 그림은 함수
$f(x)=x^3+ax^2+bx+c$의 도함수
$y=f'(x)$의 그래프이다. 닫힌구간
$[0, 3]$에서 $f(x)$의 최댓값이 5일
때, 최솟값은?

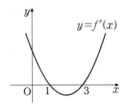

① 1   ② 2   ③ 4
④ 5   ⑤ 8

0832

어느 회사에서 A주식에 투자하려고 한다. 주식을 산 지 t년 후에
그 주식을 팔 경우 예상되는 순이익을 $P(t)$만 원이라고 하면
$$P(t)=-t^4+12t^3-48t^2+64t\,(0 \le t \le 4)$$
라고 한다. 이때 순이익이 최대가 되려면 a년 후에 주식을 팔아야
한다. 순이익의 최댓값을 M이라 할 때, $a+M$의 값은?

① 26   ② 27   ③ 28
④ 29   ⑤ 30

유형 23 치환을 이용한 다항함수의 최대 최소

함수 $f(x)$의 식에 공통부분이 있으면
[1단계] 공통부분을 t로 치환하여 주어진 구간에서 t의 값의 범위를
구한다.
[2단계] $f(x)$를 t에 대한 함수 $g(t)$로 나타낸다.
[3단계] 1단계에서 구한 t의 값의 범위에서 $g(t)$의 최댓값과 최솟값을
구한다.

0833 학교기출 대표 유형

닫힌구간 $[-1, 1]$에서 함수
$$f(x)=-(x^2-2x-1)^3+3(x^2-2x-1)^2-6$$
의 최댓값과 최솟값을 각각 M, m이라 할 때, $M+m$의 값은?

① 8   ② 10   ③ 12
④ 14   ⑤ 16

0834 최다빈출 왕 중요

$2 \le x \le 4$인 x에 대하여 함수
$$y=(x^2-4x+3)^3-3(x^2-4x+3)+4$$
의 최댓값을 M, 최솟값을 m이라고 할 때, $M+m$의 값은?

① 21   ② 24   ③ 27
④ 30   ⑤ 33

▶ 해설 내신연계기출

0835 최다빈출 왕 중요

닫힌구간 $[-1, 2]$에서 함수 두 함수
$$f(x)=x^3-6x^2+9x+2,\ g(x)=-x^2+2x+2$$
일 때, 합성함수 $(f \circ g)(x)$의 최댓값과 최솟값을 각각 M, m이라
할 때, $M+m$의 값은?

① -10 ② -8 ③ -6
④ -4 ⑤ -2

▶ 해설 내신연계기출

유형 24 최대 최소를 이용한 미정계수의 결정(1)

미정계수를 포함한 함수 $f(x)$의 최댓값 또는 최솟값이 주어지면
최댓값 또는 최솟값을 미정계수를 이용한 식으로 나타낸 다음 주어진
값과 비교하여 미지수를 구한다.

0836 학교기출 대표유형

닫힌구간 $[1, 3]$에서 함수
$$f(x) = 2x^3 - 9x^2 + 12x + a$$
의 최솟값이 3일 때, 함수 $f(x)$의 최댓값은? (단, a는 상수이다.)

① 6   ② 7   ③ 8
④ 9   ⑤ 10

▶ 해설 내신연계기출

0837   NORMAL

닫힌구간 $[-2, 2]$에서 함수
$$f(x) = x^3 + 3x^2 + k - 5$$
의 최댓값이 8일 때, 함수 $f(x)$의 최솟값은? (단, k는 상수)

① -12 ② -6 ③ -3
④ 6   ⑤ 12

0838 최다빈출 양중요   NORMAL

닫힌구간 $[0, 4]$에서 함수
$$f(x) = x^3 - 12x + a$$
의 최댓값이 20일 때, 이 구간에서 함수 $f(x)$의 최솟값은?
(단, a는 상수이다.)

① -12 ② -8 ③ -4
④ 0   ⑤ 4

▶ 해설 내신연계기출

0839   NORMAL

닫힌구간 $[0, 4]$에서 정의된 함수
$$f(x) = ax^3 - 3ax^2 + 2$$
의 최솟값이 -14일 때, 함수 $f(x)$의 최댓값은? (단, $a < 0$)

① -2 ② 2   ③ 6
④ 8   ⑤ 10

0840 최다빈출 양중요   NORMAL

닫힌구간 $[1, 4]$에서 함수
$$f(x) = x^3 - 3x^2 + a$$
의 최댓값을 M, 최솟값을 m이라 하자. $M + m = 20$일 때,
상수 a의 값은?

① 1   ② 2   ③ 3
④ 4   ⑤ 5

▶ 해설 내신연계기출

0841   NORMAL

닫힌구간 $[-1, 3]$에서 함수
$$f(x) = x^3 - 3x + a$$
의 최댓값을 M, 최솟값을 m이라 할 때, $Mm = -100$이 되도록
하는 상수 a의 값은?

① -10 ② -8 ③ -6
④ -4 ⑤ -2

0842   TOUGH

닫힌구간 $[-2, 3]$에서 함수
$$f(x) = x^4 - 10x^2 + a$$
의 최댓값을 M, 최솟값을 m이라 할 때, $M + m = 11$일 때,
상수 a의 값은?

① 12   ② 14   ③ 16
④ 18   ⑤ 20

미정계수를 포함한 함수 $f(x)$의 최댓값 또는 최솟값이 주어지면
최댓값 또는 최솟값을 미정계수를 이용한 식으로 나타낸 다음 주어진
값과 비교하여 미지수를 구한다.

0843 학교기출 대표유형

닫힌구간 $[1, 4]$에서 삼차함수

$$f(x)=ax^3-3ax^2+b$$

가 최댓값 22, 최솟값 -18을 가질 때, 상수 a, b에 대하여 $a+b$의
값은? (단, $a>0$)

① -8 　　② -6 　　③ -4

④ -2 　　⑤ 2

▶ 해설 내신연계기출

0844

닫힌구간 $[0, 4]$에서 삼차함수

$$f(x)=ax^3-3ax^2+b$$

가 최댓값 5, 최솟값 -15를 가질 때, 상수 a, b에 대하여 $a+b$의
값은? (단, $a<0$)

① -3 　　② -2 　　③ -1

④ 0 　　⑤ 1

0845

닫힌구간 $[0, 2]$에서 정의된 함수

$$f(x)=3ax^4-4ax^3+b$$

의 최댓값이 30, 최솟값이 -4일 때, $a-b$의 값은? (단, $a>0$)

① 1 　　② 2 　　③ 3

④ 4 　　⑤ 5

0846 최다빈출 왕중요

닫힌구간 $[-2, 0]$에서 함수

$$f(x)=-3x^4+6x^3+ax^2+b$$

가 $x=-1$일 때, 최댓값 4를 가질 때, $f(-2)$의 값은?
(단, a, b는 상수)

① -36 　　② -38 　　③ -40

④ -42 　　⑤ -44

▶ 해설 내신연계기출

[1단계] 곡선 위를 움직이는 점의 x좌표를 t로 놓고, t의 범위를 정한다.

[2단계] 두 점 사이의 거리를 t에 대한 함수 $f(t)$로 나타낸다.

[3단계] $f(t)$의 증가와 감소를 표로 나타내어 최댓값 또는 최솟값을
구한다.

0847 학교기출 대표유형

오른쪽 그림과 같이 x축 위의 점
$A(3, 0)$과 곡선 $y=x^2$ 위의 동
점 P 사이의 거리를 l이라고 할
때, l의 최솟값은?

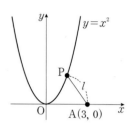

① 2 　　② $\sqrt{5}$

③ $\sqrt{6}$ 　　④ $2\sqrt{2}$

⑤ 3

0848 최다빈출 왕중요

오른쪽 그림과 같이 곡선 $y=x^2$
위를 움직이는 점 P와 원
$(x-3)^2+y^2=1$ 위를 움직이는
점 Q가 있다. 선분 PQ의 길이
의 최솟값은?

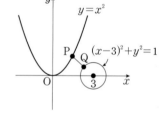

① $\sqrt{2}-1$ 　　② $2\sqrt{2}-1$

③ $\sqrt{3}-1$ 　　④ $2\sqrt{3}-1$

⑤ $\sqrt{5}-1$

▶ 해설 내신연계기출

0849

오른쪽 그림과 같이 두 점
$P(2, 0)$, $Q(8, 0)$에 대하여
점 A가 곡선 $y=x^2+1$ 위를
움직일 때, $\overline{AP}^2+\overline{AQ}^2$의 최
솟값은?

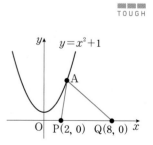

① 34 　　② 45

③ 56 　　④ 58

⑤ 64

유형 27 최대 최소의 활용 – 넓이

[1단계] 곡선 위를 움직이는 점의 x좌표를 a로 놓고, a의 범위를 정한다.
[2단계] 도형의 넓이를 a에 대한 식으로 나타내고 이를 $S(a)$로 놓는다.
[3단계] $S(a)$의 증가와 감소를 표로 나타내어 최댓값 또는 최솟값을 구한다.

0850 학교기출 대표 유형

오른쪽 그림과 같이 꼭짓점 A, D는 곡선 $y=12-x^2$ 위에 있고, 꼭짓점 B, C는 x축 위에 놓인 직사각형 ABCD의 넓이의 최댓값은? (단, 점 D는 제1사분면 위의 점이다.)

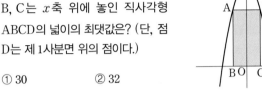

① 30
② 32
③ 34
④ 36
⑤ 38

0851 최다빈출 상 중요

BASIC

오른쪽 그림과 같이 직사각형 ABCD의 두 꼭짓점 A, D가 곡선 $y=-x^2+6$에 있고 두 꼭짓점 B, C가 x축 위에 있을 때, 직사각형 ABCD의 넓이의 최댓값은? (단, 점 D는 제1사분면 위의 점이다.)

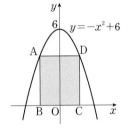

① $2\sqrt{2}$
② $4\sqrt{2}$
③ $6\sqrt{2}$
④ $8\sqrt{2}$
⑤ $10\sqrt{2}$

▶ 해설 내신연계기출

0852 최다빈출 상 중요

NORMAL

오른쪽 그림과 같이 곡선 $y=9-x^2$과 x축으로 둘러싸인 부분에 내접하는 사다리꼴의 넓이의 최댓값은?

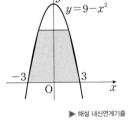

① 12
② 16
③ 24
④ 28
⑤ 32

▶ 해설 내신연계기출

0853

NORMAL

오른쪽 그림과 같이 곡선 $y=6x-x^2$과 x축과 만나는 두 점 중 원점 O가 아닌 점을 A라 하고, x축과 평행한 직선이 이 곡선과 제1사분면에서 만나는 두 점을 각각 B, C라 할 때, 사다리꼴 OABC의 넓이의 최댓값은?

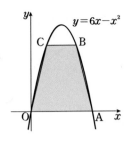

① 30
② 32
③ 34
④ 36
⑤ 38

0854 최다빈출 상 중요

NORMAL

오른쪽 그림과 같이 두 곡선 $y=\dfrac{1}{2}x^2-2$, $y=-\dfrac{1}{2}x^2+2$로 둘러싸인 도형에 내접하는 직사각형 PQRS의 넓이의 최댓값 $\dfrac{a\sqrt{3}}{b}$일 때, 서로소인 두 자연수 a, b에 대하여 $a+b$의 값은?

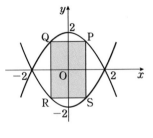

① 39
② 40
③ 41
④ 42
⑤ 43

▶ 해설 내신연계기출

0855

TOUGH

오른쪽 그림과 같이 좌표평면 위에 네 점 O(0, 0), A(8, 0), B(8, 8), C(0, 8)을 꼭짓점으로 하는 정사각형 OABC와 한 변의 길이가 8이고 네 변이 좌표축과 평행한 정사각형 PQRS가 있다. 점 P가 점 $(-1, -6)$에서 출발하여 포물선 $y=-x^2+5x$를 따라 움직이도록 정사각형 PQRS를 평행이동 시킨다. 평행이동 시킨 정사각형과 정사각형 OABC가 겹치는 부분의 넓이의 최댓값을 $\dfrac{q}{p}$라 할 때, $p+q$의 값은? (단, p와 q는 서로소인 자연수이다.)

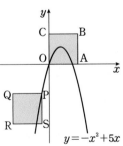

① 200
② 250
③ 300
④ 350
⑤ 527

[1단계] 주어진 그림에서 한 문자로 부피의 식을 유도한다.
[2단계] 제한범위를 구한다.
[3단계] 부피의 증가와 감소를 표로 나타내어 최댓값 또는 최솟값을 구한다.

0856 학교기출 대표 유형

한 변의 길이가 12cm인 정사각형 모양의 종이가 있다. 다음 그림과 같이 네 귀퉁이에서 한 변의 길이가 x인 정사각형 모양을 잘라 내어 뚜껑이 없는 직육면체 모양의 상자를 만들려고 할 때, 상자의 부피의 최댓값은? (단, 단위는 cm^3)

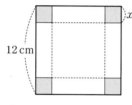

① 102   ② 114   ③ 128
④ 144   ⑤ 169

0857

NORMAL

그림과 같이 가로, 세로의 길이가 각각 16cm, 10cm인 직사각형 모양의 종이의 네 귀퉁이에서 같은 크기의 정사각형을 잘라내고, 나머지 부분을 접어서 뚜껑이 없는 직육면체 모양의 상자를 만들려고 한다. 이 상자의 부피의 최댓값은? (단, 단위는 cm^3)

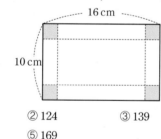

① 100   ② 124   ③ 139
④ 144   ⑤ 169

0858 최다빈출 상 중요

NORMAL

한 변의 길이가 20cm인 정삼각형 모양의 종이의 세 모퉁이에서 합동인 사각형 모양의 종이를 다음 그림과 같이 잘라내고 남은 부분을 접어서 뚜껑이 없는 상자를 만들 때, 그 부피가 최대가 되는 x의 값은? (단, 단위는 cm^3)

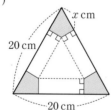

① $\frac{5}{3}$ ② $\frac{10}{3}$ ③ 4
④ $\frac{11}{2}$ ⑤ 8

▶ 해설 내신연계기출

0859

NORMAL

한 밑면의 둘레의 길이와 높이의 합이 216cm인 원기둥의 부피가 최대일 때, 이 원기둥의 높이는? (단위는 cm)

① 54   ② 64
③ 68   ④ 72
⑤ 81

0860 최다빈출 상 중요

NORMAL

오른쪽 그림과 같이 밑면의 반지름의 길이가 10cm, 높이가 20cm인 원뿔의 내부에 원기둥을 내접시키려고 한다. 원기둥의 부피가 최대일 때, 원기둥의 반지름의 길이는?

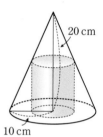

① $\frac{11}{3}$ cm   ② $\frac{14}{3}$ cm
③ $\frac{17}{3}$ cm   ④ $\frac{20}{3}$ cm
⑤ $\frac{23}{3}$ cm

▶ 해설 내신연계기출

0861 최다빈출 상 중요

TOUGH

오른쪽 그림과 같이 모든 모서리의 길이가 6인 정사각뿔에 내접하는 직육면체의 부피의 최댓값은?

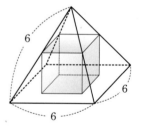

① $6\sqrt{2}$ ② $12\sqrt{2}$
③ $14\sqrt{2}$ ④ $16\sqrt{2}$
⑤ $20\sqrt{2}$

▶ 해설 내신연계기출

0862 최다빈출 상 중요

NORMAL

오른쪽 그림과 같이 반지름의 길이가 10cm인 구에 원뿔이 내접할 때, 원뿔의 부피가 최대가 되는 원뿔의 높이는? (단위는 cm)

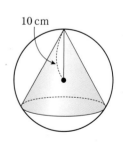

① $\frac{20}{3}$ ② $\frac{40}{3}$
③ 30   ④ $\frac{70}{3}$
⑤ $\frac{80}{3}$

▶ 해설 내신연계기출

0863

NORMAL

그림과 같이 반지름의 길이가 6cm인 구에 원기둥이 내접하고 있다. 이 원기둥의 부피가 최대일 때, 원기둥의 높이는? (단위는 cm)

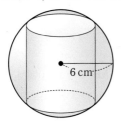

① $2\sqrt{3}$ ② $3\sqrt{3}$ ③ $4\sqrt{3}$

④ $5\sqrt{3}$ ⑤ $6\sqrt{3}$

0864

NORMAL

다음 그림과 같이 반지름의 길이가 6인 반구에 직원기둥이 내접하고 있다. 이 직원기둥의 부피의 최댓값은?

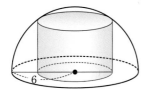

① $12\sqrt{3}\,\pi$ ② $24\sqrt{3}\,\pi$ ③ $36\sqrt{3}\,\pi$

④ $48\sqrt{3}\,\pi$ ⑤ $60\sqrt{3}\,\pi$

0865

TOUGH

반지름의 길이가 8cm인 부채꼴 모양의 종이로 다음 그림과 같은 원뿔 모양의 그릇을 만들려고 한다. 그릇의 용량을 최대로 할 때, 이 그릇의 높이는? (단위는 cm)

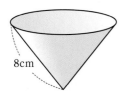

① $\dfrac{2\sqrt{3}}{3}$ ② $\dfrac{4\sqrt{3}}{3}$ ③ $2\sqrt{3}$

④ $\dfrac{8\sqrt{3}}{3}$ ⑤ $\dfrac{10\sqrt{3}}{3}$

유형	29	최대 최소의 활용 (실생활 활용)

[1단계] 주어진 조건을 이용하여 이익의 함수식을 작성한다.
　① (수입)=(판매가격)×(수량)
　② (이익금)=(총판매금액)−(총생산비용)등을 이용하여 식을 세운다.

[2단계] 제한범위를 구한다.

[3단계] 이익의 증가와 감소를 표로 나타내어 최댓값 또는 최솟값을 구한다.

0866

학교기출 **대표**유형

제품 P를 하루에 $x$kg 생산하는 데 드는 생산 비용 $f(x)$가

$$f(x)=x^3-60x^2+1200x+4500\,(원)$$

이라고 한다. 이 제품의 1kg당 판매 가격이 1200원일 때, 이익을 최대로 하기 위해 하루에 생산해야 할 제품 P의 양은? (단위는 kg)

① 20   ② 30   ③ 40

④ 50   ⑤ 60

0867

NORMAL

제품 P를 하루에 $x$kg 생산하는 데 드는 생산 비용 $f(x)$가

$$f(x)=2x^3-90x^2+5000x+2000\,(원)$$

이라고 한다. 이 제품의 1kg당 판매 가격이 5000원일 때, 이익을 최대로 하기 위해 하루에 생산해야 할 제품 P의 이익금의 최댓값은? (단위는 원)

① 12000   ② 15000   ③ 18000

④ 21000   ⑤ 25000

0868

TOUGH

민지는 첨단 농법으로 원예작물을 재배하여 매달 140kg의 작물을 판매하고 있다. 판매가격은 1kg당 40000원이고 생산하는데 드는 비용은 생산량에 관계없이 매달 3000000원이다.

조사에 따르면 판매 가격을 1kg당 $1000x^2$원 내릴 때, 매달 판매량은 $20x$kg 증가하는 것으로 나타났다. 한 달 수익이 최대가 되게 하는 1kg당 판매가격은?

① 12000   ② 24000   ③ 30000

④ 36000   ⑤ 45000

0869

다음 물음에 답하고 그 과정을 서술하여라.

(1) 실수 전체의 집합에서 정의된 함수

$$f(x)=x^3-3x^2+2ax+k$$

의 그래프가 실수 k의 값에 관계없이 x축과 한 점에서 만난다고 할 때, 실수 a의 범위를 구하여라.

(2) 함수

$$f(x)=x^3-ax^2-ax+2$$

가 역함수가 존재하는 실수 a의 최솟값을 m, 최댓값을 M이라고 할 때, $M+m$의 값을 구하여라.

0870

함수

$$f(x)=2x^3-9x^2+12x+2$$

의 그래프의 개형을 그리는 과정을 다음 단계로 서술하여라.

[1단계] 함수 $f(x)$의 증가와 감소를 표로 나타낸다.
[2단계] 극값을 구하고 y축과의 교점을 구한다.
[3단계] 함수 $f(x)$의 그래프의 개형을 그린다.

▶ 해설 내신연계기출

0871

함수 $f(x)=ax^3+3x^2+bx+5$가 $x=-1$에서 극솟값 -2를 갖는다고 할 때, 함수 $f(x)$의 극댓값을 구하는 과정을 다음 단계로 서술하여라.

[1단계] 함수 $f(x)$가 $x=-1$에서 극솟값 -2를 가짐을 이용하여 상수 a, b의 값을 구한다.
[2단계] 함수 $f(x)$의 증가와 감소를 나타내는 표를 구한다.
[3단계] 함수 $f(x)$의 극댓값을 구한다.

▶ 해설 내신연계기출

0872

함수 $f(x)=x^3+ax^2+bx+c$가 $x=0$에서 극댓값을 갖고 $x=4$에서 극솟값 -25를 가질 때, 함수 $f(x)$의 극댓값을 구하는 과정을 다음 단계로 서술하여라. (단, a, b, c는 상수)

[1단계] 함수 $f(x)$가 $x=0$에서 극대, $x=4$에서 극소임을 이용하여 상수 a, b의 값을 구한다.
[2단계] 함수 $f(x)$가 $x=4$에서 극솟값 -25를 가질 때, 상수 c의 값을 구한다.
[3단계] 함수 $f(x)$의 극댓값을 구한다.

0873

함수 $f(x)=x^3+ax^2+bx+c$가 $x=-1$, $x=3$에서 극값을 갖고 극댓값과 극솟값의 절댓값이 같고 그 부호가 서로 다를 때, 상수 a, b, c에 대하여 $a+b+c$의 값과 극댓값과 극솟값을 구하는 과정을 다음 단계로 서술하여라.

[1단계] 함수 $f(x)$가 $x=-1$, $x=3$에서 극값을 가짐을 이용하여 상수 a, b의 값을 구한다.
[2단계] 극댓값과 극솟값의 절댓값이 같고 그 부호가 서로 다름을 이용하여 상수 c의 값을 구한다.
[3단계] $a+b+c$의 값을 구한다.
[4단계] 극댓값과 극솟값을 구한다.

0874

함수 $f(x)=x^3+ax^2+bx+c$는 $x=1$에서 극댓값, $x=3$에서 극솟값을 갖고 극댓값이 극솟값의 3배일 때, 함수 $f(x)$의 극댓값을 구하는 과정을 다음 단계로 서술하여라. (단, a, b, c는 상수)

[1단계] $f'(1)=0$, $f'(3)=0$임을 이용하여 a, b의 값을 구한다.
[2단계] $f(1)=3f(3)$임을 이용하여 c의 값을 구한다.
[3단계] $f(x)$의 극댓값을 구한다.

0875

함수 $f(x)=x^3-3x^2+2x$에 대하여 곡선 $y=f(x)$ 위의 한 점 P$(t, f(t))$에서의 접선의 y절편을 $g(t)$라 하자. 함수 $g(t)$의 극댓값과 극솟값의 합을 구하는 과정을 다음 단계로 서술하여라.

[1단계] 곡선 $y=f(x)$ 위의 한 점 P$(t, f(t))$에서의 접선의 방정식을 구한다.

[2단계] 접선의 y절편 $g(t)$의 증가와 감소를 나타내는 표를 구한다.

[3단계] 함수 $g(t)$의 극댓값과 극솟값의 합을 구한다.

0876

최고차항의 계수가 2인 삼차함수 $f(x)$가 $x=1$에서 극솟값을 가지고, $\lim\limits_{x \to 0} \dfrac{f(x)}{x}=-12$를 만족시킬 때, $f(2)$의 값을 구하는 과정을 다음 단계로 서술하여라.

[1단계] $f(x)=2x^3+ax^2+bx+c$ (a, b, c는 상수)로 놓고, $f(0)$의 값을 이용하여 상수 c의 값을 구한다.

[2단계] $f'(0)$의 값을 이용하여 상수 b의 값을 구한다.

[3단계] $f'(1)$의 값을 이용하여 상수 a의 값을 구하고 삼차함수 $f(x)$를 구한다.

[4단계] $f(2)$의 값을 구한다.

0877

함수 $f(x)=x^3+ax^2+bx+c$의 도함수 $y=f'(x)$의 그래프가 오른쪽 그림과 같다. 함수 $f(x)$의 극댓값이 5일 때, 구간 $[-1, 6]$에서 함수 $f(x)$의 최솟값을 구하는 과정을 다음 단계로 서술하여라. (단, a, b, c는 상수)

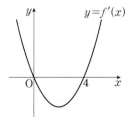

[1단계] 함수 $f(x)$의 증가와 감소를 표로 나타내어 a, b, c의 값을 구한다.

[2단계] 함수 $f(x)$의 극솟값을 구한다.

[3단계] 구간 $[-1, 6]$에서 함수 $f(x)$의 최솟값을 구한다.

0878

최고차항의 계수가 1인 삼차함수 $f(x)$와 그 도함수 $f'(x)$가 다음 조건을 모두 만족시킬 때 함수 $f(x)$의 극댓값과 극솟값의 차를 구하는 과정을 다음 단계로 서술하여라.

> (가) 함수 $f(x)$는 $x=3$에서 극솟값을 갖는다.
> (나) 모든 실수 x에서 $f'(1-x)=f'(1+x)$

[1단계] $f'(3)$의 값을 구한다.

[2단계] $f'(1-x)=f'(1+x)$를 이용하여 $f'(-1)$의 값을 구한다.

[3단계] $f(x)=x^3+ax^2+bx+c$ (a, b, c는 상수)로 놓고 a, b의 값을 구한다.

[4단계] 극댓값과 극솟값의 차를 구한다.

0879

함수 $f(x)=x^3+ax^2+bx+c$가 $f'(-1)=-3$, $f'(1)=9$이고 닫힌구간 $[0, 2]$에서 최댓값이 24일 때, 상수 a, b, c에 대하여 $a+b+c$의 값을 구하는 과정을 다음 단계로 서술하여라.

[1단계] $f'(-1)=-3$, $f'(1)=9$를 이용하여 a, b의 값을 구한다.

[2단계] 닫힌구간 $[0, 2]$ 주어진 구간에서 $f(x)$의 증가와 감소를 표로 나타낸다.

[3단계] 최댓값이 24임을 이용하여 c의 값을 구한다.

[4단계] $a+b+c$의 값을 구한다.

0880

두 점 A$(-2, 0)$, B$(2, 0)$에서 x축과 만나는 곡선 $y=4-x^2$이 있다. 오른쪽 그림과 같이 이 곡선과 x축으로 둘러싸인 부분에 내접하는 사다리꼴 ABCD의 넓이의 최댓값을 구하는 과정을 다음 단계로 서술하여라.

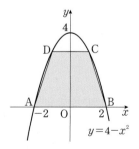

[1단계] 점 C의 x좌표를 t라 하고 선분 CD의 길이를 t에 대한 식으로 나타낸다.

[2단계] 사다리꼴 ABCD의 넓이 $S(t)$를 구한다.

[3단계] 사다리꼴 ABCD의 넓이의 최댓값을 구한다.

0881

밑면의 반지름의 길이와 높이의 합이 60인 원기둥의 부피의 최댓값을 구하는 과정을 다음 단계로 서술하여라.

[1단계] 밑면의 반지름의 길이를 r, 높이를 h라 하고 원기둥의 부피를 r에 관한 식으로 나타낸다.

[2단계] 원기둥의 부피가 최대가 되는 밑면의 반지름과 높이의 값을 구한다.

[3단계] 원기둥의 부피의 최댓값을 구한다.

0882

한 변의 길이가 9cm인 정사각형 모양의 종이가 있다. 이 종이의 네 모퉁이에서 크기가 같은 정사각형을 잘라 내고 나머지 부분을 접어서 뚜껑이 없는 상자를 만들려고 할 때, 상자의 부피의 최댓값을 구하는 과정을 다음 단계로 서술하여라.

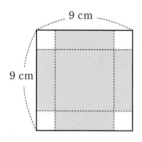

[1단계] 잘라낸 정사각형의 한 변의 길이를 $x$cm, 뚜껑이 없는 상자의 부피를 Vcm³라 할 때, 뚜껑이 없는 상자의 밑면의 넓이를 x에 대한 식으로 나타낸다.

[2단계] 뚜껑이 없는 상자의 부피 V를 x에 대한 식으로 나타낸다.

[3단계] 뚜껑이 없는 상자의 부피가 최대일 때, 잘라낸 정사각형의 한 변의 길이와 상자의 부피를 구한다.

0883

오른쪽 그림과 같이 밑면의 반지름의 길이가 6, 높이가 12인 원뿔의 내부에 원기둥을 내접시키려고 한다. 원기둥의 부피의 최댓값을 구하는 과정을 다음 단계로 서술하여라.

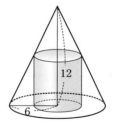

[1단계] 원기둥의 밑면의 반지름의 길이를 $x(0<x<6)$, 높이를 $h(0<h<12)$로 놓고, h를 x에 대한 함수로 나타낸다.

[2단계] 원기둥의 부피를 $V(x)$라 할 때, $V(x)$를 x에 대한 함수로 나타낸다.

[3단계] 원기둥의 부피가 최대일 때, 원기둥의 밑면의 반지름의 길이를 구한다.

[4단계] 원기둥의 부피의 최댓값을 구한다.

0884

오른쪽 그림과 같이 원기둥 모양의 벽과 반구 모양의 지붕으로 된 실내 농구장을 설계하려고 한다. 원기둥의 밑면의 반지름의 길이와 높이의 합이 45m로 일정할 때, 원기둥의 부피가 최대인 경우의 실내 농구장의 부피를 구하는 과정을 다음 단계로 서술하여라.

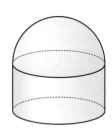

[1단계] 원기둥의 밑면의 반지름의 길이를 r, 높이를 h로 놓고, $r+h=45$를 만족하는 원기둥의 부피를 r에 관한 식으로 나타낸다.

[2단계] 원기둥의 부피가 최대가 되는 실내 농구장의 r와 h의 값을 구한다.

[3단계] 실내 농구장의 부피의 최댓값을 구한다.

0885

어느 수제 파이 전문점에서는 우리 밀 호두 파이의 단가를 조정하기 위하여 시장 조사를 하였다. 다음 보고서는 이 시장 조사의 결과를 토대로 작성한 것이다. 하루 이익이 최대가 되게 하는 호두 파이의 1g당 가격을 구하는 과정을 다음 단계로 서술하여라.
(단, 가격과 판매량에 상관없이 하루 생산 비용은 일정하다.)

 우리 밀 호두 파이 보고서

1. 현재 상황

가격	하루 판매량	하루 생산 비용
1g당 18원	48000g	650,000 원

2. 가격을 1g당 x원 올렸을 때 예상 현황

하루 판매량	하루 홍보 비용
$100x^2$g 감소	20,000원 추가

[1단계] 호두 파이의 가격을 1g당 x원 올렸을 때의 하루 이익을 식으로 나타낼 때, 빈칸에 알맞은 식을 넣어라.
(단, 전체 비용은 하루 생산 비용과 하루 홍보비용을 합한 것이다.)

· 호두 파이 1g당 가격 ⬚

· 하루 판매량 ⬚

· 전체 비용 ⬚

또한, 하루 이익을 나타내는 식을 빈칸에 알맞은 식을 넣어라.
(하루 이익)=(호두 파이의 1g당 가격)×(하루 판매량)−(전체비용)

= ⬚

= ⬚

[2단계] 하루 이익이 최대가 되게 하는 호두 파이의 1g당 가격을 구한다.

0886

삼차함수 $f(x)$에 대하여

$$\lim_{x \to 0}\frac{f(x)-5}{x}=12, \quad \lim_{x \to -2}\frac{f(x)-9}{x+2}=-24$$

가 성립하고 함수 $f(x)$는 $x=\alpha$에서 극댓값을, $x=\beta$에서 극솟값을 가진다고 한다. 이때 $\alpha-\beta$의 값을 구하여라.

0887

그림과 같이 $y=12-x^2$ 위의 점 P와 점 Q가 있고 y축 위의 점 R 이 있다. 점 P는 점 B에서 점 A까지 움직일 때, 선분 $\overline{OP}$와 $\overline{OQ}$를 이웃하는 두 변으로 가지는 **마름모 OPRQ의 넓이**를 S라 할 때, S의 최댓값을 구하여라.

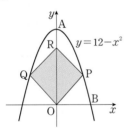

0888

평가원기출

함수

$$f(x)=\begin{cases} a(3x-x^3) & (x<0) \\ x^3-ax & (x\geq 0) \end{cases}$$

의 극댓값이 5일 때, $f(2)$의 값을 구하여라. (단, a는 상수이다.)

0889

평가원기출

함수 $f(x)=\dfrac{1}{3}x^3-x^2-3x$는 $x=a$에서 극솟값 b를 가진다.

함수 $y=f(x)$의 그래프 위의 점 $(2,\ f(2))$에서 접하는 직선을 l이라 할 때, 점 $(a,\ b)$에서 직선 l까지의 거리가 d이다.

$90d^2$의 값을 구하여라.

0890

평가원기출

실수에서 정의된 미분가능한 함수 $f(x)$는 다음 두 조건을 만족한다.

(가) 임의의 실수 x, y에 대하여
$$f(x-y)=f(x)-f(y)+xy(x-y)$$
(나) $f'(0)=8$

함수 $f(x)$가 $x=a$에서 극댓값을 갖고 $x=b$에서 극솟값을 가질 때, a^2+b^2의 값을 구하여라.

0891

교육청기출

삼차함수 $f(x)$와 실수 t에 대하여 곡선 $y=f(x)$와 직선 $y=t$가 만나는 서로 다른 점의 개수를 $g(t)$라 하자. 함수 $f(x)$, $g(x)$는 다음 조건을 만족시킨다.

(가) 함수 $g(x)$는 $x=0$, $x=6$에서 불연속이다.
(나) 함수 $f(x)g(x)$는 모든 실수에서 연속이다.
(다) $f(5)f(7)<0$

$f(-4)$의 값을 구하여라.

▶ 해설 내신연계기출

0892

삼차함수 $f(x)$와 실수 t에 대하여 곡선 $y=f(x)$와 직선 $y=-x+t$의 교점의 개수를 $g(t)$라 하자. [보기]에서 옳은 것만을 있는 대로 고른 것은?

ㄱ. $f(x)=x^3$이면 함수 $g(t)$는 상수함수이다.
ㄴ. 삼차함수 $f(x)$에 대하여 $g(1)=2$이면 $g(t)=3$인 t가 존재한다.
ㄷ. 함수 $g(t)$가 상수함수이면 삼차함수 $f(x)$의 극값은 존재하지 않는다.

① ㄱ   ② ㄷ   ③ ㄱ, ㄴ
④ ㄴ, ㄷ   ⑤ ㄱ, ㄴ, ㄷ

0893

다음 조건을 만족시키는 모든 삼차함수 $f(x)$에 대하여 $f(2)$의 최솟값을 구하여라.

(가) $f(x)$의 최고차항의 계수는 1이다.
(나) $f(0)=f'(0)$
(다) $x \geq -1$인 모든 실수 x에 대하여 $f(x) \geq f'(x)$이다.

0894

최고차항의 계수가 1인 사차함수 $f(x)$가 다음 조건을 만족시킨다.

(가) $f'(0)=0$, $f'(2)=16$
(나) 어떤 양수 k에 대하여 두 열린구간 $(-\infty, 0)$, $(0, k)$에서 $f'(x) < 0$이다.

[보기]에서 옳은 것만을 있는 대로 고른 것은?

ㄱ. 방정식 $f'(x)=0$은 열린구간 $(0, 2)$에서 한 개의 실근을 갖는다.
ㄴ. 함수 $f(x)$는 극댓값을 갖는다.
ㄷ. $f(0)=0$이면 모든 실수 x에 대하여 $f(x) \geq -\dfrac{1}{3}$이다.

① ㄱ   ② ㄴ   ③ ㄱ, ㄷ
④ ㄴ, ㄷ   ⑤ ㄱ, ㄴ, ㄷ

0895

실수 t에 대하여 직선 $x=t$가 두 함수
$$y=x^4-4x^3+10x-30, \quad y=2x+2$$
의 그래프와 만나는 점을 각각 A, B라 할 때, 점 A와 점 B 사이의 거리를 $f(t)$라 하자.
$$\lim_{h \to 0+} \frac{f(t+h)-f(t)}{h} \times \lim_{h \to 0-} \frac{f(t+h)-f(t)}{h} \leq 0$$
을 만족시키는 모든 실수 t의 값의 합을 구하여라.

0896

좌표평면에서 삼차함수 $f(x)=x^3+ax^2+bx$와 실수 t에 대하여 곡선 $y=f(x)$ 위의 점 $(t, f(t))$에서의 접선이 y축과 만나는 점을 P라 할 때, 원점에서 점 P까지의 거리를 $g(t)$라 하자. 함수 $f(x)$와 함수 $g(t)$는 다음 조건을 만족시킨다.

(가) $f(1)=2$
(나) 함수 $g(t)$는 실수 전체의 집합에서 미분가능하다.

$f(3)$의 값을 구하여라. (단, a, b는 상수이다.)

0897

양수 a에 대하여 함수
$$f(x)=x^3+ax^2-a^2x+2$$
가 닫힌구간 $[-a, a]$에서 최댓값 M, 최솟값 $\dfrac{14}{27}$를 갖는다. $a+M$의 값을 구하여라.

0898

평가원기출

삼차함수 $f(x)$의 도함수 $y=f'(x)$의 그래프가 그림과 같을 때, [보기]에서 옳은 것만을 있는 대로 고른 것은?

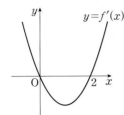

> ㄱ. $f(0)<0$이면 $|f(0)|<|f(2)|$이다.
>
> ㄴ. $f(0)f(2)\geq 0$이면 함수 $|f(x)|$가 $x=a$에서 극소인 a의 값의 개수는 2이다.
>
> ㄷ. $f(0)+f(2)=0$이면 방정식 $|f(x)|=f(0)$의 서로 다른 실근의 개수는 4이다.

① ㄱ   ② ㄱ, ㄴ   ③ ㄱ, ㄷ
④ ㄴ, ㄷ   ⑤ ㄱ, ㄴ, ㄷ

0899

함수 $f(x)=x^3-x^2-8x$와 실수 t에 대하여 $x\geq t$에서 $f(x)$의 최솟값을 $g(t)$라 하자. 함수 $g(t)$가 실수 $t=a$에서만 미분가능하지 않을 때, 실수 a의 값을 구하여라.

0900

평가원기출

함수 $f(x)=-3x^4+4(a-1)x^3+6ax^2\,(a>0)$과 실수 t에 대하여 $x\leq t$에서 $f(x)$의 최댓값을 $g(t)$라 하자. 함수 $g(t)$가 실수 전체의 집합에서 미분가능하도록 하는 a의 최댓값을 구하여라.

0901

교육청기출

최고차항의 계수가 1인 삼차함수 $f(x)$에 대하여 함수 $g(x)$는

$$g(x)=\begin{cases}\dfrac{1}{2} & (x<0)\\ f(x) & (x\geq 0)\end{cases}$$

이다. $g(x)$가 실수 전체의 집합에서 미분가능하고 $g(x)$의 최솟값이 $\dfrac{1}{2}$보다 작을 때, [보기]에서 옳은 것만을 있는 대로 고른 것은?

> ㄱ. $g(0)+g'(0)=\dfrac{1}{2}$
>
> ㄴ. $g(1)<\dfrac{3}{2}$
>
> ㄷ. 함수 $g(x)$의 최솟값이 0일 때, $g(2)=\dfrac{5}{2}$이다.

① ㄱ   ② ㄴ   ③ ㄱ, ㄷ
④ ㄴ, ㄷ   ⑤ ㄱ, ㄴ, ㄷ

0902

평가원기출

최고차항의 계수가 1이고 $f(2)=3$인 삼차함수 $f(x)$에 대하여 함수

$$g(x)=\begin{cases}\dfrac{ax-9}{x-1} & (x<1)\\ f(x) & (x\geq 1)\end{cases}$$

이 다음 조건을 만족시킨다.

> 함수 $y=g(x)$의 그래프와 직선 $y=t$가 서로 다른 두 점에서만 만나도록 하는 모든 실수 t의 값의 집합은 $\{t|t=-1$ 또는 $t\geq 3\}$이다.

$(g\circ g)(-1)$의 값을 구하여라. (단, a는 상수이다.)

0903

평가원기출

좌표평면 위에 점 $A(0,\ 2)$가 있다. $0<t<2$일 때, 원점 O와 직선 $y=2$ 위의 점 $P(t,\ 2)$를 잇는 선분 OP의 수직이등분선과 y축의 교점을 B라 하자. 삼각형 ABP의 넓이를 $f(t)$라 할 때, $f(t)$의 최댓값은 $\dfrac{b}{a}\sqrt{3}$이다. $a+b$의 값을 구하여라. (단, a, b는 서로소인 자연수이다.)

04 방정식과 부등식

학교내신기출 객관식 핵심문제총정리

유형 01 방정식의 실근의 개수와 함수의 그래프

(1) 방정식 $f(x)=0$의 서로 다른 실근의 개수는
함수 $y=f(x)$의 그래프와 x축의 교점의 개수와 같다.

(2) 방정식 $f(x)=g(x)$의 서로 다른 실근의 개수는
두 함수 $y=f(x)$, $y=g(x)$의 그래프의 교점의 개수와 같다.
또한, 방정식 $f(x)=g(x)$의 서로 다른 실근의 개수는
함수 $y=f(x)-g(x)$의 그래프와 x축의 교점 개수를 조사하여
구할 수 있다.

참고 ① 방정식 $f(x)=0$의 실근은 함수 $y=f(x)$의 그래프와 x축의
교점의 x좌표와 같다.

② 방정식 $f(x)=g(x)$의 실근은 두 함수 $y=f(x)$, $y=g(x)$의
그래프의 교점의 x좌표와 같다.

0904 학교기출 대표 유형

다음 조건을 만족하는 상수 a, b에 대하여 $a+b$값은?

(가) 방정식 $x^3-3x^2-9x+24=0$의 서로 다른 실근의 개수는
a이다.
(나) 방정식 $x^4-8x^2+1=0$의 서로 다른 실근의 개수는 b이다.

① 3   ② 4   ③ 5
④ 6   ⑤ 7

0905 최다빈출 왕중요.

다음 조건을 만족하는 상수 a, b에 대하여 $a+b$값은?

(가) 방정식 $x^3=3x+3$의 서로 다른 실근의 개수는 a이다.
(나) 방정식 $3x^4-4x^3-1=0$의 서로 다른 실근의 개수는 b이다.

① 3   ② 4   ③ 5
④ 6   ⑤ 7

▶ 해설 내신연계기출

0906 최다빈출 왕중요

함수 $f(x)=3x^3-9x^2+5$에서 방정식 $|f(x)|=k$가 서로 다른 네
실근을 갖도록 하는 상수 k의 값의 범위가 $\alpha<k<\beta$일 때, $\alpha+\beta$의
값은?

① 4   ② 6   ③ 8
④ 10   ⑤ 12

▶ 해설 내신연계기출

유형 02 삼차방정식의 실근의 개수

삼차방정식의 실근의 개수 구하는 방법

[방법1] 방정식 $f(x)=k$의 실근의 개수
방정식 $f(x)=k$의 실근은 함수 $y=f(x)$의 그래프와 직선
$y=k$의 교점의 x좌표와 같으므로 $y=f(x)$의 그래프를 그린
다음, 조건에 만족되도록 직선 $y=k$를 움직인다.

[방법2] 삼차방정식의 근의 판별
삼차함수 $f(x)$가 극값을 가질 때, 삼차방정식 $f(x)=0$의 근은
① (극댓값)×(극솟값)<0 ⇨ 서로 다른 세 실근을 가질 조건
② (극댓값)×(극솟값)=0 ⇨ 중근과 다른 한 실근을 가질 조건
③ (극댓값)×(극솟값)>0 ⇨ 한 실근과 두 허근을 가질 조건

0907 학교기출 대표 유형

방정식 $2x^3-9x^2+12x-a=0$이 서로 다른 세 실근을 갖도록 하는
실수 a의 값의 범위는?

① $1<a<2$ ② $2<a<3$ ③ $3<a<4$
④ $4<a<5$ ⑤ $5<a<6$

0908 최다빈출 왕중요

방정식 $x^3-3x-a=0$이 서로 다른 세 실근을 가지도록 하는
실수 a의 값의 범위는?

① $0<a<1$ ② $0<a<2$ ③ $-1<a<1$
④ $-2<a<2$ ⑤ $1<a<2$

▶ 해설 내신연계기출

0909 최다빈출 왕중요

방정식 $x^3-3x^2-a=0$가 서로 다른 두 실근을 갖도록 하는 모든
실수 a의 값의 합은?

① -4 ② -3 ③ -2
④ -1 ⑤ 0

▶ 해설 내신연계기출

0910

방정식 $2x^3+3x^2-12x+k=0$이 중근과 다른 한 근을 가질 때, 상수 k의 값의 합은?

① -25 ② -18 ③ -13
④ -10 ⑤ -8

0911

최다빈출 왕중요

실수 a에 대하여 방정식 $x^3-3x+1-a=0$의 서로 다른 실근의 개수를 $g(a)$라 할 때, $g(-1)+\lim\limits_{a\to 3-}g(a)$의 값은?

① 1   ② 2   ③ 3
④ 4   ⑤ 5

▶ 해설 내신연계기출

0912

함수 $f(x)=x^3+6x^2+9x$의 그래프를 y축의 방향으로 a만큼 평행이동시켰더니 함수 $y=g(x)$의 그래프가 되었다. 이때 방정식 $g(x)=0$이 서로 다른 세 실근을 갖도록 하는 정수 a의 합은?

① 6   ② 8   ③ 9
④ 10   ⑤ 11

0913

최다빈출 왕중요

함수 $f(x)=2x^3-3x^2-12x-10$의 그래프를 y축의 방향으로 a만큼 평행이동 시켰더니 함수 $y=g(x)$의 그래프가 되었다. 방정식 $g(x)=0$이 서로 다른 두 실근만을 갖도록 하는 모든 a의 값의 합은?

① 30   ② 31   ③ 32
④ 33   ⑤ 34

▶ 해설 내신연계기출

유형 03 도함수 $y=f'(x)$의 그래프와 극값

[1단계] 도함수 $y=f'(x)$의 그래프를 보고 함수 $f(x)$에 대한 증감표를 만든다.

[2단계] 함수 $f(x)$가 $x=a$에서 극값 b를 가지며
$f(a)=b$, $f'(a)=0$임을 이용한다.

참고 $y=f(x)$의 그래프와 $y=a$인 상수함수와의 교점의 개수가
$f(x)=a$의 실근의 개수와 일치한다.

0914

학교기출 대표 유형

삼차함수 $y=f(x)$의 도함수 $y=f'(x)$의 그래프가 오른쪽 그림과 같다. $f(0)=1$, $f(3)=3$일 때, 방정식 $f(x)=k$가 서로 다른 두 실근을 갖도록 하는 실수 k 값의 합은?

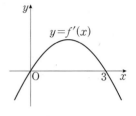

① 2   ② 3
③ 4   ④ 5
⑤ 6

▶ 해설 내신연계기출

0915

최다빈출 왕중요

함수 $f(x)$의 도함수 $y=f'(x)$의 그래프가 오른쪽 그림과 같다.
$f(-1)-3$, $f(1)=5$, $f(3)=3$일 때, 다음 [보기] 중 옳은 것만을 있는 대로 고른 것은?

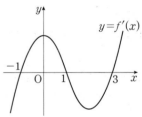

ㄱ. $f(0)>0$
ㄴ. 함수 $f(x)$의 극댓값은 5이다.
ㄷ. 방정식 $f(x)-4=0$은 서로 다른 네 실근을 가진다.

① ㄱ   ② ㄴ   ③ ㄷ
④ ㄱ, ㄷ   ⑤ ㄱ, ㄴ, ㄷ

▶ 해설 내신연계기출

0916

삼차함수 $f(x)$의 도함수 $y=f'(x)$의 그래프가 오른쪽 그림과 같다. $f(0)=0$일 때, 방정식 $f(x)=k$가 서로 다른 두 실근을 갖도록 하는 실수 k의 값들의 합은?

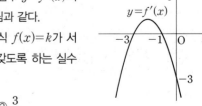

① $\dfrac{4}{3}$ ② $\dfrac{3}{2}$
③ 2   ④ $\dfrac{5}{2}$
⑤ 3

방정식 $f(x)=k$의 실근은 함수 $y=f(x)$의 그래프와 직선 $y=k$의
교점의 x좌표와 같으므로 $y=f(x)$의 그래프를 그린 다음, 조건을
만족하도록 직선 $y=k$를 움직인다.

0917 학교기출 대표 유형

방정식
$$2x^3-3x^2-12x-a=0$$
이 오직 양의 실근 1개만 갖기 위한 정수 a의 최솟값은?

① 5   ② 6   ③ 7
④ 8   ⑤ 9

▶ 해설 내신연계기출

0918 ▬▬▬▬ NORMAL

방정식 $4x^3-12x+k=0$이 한 개의 양수인 근과 서로 다른 두 개의
음수인 근을 갖도록 하는 정수 k의 개수는?

① 6   ② 7   ③ 8
④ 9   ⑤ 10

0919 최다빈출 왕 중요 ▬▬▬▬ NORMAL

방정식 $2x^3-1=6x+k$가 서로 다른 두 개의 양의 근과 한 개의
음의 근을 갖도록 하는 실수 k의 값의 범위는?

① $-5<k<-1$ ② $-5<k<0$ ③ $0<k<3$
④ $-5<k<3$ ⑤ $-1<k<0$

▶ 해설 내신연계기출

0920 최다빈출 왕 중요 ▬▬▬▬ TOUGH

두 함수
$$f(x)=3x^3-x^2-3x,\ g(x)=x^3-4x^2+9x+a$$
에 대하여 $f(x)=g(x)$가 서로 다른 두 개의 양의 실근과 한 개의
음의 실근을 갖도록 하는 모든 정수 a의 개수는?

① 6   ② 7   ③ 8
④ 9   ⑤ 10

▶ 해설 내신연계기출

방정식 $f(x)=k$의 실근은 함수 $y=f(x)$의 그래프와 직선 $y=k$의
교점의 x좌표와 같으므로 $y=f(x)$의 그래프를 그린 다음, 조건을
만족하도록 직선 $y=k$를 움직인다.

0921 학교기출 대표 유형

방정식 $x^4-2x^2-k=0$이 서로 다른 네 실근을 갖도록 하는 실수
k의 범위는?

① $-2<k<0$ ② $-1<k<0$ ③ $0<k<1$
④ $0<k<2$ ⑤ $1<k<2$

0922 최다빈출 왕 중요 ▬▬▬▬ NORMAL

사차방정식 $3x^4-4x^3-12x^2+15-k=0$이 서로 다른 세 실근을
갖도록 하는 모든 실수 k의 값의 합은?

① 10   ② 15   ③ 20
④ 25   ⑤ 30

▶ 해설 내신연계기출

0923 ▬▬▬▬ TOUGH

사차방정식 $3x^4-8x^3-6x^2+24x-k=0$이 서로 다른 세 개의 양의
근과 한 개의 음의 근을 갖도록 하는 정수 k의 개수는?

① 1   ② 2   ③ 3
④ 4   ⑤ 5

유형 06 두 곡선의 교점의 개수

두 함수 $y=f(x)$, $y=g(x)$의 그래프의 교점의 개수

⇨ 방정식 $f(x)=g(x)$의 서로 다른 실근의 개수와 같다.

0924 학교기출 대표유형

방정식 $x^3+x^2-1=4x^2+a$가 서로 다른 세 실근을 갖도록 하는 실수 a의 값의 범위는?

① $-5<a<-1$ ② $-4<a<0$ ③ $-3<a<1$

④ $-2<a<2$ ⑤ $-1<a<3$

0925 최다빈출 왕중요

NORMAL

곡선 $y=2x^3-3x^2-8x$와 직선 $y=4x+k$가 서로 다른 두 점에서 만나도록 하는 모든 실수 k의 값의 곱은?

① -240 ② -180 ③ -140

④ -80 ⑤ -60

▶ 해설 내신연계기출

0926 최다빈출 왕중요

NORMAL

두 곡선 $y=x^3-4x^2+4x$, $y=2x^2-5x+k$가 서로 다른 두 점에서 만나도록 하는 양수 k의 값은?

① 2 ② 4 ③ 6

④ 8 ⑤ 10

▶ 해설 내신연계기출

0927

NORMAL

곡선 $y=2x^3-3x^2$과 직선 $y=12x+k$가 오직 한 점에서 만나기 위한 자연수 k의 최솟값은?

① 4 ② 6 ③ 8

④ 10 ⑤ 12

유형 07 곡선 밖의 점에서 접선의 개수

곡선 밖의 점에서 곡선에 그을 수 있는 접선의 개수는 접점의 개수와 같음을 이용하여 방정식의 근의 개수를 구한다.

0928 학교기출 대표유형

점 $(2, a)$에서 곡선 $y=x^3$에 세 개의 접선을 그을 수 있도록 하는 정수 a의 개수는?

① 5 ② 6 ③ 7

④ 8 ⑤ 9

0929

NORMAL

점 $A(0, a)$에서 곡선 $y=x^3-6x^2+2$에 서로 다른 세 개의 접선을 그을 수 있도록 하는 정수 a의 개수는?

① 5 ② 6 ③ 7

④ 8 ⑤ 9

0930 최다빈출 왕중요

NORMAL

점 $(0, a)$에서 곡선 $y=x^3+3x^2$에 서로 다른 세 개의 접선을 그을 수 있을 때, 실수 a의 값의 범위는?

① $-3<a<0$ ② $-2<a<0$ ③ $-1<a<0$

④ $1<a<2$ ⑤ $2<a<3$

▶ 해설 내신연계기출

0931 최다빈출 왕중요

TOUGH

점 $(0, a)$에서 곡선 $y=x^3+3x^2+2x$에 서로 다른 세 접선을 그을 수 있게 하는 실수 a의 값의 범위는?

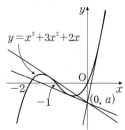

① $-3<a<0$ ② $-2<a<0$ ③ $-1<a<0$

④ $1<a<2$ ⑤ $2<a<3$

▶ 해설 내신연계기출

$x > a$에서 부등식 $f(x) > 0$의 증명

[방법1] $x > a$에서 함수 $f(x)$에 대하여 최솟값 > 0임을 보인다.

[방법2] $x > a$에서 함수 $f(x)$의 최솟값이 존재하지 않는 경우 증명

⇨ $x > a$에서 $f(x)$가 증가함수이고 $f(a) \geq 0$임을 보인다.

⇨ $f'(x) \geq 0$, $f(a) \geq 0$임을 보여서 증명한다.

0932 학교기출 대표유형

$x > 0$일 때, $x^3 - 6x^2 + 4k \geq 0$을 만족시키는 상수 k의 값의 범위는?

① $k \geq 4$　　　　② $k \geq 6$　　　　③ $k \geq 8$

④ $4 \leq k \leq 6$　　⑤ $6 \leq k \leq 8$

0933 BASIC

$x \geq 0$일 때, 부등식 $x^3 - 3x \geq a$이 항상 성립하도록 하는 실수 a의 최댓값은?

① -4　　　　② -3　　　　③ -2

④ -1　　　　⑤ 0

0934 최다빈출 왕 중요 NORMAL

$x > 0$인 모든 실수 x에 대하여 부등식
$$2x^3 - 5x^2 - 4x + a \geq 0$$
이 성립하도록 하는 상수 a의 최솟값은?

① 4　　　　② 6　　　　③ 8

④ 10　　　⑤ 12

▶ 해설 내신연계기출

0935 최다빈출 왕 중요 NORMAL

$x \geq 0$일 때, 부등식
$$x^3 - 2x^2 - 4x \geq p$$
을 만족시키는 실수 p의 최댓값은?

① -10　　　② -8　　　③ -6

④ -4　　　⑤ -2

▶ 해설 내신연계기출

0936 NORMAL

$x \geq 0$일 때, 부등식 $2x^3 - 3kx^2 + 1 > 0$이 항상 성립하도록 하는 양수 k의 값의 범위는?

① $k > 0$　　　② $0 < k < 1$　　　③ $1 < k < 2$

④ $2 < k < 3$　　⑤ $k > 1$

0937 NORMAL

$-1 < x < 1$에서 부등식
$$x^3 + 3x^2 + 1 > k$$
가 항상 성립하도록 하는 정수 k의 최댓값은?

① -1　　　② 0　　　③ 1

④ 2　　　⑤ 3

0938 TOUGH

어느 운송회사가 일정한 크기의 물품을 시내에서 x km 떨어진 곳에 배달하는데 드는 비용은 $(180x + 4425)$원이다.

이때 배달 요금으로 $(2x^3 + 3x^2 + a)$원을 받는다면 **이 회사가 손해를 보지 않기 위한** a의 최솟값은? (단, a는 상수)

① 1000　　　② 2000　　　③ 3000

④ 4000　　　⑤ 5000

유형 09 모든 실수에서 항상 성립할 조건

① 모든 실수 x에 대하여 $f(x) \geq 0$의 증명
  ⇨ $y = f(x)$의 최솟값 ≥ 0임을 보인다.

② 모든 실수 x에 대하여 $f(x) \geq k$ (k는 상수)의 증명
  ⇨ [방법1] $\{f(x)$의 최솟값$\} \geq k$
    [방법2] $\{(f(x) - k)$의 최솟값$\} \geq 0$임을 보인다.

③ 모든 실수 x에 대하여 $f(x) \geq g(x)$의 증명
  ⇨ $h(x) = f(x) - g(x)$로 놓고 $\{h(x)$의 최솟값$\} \geq 0$을 보인다.

0939 학교기출 대표 유형

모든 실수 x에 대하여 부등식
$$3x^4 \geq 4x^3 - 1$$
이 항상 성립함을 보이는 과정이다.

$f(x) = 3x^4 - 4x^3 + 1$이라 하면
$f'(x) = 12x^3 - 12x^2 = 12x^2(x-1)$
$f(x)$의 증가와 감소를 표로 나타내면 다음과 같다.

x	$\cdots$	0	$\cdots$	1	$\cdots$
$f'(x)$	(가)	0	$-$	0	$+$
$f(x)$	(나)		$\searrow$		$\nearrow$

따라서 함수 $f(x)$는 최솟값 (다) 을 가진다.
그러므로 모든 실수 x에 대하여 $f(x) \geq 0$
즉 $3x^4 - 4x^3 + 1 \geq 0$이므로 $3x^4 \geq 4x^3 - 1$이다.

(가), (나), (다)에 알맞은 것은?

	(가)	(나)	(다)
①	$-$	$\searrow$	0
②	$-$	$\searrow$	1
③	$-$	$\nearrow$	1
④	$+$	$\nearrow$	0
⑤	$+$	$\nearrow$	1

0940 최다빈출 왕중요 NORMAL

모든 실수 x에 대하여 부등식
$$3x^4 - 4x^3 \geq k$$
가 성립하도록 실수 k의 값의 범위는?

① $k \leq -3$ ② $k \leq -2$ ③ $k \leq -1$
④ $0 \leq k \leq 1$ ⑤ $-1 \leq k \leq 1$

▶ 해설 내신연계기출

0941 NORMAL

모든 실수 x에 대하여 부등식
$$x^4 - 4x - a^2 + 4a > 0$$
이 항상 성립하도록 하는 a의 범위는?

① $1 < a < 2$ ② $1 < a < 3$ ③ $2 < a < 3$
④ $3 < a < 4$ ⑤ $2 < a < 5$

0942 NORMAL

모든 실수 x에 대하여 부등식
$$3x^4 - 4x^3 - 12x^2 \geq a$$
가 성립하도록 하는 상수 a의 최댓값은?

① -34 ② -32 ③ -28
④ -24 ⑤ -20

0943 최다빈출 왕중요 NORMAL

모든 실수 x에 대하여 부등식
$$x^4 - 4k^3x + 12 \geq 0$$
이 성립하도록 하는 실수 k의 범위는?

① $-1 \leq k \leq 1$ ② $-\sqrt{2} \leq k \leq \sqrt{2}$ ③ $-\sqrt{3} \leq k \leq \sqrt{3}$
④ $-2 \leq k \leq 2$ ⑤ $-3 \leq k \leq 3$

▶ 해설 내신연계기출

0944 최다빈출 왕중요 NORMAL

함수 $f(x) = x^4 - 4x - a^2 + 4a$일 때, 모든 실수 x에 대하여
부등식 $f(x) > 0$이 항상 성립하기 위한 상수 a의 값의 범위는?

① $a < -4$ ② $-4 < a < 0$ ③ $0 < a < 1$
④ $1 < a < 3$ ⑤ $a > 3$

▶ 해설 내신연계기출

[1단계] 어떤 구간에서 $f(x) > g(x)$이면 $h(x) = f(x) - g(x)$라 하고 정리한다.

[2단계] 어떤 구간에서 항상 $h(x) > 0$이면 그 구간에서 (최솟값) > 0 이면 된다.

즉 그 구간에서 $y = h(x)$의 그래프가 x축 위쪽에 존재해야 한다.

참고 두 함수 $f(x)$, $g(x)$에 대하여

① 어떤 구간에서 함수 $y = f(x)$의 그래프가 함수 $y = g(x)$의 그래프보다 항상 위쪽에 있다.

⇨ 그 구간에서 항상 $f(x) > g(x)$이다.

② 어떤 구간에서 함수 $y = f(x)$의 그래프가 함수 $y = g(x)$의 그래프보다 항상 아래쪽에 있다.

⇨ 그 구간에서 항상 $f(x) < g(x)$이다.

0945 학교기출 대표 유형

다음 중 $x > 0$일 때, 두 함수

$$f(x) = 2x^3 + k, \quad g(x) = x^3 + 3x^2$$

에 대하여 부등식 $f(x) > g(x)$가 항상 성립하도록 하는 실수 k의 범위는?

① $k > 0$ ② $k > 1$ ③ $k > 2$

④ $k > 4$ ⑤ $k < 5$

0946 최다빈출 상 중요 NORMAL

두 함수

$$f(x) = 5x^2 + 2, \quad g(x) = 5x^3 - 10x^2 + k$$

에 대하여 열린구간 $(0, 3)$에서 부등식 $f(x) \le g(x)$가 성립하도록 하는 상수 k의 최솟값은?

① 20   ② 21   ③ 22

④ 24   ⑤ 25

▶ 해설 내신연계기출

0947 최다빈출 상 중요 NORMAL

두 함수

$$f(x) = x^3 - x^2 - x + 1, \quad g(x) = -x^2 + 2x + a$$

에 대하여 닫힌구간 $[0, 2]$에서

$$f(x) \ge g(x)$$

가 성립하도록 하는 실수 a의 최댓값은?

① -5 ② -4 ③ -3

④ -2 ⑤ -1

▶ 해설 내신연계기출

0948 NORMAL

두 함수

$$f(x) = x^3 + 3x^2 - k, \quad g(x) = 2x^2 + 3x - 10$$

에 대하여 부등식

$$f(x) \ge 3g(x)$$

가 닫힌구간 $[-1, 4]$에서 항상 성립하도록 하는 실수 k의 최댓값은?

① 2   ② 3   ③ 4

④ 5   ⑤ 6

0949 최다빈출 상 중요 NORMAL

두 함수

$$f(x) = x^4 + x^3 - 2x^2 - 5x, \quad g(x) = x^3 + 4x^2 + 3x + a$$

에 대하여 $y = f(x)$의 그래프가 $y = g(x)$의 그래프보다 **항상 위쪽에 있도록** 하는 정수 a의 최댓값은?

① -25 ② -24 ③ -23

④ -22 ⑤ -21

▶ 해설 내신연계기출

0950 NORMAL

두 함수

$$f(x) = 4x^4 - 5x^3 + 10, \quad g(x) = x^4 + 3x^3 + k$$

가 모든 실수 x에 대하여 부등식 $f(x) > g(x)$를 만족시키도록 하는 상수 k의 값의 범위는?

① $k < -6$ ② $k < -4$ ③ $k < -2$

④ $k > -2$ ⑤ $k > -4$

0951 최다빈출 상 중요 TOUGH

두 함수 $f(x) = 3x^4 - 4x^3$, $g(x) = -2x^2 + 12x + k$가 있다.

임의의 두 실수 x_1, x_2에 대하여 $f(x_1) > g(x_2)$가 성립하도록 하는 실수 k의 값의 범위는?

① $k > -19$ ② $k < -19$ ③ $k \le 19$

④ $k \ge 19$ ⑤ $k \le 20$

▶ 해설 내신연계기출

유형 11 속도와 가속도

① 점 P의 시각 t에서의 위치 $x=f(t)$의 순간변화율을 시각 t에서 점 P의 속도 v라 한다.

$$v=\lim_{\Delta t \to 0}\frac{\Delta x}{\Delta t}=\lim_{\Delta t \to 0}\frac{f(t+\Delta t)-f(t)}{\Delta t}=\frac{dx}{dt}=f'(t)$$

또한, 속도의 절댓값 $|v|$를 시각 t에서의 점 P의 속력이라고 한다.

② 점 P의 시각 t에서의 속도 $v=f'(t)$의 순간변화율을 시각 t에서 점 P의 가속도 a라 한다.

$$a=\lim_{\Delta t \to 0}\frac{\Delta v}{\Delta t}=\frac{dv}{dt}=f''(t)=v'(t)$$

0952 학교기출 대표유형

수직선 위를 움직이는 점 P의 시각 t에서의 좌표 x가

$$x=t^3-2t^2+2t$$

라고 한다. $t=0$에서 $t=5$까지의 점 P의 평균속도와 $t=c$에서의 점 P의 속도가 같을 때, c의 값은? (단, $0<c<5$)

① 1   ② $\dfrac{3}{2}$ ③ 2

④ $\dfrac{5}{2}$ ⑤ 3

0953 BASIC

원점을 출발하여 수직선 위를 움직이는 점 P의 시각 t에서 위치 x가

$$x=-t^3+16t$$

이다. 점 P가 출발한 후 다시 원점에 도착했을 때의 속도를 v와 가속도를 a라 할 때, $v+a$의 값은?

① -65 ② -60 ③ -56

④ -50 ⑤ -46

0954 최다빈출 왕중요 NORMAL

원점을 출발하여 수직선 위를 움직이는 점 P의 시각 t에서의 위치 x가

$$x=t^3-4t^2+4t$$

일 때, 점 P가 출발 후 다시 원점을 지나는 순간의 속도를 v와 가속도를 a라 할 때, $v+a$의 값은?

① 4   ② 6   ③ 8

④ 10   ⑤ 12

▶ 해설 내신연계기출

0955 최다빈출 왕중요 NORMAL

원점을 출발하여 수직선 위를 움직이는 점 P의 시각 t에서의 위치는

$$x=t^3-9t^2+34t$$

이다. 점 P의 속도가 처음으로 10이 되는 순간 점 P의 위치는?

① 38   ② 40   ③ 42

④ 44   ⑤ 46

▶ 해설 내신연계기출

0956 최다빈출 왕중요 NORMAL

원점을 출발하여 수직선 위를 움직이는 점 P의 시각 t일 때의 위치 x가

$$x=t^3-2t^2+4t$$

이다. 속도가 8인 순간의 점 P의 가속도는?

① 8   ② 10   ③ 12

④ 14   ⑤ 16

▶ 해설 내신연계기출

0957 NORMAL

수직선 위를 움직이는 점 P의 시각 $t\,(t>0)$에서의 위치 x가

$$x=k(t^3-4t^2+3t)$$

이다. 점 P가 원점을 지날 때의 속도를 각각 $v_1,\ v_2$라 하자. $v_1+v_2=12$일 때, 상수 k의 값은? (단, $k\neq 0$이고 $v_1\neq v_2$이다.)

① 3   ② 5   ③ 6

④ 7   ⑤ 8

0958 최다빈출 왕중요 NORMAL

수직선 위를 움직이는 점 P의 시각 $t\,(t\geq 0)$에서의 위치 x가

$$x=-\frac{1}{3}t^3+3t^2+k\ (k\text{는 상수})$$

이다. 점 P의 가속도가 0일 때, 점 P의 위치는 40이다. k의 값은?

① 16   ② 18   ③ 20

④ 22   ⑤ 24

▶ 해설 내신연계기출

(1) 수직선 위를 움직이는 점이 운동방향을 바꾸는 순간의 속도는 0이다.
(2) 수직선 위를 움직이는 두 점이 서로 반대 방향으로 움직일 때,
   두 점의 속도의 곱은 <0

참고 속도 $v=0$일 때 조건
   ① 최고 높이에 도달할 때   ② 운동방향을 바꿀 때
   ③ 운동이 정지할 때

0959 학교기출 대표유형

수직선 위에서 원점을 출발하여 움직이는 점 P의 시각 t에서의
위치 x가
$$x=t^3-12t$$
일 때, 점 P가 운동방향을 바꾸는 시각에서 점 P의 가속도는?

① 4　　　　② 6　　　　③ 8
④ 10　　　　⑤ 12

0960 최다빈출 왕중요 BASIC

수직선 위를 움직이는 점 P의 t초 후의 위치 x(단위는 m)가
$$x=t^3-\frac{9}{2}t^2+6t+2$$
일 때, 점 P가 출발한 후 두 번째로 운동방향이 바뀌는 시각에서의
가속도를 구하면? (단위는 m/s^2)

① -3　　　② -1　　　③ 1
④ 3　　　　⑤ 5

▶해설 내신연계기출

0961 최다빈출 왕중요 NORMAL

수직선 위를 움직이는 점 P의 시각 t에서의 위치가
$$x=t^3+at^2+bt+4$$
이고 $t=3$일 때, 점 P는 운동 방향을 바꾸며 이때의 위치는 -5이
다. 점 P가 $t=3$이외에 운동 방향을 바꾸는 시각은?

① $\frac{1}{4}$　　　② $\frac{1}{3}$　　　③ $\frac{1}{2}$
④ $\frac{3}{2}$　　　⑤ 2

▶해설 내신연계기출

0962 NORMAL

수직선 위를 움직이는 점 P의 시각 $t(t\geq0)$에서의 위치 x가
$$x=t^3-5t^2+at+5$$
이다. 점 P가 움직이는 방향이 바뀌지 않도록 하는 자연수 a의
최솟값은?

① 9　　　　② 10　　　　③ 11
④ 12　　　　⑤ 13

0963 최다빈출 왕중요 NORMAL

수직선 위를 움직이는 점 P의 시각 t에서의 좌표 $f(t)$가
$$f(t)=t^4-6t^2-at+3$$
일 때, 출발한 후 점 P의 운동 방향이 2번만 바뀌도록 하는 정수
a의 개수는?

① 5　　　　② 6　　　　③ 7
④ 8　　　　⑤ 9

▶해설 내신연계기출

0964 최다빈출 왕중요 NORMAL

수직선 위를 움직이는 점 P의 t초 후의 위치 x가
$$x=\frac{1}{3}t^3-5t^2+16t$$
일 때, 옳은 것만을 [보기]에서 있는 대로 고른 것은?

> ㄱ. 5초에서의 가속도는 0이다.
> ㄴ. 점 P는 출발 후 운동 방향이 두 번 바뀐다.
> ㄷ. 출발 후 2초부터 9초까지에서 점 P의 최대 속도는 8이다.

① ㄱ　　　　② ㄷ　　　　③ ㄱ, ㄴ
④ ㄴ, ㄷ　　　⑤ ㄱ, ㄴ, ㄷ

▶해설 내신연계기출

0965 TOUGH

원점 O를 출발하여 x축 위를 움직이는 점 P의 t초 후의 위치가
$$x(t)=\frac{1}{3}t^3-4t^2+7t$$
일 때, 다음 [보기]에서 옳은 것만을 있는 대로 고른 것은?

> ㄱ. 1초 후와 3초 후의 점 P의 위치는 같다.
> ㄴ. 점 P가 출발할 때의 속도는 7이다.
> ㄷ. 4초 후의 점 P의 가속도는 0이다.
> ㄹ. 점 P는 움직이는 동안 운동 방향을 세 번 바꾼다.

① ㄱ, ㄴ　　　② ㄴ, ㄷ　　　③ ㄷ, ㄹ
④ ㄴ, ㄷ, ㄹ　　⑤ ㄱ, ㄷ, ㄹ

유형 13 두 점의 속도의 변화

수직선 위를 움직이는 두 점 P, Q의 시각 t일 때의 위치를
P(t), Q(t)라 하고 두 점 P, Q의 속도를 v_P, v_Q라 할 때,
① 두 점 P, Q의 속도가 같아지면 $\Rightarrow v_P = v_Q$
② 두 점 P, Q의 속도가 서로 같은 방향이면 $\Rightarrow v_P \times v_Q > 0$
③ 두 점 P, Q의 속도가 서로 반대 방향이면 $\Rightarrow v_P \times v_Q < 0$

0966 학교기출 대표유형

수직선 위를 움직이는 두 점 P, Q의 시각 t일 때의 위치가 각각

$$x_P(t) = \frac{1}{3}t^3 + 9t - 6, \quad x_Q(t) = 3t^2 - 7$$

이다. 두 점 P, Q의 속도가 같아지는 순간 두 점 P, Q 사이의 거리는?

① 10   ② 20   ③ 30
④ 40   ⑤ 50

0967 최다빈출 왕중요 NORMAL

수직선 위를 움직이는 두 점 P, Q의 시각 t에서의 좌표는 각각

$$x_P(t) = \frac{1}{3}t^3 + 4t - \frac{2}{3}, \quad x_Q(t) = 2t^2 - 10$$

이다. 두 점 P, Q의 속도가 같아지는 순간 두 점 P, Q 사이의 거리는?

① 8   ② 10   ③ 12
④ 14   ⑤ 16

▶ 해설 내신연계기출

0968 NORMAL

원점을 출발하여 수직선 위를 움직이는 점 P의 시각 $t(t \geq 0)$에서의 위치 x가

$$x = t^3 - 6t^2 + 9t$$

이고 점 P는 출발 후 운동방향을 두 번 바꾼다. 운동방향을 바꾸는 순간의 위치를 각각 A, B라 할 때, 두 점 A, B 사이의 거리는?

① 4   ② 5   ③ 6
④ 7   ⑤ 8

0969 NORMAL

수직선 위를 움직이는 두 점 P, Q의 시각 t에서 위치를 각각 $f(t)$, $g(t)$라고 하자.

$$f(t) - g(t) = t^3 - 6t^2 + at + b$$

이고, 시각 $t = 1$에서 두 점 P, Q가 만나고 속도가 같을 때, 다시 속도가 같아지는 시각에서의 두 점 사이의 거리는? (단, a, b는 상수이다.)

① 3   ② 4   ③ 5
④ 6   ⑤ 7

0970 NORMAL

수직선 위를 움직이는 두 점 P, Q의 시각 $t(t \geq 0)$에서의 위치 x_1, x_2가 각각

$$x_1 = t^3 - 2t^2 + 3t, \quad x_2 = t^2 + 3t$$

이다. $t > 0$에서 두 점 P, Q의 속도가 서로 같아지는 순간의 두 점 P, Q의 가속도의 합은?

① 2   ② 4   ③ 6
④ 8   ⑤ 10

0971 NORMAL

수직선 위를 움직이는 두 점 P, Q의 t초 후의 좌표 P(t), Q(t)는 각각

$$P(t) = t^2 - 2t + 3, \quad Q(t) = 1 - 2t^2$$

이다. 두 점 P, Q가 움직이는 방향이 서로 같은 t의 값의 범위는?

① $0 < t < 1$ ② $1 < t < 2$ ③ $2 < t < 3$
④ $2 < t < 6$ ⑤ $2 < t < 8$

0972 최다빈출 왕중요 NORMAL

수직선 위를 움직이는 두 점 P, Q의 시각 t일 때의 위치는 각각

$$f(t) = 2t^2 - 2t, \quad g(t) = t^2 - 8t$$

이다. 두 점 P, Q가 서로 반대 방향으로 움직이는 시각 t의 범위는?

① $\frac{1}{2} < t < 4$ ② $1 < t < 5$ ③ $2 < t < 5$
④ $\frac{3}{2} < t < 6$ ⑤ $2 < t < 8$

▶ 해설 내신연계기출

수직방향으로 던져 올린 물체의 높이 y가 $y=f(t)$로 나타내어질 때,

(1) $v=\dfrac{dy}{dt}=f'(t)$, $a=\dfrac{dv}{dt}=v'(t)$

(2) 위치 $y=0$일 때 조건
   ① 땅에 떨어질 때   ② 원래 위치로 돌아올 때

(3) 속도 $v=0$일 때 조건
   ① 최고 높이에 도달할 때   ② 운동방향을 바꿀 때
   ③ 운동이 정지할 때

0973 학교기출 대표유형

지면으로부터 40m의 높이에서 처음 속도 30m/초로 위로 던진 물체의 t초 후의 높이 $x=-5t^2+30t+40$인 관계가 성립한다. 다음 [보기] 중 옳은 것을 있는 대로 고르면?

ㄱ. 물체가 최고높이에 도달하는 데 걸리는 시간은 3초이다.
ㄴ. 물체의 최고높이는 85m이다.
ㄷ. 물체가 땅에 떨어질 때까지 움직인 거리는 130m이다.

① ㄱ   ② ㄴ   ③ ㄱ, ㄷ
④ ㄴ, ㄷ   ⑤ ㄱ, ㄴ, ㄷ

0974 최다빈출 중요 NORMAL

지상 25m의 높이에서 수직 방향으로 20m/s의 속도로 던진 물체의 t초 후의 지상으로부터의 높이를 hm라고 하면
$$h=25+20t-5t^2$$
인 관계가 성립한다. 다음 [보기] 중 옳은 것을 있는 대로 고르면?

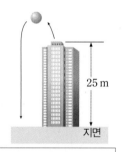

ㄱ. 물체가 최고높이에 도달하는 데 걸리는 시간은 2초이다.
ㄴ. 물체의 최고높이는 45m이다.
ㄷ. 물체가 땅에 떨어질 때까지 움직인 거리는 65m이다.
ㄹ. 물체가 지면에 떨어지는 순간의 속도는 $-30(\text{m/s})$이다.

① ㄱ   ② ㄱ, ㄷ   ③ ㄴ, ㄹ
④ ㄴ, ㄷ, ㄹ   ⑤ ㄱ, ㄴ, ㄷ, ㄹ

▶ 해설 내신연계기출

0975 NORMAL

수면에서 10m 높이에 위치한 다이빙대에서 뛰어오른 다이빙 선수의 t초 후의 높이를 xm라고 하면 t와 x 사이에는
$$x=-5t^2+5t+10$$
의 관계가 있다고 한다. 이 선수가 물에 떨어지는 순간의 속도를 vm/s라고 할 때, v의 값은?

① -15 ② -12 ③ -10
④ -8 ⑤ -6

0976 NORMAL

지상 80m의 높이에서 30m/s의 속도로 똑바로 위로 쏘아올린 물 로켓의 t초 후의 높이 xm가
$$x=-5t^2+30t+80$$
일 때, 물 로켓이 지면에 닿는 순간의 속도는?

① -50 ② -45 ③ -40
④ -35 ⑤ -30

0977 최다빈출 중요 NORMAL

오른쪽 그림과 같이 편평한 바닥에 $60°$로 기울어진 경사면과 반지름의 길이가 0.5m인 공이 있다. 이 공의 중심은 경사면과 바닥이 만나는 점에서 바닥에 수직으로 높이가 21m인 위치에 있다. 이 공을 자유낙하 시킬 때, t초 후 공의 중심의 높이 $h(t)$는
$$h(t)=21-5t^2(\text{m})$$
라고 한다. 공이 경사면과 처음으로 충돌하는 순간, 공의 속도는? (단, 경사면의 두께와 공기의 저항은 무시한다.)

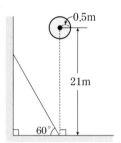

① -20m/초   ② -17m/초   ③ -15m/초
④ -12m/초   ⑤ -10m/초

▶ 해설 내신연계기출

0978 TOUGH

평평한 바닥에 $30°$로 기울어진 경사면과 반지름의 길이가 $\sqrt{3}$m인 공이 있다. 이 공의 중심은 그림과 같이 경사면과 바닥이 만나는 점에서 바닥에 수직으로 높이가 46.1m인 위치에 있다.
이 공을 자유 낙하시킬 때, t초 후 공의 중심의 높이 $h(t)$m는
$$h(t)\text{m}=46.1-4.9t^2$$
이다. 공이 경사면과 처음으로 충돌하는 순간의 공의 속도는 몇 m/s인가? (단, 경사면의 두께와 공기의 저항은 무시한다.)

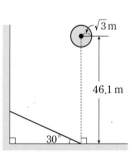

① -9.8 ② -19.6 ③ -29.4
④ -39.2 ⑤ -49

유형 15 정지하는 물체의 속도와 움직인 거리

움직이는 물체가 제동을 건 후 t초 동안 움직인 거리를 xm라 하면

(1) 제동을 건 지 t초 후의 속도 $\Rightarrow \dfrac{dx}{dt}$

(2) 물체가 정지할 때의 속도 $\Rightarrow 0$

0979 학교기출 대표유형

직선 도로 위를 달리는 어느 자동차에 제동을 건 후 t초 동안 움직인 거리 xm가

$$x = 12t - t^3$$

이다. 이 자동차에 제동을 건 후 정지할 때까지 움직인 거리는? (단, $0 \le t \le 2$)

① 12m   ② 14m   ③ 16m

④ 18m   ⑤ 20m

▶ 해설 내신연계기출

0980 BASIC

직선 도로를 달리는 자동차가 제동이 걸린 후, t초 동안 움직인 거리 xm는

$$x = at - t^2$$

인 관계가 성립한다. 이 자동차가 제동을 건 후 정지하는데 9초가 걸린다고 할 때, 상수 a의 값은?

① 6   ② 9   ③ 12

④ 15   ⑤ 18

0981 최다빈출 왕중요 NORMAL

직선 도로를 달리는 자동차가 제동이 걸린 후, t초 동안 움직인 거리 xm는

$$x = 30t - 3t^2$$

이라고 한다. 이 자동차가 목적지에 정확히 정차하려면 목적지로부터 전방 am지점에서 제동을 걸어야 한다고 할 때, 상수 a의 값은?

① 65   ② 75   ③ 85

④ 100   ⑤ 120

▶ 해설 내신연계기출

유형 16 위치 $x(t)$ 그래프의 해석

수직선 위를 움직이는 점 P의 시각 t에서의 위치 $x = f(t)$의 그래프가 주어질 때,

(1) 위치 $f(t) = 0$일 때 조건

  $\Rightarrow$ 원래 위치(출발점, 원점)로 돌아올 때

(2) 속도 $v(t) = f'(t)$일 때,

  ① $f'(t) > 0$이면 점 P는 양의 방향으로 움직인다.

  ② $f'(t) < 0$이면 점 P는 음의 방향으로 움직인다.

  ③ $f'(t) = 0$이고 부호의 변화가 생기면 점 P는 운동방향이 바뀌는 순간이다.

0982 학교기출 대표유형

수직선 위를 움직이는 점 P의 시각 t에서의 위치 $x(t)$의 그래프가 오른쪽 그림과 같다. 점 P에 대한 설명으로 옳은 것만을 [보기]에서 있는 대로 고른 것은?

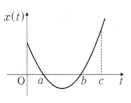

ㄱ. $0 < t < c$에서 원점을 두 번 지난다.

ㄴ. $a < t < b$에서 한 방향으로만 움직인다.

ㄷ. $0 < t < c$에서 운동 방향으로 두 번 바뀐다.

① ㄱ   ② ㄴ   ③ ㄱ, ㄷ

④ ㄴ, ㄷ   ⑤ ㄱ, ㄴ, ㄷ

0983 최다빈출 왕중요 NORMAL

원점을 출발하여 수직선 위를 움직이는 점 P의 시각 t에서의 위치 $x = f(t)$의 그래프가 다음 그림과 같을 때, 점 P의 운동에 대한 설명으로 옳은 것만을 [보기]에서 있는 대로 고른 것은? (단, $f(t)$는 삼차함수이고 $t = 2$에서 극소, $t = 7$에서 극대이고 $0 \le t \le 10$)

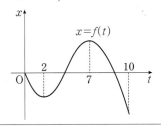

ㄱ. 점 P는 출발 후 원점으로 두 번 돌아온다.

ㄴ. 점 P는 출발 후 운동방향을 두 번 바꾼다.

ㄷ. 점 P가 출발 후 첫 번째 운동방향을 바꿀 때, 가속도는 양수이다.

① ㄱ   ② ㄷ   ③ ㄱ, ㄴ

④ ㄴ, ㄷ   ⑤ ㄱ, ㄴ, ㄷ

▶ 해설 내신연계기출

0984

원점을 출발하여 수직선 위를 움직이는 점 P의 시각 $t(0 \le t \le 8)$에서의 위치 x가 사차함수 $f(t)$로 주어지고 $x=f(t)$의 그래프가 다음 그림과 같을 때, 옳은 것만을 [보기]에서 있는 대로 고른 것은? (단, $t=a$, e에서 극대, $t=c$에서 극소이다.)

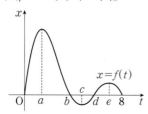

ㄱ. 운동 방향을 두 번 바꾼다.
ㄴ. 출발 후 원점을 두 번째로 지날 때의 속도는 양수이다.
ㄷ. 운동 방향을 처음 바꿀 때의 가속도는 음수이다.

① ㄱ   ② ㄷ   ③ ㄱ, ㄴ
④ ㄴ, ㄷ   ⑤ ㄱ, ㄴ, ㄷ

0985 최다빈출 상 중요 NORMAL

수직선 위를 움직이는 점 P의 시각 t에서의 위치 $x=f(t)$의 그래프가 다음 그림과 같을 때, 다음 [보기]의 설명 중 옳은 것은?

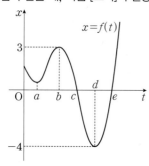

ㄱ. $t=c$일 때와 $t=e$일 때 점 P의 운동 방향은 반대이다.
ㄴ. $0<t<e$에서 점 P는 운동 방향을 두 번 바꾼다.
ㄷ. $0<t<e$에서 점 P의 속도가 0이 되는 순간은 두 번이다.
ㄹ. $0<t<e$에서 점 P는 $t=d$일 때, 원점으로부터 가장 멀리 떨어져 있다.

① ㄱ   ② ㄴ, ㄷ   ③ ㄱ, ㄹ
④ ㄱ, ㄴ, ㄷ   ⑤ ㄱ, ㄴ, ㄷ, ㄹ

▶ 해설 내신연계기출

유형 17 속도 $v(t)$ 그래프의 해석

수직선 위를 움직이는 점 P의 시각 t에서의 속도 $v(t)=f'(t)$의 그래프가 주어질 때,
① $v(t)>0$ ⇨ 점 P는 양의 방향으로 움직인다.
② $v(t)<0$ ⇨ 점 P는 음의 방향으로 움직인다.
③ $v(t)$의 부호가 바뀌는 시각 t에서 점 P는 운동방향을 바꾼다.
④ $t=a$인 점에서 접선의 기울기는 $t=a$인 점에서의 가속도이다.
    ⇨ 점 P가 극점에 있을 때, 점 P의 가속도는 0이다.

0986 학교기출 대표 유형

수직선 위를 움직이는 점 P의 시각 t에서 속도 $v(t)$의 그래프가 다음 그림과 같을 때, [보기] 중 옳은 것을 모두 고른 것은?

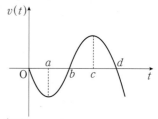

ㄱ. $t=a$일 때, 점 P의 가속도는 0이다.
ㄴ. $a<t<c$일 때, 점 P의 가속도는 양의 값이다.
ㄷ. $t=b$일 때와 $t=d$일 때, 점 P의 운동 방향이 바뀐다.

① ㄴ   ② ㄷ   ③ ㄱ, ㄴ
④ ㄱ, ㄷ   ⑤ ㄱ, ㄴ, ㄷ

0987 최다빈출 상 중요 NORMAL

원점을 출발하여 수직선 위를 움직이는 점 P의 시각 t에서의 속도 $v(t)$의 그래프가 오른쪽 그림과 같을 때, [보기] 중 옳은 것의 개수는?

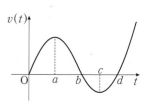

ㄱ. $t=a$일 때와 $t=c$일 때의 점 P의 운동 방향은 서로 반대이다.
ㄴ. $t=b$일 때, 점 P의 운동 방향이 바뀐다.
ㄷ. $b<t<c$일 때, 점 P의 속도가 증가한다.
ㄹ. $t=d$일 때, 점 P의 가속도는 양의 값이다.
ㅁ. $t>d$일 때, 점 P는 출발할 때의 운동 방향과 반대 방향으로 움직인다.

① 1   ② 2   ③ 3
④ 4   ⑤ 5

▶ 해설 내신연계기출

유형 18 시각에 대한 길이의 변화율

[1단계] 길이를 시간 t에 대한 함수로 나타낸다.

[2단계] 양변을 t에 대하여 미분하여 시간 t에 대한 길이의 변화율

$\displaystyle\lim_{\Delta t \to 0} \frac{\Delta l}{\Delta t} = \frac{dl}{dt}$ 을 구한다.

[3단계] $t = a$를 대입한다.

0988 학교기출 대표 유형

어떤 물체가 시각 t에서의 길이 l이 $l = t^3 + 2t^2 + 3t + 4$일 때, $t = 3$에서의 물체의 길이의 변화율은?

① 21 ② 24 ③ 32
④ 42 ⑤ 52

0989 최다빈출 왕중요

 NORMAL

오른쪽 그림과 같이 크기가 180cm인 사람이 높이가 4.5m인 가로등 바로 밑에서 출발하여 매초 1.2m의 속도로 일직선으로 걸어갈 때, 그림자의 길이의 변화율은? (단위는 m/s)

① 0.8 ② 1.0
③ 1.2 ④ 1.4
⑤ 1.6

▶ 해설 내신연계기출

0990

NORMAL

키가 1.8m인 학생이 높이가 3m인 가로등의 바로 아래에서 출발하여 일직선으로 1.4m/s의 속도로 걸어가고 있다. 이때 이 학생의 그림자의 앞 끝이 움직이는 속도는?

① 1.5m/s ② 2m/s
③ 2.5m/s ④ 3m/s
⑤ 3.5m/s

0991

NORMAL

오른쪽 그림과 같이 좌표평면 위의 원점 O를 출발하여 각각 x축, y축 위를 움직이는 두 점 A, B가 있다. 점 A는 x축의 양의 방향으로 매초 6의 속력으로 움직이고, 점 B는 y축의 양의 방향으로 매초 8의 속력으로 움직인다고 한다. 점 C가 선분 AB의 중점일 때, 선분 OC의 길이의 변화율은?

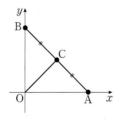

① 2 ② 3 ③ 4
④ 5 ⑤ 6

유형 19 시각에 대한 넓이의 변화율

[1단계] 넓이를 시간 t에 대한 함수로 나타낸다.

[2단계] 양변을 t에 대하여 미분하여 시간 t에 대한 넓이의 변화율

$\displaystyle\lim_{\Delta t \to 0} \frac{\Delta S}{\Delta t} = \frac{dS}{dt}$ 를 구한다.

[3단계] $t = a$를 대입한다.

0992 학교기출 대표 유형

잔잔한 호수에 돌을 던지면 동심원의 파문이 일어난다. 가장 바깥쪽의 원의 반지름의 길이가 매초 3cm의 비율로 커질 때, 돌을 던지고 3초 후에 가장 바깥쪽 원의 넓이의 변화율은?

① $18\pi \text{cm}^2$/초 ② $27\pi \text{cm}^2$/초 ③ $36\pi \text{cm}^2$/초
④ $45\pi \text{cm}^2$/초 ⑤ $54\pi \text{cm}^2$/초

0993 최다빈출 왕중요

NORMAL

그림과 같이 반지름의 길이가 50cm인 반구 모양의 용기에 수면의 높이가 매초 2cm로 일정하게 높아지도록 물을 채울 때, 물을 넣기 시작한지 20초가 되는 순간 수면의 넓이의 변화율은?

(단, 단위는 cm^2/초)

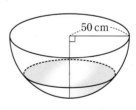

① 25π ② 30π ③ 35π
④ 40π ⑤ 45π

▶ 해설 내신연계기출

0994

아이스크림 공장에는 액체 상태의 원료를 밑면의 반지름의 길이가 3cm이고 높이가 10cm인 원뿔이 뒤집어진 모양의 용기에 넣고 얼려서 아이스크림콘을 제작한다. 아이스크림콘을 제작하는 기계는 액체 원료의 높이가 매초 1cm로 일정하게 높아지도록 설계되어 있어 10초 동안 하나의 용기에 액체 원료를 가득 채울 수 있다.

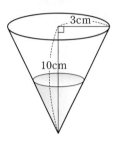

용기에 액체 원료를 넣기 시작한지 4초가 되는 순간 액체 원료에 의해 생기는 수면의 넓이의 변화율은? (단, 단위는 cm²/초)

① $\dfrac{9}{25}\pi$ ② $\dfrac{2}{3}\pi$ ③ $\dfrac{18}{25}\pi$

④ $\dfrac{9}{5}\pi$ ⑤ $\dfrac{12}{25}\pi$

0995

오른쪽 그림과 같이 한 변의 길이가 1cm인 정사각형이 있다. 이 정사각형의 모든 변의 길이가 매초 4cm의 비율로 늘어날 때, 이 정사각형의 한 변의 길이가 17cm인 순간의 넓이의 변화율은?

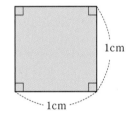

① 136cm²/초   ② 140cm²/초
③ 145cm²/초   ④ 160cm²/초
⑤ 180cm²/초

0996

가로와 세로의 길이가 각각 9cm, 4cm인 직사각형이 있다.
이 직사각형의 가로와 세로의 길이가 각각 매초 0.2cm, 0.3cm씩 늘어난다고 할 때, 이 직사각형이 정사각형이 되는 순간의 넓이의 변화율은 몇 cm²/초인가?

① 9.5   ② 10   ③ 10.5
④ 13   ⑤ 14

유형 20   시각에 대한 부피의 변화율

[1단계] 부피를 시간 t에 대한 함수로 나타낸다.
[2단계] 양변을 t에 대하여 미분하여 시간 t에 대한 부피의 변화율
$$\lim_{\Delta t \to 0} \frac{\Delta V}{\Delta t} = \frac{dV}{dt} \text{를 구한다.}$$
[3단계] $t=a$를 대입한다.

참고   공의 반지름의 길이를 $r$cm라 하고 겉넓이를 Scm², 부피를 Vcm³라 하면
$$\Rightarrow S=4\pi r^2,\ V=\frac{4}{3}\pi r^3$$

0997   학교기출 대표 유형

반지름의 길이가 2cm인 구 모양의 풍선이 있다. 이 풍선의 반지름의 길이가 매초 1cm의 비율로 늘어나도록 바람을 불어 넣을 때, 풍선의 반지름의 길이가 6cm가 되는 순간의 부피의 변화율은?

① 16πcm³/초   ② 36πcm³/초   ③ 64πcm³/초
④ 100πcm³/초   ⑤ 144πcm³/초

0998   최다빈출 왕중요

오른쪽 그림과 같이 밑면의 반지름의 길이가 12cm, 높이가 9cm인 원뿔 모양의 그릇이 있다. 매초 1cm씩 수면의 높이가 올라가도록 물을 넣을 때, 물을 넣기 시작한 지 6초 후에 그릇에 담긴 물의 부피의 변화율은? (단, 단위는 cm³/s)

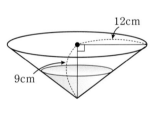

① 16π   ② 24π   ③ 32π
④ 42π   ⑤ 64π

▶ 해설 내신연계기출

0999   최다빈출 왕중요

오른쪽 그림과 같이 밑면의 반지름의 길이가 3cm이고 높이가 9cm인 원뿔 모양의 그릇이 있다. 비어 있는 이 그릇에 매초 1cm의 속도로 수면의 높이가 상승하도록 물을 부을 때, 3초 후 그릇에 담긴 물의 부피의 변화율은?

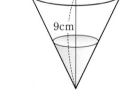

① πcm³/초   ② 2πcm³/초
③ 4πcm³/초   ④ 5πcm³/초
⑤ 9πcm³/초

▶ 해설 내신연계기출

1000

함수 $f(x)=x^3-3x-1$일 때, 방정식 $|f(x)|=a$의 서로 다른 실근의 개수가 3이다. 양수 a의 값을 다음 단계로 서술하여라.

[1단계] 함수 $y=f(x)$의 그래프를 그린다.

[2단계] 함수 $y=|f(x)|$의 그래프를 그린다.

[3단계] 함수 $y=|f(x)|$의 그래프와 직선 $y=a$가 서로 다른
　　　　세 점에서만 만날 때의 양수 a의 값을 구한다.

1001

오른쪽 그림은 삼차함수 $f(x)$의 도함수 $y=f'(x)$의 그래프이다.

$f(0)=0$일 때, 방정식 $f(x)=k$가 서로 다른 세 실근을 갖기 위한 상수 k의 값의 범위를 구하는 과정을 다음 단계로 서술하여라.

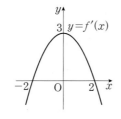

[1단계] 도함수 $f'(x)$의 그래프와 $f(0)=0$을 이용하여 삼차함수
　　　　$f(x)$의 식을 구한다.

[2단계] 함수 $f(x)$의 극댓값과 극솟값을 구한다.

[3단계] 서로 다른 세 실근을 가지도록 하는 k의 값의 범위를 구한다.

1002

곡선 $y=2x^3-3x^2$과 직선 $y=12x+k$가 서로 다른 세 점에서 만나도록 하는 실수 k의 값의 범위를 구하는 과정을 다음 단계로 서술하여라.

[1단계] 주어진 식을 $f(x)=k$의 꼴로 변형한다.

[2단계] $f(x)$의 극댓값과 극솟값을 구한다.

[3단계] 서로 다른 세 실근을 가지도록 하는 k의 값의 범위를 구한다.

1003

두 함수
$$f(x)=4x^3+x^2-3x, \ g(x)=2x^3+4x^2+9x+a$$
에 대하여 방정식 $f(x)=g(x)$가 서로 다른 두 개의 양의 실근과 한 개의 음의 실근을 갖도록 하는 모든 정수 a의 개수를 구하는 과정을 다음 단계로 서술하여라.

[1단계] $f(x)=g(x)$를 $h(x)=a$의 꼴로 정리한다.

[2단계] 함수 $h(x)$의 증가와 감소를 표로 나타내고, 그 그래프를
　　　　그린다.

[3단계] 그래프를 이용하여 주어진 조건을 만족시키는 정수 a의
　　　　개수를 구한다.

1004

한 점 $A(1, a)$에서 곡선 $y=x^3$에 서로 다른 세 개의 접선을 그을 수 있도록 하는 실수 a의 값의 범위를 구하는 과정을 다음 단계로 서술하여라.

[1단계] 곡선 위의 점 (t, t^3)에서의 접선의 방정식을 구한다.

[2단계] 1단계에서 구한 접선이 점 $A(1, a)$를 지남을 이용하여
　　　　a와 t 사이의 관계식을 구한다.

[3단계] 접선의 개수가 3이 되도록 하는 실수 a의 값의 범위를
　　　　구한다.

▶ 해설 내신연계기출

1005

두 함수
$$f(x)=x^4+x^2-6x, \ g(x)=-2x^2-16x+a$$
에 대하여 다음 단계로 서술하여라.

[1단계] 모든 실수 x에 대하여 $f(x) \geq g(x)$가 성립하도록 하는
　　　　상수 a의 값의 범위를 구한다.

[2단계] 임의의 두 실수 x_1, x_2에 대하여 $f(x_1) \geq g(x_2)$가 성립
　　　　하도록 하는 상수 a의 값의 범위를 구한다.

1006

원점을 출발하여 수직선 위를 움직이는 점 P의 시각 t에서의 좌표가
$$x = t^3 - 6t^2 + 9t$$
일 때, 다음 단계로 서술하여라.

[1단계] $t=2$일 때, 점 P의 속도와 가속도를 구한다.
[2단계] 점 P가 운동방향을 처음으로 바꾸는 시각과 그때의 위치를 구한다.
[3단계] P가 출발 후 다시 원점을 지나는 순간의 속도를 구한다.

1007

지상 14.7m의 높이에서 초속 9.8m의 속도로 똑바로 위로 던진 야구공의 시각이 t초일 때의 높이 xm가
$$x = -4.9(t^2 - 2t - 3)$$
일 때, 다음 단계로 서술하여라. (단, 단위도 정확히 쓴다.)

[1단계] $t=2$에서의 야구공의 속도를 구한다.
[2단계] 야구공이 최고 높이에 도달할 때의 시각과 그때의 높이를 구한다.
[3단계] 야구공이 지면에 도달하는 순간의 속도를 구한다.

1008

직선 철로 위를 달리는 열차가 제동을 건 후 t초 동안 움직인 거리를 xm라 하면
$$x = -0.45t^2 + 18t$$
라 한다. 다음 단계로 서술하여라.

[1단계] 제동을 건지 t초 후의 열차의 속도와 가속도를 구한다.
[2단계] 제동을 건 후 열차가 정지할 때까지 걸린 시간을 구한다.
[3단계] 열차가 제동을 건 후부터 정지할 때까지 움직인 거리를 구한다.

1009

오른쪽 그림과 같이 키가 1.7m인 수지가 높이가 3.4m인 가로등 바로 밑에서 출발하여 일직선으로 1.5m/s의 속도로 걸어가고 있다. 다음 단계로 서술하여라.

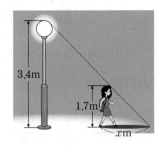

[1단계] 수지가 출발한 지 t초 후의 그림자의 길이를 xm라 할 때, x를 t에 대한 식으로 나타낸다.
[2단계] 가로등 바로 밑에서 그림자 끝까지의 거리를 $f(t)$m라 할 때, $f(t)$를 구한다.
[3단계] 수지의 그림자의 끝이 움직이는 속도를 구한다.
[4단계] 수지의 그림자의 길이의 변화율을 구한다.

1010

오른쪽 그림과 같이 같은 지점 O에서 동시에 출발한 두 대의 자동차 A, B가 A는 북쪽으로 20m/s, B는 동쪽으로 10m/s의 속도로 이동하고 있다. 자동차 A에서 자동차 B까지의 최단거리의 $\frac{1}{2}$이 되는 지점을 점 M이라 할 때, $\overline{\mathrm{OM}}$의 길이의 변화율을 구하는 과정을 다음 단계로 서술하여라.

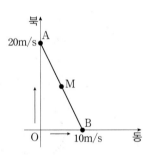

[1단계] 동시에 출발한 지점을 원점, 자동차 A가 가는 길을 y축, 자동차 B가 가는 길을 x축으로 생각하여 t초 후의 두 자동차의 위치를 좌표로 나타낸다.
[2단계] $\overline{\mathrm{OM}}$의 길이를 t의 식으로 나타낸다.
[3단계] $\overline{\mathrm{OM}}$의 길이의 변화율을 구한다.

1011

오른쪽 그림과 같이 밑면의 지름과 높이가 모두 10cm인 원뿔을 뒤집어 놓은 모양의 종이컵이 있다. 물이 가득 채워진 종이컵의 아랫부분으로 물의 높이가 매초 1cm씩 낮아지도록 물을 빼내고 있다. 2초 후의 물의 부피의 순간변화율을 구하는 과정을 다음 단계로 서술하여라. (단, 물의 수면은 원이다.)

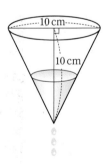

[1단계] t초 후의 물의 수면의 반지름의 길이를 t에 대한 식으로 나타낸다.
[2단계] t초 후의 물의 부피를 t에 대한 식으로 나타낸다.
[3단계] 2초 후의 물의 부피의 순간변화율을 구한다.

▶ 해설 내신연계기출

1012

삼차함수 $y=f(x)$의 도함수 $y=f'(x)$의 그래프가 오른쪽 그림과 같다. $f(0)=1$일 때, x에 대한 방정식 $f(x)=kx+1$이 서로 다른 세 실근을 갖기 위한 정수 k의 최솟값을 구하여라.

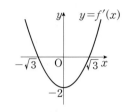

1013 평가원기출

함수 $f(x)$가 다음과 같다.

$$f(x)=\begin{cases} -x+2 & (x \leq 1) \\ x^3 & (x > 1) \end{cases}$$

모든 실수 x에 대하여 부등식 $f(x) \geq k(x-1)+1$이 성립하도록 하는 실수 k의 최댓값과 최솟값의 합을 구하여라.

1014 교육청기출

자연수 k에 대하여 삼차방정식

$$x^3-12x+22-4k=0$$

의 양의 실근의 개수를 $f(k)$라 하자. $\sum_{k=1}^{10} f(k)$의 값을 구하여라.

1015 평가원기출

좌표평면에서 두 함수

$$f(x)=6x^3-x, \ g(x)=|x-a|$$

의 그래프가 서로 다른 두 점에서 만나도록 하는 모든 실수 a의 값의 합을 구하여라.

1016 수능기출

함수 $f(x)=x(x+1)(x-4)$에 대하여 직선 $y=5x+k$와 함수 $y=f(x)$의 그래프가 서로 다른 두 점에서 만날 때, 양수 k의 값을 구하여라.

1017 평가원기출

자연수 n에 대하여 최고차항의 계수가 1이고 다음 조건을 만족시키는 삼차함수 $f(x)$의 극댓값을 a_n이라 하자.

(가) $f(n)=0$
(나) 모든 실수 x에 대하여 $(x+n)f(x) \geq 0$이다.

a_n이 자연수가 되도록 하는 n의 최솟값을 구하여라.

1018

수능기출

함수 $y=\dfrac{16}{x}$ 의 그래프와 함수 $y=-x^2+a$ 의 그래프가 서로 다른 두 점에서 만날 때, 상수 a의 값을 구하여라.

1019

원점을 출발하여 수직선 위를 움직이는 점 P의 시각 $t(t \geq 0)$ 에서의 위치 x가

$$x=pt^3+\frac{3}{2}qt^2+rt$$

이다. $t=1$과 $t=2$에서 점 P의 운동 방향이 바뀌고, $t=3$에서 점 P의 가속도가 3일 때, $t=6$에서의 점 P의 위치를 구하여라. (단, p, q, r는 상수이다.)

1020

수직선 위를 움직이는 두 점 P, Q의 시각 t에서의 좌표를 각각

$$t^4-6t^3+12t^2, \ mt$$

라고 하자. 두 점 P, Q의 속도가 같아지는 순간이 세 번 있다고 할 때, 정수 m의 개수를 구하여라.

▶ 해설 내신연계기출

1021

교육청기출

원점 O를 동시에 출발하여 수직선 위를 움직이는 두 점 P, Q의 t분 후의 좌표를 각각 x_P, x_Q라 하면

$$x_P=2t^3-9t^2, \ x_Q=t^2+8t$$

이다. 선분 PQ의 중점을 M이라 할 때, 두 점 P, Q가 원점을 출발한 후 4분 동안 세 점 P, Q, M이 움직이는 방향을 바꾼 횟수를 각각 a, b, c라고 하자. 이때 $a+b+c$의 값을 구하여라.

1022

한 변의 길이가 $12\sqrt{3}$인 정삼각형과 그 정삼각형에 내접하는 원으로 이루어진 도형이 있다. 이 도형에서 정삼각형의 각 변의 길이가 매초 $3\sqrt{3}$씩 늘어남에 따라 원도 정삼각형에 내접하면서 반지름의 길이가 늘어난다. 정삼각형의 한 변의 길이가 $24\sqrt{3}$이 되는 순간, 정삼각형에 내접하는 원의 넓이의 시간(초)에 대한 변화율이 $a\pi$이다. 이때 상수 a의 값을 구하여라.

1023

삼차함수 $f(x)$가 다음 조건을 만족시킨다.

(가) 방정식 $f(x)=0$은 음의 실근 하나와 서로 다른 두 양의 실근을 갖는다.

(나) 방정식 $f'(x)=0$은 두 실근 -1, 2를 갖는다.

[보기]에서 옳은 것만을 있는 대로 고른 것은?

ㄱ. $f(0)>0$
ㄴ. $f(-1)f(2)<0$
ㄷ. $f'(1)>0$이면 $f(1)>0$이다.

① ㄱ　　　　② ㄴ　　　　③ ㄱ, ㄴ
④ ㄱ, ㄷ　　　⑤ ㄱ, ㄴ, ㄷ

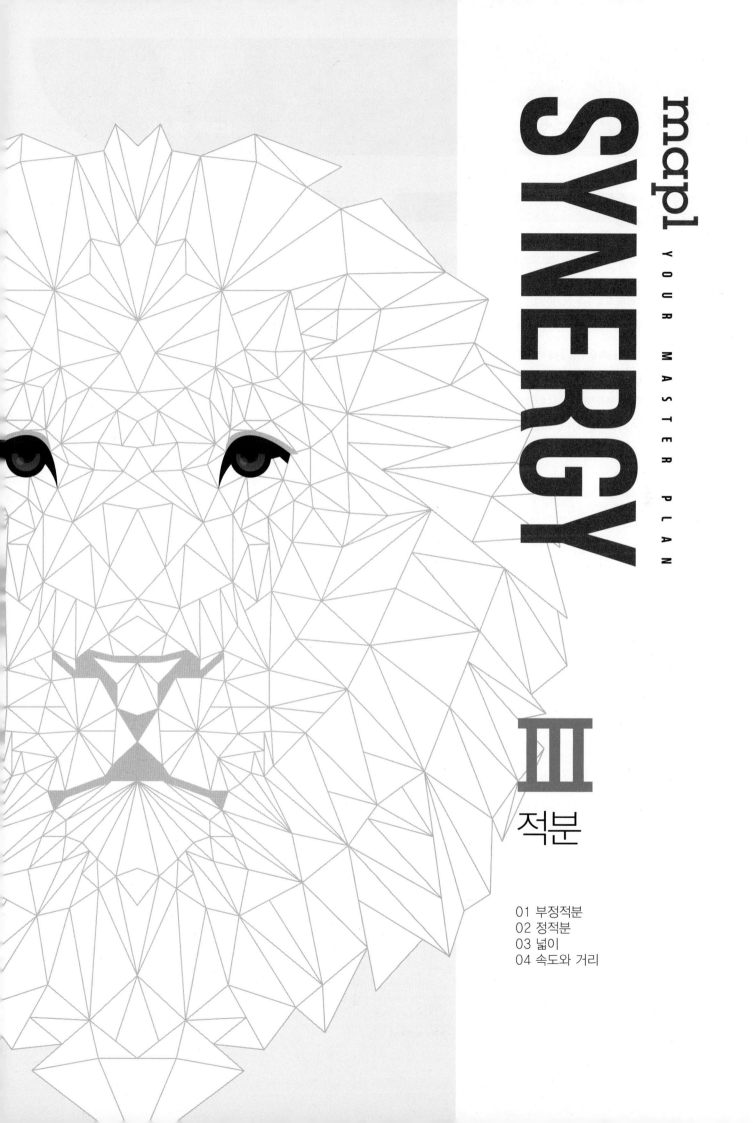

mapl

SYNERGY

YOUR MASTER PLAN

III

적분

유형 01 부정적분의 정의

① 부정적분

함수 $F(x)$를 $f(x)$의 한 부정적분 또는 원시함수라 하면

⇨ $F'(x)=f(x)$

⇨ 함수 $F(x)$의 도함수가 $f(x)$이다.

⇨ $\int f(x)dx=F(x)+C$ (단, C는 적분상수)

② $\int f(x)dx=g(x)$의 양변을 x에 대하여 미분하여

$f(x)=g'(x)$를 구한다.

③ 함수 $f(x)$의 두 부정적분이 $F(x)$, $G(x)$이면

$G(x)=\int f(x)dx=F(x)+C$ (C는 적분상수)

이므로 $G(x)-F(x)=C$이다.

1024 학교기출 대표유형

모든 실수 x에 대하여

$$\int (3x^2+2x+a)dx=bx^3+cx^2-5x+C \text{ (단, } C\text{는 적분상수)}$$

가 성립할 때, 상수 a, b, c에 대하여 $a+b+c$의 값은?

① -5 ② -3 ③ 0

④ 3 ⑤ 5

1025   BASIC

다항함수 $f(x)$에 대하여

$$\int f(x)dx=\frac{1}{3}x^3-\frac{1}{2}x^2+C \text{ (단, } C\text{는 적분상수)}$$

가 성립할 때, $f(-2)$의 값은?

① 2 ② 3 ③ 4

④ 5 ⑤ 6

1026   최다빈출 왕중요   BASIC

다항함수 $f(x)$가 모든 실수에 대하여

$$\int (x+1)f(x)dx=\frac{2}{3}x^3+\frac{1}{2}x^2-x+C \text{ (단, } C\text{는 적분상수)}$$

를 만족할 때, $f(2)$의 값은?

① 1 ② 2 ③ 3

④ 4 ⑤ 5

▶ 해설 내신연계기출

1027   NORMAL

두 다항함수 $f(x)$, $g(x)$가

$$\int g(x)dx=x^5 f(x)+a$$

를 만족시키고, $f(1)=-2$, $f'(1)=6$일 때, $g(1)$의 값은? (단, a는 상수)

① -6 ② -5 ③ -4

④ -3 ⑤ -2

1028   NORMAL

두 함수 $F(x)$, $G(x)$가 모두 다항함수 $f(x)$의 부정적분이고

$$F(0)=G(0)+2$$

일 때, $F(3)-G(3)$의 값은?

① -3 ② -2 ③ 1

④ 2 ⑤ 3

1029   최다빈출 왕중요   NORMAL

두 함수 $F(x)$, $G(x)$가 모두 함수 $f(x)$의 부정적분이고

$$F(1)=5, \ G(1)=2$$

일 때, $F(2)-G(2)$의 값은?

① 3 ② 4 ③ 5

④ 6 ⑤ 7

▶ 해설 내신연계기출

1030   최다빈출 왕중요   NORMAL

함수 $f(x)=\int (4x^3-x^2+5)dx$에 대하여

$\lim\limits_{x\to 1}\dfrac{f(x)-f(1)}{x^2-1}$의 값은?

① 3 ② 4 ③ 8

④ 10 ⑤ 12

▶ 해설 내신연계기출

1031

NORMAL

다항함수 $f(x)$가

$$f(x)=\int(x^2+4x+3)dx$$

일 때, $\lim\limits_{h\to 0}\dfrac{f(2+3h)-f(2)}{h}$ 의 값은?

① 10   ② 15   ③ 20

④ 40   ⑤ 45

▶ 해설 내신연계기출

1032

NORMAL

함수

$$f(x)=\int(x+3)(x^2-3x+7)dx$$

일 때, $\lim\limits_{h\to 0}\dfrac{f(1+2h)-f(1-3h)}{h}$ 을 구하면?

① 25   ② 50   ③ 75

④ 100   ⑤ 125

1033

TOUGH

다항함수 $f(x)$가

$$\lim_{h\to 0}\frac{f(x+h)-f(x-h)}{h}=8x^3-6x^2+2,\ f(0)=3$$

을 만족시킬 때, $f(2)$의 값은?

① 8   ② 9   ③ 10

④ 13   ⑤ 16

▶ 해설 내신연계기출

1034

TOUGH

다항함수 $f(x)$에 대하여

$$\int\{2-f(x)\}dx=-\frac{1}{4}x^4+2x^3-\frac{9}{2}x^2+x+C$$

일 때, $f(x)$의 극댓값은?

① 1   ② 2   ③ 3

④ 4   ⑤ 5

▶ 해설 내신연계기출

유형 02 부정적분과 미분의 관계

$F'(x)=f(x)$일 때, $\int f(x)dx=F(x)+C$이므로

① $\dfrac{d}{dx}\left\{\int f(x)dx\right\}=\dfrac{d}{dx}\{F(x)+C\}=F'(x)=f(x)$

그대로

← 먼저 적분하고 미분하면 원래의 함수가 된다.

② $\int\left\{\dfrac{d}{dx}f(x)\right\}dx=\int f'(x)dx=f(x)+C$ (단, C는 적분상수)

(그대로) + (적분상수)

← 먼저 미분하고 적분하면 원래의 함수 +C가 된다.

1035

다음 [보기]에서 옳은 것만을 있는 대로 고른 것은?

> ㄱ. $\int\left\{\dfrac{d}{dx}f(x)\right\}dx=\dfrac{d}{dx}\int f(x)dx$
>
> ㄴ. $\int f(x)dx=\int g(x)dx$이면 $f(x)=g(x)$이다.
>
> ㄷ. $f(x)=g(x)$이면 $\int f(x)dx=\int g(x)dx$이다.
>
> ㄹ. $\int f(x)dx=\int f(y)dy$

① ㄱ   ② ㄴ   ③ ㄴ, ㄷ

④ ㄱ, ㄹ   ⑤ ㄴ, ㄷ, ㄹ

1036

BASIC

모든 실수 x에 대하여

$$\frac{d}{dx}\int(ax^3+2x^2+bx-3)dx=2x^3+cx^2-5x-d$$

가 성립할 때, 상수 a, b, c, d에 대하여 $a+b+c+d$의 값은?

① −3   ② −2   ③ 2

④ 3   ⑤ 4

1037

BASIC

다항함수 $f(x)$에 대하여

$$\frac{d}{dx}\int xf(x)dx=3x^2+x$$

일 때, $f(2)$의 값은?

① 6   ② 7   ③ 8

④ 9   ⑤ 10

1038

함수 $f(x)$가

$$f(x)=\int\left\{\frac{d}{dx}(2x^3-4x)\right\}dx,\ f(0)=1$$

을 만족할 때, $f(2)$의 값은?

① 3   ② 4   ③ 5
④ 6   ⑤ 9

1039
최다빈출 왕 중요

함수 $f(x)=\int\left\{\frac{d}{dx}(3x^3-ax^2)\right\}dx$에 대하여 $f(1)=6$이고

$\lim\limits_{x\to1}\dfrac{f(x)-f(1)}{x^2-1}=-\dfrac{3}{2}$일 때, $f(2)$의 값은?

① 3   ② 5   ③ 7
④ 9   ⑤ 11

▶ 해설 내신연계기출

1040

함수 $f(x)$가

$$f(x)=\int\left\{\frac{d}{dx}(x^2-6x)\right\}dx$$

에 대하여 $f(x)$의 최솟값이 8일 때, $f(1)$의 값은?

① 6   ② 8   ③ 10
④ 12   ⑤ 16

1041
최다빈출 왕 중요

함수 $f(x)=x^{10}+x^9+x^8+\cdots+x+1$에 대하여

$$F(x)=\int\frac{d}{dx}\left[\frac{d}{dx}\left\{\int f(x)dx\right\}\right]dx$$

이고 $F(0)=1$일 때, $F(2)$의 값은?

① 216   ② 512   ③ 1023
④ 2047   ⑤ 2049

▶ 해설 내신연계기출

1042
최다빈출 왕 중요

다항함수 $f(x)$가

$$\frac{d}{dx}\left[\int\{f(x)-x^2+4\}dx\right]=\int\frac{d}{dx}\{2f(x)-3x+1\}dx$$

를 만족시킨다. $f(1)=3$일 때, $f(0)$의 값은?

① -2 ② -1 ③ 0
④ 1   ⑤ 2

▶ 해설 내신연계기출

1043

두 다항함수 $f(x)$, $g(x)$가

$$f(x)=\int xg(x)dx,\ \frac{d}{dx}\{f(x)-g(x)\}=4x^3+2x$$

를 만족시킬 때, $g(1)$의 값은?

① 10   ② 11   ③ 12
④ 13   ⑤ 14

1044

이차함수 $f(x)$에 대하여 함수 $g(x)$가

$$g(x)=\int\{x^2+f(x)\}dx,\ f(x)g(x)=-2x^4+8x^3$$

을 만족시킬 때, $g(1)$의 값은?

① 1   ② 2   ③ 3
④ 4   ⑤ 5

유형 03 부정적분을 이용한 함수의 결정

$\dfrac{d}{dx}f(x)=g(x)$꼴로 주어지면

⇨ 양변을 적분하여 $\displaystyle\int\left\{\dfrac{d}{dx}f(x)\right\}dx=f(x)+C$임을 이용한다.

1045 학교기출 대표유형

두 다항함수 $f(x)$, $g(x)$가

$$\frac{d}{dx}\{f(x)+g(x)\}=4,\quad \frac{d}{dx}\{f(x)g(x)\}=6x-1$$

을 만족시키고 $f(0)=2$, $g(0)=-1$일 때, $f(1)-g(1)$의 값은?

① 1   ② 2   ③ 3
④ 4   ⑤ 5

1046 최다빈출 왕중요   NORMAL

상수함수가 아닌 두 다항함수 $f(x)$, $g(x)$에 대하여 다음 조건을 만족할 때, $f(1)-g(1)$의 값은?

(가) $\dfrac{d}{dx}\{f(x)+g(x)\}=2x+2$

(나) $\dfrac{d}{dx}\{f(x)g(x)\}=3x^2+6x+1$

(다) $f(0)=2$, $g(0)=-1$

① 1   ② 2   ③ 3
④ 4   ⑤ 5

▶ 해설 내신연계기출

1047 최다빈출 왕중요   NORMAL

두 다항함수 $f(x)$, $g(x)$에 대하여

$$\{f(x)+g(x)\}'=2x+1$$

$$f'(x)g(x)+f(x)g'(x)=3x^2-2x+2$$

이고 $f(0)=2$, $g(0)=-1$일 때, $f(2)-g(2)$의 값은?

① -3 ② -2 ③ 3
④ 5   ⑤ 6

1048   NORMAL

미분가능한 두 함수 $f(x)$, $g(x)$에 대하여

$$\frac{d}{dx}\{f(x)+g(x)\}=6x^2+2x+6$$

$$\frac{d}{dx}\{f(x)-g(x)\}=6x+4$$

이고 $f(0)=1$, $g(0)=2$일 때, $f(1)-g(-1)$의 값은?

① 6   ② 8   ③ 10
④ 12   ⑤ 14

1049 최다빈출 왕중요   TOUGH

다항함수 $f(x)$, $g(x)$가 다음 조건을 모두 만족시킬 때, $\{f(1)\}^2+\{g(1)\}^2$의 값은?

(가) $f(0)=g(0)=1$

(나) $f'(x)+g'(x)=2x$

(다) $f(x)g'(x)+f'(x)g(x)=9x^2-16x$

① 13   ② 15   ③ 17
④ 19   ⑤ 21

▶ 해설 내신연계기출

1050   TOUGH

모든 실수 x에 대하여 다음 조건을 모두 만족시키는 미분가능한 두 함수 $f(x)$, $g(x)$가 다음 세 조건을 만족할 때, $g(-2)$의 값은?

(가) $\{f(x)g(x)\}'=3x^2-3$

(나) $g(x)=(x-2)f(x)$

(다) $f(0)<0$

① -12 ② -10 ③ -8
④ -6 ⑤ -4

두 연속함수 $f(x)$, $g(x)$에 대하여

① 상수의 적분 $\int k\,dx = kx + C$ (단, C는 적분상수)

② x^n의 적분 $\int x^n\,dx = \dfrac{1}{n+1}x^{n+1} + C$

③ 상수배의 적분 $\int kf(x)\,dx = k\int f(x)\,dx$

④ 합과 차의 적분 $\int \{f(x) \pm g(x)\}\,dx = \int f(x)\,dx \pm \int g(x)\,dx$

⑤ 합성함수의 적분

$\int (ax+b)^n\,dx = \dfrac{1}{n+1}(ax+b)^{n+1} \times \dfrac{1}{a} + C$ (단, C는 적분상수)

1051 학교기출 대표유형

두 함수 $f(x)$, $g(x)$에 대하여 옳지 않은 것은?

① 함수 $F(x)$의 도함수가 $f(x)$일 때, 함수 $F(x)$를 $f(x)$의 부정적분이라 한다.

② $\dfrac{d}{dx}\int f(x)\,dx = f(x)$

③ $\int \{f(x)g(x)\}\,dx = \int f(x)\,dx \int g(x)\,dx$

④ $\int \{f(x) \pm g(x)\}\,dx = \int f(x)\,dx \pm \int g(x)\,dx$

⑤ $\int dx = x + C$ (단, C는 적분상수)

1052 BASIC

함수 $f(x)$에 대하여

$$f(x) = 100\int x^{99}\,dx + 3\int x^2\,dx + \int dx$$

이고 $f(0)=0$일 때, $f(1)$의 값은?

① $\dfrac{101}{100}$ ② 2 ③ $\dfrac{201}{100}$

④ 3 ⑤ 4

1053 최다빈출 왕중요 NORMAL

함수 $f(x) = \int (x+1)^2\,dx - \int (x-1)^2\,dx$에 대하여 $f(0)=1$일 때, $f(1)$의 값은?

① 2 ② 3 ③ 4

④ 5 ⑤ 6

▶ 해설 내신연계기출

1054 최다빈출 왕중요 NORMAL

함수 $f(x)$가

$$f(x) = \int (x+2)(x^2-2x+4)\,dx - \int (x-2)(x^2+2x+4)\,dx$$

이고 $f(0)=-8$일 때, $f(1)$의 값은?

① 6 ② 8 ③ 10

④ 12 ⑤ 14

▶ 해설 내신연계기출

1055 NORMAL

함수 $f(x) = \displaystyle\int \dfrac{x^3}{x^2+x+1}\,dx - \int \dfrac{1}{x^2+x+1}\,dx$에 대하여

$f(2)=1$일 때, $f(1)$의 값은?

① $\dfrac{1}{3}$ ② $\dfrac{1}{2}$ ③ 1

④ $\dfrac{3}{2}$ ⑤ 2

1056 최다빈출 왕중요 NORMAL

함수 $f(x) = \displaystyle\int (1+2x+3x^2+4x^3+5x^4+6x^5+\cdots+9x^8)\,dx$

이고 $f(0)=3$일 때, $f(1)+f'(1)$의 값은?

① 54 ② 55 ③ 57

④ 59 ⑤ 63

▶ 해설 내신연계기출

1057 TOUGH

함수 $f_n(x) = \displaystyle\int \dfrac{1}{n}x^n\,dx$이고 $f_n(0)=0$일 때, $\displaystyle\sum_{k=1}^{10} f_k(1)$의 값은?

① $\dfrac{1}{11}$ ② $\dfrac{1}{10}$ ③ $\dfrac{9}{10}$

④ $\dfrac{10}{11}$ ⑤ 55

유형 05 도함수가 주어진 경우의 부정적분

도함수 $f'(x)$가 주어지면 함수 $f(x)$는 다음 순서로 구한다.

[1단계] $f(x)=\displaystyle\int f'(x)dx$임을 이용하여 $f(x)$를 구한다.

[2단계] $f(x)$에 주어진 함숫값을 대입하여 적분상수를 구한다.

1058 학교기출 대표 유형

다항함수 $f(x)$의 도함수 $f'(x)$가
$$f'(x)=3x^2-4x+2,\ f(0)=1$$
일 때, $f(2)$의 값은?

① 1   ② 2   ③ 3

④ 4   ⑤ 5

1059 최다빈출 왕 중요

BASIC

함수 $f(x)$가 $f'(x)=3x^2-ax$를 만족시키고
$$f(0)=4,\ f(-1)=2$$
일 때, $a+f(1)$의 값은? (단, a는 상수)

① 2   ② 4   ③ 6

④ 8   ⑤ 10

▶ 해설 내신연계기출

1060

NORMAL

"함수 $f(x)$의 부정적분을 구하여라."라는 문제를 잘못 보고 $f(x)$를 미분하였더니 $12x^2+6x-2$가 되었다. $f(x)$의 부정적분 중 하나를 $F(x)$라 하면 $f(1)=6$, $F(0)=2$이다. 이때 $F(1)$의 값은?

① 2   ② 4   ③ 6

④ 8   ⑤ 10

1061 최다빈출 왕 중요

NORMAL

실수 전체의 집합에서 미분가능한 함수 $y=f(x)$에 대하여 x의 증분 Δx에 대한 y의 증분을 Δy라 할 때,
$$\Delta y=(3x^2+2x)\Delta x-5(\Delta x)^2$$
이 성립한다. $f(0)=1$일 때, $f(2)$의 값은? (단, $\Delta x \neq 0$)

① 11   ② 12   ③ 13

④ 14   ⑤ 15

▶ 해설 내신연계기출

1062 최다빈출 왕 중요

NORMAL

다항함수 $f(x)$에 대하여 $f'(x)=3x^2+2x+a$이고 다항식 $f(x)$가 x^2-4x+3으로 나누어떨어질 때, $f(-1)$의 값은? (단, a는 상수)

① 24   ② 28   ③ 32

④ 36   ⑤ 40

▶ 해설 내신연계기출

1063 최다빈출 왕 중요

NORMAL

다항함수 $f(x)$가 다음 조건을 만족시킬 때, $f(3)$의 값은?

(가) 모든 실수 x에 대하여 $f(x)+xf'(x)=3x^2+2x+1$
(나) $f(1)=3$

① 11   ② 12   ③ 13

④ 14   ⑤ 15

▶ 해설 내신연계기출

1064

NORMAL

다항함수 $f(x)$의 도함수 $f'(x)$에 대하여
$$\int (x-2)f'(x)dx=\frac{2}{3}x^3-\frac{1}{2}x^2-6x+C$$
이고 $f(0)=5$일 때, $f(-2)$의 값은? (단, C는 적분상수이다.)

① 2   ② 3   ③ 4

④ 5   ⑤ 6

1065 최다빈출 왕 중요

NORMAL

함수 $f(x)$에 대하여
$$f'(x)=4x^3-4x+1,\ f(-1)=2$$
이다. 곡선 $y=f(x)$에서 $x=1$에서의 접선의 방정식이 $y=ax+b$일 때, $a+b$의 값은?

① 2   ② 3   ③ 4

④ 5   ⑤ 6

▶ 해설 내신연계기출

[1단계] 함수 $f'(x)=0$인 x값을 구한다.

[2단계] ① $f'(x)$의 부호가 $x=a$에서 양에서 음으로 바뀌면

$\Rightarrow$ $f(x)$는 $x=a$에서 극댓값

② $f'(x)$의 부호가 $x=a$에서 음에서 양으로 바뀌면

$\Rightarrow$ $f(x)$는 $x=a$에서 극솟값

1066 학교기출 대표유형

다항함수 $f(x)$의 도함수 $f'(x)$가

$$f'(x)=3x^2-6x$$

이다. 함수 $f(x)$의 극댓값이 5일 때, 함수 $f(x)$의 극솟값은?

① 1 ② 2 ③ 3

④ 4 ⑤ 5

1067 NORMAL

다항함수 $f(x)$의 도함수가

$$f'(x)=3(x-1)(x-2)$$

이고 함수 $f(x)$는 극솟값 0일 때, 함수 $f(x)$의 극댓값은?

① $\dfrac{1}{2}$ ② 1 ③ $\dfrac{3}{2}$

④ 2 ⑤ $\dfrac{5}{2}$

1068 최다빈출 왕중요 NORMAL

최고차항의 계수가 1인 삼차함수 $f(x)$가

$$f'(0)=f'(2)=0$$

을 만족한다. 함수 $f(x)$의 극댓값이 0일 때, 함수 $f(x)$의 극솟값은?

① -4 ② -3 ③ -2

④ -1 ⑤ 3

▶ 해설 내신연계기출

1069 NORMAL

함수 $f(x)=\displaystyle\int(-x^2+x)dx$의 극댓값이 3일 때, $f(x)$의 극솟값은?

① $\dfrac{8}{3}$ ② $\dfrac{17}{6}$ ③ 3

④ $\dfrac{11}{3}$ ⑤ 4

1070 NORMAL

함수 $f(x)$의 도함수는

$$f'(x)=3x^2-6x+k$$

이다. 함수 $f(x)$가 $x=3$에서 극솟값 -27을 갖고 $x=a$에서 극댓값 M을 가질 때, $a+k+M$의 값은? (단, k는 상수)

① -10 ② -5 ③ 0

④ 5 ⑤ 10

1071 최다빈출 왕중요 NORMAL

도함수 $f'(x)$가

$$f'(x)=(3x+1)(x-2)$$

인 함수 $y=f(x)$의 그래프가 x축에 접하고 극댓값이 양수일 때, 함수 $f(x)$에 대하여 $f(4)$의 값은?

① 22 ② 24 ③ 27

④ 34 ⑤ 36

▶ 해설 내신연계기출

1072 최다빈출 왕중요 TOUGH

함수 $y=f(x)$의 그래프가 x축에 접하고

$$f'(x)=6x(x-2)$$

일 때, $f(1)$의 값은? (단, $f(1)>0$)

① 2 ② 3 ③ 4

④ 8 ⑤ 12

▶ 해설 내신연계기출

유형 07 도함수의 그래프가 주어진 경우의 부정적분

[1단계] 삼차함수 $f(x)$의 도함수 $y=f'(x)$의 그래프에서 $f'(x)$의 식을 세운다.
⇨ 그래프가 $x=\alpha$, $x=\beta$에서 x축과 만나면
$f'(x)=a(x-\alpha)(x-\beta)(a\neq0)$로 놓는다.

[2단계] $f'(x)$를 적분하여 $f(x)$를 구한다.

[3단계] 주어진 함숫값 또는 극대 · 극소를 이용하여 적분상수와 미지수를 구한다.

1073 학교기출 대표 유형

삼차함수 $f(x)$에 대하여 $y=f'(x)$의 그래프가 오른쪽 그림과 같고 함수 $f(x)$의 극솟값이 -3, 극댓값이 1일 때, 함수 $f(3)$의 값은?

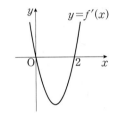

① 1 　　　 ② 2
③ 3 　　　 ④ 4
⑤ 5

▶ 해설 내신연계기출

1074

BASIC

함수 $f(x)$의 도함수 $f'(x)$는 이차함수이고, $y=f'(x)$의 그래프는 오른쪽 그림과 같다. $f(x)$의 극댓값이 32, 극솟값이 0일 때, $f(2)$의 값은?

① 0 　　　 ② 2
③ 4 　　　 ④ 12
⑤ 16

1075

NORMAL

함수 $f(x)$의 도함수 $f'(x)$는 이차함수이고 함수 $y=f'(x)$의 그래프는 오른쪽 그림과 같다. 함수 $f(x)$의 극솟값이 3일 때, $f(1)$의 값은?

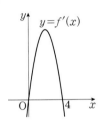

① 4 　　　 ② 5
③ 6 　　　 ④ 7
⑤ 8

1076 최다빈출 상 중요

NORMAL

함수 $f(x)$의 도함수 $f'(x)$는 이차함수이고, 함수 $y=f'(x)$의 그래프는 오른쪽 그림과 같다. 함수 $f(x)$가 극솟값 1을 가질 때. 극댓값은?

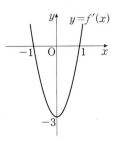

① 1 　　　 ② 2
③ 3 　　　 ④ 4
⑤ 5

▶ 해설 내신연계기출

1077

NORMAL

삼차함수 $f(x)$의 도함수 $y=f'(x)$의 그래프가 오른쪽 그림과 같고 $f(0)=0$이다. 이때 함수 $y=f(x)$의 그래프와 직선 $y=k$가 서로 다른 세 점에서 만나기 위한 상수 k의 값의 범위는?

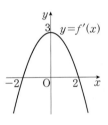

① $-4<k<4$ 　　② $k>2$ 　　③ $k<-3$
④ $k>3$ 　　⑤ $k<-2$ 또는 $k>2$

1078

NORMAL

함수 $f(x)$의 도함수 $f'(x)$는 이차함수이고 $y=f'(x)$의 그래프는 오른쪽 그림과 같다. 곡선 $y=f(x)$와 직선 $y=k$의 교점이 3개가 되도록 하는 k의 값의 범위가 $a<k<b$일 때, $b-a$의 값은?

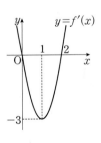

① -4 　　　 ② -2
③ 2 　　　 ④ 4
⑤ 8

함수 $f(x)$와 그 부정적분 $F(x)$ 사이의 관계식이 주어지면
[1단계] 등식의 양변을 x에 대하여 미분하여 $f'(x)$를 구한다.
[2단계] $f'(x)$를 적분하여 $f(x)$를 구한다.
[3단계] 주어진 함숫값을 이용하여 적분상수를 구한다.

1079 학교기출 대표유형

함수 $f(x)$의 한 부정적분 $F(x)$에 대하여
$$F(x) = xf(x) - 6x^4 + 4x^3$$
이 성립하고 $f(1) = -1$일 때, $f(-1)$의 값은?

① -17 ② -13 ③ -11
④ -8 ⑤ -6

1080 최다빈출 왕중요
NORMAL

다항함수 $f(x)$의 한 부정적분 $F(x)$에 대하여 다음을 모두 만족시킬 때, $f(1)$의 값은?

(가) $F(x) = xf(x) - 4x^3 - x^2 + 1$
(나) $f(0) = 3$

① 9 ② 10 ③ 11
④ 12 ⑤ 13

▶ 해설 내신연계기출

1081
NORMAL

함수 $f(x)$의 한 부정적분 $F(x)$에 대하여
$$(x-1)f(x) - F(x) = 2x^3 - 3x^2$$
이 성립하고 $f(-1) = 5$일 때, $f(2)$의 값은?

① 14 ② 16 ③ 18
④ 20 ⑤ 22

1082 최다빈출 왕중요
NORMAL

함수 $f(x)$가 다음 조건을 만족할 때, $f(2)$의 값은?

(가) $\int f(x)dx = xf(x) + 4x^3 - x^2 + 1$
(나) $f(1) = -3$

① -20 ② -19 ③ -12
④ -10 ⑤ -8

▶ 해설 내신연계기출

곡선 $y = f(x)$ 위의 점 (x, y)에서의 접선의 기울기는 $f'(x)$이다.
[1단계] 접선의 기울기 $f'(x)$를 적분하여 $f(x)$를 구한다.
[2단계] 지나는 점 (a, b)를 $y = f(x)$에 대입하여 적분상수를 구한다.

1083 학교기출 대표유형

곡선 $y = f(x)$는 점 $(0, -2)$를 지나고 이 곡선 위의 임의의 점 $(x, f(x))$에서의 접선의 기울기는 $3x^2 - 6x - 2$일 때, $f(2)$의 값은?

① -12 ② -10 ③ -8
④ -6 ⑤ -4

1084
NORMAL

곡선 $y = f(x)$ 위의 임의의 점 (x, y)에서의 접선의 기울기가 $3x^2 - 2x + 1$이다. 곡선 $y = f(x)$가 두 점 $(0, -3)$, $(2, k)$를 지날 때, 상수 k의 값은?

① 3 ② 5 ③ 7
④ 9 ⑤ 11

1085 최다빈출 왕중요
NORMAL

곡선 $y = f(x)$ 위의 임의의 점 $(x, f(x))$에서의 접선의 기울기가 $3x^2 - 4x$이고 이 곡선이 점 $(1, 0)$을 지날 때, 함수 $f(x)$의 극댓값은?

① -2 ② 1 ③ 2
④ 3 ⑤ 4

▶ 해설 내신연계기출

1086 최다빈출 왕중요
TOUGH

곡선 $y = f(x)$ 위의 임의의 점 (x, y)에서의 접선의 기울기가 $6x^2 - 12x + 4$이고 곡선 $y = f(x)$가 제 3사분면에서 직선 $y = 22x + 10$에 접한다고 할 때, $f(2)$의 값은?

① -4 ② -2 ③ 0
④ 2 ⑤ 4

▶ 해설 내신연계기출

유형 **10** 도함수의 정의를 이용한 부정적분

$f(x+y)=f(x)+f(y)+\cdots$꼴의 식이 주어지면

[1단계] $x=0$, $y=0$을 대입하여 $f(0)$의 값을 구한다.

[2단계] 도함수의 정의 $f'(x)=\lim\limits_{h \to 0}\dfrac{f(x+h)-f(x)}{h}$를 이용하여

$\qquad$ $f'(x)$를 구한다.

[3단계] $f'(x)$를 적분하여 $f(x)$를 구하고 $f(0)$의 값을 대입하여

$\qquad$ 적분상수를 구한다.

1087 학교기출 대표 유형

함수 $f(x)$가 임의의 실수 x, y에 대하여

$$f(x+y)=f(x)+f(y)+2$$

를 만족한다. $f'(0)=2$일 때, 다음 중 함수 $y=f(x)$의 그래프의 개형으로 옳은 것은?

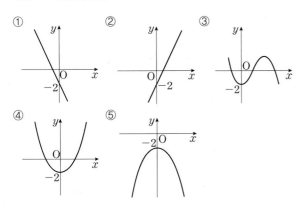

1088 최다빈출 왕 중요 BASIC

모든 실수 x, y에 대하여

$$f(x+y)=f(x)+f(y)$$

를 만족하는 미분가능한 함수 $f(x)$가 있다. $f'(0)=3$일 때, $f(5)$의 값은?

① 8 $\qquad$ ② 10 $\qquad$ ③ 12

④ 14 $\qquad$ ⑤ 15

▶ 해설 내신연계기출

1089 최다빈출 왕 중요 NORMAL

미분가능한 함수 $f(x)$가 임의의 실수 x, y에 대하여

$$f(x+y)=f(x)+f(y)-4xy$$

를 만족하고 $f'(0)=1$일 때, $f(2)$의 값은?

① -10 $\qquad$ ② -8 $\qquad$ ③ -6

④ $\quad4$ $\qquad$ ⑤ $\quad6$

▶ 해설 내신연계기출

1090 최다빈출 왕 중요 NORMAL

실수 전체의 집합에서 미분가능한 함수 $f(x)$가 임의의 두 실수 x, y에 대하여

$$f(x+y)=f(x)+f(y)+2xy-2$$

를 만족시키고 $\lim\limits_{h \to 0}\dfrac{f(h)-2}{h}=3$일 때, $f(1)$의 값은?

① 3 $\qquad$ ② 4 $\qquad$ ③ 5

④ 6 $\qquad$ ⑤ 7

▶ 해설 내신연계기출

1091 NORMAL

모든 실수 x, y에 대하여

$$f(x+y)=f(x)+f(y)+5xy(x+y)+8$$

을 만족하는 미분가능한 함수 $f(x)$가 있다. $f'(0)=3$일 때, $f(-3)$의 값은?

① -64 $\qquad$ ② -62 $\qquad$ ③ -60

④ -58 $\qquad$ ⑤ -56

1092 TOUGH

실수 전체의 집합에서 미분 가능한 함수 $f(x)$가 다음 조건을 만족시킨다.

(가) $f'(1)=2$

(나) 모든 실수 x, y에 대하여

$\qquad$ $f(x+y)=f(x)+f(y)+xy(x+y)-2$

이때 $f(3)$의 값은?

① 11 $\qquad$ ② 12 $\qquad$ ③ 13

④ 14 $\qquad$ ⑤ 15

함수 $f(x)$가 $x=a$에서 연속이고 $f'(x)=\begin{cases}g(x)(x\geq a)\\h(x)(x<a)\end{cases}$ 일 때,

[1단계] $f(x)=\displaystyle\int f'(x)dx=\begin{cases}\displaystyle\int g(x)dx(x\geq a)\\\displaystyle\int h(x)dx(x<a)\end{cases}$

[2단계] 함수 $f(x)$가 $x=a$에서 연속이므로
$$f(a)=\lim_{x\to a+}f(x)=\lim_{x\to a-}f(x)$$이다.

1093 학교기출 대표 유형

미분가능한 함수 $f(x)$가
$$f'(x)=\begin{cases}6x^2 & (x\geq 1)\\2x+4 & (x<1)\end{cases}$$
를 만족시키고 $f(2)=9$일 때, $f(-3)$의 값은?

① -13 ② -10 ③ -7
④ -4 ⑤ -1

1094 BASIC

모든 실수 x에서 연속인 함수 $f(x)$의 도함수가
$$f'(x)=\begin{cases}2x-1 & (x<1)\\3x^2-2 & (x\geq 1)\end{cases}$$
이고 $f(2)=3$일 때, $f(-1)$의 값은?

① -4 ② -2 ③ -1
④ 0 ⑤ 2

1095 최다빈출 앙 중요 NORMAL

모든 실수 x에서 연속인 함수 $f(x)$의 도함수가
$$f'(x)=3x|x-1|+x+2$$
이고 $f(0)=4$일 때, $f(-2)+f(2)$의 값은?

① 23   ② 25   ③ 27
④ 29   ⑤ 31

▶ 해설 내신연계기출

1096 최다빈출 앙 중요 NORMAL

모든 실수 x에 대하여 미분가능한 함수 $f(x)$의 도함수가
$$f'(x)=\begin{cases}k & (x\geq 2)\\x+2 & (x<2)\end{cases}$$
이고 $f(2)=-1$일 때, $f(5)$의 값은?

① 8   ② 10   ③ 11
④ 13   ⑤ 15

▶ 해설 내신연계기출

1097 NORMAL

연속함수 $f(x)$의 도함수 $y=f'(x)$의 그래프가 그림과 같다.
$f(0)=0$일 때, $f(a)=\dfrac{5}{2}$을 만족하는 실수 a의 값은?

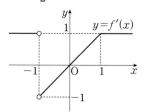

① 2   ② $\dfrac{5}{2}$ ③ 3
④ $\dfrac{7}{2}$ ⑤ 4

1098 최다빈출 앙 중요 TOUGH

연속함수 $f(x)$의 도함수 $y=f'(x)$의 그래프가 다음 그림과 같을 때, 원점을 지나는 함수 $y=f(x)$의 그래프의 개형으로 옳은 것은?

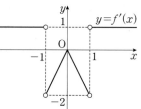

① 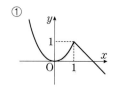   ② 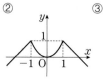   ③

④ 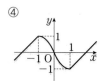   ⑤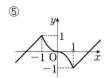

▶ 해설 내신연계기출

1099

다항함수 $f(x)$와 그 도함수 $f'(x)$에 대하여

$$\lim_{x \to \infty} \frac{f'(x)}{x} = 3, \ \lim_{x \to 1} \frac{f(x)}{x-1} = 2$$

가 성립할 때, 방정식 $f(x)=0$의 해를 구하는 과정을 다음 단계로 서술하여라.

[1단계] $\lim\limits_{x \to \infty} \dfrac{f'(x)}{x} = 3$에서 도함수 $f'(x)$의 차수를 결정한다.

[2단계] $\lim\limits_{x \to 1} \dfrac{f(x)}{x-1} = 2$에서 $f(1)$, $f'(1)$을 구하여 도함수 $f'(x)$를 구한다.

[3단계] 1, 2 단계에서 함수 $f(x)$를 구한다.

[4단계] 방정식 $f(x)=0$의 해를 구한다.

▶ 해설 내신연계기출

1100

함수 $f(x) = \int (3x^2 + ax + 9)dx$가 $x=-1$에서 극솟값 1을 가질 때, 상수 a의 값과 $f(x)$의 극댓값을 구하는 과정을 다음 단계로 서술하여라.

[1단계] 함수 $f(x)$가 $x=-1$에서 극소임을 이용하여 a를 구한다.

[2단계] 함수 $f(x)$의 부정적분과 함수 $f(x)$의 극솟값이 1을 이용하여 삼차함수 $f(x)$를 구한다.

[3단계] 함수 $f(x)$의 증가와 감소를 표로 나타내어 극댓값을 구한다.

1101

함수 $f(x)$에 대하여

$$f'(x) = 2x - a, \ f(0) = \frac{a^2}{4}$$

이고 $y = xf(x)$의 극댓값은 4이다. 이때 양수 a의 값을 구하는 과정을 다음 단계로 서술하여라.

[1단계] 부정적분을 이용하여 이차함수 $f(x)$를 구한다.

[2단계] $y = xf(x)$의 증가와 감소를 표로 나타낸다.

[3단계] $y = xf(x)$의 극댓값은 4일 때 양수 a의 값을 구한다.

▶ 해설 내신연계기출

1102

두 다항함수 $f(x)$, $g(x)$가

$$\frac{d}{dx}\{f(x)+g(x)\} = 2x+3$$

$$\frac{d}{dx}\{f(x)g(x)\} = 3x^2 + 8x - 1$$

을 만족시키고 $f(0)=2$, $g(0)=-5$일 때, 두 함수 $f(x)$, $g(x)$를 구하는 과정을 다음 단계로 서술하여라.

[1단계] $f(x)+g(x)$의 값을 구한다.

[2단계] $f(x)g(x)$의 값을 구한다.

[3단계] $f(0)=2$, $g(0)=-5$을 만족하는 두 함수 $f(x)$, $g(x)$를 구한다.

1103

함수 $f(x)$의 도함수 $f'(x)$는 이차함수 이고, $y=f'(x)$의 그래프는 오른쪽 그림과 같다. $f(x)$의 극댓값이 4, 극솟값이 0일 때, 함수 $f(x)$를 구하는 과정을 다음 단계로 서술하여라.

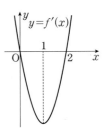

[1단계] 그래프에서 도함수 $f'(x)$의 식을 이용하여 부정적분 $f(x)$의 식을 작성한다.

[2단계] 함수 $f(x)$의 극댓값이 4, 극솟값이 0임을 이용하여 최고차항의 계수와 적분상수를 구한다.

[3단계] 삼차함수 $f(x)$를 구한다.

1104

다항함수 $f(x)$의 한 부정적분 $F(x)$에 대하여

$$f(0)=1, \ F(x) = xf(x) - 2x^3 + x^2$$

일 때, 함수 $f(1)$를 구하는 과정을 다음 단계로 서술하여라.

[1단계] 양변을 x에 대하여 미분하여 $f'(x)$의 함수식을 구한다.

[2단계] $f(0)=1$임을 이용하여 함수 $f(x)$의 적분상수를 구한다.

[3단계] 함수 $f(x)$를 구하여 $f(1)$의 값을 구한다.

1105

이차함수 $f(x)$에 대하여 등식

$$3\int f(x)dx=2f(x)+xf(x)-4x-1$$

이 항상 성립한다. $f(0)=2$일 때, $f(1)$의 값을 구하여라.

1106

두 다항함수 $f(x)$, $g(x)$가 다음 조건을 만족시킨다.

(가) $\displaystyle\lim_{x\to\infty}\frac{f(x)}{x^2+2x-1}=2$

(나) $\displaystyle\lim_{x\to 0}\frac{f(x)-5}{x}=3$

(다) 모든 실수 x에 대하여 $f'(x)=g'(x)$이다.

$g(1)=2$일 때, $g(-3)$의 값을 구하여라.

1107

다항함수 $f(x)$가 다음 조건을 만족할 때, 구간 $[-1, 1]$에서 $f(x)$의 최솟값을 구하여라.

(가) $f(x)=\displaystyle\int\left\{\frac{d}{dx}(x^3+2x)\right\}dx$

(나) 세 수 $f(0)$, $f(1)$, $f(2)$가 이 순서로 등비수열을 이룬다.

1108

다항함수 $f(x)$는 모든 실수 x, y에 대하여

$$f(x+y)=f(x)+f(y)+2xy-1$$

을 만족시킨다. $\displaystyle\lim_{x\to 1}\frac{f(x)-f'(x)}{x^2-1}=14$일 때, $f'(0)$의 값을 구하여라.

1109

함수 $f(x)$의 도함수가 $f'(x)=3x^2+6x$이고, 곡선 $y=f(x)$와 직선 $y=6$이 두 점 $(\alpha, 6)$, $(\beta, 6)$에서만 만난다. $\alpha\beta<0$일 때, $f(1)$의 값을 구하여라.

1110

다항함수 $f(x)$가 모든 실수 x에 대하여

$$\int\{2xf(x)+(x^2-1)f'(x)\}dx=x^4-x^3+x+1$$

을 만족시킨다. 함수 $f(x)$의 최솟값을 $\dfrac{p}{q}$라 할 때, $p+q$의 값을 구하여라. (단, p, q는 서로소인 자연수)

1111

다항함수 $f(x)$가 모든 실수 x에 대하여

$$\frac{d}{dx}\left\{f(x)+\int xf(x)dx\right\}=x^3+2x^2-x+2$$

를 만족시킬 때, $f(3)$의 값을 구하여라.

1112

교육청기출

모든 실수 x에 대하여 이차함수 $y=f(x)$가 다음 조건을 만족한다.

(가) $f(0)=-2$

(나) $f(-x)=f(x)$

(다) $f(f'(x))=f'(f(x))$

함수 $F(x)=\int f(x)dx$가 감소하는 구간의 길이를 구하여라.

1113

교육청기출

최고차항의 계수가 1인 삼차함수 $f(x)$가 $f(0)=0$, $f(\alpha)=0$, $f'(\alpha)=0$이고 함수 $g(x)$가 다음 두 조건을 만족시킬 때, $g\left(\frac{\alpha}{3}\right)$의 값을 구하여라. (단, α는 양수이다.)

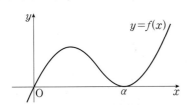

(가) $g'(x)=f(x)+xf'(x)$

(나) $g(x)$의 극댓값이 81이고 극솟값이 0이다.

1114

교육청기출

사차함수 $f(x)$의 도함수 $y=f'(x)$의 그래프가 그림과 같고, $f'(-\sqrt{2})=f'(0)=f'(\sqrt{2})=0$이다.

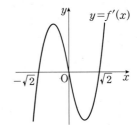

$f(0)=1$, $f(\sqrt{2})=-3$일 때, $f(m)f(m+1)<0$을 만족시키는 모든 정수 m의 값의 합을 구하여라.

1115

수능기출

함수 $y=f(x)$가 모든 실수에서 연속이고, $|x|\neq1$인 모든 x의 값에 대하여 미분계수 $f'(x)$가

$$f'(x)=\begin{cases}x^2 & (|x|<1)\\-1 & (|x|>1)\end{cases}$$

일 때, 다음 중 옳은 것을 모두 고른 것은?

ㄱ. 함수 $y=f(x)$는 $x=-1$에서 극값을 갖는다.

ㄴ. 모든 실수 x에 대하여 $f(x)=f(-x)$이다.

ㄷ. $f(0)=0$이면 $f(1)>0$이다.

① ㄱ   ② ㄴ   ③ ㄷ

④ ㄱ, ㄷ   ⑤ ㄱ, ㄴ, ㄷ

02 정적분

학교내신기출 객관식 핵심문제총정리

유형 01 정적분의 기본 정리

(1) 정적분의 기본 정리

함수 $f(x)$가 닫힌구간 $[a, b]$에서 연속이고 $f(x)$의 한 부정적분을 $F(x)$라고 할 때,

$$\int_a^b f(x)dx = \Big[F(x)\Big]_a^b = F(b) - F(a)$$

(2) 정적분의 기본 정리

① $\int_a^a f(x)dx = 0$ ← 아래끝과 위끝이 같을 때

② $\int_a^b f(x)dx = -\int_b^a f(x)dx$ ← 아래끝과 위끝이 서로 바뀔 때

③ $a > 0$일 때, 이차함수

$f(x) = ax^2 + bx + c = a(x-\alpha)(x-\beta)\,(\alpha < \beta)$에 대하여

$$\int_\alpha^\beta a(x-\alpha)(x-\beta)dx = -\frac{|a|}{6}(\beta-\alpha)^3$$

1116 학교기출 대표유형

두 다항함수 $f(x)$, $g(x)$에 대하여

$$\int_1^2 f(x)dx = 8, \quad \int_1^2 g(x)dx = -6$$

일 때, 정적분 $\int_1^2 \left\{3f(x) + \frac{1}{2}g(x)\right\}dx$의 값은?

① 16 ② 18 ③ 21

④ 23 ⑤ 25

1117 BASIC

등식 $\int_0^1 (4x^3 + ax^2 + 2)dx = 0$을 만족하는 실수 a의 값은?

① -11 ② -9 ③ -8

④ -7 ⑤ -6

1118 BASIC

부등식 $\int_0^2 (3x^2 - 2nx + 1)dx > -2$를 만족시키는 자연수 n의 개수는?

① 1 ② 2 ③ 3

④ 4 ⑤ 5

1119 최다빈출 왕중요 BASIC

정적분 $\int_0^1 (x+1)(x^2 - x + 1)dx$의 값은?

① $\frac{1}{4}$ ② $\frac{1}{2}$ ③ $\frac{3}{4}$

④ 1 ⑤ $\frac{5}{4}$

▶ 해설 내신연계기출

1120 BASIC

함수 $f(x) = ax + 1$에 대하여 $\int_0^1 f(x)dx = 0$일 때, 정적분 $\int_0^1 \{f(x)\}^2 dx$의 값은? (단, a는 상수이다.)

① $\frac{1}{3}$ ② $\frac{1}{2}$ ③ 1

④ $\frac{3}{2}$ ⑤ 2

1121 최다빈출 왕중요 NORMAL

임의의 실수 x에 대하여

$$f'(x) = 12x + 4, \quad \int_0^1 f(x)dx = 3$$

을 만족하는 함수 $f(-2)$는?

① 12 ② 13 ③ 14

④ 15 ⑤ 16

▶ 해설 내신연계기출

1122 NORMAL

함수 $f(x) = 2x + 1$에 대하여

$$\int_0^1 \{f(x)\}^2 dx = a\left\{\int_0^1 f(x)dx\right\}^2$$

을 만족시킬 때, 상수 a의 값은?

① $\frac{11}{12}$ ② 1 ③ $\frac{13}{12}$

④ $\frac{3}{2}$ ⑤ $\frac{5}{3}$

1123 최다빈출 왕중요 NORMAL

정적분 $\int_0^1 (9a^2x^2-12ax+5)dx$ 의 값이 최소가 되도록 하는 실수 a의 값을 m, 그때의 정적분의 값을 n이라 할 때, $m+n$의 값은?

① -1 ② 0 ③ 1

④ 2 ⑤ 3

▶ 해설 내신연계기출

1124 NORMAL

함수 $y=4x^3-12x^2$의 그래프를 y축의 방향으로 k만큼 평행이동한 그래프를 나타내는 함수를 $y=f(x)$라 하자.

$$\int_0^3 f(x)dx=0$$

을 만족시키는 상수 k의 값은?

① 8 ② 9 ③ 10

④ 11 ⑤ 12

1125 NORMAL

오른쪽 그림과 같이 포물선 $y=x^2$ 위의 한 점 $P(x, y)$에서 접선이 x축의 양의 방향과 이루는 각의 크기를 $\theta(x)$라 할 때, $\int_0^1 \tan\theta(x)dx$ 의 값은?

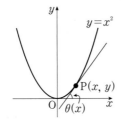

① $\dfrac{\sqrt{3}}{3}$ ② $\dfrac{1}{3}$ ③ $\dfrac{1}{2}$

④ $\dfrac{\sqrt{2}}{2}$ ⑤ 1

1126 최다빈출 왕중요 NORMAL

함수 $y=f(x)$의 그래프 위의 점 $(x, f(x))$에서의 접선의 기울기가 $3x^2+8x-2$이다. $\int_0^2 f(x)dx=\dfrac{2}{3}$일 때, $f(1)$의 값은?

① -8 ② -6 ③ -4

④ -2 ⑤ 0

▶ 해설 내신연계기출

1127 최다빈출 왕중요 NORMAL

최고차항의 계수가 1인 삼차함수 $f(x)$에 대하여

$$f(0)=f(2)=f(4)=5$$

일 때, $\int_0^2 f(x)dx$의 값은?

① 10 ② 12 ③ 14

④ 16 ⑤ 18

▶ 해설 내신연계기출

1128 최다빈출 왕중요 NORMAL

두 이차함수 $y=f(x)$, $y=g(x)$의 그래프가 서로 다른 두 점 $(-1, f(-1))$, $(3, f(3))$에서 만난다.
$f(0)=-2$, $g(0)=4$일 때,
$\int_{-1}^2 \{f(x)-g(x)\}dx$의 값은?

① -20 ② -19 ③ -18

④ -17 ⑤ -16

▶ 해설 내신연계기출

1129 NORMAL

함수 $f(x)=ax^3+bx+c$에 대하여 다음 조건을 만족할 때, 상수 a, b, c에 대하여 $a+b+c$의 값은?

(가) $\int_0^2 f(x)dx=-1$

(나) $\lim_{x \to 2}\dfrac{f(x)}{x-2}=1$

① $-\dfrac{2}{3}$ ② $-\dfrac{7}{12}$ ③ $\dfrac{1}{12}$

④ 2 ⑤ 5

1130 최다빈출 왕중요 TOUGH

이차함수 $f(x)=-(x-\alpha)(x-\beta)$에서 두 상수 α, β가 다음 조건을 모두 만족시킨다.

(가) $\alpha < 0 < \beta$

(나) $\alpha+\beta < 0$

세 정적분

$$A=\int_\alpha^0 f(x)dx, \quad B=\int_0^\beta f(x)dx, \quad C=\int_\alpha^\beta f(x)dx$$

의 값의 대소 관계는?

① $A>B>C$ ② $B>A>C$ ③ $C>B>A$

④ $C>A>B$ ⑤ $A>C>B$

▶ 해설 내신연계기출

① $\displaystyle\sum_{k=1}^{n}k=1+2+3+\cdots+n=\frac{n(n+1)}{2}$

② $\displaystyle\sum_{k=1}^{n}k^2=1^2+2^2+3^2+\cdots+n^2=\frac{n(n+1)(2n+1)}{6}$

③ $\displaystyle\sum_{k=1}^{n}ar^{k-1}=a+ar+ar^2+\cdots+ar^{n-1}=\frac{a(r^n-1)}{r-1}$

1131 학교기출 대표유형

자연수 n에 대하여

$$\int_0^1(1+2x+3x^2+\cdots+nx^{n-1})dx=2020$$

일 때, n의 값은?

① 2018   ② 2019   ③ 2020

④ 2040   ⑤ 4040

1132

NORMAL

자연수 n에 대하여

$$\int_0^1(1+4x+9x^2+\cdots+n^2x^{n-1})dx=210$$

일 때, n의 값은?

① 10   ② 14   ③ 16

④ 18   ⑤ 20

1133 최다빈출 왕중요

NORMAL

수열 $\{a_n\}$이 $\displaystyle\sum_{k=1}^{n}a_k=\int_0^n(3x^2+2)dx$를 만족할 때, $a_{10}-a_1$의 값은?

① 201   ② 263   ③ 270

④ 320   ⑤ 373

▶ 해설 내신연계기출

두 함수 $f(x)$, $g(x)$가 닫힌구간 $[a, b]$에서 연속일 때,
두 정적분에서 적분구간이 같으면 다음 정적분의 성질을 이용하여
하나의 정적분으로 나타내어 계산한다.

$$\int_a^b f(x)dx \pm \int_a^b g(x)dx = \int_a^b\{f(x)\pm g(x)\}dx$$

참고 $\displaystyle\int_a^b f(x)dx=\int_a^b f(y)dy=\int_a^b f(t)dt$

1134 학교기출 대표유형

정적분의 $\displaystyle\int_1^2(x^4-x^2+2x)dx+\int_1^2(-t^4+t^2+2t)dt$값은?

① 2   ② 4   ③ 6

④ 8   ⑤ 10

▶ 해설 내신연계기출

1135 최다빈출 왕중요

BASIC

정적분 $\displaystyle\int_0^1\frac{x^3}{x-1}dx+\int_1^0\frac{1}{t-1}dt$의 값은?

① $\frac{2}{3}$ ② $\frac{3}{4}$ ③ $\frac{11}{6}$

④ $\frac{7}{2}$ ⑤ 5

▶ 해설 내신연계기출

1136 최다빈출 왕중요

NORMAL

두 다항함수 $f(x)$, $g(x)$에 대하여

$$\int_{-2}^2\{f(x)-g(x)\}dx=15, \quad \int_{-2}^2\{f(x)+g(x)\}dx=5$$

일 때, $\displaystyle\int_{-2}^2\{3f(x)-2g(x)\}dx$의 값은?

① 25   ② 30   ③ 35

④ 40   ⑤ 45

▶ 해설 내신연계기출

1137

TOUGH

두 다항함수 $f(x)$, $g(x)$가 다음 조건을 만족시킬 때,
$\displaystyle\int_1^2 f'(x)g(x)dx+\int_1^2 f(x)g'(x)dx$의 값은?

(가) 함수 $y=f(x)$의 그래프는 두 점 $(1, 4)$, $(2, 8)$을 지난다.
(나) 함수 $y=g(x)$의 그래프는 두 점 $(1, 1)$, $(2, 4)$를 지난다.

① 28   ② 29   ③ 30

④ 31   ⑤ 32

유형 04 정적분의 계산 – 피적분함수가 같은 경우

함수 $f(x)$가 실수 a, b, c를 포함한 구간에서 연속일 때,
두 정적분에서 피적분함수가 같으면 다음 정적분의 성질을 이용하여
하나의 정적분으로 나타내어 계산한다.

$$\int_a^c f(x)dx + \int_c^b f(x)dx = \int_a^b f(x)dx \text{ (정적분의 분할)}$$

1138 학교기출 대표유형

구간 $[a, b]$에서 연속인 함수 $f(x)$에 대하여 [보기] 중 옳은 것만을
있는 대로 고른 것은? (단, $a < c < b$)

ㄱ. $\int_a^a f(x)dx = 0$

ㄴ. $\int_a^b f(x)dx = -\int_b^a f(x)dx$

ㄷ. $\int_a^c f(x)dx - \int_b^c f(x)dx = \int_a^b f(x)dx$

ㄹ. $\int_a^c f(x)dx + \int_c^b 2f(x)dx = \int_a^b 3f(x)dx$

① ㄱ, ㄴ ② ㄱ, ㄷ ③ ㄷ, ㄹ
④ ㄱ, ㄴ, ㄷ ⑤ ㄱ, ㄴ, ㄹ

▶ 해설 내신연계기출

1139 BASIC

정적분 $\int_{-4}^2 (x^3 - 3x^2 + 2x)dx - \int_{-4}^{-1}(x^3 - 3x^2 + 2x)dx$를 구하면?

① $-\dfrac{9}{2}$ ② -4 ③ $-\dfrac{9}{4}$

④ $-\dfrac{7}{2}$ ⑤ -3

1140 최다빈출 왕 중요 BASIC

함수 $f(x) = -3x^2 + 5x$에 대하여 정적분

$$\int_1^2 f(x)dx + \int_{-2}^1 f(x)dx - \int_4^2 f(x)dx$$의 값은?

① -52 ② -42 ③ -32
④ -24 ⑤ 42

▶ 해설 내신연계기출

1141 최다빈출 왕 중요 NORMAL

다음 조건을 만족하는 정적분의 값 a, b에 대하여 ab의 값은?

(가) $a = \int_{-2}^1 (3x^3 + x^2)dx + \int_{-2}^1 (x^3 - x^2)dx$

(나) $b = \int_{-1}^0 (2t^3 - 3t^2 + t - 1)dt - \int_1^0 (2x^3 - 3x^2 + x - 1)dx$

① 15 ② 20 ③ 45
④ 60 ⑤ 75

▶ 해설 내신연계기출

1142 NORMAL

다음 조건을 만족하는 정적분의 값 a, b에 대하여 $a+b$의 값은?

(가) $a = \int_{-2}^1 (x-1)^2 dx + \int_{-2}^1 (2x-1)dx$

(나) $b = \int_0^2 (3x^2 - 1)dx + \int_2^3 (3x^2 - 1)dx$

① 9 ② 12 ③ 15
④ 18 ⑤ 27

1143 최다빈출 왕 중요 NORMAL

다항함수 $f(x)$가 $k \geq 0$인 임의의 정수 k에 대하여

$$\int_k^{k+1} f(x)dx = (k+1)^2$$

을 만족할 때, $\int_0^{10} f(x)dx$의 값은?

① 55 ② 100 ③ 285
④ 385 ⑤ 710

▶ 해설 내신연계기출

1144 NORMAL

정적분

$$\int_0^3 (x+1)^2 dx - \int_{-1}^3 (x-1)^2 dx + \int_{-1}^0 (x-1)^2 dx$$

의 값은?

① 12 ② 16 ③ 18
④ 20 ⑤ 24

1145 최다빈출 왕중요

구간 $[-1, 5]$에서 연속인 함수 $f(x)$가

$$\int_{-1}^{1} f(x)dx=3, \int_{5}^{0} f(x)dx=-5, \int_{1}^{5} f(x)dx=7$$

을 만족시킬 때, $\int_{-1}^{0} \{f(x)-3x^2\}dx$의 값은?

① 4   ② 6   ③ 8

④ 10   ⑤ 12

▶ 해설 내신연계기출

1146

최고차항의 계수가 1인 이차함수 $f(x)$가 다음 조건을 만족시킬 때, 상수 a의 값은?

(가) $f(6)=f(a)=0$
(나) $\int_{0}^{10} f(x)dx=\int_{6}^{10} f(x)dx$

① -2 ② -1 ③ 0

④ 1 ⑤ 2

1147 최다빈출 왕중요

이차함수 $f(x)$에 대하여

$$\int_{-1}^{1} f(x)dx=\int_{0}^{1} f(x)dx=\int_{-1}^{0} f(x)dx$$

이고 $f(0)=-1$일 때, $f(2)$의 값은?

① 11   ② 10   ③ 9

④ 8   ⑤ 7

▶ 해설 내신연계기출

구간에 따라 다르게 정의된 함수의 정적분의 값을 구할 때에는 구간을 나누어 정적분의 값을 구한다.

⇨ 연속함수 $f(x)=\begin{cases} g(x) & (x \ge c) \\ h(x) & (x \le c) \end{cases}$ 가 닫힌구간 $[a, b]$에서 연속이고

$a < c < b$일 때,

$$\int_{a}^{b} f(x)dx=\int_{a}^{c} h(x)dx+\int_{c}^{b} g(x)dx$$

1148 학교기출 대표유형

함수 $f(x)=\begin{cases} x^2-1 & (x \le 1) \\ x-1 & (x > 1) \end{cases}$ 에 대하여 정적분 $\int_{0}^{2} f(x)dx$를 구하면?

① $-\dfrac{1}{3}$ ② $-\dfrac{1}{6}$ ③ 0

④ $\dfrac{1}{6}$ ⑤ $\dfrac{1}{3}$

1149

함수 $y=f(x)$의 그래프가 오른쪽 그림과 같을 때, 정적분 $\int_{-3}^{2} f(x)dx$의 값은?

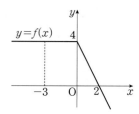

① 14   ② 16

③ 18   ④ 20

⑤ 22

1150 최다빈출 왕중요

함수 $y=f(x)$의 그래프가 오른쪽 그림과 같을 때, 정적분 $\int_{-1}^{2} (x-1)f(x)dx$의 값은?

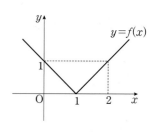

① $-\dfrac{7}{3}$ ② $-\dfrac{4}{3}$

③ $-\dfrac{1}{3}$ ④ $\dfrac{2}{3}$

⑤ $\dfrac{5}{3}$

▶ 해설 내신연계기출

1151

모든 실수 x에서 연속인 함수 $f(x)$에 대하여

$$f'(x)=\begin{cases} -2x+3 & (x<1) \\ 1 & (x\geq 1) \end{cases} \text{이고 } f(0)=0$$

일 때, $\displaystyle\int_0^2 f(x)dx$의 값은?

① $\dfrac{3}{2}$ ② $\dfrac{4}{3}$ ③ $\dfrac{5}{2}$

④ $\dfrac{7}{3}$ ⑤ $\dfrac{11}{3}$

1152

최다빈출 왕중요

모든 실수 x에서 연속인 함수

$$f(x)=\begin{cases} ax & (x<1) \\ x^2-2ax+5 & (x\geq 1) \end{cases}$$

에 대하여 $\displaystyle\int_0^2 f(x)dx$의 값은? (단, a는 상수이다.)

① 2 ② $\dfrac{7}{3}$ ③ $\dfrac{8}{3}$

④ 3 ⑤ $\dfrac{10}{3}$

▶ 해설 내신연계기출

1153

최다빈출 왕중요

실수 전체의 집합에서 미분가능한 함수

$$f(x)=\begin{cases} ax^3+2x^2-3 & (x\geq -1) \\ x^2+bx & (x<-1) \end{cases}$$

에 대하여 $\displaystyle\int_{-2}^2 f(x)dx=c$일 때, 상수 a, b, c에 대하여 abc의 값은?

① $\dfrac{14}{3}$ ② $\dfrac{20}{3}$ ③ 7

④ 8 ⑤ $\dfrac{25}{3}$

▶ 해설 내신연계기출

절댓값 기호를 포함한 함수의 정적분의 계산은 다음 순서로 구한다.

[1단계] 절댓값 기호 안의 식을 0으로 하는 x의 값을 경계로
적분구간을 나눈 함수의 식을 세운다.

[2단계] $\displaystyle\int_a^b f(x)dx=\int_a^c f(x)dx+\int_c^b f(x)dx$를 이용한다.

1154

학교기출 대표유형

정적분 $\displaystyle\int_0^2 |x^2-x|dx$의 값은?

① 1 ② 2 ③ 3

④ 4 ⑤ 5

▶ 해설 내신연계기출

1155

최다빈출 왕중요

정적분 $\displaystyle\int_{-3}^2 (2|x|+1)dx$는?

① 14 ② 16 ③ 18

④ 20 ⑤ 22

▶ 해설 내신연계기출

1156

$\displaystyle\int_0^2 |x^2(x-1)|dx$의 값은?

① $\dfrac{3}{2}$ ② 2 ③ $\dfrac{5}{2}$

④ 3 ⑤ $\dfrac{7}{2}$

1157 최다빈출 왕 중요 ▬▬▬▬ NORMAL

등식 $\int_0^a |3x^2-6x|\,dx = 8$을 만족시키는 실수 a의 값은? (단, $a > 2$)

① 3   ② 4   ③ 5
④ 6   ⑤ 7

▶ 해설 내신연계기출

1158 최다빈출 왕 중요 ▬▬▬▬ NORMAL

함수 $f(x)=3x^2-2x-1$에 대하여
$$\int_0^a |f(x)|\,dx = 4$$
가 성립할 때, 상수 a의 값은? (단, $a > 1$)

① $\dfrac{3}{2}$ ② 2   ③ $\dfrac{5}{2}$
④ 3   ⑤ $\dfrac{7}{2}$

▶ 해설 내신연계기출

1159 ▬▬▬▬ NORMAL

이차함수 $y=f(x)$의 그래프가 오른쪽 그림과 같고, $f(-1)=f(3)=0$이다.
$$\int_{-2}^0 |f(x)|\,dx = 8$$
일 때, $f(5)$의 값은?

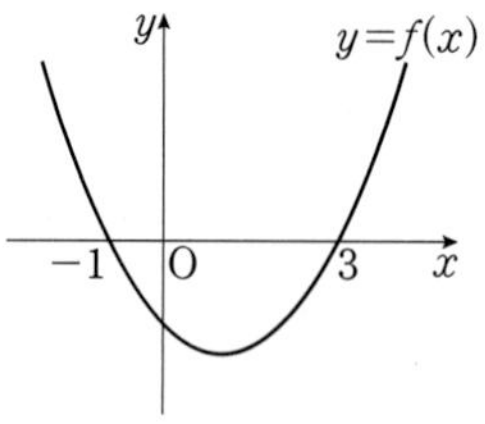

① 12   ② 24
③ 36   ④ 48
⑤ 60

1160 ▬▬▬▬ NORMAL

$0 \le a \le 3$인 실수 a에 대하여
$$f(a)=\int_0^3 |x-a|\,dx$$
를 만족시키는 함수 $f(a)$가 최솟값을 가지도록 하는 실수 a의 값은?

① $\dfrac{1}{3}$ ② $\dfrac{2}{3}$ ③ $\dfrac{3}{4}$
④ $\dfrac{3}{2}$ ⑤ $\dfrac{4}{3}$

1161 ▬▬▬▬ NORMAL

함수 $f(a)$가 $f(a)=\int_1^3 |x-a|\,dx$이다. 함수 $f(a)$의 최댓값을 M, 최솟값을 m이라고 할 때, $M-m$의 값은? (단, $1 \le a \le 3$)

① 1   ② 2   ③ $\dfrac{4}{3}$
④ $\dfrac{3}{2}$ ⑤ 3

1162 최다빈출 왕 중요 ▬▬▬▬ NORMAL

미분가능한 함수 $f(x)$가 두 조건을 만족한다.

(가) 모든 실수 x에 대하여 $f'(x)>0$
(나) $f(2)=0$, $\int_0^2 |f(x)|\,dx=3$, $\int_2^4 |f(x)|\,dx=13$

이때 정적분 $\int_0^4 f(x)\,dx$의 값은?

① 8   ② 10   ③ 12
④ 14   ⑤ 16

▶ 해설 내신연계기출

1163 최다빈출 왕 중요 ▬▬▬▬ TOUGH

이차함수 $f(x)$가 $f(0)=0$이고 다음 조건을 만족시킨다.

(가) $\int_0^2 |f(x)|\,dx = -\int_0^2 f(x)\,dx = 4$
(나) $\int_2^3 |f(x)|\,dx = \int_2^3 f(x)\,dx$

$f(5)$의 값은?

① 25   ② 35   ③ 45
④ 50   ⑤ 55

▶ 해설 내신연계기출

1164 최다빈출 왕 중요 ▬▬▬ TOUGH

함수
$$f(x)=2x^3-6x-2$$
에 대하여 $-1 \le x \le t$에서 $|f(x)|$의 최댓값을 $g(t)$라고 할 때, 정적분 $\int_{-1}^1 g(t)\,dt$는? (단, $t \ge -1$)

① 6   ② $\dfrac{13}{2}$ ③ 7
④ $\dfrac{15}{2}$ ⑤ 8

▶ 해설 내신연계기출

유형 07 $\int_a^b f'(x)dx$의 정적분 계산

$\int_a^b f'(x)dx = \Big[f(x)\Big]_a^b = f(b) - f(a)$를 활용하여 정적분 계산을 한다.

1165 학교기출 대표유형

이차함수 $y=f(x)$의 그래프가 오른쪽 그림과 같을 때, $\int_0^4 |f'(x)|dx$의 값은?

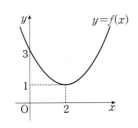

① 4   ② 6
③ 8   ④ 10
⑤ 12

1166 최다빈출 상중요   NORMAL

오른쪽 그림과 같이 삼차함수 $y=f(x)$가 극댓값 $f(1)=1$과 극솟값 $f(3)=-3$을 가지며 $f(0)=-3$일 때, $\int_0^3 |f'(x)|dx$의 값은?

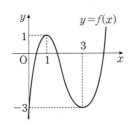

① 6   ② 7
③ 8   ④ 9
⑤ 10

▶ 해설 내신연계기출

1167   NORMAL

오른쪽 그림과 같이 삼차함수 $y=f(x)$가 $x=1$에서 극댓값 1을 가지고 $x=2$에서 극솟값 0을 가지며 $f(0)=-4$일 때, $\int_0^2 |f'(x)|dx$의 값은?

① 6   ② 7
③ 8   ④ 9
⑤ 10

1168   TOUGH

삼차함수 $y=f(x)$의 그래프가 오른쪽 그림과 같을 때, $\int_{-1}^1 f(x)dx$의 값은?

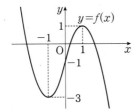

① -8 ② -6
③ -4 ④ -2
⑤ 0

유형 08 피적분함수가 주어진 경우 우함수와 기함수의 정적분

$\int_{-a}^a f(x)dx$와 같이 적분구간이 $[-a, a]$인 정적분의 계산은 함수 $f(x)$가 우함수인지, 기함수인지를 파악한 후 다음을 이용한다.

① 함수 $y=f(x)$의 그래프가 y축에 대하여 대칭일 때,
    즉 $f(x)$가 우함수일 때, 즉 $f(-x)=f(x)$
    즉 y축에 대하여 대칭이므로 짝수 차수의 항 또는 상수항으로만 이루어진 함수
$$\Rightarrow \int_{-a}^a f(x)dx = 2\int_0^a f(x)dx$$

② 함수 $y=f(x)$의 그래프가 원점에 대하여 대칭일 때,
    즉 $f(x)$가 기함수일 때, 즉 $f(-x)=-f(x)$
    즉 원점에 대하여 대칭이므로 홀수 차수의 항으로만 이루어진 함수
$$\Rightarrow \int_{-a}^a f(x)dx = 0$$

주의 위끝, 아래끝의 절댓값이 같고 부호가 다를 때, 우함수 기함수의 정적분을 이용한다.

1169 학교기출 대표유형

모든 실수 x에서 연속인 함수 $f(x)$에 대하여 항상 옳은 것만을 [보기]에서 있는 대로 고른 것은?

ㄱ. $\int_0^2 f(x)dx = -\int_2^0 f(x)dx$

ㄴ. $\int_{-3}^2 f(x)dx = \int_{-3}^0 f(x)dx + \int_0^2 f(x)dx$

ㄷ. $f(-x)=-f(x)$이면 $\int_{-1}^1 f(x)dx=0$이다.

① ㄱ   ② ㄷ   ③ ㄱ, ㄴ
④ ㄴ, ㄷ   ⑤ ㄱ, ㄴ, ㄷ

▶ 해설 내신연계기출

1170   BASIC

정적분 $\int_{-1}^1 (1+2x+3x^2+4x^3+\cdots+2020x^{2019})dx$의 값은?

① 2018   ② 2020   ③ 2022
④ 2024   ⑤ 2026

1171   BASIC

정적분 $\int_{-3}^1 (x^3+x+1)dx + \int_1^3 (x^3+x+1)dx$를 구하면?

① 2   ② 4   ③ 6
④ 8   ⑤ 10

1172 최다빈출 왕 중요

실수 a에 대하여

$$\int_{-a}^{0}(3x^2+2x)dx+\int_{0}^{a}(3x^2+2x)dx=\frac{1}{4}$$

일 때, $50a$의 값은?

① 20   ② 22   ③ 25

④ 30   ⑤ 35

▶ 해설 내신연계기출

1173 최다빈출 왕 중요

정적분 $\int_{-2}^{3}(5x^3-3x^2+2)dx+\int_{3}^{1}(5x^3-3x^2+2)dx$

$$-\int_{-2}^{-1}(5x^3-3x^2+2)dx$$

의 값은?

① -4 ② -2 ③ 0

④ 2   ⑤ 4

▶ 해설 내신연계기출

1174

함수 $f(x)=5x^4+x^3+x^2+x+a$에 대하여 정적분

$$\int_{-1}^{3}f(x)dx-\int_{0}^{3}f(x)dx+\int_{0}^{1}f(x)dx=\frac{2}{3}$$

를 만족시키는 상수 a의 값은?

① -3 ② -1 ③ 0

④ 1   ⑤ 3

1175

정적분 $\int_{-2}^{2}(5x^3+3x^2+2|x|+1)dx$의 값은?

① 15   ② 28   ③ 32

④ 34   ⑤ 52

1176 최다빈출 왕 중요

일차함수 $f(x)$가

$$\int_{-1}^{1}xf(x)dx=6,\ \int_{-1}^{1}f(x)dx=-8$$

을 만족시킬 때, $f(3)$의 값은?

① 22   ② 23   ③ 24

④ 25   ⑤ 26

▶ 해설 내신연계기출

1177 최다빈출 왕 중요

이차함수 $f(x)=x^2+ax+b$에 대하여

$$\int_{-1}^{1}f(x)dx=1,\ \int_{-1}^{1}xf(x)dx=2$$

가 성립할 때, 상수 a, b에 대하여 ab의 값은?

① $\dfrac{1}{2}$ ② 2   ③ $\dfrac{5}{2}$

④ 3   ⑤ $\dfrac{7}{2}$

▶ 해설 내신연계기출

1178 최다빈출 왕 중요

함수 $f(x)=x+1$에 대하여

$$\int_{-1}^{1}\{f(x)\}^2dx=k\left\{\int_{-1}^{1}f(x)dx\right\}^2$$

일 때, 상수 k의 값은?

① $\dfrac{1}{6}$ ② $\dfrac{1}{3}$ ③ $\dfrac{1}{2}$

④ $\dfrac{2}{3}$ ⑤ $\dfrac{5}{6}$

▶ 해설 내신연계기출

1179 최다빈출 왕 중요

최고차항의 계수가 1인 삼차함수 $f(x)$가 다음 조건을 만족시킬 때, $\int_{0}^{2}f(x)dx$의 값은?

> (가) 모든 실수 x에 대하여 $f(-x)=-f(x)$이다.
>
> (나) $\int_{-1}^{1}xf(x)dx=\dfrac{12}{5}$

① 8   ② 10   ③ 12

④ 14   ⑤ 16

▶ 해설 내신연계기출

유형 09 피적분함수가 주어지지 않았을 때, 우함수와 기함수의 정적분

① $f(-x)=f(x)$일 때, ← $f(x)$는 우함수

$$\Rightarrow \int_{-a}^{a}f(x)dx=2\int_{0}^{a}f(x)dx$$

② $f(-x)=-f(x)$일 때, ← $f(x)$는 기함수

$$\Rightarrow \int_{-a}^{a}f(x)dx=0$$

참고 ① (우함수)×(우함수)=(우함수)
② (우함수)×(기함수)=(기함수)
③ (기함수)×(기함수)=(우함수)

1180 학교기출 대표 유형

다항함수 $f(x)$가 모든 실수 x에 대하여

$$f(-x)=f(x), \int_{0}^{1}f(x)dx=8$$

일 때, 정적분 $\int_{-1}^{1}(5x^3+x+2)f(x)dx$의 값은?

① 8 ② 16 ③ 24
④ 32 ⑤ 40

1181 최다빈출 왕중요 BASIC

다항함수 $f(x)$가 모든 실수 x에 대하여

$$f(-x)+f(x)=0, \int_{0}^{1}xf(x)dx=2$$

일 때, 정적분 $\int_{-1}^{1}(2x^2+5x-3)f(x)dx$의 값은?

① 16 ② 18 ③ 20
④ 22 ⑤ 24

▶ 해설 내신연계기출

1182 최다빈출 왕중요 NORMAL

함수 $f(x)$가 다음 두 조건을 만족할 때,

$$\int_{-2}^{2}(x-3)f(x)dx$$

의 값은?

(가) 모든 실수 x에 대하여 $f(-x)=f(x)$
(나) $\int_{0}^{2}f(x)dx=-4$

① 20 ② 22 ③ 24
④ 26 ⑤ 28

▶ 해설 내신연계기출

1183 최다빈출 왕중요 NORMAL

함수 $f(x)$가 다음 두 조건을 모두 만족할 때, $\int_{0}^{3}f(x)dx$의 값은?

(가) 모든 실수 x에 대하여 $f(-x)=f(x)$이다.
(나) $\int_{-6}^{3}f(x)dx=16$, $\int_{3}^{6}f(x)dx=4$

① 2 ② 3 ③ 4
④ 5 ⑤ 6

▶ 해설 내신연계기출

1184 NORMAL

함수 $y=f(x)$의 그래프가 다음 그림과 같을 때,

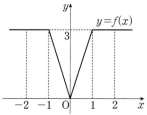

$$\int_{-2}^{2}(4x^2+x)f(x)dx$$의 값은?

① 30 ② 42 ③ 50
④ 52 ⑤ 62

1185 최다빈출 왕중요 TOUGH

정수 a, b, c에 대하여 함수 $f(x)=x^4+ax^3+bx^2+cx+10$이 다음 두 조건을 모두 만족시킨다.

(가) 모든 실수 α에 대하여 $\int_{-\alpha}^{\alpha}f(x)dx=2\int_{0}^{\alpha}f(x)dx$
(나) $-6<f'(1)<-2$

이때 함수 $y=f(x)$의 극솟값은?

① 6 ② 8 ③ 10
④ 12 ⑤ 14

▶ 해설 내신연계기출

1186 최다빈출 왕중요 TOUGH

두 다항함수 $f(x)$, $g(x)$가 모든 실수 x에 대하여

$$f(-x)=-f(x), g(-x)=g(x)$$

를 만족시킨다. 함수 $h(x)=f(x)g(x)$에 대하여

$$\int_{-3}^{3}(x+5)h'(x)dx=10$$

일 때, $h(3)$의 값은?

① 1 ② 2 ③ 3
④ 4 ⑤ 5

▶ 해설 내신연계기출

함수 $f(x)$의 정의역에 속하는 모든 실수 x에 대하여

$$f(x+p)=f(x)\,(p\text{는 0아닌 상수})$$

를 만족하는 함수 $f(x)$의 정적분은 다음과 같은 특징을 가진다.

① $\displaystyle\int_a^b f(x)dx=\int_{a+np}^{b+np} f(x)dx$ (단, n은 정수)

◀ 구간 $[a, b]$의 정적분 값은 주기 p만큼 더한 구간 $[a+p, b+p]$의 정적분 값과 같다.

② $\displaystyle\int_a^{a+p} f(x)dx=\int_b^{b+p} f(x)dx$ ◀ 한 주기의 정적분 값은 항상 같다.

③ $\displaystyle\int_a^{a+np} f(x)dx=n\int_0^p f(x)dx$ (단, n은 정수)

참고 $f(x-p)=f(x+p) \iff f(x)=f(x+2p)$

$t=x-p$로 놓으면 $x=t+p$이므로 $f(t)=f(t+2p)$

1187 학교기출 대표유형

연속함수 $f(x)$와 양수 a에 대하여 다음 [보기]의 설명 중 옳은 것을 모두 고른 것은?

ㄱ. $f(x)=f(-x)$이면 $\displaystyle\int_{-a}^a f(x)dx=2\int_0^a f(x)dx$

ㄴ. $f(x)=-f(-x)$이면 $\displaystyle\int_{-a}^a f(x)dx=\int_a^{-a} f(x)dx$

ㄷ. $f(x+a)=f(x)$이면

$$\int_0^a f(x)dx+\int_{-a}^0 f(x)dx=2\int_0^a f(x)dx$$

① ㄱ   ② ㄱ, ㄴ   ③ ㄱ, ㄷ

④ ㄴ, ㄷ   ⑤ ㄱ, ㄴ, ㄷ

1188 NORMAL

모든 실수 x에서 연속인 함수 $f(x)$가

$$f(x+4)=f(x),\ \int_{-1}^3 f(x)dx=2$$

를 만족시킬 때, 정적분 $\displaystyle\int_{-1}^{11} f(x)dx$의 값은?

① 3   ② 6   ③ 9

④ 12   ⑤ 15

1189 NORMAL

연속함수 $f(x)$는 임의의 실수 x에 대하여 다음 조건을 만족시킨다.

(가) $f(-x)=f(x)$

(나) $f(x)=f(x+4)$

$\displaystyle\int_0^2 f(x)dx=8$일 때, 정적분 $\displaystyle\int_{-4}^8 f(x)dx$의 값은?

① 16   ② 32   ③ 48

④ 64   ⑤ 80

1190 최다빈출 왕중요   NORMAL

연속함수 $f(x)$가 다음 조건을 모두 만족시킬 때, $\displaystyle\int_{-1}^5 f(x)dx$의 값은?

(가) 모든 실수 x에 대하여 $f(x)=f(x+2)$를 만족한다.

(나) $-1 \le x \le 1$에서 $f(x)=x^2+1$이다.

① 2   ② 4   ③ 6

④ 8   ⑤ 10

▶ 해설 내신연계기출

1191 최다빈출 왕중요   NORMAL

연속함수 $f(x)$가 모든 실수 x에 대하여 다음 세 조건을 모두 만족시킬 때, 정적분 $\displaystyle\int_{-8}^{12} f(x)dx$의 값은?

(가) $f(-x)=f(x)$

(나) $f(x+2)=f(x)$

(다) $\displaystyle\int_{-1}^1 (x+4)f(x)dx=16$

① 24   ② 32   ③ 40

④ 48   ⑤ 56

▶ 해설 내신연계기출

1192 최다빈출 왕중요   TOUGH

실수 전체에서 정의된 연속함수 $f(x)$가

$$f(x)=\begin{cases} -x^2+2x & (0 \le x < 1) \\ -x+a & (1 \le x < 2) \end{cases}$$

이고 모든 실수 x에 대하여 $f(x+2)=f(x)$를 만족시킬 때, $\displaystyle\int_0^{13} f(x)dx$의 값은?

① $\dfrac{20}{3}$ ② 7   ③ $\dfrac{22}{3}$

④ $\dfrac{23}{3}$ ⑤ 8

▶ 해설 내신연계기출

1193 TOUGH

함수 $f(x)$는 모든 실수 x에 대하여 $f(x+3)=f(x)$를 만족시키고

$$f(x)=\begin{cases} x & (0 \le x < 1) \\ 1 & (1 \le x < 2) \\ -x+3 & (2 \le x < 3) \end{cases}$$

이다. $\displaystyle\int_{-a}^a f(x)dx=13$일 때, 상수 a의 값은?

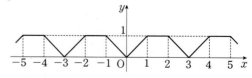

① 10   ② 12   ③ 14

④ 16   ⑤ 18

유형 11 함수의 대칭성을 이용한 정적분 계산

(1) 연속함수 $f(x)$가 모든 실수 x에 대하여

$f(a+x)=f(a-x)$를 만족시킬 때,

⇨ $y=f(x)$의 그래프는 직선 $x=a$에 대하여 대칭이다.

⇨ $\displaystyle\int_{a-p}^{a} f(x)dx=\int_{a}^{a+p} f(x)dx$ (단, p는 상수이다.)

> 참고 $f(a+x)=f(a-x)$ ⇨ $f(x)=f(2a-x)$등으로 표현

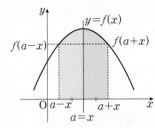

(2) 연속함수 $f(x)$가 모든 실수 x에 대하여

$f(a+x)=f(b-x)$를 만족시킬 때,

⇨ $y=f(x)$의 그래프는 직선 $x=\dfrac{a+b}{2}$에 대칭이다.

(3) 연속함수 $f(x)$가 모든 실수 x에 대하여

$f(a+x)+f(a-x)=0$를 만족시킬 때,

⇨ $y=f(x)$의 그래프는 점 $(a, 0)$에 대하여 대칭이다.

⇨ $\displaystyle\int_{a-p}^{a} f(x)dx+\int_{a}^{a+p} f(x)dx=0$ (단, p는 상수이다.)

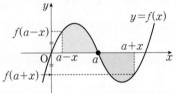

1194 학교기출 대표 유형

연속함수 $f(x)$가 다음을 모두 만족시킬 때, $\displaystyle\int_{4}^{6} f(x)dx$의 값은?

(가) 곡선 $y=f(x)$는 직선 $x=4$에 대하여 대칭이다.

(나) $\displaystyle\int_{-2}^{2} f(x)dx=3$, $\displaystyle\int_{2}^{10} f(x)dx=13$

① 2   ② 3   ③ 4
④ 5   ⑤ 6

1195 최다빈출 왕중요   NORMAL

연속함수 $f(x)$가 다음을 모두 만족시킬 때, $\displaystyle\int_{0}^{6} f(x)dx$의 값은?

(가) $f(3+x)=f(3-x)$

(나) $\displaystyle\int_{3}^{9} f(x)dx=6$, $\displaystyle\int_{6}^{9} f(x)dx=2$

① 4   ② 6   ③ 8
④ 10   ⑤ 12

▶ 해설 내신연계기출

1196   NORMAL

함수 $f(x)$가 다음 두 조건을 만족시킬 때, $\displaystyle\int_{0}^{2} f(x)dx$의 값은?

(가) $f(2+x)=f(2-x)$

(나) $\displaystyle\int_{0}^{3} f(x)dx=6$, $\displaystyle\int_{1}^{3} f(x)dx=4$

① 0   ② 1   ③ 2
④ 3   ⑤ 4

1197 최다빈출 왕중요   NORMAL

연속함수 $f(x)$가 임의의 실수 x에 대하여 다음 두 조건을 만족할 때, $\displaystyle\int_{-1}^{6} f(x)dx$의 값은?

(가) $f(x+2)=f(x)$

(나) $f(3+x)=f(3-x)$

(다) $\displaystyle\int_{2}^{3} f(x)dx=2$

① 12   ② 14   ③ 16
④ 18   ⑤ 22

▶ 해설 내신연계기출

1198   TOUGH

함수 $f(x)$가 다음 조건을 만족시킬 때, $\displaystyle\int_{-n}^{n} f(x)dx=16$를 만족하는 자연수 n의 값은?

(가) $0 \le x \le 1$에서 $f(x)=x^2+1$이다.

(나) 모든 실수 x에 대하여 $f(-x)=f(x)$이다.

(다) 모든 실수 x에 대하여 $f(1-x)=f(1+x)$이다.

① 4   ② 6   ③ 8
④ 10   ⑤ 12

함수 $y=f(x-m)$의 그래프는 함수 $y=f(x)$의 그래프를 x축의 방향으로 m만큼 평행이동한 것이므로

$\int_a^b f(x)dx$의 정적분과 $\int_{a+m}^{b+m} f(x-m)dx$의 정적분은 같다.

$$\int_{a+m}^{b+m} f(x-m)dx = \int_a^b f(x)dx$$

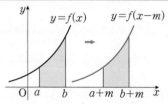

예 $\int_0^1 f(x)dx = \int_1^2 f(x-1)dx = \int_2^3 f(x-2)dx$

1199 학교기출 대표유형

함수 $f(x)$는 연속함수이고 $\int_{-2}^6 f(x)dx=10$일 때,

정적분 $\int_{-7}^1 f(x+5)dx$의 값은?

① 10   ② 14   ③ 15

④ 16   ⑤ 17

▶ 해설 내신연계기출

1200   NORMAL

함수 $f(x)$, $g(x)$가 임의의 실수 x에 대하여 다음을 만족한다.

(가) $f(-x)=f(x)$, $g(-x)=-g(x)$
(나) $\int_0^2 f(x)dx=5$, $\int_0^4 g(x)dx=7$

이때 $\int_{-2}^2 \{f(x)+g(x-2)\}dx$의 값은?

① 1   ② 2   ③ 3

④ 4   ⑤ 5

1201 최다빈출 앙중요   NORMAL

함수 $g(x)$의 그래프는 함수 $f(x)=x^2$의 그래프를 x축의 방향으로 a만큼, y축의 방향으로 b만큼 평행이동한 것이다.

$$g(0)=0, \int_0^a f(x)dx - \int_a^{2a} g(x)dx=8$$

일 때, 실수 a의 값은?

① 2   ② 4   ③ 6

④ 8   ⑤ 10

▶ 해설 내신연계기출

1202   NORMAL

양수 a에 대하여 삼차함수 $f(x)=-x(x+a)(x-a)$의 극대가 되는 x좌표를 b라 하자.

$$\int_{-b}^a f(x)dx=A, \int_b^{a+b} f(x-b)dx=B$$

일 때, $\int_{-b}^a |f(x)|dx$의 값은?

① $-A+2B$ ② $-2A+B$ ③ $-A+B$
④ $A+B$ ⑤ $A+2B$

1203   TOUGH

함수 $f(x)$가 다음 두 조건을 만족할 때, $\int_1^4 f(x-1)dx$의 값은?

(가) $-1 \le x \le 1$일 때, $f(x)=1-x^2$
(나) 모든 x에 대하여 $f(x+2)=f(x)$

① 2   ② 3   ③ 4
④ 5   ⑤ 6

1204   TOUGH

모든 실수에서 연속인 함수 $f(x)$가 다음 조건을 모두 만족시킨다.

(가) 모든 실수 x에 대하여 $f(-x)=-f(x)$이다.
(나) $\int_0^1 f(x)dx=\dfrac{1}{4}$
(다) 모든 실수 x에 대하여 $f(x+2)=f(x)$이다.

함수 $y=f(x)$의 그래프를 x축의 방향으로 2만큼, y축의 방향으로 1만큼 평행이동하면 함수 $y=g(x)$의 그래프와 일치할 때,

$\int_2^7 g(x)dx$의 값은?

① $\dfrac{9}{2}$ ② $\dfrac{21}{4}$ ③ 10
④ $\dfrac{21}{2}$ ⑤ 18

1205 최다빈출 앙중요   TOUGH

실수 전체의 집합에서 증가하면서 연속인 함수 $f(x)$가 다음 조건을 만족시킨다. 함수 $y=f(x)$의 그래프와 직선 $x=6$ 및 x축, y축으로 둘러싸인 부분의 넓이는?

(가) 모든 실수 x에 대하여 $f(x)=f(x-3)+4$이다.
(나) $\int_0^3 f(x)dx=1$, $\int_0^3 |f(x)|dx=5$

① 12   ② 14   ③ 16
④ 18   ⑤ 20

▶ 해설 내신연계기출

유형 13 적분구간이 상수인 정적분을 포함한 등식에서 함수 $f(x)$의 결정

$f(x)=g(x)+\int_a^b f(t)dt\,(a, b$는 상수$)$꼴의 등식이 주어지면

$f(x)$는 다음과 같은 순서로 구한다.

[1단계] $\int_a^b f(t)dt=k\,(k$는 상수$)$로 놓는다.

$\Rightarrow f(x)=g(x)+k$ ...... ㉠

[2단계] ㉠을 $\int_a^b f(t)dt=k$에 대입하여 $\int_a^b \{g(t)+k\}dt=k$를

정적분하여 상수 k의 값을 구한다.

[3단계] 상수 k의 값을 ㉠에 대입하여 $f(x)$를 구한다.

1206 학교기출 대표유형

다항함수 $f(x)$에 대하여

$$f(x)=3x^2+x+\int_0^2 f(t)dt$$

를 만족시킬 때, $f(2)$의 값은?

① 1   ② 2   ③ 3

④ 4   ⑤ 6

▶ 해설 내신연계기출

1207   BASIC

연속함수 $f(x)$가 모든 실수 x에 대하여

$$f(x)=x^2-1+\int_0^1 xf(t)dt$$

를 만족할 때, $f(3)$의 값은?

① 2   ② 3   ③ 4

④ 5   ⑤ 6

1208   NORMAL

다항함수 $f(x)$에 대하여

$$f(x)=3x^2-x+\int_0^1 xf'(x)dx$$

를 만족할 때, 정적분 $\int_0^1 f(x)dx$의 값은?

① 2   ② 5   ③ 7

④ 9   ⑤ 12

1209   최다빈출 상 중요   NORMAL

다항함수 $f(x)$가 모든 실수 x에 대하여

$$f(x)=\frac{3}{4}x^2+\left\{\int_0^1 f(x)dx\right\}^2$$

을 만족시킬 때, $\int_0^2 f(x)dx$의 값은?

① $\frac{9}{4}$ ② $\frac{5}{2}$ ③ $\frac{11}{4}$

④ 3   ⑤ $\frac{13}{4}$

▶ 해설 내신연계기출

1210   NORMAL

임의의 실수 x에 대하여 함수 $f(x)$가

$$f(x)=|4x-2|+2\int_0^1 f(x)dx$$

를 만족시킬 때, $f(2)$의 값은?

① 2   ② 4   ③ 6

④ 8   ⑤ 10

1211   NORMAL

다항함수 $f(x)$가 모든 실수 x에 대하여

$$f(x)+\int_0^1 xf(t)dt+x^3=0$$

을 만족시킬 때, $f(-2)$의 값은?

① 7   ② $\frac{22}{3}$ ③ $\frac{23}{3}$

④ 8   ⑤ $\frac{25}{3}$

1212   최다빈출 상 중요   TOUGH

다항함수 $f(x)$가 임의의 실수 x에 대하여

$$f(x)=6x^2+\int_0^1 (2x+1)f(t)dt$$

를 만족할 때, $\int_0^1 f(x)dx$의 값은?

① -3 ② -2 ③ -1

④ 1   ⑤ 2

▶ 해설 내신연계기출

02 정적분

① $\dfrac{d}{dx}\displaystyle\int_a^x f(t)dt = f(x)$ (a는 상수)

② $\dfrac{d}{dx}\displaystyle\int_x^{x+a} f(t)dt = f(x+a)-f(x)$

③ $\dfrac{d}{dx}\displaystyle\int_{h(x)}^{g(x)} f(t)dt = f(g(x))g'(x)-f(h(x))h'(x)$

1213 학교기출 대표유형

다항함수 $f(x)$에 대하여

$$f(x)=\frac{d}{dx}\int_0^x \{2f(x)-x^3+2x\}dx$$

일 때, $f(3)$의 값은?

① 21   ② 23   ③ 25
④ 27   ⑤ 29

1214 최다빈출 왕 중요

BASIC

다항함수 $f(x)$에 대하여 $f(x)=\displaystyle\int_0^x (t^2-2t+3)dt$일 때,

$\displaystyle\lim_{h\to 0}\frac{f(2+3h)-f(2)}{h}$의 값은?

① 3   ② 6   ③ 9
④ 12   ⑤ 15

▶ 해설 내신연계기출

1215 최다빈출 왕 중요

NORMAL

다항함수 $f(x)$에 대하여

$$f(x)=\int_a^{x+1} t(t+2)dt \text{ (단, } a\text{는 상수)}$$

가 성립한다. $f(-1)=-\dfrac{1}{3}$일 때, $f(-3)$의 값은?

① 1   ② 2   ③ 3
④ 4   ⑤ 5

▶ 해설 내신연계기출

1216 최다빈출 왕 중요

NORMAL

함수 $f(x)=x^3+ax^2+2$가

$$\int_1^x \left\{\frac{d}{dt}f(t)\right\}dt = \frac{d}{dx}\int_2^x f(t)dt$$

를 만족시킬 때, 상수 a의 값은?

① -3 ② -2 ③ $-\dfrac{3}{2}$
④ -1 ⑤ $-\dfrac{1}{2}$

▶ 해설 내신연계기출

$\displaystyle\int_a^x f(t)dt = g(x)$ (a는 상수)와 같이 적분구간에만 변수 x가 있는 경우 $f(x)$는 다음과 같은 순서로 구한다.

[1단계] 양변에 $x=a$를 대입한다.

$\Rightarrow \displaystyle\int_a^a f(t)dt=0$이므로 $g(a)=0$

[2단계] 양변을 x에 대하여 미분한다.

$\Rightarrow \dfrac{d}{dx}\displaystyle\int_a^x f(t)dt=g'(x)$이므로 $f(x)=g'(x)$

1217 학교기출 대표유형

다항함수 $f(x)$가 모든 실수 x에 대하여

$$\int_0^x f(t)dt=x^3+4x$$

를 만족시킬 때, $f(10)$의 값은?

① 240   ② 252   ③ 304
④ 340   ⑤ 370

1218 최다빈출 왕 중요

BASIC

다항함수 $f(x)$가 모든 실수 x에 대하여

$$\int_0^x f(t)dt=x^2+2x$$

를 만족시킬 때, $\displaystyle\int_0^3 f(x^2)dx$의 값은?

① 4   ② 5   ③ 9
④ 10   ⑤ 24

▶ 해설 내신연계기출

1219 최다빈출 왕 중요

BASIC

다항함수 $f(x)$가 모든 실수 x에 대하여

$$\int_a^x f(t)dt=x^2+2x+1$$

을 만족할 때, $a+f(1)$의 값은? (단, a는 상수)

① -1 ② 0   ③ 1
④ 2   ⑤ 3

▶ 해설 내신연계기출

1220 최다빈출 왕 중요 BASIC

다항함수 $f(x)$가 모든 실수 x에 대하여

$$\int_{-1}^{x} f(t)dt = x^3 + ax + 3$$

을 만족할 때, $f(a)$의 값은? (단, a는 상수)

① 13   ② 14   ③ 15
④ 16   ⑤ 17

▶ 해설 내신연계기출

1221 최다빈출 왕 중요 BASIC

모든 실수 x에 대하여

$$\int_{a}^{x} f(t)dt = 3x^2 + ax - 4$$

를 만족시킬 때, $a + f(1)$의 값은? (단, $a > 0$)

① 7   ② 8   ③ 9
④ 10   ⑤ 11

▶ 해설 내신연계기출

1222 BASIC

다항함수 $f(x)$가 모든 실수 x에 대하여

$$\int_{1}^{x} f(t)dt = x^3 - 2ax^2 + ax$$

를 만족시킬 때, $f(3)$의 값은? (단, a는 상수)

① 12   ② 13   ③ 15
④ 16   ⑤ 17

1223 최다빈출 왕 중요 NORMAL

다항함수 $f(x)$에 대하여

$$\int_{a}^{x} f(t)dt = x^2 - 2x - 3$$

을 만족할 때, 음수 a에 대하여 $f'(a)f(a)$의 값은?

① -10 ② -8 ③ -6
④ -4 ⑤ -2

▶ 해설 내신연계기출

1224 NORMAL

양수 a와 임의의 실수 x에 대하여

$$\int_{a}^{x} f(t+1)dt = x^3 - x^2 - x - a$$

가 성립하는 함수 $f(x)$에 대하여 $a f(3)$의 값은?

① 6   ② 10   ③ 14
④ 20   ⑤ 25

1225 NORMAL

다항함수 $f(x)$가

$$\int_{1}^{x} f(t)dt = 2x^3 + ax^2 - 2x - 3$$

을 만족할 때, $\displaystyle\lim_{t \to \infty} t\left\{ f\left(3 + \frac{1}{t}\right) - f(3) \right\}$의 값은?

① 32   ② 42   ③ 44
④ 47   ⑤ 49

1226 최다빈출 ⑲ 중요

다항함수 $f(x)$가 모든 실수 x에 대하여

$$\int_1^x \left\{ \frac{d}{dt}f(t) \right\} dt = x^3 + ax^2 - 2$$

를 만족시킬 때, $f'(a)$의 값은? (단, a는 상수)

① 1   ② 2   ③ 3
④ 4   ⑤ 5

▶ 해설 내신연계기출

1227

다항함수 $f(x)$에 대하여

$$\int_0^x f(t)dt = x^3 - 2x^2 - 2x \int_0^1 f(t)dt$$

일 때, $f(0) = a$라 하자. $60a$의 값은? (단, a는 상수)

① 20   ② 30   ③ 40
④ 50   ⑤ 60

1228 최다빈출 ⑲ 중요

다항함수 $f(x)$에 대하여

$$\int_2^x f(t)dt = -x^3 + x^2 + x \int_0^1 f(t)dt$$

를 만족할 때, $f(2)$의 값은?

① -10 ② -8 ③ -6
④ -4 ⑤ -2

▶ 해설 내신연계기출

1229 최다빈출 ⑲ 중요

함수 $f(x) = \int_1^x (3t^2 - 4t + 3)dt$에 대하여 곡선 $y = f(x)$ 위의 점 $(2, f(2))$에서의 접선의 방정식이 $y = ax + b$일 때, 상수 a, b에 대하여 ab의 값은?

① -70 ② -60 ③ -50
④ -30 ⑤ -10

▶ 해설 내신연계기출

1230 최다빈출 ⑲ 중요

다항함수 $f(x)$에 대하여

$$f(x) + x^2 + \int_{-2}^x f(t)dt$$

가 $(x+2)^2$으로 나누어떨어질 때, $f'(x)$를 $x+2$로 나눈 나머지는?

① 2   ② 4   ③ 6
④ 8   ⑤ 10

▶ 해설 내신연계기출

1231

두 다항함수 $f(x)$와 $g(x)$가 다음 두 조건을 만족시킬 때, $f(1) + g(1) + a + b$의 값은?

(가) $\int_1^x \{2f(t) - g(t)\}dt = 3x^2 - 3x + a$

(나) $\int_1^x \{f(t) + 2g(t)\}dt = 5x^3 - x^2 + x + b$

① 0   ② 1   ③ 2
④ 3   ⑤ 4

유형 16 적분구간이 변수이고 $xf(x)$를 포함한 등식에서 함수 $f(x)$의 결정

[1단계] 주어진 식의 양변을 x에 대하여 미분한다.

[2단계] $f'(x)$의 계수로 양변을 나누어 $f'(x)$를 구한다.

[3단계] 주어진 식의 정적분에서 위끝과 아래끝이 같게 되는 x의 값을 대입하여 한 점의 좌표를 구한다.

[4단계] 적분상수를 구하여 함수 $f(x)$를 구한다.

1232 학교기출 대표유형

다항함수 $f(x)$가 모든 실수 x에 대하여

$$xf(x)=4x^2+\int_1^x f(t)dt$$

를 만족시킬 때, $f(2)$의 값은?

① 10 　　 ② 12 　　 ③ 14

④ 16 　　 ⑤ 18

1233 최다빈출 왕중요 NORMAL

모든 실수 x에 대하여

$$2x^3-3x^2+xf(x)=\int_1^x f(t)dt$$

를 만족하는 다항함수 $f(x)$에 대하여 $f(0)$의 값은?

① -3 　　 ② -2 　　 ③ -1

④ 0 　　 ⑤ 2

▶ 해설 내신연계기출

1234 NORMAL

모든 실수 x에서 미분가능한 함수 $f(x)$가

$$xf(x)=x^3-3x^2+\int_2^x f(t)dt$$

를 만족할 때, $\int_{-2}^2 f(x)dx$의 값은?

① 4 　　 ② 12 　　 ③ 20

④ 24 　　 ⑤ 30

1235 NORMAL

다항함수 $f(x)$가 모든 실수 x에 대하여

$$(x+1)f(x)=(x+1)^2+\int_1^x f(t)dt$$

를 만족할 때, $\int_{-2}^2 f(x)dx$의 값은?

① 0 　　 ② 2 　　 ③ 4

④ 6 　　 ⑤ 8

1236 NORMAL

다항함수 $f(x)$가 모든 실수 x에 대하여

$$\int_1^x f(t)dt=xf(x)-2x^3+3x^2$$

을 만족할 때, 다음 [보기] 중 옳은 것만을 있는 대로 고른 것은?

> ㄱ. $f(0)=2$
>
> ㄴ. 함수 $f(x)$의 최솟값은 1이다.
>
> ㄷ. 함수 $xf(x)$는 극댓값과 극솟값을 갖는다.

① ㄱ 　　 ② ㄷ 　　 ③ ㄱ, ㄴ

④ ㄱ, ㄷ 　　 ⑤ ㄱ, ㄴ, ㄷ

1237 NORMAL

다항함수 $f(x)$가 모든 실수 x에 대하여

$$2\int_2^x tf(t)dt=x^2f(x)-3x^5+4x^4$$

을 만족할 때, $f(1)$의 값은?

① -5 　　 ② -3 　　 ③ 0

④ 3 　　 ⑤ 5

1238 최다빈출 왕중요 TOUGH

다항함수 $f(x)$가 모든 실수 x에 대하여

$$xf(x)=2x^3-x^2\int_0^1 f'(t)dt+\int_1^x f(t)dt$$

를 만족시킬 때, $f(2)$의 값은?

① 4 　　 ② 6 　　 ③ 8

④ 10 　　 ⑤ 12

▶ 해설 내신연계기출

$\int_a^x (x-t)f(t)dt = g(x)$와 같이 적분구간과 피적분함수에

모두 변수 x가 있는 경우 $f(x)$는 다음과 같은 순서로 구한다.

[1단계] $\int_a^x (x-t)f(t)dt = x\int_a^x f(t)dt - \int_a^x tf(t)dt$

←── x는 상수 취급한다.

[2단계] $x\int_a^x f(t)dt - \int_a^x tf(t)dt = g(x)$의 양변을 x에 대하여

미분하면

$(x)'\int_a^x f(t)dt + x\left(\int_a^x f(t)dt\right)' - \left(\int_a^x tf(t)dt\right)' = g'(x)$

$\int_a^x f(t)dt + xf(x) - xf(x) = g'(x)$

[3단계] $\int_a^x f(t)dt = g'(x)$을 조건에 맞게 변형한다.

1239 학교기출 대표유형

다항함수 $f(x)$가 모든 실수 x에 대하여

$$\int_2^x (x-t)f(t)dt = x^3 - 6x^2 + 12x - 8$$

을 만족시키는 함수 $f(3)$의 값은?

① 3   ② 4   ③ 5
④ 6   ⑤ 7

1240 최다빈출 왕중요 NORMAL

연속함수 $f(x)$가 모든 실수 x에 대하여

$$\int_{-1}^x (x-t)f(t)dt = x^3 + ax - 2$$

를 만족할 때, $a + f(1)$의 값은? (단, a는 상수)

① -3 ② -2 ③ -1
④ 2   ⑤ 3

▶ 해설 내신연계기출

1241 최다빈출 왕중요 NORMAL

미분가능한 함수 $f(x)$에 대하여

$$\int_1^x (x-t)f(t)dt = 2x^3 - 3x^2 + a$$

가 성립할 때, $f(a)$의 값은? (단, a는 상수)

① 6   ② 7   ③ 8
④ 9   ⑤ 10

▶ 해설 내신연계기출

1242 최다빈출 왕중요 NORMAL

임의의 실수 x에 대하여 다항함수 $f(x)$가

$$\int_1^x (x-t)f(t)dt = ax^2 + 2x + b$$

를 만족할 때, 상수 a, b에 대하여 $ab + f(1)$의 값은?

① -2 ② -1 ③ 0
④ 1   ⑤ 2

▶ 해설 내신연계기출

1243 NORMAL

다항함수 $f(x)$가 모든 실수 x에 대하여

$$f(x) = 3x^2 - 6x + \int_0^x (x-t)f'(t)dt$$

를 만족할 때, $f'(2) - f(2)$의 값은?

① 3   ② 4   ③ 5
④ 6   ⑤ 7

1244 최다빈출 왕중요 TOUGH

다항함수 $f(x)$가 모든 실수 x에 대하여

$$\int_0^x (2t-x)f(t)dt = \frac{3}{4}x^5 - \frac{1}{3}x^4 + ax^3$$

을 만족시킨다. $f(0) = 0$, $f(1) = 1$일 때, $f(2)$의 값은?
(단, a는 상수)

① 24   ② 26   ③ 28
④ 30   ⑤ 32

▶ 해설 내신연계기출

유형 18 정적분으로 정의된 함수의 극대·극소

$f(x) = \int_a^x g(t)dt$와 같이 정의된 다항함수 $f(x)$의 극값을 구하는 순서는 다음과 같다.
[1단계] 양변을 x에 대하여 미분하여 $f'(x) = g(x)$를 구한다.
[2단계] $f'(x) = 0$을 만족하는 x값의 좌우에서 $f'(x)$의 부호를
조사하여 증감표를 만든다.
[3단계] 정적분을 계산하여 함수의 극댓값과 극솟값을 구한다.

1245 학교기출 대표 유형

함수

$$f(x) = \int_0^x (t^2 - 2t - 3)dt$$

의 극댓값을 a, 극솟값을 b라고 할 때, $3a - b$의 값은?

① 12 　　② 14 　　③ 16
④ 18 　　⑤ 20

▶ 해설 내신연계기출

1246 NORMAL

함수

$$f(x) = \int_2^x (t^2 - 4t + 3)dt$$

는 $x = a$에서 극댓값 b를 갖는다. $a + b$의 값은?

① $\dfrac{5}{3}$ 　　② $\dfrac{8}{3}$ 　　③ $\dfrac{11}{3}$
④ $\dfrac{14}{3}$ 　　⑤ $\dfrac{17}{3}$

1247 최다빈출 왕 중요 NORMAL

함수

$$f(x) = \int_0^x (3t^2 + at + b)dt$$

는 $x = -1$에서 극댓값 5를 가질 때, 극솟값은?

① -27 　　② -18 　　③ -16
④ -12 　　⑤ -9

▶ 해설 내신연계기출

1248 NORMAL

다항함수 $f(x)$가 다음 조건을 만족시킬 때, $f(2)$의 값은?
(단, k는 상수이다.)

(가) 모든 실수 x에 대하여 $\int_0^x t^2 f'(t)dt = \dfrac{3}{2}x^4 + kx^3$이다.

(나) $x = 1$에서 극솟값 7을 갖는다.

① 6 　　② 8 　　③ 10
④ 12 　　⑤ 14

1249 최다빈출 왕 중요 NORMAL

이차함수 $y = f(x)$의 그래프가 오른쪽 그림과 같고 함수 $g(x)$에 대하여

$$g(x) = \int_1^{x+2} f(t)dt$$

가 성립할 때, $g(x)$의 극댓값과 극솟값의 합은?

① $-\dfrac{22}{3}$ 　　② $-\dfrac{11}{2}$
③ -5 　　④ -2
⑤ 1

▶ 해설 내신연계기출

1250 최다빈출 왕 중요 NORMAL

함수 $f(x) = x(x+2)(x+4)$에 대하여 함수 $g(x) = \int_2^x f(t)dt$
는 $x = \alpha$에서 극댓값을 갖는다. $g(\alpha)$의 값은?

① -28 　　② -29
③ -30 　　④ -31
⑤ -32

▶ 해설 내신연계기출

1251

삼차함수 $y=f(x)$의 그래프가 다음 그림과 같다. 함수 $F(x)$를

$$F(x)=\int_b^x f(t)dt$$

로 정의할 때, [보기]에서 옳은 것만을 있는 대로 고른 것은?

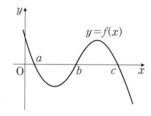

ㄱ. $F(a)>0$

ㄴ. 함수 $F(x)$는 $x=b$에서 극소이다.

ㄷ. 방정식 $F(x)=0$은 서로 다른 세 실근을 갖는다.

① ㄱ　　　　　② ㄴ　　　　　③ ㄱ, ㄴ

④ ㄴ, ㄷ　　　　⑤ ㄱ, ㄴ, ㄷ

1252

삼차함수 $y=f(x)$의 그래프가 다음 그림과 같다.

$f(x)$는 $\int_a^b f(x)dx=4$, $\int_b^c f(x)dx=-2$를 만족시킨다.

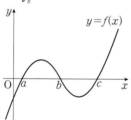

함수 $f(x)$의 한 부정적분 $F(x)$에 대하여 $F(a)=\dfrac{1}{2}$일 때,

방정식 $F(x)-k=0$이 서로 다른 네 실근을 갖도록 하는 모든
정수 k의 값의 합은?

① 5　　　　　② 7　　　　　③ 9

④ 11　　　　　⑤ 13

▶ 해설 내신연계기출

삼차함수 $f(x)$에 대하여 함수 $F(x)=\int_a^x f(t)dt$라 할 때,

① 함수 $F(x)$가 세 개의 극값을 가지려면

➡ 삼차방정식 $F'(x)=f(x)=0$가 서로 다른 세 실근을 가져야 한다.

➡ 삼차방정식을 분리하여 두 함수의 그래프로 나누어 교점을 판별
하거나 (극댓값) ×(극솟값)< 0인 조건을 이용

② 함수 $F(x)$가 오직 하나의 극값을 가지려면

➡ 삼차방정식 $F'(x)=f(x)=0$가 한 실근과 두 허근 또는 한 실근과
중근을 가져야 한다.

➡ 삼차방정식을 분리하여 두 함수의 그래프로 나누어 교점을 판별
하거나 (극댓값) ×(극솟값)≥ 0인 조건을 이용

➡ 삼차방정식 $F'(x)=f(x)=0$가 서로 다른 세 실근을 갖지 않아야
한다.

 최고차항의 계수가 양수일 때, 사차함수 $f(x)$가

① 극댓값을 갖는 경우 ⟺ 극솟값을 2개 갖는 경우
　　　　　　　　　　⟺ 극값이 세 개를 가진다.

② 극댓값을 갖지 않는 경우 ⟺ 극솟값만 갖는 경우
　　　　　　　　　　　⟺ 오직 하나의 극값을 갖는다.

1253

이차함수 $f(x)=x^2+2x+k$에 대하여 함수 $F(x)$를

$$F(x)=\int_0^x f(t)dt$$

라 할 때, 함수 $F(x)$가 **극값을 갖지 않도록** 하는 실수 k의
최솟값은?

① 1　　　　　② 2　　　　　③ 3

④ 4　　　　　⑤ 5

1254

삼차함수 $f(x)=x^3-3x+a$에 대하여 함수

$$F(x)=\int_0^x f(t)dt$$

가 **오직 하나의 극값**을 갖도록 하는 양수 a의 **최솟값**은?

① 1　　　　　② 2　　　　　③ 3

④ 4　　　　　⑤ 5

▶ 해설 내신연계기출

1255

삼차함수 $f(x)=x^3-27x+a$에 대하여 다음 중 함수

$$F(x)=\int_0^x f(t)dt$$

가 **극댓값과 극솟값을 모두 갖도록** 하는 정수 a의 개수는?

① 90　　　　　② 93　　　　　③ 99

④ 105　　　　　⑤ 107

▶ 해설 내신연계기출

유형 20 정적분으로 정의된 함수의 최대 · 최소

정적분으로 정의된 함수 $g(x)$의 최댓값, 최솟값을 구하는 순서는
다음과 같다.

[1단계] 주어진 식의 양변을 x에 대하여 미분한다.

$$\Rightarrow \frac{d}{dx}\int_a^x f(x)dx = f(x), \quad \frac{d}{dx}\int_x^{x+a} f(x)dx = f(x+a)-f(x)$$

[2단계] $g'(x)=0$의 그래프의 개형을 이용하여 함수 $g(x)$의
최댓값과 최솟값을 확인한다.

1256 학교기출 대표 유형

이차함수 $y=f(x)$의 그래프가 오른쪽
그림과 같을 때, 구간 $[-2, 2]$에서 함수
$g(x)=\int_0^x f(t)dt$의 최댓값은?

① $g(-2)$ ② $g(-1)$

③ $g(0)$ ④ $g(1)$

⑤ $g(2)$

▶ 해설 내신연계기출

1257 최다빈출 왕 중요

오른쪽 그림과 같은 이차함수
$y=f(x)$에 대하여
함수 $g(x)=\int_x^{x+1} f(t)dt$는
$x=k$에서 최솟값을 가진다.
이때 실수 k의 값은?

① -2 ② -1 ③ 0

④ 1 ⑤ 2

▶ 해설 내신연계기출

1258

함수 $y=f(t)$의 그래프가 오른쪽 그림과
같고 $\int_0^1 f(t)dt=2$, $\int_1^3 f(t)dt=-3$이
다. 함수 $S(x)$가 $S(x)=\int_0^x f(t)dt$일
때, 닫힌구간 $[0, 3]$에서 $S(x)$의 최댓값
과 최솟값의 합은?

① 1 ② 2 ③ 3

④ 4 ⑤ 5

유형 21 정적분으로 정의된 함수의 극한 (1)

함수 $f(x)$의 한 부정적분을 $F(x)$라 할 때,

① $\lim_{h \to 0}\frac{1}{h}\int_a^{a+h} f(t)dt = \lim_{h \to 0}\frac{F(a+h)-F(a)}{h} = F'(a) = f(a)$

② $\lim_{h \to 0}\frac{1}{h}\int_{a+nh}^{a+mh} f(t)dt = \lim_{h \to 0}\frac{F(a+mh)-F(a+nh)}{h}$

                $= (m-n)F'(a) = (m-n)f(a)$

1259 학교기출 대표 유형

다음 그림은 함수 $y=f(x)$의 그래프이다. $f(2)=3$이고 곡선
$y=f(x)$와 x축 및 두 직선 $x=2$, $x=t$로 둘러싸인 도형의
넓이를 $S(t)$라 할 때, $\lim_{h \to 0}\frac{S(2+h)-S(2)}{h}$의 값은? (단, $t \geq 2$)

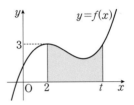

① 2 ② 3 ③ 4

④ 6 ⑤ 8

▶ 해설 내신연계기출

1260 최다빈출 왕 중요

$\lim_{h \to 0}\frac{1}{h}\int_{1-h}^{1+h}(x-2)(x+1)dx$의 값은?

① -5 ② -4 ③ -3

④ -2 ⑤ -1

▶ 해설 내신연계기출

1261

$\lim_{h \to 0}\frac{1}{h}\int_{1-h}^{1+2h}(ax^3+x-3)dx=12$을 만족하는 상수 a의 값은?

① 1 ② 2 ③ 4

④ 6 ⑤ 8

1262

함수 $f(x)=\int_{-1}^x (8t^3+6t^2-1)dt$에서

$\lim_{h \to 0}\frac{1}{h^2-2h}\int_{1-h}^{1+3h} f(t)dt$의 값은?

① -8 ② -6 ③ -4

④ 4 ⑤ 6

함수 $f(x)$의 한 부정적분을 $F(x)$라 할 때,

① $\lim\limits_{x \to a} \dfrac{1}{x-a} \displaystyle\int_a^x f(t)dt = \lim\limits_{x \to a} \dfrac{F(x)-F(a)}{x-a} = F'(a) = f(a)$

② $\lim\limits_{x \to 0} \dfrac{1}{x} \displaystyle\int_0^x f(t)dt = \lim\limits_{x \to 0} \dfrac{F(x)-F(0)}{x} = F'(0) = f(0)$

1263 학교기출 대표 유형

함수 $f(x) = x^3 - 2x^2 - 3$에 대하여

$$\lim_{x \to 1} \frac{1}{x^3-1} \int_1^x f(t)dt$$

의 값은?

① $-\dfrac{4}{3}$ 　　② $-\dfrac{1}{2}$ 　　③ $-\dfrac{1}{3}$

④ $\dfrac{1}{3}$ 　　⑤ $\dfrac{4}{3}$

1264　NORMAL

함수 $f(x) = x^3 - 3x + a$가

$$\lim_{x \to 1} \frac{1}{x-1} \int_1^{x^3} f(t)dt = 6$$

을 만족시킬 때, 상수 a의 값은?

① 1 　　② 2 　　③ 3

④ 4 　　⑤ 5

1265　NORMAL

다항함수 $f(x)$에 대하여 $f'(x) = 3x^2 - 2x$이고 $f(1) = 2$일 때,

$\lim\limits_{x \to 2} \dfrac{1}{x-2} \displaystyle\int_2^x (t+1)f(t)dt$의 값은?

① 14 　　② 18 　　③ 22

④ 26 　　⑤ 30

1266　최다빈출 왕 중요　NORMAL

모든 실수에서 연속인 함수 $f(x)$에 대하여 $f(1)=1$, $f'(1)=2$

일 때, $\lim\limits_{x \to 1} \dfrac{1}{x^3-1} \displaystyle\int_1^x \{1+f(t)\}^2 f'(t)dt$의 값은?

① $\dfrac{3}{2}$ 　　② $\dfrac{4}{3}$ 　　③ $\dfrac{5}{2}$

④ $\dfrac{8}{3}$ 　　⑤ $\dfrac{7}{2}$

▶ 해설 내신연계기출

1267　최다빈출 왕 중요　NORMAL

함수 $f(x) = x^2 + ax + b$가 다음 두 조건을 모두 만족할 때,
실수 a, b에 대하여 ab의 값은?

(가) $\lim\limits_{x \to 1} \dfrac{\displaystyle\int_1^x f(t)dt}{x-1} = 1$

(나) $\displaystyle\int_0^1 f(x)dx = 0$

① $-\dfrac{4}{3}$ 　　② $-\dfrac{2}{3}$ 　　③ $-\dfrac{4}{9}$

④ $\dfrac{2}{3}$ 　　⑤ $\dfrac{4}{9}$

▶ 해설 내신연계기출

1268　최다빈출 왕 중요　TOUGH

다항함수 $f(x)$가 $\lim\limits_{x \to 1} \dfrac{\displaystyle\int_1^x f(t)dt - f(x)}{x^2-1} = 3$을 만족할 때,

$f'(1)$의 값은?

① -6 　　② -4 　　③ -2

④ 2 　　⑤ 4

▶ 해설 내신연계기출

1269　최다빈출 왕 중요　TOUGH

함수 $f(x)$의 부정적분 $F(x)$에 대하여

$$xf(x) = F(x) - x^3 + 2x^2 + 5,\quad f(0) = 1$$

이 성립할 때, $\lim\limits_{x \to 2} \dfrac{1}{x-2} \displaystyle\int_4^{x^2} f(t)dt$의 값은?

① -32 　　② -31 　　③ -30

④ -29 　　⑤ -28

1270

모든 실수에서 연속인 함수 $f(x)$에 대하여

$$f'(x)=\begin{cases} 1 & (x<1) \\ 2x-1 & (x\geq 1) \end{cases}$$

이고 $f(0)=1$일 때, 정적분 $\int_0^2 f(x)dx$를 구하는 과정을 다음 단계로 서술하여라.

[1단계] $f'(x)$의 부정적분 $f(x)$의 식을 작성한다.

[2단계] $f(0)=1$과 모든 실수에서 연속함수임을 이용하여 $f(x)$를 구한다.

[3단계] 정적분 $\int_0^2 f(x)dx$의 값을 구한다.

1271

함수 $f(x)=x^2+ax+b$가

$$\int_{-1}^1 f(x)dx=\int_{-1}^0 f(x)dx=\int_0^1 f(x)dx$$

를 만족시킬 때, $f(1)$의 값을 구하는 과정을 다음 단계로 서술하여라. (단, a, b는 상수)

[1단계] $\int_{-1}^1 f(x)dx=\int_{-1}^0 f(x)dx+\int_0^1 f(x)dx$을 이용하여 $\int_{-1}^1 f(x)dx=\int_{-1}^0 f(x)dx=\int_0^1 f(x)dx$의 값을 구한다.

[2단계] 1단계를 이용하여 상수 a, b의 값을 구한다.

[3단계] 함수 $f(x)$을 정하여 $f(1)$의 값을 구한다.

1272

다음은 함수 $f(x)=8x^3+x-5$에 대하여

$$\int_{-2}^1 f(x)dx-\int_2^1 f(x)dx$$

의 값을 구하는 과정이다. 빈칸에 알맞은 것을 써넣어라.

$$\int_{-2}^1 f(x)dx-\int_2^1 f(x)dx$$
$$=\int_{-2}^1 f(x)dx+\int_1^{\square} f(x)dx$$
$$=\int_{-2}^{\square}(8x^3+x-5)dx$$
$$=\square\int_0^{\square}(-5)dx$$
$$=\boxed{}$$

1273

삼차함수 $y=f(x)$의 그래프가 오른쪽 그림과 같을 때,
$\int_{-2}^2 f(x)dx$의 값을 구하는 과정을 다음 단계로 서술하여라.

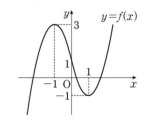

[1단계] 그래프에서 $f'(x)$의 함수식을 작성한다.

[2단계] 극값과 $f(0)=1$을 이용하여 함수 $f(x)$을 구한다.

[3단계] $\int_{-2}^2 f(x)dx$의 값을 구한다.

1274

다항함수 $f(x)$가 다음 세 조건을 만족할 때, 정적분 $\int_{-1}^3 f(x)dx$의 값을 구하는 과정을 다음 단계로 서술하여라.

(가) 모든 실수 x에 대하여 $f(-x)=f(x)$

(나) $\int_0^1 f(x)dx=3$

(다) $\int_{-3}^3 f(x)dx=8$

[1단계] $f(-x)=f(x)$를 만족시키는 함수 $f(x)$의 대칭성을 말한다.

[2단계] 조건 (나)에서 $\int_{-a}^0 f(x)dx=\int_0^a f(x)dx$임을 이용한다.

[3단계] 조건 (다)에서 $\int_{-a}^a f(x)dx=2\int_0^a f(x)dx$임을 이용한다.

[4단계] 2, 3 단계를 이용하여 $\int_{-1}^3 f(x)dx$의 값을 구한다.

1275

함수 $f(x)$가 등식

$$f(x)=x^2+\int_0^1 xf(t)dt+2$$

를 만족시킬 때, $f(3)$의 값을 구하는 과정을 다음 단계로 서술하여라.

[1단계] $\int_0^1 f(t)dt=k$ (k는 상수)로 놓고 $f(x)$를 k를 포함한 식으로 나타낸다.

[2단계] k의 값을 구한다.

[3단계] $f(3)$의 값을 구한다.

1276

삼차함수 $f(x)$가 다음 조건을 만족시킬 때, $\int_0^2 f(x)dx$의 값을 구하는 과정을 다음 단계로 서술하여라.

(가) 모든 실수 x에 대하여 $\int_0^x f(t)dt = \int_0^{-x} f(t)dt$이다.
(나) $f'(0)=1$, $f'(1)=7$

[1단계] 조건 (가)를 만족하는 삼차함수 $f(x)$의 식을 작성한다.
[2단계] 조건 (나)를 만족하는 삼차함수 $f(x)$를 구한다.
[3단계] $\int_0^2 f(x)dx$의 값을 구한다.

1277

다항함수 $f(x)$가 모든 실수 x에 대하여

$$\int_2^x f(t)dt = x^4 + ax$$

를 만족시킬 때, $\int_{-3}^3 f(x)dx$의 값을 구하는 과정을 다음 단계로 서술하여라. (단, a는 상수이다.)

[1단계] 상수 a의 값을 구한다.
[2단계] 함수 $f(x)$를 구한다.
[3단계] 정적분 $\int_{-3}^3 f(x)dx$의 값을 구한다.

1278

실수 전체의 집합에서 미분가능한 함수 $f(x)$가 모든 실수 x에서 등식

$$\int_1^x f(t)dt = xf(x) - 3x^4 + x^2 + 1$$

을 만족시킬 때, $f(2)$를 구하는 과정을 다음 단계로 서술하여라.

[1단계] $f'(x)$를 구한다.
[2단계] $f(1)$를 구하여 적분상수를 구한다.
[3단계] $f(x)$를 구하여 $f(2)$의 값을 구한다.

1279

다항함수 $f(x)$가 모든 실수 x에 대하여

$$2x^2 f(x) - \int_1^x 4tf(t)dt = x^4 - 2x^3 - 3$$

을 만족시킬 때, 곡선 $y=f(x)$ 위의 점 $(1, f(1))$에서의 접선이 점 $(a, -3)$을 지날 때, 상수 a의 값을 구하는 과정을 다음 단계로 서술하여라.

[1단계] $x=1$을 양변에 대입하여 $f(1)$의 값을 구한다.
[2단계] 주어진 식의 양변을 x에 대하여 미분하여 $f'(x)$을 구한다.
[3단계] 곡선 $y=f(x)$ 위의 점 $(1, f(1))$에서의 접선의 방정식을 구한다.
[4단계] 접선이 점 $(a, -3)$을 지날 때 상수 a를 구한다.

1280

다항함수 $f(x)$에 대하여

$$\int_1^x (x-t)f(t)dt = 2x^3 + ax^2 + 1$$

가 성립할 때, $\int_0^1 |f(x)|dx$의 값을 구하는 과정을 다음 단계로 서술하여라. (단, a는 상수)

[1단계] 상수 a의 값을 구한다.
[2단계] 함수 $f(x)$를 구한다.
[3단계] $\int_0^1 |f(x)|dx$의 값을 구한다.

1281

다항함수 $f(x)$가

$$\int_1^x (x-t)f(t)dt = x^3 - ax^2 + bx + 3$$

을 만족시킬 때, $f(3)+a+b$의 값을 구하는 과정을 다음 단계로 서술하여라. (단, a, b는 상수)

[1단계] 상수 a, b의 값을 구한다.
[2단계] $f(x)$를 구한다.
[3단계] $f(3)+a+b$의 값을 구한다.

1282

연속함수 $f(x)$가 $x \geq 0$에서 $f(x) \geq 0$이고 다음을 모두 만족시킬 때, $\int_{-2}^{3} f(x)dx$를 구하여라.

(가) 함수 $f(x)$는 원점에 대하여 대칭이다.

(나) $\int_{0}^{2} f(x)dx = 16$, $\int_{1}^{3} f(x)dx = 80$

(다) $\int_{-1}^{1} |f(x)|dx = 2$

1283

모든 실수에서 연속인 함수 $f(x)$가 다음 조건을 모두 만족시킬 때, $\int_{8}^{9} f(x)dx$의 값을 구하여라.

(가) $\int_{0}^{2} f(x)dx = 0$

(나) $\int_{n}^{n+3} f(x)dx = \int_{n}^{n+1} 2xdx$ (단, $n = 0, 1, 2, \cdots$)

▶ 해설 내신연계기출

1284

교육청기출

최고차항의 계수가 1인 두 사차함수 $f(x)$, $g(x)$가 다음 조건을 만족시킨다.

(가) 두 함수 $y = f(x)$와 $y = g(x)$의 그래프가 만나는 세 점의 x좌표는 각각 $-1, 0, 2$이다.

(나) $\int_{0}^{2} f(x)dx = 4$, $\int_{0}^{2} g(x)dx = 12$

$f(3) - g(3)$의 값을 구하여라.

1285

이차함수 $f(x)$가 $f(1) = 0$이고
$$\int_{0}^{1} f(x)dx = \int_{3}^{4} f(x)dx = 2$$
를 만족시킨다. $\int_{1}^{4} |f(x)|dx$의 값을 구하여라.

1286

교육청기출

상수함수가 아닌 다항함수 $f(x)$가 모든 실수 x에 대하여
$$\int_{1}^{x} f(t)dt = \{f(x)\}^2$$
을 만족시킬 때, $f(3)$의 값을 구하여라.

1287

닫힌구간 $[-1, 1]$에서 함수
$$f(x) = \int_{x}^{x+1} (t^3 - t)dt$$
의 최댓값과 최솟값의 합을 구하여라.

1288

실수 전체에서 정의된 연속함수 $f(x)$가 $f(2-x)=f(2+x)$를 만족하고

$$f(x)=\begin{cases} 2x+5 & (2\le x\le 3) \\ 3x^2+a & (3\le x\le 5)\end{cases}$$

일 때, $\displaystyle\int_{-1}^{5} f(x)dx$의 값을 구하여라.

1289
교육청기출

양수 a, b가 $f(x)=\displaystyle\int_{0}^{x}(t-a)(t-b)dt$가 다음 조건을 만족시킬 때, $a+b$의 값을 구하여라.

(가) 함수 $f(x)$는 $x=\dfrac{1}{2}$에서 극값을 갖는다.

(나) $f(a)-f(b)=\dfrac{1}{6}$

1290
수능기출

다항함수 $f(x)$가 모든 실수 x에 대하여

$$x^2\int_{1}^{x}f(t)dt-\int_{1}^{x}t^2f(t)dt=x^4+ax^3+bx^2$$

을 만족시킬 때, $f(5)$의 값을 구하여라. (단, a와 b는 상수이다.)

1291

다항함수 $f(x)$가 모든 실수 x에 대하여

$$xf(x)+x^3=\int_{0}^{x}f(t)dt-x^3\int_{0}^{1}f'(t)dt+3x^4$$

을 만족시킨다. $f(0)=0$일 때, $f(2)$의 값을 구하여라.

1292

이차함수 $f(x)$와 다항함수 $g(x)$가

$$g(x)=\int_{0}^{x}\{t^2-f(t)\}dt$$

$$f(x)g(x)=-x^4-2x^3$$

을 만족시킬 때, $f(2)+g(-1)$의 값을 구하여라.

1293
교육청기출

함수 $f(x)=\begin{cases} -1 & (x<1) \\ -x+2 & (x\ge 1)\end{cases}$ 에 대하여 함수 $g(x)$를

$$g(x)=\int_{-1}^{x}(t-1)f(t)dt$$

라 하자. [보기]에서 옳은 것을 있는 대로 고른 것은?

ㄱ. $g(x)$는 열린구간 $(1,\ 2)$에서 증가한다.

ㄴ. $g(x)$는 $x=1$에서 미분가능하다.

ㄷ. 방정식 $g(x)=k$가 서로 다른 세 실근을 갖도록 하는 실수 k가 존재한다.

① ㄴ   ② ㄷ   ③ ㄱ, ㄴ

④ ㄴ, ㄷ   ⑤ ㄱ, ㄴ, ㄷ

1294

교육청기출

실수 전체의 집합에서 연속인 함수

$$f(x)=\begin{cases} 3x^2+ax+b & (x<1) \\ 2x & (x\geq 1) \end{cases}$$

에 대하여 함수 $g(t)$를 $g(t)=\displaystyle\int_t^{t+1} f(x)dx$라 하자.

$g(0)+g(1)=\dfrac{7}{2}$일 때, 함수 $g(t)$의 최솟값은 k이다.

$120k$의 값을 구하여라. (단, a, b는 상수이다.)

1295

수능기출

최고차항의 계수가 양수인 삼차함수 $f(x)$가 다음 조건을 만족시킨다.

(가) 함수 $f(x)$는 $x=0$에서 극댓값, $x=k$에서 극솟값을 가진다. (단, k는 상수이다.)

(나) 1보다 큰 모든 실수 t에 대하여

$$\int_0^t |f'(x)|dx = f(t)+f(0)$$이다.

[보기]에서 옳은 것만을 있는 대로 고른 것은?

> ㄱ. $\displaystyle\int_0^k f'(x)dx < 0$
>
> ㄴ. $0 < k \leq 1$
>
> ㄷ. 함수 $f(x)$의 극솟값은 0이다.

① ㄱ   ② ㄷ   ③ ㄱ, ㄴ
④ ㄴ, ㄷ   ⑤ ㄱ, ㄴ, ㄷ

1296

교육청기출

최고차항의 계수가 양수인 사차함수 $y=f(x)$의 도함수 $y=f'(x)$의 그래프가 다음 그림과 같다. 함수 $f'(x)$가 $x=a$에서 극댓값을 가질 때, [보기]에서 옳은 것만을 있는 대로 고른 것은?
(단, $f'(0)=f'(b)=f'(4)=0$)

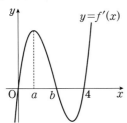

> ㄱ. 함수 $f(x)$는 $x=4$에서 극솟값을 갖는다.
>
> ㄴ. $a<t<b$일 때, $\dfrac{f(t)-f(a)}{t-a} > \dfrac{f(t)-f(b)}{t-b}$이다.
>
> ㄷ. $\displaystyle\int_a^4 f'(x)dx=0$일 때, 곡선 $y=f(x)$와 직선 $y=f(a)$는 서로 다른 세 점에서 만난다.

① ㄱ   ② ㄱ, ㄴ   ③ ㄱ, ㄷ
④ ㄴ, ㄷ   ⑤ ㄱ, ㄴ, ㄷ

1297

교육청기출

최고차항의 계수가 양수인 이차함수 $f(x)$가 다음 조건을 만족시킨다.

(가) 모든 실수 t에 대하여 $\displaystyle\int_0^t f(x)dx = \int_{2a-t}^{2a} f(x)dx$이다.

(나) $\displaystyle\int_a^2 f(x)dx=2$, $\displaystyle\int_a^2 |f(x)|dx=\dfrac{22}{9}$

$f(k)=0$이고 $k<a$인 실수 k에 대하여 $\displaystyle\int_k^2 f(x)dx=\dfrac{q}{p}$이다.

$p+q$의 값을 구하여라.
(단, a는 상수이고, p와 q는 서로소인 자연수이다.)

1298

수능기출

삼차함수 $f(x)$는 $f(0)>0$을 만족시킨다. 함수 $g(x)$를

$$g(x)=\left|\int_0^x f(t)dt\right|$$

라 할 때, 함수 $y=g(x)$의 그래프가 그림과 같다.

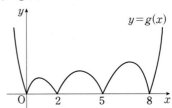

[보기]에서 옳은 것만을 있는 대로 고른 것은?

> ㄱ. 방정식 $f(x)=0$은 서로 다른 3개의 실근을 갖는다.
>
> ㄴ. $f'(0)<0$
>
> ㄷ. $\displaystyle\int_m^{m+2} f(x)dx>0$을 만족시키는 자연수 m의 개수는 3이다.

① ㄴ   ② ㄷ   ③ ㄱ, ㄴ
④ ㄱ, ㄷ   ⑤ ㄱ, ㄴ, ㄷ

03 넓이

학교내신기출 객관식 핵심문제총정리

구간 $[a, b]$에서 연속함수 $y=f(x)$와 x축으로 둘러싸인 부분의 넓이 S는

① 구간 $[a, b]$에서 $f(x) \geq 0$이면 $S=\int_a^b f(x)dx$

② 구간 $[a, b]$에서 $f(x) \leq 0$이면 $S=-\int_a^b f(x)dx$

③ 구간 $[a, c]$에서 $f(x) \geq 0$와 구간 $[c, b]$에서 $f(x) \leq 0$으로 나누어지면

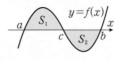

$$S=\int_a^b |f(x)|dx$$
$$=\int_a^c f(x)dx - \int_c^b f(x)dx$$

참고 도형의 넓이를 구하려면 먼저 도형의 개형을 그린다.

1299 학교기출 대표유형

오른쪽 그림과 같이 연속함수 $y=f(x)$의 그래프와 x축으로 둘러싸인 두 부분의 넓이를 각각 S_1, S_2라 할 때, [보기]에서 옳은 것만을 있는 대로 고른 것은?

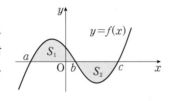

ㄱ. $\int_c^b f(x)dx=S_2$

ㄴ. $\int_a^c f(x)dx=S_1-S_2$

ㄷ. $\int_a^c |f(x)|dx=S_1+S_2$

① ㄴ   ② ㄷ   ③ ㄱ, ㄴ

④ ㄱ, ㄷ   ⑤ ㄱ, ㄴ, ㄷ

1300

오른쪽 그림과 같이 곡선 $y=f(x)$와 x축으로 둘러싸인 도형 A와 도형 B의 넓이가 각각 3, 9일 때, 정적분 $\int_{-2}^2 \{f(x)-2\}dx$의 값은?

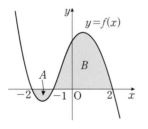

① -6 ② -4

③ -3 ④ -2

⑤ -1

1301

BASIC

함수 $f(x)$의 도함수 $f'(x)$의 그래프가 오른쪽 그림과 같다.

이 도함수 $f'(x)$과 x축으로 둘러싸인 두 부분 A, B의 넓이가 각각 8, 5이고 $f(-2)=3$일 때, $f(3)$의 값은?

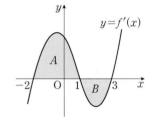

① 4   ② 6   ③ 8

④ 10   ⑤ 16

1302 최다빈출 중요

BASIC

오른쪽 그림과 같이 닫힌구간 $[0, 1]$에서 곡선 $y=x^2$과 두 직선 $x=0$, $y=1$로 둘러싸인 도형의 넓이를 S_1, 곡선 $y=x^2$과 두 직선 $x=1$, $y=0$으로 둘러싸인 도형의 넓이를 S_2라고 할 때, $\dfrac{S_1}{S_2}$의 값은?

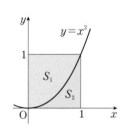

① $\dfrac{1}{2}$ ② 1   ③ $\dfrac{3}{2}$

④ 2   ⑤ 3

▶ 해설 내신연계기출

1303

BASIC

곡선 $y=x^3-9x$의 그래프와 x축으로 둘러싸인 부분의 넓이는?

① $\dfrac{77}{2}$ ② 39   ③ $\dfrac{79}{2}$

④ 40   ⑤ $\dfrac{81}{2}$

1304 최다빈출 상중요   NORMAL

곡선 $y=x^2-2x$와 x축 및 두 직선 $x=-2$, $x=2$로 둘러싸인 도형의 넓이는?

① $\dfrac{20}{3}$ ② 6   ③ 8

④ 10   ⑤ $\dfrac{34}{3}$

▶ 해설 내신연계기출

1305   NORMAL

곡선 $y=x^2-|x|-2$와 x축으로 둘러싸인 도형의 넓이는?

① $\dfrac{10}{3}$ ② $\dfrac{17}{3}$ ③ $\dfrac{20}{3}$

④ 10   ⑤ $\dfrac{34}{3}$

1306   NORMAL

다음 두 조건을 만족하는 넓이를 a, b라 할 때, $a+b$의 값은?

(가) 곡선 $y=x^2+3x$와 x축 및 두 직선 $x=-1$, $x=1$로 둘러싸인 부분의 넓이 a
(나) 곡선 $y=x(x-2)^2$와 x축으로 둘러싸인 부분의 넓이 b

① $\dfrac{4}{3}$ ② 2   ③ 4

④ $\dfrac{10}{3}$ ⑤ $\dfrac{13}{3}$

1307 최다빈출 상중요   NORMAL

곡선 $y=4x^3$과 x축 및 두 직선 $x=-1$, $x=a(a>0)$로 둘러싸인 도형의 넓이가 82일 때, 상수 a의 값은?

① 2   ② 3   ③ 4

④ 5   ⑤ 6

▶ 해설 내신연계기출

1308   NORMAL

곡선 $y=3x|x|$와 x축 및 직선 $x=-1$, $x=a$로 둘러싸인 도형의 넓이가 28일 때, 양수 a의 값은?

① 2   ② 3   ③ 4

④ 5   ⑤ 6

1309   NORMAL

곡선 $y=x^2-2x$와 x축 및 직선 $x=a$로 둘러싸인 도형의 넓이가 $\dfrac{8}{3}$일 때, a의 값은? (단, $a>2$)

① 2   ② 3

③ 4   ④ 5

⑤ 6

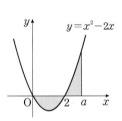

1310 최다빈출 상중요   NORMAL

오른쪽 그림과 같이 폭이 2m, 높이가 1m인 어느 텐트의 출입구의 곡선 부분은 이차함수 그래프의 일부를 나타낸다. 텐트의 출입구의 넓이는? (단위는 m²)

① $\dfrac{2}{3}$ ② $\dfrac{4}{3}$

③ $\dfrac{7}{2}$ ④ $\dfrac{9}{2}$

⑤ $\dfrac{11}{2}$

▶ 해설 내신연계기출

03 넓이

1311 최다빈출 왕중요

NORMAL

함수 $f(x)$의 도함수 $f'(x)$가
$$f'(x)=x^2-1, \quad f(0)=0$$
을 만족할 때, 곡선 $y=f(x)$와 x축으로 둘러싸인 부분의 넓이는?

① $\dfrac{9}{8}$ ② $\dfrac{5}{4}$ ③ $\dfrac{11}{8}$

④ $\dfrac{3}{2}$ ⑤ $\dfrac{13}{8}$

▶ 해설 내신연계기출

1312

TOUGH

삼차함수 $f(x)$가 다음 두 조건을 만족시킨다.

(가) $f'(x)=3x^2-4x-4$

(나) 함수 $y=f(x)$의 그래프는 $(2, 0)$을 지난다.

이때 함수 $y=f(x)$의 그래프와 x축으로 둘러싸인 도형의 넓이는?

① $\dfrac{56}{3}$ ② $\dfrac{58}{3}$ ③ 20

④ $\dfrac{62}{3}$ ⑤ $\dfrac{64}{3}$

1313

TOUGH

삼차함수 $f(x)$에 대하여 도함수 $y=f'(x)$의 그래프가 그림과 같고 함수 $f(x)$는 극댓값 5, 극솟값 1을 가진다. 닫힌구간 $[-3, 3]$에서 곡선 $y=f(x)$와 x축 및 두 직선 $x=-3$, $x=3$으로 둘러싸인 부분의 넓이는? (단, $f'(-3)=f'(3)=0$)

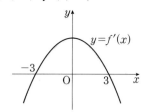

① 16   ② 18   ③ 20

④ 22   ⑤ 24

유형 02 넓이의 비가 주어진 도형의 넓이

곡선 $y=f(x)$에 대하여 닫힌구간 $[a, b]$에서 곡선과 x축 사이의 넓이를 S_1, 닫힌구간 $[c, d]$에서 곡선과 x축 사이의 넓이를 S_2라 하면
$$S_1 : S_2 = \int_a^b |f(x)|dx : \int_c^d |f(x)|dx$$

1314 학교기출 대표유형

오른쪽 그림과 같이 곡선 $y=x^2-4x+p$와 x축 및 y축으로 둘러싸인 도형의 넓이를 A, 이 곡선과 x축으로 둘러싸인 도형의 넓이를 B라고 할 때, $A:B=1:2$이다. 이때 상수 p의 값은? (단, $0<p<4$)

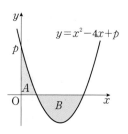

① $\dfrac{8}{3}$ ② $\dfrac{7}{2}$ ③ $\dfrac{3}{2}$

④ 3   ⑤ 5

1315 최다빈출 왕중요

NORMAL

오른쪽 그림과 같이 곡선 $y=-x^2+8x+a$와 x축 및 y축으로 둘러싸인 부분의 넓이를 각각 P, Q라고 하자. $P:Q=1:2$일 때, 상수 a의 값은?

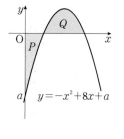

① $-\dfrac{38}{3}$ ② $-\dfrac{31}{2}$

③ $-\dfrac{32}{3}$ ④ 12

⑤ 48

▶ 해설 내신연계기출

1316

NORMAL

곡선 $y=x^2-4$와 x축으로 둘러싸인 부분의 넓이를 A, 곡선 $y=x^2-4 (x \geq 2)$와 x축 및 직선 $x=a (a>2)$로 둘러싸인 부분의 넓이를 B라 할 때, $A=2B$이다. 상수 a의 값은?

① $\sqrt{6}$ ② $2\sqrt{2}$ ③ $\sqrt{10}$

④ $2\sqrt{3}$ ⑤ $\sqrt{14}$

1317

NORMAL

다음 그림과 같이 함수 $y=f(x)$의 그래프와 x축으로 둘러싸인 세 부분의 넓이를 각각 S_1, S_2, S_3이라고 하자.

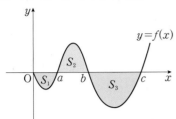

S_1, S_2, S_3이 순서대로 등차수열을 이루고 $\int_a^b f(x)dx=8$일 때, $\int_0^c f(x)dx$의 값은?

① -16 ② -8 ③ 8

④ 16 ⑤ 24

1318

TOUGH

다음 그림과 같이 곡선 $f(x)=x^2-5x+4$와 x축 및 y축으로 둘러싸인 부분의 넓이를 S_1, 곡선 $y=f(x)$와 x축으로 둘러싸인 부분의 넓이를 S_2, 곡선 $y=f(x)$와 x축 및 $x=k\,(k>4)$로 둘러싸인 부분의 넓이를 S_3이라 하자.

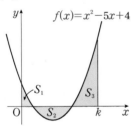

S_1, S_2, S_3이 이 순서대로 등차수열을 이룰 때, $\int_0^k f(x)dx$의 값은?

① 3 ② $\dfrac{7}{2}$ ③ 4

④ $\dfrac{9}{2}$ ⑤ 5

유형 03 x축으로 둘러싸인 도형의 넓이의 활용

구간 $[a,\,b]$에서 x축과 곡선 $y=f(x)$로 둘러싸인 부분의 넓이 S는 $S=S_1+S_2$

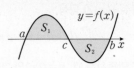

$$S=\int_a^b |y|dx=\int_a^b |f(x)|dx$$
$$=\int_a^c f(x)dx+\int_c^b \{-f(x)\}dx$$

1319 학교기출 대표유형

곡선 $f(x)=3x^2+1$과 x축 및 두 직선 $x=2-h$, $x=2+h\,(h>0)$로 둘러싸인 도형의 넓이를 $S(h)$라고 할 때, $\displaystyle\lim_{h\to 0+}\frac{S(h)}{h}$의 값은?

① 24 ② 26 ③ 28

④ 30 ⑤ 32

1320 최다빈출 왕중요

NORMAL

곡선 $f(x)=6x^2+1$과 x축 및 두 직선 $x=1-h$, $x=1+h$ $(h>0)$로 둘러싸인 부분의 넓이를 $S(h)$라 할 때, $\displaystyle\lim_{h\to 0+}\frac{S(h)}{h}$의 값은?

① 10 ② 11 ③ 12

④ 13 ⑤ 14

▶ 해설 내신연계기출

1321

NORMAL

$f(x)=x^3-3x+\int_0^2 f(t)dt$를 만족시키는 다항함수 $f(x)$에 대하여 $y=f(x)$의 그래프와 x축으로 둘러싸인 부분의 넓이는?

① $\dfrac{7}{2}$ ② $\dfrac{19}{3}$ ③ $\dfrac{23}{2}$

④ $\dfrac{27}{4}$ ⑤ $\dfrac{31}{4}$

1322

함수 $f(x)$가 등식

$$\int_2^x f(t)dt = x^3 - ax^2$$

을 만족시킬 때, $y=f(x)$의 그래프와 x축으로 둘러싸인 부분의

넓이가 $\dfrac{p}{q}$이다. 이때 $p+q$의 값은? (단, p, q는 서로소인 자연수)

① 5   ② 32   ③ 27

④ 59   ⑤ 64

1323

최다빈출 왕 중요   TOUGH

최고차항의 계수가 1인 이차함수 $f(x)$가 $f(3)=0$이고

$$\int_0^{2013} f(x)dx = \int_3^{2013} f(x)dx$$

를 만족시킨다. 곡선 $y=f(x)$와 x축으로 둘러싸인 부분의 넓이가

S일 때, $30S$의 값은?

① 10   ② 20   ③ 30

④ 40   ⑤ 50

▶ 해설 내신연계기출

1324

TOUGH

최고차항의 계수가 1인 이차함수 $f(x)$가

$$\int_0^{10} f(x)dx = \int_3^{10} f(x)dx, \ f(3)=0$$

을 만족시킨다. 곡선 $y=f(x)$와 x축으로 둘러싸인 부분의 넓이를

S라고 할 때, $9S$의 값은?

① 8   ② 10   ③ 12

④ 16   ⑤ 20

유형 04   두 곡선으로 둘러싸인 도형의 넓이

두 함수 $f(x)$, $g(x)$ 사이의 넓이는 다음과 같은 순서로 구한다.

[1단계] 두 곡선 $f(x)$, $g(x)$을 그려 위치 관계를 파악한다.

[2단계] 두 곡선의 교점의 x좌표를 구한다.

[3단계] $S = \int_a^b |f(x)-g(x)|dx$을 정적분 한다. ◀ (위쪽의 식)−(아래쪽의 식)

참고   두 곡선이 모두 x축 위쪽에 있든, 모두 x축 아래쪽에 있든 x축을 사이에 두고 있든 넓이는 같다.

1325

학교기출 대표 유형

다음 그림과 같이 두 곡선 $y=f(x)$와 $y=g(x)$로 둘러싸인 세 도형

A, B, C의 넓이가 각각 10, 8, 6일 때, 정적분 $\displaystyle\int_{-5}^7 \{f(x)-g(x)\}dx$

의 값은?

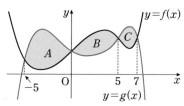

① -10 ② -8 ③ -6

④ -4 ⑤ -2

1326

오른쪽 그림과 같이 곡선 $y=2x^3+2$

와 직선 $y=4$ 및 y축으로 둘러싸인

부분의 넓이는?

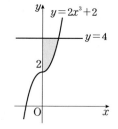

① 1   ② $\dfrac{5}{4}$

③ $\dfrac{3}{2}$ ④ $\dfrac{7}{4}$

⑤ 2

1327

최다빈출 상 중요   NORMAL

곡선 $f(x)=x^2-6x+7$과 y축 및

직선 $g(x)=x+1$로 둘러싸인 어

두운 부분의 넓이는?

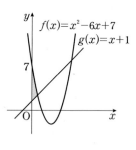

① $\dfrac{8}{3}$ ② $\dfrac{17}{6}$

③ 3   ④ $\dfrac{19}{6}$

⑤ $\dfrac{10}{3}$

▶ 해설 내신연계기출

1328

NORMAL

함수 $y=f(x)$의 그래프가 직선 $y=2$와 만나는 세 점의 x좌표는 각각 0, 1, 3이다. 오른쪽 그림과 같이 곡선 $y=f(x)$와 직선 $y=2$로 둘러싸인 두 부분 A, B의 넓이가 각각 5, 32일 때, $\int_0^3 f(x)dx$의 값은?

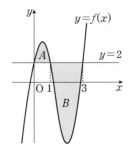

① -19 ② -21 ③ -23
④ -25 ⑤ -27

1329

NORMAL

두 곡선 $y=x^2+2$, $y=2x^2$과 두 직선 $x=0$, $x=1$로 둘러싸인 도형의 넓이는?

① $\dfrac{4}{3}$ ② $\dfrac{5}{3}$ ③ 2
④ $\dfrac{7}{3}$ ⑤ $\dfrac{8}{3}$

1330

최다빈출 왕 중요

NORMAL

두 곡선 $y=a^2x^2$, $y=-x^2$과 직선 $x=3$으로 둘러싸인 도형의 넓이를 $S(a)$라고 할 때, $\dfrac{S(a)}{a}$의 최솟값은? (단, $a>0$)

① 12 ② 14 ③ 16
④ 18 ⑤ 20

▶ 해설 내신연계기출

1331

NORMAL

두 곡선 $y=x^2$, $y=-x^2+2x$와 두 직선 $x=0$, $x=2$로 둘러싸인 도형의 넓이는?

① 2 ② 4 ③ 6
④ 8 ⑤ 10

1332

최다빈출 왕 중요

NORMAL

두 곡선
$$y=x^3-x^2-x, \ y=-x^2+3x$$
로 둘러싸인 도형의 넓이는?

① 2 ② 4 ③ 6
④ 8 ⑤ 10

▶ 해설 내신연계기출

1333

NORMAL

두 곡선
$$y=x^2-x, \ y=x^3-4x^2+3x$$
로 둘러싸인 도형의 넓이는?

① $\dfrac{7}{12}$ ② $\dfrac{21}{4}$ ③ $\dfrac{45}{4}$
④ $\dfrac{71}{6}$ ⑤ $\dfrac{70}{3}$

1334

최다빈출 왕 중요

TOUGH

두 곡선
$$y=x^4-4x^2, \ y=-4x^2+8x$$
로 둘러싸인 도형의 넓이는?

① $\dfrac{37}{5}$ ② $\dfrac{42}{5}$ ③ $\dfrac{46}{5}$
④ $\dfrac{48}{5}$ ⑤ $\dfrac{52}{5}$

▶ 해설 내신연계기출

1335

TOUGH

함수 $f(x)=x^4-2x^2+5$는 $x=a$와 $x=b$에서 극소이다. 두 점 $A(a, f(a))$, $B(b, f(b))$에 대하여 곡선 $y=f(x)$와 직선 AB로 둘러싸인 부분의 넓이는? (단, $a \ne b$)

① $\dfrac{16}{15}$ ② $\dfrac{17}{15}$ ③ $\dfrac{6}{5}$
④ $\dfrac{19}{15}$ ⑤ $\dfrac{4}{3}$

[1단계] 두 곡선을 그려 위치 관계를 파악한다.
[2단계] 두 곡선의 교점의 x좌표를 구한다.
[3단계] {(위쪽의 식)−(아래쪽의 식)}을 정적분 한다.

1336 학교기출 대표유형

오른쪽 그림과 같이 곡선 $y=x^2-3x$ 와 x축으로 둘러싸인 도형이 직선 $y=-x$에 의하여 나누어진 부분 중 아래쪽과 위쪽의 넓이를 각각 S_1, S_2 라고 할 때, $\dfrac{S_2}{S_1}$의 값은?

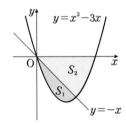

① 2
② $\dfrac{3}{2}$
③ $\dfrac{5}{2}$
④ $\dfrac{19}{8}$
⑤ 3

1337 최다빈출 왕중요

오른쪽 그림과 같이 곡선 $y=-2x^2+6x$와 x축으로 둘러싸인 도형이 직선 $y=2x$로 나누어진 부분 중 위쪽과 아래쪽의 넓이를 각각 S_1, S_2라 할 때, $\dfrac{S_2}{S_1}$의 값은?

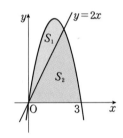

① $\dfrac{4}{3}$
② $\dfrac{8}{3}$
③ $\dfrac{19}{8}$
④ $\dfrac{19}{6}$
⑤ $\dfrac{19}{3}$

▶해설 내신연계기출

1338 최다빈출 왕중요

곡선 $y=x^3-2x^2+k$와 직선 $y=k$로 둘러싸인 부분의 넓이는? (단, k는 상수이다.)

① $\dfrac{1}{3}$
② $\dfrac{2}{3}$
③ 1
④ $\dfrac{4}{3}$
⑤ $\dfrac{5}{3}$

▶해설 내신연계기출

1339 NORMAL

오른쪽 그림과 같이 모든 실수 x에 대하여 $f(-x)=-f(x)$를 만족시키는 삼차함수 $y=f(x)$의 그래프와 직선 $y=mx$가 서로 다른 세 점에서 만난다. 모든 실수 x에 대하여 $f(x)-mx=-x(x+1)(x-1)$일 때, 곡선 $y=f(x)$와 직선 $y=mx$로 둘러싸인 부분의 넓이는? (단, $m>0$)

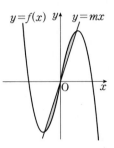

① $\dfrac{1}{8}$
② $\dfrac{1}{4}$
③ $\dfrac{3}{8}$
④ $\dfrac{1}{2}$
⑤ $\dfrac{5}{8}$

1340 NORMAL

함수 $y=f(x)$가 다음 두 조건을 만족할 때, 곡선 $y=f(x)$와 y축 및 두 직선 $x=6$, $y=-1$로 둘러싸인 도형의 넓이는?

(가) $f(x)=|x-1|\,(0 \le x \le 2)$
(나) 모든 실수 x에 대하여 $f(x+2)=f(x)$

① 6
② 9
③ 12
④ 15
⑤ 16

1341 최다빈출 왕중요 TOUGH

오른쪽 그림과 같이 두 점 A(4, 0), B(0, 4)를 지나는 직선과 $y=ax^2$및 y축으로 둘러싸인 도형 중에서 제 1사분면에 있는 도형의 넓이를 S_1이라 하자. 또, 직선 AB 와 곡선 $y=ax^2$ 및 x축으로 둘러싸인 도형의 넓이를 S_2라 하자. $S_1:S_2=5:11$일 때, 상수 a의 값은? (단, $a>0$)

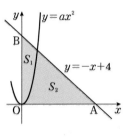

① 1
② 2
③ 3
④ 4
⑤ 5

▶해설 내신연계기출

유형 06 이차함수와 x축 사이의 넓이의 속해법

이차함수와 x축이 두 점에서 만날 때,
이차함수 $y=ax^2+bx+c\,(a\neq0)$의
그래프가 x축과 두 점 α, $\beta\,(\alpha<\beta)$에
서 만날 때, 그래프와 x축으로 둘러싸인
도형의 넓이 S는

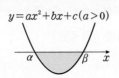

$$S=\frac{|a|(\beta-\alpha)^3}{6}$$

1342 학교기출 대표유형

오른쪽 그림과 같이 곡선
$y=-x^2+2x+3$과 x축으로
둘러싸인 도형의 넓이는?

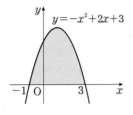

① $\frac{23}{3}$ ② $\frac{26}{3}$

③ $\frac{29}{3}$ ④ $\frac{32}{3}$

⑤ $\frac{35}{3}$

1343 BASIC

곡선 $y=x^2-ax$와 x축으로 둘러싸인 부분의 넓이가 $\frac{9}{2}$일 때,
양수 a의 값은?

① 1 ② 2 ③ 3
④ 4 ⑤ 5

1344 BASIC

곡선 $y=-2x^2+ax$와 x축으로 둘러싸인 도형의 넓이가 9일 때,
양수 a의 값은?

① 2 ② 3 ③ 4
④ 5 ⑤ 6

1345 BASIC

곡선 $y=x^2+(1-a)x-a$와 x축으로 둘러싸인 도형의 넓이가
$\frac{4}{3}$일 때, 상수 a의 값은? (단, $a>-1$)

① 1 ② 2 ③ 3
④ 4 ⑤ 5

1346 최다빈출 왕중요 NORMAL

곡선 $y=|x^2-x|$와 직선 $y=2$로 둘러싸인 부분의 넓이는?

① $\frac{17}{6}$ ② $\frac{19}{6}$ ③ $\frac{7}{2}$

④ $\frac{23}{6}$ ⑤ $\frac{25}{6}$

▶ 해설 내신연계기출

1347 NORMAL

함수 $f(x)=|x^2-2x-1|$의 그래프와 직선 $y=a$가 서로 다른 세 점
에서 만날 때, 다음 중 함수 $y=f(x)$의 그래프와 직선 $y=a$로 둘러
싸인 부분의 넓이를 식으로 바르게 나타낸 것은? (단, a는 상수이다.)

① $2\int_0^1\{1-f(x)\}dx$ ② $\int_1^3\{2-f(x)\}dx$

③ $2\int_1^3\{2-f(x)\}dx$ ④ $2\int_{-1}^1\{3-f(x)\}dx$

⑤ $2\int_1^3\{4-f(x)\}dx$

이차함수와 직선이 서로 다른 두 점에서 만날 때, 이차함수 $y=ax^2+bx+c$ ($a \neq 0$)의 그래프와 직선 $y=mx+n$이 서로 다른 두 점에서 만날 때, 교점의 x좌표를 α, β ($\alpha < \beta$)라 하면 포물선과 직선으로 둘러싸인 도형의 넓이 S는

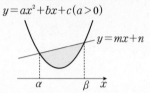

$$S=\frac{|a|(\beta-\alpha)^3}{6}$$

1348 학교기출 대표 유형

곡선 $y=-2x^2+3x$와 직선 $y=x$로 둘러싸인 부분의 넓이가 $\frac{q}{p}$일 때, $p+q$의 값은? (단, p와 q는 서로인 자연수이다.)

① 3   ② 4   ③ 5
④ 6   ⑤ 7

1349 BASIC

곡선 $y=x^2-2x-1$과 직선 $y=x-1$로 둘러싸인 도형의 넓이는?

① $\frac{4}{3}$ ② $\frac{5}{3}$ ③ 2
④ $\frac{7}{2}$ ⑤ $\frac{9}{2}$

1350 최다빈출 왕 중요 NORMAL

곡선 $y=3x-x^2$과 직선 $y=mx$로 둘러싸인 도형의 넓이가 $\frac{1}{6}$일 때, 상수 m의 값은? (단, $0 < m < 3$)

① $\frac{1}{3}$ ② $\frac{1}{2}$ ③ 1
④ $\frac{3}{2}$ ⑤ 2

▶ 해설 내신연계기출

1351 최다빈출 왕 중요 NORMAL

곡선 $y=x^2-5x$와 $y=x+a$로 둘러싸인 도형의 넓이가 $\frac{4}{3}$일 때, 상수 a의 값은?

① -8 ② -7 ③ -6
④ -5 ⑤ -4

▶ 해설 내신연계기출

1352 NORMAL

오른쪽 그림과 같이 양수 a에 대하여 곡선 $y=|x^2-ax|$와 직선 $y=ax$로 둘러싸인 도형의 넓이가 27일 때, 실수 a의 값은?

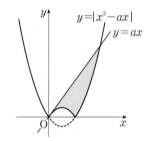

① $\frac{3}{2}$ ② 2
③ $\frac{5}{2}$ ④ 3
⑤ $\frac{7}{2}$

1353 NORMAL

곡선 $y=x^2+4$ 위의 점 $P(6, 40)$에서의 접선과 이차함수 $y=x^2$으로 둘러싸인 도형의 넓이는?

① 9   ② $\frac{28}{3}$ ③ 10
④ $\frac{32}{3}$ ⑤ 11

1354 TOUGH

곡선 $y=x^2$ 위에서 두 점 $P(a, a^2)$, $Q(b, b^2)$가 다음 조건을 만족하면서 움직이고 있다. $\lim\limits_{a \to \infty} \dfrac{\overline{PQ}}{a}$의 값은? (단, $a < b$)

> 선분 PQ와 곡선 $y=x^2$으로 둘러싸인 도형의 넓이는 36

① 8   ② 10   ③ 12
④ 14   ⑤ 16

유형 08 두 이차함수 사이의 넓이의 속해법

두 이차함수가 서로 다른 두 점에서 만날 때,

두 이차함수 $y=ax^2+bx+c$, $y=a'x^2+b'x+c'$의 그래프가 서로 다른

두 점에서 만날 때,

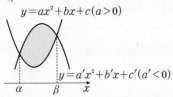

교점의 x좌표를 α, β $(\alpha<\beta)$라 하면 두 포물선으로 둘러싸인 도형의

넓이 S는 $S=\dfrac{|a-a'|(\beta-\alpha)^3}{6}$

1355 학교기출 대표유형

두 곡선

$$y=x^2-1, \ y=-x^2+2x+3$$

으로 둘러싸인 도형의 넓이는?

① $\dfrac{5}{2}$ ② $\dfrac{7}{2}$ ③ $\dfrac{9}{2}$

④ 6   ⑤ 9

1356 최다빈출 왕중요   BASIC

두 곡선

$$y=x^2-4x, \ y=-x^2+2a$$

로 둘러싸인 도형의 넓이가 9일 때, 상수 a의 값은?

① $\dfrac{5}{4}$ ② $\dfrac{4}{3}$ ③ $\dfrac{3}{2}$

④ 2   ⑤ 3

▶ 해설 내신연계기출

1357   NORMAL

다음 두 조건을 만족하는 넓이를 a, b라 할 때, $a+b$의 값은?

(가) 두 곡선 $y=x^2-2x$, $y=2x+5$로 둘러싸인
　　 부분의 넓이 a

(나) 두 곡선 $y=x^2-2x$, $y=-x^2+4$로 둘러싸인
　　 부분의 넓이 b

① 9   ② 36   ③ 42

④ 45   ⑤ 58

1358 최다빈출 왕중요   NORMAL

곡선 $y=x^2$을 x축에 대하여 대칭이동한 다음, 다시 x축의 방향으로 -1, y축의 방향으로 5만큼 평행이동한 곡선을 $y=g(x)$라고 할 때, 두 곡선 $y=x^2$과 $y=g(x)$로 둘러싸인 부분의 넓이는?

① 3   ② 6   ③ 9

④ 12   ⑤ 15

▶ 해설 내신연계기출

1359 최다빈출 왕중요   TOUGH

곡선 $y=-x^2+4$와 x축으로 둘러싸인 부분의 넓이 A가 두 곡선 $y=-x^2+4$와 $y=x^2+2a$로 둘러싸인 부분의 넓이 B의 4배가 되도록 하는 a의 값은?

① 1   ② 2   ③ 3

④ 5   ⑤ 8

▶ 해설 내신연계기출

$f(x)=ax^3+bx^2+cx+d$와 이 곡선 위의 한 점 $(\alpha,\ f(\alpha))$에서 그은 접선 $y=mx+n$이 다시 이 곡선과 만나는 점을 $(\beta,\ f(\beta))$라 할 때,

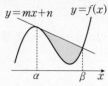

곡선 $y=f(x)$와 접선 $y=mx+n$으로 둘러싸인 도형의 넓이 S는

$$S=\frac{|a|(\beta-\alpha)^4}{12}$$

1360 학교기출 대표유형

곡선 $y=x^2(2-x)$와 x축으로 둘러싸인 부분의 넓이는?

① $\dfrac{1}{3}$　　　　② $\dfrac{2}{3}$　　　　③ $\dfrac{4}{3}$

④ $\dfrac{5}{3}$　　　　⑤ $\dfrac{6}{3}$

1361 최다빈출 왕중요

NORMAL

삼차함수 $y=f(x)$의 그래프가 오른쪽 그림과 같고 이 곡선과 x축으로 둘러싸인 도형의 넓이는 27이다. 이때 함수 $f(x)$의 극솟값은?

① -18　　　　② -16
③ -12　　　　④ -11
⑤ -10

▶ 해설 내신연계기출

1362

NORMAL

함수 $f(x)=x^3+ax^2+bx-3$이 $x=1$에서 극댓값 0을 가질 때, 곡선 $y=f(x)$와 x축으로 둘러싸인 도형의 넓이는?

① $\dfrac{4}{3}$　　　　② $\dfrac{5}{3}$　　　　③ 4

④ $\dfrac{10}{3}$　　　　⑤ $\dfrac{8}{3}$

① 곡선과 x축으로 둘러싸인 부분의 넓이가 같을 조건

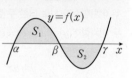

$$S_1=S_2\text{이면 } \int_\alpha^\gamma f(x)dx=0$$

② 곡선과 곡선으로 둘러싸인 부분의 넓이가 같을 조건

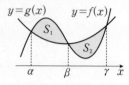

$$S_1=S_2\text{이면 } \int_\alpha^\gamma \{f(x)-g(x)\}=0$$

1363 학교기출 대표유형

곡선 $y=x(x-3)(x-k)$와 x축으로 둘러싸인 두 도형의 넓이가 같을 때, k의 값은? (단, $k>3$)

① 4　　　　② 5　　　　③ 6
④ 7　　　　⑤ 8

▶ 해설 내신연계기출

1364 최다빈출 왕중요

NORMAL

그림과 같이 곡선 $y=\dfrac{1}{2}x^2$과 직선 $y=kx$로 둘러싸인 부분의 넓이를 A, 곡선 $y=\dfrac{1}{2}x^2$과 두 직선 $x=2$, $y=kx$로 둘러싸인 부분의 넓이를 B라 하자. $A=B$일 때, $30k$의 값을 구하여라. (단, k는 $0<k<1$인 상수이다.)

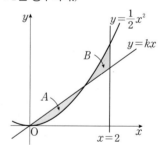

① 5　　　　② 10　　　　③ 15
④ 20　　　　⑤ 25

▶ 해설 내신연계기출

1365 최다빈출 왕 중요

NORMAL

그림과 같이 곡선 $y=-2x^2+4x$과 직선 $y=mx$ 및 $x=2$로 둘러싸인 두 부분의 넓이를 A, B라 하자. $A=B$일 때, m의 값은?
(단, $m>0$)

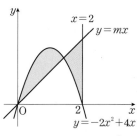

① $\dfrac{2}{3}$ ② 1 ③ $\dfrac{4}{3}$

④ $\dfrac{5}{3}$ ⑤ 2

▶ 해설 내신연계기출

1366

NORMAL

다항함수 $f(x)$에 대하여 $y=f'(x)$그래프가 [그림1]과 같은 이차함수이고 [그림2]에서와 같이 함수 $f(x)$와 x축, y축 및 $x=4$로 둘러싸인 두 영역의 넓이가 같을 때, $f(1)$의 값은?

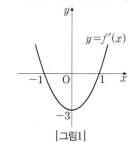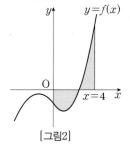

[그림1] [그림2]

① -14 ② -12 ③ -10

④ -8 ⑤ -6

1367

TOUGH

다음 그림과 같이 삼차함수 $f(x)=-(x+1)^3+8$의 그래프가 x축과 만나는 점을 A라 하고, 점 A를 지나고 x축에 수직인 직선을 l이라 하자. 또, 곡선 $y=f(x)$와 y축 및 직선 $y=k\,(0<k<7)$로 둘러싸인 부분의 넓이를 S_1이라 하고, 곡선 $y=f(x)$와 직선 l 및 직선 $y=k$로 둘러싸인 부분의 넓이를 S_2라 하자. 이때 $S_1=S_2$가 되도록 하는 상수 k에 대하여 $4k$의 값은?

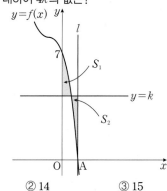

① 13 ② 14 ③ 15

④ 16 ⑤ 17

유형 11 이차함수와 x축 사이의 넓이가 서로 같은 경우

이차함수와 x축으로 둘러싸인 두 부분의 넓이가 같을 때, 성립조건 $f(x)=ax^2+bx+c\,(a>0)$에서 x축과 교점이 α, $\beta\,(\beta>\alpha)$라 할 때, 두 부분의 넓이를 A, B라 하면

즉 $\displaystyle\int_0^\alpha f(x)dx=A$,

$\displaystyle\int_\alpha^\beta |f(x)|dx=B$에서

$A=B$이면 $\beta=3\alpha$이다.

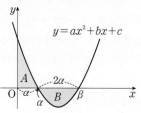

증명 함수 $y=f(x)$가 x축과 교점이 $x=\alpha$ 또는 $x=\beta$이므로
$f(x)=a(x-\alpha)(x-\beta)$이다.

$A=B$이므로 $\displaystyle\int_0^\beta a(x-\alpha)(x-\beta)dx=0$

$a\left[\dfrac{1}{3}x^3-\dfrac{(\alpha+\beta)}{2}x^2+\alpha\beta x\right]_0^\beta=a\left\{\dfrac{1}{3}\beta^3-\dfrac{(\alpha+\beta)}{2}\beta^2+\alpha\beta^2\right\}$

$=\dfrac{a\beta^2}{6}(3\alpha-\beta)=0$

$\therefore \beta=3\alpha$

1368 학교기출 대표 유형

오른쪽 그림과 같이 곡선 $y=-x^2+ax+9-3a$와 x축 및 y축으로 둘러싸인 두 도형의 넓이가 같을 때, 상수 a의 값은?
(단, $3<a<6$)

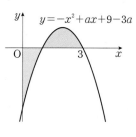

① $\dfrac{7}{2}$ ② 4

③ $\dfrac{9}{2}$ ④ 5

⑤ $\dfrac{11}{2}$

▶ 해설 내신연계기출

1369 최다빈출 왕 중요

NORMAL

오른쪽 그림과 같이 곡선 $y=x^2-2x$와 x축 및 직선 $x=a$로 둘러싸인 두 도형 A, B의 넓이가 같을 때, 상수 a의 값은?
(단, $a>2$)

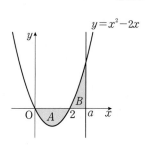

① 3 ② 4

③ 5 ④ 6

⑤ 7

▶ 해설 내신연계기출

1370

NORMAL

오른쪽 그림과 같이 함수 $f(x)=x^2-4x+3$에 대하여 곡선 $y=f(x)$와 x축으로 둘러싸인 색칠한 부분을 A, 곡선 $y=f(x)$와 x축 및 직선 $x=a$로 둘러싸인 색칠한 부분을 B라 하자. 두 부분 A, B의 넓이가 서로 같을 때, 실수 a의 값은? (단, $a>3$)

① $\dfrac{7}{2}$ ② 4 ③ 5

④ 6 ⑤ 7

1371

NORMAL

곡선 $y=3x^2-x+k$가 오른쪽 그림과 같을 때, A, B의 넓이가 같아지도록 하는 상수 k의 값은? (단, $k>0$)

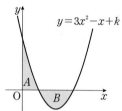

① $\dfrac{1}{32}$ ② $\dfrac{1}{16}$

③ $\dfrac{1}{12}$ ④ $\dfrac{1}{6}$

⑤ $\dfrac{1}{2}$

1372

TOUGH

오른쪽 그림과 같이 이차함수 $f(x)=ax^2-4ax+b\,(0<b<4a)$에 대하여 곡선 $y=f(x)$와 x축, y축으로 둘러싸인 부분의 넓이를 S_1, 곡선 $y=f(x)$와 x축으로 둘러싸인 색칠된 부분의 넓이를 S_2라 할 때, $S_1=S_2$이다.

함수 $g(x)$를 $g(x)=\displaystyle\int_0^x f(t)dt$라 할 때, $\dfrac{g(6)}{g'(6)}$의 값은? (단, a, b는 상수이다.)

① $\dfrac{2}{5}$ ② $\dfrac{4}{5}$ ③ $\dfrac{6}{5}$

④ $\dfrac{8}{5}$ ⑤ 2

유형 12 도형의 넓이를 이등분하는 경우

오른쪽 그림에서 곡선 $y=f(x)$와 x축으로 둘러싸인 도형의 넓이를 곡선 $y=g(x)$가 이등분하면

$$\int_a^k \{f(x)-g(x)\}dx=\frac{1}{2}\int_a^b f(x)dx$$

1373 학교기출 대표유형

곡선 $y=-x^2+3x$와 x축으로 둘러싸인 부분의 넓이가 직선 $y=mx$에 의하여 이등분될 때, 상수 m에 대하여 $(3-m)^3$의 값은?

① $\dfrac{25}{2}$ ② 13 ③ $\dfrac{27}{2}$

④ 14 ⑤ $\dfrac{29}{2}$

1374 최다빈출 왕중요

BASIC

곡선 $y=x^2-x$와 직선 $y=ax$로 둘러싸인 도형의 넓이가 x축에 의하여 이등분 될 때, 상수 a에 대하여 $(a+1)^3$의 값은? (단, $a>0$)

① 1 ② 2

③ 3 ④ 4

⑤ 5

▶ 해설 내신연계기출

1375

NORMAL

곡선 $y=-x^2+2x$와 x축으로 둘러싸인 도형의 넓이를 곡선 $y=ax^2$이 이등분할 때, 상수 a의 값은? (단, $a>0$)

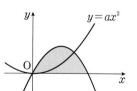

① $\sqrt{2}-1$ ② $\sqrt{2}$

③ $\sqrt{2}+1$ ④ $\sqrt{2}+2$

⑤ $\sqrt{2}+4$

1376

오른쪽 그림과 같이 곡선 $y=x^2(x \geq 0)$과 y축 및 직선 $y=1$로 둘러싸인 도형의 넓이를 곡선 $y=ax^2(x \geq 0)$이 이등분할 때, 양수 a의 값은?

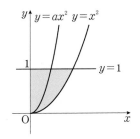

① 2   ② 4
③ 6   ④ 8
⑤ 10

1377

최다빈출 왕 중요

오른쪽 그림과 같이 오직 한 점에서 만나는 두 곡선 에 대하여 곡선 $y=ax(x+2)$가 곡선 $y=\frac{1}{2}x^3-x+2$와 x축 및 y축으로 둘러싸인 부분의 넓이를 이등분할 때, 상수 a의 값은?
(단, $a < 0$)

① $-\frac{3}{2}$ ② $-\frac{5}{4}$ ③ -1
④ $-\frac{3}{4}$ ⑤ $-\frac{1}{2}$

▶ 해설 내신연계기출

1378

두 곡선 $y=x^4-x^3$, $y=-x^4+x$로 둘러싸인 도형의 넓이가 곡선 $y=ax(1-x)$에 의하여 이등분될 때, 상수 a의 값은?
(단, $0 < a < 1$)

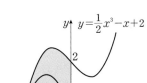

① $\frac{1}{4}$ ② $\frac{3}{8}$
③ $\frac{5}{8}$ ④ $\frac{3}{4}$
⑤ $\frac{7}{8}$

유형 **13** 넓이의 최대 · 최소

[1단계] 정적분을 이용하여 도형의 넓이 $S(a)$를 구한다.
[2단계] $S'(a)$를 구하고 $S'(a)=0$을 만족하는 a의 값을 구한다.
[3단계] 증감표를 이용하여 $S(a)$의 최댓값 또는 최솟값을 구한다.

1379

학교기출 대표 유형

곡선 $y=x^2-2x-3$과 직선 $y=mx$로 둘러싸인 도형의 넓이의 최솟값은?

① $4\sqrt{2}$ ② $4\sqrt{3}$ ③ 8
④ $4\sqrt{5}$ ⑤ $4\sqrt{6}$

1380

최다빈출 왕 중요

상수 a에 대하여 직선 $y=ax+1$과 곡선 $y=x^2$으로 둘러싸인 도형의 넓이의 최솟값은?

① $\frac{1}{3}$ ② $\frac{2}{3}$ ③ 1
④ $\frac{4}{3}$ ⑤ $\frac{7}{3}$

▶ 해설 내신연계기출

1381

곡선 $y=-x^2+4$와 이 곡선 위의 임의의 점 $(a, -a^2+4)$에서의 접선 및 두 직선 $x=0$, $x=2$로 둘러싸인 도형의 넓이의 최솟값은?
(단, $0 < a < 2$)

① $\frac{1}{2}$ ② $\frac{2}{3}$
③ $\frac{3}{4}$ ④ $\frac{3}{2}$
⑤ $\frac{5}{3}$

1382

최다빈출 왕 중요

곡선 $y=x^2-1$과 이 곡선 위의 점 (a, a^2-1)에서의 접선 및 두 직선 $x=0$, $x=1$로 둘러싸인 도형의 넓이를 S라고 할 때, S의 최솟값은? (단, $0 < a < 1$)

① $\frac{1}{12}$ ② $\frac{1}{4}$ ③ 1
④ 4 ⑤ 12

▶ 해설 내신연계기출

곡선과 접선으로 둘러싸인 도형의 넓이는 다음 순서로 구한다.

[1단계] 곡선 $y=f(x)$ 위의 점 $(a, f(a))$에서의 접선의 방정식을 구한다.

$$\Rightarrow y=f(a)=f'(a)(x-a)$$

[2단계] 곡선과 접선의 교점을 구한다.

[3단계] 곡선과 접선으로 둘러싸인 도형의 넓이를 구한다.

1383 학교기출 대표 유형

곡선 $y=x^2+2$와 이 곡선 위의 점 $(1, 3)$에서의 접선 및 y축의 양의 부분으로 둘러싸인 부분의 넓이는?

① $\dfrac{1}{4}$ ② $\dfrac{1}{3}$ ③ $\dfrac{1}{2}$

④ $\dfrac{3}{2}$ ⑤ $\dfrac{7}{2}$

1384 최다빈출 왕 중요 · BASIC

곡선 $y=x^2-2$와 이 곡선 위의 점 $(1, -1)$에서의 접선 및 y축으로 둘러싸인 도형의 넓이는?

① $\dfrac{1}{3}$ ② $\dfrac{1}{2}$ ③ $\dfrac{2}{3}$

④ 1 ⑤ $\dfrac{5}{4}$

▶ 해설 내신연계기출

1385 · NORMAL

곡선 $y=x^3$과 이 곡선 위의 점 $(1, 1)$에서 접하는 접선으로 둘러싸인 도형의 넓이는?

① $\dfrac{9}{2}$ ② $\dfrac{27}{4}$ ③ $\dfrac{27}{2}$

④ $\dfrac{17}{2}$ ⑤ $\dfrac{18}{5}$

1386 · NORMAL

곡선 $y=x^3+x$ 위의 점 $(1, 2)$에서의 접선과 이 곡선으로 둘러싸인 도형의 넓이는?

① $\dfrac{9}{2}$ ② $\dfrac{27}{4}$ ③ $\dfrac{27}{2}$

④ $\dfrac{17}{2}$ ⑤ $\dfrac{18}{5}$

1387 최다빈출 왕 중요 · NORMAL

곡선 $y=x^3-4x^2+4x$ 위의 점 $(0, 0)$에서의 접선을 l이라 할 때, 직선 l과 곡선 $y=x^3-4x^2+4x$로 둘러싸인 부분의 넓이는?

① $\dfrac{52}{3}$ ② $\dfrac{55}{3}$ ③ $\dfrac{58}{3}$

④ $\dfrac{61}{3}$ ⑤ $\dfrac{64}{3}$

▶ 해설 내신연계기출

1388 · NORMAL

함수 $f(x)=x^3-2x+3$에 대하여 곡선 $y=f(x)$ 위의 점 $(1, f(1))$에서의 접선과 함수 $y=f(x)$의 그래프로 둘러싸인 부분의 넓이는?

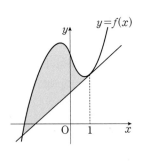

① $\dfrac{9}{2}$ ② $\dfrac{27}{4}$

③ $\dfrac{27}{2}$ ④ $\dfrac{17}{2}$

⑤ $\dfrac{18}{5}$

유형 15 이차함수와 두 접선으로 둘러싸인 넓이

$f(x)=ax^2$ 위의 두 점 (t, at^2), $(-t, at^2)$에서의 두 접선과 곡선

$f(x)$로 둘러싸인 도형의 넓이 $S=\dfrac{2}{3}at^3$

설명

T의 넓이는 $\dfrac{|a|}{6}(t-(-t))^3=\dfrac{4}{3}at^3$

점 P(t, at^2)에서 접선의 방정식

$y-at^2=2at(x-t)$ ∴ $y=2atx-at^2$

삼각형 PQR의 넓이는 $\dfrac{1}{2} \cdot t \cdot 2at^2=at^3$

따라서 넓이 S는

$2 \cdot \triangle$PQR$-T$의 넓이$=2at^3-\dfrac{4}{3}at^3=\dfrac{2}{3}at^3$

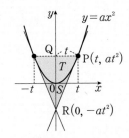

참고 $T:S=\dfrac{4}{3}at^3:\dfrac{2}{3}at^3=2:1$

1389 학교기출 대표 유형

곡선 $y=x^2+1$과 원점에서 이 곡선에 그은 두 접선으로 둘러싸인

도형의 넓이는?

① $\dfrac{2}{3}$ ② $\dfrac{1}{3}$ ③ $\dfrac{5}{2}$

④ $\dfrac{8}{3}$ ⑤ $\dfrac{9}{2}$

1390

NORMAL

곡선 $y=\dfrac{1}{2}x^2$과 이 곡선 위의 점 P$(2, 2)$, Q$(-2, 2)$에서의

접선으로 둘러싸인 도형의 넓이는?

① $\dfrac{8}{3}$ ② $\dfrac{7}{3}$ ③ 2

④ $\dfrac{5}{3}$ ⑤ $\dfrac{4}{3}$

1391 최다빈출 왕 중요

NORMAL

오른쪽 그림과 같이 곡선

$y=x^2-4x+3$과 이 곡선 위의

두 점 $(0, 3)$, $(4, 3)$에서의 접선

으로 둘러싸인 도형의 넓이는?

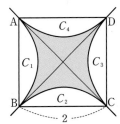

① $\dfrac{11}{3}$ ② $\dfrac{13}{3}$

③ $\dfrac{16}{3}$ ④ $\dfrac{15}{2}$

⑤ $\dfrac{27}{4}$

▶ 해설 내신연계기출

유형 16 넓이의 활용

[1단계] 주어진 그래프를 좌표평면 위에서 이차함수의 식을 작성한다.

[2단계] 주어진 그래프로 둘러싸인 도형의 넓이를 구한다.

1392 학교기출 대표 유형

다음 그림과 같이 한 변의 길이가 2인 정사각형 ABCD에 대하여

꼭짓점 A, B에서 두 대각선에 접하는 포물선 C_1을 그리고 꼭짓점

B, C에서 두 대각선에 접하는 포물선 C_2를 그린다. 같은 방법으로

포물선 C_3, C_4를 그릴 때, 4개의 포물선으로 둘러싸인 도형을 두

대각선 AC, BD의 교점을 원점 O로 하는 좌표평면 위에 나타내고

포물선 C_4의 방정식을 구하여 4개의 포물선으로 둘러싸인 도형의

넓이는?

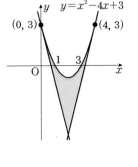

① $\dfrac{2}{3}$ ② $\dfrac{1}{3}$ ③ $\dfrac{4}{3}$

④ $\dfrac{5}{3}$ ⑤ 2

1393 최다빈출 왕 중요

TOUGH

다음 그림과 같이 한 변의 길이가 6인 정삼각형 ABC의 무게중심

O에 대하여 꼭짓점 A, B에서 두 선분 OA, OB에 접하는 포물선

C_1을 그리고, 꼭짓점 B, C에서 두 선분 OB, OC에 접하는 포물선

C_2를 그리고, 꼭짓점 C, A에서 두 선분 OC, OA에 접하는 포물선

C_3을 그린다. 3개의 포물선으로 둘러싸인 도형의 넓이는?

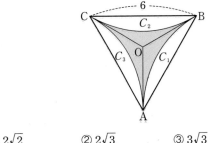

① $2\sqrt{2}$ ② $2\sqrt{3}$ ③ $3\sqrt{3}$

④ $4\sqrt{3}$ ⑤ $6\sqrt{3}$

▶ 해설 내신연계기출

$y=f(x)$의 역함수를 $y=g(x)$라 하면 두 곡선 $y=f(x)$, $y=g(x)$로 둘러싸인 부분의 넓이 S는 직선 $y=x$와 곡선 $y=f(x)$로 둘러싸인 부분의 넓이의 2배이다.

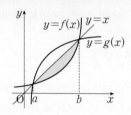

$$S=\int_a^b |f(x)-g(x)|dx=2\int_a^b |f(x)-x|dx$$

1394 학교기출 대표유형

함수 $f(x)=x^2(x \geq 0)$의 역함수를 $g(x)$라고 할 때, 두 곡선 $y=f(x)$, $y=g(x)$로 둘러싸인 도형의 넓이는?

① $\dfrac{1}{3}$ ② $\dfrac{1}{2}$ ③ $\dfrac{3}{2}$

④ $\dfrac{7}{2}$ ⑤ $\dfrac{9}{2}$

1395 최다빈출 왕중요   BASIC

정의역이 $\{x | x \geq 0\}$인 함수 $f(x)=ax^2$의 역함수를 $g(x)$라 하자. 두 곡선 $y=f(x)$, $y=g(x)$로 둘러싸인 부분의 넓이가 $\dfrac{4}{3}$일 때, 양수 a의 값은?

① $\dfrac{1}{6}$ ② $\dfrac{1}{3}$ ③ $\dfrac{1}{2}$

④ $\dfrac{2}{3}$ ⑤ $\dfrac{5}{6}$

▶ 해설 내신연계기출

1396   NORMAL

함수 $f(x)=x^3(x \geq 0)$의 역함수를 $g(x)$라고 할 때, 두 곡선 $y=f(x)$, $y=g(x)$로 둘러싸인 도형의 넓이는?

① $\dfrac{1}{2}$ ② 1 ③ $\dfrac{3}{2}$

④ 2 ⑤ $\dfrac{7}{2}$

1397 최다빈출 왕중요   NORMAL

함수 $f(x)=x^3-x^2+x$의 역함수를 $g(x)$라고 할 때, 두 곡선 $y=f(x)$와 $y=g(x)$로 둘러싸인 도형의 넓이는?

① $\dfrac{1}{6}$ ② $\dfrac{1}{5}$ ③ $\dfrac{1}{4}$

④ $\dfrac{2}{3}$ ⑤ $\dfrac{7}{2}$

▶ 해설 내신연계기출

1398 최다빈출 왕중요   TOUGH

함수 $f(x)=x^3-6$의 역함수를 $g(x)$라 할 때, 두 곡선 $y=f(x)$, $y=g(x)$와 직선 $y=-x-6$으로 둘러싸인 부분의 넓이는?

① 30 ② 32 ③ 34

④ 36 ⑤ 38

▶ 해설 내신연계기출

1399 최다빈출 왕중요   TOUGH

그림과 같이 함수 $f(x)=ax^2+b \ (x \geq 0)$의 그래프와 그 역함수 $g(x)$의 그래프가 만나는 두 점의 x좌표는 1과 2이다.
$0 \leq x \leq 1$에서 두 곡선 $y=f(x)$, $y=g(x)$ 및 x축, y축으로 둘러싸인 부분의 넓이를 A라 하고 $1 \leq x \leq 2$에서 두 곡선 $y=f(x)$, $y=g(x)$로 둘러싸인 부분의 넓이를 B라 할 때, $A-B$의 값은?
(단, a, b는 상수이다.)

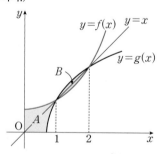

① $\dfrac{1}{9}$ ② $\dfrac{2}{9}$ ③ $\dfrac{1}{3}$

④ $\dfrac{4}{9}$ ⑤ $\dfrac{5}{9}$

▶ 해설 내신연계기출

유형 18 정적분과 역함수로 둘러싸인 부분의 넓이

함수 $y=f(x)$의 그래프와 그 역함수 $y=f^{-1}(x)$의 그래프는
직선 $y=x$에 대하여 대칭이다.

➡ 대칭이동하였을 때 넓이가 같은 도형을 찾는다.

$$\int_a^b f(x)dx + \int_{f(a)}^{f(b)} g(x)dx = bf(b)-af(a)$$

설명 역함수로 표현된 정적분의 계산
구간 $[a,\ b]$에서 곡선 $y=f(x)$와
x축으로 둘러싸인 부분의 넓이를 S_1,
구간 $[f(a),\ f(b)]$에서 곡선 $f(x)$의
역함수 $y=g(x)$와 x축으로 둘러싸인
부분의 넓이를 S_2라 하면

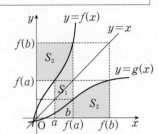

$\int_a^b f(x)dx + \int_{f(a)}^{f(b)} g(x)dx = bf(b)-af(a)$이 성립한다.

1400 학교기출 대표 유형

역함수를 갖는 연속함수 $f(x)$가 다음 조건을 만족시킨다.

(가) $f(1)=1$, $f(3)=3$
(나) $\int_1^3 f(x)dx=5$

$f(x)$의 역함수를 $g(x)$라고 할 때, $\int_1^3 g(x)dx$의 값은?

① 1   ② 2   ③ 3
④ 4   ⑤ 5

1401 BASIC

함수 $f(x)=x^3$의 역함수를 $g(x)$라고 할 때,

$$\int_1^3 f(x)dx + \int_1^{27} g(x)dx$$

의 값은?

① 20   ② 40   ③ 41
④ 80   ⑤ 81

1402 최다빈출 상 중요 BASIC

함수 $f(x)=x^3+x-1$의 역함수를
$g(x)$라고 할 때,

$$\int_1^2 f(x)dx + \int_1^9 g(x)dx$$

의 값은?

① 10   ② 12
③ 15   ④ 17
⑤ 19

▶ 해설 내신연계기출

1403 최다빈출 상 중요 BASIC

함수 $f(x)=x^3-2x^2+2x$의 역함수를 $g(x)$라고 할 때,
$\int_1^2 f(x)dx + \int_1^4 g(x)dx$의 값은?

① 6   ② 7   ③ 8
④ 9   ⑤ 10

▶ 해설 내신연계기출

1404 최다빈출 상 중요 NORMAL

함수 $f(x)=x^3+x$의 역함수를 $g(x)$라고 할 때, 곡선 $y=g(x)$와
x축 및 직선 $x=10$으로 둘러싸인 도형의 넓이는?

① 6   ② 8   ③ 10
④ 12   ⑤ 14

▶ 해설 내신연계기출

1405 NORMAL

함수 $f(x)=x^3+2$의 역함수를 $y=g(x)$라고 할 때,
정적분 $\int_2^{10} g(x)dx$의 값은?

① 6   ② 8   ③ 10
④ 12   ⑤ 20

1406 TOUGH

$x \geq 0$인 실수 전체의 집합에서 정의된 함수 $f(x)=x^2+x$의
역함수를 $g(x)$라 할 때,

$$\int_a^{a+1} f(x)dx + \int_{f(a)}^{f(a+1)} g(x)dx = 24$$

를 만족시키는 양수 a의 값은?

① 1   ② 2   ③ 3
④ 4   ⑤ 5

1407

곡선 $y=x^2-2x$와 직선 $y=ax$로 둘러싸인 도형의 넓이가
36일 때, 양수 a의 값을 구하는 과정을 다음 단계로 서술하여라.

[1단계] 곡선 $y=x^2-2x$와 직선 $y=ax$의 교점의 x좌표를 구한다.
[2단계] 곡선 $y=x^2-2x$와 직선 $y=ax$로 둘러싸인 도형의 넓이를
　　　　 a로 나타낸다.
[3단계] 도형의 넓이가 36일 때, 양수 a의 값을 구한다.

1408

곡선 $y=|x(x-1)|$과 직선 $y=x+3$으로 둘러싸인 도형의 넓이를
구하는 과정을 다음 단계로 서술하여라.

[1단계] $y=|x(x-1)|$을 절댓값 기호안의 식이 0이 되는 x의 값을
　　　　 기준으로 구간을 나누어 나타낸다.
[2단계] 곡선 $y=|x(x-1)|$과 직선 $y=x+3$을 좌표평면 위에
　　　　 나타내고, 교점의 x좌표를 모두 구한다.
[3단계] 정적분을 이용하여 도형의 넓이를 구한다.

1409

두 곡선 $y=-x^2-x+a$, $y=x^2+bx$가 모두 점 $(1,\ 4)$를 지날 때,
이 두 곡선으로 둘러싸인 도형의 넓이를 구하는 과정을 다음 단계로
서술하여라. (단, a, b는 상수)

[1단계] 두 곡선이 점 $(1,\ 4)$를 지날 때, 상수 a, b의 값을 구한다.
[2단계] 두 곡선의 교점의 x좌표를 구한다.
[3단계] 두 곡선으로 둘러싸인 도형의 넓이를 구한다.

1410

$f(x)=x^3-3x+\displaystyle\int_0^2 f(t)dt$를 만족시키는 함수 $f(x)$에 대하여
곡선 $y=f(x)$와 직선 $y=2$로 둘러싸인 도형의 넓이를 구하는
과정을 다음 단계로 서술하여라.

[1단계] $\displaystyle\int_0^2 f(t)dt=k$($k$는 상수)로 놓고 k의 값을 구한다.
[2단계] 곡선 $y=f(x)$와 $y=2$의 교점의 x좌표를 구한다.
[3단계] 곡선 $y=f(x)$와 직선 $y=2$로 둘러싸인 도형의 넓이를
　　　　 구한다.

1411

두 삼차함수 $f(x)$, $g(x)$의 최고차항의 계수는 각각 1, 3이고
다음 그림과 같이 곡선 $y=f(x)$, $y=g(x)$는 각각 x축,
직선 $y=h(x)$와 $x=0$, $x=\alpha$, $x=\beta\ (0<\alpha<\beta)$에서 만난다.

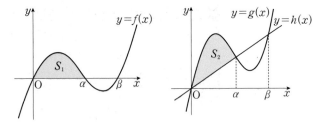

색칠한 도형의 넓이를 각각 S_1, S_2라 할 때, $S_1+S_2=120$일 때,
넓이 S_1, S_2의 값을 각각 구하는 과정을 다음 단계로 서술하여라.

[1단계] 넓이 S_1을 정적분으로 표시한다.
[2단계] 넓이 S_2를 정적분으로 표시한다.
[3단계] S_1, S_2의 관계식을 구한다.
[4단계] $S_1+S_2=120$임을 이용하여 각각 S_1, S_2를 구한다.

1412

곡선 $y=x^2+2x$와 직선 $y=ax$로 둘러싸인 도형의 넓이가 x축에 의하여 이등분될 때, $(a-2)^3$의 값을 구하는 과정을 다음 단계로 서술하여라. (단, $a<0$)

[1단계] 곡선과 직선의 교점의 x좌표를 구한다.
[2단계] 곡선과 직선으로 둘러싸인 도형의 넓이를 구한다.
[3단계] 곡선 $y=x^2+2x$와 x축으로 둘러싸인 도형의 넓이를 구한다.
[4단계] 곡선 $y=x^2+2x$와 직선 $y=ax$로 둘러싸인 도형의 넓이가 x축에 의하여 이등분될 때, $(a-2)^3$의 값을 구한다.

1413

곡선 $y=-x^2+4$와 이 곡선 위의 한 점 $(t,\ -t^2+4)$에서의 접선과 이 곡선 및 y축, 직선 $x=2$로 둘러싸인 도형의 넓이의 최솟값을 구하는 과정을 다음 단계로 서술하여라. (단, $0<t<2$)

[1단계] 곡선 위의 점 $(t,\ -t^2+4)$에서의 접선의 방정식을 구한다.
[2단계] 접선과 곡선 $y=-x^2+4$ 및 y축, 직선 $x=2$로 둘러싸인 도형의 넓이를 t에 대한 식으로 나타낸다.
[3단계] 도형의 넓이의 최솟값을 구한다.

1414

곡선 $y=x^2$과 점 $(0,\ -1)$에서 이 곡선에 그은 두 접선으로 둘러싸인 도형의 넓이를 구하는 과정을 다음 단계로 서술하여라.

[1단계] 접점의 x좌표를 구한다.
[2단계] 접선의 방정식을 구한다.
[3단계] 곡선과 두 접선으로 둘러싸인 도형의 넓이를 구한다.

1415

곡선 $y=x^2-k^2$과 x축 및 두 직선 $x=0$, $x=2$로 둘러싸인 부분의 넓이를 $S(k)$라고 하자. 넓이 $S(k)$를 최소가 되게 하는 k의 값을 a, 그때의 넓이 S의 값을 b라고 할 때, $a+b$의 값을 구하고 그 과정을 서술하여라. (단, $0<k<2$)

[1단계] 넓이 $S(k)$를 구한다.
[2단계] 넓이 $S(k)$의 증가와 감소를 표로 나타낸다.
[3단계] 넓이 $S(k)$가 최소가 되게 하는 k의 값과 그때의 넓이를 구한다.
[4단계] $a+b$의 값을 구한다.

1416

도함수가 $f'(x)=3x^2-1$인 함수 $f(x)$에 대하여 곡선 $y=f(x)$는 점 $\mathrm{P}(1,\ 1)$을 지난다. $y=f(x)$의 $x=1$인 점에서의 접선과 이 곡선으로 둘러싸인 부분의 넓이를 구하는 과정을 다음 단계로 서술하여라.

[1단계] 함수 $f(x)$를 구한다.
[2단계] $x=1$에서 접선의 방정식을 구한다.
[3단계] 곡선과 접선으로 둘러싸인 부분의 넓이를 구한다.

1417

함수 $f(x)=\sqrt{2x-1}$의 역함수 $g(x)$에 대하여 두 곡선 $y=f(x)$, $y=g(x)$와 x축 및 y축으로 둘러싸인 도형의 넓이를 S라 할 때, S를 구하는 과정을 다음 단계로 서술하여라.

[1단계] 역함수 $g(x)$를 구한다.
[2단계] 두 함수 $f(x)$, $g(x)$의 교점 x좌표를 구한다.
[3단계] 넓이 S를 구한다.

1418

다음 그림과 같이 함수 $y=x^2-kx$의 그래프와 x축 및 직선 $x=1$로 둘러싸인 도형의 넓이가 최소가 되도록 하는 상수 k의 값을 구하여라. (단, $0<k<1$)

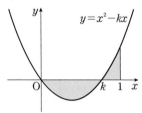

1419

그림과 같이 좌표평면 위의 정사각형 OABC가 두 곡선 $y=ax^3(0<a<1)$, $y=bx^3(b>1)$에 의해 나누어진 세 부분의 넓이를 각각 S_1, S_2, S_3이라고 할 때, $S_1:S_2:S_3=1:2:3$이 되도록 상수 a, b에 대하여 $3a+8b$의 값을 구하여라.

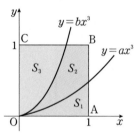

1420

점 A$(2, 1)$을 지나는 직선 l과 이차함수 $y=x^2-2x$로 둘러싸인 부분의 넓이의 최솟값을 a, 이때의 직선의 기울기를 b라 하자. 이때 $a+b$의 값을 구하여라. (단, 직선 l은 y축과 평행하지 않다.)

1421

곡선 $y=ax^2-a^2x$와 직선 $y=x$로 둘러싸인 도형의 넓이를 $S(a)$라고 할 때, $\dfrac{S(a)}{a}$의 최솟값을 구하여라. (단, $a>0$)

1422

오른쪽 그림과 같은 A, B의 영역을 곡선 모양의 경계선인 곡선 $y=-x^3+6x^2-10x+9$와 두 직선 $x=0$, $x=4$ 및 두 직선 $y=0$, $y=9$로 나타내어진다. 이때 새로운 경계선을 정하여 두 영역 A, B를 직사각형 모양으로 만들려고 한다. 두 영역 A, B의 넓이가 변하지 않도록 하는 새로운 경계선의 식을 구하여라.
(단, 영역 B는 경계선의 남쪽에 있고, 경계선은 x축에 평행하다.)

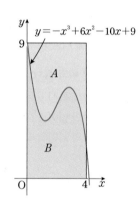

1423

곡선 $y=x^3-x+1$ 위의 점 (a, a^3-a+1)에서의 접선과 이 곡선으로 둘러싸인 영역의 넓이가 108일 때, a^4의 값을 구하여라. (단, $a>0$)

1424

다음 그림과 같이 삼차항의 계수가 1인 삼차함수 $y=f(x)$의 그래프와 이차함수 $y=g(x)$의 그래프가 $x=1$인 점에서 만나고 그 점에서의 접선의 기울기가 같으며 $x=-1$인 점에서 만난다.
두 곡선 $y=f(x)$, $y=g(x)$로 둘러싸인 도형의 넓이를 구하여라.

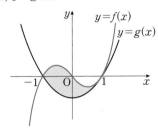

▶ 해설 내신연계기출

1425

경찰대기출

그림과 같이 좌표평면 위의 점 $(0, -2)$에서 곡선 $y=x^2+x+\dfrac{1}{4}$
에 그은 두 접선과 곡선으로 둘러싸인 부분의 넓이를 구하여라.

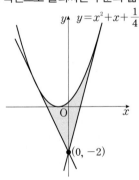

▶ 해설 내신연계기출

1426

함수 $f(x)=x^3+\dfrac{3}{4}x$의 역함수를 $g(x)$라 할 때,
두 곡선 $y=f(x)$, $y=g(x)$로 둘러싸인 부분의 넓이를 구하여라.

1427

교육청기출

다음 그림과 같이 임의로 그은 직선 l이 y축과 만나는 점을 A, 점 C(6, 0)을 지나고 y축과 평행하게 그은 직선과의 교점을 B라 하자. 사다리꼴 OABC의 넓이가 곡선 $f(x)=x^3-6x^2$과 x축으로 둘러싸인 부분의 넓이와 같을 때, 임의의 직선 l은 항상 일정한 점 D를 지난다. 이때 △ODC의 넓이를 구하여라.
(단, $\overline{AB}$는 $\overline{OC}$ 아래에 있다.)

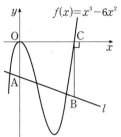

1428

사관기출

실수 전체의 집합에서 연속인 함수 $f(x)$가 다음 조건을 만족시킨다.

(가) $f(x)=ax^2 (0 \le x < 2)$
(나) 모든 실수 x에 대하여 $f(x+2)=f(x)+2$이다.

$\displaystyle\int_1^7 f(x)dx$의 값을 구하여라. (단, a는 상수이다.)

1429

연속함수 $f(x)$가 다음 두 조건을 모두 만족한다.

(가) $-1 \le x \le 1$일 때, $f(-x)=-f(x)$이다.
(나) 모든 실수 x에 대하여 $f(x+2)=f(x)+2$이다.

$\displaystyle\int_{-1}^2 f(x)dx=\dfrac{5}{3}$일 때, 정적분 $\displaystyle\int_1^5 f(x)dx$를 구하여라.

04 속도와 거리

학교내신기출 객관식 핵심문제총정리

유형 01 물체의 위치와 위치의 변화량

수직선 위를 움직이는 점 P의 시각 t에서의 속도가 $v(t)$이고
$t=a$에서의 점 P의 위치가 x_0일 때,

① 시각 t에서 점 P의 위치 x

$\Rightarrow x=x_0+\displaystyle\int_a^t v(t)dt$ ◀ x_0은 출발점의 위치

② 시각 $t=a$에서 $t=b$까지 점 P의 위치의 변화량

$\Rightarrow \displaystyle\int_a^b v(t)dt$ ◀ 정적분의 값

③ 시각 $t=a$에서 $t=b$까지 점 P가 움직인 거리 s는

$\Rightarrow s=\displaystyle\int_a^b |v(t)|dt$ ◀ 넓이의 합

1430 학교기출 대표유형

좌표가 2인 점을 출발하여 수직선 위를 움직이는 점 P의 시각 t에서의 속도가

$$v(t)=4t-3t^2$$

이다. $t=2$일 때, 점 P의 위치는?

① 0   ② 1   ③ 2

④ 3   ⑤ 4

1431 BASIC

수직선 위를 움직이는 점 P의 시각 t에서의 속도는

$$v(t)=5-2t$$

이고 $t=4$에서의 점 P의 위치가 12일 때, $t=0$에서의 점 P의 위치는?

① 3   ② 5   ③ 6

④ 8   ⑤ 10

1432 BASIC

수직선 위를 움직이는 점 P의 시각 t에서의 속도를 $v(t)$라 할 때, $0 \le t \le 4$에서 $v(t)$의 그래프가 그림과 같다. 점 P의 시각 $t=0$에서의 위치가 원점일 때, 점 P의 시각 $t=4$에서의 위치는?

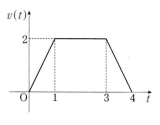

① 6   ② 7   ③ 8

④ 9   ⑤ 10

1433 NORMAL

원점을 출발하여 수직선 위를 움직이는 점 P의 시각 t에서의 속도 $v(t)$의 그래프가 오른쪽 그림과 같을 때, 다음 조건을 만족하는 상수 a, b에 대하여 $a+b$의 값은? (단, $0 \le t \le 6$)

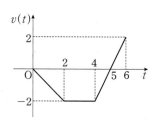

(가) 시각 $t=5$에서 점 P의 위치는 a이다.
(나) 시각 $t=2$에서 $t=6$까지 점 P가 움직인 거리는 b이다.

① -8 ② -5 ③ -1

④ 4   ⑤ 6

1434 최다빈출 상 중요 TOUGH

원점을 출발하여 수직선 위를 움직이는 점 P의 t초 후의 속도 $v(t)$의 그래프가 오른쪽 그림과 같다. $t=3$에서의 점 P의 위치가 7일 때, $t=5$에서 점 P의 위치는? (단, $0 \le t \le 5$)

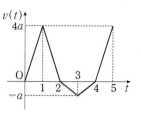

① 8   ② 10   ③ 12

④ 14   ⑤ 16

▶ 해설 내신연계기출

유형 02 속도와 움직인 거리

수직선 위를 움직이는 점 P의 시각 t에서의 속도가 $v(t)$일 때, $t=a$에서 $t=b$까지 점 P가 움직인 거리 s는

$$\Rightarrow s=\int_a^b |v(t)|dt$$

1435 학교기출 대표유형

좌표가 2인 점을 출발하여 수직선 위를 움직이는 점 P의 시각 t에서의 속도가

$$v(t)=t^2-3t+2$$

일 때, 시각 $t=1$에서 $t=3$까지 점 P가 움직인 거리는?

① 1   ② 2   ③ 3
④ 4   ⑤ 5

▶ 해설 내신연계기출

1436 최다빈출 상중요 NORMAL

수직선 위를 움직이는 점 P의 시각 t에서의 속도 $v(t)$가

$$v(t)=at(t-a)$$

이다. 시각 $t=0$에서 $t=2a$까지 점 P가 움직인 거리가 16일 때, 상수 a의 값은? (단, $a>0$)

① 1   ② 2   ③ 3
④ 4   ⑤ 5

▶ 해설 내신연계기출

1437 NORMAL

수직선 위를 움직이는 점 P의 시각 t에서의 속도 $v(t)$가

$$v(t)=t^2+2t+a$$

이다. 시각 $t=0$에서 $t=3$까지 점 P의 위치의 변화량이 9일 때, 시각 $t=0$에서 $t=3$까지 점 P가 움직인 거리는?
(단, a는 상수이다.)

① $\dfrac{31}{3}$ ② 11   ③ $\dfrac{35}{3}$
④ $\dfrac{37}{3}$ ⑤ 13

1438 NORMAL

원점을 출발하여 수직선 위를 움직이는 점 P의 시각 $t(0 \le t \le 6)$에서의 속도 $v(t)$의 그래프가 다음 그림과 같다.

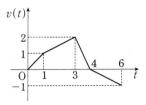

점 P가 시각 $t=0$에서 시각 $t=6$까지 움직인 거리는?

① $\dfrac{3}{2}$ ② $\dfrac{5}{2}$ ③ $\dfrac{7}{2}$
④ $\dfrac{9}{2}$ ⑤ $\dfrac{11}{2}$

1439 최다빈출 상중요 NORMAL

지면에 정지해 있던 열기구가 수직 방향으로 출발한 후 t분일 때, 속도 $v(t)$(m/분)를

$$v(t)=\begin{cases} t & (0 \le t \le 20) \\ 60-2t & (20 \le t \le 40) \end{cases}$$

라 하자. 출발한 후 $t=35$분일 때, 지면으로부터 열기구의 높이는?
(단, 열기구는 수직 방향으로만 움직이는 것으로 가정한다.)

① 225m   ② 250m   ③ 275m
④ 300m   ⑤ 325m

▶ 해설 내신연계기출

1440 NORMAL

지면에서 출발하여 수직 방향으로 움직이는 열기구의 t분 후의 속도 $v(t)$m/min가

$$v(t)=\begin{cases} 4t & (0 \le t \le 5) \\ 70-10t & (5 \le t \le 10) \end{cases}$$

일 때, 열기구가 최고 지점에 도달할 때의 지면으로부터의 높이는?

① 50m   ② 60m   ③ 70m
④ 80m   ⑤ 90m

1441 최다빈출 상중요 NORMAL

어느 승강기가 1층에서 출발하여 멈추지 않고 꼭대기 층까지 올라갈 때, t초 후의 속도는

$$v(t)=\begin{cases} 3t & (0 \le t \le 2) \\ 6 & (2 < t \le 10) \\ -2t+26 & (10 < t \le 13) \end{cases}$$

이다. 이 승강기가 1층에서 꼭대기 층까지 움직인 거리는?
(단, 속도의 단위는 m/s이다.)

① 61(m)   ② 63(m)   ③ 65(m)
④ 67(m)   ⑤ 69(m)

▶ 해설 내신연계기출

1442 최다빈출 왕 중요

두 자동차 A, B가 같은 직선도로를 따라 같은 방향으로 달려가고 있다. P지점을 지나면서부터 A의 속도는 16m/s로 일정하다. A가 P지점을 지난 지 2초 후에 B도 P지점을 지났으며 P지점을 지난 지 t초 후의 B의 속도는 $(2t+2)$m/s이었다. 두 자동차가 만나게 되는 것은 B가 P지점을 지난 지 몇 초 후인가? (단, 두 자동차가 만난 후, B는 A와 만날 때의 속도로 일정하게 달린다.)

① 4　　　　　② 8　　　　　③ 12

④ 16　　　　　⑤ 20

▶ 해설 내신연계기출

1443

수직선 위를 움직이는 어떤 물체가 원점에서 출발 한 후 3초 동안

$$v(t)=3t^2+2t$$

의 속도로 움직이고, 그 후에는 일정한 속도로 움직인다. 출발 후 8초 동안 이 물체가 움직인 거리는?

① 165(m)　　　② 181(m)　　　③ 201(m)

④ 221(m)　　　⑤ 265(m)

1444 최다빈출 왕 중요

고속 열차가 출발하여 3km를 달리는 동안 시각 t분에서의 속력 $v(t)$(km/분)은

$$v(t)=\frac{3}{4}t^2+\frac{1}{2}t$$

이고 그 이후로는 속력이 일정하다고 한다. 출발 후 5분 동안 이 열차가 달린 거리는?

① 15(km)　　　② 20(km)　　　③ 25(km)

④ 30(km)　　　⑤ 35(km)

▶ 해설 내신연계기출

유형 03　두 물체의 위치와 움직인 거리

[1단계] 두 점 P, Q의 시각 t에서의 속도가 $v_P(t)$, $v_Q(t)$이고
시각 $t=a$에서의 각각의 위치가 x_1, x_2일 때,
시각 t에서 점 P, Q의 위치는 다음과 같다.

$$x_P(t)=x_1+\int_0^t v_P(t)dt,\ x_Q(t)=x_2+\int_0^t v_Q(t)dt$$

[2단계] $x_P(t)=x_Q(t)$을 만족하는 시각 t의 값을 구한다.

1445 학교기출 대표 유형

원점을 동시에 출발하여 수직선 위를 움직이는 두 점 P, Q의 시각 t에서의 속도가 각각

$$v_P(t)=2t-3,\ v_Q(t)=6-4t$$

이다. 원점을 출발한 후 두 점 P, Q가 만날 때의 시각은?

① 1　　　　　② 1.5　　　　　③ 2

④ 2.5　　　　　⑤ 3

1446

수직선 위를 움직이는 두 점 P, Q의 시각 t에서의 속도가 각각

$$v_P(t)=2t-6,\ v_Q(t)=3t^2-2t$$

이다. 시각 $t=0$에서의 두 점 P, Q의 위치가 모두 원점이고 점 P가 운동 방향을 바꾸는 순간 두 점 P, Q의 위치가 각각 x_1, x_2일 때, $|x_1-x_2|$의 값은?

① 15　　　　　② 18　　　　　③ 21

④ 24　　　　　⑤ 27

1447 최다빈출 왕 중요

시각 $t=0$일 때, 동시에 원점을 출발하여 수직선 위를 움직이는 두 점 P, Q의 시각 $t(t \geq 0)$에서 속도가 각각

$$v_1(t)=3t^2+t,\ v_2(t)=2t^2+3t$$

이다. 출발한 후 두 점 P, Q의 속도가 같아지는 순간 두 점 P, Q 사이의 거리를 a라 할 때, $9a$의 값은?

① 8　　　　　② 10　　　　　③ 12

④ 14　　　　　⑤ 16

▶ 해설 내신연계기출

1448 최다빈출 왕중요   NORMAL

수직선 위를 움직이는 두 점 P, Q가 출발한 지 t초 후의 속도 $v_P(t)$, $v_Q(t)$가 각각

$$v_P(t)=4t, \quad v_Q(t)=2t+1$$

이고 점 P는 원점, 점 Q는 좌표가 6인 점에서 동시에 같은 방향으로 출발한다. 출발한 지 a초 후에 두 점 P, Q가 만나는 지점까지 점 P가 움직인 거리는?

① 16   ② 18   ③ 20
④ 22   ⑤ 24

▶ 해설 내신연계기출

1449 최다빈출 왕중요   TOUGH

원점을 동시에 출발하여 수직선 위를 움직이는 두 점 P, Q의 시각 t에서의 속도가 각각

$$v_P(t)=-2t+4, \quad v_Q(t)=2t-4$$

이다. 원점을 출발한 후 두 점 P, Q가 만날 때의 시각을 a라 하고 두 점 사이의 거리가 최대일 때의 시각을 b라고 할 때, $a+b$의 값은? (단, $b<a$)

① 6   ② 8   ③ 10
④ 12   ⑤ 14

▶ 해설 내신연계기출

1450 최다빈출 왕중요   TOUGH

원점 O를 동시에 출발하여 수직선 위를 움직이는 두 점 P와 Q의 t초 뒤의 속도가 각각

$$v_P(t)=2-6t, \quad v_Q(t)=3t^2-2t-2$$

라고 한다. 이 두 점 P와 Q의 중점을 M이라고 할 때, 출발 후 처음으로 점 M이 원점 O로 되돌아 갈 때까지 점 M이 움직인 거리는?

① $\dfrac{4}{27}$ ② $\dfrac{16}{27}$ ③ $\dfrac{64}{27}$
④ $\dfrac{256}{27}$ ⑤ $\dfrac{1024}{27}$

▶ 해설 내신연계기출

유형 04 위치가 0일 때, 움직인 거리

① 움직이던 물체가 원점에 올 때   ⇨ (위치)=0
② 움직이던 물체가 정지할 때   ⇨ (속도)=0
③ 움직이던 물체가 운동방향을 바꿀 때 ⇨ (속도)=0

1451 학교기출 대표유형

원점을 출발하여 t초 후의 속도

$$v(t)=-3t^2-2t+12$$

로 수직선 위를 움직이는 점 P가 있다. 점 P가 원점을 출발한 후 원점으로 다시 돌아오는 것은 몇 초 후인가?

① 1   ② 2   ③ 3
④ 4   ⑤ 5

1452   BASIC

원점을 출발하여 수직선 위를 움직이는 점 P의 시각 t에서의 속도가

$$v(t)=3-t^2$$

일 때, 점 P가 다시 원점을 통과하는 시각은?

① 1   ② 2   ③ 3
④ 4   ⑤ 5

1453   NORMAL

원점을 출발하여 수직선 위를 움직이는 점 P의 시각 t에서의 속도가

$$v(t)=8-2t \, (\text{m/s})$$

일 때, 점 P가 다시 원점을 지날 때까지 움직인 거리는?

① 26m   ② 28m   ③ 30m
④ 32m   ⑤ 34m

1454 최다빈출 왕 중요

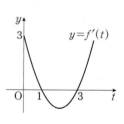

수직선 위에서 좌표가 7인 점을 출발하여 움직이는 점 P의 t초 후의 속도 $v(t)$가
$$v(t)=6-2t$$
일 때, 점 P가 출발 후 원점에 올 때까지 움직인 거리는?

① 21 ② 23 ③ 25
④ 27 ⑤ 29

▶ 해설 내신연계기출

1455 NORMAL

원점을 출발하여 수직선 위를 운동하는 점 P의 t초 후의 속도 $v(t)$가
$$v(t)=t^4-4t^3+4t^2\,(0 \le t \le 2)$$
으로 나타내어질 때, 점 P가 출발하여 멈출 때까지 운동한 거리는?

① $\dfrac{7}{15}$ ② $\dfrac{15}{7}$ ③ $\dfrac{16}{15}$
④ $\dfrac{21}{15}$ ⑤ $\dfrac{48}{5}$

1456 NORMAL

지면에서 초속 30m로 똑바로 위로 쏘아올린 물체의 t초 후의 속도를 $v(t)(\text{m/s})$라고 하면
$$v(t)=30-10t$$
인 관계가 된다. 이 물체가 바닥에 떨어질 때까지 실제로 움직인 거리는?

① 30m ② 40m ③ 60m
④ 80m ⑤ 90m

유형 05 운동방향이 바뀔 때 위치와 움직인 거리

① 움직이던 물체가 정지할 때 ⇨ (속도)=0
② 움직이던 물체가 운동방향을 바꿀 때 ⇨ (속도)=0

1457 학교기출 대표 유형

원점을 출발하여 수직선 위를 움직이는 점 P의 t초 후의 속도가
$$v(t)=4-2t$$
일 때, 점 P가 움직이는 방향이 바뀌는 시각에서의 점 P의 위치는?

① 4 ② 6 ③ 8
④ 10 ⑤ 12

1458 최다빈출 왕 중요 NORMAL

원점을 출발하여 수직선 위를 움직이는 점 P의 시각 t에서의 속도 $v(t)$가
$$v(t)=t^2-5t+4$$
일 때, 점 P가 출발한 후 처음으로 운동 방향이 바뀔 때까지 움직인 거리는?

① $\dfrac{7}{6}$ ② $\dfrac{11}{6}$ ③ $\dfrac{13}{4}$
④ $\dfrac{21}{2}$ ⑤ $\dfrac{27}{4}$

▶ 해설 내신연계기출

1459 NORMAL

원점을 출발하여 수직선 위를 움직이는 점 P의 시각 t에서의 위치 $f(t)$에 대하여 이차함수 $y=f'(t)$의 그래프는 오른쪽 그림과 같다.
점 P가 출발할 때의 운동 방향에 대하여 반대 방향으로 움직인 거리를 d라 할 때, $12d$의 값은?

① 14 ② 16 ③ 18
④ 20 ⑤ 22

1460 최다빈출 왕 중요 　　　　NORMAL

수직선 위를 움직이는 점 P의 시각 t에서의 속도를 $v(t)$라 하면 $y=v(t)$의 그래프는 다음 그림과 같다. 점 P가 출발한 후 처음으로 방향이 바뀔 때부터 두 번째로 방향이 바뀔 때까지 움직인 거리는?

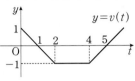

① 1 　　　　② $\dfrac{3}{2}$ 　　　　③ 2

④ $\dfrac{5}{2}$ 　　　　⑤ 3

▶ 해설 내신연계기출

1461 최다빈출 왕 중요 　　　　NORMAL

원점에서 출발하여 수직선 위를 움직이는 점 P의 시각 $t\,(0 \le t \le 6)$에서의 속도 $v(t)$의 그래프가 오른쪽 그림과 같다. 다음 조건을 만족하는 상수 a, b에 대하여 $a+b$의 값은?

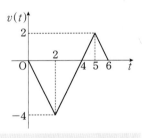

(가) 운동방향이 바뀔 때까지 점 P가 움직인 거리 a
(나) 점 P가 시각 $t=0$에서 시각 $t=6$까지 움직인 거리 b

① 14 　　　　② 16 　　　　③ 18
④ 20 　　　　⑤ 22

▶ 해설 내신연계기출

1462 최다빈출 왕 중요 　　　　TOUGH

어느 전망대에 설치된 엘리베이터는 1층에서 출발하여 꼭대기까지 올라가는 동안 출발 후 처음 2초까지는 3m/s^2의 가속도로 올라가고 2초 후부터 10초까지는 등속도로 올라가며 10초 후부터는 -2m/s^2의 가속도로 올라가서 멈춘다. 이 엘리베이터가 출발하여 멈출 때까지 움직인 거리는?

① 46m 　　　　② 51m 　　　　③ 57m
④ 60m 　　　　⑤ 63m

▶ 해설 내신연계기출

유형　06　제동 거리

[1단계] 물체가 정지할 때, 속도가 0임을 이용하여 시간을 구한다.
[2단계] 이 자동차가 제동이 걸린 후 정지할 때까지 달린 거리를 구한다.

1463 학교기출 대표 유형

직선 철로 위를 60m/s의 속도로 달리는 기차에 제동을 건 지 t초 후의 기차의 속도 $v(t)$m/s가

$$v(t)=60-3t\,(0 \le t \le 20)$$

이다. 이 기차에 제동을 건 후 완전히 정지할 때까지 기차가 이동한 거리는?

① 300m 　　　　② 400m 　　　　③ 500m
④ 600m 　　　　⑤ 700m

1464 최다빈출 왕 중요 　　　　BASIC

철로 위를 20m/초로 달리고 있는 열차가 제동을 걸었을 때, t초 뒤의 속도는 $v(t)=20-2t\,(\text{m/초})$라고 하자. 열차가 제동을 건 뒤부터 정지할 때까지 움직인 거리는?

① 80m 　　　　② 90m 　　　　③ 100m
④ 110m 　　　　⑤ 120m

▶ 해설 내신연계기출

1465 최다기출 왕 중요 　　　　NORMAL

직선 궤도를 am/s의 속도로 달리고 있는 기차가 제동이 걸린 시점으로부터 t초 후의 속도 $v(t)$m/s는

$$v(t)=a-10t\,(0 \le t \le 5)$$

라고 한다. 이 기차가 제동이 걸린 후부터 정지할 때까지 달린 거리가 125m일 때, 상수 a의 값은?

① 25 　　　　② 50 　　　　③ 75
④ 100 　　　　⑤ 125

▶ 해설 내신연계기출

유형 07 속도 그래프의 진위 판단

점 P의 시각 t에서의 속도 $v(t)$의 그래프를 이용하여 다음을 알 수 있다.

① 움직이던 물체가 정지하거나 운동 방향을 바꾸려면 순간적으로 정지
해야 하므로 속도가 0이다.

또한 움직이던 방향과 반대 방향으로 움직이려면 속도 $v(t)$의 부호가
바뀌어야 한다.

② 점 P가 출발지로 되돌아오려면 위치의 변화량이 0이어야 한다.

즉, $v(t)$의 그래프에서

(t축의 윗부분의 넓이)=(t축의 아랫부분의 넓이)임이 성립해야 한다.

③ 출발점에서 가장 멀리 떨어져 있으려면 위치의 변화량이 가장 커야
한다. 즉, $v(t)$의 그래프에서 t축의 윗부분의 넓이와 아랫부분의 넓이
의 차가 최대이다.

④ 물체가 일정시간 동안 정지하려면 그래프에서 $v(t)=0$인 구간이 나타
나야 한다.

1466 학교기출 대표유형

수직선 위에서 원점을 출발하여
움직이는 점 P의 t초 후의 속도
$v(t)$의 그래프가 오른쪽 그림과
같을 때, 다음 중 옳은 것은?

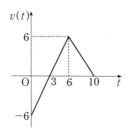

① $t=3$에서 점 P는 원점을 지난다.

② $t=6$에서 점 P가 움직이는 방향이 바뀐다.

③ $t=10$에서 점 P는 다시 원점을 지난다.

④ 시각 $t=0$에서 $t=10$까지 점 P의 위치의 변화량은 10이다.

⑤ 출발 후 10초 동안 점 P가 움직인 거리는 30이다.

1467

BASIC

수직선 위를 움직이는 물체가 있다. 이 물체의 시각 $t=0$에서의 위
치는 2이고 시각 t에서의 속도 $v(t)$의 그래프는 다음 그림과 같다.
색칠한 세 부분의 넓이가 차례로 3, 5, 20일 때, 다음 중 옳은 것은?

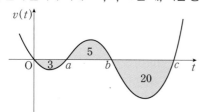

① $t=a$일 때, 이 물체의 위치는 3이다.

② $t=c$일 때, 이 물체의 위치는 28이다.

③ $t=0$부터 $t=c$까지 이 물체의 움직인 거리는 18이다.

④ $t=0$부터 $t=b$까지 이 물체의 위치의 변화량은 2이다.

⑤ $t=0$부터 $t=c$까지 이 물체의 운동방향은 1번 바뀐다.

1468 최다빈출 상중요

BASIC

원점을 출발하여 수직선 위를 움직이는 점 P의 시각 t에서의 속도
$v(t)$의 그래프가 다음 그림과 같을 때, [보기]에서 옳은 것은?

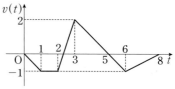

ㄱ. 점 P가 움직이는 방향은 출발 후 $t=8$일 때까지
두 번 바뀐다.

ㄴ. $t=3$일 때 속력이 가장 크다.

ㄷ. $t=8$일 때 점 P는 원점으로부터 가장 멀리 떨어져 있다.

① ㄱ   ② ㄴ   ③ ㄱ, ㄴ

④ ㄴ, ㄷ   ⑤ ㄱ, ㄴ, ㄷ

▶ 해설 내신연계기출

1469 최다빈출 상중요

NORMAL

좌표가 1인 점에서 출발하여 수직선 위를 움직이는 점 P의 시각 t에
서의 속도 $v(t)$의 그래프가 그림과 같을 때, [보기]에서 옳은 것을
모두 고른 것은?

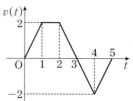

ㄱ. 출발 후 처음으로 방향을 바꿀 때 점 P의 위치는 5이다.

ㄴ. 출발 후 5초 동안 점 P가 움직인 거리는 6이다.

ㄷ. $t=2$일 때와 $t=4$일 때의 점 P의 위치는 같다.

① ㄱ   ② ㄷ   ③ ㄱ, ㄴ

④ ㄱ, ㄷ   ⑤ ㄱ, ㄴ, ㄷ

▶ 해설 내신연계기출

1470 최다빈출 상 중요

원점을 출발하여 수직선 위를 7초 동안 움직이는 점 P의 t초 후의 속도 $v(t)$가 다음 그림과 같을 때, 다음 설명 중 옳은 것을 모두 고르면?

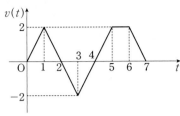

ㄱ. 점 P는 출발하고 나서 1초 동안 멈춘 적이 있었다.
ㄴ. 점 P는 움직이는 동안 방향을 4번 바꿨다.
ㄷ. 점 P는 출발하고 나서 4초 후 출발점에 있었다.

① ㄱ   ② ㄷ   ③ ㄱ, ㄴ
④ ㄱ, ㄷ   ⑤ ㄴ, ㄷ

▶ 해설 내신연계기출

1472

다음 그림은 수직선 위의 원점을 출발하여 10초 동안 움직이는 점 P의 t초 후의 속도 $v(t)$의 그래프이다.

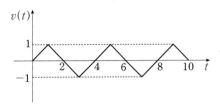

함수 $f(t)$를 $f(t)=\int_0^t v(t)dt$로 정의할 때, 다음 [보기] 중 옳은 것을 모두 고른 것은?

ㄱ. $f(4)=2$
ㄴ. $f(10)=f(2)$
ㄷ. 점 P가 원점을 지나는 것은 출발 후 3번 더 있다.
ㄹ. 점 P가 10초 동안 실제로 움직인 거리는 5이다.

① ㄱ, ㄴ   ② ㄴ, ㄷ   ③ ㄴ, ㄹ
④ ㄷ, ㄹ   ⑤ ㄴ, ㄷ, ㄹ

1471

다음 그림은 $x=1$인 점에서 출발하여 수직선 위를 움직이는 점 P의 시각 t에서의 속도 $v(t)$를 나타낸 그래프이다. 다음 중 옳은 것은? (단, $0 \le t \le 8$)

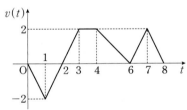

ㄱ. 점 P의 시각 $t=3$에서의 위치는 원점이다.
ㄴ. 점 P의 시각 $t=1$에서 $t=4$까지의 위치의 변화량은 3이다.
ㄷ. 점 P가 시각 $t=0$에서 $t=8$까지 움직인 거리는 9이다.
ㄹ. 점 P는 출발 후 운동방향을 두 번 바꾸었다.

① ㄱ   ② ㄹ   ③ ㄱ, ㄴ
④ ㄱ, ㄷ   ⑤ ㄴ, ㄷ, ㄹ

1473

원점을 출발하여 수직선 위를 움직이는 점 P의 $v(t)$라 할 때, $0 \le t \le 5$에서의 $v(t)=\begin{cases} 2t-t^2 & (0 \le t < 3) \\ 3t-12 & (3 \le t \le 5) \end{cases}$의 그래프가 그림과 같다. 다음 [보기]의 설명 중 옳은 것만을 있는 대로 고른 것은?

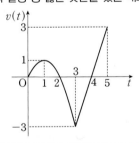

ㄱ. $t=3$일 때, 위치의 변화량은 0이다.
ㄴ. 점 P는 출발하고 나서 5초 후 원점에 있다.
ㄷ. 점 P는 움직이는 동안 총 움직인 거리는 5이다.
ㄹ. 점 P는 움직이는 동안 운동 방향이 두 번 바뀌었다.

① ㄱ, ㄷ   ② ㄴ, ㄹ   ③ ㄱ, ㄴ, ㄷ
④ ㄱ, ㄴ, ㄹ   ⑤ ㄴ, ㄷ, ㄹ

1474 최다빈출 (상)중요
NORMAL

오른쪽 그림은 두 자동차 P, Q가
직선도로의 같은 지점에서 동시에
같은 방향으로 출발하여 b분 동안
달렸을 때, 각각의 속도 $f(t)$, $g(t)$
의 그래프를 나타낸 것이다.
두 곡선 $v=f(t)$, $v=g(t)$로 둘러
싸인 두 부분 A, B의 넓이가 각각
S_1, S_2일 때, 옳은 것만을 [보기]에서 있는 대로 고른 것은?

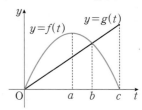

ㄱ. $S_1 = S_2$이면 두 자동차 P, Q는 $t=b$일 때 만난다.

ㄴ. $S_1 > S_2$이면 $\int_0^b f(t)dt > \int_0^b g(t)dt$이다.

ㄷ. $S_1 < S_2$이면 $\int_0^c \{f(t) - g(t)\}dt = 0$을 만족시키는 c가
열린 구간 (a, b)에 존재한다.

① ㄱ   ② ㄷ   ③ ㄱ, ㄴ
④ ㄱ, ㄷ   ⑤ ㄱ, ㄴ, ㄷ

▶ 해설 내신연계기출

1475
NORMAL

다음 그림은 '가' 지점에서 출발하여 '나' 지점에 도착할 때까지 직선
경로를 따라 이동한 세 자동차 A, B, C의 시간 t에 따른 속도 v를
각각 나타낸 것이다.

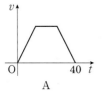 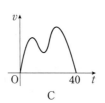

'가' 지점에서 출발하여 '나' 지점에 도착할 때까지의 상황에 대한
다음 [보기] 중 옳은 것을 모두 고른 것은?

ㄱ. A와 C의 평균 속도는 같다.
ㄴ. B와 C 모두 가속도가 0인 순간이 적어도 한 번 존재한다.
ㄷ. A, B, C 각각의 속도 그래프와 t축으로 둘러싸인 영역의
넓이는 모두 같다.

① ㄴ   ② ㄷ   ③ ㄱ, ㄴ
④ ㄴ, ㄷ   ⑤ ㄱ, ㄴ, ㄷ

1476
TOUGH

같은 높이의 지면에서 동시에 출발하여 지면과 수직인 방향으로
올라가는 두 물체 A, B가 있다. 다음 그림은 시각 $t(0 \le t \le c)$에서
물체 A의 속도 $f(t)$와 물체 B의 속도 $g(t)$를 나타낸 것이다.

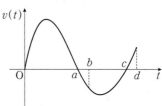

$\int_0^c f(t)dt = \int_0^c g(t)dt$일 때, [보기]에서 있는 대로 고른 것은?

ㄱ. $t=a$일 때, 물체 A는 물체 B보다 높은 위치에 있다
ㄴ. $t=b$일 때, 물체 A와 물체 B의 높이의 차가 최대이다.
ㄷ. $t=c$일 때, 물체 A와 물체 B는 같은 높이에 있다.

① ㄱ   ② ㄴ   ③ ㄱ, ㄷ
④ ㄴ, ㄷ   ⑤ ㄱ, ㄴ, ㄷ

1477
TOUGH

다음은 원점을 출발하여 수직선 위를 움직이는 점 P의 시각
$t(0 \le t \le d)$에서의 속도 $v(t)$를 나타내는 그래프이다.

$\int_0^a |v(t)|dt = \int_a^d |v(t)|dt$일 때, [보기]에서 옳은 것을 모두 고른
것은? (단, $0 < a < b < c < d$이다.)

ㄱ. 점 P는 출발하고 나서 원점을 다시 지난다.

ㄴ. $\int_0^c v(t)dt = \int_c^d v(t)dt$

ㄷ. $\int_0^b v(t)dt = \int_b^d |v(t)|dt$

① ㄴ   ② ㄷ   ③ ㄱ, ㄴ
④ ㄴ, ㄷ   ⑤ ㄱ, ㄴ, ㄷ

1478

좌표가 −12인 점을 출발하여 수직선 위를 움직이는 점 P의
시각 t에서의 속도가

$$v(t)=3t^2-13$$

일 때, 다음 단계로 서술하여라.

[1단계] 시각 $t=3$에서의 점 P의 위치를 구한다.
[2단계] 점 P가 원점을 지나는 시각을 구한다.
[3단계] 시각 $t=0$에서 $t=4$까지 점 P의 위치의 변화량을 구한다.

1479

두 점 P, Q는 동시에 출발하여 수직선 위를 움직인다. 점 P는 원점
을 출발하여 t초 후의 속도가 $2t$이고, 점 Q는 좌표가 2인 점을 출발
하여 t초 후의 속도가 $t+a$이다.
$t=6$에서의 점 P의 좌표가 점 Q의 좌표보다 4가 클 때, 상수 a의
값을 구하는 과정을 다음 단계로 서술하여라.

[1단계] $t=6$에서의 점 P의 위치를 구한다.
[2단계] $t=6$에서의 점 Q의 위치를 a의 식으로 나타낸다.
[3단계] 상수 a의 값을 구한다.

1480

수평인 지면에서 30m/s의 속도로 수직으로 쏘아 올린 물 로켓의
t초 후의 속도가

$$v(t)=30-10t\,(\text{m/s})$$

일 때, 다음 단계로 서술하여라. (단 $0 \le t \le 6$)

[1단계] 물 로켓의 최고 높이에 도달할 때의 시각을 구한다.
[2단계] 지면으로부터 물 로켓의 최고 높이를 구한다.
[3단계] 물 로켓이 지면으로 떨어질 때 시각을 구한다.
[4단계] 물 로켓이 지면으로 떨어질 때까지 움직인 거리를 구한다.

▶ 해설 내신연계기출

1481

수직선 위에서 원점을 출발하여 움직이는 점 P의 시각 t에서의
속도가

$$v(t)=9-3t$$

일 때, 출발 후 처음으로 움직이는 방향이 바뀌어 다시 원점에 올 때
까지 점 P가 움직인 거리를 구하는 과정을 다음 단계로 서술하여라.

[1단계] 점 P가 움직이는 방향이 바뀌는 시각을 구한다.
[2단계] 점 P가 원점으로 돌아오는 시각을 구한다.
[3단계] 점 P가 움직인 거리를 구한다.

1482

좌표가 1인 점을 출발하여 수직선 위를 움직이는 점 P의 시각 t에서
의 속도가

$$v(t)=t^2-3t+2$$

일 때, 다음 단계로 서술하여라.

[1단계] 점 P가 움직이는 방향이 바뀌는 시각 t를 구한다.
[2단계] 점 P가 움직이는 방향이 처음으로 바뀌는 시각에서의
　　　　점 P의 위치를 구한다.
[3단계] 점 P가 출발할 때의 운동 방향에 대하여 반대 방향으로
　　　　움직인 거리를 구한다.
[4단계] 시각 $t=2$에서 $t=4$까지 점 P의 위치의 변화량을 구한다.

1483

오른쪽 그래프는 같은 지점에서
동시에 출발한 두 자전거 A와 B
의 2분 동안의 속도 $v(t)$를 나타
낸 것이다. 다음 단계로 그 과정
을 서술하여라.

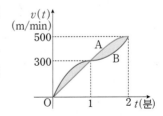

[1단계] 그래프에서 색칠한 두 부분의 넓이가 의미하는 것을
　　　　서술한다.
[2단계] 색칠한 두 부분의 넓이가 같을 때, A와 B가 출발한 후
　　　　2분 동안의 상황에 대하여 서술한다.

1484

원점을 출발하여 수직선 위를 움직이는 점 P의 시각 t에서의 속도를

$$v(t)=3t^2-6t$$

라 하자. 점 P가 시각 $t=0$에서 $t=a$까지 움직인 거리가 58일 때, $v(a)$의 값을 구하여라.

1485

수직선 위를 움직이는 두 점 P, Q의 시각 t에서의 속도를 각각 $v_{\mathrm{P}}(t)$, $v_{\mathrm{Q}}(t)$라 할 때,

$$v_{\mathrm{P}}(t)=2t, \ v_{\mathrm{Q}}(t)=-2$$

이다. 두 점 P, Q의 시각 $t=0$에서의 위치는 각각 0, 80이고, 시각 $t=a(a>0)$에서 두 점 P, Q가 만난다.

시각 $t=0$에서 시각 $t=a$까지 두 점 P, Q가 움직인 거리를 각각 p, q라 할 때, $|p-q|$의 값을 구하여라.

1486

원점에서 동시에 출발하여 수직선 위를 움직이는 두 점 P, Q의 시각 t에서의 속도는 각각

$$v_{\mathrm{P}}(t)=t^2-2t, \ v_{\mathrm{Q}}(t)=-t^2+4t$$

이다. 두 점 P, Q가 다시 만나게 될 때까지의 시각 중 두 점 P, Q 사이의 거리의 최댓값을 구하여라.

▶ 해설 내신연계기출

1487

수직선 위를 움직이는 두 점 P, Q가 있다. 점 P는 좌표가 7인 점에서 출발하여 시각 t에서 속도가 $v(t)=3t^2-2$이고, 점 Q는 좌표가 k인 점에서 출발하여 시각 t에서 속도가 1이다. 두 점 P, Q가 동시에 출발한 후 두 번 만나도록 하는 정수 k의 값을 구하여라.

1488

원점 O를 동시에 출발하여 x축 위를 움직이는 두 점 P와 Q의 t초 뒤의 속도가 각각

$$v_{\mathrm{P}}(t)=1-4t, \ v_{\mathrm{Q}}(t)=3t^2-1$$

이라고 한다. 두 점 P와 Q의 중점을 M이라고 할 때, 출발 후 처음으로 점 M이 원점 O로 되돌아갈 때까지 점 M이 움직인 거리를 구하여라.

1489

반지름의 길이가 3인 원통 모양의 수도관에서 물이 가득 차서 흐르고 있다. 흐르는 물의 시각 t에서의 속도가

$$v(t)=-3t^2+6t$$

일 때, 이 물이 흐르기 시작하여 멈출 때까지 흘러나온 물의 양을 구하여라.

▶ 해설 내신연계기출

SYNERGY FINAL TEST

내신 1등급
함수의 극한과 연속
모의평가

총 3회 / 회당 24문제　　5지선다형 20문제(4점) 서술형 4문제(5점)

SYNERGY
FINAL TEST

01

FINAL STEP

01

M A P L ; S Y N E R G Y

함수의 극한 연속 모의평가

100점 만점 총 24문제
(4점 × 20문제 – 객관식)
(5점 × 04문제 – 서술형)

시험시간 : 50분

01

5지선다 4점

함수 $y=f(x)$의 그래프가 그림과 같을 때,

$$\lim_{x \to -1^-} f(x) + \lim_{x \to 1^-} f(x) + \lim_{x \to 2} f(x) + f(1)$$

의 값은?

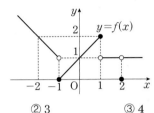

① 2   ② 3   ③ 4
④ 5   ⑤ 6

02

5지선다 4점

함수 $f(x) = \begin{cases} 2x+k & (x \geq 1) \\ x^2 - 4x + 1 & (x < 1) \end{cases}$ 에 대하여

$\lim_{x \to 1} f(x)$의 값이 존재하도록 하는 상수 k의 값은?

① -4 ② -2 ③ -1
④ 2 ⑤ 4

03

5지선다 4점

함수 $f(x) = \dfrac{x^2 + 2x - 3}{|x-1|}$ 에 대하여

$$\lim_{x \to 1^+} f(x) = a, \ \lim_{x \to 1^-} f(x) = b$$

일 때, 두 상수 a, b에 대하여 ab의 값은?

① -25 ② -16 ③ -9
④ 16 ⑤ 15

04

5지선다 4점

두 함수 $f(x)$, $g(x)$가

$$\lim_{x \to 1} f(x) = 3, \ \lim_{x \to 1} g(x) = a$$

일 때, $\lim_{x \to 1} \dfrac{3f(x) + g(x)}{f(x) - g(x)} = 2$를 만족시키는 실수 a의 값은?

① -2 ② -1 ③ 1
④ 2 ⑤ 3

05

5지선다 4점

함수 $f(x)$에 대하여 $\lim_{x \to \infty} \dfrac{f(x)}{x} = 3$이 성립할 때,

$$\lim_{x \to \infty} \dfrac{x^2 + xf(x)}{x^2 - f(x)}$$

의 값은?

① 2 ② 3 ③ 4
④ 5 ⑤ 6

06

5지선다 4점

$\lim\limits_{x \to -\infty} \dfrac{\sqrt{x^2 + x} - 3}{x - 2} + \lim\limits_{x \to -\infty} (\sqrt{x^2 - 2x + 3} + x)$의 값은?

① 0 ② -1 ③ -2
④ -3 ⑤ -4

07

다음 중에서 옳지 않은 것은?

① $\lim\limits_{x \to 1} \dfrac{x^2+x-2}{x^2-x} = 3$

② $\lim\limits_{x \to -1} \dfrac{1}{x+1}\left(\dfrac{x^2}{x-1}+\dfrac{1}{2}\right) = \dfrac{3}{4}$

③ $\lim\limits_{x \to -3} \dfrac{x+3}{\sqrt{x+4}-1} = 2$

④ $\lim\limits_{x \to -\infty} \dfrac{x+1}{|x|-2} = 1$

⑤ $\lim\limits_{x \to \infty} \dfrac{-3x^2+2x-1}{x^2-5} = -3$

08

$\lim\limits_{x \to 2} \dfrac{2x^2+ax+b}{x-2} = 3$일 때, 상수 a, b에 대하여 $a+b$의 값은?

① -5 ② -4 ③ -3

④ -2 ⑤ -1

09

$x \geq 2$인 실수 x에 대하여 함수 $f(x)$가 부등식

$$\dfrac{x^2}{x+1} \leq f(x) \leq \dfrac{x^3}{x^2+2}$$

을 만족시킬 때, $\lim\limits_{x \to \infty} \dfrac{f(x)}{x}$의 값은?

① -3 ② -2 ③ 1

④ 2 ⑤ 3

10

두 함수 $f(x)$, $g(x)$가 다음 조건을 모두 만족시킨다.

> (가) $\lim\limits_{x \to \infty} f(x) = \infty$
>
> (나) $\lim\limits_{x \to \infty} \{2f(x)-g(x)\} = 5$

일 때, $\lim\limits_{x \to \infty} \dfrac{3f(x)+g(x)}{9f(x)-4g(x)}$의 값은?

① 3 ② 4 ③ 5

④ 6 ⑤ 7

11

다항함수 $f(x)$가

$$\lim\limits_{x \to -1} \dfrac{(x+1)f(x)}{x^2-1} = 3$$

을 만족시킬 때, $f(-1)$의 값은?

① -6 ② -3 ③ 1

④ 3 ⑤ 6

12

$\lim\limits_{x \to \infty} \dfrac{2ax}{\sqrt{x^2+ax}+\sqrt{x^2-ax}} = 5$를 만족시킬 때, 상수 a의 값은?

① 2 ② 3 ③ 4

④ 5 ⑤ 6

13

5지선다 4점

삼차함수 $f(x)$에 대하여

$$\lim_{x \to 0} \frac{f(x)}{x} = -3, \quad \lim_{x \to 1} \frac{f(x)}{x-1} = 5$$

를 만족시킬 때, $f(2)$의 값은?

① 6   ② 8   ③ 10

④ 12   ⑤ 14

14

5지선다 4점

실수 전체에서 정의된 두 함수 $f(x)$, $g(x)$에 대하여 다음 [보기] 중 옳은 것은?

> ㄱ. $\lim\limits_{x \to 0} xf(x)$가 수렴하면 $\lim\limits_{x \to 0} f(x)$도 수렴한다.
>
> ㄴ. $\lim\limits_{x \to 0} f(x)$가 수렴하면 $\lim\limits_{x \to 0} \{f(x)\}^2$도 수렴한다.
>
> ㄷ. $\lim\limits_{x \to 0} \dfrac{f(x)}{g(x)}$가 수렴하면 $\lim\limits_{x \to 0} \dfrac{g(x)}{f(x)}$도 수렴한다.

① ㄱ   ② ㄴ   ③ ㄷ

④ ㄱ, ㄴ   ⑤ ㄱ, ㄷ

15

5지선다 4점

함수 $y = f(x)$의 그래프는 오른쪽 그림과 같다. 구간 $(0, 4)$에서 함수 $f(x)$의 극한값이 존재하지 않는 x의 값의 개수를 a, $f(x)$가 불연속인 x의 값의 개수를 b라 할 때, $a - b$의 값은?

① -3 ② -2 ③ -1

④ 1   ⑤ 2

16

5지선다 4점

다음 함수 중 $x = -1$에서 연속인 함수를 모두 고르면?

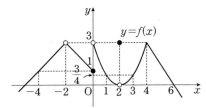

> ㄱ. $f(x) = x^2 + 1$
>
> ㄴ. $f(x) = \dfrac{1}{x+1}$
>
> ㄷ. $f(x) = \begin{cases} \dfrac{x^2 - 2x - 3}{x+1} & (x \neq -1) \\ -4 & (x = -1) \end{cases}$
>
> ㄹ. $f(x) = \begin{cases} \sqrt{x+1} & (x \geq -1) \\ x^2 - 2 & (x < -1) \end{cases}$

① ㄱ   ② ㄴ, ㄹ   ③ ㄱ, ㄷ

④ ㄴ, ㄷ, ㄹ   ⑤ ㄱ, ㄴ, ㄷ

17

5지선다 4점

함수 $y = f(x)$의 그래프가 그림과 같을 때, [보기] 중 함수 $y = f(x)$에 대한 설명으로 옳은 것만을 있는 대로 고른 것은?

> ㄱ. 열린구간 $(-4, 4)$에서 극한값이 존재하지 않는 점의 개수는 1개이다.
>
> ㄴ. 열린구간 $(-4, 4)$에서 불연속인 점의 개수는 2개이다.
>
> ㄷ. 함수 $y = (f \circ f)(x)$는 $x = 0$에서 연속이다.

① ㄱ   ② ㄴ   ③ ㄱ, ㄷ

④ ㄴ, ㄷ   ⑤ ㄱ, ㄴ, ㄷ

18

5지선다 4점

함수 $f(x) = \begin{cases} \dfrac{x^2 - 5x + a}{x-2} & (x \neq 2) \\ b & (x = 2) \end{cases}$ 가 모든 실수 x에서 연속이 되도록 실수 a, b에 대하여 $a + b$의 값은?

① 4   ② 5   ③ 6

④ 7   ⑤ 8

19

5지선다 4점

두 함수

$$f(x)=\begin{cases}2x-1 & (x \geq 1) \\ -x+3 & (x < 1)\end{cases}, \quad g(x)=x+k$$

에 대하여 함수 $f(x)g(x)$가 $x=1$에서 연속일 때,
상수 k의 값은?

① -2 ② -1 ③ 0

④ 1 ⑤ 2

20

5지선다 4점

다음 [보기]의 방정식이 주어진 구간에서 적어도 하나의 실근을 가진
것을 고르면?

> ㄱ. 방정식 $x^3-x+3=0$이 열린구간 $(-2, 1)$에서 적어도 하나
>   의 실근을 가진다.
> ㄴ. $x^4+2x-1=0$이 열린구간 $(0, 1)$에서 적어도 하나의 실근을
>   가진다.
> ㄷ. $x^3+2x^2-3x-10=0$이 열린구간 $(-1, 3)$에서 적어도
>   하나의 실근을 가진다.

① ㄱ   ② ㄴ   ③ ㄱ, ㄷ
④ ㄴ, ㄷ   ⑤ ㄱ, ㄴ, ㄷ

서 술 형

21번 ~ 24번   5점

21

서술형 5점

다항함수 $f(x)$가 다음 조건을 모두 만족시킬 때, $f(1)$의 값을 구하
는 과정을 다음 단계로 서술하여라.

$$\lim_{x \to \infty}\frac{f(x)}{2x^2+3x-1}=1, \quad \lim_{x \to 0}\frac{f(x)}{x}=2$$

[1단계] $\lim_{x \to \infty}\dfrac{f(x)}{2x^2+3x-1}=1$을 만족하는 다항함수 $f(x)$의 차수를
구한다. [1.5점]

[2단계] $\lim_{x \to 0}\dfrac{f(x)}{x}=2$에서 다항함수 $f(x)$의 식을 구한다. [2.5점]

[3단계] $f(1)$의 값을 구한다. [1점]

22

서술형 5점

다음 그림과 같이 직선 $y=x$에 접하고 중심이 $\left(a, a+\dfrac{1}{a}\right)$인 원이
있다. 원점 O에서 원 위의 점까지의 거리의 최솟값을 d라고 할 때,
$\lim_{a \to \infty}\dfrac{d}{a}$의 값을 구하고 그 과정을 서술하여라. (단, $a>0$)

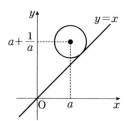

[1단계] 원의 중심에서 직선 사이의 거리를 구한다. [1.5점]

[2단계] 원점 O에서 원 위의 점까지의 거리의 최솟값 d를 구한다.
[1.5점]

[3단계] $\lim_{a \to \infty}\dfrac{d}{a}$의 값을 구한다. [2점]

23

서술형 5점

모든 실수 x에서 연속인 함수 $f(x)$가

$$(x-a)f(x)=x^2+2x+1$$

을 만족시킬 때, $f(a)$의 값을 구하는 과정을 다음 단계로 서술하여
라. (단, a는 상수)

[1단계] $x \neq a$일 때, $f(x)$를 구한다. [1점]

[2단계] $\lim_{x \to a}f(x)=f(a)$임을 이용하여 상수 a의 값을 구한다. [2.5점]

[3단계] $f(a)$의 값을 구한다. [1.5점]

24

서술형 5점

모든 실수에서 연속인 함수 $f(x)$가 닫힌구간 $[0, 2]$에서

$$f(x)=\begin{cases}-x^2+a & (0 \leq x < 1) \\ bx+1 & (1 \leq x \leq 2)\end{cases}$$

이다. 함수 $f(x)$가 모든 실수 x에 대하여 $f(x+2)=f(x)$를
만족시킬 때, 상수 a, b에 대하여 $a+b$의 값을 구하는 과정을 다음
단계로 서술하여라.

[1단계] $x=1$에서 연속이 되기 위한 조건을 이용하여 a, b의
관계식을 구한다. [1.5점]

[2단계] 조건 $f(x+2)=f(x)$를 이용하여 a, b의 관계식을 구한다.
[1점]

[3단계] a, b의 값을 구한다. [1점]

[4단계] $f(9)$의 값을 구한다. [1.5점]

내신 1등급 모의고사

FINAL STEP

02

M A P L : S Y N E R G Y

함수의 극한 연속 모의평가

100점 만점 총 24문제
(4점 × 20문제 - 객관식)
(5점 × 04문제 - 서술형)

시험시간 : 50분

01

5지선다 4점

$0 \leq x \leq 4$에서 함수 $y=f(x)$의
그래프가 그림과 같다.

$\lim\limits_{x \to 1-} f(x) + 2 \lim\limits_{x \to 3+} f(x)$의 값은?

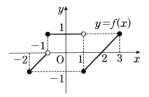

① 0   ② 1

③ 2   ④ 3

⑤ 4

02

5지선다 4점

함수 $f(x)$가 $\lim\limits_{x \to 1}(x-1)f(x)=3$을 만족시킬 때,

$$\lim_{x \to 1}(x^2-1)f(x)$$

의 값은?

① 5   ② 6   ③ 7

④ 8   ⑤ 9

03

5지선다 4점

다음 조건을 만족하는 함수의 극한값 a, b, c에 대하여 $a+b+c$의
값은? (단, $[x]$는 x보다 크지 않은 최대정수)

(가) $\lim\limits_{x \to 2+} \dfrac{|3x-6|}{x-2}=a$

(나) $\lim\limits_{x \to 3-}[x]=b$

(다) $\lim\limits_{x \to \infty} \dfrac{5x^2+3x+2}{x^2+1}=c$

① 6   ② 8   ③ 10

④ 12   ⑤ 15

04

5지선다 4점

그림은 정의역이 $\{x| -2 \leq x \leq 3\}$인 함수 $y=f(x)$의 그래프이다.
함수 $g(x)=x-[x]$에 대하여 $\lim\limits_{x \to -1-} f(g(x)) + \lim\limits_{x \to 1+} g(f(x))$의 값
은? (단, $[x]$는 x를 넘지 않은 최대 정수)

① −2   ② −1   ③ 0

④ 1   ⑤ 2

05

5지선다 4점

두 함수 $f(x)$, $g(x)$에 대하여

$$\lim_{x \to 1}f(x)=\alpha, \ \lim_{x \to 1}g(x)=\beta 이고$$

$$\lim_{x \to 1}\{f(x)+g(x)\}=1, \ \lim_{x \to 1}f(x)g(x)=-6$$

일 때, 극한값 $\lim\limits_{x \to 1} \dfrac{f(x)+2}{2g(x)-1}$의 값은? (단, $\alpha > \beta$)

① −2   ② −1   ③ 1

④ 2   ⑤ 3

06

5지선다 4점

함수 $f(x)$에 대하여 $\lim\limits_{x \to 2} \dfrac{f(x-2)}{x-2}=5$일 때,

$$\lim_{x \to 0} \dfrac{x^2-6f(x)}{x+f(x)}$$의 값은?

① −6   ② −5   ③ −4

④ −3   ⑤ −2

07

두 함수 $f(x)$, $g(x)$가

$$\lim_{x \to \infty} f(x) = \infty, \ \lim_{x \to \infty} \{4f(x) - 2g(x)\} = 1$$

을 만족시킬 때, $\lim_{x \to \infty} \dfrac{f(x) + 3g(x)}{9f(x) - 5g(x)}$ 의 값은?

① -9 ② -7 ③ -5

④ -3 ⑤ -1

08

$\lim_{x \to 2} \dfrac{x^2 - 2x}{x^2 - x - 2} + \lim_{x \to 1} \dfrac{\sqrt{3x+1} - \sqrt{x+3}}{x^2 - 1}$ 의 값은?

① $\dfrac{1}{4}$ ② $\dfrac{1}{2}$ ③ $\dfrac{2}{3}$

④ $\dfrac{11}{12}$ ⑤ $\dfrac{13}{12}$

09

함수 $f(x) = \dfrac{\sqrt{x^2 - 4x + 9} - 3}{x - 4}$ 에 대하여

$$\lim_{x \to \infty} f(x) = a, \ \lim_{x \to 4} f(x) = b$$

일 때, $3ab$의 값은?

① 2 ② 3 ③ 5

④ 7 ⑤ 8

10

$\lim_{x \to 1} \dfrac{x^2 + ax + b}{x - 1} = 7$가 성립할 때, 상수 a, b에 대하여 ab의 값은?

① -35 ② -30 ③ -25

④ -20 ⑤ -15

11

상수 a, b에 대하여

$$\lim_{x \to 1} \dfrac{\sqrt{x+3} + a}{x - 1} = b$$

를 만족시킬 때, $\dfrac{a}{b}$의 값을 구하면?

① -10 ② -8 ③ -6

④ -4 ⑤ -2

12

다항함수 $f(x)$가

$$\lim_{x \to \infty} \dfrac{f(x) - 2x^3}{x^2} = 1, \ \lim_{x \to 1} \dfrac{f(x)}{x - 1} = 1$$

을 만족시킬 때, $f(2)$의 값은?

① 8 ② 9 ③ 10

④ 11 ⑤ 12

13
5지선다 4점

2 이상인 자연수 n에 대하여

$$\lim_{x \to n} \frac{[x]^2 + x}{[x]} = k$$

일 때, 상수 k의 값은? (단, $[x]$는 x보다 크지 않은 최대의 정수)

① 1   ② 2   ③ 3
④ 4   ⑤ 5

14
5지선다 4점

$x > 0$일 때, $\dfrac{3x^2 - 1}{x + 3} \le f(x) \le \dfrac{6x^2}{2x + 1}$ 을 만족시키는 함수 $f(x)$에

대하여 $\displaystyle\lim_{x \to \infty} \dfrac{f(x)}{x}$의 값은?

① -3 ② -2 ③ 1
④ 2   ⑤ 3

15
5지선다 4점

오른쪽 그림과 같이 직선 $y = x + 2$ 위에 두 점 $A(-2, 0)$, $P(t, t+2)$이 있다. 점 P를 지나고 직선 $y = x + 1$에 수직인 직선이 y축과 만나는 점을 Q라고 할 때, 극한값 $\displaystyle\lim_{t \to \infty} \dfrac{\overline{AQ}^2}{\overline{AP}^2}$의 값은?

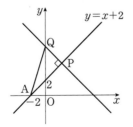

① $\dfrac{1}{2}$ ② 1   ③ $\dfrac{3}{2}$
④ 2   ⑤ 4

16
5지선다 4점

함수

$$f(x) = x^2 + 1, \quad g(x) = x^2 - ax + 5$$

에 대하여 함수 $\dfrac{f(x)}{g(x)}$가 모든 실수 x에서 연속이 되도록 하는 정수 a의 개수는?

① 5   ② 7   ③ 9
④ 11   ⑤ 13

17
5지선다 4점

함수 $f(x) = \begin{cases} \dfrac{x^2 - 2x + a}{x - 1} & (x \ne 1) \\ b + 1 & (x = 1) \end{cases}$ 이 모든 실수 x에서

연속이 되도록 상수 a, b에 대하여 $a + b$의 값은?

① -2 ② 0   ③ 2
④ 4   ⑤ 6

18
5지선다 4점

함수 $f(x) = \begin{cases} -x + b & (|x| < 1) \\ x^2 + ax - 2 & (|x| \ge 1) \end{cases}$ 가 모든 실수 x에서

연속이 되도록 하는 상수 a, b에 대하여 ab의 값은?

① -3 ② -1 ③ 1
④ 2   ⑤ 3

19

두 함수

$$f(x)=\begin{cases} x & (x \ge 1) \\ -x & (x < 1) \end{cases}, \ g(x)=2x-a$$

에 대하여 함수 $f(x)g(x)$가 실수 전체의 집합에서 연속일 때, 상수 a의 값은?

① 1   ② 2   ③ 3

④ 4   ⑤ 5

20

구간 $(-\infty, \infty)$에서 연속인 함수 $f(x)$가 구간 $[0, 3)$에서

$$f(x)=\begin{cases} x^2+ax+b & (0 \le x < 2) \\ 2x-1 & (2 \le x < 3) \end{cases}$$

으로 정의되고 모든 실수 x에 대하여 $f(x)=f(x+3)$을 만족시킬 때, $f(10)$의 값은? (단, a, b는 상수)

① -3 ② 1   ③ 2

④ 3   ⑤ 5

서 술 형

21

등식 $\lim\limits_{x \to -1} \dfrac{\sqrt{x+a}-b}{x+1}=\dfrac{1}{2}$이 성립하도록 하는 상수 a, b에 대하여 $a+b$의 값을 구하는 과정을 다음 단계로 서술하여라.

[1단계] b를 a에 관한 식으로 나타낸다. [1.5점]
[2단계] 분자를 유리화하여 a의 값을 구한다. [2.5점]
[3단계] b를 구하여 $a+b$의 값을 구한다. [1점]

22

함수 $f(x)=\begin{cases} \dfrac{a\sqrt{x}-b}{x-1} & (x \ne 1) \\ b^2 & (x=1) \end{cases}$이 $x=1$에서 연속일 때,

$f(1)+f(4)$의 값을 구하는 과정을 다음 단계로 서술하여라. (단, a, b는 상수, $b \ne 0$)

[1단계] 함수 $f(x)$가 $x=1$에서 연속일 조건 구한다. [1점]
[2단계] 상수 a, b의 값을 구한다. [2.5점]
[3단계] $f(1)+f(4)$의 값을 구한다. [1.5점]

23

닫힌구간 $[0, 2]$에서 정의된 함수 $f(x)$가 최댓값 M과 최솟값 m에 대하여 $M+m$의 값을 구하는 과정을 다음 단계로 서술하여라.

$$f(x)=\lim_{t \to \infty} \dfrac{t(x^2-x)+1}{\sqrt{t^2+x}}$$

[1단계] 다항함수 $f(x)$를 구한다. [2점]
[2단계] 함수 $f(x)$의 최댓값 M과 최솟값 m을 구한다. [2점]
[3단계] $M+m$의 값을 구한다. [1점]

24

모든 실수 x에서 연속인 함수 $f(x)$에 대하여

$$f(0)=1, \ f(1)=3,$$
$$f(2)=2, \ f(3)=1$$

일 때, 방정식 $x^2+1=xf(x)$는 열린구간 $(0, 3)$에서 적어도 몇 개의 실근을 가지는지 구하는 과정을 다음 단계로 서술하여라.

[1단계] $g(x)=x^2+1-xf(x)$로 놓고
$g(0)$, $g(1)$, $g(2)$, $g(3)$의 값의 부호를 구한다. [1.5점]
[2단계] 함수 $g(x)$에 사잇값의 정리를 적용하여 실근의 위치를 파악한다. [2점]
[3단계] 방정식 $x^2+1=xf(x)$이 열린구간 $(0, 3)$에서 적어도 몇 개의 실근을 가지는지 구한다. [1.5점]

03

FINAL STEP

M A P L ; S Y N E R G Y

함수의 극한 연속 모의평가

100점 만점 총 24문제
(4점 × 20문제 − 객관식)
(5점 × 04문제 − 서술형)

시험시간 : 50분

01

5지선다 4점

함수 $y=f(x)$의 그래프가 그림과 같다.

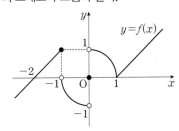

$\lim\limits_{x \to -1-} f(x) + \lim\limits_{x \to 0+} f(x)$의 값은?

① -2 ② -1 ③ 0

④ 1 ⑤ 2

02

5지선다 4점

함수 $f(x)=\begin{cases} -x+k & (x<3) \\ x^2-6x+9 & (x \geq 3) \end{cases}$에 대하여

극한값 $\lim\limits_{x \to 3} f(x)$가 존재하기 위한 상수 k의 값은?

① 1 ② 2 ③ 3

④ 4 ⑤ 5

03

5지선다 4점

함수 $f(x)$에 대하여 $\lim\limits_{x \to 0} \dfrac{f(x)}{x}=2$가 성립할 때,

$\lim\limits_{x \to 2} \dfrac{x^2-4-f(x-2)}{x^2-4+f(x-2)}$의 값은?

① $-\dfrac{1}{2}$ ② $-\dfrac{1}{4}$ ③ $\dfrac{1}{4}$

④ $\dfrac{1}{3}$ ⑤ $\dfrac{1}{2}$

04

5지선다 4점

다음 조건을 만족하는 극한값 a, b에 대하여 $a+4b$의 값은?

(가) $\lim\limits_{x \to -3} \dfrac{x^2+x-6}{x+3}=a$

(나) $\lim\limits_{x \to 3} \dfrac{\sqrt{x+1}-2}{x-3}=b$

① -5 ② -4 ③ -3

④ -2 ⑤ -1

05

5지선다 4점

두 등식

$$\lim\limits_{x \to a} \dfrac{x^2-a^2}{x-a}=8, \quad \lim\limits_{x \to \infty}(\sqrt{x^2+ax}-\sqrt{x^2+bx})=3$$

가 성립할 때, ab의 값은? (단, a, b는 상수)

① -8 ② -6 ③ -4

④ 6 ⑤ 8

06

5지선다 4점

다항함수 $f(x)$에 대하여 $\lim\limits_{x \to 2} \dfrac{3(x^4-16)}{(x^2-4)f(x)}=4$일 때,

$f(2)$의 값은?

① 4 ② 6 ③ 8

④ 10 ⑤ 12

07

다음 중에서 옳지 않은 것은?

① $\lim_{x \to -1} \dfrac{\sqrt{x^2+3}-2}{x+1} = -\dfrac{1}{2}$

② $\lim_{x \to \infty} (\sqrt{x^2-4x}-x) = -2$

③ $\lim_{x \to -\infty} \dfrac{\sqrt{x^2-x}+4}{x-1} = -1$

④ $\lim_{x \to 0} \dfrac{x^2+2x}{1-\sqrt{x+1}} = -4$

⑤ $\lim_{x \to 3} \dfrac{2x^2-3x-9}{x^2-9} = 3$

08

$\lim_{x \to -2} \dfrac{x^2+ax+b}{x^2+3x+2} = 5$일 때, 상수 a, b에 대하여 $a+b$의 값은?

① -7 ② -6 ③ -5

④ -4 ⑤ -3

09

최고차항의 계수가 1인 이차함수 $f(x)$에 대하여

$$\lim_{x \to -1} \dfrac{f(x)}{x+1} = -2$$

일 때, $\lim_{x \to 1} \dfrac{f(x)}{x-1}$의 값은?

① 1 ② 2 ③ 3

④ 4 ⑤ 5

10

함수 $f(x)$가 모든 양수 x에 대하여

$$4x+1 < f(x) < 4x+3$$

을 만족시킬 때, $\lim_{x \to \infty} \dfrac{\{f(x)\}^2}{2x^2+1}$의 값은?

① 10 ② 8 ③ 6

④ 4 ⑤ 2

11

함수 $f(x) = [x]^2 - a[x]$에 대하여 $\lim_{x \to 3} f(x)$가 존재하기 위한 실수 a의 값은? (단, $[x]$는 x보다 크지 않은 최대의 정수이다.)

① 5 ② 6 ③ 7

④ 8 ⑤ 9

12

곡선 $y=\sqrt{x}$ 위의 점 $P(t, \sqrt{t})$에 대하여 점 Q를 $\overline{OP} = \overline{OQ}$가 되도록 y축의 양의 방향에 잡는다. 직선 PQ의 x절편을 $f(t)$라고 할 때, 극한값 $\lim_{t \to 0} f(t)$의 값은? (단, O는 원점이다.)

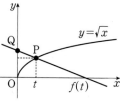

① 1 ② 2 ③ 3

④ 4 ⑤ 5

13

5지선다 4점

다음은 함수 $f(x)$가 $x=1$에서 불연속인 경우이다.

(가) $x=1$에서 정의되지 않고 극한값 $\lim_{x \to 1} f(x)$가 존재하지 않는다.

(나) $x=1$에서 정의되지 않고 극한값 $\lim_{x \to 1} f(x)$가 존재한다.

(다) $x=1$에서 정의되어 있고 극한값 $\lim_{x \to 1} f(x)$가 존재하지 않는다.

(라) $x=1$에서 정의되어 있고 극한값 $\lim_{x \to 1} f(x)$가 존재하지만 $\lim_{x \to 1} f(x) \neq f(1)$이다.

(가), (나), (다), (라)에 속하는 함수 $f(x)$의 예를 다음 그림에서 하나씩 짝지은 것은?

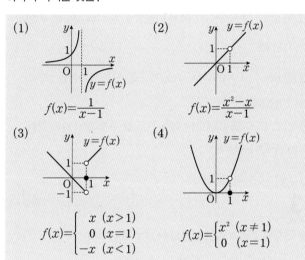

(1) $f(x)=\dfrac{1}{x-1}$

(2) $f(x)=\dfrac{x^2-x}{x-1}$

(3) $f(x)=\begin{cases} x & (x>1) \\ 0 & (x=1) \\ -x & (x<1) \end{cases}$

(4) $f(x)=\begin{cases} x^2 & (x \neq 1) \\ 0 & (x=1) \end{cases}$

① (가)-(1)　　(나)-(2)　　(다)-(3)　　(라)-(4)
② (가)-(3)　　(나)-(4)　　(다)-(1)　　(라)-(2)
③ (가)-(4)　　(나)-(3)　　(다)-(2)　　(라)-(1)
④ (가)-(2)　　(나)-(1)　　(다)-(4)　　(라)-(3)
⑤ (가)-(2)　　(나)-(3)　　(다)-(1)　　(라)-(4)

14

5지선다 4점

두 함수 $f(x)=x^2-4$, $g(x)=x^2+2x+3$에 대하여 다음 중 모든 실수 x에서 연속인 함수를 모두 고르면?

ㄱ. $f(x)+g(x)$　　　　　ㄴ. $f(x)g(x)$

ㄷ. $\dfrac{f(x)}{g(x)}$　　　　　ㄹ. $\dfrac{1}{f(x)-g(x)}$

① ㄱ　　　　② ㄴ, ㄷ　　　　③ ㄷ, ㄹ
④ ㄱ, ㄴ, ㄷ　　⑤ ㄴ, ㄷ, ㄹ

15

5지선다 4점

실수 t에 대하여 유리함수 $y=\dfrac{2x+1}{x-1}$의 그래프와 직선 $y=t$의 교점의 개수를 $f(t)$라 하자. 일차함수 $g(x)=5x+a$에 대하여 함수 $f(t)g(t)$가 실수 전체의 집합에서 연속이 되도록 하는 상수 a의 값은?

① -15　　　② -10　　　③ -5
④ 5　　　　⑤ 10

16

5지선다 4점

다항식 $f(x)$에 대하여 함수 $g(x)$를

$$g(x)=\begin{cases} \dfrac{f(x)-x^2}{x-1} & (x \neq 1) \\ k & (x=1) \end{cases}$$

로 정의하자. 함수 $g(x)$가 모든 실수 x에서 연속이고 $\lim_{x \to \infty} g(x)=5$일 때, $k+f(2)$의 값은? (단, k는 상수이다.)

① 10　　　② 12　　　③ 14
④ 16　　　⑤ 18

17

5지선다 4점

함수 $f(x)=\begin{cases} \dfrac{x^2+ax-2}{x-1} & (x \neq 1) \\ b & (x=1) \end{cases}$가 실수 전체의 집합에서 연속일 때, a^2+b^2의 값은? (단, a, b는 상수)

① 8　　　　② 9　　　③ 10
④ 11　　　⑤ 12

18

5지선다 4점

두 함수

$$f(x)=\begin{cases} -2x & (x<1) \\ x+1 & (x \geq 1) \end{cases}, \quad g(x)=x^2+ax$$

에 대하여 함수 $f(x)g(x)$가 $x=1$에서 연속이 되도록 하는 상수 a의 값은?

① -2　　　② -1　　　③ 0
④ 1　　　　⑤ 2

19

5지선다 4점

두 함수 $y=f(x)$, $y=g(x)$의 그래프가 다음 그림과 같을 때, 옳은 것을 모두 고른 것은?

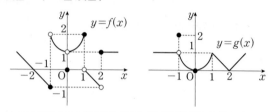

ㄱ. $\lim\limits_{x \to -1^-} f(x)g(x)=-1$

ㄴ. $\lim\limits_{x \to 1^-} \dfrac{f(x)}{g(x)}=2$

ㄷ. 함수 $\dfrac{f(x)}{g(x)}$가 열린구간 $(-2,\ 3)$에서 불연속이 되는 x의 값의 개수는 4이다.

① ㄱ   ② ㄴ   ③ ㄱ, ㄴ

④ ㄴ, ㄷ   ⑤ ㄱ, ㄴ, ㄷ

20

5지선다 4점

방정식 $x^4+2x+a=0$이 열린구간 $(-1,\ 1)$에서 적어도 하나의 실근을 갖도록 하는 상수 a의 값의 범위가 $\alpha < a < \beta$일 때, $\alpha+\beta$의 값은?

① -3 ② -2 ③ -1

④ 1 ⑤ 2

서 술 형

21번 ~ 24번 5점

21

서술형 5점

$x \neq 2$인 모든 실수 x에서 정의된 두 함수 $f(x)$, $g(x)$가 다음 두 조건을 만족한다.

(가) $\lim\limits_{x \to 2}\{2f(x)+g(x)\}=1$

(나) $\lim\limits_{x \to 2} f(x)=\infty$

이때 $\lim\limits_{x \to 2} \dfrac{4f(x)-40g(x)}{2f(x)-g(x)}$의 값을 [방법1], [방법2] 중 하나를 선택하여 구하고 그 과정을 서술하여라.

[방법1]

[1단계] $2f(x)+g(x)=h(x)$로 놓고 $\lim\limits_{x \to 2} \dfrac{h(x)}{f(x)}$의 값을 구한다. [1.5점]

[2단계] $\lim\limits_{x \to 2} \dfrac{4f(x)-40g(x)}{2f(x)-g(x)}$의 값을 구한다. [3.5점]

[방법2]

[1단계] 두 조건을 이용하여 $\lim\limits_{x \to 2} \dfrac{g(x)}{f(x)}$의 값을 구한다. [2.5점]

[2단계] $\lim\limits_{x \to 2} \dfrac{4f(x)-40g(x)}{2f(x)-g(x)}$의 분모 분자를 $f(x)$로 나누어 구한다. [2.5점]

22

서술형 5점

다항함수 $f(x)$가

$$\lim_{x \to \infty} \frac{f(x)-2x^3}{x^2}=2,\ \lim_{x \to 0} \frac{f(x)}{x}=-3$$

을 만족할 때, $f(2)$의 값을 구하는 과정을 다음 단계로 서술하여라.

[1단계] $\lim\limits_{x \to \infty} \dfrac{f(x)-2x^3}{x^2}=2$에서 다항함수 $f(x)$의 차수를 구한다. [1점]

[2단계] $\lim\limits_{x \to 0} \dfrac{f(x)}{x}=-3$에서 $f(x)$가 x를 인수로 가짐을 보인다. [1.5점]

[3단계] 1, 2단계를 이용하여 함수 $f(x)$를 구하여 $f(2)$의 값을 구한다. [2.5점]

23

서술형 5점

실수 전체의 집합에서 연속인 함수 $f(x)$에 대하여

$$(x-2)(x^2+2)f(x)=x^2+2x+a$$

가 항등식이 되도록 하는 과정을 다음 단계로 서술하여라.

[1단계] $x \neq 2$일 때, $f(x)$를 구한다. [1점]

[2단계] $\lim\limits_{x \to 2} f(x)=f(2)$임을 이용하여 상수 a의 값을 구한다. [2점]

[3단계] $f(2)$의 값을 구한다. [2점]

24

서술형 5점

연속함수 $f(x)$가 다음 조건을 만족할 때, $f(17)$의 값을 구하는 과정을 다음 단계로 서술하여라.

(가) $f(x)=\begin{cases} x+2 & (0 \leq x < 4) \\ a(x-4)^2+b & (4 \leq x \leq 6) \end{cases}$ (a, b는 상수)

(나) 모든 실수 x에 대하여 $f(x+6)=f(x)$이다.

[1단계] $x=4$에서 연속이 되기 위한 조건을 이용하여 b의 값을 구한다. [2점]

[2단계] 조건 $f(x+6)=f(x)$를 이용하여 a의 값을 구한다. [2점]

[3단계] $f(17)$의 값을 구한다. [1점]

내신 1등급 모의고사

SYNERGY
FINAL TEST

내신 1등급
미분
모의평가

총 3회 / 회당 24문제   5지선다형 20문제(4점) 서술형 4문제(5점)

SYNERGY
FINAL TEST

FINAL STEP

01

MAPL ; SYNERGY

미분 모의평가

100점 만점 총 24문제
(4점 × 20문제 — 객관식)
(5점 × 04문제 — 서술형)

시험시간 : 50분

내신 만점공략 코너

01
5지선다 4점

함수 $f(x)=x^2+2x$에 대하여 x의 값이 0에서 3까지 변할 때의 평균변화율과 $x=a$에서의 순간변화율이 같아지도록 하는 a의 값은? (단, $0<a<3$)

① $\dfrac{1}{2}$ ② $\dfrac{2}{3}$ ③ 1

④ $\dfrac{3}{2}$ ⑤ 2

02
5지선다 4점

미분가능한 함수 $f(x)$가 모든 실수 x, y에 대하여

$$f(x+y)=f(x)+f(y)+3xy$$

를 만족시키고 $f'(0)=2$일 때, $f'(2)$의 값은?

① 2   ② 4   ③ 6

④ 8   ⑤ 10

03
5지선다 4점

$\displaystyle\lim_{x\to 1}\dfrac{x^{2020}+x^{80}-2}{x-1}$의 값은?

① 2000   ② 2100   ③ 2200

④ 2300   ⑤ 2400

04
5지선다 4점

함수

$$f(x)=\begin{cases} x^3+ax & (x\geq 2) \\ bx^2+4 & (x<2) \end{cases}$$

가 $x=2$에서 미분가능할 때, 상수 a, b에 대하여 $a+b$의 값은?

① 10   ② 11   ③ 12

④ 13   ⑤ 14

05
5지선다 4점

함수 $f(x)=2x^3-x^2+4x-5$일 때,

$\displaystyle\lim_{h\to 0}\dfrac{f(1+2h)-f(1-h)}{h}$의 값은?

① 6   ② 12   ③ 18

④ 24   ⑤ 30

06
5지선다 4점

실수 전체에서 미분가능한 함수 $f(x)$와 $g(x)$에 대하여

$$\lim_{x\to 2}\dfrac{f(x)-3}{x-2}=5, \quad \lim_{x\to 2}\dfrac{g(x)-1}{x-2}=10$$

일 때, 함수 $h(x)=f(x)g(x)$의 $x=2$에서의 미분계수 $h'(2)$의 값은?

① 30   ② 32   ③ 35

④ 37   ⑤ 39

07

다항식 $x^{10}+5x^2+1$을 $(x-1)^2$로 나누었을 때, 나머지를 $R(x)$라 할 때, $R\left(\dfrac{1}{2}\right)$의 값은?

① -5 ② -3 ③ -1
④ 3 ⑤ 5

08

함수 $f(x)=\begin{cases}x^3-ax^2 & (x\le a)\\ 3x^2-3ax & (x>a)\end{cases}$ 가

$$\lim_{h\to 0-}\frac{f(a+h)-f(a)}{h}=3\times\lim_{h\to 0+}\frac{f(a+h)-f(a)}{h}$$

를 만족시킬 때, 양의 상수 a의 값은?

① 6 ② 8 ③ 9
④ 10 ⑤ 11

09

함수 $f(x)=x^2+ax-5$의 그래프 위의 점 $(2,-3)$에서의 접선의 기울기가 m일 때, 상수 a와 m에 대하여 $a+m$의 값은?

① 1 ② 2 ③ 3
④ 4 ⑤ 5

10

곡선 $y=x^3-x$에 접하고 직선 $y=2x+5$에 평행한 직선이 두 개 있다. 이 두 직선 사이의 거리는?

① $\dfrac{2\sqrt{5}}{5}$ ② $\dfrac{3\sqrt{5}}{5}$ ③ $\dfrac{4\sqrt{5}}{5}$
④ $\sqrt{5}$ ⑤ $2\sqrt{5}$

11

다항함수 $f(x)$가

$$\lim_{x\to 3}\frac{f(x-1)-4}{x-3}=1$$

을 만족시킬 때, 곡선 $y=f(x)$ 위의 점 $(2, f(2))$에서의 접선이 x축, y축과 만나는 점을 각각 A, B라 하자. 두 점 A, B 사이의 거리는?

① $\sqrt{2}$ ② 2 ③ $2\sqrt{2}$
④ 4 ⑤ $4\sqrt{2}$

12

실수 전체의 집합에서 정의된 삼차함수

$$f(x)=x^3+kx^2+2kx-5$$

가 일대일대응인 함수가 되도록 하는 모든 정수 k의 개수는?

① 3 ② 4 ③ 5
④ 6 ⑤ 7

13

5지선다 4점

함수 $y=x^3-6x^2+9x+k$의 그래프와 x축이 접할 때, 모든 상수 k의 값의 합은?

① -4 ② -3 ③ -2
④ -1 ⑤ 4

14

5지선다 4점

다음 그림과 같이 사차함수 $f(x)$의 도함수 $y=f'(x)$의 그래프와 삼차함수 $g(x)$의 도함수 $y=g'(x)$의 그래프의 교점의 x좌표를 α, β, γ $(\alpha<\beta<\gamma)$라고 하자.
함수 $h(x)=f(x)-g(x)$에 대하여 $h(x)$의 극댓값이 0일 때,

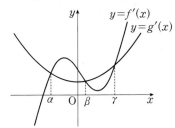

함수 $y=h(x)$의 그래프를 이용하여 방정식 $f(x)=g(x)$의 서로 다른 실근의 개수는?

① 1   ② 2   ③ 3
④ 4   ⑤ 5

15

5지선다 4점

구간 $[-1, 2]$에서 함수
$$f(x)=x^3-3x+4$$
의 최댓값을 M, 최솟값을 m이라 할 때, $M+m$의 값은?

① 4   ② 5   ③ 7
④ 8   ⑤ 11

16

5지선다 4점

오른쪽 그림과 같이 함수 $y=3-x^2$의 그래프와 x축으로 둘러싸인 도형에 내접하고 한 변이 x축 위에 있는 직사각형의 넓이의 최댓값은?

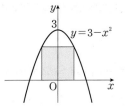

① 2   ② 3
③ 4   ④ 5
⑤ 6

17

5지선다 4점

방정식 $x^3+2=3x+k$가 서로 다른 두 개의 양의 근과 한 개의 음의 근을 갖도록 하는 실수 k의 값의 범위는?

① $-1<k<0$ ② $0<k<1$ ③ $0<k<2$
④ $-2<k<0$ ⑤ $1<k<4$

18

5지선다 4점

다음 $x>0$일 때, 부등식 $2x^3+27\geq9x^2$이 성립함을 증명하는 과정이다.

> $f(x)=2x^3-9x^2+27$이라 하면
> $$f'(x)=6x(x-3)$$
> 함수 $f(x)$는 $x=$ (가) 에서 극소이면서 최소이다.
> 이때 함수 $f(x)$의 최솟값은 (나) 이므로
> $x>0$인 모든 실수 x에 대하여
> $$f(x)=2x^3-9x^2+27\geq \boxed{\text{(다)}}$$
> 그러므로 $2x^3+27\geq9x^2$

위의 (가), (나), (다)에 알맞은 수를 각각 a, b, c라 할 때, $a+b+c$의 값은?

① 1   ② 2   ③ 3
④ 4   ⑤ 5

19

5지선다 4점

원점을 출발하여 수직선 위를 움직이는 점 P의 시각 t에서의 좌표가

$$x = 2t^3 - 3t^2 - 8t$$

로 주어질 때, 속도가 4인 순간의 점 P의 가속도는?

① 10 ② 12 ③ 14

④ 16 ⑤ 18

22

서술형 5점

함수 $f(x) = x^3 + ax^2 + bx + 1$이 $x = -1$에서 극댓값 6을 가질 때, 상수 a, b의 값과 극솟값을 구하는 과정을 다음 단계로 서술하여라.

[1단계] 함수 $f(x)$가 $x = -1$에서 극댓값 6를 가짐을 이용하여 상수 a, b의 값을 구한다. [2점]

[2단계] 함수 $f(x)$의 증가와 감소를 나타내는 표를 구한다. [2점]

[3단계] 함수 $f(x)$의 극솟값을 구한다. [1점]

20

5지선다 4점

곡선 $y = 2x^3 + x^2 - 3$과 직선 $y = ax$가 서로 다른 세 점에서 만나도록 하는 자연수 a의 최솟값은?

① 1 ② 2 ③ 3

④ 4 ⑤ 5

23

서술형 5점

곡선 $y = x^3 - x$와 직선 $y = 2x + k$가 서로 다른 세 점에서 만나도록 하는 상수 k의 값의 범위를 다음 단계로 서술하여라.

[1단계] 주어진 식을 $f(x) = k$의 꼴로 변형한다. [1점]

[2단계] $f(x)$의 극댓값과 극솟값을 구한다. [2.5점]

[3단계] 서로 다른 세 실근을 가지도록 하는 k의 값의 범위를 구한다. [1.5점]

서 술 형

21번 ～ 24번 5점

21

서술형 5점

오른쪽 그림과 같이 곡선 $y = -x^2 + x + 2$ 위의 두 점 A$(0, 2)$, B$(2, 0)$을 지나는 직선을 l이라 할 때, 곡선 위의 점 P에 대하여 삼각형 ABP의 넓이의 최댓값을 다음 단계로 서술하여라.

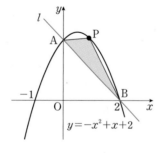

[1단계] 직선 l과 평행하고 곡선 $y = -x^2 + x + 2$에 접하는 직선의 방정식을 구한다. [2점]

[2단계] 제 1사분면에 있는 곡선 $y = -x^2 + x + 2$ 위의 점과 직선 l 사이의 거리의 최댓값을 구한다. [2점]

[3단계] 삼각형 ABP의 넓이의 최댓값을 구한다. [1점]

24

서술형 5점

오른쪽 그림과 같이 키가 1.8 m인 승우가 높이가 4.5 m인 가로등 바로 아래에서 출발하여 일직선으로 초속 1.2 m로 걸어가고 있다. 가로등으로부터 승우의 그림자 끝까지의 길이를 x m, 승우의 그림자의 길이를 l m라고 할 때, 다음 단계로 그 과정을 서술하여라.

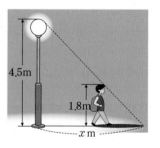

[1단계] l과 x 사이의 관계를 비례식으로 나타낸다. [2점]

[2단계] 그림자의 앞 끝이 움직이는 속도를 구한다. [1.5점]

[3단계] 그림자의 길이가 늘어나는 속도를 구한다. [1.5점]

내신 1등급 모의고사

FINAL STEP

02

M A P L ; S Y N E R G Y
미분 모의평가

100점 만점 총 24문제
(4점 × 20문제 − 객관식)
(5점 × 04문제 − 서술형)

시험시간 : 50분

01

5지선다 4점

오른쪽 그림은 미분가능한 함수 $y=f(x)$와 $y=x$의 그래프이다. $0<a<b$일 때, 다음 [보기]에서 옳은 것만을 있는 대로 고르면?

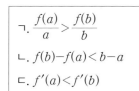

ㄱ. $\dfrac{f(a)}{a}>\dfrac{f(b)}{b}$

ㄴ. $f(b)-f(a)<b-a$

ㄷ. $f'(a)<f'(b)$

① ㄱ   ② ㄴ   ③ ㄷ

④ ㄱ, ㄷ   ⑤ ㄱ, ㄴ, ㄷ

02

5지선다 4점

미분가능한 함수 $f(x)$에 대하여 곡선 $y=f(x)$ 위의 점 $(3, f(3))$

에서의 접선의 기울기가 12일 때, $\displaystyle\lim_{x\to 3}\dfrac{f(x)-f(3)}{x^2-9}$의 값은?

① 2   ② 4   ③ 6

④ 8   ⑤ 10

03

5지선다 4점

함수 $f(x)$가 모든 실수 x, y에 대하여

$$f(x+y)=f(x)+f(y)-1$$

을 만족시키고 $f'(2)=1$일 때, $f(0)+f'(1)$의 값은?

① 2   ② 4   ③ 6

④ 8   ⑤ 10

04

5지선다 4점

다음 [보기]의 함수 중 $x=0$에서 연속이지만 미분가능하지 않은 것만을 있는 대로 고른 것은?

ㄱ. $f(x)=|x^2+2x|$

ㄴ. $f(x)=x^2|x|$

ㄷ. $f(x)=\begin{cases}\dfrac{|x|}{x} & (x\neq 0)\\ 0 & (x=0)\end{cases}$

① ㄱ   ② ㄴ   ③ ㄷ

④ ㄱ, ㄴ   ⑤ ㄱ, ㄷ

05

5지선다 4점

열린 구간 $(-2, 5)$에서 함수 $y=f(x)$의 그래프가 다음 그림과 같을 때, [보기] 중 옳은 것만을 있는 대로 고른 것은?

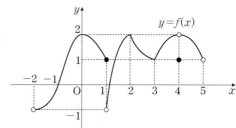

ㄱ. $f(x)$가 불연속이 되는 x의 값은 2개이다.

ㄴ. $\displaystyle\lim_{x\to 4}f(x)$의 값은 존재한다.

ㄷ. $f(x)$가 미분가능하지 않은 x의 값은 4개이다.

ㄹ. $f'(x)=0$을 만족하는 x의 값은 2개이다.

① ㄱ   ② ㄴ, ㄷ   ③ ㄱ, ㄴ, ㄷ

④ ㄴ, ㄷ, ㄹ   ⑤ ㄱ, ㄴ, ㄷ, ㄹ

06

5지선다 4점

함수 $f(x)=\begin{cases}-x^2+ax+2 & (x\geq 2)\\ 2x+b & (x<2)\end{cases}$이 $x=2$에서 미분가능할 때,

상수 a, b에 대하여 ab의 값은?

① 12   ② 16   ③ 24

④ 30   ⑤ 36

07

다항식 $f(x)$를 $(x-1)^2$으로 나누었을 때 나머지가 $4x+5$일 때, $f(1)+f'(1)$의 값은?

① 13   ② 12   ③ 11
④ 10   ⑤ 9

08

함수 $f(x)$에 대하여 $f(3)=-2$, $f'(3)=4$일 때,

$$\lim_{x \to 3} \frac{(x^3+x^2-27)f(x)-9f(3)}{x^2-9}$$

의 값은?

① -9 ② -8 ③ -7
④ -6 ⑤ -5

09

함수 $f(x)=x^3-3x^2-2x$에 대하여

$$\lim_{t \to \infty} t\left\{f\left(2+\frac{2}{t}\right)-f\left(2-\frac{2}{t}\right)\right\}$$

의 값은?

① -8 ② -4 ③ -2
④ 2 ⑤ 8

10

곡선 $y=x^2+ax+b$ 위의 점 $(2, 3)$에서 접하는 접선의 기울기가 6일 때, 상수 a, b에 대하여 $a+b$의 값은?

① -5 ② -4 ③ -3
④ -2 ⑤ -1

11

다항함수 $f(x)$가 $\lim_{x \to 0} \frac{f(x)-2}{x}=3$을 만족시킬 때, 함수 $y=(x^2+x+1)f(x)$의 $x=0$에서의 미분계수는?

① 1   ② 3   ③ 5
④ 7   ⑤ 9

12

곡선 $y=-x^2+2x-1$ 위의 점 $(-1, -4)$에서의 접선에 수직이고 점 $(-1, -4)$를 지나는 직선의 방정식을 $y=ax+b$라 할 때, 상수 a, b에 대하여 $b-a$의 값은?

① $-\dfrac{17}{4}$ ② -4 ③ -1
④ $-\dfrac{1}{4}$ ⑤ 4

13

5지선다 4점

오른쪽 그림과 같이 곡선 $y=-x^3+4x+1$ 위의 점 A$(1, 4)$에서의 접선이 y축과 만나는 점을 B, 이 곡선과 다시 만나는 점을 C이라 할 때, $\overline{AB}:\overline{BC}$는?

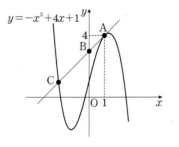

① $1:2$ ② $1:3$ ③ $2:3$

④ $2:5$ ⑤ $3:4$

14

5지선다 4점

다음 [조건]을 만족하는 상수 a, b에 대하여 $a+b$의 값은?

(가) 함수 $f(x)=x^3-x^2-5x-3$에 대하여 닫힌구간 $[-1, 3]$에서 롤의 정리를 만족시키는 상수 a의 값을 구한다.

(나) 함수 $f(x)=x^2-4x+2$에 대하여 닫힌구간 $[1, 4]$에서 평균값 정리를 만족시키는 실수 b의 값을 구한다.

① $\dfrac{5}{2}$ ② $\dfrac{9}{4}$ ③ $\dfrac{25}{9}$

④ $\dfrac{36}{25}$ ⑤ $\dfrac{25}{6}$

15

5지선다 4점

실수 전체의 집합에서 정의된 함수
$$f(x)=-x^3+ax^2+ax$$
의 역함수가 존재하도록 하는 정수 a의 개수는?

① 3   ② 4   ③ 5

④ 6   ⑤ 7

16

5지선다 4점

두 다항함수 $f(x)$와 $g(x)$가 모든 실수 x에 대하여
$$g(x)=(x^3+2)f(x)$$
를 만족시킨다. $g(x)$가 $x=1$에서 극솟값 24를 가질 때, $f(1)-f'(1)$의 값은?

① -8 ② -4 ③ 4

④ 8 ⑤ 16

17

5지선다 4점

함수 $y=f(x)$의 도함수 $y=f'(x)$의 그래프가 그림과 같을 때, 다음 중 옳은 것은?

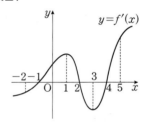

① $f(x)$는 구간 $(1, 2)$에서 감소한다.

② $f(x)$는 구간 $(3, 4)$에서 증가한다.

③ $f(x)$는 $x=1$에서 극댓값을 갖는다.

④ $f(x)$는 $x=4$에서 극솟값을 갖는다.

⑤ $f(x)$가 극값을 갖는 점의 개수는 2개이다.

18

5지선다 4점

닫힌구간 $[0, 2]$에서 함수
$$f(x)=2x^3-3x^2+a$$
의 최댓값이 2일 때, 최솟값은?

① -6 ② -5 ③ -4

④ -3 ⑤ -2

19
5지선다 4점

방정식 $x^3-3x+a=0$이 하나의 음의 실근과 서로 다른 두 양의 실근을 가지도록 하는 실수 a의 값의 범위는?

① $-1<a<0$ ② $0<a<1$ ③ $0<a<2$
④ $-2<a<0$ ⑤ $1<a<3$

20
5지선다 4점

수평인 지면으로부터 $5\,m$ 높이에서 $30m/s$의 속도로 수직으로 위로 던져 올린 물체의 t초 후의 높이 $x\,m$가

$$x=5+30t-5t^2$$

다음 [보기] 중 옳은 것을 있는 대로 고르면

> ㄱ. 물체가 최고높이에 도달하는 데 걸리는 시간은 3초이다.
> ㄴ. 물체의 최고높이는 $50\,m$이다.
> ㄷ. 물체가 땅에 떨어질 때까지 움직인 거리는 $95\,m$이다.

① ㄱ ② ㄴ ③ ㄱ, ㄷ
④ ㄴ, ㄷ ⑤ ㄱ, ㄴ, ㄷ

서 술 형
21번 ~ 24번 5점

21
서술형 5점

다음은 함수 $f(x)=x^3+3x^2-4$의 그래프의 개형을 그리는 과정이다. (가)~(사)에 알맞은 것을 구하고, 주어진 좌표평면 위에 함수 $y=f(x)$의 그래프의 개형을 그린다.

$f'(x)=$ [(가)] $=3x($ [(나)] $)$이므로

$f'(x)=0$에서 $x=$ [(다)] 또는 $x=$ [(라)]

함수 $f(x)$의 증가와 감소를 표로 나타내면 다음과 같다.

x	$\cdots$	(다)	$\cdots$	(라)	$\cdots$
$f'(x)$		$+$	0	$-$	0	$+$
$f(x)$		↗	(마)	↘	(바)	↗

함수 $y=f(x)$의 그래프와 y축의

교점의 좌표는

$(0,$ [(사)] $)$

이므로 주어진 함수의 그래프의

개형은 오른쪽 그림과 같다.

22
서술형 5점

함수 $f(x)=-2x^3+ax^2+12x+b$가 $x=-2$에서 극솟값 -10을 가질 때, 상수 a, b의 값과 극댓값을 구하는 과정을 다음 단계로 서술하여라.

[1단계] 함수 $f(x)$가 $x=-2$에서 극솟값 -10를 가짐을 이용하여 상수 a, b의 값을 구한다. [2점]
[2단계] 함수 $f(x)$의 증가와 감소를 나타내는 표를 구한다. [2점]
[3단계] 함수 $f(x)$의 극댓값을 구한다. [1점]

23
서술형 5점

수평인 지면으로부터 $25\,m$ 높이에서 $20m/s$의 속도로 수직 위로 던져 올린 물체의 t초 후의 높이 $x\,m$가

$$x=25+20t-5t^2$$

일 때, 다음 단계로 그 과정을 서술하여라.
(단, 단위도 정확히 쓴다.)

[1단계] 수직 위로 던진 지 1초 후 속도와 가속도를 구한다. [1.5점]
[2단계] 물체가 최고 높이에 도달할 때까지 걸린 시간과 그때 높이를 구한다. [2점]
[3단계] 물체가 지면에 닿는 순간의 속도를 구한다. [1.5점]

24
서술형 5점

밑면의 반지름의 길이 x와 높이 h의 합이 10인 원기둥의 부피의 최댓값을 구하는 과정을 다음 단계로 서술하여라.

[1단계] $x+h=10$을 만족하는 원기둥의 부피를 x에 관한 식으로 나타낸다. [1.5점]
[2단계] 원기둥의 부피가 최대가 되는 x와 h의 값을 구한다. [2.5점]
[3단계] 원기둥의 부피의 최댓값을 구한다. [1점]

미분 모의평가

01
5지선다 4점

함수 $f(x)=x^2+2x$에 대하여 닫힌구간 $[a, a+2]$에서의 평균변화율과 $x=2$에서의 순간변화율이 같을 때, a의 값은?

① $\dfrac{1}{2}$ ② $\dfrac{2}{3}$ ③ 1

④ $\dfrac{4}{3}$ ⑤ $\dfrac{3}{2}$

02
5지선다 4점

다항함수 $f(x)$에 대하여

$$\lim_{x \to 1}\frac{f(x)-2}{x^2-1}=5$$

일 때, $\dfrac{f'(1)}{f(1)}$의 값은?

① 2 ② 3 ③ 4

④ 5 ⑤ 6

03
5지선다 4점

어느 박테리아를 용기에 배양할 때, 배양을 시작한 지 x시간 후의 박테리아의 밀도를 나타내는 함수 $f(x)$는 미분가능하며, 다음 두 조건을 만족한다고 한다.

> (가) 음이 아닌 실수 x, y에 대하여
> $$f(x+y)=f(x)+f(y)+xy$$
> (나) $f'(0)=1$

이때 7시간 후의 박테리아의 밀도의 순간변화율은?

① 4 ② 6 ③ 8

④ 10 ⑤ 12

04
5지선다 4점

함수 $f(x)$가

$$f(x)=\begin{cases}1-x\,(x<0)\\x^2-1\,(0 \le x<1)\end{cases}$$

일 때, 함수 $x^k f(x)$가 $x=0$에서 미분가능하도록 하는 자연수 k의 최솟값은?

① 2 ② 3 ③ 4

④ 5 ⑤ 6

05
5지선다 4점

함수 $f(x)=\begin{cases}ax^2+bx & (x \ge 1)\\x^3-x+3 & (x<1)\end{cases}$이 모든 실수 x에서 미분가능할 때, 상수 a, b에 대하여 $b-a$의 값은?

① 1 ② 3 ③ 5

④ 7 ⑤ 9

06
5지선다 4점

미분가능한 함수 $f(x)$가

$$f(1)=2,\ f'(1)=3$$

을 만족시키고 $g(x)=(x^2+2)f(x)$일 때, $g'(1)$의 값은?

① 10 ② 11 ③ 12

④ 13 ⑤ 14

07

5지선다 4점

미분가능한 두 함수 $f(x)$, $g(x)$가

$$\lim_{x \to 1} \frac{f(x)-2}{x-1}=3, \quad \lim_{x \to 1} \frac{g(x)-3}{x-1}=5$$

를 만족시킬 때, 함수 $y=f(x)g(x)$의 $x=1$에서의 미분계수는?

① 13　　　　② 15　　　　③ 17

④ 19　　　　⑤ 21

08

5지선다 4점

$f(x)$는 x에 대한 이차함수이고 $f(0)=1$이고 임의의 실수 x에 대하여

$$(x+1)f'(x)-2f(x)+5=0$$

을 만족하는 함수 $f(2)$는?

① -9　　　　② -10　　　　③ -11

④ -12　　　　⑤ -13

09

5지선다 4점

함수 $f(x)=\frac{1}{3}x^3-\frac{1}{2}x^2-2x+a$의 극댓값이 $\frac{1}{2}$일 때, 함수 $f(x)$의 극솟값은 ? (단, a는 상수)

① -10　　　　② -8　　　　③ -6

④ -4　　　　⑤ -2

10

5지선다 4점

함수 $f(x)=2x^3+ax^2-x$의 그래프 위의 점 $(1, f(1))$에서의 접선이 원점을 지날 때, $f(3)$의 값은? (단, a는 상수이다.)

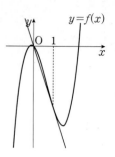

① 11　　　　② 13

③ 15　　　　④ 17

⑤ 19

11

5지선다 4점

곡선 $y=-x^3+3x^2-6$ 위의 점에서의 접선 중에서 기울기가 최대인 접선의 방정식이 점 $(a, 2)$을 지날 때, 상수 a의 값은?

① 2　　　　② 3　　　　③ 4

④ 5　　　　⑤ 6

12

5지선다 4점

기울기가 m이고 y절편이 1인 직선이 곡선 $y=-x^3+x^2-x$에 접할 때, m의 값은?

① -3　　　　② -2　　　　③ -1

④ 1　　　　⑤ 2

13

5지선다 4점

다음 [조건]을 만족하는 상수 a, b에 대하여 ab의 값은?

(가) 함수 $f(x)=x^2-3x+1$에 대하여 구간 $[0,\ 3]$에서
　　롤의 정리를 만족하는 상수 a를 구하여라.
(나) 함수 $f(x)=-x^2+2x$에 대하여 구간 $[1,\ 3]$에서 평균값
　　정리를 만족하는 상수 b를 구하여라.

① 1　　　　② $\dfrac{3}{2}$　　　　③ 2

④ $\dfrac{5}{2}$　　　　⑤ 3

14

5지선다 4점

함수

$$f(x)=x^3+ax^2+\left(a-\dfrac{2}{3}\right)x+k$$

이 그래프가 실수 k의 값에 관계없이 x축과 한 번만 만난다고 할 때, a의 범위는?

① $1 \le a \le 2$　　② $2 \le a \le 3$　　③ $-1 \le a \le 1$

④ $-2 \le a \le -1$　　⑤ $-3 \le a \le 1$

15

5지선다 4점

삼차함수 $f(x)=-2x^3+ax^2+4a^2x-3$이 $-2<x<2$에서 극솟값을 갖고, $x>2$에서 극댓값을 갖도록 하는 실수 a의 값의 범위는?

① $a<-2$ 또는 $a>1$　　② $-2<a<2$ 또는 $a>2$

③ $1<a<3$　　　　④ $2<a<3$

⑤ $-3<a<3$

16

5지선다 4점

오른쪽 그림과 같이 곡선 $y=x^2-6x+9$ 위의 점 $(a,\ b)$에서의 접선과 x축 및 y축으로 둘러싸인 부분의 넓이가 최대가 되도록 하는 실수 a, b에 대하여 $a+b$의 값은? (단, $0<a<3$)

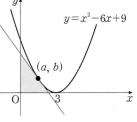

① 2　　　　② 3　　　　③ 5

④ 7　　　　⑤ 9

17

5지선다 4점

삼차함수 $f(x)$의 도함수의 그래프와 이차함수 $g(x)$의 도함수의 그래프가 다음 그림과 같다. 함수 $h(x)=f(x)-g(x)$라 하자. $f(1)=1$, $g(1)=2$일 때, 옳은 것만을 [보기]에서 고른 것은?

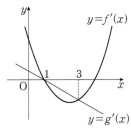

ㄱ. $1<x<3$에서 $h(x)$는 감소한다.
ㄴ. $h(x)$는 $x=3$에서 극솟값을 갖는다.
ㄷ. 방정식 $h(x)=0$은 서로 다른 세 실근을 갖는다.

① ㄱ　　　　② ㄴ　　　　③ ㄱ, ㄴ

④ ㄱ, ㄷ　　　⑤ ㄱ, ㄴ, ㄷ

18

5지선다 4점

오른쪽 그림은 함수 $f(x)=x^3+ax^2+bx+c$ 의 도함수 $y=f'(x)$의 그래프이다. 함수 $f(x)$의 극댓값이 5일 때, 구간 $[-2,\ 3]$에서 최댓값 M과 최솟값 m이라 하면 $M+m$의 값은?

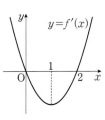

① -14　　　② -12　　　③ -10

④ -8　　　　⑤ -6

19

두 함수 $f(x)=5x^3-10x^2+k$, $g(x)=5x^2+2$에 대하여 열린구간 $(0, 3)$에서 부등식 $f(x) \geq g(x)$가 성립하도록 하는 상수 k의 최솟값은?

① 16
② 18
③ 20
④ 22
⑤ 24

20

수직선 위를 움직이는 점 P의 시각 t에서의 위치 x가

$$x=t^3+\frac{3}{2}t^2-6t+2$$

이다. 점 P가 출발한 후 방향을 바꿀 때의 가속도는?

① 3
② 6
③ 9
④ 12
⑤ 15

서 술 형

21번 ~ 24번   5점

21

곡선 $y=x^3-2x$ 위의 점 P$(1, -1)$에서의 접선을 l이라 하고, 점 P를 지나고 직선 l에 수직인 직선을 m이라 할 때, 다음 단계로 구하는 과정을 서술하여라.

[1단계] 접선 l의 방정식을 구한다. [2점]
[2단계] 직선 m의 방정식을 구한다. [1.5점]
[3단계] 두 직선 l, m과 y축으로 둘러싸인 도형의 넓이를 구한다.
　　　　[1.5점]

22

함수 $f(x)=x^3+ax^2+bx+c$가 $x=0$에서 극댓값을 갖고 $x=4$에서 극솟값 -25를 가질 때, 함수 $f(x)$의 극댓값을 구하는 과정을 다음 단계로 서술하여라. (단, a, b, c는 상수)

[1단계] 함수 $f(x)$가 $x=0$에서 극댓값을 가질 때, 상수 b의 값을 구한다. [1.5점]
[2단계] $x=4$에서 극솟값 -25임을 이용하여 상수 a, c의 값을 구한다. [2.5점]
[3단계] 함수 $f(x)$의 극댓값을 구한다. [1점]

23

가로의 길이가 16cm, 세로의 길이가 10cm인 직사각형 모양의 종이가 있다. 이 종이의 네 귀퉁이에서 같은 크기의 정사각형을 잘라 내고 나머지 부분을 접어서 뚜껑이 없는 직육면체 모양의 상자를 만들려고 한다. 이때 만들 수 있는 상자의 부피의 최댓값을 구하는 과정을 다음 단계로 서술하여라. (단위는 cm^3)

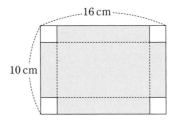

[1단계] 잘라 내는 정사각형 한 변의 길이를 $x(\text{cm})$라 하여 x의 범위를 구한다. [1점]
[2단계] 상자의 부피를 함수 $V(x)$로 나타낸다. [1점]
[3단계] 함수 $V(x)$의 증가와 감소를 표로 나타낸다. [1.5점]
[4단계] 상자의 부피의 최댓값을 구한다. [1.5점]

24

수직선 위를 움직이는 두 점 P, Q의 시각 t에서의 위치가 각각

$$x_\text{P}(t)=\frac{1}{3}t^3-5t+\frac{1}{3}, \ x_\text{Q}(t)=2t^2-10$$

일 때, 두 점 P, Q의 속도가 같아지는 순간에 두 점 사이의 거리를 구하는 과정을 서술하여라.

[1단계] 두 점 P, Q의 속도를 구한다. [1점]
[2단계] 속도가 같아지는 순간의 시각을 구한다. [2점]
[3단계] 두 점 사이의 거리를 구한다. [2점]

SYNERGY FINAL TEST

내신 1등급
적분
모의평가

총 3회 / 회당 24문제 5지선다형 20문제(4점) 서술형 4문제(5점)

SYNERGY
FINAL TEST

FINAL STEP

01

MAPL ; SYNERGY

적분 모의평가

100점 만점 총 24문제
(4점 × 20문제 − 객관식)
(5점 × 04문제 − 서술형)

시험시간 : 50분

01
5지선다 4점

모든 실수 x에 대하여

$$\int (9x^2 + ax - 4)dx = bx^3 + 3x^2 + cx + C \ (C는 \ 적분상수)$$

가 성립할 때, 상수 a, b, c에 대하여 $a+b+c$의 값은?

① -5 ② -3 ③ 0
④ 3 ⑤ 5

02
5지선다 4점

다항함수 $f(x)$에 대하여

$$\frac{d}{dx}\int_1^x t^2 f(t)dt = x^5 + 4x^2$$

일 때, $f(2)$의 값은?

① 4 ② 5 ③ 8
④ 12 ⑤ 16

03
5지선다 4점

함수 $f(x) = \int (2x+1)^2 dx - \int (2x-1)^2 dx$에 대하여

$f(1) = 2$일 때, $f(2)$은?

① 12 ② 14 ③ 16
④ 18 ⑤ 20

04
5지선다 4점

다항함수 $f(x)$의 도함수가

$$f'(x) = (x+1)(3x-1), \ f(1) = 5$$

일 때, $f(-2)$의 값은?

① -4 ② -2 ③ 0
④ 2 ⑤ 4

05
5지선다 4점

삼차함수 $y=f(x)$의 그래프는 x축에 접하며 $f(x)$의 극댓값은 0보다 크다. 함수 $y=f'(x)$의 그래프가 오른쪽 그림과 같을 때, 극댓값은?

① 2 ② 4
③ 6 ④ 8
⑤ 10

06
5지선다 4점

점 $(0, 2)$를 지나는 곡선 $y=f(x)$ 위의 임의의 점 (x, y)에서의 접선의 기울기가 $x^3 - x + 1$일 때, $f(2)$의 값은?

① 2 ② 4 ③ 6
④ 8 ⑤ 10

07

이차함수 $f(x)=-12x(x-a)$에 대하여

$$f'(0)+f'(2)=0$$

일 때, $\int_0^a f(x)dx$의 값은? (단, a는 상수이다.)

① 12   ② 14   ③ 16
④ 18   ⑤ 20

08

정적분

$$\int_1^3 (3x^2-8x)dx+\int_{-2}^1 (3x^2-8x)dx-\int_4^3 (3x^2-8x)dx$$

의 값은?

① 6   ② 9   ③ 12
④ 24   ⑤ 36

09

정적분 $\int_1^3 |x(x-2)|dx$의 값은?

① 2   ② 4   ③ 6
④ 8   ⑤ 10

10

연속함수 $f(x)$가 다음 조건을 만족할 때, 정적분

$$\int_{-3}^3 (x+4)f(x)dx$$

의 값은?

(가) 모든 실수 x에 대하여 $f(-x)=f(x)$이다.

(나) $\int_0^3 f(x)dx=3$

① 20   ② 22   ③ 24
④ 26   ⑤ 28

11

함수 $f(x)$가

$$f(x)=3x^2-2x+\int_0^2 f(t)dt$$

일 때, $f(1)$의 값은?

① -6 ② -3 ③ 0
④ 3   ⑤ 6

12

다항함수 $f(x)$가 모든 실수 x에 대하여

$$\int_2^x f(t)dt=x^4+2ax$$

를 만족시킬 때, $\int_{-2}^2 f(x)dx$의 값은? (단, a는 상수이다.)

① -32 ② -16 ③ 0
④ 16   ⑤ 32

13

5지선다 4점

다항함수 $f(x)$가 모든 실수 x에 대하여

$$\int_1^x f(t)\,dt = xf(x) - 3x^4 + 2x^2$$

을 만족시킬 때, $f(0)$의 값은?

① 1   ② 2   ③ 3

④ 4   ⑤ 5

16

5지선다 4점

$\displaystyle\lim_{h \to 0} \frac{1}{h}\int_1^{1+h}(3x^2-2x+1)\,dx$ 의 값은?

① 2   ② 3   ③ 4

④ 6   ⑤ 8

14

5지선다 4점

함수 $f(x) = \displaystyle\int_0^x (3t^2-3t-18)\,dt$ 의 극댓값은?

① 18   ② 19   ③ 20

④ 21   ⑤ 22

17

5지선다 4점

곡선 $y=x^2-x$와 x축 및 직선 $x=2$로 둘러싸인 도형의 넓이는?

① $\dfrac{2}{3}$ ② $\dfrac{5}{6}$ ③ 1

④ $\dfrac{7}{6}$ ⑤ $\dfrac{11}{6}$

15

5지선다 4점

삼차함수 $f(x)=x^3+3x^2-9x+a$에 대하여 함수

$$F(x) = \int_0^x f(t)\,dt$$

가 오직 하나의 극값을 갖도록 하는 양수 a의 최솟값은?

① 3   ② 4   ③ 5

④ 6   ⑤ 7

18

5지선다 4점

곡선 $y=x^3+x-3$과 이 곡선 위의 점 $(1, -1)$에서의 접선으로

둘러싸인 부분의 넓이가 $\dfrac{q}{p}$일 때, $p+q$의 값은?

(단, p와 q는 서로소인 자연수이다.)

① 29   ② 30   ③ 31

④ 32   ⑤ 33

19

직선 철로를 50m/s의 속도로 달리는 열차가 제동을 건 지 t초 후의 속도가

$$v(t)=50-t(\text{m/s})$$

일 때, 이 열차가 제동을 건 후 정지할 때까지 움직인 거리는? (단, $0 \leq t \leq 50$)

① 650m ② 750m ③ 850m
④ 1100m ⑤ 1250m

20

수직선 위에서 원점을 출발하여 움직이는 점 P의 t초 후의 속도 $v(t)$의 그래프가 오른쪽 그림과 같을 때, 다음 [보기]중 옳은 것을 있는 대로 고른 것은? (단, $0 \leq t \leq 6$)

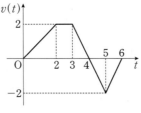

┌───┐
│ ㄱ. 출발 후 처음으로 방향을 바꿀 때 점 P의 위치 5이다.   │
│ ㄴ. 출발 후 6초 동안 점 P가 움직인 거리는 7이다.   │
│ ㄷ. $t=4$일 때, 점 P는 출발점에서 가장 멀리 떨어져 있다. │
└───┘

① ㄱ ② ㄷ ③ ㄱ, ㄴ
④ ㄱ, ㄷ ⑤ ㄱ, ㄴ, ㄷ

서술형

21

상수함수가 아닌 두 다항함수 $f(x)$, $g(x)$에 대하여

$$\frac{d}{dx}\{f(x)+g(x)\}=2x, \quad \frac{d}{dx}\{f(x)g(x)\}=3x^2+2x-1$$

이고, $f(0)=2$, $g(0)=1$일 때, 두 함수 $f(x)$, $g(x)$를 구하는 과정을 다음 단계로 서술하여라.

[1단계] $f(x)+g(x)$의 값을 구한다. [1.5점]

[2단계] $f(x)g(x)$의 값을 구한다. [1.5점]

[3단계] $f(0)=2$, $g(0)=1$을 만족하는 두 함수 $f(x)$, $g(x)$를 구한다. [1점]

[4단계] $f(1)-g(1)$의 값을 구한다. [1점]

22

미분가능한 함수 $f(x)$에 대하여

$$\int_1^x (x-t)f(t)dt=x^4+ax^2-10x+6$$

일 때, $f(a)$의 값을 구하는 과정을 다음 단계로 서술하여라.

[1단계] $\int_1^1 f(x)dx=0$임을 이용하여 상수 a의 값을 구한다. [2점]

[2단계] 주어진 식을 정리하여 함수 $f(x)$을 구한다. [2점]

[3단계] $f(a)$의 값을 구한다. [1점]

23

오른쪽 그림과 같이 곡선 $y=-x^2+4x$와 x축으로 둘러싸인 도형을 직선 $y=x$로 나눈 두 부분의 넓이를 각각 S_1, S_2라고 할 때, $\dfrac{S_1}{S_2}$의 값을 구하는 과정을 다음 단계로 서술하여라.

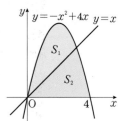

[1단계] S_1의 넓이를 구한다. [2점]

[2단계] S_2의 넓이를 구한다. [2점]

[3단계] $\dfrac{S_1}{S_2}$의 값을 구한다. [1점]

24

지상 55 m 높이에서 50 m/s의 속도로 지면과 수직하게 위로 쏘아올린 물체의 t초 후의 속도를 $v(t)$m/s라고 하면

$$v(t)=50-10t(0 \leq t \leq 11)$$

인 관계가 성립할 때, 이 물체가 지면에 떨어질 때까지 움직인 거리를 구하는 과정을 다음 단계로 서술하여라.

[1단계] 물체가 최고 높이에 도달할 때까지 걸린 시간을 구한다. [1점]

[2단계] 물체가 가장 높이 올라갔을 때의 높이를 구한다. [1점]

[3단계] 물체가 지면에 떨어질 때까지 움직인 거리를 구한다. [1.5점]

[4단계] 물체를 쏘아 올린 후 처음 8초 동안 물체가 움직인 거리를 구한다. [1.5점]

FINAL STEP

02

MAPL ; SYNERGY

적분 모의평가

100점 만점 총 24문제
(4점 × 20문제 – 객관식)
(5점 × 04문제 – 서술형)

시험시간 : 50분

01

5지선다 4점

함수 $f(x)$가 $f(x)=\int(x^2-3x+2)dx$일 때,

$\lim\limits_{h \to 0}\dfrac{f(3+2h)-f(3)}{h}$의 값은?

① 1　　　　　② 2　　　　　③ 3
④ 4　　　　　⑤ 5

02

5지선다 4점

함수

$$f(x)=\int\left\{\dfrac{d}{dx}(x^3-x)\right\}dx$$

에 대하여 $f(0)=1$일 때, $f(2)$의 값은?

① 5　　　　　② 6　　　　　③ 7
④ 8　　　　　⑤ 9

03

5지선다 4점

모든 실수 x에 대하여

$$3x^2f(x)+(x^3-1)f'(x)=2x+1$$

을 만족시키는 함수 $f(x)$에 대하여 $f(3)$의 값은?

① $\dfrac{1}{4}$　　　　② $\dfrac{1}{3}$　　　　③ $\dfrac{5}{13}$
④ $\dfrac{2}{5}$　　　　⑤ $\dfrac{4}{7}$

04

5지선다 4점

곡선 $y=f(x)$ 위의 점 $(x,\,f(x))$에서의 접선의 기울기가
$3x^2-2x$이다. 이 곡선이 점 $(1,\,1)$을 지날 때, $f(2)$의 값은?

① 3　　　　　② 4　　　　　③ 5
④ 6　　　　　⑤ 7

05

5지선다 4점

미분가능한 함수 $f(x)$가 임의의 실수 $x,\,y$에 대하여

$$f(x+y)=f(x)+f(y)+2xy$$

를 만족시키고 $\lim\limits_{h \to 0}\dfrac{f(h)}{h}=1$일 때, $f(2)$의 값은?

① 6　　　　　② 9　　　　　③ 12
④ 15　　　　⑤ 18

06

5지선다 4점

함수 $f(x)=6x^2+2ax$가

$$\int_0^1 f(x)dx=f(1)$$

을 만족시킬 때, 상수 a의 값은?

① -4　　　　② -2　　　　③ 0
④ 2　　　　　⑤ 4

07

5지선다 4점

정적분

$$\int_{-1}^{0}(2t^3-3t^2+t-1)dt+\int_{0}^{1}(2x^3-3x^2+x-1)dx$$

의 값은?

① -8 ② -6 ③ -4

④ -2 ⑤ 0

08

5지선다 4점

이차함수 $f(x)$ 가

$$\int_{-2}^{2}f(x)dx=\int_{0}^{2}f(x)dx=\int_{-2}^{0}f(x)dx$$

를 만족시키고, $f(0)=1$ 일 때, $f(2)$ 의 값은?

① -3 ② -2 ③ -1

④ 1 ⑤ 2

09

5지선다 4점

함수 $y=\left|\dfrac{1}{2}x^2-2\right|$ 의 그래프와 직선 $y=6$ 으로 둘러싸인 부분의 넓이는?

① 16 ② 20 ③ 24

④ 32 ⑤ 36

10

5지선다 4점

연속함수 $f(x)$ 가 모든 실수 x 에 대하여

$$f(x)+f(-x)=0,\ \int_{0}^{2}xf(x)dx=5$$

일 때, 정적분 $\int_{-2}^{2}(x^2-2x+6)f(x)dx$ 의 값은?

① -24 ② -20 ③ 0

④ 20 ⑤ 24

11

5지선다 4점

다음 두 조건을 만족하는 함수 $f(x)$ 에 대하여

정적분 $\int_{10}^{11}f(x)dx$ 의 값은?

(가) $-2\leq x\leq 2$ 일 때, $f(x)=x^3-4x$

(나) 임의의 실수 x 에 대하여 $f(x)=f(x+4)$

① $\dfrac{3}{2}$ ② 2 ③ $\dfrac{9}{4}$

④ 3 ⑤ $\dfrac{9}{2}$

12

5지선다 4점

삼차함수 $f(x)$ 에 대하여 함수 $f(x)$ 의 증가와 감소를 표로 나타내면 다음과 같다.

x	0	$\cdots$	1	$\cdots$	3	$\cdots$
$f'(x)$		$+$	0	$-$	0	$+$
$f(x)$	0	↗	3	↘	0	↗

$\int_{0}^{3}|f'(x)|dx$ 의 값은?

① 6 ② 8 ③ 10

④ 12 ⑤ 20

13

5지선다 4점

다항함수 $f(x)$가 모든 실수 x에 대하여

$$xf(x)=x^3-x^2+\int_1^x f(t)dt$$

를 만족시킬 때, $f(2)$의 값은?

① $\dfrac{1}{2}$ ② 1 ③ $\dfrac{3}{2}$

④ 2 ⑤ $\dfrac{5}{2}$

14

5지선다 4점

오른쪽 그림과 같이 이차항의 계수가 1인 이차함수 $f(x)$에 대하여 함수 $g(x)$를

$$g(x)=\int_x^{x+2} f(t)dt$$

로 정의할 때, $g(x)$의 최솟값은?

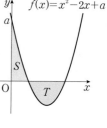

① $-\dfrac{4}{3}$ ② $-\dfrac{1}{4}$ ③ $\dfrac{3}{4}$

④ 1 ⑤ $\dfrac{5}{4}$

15

5지선다 4점

모든 실수 x에 대하여 연속인 함수 $f(x)$가 다음 조건을 만족시킬 때, $\int_9^{10} f(x)dx$의 값은?

(가) $\int_0^1 f(x)dx=1$

(나) $\int_n^{n+2} f(x)dx=\int_n^{n+1} 2xdx$ (단, $n=0, 1, 2, \cdots$)

① 4 ② 6 ③ 8

④ 10 ⑤ 12

16

5지선다 4점

오른쪽 그림과 같이 곡선 $y=x^2-2x+a$와 x축 및 y축으로 둘러싸인 도형의 넓이를 S라 하고, 곡선 $y=x^2-2x+a$와 x축으로 둘러싸인 도형의 넓이를 T라 하자. $S:T=1:2$일 때, 상수 a의 값은? (단, $0<a<1$)

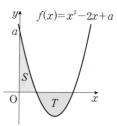

① $\dfrac{1}{6}$ ② $\dfrac{1}{3}$ ③ $\dfrac{1}{2}$

④ $\dfrac{2}{3}$ ⑤ $\dfrac{5}{6}$

17

5지선다 4점

두 곡선 $y=x^2$, $y=(x-4)^2$과 y축으로 둘러싸인 부분의 넓이를 S_1, 두 곡선 $y=x^2$, $y=(x-4)^2$과 직선 $x=4$로 둘러싸인 부분의 넓이를 S_2라 할 때, S_1+S_2의 값은?

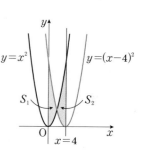

① 30 ② 32 ③ 34

④ 36 ⑤ 38

18

5지선다 4점

함수 $f(x)=x^3+1$ $(x \geq 0)$의 역함수를 $g(x)$라 할 때, 곡선 $y=g(x)$와 두 직선 $y=0$, $y=2$ 및 y축으로 둘러싸인 부분의 넓이는?

① 3 ② 4 ③ 5

④ 6 ⑤ 7

19

수직선 위를 움직이는 점 P의 시각 t에서의 속도 $v(t)$가

$$v(t)=40-at$$

이다. 시각 $t=4$에서 점 P의 운동 방향이 바뀌었을 때, 점 P가 시각 $t=0$에서 $t=6$까지 움직인 거리는? (단, a는 상수)

① 90   ② 95   ③ 100

④ 105   ⑤ 110

20

어느 전망대에 설치된 승강기는 1층에서 출발하여 꼭대기에서 올라가는 동안 출발 후 처음 3초까지는 4m/s²의 가속도로 올라가고, 3초 후부터 8초까지는 등속도로 올라가며, 8초 후부터는 -3m/s²의 가속도로 올라가서 멈춘다. 이 승강기가 출발하여 멈출 때까지 움직인 거리는?

① 82m   ② 86m   ③ 90m

④ 96m   ⑤ 102m

서 술 형

21번 ~ 24번   5점

21

삼차함수 $f(x)$의 도함수를 $f'(x)$라고 할 때, $y=f'(x)$의 그래프는 오른쪽 그림과 같고 $f(x)$의 극솟값이 3, 극댓값이 5일 때, $f(1)$의 값을 구하는 과정을 다음 단계로 서술하여라.

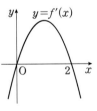

[1단계] 그래프에서 도함수 $f'(x)$의 식을 이용하여 부정적분 $f(x)$의 식을 작성한다. [1.5점]

[2단계] 함수 $f(x)$의 극댓값이 5, 극솟값이 3임을 이용하여 최고차항의 계수와 적분상수를 구한다. [2.5점]

[3단계] 삼차함수 $f(x)$에 대하여 $f(1)$값을 구한다. [1점]

22

두 함수 $f(x)$, $g(x)$가

$$f(x)=2x+1-\int_0^1 g(t)dt,$$

$$g(x)=4x-3+\int_0^2 f(t)dt$$

를 만족시킬 때, $f(1)+g(2)$의 값을 구하는 과정을 다음 단계로 서술하여라.

[1단계] $\int_0^1 g(t)dt=a$, $\int_0^2 f(t)dt=b$ (단, a, b 는 상수)로 놓고 a, b의 값을 구한다. [2.5점]

[2단계] $f(x)$을 구하여 $f(1)$의 값을 구한다. [1점]

[3단계] $g(x)$을 구하여 $g(2)$의 값을 구한다. [1점]

[4단계] $f(1)+g(2)$의 값을 구한다. [0.5점]

23

$f(x)$는 다항함수이고 $f(x)+x^2+\int_2^x f(t)dt$가 $(x-2)^2$으로 나누어떨어질 때, $f'(x)$를 $(x-2)$로 나눈 나머지를 구하는 과정을 다음 단계로 서술하여라.

[1단계] $F(x)=f(x)+x^2+\int_2^x f(t)dt$에 대하여

$F(x)$을 $(x-2)^2$으로 나누어떨어지면

$F(2)=0$, $F'(2)=0$이 성립함을 보인다. [2점]

[2단계] 다항함수 $f(x)$에 대하여 $f(2)$, $f'(2)$의 값을 구한다. [1.5점]

[3단계] $f'(x)$를 $(x-2)$로 나눈 나머지를 구한다. [1.5점]

24

시각 $t=0$일 때, 동시에 원점을 출발하여 수직선 위를 움직이는 두 점 P, Q의 시각 t에서의 속도가 각각

$$v_P(t)=\begin{cases} 2t & (0 \le t < 2) \\ -\dfrac{1}{2}t+5 & (2 \le t \le 10) \end{cases},$$

$$v_Q(t)=-\frac{3}{50}t^2+at(0 \le t \le 10)$$

이다. 출발한 후 시각 $t=10$에서 두 점 P, Q는 만난다. 이때 상수 a를 구하는 과정을 다음 단계로 서술하여라.

[1단계] 시각 $t=10$에서의 점 P의 위치를 구한다. [2점]

[2단계] 시각 $t=10$에서의 점 Q의 위치를 구한다. [2점]

[3단계] 원점에서 출발한 후 다시 만날 때, 상수 a의 값을 구한다. [1점]

FINAL STEP

03

MAPL ; SYNERGY

적분 모의평가

100점 만점 총 24문제
(4점 × 20문제 – 객관식)
(5점 × 04문제 – 서술형)

시험시간 : 50분

01

5지선다 4점

두 다항함수 $f(x)$, $g(x)$에 대하여

$$\frac{d}{dx}\{f(x)+g(x)\}=4x,$$

$$\frac{d}{dx}\{f(x)g(x)\}=6x^2+6x-1$$

이고, $f(0)=2$, $g(0)=1$일 때, $f(1)+g(2)$의 값은?

① 6   ② 7   ③ 8

④ 9   ⑤ 10

02

5지선다 4점

함수 $f(x)=\int(x+1)(x^2-x+1)dx$에 대하여

$f(0)=\dfrac{3}{4}$일 때, $\displaystyle\lim_{x\to 1}\frac{xf(x)-f(1)}{x^2-1}$의 값은?

① −1   ② 0   ③ 1

④ 2   ⑤ 3

03

5지선다 4점

함수 $f'(x)=-6x^2-8x+a$이고 $f(x)$가 $(x+1)(x+2)$로 나누어떨어질 때, $f(1)$의 값은?

① −4   ② −2   ③ 0

④ 2   ⑤ 4

04

5지선다 4점

함수 $y=f(x)$의 도함수 $y=f'(x)$의 그래프가 오른쪽 그림과 같은 이차함수이다. $\displaystyle\lim_{x\to\infty}\frac{f(x)}{x^3}=1$이고, 극댓값이 3일 때, 함수 $f(x)$의 극솟값은?

① −19   ② −21   ③ −24

④ −27   ⑤ −29

05

5지선다 4점

다항함수 $f(x)$와 그 부정적분 $F(x)$ 사이에

$$F(x)=xf(x)-x^3+2x^2-3$$

인 관계가 성립한다. $f(0)=1$일 때, 함수 $f(2)$의 값은?

① −1   ② 0   ③ 1

④ 2   ⑤ 4

06

5지선다 4점

다음 조건을 만족하는 정적분의 값 a, b에 대하여 $a-b$의 값은?

(가) $\displaystyle\int_0^1(2x^2+5x+1)dx-\int_1^0(3x-4x^2)dx=a$

(나) $\displaystyle\int_{-2}^5(x^3+4x^2+7x-5)dx+\int_5^2(x^3+4x^2+7x-5)dx=b$

① 2   ② 3   ③ 4

④ $\dfrac{17}{3}$ ⑤ $\dfrac{19}{3}$

07

연속함수 $f(x)$가

$$f(0)=0, \quad f'(x)=x+|x-1|$$

을 만족시킬 때, $\int_0^2 f(x)dx$의 값은?

① $\dfrac{3}{2}$ ② $\dfrac{4}{3}$ ③ $\dfrac{5}{2}$

④ $\dfrac{7}{3}$ ⑤ $\dfrac{11}{3}$

08

사차함수 $f(x)$의 도함수 $f'(x)$의 그래프가 다음 그림과 같다.

$$f(-1)=1, \quad f(2)=7, \quad \int_{-3}^{2} f'(x)dx=3$$

일 때, 방정식 $f(x)-k=0$이 서로 다른 네 실근을 가지도록 하는 모든 정수 k의 합은?

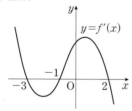

① 5   ② 11   ③ 13

④ 15   ⑤ 18

09

연속함수 $f(x)$가 다음 두 조건을 만족한다.

(가) 모든 실수 x에 대하여 $f(-x)=-f(x)$

(나) $\int_0^1 f(x)dx=2, \quad \int_0^1 xf(x)dx=5$

이때 $\int_{-1}^{1} (x+1)^2 f(x)dx$의 값은?

① 20   ② 22   ③ 24

④ 26   ⑤ 28

10

함수 $f(x)$가 다음 조건을 만족시킬 때, 정적분 $\int_{-5}^{7} f(x+1)dx$의 값은?

(가) $f(x)=\begin{cases} x^2 & (0 \le x < 2) \\ -2x+8 & (2 < x \le 4) \end{cases}$

(나) 모든 실수 x에 대하여 $f(x-2)=f(x+2)$이다.

① 18   ② 19   ③ 20

④ 21   ⑤ 22

11

함수 $f(x)$가 모든 실수 x에 대하여

$$f(x)=3x^2+\int_0^2 (2x-1)f(t)dt$$

를 만족할 때, $f(1)$의 값은?

① -5 ② -3 ③ -1

④ 1   ⑤ 3

12

다항함수 $f(x)$가 모든 실수 x에 대하여

$$x^3 f(x)=\frac{1}{2}x^4+\frac{9}{2}+3\int_1^x t^2 f(t)dt$$

를 만족시킨다. $\int_1^2 x^2 f(x)dx=\dfrac{q}{p}$일 때, $p+q$의 값은? (단, p와 q는 서로소인 자연수이다.)

① 29   ② 30   ③ 31

④ 32   ⑤ 33

13

5지선다 4점

다항함수 $f(x)$에 대하여 함수 $F(x)$를

$$F(x)=f(x)-4x+3\int_2^x f(t)dt$$

라 하자. 다항식 $F(x)$가 이차식 $(x-2)^2$으로 나누어 떨어질 때, $f(2)-f'(2)$의 값은?

① 25 ② 26 ③ 27
④ 28 ⑤ 29

14

5지선다 4점

함수

$$f(x)=\int_0^x (t+3)(t-1)dt$$

의 극댓값을 a, 극솟값을 b라고 할 때, $a+3b$의 값은?

① 2 ② 3 ③ 4
④ 5 ⑤ 6

15

5지선다 4점

임의의 두 실수 x, y에 대하여

$$f(x-y)=f(x)-f(y)+3xy(x-y)$$

를 만족시키는 다항함수 $f(x)$가 $x=2$에서 극댓값 a를 가진다. $f'(0)=b$일 때, $a-b$의 값은?

① 2 ② 4 ③ 6
④ 8 ⑤ 10

16

5지선다 4점

수직선 위를 움직이는 점 P의 시각 t에서의 속도 $v(t)$가

$$v(t)=3t^2-4t-4$$

일 때, 시각 $t=0$에서 $t=3$까지 점 P가 움직인 거리는?

① 10 ② 11 ③ 12
④ 13 ⑤ 14

17

5지선다 4점

곡선 $y=-x^2+6$과 직선 $y=2x+3$으로 둘러싸인 부분의 넓이는?

① $\dfrac{23}{3}$ ② $\dfrac{26}{3}$ ③ $\dfrac{29}{3}$
④ $\dfrac{32}{3}$ ⑤ $\dfrac{35}{3}$

18

5지선다 4점

함수 $f(x)=\dfrac{1}{2}x^3$의 그래프 위의 점 $P(a,\ b)$에 대하여 곡선 $y=f(x)$와 x축 및 직선 $x=1$로 둘러싸인 부분의 넓이를 S_1, 곡선 $y=f(x)$와 두 직선 $x=1$, $y=b$로 둘러싸인 부분의 넓이를 S_2라 하자. $S_1=S_2$일 때, $30a$의 값은? (단, $a>1$)

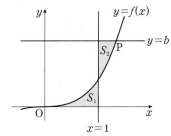

① 20 ② 30 ③ 40
④ 50 ⑤ 60

19

곡선 $y=|x^2-3x+2|$과 직선 $y=x+2$로 둘러싸인 도형의 넓이는?

① $\dfrac{9}{2}$　　　　② $\dfrac{19}{3}$　　　　③ $\dfrac{31}{3}$

④ $\dfrac{34}{3}$　　　　⑤ 12

20

함수 $f(x)=x^2+x\,(x\geq 0)$의 역함수를 $g(x)$라 할 때,

$$\int_k^{k+1} f(x)dx+\int_{f(k)}^{f(k+1)} g(x)dx=44$$

를 만족시키는 양수 k의 값은?

① 1　　　　② 2　　　　③ 3

④ 4　　　　⑤ 5

서 술 형

21번 ~ 24번　5점

21

삼차함수 $f(x)$의 도함수 $y=f'(x)$의
그래프가 그림과 같이 두 점
$(-1,0)$, $(1,0)$을 지난다. 함수 $f(x)$
의 극솟값이 0이고, 곡선 $y=f(x)$와
x축으로 둘러싸인 부분의 넓이가 9일

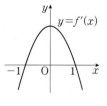

때, 함수 $f(x)$의 극댓값을 구하는 과정을 다음 단계로 서술하여라.

[1단계] 그래프에서 도함수 $f'(x)$의 식을 이용하여 부정적분
　　　　$f(x)$의 식을 작성한다. [1.5점]

[2단계] 함수 $f(x)$의 극솟값이 0이고 곡선 $y=f(x)$와 x축으로
　　　　둘러싸인 부분의 넓이가 9임을 이용하여 삼차함수 $f(x)$을
　　　　구한다. [2.5점]

[3단계] $f(x)$의 극댓값을 구한다. [1점]

22

실수 전체에서 정의된 연속함수 $f(x)$가 $f(x)=f(x+4)$를 만족하고

$$f(x)=\begin{cases}-4x+2 & (0\leq x<2) \\ x^2-2x+a & (2\leq x\leq 4)\end{cases}$$

일 때, $\displaystyle\int_9^{11} f(x)dx$의 값을 구하는 과정을 다음 단계로 서술하여라.

[1단계] 함수 $f(x)$가 실수 전체에서 연속이기 위한 상수 a의 값을
　　　　구한다. [1.5점]

[2단계] $f(x)=f(x+4)$임을 이용하여 $\displaystyle\int_9^{11} f(x)dx$을 정리한다.
　　　　[1.5점]

[3단계] $\displaystyle\int_9^{11} f(x)dx$의 값을 구한다. [2점]

23

다항함수 $f(x)$에 대하여

$$\int_1^x (x-t)f'(t)dt=\frac{1}{4}x^4-ax^3+\frac{9}{2}x^2+5x-\frac{31}{4}$$

가 성립할 때, 함수 $f(x)$의 극댓값을 M, 극솟값을 m이라 할 때,
$M-m$의 값을 구하는 과정을 다음 단계로 서술하여라.
(단, a는 상수)

[1단계] 정적분의 기본 정의에 의하여 상수 a의 값을 구한다. [1점]

[2단계] 함수 $f(x)$를 구한다. [2점]

[3단계] 함수 $f(x)$의 극댓값 M, 극솟값 m을 구하여 $M-m$의 값을
　　　　구한다. [2점]

24

원점에서 동시에 출발하여 수직선 위를 움직이는 두 점 P, Q의
시각 t에서의 속도는 각각

$$v_P(t)=3t^2-4t+2, \quad v_Q(t)=11-4t$$

이다. 두 점 P, Q가 다시 만나게 될 때까지의 시각 중 두 점 P, Q
사이의 거리의 최댓값을 구하는 과정을 다음 단계로 서술하여라.

[1단계] 시각 t에서의 두 점 P, Q의 위치를 구한다. [1.5점]

[2단계] 원점에서 출발한 후 다시 만날 때, 시각을 $t=a$라고 할 때,
　　　　a의 값을 구한다. [1.5점]

[3단계] 두 점 P, Q 사이의 거리를 $h(t)$라고 할 때, $h(t)$를 t에 대
　　　　한 식으로 나타내고, 두 점 P, Q 사이의 거리의 최댓값을
　　　　구한다. (단, $0\leq t\leq a$) [2점]

SYNERGY
FINAL TEST

내신 1등급
중간고사 기말고사
모의평가

총 4회 / 회당 24문제 5지선다형 20문제(4점) 서술형 4문제(5점)

중간고사 : 함수의 극한~접선의 방정식

기말고사 : 함수의 극대 극소와 그래프~속도와 거리

SYNERGY
FINAL TEST

M A P L ; S Y N E R G Y
중간고사 모의평가

100점 만점 총 24문제
(4점 × 20문제 – 객관식)
(5점 × 04문제 – 서술형)

시험시간 : 50분

01
5지선다 4점

$0 \le x \le 4$에서 함수 $y=f(x)$의 그래프가 오른쪽 그림과 같다. [보기]에서 옳은 것만을 있는 대로 고른 것은?

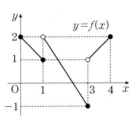

ㄱ. $\lim\limits_{x \to 1^-} f(x)=1$

ㄴ. $\lim\limits_{x \to 1^+} f(x)+\lim\limits_{x \to 4^-} f(x-1)=-1$

ㄷ. $\lim\limits_{x \to a^+} f(x) > \lim\limits_{x \to a^-} f(x)$를 만족시키는 실수 a가 2개 존재한다.
  (단, $0 < a < 4$)

① ㄱ   ② ㄴ   ③ ㄱ, ㄴ
④ ㄱ, ㄷ   ⑤ ㄱ, ㄴ, ㄷ

02
5지선다 4점

함수 $f(x)$에 대하여

$$\lim\limits_{x \to 2} f(x-2)=3$$

이 성립할 때, $\lim\limits_{x \to 0} \dfrac{1+2f(x)}{2-f(x)}$의 값은?

① -7 ② -5 ③ -1
④ 2 ⑤ 4

03
5지선다 4점

$\lim\limits_{x \to 4} \dfrac{\sqrt{2x+1}-3}{x-4} \times \lim\limits_{x \to \infty}(\sqrt{x^2+6x+5}-x)$의 값은?

① 1 ② 2 ③ 3
④ 4 ⑤ 5

04
5지선다 4점

함수 $f(x)$가 닫힌구간 $[a, b]$에서 연속일 때, 다음 중 옳지 않은 것은? (단, $a < b$)

① 함수 $f(x)$는 닫힌구간 $[a, b]$에서 반드시 최댓값과 최솟값을 갖는다.

② $f(a)f(b)>0$이면 방정식 $f(x)=0$은 열린구간 (a, b)에서 실수해를 갖지 않는다.

③ 함수 $f(x)$가 열린구간 (a, b)에서 미분가능할 때, $f(a)=f(b)$이면 $f'(c)=0$인 c가 a와 b 사이에 적어도 하나 존재한다.

④ 함수 $f(x)$가 열린구간 (a, b)에서 미분가능할 때, $\dfrac{f(b)-f(a)}{b-a}=f'(c)$인 c가 a와 b 사이에 적어도 하나 존재한다.

⑤ $f(a)f(b)<0$이면 방정식 $f(x)=0$은 닫힌구간 $[a, b]$에서 적어도 하나의 실수해를 갖는다.

05
5지선다 4점

함수 $f(x)$가 양수 x에 대하여

$$3x-1<f(x)<3x+2$$

를 만족할 때, $\lim\limits_{x \to \infty} \dfrac{\{f(x)\}^2}{x^2-1}$의 값은?

① 8 ② 9 ③ 10
④ 11 ⑤ 12

06
5지선다 4점

$\lim\limits_{x \to 1} \dfrac{a\sqrt{x}+b}{x-1}=2$가 성립할 때 상수 a, b에 대하여 ab의 값은?

① -16 ② -9 ③ -8
④ 9 ⑤ 16

　　　　　　　　　　　　　　　　5지선다 4점

삼차함수 $f(x)$에 대하여

$$\lim_{x \to -1} \frac{f(x)}{x+1} = 6, \quad \lim_{x \to 2} \frac{f(x)}{x-2} = 3$$

일 때, $\lim_{x \to 1} \dfrac{f(x)}{x-1}$의 값은?

① -2 　　　　② -1 　　　　③ 0
④ 1 　　　　⑤ 2

　　　　　　　　　　　　　　　　5지선다 4점

두 상수 a, b에 대하여 함수

$$f(x) = \begin{cases} \dfrac{x^2 + ax - 2}{x-1} & (x \neq 1) \\ b & (x = 1) \end{cases}$$

이 실수 전체의 집합에서 연속일 때, $a+b$의 값은?

① -2 　　　　② -1 　　　　③ 0
④ 1 　　　　⑤ 4

　　　　　　　　　　　　　　　　5지선다 4점

연속함수 $f(x)$가 다음 조건을 만족시킨다.

(가) 모든 실수 x에 대하여 $f(x+5) = f(x)$

(나) $f(x) = \begin{cases} 2x + a & (-2 \leq x < 1) \\ x^2 + bx + 3 & (1 \leq x \leq 3) \end{cases}$

이때 $f(2021)$의 값은?

① -5 　　　　② -4 　　　　③ -3
④ -2 　　　　⑤ -1

　　　　　　　　　　　　　　　　5지선다 4점

함수

$$f(x) = \begin{cases} a & (x < 1) \\ x + 3 & (x \geq 1) \end{cases}$$

에 대하여 함수 $(x-a)f(x)$가 실수 전체의 집합에서 연속이 되도록 하는 모든 실수 a의 값의 합은?

① 1 　　　　② 2 　　　　③ 3
④ 4 　　　　⑤ 5

　　　　　　　　　　　　　　　　5지선다 4점

다항함수 $f(x)$에 대하여

$$\lim_{x \to 2} \frac{f(x+1) - 8}{x^2 - 4} = 5$$

일 때, $f(3) + f'(3)$의 값은?

① 20 　　　　② 23 　　　　③ 24
④ 27 　　　　⑤ 28

　　　　　　　　　　　　　　　　5지선다 4점

다음 중 $x=0$에서 연속이지만 미분가능하지 않은 함수는?
(단, $[x]$는 x보다 크지 않은 최대의 정수이다.)

① $f(x) = |x|^2$ 　　② $f(x) = \dfrac{|x|}{x}$ 　　③ $f(x) = [x]$

④ $f(x) = x|x|$ 　　⑤ $f(x) = |x| - x$

13
5지선다 4점

함수

$$f(x)=\begin{cases} x^2+2x+a & (x<1) \\ bx^2+6x & (x\geq1) \end{cases}$$

에 대하여 $x=1$에서 미분가능할 때, 두 상수 a, b에 대하여 $a+b$의 값은?

① -2 　　② -1 　　③ 0
④ 1 　　⑤ 2

14
5지선다 4점

다항함수 $f(x)$에 대하여 $\lim\limits_{h\to0}\dfrac{f(1+h)-3}{h}=2$일 때,
함수 $g(x)=(x+2)f(x)$에 대하여 $g'(1)$의 값은?

① 5 　　② 6 　　③ 7
④ 8 　　⑤ 9

15
5지선다 4점

두 다항함수 $f(x)$와 $g(x)$가 다음 조건을 만족시킨다.

(가) $\lim\limits_{x\to0}\dfrac{f(x)-3}{x}=5$

(나) $\lim\limits_{x\to0}\dfrac{g(x)}{x^2+2x}=4$

함수 $h(x)$를 $h(x)=f(x)g(x)$라 할 때, $h'(0)$의 값은?

① 20 　　② 21 　　③ 22
④ 23 　　⑤ 24

16
5지선다 4점

함수 $f(x)=\begin{cases} (x-1)^2 & (x<2) \\ 2x-3 & (2<x<3) \\ 6-x & (x\geq3) \end{cases}$ 에 대하여

함수 $y=f(x)$의 그래프가 그림과 같다.

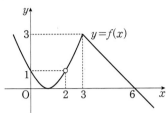

전체집합 $U=\{0,\ 1,\ 2,\ 3,\ 4,\ 5,\ 6\}$의 부분집합 A를
$A=\{a\,|\,f'(a)$의 값이 존재한다.$\}$라 할 때, 집합 A^c의 모든 원소의
합은?

① 3 　　② 4 　　③ 5
④ 6 　　⑤ 7

17
5지선다 4점

다음 세 조건을 만족하는 함수 $f(x)$에 대하여 $f(2)$는?

(가) $f(x)$는 x에 대한 이차함수이다.

(나) 함수 $y=f(x)$의 그래프는 점 $(-1,\ 1)$을 지난다.

(다) 임의의 실수 x에 대하여 $(2x+1)f'(x)-4f(x)+3=0$이
성립한다.

① 3 　　② 5 　　③ 7
④ 9 　　⑤ 12

18
5지선다 4점

다항식 $x^{10}+ax+b$를 $(x-1)^2$으로 나누었을 때, 나머지가
$7x-8$이다. 이때 $a+2b$의 값은? (단, a, b는 상수)

① -3 　　② -1 　　③ 0
④ 1 　　⑤ 3

19

5지선다 4점

함수 $f(x)=-x^3+ax+3$의 그래프 위의 점 $(-1, -1)$에서의 접선의 기울기가 m일 때, 상수 a와 m에 대하여 $a+m$의 값은?

① 3   ② 5   ③ 7
④ 9   ⑤ 11

20

5지선다 4점

최고차항의 계수가 1인 삼차함수 $f(x)$에 대하여 곡선 $y=f(x)$ 위의 점 $(2, 4)$에서의 접선이 점 $(-1, 1)$에서 이 곡선과 만날 때, $f'(3)$의 값은?

① 10   ② 11   ③ 12
④ 13   ⑤ 14

서 술 형

21번 ~ 24번   5점

21

서술형 5점

다항함수 $f(x)$가

$$\lim_{x \to \infty} \frac{f(x)}{x^2+2x}=2, \quad \lim_{x \to -2} \frac{f(x)}{x^2-4}=1$$

을 만족시킬 때, $\lim_{x \to 1} \frac{f(x)-6}{x-1}$의 값을 구하는 과정을 다음 단계로 서술하여라.

[1단계] $\lim_{x \to \infty} \dfrac{f(x)}{x^2+2x}=2$에서 다항함수 $f(x)$의 차수를 구한다. [1점]

[2단계] $\lim_{x \to -2} \dfrac{f(x)}{x^2-4}=1$에서 $f(x)$가 다항함수 $x+2$를 인수로 가짐을 보인다. [1.5점]

[3단계] 1, 2단계를 이용하여 다항함수 $f(x)$를 구한다. [1.5점]

[4단계] $\lim_{x \to 1} \dfrac{f(x)-6}{x-1}$의 값을 구한다. [1점]

22

서술형 5점

함수 $f(x)=x^2+2x+2$에 대하여 x의 값이 -1에서 a까지 변할 때의 평균변화율과 $x=1$에서 미분계수와 같을 때, 상수 a의 값을 구하는 과정을 다음 단계로 서술하여라.

[1단계] 함수 $f(x)$가 x의 값이 -1에서 a까지 변할 때의 평균변화율을 구한다. [2점]

[2단계] 함수 $f(x)$의 $x=1$에서의 미분계수를 구한다. [2점]

[3단계] 1, 2단계에서 평균변화율과 미분계수가 같을 때, a의 값을 구한다. [1점]

23

서술형 5점

곡선 $y=-x^3+5x$ 위의 점 $A(1, 4)$에서의 접선과 이 곡선이 만나는 접점이 아닌 다른 한 점을 B라고 할 때, 선분 AB의 길이를 구하는 과정을 다음 단계로 서술하여라.

[1단계] 곡선 위의 점 $A(1, 4)$에서 접선의 방정식을 구한다. [2점]

[2단계] 1단계에서 구한 접선과 곡선 $y=-x^3+5x$의 교점의 한 점 B의 좌표를 구한다. [2점]

[3단계] 선분 AB의 길이를 구한다. [1점]

24

서술형 5점

$x \le 4$에서 정의된 곡선 $f(x)=\dfrac{1}{3}x^3-x^2-x$가 있다.

두 점 $A(-3, 0)$, $B(0, 6)$과 곡선 $y=f(x)$ 위의 점 P에 대하여 삼각형 ABP의 넓이의 최솟값을 구하는 과정을 다음 단계로 서술하여라.

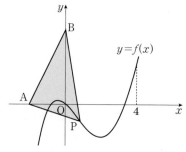

[1단계] 직선 AB의 방정식을 구하여 직선 AB에 평행한 곡선 $f(x)$에 접하는 접점의 x좌표를 구한다. [2점]

[2단계] 넓이가 최소가 되는 곡선 위의 점 P에서 직선 AB 사이의 거리를 구한다. [1.5점]

[3단계] 삼각형 ABP의 넓이의 최솟값을 구한다. [1.5점]

내신 1등급 모의고사

02

중간고사 모의평가

100점 만점 총 24문제
(4점 × 20문제 − 객관식)
(5점 × 04문제 − 서술형)

시험시간 : 50분

01
5지선다 4점

함수 $y=f(x)$의 그래프가 그림과 같다.

$\lim\limits_{x \to 1+} f(x) + \lim\limits_{x \to -1-} f(x) + \lim\limits_{x \to 0+} f(x)$의 값은?

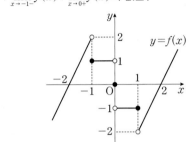

① -2 ② -1 ③ 0

④ 1 ⑤ 2

02
5지선다 4점

함수 $f(x)=\begin{cases} x^2-2 & (x \geq 3) \\ -x+k & (x < 3) \end{cases}$에 대하여 $\lim\limits_{x \to 3} f(x)$의 값이 존재하도록 하는 상수 k의 값은?

① 6   ② 7   ③ 8

④ 9   ⑤ 10

03
5지선다 4점

함수 $f(x)$가 $\lim\limits_{x \to 1}\{(x^2+1)f(x)\}=6$을 만족시킬 때,

$\lim\limits_{x \to 1}\{(x+3)f(x)\}$의 값은?

① 4   ② 6   ③ 8

④ 10   ⑤ 12

04
5지선다 4점

$\lim\limits_{x \to \infty}\{x(\sqrt{ax^2+b}-x)\}=4$일 때, 상수 a, b에 대하여 $a+b$의 값은?

① 7   ② 8   ③ 9

④ 10   ⑤ 11

05
5지선다 4점

$x=3$에서 연속인 함수 $f(x)$가

$$\lim\limits_{x \to 3-} f(x)=a-1, \quad \lim\limits_{x \to 3+} f(x)=2a+1$$

을 만족시킬 때, $f(3)$의 값은? (단, a는 상수이다.)

① -5 ② -4 ③ -3

④ -2 ⑤ -1

06
5지선다 4점

그림과 같이 점 $P(3t, 2)$와 곡선 $y=\sqrt{2x}$ 위의 점 $Q(2t, 2\sqrt{t})$에 대하여 $f(t)=\overline{OQ}^2-\overline{PQ}^2$이라 할 때, $\lim\limits_{t \to \infty}\dfrac{f(t)}{t^2}$의 값은?

(단, $t > 0$이고, O는 원점이다.)

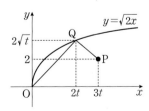

① 1   ② 2   ③ 3

④ 4   ⑤ 5

07

5지선다 4점

두 함수

$$f(x)=\begin{cases} x+a & (x<-1) \\ x^2 & (x\geq -1) \end{cases},\ g(x)=x-a$$

에 대하여 함수 $f(x)g(x)$가 실수 전체의 집합에서 연속이 되도록 하는 모든 상수 a의 값의 합은?

① -2 ② -1 ③ 0

④ 1 ⑤ 2

08

5지선다 4점

실수 전체의 집합에서 연속인 함수 $f(x)$에 대하여 방정식 $f(x)+x=0$은 오직 하나의 실근 α를 갖는다.

$$f(0)=1,\ f(1)=3,\ f(2)=-1,\ f(3)=-5,$$
$$f(4)=-5,\ f(5)=-7$$

일 때, 다음 중 실근 α가 존재하는 구간은?

① $(0, 1)$ ② $(1, 2)$ ③ $(2, 3)$

④ $(3, 4)$ ⑤ $(4, 5)$

09

5지선다 4점

모든 실수 x에서 연속인 함수 $f(x)$가

$$(x-3)f(x)=2x^2+ax-b$$

를 만족시키고, $f(4)=9$일 때, $f(3)$의 값은? (단, a, b는 상수)

① 3 ② 5 ③ 7

④ 9 ⑤ 11

10

5지선다 4점

다항함수 $f(x)$가 $\lim\limits_{x\to\infty}\dfrac{f(x)}{x^2}=1$, $\lim\limits_{x\to 1}\dfrac{f(x)}{x-1}=k$를 만족시키고 함수 $g(x)$는

$$g(x)=\begin{cases} x+1 & (x\leq 2) \\ 2-x & (x>2) \end{cases}$$

이다. 함수 $h(x)=f(x)g(x)$가 $x=2$에서 연속이 되도록 하는 상수 k의 값은?

① -5 ② -4 ③ -3

④ -2 ⑤ -1

11

5지선다 4점

함수 $f(x)=(x-a)(x^2-4x+3)$에서 $f'(a)=-1$일 때, $f'(1)$의 값은? (단, a는 상수)

① 1 ② 2 ③ 3

④ 4 ⑤ 5

12

5지선다 4점

곡선 $y=f(x)$ 위의 점 $(2, f(2))$에서 접선의 기울기가 2일 때, $\lim\limits_{h\to 0}\dfrac{f(2+3h)-f(2)}{h}$의 값은?

① -2 ② 0 ③ 2

④ 4 ⑤ 6

13

5지선다 4점

함수 $f(x)=x^2+ax+2$에 대하여

$$\sum_{k=1}^{10}\left\{\lim_{h\to0}\frac{f(k+h)-f(k-h)}{h}\right\}=440$$

일 때, 상수 a의 값은?

① 8 ② 9 ③ 10
④ 11 ⑤ 12

14

5지선다 4점

다항함수 $f(x)$가 $\lim\limits_{x\to1}\dfrac{f(x)-3}{x^2-1}=2$를 만족시킨다.

함수 $g(x)=x^3f(x)$에 대하여 $g'(1)$의 값은

① 13 ② 15 ③ 17
④ 19 ⑤ 21

15

5지선다 4점

함수

$$f(x)=\begin{cases}4 & (x<0)\\ax^3+bx^2+cx+4 & (0\le x<2)\\0 & (x\ge2)\end{cases}$$

가 모든 실수 x에서 미분가능할 때, 상수 a, b, c에 대하여 $a+b+c$의 값은?

① -3 ② -2 ③ -1
④ 1 ⑤ 2

16

5지선다 4점

곡선 $y=x^3+2$ 위의 점 $(1,3)$에서의 접선은 이 곡선과 점 (a,b)에서 다시 만난다. 이때 상수 a, b에 대하여 ab의 값은?

① 10 ② 12 ③ 14
④ 16 ⑤ 18

17

5지선다 4점

두 다항함수 $f(x)$, $g(x)$가 다음 조건을 만족시킨다.

(가) $\lim\limits_{x\to-2}\dfrac{f(x)-1}{x+2}=2$

(나) 모든 실수 x에 대하여 $g(x)=(x^2-1)f(x)$이다.

곡선 $y=g(x)$ 위의 점 $(-2,g(-2))$에서의 접선의 방정식이 $y=ax+b$일 때, 상수 a, b에 대하여 ab의 값은?

① 8 ② 10 ③ 12
④ 14 ⑤ 16

18

5지선다 4점

곡선 $y=x^2-4x+3$ 위를 움직이는 점 P와 직선 $y=2x-10$ 사이의 거리의 최솟값은?

① $\dfrac{2}{5}$ ② $\dfrac{\sqrt{5}}{5}$ ③ $\dfrac{2\sqrt{5}}{5}$
④ $\dfrac{3\sqrt{5}}{5}$ ⑤ $\dfrac{4\sqrt{5}}{5}$

19

다음 조건을 만족하는 함수 $f(x)$에 대하여
$f(x)=x^2-2x-1$이고, $a=0$, $b=3$일 때, 상수 c의 값은?

> 함수 $f(x)$가 닫힌구간 $[a, b]$에서 연속이고 열린구간 (a, b)에서 미분가능할 때, $\dfrac{f(b)-f(a)}{b-a}=f'(c)$인 c가 a와 b 사이에 적어도 하나 존재한다.

① $\dfrac{3}{4}$ ② 1 ③ $\dfrac{5}{4}$

④ $\dfrac{3}{2}$ ⑤ $\dfrac{7}{4}$

20

최고차항의 계수가 1이 아닌 다항함수 $f(x)$가 다음 조건을 만족시킬 때, $f'(1)$의 값은?

> (가) $\displaystyle\lim_{x\to\infty}\dfrac{\{f(x)\}^2-f(x^2)}{x^3 f(x)}=4$
>
> (나) $\displaystyle\lim_{x\to 0}\dfrac{f'(x)}{x}=4$

① 17 ② 19 ③ 21

④ 23 ⑤ 25

서 술 형
21번 ~ 24번 5점

21

다항함수 $f(x)$가

$$\lim_{x\to\infty}\frac{f(x)-2x}{x^2}=2, \quad \lim_{x\to -1}\frac{f(x)}{x^2-1}=3$$

을 만족시킬 때, $f(1)$의 값을 구하는 과정을 다음 단계로 서술하여라.

[1단계] $\displaystyle\lim_{x\to\infty}\dfrac{f(x)-2x}{x^2}=2$에서 다항함수 $f(x)$의 차수를 구한다. [1점]

[2단계] $\displaystyle\lim_{x\to -1}\dfrac{f(x)}{x^2-1}=3$에서 $f(x)$가 $x+1$를 인수로 가짐을 보인다. [1.5점]

[3단계] 1, 2단계를 이용하여 함수 $f(x)$를 구하여 $f(1)$의 값을 구한다. [2.5점]

22

다항함수 $f(x)$와 함수 $g(x)=x^2+3x-1$이

$$\lim_{x\to 1}\frac{f(x)g(x)-6}{x-1}=19$$

를 만족시킬 때, $f(1)+f'(1)$의 값을 구하는 과정을 다음 단계로 서술하여라.

[1단계] 극한값이 존재함을 이용하여 $f(1)$의 값을 구한다. [1.5점]

[2단계] $h(x)=f(x)g(x)$로 놓고 미분계수의 정의를 이용하여 $h'(1)$의 값을 구한다. [1.5점]

[3단계] $h(x)=f(x)g(x)$에서 곱의 미분법을 이용하여 $f'(1)$의 값을 구한다. [1.5점]

[4단계] $f(1)+f'(1)$의 값을 구한다. [0.5점]

23

다항식 x^4+ax^3+bx-6을 $(x-2)^2$으로 나누었을 때의 몫을 $Q(x)$, 나머지가 $-8x-6$이다. 이때 상수 a, b에 대하여 $a+b$의 값을 구하는 과정을 다음 단계로 서술하여라.

[1단계] 다항식 x^4+ax^3+bx-6을 $(x-2)^2$, $Q(x)$, $-8x-6$을 이용하여 나타낸다. [1점]

[2단계] 1단계에 $x=2$를 대입하여 a, b의 관계식을 구한다. [1점]

[3단계] 곱의 미분법을 이용하여 a, b의 관계식을 구한다. [2점]

[4단계] $a+b$의 값을 구한다. [1점]

24

함수 $f(x)=x^3+2x-4$의 역함수를 $g(x)$라 할 때, 곡선 $y=g(x)$ 위의 한 점 $(a, 1)$에서의 접선의 방정식이 점 $(4, b)$을 지날 때, 상수 a, b에 대하여 $a+b$의 값을 구하는 과정을 다음 단계로 서술하여라.

[1단계] 점 $(a, 1)$의 $y=x$에 대하여 대칭인 점 $(1, a)$이 곡선 $y=f(x)$ 위의 점임을 이용하여 a의 값을 구한다. [1점]

[2단계] 곡선 $y=f(x)$ 위의 점 $(1, a)$에서 접선의 방정식을 구한다. [1.5점]

[3단계] 2단계에서 구한 접선을 $y=x$에 대하여 대칭인 직선의 방정식을 구한다. [1점]

[4단계] 3단계의 접선이 점 $(4, b)$을 지남을 이용하여 상수 b의 값을 구한다. [1점]

[5단계] $a+b$의 값을 구한다. [0.5점]

FINAL STEP

01

M A P L ; S Y N E R G Y
기말고사 모의평가

100점 만점 총 24문제
(4점 × 20문제 ─ 객관식)
(5점 × 04문제 ─ 서술형)

시험시간 : 50분

01

5지선다 4점

함수 $f(x)=\dfrac{1}{3}x^3-ax^2+3ax+k$의 그래프가 k의 값에 관계없이 x축과 한 번만 만난다고 할 때, 실수 a의 최댓값은?

① 2　　　　② 3　　　　③ 4

④ 5　　　　⑤ 6

02

5지선다 4점

함수 $f(x)=2x^3-3(a-1)x^2-6ax$에 대하여 함수 $y=f(x)$의 그래프가 x축에 접하도록 하는 모든 실수 a의 값의 합은?

① -5　　　　② $-\dfrac{10}{3}$　　　　③ $-\dfrac{7}{3}$

④ -2　　　　⑤ $-\dfrac{3}{2}$

03

5지선다 4점

열린구간 $(-5, 5)$에서 함수 $f(x)$의 도함수 $y=f'(x)$의 그래프가 다음 그림과 같다. [보기]에서 옳은 것만을 있는 대로 고른 것은?

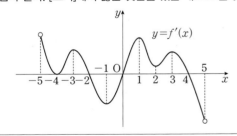

ㄱ. $f(x)$는 $x=3$에서 극댓값을 갖는다.

ㄴ. $f(x)$는 $x=0$에서 극솟값을 갖는다.

ㄷ. 열린구간 $(-5, 5)$에서 $f(x)$가 극값을 갖는 x의 값은 3개 이다.

ㄹ. $f(x)$는 닫힌구간 $[0, 4]$에서 증가한다.

① ㄱ　　　② ㄱ, ㄴ　　　③ ㄷ, ㄹ

④ ㄴ, ㄷ, ㄹ　　　⑤ ㄱ, ㄴ, ㄷ, ㄹ

04

5지선다 4점

다항함수 $f(x)$가 다음을 만족할 때, 다음 중 옳은 것은?

임의의 두 실수 x_1, x_2에 대하여
$x_1 < x_2$일 때, $f(x_1) < f(x_2)$

① 모든 실수 x에 대하여 $f'(x) \geq 0$이다.

② 함수 $f(x)$는 실수 전체의 집합에서 감소한다.

③ 함수 $f(x)$는 적어도 하나의 극값을 갖는다.

④ $f'(x)=0$을 만족시키는 실수 x가 존재하지 않는다.

⑤ 함수 $y=f(x)$의 그래프는 원점에 대하여 대칭이다.

05

5지선다 4점

오른쪽 그림은 함수 $y=f'(x)$의 그래프를 나타낸 것이다.
함수 $f(x)=x^3+ax^2+bx+c$의 극솟값이 6일 때, 극댓값은?
(단, a, b, c는 상수이다.)

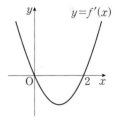

① 10　　　　② 12　　　　③ 14

④ 16　　　　⑤ 18

06

5지선다 4점

다항함수 $f(x)$가 다음 조건을 만족시킨다.

(가) $\displaystyle\lim_{x \to \infty}\dfrac{f(x)}{x^3}=-2$

(나) 함수 $f(x)$는 $x=-2$와 $x=1$에서 극값을 갖는다.

$\displaystyle\lim_{h \to 0}\dfrac{f(-1+h)-f(-1-h)}{h}$의 값은?

① 8　　　　② 12　　　　③ 16

④ 20　　　　⑤ 24

07

삼차함수 $f(x)=ax^3-3ax^2+b$가 구간 $[0, 4]$에서 최댓값 11, 최솟값 -9를 가질 때, 상수 a, b에 대하여 $a+b$의 값은? (단, $a>0$)

① -6　　　　② -5　　　　③ -4

④ -3　　　　⑤ -2

08

함수 $f(x)=x(x+1)(x-4)$에 대하여 직선 $y=5x+k$와 함수 $y=f(x)$의 그래프가 서로 다른 두 점에서 만날 때, 양수 k의 값은?

① 4　　　　② 5　　　　③ 6

④ 7　　　　⑤ 8

09

두 함수
$$f(x)=x^4+3x^3-2x^2-9x, \quad g(x)=3x^3+4x^2-x+a$$
가 모든 실수 x에 대하여 부등식 $f(x) \geq g(x)$를 만족할 때, 상수 a의 최댓값은?

① -25　　　　② -24　　　　③ -23

④ -22　　　　⑤ -21

10

수직선 위를 움직이는 점 P의 시각 t에서 위치 x가
$$x=2t^3-5t^2$$
일 때, 점 P가 운동 방향을 바꾸는 시각에서 가속도는?

① 5　　　　② 10　　　　③ 15

④ 20　　　　⑤ 25

11

수직선 위를 움직이는 두 점 P, Q의 시각 t $(t \geq 0)$에서의 위치가 각각 $P(t)=\dfrac{1}{3}t^3+9t-\dfrac{8}{3}$, $Q(t)=2t^2-5$이다.
두 점 P, Q의 가속도가 같은 순간의 두 점 P, Q 사이의 거리는?

① 15　　　　② 16　　　　③ 17

④ 18　　　　⑤ 19

12

함수 $f(x)=\displaystyle\int\left\{\dfrac{d}{dx}(3x^2-2x+1)\right\}dx$에 대하여
$\displaystyle\lim_{h \to 0}\dfrac{f(1+2h)-f(1+h)}{2h}$의 값은?

① -2　　　　② 0　　　　③ 2

④ 4　　　　⑤ 8

13

5지선다 4점

다항함수 $f(x)$와 그 부정적분 $F(x)$ 사이에

$$F(x)=xf(x)-2x^3+4x^2-1, \quad f(0)=2$$

인 관계가 있을 때, 함수 $f(1)$의 값은?

① -6 ② -5 ③ -4

④ -3 ⑤ -2

14

5지선다 4점

모든 실수 x에서 연속인 함수

$$f(x)=\begin{cases}-x+a & (x\geq 2)\\ -x^2+4x & (x<2)\end{cases}$$

에 대하여 $\displaystyle\int_0^4 f(x)dx$의 값은?

① $\dfrac{9}{2}$ ② $\dfrac{28}{3}$ ③ 10

④ $\dfrac{31}{3}$ ⑤ $\dfrac{34}{3}$

15

5지선다 4점

최고차항의 계수가 1인 삼차함수 $f(x)$가 다음 조건을 만족시킬 때, $f(2)$의 값은?

(가) 모든 실수 x에 대하여 $f(-x)=-f(x)$이다.

(나) $\displaystyle\int_{-1}^{1}xf(x)dx=\dfrac{12}{5}$

① 4 ② 9 ③ 14

④ 19 ⑤ 24

16

5지선다 4점

모든 실수 x에 대하여 등식

$$\int_1^x f(t)dt=7x^2-3x+a$$

를 만족시킬 때, $a+f(1)$의 값은?

① 7 ② 8 ③ 9

④ 10 ⑤ 11

17

5지선다 4점

다항함수 $f(x)$가 모든 실수 x에 대하여

$$f(x)=\int_a^x 3(t+1)(t-3)dt$$

를 만족시킨다. 함수 $f(x)$의 극솟값이 -12일 때, 함수 $f(x)$의 극댓값은? (단, a는 상수이다.)

① 20 ② 22 ③ 24

④ 26 ⑤ 28

18

5지선다 4점

오른쪽 그림과 같이 곡선 $y=x^2-4x+k$와 x축 및 y축으로 둘러싸인 도형의 넓이를 A, 이 곡선과 x축으로 둘러싸인 도형의 넓이를 B라고 할 때, $A:B=1:2$이다. 이때 상수 k의 값은? (단, $0<k<4$)

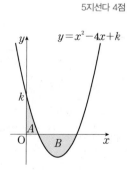

① $\dfrac{8}{3}$ ② $\dfrac{7}{2}$ ③ $\dfrac{3}{2}$

④ 3 ⑤ 5

19

함수 $f(x)=x^3-3x^2+4x$의 역함수를 $g(x)$라 할 때,

$$\int_1^2 f(x)dx+\int_2^4 g(x)dx$$

의 값은?

① 2　　　　　② 4　　　　　③ 6

④ 8　　　　　⑤ 10

22

오른쪽 그림과 같이 밑면의 반지름의 길이가 4cm이고 높이가 8cm 인 원뿔에 내접하는 원기둥 중에서 부피의 최댓값을 구하는 과정을 다음 단계로 서술하여라.

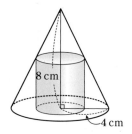

8 cm

4 cm

[1단계] 원기둥의 밑면의 반지름의 길이를 $x(0<x<4)$, 높이를 $h(0<h<8)$로 놓고, h를 x에 대한 함수로 나타낸다. [1점]

[2단계] 원기둥의 부피를 $V(x)$라 할 때, $V(x)$를 x에 대한 함수로 나타낸다. [1점]

[3단계] 원기둥의 부피가 최대일 때, 원기둥의 밑면의 반지름의 길이를 구한다. [1.5점]

[4단계] 원기둥의 부피의 최댓값을 구한다. [1.5점]

20

수직선 위를 움직이는 점 P의 시각 t에서의 속도 $v(t)$가

$$v(t)=t^2+2t+a$$

이다. 시각 $t=0$에서 $t=3$까지 점 P의 위치의 변화량이 9이다.

시각 $t=0$에서 $t=3$까지 점 P가 움직인 거리를 $\dfrac{p}{q}$라 할 때,

서로소인 자연수 p, q에 대하여 $p+q+a$의 값은? (단, a는 상수)

① 7　　　　　② 17　　　　　③ 27

④ 37　　　　　⑤ 47

23

미분가능한 함수 $f(x)$가 임의의 두 실수 x, y에 대하여

$$f(x+y)=f(x)+f(y)-2xy$$

를 만족시킨다. $f'(0)=2$일 때, $f(3)$의 값을 구하는 과정을 다음 단계로 서술하여라.

[1단계] $x=0$, $y=0$을 대입하여 $f(0)$의 값 구한다. [1점]

[2단계] $f'(0)=2$를 미분계수의 정의로 나타낸다. [1점]

[3단계] 도함수 $f'(x)$을 구한다. [1.5점]

[4단계] 1단계를 이용하여 적분상수를 구하여 함수 $f(x)$를 구한다. [1점]

[5단계] $f(3)$의 값을 구한다. [0.5점]

서 술 형

21

함수 $f(x)=x^3-6x^2+ax+b$가 $x=1$에서 극댓값 5를 가질 때, $f(x)$의 극솟값을 구하는 과정을 다음 단계로 서술하여라.

[1단계] 함수 $f(x)$가 $x=1$에서 극댓값 5를 가짐을 이용하여 상수 a, b의 값을 구한다. [2점]

[2단계] 함수 $f(x)$의 증가와 감소를 나타내는 표를 구한다. [2점]

[3단계] 함수 $f(x)$의 극솟값을 구한다. [1점]

24

미분가능한 함수 $f(x)$에 대하여

$$\int_1^x (x-t)f(t)dt=x^3+ax^2+bx-2$$

가 성립할 때, $f(a)+f(b)$의 값을 구하는 과정을 다음 단계로 서술하여라. (단, a, b는 상수)

[1단계] 상수 a, b의 값을 구한다. [2점]

[2단계] $f(x)$를 구한다. [1.5점]

[3단계] $f(a)+f(b)$의 값을 구한다. [1.5점]

02
FINAL STEP

M A P L ; S Y N E R G Y
기말고사 모의평가

100점 만점 총 24문제
(4점 × 20문제 - 객관식)
(5점 × 04문제 - 서술형)

시험시간 : 50분

01

5지선다 4점

함수 $f(x)=\dfrac{2}{3}x^3+\dfrac{1}{2}(a-1)x^2+2x$와 모든 실수 k에 대하여 직선 $y=k$와 곡선 $y=f(x)$가 만나는 점의 개수가 1이 되도록 하는 정수 a의 개수는?

① 8   ② 9   ③ 10

④ 11   ⑤ 12

02

5지선다 4점

함수 $f(x)=x^3-ax^2-bx-1$이 $x=-1$에서 극댓값 1을 가질 때, 함수 $f(x)$의 극솟값은? (단, a, b는 상수)

① -5 ② -4 ③ -3

④ -2 ⑤ -1

03

5지선다 4점

최고차항의 계수가 1인 삼차함수 $y=f(x)$가 다음 조건을 만족시킬 때, $f(1)$의 값은?

> (가) 함수 $f(x)$는 $x=-1$, $x=3$에서 각각 극값을 갖는다.
> (나) $f(3)=0$

① 12   ② 14   ③ 16

④ 18   ⑤ 20

04

5지선다 4점

닫힌구간 $[-1,\ 3]$에서 함수 $f(x)=x^3-3x+a$의 최댓값을 M, 최솟값을 m이라 할 때, $M\times m=-100$이 되도록 하는 상수 a의 값은?

① -10 ② -8 ③ -6

④ -4 ⑤ -2

05

5지선다 4점

최고차항의 계수가 1인 삼차함수 $f(x)$가 모든 실수 x에 대하여

$$f(-x)=-f(x)$$

를 만족시킨다. 방정식 $|f(x)|=6\sqrt{3}$이 서로 다른 네 개의 실근을 가질 때, $f(1)$의 값은?

① -8 ② -6 ③ -4

④ -2 ⑤ 0

06

5지선다 4점

곡선 $y=x^3+2x^2-x+k$와 직선 $y=3x+2k$가 서로 다른 세 점에서 만나도록 하는 정수 k의 개수는?

① 6   ② 7   ③ 8

④ 9   ⑤ 10

07

$x \geq 0$인 모든 실수 x에 대하여 부등식

$$2x^3 - 3x \geq 3x + a$$

를 만족시키는 실수 a의 최댓값은?

① -5　　　　② -4　　　　③ -3

④ -2　　　　⑤ -1

08

지면으로부터 15m의 높이에서 20m/s의 속도로 똑바로 위로 쏘아 올린 물체의 t초 후의 지면으로부터 높이를 $h(t)$라고 하면

$$h(t) = 15 + 20t - 5t^2$$

인 관계가 성립한다. 다음 [보기] 중 옳은 것을 있는 대로 고르면?

ㄱ. 물체가 최고높이에 도달하는 데 걸리는 시간은 2초이다.
ㄴ. 물체의 최고높이는 35m이다.
ㄷ. 물체가 땅에 떨어질 때까지 움직인 거리는 55m이다.

① ㄱ　　　　② ㄴ　　　　③ ㄱ, ㄷ

④ ㄴ, ㄷ　　　　⑤ ㄱ, ㄴ, ㄷ

09

수직선 위를 움직이는 두 점 P, Q의 시각 t에서의 위치가 각각

$$t^3 - 12t, \quad 2t^2 - 4t + 1$$

이다. $t > 0$에서 점 P의 운동 방향이 바뀌는 순간, 두 점 P, Q의 가속도를 각각 p, q라 할 때, $p+q$의 값은?

① 8　　　　② 10　　　　③ 12

④ 14　　　　⑤ 16

10

두 실수 a, b와 최고차항의 계수가 1인 삼차함수 $f(x)$에 대하여 함수 $g(x)$를

$$g(x) = \begin{cases} a & (x < -1) \\ |f(x)| & (-1 \leq x \leq 2) \\ b & (x > 2) \end{cases}$$

라 하자. $g(x)$가 $x=-1$, $x=2$에서 미분가능할 때, [보기]에서 옳은 것만을 있는 대로 고른 것은?

ㄱ. $f(x)$는 $x=-1$에서 극댓값을 갖는다.
ㄴ. $f(4)=0$이면 $a<b$이다.
ㄷ. $a=b$이면 $f(0)=\dfrac{13}{4}$이다.

① ㄱ　　　　② ㄴ　　　　③ ㄱ, ㄷ

④ ㄴ, ㄷ　　　　⑤ ㄱ, ㄴ, ㄷ

11

삼차함수 $f(x)$의 도함수 $y=f'(x)$의 그래프가 오른쪽 그림과 같고 함수 $f(x)$의 극솟값이 0, 극댓값이 4일 때, 함수 $f(1)$의 값은?

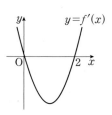

① 1　　　　② 2　　　　③ 3

④ 4　　　　⑤ 5

12

모든 실수 x에서 미분가능한 함수 $f(x)$에 대하여

$$f'(x) = \begin{cases} x+2 & (x < 1) \\ 3x^2 & (x > 1) \end{cases}$$

이고 $f(-2)=3$일 때, $f(2)$의 값은?

① $\dfrac{13}{2}$　　　　② $\dfrac{23}{2}$　　　　③ $\dfrac{29}{2}$

④ $\dfrac{33}{2}$　　　　⑤ 12

13

5지선다 4점

정적분 $\displaystyle\int_{-1}^{0}(2t^2-t+1)dt+\int_{0}^{1}(2x^2-x+1)dx$ 를 구하면?

① 2 ② $\dfrac{10}{3}$ ③ 4

④ $\dfrac{9}{2}$ ⑤ 5

16

5지선다 4점

다항함수 $f(x)$ 가 모든 실수 x 에 대하여

$$f(x)=4x^3+\int_{0}^{1}(2x-3)f(t)dt$$

를 만족시킬 때, $3\displaystyle\int_{0}^{1}f(x)dx$ 의 값은?

① $-\dfrac{1}{3}$ ② $\dfrac{1}{3}$ ③ $\dfrac{1}{2}$

④ 1 ⑤ 3

14

5지선다 4점

삼차함수 $f(x)=2x^3-6x+a$ 에 대하여 다음 중 함수

$$F(x)=\int_{0}^{x}f(t)dt$$

가 단 하나의 극값을 갖도록 하는 양수 a 의 최솟값은?

① 3 ② 4 ③ 5

④ 6 ⑤ 7

17

5지선다 4점

다항함수 $f(x)$ 가 모든 실수 x 에 대하여

$$\int_{0}^{x}f(t)dt=x^2+2x\int_{0}^{1}f(t)dt$$

를 만족시킬 때, $f(3)$ 의 값은?

① 2 ② 4 ③ 6

④ 8 ⑤ 10

15

5지선다 4점

함수 $f(x)$ 가 $0\le x\le 2$ 일 때,

$$f(x)=\begin{cases}-x^2+2x & (0\le x<1)\\(x-2)^2 & (1\le x\le 2)\end{cases}$$

이고, 모든 실수 x 에 대하여 $f(x+2)=f(x)$ 를 만족시킨다. 곡선 $y=f(x)\,(0\le x\le 8)$ 과 x 축으로 둘러싸인 부분의 넓이는?

① $\dfrac{8}{3}$ ② $\dfrac{10}{3}$ ③ 4

④ $\dfrac{14}{3}$ ⑤ $\dfrac{16}{3}$

18

5지선다 4점

곡선 $y=x^3$ 과 x 축 및 두 직선 $x=-2$ 와 $x=a$ 로 둘러싸인 도형의 넓이가 5일 때, a 의 값은? (단, $a>0$)

① 1 ② $\sqrt{2}$ ③ $\sqrt{3}$

④ 2 ⑤ $\sqrt{5}$

19

5지선다 4점

곡선 $f(x)=\dfrac{1}{8}x^3+\dfrac{1}{2}x$의 역함수를 $g(x)$라 할 때, 두 곡선 $y=f(x)$, $y=g(x)$로 둘러싸인 부분의 넓이는?

① 1   ② $\dfrac{3}{2}$ ③ 2

④ $\dfrac{5}{2}$ ⑤ 4

20

5지선다 4점

수직선 위를 움직이는 점 P는 좌표 2에서 점 Q는 좌표 (-1)에서 동시에 출발한다. 이때 움직이는 두 점 P, Q의 시각 t일 때의 속도는 각각

$$v_{\mathrm{P}}(t)=-2t+2, \; v_{\mathrm{Q}}(t)=3t^2-1$$

이다. 선분 $\overline{\mathrm{PQ}}$를 $2:1$로 내분하는 점을 I라고 할 때, 점 I의 방향이 바뀔 때까지 점 I가 움직인 거리는?

① $\dfrac{1}{3}$ ② $\dfrac{1}{9}$ ③ $\dfrac{1}{16}$

④ $\dfrac{1}{27}$ ⑤ $\dfrac{1}{81}$

서 술 형

21번 ~ 24번 5점

21

서술형 5점

함수 $f(x)=x^3-12x$에 대하여 다음 단계로 서술하여라.

[1단계] 구간 $[-1, 3]$에서 $f(x)$의 최댓값과 최솟값을 구한다. [2.5점]

[2단계] 방정식 $f(x)=a$가 서로 다른 세 실근을 갖도록 하는 실수 a의 값의 범위를 구한다. [2.5점]

22

서술형 5점

다음 그림과 같이 한 변의 길이가 12cm인 정사각형 모양의 종이가 있다. 이 종이의 네 모퉁이에서 크기가 같은 정사각형을 잘라 내고 나머지 부분을 접어서 직육면체 모양의 상자를 만들려고 한다. 이때 상자의 부피의 최댓값을 구하는 과정을 다음 단계로 서술하여라.

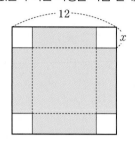

[1단계] 잘라 내는 정사각형 한 변의 길이를 x(cm)라 하여 x의 범위를 구한다. [1점]

[2단계] 상자의 부피를 함수 $V(x)$로 나타낸다. [1점]

[3단계] 함수 $V(x)$의 증가와 감소를 표로 나타낸다. [1.5점]

[4단계] 상자의 부피의 최댓값을 구한다. [1.5점]

23

서술형 5점

곡선 $y=x^3+x^2-2x$와 직선 $y=-x+k$가 서로 다른 두 점에서 만날 때, 곡선 $y=x^3+x^2-2x$와 직선 $y=-x+k$로 둘러싸인 부분의 넓이를 구하는 과정을 다음 단계로 서술하여라.
(단, k는 양수이다.)

[1단계] 곡선 $y=x^3+x^2-2x$와 직선 $y=-x+k$가 서로 다른 두 점에서 만날 때, 양수 k의 값을 구한다. [2점]

[2단계] 곡선과 직선의 교점의 x좌표를 구한다. [1점]

[3단계] 곡선과 직선으로 둘러싸인 부분의 넓이를 구한다. [2점]

24

서술형 5점

수직선 위를 움직이는 두 점 P, Q가 있다. 점 P는 점 좌표가 -3인 점에서 출발하여 시각 t에서 속도가 $v(t)=3t^2-1$이고, 점 Q는 좌표가 k인 점에서 출발하여 시각 t에서 속도가 2이다. 두 점 P, Q가 동시에 출발한 후 두 번 만나도록 하는 k의 범위를 구하는 과정을 다음 단계로 서술하여라.

[1단계] 시각 t에서 점 P의 위치를 구한다. [1.5점]

[2단계] 시각 t에서의 점 Q의 위치를 구한다. [1.5점]

[3단계] 두 점 P, Q가 동시에 출발한 후 두 번 만나도록 하는 k의 값의 범위를 구한다. [2점]

I 함수의 극한과 연속

0001	③	0002	④	0003	②	0004	⑤
0005	①	0006	①	0007	④	0008	④
0009	⑤	0010	②	0011	③	0012	①
0013	③	0014	⑤	0015	⑤	0016	④
0017	③	0018	②	0019	④	0020	④
0021	③	0022	⑤	0023	⑤	0024	⑤
0025	③	0026	③	0027	④	0028	①
0029	③	0030	⑤	0031	①	0032	①
0033	③	0034	②	0035	②	0036	③
0037	⑤	0038	③	0039	②	0040	⑤
0041	①	0042	②	0043	④	0044	②
0045	④	0046	④	0047	④	0048	⑤
0049	②	0050	①	0051	④	0052	①
0053	①	0054	④	0055	①	0056	①
0057	⑤	0058	④	0059	③	0060	②
0061	③	0062	①	0063	④	0064	①
0065	②	0066	⑤	0067	①	0068	②
0069	⑤	0070	③	0071	②	0072	②
0073	⑤	0074	①	0075	①	0076	①
0077	⑤	0078	④	0079	②	0080	⑤
0081	③	0082	①	0083	④	0084	③
0085	②	0086	⑤	0087	②	0088	④
0089	①	0090	①	0091	③	0092	③
0093	②	0094	③	0095	③	0096	④
0097	⑤	0098	①	0099	④	0100	②
0101	①	0102	④	0103	③	0104	⑤
0105	③	0106	①	0107	①	0108	③
0109	④	0110	②	0111	①	0112	④
0113	③	0114	⑤	0115	⑤	0116	②
0117	②	0118	①	0119	③	0120	⑤
0121	②	0122	②	0123	④	0124	③
0125	②	0126	④	0127	④	0128	①
0129	④	0130	①	0131	①	0132	⑤
0133	①	0134	②	0135	①	0136	④
0137	③	0138	②	0139	④	0140	②
0141	⑤	0142	③	0143	③	0144	④
0145	④	0146	②	0147	①	0148	④
0149	④	0150	①	0151	①	0152	④
0153	④	0154	②	0155	①	0156	①
0157	①	0158	③	0159	④	0160	④
0161	④	0162	③	0163	⑤	0164	③
0165	②	0166	①	0167	④	0168	⑤
0169	⑤	0170	③	0171	⑤	0172	④
0173	①	0174	④	0175	②	0176	③
0177	③	0178	④	0179	③	0180	①
0181	②	0182	①	0183	①	0184	①
0185	①	0186	②	0187	①	0188	①
0189	④	0190	④	0191	④	0192	④
0193	①	0194	⑤	0195	②	0196	⑤
0197	③	0198	②	0199	③	0200	②
0201	②	0202	④	0203	④	0204	⑤
0205	해설참조			0206	해설참조		
0207	해설참조			0208	해설참조		
0209	해설참조			0210	해설참조		
0211	해설참조			0212	해설참조		
0213	해설참조			0214	해설참조		
0215	해설참조			0216	해설참조		
0217	1	0218	4	0219	12	0220	14
0221	10	0222	3	0223	14	0224	4
0225	9	0226	2	0227	$\frac{1}{2}$	0228	4
0229	④	0230	③	0231	①	0232	⑤
0233	②	0234	④	0235	③	0236	①
0237	⑤	0238	②	0239	③	0240	③
0241	③	0242	④	0243	④	0244	①
0245	③	0246	⑤	0247	④	0248	④
0249	③	0250	③	0251	③	0252	②
0253	③	0254	⑤	0255	③	0256	⑤
0257	⑤	0258	⑤	0259	③	0260	④
0261	④	0262	①	0263	①	0264	⑤
0265	⑤	0266	①	0267	②	0268	⑤
0269	④	0270	①	0271	③	0272	④
0273	③	0274	②	0275	①	0276	⑤
0277	①	0278	③	0279	③	0280	⑤
0281	③	0282	④	0283	②	0284	④
0285	⑤	0286	③	0287	③	0288	①
0289	③	0290	④	0291	③	0292	③
0293	③	0294	②	0295	①	0296	③
0297	④	0298	⑤	0299	①	0300	③
0301	③	0302	⑤	0303	①	0304	②
0305	③	0306	①	0307	④	0308	①
0309	⑤	0310	③	0311	⑤	0312	②
0313	②	0314	⑤	0315	④	0316	③

0317	①	0318	④	0319	③	0320	①
0321	①	0322	⑤	0323	③	0324	⑤
0325	②	0326	③	0327	③	0328	④
0329	②	0330	⑤	0331	③	0332	⑤
0333	⑤	0334	④	0335	④	0336	④
0337	③	0338	④	0339	④	0340	③
0341	①	0342	③	0343	②	0344	①
0345	③	0346	①	0347	③	0348	①
0349	①	0350	③	0351	⑤	0352	⑤
0353	③	0354	④	0355	③	0356	⑤
0357	②	0358	②	0359	④	0360	④
0361	②	0362	②	0363	②	0364	⑤
0365	③	0366	④	0367	④	0368	②
0369	③			0370	해설참조		
0371	해설참조			0372	해설참조		
0373	해설참조			0374	해설참조		
0375	해설참조			0376	해설참조		
0377	해설참조			0378	해설참조		
0379	해설참조			0380	해설참조		
0381	해설참조			0382	5	0383	-1
0384	4	0385	-8	0386	0	0387	$\frac{5}{3}$
0388	-7	0389	-4	0390	3	0391	1
0392	$\frac{5}{13}$	0393	⑤				

Ⅱ 미분

0394	⑤	0395	②	0396	④	0397	③
0398	②	0399	①	0400	②	0401	③
0402	③	0403	④	0404	③	0405	④
0406	④	0407	⑤	0408	②	0409	④
0410	④	0411	②	0412	④	0413	④
0414	③	0415	②	0416	③	0417	③
0418	④	0419	⑤	0420	①	0421	③
0422	④	0423	④	0424	③	0425	⑤
0426	②	0427	④	0428	⑤	0429	①
0430	③	0431	④	0432	②	0433	②
0434	②	0435	①	0436	⑤	0437	⑤
0438	③	0439	①	0440	③	0441	①
0442	④	0443	④	0444	④	0445	②
0446	②	0447	⑤	0448	④	0449	②
0450	③	0451	②	0452	③	0453	③
0454	④	0455	⑤	0456	④	0457	②
0458	④	0459	③	0460	④	0461	⑤
0462	④	0463	⑤	0464	①	0465	⑤
0466	③	0467	⑤	0468	②	0469	④
0470	②	0471	③	0472	④	0473	②

0474	③	0475	②	0476	③	0477	①
0478	⑤	0479	②	0480	②	0481	③
0482	①	0483	②	0484	④	0485	⑤
0486	⑤	0487	④	0488	⑤	0489	③
0490	②	0491	②	0492	①	0493	③
0494	②	0495	①	0496	④	0497	③
0498	⑤	0499	②	0500	②	0501	⑤
0502	⑤	0503	④	0504	④	0505	⑤
0506	③	0507	④	0508	③	0509	④
0510	②	0511	②	0512	③	0513	③
0514	①	0515	⑤	0516	⑤	0517	③
0518	⑤	0519	③	0520	①	0521	④
0522	③	0523	④	0524	②	0525	③
0526	④	0527	③	0528	④	0529	①
0530	③	0531	⑤	0532	①	0533	①
0534	①	0535	⑤	0536	②	0537	④
0538	③	0539	③	0540	①	0541	④
0542	④	0543	①	0544	④	0545	②
0546	②	0547	③	0548	⑤	0549	②
0550	②	0551	①	0552	②	0553	③
0554	해설참조			0555	해설참조		
0556	해설참조			0557	해설참조		
0558	해설참조			0559	해설참조		
0560	해설참조			0561	해설참조		
0562	해설참조			0563	해설참조		
0564	해설참조			0565	해설참조		
0566	5	0567	36	0568	8	0569	5
0570	-15	0571	2046	0572	28	0573	-6
0574	7	0575	$\frac{1}{2}$	0576	③	0577	32
0578	②	0579	②	0580	⑤	0581	③
0582	①	0583	②	0584	⑤	0585	①
0586	⑤	0587	②	0588	⑤	0589	⑤
0590	①	0591	①	0592	①	0593	②
0594	③	0595	①	0596	③	0597	①
0598	⑤	0599	⑤	0600	③	0601	②
0602	③	0603	②	0604	③	0605	①
0606	①	0607	③	0608	③	0609	④
0610	③	0611	③	0612	⑤	0613	③
0614	②	0615	③	0616	③	0617	①
0618	②	0619	④	0620	①	0621	④
0622	④	0623	①	0624	②	0625	⑤
0626	④	0627	⑤	0628	③	0629	③
0630	②	0631	①	0632	②	0633	④
0634	②	0635	②	0636	②	0637	③

0638	②	0639	④	0640	①	0641	①
0642	①	0643	②	0644	④	0645	②
0646	②	0647	①	0648	②	0649	③
0650	③	0651	④	0652	④	0653	②
0654	②	0655	①	0656	②	0657	⑤
0658	①	0659	③	0660	①	0661	⑤
0662	④	0663	④	0664	⑤	0665	⑤
0666	⑤	0667	①	0668	②	0669	⑤
0670	④	0671	②	0672	⑤	0673	⑤
0674	⑤	0675	③	0676	해설참조		
0677	해설참조			0678	해설참조		
0679	해설참조			0680	해설참조		
0681	해설참조			0682	해설참조		
0683	해설참조			0684	해설참조		
0685	해설참조			0686	해설참조		
0687	해설참조			0688	−12	0689	−2
0690	$\frac{10}{3}$	0691	20	0692	$\frac{1}{2}$	0693	⑤

0694	(가)평균값 (나) > (다) <			0695	④	0696	④
0697	③	0698	③	0699	①	0700	①
0701	②	0702	③	0703	③	0704	⑤
0705	③	0706	②	0707	②	0708	③
0709	②	0710	③	0711	④	0712	④
0713	①	0714	②	0715	④	0716	②
0717	③	0718	⑤	0719	⑤	0720	①
0721	③	0722	②	0723	①	0724	①
0725	④	0726	②	0727	①	0728	②
0729	③	0730	①	0731	②	0732	②
0733	③	0734	②	0735	⑤	0736	④
0737	⑤	0738	①	0739	②	0740	②
0741	⑤	0742	③	0743	⑤	0744	④
0745	⑤	0746	②	0747	③	0748	①
0749	②	0750	②	0751	②	0752	⑤
0753	①	0754	③	0755	⑤	0756	③
0757	③	0758	③	0759	⑤	0760	③
0761	⑤	0762	④	0763	①	0764	③
0765	④	0766	②	0767	⑤	0768	④
0769	②	0770	①	0771	④	0772	②
0773	④	0774	③	0775	②	0776	③
0777	⑤	0778	①	0779	②	0780	④
0781	⑤	0782	④	0783	⑤	0784	①
0785	①	0786	⑤	0787	③	0788	③
0789	③	0790	④	0791	⑤	0792	④
0793	③	0794	③	0795	④	0796	②
0797	③	0798	⑤	0799	③	0800	②

0801	③	0802	④	0803	④	0804	③
0805	③	0806	①	0807	③	0808	④
0809	③	0810	④	0811	⑤	0812	⑤
0813	④	0814	②	0815	⑤	0816	⑤
0817	②	0818	①	0819	②	0820	⑤
0821	⑤	0822	①	0823	⑤	0824	②
0825	③	0826	③	0827	⑤	0828	⑤
0829	①	0830	④	0831	①	0832	⑤
0833	①	0834	④	0835	②	0836	⑤
0837	①	0838	①	0839	③	0840	④
0841	②	0842	④	0843	①	0844	④
0845	④	0846	②	0847	②	0848	⑤
0849	④	0850	②	0851	④	0852	⑤
0853	②	0854	③	0855	④	0856	⑤
0857	④	0858	②	0859	④	0860	④
0861	④	0862	②	0863	③	0864	④
0865	④	0866	③	0867	⑤	0868	④
0869	해설참조			0870	해설참조		
0871	해설참조			0872	해설참조		
0873	해설참조			0874	해설참조		
0875	해설참조			0876	해설참조		
0877	해설참조			0878	해설참조		
0879	해설참조			0880	해설참조		
0881	해설참조			0882	해설참조		
0883	해설참조			0884	해설참조		
0885	해설참조			0886	3	0887	32
0888	13	0889	16	0890	16	0891	30
0892	③	0893	48	0894	③	0895	5
0896	30	0897	12	0898	⑤	0899	$a=-3$
0900	1	0901	⑤	0902	19	0903	11

0904	⑤	0905	①	0906	⑤	0907	④
0908	④	0909	①	0910	③	0911	⑤
0912	①	0913	④	0914	③	0915	⑤
0916	①	0917	④	0918	②	0919	①
0920	①	0921	②	0922	④	0923	④
0924	①	0925	③	0926	②	0927	③
0928	③	0929	③	0930	③	0931	③
0932	③	0933	④	0934	⑤	0935	②
0936	②	0937	②	0938	⑤	0939	①
0940	③	0941	②	0942	②	0943	②
0944	④	0945	②	0946	⑤	0947	⑤
0948	②	0949	①	0950	①	0951	②
0952	⑤	0953	③	0954	①	0955	⑤
0956	①	0957	①	0958	④	0959	⑤

0960	④	0961	②	0962	①	0963	③
0964	③	0965	②	0966	①	0967	③
0968	①	0969	②	0970	⑤	0971	①
0972	①	0973	⑤	0974	⑤	0975	①
0976	①	0977	①	0978	③	0979	③
0980	⑤	0981	②	0982	①	0983	⑤
0984	④	0985	③	0986	⑤	0987	③
0988	④	0989	①	0990	⑤	0991	④
0992	⑤	0993	④	0994	③	0995	①
0996	①	0997	⑤	0998	⑤	0999	①
1000	해설참조	1001	해설참조				
1002	해설참조	1003	해설참조				
1004	해설참조	1005	해설참조				
1006	해설참조	1007	해설참조				
1008	해설참조	1009	해설참조				
1010	해설참조	1011	해설참조				
1012	-1	1013	2	1014	13	1015	$-\dfrac{4}{9}$
1016	5	1017	3	1018	12	1019	30
1020	1	1021	3	1022	36	1023	②

III 적분

1024	②	1025	⑤	1026	③	1027	③
1028	④	1029	①	1030	②	1031	⑤
1032	④	1033	④	1034	⑤	1035	②
1036	①	1037	②	1038	⑤	1039	④
1040	④	1041	④	1042	④	1043	⑤
1044	②	1045	⑤	1046	②	1047	④
1048	③	1049	③	1050	⑤	1051	③
1052	④	1053	②	1054	②	1055	②
1056	③	1057	④	1058	⑤	1059	③
1060	②	1061	③	1062	③	1063	③
1064	②	1065	③	1066	①	1067	①
1068	①	1069	②	1070	②	1071	①
1072	③	1073	①	1074	⑤	1075	②
1076	⑤	1077	①	1078	④	1079	①
1080	①	1081	①	1082	②	1083	②
1084	①	1085	②	1086	③	1087	②
1088	⑤	1089	③	1090	④	1091	②
1092	④	1093	①	1094	④	1095	④
1096	③	1097	③	1098	⑤		
1099	해설참조	1100	해설참조				
1101	해설참조	1102	해설참조				
1103	해설참조	1104	해설참조				
1105	7	1106	6	1107	$-\dfrac{3}{2}$	1108	28
1109	6	1110	7	1111	12	1112	4

1113	64	1114	-2	1115	④		
1116	③	1117	②	1118	②	1119	⑤
1120	①	1121	④	1122	③	1123	⑤
1124	②	1125	⑤	1126	④	1127	③
1128	③	1129	②	1130	④	1131	①
1132	⑤	1133	③	1134	③	1135	④
1136	④	1137	①	1138	②	1139	①
1140	②	1141	④	1142	⑤	1143	④
1144	③	1145	①	1146	⑤	1147	①
1148	②	1149	②	1150	①	1151	⑤
1152	②	1153	③	1154	①	1155	③
1156	①	1157	①	1158	②	1159	②
1160	④	1161	①	1162	②	1163	③
1164	②	1165	①	1166	③	1167	①
1168	④	1169	⑤	1170	②	1171	③
1172	③	1173	④	1174	②	1175	②
1176	④	1177	①	1178	④	1179	②
1180	④	1181	③	1182	③	1183	⑤
1184	⑤	1185	①	1186	①	1187	⑤
1188	②	1189	③	1190	④	1191	③
1192	④	1193	①	1194	④	1195	④
1196	⑤	1197	②	1198	②	1199	①
1200	③	1201	①	1202	①	1203	①
1204	②	1205	④	1206	④	1207	②
1208	①	1209	②	1210	②	1211	③
1212	②	1213	①	1214	②	1215	⑤
1216	①	1217	③	1218	⑤	1219	⑤
1220	②	1221	②	1222	④	1223	②
1224	③	1225	②	1226	⑤	1227	③
1228	③	1229	①	1230	④	1231	⑤
1232	②	1233	②	1234	④	1235	①
1236	④	1237	②	1238	③	1239	④
1240	⑤	1241	①	1242	②	1243	④
1244	③	1245	②	1246	①	1247	①
1248	③	1249	①	1250	⑤	1251	⑤
1252	②	1253	①	1254	②	1255	⑤
1256	③	1257	③	1258	①	1259	②
1260	②	1261	④	1262	②	1263	①
1264	④	1265	②	1266	④	1267	③
1268	①	1269	⑤	1270	해설참조		
1271	해설참조	1272	해설참조				
1273	해설참조	1274	해설참조				
1275	해설참조	1276	해설참조				
1277	해설참조	1278	해설참조				

1279	해설참조			1280	해설참조		
1281	해설참조			1282	65	1283	5
1284	36	1285	4	1286	1	1287	2
1288	152	1289	2	1290	17	1291	20
1292	7	1293	③	1294	20	1295	⑤
1296	⑤	1297	25	1298	⑤		

1299	⑤	1300	④	1301	②	1302	④
1303	⑤	1304	③	1305	③	1306	⑤
1307	②	1308	②	1309	②	1310	②
1311	④	1312	⑤	1313	②	1314	①
1315	③	1316	④	1317	②	1318	④
1319	②	1320	⑤	1321	④	1322	④
1323	④	1324	③	1325	②	1326	③
1327	②	1328	②	1329	②	1330	④
1331	①	1332	④	1333	④	1334	④
1335	①	1336	④	1337	③	1338	④
1339	④	1340	②	1341	③	1342	④
1343	③	1344	⑤	1345	①	1346	⑤
1347	③	1348	②	1349	⑤	1350	⑤
1351	①	1352	④	1353	④	1354	③
1355	⑤	1356	①	1357	④	1358	③
1359	①	1360	③	1361	②	1362	①
1363	③	1364	④	1365	③	1366	②
1367	⑤	1368	②	1369	①	1370	②
1371	②	1372	③	1373	③	1374	④
1375	①	1376	②	1377	①	1378	④
1379	②	1380	④	1381	②	1382	①
1383	②	1384	①	1385	②	1386	②
1387	⑤	1388	②	1389	①	1390	①
1391	③	1392	③	1393	③	1394	①
1395	③	1396	①	1397	①	1398	⑤
1399	④	1400	③	1401	④	1402	④
1403	②	1404	⑤	1405	④	1406	②
1407	해설참조			1408	해설참조		
1409	해설참조			1410	해설참조		
1411	해설참조			1412	해설참조		
1413	해설참조			1414	해설참조		
1415	해설참조			1416	해설참조		
1417	해설참조			1418	$\frac{\sqrt{2}}{2}$	1419	29
1420	$\frac{10}{3}$	1421	$\frac{4}{3}$	1422	$y=5(0 \leq x \leq 4)$		
1423	16	1424	$\frac{4}{3}$	1425	$\frac{9}{4}$	1426	$\frac{1}{16}$
1427	54	1428	22	1429	12		
1430	③	1431	④	1432	①	1433	③

1434	②	1435	①	1436	②	1437	④
1438	⑤	1439	③	1440	③	1441	②
1442	④	1443	③	1444	①	1445	⑤
1446	⑤	1447	③	1448	②	1449	①
1450	④	1451	③	1452	③	1453	④
1454	③	1455	③	1456	⑤	1457	①
1458	②	1459	②	1460	⑤	1461	③
1462	⑤	1463	④	1464	③	1465	②
1466	⑤	1467	④	1468	③	1469	⑤
1470	②	1471	④	1472	③	1473	④
1474	⑤	1475	⑤	1476	⑤	1477	④
1478	해설참조			1479	해설참조		
1480	해설참조			1481	해설참조		
1482	해설참조			1483	해설참조		
1484	45	1485	48	1486	9	1487	6
1488	$\frac{32}{27}$	1489	36π				

함수의 극한과 연속 모의평가 1회

01	⑤	02	①	03	②	04	②	05	③
06	①	07	④	08	③	09	③	10	③
11	①	12	④	13	⑤	14	②	15	③
16	③	17	③	18	②	19	②	20	⑤

서술형

21	해설참조	22	해설참조
23	해설참조	24	해설참조

미분 모의평가 1회

01	④	02	④	03	②	04	④	05	④
06	③	07	②	08	③	09	②	10	③
11	③	12	⑤	13	①	14	③	15	④
16	③	17	③	18	③	19	⑤	20	⑤

서술형

21	해설참조	22	해설참조
23	해설참조	24	해설참조

함수의 극한과 연속 모의평가 2회

01	④	02	②	03	③	04	④	05	②
06	②	07	②	08	④	09	①	10	②
11	②	12	③	13	③	14	⑤	15	④
16	③	17	②	18	③	19	②	20	④

서술형

21	해설참조	22	해설참조
23	해설참조	24	해설참조

미분 모의평가 2회

01	③	02	①	03	①	04	①	05	③
06	⑤	07	①	08	⑤	09	①	10	③
11	③	12	②	13	①	14	⑤	15	②
16	⑤	17	④	18	④	19	③	20	②

서술형

21	해설참조	22	해설참조
23	해설참조	24	해설참조

함수의 극한과 연속 모의평가 3회

01	⑤	02	③	03	④	04	②	05	①
06	②	07	⑤	08	①	09	②	10	②
11	①	12	②	13	①	14	④	15	②
16	③	17	③	18	②	19	⑤	20	②

서술형

21	해설참조	22	해설참조
23	해설참조	24	해설참조

미분 모의평가 3회

01	③	02	④	03	③	04	①	05	③
06	④	07	④	08	③	09	④	10	③
11	②	12	②	13	⑤	14	①	15	④
16	③	17	③	18	③	19	④	20	③

서술형

21	해설참조	22	해설참조
23	해설참조	24	해설참조

적분 모의평가 1회

01	⑤	02	④	03	②	04	④	05	④
06	③	07	③	08	④	09	①	10	③
11	②	12	①	13	①	14	⑤	15	③
16	①	17	③	18	③	19	⑤	20	⑤

서술형

21	해설참조	22	해설참조
23	해설참조	24	해설참조

중간고사 모의평가 1회

01	④	02	①	03	①	04	②	05	②
06	①	07	①	08	⑤	09	③	10	⑤
11	⑤	12	⑤	13	⑤	14	⑤	15	⑤
16	③	17	③	18	②	19	③	20	①

서술형

21	해설참조	22	해설참조
23	해설참조	24	해설참조

적분 모의평가 2회

01	④	02	③	03	③	04	③	05	①
06	①	07	③	08	②	09	④	10	②
11	③	12	①	13	⑤	14	①	15	③
16	④	17	②	18	④	19	③	20	⑤

서술형

21	해설참조	22	해설참조
23	해설참조	24	해설참조

중간고사 모의평가 2회

01	②	02	⑤	03	⑤	04	③	05	③
06	③	07	④	08	③	09	③	10	⑤
11	②	12	⑤	13	④	14	①	15	②
16	①	17	④	18	③	19	④	20	②

서술형

21	해설참조	22	해설참조
23	해설참조	24	해설참조

적분 모의평가 3회

01	⑤	02	④	03	③	04	⑤	05	①
06	②	07	④	08	①	09	①	10	③
11	①	12	③	13	④	14	③	15	②
16	④	17	④	18	③	19	③	20	③

서술형

21	해설참조	22	해설참조
23	해설참조	24	해설참조

기말고사 모의평가 1회

01	②	02	②	03	④	04	①	05	①
06	⑤	07	③	08	②	09	②	10	②
11	①	12	③	13	④	14	⑤	15	③
16	①	17	①	18	②	19	③	20	④

서술형

21	해설참조	22	해설참조
23	해설참조	24	해설참조

기말고사 모의평가 2회

01	②	02	③	03	③	04	②	05	①
06	④	07	②	08	⑤	09	⑤	10	⑤
11	②	12	③	13	②	14	②	15	③
16	④	17	②	18	②	19	③	20	⑤

서술형

21	해설참조	22	해설참조
23	해설참조	24	해설참조

The capacity to learn is a gift;
the ability to learn is a skill;
the willingness to learn is a choice.
Brian Herbert

masterplan

MAPL SERIES

마플교재 시리즈

I'M NOT A BOOK
I AM MAPL!

핵심단권화 수학개념서

마플교과서 시리즈

핵심을 관통하는 단권화 교재
마플수학 교과서
S E R I E S

수능과 내신을 이 한 권으로! 확인, 변형, 발전 문제와 심화된 고난도 문제를 통해 수학의 힘을 기른다! 학교 내신뿐만 아니라 전국연합모의고사 대비, 수능을 대비하는 복합적인 사고력을 기르는 교재!

출간 예정 교재

> 2022 개정교육과정 개념서

2022 개정 교육과정의 마플교과서 공통수학1, 공통수학2, 대수, 미적분1, 확률과 통계

마플시너지 시리즈

내신과 수능, 당신의 1등급이 이 교재의 철학!
마플수학 시너지
S E R I E S

강력한 개념이 끝나면 이젠 문제풀이다 ! 개정 교육과정의 교과서를 유형별 단원별로 정리한 학교 내신의 완벽한 대비서. 내신 1등급의 필독서 !

출간 예정 교재

> 2022 개정교육과정 시너지

2022 개정 교육과정의 마플시너지 공통수학1, 공통수학2, 대수, 미적분1, 확률과 통계

마플총정리 시리즈

수능대비 필독서!
마플 수능총정리
S E R I E S

전국 상위권 학생의 고득점 전략 ! 5000여 문항에 도전한다
교육청, 평가원, 수능, 사관학교, 경찰대 기출을 유형별/단원별로 집대성한 문제은행식 문제집이자 수능 만점의 필독서 !

> 유형별 기출 문제집

마플 수능기출총정리 기하, 미적분, 확률과 통계, 수학II, 수학I

월별기출모의고사
마플 모의고사 시리즈

모의고사 1등급 가이드
월별기출모의고사
S E R I E S

각 지방 교육청 주관 연합학력평가(고 1,2,3) 및 사관학교 1차, 경찰대 1차, 수능 모의평가, 수학능력시험(고3)을 진도에 맞게 우수문항을 체계적으로 정리/선별하여 월별로 준비하는 완벽한 리허설 문제집.

> 기출 모의고사 문제집

마플 월별기출모의고사 문제집 고1 수학영역, 고2 수학영역, 고3 수학영역

마플
시너지
내신문제집
MAPL SYNERGY SERIES

수학 Ⅱ

1489Q

 최다 빈출 문제로 이루어진 내신연계기출
0613Q

도움을 주신 분들
정영필 김민석 강승혁 이승효 김성진 서혜원

내신 일등급을 위한 최고의 교재

마플시너지

수학 Ⅱ

마플시너지 내신문제집 수학 Ⅱ

ISBN : 978-89-94845-70-8 (53410)

발행일 : 2019년 9월 6일(1판 1쇄)

인쇄일 : 2024년 10월 21일

판/쇄 : 1판 18쇄

펴낸곳
희망에듀출판부 *(Heemang Institute, inc. Publishing dept.)*

펴낸이
임정선

주소 경기도 부천시 석천로 174 하성빌딩
[174, Seokcheon-ro, Bucheon-si, Gyeonggi-do, Republic of Korea]

교재 오류 및 문의
mapl@heemangedu.co.kr

희망에듀 홈페이지
http://www.heemangedu.co.kr

마플교재 인터넷 구입처
http://www.mapl.co.kr

교재 구입 문의
오성서적
Tel 032) 653-6653
Fax 032) 655-4761

마플
시너지
내신문제집
MAPL SYNERGY SERIES

수학 II

14890

최다 빈출 문제로 이루어진 내신연계기출
✚ 06130

도움을 주신 분들
정영필 김민석 강승혁 이승효 김성진 서혜원

내신 일등급을 위한 최고의 교재

마플시너지

수학 II

마플시너지 내신문제집 수학 II

ISBN : 978-89-94845-70-8 (53410)

발행일 : 2019년 9월 6일(1판 1쇄)

인쇄일 : 2024년 10월 21일

판/쇄 : 1판 18쇄

펴낸곳
희망에듀출판부 *(Heemang Institute, inc. Publishing dept.)*

펴낸이
임정선

주소 경기도 부천시 석천로 174 하성빌딩
[174, Seokcheon-ro, Bucheon-si, Gyeonggi-do, Republic of Korea]

교재 오류 및 문의
mapl@heemangedu.co.kr

희망에듀 홈페이지
http://www.heemangedu.co.kr

마플교재 인터넷 구입처
http://www.mapl.co.kr

교재 구입 문의
오성서적
Tel 032) 653-6653
Fax 032) 655-4761

정답과 해설

mapl
SYNERGY

YOUR MASTER PLAN

1 함수의 극한과 연속

01 함수의 극한

0001

정답 ③

STEP Ⓐ 함수의 그래프를 보고 함숫값, 극한값 구하기

① $f(1)=0$이다.

② $\lim_{x \to 0-} f(x)=2$, $f(0)=0$이므로 $\lim_{x \to 0-} f(x) \ne f(0)$이다.

③ $\lim_{x \to 1+} f(x)=2$, $\lim_{x \to 1-} f(x)=3$이므로 $\lim_{x \to 1} f(x)$는 존재하지 않는다.

④ $\lim_{x \to 1+} f(x)=3$, $\lim_{x \to 1-} f(x)=3$이므로 $\lim_{x \to 1} f(x)$는 존재한다.

⑤ $\lim_{x \to -1-} f(x)+\lim_{x \to 0+} f(x)=3+0=3$이다.

따라서 옳은 것은 ③이다.

함수 $y=f(x)$의 그래프가 그림과 같을 때, $-2 \le x \le 2$의 범위에서 극한값이 존재하지 않는 점의 개수는?

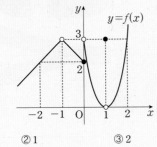

① 0   ② 1   ③ 2
④ 3   ⑤ 4

STEP Ⓐ 함수의 극한의 존재조건을 이용하여 극한값이 존재하는지 판별하기

$\lim_{x \to -1} f(x)=3$, $\lim_{x \to 1} f(x)=0$이므로 극한값이 존재하고

$\lim_{x \to 0-} f(x)=3$, $\lim_{x \to 0+} f(x)=2$이므로 $\lim_{x \to 0} f(x)$가 존재하지 않으므로

극한값이 존재하지 않은 점은 $x=0$에서 1개이다.

정답 ②

0002

정답 ④

① $f(1)=2$이다.

② $\lim_{x \to 0} f(x)$는 존재하지 않는다.

③ $\lim_{x \to 1} f(x)=1$

④ $\lim_{x \to -1-} f(x)=1$, $\lim_{x \to -1+} f(x)=0$이므로 $\lim_{x \to -1} f(x)$는 존재하지 않는다.

⑤ $\lim_{x \to -2} f(x)=0$

따라서 옳지 않은 것은 ④이다.

0003

정답 ②

STEP Ⓐ 함수의 그래프를 보고 극한값 구하기

x의 값이 -1보다 작으면서 -1에 한없이 가까워질 때,
$f(x)$의 값은 2에 한없이 가까워지므로 $\lim_{x \to -1-} f(x)=2$

x의 값이 1보다 크면서 1에 한없이 가까워질 때,
$f(x)$의 값은 0에 한없이 가까워지므로 $\lim_{x \to 1+} f(x)=0$

따라서 $\lim_{x \to -1-} f(x)+\lim_{x \to 1+} f(x)=2+0=2$

함수 $y=f(x)$의 그래프가 다음 그림과 같을 때,

$$\lim_{x \to -2+} f(x)+\lim_{x \to 0+} f(x)+\lim_{x \to 1-} f(x)$$

의 값은?

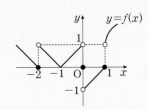

① -3 ② -2 ③ -1
④ 0   ⑤ 1

STEP Ⓐ 함수의 그래프를 보고 좌극한, 우극한값 구하기

함수 $y=f(x)$의 그래프에서

$x \to -2+$일 때, $f(x) \to 1$이므로 $\lim_{x \to -2+} f(x)=1$

$x \to 0+$일 때, $f(x) \to -1$이므로 $\lim_{x \to 0+} f(x)=-1$

$x \to 1-$일 때, $f(x) \to 0$이므로 $\lim_{x \to 1-} f(x)=0$

따라서 $\lim_{x \to -2+} f(x)+\lim_{x \to 0+} f(x)+\lim_{x \to 1-} f(x)=1+(-1)+0=0$

정답 ④

0004

정답 ⑤

STEP Ⓐ 그래프에서 함수의 좌극한값, 우극한값 구하기

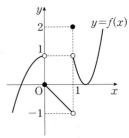

x의 값이 1보다 크면서 1에 한없이 가까워질 때,
$f(x)$의 값은 1에 한없이 가까워지므로 $\lim_{x \to 1+} f(x)=1$

x의 값이 1보다 작으면서 1에 한없이 가까워질 때,
$f(x)$의 값은 -1에 한없이 가까워지므로 $\lim_{x \to 1-} f(x)=-1$

x의 값이 0보다 작으면서 0에 한없이 가까워질 때,
$f(x)$의 값은 1에 한없이 가까워지므로 $\lim_{x \to 0-} f(x)=1$

따라서 $\lim_{x \to 1+} f(x)+\lim_{x \to 1-} f(x)+\lim_{x \to 0-} f(x)=1+(-1)+1=1$

0005

STEP Ⓐ **그래프에서 함수의 좌극한값, 우극한값 구하기**

오른쪽 그래프에서
$x \to 0-$일 때, $f(x) \to 0$이므로
$\lim_{x \to 0-} f(x) = 0$
또한, $x \to 1+$일 때, $f(x) \to -2$
이므로 $\lim_{x \to 1+} f(x) = -2$
따라서 $\lim_{x \to 0-} f(x) + \lim_{x \to 1+} f(x)$
$= 0 + (-2) = -2$

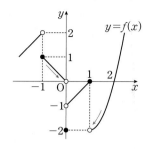

0006

정답 ①

STEP Ⓐ **그래프에서 함수의 좌극한값, 우극한값 구하기**

오른쪽 그래프에서
$x \to 0-$일 때, $f(x) \to -1$이므로
$\lim_{x \to 0-} f(x) = -1$
또한, $x \to 1+$일 때, $f(x) \to 2$
이므로 $\lim_{x \to 1+} f(x) = 2$
따라서 $\lim_{x \to 0-} f(x) + \lim_{x \to 1+} f(x)$
$= -1 + 2 = 1$

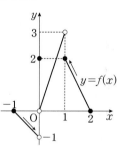

0007

정답 ④

STEP Ⓐ **그래프에서 함수의 좌극한값, 우극한값 구하기**

오른쪽 그림에서
$x \to -1-$일 때, $f(x) \to 2$이므로
$\lim_{x \to -1-} f(x) = 2$,
$x \to 1+$일 때, $f(x) \to 1$이므로
$\lim_{x \to 1+} f(x) = 1$
따라서 $\lim_{x \to -1-} f(x) - \lim_{x \to 1+} f(x)$
$= 2 - 1 = 1$

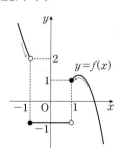

0008

정답 ④

STEP Ⓐ **그래프에서 함수의 좌극한값, 우극한값 구하기**

$\lim_{x \to 0-} f(x) = \lim_{x \to 1+} f(x) = 2$이므로
$\lim_{x \to 0-} f(x) + \lim_{x \to 1+} f(x) = 2 + 2 = 4$

함수 $y = f(x)$의 그래프가 그림과 같다.

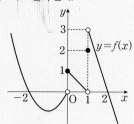

$\lim_{x \to 0-} f(x) + \lim_{x \to 1+} f(x)$의 값은?

① 1   ② 2   ③ 3
④ 4   ⑤ 5

STEP Ⓐ **그래프에서 함수의 좌극한값, 우극한값 구하기**

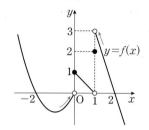

$x \to 0-$일 때, $f(x) \to 0$이므로 $\lim_{x \to 0-} f(x) = 0$
또, $x \to 1+$일 때, $f(x) \to 3$이므로 $\lim_{x \to 1+} f(x) = 3$
따라서 $\lim_{x \to 0-} f(x) + \lim_{x \to 1+} f(x) = 0 + 3 = 3$ 정답 ③

0009

정답 ⑤

STEP Ⓐ **그래프에서 함숫값, 극한값 구하기**

x의 값이 -1보다 작으면서 -1에 한없이 가까워질 때,
$f(x)$의 값은 1에 한없이 가까워지므로 $\lim_{x \to -1-} f(x) = 1$
$x = 0$에서 함숫값은 $f(0) = 2$
x의 값이 1보다 크면서 1에 한없이 가까워질 때,
$f(x)$의 값은 -1에 한없이 가까워지므로 $\lim_{x \to 1+} f(x) = -1$
따라서 $\lim_{x \to -1-} f(x) + f(0) + \lim_{x \to 1+} f(x) = 1 + 2 + (-1) = 2$

0010

정답 ②

STEP Ⓐ **그래프에서 보고 함숫값, 극한값 구하기**

함수 $y = f(x)$의 그래프에서
$x \to 1+$일 때, $f(x) \to -2$이므로 $\lim_{x \to 1+} f(x) = -2$
$-1 < x < 0$일 때, $f(x) = 1$이므로 $\lim_{x \to -1+} f(x) = 1$
따라서 $\lim_{x \to 1+} f(x) + \lim_{x \to -1+} f(x) = -2 + 1 = -1$

함수 $y=f(x)$의 그래프가 다음 그림과 같을 때,
$\lim\limits_{x \to 1} f(x) + \lim\limits_{x \to 2+} f(x)$의 값은?

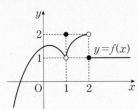

① 1   ② 2   ③ 3
④ 4   ⑤ 5

STEP Ⓐ 그래프에서 함숫값, 극한값 구하기

함수 $y=f(x)$의 그래프에서

$x \to 1$일 때, $f(x) \to 1$이므로 $\lim\limits_{x \to 1} f(x)=1$

$x \geq 2$일 때, $f(x)=1$이므로 $\lim\limits_{x \to 2+} f(x)=1$

따라서 $\lim\limits_{x \to 1} f(x) + \lim\limits_{x \to 2+} f(x)=1+1=2$

정답 ②

0011

정답 ③

STEP Ⓐ 그래프에서 함숫값, 극한값 구하기

함수 $y=f(x)$의 그래프에서

$x \to 1-$일 때, $f(x) \to -1$이므로 $\lim\limits_{x \to 1-} f(x)=-1$

$x > 1$일 때, $f(x)=1$이므로 $\lim\limits_{x \to 1+} f(x)=1$

$x \to 0+$일 때, $f(x) \to 0$이므로 $\lim\limits_{x \to 0+} f(x)=0$

따라서 $\lim\limits_{x \to 1-} f(x) + \lim\limits_{x \to 1+} f(x) + \lim\limits_{x \to 0+} f(x)=-1+1+0=0$

0012

정답 ①

STEP Ⓐ 그래프에서 함수의 극한값 구하기

함수 $y=f(x)$의 그래프에서

$x \to -1+$일 때, $f(x) \to 2$이므로 $\lim\limits_{x \to -1+} f(x)=2$

$x \to 0$일 때, $f(x) \to 3$이므로 $\lim\limits_{x \to 0} f(x)=3$

$1 < x < 3$일 때, $f(x)=1$이므로 $\lim\limits_{x \to 1+} f(x)=1$

따라서 $\lim\limits_{x \to -1+} f(x) + \lim\limits_{x \to 0} f(x) + \lim\limits_{x \to 1+} f(x)=2+3+1=6$

0013

정답 ③

STEP Ⓐ 그래프에서 함수의 좌극한값, 우극한값 구하기

$\lim\limits_{x \to 0-} f(x)=2$, $\lim\limits_{x \to 0+} f(x)=0$이므로

부등식 $\lim\limits_{x \to a-} f(x) > \lim\limits_{x \to a+} f(x)$를 만족시키는 a의 값은 0이다.

 함수 $f(x)$는 감소하는 함수에서
$\lim\limits_{x \to a-} f(x) > \lim\limits_{x \to a+} f(x)$를 만족한다.

0014

정답 ⑤

STEP Ⓐ 그래프에서 함수의 극한값 구하기

함수 $y=f(x)$, $y=g(x)$의 그래프에서

$x \to -1-$일 때, $f(x) \to 3$이므로 $\lim\limits_{x \to -1-} f(x)=3$

$x \to 2+$일 때, $g(x) \to 4$이므로 $\lim\limits_{x \to 2+} g(x)=4$

$x > 1$일 때, $f(x)=2$이므로 $\lim\limits_{x \to 1+} f(x)=2$

STEP Ⓑ k의 값 구하기

$\lim\limits_{x \to -1-} f(x) + \lim\limits_{x \to 2+} g(x) = \lim\limits_{x \to 1+} f(x) + k$에서 $3+4=2+k$

따라서 $k=5$

함수 $y=f(x)$의 그래프의 일부가 오른쪽 그림과 같다. $0 \leq x \leq 1$에서 $f(x)=k$ (k는 상수)이고, $\lim\limits_{x \to 0-} f(x) + \lim\limits_{x \to 1-} f(x)=2$일 때, $\lim\limits_{x \to 0+} f(x) + \lim\limits_{x \to 1+} f(x) + \lim\limits_{x \to 2-} f(x)$의 값은?

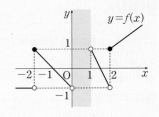

① 1   ② 2
③ 3   ④ 4
⑤ 5

STEP Ⓐ $\lim\limits_{x \to 0-} f(x) + \lim\limits_{x \to 1-} f(x)=2$를 만족하는 상수 k 구하기

함수 $y=f(x)$의 그래프에서 $\lim\limits_{x \to 0-} f(x)=-1$

$0 \leq x \leq 1$에서 $f(x)=k$이므로 $\lim\limits_{x \to 1-} f(x) = \lim\limits_{x \to 1-} k=k$

즉 $\lim\limits_{x \to 0-} f(x) + \lim\limits_{x \to 1-} f(x)=2$에서 $-1+k=2$이므로 $k=3$

STEP Ⓑ 함수의 그래프를 이용하여 좌극한과 우극한의 값 구하기

즉 $k=3$이므로 함수 $y=f(x)$의 그래프는 오른쪽 그림과 같다.
함수 $y=f(x)$의 그래프에서

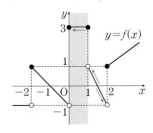

$\lim\limits_{x \to 0+} f(x) = \lim\limits_{x \to 0+} 3=3$

$\lim\limits_{x \to 1+} f(x)=1$

$\lim\limits_{x \to 2-} f(x)=-1$

이므로

$\lim\limits_{x \to 0+} f(x) + \lim\limits_{x \to 1+} f(x) + \lim\limits_{x \to 2-} f(x)=3+1+(-1)=3$

정답 ③

0015

정답 ⑤

STEP Ⓐ 그래프에서 함수의 극한값 구하기

함수 $y=f(x)$, $y=g(x)$의 그래프에서

$x \to 1-$일 때, $f(x) \to 2$이므로 $\lim\limits_{x \to 1-} f(x)=2$

$x \to 2+$일 때, $f(x) \to 1$이므로 $\lim\limits_{x \to 2+} f(x)=1$

$x \to 2+$일 때, $g(x) \to 2$이므로 $\lim\limits_{x \to 2+} g(x)=2$

$\lim\limits_{x \to 1-} f(x) + \lim\limits_{x \to 2+} \{f(x)g(x)\}=2+1 \cdot 2=4$

0016

STEP Ⓐ 함수 $f(x)$의 $x=3$에서의 우극한과 좌극한 구하기

$x>3$일 때, $f(x)=x^2+x-k$이므로

$\lim\limits_{x\to3+}f(x)=\lim\limits_{x\to3+}(x^2+x-k)=9+3-k=12-k$

$x<3$일 때, $f(x)=-2x+k$이므로

$\lim\limits_{x\to3-}f(x)=\lim\limits_{x\to3-}(-2x+k)=-6+k$

STEP Ⓑ 좌극한과 우극한이 일치함을 이용하여 상수 k의 값 구하기

$\lim\limits_{x\to3}f(x)$의 값이 존재하려면 $\lim\limits_{x\to3+}f(x)=\lim\limits_{x\to3+}f(x)$이어야 하므로

$12-k=-6+k$, $2k=18$

따라서 $k=9$

0017

정답 ③

STEP Ⓐ 함수 $f(x)$의 $x=2$에서의 우극한과 좌극한 구하기

$\lim\limits_{x\to2+}f(x)=\lim\limits_{x\to2+}(x^2-3x+4)=2$

$\lim\limits_{x\to2-}f(x)=\lim\limits_{x\to2-}(-2x+k)=-4+k$

STEP Ⓑ 좌극한과 우극한이 일치함을 이용하여 상수 k의 값 구하기

$\lim\limits_{x\to2}f(x)$의 값이 존재하려면 $\lim\limits_{x\to2+}f(x)=\lim\limits_{x\to2-}f(x)$이어야 하므로

$2=-4+k$

따라서 $k=6$

내/신/연/계/ 출제문항 006

함수 $f(x)=\begin{cases}-x^2+3x+k & (x\geq1)\\5x-2k & (x<1)\end{cases}$에서 극한값 $\lim\limits_{x\to1}f(x)$가 존재할 때, 상수 k의 값은?

① 1   ② 2   ③ 3

④ 4   ⑤ 5

STEP Ⓐ 함수 $f(x)$의 $x=1$에서의 우극한과 좌극한 구하기

$\lim\limits_{x\to1+}f(x)=\lim\limits_{x\to1+}(-x^2+3x+k)=-1+3+k=2+k$

$\lim\limits_{x\to1-}f(x)=\lim\limits_{x\to1-}(5x-2k)=5-2k$

STEP Ⓑ 좌극한과 우극한이 일치함을 이용하여 상수 k의 값 구하기

$\lim\limits_{x\to1}f(x)$의 값이 존재하려면 $\lim\limits_{x\to1+}f(x)=\lim\limits_{x\to1-}f(x)$이어야 하므로

$2+k=5-2k$

따라서 $k=1$

정답 ①

0018

정답 ②

STEP Ⓐ 함수 $f(x)$의 $x=2$에서의 우극한과 좌극한 구하기

$\lim\limits_{x\to2+}f(x)=\lim\limits_{x\to2+}(x^2-k^2)=4-k^2$

$\lim\limits_{x\to2-}f(x)=\lim\limits_{x\to2-}(-x-k)=-2-k$

STEP Ⓑ 좌극한과 우극한이 일치함을 이용하여 상수 k의 값 구하기

$\lim\limits_{x\to2}f(x)$의 값이 존재하려면 $\lim\limits_{x\to2+}f(x)=\lim\limits_{x\to2-}f(x)$이어야 하므로

$4-k^2=-2-k$에서 $k^2-k-6=0$

$(k-3)(k+2)=0$

따라서 양수 k는 $k=3$

0019

정답 ④

STEP Ⓐ 함수 $f(x)$의 $x=1$에서의 우극한과 좌극한 구하기

$\lim\limits_{x\to1-}f(x)=\lim\limits_{x\to1-}(x+k)=1+k$

$\lim\limits_{x\to1+}f(x)=\lim\limits_{x\to1+}(x^2+5x)=6$

STEP Ⓑ 좌극한과 우극한이 일치함을 이용하여 상수 k의 값 구하기

$\lim\limits_{x\to1}f(x)$의 값이 존재하려면 $\lim\limits_{x\to1-}f(x)=\lim\limits_{x\to1+}f(x)$이어야 하므로

$1+k=6$

따라서 $k=5$

0020

정답 ④

STEP Ⓐ $x=1$에서의 우극한과 좌극한 구하기

$\lim\limits_{x\to1+}\dfrac{2f(x)+a}{f(x)+2}=\lim\limits_{x\to1+}\dfrac{2+\dfrac{a}{f(x)}}{1+\dfrac{2}{f(x)}}=\dfrac{2+0}{1+0}=2$

$\lim\limits_{x\to1-}\dfrac{2f(x)+a}{f(x)+2}=\dfrac{2\cdot0+a}{0+2}=\dfrac{a}{2}$

STEP Ⓑ 좌극한과 우극한이 일치함을 이용하여 상수 a의 값 구하기

극한값 $\lim\limits_{x\to1}\dfrac{2f(x)+a}{f(x)+2}$의 값이 존재하려면

$\lim\limits_{x\to1+}\dfrac{2f(x)+a}{f(x)+2}=\lim\limits_{x\to1-}\dfrac{2f(x)+a}{f(x)+2}$이어야 하므로 $2=\dfrac{a}{2}$

따라서 $a=4$

내/신/연/계/ 출제문항 007

함수 $f(x)$가

$$\lim\limits_{x\to0+}f(x)=\infty,\ \lim\limits_{x\to0-}f(x)=0$$

을 만족하고 극한값 $\lim\limits_{x\to0}\dfrac{f(x)-k}{f(x)+5}$가 존재할 때, 상수 k의 값은?

① -5 ② -4 ③ -3

④ -2 ⑤ -1

STEP Ⓐ 함수 $f(x)$의 $x=0$에서의 우극한과 좌극한 구하기

$\lim\limits_{x\to0+}\dfrac{f(x)-k}{f(x)+5}=\lim\limits_{x\to0+}\dfrac{1-\dfrac{k}{f(x)}}{1+\dfrac{5}{f(x)}}=\dfrac{1-0}{1+0}=1$

$\lim\limits_{x\to0-}\dfrac{f(x)-k}{f(x)+5}=\dfrac{0-k}{0+5}=\dfrac{-k}{5}$

STEP Ⓑ 좌극한과 우극한이 일치함을 이용하여 상수 k의 값 구하기

극한값 $\lim\limits_{x\to0}\dfrac{f(x)-k}{f(x)+5}$의 값이 존재하려면

$\lim\limits_{x\to0+}\dfrac{f(x)-k}{f(x)+5}=\lim\limits_{x\to0-}\dfrac{f(x)-k}{f(x)+5}$이어야 하므로 $1=\dfrac{-k}{5}$

따라서 $k=-5$

정답 ①

0021

STEP Ⓐ 점근선의 y좌표를 이용하여 b 구하기

조건 (가)에서 $\lim_{x \to \infty} f(x) = 2$

즉 $\lim_{x \to \infty}\left(\dfrac{1}{x+a}+b\right)=2$이므로 $b=2$ ◀ 점근선의 방정식의 $y=2$

STEP Ⓑ 점근선의 x좌표를 이용하여 a 구하기

조건 (나)에서 $x=1$에서의 극한이 존재하지 않으므로
$\lim_{x \to 1-} f(x) \neq \lim_{x \to 1+} f(x)$이 성립한다.

$\therefore a=-1$ ◀ 점근선의 방정식의 $x=1$

따라서 $a=-1$, $b=2$이므로 $a+b=1$

내신연계 출제문항 008

유리함수 $f(x)=\dfrac{1}{x+a}+b$가 다음 조건을 모두 만족시킬 때, 상수 a, b에 대하여 $a+b$의 값은?

> (가) $\lim_{x \to \infty} f(x)=5$
> (나) $x=2$에서 $f(x)$의 극한이 존재하지 않는다.

① -1 ② 0 ③ 1
④ 2 ⑤ 3

STEP Ⓐ 점근선의 y좌표를 이용하여 b 구하기

조건 (가)에서 $\lim_{x \to \infty} f(x)=5$

즉 $\lim_{x \to \infty}\left(\dfrac{1}{x+a}+b\right)=5$이므로 $b=5$ ◀ 점근선의 방정식의 $y=5$

STEP Ⓑ 점근선의 x좌표를 이용하여 a 구하기

조건 (나)에서 $x=2$에서의 극한이 존재하지 않으므로
$\lim_{x \to 2-} f(x) \neq \lim_{x \to 2+} f(x)$이 성립한다.

$\therefore a=-2$ ◀ 점근선의 방정식의 $x=2$

따라서 $a=-2$, $b=5$이므로 $a+b=3$

0022

STEP Ⓐ 함수의 극한의 존재조건을 이용하여 극한값이 존재하는지 판별하기

ㄱ. $\lim_{x \to 1-} g(x)=-2$, $\lim_{x \to 1+} g(x)=2$이므로

$\lim_{x \to 1-}\{f(x)+g(x)\}=0+(-2)=-2$

$\lim_{x \to 1+}\{f(x)+g(x)\}=0+2=2$

즉 $\lim_{x \to 1}\{f(x)+g(x)\}$의 값은 존재하지 않는다.

ㄴ. $\lim_{x \to 1}\{f(x)\}^2=\lim_{x \to 1}f(x) \cdot \lim_{x \to 1}f(x)=0 \cdot 0=0$

$\lim_{x \to 1-}\{g(x)\}^2=\lim_{x \to 1-}g(x) \cdot \lim_{x \to 1-}g(x)=(-2) \cdot (-2)=4$

$\lim_{x \to 1+}\{g(x)\}^2=\lim_{x \to 1+}g(x) \cdot \lim_{x \to 1+}g(x)=2 \cdot 2=4$

$\therefore \lim_{x \to 1}\{g(x)\}^2=4$

즉 $\lim_{x \to 1}[\{f(x)\}^2+\{g(x)\}^2]=4$

ㄷ. $\lim_{x \to 1-}f(x)g(x)=0 \cdot (-2)=0$

$\lim_{x \to 1+}f(x)g(x)=0 \cdot 2=0$

$\therefore \lim_{x \to 1}f(x)g(x)=0$

따라서 극한값이 존재하는 것은 ㄴ, ㄷ이다.

0023

STEP Ⓐ 함수의 극한의 존재조건을 이용하여 극한값이 존재하는지 판별하기

ㄱ. $\lim_{x \to 0-}\{f(x)-g(x)\}=2-0=2$

$\lim_{x \to 0+}\{f(x)-g(x)\}=-2-0=-2$

이므로 $\lim_{x \to 0}\{f(x)-g(x)\}$의 값은 존재하지 않는다.

ㄴ. $\lim_{x \to 0-}\{f(x)\}^2=\lim_{x \to 0-}f(x) \cdot \lim_{x \to 0-}f(x)=2 \cdot 2=4$

$\lim_{x \to 0+}\{f(x)\}^2=\lim_{x \to 0+}f(x) \cdot \lim_{x \to 0+}f(x)=(-2) \cdot (-2)=4$

$\lim_{x \to 0}\{g(x)\}^2=\lim_{x \to 0}g(x) \cdot \lim_{x \to 0}g(x)=0$

$\lim_{x \to 0-}[\{f(x)\}^2+\{g(x)\}^2]=4$

$\lim_{x \to 0+}[\{f(x)\}^2+\{g(x)\}^2]=4$

이므로 $\lim_{x \to 0}[\{f(x)\}^2+\{g(x)\}^2]=4$로 극한값이 존재한다.

ㄷ. $\lim_{x \to 0-}f(x)g(x)=2 \cdot 0=0$

$\lim_{x \to 0+}f(x)g(x)=(-2) \cdot 0=0$

이므로 $\lim_{x \to 0}f(x)g(x)=0$로 극한값이 존재한다.

따라서 극한값이 존재하는 것은 ㄴ, ㄷ이다.

0024

STEP Ⓐ 함수의 극한의 존재조건을 이용하여 극한값이 존재하는지 판별하기

$\lim_{x \to 3}f(x)=0$이고 $\lim_{x \to 3+}g(x)=2$, $\lim_{x \to 3-}g(x)=-2$이므로

ㄱ. $\lim_{x \to 3+}\{f(x)+g(x)\}=0+2=2$

$\lim_{x \to 3-}\{f(x)+g(x)\}=0-2=-2$

즉 $\lim_{x \to 3}\{f(x)+g(x)\}$의 값은 존재하지 않는다.

ㄴ. $\lim_{x \to 3+}f(x)g(x)=0 \times 2=0$

$\lim_{x \to 3-}f(x)g(x)=0 \times (-2)=0$

이므로 $\lim_{x \to 3}f(x)g(x)=0$

ㄷ. $\lim_{x \to 3+}\dfrac{f(x)}{g(x)}=\dfrac{0}{2}=0$

$\lim_{x \to 3-}\dfrac{f(x)}{g(x)}=\dfrac{0}{(-2)}=0$

이므로 $\lim_{x \to 3}\dfrac{f(x)}{g(x)}=0$

ㄹ. $\lim_{x \to 3}\{f(x)\}^2=\lim_{x \to 3}f(x) \cdot \lim_{x \to 3}f(x)=0 \cdot 0=0$

$\lim_{x \to 3+}\{g(x)\}^2=\lim_{x \to 3+}g(x) \cdot \lim_{x \to 3+}g(x)=2 \cdot 2=4$

$\lim_{x \to 3-}\{g(x)\}^2=\lim_{x \to 3-}g(x) \cdot \lim_{x \to 3-}g(x)=(-2) \cdot (-2)=4$

$\therefore \lim_{x \to 3}\{g(x)\}^2=4$

즉 $\lim_{x \to 3}[\{f(x)\}^2+\{g(x)\}^2]=4$

따라서 극한값이 존재하는 것은 ㄴ, ㄷ, ㄹ이다.

0025

정답 ③

STEP Ⓐ 함수의 그래프에서 함수의 극한의 성질을 이용하여 극한값이 존재하는지 판별하기

ㄱ. 주어진 그래프에서 $\lim\limits_{x\to 3} f(x)=1$, $\lim\limits_{x\to 3} g(x)=1$이므로

$\lim\limits_{x\to 3}\{f(x)+g(x)\}=\lim\limits_{x\to 3}f(x)+\lim\limits_{x\to 3}g(x)=1+1=2$ [참]

ㄴ. $\lim\limits_{x\to 1}f(x)$, $\lim\limits_{x\to 1}g(x)$의 값은 모두 존재하지 않는다.

그러나 $\lim\limits_{x\to 1-}f(x)=3$, $\lim\limits_{x\to 1-}g(x)=2$이므로

$\lim\limits_{x\to 1-}\{f(x)-g(x)\}=3-2=1$ ...... ㉠

또한 $\lim\limits_{x\to 1+}f(x)=2$, $\lim\limits_{x\to 1+}g(x)=1$이므로

$\lim\limits_{x\to 1+}\{f(x)-g(x)\}=2-1=1$ ...... ㉡

즉 ㉠, ㉡에서 $\lim\limits_{x\to 1}\{f(x)-g(x)\}=1$ [참]

ㄷ. $x\to 2$일 때, $f(x)\to 2$이고 $g(x)\to 0+$이므로 $\dfrac{f(x)}{g(x)}\to\infty$가 된다.

그러나 $\lim\limits_{x\to 2}g(x)=0$이므로 $\lim\limits_{x\to 2}\dfrac{f(x)}{g(x)}=\dfrac{\lim\limits_{x\to 2}f(x)}{\lim\limits_{x\to 2}g(x)}\Big(=\dfrac{2}{0}\Big)$와

같은 표현은 옳지 않다. [거짓]

따라서 옳은 것은 ㄱ, ㄴ이다.

0026

정답 ③

STEP Ⓐ $x=3$을 기준으로 구간을 나누어 함수 $f(x)$의 식 구하기

$f(x)=\begin{cases} \dfrac{x^2-9}{|x-3|} & (x>3) \\ a & (x\le 3) \end{cases}$에서 $|x-3|=x-3 \, (x>3)$이므로

$f(x)=\begin{cases} x+3 & (x>3) \\ a & (x\le 3) \end{cases}$

STEP Ⓑ $y=f(x)$의 그래프를 그려 극한값 구하기

$y=f(x)$의 그래프는 그림과 같다.

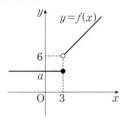

x가 3보다 큰 값을 가지면서 3에 한없이 가까워질 때, $f(x)$의 값은 6에 한없이 가까워지므로

$\lim\limits_{x\to 3+}f(x)=6$, $\lim\limits_{x\to 3-}f(x)=\lim\limits_{x\to 3-}a=a$

STEP Ⓒ 함수의 극한의 존재조건을 이용하여 a의 값 구하기

따라서 $\lim\limits_{x\to 3}f(x)$가 존재하려면 $x=3$에서 $f(x)$의 우극한과 좌극한이 같아야 하므로 $a=6$

0027

정답 ④

STEP Ⓐ $x=5$를 기준으로 구간을 나누어 함수 $f(x)$의 식 구하기

$f(x)=\dfrac{x^2-3x-10}{|x-5|}=\dfrac{(x-5)(x+2)}{|x-5|}$

$=\begin{cases} x+2 & (x>5) \\ -x-2 & (x<5) \end{cases}$

STEP Ⓑ 좌극한과 우극한 구하기

$\lim\limits_{x\to 5+}f(x)=\lim\limits_{x\to 5+}(x+2)=7$

$\lim\limits_{x\to 5-}f(x)=\lim\limits_{x\to 5-}(-x-2)=-7$

따라서 $a=7$, $b=-7$이므로

$a-b=7-(-7)=14$

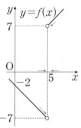

내신연계 출제문항 009

함수 $f(x)=\dfrac{x^2-3x-4}{|x+1|}$에 대하여

$$\lim\limits_{x\to -1+}f(x)=a,\ \lim\limits_{x\to -1-}f(x)=b$$

일 때, 두 상수 a, b에 대하여 ab의 값은?

① -25 ② -16 ③ -9
④ 16 ⑤ 15

STEP Ⓐ $x=-1$를 기준으로 구간을 나누어 함수 $f(x)$의 식 구하기

$f(x)=\dfrac{x^2-3x-4}{|x+1|}=\dfrac{(x+1)(x-4)}{|x+1|}$

$=\begin{cases} x-4 & (x>-1) \\ -x+4 & (x<-1) \end{cases}$

STEP Ⓑ 좌극한과 우극한 구하기

$\lim\limits_{x\to -1+}f(x)=\lim\limits_{x\to -1+}(x-4)=-5$

$\lim\limits_{x\to -1-}f(x)=\lim\limits_{x\to -1-}(-x+4)=5$

따라서 $a=-5$, $b=5$이므로 $ab=-25$

정답 ①

0028

정답 ①

STEP Ⓐ $x=1$을 기준으로 구간을 나누어 함수 $f(x)$의 식 구하기

$f(x)=\dfrac{x^2-3x+2}{|x-1|}=\dfrac{(x-1)(x-2)}{|x-1|}$

$=\begin{cases} x-2 & (x>1) \\ -x+2 & (x<1) \end{cases}$

STEP Ⓑ 좌극한과 우극한 구하기

$\lim\limits_{x\to 1+}f(x)=\lim\limits_{x\to 1+}(x-2)=-1$

$\lim\limits_{x\to 1-}f(x)=\lim\limits_{x\to 1-}(-x+2)=1$

따라서 $a=-1$, $b=1$이므로 $a+b=-1+1=0$

0029

정답 ③

STEP Ⓐ $x=-1$을 기준으로 구간을 나누어 함수 $f(x)$의 식 구하기

$f(x)=\dfrac{x^2-1}{|x+1|}=\dfrac{(x-1)(x+1)}{|x+1|}$

$\qquad=\begin{cases}x-1 & (x>-1)\\-x+1 & (x<-1)\end{cases}$

STEP Ⓑ 좌극한과 우극한 구하기

$\displaystyle\lim_{x\to-1-}f(x)=\lim_{x\to-1-}(-x+1)=2$

$\displaystyle\lim_{x\to-1+}f(x)=\lim_{x\to-1+}(x-1)=-2$

따라서 $a=2$, $b=-2$이므로 $a+2b=2+2\cdot(-2)=-2$

0030

정답 ⑤

STEP Ⓐ $x=-2$, $x=2$를 기준으로 구간을 나누어 함수 $f(x)$의 식 구하기

$-2<x<2$일 때, $|x^2-4|=-(x^2-4)$이므로

$f(x)=\dfrac{|x^2-4|}{x+2}=\dfrac{-(x^2-4)}{x+2}=\dfrac{-(x-2)(x+2)}{x+2}=-x+2$

$x<-2$ 또는 $x>2$일 때, $|x^2-4|=(x^2-4)$이므로

$f(x)=\dfrac{|x^2-4|}{x+2}=\dfrac{(x^2-4)}{x+2}=\dfrac{(x-2)(x+2)}{x+2}=x-2$

STEP Ⓑ 극한값 구하기

$\displaystyle\lim_{x\to-2+}f(x)=\lim_{x\to-2+}-(x-2)=4$

$\displaystyle\lim_{x\to2+}f(x)=\lim_{x\to2+}(x-2)=0$

따라서

$\displaystyle\lim_{x\to-2+}f(x)+\lim_{x\to2+}f(x)=4+0=4$

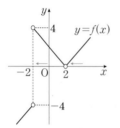

내/신/연/계/ 출제문항 010

함수 $f(x)=\dfrac{x^2-1}{|x+1|}$에 대하여 $\displaystyle\lim_{x\to-1-}f(x)-\lim_{x\to-1+}f(x)$의 값은?

① -4 　　② -2 　　③ 0
④ 2 　　⑤ 4

STEP Ⓐ x의 범위를 고려하여 절댓값을 풀어 $f(x)$ 구하기

$x>-1$일 때, $|x+1|=x+1$이므로

$f(x)=\dfrac{x^2-1}{|x+1|}=\dfrac{x^2-1}{x+1}=\dfrac{(x-1)(x+1)}{x+1}=x-1$

$x<-1$ 일 때, $|x+1|=-(x+1)$이므로

$f(x)=\dfrac{x^2-1}{|x+1|}=\dfrac{x^2-1}{-(x+1)}=\dfrac{(x-1)(x+1)}{-(x+1)}=-x+1$

STEP Ⓑ 좌극한과 우극한 구하기

$\displaystyle\lim_{x\to-1-}f(x)=\lim_{x\to-1-}(-x+1)=2$

$\displaystyle\lim_{x\to-1+}f(x)=\lim_{x\to-1+}(x-1)=-2$

따라서

$\displaystyle\lim_{x\to-1-}f(x)-\lim_{x\to-1+}f(x)=2-(-2)=4$

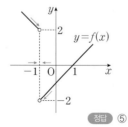

정답 ⑤

0031

정답 ①

STEP Ⓐ $x=2$를 기준으로 구간을 나누어 함수 $f(x)$의 식 구하기

$x>2$일 때,

$f(x)=\dfrac{x^2-2x}{|x-2|}=\dfrac{x(x-2)}{x-2}=x$

$x<2$일 때,

$f(x)=\dfrac{x^2-2x}{|x-2|}=\dfrac{x(x-2)}{-(x-2)}=-x$

$\displaystyle\lim_{x\to2+}f(x)=\lim_{x\to2+}x=2=\alpha$

$\displaystyle\lim_{x\to2-}f(x)=\lim_{x\to2-}(-x)=-2=\beta$

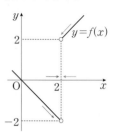

STEP Ⓑ α, β의 값을 대입하여 극한값 구하기

따라서 $\displaystyle\lim_{x\to\alpha}\dfrac{x^2+\beta x}{x^3-\alpha^3}=\lim_{x\to2}\dfrac{x^2-2x}{x^3-2^3}=\lim_{x\to2}\dfrac{x(x-2)}{(x-2)(x^2+2x+4)}$

$\qquad=\displaystyle\lim_{x\to2}\dfrac{x}{x^2+2x+4}$

$\qquad=\dfrac{2}{12}=\dfrac{1}{6}$

0032

정답 ①

STEP Ⓐ 극한값 $\displaystyle\lim_{x\to1-}f(x)$ 구하기

$0<x<1$일 때, $|x-1|=-(x-1)$, $|x-2|=-(x-2)$이므로

$\displaystyle\lim_{x\to1-}f(x)=\lim_{x\to1-}\left\{\dfrac{-(x-1)}{x-1}+\dfrac{(x+2)(x-2)}{-(x-2)}\right\}$

$\qquad=\displaystyle\lim_{x\to1-}\{-1-(x+2)\}$

$\qquad=\displaystyle\lim_{x\to1-}(-x-3)$

$\qquad=-1-3=-4$

STEP Ⓑ 극한값 $\displaystyle\lim_{x\to2+}f(x)$ 구하기

$2<x<3$일 때, $|x-1|=x-1$, $|x-2|=x-2$이므로

$\displaystyle\lim_{x\to2+}f(x)=\lim_{x\to2+}\left\{\dfrac{x-1}{x-1}+\dfrac{(x+2)(x-2)}{x-2}\right\}$

$\qquad=\displaystyle\lim_{x\to2+}\{1+(x+2)\}$

$\qquad=\displaystyle\lim_{x\to2+}(x+3)$

$\qquad=2+3=5$

따라서 $\displaystyle\lim_{x\to1-}f(x)+\lim_{x\to2+}f(x)=-4+5=1$

0033

정답 ③

STEP Ⓐ 함수의 범위를 구하여 가우스 함수의 극한 계산하기

$x\to1+$이면 $1\le x<2$이므로 $-1\le x-2<0$

$\therefore\displaystyle\lim_{x\to1+}[x-2]=-1$

$x\to1-$이면 $0\le x<1$, 즉 $-1<-x\le0$이므로 $1<-x+2\le2$

$\therefore\displaystyle\lim_{x\to1-}[-x+2]=1$

STEP Ⓑ x의 범위에 따라 절댓값을 풀고 극한 계산하기

$\displaystyle\lim_{x\to3+}\dfrac{|2x-6|}{x-3}=\lim_{x\to3+}\dfrac{2(x-3)}{x-3}=2$

$\displaystyle\lim_{x\to3-}\dfrac{|x-3|}{x-3}=\lim_{x\to3-}\dfrac{-(x-3)}{x-3}=-1$

따라서 $a=-1$, $b=1$, $c=2$, $d=-1$이므로 $a+b+c+d=1$

내/신/연/계 출제문항 011

다음 [보기]에서 옳은 것을 모두 고르면?

ㄱ. $\lim\limits_{x \to 0-} \dfrac{x}{[x]} = 0$

ㄴ. $\lim\limits_{x \to 0+} \dfrac{[x+1]}{x-1} = -1$

ㄷ. $\lim\limits_{x \to 0-} \dfrac{[x-1]}{x-1} = 2$

① ㄱ   ② ㄴ   ③ ㄷ

④ ㄴ, ㄷ   ⑤ ㄱ, ㄴ, ㄷ

STEP Ⓐ 정수 n에 대하여 $\lim\limits_{x \to n-}[x]=n-1$, $\lim\limits_{x \to n+}[x]=n$임을 이용하여 진위 판단하기

ㄱ. $-1 < x < 0$일 때, $[x]=-1$이므로 $\lim\limits_{x \to 0-} \dfrac{x}{[x]} = \dfrac{0}{-1} = 0$ [참]

ㄴ. $0 < x < 1$일 때, $1 < x+1 < 2$이므로 $[x+1]=1$

$\lim\limits_{x \to 0+} \dfrac{[x+1]}{x-1} = \dfrac{1}{-1} = -1$ [참]

ㄷ. $-1 < x < 0$일 때, $-2 < x-1 < -1$이므로 $[x-1]=-2$

$\lim\limits_{x \to 0-} \dfrac{[x-1]}{x-1} = \dfrac{-2}{-1} = 2$

따라서 옳은 것은 ㄱ, ㄴ, ㄷ이다.   정답 ⑤

0034

정답 ②

STEP Ⓐ 극한값의 존재조건을 만족하는 a의 값 구하기

$1 \le x < 2$일 때, $[x]=1$이므로 $\lim\limits_{x \to 2-}[x]=1$

$\lim\limits_{x \to 2-}f(x) = \lim\limits_{x \to 2-}([x]^2 + a[x]) = 1+a$ ……㉠

$2 \le x < 3$일 때, $[x]=2$이므로 $\lim\limits_{x \to 2+}[x]=2$

$\lim\limits_{x \to 2+}f(x) = \lim\limits_{x \to 2+}([x]^2 + a[x]) = 4+2a$ ……㉡

따라서 ㉠, ㉡에서 $1+a = 4+2a$ ∴ $a=-3$

내/신/연/계 출제문항 012

함수 $f(x)=[x]^2 + a[x]$에 대하여 $\lim\limits_{x \to 2}f(x)$의 값이 존재하기 위한 실수 a의 값을 구하여라. (단, $[x]$는 x보다 크지 않은 최대의 정수이다.)

① -4 ② -3 ③ -2

④ 2 ⑤ 3

STEP Ⓐ 극한값의 존재조건을 만족하는 a의 값 구하기

$\lim\limits_{x \to 2}f(x)$의 값이 존재하기 위해서는 $x=2$에서의 우극한과 좌극한이 일치해야 한다.

즉 $x=2$에서의 함수 $f(x)$의 우극한과 좌극한을 각각 구하면

$2 < x < 3$일 때, $[x]=2$이므로 $\lim\limits_{x \to 2+}[x]=2$

$\lim\limits_{x \to 2+}f(x) = \lim\limits_{x \to 2+}([x]^2 + a[x]) = 4+2a$ ……㉠

$1 < x < 2$일 때, $[x]=1$이므로 $\lim\limits_{x \to 2-}[x]=1$

$\lim\limits_{x \to 2-}f(x) = \lim\limits_{x \to 2-}([x]^2 + a[x]) = 1+a$ ……㉡

따라서 ㉠, ㉡에서 $4+2a = 1+a$ ∴ $a=-3$ 정답 ②

0035

정답 ②

STEP Ⓐ 극한값의 존재조건을 만족하는 a의 값 구하기

$\lim\limits_{x \to 2}f(x)$의 값이 존재하기 위해서는 $\lim\limits_{x \to 2+}f(x) = \lim\limits_{x \to 2-}f(x)$를 만족시켜야 한다.

$1 \le x < 2$일 때, $[x]=1$이므로 $\lim\limits_{x \to 2-}[x]=1$

$\lim\limits_{x \to 2-}f(x) = \lim\limits_{x \to 2-}([x]^2 - a[x]) = 1-a$ ……㉠

$2 \le x < 3$일 때, $[x]=2$이므로 $\lim\limits_{x \to 2+}[x]=2$

$\lim\limits_{x \to 2+}f(x) = \lim\limits_{x \to 2+}([x]^2 - a[x]) = 4-2a$ ……㉡

따라서 ㉠, ㉡에서 $1-a = 4-2a$ ∴ $a=3$

0036

정답 ③

STEP Ⓐ x의 범위에 따라 가우스 함수의 극한 계산하기

$x \to n+$일 때, $n \le x < n+1$이므로 $\lim\limits_{x \to n+}[x]=n$

$\lim\limits_{x \to n+} \dfrac{[x]^2 + x}{[x]} = \dfrac{n^2 + n}{n} = n+1$

$x \to n-$일 때, $n-1 \le x < n$이므로 $\lim\limits_{x \to n-}[x]=n-1$

$\lim\limits_{x \to n-} \dfrac{[x]^2 + x}{[x]} = \dfrac{(n-1)^2 + n}{n-1} = \dfrac{n^2 - n + 1}{n-1}$

STEP Ⓑ 극한값이 존재할 조건을 이용하여 k의 값 구하기

그런데 $\lim\limits_{x \to n} \dfrac{[x]^2 + x}{[x]} = k$이므로

$\lim\limits_{x \to n+} \dfrac{[x]^2 + x}{[x]} = \lim\limits_{x \to n-} \dfrac{[x]^2 + x}{[x]} = k$

따라서 $n+1 = \dfrac{n^2 - n + 1}{n-1}$에서 $n=2$이므로 $k=3$

내/신/연/계 출제문항 013

함수 $f(x)=\dfrac{[x]^2 + x}{[x]}$에 대하여 $\lim\limits_{x \to p}f(x)$의 값이 존재하도록 하는 정수 p의 값은? (단, $[x]$는 x보다 크지 않은 최대의 정수이고, $p \ne 1$이다.)

① 1 ② 2 ③ 3

④ 4 ⑤ 5

STEP Ⓐ 극한값이 존재하는 조건 구하기

함수 $f(x)$가 정수 $x=p$에서 극한값을 가지므로

$\lim\limits_{x \to p+}f(x) = \lim\limits_{x \to p-}f(x)$

STEP Ⓑ 좌극한과 우극한 구하기

우극한 : $\lim\limits_{x \to p+}f(x) = \lim\limits_{x \to p+} \dfrac{[x]^2 + x}{[x]} = \dfrac{p^2 + p}{p} = p+1$

좌극한 : $\lim\limits_{x \to p-}f(x) = \lim\limits_{x \to p-} \dfrac{[x]^2 + x}{[x]} = \dfrac{(p-1)^2 + p}{p-1} = \dfrac{p^2 - p + 1}{p-1}$

STEP Ⓒ p의 값을 구하기

따라서 $p+1 = \dfrac{p^2 - p + 1}{p-1}$이므로 $p=2$ 정답 ②

0037

STEP A 함수의 그래프에서 극한값 구하기

$x \to 1-$일 때, $f(x) \to 2$이므로 $\lim\limits_{x \to 1-} f(x) = 2$

STEP B $x-1=t$로 치환하고 t의 범위를 구해 가우스 함수의 극한 계산하기

한편 $x-1=t$라고 하면
$x \to 1-$일 때, $t \to 0-$이므로
$\lim\limits_{x \to 1-}[f(x-1)] = \lim\limits_{t \to 0-}[f(t)] = 1$
$\therefore \lim\limits_{x \to 1-}\{f(x) + [f(x-1)]\} = \lim\limits_{x \to 1-}f(x) + \lim\limits_{x \to 1-}[f(x-1)]$
$\qquad\qquad\qquad\qquad\qquad = 2 + 1 = 3$

0038

정답 ③

STEP A 주어진 조건에서 함수 $y = f(x)$의 그래프 구하기

이차함수 $f(x)$가 임의의 실수 x에 대하여 $f(3-x) = f(3+x)$를 만족시키므로 함수 $y = f(x)$의 그래프는 직선 $x = 3$에 대하여 대칭이다.
또한, 최댓값이 4인 이차함수이므로 다음 그림과 같이 점 $(3, 4)$를 꼭짓점으로 하는 위로 볼록한 포물선이다.

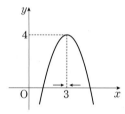

STEP B x의 범위에 따라 가우스 함수의 극한 계산하기

(i) $x \to 3-$일 때, $f(x) \to 4-$이므로 $\lim\limits_{x \to 3-}[f(x)] = 3$
(ii) $x \to 3+$일 때, $f(x) \to 4-$이므로 $\lim\limits_{x \to 3+}[f(x)] = 3$
(i), (ii)에서 $\lim\limits_{x \to 3}[f(x)] = 3$

0039

정답 ②

STEP A 그래프에서 $x=0$에서 극한값 구하기

ㄱ. $\lim\limits_{x \to 0-}\dfrac{1}{x} = -\infty$, $\lim\limits_{x \to 0+}\dfrac{1}{x} = \infty$이므로
$\lim\limits_{x \to 0}\dfrac{1}{x}$의 값이 존재하지 않는다.

ㄴ. $\lim\limits_{x \to 0-}(x^2-1) = -1$, $\lim\limits_{x \to 0+}(x^2-1) = -1$이므로
$\lim\limits_{x \to 0}(x^2-1) = -1$의 값이 존재한다.

ㄷ. $\lim\limits_{x \to 0-}\dfrac{|x|}{x} = \lim\limits_{x \to 0-}\dfrac{-x}{x} = -1$, $\lim\limits_{x \to 0+}\dfrac{|x|}{x} = \lim\limits_{x \to 0+}\dfrac{x}{x} = 1$이므로
$\lim\limits_{x \to 0}\dfrac{|x|}{x}$의 값이 존재하지 않는다.

따라서 $\lim\limits_{x \to 0}f(x)$의 값이 존재하는 것은 ㄴ이다.

0040

정답 ⑤

STEP A 그래프에서 $x=1$에서 극한값 구하기

① 주어진 함수를 $y = f(x)$라 하면
$\lim\limits_{x \to 1-}f(x) = \infty$, $\lim\limits_{x \to 1+}f(x) = \infty$이므로
함수 $x = 1$에서 극한값이 존재하지 않는다.

② 주어진 함수를 $y = f(x)$라 하면
$\lim\limits_{x \to 1-}f(x) = -\infty$, $\lim\limits_{x \to 1+}f(x) = \infty$이므로
함수 $x = 1$에서 극한값이 존재하지 않는다.

③ 주어진 함수를 $y = f(x)$라 하면
$\lim\limits_{x \to 1-}f(x) \neq \lim\limits_{x \to 1+}f(x)$이므로
함수 $x = 1$에서 극한값이 존재하지 않는다.

④ 주어진 함수를 $y = f(x)$라 하면
$\lim\limits_{x \to 1-}f(x) \neq \lim\limits_{x \to 1+}f(x)$이므로
함수 $x = 1$에서 극한값이 존재하지 않는다.

⑤ 주어진 함수를 $y = f(x)$라 하면
$\lim\limits_{x \to 1-}f(x) = \lim\limits_{x \to 1+}f(x)$이므로
함수 $x = 1$에서 극한값이 존재한다.

따라서 $x = 1$에서 극한값이 존재하는 것은 ⑤이다.

0041

정답 ①

STEP A 극한값의 존재조건을 이용하여 판별하기

ㄱ. $\lim\limits_{x \to 0}\dfrac{x^2+x}{x} = \lim\limits_{x \to 0}\dfrac{x(x+1)}{x} = \lim\limits_{x \to 0}(x+1) = 1$

ㄴ. $\lim\limits_{x \to 1}\dfrac{x^2-1}{x-1} = \lim\limits_{x \to 1}\dfrac{(x-1)(x+1)}{x-1}$
$\qquad\qquad = \lim\limits_{x \to 1}(x+1) = 2$

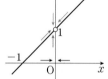

ㄷ. $\lim\limits_{x \to 0}\dfrac{1}{x} = \pm\infty$

ㄹ. $\lim\limits_{x \to 0+}\dfrac{|x|}{x} = \lim\limits_{x \to 0+}\dfrac{x}{x} = 1$, $\lim\limits_{x \to 0-}\dfrac{|x|}{x} = \lim\limits_{x \to 0-}\dfrac{-x}{x} = -1$
$\lim\limits_{x \to 0}\dfrac{|x|}{x}$이 존재하지 않는다.

따라서 극한값이 존재하는 것은 ㄱ, ㄴ이다.

0042

정답 ②

STEP A 극한값의 존재조건을 이용하여 판별하기

① $\lim\limits_{x \to 1}\dfrac{1}{x-1} = \infty$

② $\lim\limits_{x \to 1}\sqrt{x+3} = 2$

③ $\lim\limits_{x \to 1+}\dfrac{|x-1|}{x-1} = \lim\limits_{x \to 1+}\dfrac{(x-1)}{x-1} = 1$
$\lim\limits_{x \to 1-}\dfrac{|x-1|}{x-1} = \lim\limits_{x \to 1-}\dfrac{-(x-1)}{x-1} = -1$
이므로 $\lim\limits_{x \to 1}\dfrac{|x-1|}{x-1}$ 존재하지 않는다.

④ $\lim\limits_{x \to 0-}\dfrac{x^2-2x}{|x|} = \lim\limits_{x \to 0-}\dfrac{x^2-2x}{-x} = \lim\limits_{x \to 0-}-(x-2) = 2$
$\lim\limits_{x \to 0+}\dfrac{x^2-2x}{|x|} = \lim\limits_{x \to 0+}\dfrac{x^2-2x}{x} = \lim\limits_{x \to 0+}(x-2) = -2$
이므로 $\lim\limits_{x \to 0}\dfrac{x^2-2x}{|x|}$ 는 존재하지 않는다.

⑤ $\lim\limits_{x \to -\infty}(-4x^2+3) = -\infty$

따라서 극한값이 존재하는 것은 ②이다.

0043

STEP A 극한값의 존재조건을 이용하여 판별하기

ㄱ. $\lim\limits_{x \to 0+} \dfrac{x^2+x}{|x|} = \lim\limits_{x \to 0+} \dfrac{x(x+1)}{x} = \lim\limits_{x \to 0+}(x+1)=1$

$\lim\limits_{x \to 0-} \dfrac{x^2+x}{|x|} = \lim\limits_{x \to 0-} \dfrac{x(x+1)}{-x}$

$\qquad = \lim\limits_{x \to 0-}(-x-1)=-1$

이므로 $\lim\limits_{x \to 0} \dfrac{x^2+x}{|x|}$ 는 존재하지 않는다.

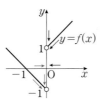

ㄴ. $\lim\limits_{x \to 1+} \dfrac{x^2-2x+1}{|x-1|} = \lim\limits_{x \to 1+} \dfrac{(x-1)^2}{(x-1)} = \lim\limits_{x \to 1+}(x-1)=0$

$\lim\limits_{x \to 1-} \dfrac{x^2-2x+1}{|x-1|} = \lim\limits_{x \to 1-} \dfrac{(x-1)^2}{-(x-1)} = \lim\limits_{x \to 1-}\{-(x-1)\}=0$

이므로 $\lim\limits_{x \to 1} \dfrac{x^2-2x+1}{|x-1|}$ 이 존재한다.

ㄷ. $\lim\limits_{x \to 2+} \dfrac{x^2-4}{|x-2|} = \lim\limits_{x \to 2+} \dfrac{(x-2)(x+2)}{x-2} = \lim\limits_{x \to 2+}(x+2)=4$

$\lim\limits_{x \to 2-} \dfrac{x^2-4}{|x-2|} = \lim\limits_{x \to 2-} \dfrac{(x-2)(x+2)}{-(x-2)} = \lim\limits_{x \to 2-}-(x+2)=-4$

이므로 $\lim\limits_{x \to 2} \dfrac{x^2-4}{|x-2|}$ 은 극한값이 존재하지 않는다.

ㄹ. $\lim\limits_{x \to 1+}(x-1)|x-1| = \lim\limits_{x \to 1+}(x-1)^2=0$

$\lim\limits_{x \to 1-}(x-1)|x-1| = \lim\limits_{x \to 1-}\{-(x-1)^2\}=0$

이므로 $\lim\limits_{x \to 1}(x-1)|x-1|=0$이 존재한다.

따라서 극한값이 존재하는 것은 ㄴ, ㄹ이다.

내/신/연/계 출제문항 **014**

다음 [보기] 중 극한값이 존재하는 것은?

> ㄱ. $\lim\limits_{x \to 3} \dfrac{x^2-9}{|x-3|}$ ㄴ. $\lim\limits_{x \to 0} x|x|$
>
> ㄷ. $\lim\limits_{x \to 1} \dfrac{x^2-1}{|x-1|}$ ㄹ. $\lim\limits_{x \to -1} \dfrac{x^2+3x+2}{|x+1|}$

① ㄱ   ② ㄴ   ③ ㄷ, ㄹ
④ ㄱ, ㄴ   ⑤ ㄴ, ㄷ, ㄹ

STEP A 극한값의 존재조건을 이용하여 판별하기

ㄱ. $\lim\limits_{x \to 3+} \dfrac{x^2-9}{|x-3|} = \lim\limits_{x \to 3+} \dfrac{(x-3)(x+3)}{x-3} = \lim\limits_{x \to 3+}(x+3)=6$

$\lim\limits_{x \to 3-} \dfrac{x^2-9}{|x-3|} = \lim\limits_{x \to 3-} \dfrac{(x-3)(x+3)}{-(x-3)} = \lim\limits_{x \to 3-}-(x+3)=-6$

이므로 $\lim\limits_{x \to 3} \dfrac{x^2-9}{|x-3|}$ 은 극한값이 존재하지 않는다.

ㄴ. $\lim\limits_{x \to 0+} x|x| = \lim\limits_{x \to 0+} x^2=0$

$\lim\limits_{x \to 0-} x|x| = \lim\limits_{x \to 0-}(-x^2)=0$이므로 $\lim\limits_{x \to 0} x|x|=0$

ㄷ. $\lim\limits_{x \to 1+} \dfrac{x^2-1}{|x-1|} = \lim\limits_{x \to 1+} \dfrac{(x-1)(x+1)}{(x-1)} = \lim\limits_{x \to 1+}(x+1)=2$

$\lim\limits_{x \to 1-} \dfrac{x^2-1}{|x-1|} = \lim\limits_{x \to 1-} \dfrac{(x-1)(x+1)}{-(x-1)} = -\lim\limits_{x \to 1-}\{-(x+1)\}=-2$

이므로 $\lim\limits_{x \to 1} \dfrac{x^2-1}{|x-1|}$ 은 극한값이 존재하지 않는다.

ㄹ. $\lim\limits_{x \to -1+} \dfrac{x^2+3x+2}{|x+1|} = \lim\limits_{x \to -1+} \dfrac{(x+2)(x+1)}{x+1} = \lim\limits_{x \to -1+}(x+2)=1$

$\lim\limits_{x \to -1-} \dfrac{x^2+3x+2}{|x+1|} = \lim\limits_{x \to -1-} \dfrac{(x+2)(x+1)}{-(x+1)} = \lim\limits_{x \to -1-}(-x-2)=-1$

이므로 $\lim\limits_{x \to -1} \dfrac{x^2+3x+2}{|x+1|}$ 는 극한값이 존재하지 않는다.

따라서 극한값이 존재하는 것은 ㄴ이다.

0044

STEP A 극한값의 존재조건을 이용하여 판별하기

① $x \neq 1$인 모든 실수 x에 대하여

$f(x) = \dfrac{(x-1)^2}{x-1} = x-1$이므로

$\lim\limits_{x \to 1} f(x)=0$

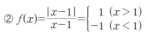

② $f(x) = \dfrac{|x-1|}{x-1} = \begin{cases} 1 & (x>1) \\ -1 & (x<1) \end{cases}$

이므로

$\lim\limits_{x \to 1+} f(x)=1, \ \lim\limits_{x \to 1-} f(x)=-1$

에서 $\lim\limits_{x \to 1+} f(x) \neq \lim\limits_{x \to 1-} f(x)$

$\lim\limits_{x \to 1} f(x)$는 존재하지 않는다.

③ $x \neq 1$인 모든 실수 x에 대하여

$f(x) = \dfrac{x^3-1}{x-1} = \dfrac{(x-1)(x^2+x+1)}{x-1} = x^2+x+1$

이므로 $\lim\limits_{x \to 1} f(x)=3$

④ $x \neq 1$인 모든 실수 x에 대하여

$f(x) = \dfrac{x^2-1}{x-1} = \dfrac{(x-1)(x+1)}{x-1} = x+1$

이므로 $\lim\limits_{x \to 1} f(x)=2$

⑤ $f(x) = \dfrac{x^2-2x+1}{|x-1|} = \dfrac{(x-1)^2}{|x-1|} = \begin{cases} x-1 & (x>1) \\ -(x-1) & (x<1) \end{cases}$

$\lim\limits_{x \to 1} f(x) = \lim\limits_{x \to 1} \dfrac{x^2-2x+1}{|x-1|} = 0$

따라서 $\lim\limits_{x \to 1} f(x)$의 값이 존재하지 않는 것은 ②이다.

0045

STEP A $x-1=t$로 치환하여 극한값 구하기

$x-1=t$라 하면 $x \to 1+$일 때, $t \to 0+$이므로

$\lim\limits_{x \to 1+} f(x-1) = \lim\limits_{t \to 0+} f(t)=0$

따라서 $\lim\limits_{x \to 1-} f(x) + \lim\limits_{x \to 1+} f(x-1) = 1+0=1$

0046

STEP A $-x=t$로 치환하여 극한값 구하기

$-x=t$라 하면 $x \to 1-$일 때, $t \to -1+$이므로

$\lim\limits_{x \to 1-} f(-x) = \lim\limits_{t \to -1+} f(t)=1$

따라서 $\lim\limits_{x \to 1+} f(x) + \lim\limits_{x \to 1-} f(-x) = 0+1=1$

내/신/연/계 출제문항 **015**

함수

$f(x) = \begin{cases} x+1 & (x \leq -1 \ \text{또는} \ x \geq 1) \\ x^2 & (-1<x<1) \end{cases}$

의 그래프가 오른쪽 그림과 같다.

$\lim\limits_{x \to 0+} f(x-1) + \lim\limits_{x \to 1-} f(-x)$의 값은?

① 2   ② 3
③ 4   ④ 5
⑤ 6

치환하여 극한값 구하기

$x-1=t$로 놓으면
$x \to 0+$이면 $t \to -1+$이므로
$\lim\limits_{x \to 0+} f(x-1) = \lim\limits_{t \to -1+} f(t) = 1$
$-x=s$로 놓으면
$x \to -1-$이면 $s \to 1+$이므로
$\lim\limits_{x \to -1-} f(-x) = \lim\limits_{s \to 1+} f(s) = 2$
따라서 $\lim\limits_{x \to 0+} f(x-1) + \lim\limits_{x \to -1-} f(-x) = 1+2 = 3$

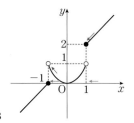

다른풀이 평행이동과 대칭이동을 이용하여 풀이하기

함수 $y=f(x)$의 그래프를 x축의 방향으로 1만큼 평행이동하여
함수 $y=f(x-1)$의 그래프를 그리면 [그림1]과 같다.
$\therefore \lim\limits_{x \to 0+} f(x-1) = 1$
함수 $y=f(x)$의 그래프를 y축에 대하여 대칭이동하여
함수 $y=f(-x)$의 그래프를 그리면 [그림2]와 같다.
$\therefore \lim\limits_{x \to -1-} f(-x) = 2$

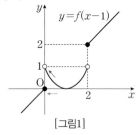 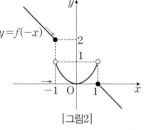

[그림1]   [그림2]

따라서 $\lim\limits_{x \to 0+} f(x-1) + \lim\limits_{x \to -1-} f(-x) = 1+2 = 3$ 정답 ②

0047
정답 ④

STEP A $\lim\limits_{x \to 1-} f(x)$의 값 구하기

$x \to 1-$일 때, $f(x) \to 3$이므로 $\lim\limits_{x \to 1-} f(x) = 3$

STEP B $\lim\limits_{x \to 2+} f(5-x)$의 값 구하기

$5-x=t$라 하면 $x \to 2+$이면 $t \to 3-$이므로
$\lim\limits_{x \to 2+} f(5-x) = \lim\limits_{t \to 3-} f(t) = 1$
따라서 $\lim\limits_{x \to 1-} f(x) + \lim\limits_{x \to 2+} f(5-x) = 3+1 = 4$

0048
정답 ⑤

STEP A **$1-x=t$로 치환하여 극한값 구하기**

함수 $y=f(x)$의 그래프에서 $\lim\limits_{x \to 1+} f(x) = 1$
$1-x=t$라 하면 $x \to 1+$일 때, $t \to 0-$이므로
$\lim\limits_{x \to 1+} f(1-x) = \lim\limits_{t \to 0-} f(t) = 2$
따라서 $\lim\limits_{x \to 1+} f(x)f(1-x) = 1 \cdot 2 = 2$

0049
정답 ②

STEP A **함수의 극한의 존재조건을 이용하여 극한값이 존재하는지 판별하기**

ㄱ. $\lim\limits_{x \to 1+} f(x) = \lim\limits_{x \to 1-} f(x) = 2$
$\therefore \lim\limits_{x \to 1} f(x) = 2$

STEP B **$-x=t$로 치환하고 함수의 극한의 존재조건 이용하기**

ㄴ. $-x=t$라 하면 $x \to 1-$일 때, $t \to -1+$이므로 $\lim\limits_{x \to 1-} f(-x) = \lim\limits_{t \to -1+} f(t) = 2$
$x \to 1+$일 때, $t \to -1-$이므로 $\lim\limits_{x \to 1+} f(-x) = \lim\limits_{t \to -1-} f(t) = 2$
$\lim\limits_{x \to 1-} \{f(x)f(-x)\} = 1 \cdot 2 = 2$, $\lim\limits_{x \to 1+} \{f(x)f(-x)\} = 1 \cdot 2 = 2$
$\therefore \lim\limits_{x \to 1} \{f(x)f(-x)\} = 2$

STEP C **$x-1=t$로 치환하고 함수의 극한의 존재조건 이용하기**

ㄷ. $x-1=t$라 하면 $x \to 2+$일 때, $t \to 1+$이므로 $\lim\limits_{x \to 2+} f(x-1) = \lim\limits_{t \to 1+} f(t) = 1$
$x \to 2-$일 때, $t \to 1-$이므로 $\lim\limits_{x \to 2-} f(x-1) = \lim\limits_{t \to 1-} f(t) = 1$
$\lim\limits_{x \to 2+} \{f(x)+f(x-1)\} = 1+1 = 2$, $\lim\limits_{x \to 2-} \{f(x)+f(x-1)\} = 2+1 = 3$
$\therefore \lim\limits_{x \to 2} \{f(x)+f(x-1)\}$의 극한값이 존재하지 않는다.
따라서 극한값이 존재하는 것은 ㄱ, ㄴ이다.

0050
 정답 ①

STEP A **$x-1=t$로 치환하여 극한값 구하기**

$x-1=t$라 하면 $x \to 1-$일 때, $t \to 0-$이므로
$\lim\limits_{x \to 1-} f(x)f(x-1) = \lim\limits_{x \to 1-} f(x) \lim\limits_{t \to 0-} f(t) = 3 \cdot 0 = 0$

STEP B **$x+1=s$로 치환하여 극한값 구하기**

$x+1=s$라 하면 $x \to -1+$일 때, $s \to 0+$이므로
$\lim\limits_{x \to -1+} f(x)f(x+1) = \lim\limits_{x \to -1+} f(x) \lim\limits_{s \to 0+} f(s) = (-1) \cdot 3 = -3$
따라서 구하는 값은 $0+(-3) = -3$

내/신/연/계/ 출제문항 016

함수 $y=f(x)$의 그래프가 그림과 같을 때,
$\lim\limits_{x \to 1+} \{f(x)+f(-x)\} + \lim\limits_{x \to 1-} f(x+1)f(1-x)$의 값은?

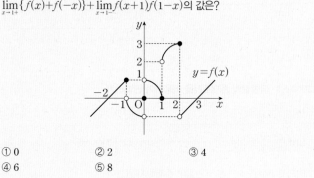

① 0   ② 2   ③ 4
④ 6   ⑤ 8

STEP A $\lim\limits_{x \to 1+} \{f(x)+f(-x)\}$의 값 구하기

$\lim\limits_{x \to 1+} f(x) = 2$
$-x=t$라 하면 $x \to 1+$일 때, $t \to -1-$이므로 $\lim\limits_{x \to 1+} f(-x) = \lim\limits_{t \to -1-} f(t) = 1$
$\therefore \lim\limits_{x \to 1+} \{f(x)+f(-x)\} = 2+1 = 3$

STEP B $\lim\limits_{x \to 1-} f(x+1)f(1-x)$의 값 구하기

$x+1=s$라 하면 $x \to 1-$일 때, $s \to 2-$이므로 $\lim\limits_{x \to 1-} f(x+1) = \lim\limits_{s \to 2-} f(s) = 3$
$1-x=r$라 하면 $x \to 1-$일 때, $r \to 0+$이므로 $\lim\limits_{x \to 1-} f(1-x) = \lim\limits_{r \to 0+} f(r) = 1$
$\therefore \lim\limits_{x \to 1-} f(x+1)f(1-x) = 3 \times 1 = 3$

STEP C **주어진 값 구하기**

따라서 $\lim\limits_{x \to 1+} \{f(x)+f(-x)\} + \lim\limits_{x \to 1-} f(x+1)f(1-x) = 3+3 = 6$ 정답 ④

0051

STEP A 함수의 그래프를 보고 극한값 구하기

$x \to -1-$일 때, $f(x) \to -2$이므로 $\lim\limits_{x \to -1-} f(x) = -2$

$\therefore a = -2$

STEP B $x+3=t$로 치환하여 극한값 구하기

$x+3=t$라 하면 $x \to -2+$일 때, $t \to 1+$

따라서 $\lim\limits_{x \to -2+} f(x+3) = \lim\limits_{t \to 1+} f(t) = 1$

0052

STEP A $f(-x) = -f(x)$임을 이용하여 함수의 그래프 그리기

모든 실수 x에 대하여 $f(-x) = -f(x)$
이므로
원점에 대하여 대칭인 함수 $y = f(x)$의
그래프는 오른쪽 그림과 같다.

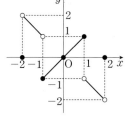

STEP B 함수의 그래프를 보고 극한값 구하기

따라서 $\lim\limits_{x \to -1+} f(x) + \lim\limits_{x \to 2-} f(x) = -1 + (-2) = -3$

> **다른풀이** $f(-x) = -f(x)$와 치환을 이용하여 $\lim\limits_{x \to -1+} f(x)$의 값 구하기

$\lim\limits_{x \to -1+} f(x) = \lim\limits_{x \to -1+} -f(-x) = -\lim\limits_{x \to -1+} f(-x)$

$= -\lim\limits_{x \to 1-} f(-x)$ ($-x = t$로 치환하면)

$= -\lim\limits_{t \to 1-} f(t)$

$= -1$

$\lim\limits_{x \to 2-} f(x) = -2$

$\therefore \lim\limits_{x \to -1+} f(x) + \lim\limits_{x \to 2-} f(x) = -1 + (-2) = -3$

0053

STEP A 치환하여 극한값의 진위판단하기

ㄱ. 함수 $y = f(x)$의 그래프에서 $x \to 0+$일 때, $f(x) \to 2$이므로
$\lim\limits_{x \to 0+} f(x) = 2$이다. [참]

ㄴ. 함수 $y = f(x)$의 그래프에서 $x \to 1+$일 때, $f(x) \to 2$이므로
$\lim\limits_{x \to 1+} f(x) = 2$ ...... ㉠
함수 $y = f(x)$의 그래프에서 $t = x-1$로 놓으면
$x \to 4-$일 때, $t \to 3-$이고 $f(x-1) = f(t) \to 2$이므로
$\lim\limits_{x \to 4-} f(x-1) = \lim\limits_{t \to 3-} f(t) = 2$ ...... ㉡
㉠, ㉡에서 $\lim\limits_{x \to 1+} f(x) + \lim\limits_{x \to 4-} f(x-1) = 2 + 2 = 4$ [거짓]

ㄷ. $\lim\limits_{x \to a+} f(x)$의 값은 $x = a$에서 함수 $f(x)$의 우극한이고
$\lim\limits_{x \to a-} f(x)$의 값은 $x = a$에서 함수 $f(x)$의 좌극한이므로
부등식 $\lim\limits_{x \to a+} f(x) > \lim\limits_{x \to a-} f(x)$를 만족시키는 실수 a는 $0 < a < 4$에서
$a = 1$뿐이다. [거짓]
따라서 옳은 것은 ㄱ이다.

0054

STEP A $\dfrac{x+1}{x-1} = t$로 치환하여 극한값 구하기

$\lim\limits_{x \to \infty} \dfrac{x+1}{x-1} = \lim\limits_{x \to \infty} \dfrac{x-1+2}{x-1} = \lim\limits_{x \to \infty} \left\{1 + \dfrac{2}{x-1}\right\}$에서

$\dfrac{x+1}{x-1} = t$로 놓으면 $x \to \infty$일 때, $t \to 1+$

따라서 $\lim\limits_{x \to \infty} f\left(\dfrac{x+1}{x-1}\right) + \lim\limits_{x \to -1} f(x) = \lim\limits_{t \to 1+} f(t) + \lim\limits_{x \to -1} f(x)$

$= 1 + (-1) = 0$

> **내신연계** 출제문항 017

실수 전체의 집합에서 정의된 함수 $y = f(x)$의 그래프가 다음 그림과 같다.

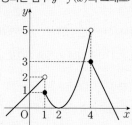

$\lim\limits_{t \to \infty} f\left(\dfrac{t-1}{t+1}\right) + \lim\limits_{t \to -\infty} f\left(\dfrac{4t-1}{t+1}\right)$의 값은?

① 2   ② 3   ③ 4
④ 5   ⑤ 6

STEP A $s = \dfrac{t-1}{t+1}$로 치환하여 극한값 구하기

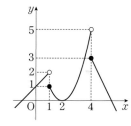

$\lim\limits_{t \to \infty} f\left(\dfrac{t-1}{t+1}\right) + \lim\limits_{t \to -\infty} f\left(\dfrac{4t-1}{t+1}\right)$에서

(ⅰ) $s = \dfrac{t-1}{t+1}$이라 하면

$\lim\limits_{t \to \infty} f\left(\dfrac{t-1}{t+1}\right) = \lim\limits_{t \to \infty} f\left(1 + \dfrac{-2}{t+1}\right)$에서 $t \to \infty$일 때,

$s = 1 + \dfrac{-2}{t-1}$는 1보다 작은 값에 가까이 가므로 $s \to 1-$

$\therefore \lim\limits_{t \to \infty} f\left(\dfrac{t-1}{t+1}\right) = \lim\limits_{s \to 1-} f(s) = 2$

STEP B $u = \dfrac{4t-1}{t+1}$로 치환하여 극한값 구하기

(ⅱ) $u = \dfrac{4t-1}{t+1}$이라 하면

$\lim\limits_{t \to -\infty} f\left(\dfrac{4t-1}{t+1}\right) = \lim\limits_{t \to -\infty} f\left(4 + \dfrac{-5}{t+1}\right)$에서 $t \to -\infty$일 때,

$4 + \dfrac{-5}{t+1}$는 4보다 큰 값을 가지면서 4에 가까이 가므로 $u \to 4+$

$\therefore \lim\limits_{t \to -\infty} f\left(\dfrac{4t-1}{t+1}\right) = \lim\limits_{u \to 4+} f(u) = 3$

따라서 $\lim\limits_{t \to \infty} f\left(\dfrac{t-1}{t+1}\right) + \lim\limits_{t \to -\infty} f\left(\dfrac{4t-1}{t+1}\right) = 2 + 3 = 5$

0055

STEP Ⓐ $s=\dfrac{2t-1}{t+1}$로 치환하여 극한값 구하기

(i) $s=\dfrac{2t-1}{t+1}$이라 하면

$\displaystyle\lim_{t\to\infty}f\left(\dfrac{2t-1}{t+1}\right)=\lim_{t\to\infty}f\left(2+\dfrac{-3}{t+1}\right)$에서 $t\to\infty$일 때,

$s=2+\dfrac{-3}{t+1}$은 2보다 작은 값에 가까이 가므로 $s\to2-$

$\therefore \displaystyle\lim_{t\to\infty}f\left(\dfrac{2t-1}{t+1}\right)=\lim_{s\to2-}f(s)=0+$

$\displaystyle\lim_{t\to\infty}f\left(f\left(\dfrac{2t-1}{t+1}\right)\right)=\lim_{f(s)\to0+}f(f(s))=1$

STEP Ⓑ $u=\dfrac{t+3}{t+1}$로 치환하여 극한값 구하기

(ii) $u=\dfrac{t+3}{t+1}$이라 하면

$\displaystyle\lim_{t\to-\infty}f\left(\dfrac{t+3}{t+1}\right)=\lim_{t\to-\infty}f\left(1+\dfrac{2}{t+1}\right)$에서 $t\to-\infty$일 때,

$u=1+\dfrac{2}{t+1}$는 1보다 작은 값에 가까이 가므로 $u\to1-$

$\therefore \displaystyle\lim_{t\to\infty}f\left(\dfrac{t+3}{t+1}\right)=\lim_{u\to1-}f(u)=4-$

$\displaystyle\lim_{t\to-\infty}f\left(f\left(\dfrac{t+3}{t+1}\right)\right)=\lim_{f(u)\to4-}f(f(u))=5$

따라서 $\displaystyle\lim_{t\to\infty}f\left(f\left(\dfrac{2t-1}{t+1}\right)\right)-\lim_{t\to-\infty}f\left(f\left(\dfrac{t+3}{t+1}\right)\right)=1-5=-4$

0056

STEP Ⓐ 함수의 그래프에서 극한값 구하기

$x\to2-$일 때, $f(x)\to1$이므로 $\displaystyle\lim_{x\to2-}f(x)=1$

STEP Ⓑ $g(x)=t$로 치환하여 극한값 구하기

한편 $g(x)=t$로 놓으면 $x\to1+$일 때, $t\to1-$이므로

$\displaystyle\lim_{x\to1+}f(g(x))=\lim_{t\to1-}f(t)=0$

따라서 $\displaystyle\lim_{x\to2-}f(x)+\lim_{x\to1+}f(g(x))=1+0=1$

0057

STEP Ⓐ 함수의 그래프에서 극한값 구하기

$x\to-1+$일 때, $f(x)=1$이므로

$\displaystyle\lim_{x\to-1+}f(x)=1$

$x\to1-$일 때, $f(x)\to2$이므로

$\displaystyle\lim_{x\to1-}\{f(x)\}^2=\lim_{x\to1-}f(x)\cdot\lim_{x\to1-}f(x)=2\cdot2=4$

STEP Ⓑ $f(x)=t$로 치환하여 극한값 구하기

$f(x)=t$이라 하면

$x\to0-$일 때, $t=1$이므로 $\displaystyle\lim_{x\to0-}f(f(x))=f(1)=0$

따라서 $\displaystyle\lim_{x\to-1+}f(x)+\lim_{x\to1-}\{f(x)\}^2+\lim_{x\to0-}f(f(x))=1+4+0=5$

함수 $y=f(x)$의 그래프가 오른쪽 그림과 같을 때,
$$\lim_{x\to1+}f(f(x))-\lim_{x\to0-}f(-x-1)$$
의 값은?

① 1　　　　② 2
③ 3　　　　④ 4
⑤ 5

STEP Ⓐ $f(x)=t$로 치환하여 극한값 구하기

$f(x)=t$로 놓으면 $x\to1+$일 때, $t=0$이므로
$\displaystyle\lim_{x\to1+}f(f(x))=f(0)=1$

← $x\to1+$일 때의 $f(x)$의 값이 큰 쪽이나 작은 쪽에서 0에 가까워지는 것이 아니므로 $t=0$임을 알 수 있다.

STEP Ⓑ $-x-1=s$로 치환하여 극한값 구하기

$-x-1=s$로 놓으면 $x\to0-$일 때, $s\to-1+$이므로
$\displaystyle\lim_{x\to0-}f(-x-1)=\lim_{s\to-1+}f(s)=-1$

따라서 $\displaystyle\lim_{x\to1+}f(f(x))-\lim_{x\to0-}f(-x-1)=1-(-1)=2$

정답 ②

0058

STEP Ⓐ 함수의 그래프에서 극한값 구하기

$x\to0-$일 때, $f(x)\to2$이므로 $\displaystyle\lim_{x\to0-}f(x)=2$

STEP Ⓑ $f(x)$를 다른 문자로 치환하여 극한값 구하기

$f(x)=t$로 놓으면 $x\to-1-$일 때, $t\to0+$이므로
$\displaystyle\lim_{x\to-1-}f(f(x))=\lim_{t\to0+}f(t)=1$

$f(x)=s$로 놓으면 $x\to0+$일 때, $s\to1-$이므로
$\displaystyle\lim_{x\to0+}f(f(x))=\lim_{s\to1-}f(s)=-2$

따라서 $\displaystyle\lim_{x\to0-}f(x)+\lim_{x\to-1-}f(f(x))+\lim_{x\to0+}f(f(x))=2+1+(-2)=1$

0059

STEP Ⓐ 함수의 그래프에서 극한값 구하기

ㄱ. 함수 $y=f(x)$의 그래프에서 $\displaystyle\lim_{x\to1}f(x)=0$ [참]

STEP Ⓑ $g(x)=t$로 치환하여 극한값 구하기

ㄴ. $g(x)=t$로 놓으면 $x\to1$일 때, $t\to1$이므로
$\displaystyle\lim_{x\to1}f(g(x))=\lim_{t\to1}f(t)=0$ [거짓]

STEP Ⓒ $f(x)=s$로 치환하여 극한값 구하기

ㄷ. $f(x)=s$로 놓으면 $x\to1$일 때, $s\to0$이므로
$\displaystyle\lim_{x\to1}g(f(x))=\lim_{s\to0}g(s)=0=g(1)$ [참]

따라서 옳은 것은 ㄱ, ㄷ이다.

0060 정답 ②

STEP Ⓐ $g(x)=t$로 치환하여 극한값 구하기

ㄱ. $g(x)=t$로 놓으면 $x\to 0$일 때, $t\to 0+$이므로
$$\lim_{x\to 0}f(g(x))=\lim_{t\to 0+}f(t)=-1\ [거짓]$$

STEP Ⓑ $f(x)=t$로 치환하여 극한값 구하기

ㄴ. $f(x)=t$로 놓으면 $x\to 0-$일 때, $t\to 1-$이므로
$$\lim_{x\to 0-}f(f(x))=\lim_{t\to 1-}f(t)=0$$
또, $x\to 0+$일 때, $t\to -1+$이므로 $\lim_{x\to 0+}f(f(x))=\lim_{t\to -1+}f(t)=0$
$$\therefore\ \lim_{x\to 0}f(f(x))=0\ [거짓]$$

ㄷ. $f(x)=t$로 놓으면 $x\to 0-$일 때, $t\to 1-$이므로
$$\lim_{x\to 0-}g(f(x))=\lim_{t\to 1-}g(t)=1$$
또, $x\to 0+$일 때, $t\to -1+$이므로 $\lim_{x\to 0+}g(f(x))=\lim_{t\to -1+}g(t)=1$
$$\therefore\ \lim_{x\to 0}g(f(x))=1\ [참]$$

따라서 옳은 것은 ㄷ이다.

0061 정답 ③

STEP Ⓐ $g(x)=t$로 치환하여 극한값 구하기

$g(x)=t$라고 하면 $x\to -1-$일 때, $t\to 1+$이므로
$$\lim_{x\to -1-}f(g(x))=\lim_{t\to 1+}f(t)=2$$

STEP Ⓑ $f(x)=s$로 치환하여 극한값 구하기

또, $f(x)=s$라고 하면 $x\to 1+$일 때, $s=2$이므로
$$\lim_{x\to 1+}g(f(x))=g(2)=1$$
따라서 $\lim_{x\to -1-}f(g(x))+\lim_{x\to 1+}g(f(x))=2+1=3$

0062 정답 ①

STEP Ⓐ $g(x)=t$로 치환하여 극한값 구하기

$g(x)=t$로 놓으면 $x\to 0-$일 때, $t\to 0-$이므로
$$\lim_{x\to 0-}f(g(x))=\lim_{t\to 0-}f(t)=1$$

STEP Ⓑ $f(x)=s$로 치환하여 극한값 구하기

$f(x)=s$로 놓으면 $x\to 1-$일 때, $s\to -1+$이므로
$$\lim_{x\to 1-}g(f(x))=\lim_{s\to -1+}g(s)=-1$$

STEP Ⓒ $\lim_{x\to -1-}f(f(x))$ 극한값 구하기

$f(x)=r$로 놓으면 $x\to -1-$일 때, $r\to 0-$이므로
$$\lim_{x\to -1-}f(f(x))=\lim_{r\to 0-}f(r)=1$$
따라서 $\lim_{x\to 0-}f(g(x))+\lim_{x\to 1-}g(f(x))+\lim_{x\to -1-}f(f(x))=1+(-1)+1=1$

내/신/연/계 출제문항 019

두 함수 $y=f(x)$, $y=g(x)$의 그래프가 다음 그림과 같을 때,
$$\lim_{x\to 0+}g(f(x))+\lim_{x\to 2+}g(f(x))+\lim_{x\to -1+}g(f(x))$$
의 값은?

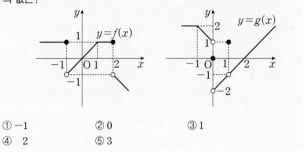

① -1　　② 0　　③ 1
④ 2　　⑤ 3

STEP Ⓐ $f(x)=t$로 치환하여 극한값 구하기

$f(x)=t$로 놓으면 $x\to 0+$일 때, $t\to 0+$이므로
$$\lim_{x\to 0+}g(f(x))=\lim_{t\to 0+}g(t)=-2$$

STEP Ⓑ $f(x)=s$로 치환하여 극한값 구하기

$f(x)=s$로 놓으면 $x\to 2+$일 때, $s\to -1-$이므로
$$\lim_{x\to 2+}g(f(x))=\lim_{s\to -1-}g(s)=2$$

STEP Ⓒ $\lim_{x\to -1+}g(f(x))$ 극한값 구하기

$f(x)=u$로 놓으면 $x\to -1+$일 때, $u=1$이므로
$$\lim_{x\to -1+}g(f(x))=g(1)=1$$
따라서 $\lim_{x\to 0+}g(f(x))+\lim_{x\to 2+}g(f(x))+\lim_{x\to -1+}g(f(x))=-2+2+1=1$

정답 ③

0063 정답 ④

STEP Ⓐ $g(x)=t$로 치환하여 극한값 구하기

$g(x)=x^2-x$에서 $g(x)=t$로 놓으면
$x\to -1-$일 때, $t\to 2+$이므로
$$\lim_{x\to -1-}f(g(x))=\lim_{t\to 2+}f(t)=0$$

STEP Ⓑ $f(x)=s$로 치환하여 극한값 구하기

또, $f(x)=s$로 놓으면 $x\to 1+$일 때, $s\to -1+$이므로
$$\lim_{x\to 1+}g(f(x))=\lim_{s\to -1+}g(s)=2$$
따라서 $\lim_{x\to -1-}f(g(x))+\lim_{x\to 1+}g(f(x))=0+2=2$

참고

$g(x)=x^2-x$의 그래프는 다음 그림과 같다.

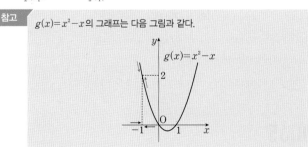

다음 그림은 모든 실수에서 정의된 함수 $y=f(x)$의 그래프이다.
함수 $g(x)=x^2-x$에 대하여 $\lim_{x \to -1^-} f(g(x))+\lim_{x \to 1^+} g(f(x))$의 값은?

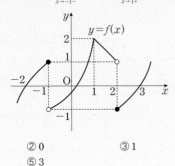

① -1　　　② 0　　　③ 1
④ 2　　　⑤ 3

STEP Ⓐ $g(x)=t$로 치환하여 극한값 구하기

$g(x)=x^2-x$에서 $g(x)=t$로 놓으면

$x \to -1^-$일 때, $t \to 2^+$이므로 $\lim_{x \to -1^-} f(g(x))=\lim_{t \to 2^+} f(t)=-1$

STEP Ⓑ $f(x)=s$로 치환하여 극한값 구하기

또, $f(x)=s$로 놓으면 $x \to 1^+$일 때, $s \to 2^-$이므로

$\lim_{x \to 1^+} g(f(x))=\lim_{s \to 2^-} g(s)=2$

따라서 $\lim_{x \to -1^-} f(g(x))+\lim_{x \to 1^+} g(f(x))=-1+2=1$

참고

$g(x)=x^2-x$의 그래프는 다음 그림과 같다.

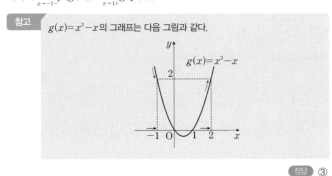

정답 ③

0064

정답 ①

STEP Ⓐ $\lim_{x \to 0^+} f(x+2)g(-1-x)$의 값 구하기

$x+2=t$라 하면 $x \to 0^+$일 때, $t \to 2^+$이므로
$\lim_{x \to 0^+} f(x+2)=\lim_{t \to 2^+} f(t)=2$

$-1-x=s$라 하면 $x \to 0^+$일 때, $s \to -1^-$이므로
$\lim_{x \to 0^+} g(-1-x)=\lim_{s \to -1^-} g(s)=-1$

$\therefore \lim_{x \to 0^+} f(x+2)g(-1-x)=2 \times (-1)=-2$

STEP Ⓑ $\lim_{x \to -1^-} g(f(x))$의 값 구하기

한편 $f(x)=r$라 하면 $x \to -1^-$일 때, $r \to 0^+$이므로
$\lim_{x \to -1^-} g(f(x))=\lim_{r \to 0^+} g(r)=-1$

$\therefore \lim_{x \to 0^+} f(x+2)g(1-x)+\lim_{x \to -1^-} g(f(x))=-2+(-1)=-3$

0065

정답 ②

STEP Ⓐ 함수의 극한에 대한 성질을 이용하여 구하기

$\lim_{x \to 2} f(x)=1$, $\lim_{x \to 2} g(x)=2$이므로

$\lim_{x \to 2} \{3f(x)-2g(x)\}=3\lim_{x \to 2} f(x)-2\lim_{x \to 2} g(x)=3 \cdot 1-2 \cdot 2=-1$

0066

정답 ⑤

STEP Ⓐ 함수의 극한에 대한 성질을 이용하여 구하기

$\lim_{x \to \infty} f(x)=6$, $\lim_{x \to \infty} g(x)=a$이므로

$\lim_{x \to \infty} \dfrac{f(x)-g(x)}{2f(x)-3g(x)}=\dfrac{\lim_{x \to \infty} f(x)-\lim_{x \to \infty} g(x)}{2\lim_{x \to \infty} f(x)-3\lim_{x \to \infty} g(x)}=\dfrac{6-a}{2 \cdot 6-3a}=1$

$6-a=12-3a$
따라서 $a=3$

0067

정답 ①

STEP Ⓐ 함수의 극한에 대한 성질을 이용하여 구하기

$h(x)=2f(x)-3g(x)$로 놓으면 $\lim_{x \to 1} h(x)=18$

$g(x)=\dfrac{2f(x)-h(x)}{3}$이므로 $\lim_{x \to 1} g(x)=\lim_{x \to 1} \dfrac{2f(x)-h(x)}{3}=\dfrac{2 \cdot 6-18}{3}=-2$

두 함수 $f(x)$, $g(x)$에 대하여
$$\lim_{x \to 1} f(x)=2, \lim_{x \to 1} \{3f(x)-2g(x)\}=12$$
일 때, $\lim_{x \to 1} g(x)$의 값은?

① -6　　　② -5　　　③ -4
④ -3　　　⑤ -2

STEP Ⓐ 함수의 극한에 대한 성질을 이용하여 구하기

$h(x)=3f(x)-2g(x)$로 놓으면

$g(x)=\dfrac{3f(x)-h(x)}{2}$이고 $\lim_{x \to 1} h(x)=12$이므로

$\lim_{x \to 1} g(x)=\lim_{x \to 1} \dfrac{3f(x)-h(x)}{2}=\dfrac{3 \cdot 2-12}{2}=-3$

정답 ④

0068

정답 ②

STEP Ⓐ $h(x)=f(x)+2g(x)$, $k(x)=2f(x)-g(x)$로 치환하여 함수의 극한의 성질을 이용하여 $\lim f(x)$, $\lim g(x)$의 값 구하기

$h(x)=f(x)+2g(x)$, $k(x)=2f(x)-g(x)$로 놓으면
$\lim_{x \to \infty} h(x)=7$, $\lim_{x \to \infty} k(x)=4$이고

위의 두 식을 연립하면 $f(x)=\dfrac{h(x)+2k(x)}{5}$, $g(x)=\dfrac{2h(x)-k(x)}{5}$

$\lim_{x \to \infty} f(x)=\lim_{x \to \infty} \dfrac{h(x)+2k(x)}{5}=\dfrac{1}{5}(7+2 \cdot 4)=3$

$\lim_{x \to \infty} g(x)=\lim_{x \to \infty} \dfrac{2h(x)-k(x)}{5}=\dfrac{1}{5}(2 \cdot 7-4)=2$

STEP Ⓑ 함수의 극한의 성질을 이용하여 구하기

따라서 $\lim_{x \to \infty} \{f(x)+g(x)\}=\lim_{x \to \infty} f(x)+\lim_{x \to \infty} g(x)=3+2=5$

두 함수 $f(x)$, $g(x)$에 대하여

$$\lim_{x \to a}\{f(x)+g(x)\}=3, \quad \lim_{x \to a}\{f(x)-g(x)\}=1$$

$\lim_{x \to a} f(x)g(x)$의 값은?

① -2   ② -1   ③ 1
④ 2   ⑤ 3

STEP Ⓐ $h(x)=f(x)+g(x)$, $k(x)=f(x)-g(x)$로 치환하여 함수의 극한의 성질을 이용하여 $\lim_{x \to a} f(x)$, $\lim_{x \to a} g(x)$의 값 구하기

$h(x)=f(x)+g(x)$, $k(x)=f(x)-g(x)$로 놓으면

$\lim_{x \to a} h(x)=3$, $\lim_{x \to a} k(x)=1$이고

위의 두 식을 연립하면 $f(x)=\dfrac{h(x)+k(x)}{2}$, $g(x)=\dfrac{h(x)-k(x)}{2}$

$\lim_{x \to a} f(x)=\lim_{x \to a}\dfrac{h(x)+k(x)}{2}=\dfrac{3+1}{2}=2$

$\lim_{x \to a} g(x)=\lim_{x \to a}\dfrac{h(x)-k(x)}{2}=\dfrac{3-1}{2}=1$

STEP Ⓑ 함수의 극한의 성질을 이용하여 구하기

따라서 $\lim_{x \to a} f(x)g(x)=2 \cdot 1=2$

다른풀이 다항식의 곱셈 공식의 변형을 이용하여 풀이하기

$f(x)g(x)=\dfrac{\{f(x)+g(x)\}^2-\{f(x)-g(x)\}^2}{4}$이므로

$\lim_{x \to a} f(x)g(x)=\dfrac{3^2-1^2}{4}=2$

정답 ④

0069

정답 ⑤

STEP Ⓐ 함수의 극한의 성질을 이용하여 $\lim_{x \to 2} g(x)$의 값 구하기

$\lim_{x \to 2}\dfrac{g(x)}{x^2+x}=1$이고 $\lim_{x \to 2}(x^2+x)=6$이므로

$\lim_{x \to 2} g(x)=\lim_{x \to 2}\left\{\dfrac{g(x)}{x^2+x}\times(x^2+x)\right\}=\lim_{x \to 2}\dfrac{g(x)}{x^2+x}\times \lim_{x \to 2}(x^2+x)=1\times 6=6$

STEP Ⓑ 함수의 극한의 성질을 이용하여 $\lim_{x \to 2} f(x)$의 값 구하기

따라서 $\lim_{x \to 2} f(x)=\lim_{x \to 2}\{f(x)+g(x)-g(x)\}$
$\qquad = \lim_{x \to 2}\{f(x)+g(x)\}-\lim_{x \to 2} g(x)$
$\qquad = 5-6=-1$

0070

정답 ③

STEP Ⓐ 함수의 극한의 성질을 이용하여 α, β값 구하기

$\lim_{x \to 2} f(x)=\alpha$, $\lim_{x \to 2} g(x)=\beta$이므로

$\lim_{x \to 2}\{f(x)+g(x)\}=\lim_{x \to 2} f(x)+\lim_{x \to 2} g(x)=\alpha+\beta=3$

$\lim_{x \to 2} f(x)\lim_{x \to 2} g(x)=\alpha\beta=2$

이때 $\alpha+\beta=3$, $\alpha\beta=2$이므로 α, β를 두 근으로 하는 이차방정식을

$x^2-3x+2=0$이라 하면 $(x-2)(x-1)=0$

$\therefore \alpha=2$, $\beta=1(\because \alpha > \beta)$

STEP Ⓑ α, β를 대입하여 주어진 극한값 구하기

따라서 $\lim_{x \to 2}\dfrac{f(x)+2}{3g(x)-2}=\dfrac{\lim_{x \to 2} f(x)+2}{3\lim_{x \to 2} g(x)-2}=\dfrac{\alpha+2}{3\beta-2}=4$

$x=2$에서의 극한값이 존재하는 두 함수 $f(x)$, $g(x)$에 대하여

$$\lim_{x \to 2}\{f(x)+g(x)\}=5, \quad \lim_{x \to 2} f(x)g(x)=6$$

일 때, $\lim_{x \to 2}\dfrac{2f(x)+1}{3g(x)-5}$의 값은? (단, $\lim_{x \to 2} f(x) > \lim_{x \to 2} g(x)$)

① 4   ② 5   ③ 6
④ 7   ⑤ 8

STEP Ⓐ 함수의 극한의 성질을 이용하여 α, β값 구하기

$\lim_{x \to 2} f(x)=\alpha$, $\lim_{x \to 2} g(x)=\beta$라 하면

$\lim_{x \to 2}\{f(x)+g(x)\}=\lim_{x \to 2} f(x)+\lim_{x \to 2} g(x)=\alpha+\beta=5$

$\lim_{x \to 2} f(x)g(x)=\lim_{x \to 2} f(x)\lim_{x \to 2} g(x)=\alpha\beta=6$

$\alpha+\beta=5$, $\alpha\beta=6$이므로 α, β를 두 근으로 하는 이차방정식을

$x^2-5x+6=0$이라 하면 $(x-3)(x-2)=0$

$\therefore \alpha=3$, $\beta=2(\because \alpha > \beta)$

STEP Ⓑ α, β를 대입하여 주어진 극한값 구하기

따라서 $\lim_{x \to 2}\dfrac{2f(x)+1}{3g(x)-5}=\dfrac{2\lim_{x \to 2} f(x)+1}{3\lim_{x \to 2} g(x)-5}=\dfrac{2\alpha+1}{3\beta-5}=7$

정답 ④

0071

정답 ②

STEP Ⓐ 함수의 극한의 성질을 이용하여 α, β값 구하기

$\lim_{x \to 1} f(x)=\alpha$, $\lim_{x \to 1} g(x)=\beta$이므로

$\lim_{x \to 1}\{f(x)+g(x)\}=\lim_{x \to 1} f(x)+\lim_{x \to 1} g(x)=\alpha+\beta=1$

$\lim_{x \to 1} f(x)g(x)=\lim_{x \to 1} f(x)\lim_{x \to 1} g(x)=\alpha\beta=-2$

이때 $\alpha+\beta=1$, $\alpha\beta=-2$이므로 α, β를 두 근으로 하는 이차방정식을

$x^2-x-2=0$이라 하면 $(x-2)(x+1)=0$

$\therefore \alpha=2$, $\beta=-1(\because \alpha > \beta)$

STEP Ⓑ α, β를 대입하여 주어진 극한값 구하기

따라서 $\lim_{x \to 1}\dfrac{f(x)+2}{2g(x)+4}=\dfrac{\lim_{x \to 1} f(x)+2}{2\lim_{x \to 1} g(x)+4}=\dfrac{\alpha+2}{2\beta+4}=\dfrac{2+2}{2\times(-1)+4}=2$

0072

정답 ②

STEP Ⓐ 분모, 분자를 x로 나누어 함수의 극한의 성질을 이용하여 구하기

$\lim_{x \to 0}\dfrac{f(x)}{x}=5$이므로

$\lim_{x \to 0}\dfrac{2x^2+f(x)}{x^2-f(x)}$의 분모, 분자를 x로 나누면

$\lim_{x \to 0}\dfrac{2x^2+f(x)}{x^2-f(x)}=\lim_{x \to 0}\dfrac{2x+\dfrac{f(x)}{x}}{x-\dfrac{f(x)}{x}}=\dfrac{\lim_{x \to 0} 2x+\lim_{x \to 0}\dfrac{f(x)}{x}}{\lim_{x \to 0} x-\lim_{x \to 0}\dfrac{f(x)}{x}}=\dfrac{5}{-5}=-1$

0073

정답 ⑤

STEP Ⓐ 분모, 분자를 x로 나누어 함수의 극한의 성질을 이용하여 구하기

$\lim_{x \to 0} \dfrac{f(x)}{x} = 3$이므로

조건 (가)에서 $\lim_{x \to 0} \dfrac{x+f(x)}{x-f(x)} = \lim_{x \to 0} \dfrac{1+\dfrac{f(x)}{x}}{1-\dfrac{f(x)}{x}} = \dfrac{1+3}{1-3} = -2$

$\therefore a = -2$

조건 (나)에서 $\lim_{x \to 0} \dfrac{2x^2+3f(x)}{3x^2-2f(x)} = \lim_{x \to 0} \dfrac{2x+3 \cdot \dfrac{f(x)}{x}}{3x-2 \cdot \dfrac{f(x)}{x}} = \dfrac{0+3 \cdot 3}{0-2 \cdot 3} = -\dfrac{3}{2}$

$\therefore b = -\dfrac{3}{2}$

따라서 $a=-2$, $b=-\dfrac{3}{2}$이므로 $ab = -2 \cdot \left(-\dfrac{3}{2}\right) = 3$

내/신/연/계 출제문항 024

함수 $f(x)$에 대하여 $\lim_{x \to 0} \dfrac{f(x)}{x} = 2$일 때, 다음 조건을 만족하는 극한값 a, b에 대하여 ab의 값은?

> (가) $\lim_{x \to 0} \dfrac{f(x)+x}{f(x)-x} = a$
>
> (나) $\lim_{x \to 0} \dfrac{-f(x)+x^2}{3x^2+2f(x)} = b$

① -3 ② -2 ③ $-\dfrac{3}{2}$

④ 2 ⑤ 3

STEP Ⓐ 분모, 분자를 x로 나누어 함수의 극한의 성질을 이용하여 구하기

$\lim_{x \to 0} \dfrac{f(x)}{x} = 2$이므로

주어진 식의 분모와 분자를 각각 x로 나누면

$\lim_{x \to 0} \dfrac{f(x)+x}{f(x)-x} = \lim_{x \to 0} \dfrac{\dfrac{f(x)}{x}+1}{\dfrac{f(x)}{x}-1} = \dfrac{2+1}{2-1} = 3$

$\therefore a = 3$

$\lim_{x \to 0} \dfrac{-f(x)+x^2}{3x^2+2f(x)} = \lim_{x \to 0} \dfrac{-\dfrac{f(x)}{x}+x}{3x+\dfrac{2f(x)}{x}} = \dfrac{-2+0}{0+2 \cdot 2} = -\dfrac{1}{2}$

$\therefore b = -\dfrac{1}{2}$

따라서 $ab = 3 \cdot \left(-\dfrac{1}{2}\right) = -\dfrac{3}{2}$

정답 ③

0074

정답 ①

STEP Ⓐ 분모, 분자를 x로 나누어 함수의 극한의 성질을 이용하여 구하기

$\lim_{x \to 0} \dfrac{f(x)}{x^2} = 1$, $\lim_{x \to 0} \dfrac{g(x)}{x} = 2$이므로

분모와 분자를 각각 x로 나누면

$\lim_{x \to 0} \dfrac{f(x)+x}{g(x)-x} = \lim_{x \to 0} \dfrac{x \cdot \dfrac{f(x)}{x^2}+1}{\dfrac{g(x)}{x}-1} = \dfrac{0 \cdot 1+1}{2-1} = 1$

내/신/연/계 출제문항 025

다항함수 $f(x)$가 $\lim_{x \to 0+} \dfrac{xf\left(\dfrac{1}{x}\right)-1}{1-x} = 2$를 만족시킬 때, $\lim_{x \to \infty} \dfrac{f(x)}{x}$의 값은?

① 1 ② 2 ③ 3

④ 4 ⑤ 5

STEP Ⓐ $\dfrac{1}{x}=t$로 놓고 극한값 구하기

$\dfrac{1}{x}=t$로 놓으면 $x \to 0+$일 때, $t \to \infty$이므로

$\lim_{x \to 0+} \dfrac{xf\left(\dfrac{1}{x}\right)-1}{1-x} = \lim_{t \to \infty} \dfrac{\dfrac{f(t)}{t}-1}{1-\dfrac{1}{t}} = 2$

STEP Ⓑ $\lim_{x \to \infty} \dfrac{f(x)}{x}$의 값 구하기

이때 $\dfrac{\dfrac{f(t)}{t}-1}{1-\dfrac{1}{t}} = h(t)$라고 하면 $\dfrac{f(t)}{t} = \left(1-\dfrac{1}{t}\right)h(t)+1$이고

$\lim_{t \to \infty} h(t) = 2$이므로 $\lim_{t \to \infty} \dfrac{f(t)}{t} = \lim_{t \to \infty} \left\{\left(1-\dfrac{1}{t}\right)h(t)+1\right\} = 1 \cdot 2+1 = 3$

따라서 $\lim_{x \to \infty} \dfrac{f(x)}{x} = 3$

정답 ③

0075

정답 ①

STEP Ⓐ 분모, 분자를 x^2-1로 나누어 함수의 극한의 성질을 이용하여 구하기

분모와 분자를 각각 x^2-1로 나누면

$\lim_{x \to 1} \dfrac{f(x)}{g(x)} = \lim_{x \to 1} \dfrac{\dfrac{f(x)}{x^2-1}}{\dfrac{g(x)}{x^2-1}} = \lim_{x \to 1} \dfrac{\dfrac{f(x)}{x^2-1}}{\dfrac{g(x)}{x-1}} \times (x+1)$

$= \dfrac{\lim_{x \to 1} \dfrac{f(x)}{x^2-1}}{\lim_{x \to 1} \dfrac{g(x)}{x-1}} \times \lim_{x \to 1}(x+1) = \dfrac{9}{3} \times 2 = 6$

참고

$\lim_{x \to 1} \dfrac{f(x)}{g(x)} = \dfrac{\lim_{x \to 1} \dfrac{f(x)}{x^2-1}}{\lim_{x \to 1} \dfrac{g(x)}{x-1}} \times \lim_{x \to 1} \dfrac{x^2-1}{x-1} = \dfrac{9}{3} \times 2 = 6$

0076

정답 ①

STEP Ⓐ $x-1=t$로 치환하여 주어진 식을 변형하기

$\lim_{x \to 0} \dfrac{g(x-1)}{x} = 2$에서 $x-1=t$로 놓으면

$x \to 0$일 때, $t \to -1$이므로 $\lim_{x \to 0} \dfrac{g(x-1)}{x} = \lim_{t \to -1} \dfrac{g(t)}{t+1} = 2$

$\therefore \lim_{x \to -1} \dfrac{g(x)}{x+1} = 2$

STEP Ⓑ 주어진 식의 분모, 분자를 $x+1$로 나누어 극한값 구하기

따라서 구하는 식의 분모, 분자를 $x+1$로 나누면

$\lim_{x \to -1} \dfrac{g(x)}{2f(x)} = \lim_{x \to -1} \dfrac{\dfrac{g(x)}{x+1}}{2 \cdot \dfrac{f(x)}{x+1}} = \dfrac{2}{2 \cdot 3} = \dfrac{1}{3}$

0077

STEP Ⓐ 함수의 극한의 성질을 이용하여 식 세우기

$\lim\limits_{x\to 1}(x+1)f(x)=1$, $\lim\limits_{x\to 1}(2x^2+1)f(x)=a$로 주어진 두 함수의 극한은 모두 수렴하므로 극한의 성질을 이용할 수 있다.

a의 값을 구하기 위하여 $\lim\limits_{x\to 1}(x+1)f(x)=1\neq 0$이므로 두 극한을 나누면

$$\lim\limits_{x\to 1}\frac{(2x^2+1)f(x)}{(x+1)f(x)}=\frac{\lim\limits_{x\to 1}(2x^2+1)f(x)}{\lim\limits_{x\to 1}(x+1)f(x)}=\frac{a}{1}=a$$

STEP Ⓑ 나눈 식을 계산하여 a의 값 구하기

$$\lim\limits_{x\to 1}\frac{(2x^2+1)f(x)}{(x+1)f(x)}=\lim\limits_{x\to 1}\left\{\frac{(2x^2+1)}{(x+1)}\times\frac{f(x)}{f(x)}\right\}$$
$$=\lim\limits_{x\to 1}\frac{2x^2+1}{x+1}$$
$$=\frac{2\cdot 1^2+1}{1+1}=\frac{3}{2}$$

STEP Ⓒ $20a$의 값 구하기

따라서 $20a=20\times\dfrac{3}{2}=30$

다른풀이 $g(x)=(x+1)f(x)$라 두고 풀이하기

STEP Ⓐ $g(x)=(x+1)f(x)$로 치환하여 극한값 구하기

$\lim\limits_{x\to 1}(x+1)f(x)=1$이므로

$g(x)=(x+1)f(x)$로 놓으면 $\lim\limits_{x\to 1}g(x)=1$

STEP Ⓑ 함수의 극한의 성질을 이용하여 식의 값 구하기

이때 $x\neq -1$일 때, $f(x)=\dfrac{g(x)}{x+1}$이므로

$$\lim\limits_{x\to 1}(2x^2+1)f(x)=\lim\limits_{x\to 1}\left\{(2x^2+1)\times\frac{g(x)}{x+1}\right\}$$
$$=\lim\limits_{x\to 1}\frac{2x^2+1}{x+1}\times\lim\limits_{x\to 1}g(x)$$
$$=\frac{3}{2}\times 1=\frac{3}{2}$$

따라서 $20a=20\times\dfrac{3}{2}=30$

내/신/연/계 출제문항 026

함수 $f(x)$가 $\lim\limits_{x\to 1}\{(x^2+1)f(x)\}=4$를 만족시킬 때,

$\lim\limits_{x\to 1}\{(x+4)f(x)\}$의 값은?

① 10   ② 15   ③ 20
④ 25   ⑤ 30

STEP Ⓐ 함수의 극한의 성질을 이용하여 식 세우기

$\lim\limits_{x\to 1}\{(x^2+1)f(x)\}=4$이고 $\lim\limits_{x\to 1}(x^2+1)=2$이므로
두 함수의 극한은 모두 수렴하므로 극한의 성질을 이용할 수 있다.

$\lim\limits_{x\to 1}(x^2+1)=2\neq 0$이므로 두 극한을 나누면

$$\lim\limits_{x\to 1}\frac{(x^2+1)f(x)}{x^2+1}=\frac{\lim\limits_{x\to 1}(x^2+1)f(x)}{\lim\limits_{x\to 1}(x^2+1)}=\frac{4}{2}=2$$

STEP Ⓑ $\lim\limits_{x\to 1}\{(x+4)f(x)\}$의 값 구하기

이때 $\lim\limits_{x\to 1}\dfrac{(x^2+1)f(x)}{x^2+1}=\lim\limits_{x\to 1}\dfrac{x^2+1}{x^2+1}\cdot f(x)=\lim\limits_{x\to 1}f(x)=2$이므로

$$\lim\limits_{x\to 1}\{(x+4)f(x)\}=\lim\limits_{x\to 1}(x+4)\times\lim\limits_{x\to 1}f(x)$$
$$=5\times 2$$
$$=10$$

다른풀이 함수의 극한의 성질을 이용하여 풀이하기

$\lim\limits_{x\to 1}\{(x^2+1)f(x)\}=4$이므로

$$\lim\limits_{x\to 1}\{(x+4)f(x)\}=\lim\limits_{x\to 1}\left\{(x^2+1)f(x)\times\frac{x+4}{x^2+1}\right\}$$
$$=\lim\limits_{x\to 1}\{(x^2+1)f(x)\}\times\lim\limits_{x\to 1}\frac{x+4}{x^2+1}$$
$$=4\times\frac{5}{2}$$
$$=10$$

정답 ①

0078

STEP Ⓐ 함수의 극한의 성질을 이용하여 $\lim\limits_{x\to 2}f(x)$, $\lim\limits_{x\to 2}g(x)$의 값 구하기

$\lim\limits_{x\to 2}(x+1)f(x)=6$이고 $\lim\limits_{x\to 2}(x+1)=3$이므로

$$\lim\limits_{x\to 2}f(x)=\lim\limits_{x\to 2}\frac{(x+1)f(x)}{x+1}=\frac{\lim\limits_{x\to 2}(x+1)f(x)}{\lim\limits_{x\to 2}(x+1)}=\frac{6}{3}=2$$

$\lim\limits_{x\to 2}\dfrac{g(x)}{x+2}=1$이고 $\lim\limits_{x\to 2}(x+2)=4$이므로

$$\lim\limits_{x\to 2}g(x)=\lim\limits_{x\to 2}\frac{(x+2)g(x)}{x+2}=\lim\limits_{x\to 2}(x+2)\times\lim\limits_{x\to 2}\frac{g(x)}{x+2}=4\times 1=4$$

STEP Ⓑ 구하는 값 구하기

따라서 $\lim\limits_{x\to 2}\dfrac{\{2f(x)\}^2+f(x)}{xg(x)}=\dfrac{4\times\lim\limits_{x\to 2}f(x)\times\lim\limits_{x\to 2}f(x)+\lim\limits_{x\to 2}f(x)}{\lim\limits_{x\to 2}x\times\lim\limits_{x\to 2}g(x)}$

$$=\frac{4\times 2\times 2+2}{2\times 4}=\frac{9}{4}$$

내/신/연/계 출제문항 027

두 함수 $f(x)$, $g(x)$가

$$\lim\limits_{x\to 1}\{2x+f(x)\}=5,\ \lim\limits_{x\to 1}\frac{g(x)}{f(x)}=4$$

를 만족시킬 때, $\lim\limits_{x\to 1}\{(x^2+2x)g(x)\}$의 값은?

① 28   ② 32   ③ 36
④ 40   ⑤ 44

STEP Ⓐ 함수의 극한의 성질을 이용하여 $\lim\limits_{x\to 1}f(x)$, $\lim\limits_{x\to 1}g(x)$의 값 구하기

$\lim\limits_{x\to 1}\{2x+f(x)\}=5$이고 $\lim\limits_{x\to 1}2x=2$이므로

$\lim\limits_{x\to 1}f(x)=\lim\limits_{x\to 1}[\{2x+f(x)\}-2x]=\lim\limits_{x\to 1}\{2x+f(x)\}-\lim\limits_{x\to 1}2x=5-2=3$

$\lim\limits_{x\to 1}\dfrac{g(x)}{f(x)}=4$이고 $\lim\limits_{x\to 1}f(x)=3$이므로

$\lim\limits_{x\to 1}g(x)=\lim\limits_{x\to 1}\left\{\dfrac{g(x)}{f(x)}\times f(x)\right\}=\lim\limits_{x\to 1}\dfrac{g(x)}{f(x)}\times\lim\limits_{x\to 1}f(x)=4\times 3=12$

STEP Ⓑ 구하는 값 구하기

따라서 $\lim\limits_{x\to 1}\{(x^2+2x)g(x)\}=\lim\limits_{x\to 1}(x^2+2x)\times\lim\limits_{x\to 1}g(x)=3\times 12=36$

정답 ③

I 함수의 극한과 연속

0079

정답 ②

STEP Ⓐ $x-a=t$로 치환하여 식 정리하기

$x-a=t$로 놓으면 $x \to a$일 때, $t \to 0$이므로

$$\lim_{x \to a}\frac{f(x-a)}{x-a}=\lim_{t \to 0}\frac{f(t)}{t}=2 \quad \therefore \lim_{x \to 0}\frac{f(x)}{x}=2$$

STEP Ⓑ 주어진 식의 분모, 분자를 x로 나누어 극한값 구하기

따라서 $\lim_{x \to 0}\dfrac{2x+3f(x)}{3x^2+4f(x)}=\lim_{x \to 0}\dfrac{2+3 \cdot \dfrac{f(x)}{x}}{3x+4 \cdot \dfrac{f(x)}{x}}=\dfrac{2+3 \cdot 2}{0+4 \cdot 2}=1$

0080

정답 ⑤

STEP Ⓐ $x-2=t$로 치환하여 식 정리하기

$x-2=t$로 놓으면 $x \to 2$일 때, $t \to 0$이므로 0이 아닌 어떤 실수 α에 대하여

$$\lim_{x \to 2}\frac{f(x-2)}{x-2}=\lim_{t \to 0}\frac{f(t)}{t}=\alpha$$

즉 $\lim_{x \to 0}\dfrac{f(x)}{x}=\alpha$

STEP Ⓑ 주어진 식의 분모, 분자를 x로 나누어 극한값 구하기

따라서 구하는 식의 분모, 분자를 각각 x로 나누면

$$\lim_{x \to 0}\frac{3f(x)+x^2}{f(x)-x^2}=\lim_{x \to 0}\frac{\dfrac{3f(x)}{x}+x}{\dfrac{f(x)}{x}-x}=\frac{3\alpha}{\alpha}=3$$

0081

정답 ③

STEP Ⓐ $x-1=t$로 치환하여 주어진 식을 변형하기

$x-1=t$로 놓으면 $x \to 1$일 때, $t \to 0$이므로

$$\lim_{x \to 1}\frac{f(x-1)}{x-1}=\lim_{t \to 0}\frac{f(t)}{t}=2 \quad \therefore \lim_{x \to 0}\frac{f(x)}{x}=2$$

STEP Ⓑ 주어진 식의 분모, 분자를 x로 나누어 극한값 구하기

따라서 $\lim_{x \to 0}\dfrac{f(x)-3x^2}{f(x)+2x^2}=\lim_{x \to 0}\dfrac{\dfrac{f(x)}{x}-3x}{\dfrac{f(x)}{x}+2x}=\dfrac{2}{2}=1$

내/신/연/계 출제문항 028

함수 $f(x)$에 대하여

$$\lim_{x \to 2}\frac{f(x-2)}{x-2}=3$$

일 때, $\lim_{x \to 0}\dfrac{2f(x)+3x}{f(x)-x^2}$의 값은?

① 1　　　　② 2　　　　③ 3
④ 4　　　　⑤ 5

STEP Ⓐ $x-2=t$로 치환하여 주어진 식을 변형하기

$x-2=t$로 놓으면 $x \to 2$일 때, $t \to 0$이므로

$$\lim_{x \to 2}\frac{f(x-2)}{x-2}=\lim_{t \to 0}\frac{f(t)}{t}=3$$

$\therefore \lim_{x \to 0}\dfrac{f(x)}{x}=3$

STEP Ⓑ 주어진 식의 분모, 분자를 x로 나누어 극한값 구하기

따라서 $\lim_{x \to 0}\dfrac{2f(x)+3x}{f(x)-x^2}=\lim_{x \to 0}\dfrac{\dfrac{2f(x)}{x}+3}{\dfrac{f(x)}{x}-x}=\dfrac{2 \cdot 3+3}{3-0}=3$

정답 ③

0082

정답 ①

STEP Ⓐ $x+1=t$로 치환하여 주어진 식을 변형하기

$x+1=t$로 놓으면 $x \to -1$일 때, $t \to 0$이므로

$$\lim_{x \to -1}\frac{f(x+1)}{2(x+1)}=\lim_{t \to 0}\frac{f(t)}{2t}=\frac{1}{2}$$

$\therefore \lim_{x \to 0}\dfrac{f(x)}{x}=1$

STEP Ⓑ 주어진 식의 분모, 분자를 x^2으로 나누어 극한값 구하기

따라서 $\lim_{x \to 0}\dfrac{x^2-3xf(x)}{4xf(x)-3x^2}=\lim_{x \to 0}\dfrac{1-3 \cdot \dfrac{f(x)}{x}}{4 \cdot \dfrac{f(x)}{x}-3}=\dfrac{1-3 \cdot 1}{4 \cdot 1-3}=-2$

0083

정답 ④

STEP Ⓐ $x-2=t$로 치환하여 식 정리하기

$x-2=t$로 놓으면 $x \to 2$일 때, $t \to 0$이고 $x=t+2$이므로

$$\lim_{x \to 2}\frac{f(x-2)}{x^2-2x}=\lim_{x \to 2}\frac{f(x-2)}{x(x-2)}=\lim_{t \to 0}\frac{f(t)}{(t+2)t}=4$$

STEP Ⓑ $\lim_{x \to 0}\dfrac{f(x)}{x}$의 값 구하기

$$\lim_{t \to 0}\frac{f(t)}{t}=\lim_{t \to 0}\left\{\frac{f(t)}{(t+2)t} \times (t+2)\right\}$$

$$=\lim_{t \to 0}\frac{f(t)}{(t+2)t} \times \lim_{t \to 0}(t+2)$$

$$=4 \times 2=8$$

따라서 $\lim_{x \to 0}\dfrac{f(x)}{x}=8$

0084

정답 ③

STEP Ⓐ $x-2=t$로 치환하여 극한값 구하기

$x-2=t$로 놓으면 $x \to 2$일 때, $t \to 0$이므로 $x=t+2$

$$\lim_{x \to 2}\frac{f(x-2)}{x^2-4}=\lim_{x \to 2}\frac{f(x-2)}{(x-2)(x+2)}$$

$$=\lim_{t \to 0}\frac{f(t)}{t(t+4)}$$

$$=\lim_{t \to 0}\frac{f(t)}{t} \cdot \lim_{t \to 0}\frac{1}{t+4}$$

$$=3 \cdot \frac{1}{4}=\frac{3}{4}$$

내/신/연/계/ 출제문항 029

함수 $f(x)$에 대하여

$$\lim_{x \to 0} \frac{f(x)}{x} = 5$$

가 성립할 때, $\lim_{x \to 2} \frac{f(x-2)}{x^2-3x+2}$의 값은?

① 3   ② 4   ③ 5
④ 6   ⑤ 7

STEP Ⓐ $x-2=t$로 치환하여 극한값 구하기

$x-2=t$로 놓으면 $x \to 2$일 때, $t \to 0$이므로

$$\lim_{x \to 2} \frac{f(x-2)}{x^2-3x+2} = \lim_{x \to 2} \frac{f(x-2)}{(x-2)(x-1)} = \lim_{t \to 0} \frac{f(t)}{t(t+1)}$$

$$= \lim_{t \to 0} \frac{f(t)}{t} \cdot \lim_{t \to 0} \frac{1}{t+1}$$

$$= 5$$

정답 ③

0085

정답 ②

STEP Ⓐ $x+1=t$로 치환하여 극한값 구하기

$x+1=t$로 놓으면 $x \to -1$일 때, $t \to 0$이므로

$$\lim_{x \to -1} \frac{f(x+1)+x+1}{x^2-1} = \lim_{x \to -1} \frac{f(x+1)}{x^2-1} + \lim_{x \to -1} \frac{x+1}{x^2-1}$$

$$= \lim_{x \to -1} \frac{f(x+1)}{(x+1)(x-1)} + \lim_{x \to -1} \frac{x+1}{(x+1)(x-1)}$$

$$= \lim_{t \to 0} \frac{f(t)}{t(t-2)} + \lim_{x \to -1} \frac{1}{x-1}$$

$$= \lim_{t \to 0} \frac{f(t)}{t} \cdot \frac{1}{t-2} - \frac{1}{2}$$

$$= 2 \cdot \left(-\frac{1}{2} \right) - \frac{1}{2} = -\frac{3}{2}$$

0086

정답 ⑤

STEP Ⓐ $h(x)=f(x)-g(x)$라 두고 주어진 조건 변형하기

$h(x)=f(x)-g(x)$라 하면

$g(x)=f(x)-h(x)$이고 $\lim_{x \to \infty} h(x)=1$

STEP Ⓑ 주어진 식에 $h(x)$를 대입하여 극한값 구하기

따라서 $\lim_{x \to \infty} \frac{f(x)+g(x)}{f(x)} = \lim_{x \to \infty} \frac{f(x)+\{f(x)-h(x)\}}{f(x)}$

$$= \lim_{x \to \infty} \frac{2f(x)-h(x)}{f(x)} = \lim_{x \to \infty} \left\{ 2 - \frac{h(x)}{f(x)} \right\} = 2$$

다른풀이 $\lim_{x \to \infty} \frac{g(x)}{f(x)}$의 값을 구하여 풀이하기

STEP Ⓐ 주어진 두 조건을 이용하여 $\lim_{x \to \infty} \frac{g(x)}{f(x)}$의 값 구하기

$\lim_{x \to \infty} f(x)=\infty$, $\lim_{x \to \infty} \{f(x)-g(x)\}=1$이므로 $\lim_{x \to \infty} \frac{f(x)-g(x)}{f(x)}=0$

즉 $\lim_{x \to \infty} \left\{ 1 - \frac{g(x)}{f(x)} \right\} = 0$이므로 $\lim_{x \to \infty} \frac{g(x)}{f(x)} = 1$

STEP Ⓑ 주어진 극한값 구하기

따라서 $\lim_{x \to \infty} \frac{f(x)+g(x)}{f(x)} = \lim_{x \to \infty} \left\{ 1 + \frac{g(x)}{f(x)} \right\} = 1+1=2$

0087

정답 ②

STEP Ⓐ 주어진 두 조건을 이용하여 $\lim_{x \to \infty} \frac{g(x)}{f(x)}$의 값을 구하기

$\lim_{x \to \infty} \{2f(x)-g(x)\}=1$, $\lim_{x \to \infty} f(x)=\infty$에서 $\lim_{x \to \infty} \frac{1}{f(x)}=0$이므로

$$\lim_{x \to \infty} \frac{1}{f(x)} \{2f(x)-g(x)\} = \lim_{x \to \infty} \left\{ 2 - \frac{g(x)}{f(x)} \right\} = 0 \cdot 1 = 0$$

$$\therefore \lim_{x \to \infty} \frac{g(x)}{f(x)} = 2$$

STEP Ⓑ 주어진 식의 분모, 분자를 $f(x)$로 나누어 극한값 구하기

따라서 $\lim_{x \to \infty} \frac{3f(x)+2g(x)}{9f(x)-2g(x)} = \lim_{x \to \infty} \dfrac{3+2\dfrac{g(x)}{f(x)}}{9-2\dfrac{g(x)}{f(x)}}$ ← 분모, 분자를 각각 $f(x)$로 나눈다.

$$= \frac{3+4}{9-4} = \frac{7}{5}$$

다른풀이 $2f(x)-g(x)=h(x)$로 놓고 풀이하기

$2f(x)-g(x)=h(x)$로 놓으면

$g(x)=2f(x)-h(x)$

$\lim_{x \to \infty} h(x)=1$이고 $\lim_{x \to \infty} f(x)=\infty$이므로 $\lim_{x \to \infty} \frac{h(x)}{f(x)}=0$

$$\lim_{x \to \infty} \frac{3f(x)+2g(x)}{9f(x)-2g(x)} = \lim_{x \to \infty} \frac{3f(x)+2\{2f(x)-h(x)\}}{9f(x)-2\{2f(x)-h(x)\}}$$

$$= \lim_{x \to \infty} \frac{7f(x)-2h(x)}{5f(x)+2h(x)}$$

$$= \lim_{x \to \infty} \dfrac{7-2\dfrac{h(x)}{f(x)}}{5+2\dfrac{h(x)}{f(x)}}$$

$$= \frac{7}{5}$$

내/신/연/계/ 출제문항 030

두 함수 $f(x)$, $g(x)$에 대하여

$$\lim_{x \to \infty} f(x)=\infty, \lim_{x \to \infty} \{f(x)+3g(x)\}=1$$

일 때, $\lim_{x \to \infty} \frac{f(x)+9g(x)}{f(x)-g(x)}$의 값은?

① -2 ② $-\frac{3}{2}$ ③ -1
④ $-\frac{1}{3}$ ⑤ $-\frac{1}{9}$

STEP Ⓐ 주어진 두 조건을 이용하여 $\lim_{x \to \infty} \frac{g(x)}{f(x)}$의 값을 구하기

$\lim_{x \to \infty} f(x)=\infty$, $\lim_{x \to \infty} \{f(x)+3g(x)\}=1$이므로

$$\lim_{x \to \infty} \frac{f(x)+3g(x)}{f(x)} = \lim_{x \to \infty} \left\{ 1 + 3 \times \frac{g(x)}{f(x)} \right\} = 1 + 3 \lim_{x \to \infty} \frac{g(x)}{f(x)} = 0$$

즉 $\lim_{x \to \infty} \frac{g(x)}{f(x)} = -\frac{1}{3}$

STEP Ⓑ 주어진 식의 분모, 분자를 $f(x)$로 나누어 극한값 구하기

따라서 $\lim_{x \to \infty} \frac{f(x)+9g(x)}{f(x)-g(x)} = \lim_{x \to \infty} \dfrac{1+9 \times \dfrac{g(x)}{f(x)}}{1-\dfrac{g(x)}{f(x)}} = \dfrac{1-9 \times \dfrac{1}{3}}{1+\dfrac{1}{3}} = -\frac{3}{2}$

다른풀이 $h(x)=f(x)+3g(x)$로 놓고 풀이하기

$h(x)=f(x)+3g(x)$라고 하면

$$g(x)=\frac{h(x)-f(x)}{3}$$

$$\frac{g(x)}{f(x)}=\frac{h(x)-f(x)}{3f(x)}$$

$\lim\limits_{x\to\infty}f(x)=\infty$이고 $\lim\limits_{x\to\infty}h(x)=1$이므로

$$\lim_{x\to\infty}\frac{g(x)}{f(x)}=\lim_{x\to\infty}\frac{h(x)-f(x)}{3f(x)}=-\frac{1}{3}$$

따라서 $\lim\limits_{x\to\infty}\dfrac{f(x)+9g(x)}{f(x)-g(x)}=\lim\limits_{x\to\infty}\dfrac{1+9\times\dfrac{g(x)}{f(x)}}{1-\dfrac{g(x)}{f(x)}}=-\dfrac{3}{2}$ 정답 ②

0088 정답 ④

STEP A $f(x)-g(x)=h(x)$라 두고 주어진 조건 변형하기

$f(x)-g(x)=h(x)$로 놓으면 $f(x)=g(x)+h(x)$

$\lim\limits_{x\to\infty}h(x)=2$이고 $\lim\limits_{x\to\infty}g(x)=\infty$이므로 $\lim\limits_{x\to\infty}\dfrac{h(x)}{g(x)}=0$

STEP B 주어진 식에 $h(x)$를 대입하여 극한값 구하기

$$\lim_{x\to\infty}\frac{g(x)-2f(x)}{2f(x)+3g(x)}=\lim_{x\to\infty}\frac{g(x)-2\{g(x)+h(x)\}}{2\{g(x)+h(x)\}+3g(x)}$$

$$=\lim_{x\to\infty}\frac{-g(x)-2h(x)}{5g(x)+2h(x)} \quad\text{← 분모, 분자를 각각 } g(x)\text{로 나눈다.}$$

$$=\lim_{x\to\infty}\frac{-1-\dfrac{2h(x)}{g(x)}}{5+2\dfrac{h(x)}{g(x)}}$$

$$=-\frac{1}{5}$$

다른풀이 주어진 두 조건을 이용하여 $\lim\limits_{x\to\infty}\dfrac{f(x)}{g(x)}$의 값을 구한 후, 이를 이용하여 극한값 구하기

STEP A 주어진 두 조건을 이용하여 $\lim\limits_{x\to\infty}\dfrac{f(x)}{g(x)}$의 값을 구하기

$\lim\limits_{x\to\infty}\{f(x)-g(x)\}=2$, $\lim\limits_{x\to\infty}g(x)=\infty$에서 $\lim\limits_{x\to\infty}\dfrac{1}{g(x)}=0$이므로

$$\lim_{x\to\infty}\frac{1}{g(x)}\{f(x)-g(x)\}=\lim_{x\to\infty}\left\{\frac{f(x)}{g(x)}-1\right\}=0\cdot 2=0$$

$\therefore \lim\limits_{x\to\infty}\dfrac{f(x)}{g(x)}=1$

STEP B 주어진 식의 분모, 분자를 $g(x)$로 나누어 극한값 구하기

따라서 $\lim\limits_{x\to\infty}\dfrac{g(x)-2f(x)}{2f(x)+3g(x)}=\lim\limits_{x\to\infty}\dfrac{1-2\cdot\dfrac{f(x)}{g(x)}}{2\cdot\dfrac{f(x)}{g(x)}+3}=\dfrac{1-2}{2+3}=-\dfrac{1}{5}$

두 함수 $f(x)$, $g(x)$에 대하여

$$\lim_{x\to\infty}g(x)=\infty,\quad \lim_{x\to\infty}\{f(x)-2g(x)\}=3$$

일 때, $\lim\limits_{x\to\infty}\dfrac{f(x)+2g(x)}{-4f(x)+6g(x)}$의 값은?

① -2　　　　② -1　　　　③ 1
④ 2　　　　⑤ 3

STEP A $f(x)-2g(x)=h(x)$라 두고 주어진 조건 변형하기

$f(x)-2g(x)=h(x)$로 놓으면 $f(x)=2g(x)+h(x)$

$\lim\limits_{x\to\infty}h(x)=3$

$\lim\limits_{x\to\infty}g(x)=\infty$이므로 $\lim\limits_{x\to\infty}\dfrac{h(x)}{g(x)}=0$

STEP B 주어진 식에 $h(x)$를 대입하여 극한값 구하기

$$\lim_{x\to\infty}\frac{f(x)+2g(x)}{-4f(x)+6g(x)}=\lim_{x\to\infty}\frac{\{2g(x)+h(x)\}+2g(x)}{-4\{2g(x)+h(x)\}+6g(x)}$$

$$=\lim_{x\to\infty}\frac{4g(x)+h(x)}{-2g(x)-4h(x)}$$

$$=\lim_{x\to\infty}\frac{4+\dfrac{h(x)}{g(x)}}{-2-4\dfrac{h(x)}{g(x)}}$$

$$=\frac{4}{-2}=-2$$

다른풀이 주어진 두 조건을 이용하여 $\lim\limits_{x\to\infty}\dfrac{f(x)}{g(x)}$의 값을 구한 후, 이를 이용하여 극한값 구하기

$\lim\limits_{x\to\infty}g(x)=\infty$에서 $\lim\limits_{x\to\infty}\dfrac{1}{g(x)}=0$이므로

$$\lim_{x\to\infty}\frac{1}{g(x)}\{f(x)-2g(x)\}=\lim_{x\to\infty}\left\{\frac{f(x)}{g(x)}-2\right\}=0$$

따라서 $\lim\limits_{x\to\infty}\dfrac{f(x)}{g(x)}=2$이므로

$$\lim_{x\to\infty}\frac{f(x)+2g(x)}{-4f(x)+6g(x)}=\lim_{x\to\infty}\frac{\dfrac{f(x)}{g(x)}+2}{-4\cdot\dfrac{f(x)}{g(x)}+6}=-2$$ 정답 ①

0089 정답 ①

STEP A 주어진 두 조건을 이용하여 $\lim\limits_{x\to\infty}\dfrac{g(x)}{f(x)}$의 값을 구하기

$\lim\limits_{x\to\infty}f(x)=\infty$, $\lim\limits_{x\to\infty}\{2g(x)-5f(x)\}=10$이므로

$$\lim_{x\to\infty}\frac{2g(x)-5f(x)}{f(x)}=\lim_{x\to\infty}\left\{2\cdot\frac{g(x)}{f(x)}-5\right\}=2\lim_{x\to\infty}\frac{g(x)}{f(x)}-5=0$$

즉 $\lim\limits_{x\to\infty}\dfrac{g(x)}{f(x)}=\dfrac{5}{2}$

STEP B 주어진 식의 분모, 분자를 $f(x)$로 나누어 극한값 구하기

따라서 $\lim\limits_{x\to\infty}\dfrac{3g(x)+f(x)}{4f(x)-2g(x)}=\lim\limits_{x\to\infty}\dfrac{3\cdot\dfrac{g(x)}{f(x)}+1}{4-2\cdot\dfrac{g(x)}{f(x)}}=\dfrac{3\cdot\dfrac{5}{2}+1}{4-2\cdot\dfrac{5}{2}}=-\dfrac{17}{2}$

다른풀이 $h(x)=2g(x)-5f(x)$로 놓고 풀이하기

$h(x)=2g(x)-5f(x)$로 놓으면

$g(x)=\dfrac{h(x)+5f(x)}{2}$ 이고 $\lim\limits_{x\to\infty}h(x)=10$

$\lim\limits_{x\to\infty}\dfrac{3g(x)+f(x)}{4f(x)-2g(x)}=\lim\limits_{x\to\infty}\dfrac{3\cdot\dfrac{h(x)+5f(x)}{2}+f(x)}{4f(x)-2\cdot\dfrac{h(x)+5f(x)}{2}}$

$=\lim\limits_{x\to\infty}\dfrac{3h(x)+17f(x)}{-2h(x)-2f(x)}$

$=\lim\limits_{x\to\infty}\dfrac{3\cdot\dfrac{h(x)}{f(x)}+17}{-2\cdot\dfrac{h(x)}{f(x)}-2}$

$=-\dfrac{17}{2}\left(\because \lim\limits_{x\to\infty}\dfrac{h(x)}{f(x)}=0\right)$

0090

STEP A 주어진 두 조건을 이용하여 $\lim\limits_{x\to 3}\dfrac{g(x)}{f(x)}$의 값 구하기

$\lim\limits_{x\to 3}f(x)=\infty$이고 $\lim\limits_{x\to 3}\dfrac{2f(x)-g(x)}{f(x)}=0$이므로

$\lim\limits_{x\to 3}\left\{2-\dfrac{g(x)}{f(x)}\right\}=0$

$\therefore \lim\limits_{x\to 3}\dfrac{g(x)}{f(x)}=2$

STEP B 주어진 식의 분모, 분자를 $f(x)$로 나누어 극한값 구하기

따라서 $\lim\limits_{x\to 3}\dfrac{f(x)+2g(x)}{f(x)-g(x)}=\lim\limits_{x\to 3}\dfrac{1+2\cdot\dfrac{g(x)}{f(x)}}{1-\dfrac{g(x)}{f(x)}}=\dfrac{1+2\cdot 2}{1-2}=-5$

내/신/연/계/ 출제문항 032

두 함수 $f(x)$, $g(x)$에 대하여

$$\lim\limits_{x\to\infty}f(x)=\infty, \quad \lim\limits_{x\to\infty}\dfrac{3f(x)-2g(x)}{f(x)}=0$$

일 때, $\lim\limits_{x\to\infty}\dfrac{2f(x)+4g(x)}{f(x)-2g(x)}$의 값은?

① -1 ② -2 ③ -3
④ -4 ⑤ -5

STEP A 주어진 두 조건을 이용하여 $\lim\limits_{x\to\infty}\dfrac{g(x)}{f(x)}$의 값 구하기

$\lim\limits_{x\to\infty}f(x)=\infty$이고 $\lim\limits_{x\to\infty}\dfrac{3f(x)-2g(x)}{f(x)}=0$이므로

$\lim\limits_{x\to\infty}\left\{3-2\cdot\dfrac{g(x)}{f(x)}\right\}=0$

$\therefore \lim\limits_{x\to\infty}\dfrac{g(x)}{f(x)}=\dfrac{3}{2}$

STEP B 주어진 식의 분모, 분자를 $f(x)$로 나누어 극한값 구하기

따라서 $\lim\limits_{x\to\infty}\dfrac{2f(x)+4g(x)}{f(x)-2g(x)}=\lim\limits_{x\to\infty}\dfrac{2+4\dfrac{g(x)}{f(x)}}{1-2\dfrac{g(x)}{f(x)}}=\dfrac{2+4\cdot\dfrac{3}{2}}{1-2\cdot\dfrac{3}{2}}=-\dfrac{8}{2}=-4$

다른풀이 $\lim\limits_{x\to\infty}\{3f(x)-2g(x)\}=\alpha$로 놓고 풀이하기

$\lim\limits_{x\to\infty}\{3f(x)-2g(x)\}=\alpha$(상수)라 두면

$\lim\limits_{x\to\infty}f(x)\left\{3-2\dfrac{g(x)}{f(x)}\right\}=\alpha$이므로 $\lim\limits_{x\to\infty}\left\{3-2\dfrac{g(x)}{f(x)}\right\}=0$, $\lim\limits_{x\to\infty}\dfrac{g(x)}{f(x)}=\dfrac{3}{2}$

따라서 $\lim\limits_{x\to\infty}\dfrac{2f(x)+4g(x)}{f(x)-2g(x)}=\lim\limits_{x\to\infty}\dfrac{2+4\dfrac{g(x)}{f(x)}}{1-2\dfrac{g(x)}{f(x)}}=\dfrac{2+4\cdot\dfrac{3}{2}}{1-2\cdot\dfrac{3}{2}}=-\dfrac{8}{2}=-4$

 ④

0091
정답 ③

STEP A $\lim\limits_{x\to 1}\dfrac{1}{f(x)}=0$임을 이용하여 극한값 구하기

ㄱ. $\lim\limits_{x\to 1}f(x)=\infty$에서 $\lim\limits_{x\to 1}\dfrac{1}{f(x)}=0$이므로

$\lim\limits_{x\to 1}\dfrac{\{f(x)-3g(x)\}}{f(x)}=\lim\limits_{x\to 1}\left\{1-\dfrac{3g(x)}{f(x)}\right\}=0$

$\therefore \lim\limits_{x\to 1}\dfrac{g(x)}{f(x)}=\dfrac{1}{3}$ [참]

STEP B 함수의 극한의 성질을 이용하여 극한값 구하기

ㄴ. $\lim\limits_{x\to 1}\{f(x)-g(x)\}=2$이므로

$\lim\limits_{x\to 1}\{f(x)-g(x)\}=\lim\limits_{x\to 1}f(x)\left\{1-\dfrac{g(x)}{f(x)}\right\}=2$에서

$\lim\limits_{x\to 1}f(x)=\infty$이므로 $\lim\limits_{x\to 1}\left\{1-\dfrac{g(x)}{f(x)}\right\}=0$이어야 한다.

이때 ㄱ에서 $\lim\limits_{x\to 1}\dfrac{g(x)}{f(x)}=\dfrac{1}{3}$이므로 $\lim\limits_{x\to 1}\left\{1-\dfrac{g(x)}{f(x)}\right\}=\dfrac{2}{3}\neq 0$ [거짓]

STEP C 주어진 식의 분모, 분자를 $f(x)$로 나누어 극한값 구하기

ㄷ. $\lim\limits_{x\to 1}\dfrac{f(x)+2g(x)}{f(x)-2g(x)}=\lim\limits_{x\to 1}\dfrac{1+\dfrac{2g(x)}{f(x)}}{1-\dfrac{2g(x)}{f(x)}}=\dfrac{1+2\cdot\dfrac{1}{3}}{1-2\cdot\dfrac{1}{3}}=5$ [참]

따라서 옳은 것은 ㄱ, ㄷ이다.

0092
정답 ③

STEP A 분모, 분자를 인수분해하고 약분하여 극한값 구하기

$\lim\limits_{x\to 1}\dfrac{x^2+x-2}{x^2-x}=\lim\limits_{x\to 1}\dfrac{(x-1)(x+2)}{x(x-1)}$

$=\lim\limits_{x\to 1}\dfrac{x+2}{x}=3$

STEP B 분모를 유리화하여 극한값 구하기

$\lim\limits_{x\to -3}\dfrac{x+3}{\sqrt{x+4}-1}=\lim\limits_{x\to -3}\dfrac{(x+3)(\sqrt{x+4}+1)}{x+3}$

$=\lim\limits_{x\to -3}(\sqrt{x+4}+1)=2$

따라서 구하는 극한값은 $3+2=5$

0093

STEP **A** 분자를 인수분해하고 약분하여 극한값 구하기

$$\lim_{x \to 1} \frac{x^2-3x+2}{x-1} = \lim_{x \to 1} \frac{(x-1)(x-2)}{x-1}$$
$$= \lim_{x \to 1} (x-2) = -1$$

STEP **B** 분자를 유리화하여 극한값 구하기

따라서 $\lim_{x \to -4} \frac{\sqrt{x+5}-1}{x+4} = \lim_{x \to -4} \frac{(\sqrt{x+5}-1)(\sqrt{x+5}+1)}{(x+4)(\sqrt{x+5}+1)}$
$$= \lim_{x \to -4} \frac{x+4}{(x+4)(\sqrt{x+5}+1)}$$
$$= \lim_{x \to -4} \frac{1}{\sqrt{x+5}+1}$$
$$= \frac{1}{2}$$

이므로 $\lim_{x \to 1} \frac{x^2-3x+2}{x-1} + \lim_{x \to -4} \frac{\sqrt{x+5}-1}{x+4} = -1 + \frac{1}{2} = -\frac{1}{2}$

내/신/연/계/ 출제문항 **033**

다음 조건을 만족하는 극한값 a, b에 대하여 $a+2b$의 값은?

> (가) $\lim_{x \to 1} \frac{x^2-6x+5}{x-1} = a$
>
> (나) $\lim_{x \to 0} \frac{\sqrt{x+1}-1}{x} = b$

① −5 　　　② −4 　　　③ −3
④ −2 　　　⑤ −1

STEP **A** 분자를 인수분해하여 식을 정리한 후 극한값 구하기

조건 (가)에서 분자를 인수분해하여 식을 정리한 후 극한값을 구하면

$$\lim_{x \to 1} \frac{x^2-6x+5}{x-1} = \lim_{x \to 1} \frac{(x-1)(x-5)}{x-1}$$
$$= \lim_{x \to 1} (x-5) = -4$$

STEP **B** 분자를 유리화하여 극한값 구하기

조건 (나)에서 분자와 분모에 $\sqrt{x+1}+1$을 곱하여 분자를 유리화한 후 극한값을 구하면

$$\lim_{x \to 0} \frac{\sqrt{x+1}-1}{x} = \lim_{x \to 0} \frac{(\sqrt{x+1}-1)(\sqrt{x+1}+1)}{x(\sqrt{x+1}+1)}$$
$$= \lim_{x \to 0} \frac{x}{x(\sqrt{x+1}+1)}$$
$$= \lim_{x \to 0} \frac{1}{\sqrt{x+1}+1}$$
$$= \frac{1}{1+1} = \frac{1}{2}$$

따라서 $a+2b = -4 + 2 \cdot \frac{1}{2} = -3$

0094

STEP **A** 분모, 분자를 인수분해하고 약분하여 극한값 구하기

조건 (가)에서 분모, 분자를 인수분해하여 식을 정리한 후 극한값을 구하면

$$\lim_{x \to -1} \frac{x^2-1}{x^2-x-2} = \lim_{x \to -1} \frac{(x-1)(x+1)}{(x+1)(x-2)}$$
$$= \lim_{x \to -1} \frac{x-1}{x-2} = \frac{-2}{-3} = \frac{2}{3}$$

STEP **B** 분모를 유리화하여 극한값 구하기

조건 (나)에서 분자와 분모에 $\sqrt{9+x}+\sqrt{9-x}$를 곱하여 분모를 유리화한 후 극한값을 구하면

$$\lim_{x \to 0} \frac{4x}{\sqrt{9+x}-\sqrt{9-x}} = \lim_{x \to 0} \frac{4x(\sqrt{9+x}+\sqrt{9-x})}{(\sqrt{9+x}-\sqrt{9-x})(\sqrt{9+x}+\sqrt{9-x})}$$
$$= \lim_{x \to 0} \frac{4x(\sqrt{9+x}+\sqrt{9-x})}{2x}$$
$$= \lim_{x \to 0} 2(\sqrt{9+x}+\sqrt{9-x})$$
$$= 2 \cdot (3+3) = 12$$

따라서 $a = \frac{2}{3}$, $b = 12$이므로 $ab = 8$

내/신/연/계/ 출제문항 **034**

다음 조건을 만족하는 극한값 a, b에 대하여 $3a+4b$의 값은?

> (가) $\lim_{x \to -1} \frac{x+1}{x^3+1} = a$
>
> (나) $\lim_{x \to 1} \frac{\sqrt{x+3}-2}{x-1} = b$

① 1 　　　② 2 　　　③ 3
④ 4 　　　⑤ 5

STEP **A** 분모를 인수분해하여 식을 정리한 후 극한값 구하기

조건 (가)에서 분모를 인수분해하여 식을 정리한 후 극한값을 구하면

$$\lim_{x \to -1} \frac{x+1}{x^3+1} = \lim_{x \to -1} \frac{x+1}{(x+1)(x^2-x+1)}$$
$$= \lim_{x \to -1} \frac{1}{x^2-x+1} = \frac{1}{3}$$

STEP **B** 분자를 유리화한 후 극한값 구하기

조건 (나)에서 분자와 분모에 $\sqrt{x+3}+2$를 곱하여 분자를 유리화한 후 극한값을 구하면

$$\lim_{x \to 1} \frac{\sqrt{x+3}-2}{x-1} = \lim_{x \to 1} \frac{(\sqrt{x+3}-2)(\sqrt{x+3}+2)}{(x-1)(\sqrt{x+3}+2)}$$
$$= \lim_{x \to 1} \frac{x-1}{(x-1)(\sqrt{x+3}+2)}$$
$$= \lim_{x \to 1} \frac{1}{\sqrt{x+3}+2}$$
$$= \frac{1}{2+2} = \frac{1}{4}$$

따라서 $3a+4b = 3 \cdot \frac{1}{3} + 4 \cdot \frac{1}{4} = 2$

0095

정답 ③

STEP Ⓐ 분모를 유리화하여 극한값 구하기

조건 (가)에서 분자와 분모에 $\sqrt{x+3}+2$를 곱하여 분모를 유리화한 후 극한값을 구하면

$$\lim_{x \to 1} \frac{x^2-1}{\sqrt{x+3}-2} = \lim_{x \to 1} \frac{(x^2-1)(\sqrt{x+3}+2)}{(\sqrt{x+3}-2)(\sqrt{x+3}+2)}$$
$$= \lim_{x \to 1} \frac{(x-1)(x+1)(\sqrt{x+3}+2)}{x-1}$$
$$= \lim_{x \to 1} (x+1)(\sqrt{x+3}+2)$$
$$= (1+1)(\sqrt{1+3}+2)$$
$$= 2 \cdot 4 = 8$$

$\therefore a=8$

STEP Ⓑ 분모, 분자를 유리화하여 극한값 구하기

조건 (나)에서 분모, 분자를 유리화 하면

$$\lim_{x \to 2} \frac{\sqrt{6-x}-2}{\sqrt{3-x}-1} = \lim_{x \to 2} \frac{(\sqrt{6-x}-2)(\sqrt{6-x}+2)(\sqrt{3-x}+1)}{(\sqrt{3-x}-1)(\sqrt{3-x}+1)(\sqrt{6-x}+2)}$$
$$= \lim_{x \to 2} \frac{(2-x)(\sqrt{3-x}+1)}{(2-x)(\sqrt{6-x}+2)}$$
$$= \frac{2}{4} = \frac{1}{2}$$

$\therefore b = \frac{1}{2}$

따라서 $ab = 8 \cdot \frac{1}{2} = 4$

0096

정답 ④

STEP Ⓐ 함수의 극한의 성질을 이용하여 극한값 구하기

$$\lim_{x \to 1} f(x)f(-x)$$
$$= \lim_{x \to 1} f(x) \times \lim_{x \to 1} f(-x)$$
$$= \lim_{x \to 1} \frac{1+x^3}{1+x} \times \lim_{x \to 1} \frac{1-x^3}{1-x}$$
$$= \lim_{x \to 1} \frac{1+x^3}{1+x} \times \lim_{x \to 1}(1+x+x^2) \quad \leftarrow \frac{1-x^3}{1-x} = \frac{(1-x)(1+x+x^2)}{1-x} = 1+x+x^2$$
$$= \frac{2}{2} \times 3 = 3$$

0097

정답 ⑤

STEP Ⓐ 분모, 분자를 인수분해하고 약분하여 a의 값 구하기

$$\lim_{x \to a} \frac{x^3-a^3}{x^2-a^2} = \lim_{x \to a} \frac{(x-a)(x^2+ax+a^2)}{(x-a)(x+a)}$$
$$= \lim_{x \to a} \frac{x^2+ax+a^2}{x+a}$$
$$= \frac{3a^2}{2a} = \frac{3a}{2} = 3$$

$\therefore a = 2$

STEP Ⓑ 극한값 구하기

$$\lim_{x \to a} \frac{x^3-ax^2+a^2x-a^3}{x-a} = \lim_{x \to a} \frac{(x-a)(x^2+a^2)}{x-a}$$
$$= \lim_{x \to a}(x^2+a^2) = 2a^2$$

따라서 $2a^2 = 2 \cdot 4 = 8$

0098

정답 ①

STEP Ⓐ 분자를 유리화하여 극한값 구하기

$$\lim_{x \to 0} \frac{\sqrt{x^2-ax+a^2}-a}{x} = \lim_{x \to 0} \frac{(\sqrt{x^2-ax+a^2}-a)(\sqrt{x^2-ax+a^2}+a)}{x(\sqrt{x^2-ax+a^2}+a)}$$
$$= \lim_{x \to 0} \frac{x-a}{\sqrt{x^2-ax+a^2}+a} = \frac{-a}{|a|+a}$$

STEP Ⓑ 극한값이 존재할 조건을 이용하여 a의 범위 구하기

극한값이 존재하려면 $|a|+a \neq 0$

따라서 $|a| \neq -a$이어야 하므로 $a > 0$

내/신/연/계 출제문항 035

$\lim_{x \to 0} \dfrac{\sqrt{x^2+a^2}-a}{x}$의 값이 존재하지 않기 위한 실수 a의 값의 범위는?

① $a > 0$ ② $a < 0$ ③ $a \geq 0$
④ $a \leq 0$ ⑤ $a > -1$

STEP Ⓐ (분자)→ 0을 만족시키지 않는 경우 a의 범위 구하기

$x \to 0$일 때, (분모)→ 0이므로

$\lim_{x \to 0} \dfrac{\sqrt{x^2+a^2}-a}{x}$의 값이 존재하지 않으려면

(분자)→ 0을 만족시키지 않거나

(분자)→ 0을 만족시키지만 좌극한과 우극한이 달라야 한다.

(i) $\lim_{x \to 0}(\sqrt{x^2+a^2}-a) \neq 0$인 경우

$|a|-a \neq 0$에서 $|a| \neq 0$이므로 $a < 0$

이때 $\lim_{x \to 0} \dfrac{\sqrt{x^2+a^2}-a}{x}$의 값은 존재하지 않는다.

STEP Ⓑ 좌극한과 우극한이 다른 경우 a의 범위 구하기

(ii) $\lim_{x \to 0}(\sqrt{x^2+a^2}-a)=0$이지만 좌극한과 우극한이 다른 경우

$|a|-a=0$에서 $|a|=a$이므로 $a \geq 0$

$a=0$일 때,

$$\lim_{x \to 0} \frac{\sqrt{x^2+a^2}-a}{x} = \lim_{x \to 0} \frac{|x|}{x}$$이고

$$\lim_{x \to 0+} \frac{|x|}{x}=1, \quad \lim_{x \to 0-} \frac{|x|}{x}=-1$$이므로

$\lim_{x \to 0} \dfrac{\sqrt{x^2+a^2}-a}{x}$의 값이 존재하지 않는다.

$a > 0$일 때,

주어진 식을 유리화하여 정리하면

$$\lim_{x \to 0} \frac{(\sqrt{x^2+a^2}-a)(\sqrt{x^2+a^2}+a)}{x(\sqrt{x^2+a^2}+a)} = \lim_{x \to 0} \frac{(x^2+a^2)-a^2}{x(\sqrt{x^2+a^2}+a)}$$
$$= \lim_{x \to 0} \frac{x}{\sqrt{x^2+a^2}+a} = 0$$

이므로 $a > 0$일 때, 항상 $\lim_{x \to 0} \dfrac{\sqrt{x^2+a^2}-a}{x}$의 값이 존재한다.

(i), (ii)에서 $\lim_{x \to 0} \dfrac{\sqrt{x^2+a^2}-a}{x}$의 값이 존재하지 않기 위한 실수 a의 값의 범위는 $a \leq 0$이다.

정답 ④

0099 정답 ④

STEP Ⓐ 분자를 인수분해하고 약분하여 극한값 구하기

$$\lim_{x \to 2} \frac{(x^2-4)f(x)}{x-2} = \lim_{x \to 2} \frac{(x-2)(x+2)f(x)}{x-2}$$
$$= \lim_{x \to 2}(x+2)f(x)$$
$$= (2+2) \cdot 7 \quad \leftarrow \lim_{x \to 2} f(x) = 7$$
$$= 4 \cdot 7 = 28$$

0100 정답 ②

STEP Ⓐ 함수 $f(x)$가 $x=1$에서 연속임을 이해하기

함수 $f(x)$가 모든 실수 x에서 연속이므로 $x=1$에서도 연속이다.

즉 $\lim_{x \to 1} f(x) = f(1)$

STEP Ⓑ $f(1)$의 값 구하기

또, $\lim_{x \to 1} \frac{x^2-1}{x-1} = \lim_{x \to 1}(x+1) = 2$이므로

$$\lim_{x \to 1} \frac{(x^2-1)f(x)}{x-1} = \lim_{x \to 1} \frac{x^2-1}{x-1} \cdot \lim_{x \to 1} f(x) = 2f(1) = 4$$

따라서 $f(1) = 2$

내/신/연/계 출제문항 036

실수 전체의 집합에서 연속인 함수 $f(x)$가

$$\lim_{x \to 2} \frac{(x^2-4)f(x)}{x-2} = 12$$

를 만족시킬 때, $f(2)$의 값은?

① 1 ② 2 ③ 3
④ 4 ⑤ 5

STEP Ⓐ 함수 $f(x)$가 $x=2$에서도 연속이므로 $\lim_{x \to 2} f(x) = f(2)$가 성립함을 보이기

실수 전체에서 연속인 함수 $f(x)$가 $x=2$에서도 연속이므로
$\lim_{x \to 2} f(x) = f(2)$

STEP Ⓑ 극한값 구하기

$$\lim_{x \to 2} \frac{(x^2-4)f(x)}{x-2} = \lim_{x \to 2} \frac{(x-2)(x+2)f(x)}{x-2}$$
$$= \lim_{x \to 2}(x+2)f(x)$$
$$= \lim_{x \to 2}(x+2) \times \lim_{x \to 2} f(x)$$
$$= 4f(2)$$

따라서 $4f(2) = 12$이므로 $f(2) = 3$ 정답 ③

0101 정답 ①

STEP Ⓐ 분모, 분자를 인수분해한 후 약분하여 극한값 구하기

$$\lim_{x \to 1} \frac{4(x^3-1)}{(x^2-1)f(x)} = \lim_{x \to 1} \frac{4(x-1)(x^2+x+1)}{(x-1)(x+1)f(x)}$$
$$= \lim_{x \to 1} \frac{4(x^2+x+1)}{(x+1)f(x)}$$
$$= \frac{4 \times 3}{2f(1)} \quad \leftarrow \text{다항함수는 모든 실수 } x\text{에 대하여 연속이므로 } \lim_{x \to 1} f(x) = f(1)$$
$$= \frac{6}{f(1)}$$
$$= 1$$

따라서 $\frac{6}{f(1)} = 1$이므로 $f(1) = 6$

내/신/연/계 출제문항 037

다항함수 $f(x)$에 대하여

$$\lim_{x \to 1} \frac{8(x^4-1)}{(x^2-1)f(x)} = 1$$

일 때, $f(1)$의 값은?

① 14 ② 16 ③ 18
④ 20 ⑤ 22

STEP Ⓐ 분자를 인수분해한 후 약분하여 극한값 구하기

$$\lim_{x \to 1} \frac{8(x^4-1)}{(x^2-1)f(x)} = \lim_{x \to 1} \frac{8(x^2-1)(x^2+1)}{(x^2-1)f(x)}$$
$$= \lim_{x \to 1} \frac{8(x^2+1)}{f(x)}$$
$$= \frac{16}{f(1)} = 1 \quad \leftarrow \text{다항함수는 모든 실수 } x\text{에 대하여 연속이므로 } \lim_{x \to 1} f(x) = f(1)$$

따라서 $f(1) = 16$ 정답 ②

0102 정답 ④

STEP Ⓐ 분모, 분자를 인수분해한 후 약분하여 극한값 구하기

$$\lim_{x \to 2} \frac{3(x^3-8)}{(x^2-4)f(x)} = \lim_{x \to 2} \frac{3(x-2)(x^2+2x+4)}{(x-2)(x+2)f(x)}$$
$$= \lim_{x \to 2} \frac{3(x^2+2x+4)}{(x+2)f(x)}$$
$$= \frac{3 \cdot (2^2+2 \cdot 2+4)}{(2+2)f(2)} \quad \leftarrow \text{다항함수는 모든 실수 } x\text{에 대하여 연속이므로}$$
$$\qquad\qquad\qquad\qquad\qquad \lim_{x \to 2} f(x) = f(2)$$
$$= \frac{9}{f(2)}$$

이때 $\frac{9}{f(2)} = 2$이므로 $f(2) = \frac{9}{2}$

STEP Ⓑ $f(x)$를 $x-2$로 나누었을 때의 나머지 구하기

따라서 다항식 $f(x)$를 $x-2$로 나누었을 때의 나머지는 $f(2) = \frac{9}{2}$

0103

STEP A 분자를 유리화하고 약분하여 극한값 구하기

$$\lim_{x \to 0} \frac{\sqrt{1+xf(x)}-\sqrt{1-xf(x)}}{x}$$

$$=\lim_{x \to 0} \frac{(\sqrt{1+xf(x)}-\sqrt{1-xf(x)})(\sqrt{1+xf(x)}+\sqrt{1-xf(x)})}{x(\sqrt{1+xf(x)}+\sqrt{1-xf(x)})}$$

$$=\lim_{x \to 0} \frac{2xf(x)}{x(\sqrt{1+xf(x)}+\sqrt{1-xf(x)})}$$

$$=\lim_{x \to 0} \frac{2f(x)}{\sqrt{1+xf(x)}+\sqrt{1-xf(x)}}$$

$$=\frac{2\lim_{x \to 0}f(x)}{\lim_{x \to 0}\sqrt{1+xf(x)}+\lim_{x \to 0}\sqrt{1-xf(x)}}$$

$$=\frac{2\times 3}{1+1}=3$$

0104

STEP A 극한값이 존재할 조건을 이용하여 $f(2)$의 값 구하기

$\lim_{x \to 2} \dfrac{f(x)-3}{x-2}=5$에서

$x \to 2$일 때, (분모)$\to 0$이고 극한값이 존재하므로 (분자)$\to 0$이어야 한다.

즉 $\lim_{x \to 2}\{f(x)-3\}=0$이므로

$$\lim_{x \to 2}f(x)=3 \qquad \cdots\cdots \ ㉠$$

STEP B 분모를 인수분해하고 정리하여 극한값 구하기

$$\lim_{x \to 2} \frac{x-2}{\{f(x)\}^2-9}=\lim_{x \to 2} \frac{x-2}{f(x)-3}\cdot\frac{1}{f(x)+3}$$

$$=\lim_{x \to 2} \frac{1}{\dfrac{f(x)-3}{x-2}}\cdot\lim_{x \to 2} \frac{1}{f(x)+3}$$

$$=\frac{1}{5}\cdot\frac{1}{3+3}=\frac{1}{5}\cdot\frac{1}{6}$$

따라서 ㉠에서 $\dfrac{1}{5}\cdot\dfrac{1}{6}=\dfrac{1}{30}$

두 함수 $f(x)$, $g(x)$가

$$f(x)=xg(x)-x, \ \lim_{x \to 1} \frac{g(x)-3x}{x-1}=2$$

를 만족시킬 때, 극한값 $\lim_{x \to 1}f(x)g(x)$의 값은?

① 2　　　　　② 4　　　　　③ 6
④ 8　　　　　⑤ 10

STEP A 극한값이 존재할 조건을 이용하여 $g(1)$의 값 구하기

$\lim_{x \to 1} \dfrac{g(x)-3x}{x-1}=2$에서 $\lim_{x \to 1}(x-1)=0$이므로 ← (분모)$\to 0$

$\lim_{x \to 1}\{g(x)-3x\}=0$이어야 한다. ← (분자)$\to 0$

$\therefore \ \lim_{x \to 1}g(x)=3$

STEP B $\lim_{x \to 1}f(x)g(x)$의 값 구하기

$\lim_{x \to 1}f(x)=\lim_{x \to 1}\{xg(x)-x\}=1\times 3-1=2$

따라서 $\lim_{x \to 1}f(x)g(x)=\lim_{x \to 1}f(x)\times\lim_{x \to 1}g(x)=2\times 3=6$

0105

STEP A 극한값이 존재할 조건을 이용하여 $f(-3)$의 값 구하기

$\lim_{x \to -3} \dfrac{f(x)+1}{x+3}=5$에서

$x \to -3$일 때, (분모)$\to 0$이고 극한값이 존재하므로 (분자)$\to 0$이어야 한다.

즉 $\lim_{x \to -3}\{f(x)+1\}=0$이므로 $f(-3)+1=0$

$\therefore \ f(-3)=-1$

STEP B 분모, 분자를 인수분해하고 정리하여 극한값 구하기

$$\lim_{x \to -3} \frac{\{f(x)\}^2+20f(x)+19}{x^2-9}=\lim_{x \to -3}\left\{\frac{f(x)+1}{x+3}\times\frac{f(x)+19}{x-3}\right\}$$

$$=\lim_{x \to -3}\frac{f(x)+1}{x+3}\times\lim_{x \to -3}\frac{f(x)+19}{x-3}$$

$$=5\times\frac{f(-3)+19}{-6}$$

$$=5\times(-3)=-15$$

함수 $f(x)$가 $\lim_{x \to 1} \dfrac{f(x)+3}{x-1}=6$을 만족시킬 때,

$\lim_{x \to 1} \dfrac{\{f(x)\}^2+3f(x)}{x^3-1}$의 값은?

① -10　　　　② -8　　　　③ -6
④ -4　　　　⑤ -2

STEP A 극한값이 존재할 조건을 이용하여 $f(1)$의 값 구하기

$\lim_{x \to 1} \dfrac{f(x)+3}{x-1}=6$에서

$x \to 0$일 때, (분모)$\to 0$이고 극한값이 존재하므로 (분자)$\to 0$이어야 한다.

즉 $\lim_{x \to 1}\{f(x)+3\}=0$이므로 $f(1)=-3$

STEP B 분모, 분자를 인수분해하고 정리하여 극한값 구하기

$$\lim_{x \to 1} \frac{\{f(x)\}^2+3f(x)}{x^3-1}=\lim_{x \to 1} \frac{f(x)\{f(x)+3\}}{(x-1)(x^2+x+1)}$$

$$=\lim_{x \to 1} \frac{f(x)+3}{x-1}\times\lim_{x \to 1} \frac{f(x)}{x^2+x+1}$$

$$=6\times\frac{f(1)}{3} \quad \leftarrow \lim_{x \to 1}\frac{f(x)+3}{x-1}=6$$

$$=6\times(-1)=-6$$

0106

정답 ①

STEP A 극한값이 존재할 조건을 이용하여 $f(0)$의 값 구하기

$\lim\limits_{x \to 0} \dfrac{f(x)+2}{x}=3$에서

$x \to 0$일 때, (분모)$\to 0$이고 극한값이 존재하므로 (분자)$\to 0$이어야 한다.

즉 $\lim\limits_{x \to 0}\{f(x)+2\}=0$이므로 $f(0)+2=0$

$\therefore f(0)=-2$

STEP B $x+2=t$로 치환하고 분모, 분자를 인수분해하고 정리하여 극한값 구하기

$x+2=t$로 놓으면 $x \to -2$일 때, $t \to 0$이므로

$\begin{aligned}
\lim\limits_{x \to -2} \dfrac{\{f(x+2)\}^2-4}{x(x+2)} &=\lim\limits_{t \to 0} \dfrac{\{f(t)\}^2-4}{(t-2)t} \\
&=\lim\limits_{t \to 0} \dfrac{f(t)-2}{t-2} \times \dfrac{f(t)+2}{t} \quad \leftarrow \lim\limits_{x \to 0}\dfrac{f(x)+2}{x}=3 \\
&=\lim\limits_{t \to 0} \dfrac{f(t)-2}{t-2} \times \lim\limits_{t \to 0} \dfrac{f(t)+2}{t} \\
&=\dfrac{f(0)-2}{0-2} \times 3 \quad \leftarrow f(0)=-2 \\
&=\dfrac{-2-2}{-2} \times 3 \\
&=2 \cdot 3=6
\end{aligned}$

0107

정답 ①

STEP A 극한값이 존재할 조건을 이용하여 $g(1)$의 값 구하기

$\lim\limits_{x \to 1} \dfrac{g(x)-2x}{x-1}$에서

$x \to 1$일 때, (분모)$\to 0$이고 극한값이 존재하므로 (분자)$\to 0$이어야 한다.

즉 $\lim\limits_{x \to 1}\{g(x)-2x\}=0$이므로 $g(1)=2$ ...... ㉠

STEP B $f(x)$를 $g(x)$로 표현한 후 이를 대입하여 극한값 구하기

$f(x)+x-1=(x-1)g(x)$에서

$f(x)=(x-1)g(x)-(x-1)$

$f(x)=(x-1)\{g(x)-1\}$ ...... ㉡

따라서 ㉠과 ㉡에 의해

$\begin{aligned}
\lim\limits_{x \to 1} \dfrac{f(x)g(x)}{x^2-1} &=\lim\limits_{x \to 1} \dfrac{(x-1)\{g(x)-1\}g(x)}{(x-1)(x+1)} \\
&=\lim\limits_{x \to 1} \dfrac{\{g(x)-1\}g(x)}{x+1} \\
&=\dfrac{\{g(1)-1\}g(1)}{2} \\
&=\dfrac{(2-1) \cdot 2}{2} \\
&=1
\end{aligned}$

내/신/연/계/ 출제문항 040

다항함수 $g(x)$에 대하여 $\lim\limits_{x \to 2} \dfrac{g(x)-x-1}{x-2}$이 존재하고 다항함수 $f(x)$가

$$f(x)+x-2=(x-2)g(x)$$

를 만족시킬 때, $\lim\limits_{x \to 2} \dfrac{f(x)g(x)}{x^2-4}$의 값은?

① -1 ② $-\dfrac{1}{2}$ ③ 0

④ $\dfrac{1}{2}$ ⑤ $\dfrac{3}{2}$

STEP A 극한값이 존재하고 (분모)$\to 0$이므로 (분자)$\to 0$이어야 함을 이용하여 $g(2)$ 구하기

$\lim\limits_{x \to 2} \dfrac{g(x)-x-1}{x-2}$에서

$x \to 2$일 때, (분모)$\to 0$이고 극한값이 존재하므로 (분자)$\to 0$이어야 한다.

즉 $\lim\limits_{x \to 2}\{g(x)-x-1\}=0$이므로 $g(2)-2-1=0$

$\therefore g(2)=3$ ...... ㉠

STEP B $f(x)$를 $g(x)$로 표현한 후 이를 대입하여 극한값 구하기

$f(x)+x-2=(x-2)g(x)$에서

$f(x)=(x-2)\{g(x)-1\}$ ...... ㉡

따라서 ㉠과 ㉡에 의해

$\begin{aligned}
\lim\limits_{x \to 2} \dfrac{f(x)g(x)}{x^2-4} &=\lim\limits_{x \to 2} \dfrac{(x-2)\{g(x)-1\}g(x)}{(x-2)(x+2)} \\
&=\lim\limits_{x \to 2} \dfrac{\{g(x)-1\}g(x)}{x+2} \\
&=\dfrac{\{g(2)-1\}g(2)}{4} \\
&=\dfrac{(3-1) \cdot 3}{4} \\
&=\dfrac{3}{2}
\end{aligned}$

정답 ⑤

0108

정답 ③

STEP A 분모의 최고차항으로 나누어 극한값 구하기

ㄱ. $\begin{aligned}
\lim\limits_{x \to \infty} \dfrac{8x^2-3x+1}{(2x+1)^2} &=\lim\limits_{x \to \infty} \dfrac{8x^2-3x+1}{4x^2+4x+1} \\
&=\lim\limits_{x \to \infty} \dfrac{8-\dfrac{3}{x}+\dfrac{1}{x^2}}{4+\dfrac{4}{x}+\dfrac{1}{x^2}}=\dfrac{8}{4}=2 \text{ [참]}
\end{aligned}$

ㄴ. $\lim\limits_{x \to \infty} \dfrac{2x+1}{\sqrt{x^2-2}}=\lim\limits_{x \to \infty} \dfrac{2+\dfrac{1}{x}}{\sqrt{1-\dfrac{2}{x^2}}}=2$ [참]

ㄷ. $\lim\limits_{x \to \infty} \dfrac{3x+1}{\sqrt{x^2+1}+x}=\lim\limits_{x \to \infty} \dfrac{3+\dfrac{1}{x}}{\sqrt{1+\dfrac{1}{x^2}}+1}=\dfrac{3}{2}$ [거짓]

따라서 옳은 것은 ㄱ, ㄴ이다.

0109

STEP A 분모, 분자를 x^2으로 나누어 극한값 구하기

조건 (가)에서

$$\lim_{x \to \infty} \frac{2x^2+x+5}{x^2-3x+1} = \lim_{x \to \infty} \frac{2+\dfrac{1}{x}+\dfrac{5}{x^2}}{1-\dfrac{3}{x}+\dfrac{1}{x^2}} = \frac{2+0+0}{1-0+0} = 2$$

$\therefore a=2$

STEP B 분자를 유리화하여 극한값 구하기

조건 (나)에서

$$\lim_{x \to 0} \frac{1-\sqrt{1-x^2}}{x^2} = \lim_{x \to 0} \frac{(1-\sqrt{1-x^2})(1+\sqrt{1-x^2})}{x^2(1+\sqrt{1-x^2})}$$

$$= \lim_{x \to 0} \frac{x^2}{x^2(1+\sqrt{1-x^2})}$$

$$= \lim_{x \to 0} \frac{1}{1+\sqrt{1-x^2}} = \frac{1}{2}$$

$\therefore b=\dfrac{1}{2}$

따라서 $ab = 2 \cdot \dfrac{1}{2} = 1$

내/신/연/계/ 출제문항 041

$$\lim_{x \to 1} \frac{-x^2+3x-2}{x-1} + \lim_{x \to \infty} \frac{\sqrt{x^2+1}-1}{x}$$ 의 값은?

① 2 ② 1 ③ 0
④ -1 ⑤ -2

STEP A 분자를 인수분해하고 정리하여 극한값 구하기

$$\lim_{x \to 1} \frac{-x^2+3x-2}{x-1} = \lim_{x \to 1} \frac{-(x-1)(x-2)}{x-1}$$

$$= \lim_{x \to 1}\{-(x-2)\} = 1$$

STEP B 주어진 식의 분모, 분자를 x로 나누어 극한값 구하기

$$\lim_{x \to \infty} \frac{\sqrt{x^2+1}-1}{x} = \lim_{x \to \infty} \frac{\sqrt{1+\dfrac{1}{x^2}}-\dfrac{1}{x}}{1} = 1$$

따라서 $\lim\limits_{x \to 1} \dfrac{-x^2+3x-2}{x-1} + \lim\limits_{x \to \infty} \dfrac{\sqrt{x^2+1}-1}{x} = 1+1 = 2$

0110

STEP A $\dfrac{\infty}{\infty}$ 꼴의 극한값을 이용하여 a 구하기

$$\lim_{x \to \infty} \frac{ax^2}{x^2-1} = \lim_{x \to \infty} \frac{a}{1-\dfrac{1}{x^2}} = \frac{a}{1-0} = 2$$이므로 $a=2$

STEP B $\dfrac{0}{0}$ 꼴의 유리함수의 극한값 구하기

$$\lim_{x \to 1} \frac{a(x-1)}{x^2-1} = \lim_{x \to 1} \frac{a(x-1)}{(x+1)(x-1)}$$

$$= \lim_{x \to 1} \frac{a}{x+1} = \frac{a}{2} = b$$

$a=2$이므로 $b=1$
따라서 $a+b=3$

0111

STEP A $x<0$일 때, $\sqrt{x^2}=-x$임을 이용하여 구하기

$x \to -\infty$일 때, $x<0$이므로 $x=-\sqrt{x^2}$

$$\lim_{x \to -\infty} \frac{\sqrt{x^2+2}-6}{x+3} = \lim_{x \to -\infty} \frac{\dfrac{\sqrt{x^2+2}}{x}-\dfrac{6}{x}}{1+\dfrac{3}{x}}$$

$$= \lim_{x \to -\infty} \frac{-\sqrt{\dfrac{x^2+2}{x^2}}-\dfrac{6}{x}}{1+\dfrac{3}{x}}$$

$$= \lim_{x \to -\infty} \frac{-\sqrt{1+\dfrac{2}{x^2}}-\dfrac{6}{x}}{1+\dfrac{3}{x}}$$

$$= \frac{-1-0}{1+0} = -1$$

다른풀이 $x=-t$로 놓고 주어진 식을 변형하여 풀이하기

STEP A $x=-t$로 놓고 주어진 식을 변형하여 분모의 최고차항으로 분모, 분자를 각각 나누어 구하기

$x=-t$로 놓으면 $x \to -\infty$일 때 $t \to \infty$이므로

$$\lim_{x \to -\infty} \frac{\sqrt{x^2+2}-6}{x+3} = \lim_{t \to \infty} \frac{\sqrt{t^2+2}-6}{-t+3} \quad \leftarrow \frac{\infty}{\infty}$$

$$= \lim_{t \to \infty} \frac{\sqrt{1+\dfrac{2}{t^2}}-\dfrac{6}{t}}{-1+\dfrac{3}{t}} \quad \leftarrow \lim \frac{1}{t}=0$$

$$= \frac{1-0}{-1+0} = -1$$

0112

STEP A $x=-t$로 놓고 주어진 식을 변형하여 분모의 최고차항으로 분모, 분자를 각각 나누어 구하기

$x=-t$로 놓으면 $x \to -\infty$일 때, $t \to \infty$이므로

$$\lim_{x \to -\infty} \frac{-2x-1}{\sqrt{x^2+x}-x} = \lim_{t \to \infty} \frac{-2 \cdot (-t)-1}{\sqrt{(-t)^2+(-t)}-(-t)}$$

$$= \lim_{t \to \infty} \frac{2t-1}{\sqrt{t^2-t}+t} \quad \leftarrow \frac{\infty}{\infty}$$

$$= \lim_{t \to \infty} \frac{2-\dfrac{1}{t}}{\sqrt{1-\dfrac{1}{t}}+1} \quad \leftarrow \lim \frac{1}{t}=0$$

$$= \frac{2-0}{1+1} = 1$$

다른풀이 거듭제곱근의 성질을 이용하여 풀이하기

거듭제곱근의 성질 $a<0$, $b>0$일 때, $\dfrac{\sqrt{b}}{a} = -\sqrt{\dfrac{b}{a^2}}$이므로

$$\lim_{x \to -\infty} \frac{-2x-1}{\sqrt{x^2+x}-x} = \lim_{x \to -\infty} \frac{-2-\dfrac{1}{x}}{\dfrac{\sqrt{x^2+x}}{x}-1} \quad \leftarrow \text{분모, 분자를 } x\text{로 나눈다.}$$

$$= \lim_{x \to -\infty} \frac{-2-\dfrac{1}{x}}{-\sqrt{\dfrac{x^2+x}{x^2}}-1}$$

$$= \lim_{x \to -\infty} \frac{-2-\dfrac{1}{x}}{-\sqrt{1+\dfrac{1}{x}}-1}$$

$$= \frac{-2+0}{-1-1} = 1$$

$\lim\limits_{x \to -\infty} \dfrac{2x+1}{\sqrt{x^2+x}-x}$ 의 값은?

① -2 ② $-\dfrac{1}{2}$ ③ -1

④ 1 ⑤ 2

STEP Ⓐ $x=-t$로 놓고 주어진 식을 변형하여 분모의 최고차항으로 분모, 분자를 각각 나누어 구하기

$x=-t$로 놓으면 $x \to -\infty$일 때, $t \to \infty$이므로

$$\lim\limits_{x \to -\infty} \frac{2x+1}{\sqrt{x^2+x}-x} = \lim\limits_{t \to \infty} \frac{-2t+1}{\sqrt{t^2-t}+t}$$

$$= \lim\limits_{t \to \infty} \frac{-2+\dfrac{1}{t}}{\sqrt{1-\dfrac{1}{t}}+1}$$

$$= \frac{-2}{1+1} = -1$$

 정답 ③

0113

 정답 ③

STEP Ⓐ 주어진 식의 분모, 분자를 정리하여 극한값 구하기

$$\lim\limits_{x \to 0} \frac{f(x)}{x} = \lim\limits_{x \to 0} \frac{x^2+ax}{x} = \lim\limits_{x \to 0}(x+a) = a = 3$$

STEP Ⓑ 주어진 식의 분모, 분자를 x^3으로 나누어 극한값 구하기

$$\lim\limits_{x \to \infty} \frac{ax^3+3f(x)}{xf(x)} = \lim\limits_{x \to \infty} \frac{3x^3+3(x^2+3x)}{x(x^2+3x)}$$

$$= \lim\limits_{x \to \infty} \frac{3x^3+3x^2+9x}{x^3+3x^2}$$

$$= \lim\limits_{x \to \infty} \frac{3+\dfrac{3}{x}+\dfrac{9}{x^2}}{1+\dfrac{3}{x}} = 3$$

함수 $f(x)=x^2+ax$에 대하여 $\lim\limits_{x \to 0} \dfrac{f(x)}{x}=2$일 때, $\lim\limits_{x \to \infty} \dfrac{x^3+3f(x)}{axf(x)}$의 값은?

① -2 ② $-\dfrac{1}{2}$ ③ -1

④ $\dfrac{1}{2}$ ⑤ 3

STEP Ⓐ 주어진 식의 분모, 분자를 정리하여 극한값 구하기

$$\lim\limits_{x \to 0} \frac{f(x)}{x} = \lim\limits_{x \to 0} \frac{x^2+ax}{x} = \lim\limits_{x \to 0}(x+a) = a = 2$$

STEP Ⓑ 주어진 식의 분모, 분자를 x^2으로 나누어 극한값 구하기

$$\lim\limits_{x \to \infty} \frac{x^3+3f(x)}{axf(x)} = \lim\limits_{x \to \infty} \frac{x^3+3(x^2+2x)}{2x(x^2+2x)}$$

$$= \lim\limits_{x \to \infty} \frac{x^2+3x+6}{2x^2+4x}$$

$$= \lim\limits_{x \to \infty} \frac{1+\dfrac{3}{x}+\dfrac{6}{x^2}}{2+\dfrac{4}{x}}$$

$$= \frac{1}{2}$$

정답 ④

0114

정답 ⑤

STEP Ⓐ 분모, 분자를 인수분해하고 정리하여 극한값 구하기

$$\lim\limits_{x \to a} \frac{2x^2-(3+2a)x+3a}{x^2-3ax+2a^2} = \lim\limits_{x \to a} \frac{(x-a)(2x-3)}{(x-a)(x-2a)}$$

$$= \lim\limits_{x \to a} \frac{2x-3}{x-2a}$$

$$= \frac{2a-3}{-a}$$

$$= 1$$

즉 $2a-3=-a$에서 $a=1$

STEP Ⓑ 주어진 식의 분모, 분자를 x로 나누어 극한값 구하기

$$\therefore \lim\limits_{x \to \infty} \frac{5x}{\sqrt{2+4ax^2}-3a} = \lim\limits_{x \to \infty} \frac{5x}{\sqrt{2+4x^2}-3} = \lim\limits_{x \to \infty} \frac{5}{\sqrt{\dfrac{2}{x^2}+4}-\dfrac{3}{x}} = \frac{5}{2}$$

0115

정답 ⑤

STEP Ⓐ 분모, 분자를 x^2으로 나누어 극한값 구하기

$$\lim\limits_{x \to \infty} \frac{x^2+3x-4}{2x^2-1} = \lim\limits_{x \to \infty} \frac{1+\dfrac{3}{x}-\dfrac{4}{x^2}}{2-\dfrac{1}{x^2}} = \frac{1}{2}$$

STEP Ⓑ 분자를 유리화하여 극한값 구하기

$$\lim\limits_{x \to \infty}(\sqrt{x^2+2x}-x) = \lim\limits_{x \to \infty} \frac{(\sqrt{x^2+2x}-x)(\sqrt{x^2+2x}+x)}{\sqrt{x^2+2x}+x}$$

$$= \lim\limits_{x \to \infty} \frac{2x}{\sqrt{x^2+2x}+x}$$

$$= \lim\limits_{x \to \infty} \frac{2}{\sqrt{1+\dfrac{2}{x}}+1}$$

$$= 1$$

따라서 $\lim\limits_{x \to \infty} \dfrac{x^2+3x-4}{2x^2-1} + \lim\limits_{x \to \infty}(\sqrt{x^2+2x}-x) = \dfrac{1}{2}+1 = \dfrac{3}{2}$

$\lim\limits_{x \to \infty} \dfrac{2x+3}{\sqrt{4x^2+1}+x} + \lim\limits_{x \to \infty} \sqrt{x}(\sqrt{x+2}-\sqrt{x})$의 값은?

① $\dfrac{1}{2}$ ② $\dfrac{2}{3}$ ③ 1

④ $\dfrac{3}{2}$ ⑤ $\dfrac{5}{3}$

STEP Ⓐ 분모, 분자를 x로 나누어 극한값 구하기

$$\lim\limits_{x \to \infty} \frac{2x+3}{\sqrt{4x^2+1}+x} = \lim\limits_{x \to \infty} \frac{2+\dfrac{3}{x}}{\sqrt{4+\dfrac{1}{x^2}}+1} = \frac{2}{3}$$

STEP Ⓑ 분자를 유리화하여 극한값 구하기

$$\lim\limits_{x \to \infty} \sqrt{x}(\sqrt{x+2}-\sqrt{x}) = \lim\limits_{x \to \infty} \frac{\sqrt{x}(x+2-x)}{\sqrt{x+2}+\sqrt{x}}$$

$$= \lim\limits_{x \to \infty} \frac{2}{\sqrt{1+\dfrac{2}{x}}+1}$$

$$= \frac{2}{1+1} = 1$$

따라서 $\lim\limits_{x \to \infty} \dfrac{2x+3}{\sqrt{4x^2+1}+x} + \lim\limits_{x \to \infty} \sqrt{x}(\sqrt{x+2}-\sqrt{x}) = \dfrac{2}{3}+1 = \dfrac{5}{3}$

정답 ⑤

0116

②

STEP Ⓐ 분자를 유리화하여 극한값 구하기

조건 (가)에서

$\lim_{x\to\infty}(\sqrt{x^2+3x-2}-\sqrt{x^2-x+2})$

$=\lim_{x\to\infty}\dfrac{(\sqrt{x^2+3x-2}-\sqrt{x^2-x+2})(\sqrt{x^2+3x-2}+\sqrt{x^2-x+2})}{\sqrt{x^2+3x-2}+\sqrt{x^2-x+2}}$

$=\lim_{x\to\infty}\dfrac{4x-4}{\sqrt{x^2+3x-2}+\sqrt{x^2-x+2}}$

$=\lim_{x\to\infty}\dfrac{4-\dfrac{4}{x}}{\sqrt{1+\dfrac{3}{x}-\dfrac{2}{x^2}}+\sqrt{1-\dfrac{1}{x}+\dfrac{2}{x^2}}}$

$=\dfrac{4}{1+1}=2$

STEP Ⓑ 분모를 유리화하여 극한값 구하기

조건 (나)에서

$\lim_{x\to\infty}\dfrac{1}{\sqrt{x^2+2x+4}-x}=\lim_{x\to\infty}\dfrac{\sqrt{x^2+2x+4}+x}{(\sqrt{x^2+2x+4}-x)(\sqrt{x^2+2x+4}+x)}$

$=\lim_{x\to\infty}\dfrac{\sqrt{x^2+2x+4}+x}{2x+4}$

$=\lim_{x\to\infty}\dfrac{\sqrt{1+\dfrac{2}{x}+\dfrac{4}{x^2}}+1}{2+\dfrac{4}{x}}$

$=\dfrac{1+1}{2+0}=1$

$\therefore b=1$

따라서 $a=2$, $b=1$이므로 $a+b=2+1=3$

내신연계 출제문항 045

다음 조건을 만족하는 극한값 a, b에 대하여 $a+b$의 값은?

> (가) $\lim_{x\to\infty}(\sqrt{x^2+3x}-x)=a$
> (나) $\lim_{x\to\infty}\dfrac{1}{x-\sqrt{x^2-4x+1}}=b$

① 2　　　　② 3　　　　③ 5
④ 7　　　　⑤ 8

STEP Ⓐ 주어진 식을 유리화하여 극한값 구하기

조건 (가)에서

$\lim_{x\to\infty}(\sqrt{x^2+3x}-x)=\lim_{x\to\infty}\dfrac{x^2+3x-x^2}{\sqrt{x^2+3x}+x}=\lim_{x\to\infty}\dfrac{3}{\sqrt{1+\dfrac{3}{x}}+1}=\dfrac{3}{2}$

$\therefore a=\dfrac{3}{2}$

STEP Ⓑ 주어진 식의 분모를 유리화하여 극한값 구하기

조건 (나)에서

$\lim_{x\to\infty}\dfrac{1}{x-\sqrt{x^2-4x+1}}=\lim_{x\to\infty}\dfrac{x+\sqrt{x^2-4x+1}}{(x-\sqrt{x^2-4x+1})(x+\sqrt{x^2-4x+1})}$

$=\lim_{x\to\infty}\dfrac{x+\sqrt{x^2-4x+1}}{4x-1}$

$=\lim_{x\to\infty}\dfrac{1+\sqrt{1-\dfrac{4}{x}+\dfrac{1}{x^2}}}{4-\dfrac{1}{x}}=\dfrac{1}{2}$

$\therefore b=\dfrac{1}{2}$

따라서 $a+b=\dfrac{3}{2}+\dfrac{1}{2}=2$

①

0117

②

STEP Ⓐ $x=-t$로 치환하고 유리화하여 극한값 구하기

$x=-t$로 놓으면 $x\to-\infty$일 때, $t\to\infty$이므로

$\lim_{x\to-\infty}(\sqrt{x^2+2x-3}+x)=\lim_{t\to\infty}(\sqrt{t^2-2t-3}-t)$

$=\lim_{t\to\infty}\dfrac{(\sqrt{t^2-2t-3}-t)(\sqrt{t^2-2t-3}+t)}{\sqrt{t^2-2t-3}+t}$

$=\lim_{t\to\infty}\dfrac{-2t-3}{\sqrt{t^2-2t-3}+t}$

$=\lim_{t\to\infty}\dfrac{-2-\dfrac{3}{t}}{\sqrt{1-\dfrac{2}{t}-\dfrac{3}{t^2}}+1}$

$=\dfrac{-2}{1+1}=-1$

0118

①

STEP Ⓐ $x=-t$로 치환하고 유리화하여 극한값 구하기

$x=-t$로 놓으면 $x\to-\infty$일 때, $t\to\infty$이므로

$\lim_{x\to-\infty}(\sqrt{4x^2-2x}+2x)=\lim_{t\to\infty}(\sqrt{4t^2+2t}-2t)$

$=\lim_{t\to\infty}\dfrac{(\sqrt{4t^2+2t}-2t)(\sqrt{4t^2+2t}+2t)}{\sqrt{4t^2+2t}+2t}$

$=\lim_{t\to\infty}\dfrac{2t}{\sqrt{4t^2+2t}+2t}$

$=\lim_{t\to\infty}\dfrac{2}{\sqrt{4+\dfrac{2}{t}}+2}$

$=\dfrac{2}{2+2}=\dfrac{1}{2}$

0119

③

STEP Ⓐ $x=-t$로 치환하고 분자를 유리화하여 극한값 구하기

$x=-t$로 놓으면 $x\to-\infty$일 때, $t\to\infty$이므로

$\lim_{x\to-\infty}\dfrac{\sqrt{x^2+2}+4x}{\sqrt{4x^2+x}-x}=\lim_{t\to\infty}\dfrac{\sqrt{t^2+2}-4t}{\sqrt{4t^2-t}+t}$

$=\lim_{t\to\infty}\dfrac{t^2+2-(4t)^2}{(\sqrt{4t^2-t}+t)(\sqrt{t^2+2}+4t)}$

$=\lim_{t\to\infty}\dfrac{-15t^2+2}{(\sqrt{4t^2-t}+t)(\sqrt{t^2+2}+4t)}$

$=\dfrac{-15}{3\cdot5}=-1$

다른풀이 주어진 식의 분모, 분자를 t로 나누어 극한값 구하기

$\lim_{t\to\infty}\dfrac{\sqrt{t^2+2}-4t}{\sqrt{4t^2-t}+t}=\lim_{t\to\infty}\dfrac{\sqrt{1+\dfrac{2}{t^2}}-4}{\sqrt{4-\dfrac{1}{t}}+1}=\dfrac{-3}{3}=-1$

I
함수의 극한과 연속

0120

정답 ②

STEP Ⓐ $x<0$일 때, $\sqrt{x^2}=-x$임을 이용하여 구하기

조건 (가)에서

$x \to -\infty$일 때, $x<0$이므로 $x=-\sqrt{x^2}$

$$\lim_{x \to -\infty}\frac{4x}{\sqrt{x^2+2}-1}=\lim_{x \to -\infty}\frac{4}{-\sqrt{1+\dfrac{2}{x^2}}-\dfrac{1}{x}}=\frac{4}{-\sqrt{1}-0}=-4$$

> **참고**
> $-x=t$로 놓으면 $x \to -\infty$일 때 $t \to \infty$이므로
> $$\lim_{x \to -\infty}\frac{4x}{\sqrt{x^2+2}-1}=\lim_{t \to \infty}\frac{-4t}{\sqrt{t^2+2}-1}=\lim_{t \to \infty}\frac{-4}{\sqrt{1+\dfrac{2}{t^2}}-\dfrac{1}{t}}=\frac{-4}{1}=-4$$

STEP Ⓑ 분자를 유리화하여 b의 값 구하기

조건 (나)에서

$$\lim_{x \to -\infty}(\sqrt{x^2+2x}+x)=\lim_{x \to -\infty}\frac{(\sqrt{x^2+2x}+x)(\sqrt{x^2+2x}-x)}{\sqrt{x^2+2x}-x}$$

$$=\lim_{x \to -\infty}\frac{2x}{\sqrt{x^2+2x}-x}$$

$$=\lim_{x \to -\infty}\frac{2}{-\sqrt{1+\dfrac{2}{x}}-1} \quad \leftarrow x<0이면 x=-\sqrt{x^2}$$

$$=\frac{2}{-1-1}=-1$$

> **참고**
> $-x=t$로 놓으면 $x \to -\infty$일 때, $t \to \infty$이므로
> $$\lim_{x \to -\infty}(\sqrt{x^2+2x}+x)=\lim_{t \to \infty}(\sqrt{t^2-2t}-t)$$
> $$=\lim_{t \to \infty}\frac{(\sqrt{t^2-2t}-t)(\sqrt{t^2-2t}+t)}{\sqrt{t^2-2t}+t}$$
> $$=\lim_{t \to \infty}\frac{-2t}{\sqrt{t^2-2t}+t}$$
> $$=\lim_{t \to \infty}\frac{-2}{\sqrt{1-\dfrac{2}{t}}+1}$$
> $$=\frac{-2}{1+1}=-1$$

따라서 $a=-4$, $b=-1$이므로 $a+b=-5$

내신 연계 출제문항 046

다음 조건을 만족하는 극한값 a, b에 대하여 $b-a$의 값은?

> (가) $\displaystyle\lim_{x \to -\infty}\frac{10x+1}{\sqrt{4x^2+2}-3x}=a$
> (나) $\displaystyle\lim_{x \to -\infty}(\sqrt{x^2-2x+3}-\sqrt{x^2+2x-3})=b$

① 2   ② 3   ③ 4
④ 5   ⑤ 6

STEP Ⓐ $x=-t$로 놓고 주어진 식을 변형하여 분모의 최고차항으로 분모, 분자를 각각 나누어 구하기

조건(가)에서

$x=-t$로 놓으면 $x \to -\infty$일 때, $t \to \infty$이므로

$$\lim_{x \to -\infty}\frac{10x+1}{\sqrt{4x^2+2}-3x}=\lim_{t \to \infty}\frac{-10t+1}{\sqrt{4t^2+2}+3t} \quad \leftarrow \frac{\infty}{\infty}꼴$$

$$=\lim_{t \to \infty}\frac{-10+\dfrac{1}{t}}{\sqrt{4+\dfrac{2}{t^2}}+3} \quad \leftarrow \lim_{t \to \infty}\frac{1}{t}=0$$

$$=\frac{-10}{2+3}$$

$$=-2$$

> **참고**
> $$\lim_{x \to -\infty}\frac{10x+1}{\sqrt{4x^2+2}-3x}=\lim_{x \to -\infty}\frac{10+\dfrac{1}{x}}{-\sqrt{4+\dfrac{2}{x^2}}-3}=\frac{10}{-2-3}=-2$$

STEP Ⓑ 분자를 유리화하여 b의 값 구하기

조건 (나)에서

$x=-t$로 놓으면 $x \to -\infty$일 때, $t \to \infty$이므로

$$\lim_{x \to -\infty}(\sqrt{x^2-2x+3}-\sqrt{x^2+2x-3})$$

$$=\lim_{t \to \infty}(\sqrt{t^2+2t+3}-\sqrt{t^2-2t-3})$$

$$=\lim_{t \to \infty}\frac{(\sqrt{t^2+2t+3}-\sqrt{t^2-2t-3})(\sqrt{t^2+2t+3}+\sqrt{t^2-2t-3})}{\sqrt{t^2+2t+3}+\sqrt{t^2-2t-3}}$$

$$=\lim_{t \to \infty}\frac{4t+6}{\sqrt{t^2+2t+3}+\sqrt{t^2-2t-3}}$$

$$=\lim_{t \to \infty}\frac{4+\dfrac{6}{t}}{\sqrt{1+\dfrac{2}{t}+\dfrac{3}{t^2}}+\sqrt{1-\dfrac{2}{t}-\dfrac{3}{t^2}}}$$

$$=\frac{4}{1+1}$$

$$=2$$

따라서 $a=-2$, $b=2$이므로 $b-a=2-(-2)=4$

정답 ③

0121

정답 ②

STEP Ⓐ 분모, 분자를 정리하여 극한값 구하기

$$\lim_{x \to 0}\frac{1}{x}\left(\frac{1}{x-1}+1\right)=\lim_{x \to 0}\frac{1}{x}\times\frac{1+x-1}{x-1}$$

$$=\lim_{x \to 0}\frac{1}{x}\times\frac{x}{x-1}$$

$$=\lim_{x \to 0}\frac{1}{x-1}=-1$$

0122

정답 ②

STEP Ⓐ 분모, 분자를 정리하고 분자를 유리화하여 극한값 구하기

$$\lim_{x \to 2}\frac{32x}{x^2-4}\left(\frac{1}{\sqrt{x+2}}-\frac{1}{2}\right)$$

$$=\lim_{x \to 2}\left\{\frac{32x}{(x-2)(x+2)}\times\frac{2-\sqrt{x+2}}{2\sqrt{x+2}}\right\}$$

$$=\lim_{x \to 2}\left\{\frac{16x}{(x-2)(x+2)}\times\frac{2-x}{\sqrt{x+2}(2+\sqrt{x+2})}\right\}$$

$$=\lim_{x \to 2}\left\{-\frac{16x}{(x+2)\sqrt{x+2}(2+\sqrt{x+2})}\right\}$$

$$=-\frac{32}{4\times2\times4}$$

$$=-1$$

내신 연계 출제문항 047

$\displaystyle\lim_{x \to 0}\frac{1}{x}\left(\frac{1}{\sqrt{1+x}}-1\right)$의 값은?

① $-\dfrac{1}{2}$ ② 0   ③ $\dfrac{1}{4}$
④ $\dfrac{3}{4}$ ⑤ $\dfrac{1}{2}$

STEP **Ⓐ** 분모, 분자를 정리하고 분자를 유리화하여 극한값 구하기

$$\lim_{x\to 0}\frac{1}{x}\left(\frac{1}{\sqrt{1+x}}-1\right)=\lim_{x\to 0}\left(\frac{1}{x}\times\frac{1-\sqrt{1+x}}{\sqrt{1+x}}\right)$$
$$=\lim_{x\to 0}\frac{1}{x}\times\frac{(1-\sqrt{1+x})(1+\sqrt{1+x})}{\sqrt{1+x}(1+\sqrt{1+x})}$$
$$=\lim_{x\to 0}\frac{1}{x}\times\frac{-x}{\sqrt{1+x}(1+\sqrt{1+x})}$$
$$=\lim_{x\to 0}\frac{-1}{\sqrt{1+x}(1+\sqrt{1+x})}$$
$$=\frac{-1}{1+1}=-\frac{1}{2}$$

정답 ①

0123

정답 ③

STEP **Ⓐ** 여러 가지 함수의 극한값을 구하여 진위판단하기

① $\lim_{x\to -1}\dfrac{x^2-1}{x+1}=\lim_{x\to -1}(x-1)=-2$ [참]

② $\lim_{x\to \infty}\dfrac{x^3-1}{3x^3-x+1}=\lim_{x\to \infty}\dfrac{1-\dfrac{1}{x^3}}{3-\dfrac{1}{x^2}+\dfrac{1}{x^3}}=\dfrac{1}{3}$ [참]

③ $\lim_{x\to -2}\dfrac{2x^2+3x-2}{3x^2+5x-2}=\lim_{x\to -2}\dfrac{(2x-1)(x+2)}{(3x-1)(x+2)}=\lim_{x\to -2}\dfrac{2x-1}{3x-1}=\dfrac{5}{7}$ [거짓]

④ $\lim_{x\to 0}\dfrac{1}{x}\left(\dfrac{1}{x+3}-\dfrac{1}{3}\right)=\lim_{x\to 0}\dfrac{1}{x}\times\dfrac{3-(x+3)}{3(x+3)}=\lim_{x\to 0}\dfrac{-1}{3(x+3)}=-\dfrac{1}{9}$ [참]

⑤ $\lim_{x\to \infty}\{\sqrt{x(x+1)}-\sqrt{x(x-1)}\}$
$$=\lim_{x\to \infty}\frac{(\sqrt{x^2+x}-\sqrt{x^2-x})(\sqrt{x^2+x}+\sqrt{x^2-x})}{\sqrt{x^2+x}+\sqrt{x^2-x}}$$
$$=\lim_{x\to \infty}\frac{2}{\sqrt{1+\dfrac{1}{x}}+\sqrt{1-\dfrac{1}{x}}}$$
$$=\frac{2}{1+1}=1\ [참]$$

따라서 옳지 않은 것은 ③이다.

0124

정답 ③

STEP **Ⓐ** 여러 가지 함수의 극한값을 구하여 진위판단하기

① $\lim_{x\to 2}\dfrac{x^2+3x-10}{x-2}=\lim_{x\to 2}\dfrac{(x-2)(x+5)}{x-2}=\lim_{x\to 2}(x+5)=7$ [참]

② $\lim_{x\to \infty}\dfrac{6x^2+x}{2x^2+3}=\lim_{x\to \infty}\dfrac{6+\dfrac{1}{x}}{2+\dfrac{3}{x^2}}=\dfrac{6}{2}=3$ [참]

③ $\lim_{x\to 0}\dfrac{1-\sqrt{1-x^2}}{x^2}=\lim_{x\to 0}\dfrac{(1-\sqrt{1-x^2})(1+\sqrt{1-x^2})}{x^2(1+\sqrt{1-x^2})}$
$$=\lim_{x\to 0}\frac{x^2}{x^2(1+\sqrt{1-x^2})}=\lim_{x\to 0}\frac{1}{1+\sqrt{1-x^2}}=\frac{1}{2}\ [거짓]$$

④ $\lim_{x\to 3}\dfrac{1}{x-3}\left(\dfrac{1}{2}-\dfrac{1}{\sqrt{x+1}}\right)=\lim_{x\to 3}\dfrac{1}{x-3}\left(\dfrac{\sqrt{x+1}-2}{2\sqrt{x+1}}\right)$
$$=\lim_{x\to 3}\frac{1}{x-3}\times\frac{(\sqrt{x+1}-2)(\sqrt{x+1}+2)}{2\sqrt{x+1}(\sqrt{x+1}+2)}$$
$$=\lim_{x\to 3}\frac{1}{x-3}\times\frac{x-3}{2\sqrt{x+1}(\sqrt{x+1}+2)}$$
$$=\lim_{x\to 3}\frac{1}{2\sqrt{x+1}(\sqrt{x+1}+2)}$$
$$=\frac{1}{2\sqrt{4}(\sqrt{4}+2)}=\frac{1}{16}\ [참]$$

---

⑤ $\lim_{x\to \infty}(\sqrt{x^2+4x+1}-\sqrt{x^2-4x+1})$
$$=\lim_{x\to \infty}\frac{(\sqrt{x^2+4x+1}-\sqrt{x^2-4x+1})(\sqrt{x^2+4x+1}+\sqrt{x^2-4x+1})}{\sqrt{x^2+4x+1}+\sqrt{x^2-4x+1}}$$
$$=\lim_{x\to \infty}\frac{8x}{\sqrt{x^2+4x+1}+\sqrt{x^2-4x+1}}$$
$$=\lim_{x\to \infty}\frac{8}{\sqrt{1+\dfrac{4}{x}+\dfrac{1}{x^2}}+\sqrt{1-\dfrac{4}{x}+\dfrac{1}{x^2}}}$$
$$=\frac{8}{1+1}=4\ [참]$$

따라서 옳지 않은 것은 ③이다.

내신연계 출제문항 048

다음 중에서 옳지 않은 것은?

① $\lim_{x\to 1}\dfrac{1}{x-1}\left(\dfrac{x^2}{x+1}-\dfrac{1}{2}\right)=\dfrac{3}{4}$

② $\lim_{x\to 1}(\sqrt{x}-1)\left(1+\dfrac{3}{x-1}\right)=3$

③ $\lim_{x\to 1}\dfrac{x^2-3x+2}{x-1}=-1$

④ $\lim_{x\to 2}\dfrac{\sqrt{x+7}-3}{x-2}=\dfrac{1}{6}$

⑤ $\lim_{x\to \infty}(\sqrt{x^2-x}-\sqrt{x^2+x})=-1$

STEP **Ⓐ** 여러 가지 함수의 극한값을 구하여 진위판단하기

① $\lim_{x\to 1}\dfrac{1}{x-1}\left(\dfrac{x^2}{x+1}-\dfrac{1}{2}\right)=\lim_{x\to 1}\dfrac{1}{x-1}\left\{\dfrac{2x^2-x-1}{2(x+1)}\right\}$
$$=\lim_{x\to 1}\frac{1}{x-1}\left\{\frac{(2x+1)(x-1)}{2(x+1)}\right\}$$
$$=\lim_{x\to 1}\frac{2x+1}{2(x+1)}=\frac{3}{4}\ [참]$$

② $\lim_{x\to 1}(\sqrt{x}-1)\left(1+\dfrac{3}{x-1}\right)=\lim_{x\to 1}(\sqrt{x}-1)\left(\dfrac{x+2}{x-1}\right)$
$$=\lim_{x\to 1}\frac{(\sqrt{x}-1)(\sqrt{x}+1)}{\sqrt{x}+1}\left(\frac{x+2}{x-1}\right)$$
$$=\lim_{x\to 1}\frac{x+2}{\sqrt{x}+1}=\frac{3}{2}\ [거짓]$$

③ $\lim_{x\to 1}\dfrac{x^2-3x+2}{x-1}=\lim_{x\to 1}\dfrac{(x-1)(x-2)}{x-1}$
$$=\lim_{x\to 1}(x-2)=1-2=-1\ [참]$$

④ $\lim_{x\to 2}\dfrac{\sqrt{x+7}-3}{x-2}=\lim_{x\to 2}\dfrac{(\sqrt{x+7}-3)(\sqrt{x+7}+3)}{(x-2)(\sqrt{x+7}+3)}$
$$=\lim_{x\to 2}\frac{x-2}{(x-2)(\sqrt{x+7}+3)}$$
$$=\lim_{x\to 2}\frac{1}{\sqrt{x+7}+3}=\frac{1}{\sqrt{9}+3}=\frac{1}{6}\ [참]$$

⑤ $\lim_{x\to \infty}(\sqrt{x^2-x}-\sqrt{x^2+x})$
$$=\lim_{x\to \infty}\frac{(\sqrt{x^2-x}-\sqrt{x^2+x})(\sqrt{x^2-x}+\sqrt{x^2+x})}{\sqrt{x^2-x}+\sqrt{x^2+x}}$$
$$=\lim_{x\to \infty}\frac{-2x}{\sqrt{x^2-x}+\sqrt{x^2+x}}$$
$$=\lim_{x\to \infty}\frac{-2}{\sqrt{1-\dfrac{1}{x}}+\sqrt{1+\dfrac{1}{x}}}$$
$$=\frac{-2}{1+1}=-1\ [참]$$

따라서 옳지 않은 것은 ②이다.

정답 ②

0125

STEP A 여러 가지 함수의 극한값을 구하여 진위판단하기

① $\lim\limits_{x \to 1} \dfrac{x^3 - x^2 - x + 1}{x^2 - 1} = \lim\limits_{x \to 1} \dfrac{(x^2 - 1)(x - 1)}{x^2 - 1} = \lim\limits_{x \to 1}(x - 1) = -2$ [참]

② $\lim\limits_{x \to 0} \dfrac{2 - \sqrt{4 - x}}{x} = \lim\limits_{x \to 0} \dfrac{(2 - \sqrt{4 - x})(2 + \sqrt{4 - x})}{x(2 + \sqrt{4 - x})} = \lim\limits_{x \to 0} \dfrac{x}{x(2 + \sqrt{4 - x})}$

$\qquad = \lim\limits_{x \to 0} \dfrac{1}{2 + \sqrt{4 - x}}$

$\qquad = \dfrac{1}{4}$ [거짓]

③ $\lim\limits_{x \to 2}(x - 2)\left(1 + \dfrac{1}{x^2 - 4}\right) = \lim\limits_{x \to 2}(x - 2)\left(\dfrac{x^2 - 3}{x^2 - 4}\right) = \lim\limits_{x \to 2}\dfrac{x^2 - 3}{x + 2} = \dfrac{4 - 3}{2 + 2} = \dfrac{1}{4}$

[참]

④ 분자와 분모에 각각 $\sqrt{x^2 + 8x} + x$를 곱하면

$\lim\limits_{x \to \infty}(\sqrt{x^2 + 8x} - x) = \lim\limits_{x \to \infty} \dfrac{(\sqrt{x^2 + 8x} - x)(\sqrt{x^2 + 8x} + x)}{\sqrt{x^2 + 8x} + x}$

$\qquad = \lim\limits_{x \to \infty} \dfrac{(x^2 + 8x) - x^2}{\sqrt{x^2 + 8x} + x} = \lim\limits_{x \to \infty} \dfrac{8x}{\sqrt{x^2 + 8x} + x}$

$\qquad = \lim\limits_{x \to \infty} \dfrac{8}{\sqrt{1 + \dfrac{8}{x}} + 1} = \dfrac{8}{\sqrt{1 + 0} + 1} = 4$ [참]

⑤ $x > -2$일 때, $|x + 2| = x + 2$

$x < -2$일 때, $|x + 2| = -(x + 2)$이므로

$\lim\limits_{x \to -2^-} \dfrac{x^2 - 4}{|x + 2|} = \lim\limits_{x \to -2^-} \dfrac{(x - 2)(x + 2)}{-(x + 2)} = \lim\limits_{x \to -2^-} -(x - 2) = 4$ [참]

따라서 옳지 않은 것은 ②이다.

0126

STEP A 여러 가지 함수의 극한값을 구하여 진위판단하기

① $\lim\limits_{x \to -1} \dfrac{x^2 + 3x + 2}{x + 1} = \lim\limits_{x \to -1} \dfrac{(x + 1)(x + 2)}{x + 1} = \lim\limits_{x \to -1}(x + 2) = 1$ [참]

② $\lim\limits_{x \to 0} \dfrac{x}{\sqrt{1 - x} - \sqrt{1 + x}} = \lim\limits_{x \to 0} \dfrac{x(\sqrt{1 - x} + \sqrt{1 + x})}{(\sqrt{1 - x} - \sqrt{1 + x})(\sqrt{1 - x} + \sqrt{1 + x})}$

$\qquad = \lim\limits_{x \to 0} \dfrac{x(\sqrt{1 - x} + \sqrt{1 + x})}{-2x}$

$\qquad = \lim\limits_{x \to 0} \dfrac{\sqrt{1 - x} + \sqrt{1 + x}}{-2} = \dfrac{2}{-2} = -1$ [참]

③ $\lim\limits_{x \to \infty} \dfrac{(2x + 1)(4x - 1)}{x^2 - x + 5} = \lim\limits_{x \to \infty} \dfrac{8x^2 + 2x - 1}{x^2 - x + 5}$ ← 분자와 분모를 x^2으로 나누면

$\qquad = \lim\limits_{x \to \infty} \dfrac{8 + \dfrac{2}{x} - \dfrac{1}{x^2}}{1 - \dfrac{1}{x} + \dfrac{5}{x^2}}$ ← $\lim\limits_{x \to \infty}\dfrac{1}{x} = 0$, $\lim\limits_{x \to \infty}\dfrac{1}{x^2} = 0$

$\qquad = 8$ [참]

④ $\lim\limits_{x \to \infty}(\sqrt{x^2 + x} - \sqrt{x^2 - x})$

$\qquad = \lim\limits_{x \to \infty} \dfrac{(\sqrt{x^2 + x} - \sqrt{x^2 - x})(\sqrt{x^2 + x} + \sqrt{x^2 - x})}{\sqrt{x^2 + x} + \sqrt{x^2 - x}}$

$\qquad = \lim\limits_{x \to \infty} \dfrac{2x}{\sqrt{x^2 + x} + \sqrt{x^2 - x}}$ ← 분자와 분모를 x로 나누면

$\qquad = \lim\limits_{x \to \infty} \dfrac{2}{\sqrt{1 + \dfrac{1}{x}} + \sqrt{1 - \dfrac{1}{x}}}$

$\qquad = \dfrac{2}{1 + 1} = 1$ [거짓]

⑤ $\lim\limits_{x \to -\infty} \dfrac{\sqrt{4x^2 + 3}}{x - 2} = \lim\limits_{x \to -\infty} \dfrac{-\sqrt{4 + \dfrac{3}{x^2}}}{1 - \dfrac{2}{x}} = -\sqrt{4} = -2$ [참]

따라서 옳지 않은 것은 ④이다.

0127

STEP A 여러 가지 함수의 극한값을 구하여 진위판단하기

ㄱ. $\lim\limits_{x \to 1}(2x^2 + 3x - 3) = 2 + 3 - 3 = 2$ [참]

ㄴ. $\lim\limits_{x \to 2} \dfrac{\sqrt{x + 23} - 5}{x - 2} = \lim\limits_{x \to 2} \dfrac{(\sqrt{x + 23} - 5)(\sqrt{x + 23} + 5)}{(x - 2)(\sqrt{x + 23} + 5)}$

$\qquad = \lim\limits_{x \to 2} \dfrac{x - 2}{(x - 2)(\sqrt{x + 23} + 5)}$

$\qquad = \lim\limits_{x \to 2} \dfrac{1}{\sqrt{x + 23} + 5} = \dfrac{1}{10}$ [거짓]

ㄷ. $\lim\limits_{x \to \infty} \dfrac{2x^2 + 5x - 2}{(x + 1)(2x + 1)} = \lim\limits_{x \to \infty} \dfrac{2x^2 + 5x - 2}{2x^2 + 3x + 1} = \lim\limits_{x \to \infty} \dfrac{2 + \dfrac{5}{x} - \dfrac{2}{x^2}}{2 + \dfrac{3}{x} + \dfrac{1}{x^2}} = \dfrac{2}{2} = 1$ [참]

ㄹ. $x = -t$로 놓으면 $x \to -\infty$일 때, $t \to \infty$이므로

$\lim\limits_{x \to -\infty}(x + \sqrt{x^2 - 4x + 3}) = \lim\limits_{t \to \infty}(-t + \sqrt{t^2 + 4t + 3})$

$\qquad = \lim\limits_{t \to \infty} \dfrac{(\sqrt{t^2 + 4t + 3} - t)(\sqrt{t^2 + 4t + 3} + t)}{\sqrt{t^2 + 4t + 3} + t}$

$\qquad = \lim\limits_{t \to \infty} \dfrac{4t + 3}{\sqrt{t^2 + 4t + 3} + t}$

$\qquad = \lim\limits_{t \to \infty} \dfrac{4 + \dfrac{3}{t}}{\sqrt{1 + \dfrac{4}{t} + \dfrac{3}{t^2}} + 1}$

$\qquad = \dfrac{4}{1 + 1} = 2$ [참]

따라서 옳은 것은 ㄱ, ㄷ, ㄹ이다.

내/신/연/계 출제문항 049

A, B, C의 대소 관계를 바르게 나타낸 것은?

$A = \lim\limits_{x \to -\infty}(\sqrt{1 - x + x^2} + x)$

$B = \lim\limits_{x \to \infty}(\sqrt{x^2 + 3x + 1} - \sqrt{x^2 - 3x - 1})$

$C = \lim\limits_{x \to 2}(x - 2)\left(1 - \dfrac{1}{x^2 - 4}\right)$

① $A < B < C$ ② $A < C < B$ ③ $B < A < C$

④ $B < C < A$ ⑤ $C < A < B$

STEP A $x = -t$로 치환하고 유리화하여 극한값 구하기

$x = -t$로 놓으면 $x \to -\infty$일 때, $t \to \infty$이므로

$A = \lim\limits_{x \to -\infty}(\sqrt{1 - x + x^2} + x) = \lim\limits_{t \to \infty}(\sqrt{1 + t + t^2} - t)$

$\qquad = \lim\limits_{t \to \infty} \dfrac{1 + t}{\sqrt{1 + t + t^2} + t} = \lim\limits_{t \to \infty} \dfrac{\dfrac{1}{t} + 1}{\sqrt{\dfrac{1}{t^2} + \dfrac{1}{t} + 1} + 1}$

$\qquad = \dfrac{1}{2}$

STEP B 주어진 식을 유리화하여 극한값 구하기

$B = \lim\limits_{x \to \infty}(\sqrt{x^2 + 3x + 1} - \sqrt{x^2 - 3x - 1})$

$\qquad = \lim\limits_{x \to \infty} \dfrac{6x + 2}{\sqrt{x^2 + 3x + 1} + \sqrt{x^2 - 3x - 1}}$

$\qquad = \dfrac{6}{2} = 3$

STEP C 주어진 식을 인수분해하고 정리하여 극한값 구하기

$C = \lim\limits_{x \to 2}(x - 2)\left(1 - \dfrac{1}{x^2 - 4}\right) = \lim\limits_{x \to 2}(x - 2)\left(\dfrac{x^2 - 5}{x^2 - 4}\right) = \lim\limits_{x \to 2}\dfrac{x^2 - 5}{x + 2} = -\dfrac{1}{4}$

따라서 $C < A < B$

0128

정답 ①

STEP ⓐ 극한값이 존재할 조건을 이용하여 a의 값 구하기

$\lim_{x \to 1} \dfrac{x^2+ax+3}{x-1}=b$ 에서

$x \to 1$일 때, (분모)$\to 0$이고 극한값이 존재하므로 (분자)$\to 0$이어야 한다.

$\lim_{x \to 1}(x^2+ax+3)=0$이므로 $a+4=0$에서 $a=-4$

STEP ⓑ 분자를 인수분해하고 정리하여 극한값 구하기

$\lim_{x \to 1} \dfrac{x^2-4x+3}{x-1}=\lim_{x \to 1} \dfrac{(x-1)(x-3)}{x-1}=\lim_{x \to 1}(x-3)=-2$

$\therefore b=-2$

따라서 $a=-4$, $b=-2$이므로 $a+b=-6$

0129

정답 ④

STEP ⓐ 극한값이 존재할 조건을 이용하여 a, b의 관계식 구하기

$\lim_{x \to -1} \dfrac{x^2-ax-b}{x+1}$의 값이 존재하고 $\lim_{x \to -1}(x+1)=0$이므로 ← (분모)$\to 0$

$\lim_{x \to -1}(x^2-ax-b)=0$이어야 한다.　　　　　← (분자)$\to 0$

즉 $1+a-b=0$이므로 $b=a+1$ ······ ㉠

STEP ⓑ 분자를 인수분해하고 정리하여 극한값 구하기

㉠을 주어진 등식에 대입하면

$\lim_{x \to -1} \dfrac{x^2-ax-(a+1)}{x+1}=\lim_{x \to -1} \dfrac{(x+1)(x-(a+1))}{x+1}$ ← $\frac{0}{0}$꼴이므로 인수분해

$\qquad\qquad\qquad\quad =\lim_{x \to -1}\{x-(a+1)\}$

$\qquad\qquad\qquad\quad =-1-(a+1)=-a-2$

즉 $-a-2=-3$이므로 $a=1$

$a=1$를 ㉠에 대입하면 $b=2$

따라서 $a=1$, $b=2$이므로 $a+b=3$

내/신/연/계 출제문항 050

$\lim_{x \to -1} \dfrac{x^2+ax-b}{x+1}=6$이 성립할 때 상수 a, b에 대하여 $a-b$의 값은?

① 10　　　　② 15　　　　③ 20

④ 25　　　　⑤ 30

STEP ⓐ (분모)$\to 0$이고 극한값이 존재하면 (분자)$\to 0$임을 이용하여 b를 a에 대한 식으로 나타내기

$\lim_{x \to -1} \dfrac{x^2+ax-b}{x+1}=6$에서 $\lim_{x \to -1}(x+1)=0$이므로 ← (분모)$\to 0$

$\lim_{x \to -1}(x^2+ax-b)=0$이어야 하므로 $1-a-b=0$ ← (분자)$\to 0$

즉 $b=-a+1$ ······ ㉠

STEP ⓑ a, b의 값 구하기

㉠을 $\lim_{x \to -1} \dfrac{x^2+ax-b}{x+1}=6$에 대입하면

$\lim_{x \to -1} \dfrac{x^2+ax+a-1}{x+1}=\lim_{x \to -1} \dfrac{(x+1)(x+a-1)}{x+1}$ ← $\frac{0}{0}$꼴이므로 인수분해

$\qquad\qquad\qquad\quad =\lim_{x \to -1}(x+a-1)$

$\qquad\qquad\qquad\quad =-2+a$

즉 $-2+a=6$이므로 $a=8$

$a=8$을 ㉠에 대입하면 $b=-7$

따라서 $a=8$, $b=-7$이므로 $a-b=8-(-7)=15$

정답 ②

0130

정답 ①

STEP ⓐ (분모)$\to 0$이고 극한값이 존재하면 (분자)$\to 0$임을 이용하여 b를 a에 대한 식으로 나타내기

$\lim_{x \to 2} \dfrac{x^2-ax+b}{x-2}=1$에서 $\lim_{x \to 2}(x-2)=0$이므로

$\lim_{x \to 2}(x^2-ax+b)=0$이어야 하므로 $4-2a+b=0$

즉 $b=2a-4$ ······ ㉠

STEP ⓑ a, b의 값 구하기

㉠을 $\lim_{x \to 2} \dfrac{x^2-ax+b}{x-2}=1$에 대입하면

$\lim_{x \to 2} \dfrac{x^2-ax+2a-4}{x-2}=\lim_{x \to 2} \dfrac{(x-2)(x-a+2)}{x-2}$

$\qquad\qquad\qquad\quad =\lim_{x \to 2}(x-a+2)$

$\qquad\qquad\qquad\quad =4-a$

즉 $4-a=1$이므로 $a=3$

$a=3$을 ㉠에 대입하면 $b=2$

따라서 $a=3$, $b=2$이므로 $a+b=3+2=5$

내/신/연/계 출제문항 051

$\lim_{x \to 3} \dfrac{x^2+ax+b}{x-3}=2$가 성립할 때 상수 a, b에 대하여 $a+b$의 값은?

① -2　　　　② -1　　　　③ 1

④ 2　　　　⑤ 3

STEP ⓐ (분모)$\to 0$이고 극한값이 존재하면 (분자)$\to 0$임을 이용하여 b를 a에 대한 식으로 나타내기

$\lim_{x \to 3} \dfrac{x^2+ax+b}{x-3}=2$에서 $\lim_{x \to 3}(x-3)=0$이므로

$\lim_{x \to 3}(x^2+ax+b)=0$이어야 하므로 $9+3a+b=0$

즉 $b=-3a-9$ ······ ㉠

STEP ⓑ a, b의 값 구하기

㉠을 $\lim_{x \to 3} \dfrac{x^2+ax+b}{x-3}=2$에 대입하면

$\lim_{x \to 3} \dfrac{x^2+ax-3a-9}{x-3}=\lim_{x \to 3} \dfrac{(x-3)(x+a+3)}{x-3}$

$\qquad\qquad\qquad\quad =\lim_{x \to 3}(x+a+3)$

$\qquad\qquad\qquad\quad =6+a$

즉 $6+a=2$이므로 $a=-4$

$a=-4$를 ㉠에 대입하면 $b=3$

따라서 $a=-4$, $b=3$이므로 $a+b=-4+3=-1$　　　정답 ②

0131

정답 ②

STEP A 극한값이 존재할 조건을 이용하여 a, b의 관계식 구하기

$\lim\limits_{x \to 2} \dfrac{ax^2+bx+2}{x-2}=5$의 값이 존재하고 $\lim\limits_{x \to 2}(x-2)=0$이므로 ← (분모)→0

$\lim\limits_{x \to 2}(ax^2+bx+2)=0$이어야 한다. ← (분자)→0

즉 $4a+2b+2=0$이므로 $b=-2a-1$ ····· ㉠

STEP B 분자를 인수분해하고 정리하여 극한값 구하기

㉠을 주어진 등식에 대입하면

$\lim\limits_{x \to 2} \dfrac{ax^2-(2a+1)x+2}{x-2}=\lim\limits_{x \to 2} \dfrac{(x-2)(ax-1)}{x-2}$ ← $\frac{0}{0}$꼴이므로 인수분해

$\qquad\qquad\qquad\qquad\qquad = \lim\limits_{x \to 2}(ax-1)$

$\qquad\qquad\qquad\qquad\qquad = 2a-1$

즉 $2a-1=5$이므로 $a=3$

$a=3$을 ㉠에 대입하면 $b=-7$

따라서 $a=3$, $b=-7$이므로 $a+b=-4$

0132

정답 ⑤

STEP A 극한값이 존재할 조건을 이용하여 a, b의 관계식 구하기

$\lim\limits_{x \to -1} \dfrac{x+1}{x^2+ax+b}=\dfrac{1}{3}$의 값이 존재하고 $\lim\limits_{x \to -1}(x+1)=0$이므로 ← (분자)→0

$\lim\limits_{x \to -1}(x^2+ax+b)=0$이어야 한다. ← (분모)→0

즉 $1-a+b=0$이므로 $b=a-1$ ····· ㉠

STEP B 분자를 인수분해하고 정리하여 극한값 구하기

㉠을 주어진 등식에 대입하면

$\lim\limits_{x \to -1} \dfrac{x+1}{x^2+ax+b}=\lim\limits_{x \to -1} \dfrac{x+1}{x^2+ax+a-1}$ ← $\frac{0}{0}$꼴이므로 인수분해

$\qquad\qquad\qquad\qquad = \lim\limits_{x \to -1} \dfrac{x+1}{(x+1)(x+a-1)}$

$\qquad\qquad\qquad\qquad = \lim\limits_{x \to -1} \dfrac{1}{x+a-1}=\dfrac{1}{a-2}$

즉 $\dfrac{1}{a-2}=\dfrac{1}{3}$이므로 $a=5$

$a=5$를 ㉠에 대입하면 $b=4$

따라서 $a=5$, $b=4$이므로 $ab=20$

0133

정답 ①

STEP A 극한값이 존재할 조건을 이용하여 b의 값 구하기

$\lim\limits_{x \to 2} \dfrac{x^2-(a+2)x+2a}{x^2-b}=3$에서

$x \to 2$일 때, (분자)→0이고 0이 아닌 극한값이 존재하므로 (분모)→0이어야 한다.

즉 $\lim\limits_{x \to 2}(x^2-b)=4-b=0$에서 $b=4$

STEP B 분자, 분모를 인수분해하고 정리하여 극한값 구하기

$\lim\limits_{x \to 2} \dfrac{x^2-(a+2)x+2a}{x^2-4}=\lim\limits_{x \to 2} \dfrac{(x-2)(x-a)}{(x-2)(x+2)}$

$\qquad\qquad\qquad\qquad = \lim\limits_{x \to 2} \dfrac{x-a}{x+2}$

$\qquad\qquad\qquad\qquad = \dfrac{2-a}{2+2}=3$

$\therefore a=-10$

따라서 $a=-10$, $b=4$이므로 $a+b=-10+4=-6$

내신연계 출제문항 052

$\lim\limits_{x \to 1} \dfrac{x^2-(a+1)x+a}{x^2-bx+9}=3$일 때, 상수 a, b에 대하여 $a+b$의 값은?

① 35 ② 38 ③ 40
④ 42 ⑤ 45

STEP A 극한값이 존재할 조건을 이용하여 b의 값 구하기

$\lim\limits_{x \to 1} \dfrac{x^2-(a+1)x+a}{x^2-bx+9}=3$에서

$x \to 1$일 때, (분자)→0이고 0이 아닌 극한값이 존재하므로 (분모)→0이어야 한다.

즉 $\lim\limits_{x \to 1}(x^2-bx+9)=0$이므로 $1-b+9=0$ $\therefore b=10$

STEP B 분자, 분모를 인수분해하고 정리하여 극한값 구하기

$\lim\limits_{x \to 1} \dfrac{x^2-(a+1)x+a}{x^2-10x+9}=\lim\limits_{x \to 1} \dfrac{(x-1)(x-a)}{(x-1)(x-9)}$

$\qquad\qquad\qquad\qquad = \lim\limits_{x \to 1} \dfrac{x-a}{x-9}=3$

$\dfrac{1-a}{-8}=3$에서 $a=25$

따라서 $a=25$, $b=10$이므로 $a+b=25+10=35$

정답 ①

0134

정답 ②

STEP A 극한값이 존재할 조건을 이용하여 a, b 사이의 관계식 구하기

$x \to 2$일 때, (분모)→0이고 극한값이 존재하므로 (분자)→0이어야 한다.

$\lim\limits_{x \to 2}(x^3-x^2+ax+b)=0$이므로 $8-4+2a+b=0$에서

$b=-4-2a$ ····· ㉠

STEP B 분자를 인수분해하고 정리하여 극한값 구하기

㉠을 주어진 식에 대입하면

$\lim\limits_{x \to 2} \dfrac{x^3-x^2+ax+b}{x-2}=\lim\limits_{x \to 2} \dfrac{x^3-x^2+ax-4-2a}{x-2}$

$\qquad\qquad\qquad\qquad = \lim\limits_{x \to 2} \dfrac{(x-2)(x^2+x+a+2)}{x-2}$

$\qquad\qquad\qquad\qquad = \lim\limits_{x \to 2}(x^2+x+a+2)=8+a$

이때 $8+a=7$이므로 $a=-1$

따라서 ㉠에서 $b=-2$이므로 $a+b=-3$

0135

정답 ①

STEP A 극한값이 존재할 조건을 이용하여 a, b 사이의 관계식 구하기

$\lim\limits_{x \to 2} \dfrac{x^2-ax+b}{x^2-3x+2}=3$에서 $\lim\limits_{x \to 2}(x^2-3x+2)=0$이므로 ← (분모)→0

$\lim\limits_{x \to 2}(x^2-ax+b)=0$이어야 한다. ← (분자)→0

즉 $4-2a+b=0$이므로 $b=2a-4$ ····· ㉠

STEP B 분자를 인수분해하고 정리하여 극한값 구하기

㉠을 주어진 식에 대입하면

$\lim\limits_{x \to 2} \dfrac{x^2-ax+b}{x^2-3x+2}=\lim\limits_{x \to 2} \dfrac{x^2-ax+2a-4}{x^2-3x+2}$

$\qquad\qquad\qquad\qquad = \lim\limits_{x \to 2} \dfrac{(x-2)(x-a+2)}{(x-1)(x-2)}$ ← $\frac{0}{0}$꼴이므로 분자, 분모를 인수분해

$\qquad\qquad\qquad\qquad = \lim\limits_{x \to 2} \dfrac{x-a+2}{x-1}=4-a$

이때 $4-a=3$이므로 $a=1$

㉠에서 $b=-2$

따라서 $a=1$, $b=-2$이므로 $a+b=-1$

$\lim\limits_{x \to 2} \dfrac{x^2+ax-2}{x^2-3x+2}=b$일 때, 상수 a, b에 대하여 $a+b$의 값은?

① -1 ② 0 ③ 1
④ 2 ⑤ 3

STEP **A** 극한값이 존재할 조건을 이용하여 a, b 사이의 관계식 구하기

$\lim\limits_{x \to 2} \dfrac{x^2+ax-2}{x^2-3x+2}=b$에서 $\lim\limits_{x \to 2}(x^2-3x+2)=0$이므로

$\lim\limits_{x \to 2}(x^2+ax-2)=0$이어야 한다.

즉 $4+2a-2=0$이므로 $a=-1$ $\cdots\cdots$ ㉠

STEP **B** 분자를 인수분해하고 정리하여 극한값 구하기

㉠을 주어진 식에 대입하면

$\lim\limits_{x \to 2} \dfrac{x^2-x-2}{x^2-3x+2}=\lim\limits_{x \to 2}\dfrac{(x-2)(x+1)}{(x-1)(x-2)}=\lim\limits_{x \to 2}\dfrac{x+1}{x-1}=3$

따라서 $a=-1$, $b=3$이므로 $a+b=2$ 정답 ④

0136   정답 ④

STEP **A** 극한값이 존재할 조건을 이용하여 a, b 사이의 관계식 구하기

$\lim\limits_{x \to 2} \dfrac{1}{x-2}\left(\dfrac{1}{x+a}-\dfrac{1}{b}\right)=-\dfrac{1}{9}$에서 $\lim\limits_{x \to 2}(x-2)=0$이므로 ← (분모)→ 0

$\lim\limits_{x \to 2}\left(\dfrac{1}{x+a}-\dfrac{1}{b}\right)=0$이어야 한다. ← (분자)→ 0

즉 $\dfrac{1}{2+a}-\dfrac{1}{b}=0$이므로 $b=2+a$ $\cdots\cdots$ ㉠

STEP **B** 분자를 인수분해하고 정리하여 극한값 구하기

㉠을 주어진 식에 대입하면

$\lim\limits_{x \to 2} \dfrac{1}{x-2}\left(\dfrac{1}{x+a}-\dfrac{1}{2+a}\right)=\lim\limits_{x \to 2}\dfrac{1}{x-2}\times\dfrac{(a+2)-(x+a)}{(a+2)(x+a)}$

$=\lim\limits_{x \to 2}\dfrac{1}{x-2}\times\dfrac{-(x-2)}{(a+2)(x+a)}$

$=\lim\limits_{x \to 2}\dfrac{-1}{(a+2)(x+a)}$

$=\dfrac{-1}{(a+2)^2}=-\dfrac{1}{9}$

이때 $(a+2)^2=9$이므로 $a+2=3(\because b=a+2>0)$

따라서 $a=1$, $b=3(\because ㉠)$이므로 $a+b=4$

0137   정답 ③

STEP **A** (분모)→ 0이고 극한값이 존재하면 (분자)→ 0임을 이용하여 a의 값 구하기

$\lim\limits_{x \to 1} \dfrac{\sqrt{x+a}-2}{x-1}=b$에서 $\lim\limits_{x \to 1}(x-1)=0$이므로 ← (분모)→ 0

$\lim\limits_{x \to 1}(\sqrt{x+a}-2)=0$이어야 한다. ← (분자)→ 0

즉 $\sqrt{1+a}-2=0$이므로 $a=3$ $\cdots\cdots$ ㉠

STEP **B** ab의 값 구하기

㉠을 $\lim\limits_{x \to 1} \dfrac{\sqrt{x+a}-2}{x-1}=b$에 대입하면

$\lim\limits_{x \to 1} \dfrac{\sqrt{x+3}-2}{x-1}=\lim\limits_{x \to 1}\dfrac{(\sqrt{x+3}-2)(\sqrt{x+3}+2)}{(x-1)(\sqrt{x+3}+2)}$ ← $\dfrac{0}{0}$꼴이므로 분자를 유리화

$=\lim\limits_{x \to 1}\dfrac{x-1}{(x-1)(\sqrt{x+3}+2)}=\lim\limits_{x \to 1}\dfrac{1}{\sqrt{x+3}+2}=\dfrac{1}{4}$

즉 $b=\dfrac{1}{4}$

따라서 $a=3$, $b=\dfrac{1}{4}$이므로 $ab=\dfrac{3}{4}$

$\lim\limits_{x \to 4} \dfrac{a\sqrt{x+5}+b}{x-4}=\dfrac{1}{6}$가 성립할 때, 상수 a, b에 대하여 $a+b$의 값은?

① -4 ② -3 ③ -2
④ -1 ⑤ 0

STEP **A** 극한값이 존재할 조건을 이용하여 a, b의 관계식 구하기

$\lim\limits_{x \to 4} \dfrac{a\sqrt{x+5}+b}{x-4}=\dfrac{1}{6}$의 값이 존재하고 $\lim\limits_{x \to 4}(x-4)=0$이므로 ← (분모)→ 0

$\lim\limits_{x \to 4}(a\sqrt{x+5})+b=0$이어야 한다. ← (분자)→ 0

즉 $3a+b=0$이므로 $b=-3a$ $\cdots\cdots$ ㉠

STEP **B** 분자를 유리화하여 극한값 구하기

㉠을 주어진 등식의 좌변에 대입하면

$\lim\limits_{x \to 4} \dfrac{a\sqrt{x+5}+b}{x-4}=\lim\limits_{x \to 4}\dfrac{a\sqrt{x+5}-3a}{x-4}$

$=\lim\limits_{x \to 4}\dfrac{a(\sqrt{x+5}-3)(\sqrt{x+5}+3)}{(x-4)(\sqrt{x+5}+3)}$ ← $\dfrac{0}{0}$꼴이므로 분자를 유리화

$=\lim\limits_{x \to 4}\dfrac{a(x-4)}{(x-4)(\sqrt{x+5}+3)}$

$=\lim\limits_{x \to 4}\dfrac{a}{\sqrt{x+5}+3}=\dfrac{a}{6}$

이므로 $\dfrac{a}{6}=\dfrac{1}{6}$ ∴ $a=1$

㉠에서 $b=-3a$이므로 $b=-3$

따라서 $a=1$, $b=-3$이므로 $a+b=-2$ 정답 ③

0138   정답 ④

STEP **A** 극한값이 존재할 조건을 이용하여 a, b의 관계식 구하기

$\lim\limits_{x \to 3} \dfrac{\sqrt{x+a}-b}{x-3}$의 값이 존재하고 $\lim\limits_{x \to 3}(x-3)=0$이므로 ← (분모)→ 0

$\lim\limits_{x \to 3}(\sqrt{x+a}-b)=0$이어야 한다. ← (분자)→ 0

즉 $\sqrt{3+a}-b=0$이므로 $b=\sqrt{a+3}$ $\cdots\cdots$ ㉠

STEP **B** 분자를 유리화하여 극한값 구하기

㉠을 주어진 등식에 대입하면

$\lim\limits_{x \to 3} \dfrac{\sqrt{x+a}-\sqrt{a+3}}{x-3}$

$=\lim\limits_{x \to 3}\dfrac{(\sqrt{x+a}-\sqrt{a+3})(\sqrt{x+a}+\sqrt{a+3})}{(x-3)(\sqrt{x+a}+\sqrt{a+3})}$ ← $\dfrac{0}{0}$꼴이므로 분자를 유리화

$=\lim\limits_{x \to 3}\dfrac{x-3}{(x-3)(\sqrt{x+a}+\sqrt{a+3})}$

$=\lim\limits_{x \to 3}\dfrac{1}{\sqrt{x+a}+\sqrt{a+3}}$

$=\dfrac{1}{2\sqrt{a+3}}$

즉 $\dfrac{1}{2\sqrt{a+3}}=\dfrac{1}{2}$이므로 $\sqrt{a+3}=1$

∴ $a=-2$

$a=-2$를 ㉠에 대입하면 $b=1$

따라서 $a=-2$, $b=1$이므로 $a+b=-1$

$\lim\limits_{x \to 2} \dfrac{\sqrt{x+a}+b}{x-2}=\dfrac{1}{4}$ 가 성립할 때 상수 a, b에 대하여 $a+b$의 값은?

① 0　　　　② 1　　　　③ 2
④ 3　　　　⑤ 4

STEP Ⓐ 극한값이 존재할 조건을 이용하여 a, b의 관계식 구하기

$\lim\limits_{x \to 2} \dfrac{\sqrt{x+a}+b}{x-2}=\dfrac{1}{4}$ 이고 $\lim\limits_{x \to 2}(x-2)=0$ 이므로 　← (분모)→0

$\lim\limits_{x \to 2}(\sqrt{x+a}+b)=0$ 이어야 한다. 　← (분자)→0

즉 $\sqrt{2+a}+b=0$ 이므로　$b=-\sqrt{2+a}$ 　……㉠

STEP Ⓑ 분자를 유리화하여 극한값 구하기

㉠을 주어진 등식의 좌변에 대입하면

$\lim\limits_{x \to 2} \dfrac{\sqrt{x+a}+b}{x-2}=\lim\limits_{x \to 2} \dfrac{\sqrt{x+a}-\sqrt{2+a}}{x-2}$ 　←$\dfrac{0}{0}$꼴이므로 분자를 유리화

$\qquad =\lim\limits_{x \to 2} \dfrac{(\sqrt{x+a}-\sqrt{2+a})(\sqrt{x+a}+\sqrt{2+a})}{(x-2)(\sqrt{x+a}+\sqrt{2+a})}$

$\qquad =\lim\limits_{x \to 2} \dfrac{(x-2)}{(x-2)(\sqrt{x+a}+\sqrt{2+a})}$

$\qquad =\lim\limits_{x \to 2} \dfrac{1}{\sqrt{x+a}+\sqrt{2+a}}$

$\qquad =\dfrac{1}{2\sqrt{2+a}}$

이때 $\dfrac{1}{2\sqrt{2+a}}=\dfrac{1}{4}$ 이므로 $a=2$

㉠에서 $b=-2$

따라서 $a=2$, $b=-2$이므로 $a+b=0$ 　 정답 ①

0139

정답 ①

STEP Ⓐ 극한값이 존재할 조건을 이용하여 a, b 사이의 관계식 구하기

$\lim\limits_{x \to 3} \dfrac{\sqrt{x+a}-b}{x-3}=\dfrac{1}{4}$ 에서

$x \to 3$일 때, (분모)→0이고 극한값이 존재하므로 (분자)→0이어야 한다.

$\lim\limits_{x \to 3}(\sqrt{x+a}-b)=0$이므로 $\sqrt{3+a}-b=0$

$\therefore b=\sqrt{3+a}$ 　……㉠

STEP Ⓑ 분자를 유리화하고 정리하여 극한값 구하기

㉠을 주어진 식에 대입하면

$\lim\limits_{x \to 3} \dfrac{\sqrt{x+a}-\sqrt{3+a}}{x-3}=\lim\limits_{x \to 3} \dfrac{(\sqrt{x+a}-\sqrt{3+a})(\sqrt{x+a}+\sqrt{3+a})}{(x-3)(\sqrt{x+a}+\sqrt{3+a})}$

$\qquad =\lim\limits_{x \to 3} \dfrac{x-3}{(x-3)(\sqrt{x+a}+\sqrt{3+a})}$

$\qquad =\lim\limits_{x \to 3} \dfrac{1}{\sqrt{x+a}+\sqrt{3+a}}$

$\qquad =\dfrac{1}{2\sqrt{3+a}}=\dfrac{1}{4}$

$\sqrt{3+a}=2$, $3+a=4$

$\therefore a=1$

㉠에 대입하면 $b=\sqrt{3+1}=2$

따라서 $a=1$, $b=2$이므로 $a+b=3$

0140

정답 ②

STEP Ⓐ 극한값이 존재할 조건을 이용하여 a, b 사이의 관계식 구하기

$\lim\limits_{x \to 2} \dfrac{ax+b}{\sqrt{x+2}-2}=2$에서

$x \to 2$일 때, (분모)→0이고 극한값이 존재하므로 (분자)→0이어야 한다.

$\lim\limits_{x \to 2}(ax+b)=0$이므로 $2a+b=0$

$\therefore b=-2a$ 　……㉠

STEP Ⓑ 분모를 유리화하고 정리하여 극한값 구하기

㉠을 주어진 등식의 좌변에 대입하면

$\lim\limits_{x \to 2} \dfrac{ax+b}{\sqrt{x+2}-2}=\lim\limits_{x \to 2} \dfrac{ax-2a}{\sqrt{x+2}-2}$

$\qquad =\lim\limits_{x \to 2} \dfrac{a(x-2)(\sqrt{x+2}+2)}{(\sqrt{x+2}-2)(\sqrt{x+2}+2)}$

$\qquad =\lim\limits_{x \to 2} \dfrac{a(x-2)(\sqrt{x+2}+2)}{x-2}$

$\qquad =\lim\limits_{x \to 2} a(\sqrt{x+2}+2)=4a$

이때 $4a=2$이므로 $a=\dfrac{1}{2}$

㉠에서 $b=-1$

따라서 $a+b=\dfrac{1}{2}+(-1)=-\dfrac{1}{2}$

0141

정답 ⑤

STEP Ⓐ 극한값이 존재할 조건을 이용하여 a, b의 관계식 구하기

$\lim\limits_{x \to 2} \dfrac{\sqrt{x^2+a}+b}{x-2}=\dfrac{2}{3}$ 의 값이 존재하고 $\lim\limits_{x \to 2}(x-2)=0$이므로 　← (분모)→0

$\lim\limits_{x \to 2}(\sqrt{x^2+a}+b)=0$이어야 한다. 　← (분자)→0

즉 $\sqrt{4+a}+b=0$이므로 $b=-\sqrt{4+a}$ 　……㉠

STEP Ⓑ 분자를 유리화하여 극한값 구하기

㉠을 주어진 등식에 대입하면

$\lim\limits_{x \to 2} \dfrac{\sqrt{x^2+a}-\sqrt{4+a}}{x-2}=\lim\limits_{x \to 2} \dfrac{(\sqrt{x^2+a}-\sqrt{4+a})(\sqrt{x^2+a}+\sqrt{4+a})}{(x-2)(\sqrt{x^2+a}+\sqrt{4+a})}$

$\qquad =\lim\limits_{x \to 2} \dfrac{x^2-4}{(x-2)(\sqrt{x^2+a}+\sqrt{4+a})}$

$\qquad =\lim\limits_{x \to 2} \dfrac{x+2}{\sqrt{x^2+a}+\sqrt{4+a}}$

$\qquad =\dfrac{2}{\sqrt{4+a}}=\dfrac{2}{3}$

이므로 $\sqrt{4+a}=3$에서 $a=5$, $b=-3$

따라서 $a+b=2$

0142

정답 ③

STEP Ⓐ 극한값이 존재할 조건을 이용하여 a, b 사이의 관계식 구하기

$\lim\limits_{x \to 2} \dfrac{x-2}{\sqrt{2x+a}+b}=3$ 에서

$x \to 2$일 때, (분자)$\to 0$이고 0아닌 극한값이 존재하므로 (분모)$\to 0$이어야 한다.

즉 $\lim\limits_{x \to 2}(\sqrt{2x+a}+b)=0$이므로 $\sqrt{4+a}+b=0$

$\therefore b=-\sqrt{4+a}$　　　　……㉠

STEP Ⓑ 분모를 유리화하고 정리하여 극한값 구하기

㉠을 주어진 등식의 좌변에 대입하면

$$\lim\limits_{x \to 2} \dfrac{x-2}{\sqrt{2x+a}+b}=\lim\limits_{x \to 2} \dfrac{x-2}{\sqrt{2x+a}-\sqrt{4+a}}$$
$$=\lim\limits_{x \to 2} \dfrac{(x-2)(\sqrt{2x+a}+\sqrt{4+a})}{(\sqrt{2x+a}-\sqrt{4+a})(\sqrt{2x+a}+\sqrt{4+a})}$$
$$=\lim\limits_{x \to 2} \dfrac{(x-2)(\sqrt{2x+a}+\sqrt{4+a})}{2(x-2)}$$
$$=\lim\limits_{x \to 2} \dfrac{\sqrt{2x+a}+\sqrt{4+a}}{2}$$
$$=\sqrt{4+a}$$

$\sqrt{4+a}=3$이므로 $a=5$

㉠에 대입하면 $b=-\sqrt{4+5}=-3$

따라서 $a=5$, $b=-3$이므로 $ab=-15$

내/신/연/계/ 출제문항 056

$\lim\limits_{x \to 3} \dfrac{\sqrt{x^2+16}-5}{ax+b}=\dfrac{3}{5}$일 때, 상수 a, b에 대하여 $a+b$의 값은?

① -4　　　　② -2　　　　③ -1

④ 2　　　　⑤ 4

STEP Ⓐ 극한값이 존재할 조건을 이용하여 a, b 사이의 관계식 구하기

$\lim\limits_{x \to 3} \dfrac{\sqrt{x^2+16}-5}{ax+b}=\dfrac{3}{5}$ 에서

$x \to 3$일 때, (분자)$\to 0$이고 0아닌 극한값이 존재하므로(분모)$\to 0$이어야 한다.

즉 $\lim\limits_{x \to 3}(ax+b)=0$이므로 $3a+b=0$

$\therefore b=-3a$　　　　……㉠

STEP Ⓑ 분모를 유리화하고 정리하여 극한값 구하기

㉠을 주어진 등식의 좌변에 대입하면

$$\lim\limits_{x \to 3} \dfrac{\sqrt{x^2+16}-5}{ax-3a}=\lim\limits_{x \to 3} \dfrac{(\sqrt{x^2+16}-5)(\sqrt{x^2+16}+5)}{a(x-3)(\sqrt{x^2+16}+5)}$$
$$=\lim\limits_{x \to 3} \dfrac{x^2-9}{a(x-3)(\sqrt{x^2+16}+5)}$$
$$=\lim\limits_{x \to 3} \dfrac{(x-3)(x+3)}{a(x-3)(\sqrt{x^2+16}+5)}$$
$$=\dfrac{6}{10a}=\dfrac{3}{5a}$$

$\dfrac{3}{5a}=\dfrac{3}{5}$이므로 $a=1$

㉠에서 $b=-3a$이므로 $b=-3$

따라서 $a+b=1+(-3)=-2$　　　　정답 ②

0143

정답 ③

STEP Ⓐ $f(x)$의 이차항의 계수를 a로 두고 극한값 구하기

$f(x)=a(x-2)(x+2) \ (a>0)$로 놓으면

$$\lim\limits_{x \to -2} \dfrac{f(x)}{x+2}=\lim\limits_{x \to -2} \dfrac{a(x-2)(x+2)}{x+2}$$
$$=\lim\limits_{x \to -2} a(x-2)$$
$$=-4a=-8$$

$\therefore a=2$

STEP Ⓑ a를 대입하여 주어진 식의 값 구하기

따라서 $f(x)=2(x-2)(x+2)$이므로 $\lim\limits_{x \to 2} \dfrac{f(x)}{x-2}=\lim\limits_{x \to 2} 2(x+2)=8$

내/신/연/계/ 출제문항 057

이차항의 계수가 1인 이차함수 $f(x)$에 대하여

$$\lim\limits_{x \to 3} \dfrac{f(x)}{x-3}=4$$

일 때, $f(2)$의 값은?

① -4　　　　② -3　　　　③ -2

④ 3　　　　⑤ 4

STEP Ⓐ 극한값이 존재할 조건을 이용하여 a, b 사이의 관계식 구하기

$f(x)=x^2+ax+b$ (단, a, b는 상수)로 놓으면

$\lim\limits_{x \to 3} \dfrac{x^2+ax+b}{x-3}=4$에서

$x \to 3$일 때, (분모)$\to 0$이고 극한값이 존재하므로 (분자)$\to 0$이어야 한다.

즉 $\lim\limits_{x \to 3}(x^2+ax+b)=0$이므로 $9+3a+b=0$

$\therefore b=-3a-9$　　　　……㉠

STEP Ⓑ 분자를 인수분해하고 정리하여 극한값 구하기

㉠을 주어진 등식의 좌변에 대입하면

$$\lim\limits_{x \to 3} \dfrac{x^2+ax+b}{x-3}=\lim\limits_{x \to 3} \dfrac{x^2+ax-3a-9}{x-3}$$
$$=\lim\limits_{x \to 3} \dfrac{(x-3)(x+a+3)}{x-3}$$
$$=3+a+3=6+a=4$$

$\therefore a=-2$

$a=-2$를 ㉠에 대입하면 $b=-3$

STEP Ⓒ $f(2)$의 값 구하기

따라서 $f(x)=x^2-2x-3$이므로 $f(2)=-3$　　　　정답 ②

0144

STEP Ⓐ 극한값이 존재할 조건을 이용하여 a, b의 값 구하기

$\lim\limits_{x \to 3} \dfrac{x^2+ax+3}{x-3}=2$에서

$x \to 3$일 때, (분모)$\to 0$이고 극한값이 존재하므로 (분자)$\to 0$이어야 한다.

즉 $\lim\limits_{x \to 3}(x^2+ax+3)=0$이므로 $9+3a+3=0$

$\therefore a=-4$

$\lim\limits_{x \to 1} \dfrac{x^2-1}{x^2+2x+b}=\dfrac{1}{2}$에서

$x \to 1$일 때, (분자)$\to 0$이고 0이 아닌 극한값이 존재하므로 (분모)$\to 0$이어야 한다.

즉 $\lim\limits_{x \to 1}(x^2+2x+b)=0$이므로 $1+2+b=0$

$\therefore b=-3$

STEP Ⓑ a, b를 대입하고 분모, 분자를 x^2으로 나누어 극한값 구하기

따라서 $\lim\limits_{x \to \infty} \dfrac{3ax^2-x+2}{bx^2+2x+1}=\lim\limits_{x \to \infty} \dfrac{-12x^2-x+2}{-3x^2+2x+1}$

$=\lim\limits_{x \to \infty} \dfrac{-12-\dfrac{1}{x}+\dfrac{2}{x^2}}{-3+\dfrac{2}{x}+\dfrac{1}{x^2}}$

$=4$

내신연계 출제문항 058

$\lim\limits_{x \to 2} \dfrac{x-2}{1-\sqrt{a-x^2}}=b$에서 b가 0이 아닌 실수일 때,

$\lim\limits_{x \to 1} \dfrac{x^2-6x+a}{2x^2-3x+2b}$의 값은? (단, a는 상수)

① -4 ② -2 ③ -1
④ 2 ⑤ 4

STEP Ⓐ 극한값이 존재할 조건을 이용하여 a, b의 값 구하기

$\lim\limits_{x \to 2} \dfrac{x-2}{1-\sqrt{a-x^2}}=b \neq 0$에서

$x \to 2$일 때, (분자)$\to 0$이고 0이 아닌 극한값이 존재하므로 (분모)$\to 0$이어야 한다.

즉 $\lim\limits_{x \to 2}(1-\sqrt{a-x^2})=0$이므로 $1-\sqrt{a-4}=0$, $1=\sqrt{a-4}$

$\therefore a=5$ …… ㉠

㉠을 주어진 등식의 좌변에 대입하면

$\lim\limits_{x \to 2} \dfrac{x-2}{1-\sqrt{5-x^2}}=\lim\limits_{x \to 2} \dfrac{(x-2)(1+\sqrt{5-x^2})}{(x+2)(x-2)}$

$=\lim\limits_{x \to 2} \dfrac{1+\sqrt{5-x^2}}{x+2}$

$=\dfrac{1}{2}=b$

$\therefore a=5, b=\dfrac{1}{2}$

STEP Ⓑ 극한값 구하기

따라서 $\lim\limits_{x \to 1} \dfrac{x^2-6x+a}{2x^2-3x+2b}=\lim\limits_{x \to 1} \dfrac{x^2-6x+5}{2x^2-3x+1}$

$=\lim\limits_{x \to 1} \dfrac{(x-1)(x-5)}{(2x-1)(x-1)}$

$=\lim\limits_{x \to 1} \dfrac{x-5}{2x-1}$

$=-4$

0145

STEP Ⓐ 극한값이 존재할 조건을 이용하여 a, b 사이의 관계식 구하기

$\lim\limits_{x \to 1} \dfrac{2a\sqrt{x}-b}{x-1}=1$에서

$x \to 1$일 때, (분모)$\to 0$이고 극한값이 존재하므로 (분자)$\to 0$이어야 한다.

즉 $\lim\limits_{x \to 1}(2a\sqrt{x}-b)=0$이므로 $2a-b=0$

$\therefore b=2a$ …… ㉠

STEP Ⓑ 분모를 인수분해하고 정리하여 극한값 구하기

$\lim\limits_{x \to 1} \dfrac{2a\sqrt{x}-b}{x-1}=\lim\limits_{x \to 1} \dfrac{2a(\sqrt{x}-1)}{x-1}$

$=\lim\limits_{x \to 1} \dfrac{2a(\sqrt{x}-1)}{(\sqrt{x}-1)(\sqrt{x}+1)}$

$=\lim\limits_{x \to 1} \dfrac{2a}{\sqrt{x}+1}$

$=\dfrac{2a}{2}=a$

즉 $a=1$이므로 ㉠에서 $b=2$

STEP Ⓒ 구한 a, b의 값을 대입하고 분모를 유리화하여 극한값 구하기

따라서 $\lim\limits_{x \to \infty} \dfrac{b}{\sqrt{ax^2+2x}-x}=\lim\limits_{x \to \infty} \dfrac{2}{\sqrt{x^2+2x}-x}$

$=\lim\limits_{x \to \infty} \dfrac{2(\sqrt{x^2+2x}+x)}{2x}$

$=\lim\limits_{x \to \infty} \dfrac{\sqrt{1+\dfrac{2}{x}}+1}{1}$

$=2$

0146

STEP Ⓐ 주어진 식을 유리화하고 분자, 분모를 x로 나누어 극한값 구하기

$\lim\limits_{x \to \infty}(\sqrt{x^2+ax}-\sqrt{x^2-ax})=\lim\limits_{x \to \infty} \dfrac{(x^2+ax)-(x^2-ax)}{\sqrt{x^2+ax}+\sqrt{x^2-ax}}$

$=\lim\limits_{x \to \infty} \dfrac{2ax}{\sqrt{x^2+ax}+\sqrt{x^2-ax}}$

$=\lim\limits_{x \to \infty} \dfrac{2a}{\sqrt{1+\dfrac{a}{x}}+\sqrt{1-\dfrac{a}{x}}}$

$=a$

따라서 $a=3$

내신연계 출제문항 059

$\lim\limits_{x \to \infty}(\sqrt{x^2+ax}-\sqrt{x^2-ax})=6$일 때, 상수 a의 값은?

① 2 ② 3 ③ 4
④ 5 ⑤ 6

STEP Ⓐ 주어진 식을 유리화하고 분자, 분모를 x로 나누어 극한값 구하기

$\lim\limits_{x \to \infty}(\sqrt{x^2+ax}-\sqrt{x^2-ax})=\lim\limits_{x \to \infty} \dfrac{2ax}{\sqrt{x^2+ax}+\sqrt{x^2-ax}}$

$=\lim\limits_{x \to \infty} \dfrac{2a}{\sqrt{1+\dfrac{a}{x}}+\sqrt{1-\dfrac{a}{x}}}$

$=a$

따라서 $a=6$

0147

정답 ①

STEP A 주어진 식을 유리화하고 분자, 분모를 x로 나누어 극한값 구하기

$$\lim_{x \to \infty}(x+a-\sqrt{x^2+x+1}) = \lim_{x \to \infty}\frac{(x+a)^2-(x^2+x+1)}{x+a+\sqrt{x^2+x+1}}$$

$$= \lim_{x \to \infty}\frac{(2a-1)x+a^2-1}{x+a+\sqrt{x^2+x+1}}$$

$$= \lim_{x \to \infty}\frac{2a-1+\dfrac{a^2-1}{x}}{1+\dfrac{a}{x}+\sqrt{1+\dfrac{1}{x}+\dfrac{1}{x^2}}}$$

$$= \frac{2a-1}{2}=0$$

따라서 $a=\dfrac{1}{2}$

0148

정답 ④

STEP A 주어진 식을 유리화하고 분자, 분모를 x로 나누어 식 정리하기

$$\lim_{x \to -\infty}(\sqrt{ax^2+bx}+x) = \lim_{x \to -\infty}\frac{(\sqrt{ax^2+bx}+x)(\sqrt{ax^2+bx}-x)}{\sqrt{ax^2+bx}-x}$$

$$= \lim_{x \to -\infty}\frac{(a-1)x^2+bx}{\sqrt{ax^2+bx}-x}$$

$$= \lim_{x \to -\infty}\frac{(a-1)x+b}{-\sqrt{a+\dfrac{b}{x}}-1}$$

STEP B 극한값을 가질 조건을 이용하여 a의 값 구하기

이때 극한값을 가지므로 $a-1=0$
$\therefore a=1$

STEP C a의 값을 대입하여 b의 값 구하기

$$\lim_{x \to -\infty}\frac{b}{-\sqrt{1+\dfrac{b}{x}}-1}=-\frac{b}{2}=-1$$이므로 $b=2$

따라서 $a=1$, $b=2$이므로 $a+b=3$

0149

정답 ④

STEP A a의 범위 구하기

$a \leq 0$이면 $\lim_{x \to -\infty}(\sqrt{x^2+1}+ax)=\infty$이므로 $a>0$이어야 한다.

STEP B $x=-t$로 치환하고 유리화한 후, 분자와 분모를 t로 나누어 정리하기

$x=-t$로 놓으면 $x \to -\infty$일 때, $t \to \infty$이므로

$$\lim_{t \to \infty}(\sqrt{t^2+1}-at) = \lim_{t \to \infty}\frac{(\sqrt{t^2+1}-at)(\sqrt{t^2+1}+at)}{\sqrt{t^2+1}+at}$$

$$= \lim_{t \to \infty}\frac{1+t^2-a^2t^2}{\sqrt{t^2+1}+at}$$

$$= \lim_{t \to \infty}\frac{\dfrac{1}{t}+(1-a^2)t}{\sqrt{1+\dfrac{1}{t^2}}+a} \quad \cdots\cdots \ ㉠$$

STEP C 극한값이 존재할 조건을 이용하여 a, b의 값 구하기

㉠이 극한값이 존재하려면 $1-a^2=0$
$\therefore a=1 (\because a>0)$
따라서 극한값 $b=0$이므로 $a+b=1$

상수 a, b에 대하여

$$\lim_{x \to -\infty}(\sqrt{ax^2+2x}+2x)=b$$

을 만족할 때, ab의 값은?

① -2 ② -1 ③ $-\dfrac{1}{2}$
④ 2 ⑤ 4

STEP A $x=-t$로 치환하고 유리화한 후 분자와 분모를 t로 나누어 정리하기

$x=-t$로 놓으면 $x \to -\infty$일 때, $t \to \infty$이므로

$$\lim_{x \to -\infty}(\sqrt{ax^2+2x}+2x) = \lim_{t \to \infty}(\sqrt{at^2-2t}-2t)$$

$$= \lim_{t \to \infty}\frac{(\sqrt{at^2-2t}-2t)(\sqrt{at^2-2t}+2t)}{\sqrt{at^2-2t}+2t}$$

$$= \lim_{t \to \infty}\frac{at^2-2t-4t^2}{\sqrt{at^2-2t}+2t}$$

$$= \lim_{t \to \infty}\frac{(a-4)t^2-2t}{\sqrt{at^2-2t}+2t} \quad \cdots\cdots \ ㉠$$

STEP B $\dfrac{\infty}{\infty}$ 꼴이 극한값이 존재함을 이용하여 a 구하기

이때 극한값이 존재하고
$t \to \infty$일 때, (분모)$\to \infty$이고 (분자)$\to \infty$이므로 분모와 분자의 차수가 같다.
즉 $(a-4)t^2-2t$가 일차식이어야 하므로 $a-4=0$
$\therefore a=4$
㉠에 $a=4$를 대입하여 정리하면

$$\lim_{t \to \infty}\frac{-2t}{\sqrt{4t^2-2t}+2t} = \lim_{t \to \infty}\frac{-2}{\sqrt{4-\dfrac{2}{t}}+2}$$

$$= \frac{-2}{2+2}=-\frac{1}{2}$$

$\therefore b=-\dfrac{1}{2}$

따라서 $ab=4 \cdot \left(-\dfrac{1}{2}\right)=-2$

정답 ①

0150

정답 ①

STEP A 분자를 인수분해하고 정리하여 극한값 구하기

$$\lim_{x \to a}\frac{x^2-a^2}{x-a} = \lim_{x \to a}\frac{(x-a)(x+a)}{x-a}$$

$$= \lim_{x \to a}(x+a)=2a=2$$

$\therefore a=1$

STEP B 유리화하고 분자, 분모를 x로 나누어 극한값 구하기

$$\lim_{x \to \infty}(\sqrt{x^2+ax}-\sqrt{x^2+bx}) = \lim_{x \to \infty}(\sqrt{x^2+x}-\sqrt{x^2+bx})$$

$$= \lim_{x \to \infty}\frac{(x^2+x)-(x^2+bx)}{\sqrt{x^2+x}+\sqrt{x^2+bx}}$$

$$= \lim_{x \to \infty}\frac{(1-b)x}{\sqrt{x^2+x}+\sqrt{x^2+bx}}$$

$$= \lim_{x \to \infty}\frac{1-b}{\sqrt{1+\dfrac{1}{x}}+\sqrt{1+\dfrac{b}{x}}}$$

$$= \frac{1-b}{2}=8$$

$\therefore b=-15$

따라서 $a=1$, $b=-15$이므로 $a+b=1+(-15)=-14$

상수 a, b에 대하여

$$\lim_{x \to a} \frac{x^2 - a^2}{x - a} = 10 \text{이고} \lim_{x \to \infty}(\sqrt{x^2 + ax} - \sqrt{x^2 + bx}) = 2$$

일 때, $a + b$의 값은?

① 1 　　　　② 3 　　　　③ 4

④ 5 　　　　⑤ 6

STEP A 분자를 인수분해하고 정리하여 극한값 구하기

$$\lim_{x \to a} \frac{x^2 - a^2}{x - a} = \lim_{x \to a} \frac{(x+a)(x-a)}{x-a} = \lim_{x \to a}(x+a) = 2a = 10$$

$$\therefore a = 5$$

STEP B 유리화하고 분자, 분모를 x로 나누어 극한값 구하기

$$\lim_{x \to \infty}(\sqrt{x^2 + ax} - \sqrt{x^2 + bx}) = \lim_{x \to \infty}(\sqrt{x^2 + 5x} - \sqrt{x^2 + bx})$$

$$= \lim_{x \to \infty} \frac{(5-b)x}{\sqrt{x^2 + 5x} + \sqrt{x^2 + bx}}$$

$$= \lim_{x \to \infty} \frac{5-b}{\sqrt{1 + \dfrac{5}{x}} + \sqrt{1 + \dfrac{b}{x}}}$$

$$= \frac{5-b}{2} = 2$$

$$\therefore b = 1$$

따라서 $a = 5$, $b = 1$이므로 $a + b = 5 + 1 = 6$　　　　정답 ⑤

0151　　　　정답 ①

STEP A 분자를 인수분해하고 약분하여 극한값 구하기

$$\lim_{x \to a} \frac{x^3 - a^3}{x^2 - a^2} = \lim_{x \to a} \frac{(x-a)(x^2 + ax + a^2)}{(x-a)(x+a)}$$

$$= \lim_{x \to a} \frac{x^2 + ax + a^2}{x+a} = \frac{3a^2}{2a} = \frac{3}{2}a = 6$$

$$\therefore a = 4$$

STEP B 유리화하고 분자, 분모를 x로 나누어 극한값 구하기

$$\lim_{x \to \infty}(\sqrt{x^2 + ax} - \sqrt{x^2 + bx}) = \lim_{x \to \infty}(\sqrt{x^2 + 4x} - \sqrt{x^2 + bx})$$

$$= \lim_{x \to \infty} \frac{(x^2 + 4x) - (x^2 + bx)}{\sqrt{x^2 + 4x} + \sqrt{x^2 + bx}}$$

$$= \lim_{x \to \infty} \frac{(4-b)x}{\sqrt{x^2 + 4x} + \sqrt{x^2 + bx}}$$

$$= \lim_{x \to \infty} \frac{4-b}{\sqrt{1 + \dfrac{4}{x}} + \sqrt{1 + \dfrac{b}{x}}}$$

$$= \frac{4-b}{2} = 5$$

$$\therefore b = -6$$

따라서 $a = 4$, $b = -6$이므로 $a + b = 4 + (-6) = -2$

0152　　　　정답 ③

STEP A 분모, 분자를 유리화한 후 $\sqrt{x}$로 나누어 극한값 구하기

분모, 분자에 서로 무리수가 있으므로 유리화를 시키면

$$\lim_{x \to \infty} \frac{\sqrt{x + a^2} - \sqrt{x + b^2}}{\sqrt{9x + a} - \sqrt{9x + b}} = \lim_{x \to \infty} \frac{(a^2 - b^2)(\sqrt{9x + a} + \sqrt{9x + b})}{(a-b)(\sqrt{x + a^2} + \sqrt{x + b^2})}$$

$$= \lim_{x \to \infty} \left\{ (a+b) \cdot \frac{\sqrt{9 + \dfrac{a}{x}} + \sqrt{9 + \dfrac{b}{x}}}{\sqrt{1 + \dfrac{a^2}{x}} + \sqrt{1 + \dfrac{b^2}{x}}} \right\}$$

$$= 2 \cdot \frac{3+3}{1+1} = 6$$

서로 다른 두 실수 α, β에 대하여 $\alpha + \beta = 1$일 때,

$$\lim_{x \to \infty} \frac{\sqrt{x + \alpha^2} - \sqrt{x + \beta^2}}{\sqrt{4x + \alpha} - \sqrt{4x + \beta}} \text{의 값은?}$$

① 1 　　　　② $\dfrac{1}{2}$ 　　　　③ 2

④ $\dfrac{1}{4}$ 　　　　⑤ 4

STEP A 분모, 분자를 유리화한 후 $\sqrt{x}$로 나누어 극한값 구하기

분모, 분자에 서로 무리수가 있으므로 유리화를 시키면

$$\lim_{x \to \infty} \frac{\sqrt{x + \alpha^2} - \sqrt{x + \beta^2}}{\sqrt{4x + \alpha} - \sqrt{4x + \beta}} = \lim_{x \to \infty} \frac{(\alpha^2 - \beta^2)(\sqrt{4x + \alpha} + \sqrt{4x + \beta})}{(\alpha - \beta)(\sqrt{x + \alpha^2} + \sqrt{x + \beta^2})}$$

$$= \lim_{x \to \infty}(\alpha + \beta) \frac{\sqrt{4 + \dfrac{\alpha}{x}} + \sqrt{4 + \dfrac{\beta}{x}}}{\sqrt{1 + \dfrac{\alpha^2}{x}} + \sqrt{1 + \dfrac{\beta^2}{x}}}$$

$$= \frac{(\alpha + \beta)(\sqrt{4} + \sqrt{4})}{\sqrt{1} + \sqrt{1}}$$

$$= \frac{1 \cdot 4}{2} = 2$$　　　　정답 ③

0153　　　　정답 ④

STEP A (분모)$\to 0$이고 극한값이 존재하므로 (분자)$\to 0$이어야 함을 이용하여 삼차함수 $f(x)$의 식 작성하기

$$\lim_{x \to -1} \frac{f(x)}{x+1} = -3 \text{에서}$$

$x \to -1$일 때, (분모)$\to 0$이고 극한값이 존재하므로 (분자)$\to 0$이어야 한다.

즉 $\lim_{x \to -1} f(x) = 0$이므로 $f(-1) = 0$　　　　…… ㉠

$$\lim_{x \to 2} \frac{f(x)}{x-2} = -6 \text{에서}$$

$x \to 2$일 때, (분모)$\to 0$이고 극한값이 존재하므로 (분자)$\to 0$이어야 한다.

즉 $\lim_{x \to 2} f(x) = 0$이므로 $f(2) = 0$　　　　…… ㉡

㉠, ㉡에서 삼차함수 $f(x)$는 $(x+1)(x-2)$를 인수로 갖는다.

$f(x) = (x+1)(x-2)(ax+b)$ ($a \ne 0$, a, b는 상수)로 놓을 수 있다.

STEP B $\dfrac{0}{0}$꼴의 극한을 이용하여 삼차함수 $f(x)$ 구하기

$$\lim_{x \to -1} \frac{f(x)}{x+1} = \lim_{x \to -1} \frac{(x+1)(x-2)(ax+b)}{x+1}$$

$$= \lim_{x \to -1}(x-2)(ax+b)$$

$$= -3(-a+b) = -3$$

$$\therefore -a+b = 1 \qquad \text{…… ㉢}$$

$$\lim_{x \to 2} \frac{f(x)}{x-2} = \lim_{x \to 2} \frac{(x+1)(x-2)(ax+b)}{x-2}$$

$$= \lim_{x \to 2}(x+1)(ax+b)$$

$$= 3(2a+b) = -6$$

$$\therefore 2a+b = -2 \qquad \text{…… ㉣}$$

㉢, ㉣을 연립하여 풀면 $a = -1$, $b = 0$

STEP C $f(3)$의 값 구하기

따라서 $f(x) = (x+1)(x-2)(-x) = -x^3 + x^2 + 2x$이므로

$f(3) = -27 + 9 + 6 = -12$

내/신/연/계/ 출제문항 063

삼차함수 $f(x)$가 $\lim\limits_{x\to-1}\dfrac{f(x)}{x+1}=2$, $\lim\limits_{x\to-2}\dfrac{f(x)}{x+2}=-1$을 만족할 때, $f(0)$의 값은?

① 3   ② 4   ③ 5

④ 6   ⑤ 7

STEP A (분모)→0이고 극한값이 존재하므로 (분자)→0이어야 함을 이용하여 삼차함수 $f(x)$의 식 작성하기

$\lim\limits_{x\to-1}\dfrac{f(x)}{x+1}=2$에서

$x\to-1$일 때, (분모)→0이고 극한값이 존재하므로 (분자)→0이어야 한다.

즉 $\lim\limits_{x\to-1}f(x)=0$이므로 $f(-1)=0$ ……㉠

$\lim\limits_{x\to-2}\dfrac{f(x)}{x+2}=-1$에서

$x\to-2$일 때, (분모)→0이고 극한값이 존재하므로 (분자)→0이어야 한다.

즉 $\lim\limits_{x\to-2}f(x)=0$이므로 $f(-2)=0$ ……㉡

㉠, ㉡에서 삼차함수 $f(x)$는 $(x+1)(x+2)$를 인수로 갖는다.

$f(x)=(x+1)(x+2)(ax+b)(a\ne0,\ a,\ b$는 상수)로 놓을 수 있다.

STEP B $\dfrac{0}{0}$꼴의 극한을 이용하여 삼차함수 $f(x)$ 구하기

$\lim\limits_{x\to-1}\dfrac{f(x)}{x+1}=\lim\limits_{x\to-1}\dfrac{(x+1)(x+2)(ax+b)}{x+1}$
$\qquad\qquad=\lim\limits_{x\to-1}(x+2)(ax+b)=1\cdot(-a+b)=2$

∴ $-a+b=2$ ……㉢

$\lim\limits_{x\to-2}\dfrac{f(x)}{x+2}=\lim\limits_{x\to-2}\dfrac{(x+1)(x+2)(ax+b)}{x+2}$
$\qquad\qquad=\lim\limits_{x\to-2}(x+1)(ax+b)=-1\cdot(-2a+b)=-1$

∴ $-2a+b=1$ ……㉣

㉢, ㉣을 연립하여 풀면 $a=1$, $b=3$

STEP C $f(0)$의 값 구하기

따라서 $f(x)=(x+1)(x+2)(x+3)$이므로 $f(0)=1\cdot2\cdot3=6$ 정답 ④

0154

정답 ②

STEP A 극한값을 가질 조건을 이용하여 $f(1)$, $f(2)$의 값 구하기

$\lim\limits_{x\to1}\dfrac{f(x)}{x-1}=2$에서

$x\to1$일 때, (분모)→0이고 극한값이 존재하므로 (분자)→0이어야 한다.

즉 $\lim\limits_{x\to1}f(x)=0$이므로 $f(1)=0$ ……㉠

$\lim\limits_{x\to2}\dfrac{f(x)}{x-2}=-1$에서

$x\to2$일 때, (분모)→0이고 극한값이 존재하므로 (분자)→0이어야 한다.

즉 $\lim\limits_{x\to2}f(x)=0$이므로 $f(2)=0$ ……㉡

㉠, ㉡에서 $f(x)$는 $(x-1)(x-2)$를 인수로 갖는다.

$f(x)=(x-1)(x-2)(ax+b)(a\ne0$이고 $a,\ b$는 상수)로 놓을 수 있다.

STEP B $\dfrac{0}{0}$꼴의 극한을 이용하여 삼차함수 $f(x)$ 구하기

$\lim\limits_{x\to1}\dfrac{f(x)}{x-1}=\lim\limits_{x\to1}\dfrac{(x-1)(x-2)(ax+b)}{x-1}=\lim\limits_{x\to1}(x-2)(ax+b)$
$\qquad\qquad\qquad\qquad\qquad\qquad=-(a+b)=2$

∴ $a+b=-2$ ……㉢

$\lim\limits_{x\to2}\dfrac{f(x)}{x-2}=\lim\limits_{x\to2}\dfrac{(x-1)(x-2)(ax+b)}{x-2}=\lim\limits_{x\to2}(x-1)(ax+b)$
$\qquad\qquad\qquad\qquad\qquad\qquad=2a+b=-1$

∴ $2a+b=-1$ ……㉣

㉢, ㉣을 연립하여 풀면 $a=1$, $b=-3$

∴ $f(x)=(x-1)(x-2)(x-3)$

STEP C $\lim\limits_{x\to3}\dfrac{f(x)}{x-3}$의 값 구하기

따라서 $\lim\limits_{x\to3}\dfrac{f(x)}{x-3}=\lim\limits_{x\to3}\dfrac{(x-1)(x-2)(x-3)}{x-3}=\lim\limits_{x\to3}(x-1)(x-2)=2\cdot1=2$

다른풀이 극한값을 가질 조건과 미분값을 이용하여 삼차함수 $f(x)$ 구하기

삼차함수 $f(x)$는 $x=1$에서 연속이고 $\lim\limits_{x\to1}\dfrac{f(x)}{x-1}=2$이므로 $f(1)=0$

$\lim\limits_{x\to1}\dfrac{f(x)-0}{x-1}=\lim\limits_{x\to1}\dfrac{f(x)-f(1)}{x-1}=f'(1)=2$

또, 함수 $f(x)$는 $x=2$에서 연속이고 $\lim\limits_{x\to2}\dfrac{f(x)}{x-2}=-1$이므로 $f(2)=0$

$\lim\limits_{x\to2}\dfrac{f(x)-0}{x-2}=\lim\limits_{x\to2}\dfrac{f(x)-f(2)}{x-2}=f'(2)=-1$

삼차함수 $f(x)=ax^3+bx^2+cx+d(a,\ b,\ c,\ d$는 상수)라고 하면

$f'(x)=3ax^2+2bx+c$이므로

$f(1)=a+b+c+d=0$, $f(2)=8a+4b+2c+d=0$

$f'(1)=3a+2b+c=2$, $f'(2)=12a+4b+c=-1$

위의 식을 연립하여 풀면 $a=1$, $b=-6$, $c=11$, $d=-6$

따라서 삼차함수 $f(x)$는 $f(x)=x^3-6x^2+11x-6$

내/신/연/계/ 출제문항 064

삼차함수 $f(x)$에 대하여

$$\lim_{x\to0}\dfrac{f(x)}{x}=2,\ \lim_{x\to1}\dfrac{f(x)}{x-1}=-1$$

을 만족시킬 때, $\lim\limits_{x\to2}\dfrac{f(x)}{x-2}$의 값은?

① 1   ② 2   ③ 3

④ 4   ⑤ 5

STEP A 극한값을 가질 조건을 이용하여 $f(0)$, $f(1)$의 값 구하기

$\lim\limits_{x\to0}\dfrac{f(x)}{x}=2$에서

$x\to0$일 때, (분모)→0이고 극한값이 존재하므로 (분자)→0이어야 한다.

즉 $\lim\limits_{x\to0}f(x)=0$이므로 $f(0)=0$ ……㉠

$\lim\limits_{x\to1}\dfrac{f(x)}{x-1}=-1$에서

$x\to1$일 때, (분모)→0이고 극한값이 존재하므로 (분자)→0이어야 한다.

즉 $\lim\limits_{x\to1}f(x)=0$이므로 $f(1)=0$ ……㉡

㉠, ㉡에서 $f(x)$는 $x(x-1)$를 인수로 갖는다.

$f(x)=x(x-1)(ax+b)(a\ne0$이고 $a,\ b$는 상수)로 놓을 수 있다.

STEP B $\dfrac{0}{0}$꼴의 극한을 이용하여 삼차함수 $f(x)$ 구하기

$\lim\limits_{x\to0}\dfrac{f(x)}{x}=\lim\limits_{x\to0}\dfrac{x(x-1)(ax+b)}{x}=\lim\limits_{x\to0}(x-1)(ax+b)$
$\qquad\qquad\qquad\qquad\qquad\qquad=-b=2$ ……㉢

$\lim\limits_{x\to1}\dfrac{f(x)}{x-1}=\lim\limits_{x\to1}\dfrac{x(x-1)(ax+b)}{x-1}=\lim\limits_{x\to1}x(ax+b)$
$\qquad\qquad\qquad\qquad\qquad\qquad=a+b=-1$ ……㉣

㉢, ㉣을 연립하여 풀면 $a=1$, $b=-2$

∴ $f(x)=x(x-1)(x-2)$

STEP C $\lim\limits_{x\to2}\dfrac{f(x)}{x-2}$의 값 구하기

따라서 $\lim\limits_{x\to2}\dfrac{x(x-1)(x-2)}{x-2}=\lim\limits_{x\to2}x(x-1)=2\cdot1=2$ 정답 ②

0155

정답 ③

STEP Ⓐ **극한값을 가질 조건을 이용하여 $f(1)$, $f(2)$의 값 구하기**

조건 (가)에서

$\lim\limits_{x \to 1} \dfrac{f(x)}{x-1} = a$에서

$x \to 1$일 때, (분모)$\to 0$이고 극한값이 존재하므로 (분자)$\to 0$이어야 한다.

즉 $\lim\limits_{x \to 1} f(x) = 0$이므로 $f(1) = 0$ ...... ㉠

$\lim\limits_{x \to 2} \dfrac{f(x)}{x-2} = -6$에서

$x \to 2$일 때, (분모)$\to 0$이고 극한값이 존재하므로 (분자)$\to 0$이어야 한다.

즉 $\lim\limits_{x \to 2} f(x) = 0$이므로 $f(2) = 0$ ...... ㉡

㉠, ㉡에서 $f(x)$는 $(x-1)(x-2)$를 인수로 갖는다.

조건 (나)에서

$f(x) = 0$의 두 근이 $x=1$, $x=2$이므로 나머지 한 근이 4이다. ◀ 세 근의 합이 7

즉 $f(x) = k(x-1)(x-2)(x-4)$ (단, k는 0이 아닌 상수)로 놓을 수 있다.

STEP Ⓑ **$\dfrac{0}{0}$꼴의 극한을 이용하여 삼차함수 $f(x)$ 구하기**

조건 (가)에서 $\lim\limits_{x \to 2} \dfrac{f(x)}{x-2} = -6$이므로

$$\lim_{x \to 2} \frac{f(x)}{x-2} = \lim_{x \to 2} \frac{k(x-1)(x-2)(x-4)}{x-2}$$
$$= \lim_{x \to 2} k(x-1)(x-4)$$
$$= -2k = -6$$

$\therefore k = 3$

즉 $f(x) = 3(x-1)(x-2)(x-4)$

STEP Ⓒ **a의 값 구하기**

따라서 $a = \lim\limits_{x \to 1} \dfrac{f(x)}{x-1} = \lim\limits_{x \to 1} \dfrac{3(x-1)(x-2)(x-4)}{x-1}$
$$= \lim_{x \to 1} 3(x-2)(x-4)$$
$$= 3 \cdot (-1) \cdot (-3) = 9$$

0156

정답 ①

STEP Ⓐ **다항함수 $f(x)$의 차수 구하기**

$\lim\limits_{x \to \infty} \dfrac{f(x)}{2x^2+3x+5} = 1$에서 $f(x)$는 x^2의 계수가 2인 이차함수이다.

STEP Ⓑ **$x \to 2$일 때, (분모)$\to 0$이고 극한값이 존재하므로 (분자)$\to 0$ 이어야 함을 이용하여 이차함수의 식 작성하기**

$\lim\limits_{x \to 2} \dfrac{f(x)}{x-2} = 6$에서

$x \to 2$일 때, (분모)$\to 0$이고 극한값이 존재하므로 (분자)$\to 0$이어야 한다.

즉 $\lim\limits_{x \to 2} f(x) = 0$이므로 $f(2) = 0$

$f(x) = 2(x-2)(x+a)$ (a는 상수)라 하면

$$\lim_{x \to 2} \frac{f(x)}{x-2} = \lim_{x \to 2} \frac{2(x-2)(x+a)}{x-2}$$
$$= \lim_{x \to 2} 2(x+a)$$
$$= 2(2+a) = 6$$

$\therefore a = 1$

STEP Ⓒ **$f(1)$의 값 구하기**

따라서 $f(x) = 2x^2 - 2x - 4$에서 $f(1) = 2 - 2 - 4 = -4$

0157

정답 ①

STEP Ⓐ **함수 $f(x)$의 차수 구하기**

$\lim\limits_{x \to \infty} \dfrac{f(x)}{2x^2+x+1} = 1$에서 $f(x)$는 x^2의 계수가 2인 이차함수이다.

STEP Ⓑ **$x \to 1$일 때, (분모)$\to 0$이고 극한값이 존재하므로 (분자)$\to 0$ 이어야 함을 이용하기**

$\lim\limits_{x \to 1} \dfrac{f(x)}{x^2+x-2} = 2$에서

$x \to 1$일 때, (분모)$\to 0$이고 극한값이 존재하므로 (분자)$\to 0$이어야 한다.

즉 $\lim\limits_{x \to 1} f(x) = 0$에서 $f(1) = 0$

이때 $f(x)$는 $x-1$를 인수로 가지므로

$f(x) = 2(x-1)(x-a)$ (단, a는 상수)

STEP Ⓒ **$f(2)$의 값 구하기**

$$\lim_{x \to 1} \frac{f(x)}{x^2+x-2} = \lim_{x \to 1} \frac{2(x-1)(x-a)}{(x+2)(x-1)}$$
$$= \lim_{x \to 1} \frac{2(x-a)}{x+2}$$
$$= \frac{2(1-a)}{3}$$

$\dfrac{2(1-a)}{3} = 2$에서 $a = -2$이므로 $f(x) = 2(x-1)(x+2) = 2x^2+2x-4$

따라서 $f(2) = 8 + 4 - 4 = 8$

0158

정답 ③

STEP Ⓐ **함수 $f(x)$의 차수 구하기**

$\lim\limits_{x \to \infty} \dfrac{f(x)}{x^2+4x+3} = 2$에서 $f(x)$는 x^2의 계수가 2인 이차함수이어야 한다.

즉 $f(x) = 2x^2 + ax + b$ (a, b는 상수)로 놓을 수 있다.

STEP Ⓑ **$x \to 1$일 때, (분자)$\to 0$이고 0아닌 극한값이 존재하므로 (분모)$\to 0$ 이어야 함을 이용하기**

$\lim\limits_{x \to 1} \dfrac{x-1}{f(x)} = \lim\limits_{x \to 1} \dfrac{x-1}{2x^2+ax+b} = -1$ ...... ㉠

이때 $\lim\limits_{x \to 1}(x-1) = 0$이고 극한값 $\lim\limits_{x \to 1} \dfrac{x-1}{f(x)}$이 0이 아니므로

$\lim\limits_{x \to 1}(2x^2+ax+b) = 0$이어야 한다.

즉 $2+a+b = 0$이므로 $b = -a-2$

이것을 ㉠에 대입하면

$$\lim_{x \to 1} \frac{x-1}{2x^2+ax-a-2} = \lim_{x \to 1} \frac{(x-1)}{(x-1)(2x+a+2)}$$
$$= \lim_{x \to 1} \frac{1}{2x+a+2}$$
$$= \frac{1}{a+4}$$

즉 $\dfrac{1}{a+4} = -1$에서 $a = -5$

$b = -(-5) - 2 = 3$

STEP Ⓒ **이차함수 $f(x)$를 구하여 $f(3)$의 값 구하기**

따라서 $f(x) = 2x^2 - 5x + 3$이므로 $f(3) = 18 - 15 + 3 = 6$

다항함수 $f(x)$에 대하여

$$\lim_{x \to \infty} \frac{x^2-2x+1}{f(x)}=\frac{1}{2}, \quad \lim_{x \to 2} \frac{f(x)}{x^2-3x+2}=6$$

가 만족시킬 때, $f(3)$의 값은?

① 4 ② 6 ③ 8
④ 10 ⑤ 12

STEP Ⓐ 함수 $f(x)$의 차수 구하기

$\lim_{x \to \infty} \dfrac{x^2-2x+1}{f(x)}=\dfrac{1}{2}$에서 $f(x)$는 최고차항의 계수가 2인 이차함수이다.

STEP Ⓑ $x \to 2$일 때, (분모)→ 0이고 극한값이 존재하므로 (분자)→ 0 이어야 함을 이용하기

$\lim_{x \to 2} \dfrac{f(x)}{x^2-3x+2}=6$에서

$x \to 2$일 때, (분모)→ 0이고 극한값이 존재하므로 (분자)→ 0이어야 한다.

즉 $\lim_{x \to 2} f(x)=0$이므로 $f(2)=0$

이때 $f(x)$는 $x-2$를 인수로 가지므로

$f(x)=2(x-2)(x-a)$ (단, a는 상수)

STEP Ⓒ $f(3)$의 값 구하기

$$\lim_{x \to 2} \frac{f(x)}{x^2-3x+2}=\lim_{x \to 2} \frac{2(x-2)(x-a)}{(x-1)(x-2)}$$

$$=\lim_{x \to 2} \frac{2(x-a)}{x-1}$$

$$=2(2-a)$$

$2(2-a)=6$ ∴ $a=-1$

따라서 $f(x)=2(x-2)(x+1)$이므로 $f(3)=8$ 〔정답〕 ③

0159 〔정답〕 ⑤

STEP Ⓐ 함수 $f(x)$의 차수 구하기

$\lim_{x \to \infty} \dfrac{f(x)-3x^3}{x^2}=2$에서 $f(x)-3x^3$는 최고차항의 계수가 2인 이차함수이다.

$f(x)-3x^3=2x^2+ax+b$ (a, b는 상수)로 놓으면

$f(x)=3x^3+2x^2+ax+b$

STEP Ⓑ $x \to 0$일 때, (분모)→ 0이고 극한값이 존재하므로 (분자)→ 0 이어야 함을 이용하기

$\lim_{x \to 0} \dfrac{f(x)}{x}=2$에서

$x \to 0$일 때, (분모)→ 0이고 극한값이 존재하므로 (분자)→ 0이어야 한다.

즉 $\lim_{x \to 0} f(x)=0$이므로 $f(0)=0$

∴ $f(0)=b=0$ $f(x)=3x^3+2x^2+ax+b$에서 $f(0)=b$

STEP Ⓒ 삼차함수 $f(x)$를 구하여 $f(1)$의 값 구하기

$f(x)=3x^3+2x^2+ax$을 $\lim_{x \to 0} \dfrac{f(x)}{x}=2$에 대입하면

$$\lim_{x \to 0} \frac{f(x)}{x}=\lim_{x \to 0} \frac{3x^3+2x^2+ax}{x}$$

$$=\lim_{x \to 0}(3x^2+2x+a)=a$$

즉 $a=2$

따라서 $f(x)=3x^3+2x^2+2x$이므로 $f(1)=3+2+2=7$

다항함수 $f(x)$가

$$\lim_{x \to \infty} \frac{f(x)-x^3}{x^2}=1, \quad \lim_{x \to -1} \frac{f(x)}{x+1}=4$$

를 만족시킬 때, $f(1)$의 값은?

① 10 ② 8 ③ 6
④ 4 ⑤ 2

STEP Ⓐ 함수 $f(x)$의 차수 구하기

$\lim_{x \to \infty} \dfrac{f(x)-x^3}{x^2}=1$에서 $f(x)-x^3$는 최고차항의 계수가 1인 이차함수이다.

$f(x)-x^3=x^2+ax+b$ (a, b는 상수)로 놓으면

$f(x)=x^3+x^2+ax+b$

STEP Ⓑ $x \to -1$일 때, (분모)→ 0이고 극한값이 존재하므로 (분자)→ 0 이어야 함을 이용하기

$\lim_{x \to -1} \dfrac{f(x)}{x+1}=4$에서

$x \to -1$일 때, (분모)→ 0이고 극한값이 존재하므로 (분자)→ 0이어야 한다.

즉 $\lim_{x \to -1} f(x)=0$이므로 $f(-1)=0$

$f(-1)=-1+1-a+b=0$

∴ $b=a$

STEP Ⓒ 삼차함수 $f(x)$를 구하여 $f(1)$의 값 구하기

$f(x)=x^3+x^2+ax+a$이므로

$$\lim_{x \to -1} \frac{f(x)}{x+1}=\lim_{x \to -1} \frac{x^3+x^2+ax+a}{x+1}=\lim_{x \to -1} \frac{(x+1)(x^2+a)}{(x+1)}$$

$$=\lim_{x \to -1}(x^2+a)=1+a$$

즉 $1+a=4$이므로 $a=3$, $b=3$

따라서 $f(x)=x^3+x^2+3x+3$이므로 $f(1)=1+1+3+3=8$ 〔정답〕 ②

0160 〔정답〕 ⑤

STEP Ⓐ 함수 $f(x)$의 차수 구하기

$\lim_{x \to \infty} \dfrac{f(x)-x^3}{x^2}=2$에서 $f(x)-x^3$는 최고차항의 계수가 2인 이차함수이다.

$f(x)-x^3=2x^2+ax+b$ (a, b는 상수)로 놓으면

$f(x)=x^3+2x^2+ax+b$

STEP Ⓑ $x \to 0$일 때, (분모)→ 0이고 극한값이 존재하므로 (분자)→ 0 이어야 함을 이용하기

$\lim_{x \to 0} \dfrac{f(x)-6}{x}=-3$에서

$x \to 0$일 때, (분모)→ 0이고 극한값이 존재하므로 (분자)→ 0이어야 한다.

즉 $\lim_{x \to 0} \{f(x)-6\}=0$이므로 $f(0)=6$

∴ $f(0)=b=6$

STEP Ⓒ 삼차함수 $f(x)$를 구하여 $f(1)$의 값 구하기

$f(x)=x^3+2x^2+ax+6$이므로

$$\lim_{x \to 0} \frac{f(x)-6}{x}=\lim_{x \to 0} \frac{x^3+2x^2+ax}{x}$$

$$=\lim_{x \to 0}(x^2+2x+a)=a$$

즉 $a=-3$

따라서 $f(x)=x^3+2x^2-3x+6$이므로 $f(1)=1+2-3+6=6$

0161

STEP **A** 함수 $f(x)$의 차수 구하기

$\lim\limits_{x \to \infty} \dfrac{f(x)-2x^2}{2x+3}=a$에서 $f(x)-2x^2$는 최고차항의 계수가 $2a$인 일차함수이다.

즉 $f(x)-2x^2=2ax+b$ (단, b상수)로 놓으면 $f(x)=2x^2+2ax+b$

STEP **B** $x \to 2$일 때, (분모)$\to 0$이고 극한값이 존재하므로 (분자)$\to 0$ 이어야 함을 이용하기

$\lim\limits_{x \to 2} \dfrac{f(x)}{x-2}=6$에서

$x \to 2$일 때, (분모)$\to 0$이고 극한값이 존재하므로 (분자)$\to 0$이어야 한다.

즉 $\lim\limits_{x \to 2} f(x)=0$이므로 $f(2)=0$

$f(2)=8+4a+b=0$에서 $b=-4a-8$ $\qquad\cdots\cdots$ ㉠

STEP **C** 이차함수 $f(x)$를 구하여 a의 값 구하기

㉠을 $f(x)$에 대입하면

$\lim\limits_{x \to 2} \dfrac{f(x)}{x-2}=\lim\limits_{x \to 2} \dfrac{2x^2+2ax-4a-8}{x-2}=\lim\limits_{x \to 2} \dfrac{2(x-2)(x+a+2)}{x-2}$

$\qquad\qquad\qquad\qquad\qquad = \lim\limits_{x \to 2} 2(x+a+2)=8+2a$

이때 $8+2a=6$이므로 $a=-1$

㉠에서 $b=-4$

$\therefore f(x)=2x^2-2x-4$

STEP **D** $\lim\limits_{x \to \infty} \dfrac{f(x)-2x^2}{2x+3}$의 값 구하기

따라서 $f(x)=2x^2-2x-4$이므로 $\lim\limits_{x \to \infty} \dfrac{f(x)-2x^2}{2x+3}=\lim\limits_{x \to \infty} \dfrac{-2x-4}{2x+3}=-1$

내/신/연/계/ 출제문항 067

다항함수 $f(x)$가 다음 두 조건을 만족시킬 때, $f(3)$의 값은? (단, a는 상수)

> (가) $\lim\limits_{x \to \infty} \dfrac{f(x)-x^2}{ax+1}=2$
>
> (나) $\lim\limits_{x \to 1} \dfrac{x-1}{f(x)}=\dfrac{1}{4}$

① 8   ② 9   ③ 10
④ 11   ⑤ 12

STEP **A** 주어진 조건을 이용하여 $f(x)$의 식 세우기

$\lim\limits_{x \to \infty} \dfrac{f(x)-x^2}{ax+1}=2$에서 $f(x)-x^2$는 최고차항의 계수가 $2a$인 일차함수이다.

즉 $f(x)-x^2=2ax+b$ (단, a, b는 상수)로 놓으면 $f(x)=x^2+2ax+b$

STEP **B** 극한값이 존재할 조건을 이용하여 a, b 사이의 관계식 구하기

$\lim\limits_{x \to 1} \dfrac{x-1}{f(x)}=\dfrac{1}{4}$에서

$x \to 1$일 때, (분자)$\to 0$이고 0이 아닌 극한값이 존재하므로 (분모)$\to 0$이다.

즉 $\lim\limits_{x \to 1} f(x)=0$에서 $f(1)=1+2a+b=0$

$\therefore b=-2a-1$

STEP **C** $\lim\limits_{x \to 1} \dfrac{x-1}{f(x)}=\dfrac{1}{4}$임을 이용하여 a, b의 값 구하기

$f(x)=x^2+2ax-2a-1$이므로

$\lim\limits_{x \to 1} \dfrac{x-1}{f(x)}=\lim\limits_{x \to 1} \dfrac{x-1}{x^2+2ax-2a-1}=\lim\limits_{x \to 1} \dfrac{x-1}{(x-1)(x+2a+1)}$

$\qquad\qquad\qquad\qquad\qquad = \dfrac{1}{2a+2}=\dfrac{1}{4}$

따라서 $a=1$, $b=-3$이므로 $f(x)=x^2+2x-3$

$\therefore f(3)=3^2+2\cdot3-3=12$

0162

STEP **A** 주어진 극한의 분자, 분모를 x^2으로 나누어 a, b의 값 구하기

$\lim\limits_{x \to \infty} f(x)=\lim\limits_{x \to \infty} \dfrac{ax^3+bx^2+cx+d}{x^2-1}$

$\qquad\quad = \lim\limits_{x \to \infty} \dfrac{ax+b+\dfrac{c}{x}+\dfrac{d}{x^2}}{1-\dfrac{1}{x^2}}$

$\qquad\quad = 3$

이므로 $a=0$, $b=3$ $\qquad\cdots\cdots$ ㉠

STEP **B** 극한값이 존재할 조건을 이용하여 c, d 사이의 관계식 구하기

$\lim\limits_{x \to 1} f(x)=\lim\limits_{x \to 1} \dfrac{3x^2+cx+d}{x^2-1}$에서

$x \to 1$일 때, (분모)$\to 0$이고 극한값이 존재하므로 (분자)$\to 0$이어야 한다.

즉 $\lim\limits_{x \to 1}(3x^2+cx+d)=3+c+d=0$

$\therefore d=-c-3$ $\qquad\cdots\cdots$ ㉡

STEP **C** $\lim\limits_{x \to 1} f(x)=2$임을 이용하여 c, d의 값 구하기

㉠, ㉡을 $\lim\limits_{x \to 1} f(x)=2$에 대입하면

$\lim\limits_{x \to 1} f(x)=\lim\limits_{x \to 1} \dfrac{3x^2+cx-c-3}{x^2-1}$

$\qquad\quad = \lim\limits_{x \to 1} \dfrac{(x-1)(3x+c+3)}{(x+1)(x-1)}$

$\qquad\quad = \lim\limits_{x \to 1} \dfrac{3x+c+3}{x+1}$

$\qquad\quad = \dfrac{c+6}{2}=2$

$c+6=4$에서 $c=-2$

$c=-2$를 ㉡에 대입하면 $d=-1$

따라서 $a=0$, $b=3$, $c=-2$, $d=-1$이므로 $a+b+c+d=0$

0163

STEP **A** 주어진 조건을 이용하여 $f(x)$의 식 세우기

$\lim\limits_{x \to \infty} \dfrac{f(x)-x^2}{x}=3$이므로 $f(x)-x^2$은 일차항의 계수가 3인 일차식이다.

$f(x)-x^2=3x+a$ (단, a는 상수)에서 $f(x)=x^2+3x+a$

STEP **B** $\dfrac{0}{0}$꼴의 극한을 이용하여 $f(1)$의 값 구하기

이때 $\lim\limits_{x \to 1} \dfrac{x^2-1}{(x-1)f(x)}=\lim\limits_{x \to 1} \dfrac{x+1}{f(x)}=\dfrac{2}{f(1)}=1$이므로 $f(1)=2$

$f(1)=1+3+a=2$에서 $a=-2$

STEP **C** $f(2)$의 값 구하기

따라서 $f(x)=x^2+3x-2$이므로 $f(2)=2^2+3\cdot2-2=8$

다항함수 $f(x)$가

$$\lim_{x \to \infty} \frac{f(x)-x^2}{x+10}=3, \quad \lim_{x \to -2} \frac{x^2-4}{(x+2)f(x)}=\frac{1}{4}$$

을 만족시킬 때, $f(2)$의 값은?

① -5 ② -4 ③ -3

④ -2 ⑤ -1

STEP Ⓐ **함수 $f(x)$의 차수 구하기**

$\displaystyle\lim_{x \to \infty} \frac{f(x)-x^2}{x+10}=3$이므로 $f(x)-x^2$은 x의 계수가 3인 일차함수이다.

즉 $f(x)-x^2=3x+a$ (a는 상수)로 놓으면 $f(x)=x^2+3x+a$

STEP Ⓑ **$\frac{0}{0}$ 꼴의 극한을 이용하여 $f(-2)$의 값 구하기**

$$\begin{aligned}\lim_{x \to -2} \frac{x^2-4}{(x+2)f(x)} &= \lim_{x \to -2} \frac{(x+2)(x-2)}{(x+2)f(x)}\\ &= \lim_{x \to -2} \frac{x-2}{f(x)}\\ &= \frac{-4}{f(-2)}=\frac{1}{4}\end{aligned}$$

에서 $f(-2)=-16$

$f(-2)=4-6+a=-16$에서 $a=-14$

STEP Ⓒ **$f(2)$의 값 구하기**

따라서 $f(x)=x^2+3x-14$이므로 $f(2)=4+6-14=-4$ 정답 ②

0164

정답 ③

STEP Ⓐ **극한값이 존재할 조건을 이용하여 $f(-1)$, $f(2)$의 값 구하기**

$\displaystyle\lim_{x \to \infty} \frac{f(x)}{x^3+5}=2$에서 함수 $f(x)$는 삼차항의 계수가 2인 삼차함수이다.

또, $\displaystyle\lim_{x \to -1} \frac{f(x)}{x+1}=6$에서

$x \to -1$일 때, (분모)→ 0이고 극한값이 존재하므로 (분자)→ 0이어야 한다.

즉 $\displaystyle\lim_{x \to -1} f(x)=0$이므로 $f(-1)=0$ …… ㉠

$\displaystyle\lim_{x \to 2} \frac{f(x)}{x-2}=p$에서

$x \to 2$일 때, (분모)→ 0이고 극한값이 존재하므로 (분자)→ 0이어야 한다.

즉 $\displaystyle\lim_{x \to 2} f(x)=0$이므로 $f(2)=0$ …… ㉡

STEP Ⓑ **삼차함수 $f(x)$를 구하여 a의 값 구하기**

㉠, ㉡에서 $f(x)=2(x+1)(x-2)(x-a)$ (a는 상수)라고 하면

$$\begin{aligned}\lim_{x \to -1} \frac{f(x)}{x+1} &= \lim_{x \to -1} \frac{2(x+1)(x-2)(x-a)}{x+1}\\ &= \lim_{x \to -1} 2(x-2)(x-a)\\ &= 6+6a\end{aligned}$$

이때 $6+6a=6$이므로 $a=0$

$\therefore f(x)=2x(x+1)(x-2)$

STEP Ⓒ **$\displaystyle\lim_{x \to 2} \frac{f(x)}{x-2}$의 값 구하기**

따라서 $\displaystyle\lim_{x \to 2} \frac{f(x)}{x-2}=\lim_{x \to 2} \frac{2x(x+1)(x-2)}{x-2}=\lim_{x \to 2} 2x(x+1)=12$

0165

정답 ②

STEP Ⓐ **$\frac{1}{x}=t$로 치환하여 다항함수 $f(x)$의 식 구하기**

$\displaystyle\lim_{x \to 0+} \frac{x^3 f\left(\frac{1}{x}\right)-1}{x^3+x}=5$에서 $\frac{1}{x}=t$로 놓으면 $x \to 0+$일 때, $t \to \infty$

$$\lim_{t \to \infty} \frac{\frac{1}{t^3} f(t)-1}{\frac{1}{t^3}+\frac{1}{t}}=\lim_{t \to \infty} \frac{\frac{f(t)-t^3}{t^3}}{\frac{1+t^2}{t^3}}=\lim_{t \to \infty} \frac{f(t)-t^3}{1+t^2}=5$$

즉 $f(t)-t^3$는 최고차항의 계수가 5인 이차함수이다.

$f(t)-t^3=5t^2+at+b$ (a, b는 상수)로 놓으면

$f(x)=x^3+5x^2+ax+b$로 놓을 수 있다.

STEP Ⓑ **(분모)→ 0이고 극한값이 존재하면 (분자)→ 0임을 이용하기**

$\displaystyle\lim_{x \to 1} \frac{f(x)}{x^2+x-2}=\frac{1}{3}$에서

$x \to 1$일 때, (분모)→ 0이고 극한값이 존재하므로 (분자)→ 0이어야 한다.

$\displaystyle\lim_{x \to 1} f(x)=0$이므로 $f(1)=0$

$f(1)=6+a+b=0$

$\therefore b=-a-6$ …… ㉠

$$\begin{aligned}f(x)&=x^3+5x^2+ax+b\\ &=x^3+5x^2+ax-a-6\\ &=(x-1)(x^2+6x+a+6)\end{aligned}$$

STEP Ⓒ **$\displaystyle\lim_{x \to 1} \frac{f(x)}{x^2+x-2}$에 대입하여 $f(2)$의 값 구하기**

$$\begin{aligned}\lim_{x \to 1} \frac{f(x)}{x^2+x-2} &= \lim_{x \to 1} \frac{(x-1)(x^2+6x+a+6)}{(x-1)(x+2)}\\ &= \lim_{x \to 1} \frac{x^2+6x+a+6}{x+2}\\ &= \frac{1+6+a+6}{3}\\ &= \frac{a+13}{3}\end{aligned}$$

즉 $\frac{a+13}{3}=\frac{1}{3}$이므로 $a=-12$

$a=-12$를 ㉠에 대입하면 $b=6$이므로

$f(x)=x^3+5x^2-12x+6$

따라서 $f(2)=2^3+5\cdot2^2-12\cdot2+6=10$

$\displaystyle\lim_{x \to 1} \frac{f(x)}{x^2+x-2}=\frac{1}{3}$에서

$x \to 1$일 때, (분모)→ 0이고 극한값이 존재하므로 (분자)→ 0이어야 한다.

즉 $f(x)$가 $(x-1)$을 인수로 가지므로

$f(x)=(x-1)(x^2+6x+c)$ (c는 상수)로 놓을 수 있다.

$$\begin{aligned}\lim_{x \to 1} \frac{f(x)}{x^2+x-2} &= \lim_{x \to 1} \frac{(x-1)(x^2+6x+c)}{(x-1)(x+2)}\\ &= \lim_{x \to 1} \frac{x^2+6x+c}{x+2}\\ &= \frac{7+c}{3}=\frac{1}{3}\end{aligned}$$

$7+c=1$이므로 $c=-6$

따라서 $f(x)=(x-1)(x^2+6x-6)$이므로 $f(2)=10$

최고차항의 계수가 양수인 다항함수 $f(x)$에 대하여

$$\lim_{x \to 0+} \frac{xf\left(\frac{1}{x}\right)-2}{x-2}=-2, \quad \lim_{x \to 1} \frac{f(x)}{x^2-1}=a$$

일 때, $f(a)$의 값은? (단, a는 상수)

① 6   ② 9   ③ 12

④ 15   ⑤ 18

STEP Ⓐ $\frac{1}{x}=t$로 치환하여 $f(t)$의 식 작성하기

$\frac{1}{x}=t$라 하면 $x \to 0+$일 때, $t \to \infty$이므로

$$\lim_{x \to 0+} \frac{xf\left(\frac{1}{x}\right)-2}{x-2}=\lim_{t \to \infty} \frac{\frac{1}{t}f(t)-2}{\frac{1}{t}-2}=\lim_{t \to \infty} \frac{f(t)-2t}{1-2t}=-2$$

즉 $f(t)$는 일차항의 계수가 6인 일차식이어야 한다.   ······ ㉠

STEP Ⓑ   (분모)→ 0이고 극한값이 존재하므로 (분자)→ 0임을 이용하여 a의 값 구하기

$\lim_{x \to 1} \frac{f(x)}{x^2-1}=a$에서

$x \to 1$일 때, (분모)→ 0이고 극한값이 존재하므로 (분자)→ 0이어야 한다.

즉 $\lim_{x \to 1} f(x)=0$이므로 $f(1)=0$

㉠에서 $f(x)=6(x-1)$

$$\lim_{x \to 1} \frac{f(x)}{x^2-1}=\lim_{x \to 1} \frac{6(x-1)}{(x-1)(x+1)}=\lim_{x \to 1} \frac{6}{x+1}=\frac{6}{2}=3$$

따라서 $a=3$이므로 $f(a)=f(3)=6 \cdot 2=12$ 정답 ③

0166

정답 ①

STEP Ⓐ $\frac{1}{x}=t$로 치환하고 주어진 식 정리하기

조건 (가)에서 $\lim_{x \to 0+} x^2 f\left(\frac{1}{x}\right)=2$

$\frac{1}{x}=t$로 놓으면 $x \to 0+$일 때, $t \to \infty$

$$\lim_{x \to 0+} x^2 f\left(\frac{1}{x}\right)=\lim_{t \to \infty} \frac{f(t)}{t^2}=2$$

분모가 이차식이므로 $f(t)$은 최고차항의 계수가 2인 이차식이다.

$f(t)=2t^2+at+b$ (a, b는 상수)로 놓으면 $f(x)=2x^2+ax+b$

STEP Ⓑ   극한값이 존재할 조건을 이용하여 a, b 사이의 관계식 구하기

조건 (나)에서 $\lim_{x \to 2} \frac{f(x)}{x^2-4}=3$에서

$x \to 2$일 때, (분모)→ 0이고 극한값이 존재하므로 (분자)→ 0이어야 한다.

즉 $\lim_{x \to 2} f(x)=0$이므로 $f(2)=0$

$f(2)=8+2a+b=0$

$\therefore b=-2a-8$ ······ ㉠

STEP Ⓒ   구한 식을 대입하고 극한값을 이용하여 a, b의 값 구하기

$$\lim_{x \to 2} \frac{f(x)}{x^2-4}=\lim_{x \to 2} \frac{2x^2+ax-2a-8}{x^2-4}$$
$$=\lim_{x \to 2} \frac{(x-2)(2x+a+4)}{(x-2)(x+2)}$$
$$=\lim_{x \to 2} \frac{2x+a+4}{x+2}=\frac{8+a}{4}$$

이때 $\frac{8+a}{4}=3$이므로 $a=4$

㉠에서 $b=-16$

따라서 $f(x)=2x^2+4x-16$이므로 $\lim_{x \to 1} f(x)=2+4-16=-10$

0167

정답 ④

STEP Ⓐ   주어진 부등식에 극한을 취하여 함수의 극한의 대소 관계를 이용하기

$\frac{2x-3}{x}<f(x)<\frac{2x^2+x}{x^2}$에서

$$\lim_{x \to \infty} \frac{2x-3}{x} \leq \lim_{x \to \infty} f(x) \leq \lim_{x \to \infty} \frac{2x^2+x}{x^2}$$

$\lim_{x \to \infty} \frac{2x-3}{x}=2$, $\lim_{x \to \infty} \frac{2x^2+x}{x^2}=2$이므로

함수의 극한의 대소 관계에 의하여 $2 \leq \lim_{x \to \infty} f(x) \leq 2$

따라서 $\lim_{x \to \infty} f(x)=2$

함수 $f(x)$가 모든 양수 x에 대하여

$$\frac{2x-3}{x}<f(x)<\frac{2x^2+1}{x^2}$$

을 만족시킬 때, $\lim_{x \to \infty} f(x)$의 값은?

① -2   ② -1   ③ 0

④ 1   ⑤ 2

STEP Ⓐ   주어진 부등식에 극한을 취하여 함수의 극한의 대소 관계를 이용하기

$\frac{2x-3}{x}<f(x)<\frac{2x^2+1}{x^2}$에서

$$\lim_{x \to \infty} \frac{2x-3}{x} \leq \lim_{x \to \infty} f(x) \leq \lim_{x \to \infty} \frac{2x^2+1}{x^2}$$

$\lim_{x \to \infty} \frac{2x-3}{x}=2$, $\lim_{x \to \infty} \frac{2x^2+1}{x^2}=2$이므로

함수의 극한의 대소 관계에 의하여 $2 \leq \lim_{x \to \infty} f(x) \leq 2$

따라서 $\lim_{x \to \infty} f(x)=2$ 정답 ⑤

0168

정답 ⑤

STEP Ⓐ   주어진 부등식에 극한을 취하여 함수의 극한의 대소 관계를 이용하기

$5x-1<xf(x)<5x+1$에서

$x>0$이므로 각 변을 x로 나누면

$$\frac{5x-1}{x}<f(x)<\frac{5x+1}{x}$$

$$\lim_{x \to \infty} \frac{5x-1}{x} \leq \lim_{x \to \infty} f(x) \leq \lim_{x \to \infty} \frac{5x+1}{x}$$

$\lim_{x \to \infty} \frac{5x-1}{x}=5$, $\lim_{x \to \infty} \frac{5x+1}{x}=5$이므로

함수의 극한의 대소 관계에 의하여 $5 \leq \lim_{x \to \infty} f(x) \leq 5$

따라서 $\lim_{x \to \infty} f(x)=5$

0170

정답 ③

STEP A **각 변을 x로 나누고 극한을 취하여 함수의 극한의 대소 관계를 이용하기**

모든 양의 실수 x에 대하여 $x > 0$이므로

$\dfrac{x^2-x}{2x+3} \le f(x) \le \dfrac{x^2+x}{2x+1}$의 각 변을 x로 나누고 x 대신 $3x$를 대입하면

$\dfrac{9x^2-3x}{6x^2+3x} \le \dfrac{f(3x)}{x} \le \dfrac{9x^2+3x}{6x^2+x}$

이때 $\displaystyle\lim_{x\to\infty}\dfrac{9x^2-3x}{6x^2+3x}=\dfrac{3}{2}$, $\displaystyle\lim_{x\to\infty}\dfrac{9x^2+3x}{6x^2+x}=\dfrac{3}{2}$이므로

함수의 극한의 대소 관계에 의하여 $\displaystyle\lim_{x\to\infty}\dfrac{f(3x)}{x}=\dfrac{3}{2}$

0171

정답 ⑤

STEP A **각 변을 $3x^3$으로 나누고 극한을 취하여 함수의 극한의 대소 관계를 이용하기**

모든 양의 실수 x에 대하여 $x > 0$이므로

$2ax^3+x^2+1 < 3x^3 f(x) < 2ax^3+2x^2+2$의 각 변을 $3x^3$으로 나누면

$\dfrac{2ax^3+x^2+1}{3x^3} < f(x) < \dfrac{2ax^3+2x^2+2}{3x^3}$

이때 $\displaystyle\lim_{x\to\infty}\dfrac{2ax^3+x^2+1}{3x^3}=\dfrac{2a}{3}$, $\displaystyle\lim_{x\to\infty}\dfrac{2ax^3+2x^2+2}{3x^3}=\dfrac{2a}{3}$이므로

함수의 극한의 대소 관계에 의하여 $\displaystyle\lim_{x\to\infty}f(x)=\dfrac{2a}{3}=2$

따라서 $a=3$

0172

정답 ④

STEP A **주어진 부등식을 변형하여 $\dfrac{\{f(x)\}^2}{x^2+1}$의 범위 구하기**

$2x-5 < f(x) < 2x+3$에서 $(2x-5)^2 < \{f(x)\}^2 < (2x+3)^2$

$x \to \infty$일 때, $x^2+1 > 0$이므로 각 변을 x^2+1로 나누면

$\dfrac{(2x-5)^2}{x^2+1} < \dfrac{\{f(x)\}^2}{x^2+1} < \dfrac{(2x+3)^2}{x^2+1}$

STEP B **함수의 극한의 대소 관계를 이용하여 구하기**

$\displaystyle\lim_{x\to\infty}\dfrac{(2x-5)^2}{x^2+1} \le \lim_{x\to\infty}\dfrac{\{f(x)\}^2}{x^2+1} \le \lim_{x\to\infty}\dfrac{(2x+3)^2}{x^2+1}$

이때 $\displaystyle\lim_{x\to\infty}\dfrac{(2x-5)^2}{x^2+1}=4$, $\displaystyle\lim_{x\to\infty}\dfrac{(2x+3)^2}{x^2+1}=4$

따라서 함수의 극한의 대소 관계에 의하여 $\displaystyle\lim_{x\to\infty}\dfrac{\{f(x)\}^2}{x^2+1}=4$

함수 $f(x)$가 모든 실수 x에 대하여

$$2x^2-1 \le (x^2+1)f(x) \le 2x^2$$

을 만족시킬 때, 극한값 $\displaystyle\lim_{x\to\infty}f(x)$의 값은?

① $\dfrac{1}{2}$ ② 1   ③ 2

④ 4   ⑤ 6

STEP A **주어진 부등식에 극한을 취하여 함수의 극한의 대소 관계를 이용하기**

모든 실수 x에 대하여 $x^2+1(x^2+1 > 0)$이므로

$2x^2-1 \le (x^2+1)f(x) \le 2x^2$의 각 변을 x^2+1로 나누면

$\dfrac{2x^2-1}{x^2+1} \le f(x) \le \dfrac{2x^2}{x^2+1}$

이때 $\displaystyle\lim_{x\to\infty}\dfrac{2x^2-1}{x^2+1}=2$, $\displaystyle\lim_{x\to\infty}\dfrac{2x^2}{x^2+1}=2$이므로

함수의 극한의 대소 관계에 의하여 $2 \le \displaystyle\lim_{x\to\infty}f(x) \le 2$

따라서 $\displaystyle\lim_{x\to\infty}f(x)=2$

정답 ③

0169

정답 ⑤

STEP A **각 변을 x로 나누고 극한을 취하여 함수의 극한의 대소 관계를 이용하기**

모든 양의 실수 x에 대하여 $x > 0$이므로

$\dfrac{3x^2-1}{x+3} \le f(x) \le \dfrac{6x^2}{2x+1}$의 각 변을 x로 나누면 $\dfrac{3x^2-1}{x^2+3x} \le \dfrac{f(x)}{x} \le \dfrac{6x^2}{2x^2+x}$

이때 $\displaystyle\lim_{x\to\infty}\dfrac{3x^2-1}{x^2+3x}=3$, $\displaystyle\lim_{x\to\infty}\dfrac{6x^2}{2x^2+x}=3$이므로

함수의 극한의 대소 관계에 의하여 $3 \le \displaystyle\lim_{x\to\infty}\dfrac{f(x)}{x} \le 3$

따라서 $\displaystyle\lim_{x\to\infty}\dfrac{f(x)}{x}=3$

함수 $f(x)$가 모든 양수 x에 대하여

$$\dfrac{2x^2}{x+3} \le f(x) \le \dfrac{2x^3}{x^2+1}$$

을 만족시킬 때, $\displaystyle\lim_{x\to\infty}\dfrac{f(x)}{x}$의 값은?

① 1   ② 2   ③ 3

④ 4   ⑤ 5

STEP A **각 변을 x로 나누고 극한을 취하여 함수의 극한의 대소 관계를 이용하기**

모든 양의 실수 x에 대하여 $x > 0$이므로

$\dfrac{2x^2}{x+3} \le f(x) \le \dfrac{2x^3}{x^2+1}$의 각 변을 x로 나누면

$\dfrac{2x^2}{x(x+3)} \le \dfrac{f(x)}{x} \le \dfrac{2x^3}{x(x^2+1)}$

$\displaystyle\lim_{x\to\infty}\dfrac{2x^2}{x(x+3)}=2$, $\displaystyle\lim_{x\to\infty}\dfrac{2x^3}{x(x^2+1)}=2$이므로

함수의 극한의 대소 관계에 의하여 $2 \le \displaystyle\lim_{x\to\infty}\dfrac{f(x)}{x} \le 2$

따라서 $\displaystyle\lim_{x\to\infty}\dfrac{f(x)}{x}=2$

정답 ②

0173

STEP Ⓐ 주어진 부등식을 변형하여 $\dfrac{\{f(x)\}^3}{x^3+1}$의 범위 구하기

$2x+1<f(x)<2x+4$에서 $(2x+1)^3<\{f(x)\}^3<(2x+4)^3$

$x\to\infty$일 때, $x^3+1>0$이므로 각 변을 x^3+1로 나누면

$$\dfrac{(2x+1)^3}{x^3+1}<\dfrac{\{f(x)\}^3}{x^3+1}<\dfrac{(2x+4)^3}{x^3+1}$$

STEP Ⓑ 함수의 극한의 대소 관계를 이용하여 구하기

$$\lim_{x\to\infty}\dfrac{(2x+1)^3}{x^3+1}\le\lim_{x\to\infty}\dfrac{\{f(x)\}^3}{x^3+1}\le\lim_{x\to\infty}\dfrac{(2x+4)^3}{x^3+1}$$

이때 $\lim\limits_{x\to\infty}\dfrac{(2x+1)^3}{x^3+1}=8$, $\lim\limits_{x\to\infty}\dfrac{(2x+4)^3}{x^3+1}=8$

따라서 함수의 극한의 대소 관계에 의하여 $\lim\limits_{x\to\infty}\dfrac{\{f(x)\}^3}{x^3+1}=8$

내신연계 출제문항 073

함수 $f(x)$가 모든 실수 x에서

$$5x+3<f(x)<5x+6$$

을 만족시킬 때, $\lim\limits_{x\to\infty}\dfrac{\{f(x)\}^3}{5x^3+1}$의 값은?

① 5   ② 10   ③ 15

④ 20   ⑤ 25

STEP Ⓐ 주어진 부등식을 변형하여 $\dfrac{\{f(x)\}^3}{5x^3+1}$의 범위 구하기

$5x+3<f(x)<5x+6$에서 $(5x+3)^3<\{f(x)\}^3<(5x+6)^3$

$x\to\infty$일 때, $5x^3+1>0$이므로 각 변을 $5x^3+1$로 나누면

$$\dfrac{(5x+3)^3}{5x^3+1}<\dfrac{\{f(x)\}^3}{5x^3+1}<\dfrac{(5x+6)^3}{5x^3+1}$$

STEP Ⓑ 함수의 극한의 대소 관계를 이용하여 구하기

이때 $\lim\limits_{x\to\infty}\dfrac{(5x+3)^3}{5x^3+1}=\lim\limits_{x\to\infty}\dfrac{(5x+6)^3}{5x^3+1}=25$

따라서 함수의 극한의 대소 관계에 의하여 $\lim\limits_{x\to\infty}\dfrac{\{f(x)\}^3}{5x^3+1}=25$

0174

STEP Ⓐ 함수의 극한의 대소 관계를 이용하여 구하기

$x>0$일 때, 부등식의 각 변을 x로 나누면

$$-x+2\le\dfrac{f(x)}{x}\le x+2$$

$\lim\limits_{x\to0+}(-x+2)=2$, $\lim\limits_{x\to0+}(x+2)=2$이므로

함수의 극한의 대소 관계에 의하여 $2\le\lim\limits_{x\to0+}\dfrac{f(x)}{x}\le2$

$\therefore \lim\limits_{x\to0+}\dfrac{f(x)}{x}=2$

STEP Ⓑ 주어진 극한값 구하기

따라서 $\lim\limits_{x\to0+}\dfrac{\{f(x)\}^2}{x\{2x+f(x)\}}=\lim\limits_{x\to0+}\dfrac{\left\{\dfrac{f(x)}{x}\right\}^2}{2+\dfrac{f(x)}{x}}$ ◀ 분모, 분자를 x^2으로 나눈다.

$$=\dfrac{2^2}{2+2}=1$$

0175

STEP Ⓐ 주어진 부등식을 변형하여 $\dfrac{h(x)}{x^2}$의 범위 구하기

이차함수 $f(x)=2x^2-4x+5$의 그래프를 y축의 방향으로 a만큼 평행이동시킨 함수가 $g(x)=2x^2-4x+5+a$이다.

$2x^2-4x+5<h(x)<2x^2-4x+5+a$에서 각 변을 x^2으로 나누면

$$\dfrac{2x^2-4x+5}{x^2}<\dfrac{h(x)}{x^2}<\dfrac{2x^2-4x+5+a}{x^2}$$

STEP Ⓑ 부등식에 극한을 취하여 함수의 극한의 대소 관계를 이용하기

$$\lim_{x\to\infty}\dfrac{2x^2-4x+5}{x^2}\le\lim_{x\to\infty}\dfrac{h(x)}{x^2}\le\lim_{x\to\infty}\dfrac{2x^2-4x+5+a}{x^2}$$

이때 $\lim\limits_{x\to\infty}\dfrac{2x^2-4x+5}{x^2}=2$, $\lim\limits_{x\to\infty}\dfrac{2x^2-4x+5+a}{x^2}=2$

따라서 함수의 극한의 대소 관계에 의하여 $\lim\limits_{x\to\infty}\dfrac{h(x)}{x^2}=2$

0176

STEP Ⓐ $x<1$일 때, 부등식에 극한을 취하여 좌극한 구하기

(i) $x<1$일 때,

$2x^3-6x^2+4x\le f(x)\le x^4-2x^3+1$의 양변을 $x-1<0$으로 나누면

$$\dfrac{2x^3-6x^2+4x}{x-1}\ge\dfrac{f(x)}{x-1}\ge\dfrac{x^4-2x^3+1}{x-1}$$이다.

$$\lim_{x\to1-}\dfrac{2x^3-6x^2+4x}{x-1}=\lim_{x\to1-}\dfrac{2x(x-1)(x-2)}{x-1}$$
$$=\lim_{x\to1-}2x(x-2)=-2$$

$$\lim_{x\to1-}\dfrac{x^4-2x^3+1}{x-1}=\lim_{x\to1-}\dfrac{(x-1)(x^3-x^2-x-1)}{x-1}$$
$$=\lim_{x\to1-}(x^3-x^2-x-1)=-2$$

이므로

$$\lim_{x\to1-}\dfrac{f(x)}{x-1}=-2$$

STEP Ⓑ $x>1$일 때, 부등식에 극한을 취하여 우극한 구하기

(ii) $x>1$일 때,

$2x^3-6x^2+4x\le f(x)\le x^4-2x^3+1$의 양변을 $x-1>0$으로 나누면

$$\dfrac{2x^3-6x^2+4x}{x-1}\le\dfrac{f(x)}{x-1}\le\dfrac{x^4-2x^3+1}{x-1}$$이다.

$$\lim_{x\to1+}\dfrac{2x^3-6x^2+4x}{x-1}=\lim_{x\to1+}\dfrac{2x(x-1)(x-2)}{x-1}$$
$$=\lim_{x\to1+}2x(x-2)=-2$$

$$\lim_{x\to1+}\dfrac{x^4-2x^3+1}{x-1}=\lim_{x\to1+}\dfrac{(x-1)(x^3-x^2-x-1)}{x-1}$$
$$=\lim_{x\to1+}(x^3-x^2-x-1)=-2$$

이므로

$$\lim_{x\to1+}\dfrac{f(x)}{x-1}=-2$$

(i), (ii)에 의하여 $\lim\limits_{x\to1}\dfrac{f(x)}{x-1}=-2$

함수 $f(x)$가 모든 실수 x에 대하여

$$x^2-4 \leq f(x) \leq 3x^2-8x+4$$

를 만족시킬 때, $\displaystyle\lim_{x \to 2}\dfrac{f(x)}{x-2}$의 값은?

① 1   ② 2   ③ 3
④ 4   ⑤ 5

STEP Ⓐ $x<2$일 때, 부등식에 극한을 취하여 좌극한 구하기

(i) $x<2$일 때,

$x^2-4 \leq f(x) \leq 3x^2-8x+4$의 양변을 $x-2<0$으로 나누면

$\dfrac{x^2-4}{x-2} \geq \dfrac{f(x)}{x-2} \geq \dfrac{3x^2-8x+4}{x-2}$이다.

$\displaystyle\lim_{x \to 2-}\dfrac{3x^2-8x+4}{x-2}=\lim_{x \to 2-}\dfrac{(x-2)(3x-2)}{x-2}=\lim_{x \to 2-}(3x-2)=4$

$\displaystyle\lim_{x \to 2-}\dfrac{x^2-4}{x-2}=\lim_{x \to 2-}\dfrac{(x-2)(x+2)}{x-2}=\lim_{x \to 2-}(x+2)=4$

이므로

$\displaystyle\lim_{x \to 2-}\dfrac{f(x)}{x-2}=4$

STEP Ⓑ $x>2$일 때, 부등식에 극한을 취하여 우극한 구하기

(ii) $x>2$일 때,

$x^2-4 \leq f(x) \leq 3x^2-8x+4$의 양변을 $x-2>0$으로 나누면

$\dfrac{x^2-4}{x-2} \leq \dfrac{f(x)}{x-2} \leq \dfrac{3x^2-8x+4}{x-2}$이다.

$\displaystyle\lim_{x \to 2+}\dfrac{3x^2-8x+4}{x-2}=\lim_{x \to 2+}\dfrac{(x-2)(3x-2)}{x-2}=\lim_{x \to 2+}(3x-2)=4$

$\displaystyle\lim_{x \to 2+}\dfrac{x^2-4}{x-2}=\lim_{x \to 2+}\dfrac{(x-2)(x+2)}{x-2}=\lim_{x \to 2+}(x+2)=4$

이므로

$\displaystyle\lim_{x \to 2+}\dfrac{f(x)}{x-2}=4$

(i), (ii)에 의하여 $\displaystyle\lim_{x \to 2}\dfrac{f(x)}{x-2}=4$ 정답 ④

0177   정답 ③

STEP Ⓐ 함수 $\{f(x)\}^2$의 범위 구하기

$|f(x)-2x|<1$에서 $-1<f(x)-2x<1$이므로

$2x-1<f(x)<2x+1$ …… ㉠

$2x-1>0$, 즉 $x>\dfrac{1}{2}$일 때, ㉠의 각 변을 제곱하면

$4x^2-4x+1<\{f(x)\}^2<4x^2+4x+1$

STEP Ⓑ 함수의 극한의 대소 관계를 이용하여 극한값 구하기

모든 실수 x에 대하여 $x^2-x+1>0$이므로

위의 식의 각 변을 x^2-x+1로 나누면

$\dfrac{4x^2-4x+1}{x^2-x+1}<\dfrac{\{f(x)\}^2}{x^2-x+1}<\dfrac{4x^2+4x+1}{x^2-x+1}$

이때 $\displaystyle\lim_{x \to \infty}\dfrac{4x^2-4x+1}{x^2-x+1}=4$, $\displaystyle\lim_{x \to \infty}\dfrac{4x^2+4x+1}{x^2-x+1}=4$

따라서 함수의 극한의 대소 관계에 의하여 $\displaystyle\lim_{x \to \infty}\dfrac{\{f(x)\}^2}{x^2-x+1}=4$

0178

STEP Ⓐ $\overline{OA}$와 $\overline{PH}$를 t에 대한 식으로 표현하기

두 점 A$(0, t)$, B$(-1, 0)$를 지나는 직선의 방정식은 $y=t(x+1)$

점 P는 직선 $y=t(x+1)$과 원 $x^2+y^2=1$의 교점이므로

점 P의 y좌표를 구하면 $\left(\dfrac{y}{t}-1\right)^2+y^2=1$, $y=\dfrac{2t}{t^2+1}$

즉 $\overline{OA}=t$, $\overline{PH}=\dfrac{2t}{t^2+1}$

STEP Ⓑ $\displaystyle\lim_{t \to \infty}(\overline{OA} \times \overline{PH})$의 극한값 구하기

따라서 $\displaystyle\lim_{t \to \infty}(\overline{OA} \times \overline{PH})=\lim_{t \to \infty}t \times \dfrac{2t}{t^2+1}=\lim_{t \to \infty}\dfrac{2t^2}{t^2+1}=2$

원 $x^2+y^2=1$ 위의 제1사분면의 점 P(a, b)와 점 A$(1, 0)$을 지나는 직선이 y축과 만나는 점을 B라 하고 점 P에서 x축에 내린 수선의 발을 H라고 하자. 이때 극한값 $\displaystyle\lim_{a \to 1}(\overline{OB} \times \overline{PH})$는?

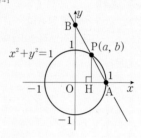

① 1   ② 2   ③ 3
④ 4   ⑤ 5

STEP Ⓐ 두 점 A, P를 지나는 직선의 방정식 구하기

두 점 A$(1, 0)$, P(a, b)를 지나는 직선의 방정식을 구하면

$y=\dfrac{b}{a-1}(x-1)$

STEP Ⓑ $\overline{OB}$, $\overline{PH}$를 a, b에 대한 식으로 표현하기

B$\left(0, \dfrac{b}{1-a}\right)$이므로 $\overline{OB}=\dfrac{b}{1-a}$

또, H$(a, 0)$이므로 $\overline{PH}=b$

STEP Ⓒ $b^2=1-a^2$임을 이용하여 $\displaystyle\lim_{a \to 1}\overline{OB} \cdot \overline{PH}$의 값 구하기

점 P는 원 $x^2+y^2=1$ 위의 점이므로 $a^2+b^2=1$

즉 $b^2=1-a^2$

따라서 $\displaystyle\lim_{a \to 1}(\overline{OB} \times \overline{PH})=\lim_{a \to 1}\dfrac{b}{1-a} \cdot b=\lim_{a \to 1}\dfrac{b^2}{1-a}$

$=\lim_{a \to 1}\dfrac{1-a^2}{1-a}=\lim_{a \to 1}(1+a)$

$=2$ 정답 ②

0179

정답 ③

STEP A **점 P를 지나고 직선 $y=x+1$에 수직인 직선의 방정식 구하기**

직선 PQ가 직선 $y=x+1$에 수직이므로 직선 PQ의 기울기는 -1이고
점 $P(t, t+1)$를 지나는 직선 PQ의 방정식은 $y-(t+1)=-(x-t)$
$\therefore y=-x+2t+1$

STEP B **$\overline{AP}^2$, $\overline{AQ}^2$을 t에 대한 식으로 표현하기**

이때 직선 PQ의 y절편이 $2t+1$이므로 $Q(0, 2t+1)$이고 $A(-1, 0)$
$\overline{AP}^2=(t+1)^2+(t+1)^2=2t^2+4t+2$
$\overline{AQ}^2=(-1)^2+(2t+1)^2=4t^2+4t+2$

STEP C **$\lim\limits_{t\to\infty}\dfrac{\overline{AQ}^2}{\overline{AP}^2}$의 값 구하기**

따라서 $\lim\limits_{t\to\infty}\dfrac{\overline{AQ}^2}{\overline{AP}^2}=\lim\limits_{t\to\infty}\dfrac{4t^2+4t+2}{2t^2+4t+2}=\lim\limits_{t\to\infty}\dfrac{4+\frac{4}{t}+\frac{2}{t^2}}{2+\frac{4}{t}+\frac{2}{t^2}}=2$

내신연계 출제문항 076

다음 그림과 같이 직선 $y=x-1$ 위에 두 점 $A(0, -1)$과 $P(t, t-1)$이 있다. 점 P를 지나고 직선 $y=x-1$에 수직인 직선이 x축과 만나는 점을 Q라고 할 때, $\lim\limits_{t\to\infty}\dfrac{\overline{AP}^2}{\overline{AQ}^2}$의 값은?

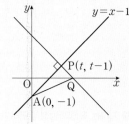

① $\dfrac{1}{2}$　　　② 1　　　③ $\dfrac{3}{2}$

④ 2　　　⑤ $\dfrac{5}{2}$

STEP A **점 P를 지나고 직선 $y=x-1$에 수직인 직선의 방정식 구하기**

점 P를 지나고 직선 $y=x-1$에 수직인 직선은 기울기가 -1이므로
$y=-(x-t)+t-1$

STEP B **$\overline{AP}^2$, $\overline{AQ}^2$을 t에 대한 식으로 표현하기**

이 식에 $y=0$을 대입하면 $x=2t-1$이므로 $Q(2t-1, 0)$
점 $A(0, -1)$에 대하여 $\overline{AP}^2=(t-0)^2+\{(t-1)+(-1)\}^2=2t^2$
$\overline{AQ}^2=\{(2t-1)-0\}^2+\{0-(-1)\}^2=4t^2-4t+2$

STEP C **$\lim\limits_{t\to\infty}\dfrac{\overline{AP}^2}{\overline{AQ}^2}$의 값 구하기**

따라서 $\lim\limits_{t\to\infty}\dfrac{\overline{AP}^2}{\overline{AQ}^2}=\lim\limits_{t\to\infty}\dfrac{2t^2}{4t^2-4t+2}=\lim\limits_{t\to\infty}\dfrac{2}{4-\frac{4}{t}+\frac{2}{t^2}}=\dfrac{1}{2}$

정답 ①

0180

정답 ①

STEP A **점 P를 지나고 선분 OP에 수직인 직선의 방정식 구하기**

직선 OP의 기울기가 $\dfrac{\sqrt{t}}{t}=\dfrac{1}{\sqrt{t}}$이므로

점 $P(t, \sqrt{t})$를 지나고 선분 OP에 수직인 직선의 방정식은
$y-\sqrt{t}=-\sqrt{t}(x-t)$　　　$\cdots\cdots$ ㉠

STEP B **직선의 x절편, y절편 구하기**

㉠에 $x=0$을 대입하면 $y=t\sqrt{t}+\sqrt{t}$이므로 $g(t)=\sqrt{t}(t+1)$
㉠에 $y=0$을 대입하면 $x=t+1$이므로 $f(t)=t+1$

STEP C **$\lim\limits_{t\to\infty}\dfrac{g(t)-f(t)}{g(t)+f(t)}$의 값 구하기**

따라서 $\lim\limits_{t\to\infty}\dfrac{g(t)-f(t)}{g(t)+f(t)}=\lim\limits_{t\to\infty}\dfrac{\sqrt{t}(t+1)-(t+1)}{\sqrt{t}(t+1)+(t+1)}$

$=\lim\limits_{t\to\infty}\dfrac{(t+1)(\sqrt{t}-1)}{(t+1)(\sqrt{t}+1)}$

$=\lim\limits_{t\to\infty}\dfrac{\sqrt{t}-1}{\sqrt{t}+1}=1$

0181

정답 ②

STEP A **수직이등분선 l의 방정식 구하기**

선분 OA의 중점의 좌표는 $\left(\dfrac{t}{2}, \dfrac{\sqrt{t}}{2}\right)$이고

직선 OA의 기울기는 $\dfrac{\sqrt{t}}{t}$이므로 직선 l의 방정식은

$y-\dfrac{\sqrt{t}}{2}=-\sqrt{t}\left(x-\dfrac{t}{2}\right)$, $y=-\sqrt{t}\,x+\dfrac{\sqrt{t}(t+1)}{2}$　　　$\cdots\cdots$ ㉠

STEP B **직선의 x절편, y절편 구하기**

㉠에 $y=0$을 대입하면 $f(t)=\dfrac{t+1}{2}$

㉠에 $x=0$을 대입하면 $g(t)=\dfrac{\sqrt{t}(t+1)}{2}$

STEP C **$\lim\limits_{t\to\infty}\dfrac{f(t)-g(t)}{f(t)+g(t)}$의 값 구하기**

따라서 $\lim\limits_{t\to\infty}\dfrac{f(t)-g(t)}{f(t)+g(t)}=\lim\limits_{t\to\infty}\dfrac{t+1-\sqrt{t}(t+1)}{t+1+\sqrt{t}(t+1)}$

$=\lim\limits_{t\to\infty}\dfrac{(t+1)(1-\sqrt{t})}{(t+1)(1+\sqrt{t})}$

$=\lim\limits_{t\to\infty}\dfrac{1-\sqrt{t}}{1+\sqrt{t}}$

$=\lim\limits_{t\to\infty}\dfrac{\frac{1}{\sqrt{t}}-1}{\frac{1}{\sqrt{t}}+1}=-1$

0182

정답 ①

STEP Ⓐ △OPQ의 넓이를 t에 대한 식으로 표현하기

삼각형 OPQ의 넓이는

$$f(t)=\frac{1}{2}(4t^2+t^2)(t+2t)-\frac{1}{2}\cdot 4t^2\cdot 2t-\frac{1}{2}\cdot t^2\cdot t$$

$$=\frac{1}{2}\cdot 15t^3-4t^3-\frac{1}{2}\cdot t^3$$

$$=3t^3$$

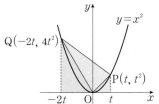

STEP Ⓑ 두 점 P, Q를 지나는 직선의 방정식을 구하여 y절편 구하기

두 점 $P(t,\,t^2)$, $Q(-2t,\,4t^2)$을 지나는 직선의 방정식은

$$y-t^2=\frac{4t^2-t^2}{-2t-t}(x-t),\ y=-t(x-t)+t^2$$

$$\therefore\ y=-tx+2t^2$$

직선의 y절편은 $g(t)=2t^2$

STEP Ⓒ $\displaystyle\lim_{t\to\infty}\frac{t\cdot g(t)-t}{2f(t)+1}$의 값 구하기

따라서 $\displaystyle\lim_{t\to\infty}\frac{t\cdot g(t)-t}{2f(t)+1}=\lim_{t\to\infty}\frac{t\cdot 2t^2-t}{2\cdot 3t^3+1}=\lim_{t\to\infty}\frac{2-\dfrac{1}{t^2}}{6+\dfrac{1}{t^3}}=\frac{1}{3}$

내/신/연/계/ 출제문항 077

그림과 같이 곡선 $y=x^2$ 위의 점 $P(t,\,t^2)$, $Q(-2t,\,4t^2)$이 있다.
점 P에서 x축에 내린 수선의 발을 R이라고 하자.

△OPQ,△OPR의 넓이를 각각 $f(t)$, $g(t)$라 할 때, $\displaystyle\lim_{t\to\infty}\frac{f(t)}{g(t)}$의 값을

구하여라. (단, 점 O는 원점이고 $t>0$)

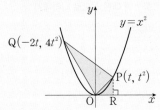

STEP Ⓐ 두 점 P, Q를 지나는 직선의 방정식 구하기

두 점 $P(t,\,t^2)$, $Q(-2t,\,4t^2)$를 지나는 직선의 방정식은

$$y-t^2=\frac{4t^2-t^2}{-2t-t}(x-t)=-\frac{3t^2}{3t}(x-t)$$

$$\therefore\ y=-t(x-t)+t^2=-tx+2t^2$$

STEP Ⓑ 직선의 y절편의 좌표를 구하고 $f(t)$, $g(t)$ 구하기

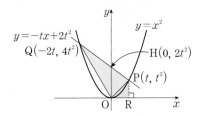

이때 두 점 P, Q를 지나는 직선과 y축이 만나는 점을 H라 하면
점 $H(0,\,2t^2)$이고

△OPQ＝△OPH＋△OHQ이므로

$$f(t)=\frac{1}{2}\cdot 2t^2\cdot t+\frac{1}{2}\cdot 2t^2\cdot 2t=3t^3$$

$$g(t)=\frac{1}{2}\cdot t\cdot t^2=\frac{1}{2}t^3$$

STEP Ⓒ $\displaystyle\lim_{t\to\infty}\frac{f(t)}{g(t)}$의 값 구하기

$$\therefore\ \lim_{t\to\infty}\frac{f(t)}{g(t)}=\lim_{t\to\infty}\frac{3t^3}{\dfrac{1}{2}t^3}=6$$

정답 6

0183

정답 ①

STEP Ⓐ 점과 직선 사이의 거리 공식을 이용하여 원의 반지름 구하기

원의 중심 $\left(a,\,a+\dfrac{1}{a}\right)$에서 직선 $x-y=0$에 이르는 거리가

원의 반지름이므로 $r=\dfrac{\left|a-\left(a+\dfrac{1}{a}\right)\right|}{\sqrt{1^2+(-1)^2}}=\dfrac{\sqrt{2}}{2a}$

STEP Ⓑ d를 a에 대한 식으로 표현하기

이때 직선 $y=-2x-1$에서 원 위의 점까지의 최솟값은

원의 중심 $\left(a,\,a+\dfrac{1}{a}\right)$에서 직선 $2x+y+1=0$에 이르는 거리에서
원의 반지름을 뺀다.

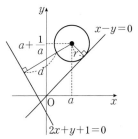

$$d=\frac{\left|2a+\left(a+\dfrac{1}{a}\right)+1\right|}{\sqrt{2^2+1^2}}-\frac{\sqrt{2}}{2a}$$

$$=\frac{\sqrt{5}(3a^2+a+1)}{5a}-\frac{\sqrt{2}}{2a}$$

$$=\frac{2\sqrt{5}(3a^2+a+1)-5\sqrt{2}}{10a}$$

STEP Ⓒ $\displaystyle\lim_{a\to\infty}\frac{d}{a}$의 값 구하기

따라서 $\displaystyle\lim_{a\to\infty}\frac{d}{a}=\lim_{a\to\infty}\frac{2\sqrt{5}(3a^2+a+1)-5\sqrt{2}}{10a^2}$

$$=\lim_{a\to\infty}\frac{2\sqrt{5}\left(3+\dfrac{1}{a}+\dfrac{1}{a^2}\right)-\dfrac{5\sqrt{2}}{a^2}}{10}$$

$$=\frac{6\sqrt{5}}{10}$$

$$=\frac{3\sqrt{5}}{5}$$

I
함수의 극한과 연속

오른쪽 그림과 같이 직선 $y=x$에
접하고 중심의 좌표가 $\left(a,\, a-\dfrac{1}{a}\right)$
인 원 C가 있다. 원점 O와 원 C
사이의 거리의 최솟값을 d라 할 때,
$\lim\limits_{a\to\infty}\dfrac{d}{a}$의 값은? (단, $a>1$)

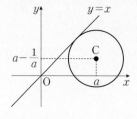

① $\dfrac{\sqrt{2}}{2}$ ② 1 ③ $\sqrt{2}$

④ 2 ⑤ $2\sqrt{2}$

STEP Ⓐ **점과 직선사이의 거리 공식을 이용하여 원의 반지름 구하기**

원 C의 반지름의 길이는 점 $\left(a,\, a-\dfrac{1}{a}\right)$과 직선 $y=x$,

즉 $x-y=0$ 사이의 거리와 같으므로 $\dfrac{\left|a-\left(a-\dfrac{1}{a}\right)\right|}{\sqrt{1^2+(-1)^2}}=\dfrac{1}{\sqrt{2}\,a}$

STEP Ⓑ **d를 a에 대한 식으로 표현하기**

이때 원점에서 원 위의 점까지의 최솟값은
원점에서 원의 중심 $\left(a,\, a-\dfrac{1}{a}\right)$에 이르는 거리에서 원의 반지름을 뺀다.

따라서 $d=\sqrt{a^2+\left(a-\dfrac{1}{a}\right)^2}-\dfrac{1}{\sqrt{2}\,a}=\sqrt{2a^2-2+\dfrac{1}{a^2}}-\dfrac{1}{\sqrt{2}\,a}$ 이므로

$\lim\limits_{x\to\infty}\dfrac{d}{a}=\lim\limits_{a\to\infty}\dfrac{1}{a}\left(\sqrt{2a^2-2+\dfrac{1}{a^2}}-\dfrac{1}{\sqrt{2}\,a}\right)$

$\qquad=\lim\limits\left(\sqrt{2-\dfrac{2}{a^2}+\dfrac{1}{a^4}}-\dfrac{1}{\sqrt{2}\,a^2}\right)$

$\qquad=\sqrt{2}$

정답 ③

0184 정답 ①

STEP Ⓐ **$f(a)$를 a에 대한 식으로 표현하기**

$\overline{OA}=\sqrt{a^2+b^2}=\sqrt{a^2+(\sqrt{2a})^2}=\sqrt{a^2+2a}$ 이므로

$f(a)=\overline{OA}-\overline{OB}=\sqrt{a^2+2a}-a$

STEP Ⓑ **$\lim\limits_{a\to\infty}(\overline{OA}-\overline{OB})$의 극한값 구하기**

$\lim\limits_{a\to\infty}f(a)=\lim\limits_{a\to\infty}(\sqrt{a^2+2a}-a)$

$\qquad=\lim\limits_{a\to\infty}\dfrac{(\sqrt{a^2+2a}-a)(\sqrt{a^2+2a}+a)}{\sqrt{a^2+2a}+a}$

$\qquad=\lim\limits_{a\to\infty}\dfrac{2a}{\sqrt{a^2+2a}+a}=\lim\limits_{a\to\infty}\dfrac{2}{\sqrt{1+\dfrac{2}{a}}+1}=1$

0185 정답 ①

STEP Ⓐ **$\overline{PO}$와 $\overline{PH}$를 x에 대한 식으로 표현하기**

점 P의 좌표가 $(x,\, x^2)(x>0)$이므로 $\overline{PO}=\sqrt{x^2+x^4}$, $\overline{PH}=x^2$

STEP Ⓑ **$\lim\limits_{x\to\infty}(\overline{PO}-\overline{PH})$의 극한값 구하기**

$\lim\limits_{x\to\infty}(\overline{PO}-\overline{PH})=\lim\limits_{x\to\infty}(\sqrt{x^2+x^4}-x^2)$

$\qquad=\lim\limits_{x\to\infty}\dfrac{(\sqrt{x^2+x^4}-x^2)(\sqrt{x^2+x^4}+x^2)}{\sqrt{x^2+x^4}+x^2}$

$\qquad=\lim\limits_{x\to\infty}\dfrac{x^2}{\sqrt{x^2+x^4}+x^2}=\lim\limits_{x\to\infty}\dfrac{1}{\sqrt{\dfrac{1}{x^2}+1}+1}=\dfrac{1}{2}$

곡선 $y=x^2$ 위의 한 점 $P(a,\, a^2)$에서 x축에 내린 수선의 발 H와 y축 위의
점 $A(0,\, 1)$에 대하여 $\lim\limits_{a\to\infty}(\overline{PH}-\overline{PA})$의 값은?

① $\dfrac{1}{2}$ ② 1 ③ $\dfrac{3}{2}$

④ 2 ⑤ 4

STEP Ⓐ **$\overline{PH}$와 $\overline{PA}$를 a에 대한 식으로 표현하기**

점 H의 좌표는 $H(a,\, 0)$이므로
$\overline{PH}=a^2$
$\overline{PA}=\sqrt{a^2+(a^2-1)^2}=\sqrt{a^4-a^2+1}$

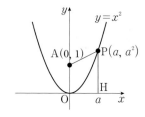

STEP Ⓑ **$\lim\limits_{a\to\infty}(\overline{PH}-\overline{PA})$의 극한값 구하기**

$\lim\limits_{a\to\infty}(\overline{PH}-\overline{PA})=\lim\limits_{a\to\infty}(a^2-\sqrt{a^4-a^2+1})$

$\qquad=\lim\limits_{a\to\infty}\dfrac{(a^2-\sqrt{a^4-a^2+1})(a^2+\sqrt{a^4-a^2+1})}{a^2+\sqrt{a^4-a^2+1}}$

$\qquad=\lim\limits_{a\to\infty}\dfrac{a^4-(a^4-a^2+1)}{a^2+\sqrt{a^4-a^2+1}}$

$\qquad=\lim\limits_{a\to\infty}\dfrac{a^2-1}{a^2+\sqrt{a^4-a^2+1}}$

$\qquad=\lim\limits_{a\to\infty}\dfrac{1-\dfrac{1}{a^2}}{1+\sqrt{1-\dfrac{1}{a^2}+\dfrac{1}{a^4}}}$

$\qquad=\dfrac{1}{1+1}=\dfrac{1}{2}$

정답 ①

0186 정답 ②

STEP Ⓐ **$\overline{OA}$와 $\overline{OB}$를 k에 대한 식으로 나타내기**

$A(k,\, \sqrt{3k})$, $B(k,\, \sqrt{k})$이므로
$\overline{OA}=\sqrt{k^2+3k}$, $\overline{OB}=\sqrt{k^2+k}$

STEP Ⓑ **$\lim\limits_{k\to\infty}(\overline{OA}-\overline{OB})$의 극한값 구하기**

$\lim\limits_{k\to\infty}(\overline{OA}-\overline{OB})=\lim\limits_{k\to\infty}(\sqrt{k^2+3k}-\sqrt{k^2+k})$

$\qquad=\lim\limits_{k\to\infty}\dfrac{(\sqrt{k^2+3k}-\sqrt{k^2+k})(\sqrt{k^2+3k}+\sqrt{k^2+k})}{\sqrt{k^2+3k}+\sqrt{k^2+k}}$

$\qquad=\lim\limits_{k\to\infty}\dfrac{2k}{\sqrt{k^2+3k}+\sqrt{k^2+k}}$

$\qquad=\lim\limits_{k\to\infty}\dfrac{2}{\sqrt{1+\dfrac{3}{k}}+\sqrt{1+\dfrac{1}{k}}}$

$\qquad=\dfrac{2}{1+1}=1$

0187

정답 ①

STEP Ⓐ $\overline{\mathrm{AO}}$와 $\overline{\mathrm{OP}}$를 t에 대한 식으로 표현하기

점 $\mathrm{P}(t,\ t^2)$이므로 $\overline{\mathrm{OP}}=\sqrt{t^2+t^4}$

직선 OP의 기울기가 $\dfrac{t^2}{t}=t$이므로 수직인 직선 l의 기울기는 $-\dfrac{1}{t}$이다.

점 $\mathrm{P}(t,\ t^2)$을 지나고 직선 OP와 수직인 직선 l의 방정식은

$$y-t^2=-\frac{1}{t}(x-t)$$

$$\therefore\ y=-\frac{1}{t}x+t^2+1$$

이때 점 A의 좌표는 $\mathrm{A}(0,\ t^2+1)$이므로 $\overline{\mathrm{OA}}=t^2+1$

STEP Ⓑ $\displaystyle\lim_{t\to\infty}(\overline{\mathrm{OA}}-\overline{\mathrm{OP}})$의 극한값 구하기

$$\begin{aligned}
\lim_{t\to\infty}(\overline{\mathrm{OA}}-\overline{\mathrm{OP}})&=\lim_{t\to\infty}\left\{(t^2+1)-\sqrt{t^2+t^4}\right\}\\
&=\lim_{t\to\infty}\left\{(t^2+1)-t\sqrt{1+t^2}\right\}\\
&=\lim_{t\to\infty}\sqrt{t^2+1}\left(\sqrt{t^2+1}-t\right)\\
&=\lim_{t\to\infty}\frac{\sqrt{t^2+1}\left(\sqrt{t^2+1}-t\right)\left(\sqrt{t^2+1}+t\right)}{\sqrt{t^2+1}+t}\\
&=\lim_{t\to\infty}\frac{\sqrt{t^2+1}}{\sqrt{t^2+1}+t}\\
&=\lim_{t\to\infty}\frac{\sqrt{1+\dfrac{1}{t^2}}}{\sqrt{1+\dfrac{1}{t^2}}+1}\\
&=\frac{1}{1+1}=\frac{1}{2}
\end{aligned}$$

내/신/연/계 출제문항 080

오른쪽 그림과 같이 곡선 $y=\sqrt{x}$ 위의 점 $\mathrm{P}(t,\ \sqrt{t})$를 지나고 $\overline{\mathrm{OP}}$와 수직인 직선 l의 기울기를 m이라 할 때, $\displaystyle\lim_{t\to\infty}(\overline{\mathrm{OP}}-m^2)$의 값은?

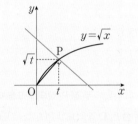

① $\dfrac{1}{2}$ ② 1

③ $\dfrac{3}{2}$ ④ 2

⑤ 4

STEP Ⓐ $\overline{\mathrm{OP}}$와 m를 t에 대한 식으로 표현하기

직선 OP의 기울기가 $\dfrac{\sqrt{t}}{t}=\dfrac{1}{\sqrt{t}}$이므로

점 P를 지나고 $\overline{\mathrm{OP}}$와 수직인 직선 l의 기울기는 $m=-\sqrt{t}$

이때 $\overline{\mathrm{OP}}=\sqrt{t^2+(\sqrt{t})^2}=\sqrt{t^2+t}$

STEP Ⓑ $\displaystyle\lim_{t\to\infty}(\overline{\mathrm{OP}}-m^2)$의 극한값 구하기

$$\begin{aligned}
\lim_{t\to\infty}(\overline{\mathrm{OP}}-m^2)&=\lim_{t\to\infty}(\sqrt{t^2+t}-t)\\
&=\lim_{t\to\infty}\frac{(\sqrt{t^2+t}-t)(\sqrt{t^2+t}+t)}{\sqrt{t^2+t}+t}\\
&=\lim_{t\to\infty}\frac{t}{\sqrt{t^2+t}+t}\\
&=\lim_{t\to\infty}\frac{1}{\sqrt{1+\dfrac{1}{t}}+1}\\
&=\frac{1}{1+1}=\frac{1}{2}
\end{aligned}$$

정답 ①

0188

정답 ①

STEP Ⓐ 두 점 P, Q의 좌표를 임의로 두고 $\overline{\mathrm{PQ}}=\overline{\mathrm{OQ}}$임을 이용하기

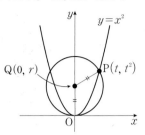

점 P의 좌표를 $(t,\ t^2)$, 점 Q의 좌표를 $(0,\ r)$로 놓으면

$\overline{\mathrm{PQ}}=\overline{\mathrm{OQ}}$이므로 $\sqrt{t^2+(r-t^2)^2}=r$

양변을 제곱하여 정리하면

$t^4+t^2-2t^2 r=0$

그러므로 $t\neq 0$일 때,

$$r=\frac{t^4+t^2}{2t^2}=\frac{t^2+1}{2}$$

STEP Ⓑ $\displaystyle\lim_{t\to0}r$를 계산하여 a의 값 구하기

이때 점 P가 원점 O에 한없이 가까워지면 $t\to0$이므로

$$a=\lim_{t\to0}r=\lim_{t\to0}\frac{t^2+1}{2}=\frac{1}{2}$$

따라서 점 Q는 점 $\left(0,\ \dfrac{1}{2}\right)$에 한없이 가까워진다. $\quad\therefore\ a=\dfrac{1}{2}$

0189

정답 ④

STEP Ⓐ $\overline{\mathrm{PA}}$와 $\overline{\mathrm{PB}}$를 a에 대한 식으로 표현하기

$x=a$에서 곡선과 원 $y=\dfrac{1}{8}x^2$, $x^2+(y-3)^2=9$의 교점의 좌표는

$\mathrm{A}\left(a,\ \dfrac{1}{8}a^2\right)$, $\mathrm{B}\left(a,\ 3-\sqrt{9-a^2}\right)$이므로 $\overline{\mathrm{PA}}=\dfrac{1}{8}a^2$, $\overline{\mathrm{PB}}=3-\sqrt{9-a^2}$

STEP Ⓑ $\displaystyle\lim_{a\to0+}\dfrac{\overline{\mathrm{PA}}}{\overline{\mathrm{PB}}}$의 극한값 구하기

$$\begin{aligned}
\lim_{a\to0+}\frac{\overline{\mathrm{PA}}}{\overline{\mathrm{PB}}}&=\lim_{a\to0+}\frac{\dfrac{1}{8}a^2}{3-\sqrt{9-a^2}}\\
&=\frac{1}{8}\lim_{a\to0+}\frac{a^2(3+\sqrt{9-a^2})}{(3-\sqrt{9-a^2})(3+\sqrt{9-a^2})}\\
&=\frac{1}{8}\lim_{a\to0+}\frac{a^2(3+\sqrt{9-a^2})}{a^2}\\
&=\frac{1}{8}\lim_{a\to0+}(3+\sqrt{9-a^2})\\
&=\frac{1}{8}(3+3)=\frac{3}{4}
\end{aligned}$$

0190

정답 ④

STEP Ⓐ 점 P의 좌표를 임의로 두고 $\overline{\mathrm{AQ}}$, $\overline{\mathrm{PQ}}$를 식으로 표현하기

점 P의 좌표를 $\mathrm{P}(t,\ \sqrt{2t-2})(t\geq1)$라고 하면 $\overline{\mathrm{AQ}}=|t-3|$

$\overline{\mathrm{PQ}}=|\sqrt{2t-2}-2|$

STEP Ⓑ $\displaystyle\lim_{t\to3}\dfrac{\overline{\mathrm{PQ}}}{\overline{\mathrm{AQ}}}$의 값 구하기

이때 점 P가 점 A에 한없이 가까워지면 $t\to3$이므로

$$\begin{aligned}
\lim_{t\to3}\frac{\overline{\mathrm{PQ}}}{\overline{\mathrm{AQ}}}&=\lim_{t\to3}\frac{|\sqrt{2t-2}-2|}{|t-3|}=\lim_{t\to3}\frac{\sqrt{2t-2}-2}{t-3}\\
&=\lim_{t\to3}\frac{(\sqrt{2t-2}-2)(\sqrt{2t-2}+2)}{(t-3)(\sqrt{2t-2}+2)}\\
&=\lim_{t\to3}\frac{2(t-3)}{(t-3)(\sqrt{2t-2}+2)}\\
&=\lim_{t\to3}\frac{2}{\sqrt{2t-2}+2}\\
&=\frac{2}{2+2}=\frac{1}{2}
\end{aligned}$$

0191

STEP Ⓐ **점 R의 좌표를 a에 관한 식으로 나타내기**

점 P의 좌표를 $(a, a^2)\,(a>0)$이라 하면

$\overline{OP}=\sqrt{a^2+a^4}=a\sqrt{1+a^2}$이므로 $Q(a\sqrt{1+a^2},\,0)$

두 점 $P(a, a^2)$, $Q(a\sqrt{1+a^2},\,0)$를 지나는 직선의 방정식은

$y-a^2=\dfrac{-a}{\sqrt{1+a^2}-1}(x-a)$이므로 점 R의 좌표는 $\left(0,\,\dfrac{a^2}{\sqrt{1+a^2}-1}+a^2\right)$

STEP Ⓑ **$\lim\limits_{a\to0+}\overline{OR}$의 극한값 구하기**

점 P가 원점에 한없이 가까워질 때, $a\to0+$이므로

$$\lim_{a\to0+}\left(\dfrac{a^2}{\sqrt{1+a^2}-1}+a^2\right)=\lim_{a\to0+}\left(\dfrac{a^2(\sqrt{1+a^2}+1)}{(\sqrt{1+a^2}-1)(\sqrt{1+a^2}+1)}+a^2\right)$$
$$=\lim_{a\to0+}\left(\dfrac{a^2(\sqrt{1+a^2}+1)}{a^2}+a^2\right)$$
$$=\lim_{a\to0+}(\sqrt{1+a^2}+1+a^2)$$
$$=2$$

따라서 점 P가 원점에 한없이 가까워질 때, 점 R은 점 $(0, 2)$에 한없이 가까워진다.

내/신/연/계/ 출제문항 081

오른쪽 그림과 같이 곡선 $y=\sqrt{x}$ 위의 점 $A(t, \sqrt{t})$에 대하여 $\overline{OA}=\overline{OB}$인 y축 위의 점 B를 잡고, 직선 AB와 x축과의 교점을 C라 할 때, $\lim\limits_{t\to0+}\overline{OC}$의 값은?

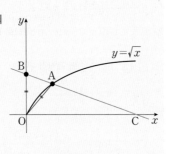

① $\dfrac{1}{2}$ ② 1

③ $\dfrac{3}{2}$ ④ 2

⑤ 4

STEP Ⓐ **점 C의 좌표를 t에 관한 식으로 나타내기**

점 $A(t, \sqrt{t})$에 대하여 $\overline{OA}=\overline{OB}=\sqrt{t^2+t}$이므로

점 B의 좌표는 $B(0, \sqrt{t^2+t})$이다.

두 점 $A(t, \sqrt{t})$, $B(0, \sqrt{t^2+t})$을 지나는 직선 AB의 방정식은

$y-\sqrt{t^2+t}=\dfrac{\sqrt{t}-\sqrt{t^2+t}}{t}(x-0)$ $\therefore y=\dfrac{\sqrt{t}-\sqrt{t^2+t}}{t}x+\sqrt{t^2+t}$

점 C의 x좌표는 직선 $\overline{AB}$의 x절편이므로

$0=\dfrac{\sqrt{t}-\sqrt{t^2+t}}{t}x+\sqrt{t^2+t}$에서 $x=\dfrac{t\sqrt{t^2+t}}{\sqrt{t^2+t}-\sqrt{t}}$

즉 $\overline{OC}=\dfrac{t\sqrt{t^2+t}}{\sqrt{t^2+t}-\sqrt{t}}$

STEP Ⓑ **$\lim\limits_{t\to0+}\overline{OC}$의 극한값 구하기**

$$\lim_{t\to0+}\overline{OC}=\lim_{t\to0+}\dfrac{t\sqrt{t^2+t}}{\sqrt{t^2+t}-\sqrt{t}}=\lim_{t\to0+}\dfrac{t\sqrt{t^2+t}(\sqrt{t^2+t}+\sqrt{t})}{(\sqrt{t^2+t}-\sqrt{t})(\sqrt{t^2+t}+\sqrt{t})}$$
$$=\lim_{t\to0+}\dfrac{t\sqrt{t^2+t}(\sqrt{t^2+t}+\sqrt{t})}{t^2}$$
$$=\lim_{t\to0+}\dfrac{t^2+t+\sqrt{t}\sqrt{t^2+t}}{t}$$
$$=\lim_{t\to0+}\dfrac{t^2+t+t\sqrt{t+1}}{t}$$
$$=\lim_{t\to0+}(t+1+\sqrt{t+1})=1+1=2$$

0192

STEP Ⓐ **삼각형 PBC와 삼각형 PCA의 넓이의 합 $f(t)$ 구하기**

$f(t)=\triangle PBC+\triangle PCA$
$$=\dfrac{1}{2}\times2\times(t^2-4)+\dfrac{1}{2}\times4\times(t-2)$$
$$=(t^2-4)+2(t-2)$$
$$=t^2+2t-8$$

STEP Ⓑ **유리식을 인수분해하여 공통인수를 약분하여 극한값 구하기**

따라서 $\lim\limits_{t\to2+}\dfrac{f(t)}{t-2}=\lim\limits_{t\to2+}\dfrac{t^2+2t-8}{t-2}$
$$=\lim_{t\to2+}\dfrac{(t+4)(t-2)}{t-2}$$
$$=\lim_{t\to2+}(t+4)=6$$

내/신/연/계/ 출제문항 082

그림과 같이 두 곡선 $y=x^2-x$, $y=\sqrt{2x+1}-1$이 직선 $x=t\,(0<t<1)$와 만나는 점을 각각 P, Q라 하고 직선 $x=t$가 x축과 만나는 점을 H라 하자. 원점 O에 대하여 두 삼각형 OPH, OHQ의 넓이를 각각 $A(t)$, $B(t)$라 할 때, $\lim\limits_{t\to0+}\dfrac{B(t)}{A(t)}$의 값은?

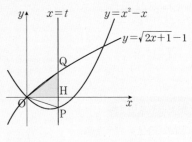

① 1   ② $\dfrac{5}{4}$ ③ $\dfrac{3}{2}$

④ $\dfrac{7}{4}$ ⑤ 2

STEP Ⓐ **두 점 P, Q의 좌표를 이용하여 $A(t)$, $B(t)$ 구하기**

두 점 P, Q의 좌표가 $P(t, t^2-t)$, $Q(t, \sqrt{2t+1}-1)$이므로

$A(t)=\dfrac{1}{2}t|t^2-t|$, $B(t)=\dfrac{1}{2}t|\sqrt{2t+1}-1|$

STEP Ⓑ **$\lim\limits_{t\to0+}\dfrac{B(t)}{A(t)}$의 값 구하기**

따라서 $\lim\limits_{t\to0+}\dfrac{B(t)}{A(t)}=\lim\limits_{t\to0+}\dfrac{\dfrac{t}{2}|\sqrt{2t+1}-1|}{\dfrac{t}{2}|t^2-t|}$
$$=\lim_{t\to0+}\dfrac{\sqrt{2t+1}-1}{t(1-t)}\;(\because 0<t<1)$$
$$=\lim_{t\to0+}\dfrac{(\sqrt{2t+1}-1)(\sqrt{2t+1}+1)}{t(1-t)(\sqrt{2t+1}+1)}$$
$$=\lim_{t\to0+}\dfrac{2t}{t(1-t)(\sqrt{2t+1}+1)}$$
$$=\lim_{t\to0+}\dfrac{2}{(1-t)(\sqrt{2t+1}+1)}=1$$

0193

STEP Ⓐ **삼각형 PMQ의 넓이 S(t) 구하기**

원 $x^2+y^2=1$ 위의 점 $P(t, \sqrt{1-t^2})$에서의 접선의 방정식은

$tx+\sqrt{1-t^2}y=1$이다. ◀ 원 $x^2+y^2=r^2$ 위의 점 (x_1, y_1)에서 접선의 방정식 $x_1x+y_1y=r^2$

점 Q의 좌표는 $\left(\frac{1}{t}, 0\right)$, 점 M의 좌표는 $\left(\frac{1}{2t}, 0\right)$

삼각형 PMQ의 넓이는 $S(t)=\frac{1}{2}\cdot\frac{1}{2t}\cdot\sqrt{1-t^2}=\frac{\sqrt{1-t^2}}{4t}$

STEP Ⓑ $\lim_{t\to 1^-}\frac{\{S(t)\}^2}{1-t}$**의 극한값 구하기**

따라서 $\lim_{t\to 1^-}\frac{\{S(t)\}^2}{1-t}=\lim_{t\to 1^-}\frac{1-t^2}{16t^2(1-t)}$

$=\lim_{t\to 1^-}\frac{(1-t)(1+t)}{16t^2(1-t)}$

$=\lim_{t\to 1^-}\frac{1+t}{16t^2}$

$=\frac{2}{16}=\frac{1}{8}$

내/신/연/계/ 출제문항 083

오른쪽 그림과 같이 좌표평면 위에 원점 O를 중심으로 하는 원이 있다. 이 원이 x축과 만나는 점 중 x좌표가 양수인 점을 A라고 할 때, 선분 OA 위의 점 P를 지나고 선분 OA에 수직인 직선과 원이 제1사분면에서 만나는 점을 Q, 점 Q를 지나면서 원에 접하는 직선과 x축이 만나는 점을 R이라고 하자.

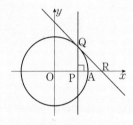

점 P가 점 A에 한없이 가까워질 때, $\frac{\overline{PR}}{\overline{PA}}$가 한없이 가까워지는 값은? (단, 점 P는 점 O와 점 A가 아니다.)

① 1   ② 2   ③ 3
④ 4   ⑤ 5

STEP Ⓐ $\overline{PR}, \overline{PA}$**를 a, r에 관한 식으로 나타내기**

점 Q의 좌표를 $(a, b)(a>0)$라고 하면 점 P의 좌표는 $(a, 0)$이다.
원의 반지름의 길이를 r이라 하면
원 위의 점 Q에서의 접선의 방정식은

$ax+by=r^2$ ◀ 원 $x^2+y^2=r^2$ 위의 점 (x_1, y_1)에서 접선의 방정식 $x_1x+y_1y=r^2$

$y=0$을 위의 식에 대입하면 $ax=r^2$, $x=\frac{r^2}{a}$

따라서 점 R의 좌표는 $\left(\frac{r^2}{a}, 0\right)$이므로 $\overline{PR}=\frac{r^2}{a}-a$

STEP Ⓑ $\lim_{a\to r^-}\frac{\overline{PR}}{\overline{PA}}$**의 극한값 구하기**

이때 점 A의 좌표가 $(r, 0)$이므로 $\overline{PA}=r-a$이고
점 P가 점 A에 한없이 가까워지면 $a\to r^-$

따라서 $\lim_{a\to r^-}\frac{\overline{PR}}{\overline{PA}}=\lim_{a\to r^-}\frac{\frac{r^2}{a}-a}{r-a}=\lim_{a\to r^-}\frac{r^2-a^2}{a(r-a)}=\lim_{a\to r^-}\frac{r+a}{a}=\frac{2r}{r}=2$

 정답 ②

0194

STEP Ⓐ **△COB, △COA, △CAB넓이의 합이 △OAB의 넓이와 같음을 이용하여 a, r에 관한 식으로 나타내기**

오른쪽 그림과 같이
△COB, △COA, △CAB는
각각 밑변이 $\overline{OB}, \overline{OA}, \overline{AB}$이고
높이가 r인 삼각형이다.
이 세 삼각형의 넓이의 합은
△OAB의 넓이와 같으므로
$\frac{1}{2}r(\overline{OB}+\overline{OA}+\overline{AB})=\frac{1}{2}\cdot a\cdot 3$

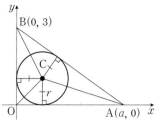

$\overline{AB}=\sqrt{a^2+9}$이므로

$\frac{1}{2}r(3+a+\sqrt{a^2+9})=\frac{3}{2}a$ ∴ $\frac{r}{a}=\frac{3}{a+3+\sqrt{a^2+9}}$

STEP Ⓑ $\lim_{a\to 0^+}\frac{r}{a}$**의 극한값 구하기**

따라서 $\lim_{a\to 0^+}\frac{r}{a}=\lim_{a\to 0^+}\frac{3}{a+3+\sqrt{a^2+9}}=\frac{3}{3+\sqrt{9}}=\frac{1}{2}$

다른풀이 직각삼각형에 내접하는 원의 성질을 이용하여 r을 a로 표현하기

$\overline{AB}=(\overline{OA}-r)+(\overline{OB}-r)=\overline{OA}+\overline{OB}-2r$이므로

$r=\frac{\overline{OA}+\overline{OB}-\overline{AB}}{2}=\frac{a+3-\sqrt{a^2+9}}{2}$

$\lim_{a\to 0^+}\frac{r}{a}=\lim_{a\to 0^+}\frac{a+3-\sqrt{a^2+9}}{2a}=\lim_{a\to 0^+}\frac{(a+3-\sqrt{a^2+9})(a+3+\sqrt{a^2+9})}{2a(a+3+\sqrt{a^2+9})}$

$=\lim_{a\to 0^+}\frac{6a}{2a(a+3+\sqrt{a^2+9})}$

$=\lim_{a\to 0^+}\frac{3}{a+3+\sqrt{a^2+9}}$

$=\frac{3}{3+\sqrt{9}}=\frac{1}{2}$

내/신/연/계/ 출제문항 084

오른쪽 그림과 같이 세 점 A(0, 4), B($-a$, 0), C(a, 0)을 꼭짓점으로 하는 삼각형 ABC가 있다. 삼각형 ABC에 내접하는 원의 반지름의 길이를 r이라 할 때, $\lim_{a\to 0^+}\frac{a}{r}$의 값은? (단, $a>0$)

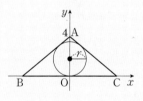

① $\frac{1}{2}$ ② $\frac{1}{3}$ ③ 1
④ 2   ⑤ 3

STEP Ⓐ **삼각형 ABC의 넓이를 구하여 a, r에 관한 식으로 나타내기**

삼각형 ABC의 넓이는

$\frac{1}{2}\cdot\overline{BC}\cdot\overline{AO}=\frac{1}{2}\cdot 2a\cdot 4=4a$ ...... ㉠

이때 $\overline{AB}=\overline{AC}=\sqrt{a^2+16}$이므로 삼각형 ABC의 넓이는

$\frac{1}{2}\cdot r\cdot(\overline{AB}+\overline{BC}+\overline{CA})=\frac{1}{2}\cdot r\cdot(2\sqrt{a^2+16}+2a)$

$=r(\sqrt{a^2+16}+a)$ ...... ㉡

㉠, ㉡에서 $4a=r(\sqrt{a^2+16}+a)$, $\frac{a}{r}=\frac{\sqrt{a^2+16}+a}{4}$

STEP Ⓑ $\lim_{a\to 0^+}\frac{a}{r}$**의 극한값 구하기**

따라서 $\lim_{a\to 0^+}\frac{a}{r}=\lim_{a\to 0^+}\frac{\sqrt{a^2+16}+a}{4}=1$

 정답 ③

0195

STEP Ⓐ $\overline{\mathrm{PA}}=x(0<x<1)$로 놓고 직각삼각형의 닮음을 이용하여 $\overline{\mathrm{OQ}}$
의 길이 구하기

$\overline{\mathrm{PA}}=x(0<x<1)$라 하면

$\overline{\mathrm{OA}}=\overline{\mathrm{OP}'}=1$이고 삼각형 $\mathrm{OP'Q}$에서

$\angle \mathrm{OP'Q}=\angle \mathrm{OPP'}=90°$이므로

$\overline{\mathrm{OP}'}^{2}=\overline{\mathrm{OP}}\times\overline{\mathrm{OQ}}$이다.

$1=(1-x)\times\overline{\mathrm{OQ}}$

← $\triangle \mathrm{OPP'} \backsim \triangle \mathrm{OP'Q}$이므로
$\overline{\mathrm{OP}'}:\overline{\mathrm{OQ}}=\overline{\mathrm{OP}}:\overline{\mathrm{OP}'}$에서 $\overline{\mathrm{OP}'}^{2}=\overline{\mathrm{OP}}\times\overline{\mathrm{OQ}}$

$\therefore \overline{\mathrm{OQ}}=\dfrac{1}{1-x}$

STEP Ⓑ $\lim\limits_{x\to 0+}\dfrac{\overline{\mathrm{PQ}}}{\overline{\mathrm{PA}}}$의 극한값 구하기

$\overline{\mathrm{PQ}}=\overline{\mathrm{OQ}}-\overline{\mathrm{OP}}=\dfrac{1}{1-x}-(1-x)=\dfrac{x(2-x)}{1-x}$

따라서 $\lim\limits_{x\to 0+}\dfrac{\overline{\mathrm{PQ}}}{\overline{\mathrm{PA}}}=\lim\limits_{x\to 0+}\dfrac{\dfrac{x(2-x)}{1-x}}{x}=\lim\limits_{x\to 0+}\dfrac{x-2}{x-1}=2$

다른풀이 좌표평면을 정하여 풀이하기

다음 그림과 같이 선분 OA를 지나는 직선을 x축으로 하고
원점을 점 O로 하는 좌표평면을 정한다.

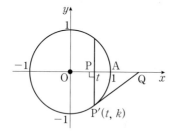

그러면 원의 방정식은 $x^2+y^2=1$이고 점 $\mathrm{A}(1,0)$
점 P의 좌표를 $(t,0)(0<t<1)$, 점 P'의 좌표를 (t,k)라고 하면
원 위의 점 P'을 지나는 접선의 방정식은 $tx+ky=1$이므로
점 Q의 좌표는 $x=\dfrac{1}{t}$이다.

따라서 $\lim\limits_{t\to 1-}\dfrac{\dfrac{1}{t}-t}{1-t}=\lim\limits_{t\to 1-}\dfrac{1+t}{t}=2$

0196

STEP Ⓐ $\overline{\mathrm{PA}}$의 길이를 임의로 두고 직선 PQ의 방정식 구하기

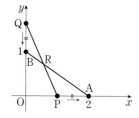

직선 AB의 방정식은

$\dfrac{x}{2}+\dfrac{y}{1}=1,\ x+2y=2$ ...... ㉠

$\overline{\mathrm{PA}}=\overline{\mathrm{BQ}}=t(0<t<2)$로 놓으면

$\mathrm{P}(2-t,0),\ \mathrm{Q}(0,t+1)$이므로

직선 PQ의 방정식은 $\dfrac{x}{2-t}+\dfrac{y}{1+t}=1$ ...... ㉡

STEP Ⓑ 두 방정식을 연립하여 교점 R의 좌표 구하기

두 직선의 교점이 R이므로 ㉠에서 $x=2-2y$를

㉡에 대입하면 $\dfrac{2-2y}{2-t}+\dfrac{y}{1+t}=1$

양변에 $(2-t)(1+t)$를 곱하여 정리하면 $y=\dfrac{t+1}{3}$

이 값을 ㉠에 대입하면 $x=\dfrac{4-2t}{3}$

즉 교점은 $\mathrm{R}\left(\dfrac{4-2t}{3},\dfrac{t+1}{3}\right)$이다.

STEP Ⓒ x좌표와 y좌표의 극한값 구하기

이때 $t\to 0+$이므로

$x=\lim\limits_{t\to 0+}\dfrac{4-2t}{3}=\dfrac{4}{3},\ y=\lim\limits_{t\to 0+}\dfrac{t+1}{3}=\dfrac{1}{3}$

따라서 구하는 좌표는 $\left(\dfrac{4}{3},\dfrac{1}{3}\right)$이므로 $3(a+b)=5$

내신연계 출제문항 085

다음 그림과 같이 x축 위의 점 $\mathrm{A}(3,0)$, y축 위의 점 $\mathrm{B}(0,2)$가 있다.
점 P는 x축을 따라 점 A의 왼쪽에서 점 A로, 점 Q는 y축을 따라 점 B의
위쪽에서 점 B로 한없이 가까워진다.

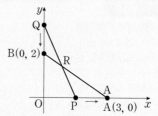

$\overline{\mathrm{PQ}}$가 $\overline{\mathrm{AP}}=\overline{\mathrm{BQ}}$를 만족하면서 움직일 때, $\overline{\mathrm{AB}}$, $\overline{\mathrm{PQ}}$의 교점 R의 좌표의
극한값 (a,b)에 대하여 $5(a+b)$의 값은?

① 11 ② 12 ③ 13
④ 14 ⑤ 15

STEP Ⓐ 두 직선 AB, PQ의 방정식 구하기

$\overline{\mathrm{AP}}=\overline{\mathrm{BQ}}=t$라 하면 $\mathrm{P}(3-t,0),\ \mathrm{Q}(0,2+t)$

직선 AB의 방정식은 $y=-\dfrac{2}{3}x+2$ ← $\dfrac{x}{3}+\dfrac{y}{2}=1$

직선 PQ의 방정식은 $y=\dfrac{t+2}{t-3}x+t+2$ ← $\dfrac{x}{3-t}+\dfrac{y}{2+t}=1$

STEP Ⓑ 점 R의 좌표를 t의 식으로 나타내기

교점 R의 좌표는 $\dfrac{t+2}{t-3}x+t+2=-\dfrac{2}{3}x+2$에서

$x=-\dfrac{3}{5}(t-3),\ y=\dfrac{2(t-3)}{5}+2$

따라서 $\mathrm{R}\left(\dfrac{-3t+9}{5},\dfrac{2t+4}{5}\right)$

STEP Ⓒ 점 R가 한없이 가까워지는 점의 좌표 구하기

두 점 P, Q가 각각 점 A, B에 한없이 가까워지면 $t\to 0$이므로

교점 R은 점 $\left(\dfrac{9}{5},\dfrac{4}{5}\right)$에 한없이 가까워진다.

따라서 $a=\dfrac{9}{5},\ b=\dfrac{4}{5}$이므로 $5(a+b)=13$

0197

STEP ⓐ 함수의 극한에 대한 성질을 이용하여 [보기]의 참, 거짓 판별하기

ㄱ. 반례 $\lim_{x \to 0} x = 0$, $\lim_{x \to 0} x^2 = 0$이지만 $\lim_{x \to 0} \dfrac{x}{x^2} = \lim_{x \to 0} \dfrac{1}{x} = \infty$이므로

값은 존재하지 않는다. [거짓]

ㄴ. $\lim_{x \to \infty} f(x) = \alpha$, $\lim_{x \to \infty}\{f(x) + g(x)\} = \beta$ (α, β는 상수)라 하면

$$\lim_{x \to \infty} g(x) = \lim_{x \to \infty} [\{f(x) + g(x)\} - f(x)] = \lim_{x \to \infty}\{f(x) + g(x)\} - \lim_{x \to \infty} f(x)$$
$$= \beta - \alpha$$

즉 $\lim_{x \to \infty} g(x)$의 값도 존재한다. [참]

ㄷ. 반례 $f(x) = x$, $g(x) = \dfrac{1}{x}$라 하면 $\lim_{x \to 0} f(x) = \lim_{x \to 0} x = 0$

$\lim_{x \to 0} f(x)g(x) = \lim_{x \to 0}\left(x \cdot \dfrac{1}{x}\right) = \lim_{x \to 0} 1 = 1$이므로 값이 모두 존재하지만

$\lim_{x \to 0} g(x) = \lim_{x \to 0} \dfrac{1}{x} = \infty$이므로 $\lim_{x \to 0} g(x)$는 존재하지 않는다. [거짓]

> 참고 $\lim_{x \to a} f(x)$와 $\lim_{x \to a}\{f(x)g(x)\}$의 값이 각각 존재하고
> $\lim_{x \to a} f(x) \neq 0$이면 $\lim_{x \to a} g(x)$의 값도 존재한다. [참]

ㄹ. $x^2 < f(x) < x^2 + 2x$에서 $x^2 - x < f(x) - x < x^2 + x$

부등식의 각 변을 $\sqrt{9x^4 + 1}$로 나누면

$$\dfrac{x^2 - x}{\sqrt{9x^4 + 1}} < \dfrac{f(x) - x}{\sqrt{9x^4 + 1}} < \dfrac{x^2 + x}{\sqrt{9x^4 + 1}} \; (\because \sqrt{9x^4 + 1} > 0)$$

$\lim_{x \to \infty} \dfrac{x^2 - x}{\sqrt{9x^4 + 1}} = \dfrac{1}{3}$, $\lim_{x \to \infty} \dfrac{x^2 + x}{\sqrt{9x^4 + 1}} = \dfrac{1}{3}$이므로

함수의 극한의 대소 관계에 의하여 $\lim_{x \to \infty} \dfrac{f(x) - x}{\sqrt{9x^4 + 1}} = \dfrac{1}{3}$이다. [참]

따라서 옳은 것은 ㄴ, ㄹ이다.

0198

STEP ⓐ 함수의 극한에 대한 성질을 이용하여 [보기]의 참, 거짓 판별하기

ㄱ. $\lim_{x \to \infty} f(x) = \alpha$, $\lim_{x \to \infty}\{f(x) + g(x)\} = \beta$ (α, β는 상수)라 하면

$$\lim_{x \to \infty} g(x) = \lim_{x \to \infty}[\{f(x) + g(x)\} - f(x)] = \lim_{x \to \infty}\{f(x) + g(x)\} - \lim_{x \to \infty} f(x)$$
$$= \beta - \alpha$$

즉 $\lim_{x \to \infty} g(x)$의 값도 존재한다. [참]

ㄴ. 반례 $f(x) = \dfrac{1}{x}$, $g(x) = x$라 하면

$\lim_{x \to \infty} f(x) = \lim_{x \to \infty} \dfrac{1}{x} = 0$, $\lim_{x \to \infty} f(x)g(x) = \lim_{x \to \infty}\left(\dfrac{1}{x} \times x\right) = \lim_{x \to \infty} 1 = 1$이므로

값이 모두 존재하지만 $\lim_{x \to \infty} g(x) = \lim_{x \to \infty} x = \infty$이므로

$\lim_{x \to \infty} g(x)$는 존재하지 않는다. [거짓]

ㄷ. $\lim_{x \to \infty} f(x) = \alpha$, $\lim_{x \to \infty} \dfrac{g(x)}{f(x)} = \beta$ (α, β는 상수)라 하면

$$\lim_{x \to \infty} g(x) = \lim_{x \to \infty}\left\{f(x) \times \dfrac{g(x)}{f(x)}\right\} = \lim_{x \to \infty} f(x) \times \lim_{x \to \infty} \dfrac{g(x)}{f(x)} = \alpha\beta$$

즉 $\lim_{x \to \infty} g(x)$의 값도 존재한다. [참]

ㄹ. 반례 $f(x) = \dfrac{1}{x + 1}$, $g(x) = \dfrac{1}{x - 1}$라 하면

$\lim_{x \to 1} f(x) = \lim_{x \to 1} \dfrac{1}{x + 1} = \dfrac{1}{2}$,

$\lim_{x \to 1} \dfrac{f(x)}{g(x)} = \lim_{x \to 1}\left(\dfrac{1}{x + 1} \cdot \dfrac{x - 1}{1}\right) = \lim_{x \to 1} \dfrac{x - 1}{x + 1} = 0$이므로

$\lim_{x \to 1} f(x)$와 $\lim_{x \to 1} \dfrac{f(x)}{g(x)}$의 값이 각각 존재하지만

$\lim_{x \to 1} g(x) = \lim_{x \to 1} \dfrac{1}{x - 1}$의 값은 존재하지 않는다. [거짓]

따라서 옳은 것은 ㄱ, ㄷ이다.

함수의 극한에 대한 설명으로 옳은 것만을 [보기]에서 있는 대로 고른 것은?

> ㄱ. $\lim_{x \to 0}\{f(x) - g(x)\} = 0$일 때, $\lim_{x \to 0} f(x)$, $\lim_{x \to 0} g(x)$의 값이 각각 존재한다.
>
> ㄴ. $\lim_{x \to a} f(x)$와 $\lim_{x \to a} f(x)g(x)$의 값이 각각 존재하면 $\lim_{x \to a} g(x)$의 값도 존재한다.
>
> ㄷ. $\lim_{x \to a} g(x)$와 $\lim_{x \to a} \dfrac{f(x)}{g(x)}$의 값이 각각 존재하면 $\lim_{x \to a} f(x)$의 값도 존재한다. (단, $g(x) \neq 0$)

① ㄱ ② ㄴ ③ ㄷ
④ ㄴ, ㄷ ⑤ ㄱ, ㄴ, ㄷ

STEP ⓐ 함수의 극한에 대한 성질을 이용하여 [보기]의 참, 거짓 판별하기

ㄱ. 반례 $f(x) = x + \dfrac{1}{x}$, $g(x) = \dfrac{1}{x}$일 때, $\lim_{x \to 0}\{f(x) - g(x)\} = 0$이지만

$\lim_{x \to 0} f(x)$, $\lim_{x \to 0} g(x)$의 값은 존재하지 않는다. [거짓]

ㄴ. 반례 $f(x) = \dfrac{x - a}{a}$, $g(x) = \dfrac{a}{x - a}$ (단, $a \neq 0$)라 하면

$\lim_{x \to a} f(x) = \lim_{x \to a} \dfrac{x - a}{a} = 0$, $\lim_{x \to a} f(x)g(x) = \lim_{x \to a}\left(\dfrac{x - a}{a} \cdot \dfrac{a}{x - a}\right) = 1$이므로

$\lim_{x \to a} f(x)$와 $\lim_{x \to a}\{f(x)g(x)\}$의 값이 각각 존재하지만

$\lim_{x \to a} g(x) = \lim_{x \to a} \dfrac{a}{x - a}$의 값은 존재하지 않는다. [거짓]

ㄷ. $\lim_{x \to a} g(x)$와 $\lim_{x \to a} \dfrac{f(x)}{g(x)}$의 값이 각각 존재하므로

$$\lim_{x \to a} g(x) \dfrac{f(x)}{g(x)} = \lim_{x \to a} f(x)$$의 값도 존재한다. [참]

따라서 옳은 것은 ㄷ이다.

0199

STEP ⓐ 함수의 극한에 대한 성질을 이용하여 [보기]의 참, 거짓 판별하기

ㄱ. $\lim_{x \to a}\{f(x) + g(x)\}$와 $\lim_{x \to a}\{f(x) - g(x)\}$의 값이 각각 존재하므로

$\dfrac{1}{2}\lim_{x \to a}\{f(x) + g(x) + f(x) - g(x)\} = \lim_{x \to a} f(x)$의 값도 존재한다. [참]

ㄴ. 반례 $f(x) = \dfrac{x - a}{a}$, $g(x) = \dfrac{a}{x - a}$ (단, $a \neq 0$)라 하면

$\lim_{x \to a} f(x) = \lim_{x \to a} \dfrac{x - a}{a} = 0$, $\lim_{x \to a} f(x)g(x) = \lim_{x \to a}\left(\dfrac{x - a}{a} \cdot \dfrac{a}{x - a}\right) = 1$이므로

$\lim_{x \to a} f(x)$와 $\lim_{x \to a}\{f(x)g(x)\}$의 값이 각각 존재하지만

$\lim_{x \to a} g(x) = \lim_{x \to a} \dfrac{a}{x - a}$의 값은 존재하지 않는다. [거짓]

ㄷ. $\lim_{x \to a} g(x)$와 $\lim_{x \to a} \dfrac{f(x)}{g(x)}$의 값이 각각 존재하므로

$$\lim_{x \to a} g(x) \cdot \dfrac{f(x)}{g(x)} = \lim_{x \to a} f(x)$$의 값도 존재한다. [참]

ㄹ. 반례 $f(x) = \begin{cases} x + 1 & (x < 0) \\ 0 & (x = 0) \\ -x + 1 & (x > 0) \end{cases}$, $g(x) = 1$

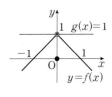

이면 모든 실수 x에 대하여

$f(x) < g(x)$이지만

$\lim_{x \to 0} f(x) = \lim_{x \to 0} g(x) = 1$이다. [거짓]

따라서 옳은 것은 ㄱ, ㄷ이다.

두 함수 $f(x)$, $g(x)$에 대하여 옳은 것만을 [보기]에서 있는 대로 고른 것은? (단, a는 실수)

> ㄱ. 극한값 $\lim_{x \to a} f(x)$와 $\lim_{x \to a} f(x)g(x)$가 존재하면 극한값 $\lim_{x \to a} g(x)$가 존재한다.
>
> ㄴ. 극한값 $\lim_{x \to a} f(x)$와 $\lim_{x \to a} \dfrac{g(x)}{f(x)}$가 존재하면 극한값 $\lim_{x \to a} g(x)$가 존재한다. (단, $f(x) \neq 0$)
>
> ㄷ. 모든 실수 x에 대하여 $f(x) < g(x)$이면 $\lim_{x \to a} f(x) < \lim_{x \to a} g(x)$이다.
>
> ㄹ. $\lim_{x \to 0} \dfrac{f(x)}{x} = k$($k$는 실수)이면 $\lim_{x \to 0} f(x) = 0$이다.

① ㄱ   ② ㄱ, ㄷ   ③ ㄴ, ㄹ
④ ㄱ, ㄴ, ㄷ   ⑤ ㄱ, ㄴ, ㄷ, ㄹ

STEP Ⓐ 함수의 극한에 대한 성질을 이용하여 [보기]의 참, 거짓 판별하기

ㄱ. 반례 $f(x) = x$, $g(x) = \dfrac{1}{x}$이면

$\lim_{x \to 0} f(x) = 0$, $\lim_{x \to 0} f(x)g(x) = 1$이지만

극한값 $\lim_{x \to 0} g(x)$는 존재하지 않는다. [거짓]

ㄴ. $\lim_{x \to a} f(x) = \alpha (\alpha \neq 0)$, $\lim_{x \to a} \dfrac{g(x)}{f(x)} = \beta$ (α, β는 실수)라고 하면

$\lim_{x \to a} g(x) = \lim_{x \to a} \left\{ f(x) \cdot \dfrac{g(x)}{f(x)} \right\} = \alpha\beta$ [참]

ㄷ. 반례 $f(x) = \begin{cases} 0 & (x \neq 0) \\ -1 & (x = 0) \end{cases}$, $g(x) = x^2$이라고 하면

모든 실수 x에 대하여 $f(x) < g(x)$이지만 $\lim_{x \to 0} f(x) = \lim_{x \to 0} g(x) = 0$ [거짓]

ㄹ. $\lim_{x \to 0} \dfrac{f(x)}{x} = k$에서 $\lim_{x \to 0} x = 0$이므로 $\lim_{x \to 0} f(x) = 0$이다. [참]

따라서 옳은 것은 ㄴ, ㄹ이다.   정답 ③

0200

정답 ②

STEP Ⓐ 함수의 극한에 대한 성질을 이용하여 [보기]의 참, 거짓 판별하기

ㄱ. 반례 $f(x) = \dfrac{1}{x}$, $g(x) = \dfrac{1}{x} - 1$이라 하면

$\lim_{x \to 0} f(x) = \infty$, $\lim_{x \to 0} g(x) = \infty$이지만

$\lim_{x \to 0} \{ f(x) - g(x) \} = \lim_{x \to 0} 1 = 1$이다. [거짓]

ㄴ. 반례 $f(x) = \begin{cases} x+1 & (x < 0) \\ 0 & (x = 0) \\ -x+1 & (x > 0) \end{cases}$, $g(x) = 1$

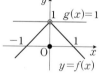

이라 하면
모든 실수 x에 대하여 $f(x) < g(x)$이지만
$\lim_{x \to 0} f(x) = \lim_{x \to 0} g(x) = 1$이다. [거짓]

ㄷ. $\lim_{x \to a} f(x) = \alpha$, $\lim_{x \to a} \{ f(x) + g(x) \} = \beta$라 하면 (단, α, β는 실수)

$\lim_{x \to a} g(x) = \lim_{x \to a} \{ f(x) + g(x) - f(x) \}$
$= \lim_{x \to a} \{ f(x) + g(x) \} - \lim_{x \to a} f(x)$
$= \beta - \alpha$ [참]

ㄹ. 반례 $f(x) = x^2 + 2$라 하면

$\lim_{x \to 0} \dfrac{x}{f(x)} = 0$이지만 $\lim_{x \to 0} f(x) = 2$이다. [거짓]

따라서 옳은 것은 ㄷ의 1개뿐이다.

0201

정답 ②

STEP Ⓐ 함수의 극한에 대한 성질을 이용하여 보기의 참, 거짓 판별하기

ㄱ. 반례 $f(x) = \dfrac{2}{|x|}$, $g(x) = \dfrac{1}{|x|}$이라고 하면

$\lim_{x \to 0} f(x) = \infty$, $\lim_{x \to 0} g(x) = \infty$이지만 $\lim_{x \to 0} \{ f(x) - g(x) \} = \infty$ [거짓]

ㄴ. $\lim_{x \to a} \{ f(x) + g(x) \} = \alpha$, $\lim_{x \to a} \{ f(x) - g(x) \} = \beta$ (α, β는 실수)라 하면

$\lim_{x \to a} f(x) = \lim_{x \to a} \dfrac{\{ f(x) + g(x) \} + \{ f(x) - g(x) \}}{2} = \dfrac{\alpha + \beta}{2}$ [참]

ㄷ. $\lim_{x \to a} g(x) = \alpha (\alpha \neq 0)$, $\lim_{x \to a} \dfrac{f(x)}{g(x)} = \beta$ (단, α, β는 실수)라 하면

$\lim_{x \to a} f(x) = \lim_{x \to a} \left\{ g(x) \cdot \dfrac{f(x)}{g(x)} \right\} = \lim_{x \to a} g(x) \cdot \lim_{x \to a} \dfrac{f(x)}{g(x)} = \alpha\beta$ [참]

ㄹ. 반례 $f(x) = x - 1$, $g(x) = \dfrac{1}{x-1}$이라 하면

$\lim_{x \to 1} f(x) = 0$, $\lim_{x \to 1} f(x)g(x) = 1$이지만 $\lim_{x \to 1} g(x)$의 값은 존재하지 않는다. [거짓]

따라서 옳은 것은 ㄴ, ㄷ이다.

두 함수 $f(x)$, $g(x)$에 대하여 [보기]에서 옳은 것만을 있는 대로 고른 것은?

> ㄱ. $\lim_{x \to a} \{ f(x) + g(x) \}$의 값이 존재하면 $\lim_{x \to a} f(x)$, $\lim_{x \to a} g(x)$의 값도 각각 존재한다.
>
> ㄴ. $\lim_{x \to a} \{ f(x) + g(x) \}$, $\lim_{x \to a} \{ f(x) - g(x) \}$의 값이 각각 존재하면 $\lim_{x \to a} f(x)$의 값도 존재한다.
>
> ㄷ. $\lim_{x \to a} \{ f(x) - g(x) \} = 0$이면 $\lim_{x \to a} f(x) = \lim_{x \to a} g(x)$이다.

① ㄱ   ② ㄴ   ③ ㄷ
④ ㄱ, ㄴ   ⑤ ㄱ, ㄴ, ㄷ

STEP Ⓐ 함수의 극한에 대한 성질을 이용하여 [보기]의 참, 거짓 판별하기

ㄱ. 반례 $f(x) = 1 - \dfrac{1}{x}$, $g(x) = \dfrac{1}{x}$일 때, $\lim_{x \to 0} \{ f(x) + g(x) \} = 1$이지만

$\lim_{x \to 0} f(x)$, $\lim_{x \to 0} g(x)$의 값은 존재하지 않는다. [거짓]

ㄴ. $\lim_{x \to a} \{ f(x) + g(x) \} = \alpha$, $\lim_{x \to a} \{ f(x) - g(x) \} = \beta$ (α, β는 실수)라 하면

$\lim_{x \to a} f(x) = \lim_{x \to a} \dfrac{\{ f(x) + g(x) \} + \{ f(x) - g(x) \}}{2} = \dfrac{\alpha + \beta}{2}$ [참]

ㄷ. 반례 $f(x) = x + \dfrac{1}{x}$, $g(x) = \dfrac{1}{x}$일 때, $\lim_{x \to 0} \{ f(x) - g(x) \} = 0$이지만

$\lim_{x \to 0} f(x)$, $\lim_{x \to 0} g(x)$의 값은 존재하지 않는다. [거짓]

따라서 옳은 것은 ㄴ뿐이다.   정답 ②

0202

STEP Ⓐ 함수의 극한에 대한 성질을 이용하여 [보기]의 참, 거짓 판별하기

ㄱ. $\lim_{x\to\infty} x^2 f(x) = 2$이고 $\lim_{x\to\infty} \dfrac{1}{x^2} = 0$이므로

$\lim_{x\to\infty} f(x) = \lim_{x\to\infty}\left\{ x^2 f(x) \times \dfrac{1}{x^2} \right\} = \lim_{x\to\infty} x^2 f(x) \times \lim_{x\to\infty} \dfrac{1}{x^2} = 2 \times 0 = 0$ [참]

ㄴ. 반례 $f(x) = 3x+1$, $g(x) = x$이면 $\lim_{x\to\infty} \dfrac{f(x)}{g(x)} = 3$, $\lim_{x\to\infty} g(x) = \infty$이지만

$\lim_{x\to\infty}\{f(x) - g(x)\} = \lim_{x\to\infty}(3x+1-x) = \lim_{x\to\infty}(2x+1) = \infty$ [거짓]

ㄷ. $f(x) < g(x) < f(x+1)$이고 $\lim_{x\to\infty} f(x) = \lim_{x\to\infty} f(x+1) = 2$이므로

함수의 극한의 대소 관계에 의하여 $\lim_{x\to\infty} g(x) = 2$이다.

이때 $\lim_{x\to\infty} x = \infty$이므로 $\lim_{x\to\infty} \dfrac{g(x)}{x} = 0$이다. [참]

ㄹ. $\dfrac{5x+1}{x+3} < f(x) < \dfrac{5x^2 - 2x + 4}{x^2}$에서 $\lim_{x\to\infty} \dfrac{5x+1}{x+3} = 5$, $\lim_{x\to\infty} \dfrac{5x^2 - 2x + 4}{x^2} = 5$

함수의 극한의 대소 관계에 의하여

$\lim_{x\to\infty} \dfrac{5x+1}{x+3} \leq \lim_{x\to\infty} f(x) \leq \lim_{x\to\infty} \dfrac{5x^2 - 2x + 4}{x^2}$이므로 $\lim_{x\to\infty} f(x) = 5$ [참]

따라서 옳은 것은 ㄱ, ㄷ, ㄹ이다.

0203

STEP Ⓐ 함수의 극한에 대한 성질을 이용하여 [보기]의 참, 거짓 판별하기

ㄱ. $\lim_{x\to 9} \dfrac{(x-9)f(x)}{\sqrt{x}-3} = \lim_{x\to 9}(\sqrt{x}+3)f(x) = 6 \times 2 = 12$ [참]

ㄴ. $\lim_{x\to 1} 3x = 3$, $\lim_{x\to 1}(x^3 + 2) = 3$이므로

함수의 극한의 대소 관계에 의하여 $\lim_{x\to 1} f(x) = 3$ [참]

ㄷ. 반례 $x > 0$일 때, $f(x) = x + \dfrac{1}{x}$, $g(x) = x + \dfrac{2}{x}$, $h(x) = x + \dfrac{3}{x}$이면

$\lim_{x\to\infty}\{h(x) - f(x)\} = \lim_{x\to\infty} \dfrac{2}{x} = 0$이지만 $\lim_{x\to\infty} g(x) = \infty$ [거짓]

따라서 옳은 것은 ㄱ, ㄴ이다.

0204

STEP Ⓐ 함수의 극한에 대한 성질을 이용하여 [보기]의 참, 거짓 판별하기

ㄱ. 반례 $f(x) = \begin{cases} x-1 & (x \neq 1) \\ 3 & (x = 1) \end{cases}$로 놓으면 $f(1) = 3$이지만

$\lim_{x\to 1} f(x) = \lim_{x\to 1}(x-1) = 0$이다. [거짓]

ㄴ. $\lim_{x\to 1} f(x) = \infty$에서 $\lim_{x\to 1} \dfrac{1}{f(x)} = 0$이고 $\lim_{x\to 1} g(x) = 3$이므로

$\lim_{x\to 1} \dfrac{f(x)}{f(x) - g(x)} = \lim_{x\to 1} \dfrac{1}{1 - \dfrac{g(x)}{f(x)}} = \dfrac{1}{1 - \lim_{x\to 1} g(x) \times \lim_{x\to 1} \dfrac{1}{f(x)}}$

$= \dfrac{1}{1 - 3 \times 0} = 1$ [참]

ㄷ. $\lim_{x\to 1}\{f(x) + g(x)\} = \alpha$, $\lim_{x\to 1}\{f(x) - g(x)\} = \beta$ (α, β는 실수)로 놓으면

$\lim_{x\to 1} f(x) = \lim_{x\to 1} \dfrac{\{f(x) + g(x)\} + \{f(x) - g(x)\}}{2} = \dfrac{\alpha + \beta}{2}$

$\lim_{x\to 1} g(x) = \lim_{x\to 1} \dfrac{\{f(x) + g(x)\} - \{f(x) - g(x)\}}{2} = \dfrac{\alpha - \beta}{2}$이므로

$\lim_{x\to 1} f(x)g(x) = \lim_{x\to 1} f(x) \times \lim_{x\to 1} g(x) = \dfrac{\alpha + \beta}{2} \times \dfrac{\alpha - \beta}{2} = \dfrac{\alpha^2 - \beta^2}{4}$

이 되어 극한값이 존재한다. [참]

ㄹ. $\lim_{x\to 2}(-x^2 + 2x + 2) = 2$, $\lim_{x\to 2}\left(\dfrac{1}{2}x^2 - 4x + 8\right) = 2$이므로 $\lim_{x\to 2} f(x) = 2$ [참]

따라서 옳은 것은 ㄴ, ㄷ, ㄹ이다.

0205

| 1단계 | $\lim_{x\to 1+} f(x)$의 값을 구한다. | ◀ 30% |

$\lim_{x\to 1+} f(x) = \lim_{x\to 1+}(2x + a) = 2 + a$

| 2단계 | $\lim_{x\to 1-} f(x)$의 값을 구한다. | ◀ 30% |

$\lim_{x\to 1-} f(x) = \lim_{x\to 1-}(3x^2 - 6x + 1) = -2$

| 3단계 | $\lim_{x\to 1} f(x)$의 값이 존재하도록 하는 a의 값을 구한다. | ◀ 40% |

따라서 $\lim_{x\to 1} f(x)$의 값이 존재하려면 $\lim_{x\to 1+} f(x) = \lim_{x\to 1-} f(x)$이어야 하므로

$2 + a = -2$ ∴ $a = -4$

0206

| 1단계 | $\lim_{x\to 2+} f(x)$의 값을 구한다. | ◀ 40% |

$\lim_{x\to 2+} f(x) = \lim_{x\to 2+} \dfrac{(x-2)(x+1)}{x-2} = \lim_{x\to 2+}(x+1) = 3$

| 2단계 | $\lim_{x\to 2-} f(x)$의 값을 구한다. | ◀ 40% |

$\lim_{x\to 2-} f(x) = \lim_{x\to 2-} \dfrac{(x-2)(x+1)}{-(x-2)} = \lim_{x\to 2-}(-x-1) = -3$

| 3단계 | 극한값 $\lim_{x\to 2} f(x)$의 값을 구한다. | ◀ 20% |

따라서 우극한과 좌극한이 다르므로 극한 $\lim_{x\to 2} f(x)$는 존재하지 않는다.

0207

| 1단계 | 조건 (가)에서 $\dfrac{f(x)}{x}$를 구한다. | ◀ 40% |

$x \neq 0$이므로 조건 (가)에서 $x + f(x) = g(x)\{x - f(x)\}$

양변을 x로 나누면

$1 + \dfrac{f(x)}{x} = g(x)\left\{ 1 - \dfrac{f(x)}{x} \right\}$

$\{g(x) + 1\} \dfrac{f(x)}{x} = g(x) - 1$

∴ $\dfrac{f(x)}{x} = \dfrac{g(x) - 1}{g(x) + 1}$

| 2단계 | $\lim_{x\to 0} \dfrac{f(x)}{x}$를 구한다. | ◀ 20% |

$\lim_{x\to 0} \dfrac{f(x)}{x} = \lim_{x\to 0} \dfrac{g(x) - 1}{g(x) + 1} = \dfrac{3-1}{3+1} = \dfrac{1}{2}$

| 3단계 | $\lim_{x\to 0} \dfrac{x - f(x)g(x)}{x^2 + f(x)}$의 값을 구한다. | ◀ 40% |

따라서 분모, 분자를 x로 나누면

$\lim_{x\to 0} \dfrac{x - f(x)g(x)}{x^2 + f(x)} = \lim_{x\to 0} \dfrac{1 - g(x) \times \dfrac{f(x)}{x}}{x + \dfrac{f(x)}{x}} = \dfrac{1 - 3 \times \dfrac{1}{2}}{0 + \dfrac{1}{2}} = -1$

0208

해설참조

1단계 극한값이 존재할 조건을 이용하여 $a+b$의 값을 구한다. ◀ 20%

$\lim\limits_{x \to -1} \dfrac{2x^2+ax+b}{x+1}=5$에서

$x \to -1$일 때, (분모)$\to 0$이고 극한값이 존재하므로 (분자)$\to 0$이어야 한다.

즉 $\lim\limits_{x \to -1}(2x^2+ax+b)=0$이므로 $2-a+b=0$ $\therefore b=a-2$

$b=a-2$를 주어진 등식에 대입하면

$$\lim\limits_{x \to -1} \dfrac{2x^2+ax+b}{x+1} = \lim\limits_{x \to -1} \dfrac{2x^2+ax+a-2}{x+1}$$
$$= \lim\limits_{x \to -1} \dfrac{(x+1)(2x+a-2)}{x+1}$$
$$= \lim\limits_{x \to -1}(2x+a-2)=-2+a-2=5$$

$a-4=5$에서 $a=9$

$a=9$를 $b=a-2$에 대입하면 $b=7$

따라서 $a+b=16$

2단계 극한값이 존재할 조건을 이용하여 $a+b$의 값을 구한다. ◀ 30%

$\lim\limits_{x \to 3} \dfrac{a\sqrt{x+1}-2}{x-3}=b$에서

$x \to 3$일 때, (분모)$\to 0$이고 극한값이 존재하므로 (분자)$\to 0$이어야 한다.

즉 $\lim\limits_{x \to 3}(a\sqrt{x+1}-2)=0$이므로 $2a-2=0$ $\therefore a=1$

$a=1$을 주어진 등식의 좌변에 대입하면

$$\lim\limits_{x \to 3} \dfrac{\sqrt{x+1}-2}{x-3} = \lim\limits_{x \to 3} \dfrac{(\sqrt{x+1}-2)(\sqrt{x+1}+2)}{(x-3)(\sqrt{x+1}+2)}$$
$$= \lim\limits_{x \to 3} \dfrac{x-3}{(x-3)(\sqrt{x+1}+2)}$$
$$= \lim\limits_{x \to 3} \dfrac{1}{\sqrt{x+1}+2}=\dfrac{1}{4}$$

$\therefore b=\dfrac{1}{4}$

따라서 $a+b=1+\dfrac{1}{4}=\dfrac{5}{4}$

3단계 극한값이 존재할 조건을 이용하여 $a+b$의 값을 구한다. ◀ 20%

$\lim\limits_{x \to 2} \dfrac{\sqrt{x+a}-b}{x-2}=\dfrac{1}{6}$에서 ...... ㉠

$\lim\limits_{x \to 2}(x-2)=0$이므로 $\lim\limits_{x \to 2}(\sqrt{x+a}-b)=0$이어야 한다.

즉 $\sqrt{2+a}-b=0$이므로 $b=\sqrt{2+a}$ ...... ㉡

$b=\sqrt{2+a}$를 ㉠의 식에 대입하면

$$\lim\limits_{x \to 2} \dfrac{\sqrt{x+a}-\sqrt{2+a}}{x-2} = \lim\limits_{x \to 2} \dfrac{(\sqrt{x+a}-\sqrt{2+a})(\sqrt{x+a}+\sqrt{2+a})}{(x-2)(\sqrt{x+a}+\sqrt{2+a})}$$
$$= \lim\limits_{x \to 2} \dfrac{x-2}{(x-2)(\sqrt{x+a}+\sqrt{2+a})}$$
$$= \lim\limits_{x \to 2} \dfrac{1}{\sqrt{x+a}+\sqrt{2+a}}=\dfrac{1}{2\sqrt{2+a}}$$

즉 $\dfrac{1}{2\sqrt{2+a}}=\dfrac{1}{6}$이므로 $a=7$

$a=7$을 ㉡에 대입하면 $b=\sqrt{2+7}=3$

따라서 $a=7$, $b=3$이므로 $a+b=10$

4단계 극한값이 존재할 조건을 이용하여 $a+b$의 값을 구한다. ◀ 30%

$\lim\limits_{x \to a} \dfrac{x^2-a^2}{x-a} = \lim\limits_{x \to a} \dfrac{(x-a)(x+a)}{x-a}=8$에서 $2a=8$이므로 $a=4$

$\lim\limits_{x \to \infty}(\sqrt{x^2+ax}-\sqrt{x^2+bx}) = \lim\limits_{x \to \infty}(\sqrt{x^2+4x}-\sqrt{x^2+bx})$
$$= \lim\limits_{x \to \infty} \dfrac{4x-bx}{\sqrt{x^2+4x}+\sqrt{x^2+bx}}$$
$$= \lim\limits_{x \to \infty} \dfrac{4-b}{\sqrt{1+\dfrac{4}{x}}+\sqrt{1+\dfrac{b}{x}}}=\dfrac{4-b}{2}$$

$\dfrac{4-b}{2}=3$이므로 $b=-2$

따라서 $a+b=4+(-2)=2$

0209

해설참조

1단계 $\lim\limits_{x \to 1} \dfrac{f(x)}{g(x)}=$M(M은 실수)일 때, $\lim\limits_{x \to 1}g(x)=0$이면 $\lim\limits_{x \to 1}f(x)=0$임을 이용하여 삼차함수 $f(x)$의 식을 작성한다. ◀ 40%

$\lim\limits_{x \to 1} \dfrac{f(x)}{x-1}=3$에서

$x \to 1$일 때, (분모)$\to 0$이고 극한값이 존재하므로 (분자)$\to 0$이어야 한다.

$\therefore \lim\limits_{x \to 1}f(x)=f(1)=0$

$\lim\limits_{x \to 2} \dfrac{f(x)}{x-2}=-1$에서

$x \to 2$일 때, (분모)$\to 0$이고 극한값이 존재하므로 (분자)$\to 0$이어야 한다.

$\therefore \lim\limits_{x \to 2}f(x)=f(2)=0$

따라서 $f(x)=(x-1)(x-2)(ax+b)(a \neq 0$이고 a, b는 상수)라 둘 수 있다.

2단계 함수의 극한의 성질을 이용하여 삼차함수 $f(x)$를 구한다. ◀ 40%

$f(x)$의 식을 극한에 대입하면

$$\lim\limits_{x \to 1} \dfrac{f(x)}{x-1} = \lim\limits_{x \to 1} \dfrac{(x-1)(x-2)(ax+b)}{x-1}$$
$$= \lim\limits_{x \to 1}(x-2)(ax+b)$$
$$= -(a+b)=3$$

$\therefore a+b=-3$ ...... ㉠

$$\lim\limits_{x \to 2} \dfrac{f(x)}{x-2} = \lim\limits_{x \to 2} \dfrac{(x-1)(x-2)(ax+b)}{x-2}$$
$$= \lim\limits_{x \to 2}(x-1)(ax+b)$$
$$= 2a+b=-1$$

$\therefore 2a+b=-1$ ...... ㉡

㉠, ㉡을 연립하여 풀면 $a=2$, $b=-5$

따라서 $f(x)=(x-1)(x-2)(2x-5)$

3단계 방정식 $f(x)=0$의 모든 실근의 합을 구한다. ◀ 20%

따라서 방정식 $f(x)=0$의 모든 실근의 합은 $1+2+\dfrac{5}{2}=\dfrac{11}{2}$

0210

해설참조

1단계 방정식 $f(x)-2=0$의 근을 구한다. ◀ 20%

$f(-1)=f(1)=2$에서 $f(-1)-2=0$, $f(1)-2=0$

이므로 방정식 $f(x)-2=0$의 근은 $x=-1$ 또는 $x=1$이다.

2단계 함수 $f(x)$를 구한다. ◀ 20%

함수 $f(x)$가 최고차항의 계수가 1인 이차함수이므로

$f(x)-2=(x+1)(x-1)=x^2-1$ $\therefore f(x)=x^2+1$

3단계 $f(x)$를 이용하여 [보기]의 각 극한값을 구한다. ◀ 60%

따라서 이차함수 $f(x)=x^2+1$을 대입하면

ㄱ. $\lim\limits_{x \to 1} \dfrac{f(x)-2}{x-1} = \lim\limits_{x \to 1} \dfrac{x^2+1-2}{x-1} = \lim\limits_{x \to 1} \dfrac{x^2-1}{x-1}$
$$= \lim\limits_{x \to 1} \dfrac{(x-1)(x+1)}{x-1}$$
$$= \lim\limits_{x \to 1}(x+1)=2$$

ㄴ. $f(x-1)=(x-1)^2+1=x^2-2x+2$에서

$\lim\limits_{x \to 1} \dfrac{f(x-1)}{x-1} = \lim\limits_{x \to 1} \dfrac{x^2-2x+2}{x-1}=\infty$이므로 존재하지 않는다.

ㄷ. $\lim\limits_{x \to 1} \dfrac{x-1}{f(x-1)} = \lim\limits_{x \to 1} \dfrac{x-1}{x^2-2x+2}=\dfrac{0}{1}=0$

ㄹ. $\lim\limits_{x \to 1} \dfrac{f(x)-2}{f(x-1)} = \lim\limits_{x \to 1} \dfrac{x^2-1}{x^2-2x+2}=\dfrac{0}{1}=0$

0211

정답 해설참조

| 1단계 | $\lim\limits_{x\to\infty}\dfrac{f(x)}{3x^2-x+1}=1$을 만족하는 다항함수 $f(x)$의 최고차항의 계수와 차수를 결정한다. | ◀ 30% |

$\lim\limits_{x\to\infty}\dfrac{f(x)}{3x^2-x+1}=1$에서

$f(x)$는 이차항의 계수가 3인 이차함수임을 알 수 있다.

| 2단계 | $\lim\limits_{x\to 2}\dfrac{f(x)}{x-2}=9$에서 다항함수 $f(x)$의 식을 구한다. | ◀ 50% |

또, $\lim\limits_{x\to 2}\dfrac{f(x)}{x-2}=9$에서

$x\to 2$일 때, (분모)$\to 0$이고 극한값이 존재하므로 (분자)$\to 0$이어야 한다.

즉 $f(2)=0$이므로 $f(x)=3(x-2)(x-a)$ (a는 상수)라고 하면

$$\lim_{x\to 2}\frac{f(x)}{x-2}=\lim_{x\to 2}\frac{3(x-2)(x-a)}{x-2}$$
$$=\lim_{x\to 2}3(x-a)=6-3a$$

$6-3a=9$에서 $a=-1$이므로

$f(x)=3(x-2)(x+1)=3x^2-3x-6$

| 3단계 | $f(1)$의 값을 구한다. | ◀ 20% |

따라서 $f(1)=3-3-6=-6$

0212

정답 해설참조

| 1단계 | $\lim\limits_{x\to\infty}\dfrac{f(x)-x^3}{x^2+1}=2$에서 다항함수 $f(x)$의 최고차항의 계수와 차수를 결정한다. | ◀ 30% |

$\lim\limits_{x\to\infty}\dfrac{f(x)-x^3}{x^2+1}=2$에서 $f(x)-x^3$는 최고차항의 계수가 2인 이차함수이다.

$f(x)-x^3=2x^2+ax+b$ (a, b는 상수)로 놓으면

$f(x)=x^3+2x^2+ax+b$

| 2단계 | $\lim\limits_{x\to 1}\dfrac{f(x)}{x-1}=6$에서 함수 $f(x)$를 구한다. | ◀ 40% |

$\lim\limits_{x\to 1}\dfrac{f(x)}{x-1}=6$에서

$x\to 1$일 때, (분모)$\to 0$이고 극한값이 존재하므로 (분자)$\to 0$이어야 한다.

즉 $\lim\limits_{x\to 1}f(x)=0$이므로 $f(1)=0$

$f(1)=3+a+b=0$ ∴ $b=-a-3$ ······ ㉠

$f(x)=x^3+2x^2+ax+b=x^3+2x^2+ax-a-3$

(나)에서 $\lim\limits_{x\to 1}\dfrac{x^3+2x^2+ax-a-3}{x-1}=\lim\limits_{x\to 1}\dfrac{(x-1)(x^2+3x+a+3)}{x-1}$
$=\lim\limits_{x\to 1}(x^2+3x+a+3)=7+a$

즉 $7+a=6$이므로 $a=-1$

㉠에 대입하면 $b=-2$

∴ $f(x)=x^3+2x^2-x-2$

| 3단계 | $\lim\limits_{x\to -1}\dfrac{f(x)}{x+1}$의 값을 구한다. | ◀ 30% |

따라서 $\lim\limits_{x\to -1}\dfrac{f(x)}{x+1}=\lim\limits_{x\to -1}\dfrac{x^3+2x^2-x-2}{x+1}$
$=\lim\limits_{x\to -1}\dfrac{(x+1)(x-1)(x+2)}{x+1}$
$=\lim\limits_{x\to -1}(x-1)(x+2)=-2$

내신 연계 출제문항 089

다항함수 $f(x)$가 다음 조건을 만족시킨다.

(가) $\lim\limits_{x\to\infty}\dfrac{f(x)-x^3}{x^2}=-4$

(나) $\lim\limits_{x\to 3}\dfrac{f(x)}{x^2-2x-3}=2$

이때 $f(1)$의 값을 구하는 과정을 다음 단계로 서술하여라.

[1단계] $\lim\limits_{x\to\infty}\dfrac{f(x)-x^3}{x^2}=-4$에서 다항함수 $f(x)$의 최고차항의 계수와 차수를 결정한다.

[2단계] $\lim\limits_{x\to 3}\dfrac{f(x)}{x^2-2x-3}=2$에서 함수 $f(x)$를 구한다.

[3단계] 1, 2단계를 이용하여 함수 $f(x)$를 구하여 $f(1)$의 값을 구한다.

| 1단계 | $\lim\limits_{x\to\infty}\dfrac{f(x)-x^3}{x^2}=-4$에서 다항함수 $f(x)$의 최고차항의 계수와 차수를 결정한다. | ◀ 30% |

조건 (가)에서 $f(x)-x^3$는 최고차항의 계수가 -4인 이차함수이다.

$f(x)-x^3=-4x^2+bx+c$ (단, b, c는 상수)로 놓으면

$f(x)=x^3-4x^2+bx+c$

| 2단계 | $\lim\limits_{x\to 3}\dfrac{f(x)}{x^2-2x-3}=2$에서 함수 $f(x)$를 구한다. | ◀ 50% |

조건 (나)에서 $\lim\limits_{x\to 3}\dfrac{f(x)}{x^2-2x-3}=\lim\limits_{x\to 3}\dfrac{x^3-4x^2+bx+c}{x^2-2x-3}=2$

$\lim\limits_{x\to 3}(x^3-4x^2+bx+c)=0$이므로 $-9+3b+c=0$에서

$c=-3b+9$ ······ ㉠

㉠을 조건 (나)의 식에 대입하면

$\lim\limits_{x\to 3}\dfrac{f(x)}{x^2-2x-3}=\lim\limits_{x\to 3}\dfrac{x^3-4x^2+bx-3b+9}{x^2-2x-3}$
$=\lim\limits_{x\to 3}\dfrac{(x-3)(x^2-x+b-3)}{(x-3)(x+1)}$
$=\dfrac{b+3}{4}$

$\dfrac{b+3}{4}=2$에서 $b=5$

$b=5$를 ㉠에 대입하면 $c=-6$

| 3단계 | 1, 2단계를 이용하여 함수 $f(x)$를 구하여 $f(1)$의 값을 구한다. | ◀ 20% |

따라서 $f(x)=x^3-4x^2+5x-6$이므로 $f(1)=1-4+5-6=-4$

정답 해설참조

0213

1단계 $\lim_{x \to 0+} \dfrac{f(x)}{x}$의 값을 구한다. ◀ 50%

$x > 0$일 때, 부등식의 각 변을 x로 나누면

$-x+1 \le \dfrac{f(x)}{x} \le x+1$

$\lim_{x \to 0+}(-x+1)=1$, $\lim_{x \to 0+}(x+1)=1$이므로

함수의 극한의 대소 관계에 의하여 $\lim_{x \to 0+}\dfrac{f(x)}{x}=1$

2단계 $\lim_{x \to 0+}\dfrac{\{f(x)\}^2}{x\{2x+f(x)\}}$의 값을 구한다. ◀ 50%

$\lim_{x \to 0+}\dfrac{\{f(x)\}^2}{x\{2x+f(x)\}}=\lim_{x \to 0+}\dfrac{\left\{\dfrac{f(x)}{x}\right\}^2}{2+\dfrac{f(x)}{x}}$ ← 분모, 분자를 x^2으로 나눈다.

$=\dfrac{1^2}{2+1}=\dfrac{1}{3}$

0214

1단계 $\lim_{a \to \infty}(\overline{OP}-\overline{OQ})$의 값을 구한다. ◀ 50%

$\overline{OP}=\sqrt{a^2+(\sqrt{2a})^2}=\sqrt{a^2+2a}$

$\overline{OQ}=a$이므로

$\overline{OP}-\overline{OQ}=\sqrt{a^2+2a}-a$

$\lim_{a \to \infty}(\overline{OP}-\overline{OQ})=\lim_{a \to \infty}(\sqrt{a^2+2a}-a)$

$=\lim_{a \to \infty}\dfrac{a^2+2a-a^2}{\sqrt{a^2+2a}+a}$

$=\lim_{a \to \infty}\dfrac{2}{\sqrt{1+\dfrac{2}{a}}+1}=1$

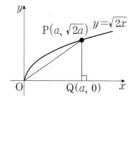

2단계 $\lim_{a \to \infty}\dfrac{\overline{OP}}{\overline{OQ}}$의 값을 구한다. ◀ 50%

$\dfrac{\overline{OP}}{\overline{OQ}}=\lim_{a \to \infty}\dfrac{\sqrt{a^2+2a}}{a}=\lim_{a \to \infty}\dfrac{\sqrt{1+\dfrac{2}{a}}}{1}=1$

0215

1단계 $\lim_{a \to \infty}\dfrac{\overline{OQ}}{\overline{OH}}$을 구한다. ◀ 30%

$P(a, \sqrt{a})$이므로 $\overline{OP}=\sqrt{a^2+(\sqrt{a})^2}=\sqrt{a^2+a}$

$\overline{OP}=\overline{OQ}$에서 $\overline{OQ}=\sqrt{a^2+a}$

$\overline{OH}=a$

$\therefore \lim_{a \to \infty}\dfrac{\overline{OQ}}{\overline{OH}}=\lim_{a \to \infty}\dfrac{\sqrt{a^2+a}}{a}=\lim_{a \to \infty}\sqrt{1+\dfrac{1}{a}}=1$

2단계 $\lim_{a \to 1}\dfrac{\overline{PH}^2}{\overline{QH}}$을 구한다. ◀ 30%

$P(a, \sqrt{a})$이므로 $\overline{OQ}=\overline{OP}=\sqrt{a^2+a}$

$\overline{QH}=\overline{OQ}-\overline{OH}=\sqrt{a^2+a}-a$

$\overline{PH}^2=(\sqrt{a})^2=a$

$\therefore \lim_{a \to 1}\dfrac{\overline{PH}^2}{\overline{QH}}=\lim_{a \to 1}\dfrac{a}{\sqrt{a^2+a}-a}=\dfrac{1}{\sqrt{2}-1}=\sqrt{2}+1$

3단계 $\lim_{a \to \infty}(\overline{OQ}-\overline{OH})$을 구한다. ◀ 40%

$\lim_{a \to \infty}(\overline{OQ}-\overline{OH})=\lim_{a \to \infty}(\sqrt{a^2+a}-a)$

$=\lim_{a \to \infty}\dfrac{a}{\sqrt{a^2+a}+a}$

$=\lim_{a \to \infty}\dfrac{1}{\sqrt{1+\dfrac{1}{a}}+1}$

$=\dfrac{1}{2}$

0216

1단계 $\overline{OP}=t$라 할 때, 두 직선 AB, PQ의 방정식을 구한다. ◀ 40%

$\overline{OP}=t$라 하면 $\overline{PA}=\overline{QB}=10-t$이므로

$P(t, 0)$, $Q(0, 18-t)$

직선 AB와 직선 PQ의 방정식은 각각 다음과 같다.

직선 AB의 방정식은 $\dfrac{x}{10}+\dfrac{y}{8}=1$ ...... ㉠

직선 PQ의 방정식은 $\dfrac{x}{t}+\dfrac{y}{18-t}=1$ ...... ㉡

2단계 점 R의 좌표를 t의 식으로 나타낸다. ◀ 30%

㉠, ㉡를 연립하여 풀면

$x=\dfrac{5t}{9}$, $y=\dfrac{72-4t}{9}$

3단계 점 R가 한없이 가까워지는 점의 좌표를 구한다. ◀ 30%

$t \to 10$이면 $x=\lim_{t \to 10}\dfrac{5t}{9}=\dfrac{50}{9}$, $y=\lim_{t \to 10}\dfrac{72-4t}{9}=\dfrac{32}{9}$

따라서 점 R는 점 $\left(\dfrac{50}{9}, \dfrac{32}{9}\right)$에 한없이 가까워진다.

0217

STEP A　극한값이 존재할 조건을 이용하여 $f(1)$의 값 구하기

$\lim\limits_{x\to 1}\dfrac{f(x)-2}{x-1}=\dfrac{1}{4}$ 에서

$x\to 1$일 때, (분모)→ 0이고 극한값이 존재하므로 (분자)→ 0이어야 한다.

즉 $\lim\limits_{x\to 1}\{f(x)-2\}=0$이므로 $\lim\limits_{x\to 1}f(x)=2$

STEP B　분모를 인수분해하고 정리하여 극한값 구하기

$\therefore \lim\limits_{x\to 1}\dfrac{x-1}{\{f(x)\}^2-4}=\lim\limits_{x\to 1}\dfrac{x-1}{\{f(x)-2\}\{f(x)+2\}}$

$\qquad =\lim\limits_{x\to 1}\dfrac{x-1}{f(x)-2}\cdot\lim\limits_{x\to 1}\dfrac{1}{f(x)+2}$

$\qquad =\lim\limits_{x\to 1}\dfrac{1}{\dfrac{f(x)-2}{x-1}}\cdot\lim\limits_{x\to 1}\dfrac{1}{f(x)+2}$

$\qquad =4\cdot\dfrac{1}{4}=1$

0218

STEP A　함수의 극한의 성질을 이용하여 $f(a)=0$임을 이해하기

$\lim\limits_{x\to a}f(x)=k\,(k\neq 0)$이면

$\lim\limits_{x\to a}\dfrac{f(x)-(x-a)}{f(x)+(x-a)}=\dfrac{k-(a-a)}{k+(a-a)}=\dfrac{k}{k}=1$

이므로 $\lim\limits_{x\to a}\dfrac{f(x)-(x-a)}{f(x)+(x-a)}=1\neq\dfrac{3}{5}$의 모순이 된다.

즉 $\lim\limits_{x\to a}f(x)=0$이어야 하므로 $\lim\limits_{x\to a}f(x)=f(a)=0$

($\because$ 이차함수 $f(x)$는 실수 전체에서 연속)

이때 a는 이차방정식 $f(x)=0$의 두 근 중 하나이다.

따라서 $a=\alpha$라 하면 $f(x)$는 최고차항의 계수가 1인 이차함수이므로

$f(x)=(x-\alpha)(x-\beta)$

STEP B　극한값을 구하여 이차방정식의 두 근의 차를 구하기

$\lim\limits_{x\to a}\dfrac{f(x)-(x-a)}{f(x)+(x-a)}=\lim\limits_{x\to a}\dfrac{(x-\alpha)(x-\beta)-(x-\alpha)}{(x-\alpha)(x-\beta)+(x-\alpha)}$

$\qquad =\lim\limits_{x\to a}\dfrac{(x-\beta)-1}{(x-\beta)+1}=\dfrac{\alpha-\beta-1}{\alpha-\beta+1}$

$\qquad =\dfrac{3}{5}$

즉 $5(\alpha-\beta)-5=3(\alpha-\beta)+3,\ 2(\alpha-\beta)=8$　$\therefore \alpha-\beta=4$

따라서 $|\alpha-\beta|=4$

> **참고**　위의 풀이는 $a=\alpha$일 때, 풀이고 $a=\beta$라 하고 풀면 $\alpha-\beta=-4$가 나온다.
> 그러므로 $|\alpha-\beta|$는 $a=\alpha$일 때와 $a=\beta$일 때, 모두 4이다.

0219

STEP A　함수의 극한의 성질을 이용하여 함수 $f(x)$의 식 정리하기

조건 (가)에서 $g(x)$는 $x-1$을 인수로 갖는다.

조건 (나)에서 $\lim\limits_{x\to 1}\dfrac{f(x)}{g(x)}=0$이므로 $f(x)$는 $(x-1)^2$을 인수로 갖는다.

또, $\lim\limits_{x\to 2}\dfrac{f(x)}{g(x)}=0$이므로 $f(x)$는 $x-2$도 인수로 갖는다.

즉 $f(x)=(x-1)^2(x-2)$이고

$g(x)=(x-1)(x^2+bx+c)\,(b,\ c$는 상수$)$로 놓을 수 있다.

STEP B　$n=3,\ 4$일 때, 조건 (나)를 이용하여 $b,\ c$의 값 구하기

$g(x)=(x-1)(x^2+bx+c)\,(b+c\neq -1)$라 하면

함수 $f(x)$를 조건 (나)에 대입하여 $n=3,\ n=4$일 때, 구해보면

$n=3$일 때, $\lim\limits_{x\to 3}\dfrac{f(x)}{g(x)}=2$이므로

$\lim\limits_{x\to 3}\dfrac{f(x)}{g(x)}=\lim\limits_{x\to 3}\dfrac{(x-1)^2(x-2)}{(x-1)(x^2+bx+c)}=\lim\limits_{x\to 3}\dfrac{(x-1)(x-2)}{x^2+bx+c}$

$\qquad\qquad\qquad\qquad =\dfrac{2}{9+3b+c}=2$

즉 $9+3b+c=1$이므로 $3b+c=-8$　　$\cdots\cdots$ ㉠

$n=4$일 때, $\lim\limits_{x\to 4}\dfrac{f(x)}{g(x)}=6$이므로

$\lim\limits_{x\to 4}\dfrac{f(x)}{g(x)}=\lim\limits_{x\to 4}\dfrac{(x-1)(x-2)}{x^2+bx+c}=\dfrac{6}{16+4b+c}=6$

즉 $16+4b+c=1$이므로 $4b+c=-15$　　$\cdots\cdots$ ㉡

㉠, ㉡을 연립하여 풀면 $b=-7,\ c=13$

STEP C　$g(5)$의 값 구하기

따라서 $g(5)=4(5^2-7\times 5+13)=4\times 3=12$

> **다른풀이**　함수의 극한의 성질을 이용하여 풀이하기

STEP A　함수의 극한의 성질을 이용하여 식을 정리하기

$n=1$일 때, $\lim\limits_{x\to 1}\dfrac{f(x)}{g(x)}=0$이고 $g(1)=0$이므로 $\lim\limits_{x\to 1}f(x)=0$

$\therefore f(1)=0$　　　　　　　$\cdots\cdots$ ㉠

$n=2$일 때, $\lim\limits_{x\to 2}\dfrac{f(x)}{g(x)}=0$이므로 $\lim\limits_{x\to 2}f(x)=0$

$\therefore f(2)=0$　　　　　　　$\cdots\cdots$ ㉡

㉠, ㉡에서 $f(x)$의 최고차항의 계수가 1인 삼차함수이므로

$f(x)=(x-1)(x-2)(x-a)\,($단, a는 실수$)$

(가)에서 $g(1)=0$이므로 $g(x)=(x-1)(x^2+bx+c)\,($단, $b,\ c$는 실수$)$

$\lim\limits_{x\to 1}\dfrac{f(x)}{g(x)}=\lim\limits_{x\to 1}\dfrac{(x-1)(x-2)(x-a)}{(x-1)(x^2+bx+c)}$

$\qquad\qquad =\lim\limits_{x\to 1}\dfrac{(x-2)(x-a)}{(x^2+bx+c)}$

$\qquad\qquad =\dfrac{(1-2)(1-a)}{1+b+c}=0\,($단, $b+c\neq -1)$

즉 $(1-2)(1-a)=0$이므로 $a=1$

$\therefore f(x)=(x-1)^2(x-2)$

STEP B　$n=3,\ 4$일 때, 조건 (나)를 이용하여 $b,\ c$ 구하기

이때 $n=3$일 때, $\lim\limits_{x\to 3}\dfrac{f(x)}{g(x)}=2$이므로

$\lim\limits_{x\to 3}\dfrac{(x-1)^2(x-2)}{(x-1)(x^2+bx+c)}=\lim\limits_{x\to 3}\dfrac{(x-1)(x-2)}{x^2+bx+c}=\dfrac{2}{9+3b+c}=2$

$\therefore 3b+c+8=0$　　　　$\cdots\cdots$ ㉢

$n=4$일 때, $\lim\limits_{x\to 4}\dfrac{f(x)}{g(x)}=6$이므로

$\lim\limits_{x\to 4}\dfrac{(x-1)^2(x-2)}{(x-1)(x^2+bx+c)}=\lim\limits_{x\to 4}\dfrac{(x-1)(x-2)}{x^2+bx+c}=\dfrac{6}{16+4b+c}=6$

$\therefore 4b+c+15=0$　　　　$\cdots\cdots$ ㉣

㉢, ㉣을 연립하면 $b=-7,\ c=13$

STEP C　$g(5)$의 값 구하기

따라서 $g(x)=(x-1)(x^2-7x+13)$이므로

$g(5)=4\cdot(25-35+13)=4\cdot 3=12$

0220

정답 14

STEP A $f(x)=(ax+b)(x-1)$라 두고 a, b 사이의 관계식 구하기

조건 (가)에서 $\lim\limits_{x \to \infty} \dfrac{f(x)}{x^3}=0$이므로

함수 $f(x)$는 일차함수 또는 이차함수이다.

조건 (나)에서 $\lim\limits_{x \to 1} \dfrac{f(x)}{x-1}=1$이므로

함수 $f(x)$는 $x-1$을 인수로 갖는다.

이제 $f(x)=(ax+b)(x-1)$로 놓으면

조건 (나)에서 $\lim\limits_{x \to 1} \dfrac{(ax+b)(x-1)}{x-1}=\lim\limits_{x \to 1}(ax+b)=1$

$\therefore a+b=1$ ...... ㉠

STEP B $f(2)=4$임을 이용하여 a, b의 값 구하기

조건 (다)에서 방정식 $f(x)=2x$의 한 근이 2이므로

$f(2)=2a+b=4$ ...... ㉡

㉠, ㉡을 연립하여 풀면 $a=3$, $b=-2$

STEP C $f(3)$의 값 구하기

따라서 $f(x)=(3x-2)(x-1)$이므로 $f(3)=14$

0221

정답 10

STEP A $f(1)=0$임을 이용하여 $f(x)$를 식으로 표현하기

$\lim\limits_{x \to \infty} \dfrac{f(x)-x^3}{x^2}=-11$에서

$f(x)=x^3-11x^2+ax+b$ (a, b는 상수)로 놓으면

$\lim\limits_{x \to 1} \dfrac{f(x)}{x-1}=-9$이고 $\lim\limits_{x \to 1}(x-1)=0$이므로

$\lim\limits_{x \to 1}f(x)=f(1)=0$

$f(1)=-10+a+b=0$에서 $b=-a+10$ ...... ㉠

$f(x)=x^3-11x^2+ax-a+10$이고 조립제법에 의하여

$f(x)=(x-1)(x^2-10x+a-10)$

STEP B $f(x)$의 식을 극한에 대입하여 a, b의 값 구하기

$\begin{aligned}\lim\limits_{x \to 1} \dfrac{f(x)}{x-1} &=\lim\limits_{x \to 1} \dfrac{(x-1)(x^2-10x+a-10)}{x-1}\\ &=\lim\limits_{x \to 1}(x^2-10x+a-10)\\ &=a-19\end{aligned}$

즉 $a-19=-9$에서 $a=10$이므로 ㉠에서 $b=0$

$\therefore f(x)=x^3-11x^2+10x$

STEP C $\dfrac{1}{x}=t$로 치환하여 극한값 구하기

이때 $\dfrac{1}{x}=t$라 하면 $x \to \infty$에서 $t \to 0+$

$\begin{aligned}\text{따라서 } \lim\limits_{x \to \infty}xf\left(\dfrac{1}{x}\right) &=\lim\limits_{t \to 0+} \dfrac{f(t)}{t}\\ &=\lim\limits_{t \to 0+} \dfrac{t^3-11t^2+10t}{t}\\ &=\lim\limits_{t \to 0+}(t^2-11t+10)\\ &=10\end{aligned}$

0222

정답 3

STEP A 함수 $f(x)$의 차수 정하기

$\lim\limits_{x \to \infty} \dfrac{f(x)}{2x^3-x^2+x-1}=1$이므로 함수 $f(x)$는 최고차항의 계수가 2인 삼차함수이다.

STEP B 함수 $f(x)$가 $(x-3)^2$의 인수를 가짐을 이해하기

$\lim\limits_{x \to 3} \dfrac{f(x)}{(x-3)^2}=5$로 극한값이 존재하고

$x \to 3$일 때, (분모)$\to 0$이고 극한값이 존재하므로 (분자)$\to 0$이어야 한다.

즉 $\lim\limits_{x \to 3}f(x)=f(3)=0$이므로 $f(x)$는 $x-3$을 인수로 갖는다.

$f(x)=(x-3)g(x)$ ($g(x)$는 이차식)라 하면

$\lim\limits_{x \to 3} \dfrac{f(x)}{(x-3)^2}=\lim\limits_{x \to 3} \dfrac{(x-3)g(x)}{(x-3)^2}=\lim\limits_{x \to 3} \dfrac{g(x)}{x-3}=4$로 극한값이 존재하고

$x \to 3$일 때, (분모)$\to 0$이므로 (분자)$\to 0$이다.

즉 $\lim\limits_{x \to 3}g(x)=g(3)=0$이므로 $g(x)$는 $x-3$을 인수로 갖는다.

즉 $f(x)$는 $(x-3)^2$을 인수로 갖는다.

$f(x)=(x-3)^2(2x+k)$ (k는 상수)라 하면

$\begin{aligned}\lim\limits_{x \to 3} \dfrac{f(x)}{(x-3)^2} &=\lim\limits_{x \to 3} \dfrac{(x-3)^2(2x+k)}{(x-3)^2}\\ &=\lim\limits_{x \to 3}(2x+k)=6+k=5\end{aligned}$

이므로 $k=-1$

STEP C $f(2)$의 값 구하기

따라서 $f(x)=(x-3)^2(2x-1)$이므로 $f(2)=(-1)^2 \times 3=3$

참고

다항함수 $f(x)$에 대하여

① $\lim\limits_{x \to a} \dfrac{f(x)}{(x-a)^n}=\alpha$ (α는 실수)일 때, 분모가 $(x-a)^n$을 인수로 가지므로 $f(x)$도 $(x-a)^n$을 인수로 가져야 한다.

② $\lim\limits_{x \to a} \dfrac{f(x)}{(x-a)^n}=0$일 때, $f(x)$는 $(x-a)^{n+1}$을 인수로 가진다.

내/신/연/계/ 출제문항 090

다항함수 $f(x)$가

$$\lim\limits_{x \to \infty} \dfrac{f(x)}{x^3}=0, \quad \lim\limits_{x \to 0} \dfrac{f(x)}{x}=7$$

를 만족시킨다. 방정식 $f(x)=x$의 한 근이 -2일 때, $f(2)$의 값을 구하여라.

STEP A 조건을 만족하는 함수 $f(x)$의 식 작성하기

$\lim\limits_{x \to \infty} \dfrac{f(x)}{x^3}=0$에서 함수 $f(x)$는 이차 이하의 다항함수이다.

$\lim\limits_{x \to 0} \dfrac{f(x)}{x}=7$로 극한값이 존재하고

$x \to 0$일 때, (분모)$\to 0$이므로 (분자)$\to 0$이다.

즉 $\lim\limits_{x \to 0}f(x)=f(0)=0$이므로 $f(x)$는 x를 인수로 갖는다.

$f(x)=x(ax+b)$ (a, b는 상수)라 하면

STEP B $f(2)$의 값 구하기

$\lim\limits_{x \to 0} \dfrac{f(x)}{x}=\lim\limits_{x \to 0} \dfrac{x(ax+b)}{x}=\lim\limits_{x \to 0}(ax+b)=b=7$

한편 방정식 $f(x)=x$의 한 근이 -2이므로

$f(-2)=-2$에서 $-2(-2a+7)=-2$, $-2a+7=1$

$\therefore a=3$

따라서 $f(x)=x(3x+7)$이므로 $f(2)=2 \cdot 13=26$

정답 26

0223

STEP ⓐ 함수의 극한의 성질을 이용하여 조건을 만족시키는 다항함수 $f(x)$ 추정하기

$\lim\limits_{x \to \infty} \dfrac{f(x)-4x^3+3x^2}{x^{n+1}+1}=6$이므로

$f(x)-4x^3+3x^2$은 $(n+1)$차 함수이고 최고차항의 계수는 6이다.

$\lim\limits_{x \to 0} \dfrac{f(x)}{x}=4$이므로 $f(x)=x^n g(x)$ (단, $g(x)$꼴이므로 $f(x)$는 최저차항이 n차이고 계수는 4이다.)

STEP ⓑ 자연수 n에 대하여 $n=1$, $n=2$, $n \geq 3$으로 나누어 $f(1)$의 값 구하기

(i) $n=1$일 때,

$\lim\limits_{x \to \infty} \dfrac{f(x)-4x^3+3x^2}{x^2+1}=6$ ……㉠

$\lim\limits_{x \to 0} \dfrac{f(x)}{x}=4$ ……㉡

를 만족시키려면 $f(x)=4x^3+3x^2+ax$ (a는 상수)의 꼴이어야 한다.

이때 $\lim\limits_{x \to 0} \dfrac{f(x)}{x}=\lim\limits_{x \to 0}(4x^2+3x+a)=a$이므로 $a=4$

즉 $f(x)=4x^3+3x^2+4x$이므로 $f(1)=4+3+4=11$

> **참고** ㉠에 의하여 $f(x)=4x^3+3x^2+ax+b$ (a, b는 상수)라 하면
> ㉡에 의하여 $\lim\limits_{x \to 0}\left(4x^2+3x+a+\dfrac{b}{x}\right)=4$이므로 $a=4$, $b=0$
> 즉 $f(x)=4x^3+3x^2+4x$

(ii) $n=2$일 때,

$\lim\limits_{x \to \infty} \dfrac{f(x)-4x^3+3x^2}{x^3+1}=6$ ……㉢

$\lim\limits_{x \to 0} \dfrac{f(x)}{x^2}=4$ ……㉣

를 만족시키려면 $f(x)=10x^3+bx^2$ (b는 상수)의 꼴이어야 한다.

이때 $\lim\limits_{x \to 0} \dfrac{f(x)}{x^2}=\lim\limits_{x \to 0}(10x+b)=b$이므로 $b=4$

즉 $f(x)=10x^3+4x^2$이므로 $f(1)=10+4=14$

> **참고** ㉢에 의하여 $f(x)=10x^3+ax^2+bx+c$ (a, b, c는 상수)라 하면
> ㉣에 의하여 $\lim\limits_{x \to 0}\left(10x+a+\dfrac{b}{x}+\dfrac{c}{x^2}\right)=4$이므로 $a=4$, $b=0$, $c=0$
> 즉 $f(x)=10x^3+4x^2$

(iii) $n \geq 3$일 때,

$\lim\limits_{x \to \infty} \dfrac{f(x)-4x^3+3x^2}{x^{n+1}+1}=6$ ……㉤

$\lim\limits_{x \to 0} \dfrac{f(x)}{x^n}=4$ ……㉥

를 만족시키려면 $f(x)=6x^{n+1}+cx^n$ (c는 상수)의 꼴이어야 한다.

이때 $\lim\limits_{x \to 0} \dfrac{f(x)}{x^n}=\lim\limits_{x \to 0}(6x+c)=c$이므로 $c=4$

즉 $f(x)=6x^{n+1}+4x^n$이므로 $f(1)=6+4=10$

> **참고** ㉤에 의하여 $f(x)=6x^{n+1}+g(x)$ (단, $g(x)$는 n차 이하의 다항함수)
> ㉥에 의하여 $\lim\limits_{x \to 0}\left(6x+\dfrac{g(x)}{x^n}\right)=4$이므로
> $\lim\limits_{x \to 0}\dfrac{g(x)}{x^n}=4$에서 $g(x)=4x^n$
> 즉 $f(x)=6x^{n+1}+4x^n$ $(n \geq 3)$

(i)~(iii)에 의하여 구하는 $f(1)$의 최댓값은 14

다항함수 $f(x)$에 대하여

$$\lim_{x \to \infty} \dfrac{f(x)-2x^4}{x^3+1}=3$$이고 $\lim\limits_{x \to 0} \dfrac{f(x)}{x^3}$의 값이 존재할 때, $f(2)$의 값을 구하여라.

STEP ⓐ 함수의 극한의 성질을 이용하여 조건을 만족시키는 다항함수 $f(x)$ 추정하기

$\lim\limits_{x \to \infty} \dfrac{f(x)-2x^4}{x^3+1}=3$에서 $f(x)-2x^4$은 x^3의 계수가 3인 삼차함수이다.

$f(x)-2x^4=3x^3+ax^2+bx+c$ (a, b, c는 상수)로 놓으면

$f(x)=2x^4+3x^3+ax^2+bx+c$

STEP ⓑ 사차함수 $f(x)$를 구하여 $f(2)$의 값 구하기

$\lim\limits_{x \to 0} \dfrac{f(x)}{x^3}=\lim\limits_{x \to 0} \dfrac{2x^4+3x^3+ax^2+bx+c}{x^3}$

$\qquad\qquad =\lim\limits_{x \to 0}\left(2x+3+\dfrac{a}{x}+\dfrac{b}{x^2}+\dfrac{c}{x^3}\right)$

이때 $\lim\limits_{x \to 0} \dfrac{f(x)}{x^3}$의 값이 존재하므로 $a=0$, $b=0$, $c=0$이어야 한다.

따라서 $f(x)=2x^4+3x^3$이므로 $f(2)=32+24=56$ 정답 56

0224

STEP ⓐ 함수 $y=f(x)$의 그래프와 직선 $y=k$의 위치 관계 구하기

$x>1$일 때, $f(x)=\dfrac{x+2}{x-1}=1+\dfrac{3}{x-1}$

$x \leq 1$일 때, $f(x)=-x^2-2x+2=-(x+1)^2+3$이므로

함수 $y=f(x)$의 그래프와 직선 $y=k$의 위치 관계는 다음과 같다.

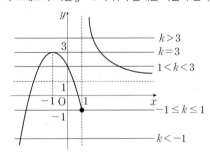

STEP ⓑ $g(k)$의 그래프 그리기

$g(k)=\begin{cases}1 & (k<-1,\ k>3) \\ 2 & (-1 \leq k \leq 1,\ k=3) \\ 3 & (1<k<3)\end{cases}$이고 그래프는 다음과 같다.

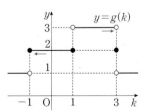

STEP ⓒ $\lim\limits_{k \to -1^+} g(k)+\lim\limits_{k \to 3^-} g(g(k))$의 값 구하기

위의 그래프에서 $\lim\limits_{k \to -1^+} g(k)=2$이고 $g(k)=t$라 하면

$k \to 3^-$일 때, $t=3$이므로 $\lim\limits_{k \to 3^-} g(g(k))=g(3)=2$

$\therefore \lim\limits_{k \to -1^+} g(k)+\lim\limits_{k \to 3^-} g(g(k))=2+2=4$

0225

정답 9

STEP A $\lim\limits_{x \to 0+} \dfrac{g(x)}{f(x)} = 1$을 만족하는 $g(0)$의 값을 구하기

그래프에서 $\lim\limits_{x \to 0+} f(x) = -1$이므로 $\lim\limits_{x \to 0+} \dfrac{g(x)}{f(x)} = 1$에서

$\lim\limits_{x \to 0+} \dfrac{g(x)}{f(x)} = \dfrac{g(0)}{-1} = 1$ $\quad \therefore g(0) = -1 \quad \cdots\cdots \㉠$

STEP B $\lim\limits_{x \to 1-} f(x-1)g(x) = 3$을 만족하는 $g(1)$의 값을 구하기

$x - 1 = t$라 하면 $x \to 1-$일 때, $t \to 0-$이므로 그래프에서
$\lim\limits_{x \to 1-} f(x-1) = \lim\limits_{t \to 0-} f(t) = 1$
$\lim\limits_{x \to 1-} f(x-1)g(x) = 1 \times g(1) \quad \therefore g(1) = 3 \cdots\cdots \㉡$

STEP C 최고차항의 계수가 1인 이차함수 $g(x)$를 구하여 $g(2)$의 값을 구하기

최고차항의 계수가 1인 이차함수 $g(x)$에 대하여
$g(x) = x^2 + ax + b$ (단, a, b는 상수)라 하면
㉠, ㉡에서 $g(0) = b = -1$
$g(1) = 1 + a + b = 3 \quad \therefore a = 3$
따라서 $g(x) = x^2 + 3x - 1$이므로 $g(2) = 4 + 6 - 1 = 9$

0226

정답 2

STEP A $[x^2 + 4x]$의 범위 구하기

$[x^2 + 4x]$는 $x^2 + 4x$보다 크지 않은 최대의 정수이므로
부등식으로 나타내면
$x^2 + 4x - 1 < [x^2 + 4x] \le x^2 + 4x$
$\sqrt{x^2 + 4x - 1} < \sqrt{[x^2 + 4x]} \le \sqrt{x^2 + 4x}$
$\sqrt{x^2 + 4x - 1} - x < \sqrt{[x^2 + 4x]} - x \le \sqrt{x^2 + 4x} - x$

STEP B 함수의 극한의 대소 관계를 이용하여 극한값 구하기

$\lim\limits_{x \to \infty}(\sqrt{x^2 + 4x - 1} - x) = \lim\limits_{x \to \infty} \dfrac{(x^2 + 4x - 1) - x^2}{\sqrt{x^2 + 4x - 1} + x}$
$= \lim\limits_{x \to \infty} \dfrac{4x - 1}{\sqrt{x^2 + 4x - 1} + x}$
$= \lim\limits_{x \to \infty} \dfrac{4 - \dfrac{1}{x}}{\sqrt{1 + \dfrac{4}{x} - \dfrac{1}{x^2}} + 1}$
$= \dfrac{4}{2} = 2$

$\lim\limits_{x \to \infty}(\sqrt{x^2 + 4x} - x) = \lim\limits_{x \to \infty} \dfrac{(x^2 + 4x) - x^2}{\sqrt{x^2 + 4x} + x}$
$= \lim\limits_{x \to \infty} \dfrac{4x}{\sqrt{x^2 + 4x} + x}$
$= \lim\limits_{x \to \infty} \dfrac{4}{\sqrt{1 + \dfrac{4}{x}} + 1}$
$= \dfrac{4}{2} = 2$

따라서 함수의 극한의 대소 관계에 의하여 $\lim\limits_{x \to \infty}(\sqrt{[x^2 + 4x]} - x) = 2$

0227

정답 $\dfrac{1}{2}$

STEP A $\overline{\mathrm{BQ}}$을 x에 관한 식으로 나타내기

다음 그림과 같이 점 Q에서 선분 AD에 내린 수선의 발을 H라 하면

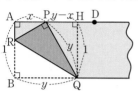

$\overline{\mathrm{PH}} = y - x$, $\overline{\mathrm{PQ}} = \overline{\mathrm{BQ}} = y$
직각삼각형 PQH에서 피타고라스 정리에 의하여
$y^2 = (y - x)^2 + 1^2 = y^2 - 2xy + x^2 + 1$
즉 $y = \dfrac{x^2 + 1}{2x}$

STEP B $\lim\limits_{x \to 0+} xy$의 극한값 구하기

따라서 $\lim\limits_{x \to 0+} xy = \lim\limits_{x \to 0+}\left(x \times \dfrac{x^2 + 1}{2x}\right) = \lim\limits_{x \to 0+} \dfrac{x^2 + 1}{2} = \dfrac{1}{2}$

0228

정답 4

STEP A 두 원의 교점 Q의 좌표 구하기

$x^2 + y^2 = r^2 \quad\quad \cdots\cdots \ ㉠$
$(x - 1)^2 + y^2 = 1 \quad\quad \cdots\cdots \ ㉡$
㉠ - ㉡을 하면
$2x - 1 = r^2 - 1 \quad \therefore x = \dfrac{r^2}{2}$
$x = \dfrac{r^2}{2}$을 ㉠에 대입하면 $\dfrac{r^4}{4} + y^2 = r^2$
$\therefore y = \pm \sqrt{r^2 - \dfrac{r^4}{4}}$
즉 Q의 좌표가 $\mathrm{Q}\left(\dfrac{r^2}{2}, \sqrt{r^2 - \dfrac{r^4}{4}}\right)$

STEP B 두 점 P, Q를 지나는 직선의 방정식을 구하여 점 Q의 좌표 구하기

즉 두 점 $\mathrm{P}(0, r)$, $\mathrm{Q}\left(\dfrac{r^2}{2}, \sqrt{r^2 - \dfrac{r^4}{4}}\right)$를 지나는 직선의 방정식은

$y - r = \dfrac{\sqrt{r^2 - \dfrac{r^4}{4}} - r}{\dfrac{r^2}{2}}(x - 0)$, $y = \dfrac{2\left(\sqrt{1 - \dfrac{r^2}{4}} - 1\right)}{r}x + r$

이므로 $y = 0$일 때, 점 R의 좌표는 $\left(\dfrac{-r^2}{2\left(\sqrt{1 - \dfrac{r^2}{4}} - 1\right)}, 0\right)$

STEP C $r \to 0+$이므로 점 R이 한없이 가까워지는 점의 좌표 구하기

r이 0에 한없이 가까워질 때, $r \to 0+$이므로
점 R이 한없이 가까워지는 점의 좌표를 구한다.

$\lim\limits_{r \to 0+} \dfrac{-r^2}{2\left(\sqrt{1 - \dfrac{r^2}{4}} - 1\right)} = \lim\limits_{r \to 0+} \dfrac{-r^2\left(\sqrt{1 - \dfrac{r^2}{4}} + 1\right)}{2 \times \left(-\dfrac{r^2}{4}\right)}$
$= \lim\limits_{r \to 0+} 2\left(\sqrt{1 - \dfrac{r^2}{4}} + 1\right) = 4$

따라서 r이 0에 한없이 가까워질 때, 점 R은 점 $(4, 0)$에 한없이 가까워진다.
$\therefore a = 4$

02 함수의 연속

S T E P 1 내 신 정 복 기 출 유 형

0229

 정답 ④

STEP Ⓐ 극한값이 존재하지 않는 점의 개수 구하기

$x=-1$, $x=1$, $x=5$에서는 극한값이 존재하지 않으므로
$\lim\limits_{x \to a-} f(x) \neq \lim\limits_{x \to a+} f(x)$인 a는 3개이다.

STEP Ⓑ 불연속인 점의 개수 구하기

집합 B의 원소 $x=b$에서 불연속이므로
(i) $x=b$에서 극한값이 존재하지 않는 원소
  즉 $x=-1$, $x=1$, $x=5$
(ii) $x=b$에서 극한값과 함숫값이 존재하지만 $\lim\limits_{x \to b} f(x) \neq f(b)$인 원소
  즉 $x=2$, $x=3$, $x=4$
(i), (ii)에서 집합 B의 원소의 개수는 6개이므로 $n(B)=6$
따라서 $n(A)+n(B)=3+6=9$

0230

정답 ③

STEP Ⓐ 극한값과 연속, 불연속점에서 진위판단하기

ㄱ. $\lim\limits_{x \to 1+} f(x)=1$, $\lim\limits_{x \to 1-} f(x)=0$이므로 $\lim\limits_{x \to 1} f(x)$는 존재하지 않는다. [거짓]
ㄴ. 불연속인 점은 $x=1$, $x=2$ 이므로 2개이다. [거짓]
ㄷ. $\lim\limits_{x \to 2-} f(x)=\lim\limits_{x \to 2+} f(x)=1$ [참]
따라서 옳은 것은 ㄷ이다.

0231

 정답 ①

STEP Ⓐ 극한값과 연속, 불연속점에서 진위판단하기

ㄱ. $\lim\limits_{x \to 1+} f(x)=1$, $\lim\limits_{x \to 1-} f(x)=1$이므로 $\lim\limits_{x \to 1} f(x)$는 존재한다. [참]
ㄴ. $\lim\limits_{x \to 2} f(x)=3$이고 $f(2)=2$이므로 $\lim\limits_{x \to 2} f(x) \neq f(2)$ [거짓]
ㄷ. $\lim\limits_{x \to 3} f(x)$이 존재하지 않으므로 $x=3$에서 불연속이다. [거짓]
따라서 옳은 것은 ㄱ이다.

내신연계 출제문항 092

함수 $y=f(x)$의 그래프가 오른쪽 그림
과 같을 때, 열린구간 $(-2, 2)$에서
이 함수에 대한 설명으로 옳은 것은?

① $\lim\limits_{x \to 0+} f(x)=f(0)$이다.
② 불연속인 점은 1개이다.
③ $\lim\limits_{x \to 1} f(x)$는 존재한다.
④ $f(1)$은 존재하지 않는다.
⑤ 극한값이 존재하지 않는 점은 3개이다.

STEP Ⓐ 극한값과 연속, 불연속점에서 진위판단하기

① $\lim\limits_{x \to 0+} f(x)=3$이고 $f(0)=2$이므로 $\lim\limits_{x \to 0+} f(x) \neq f(0)$
② 불연속인 점은 $x=-1$, $x=0$, $x=1$의 3개이다.
③ $\lim\limits_{x \to 1+} f(x)=\lim\limits_{x \to 1-} f(x)=3$이므로 $\lim\limits_{x \to 1} f(x)$는 존재한다.
④ $f(1)=3$이므로 $f(1)$은 존재한다.
⑤ 극한값이 존재하지 않는 점 $x=0$인 1개이다.
따라서 옳은 것은 ③이다.

 정답 ③

0232

 정답 ⑤

STEP Ⓐ 극한값이 존재하지 않는 점의 개수 구하기

$\lim\limits_{x \to -1+} f(x) \neq \lim\limits_{x \to -1-} f(x)$, $\lim\limits_{x \to 1+} f(x) \neq \lim\limits_{x \to 1-} f(x)$이므로
함수 $f(x)$는 $x=-1$, $x=1$에서 극한값이 존재하지 않는다.
즉 $f(x)$는 $x=-1$, $x=1$에서 불연속이다.

STEP Ⓑ 불연속적인 점의 개수 구하기

또, $\lim\limits_{x \to -2} f(x) \neq f(-2)$, $\lim\limits_{x \to 0} f(x) \neq f(0)$이므로
함수 $f(x)$는 $x=-2$, $x=0$에서 불연속이다.
따라서 $a=2$, $b=4$이므로 $a+b=6$

내신연계 출제문항 093

오른쪽 그림은 구간 $[-2, 2]$에서 정의된
함수 $y=f(x)$의 그래프이다. 불연속인
점의 개수를 a, 극한값이 존재하지 않는
점의 개수를 b라고 할 때, $a+b$의 값은?

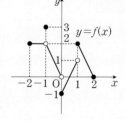

① 3   ② 4
③ 5   ④ 6
⑤ 7

STEP Ⓐ 불연속적인 점의 개수 구하기

불연속인 점은 $x=-1$, 0, 1의 3개이므로 $a=3$

STEP Ⓑ 극한값이 존재하지 않는 점의 개수 구하기

극한값이 존재하지 않는 점은 $x=0$, 1의 2개이므로 $b=2$
따라서 $a+b=3+2=5$

 정답 ③

0233

정답 ②

STEP Ⓐ 극한값과 연속, 불연속점에서 진위판단하기

ㄱ. $\lim\limits_{x \to 1} f(x)=3$ [참]
ㄴ. $x-1=t$로 놓으면 $x \to 1-$에서 $t \to 0-$이므로
  $\lim\limits_{x \to 1-} f(x-1)=\lim\limits_{t \to 0-} f(t)=2$ [거짓]
ㄷ. 열린구간 $(-1, 3)$에서 함수 $f(x)$는 $x=0$, $x=1$에서 불연속이므로
  x의 값은 2개이다. [참]
ㄹ. 열린구간 $(-1, 3)$에서 함수 $f(x)$의 극한값이 존재하지 않는 x의 값은
  $x=0$의 1개이다. [거짓]
따라서 옳은 것은 ㄱ, ㄷ이다.

0234

 정답 ④

STEP Ⓐ 극한값이 존재하고 불연속인 점 구하기

$\lim\limits_{x \to 3+} f(x)=\lim\limits_{x \to 3-} f(x)$이고 $\lim\limits_{x \to 3} f(x) \neq f(3)$이므로 $a=3$

STEP Ⓑ $f(a)=b$ 구하기

또한, $f(3)=2$이므로 $b=2$
따라서 $a=3$, $b=2$이므로 $a+b=5$

0235

STEP Ⓐ 함수의 그래프에서 극한값 구하기

ㄱ. $x \to 0+$일 때, $f(x) \to 1$이므로 $\lim\limits_{x \to 0+} f(x) = 1$ [참]

ㄴ. $x \to 2-$일 때, $f(x) \to 1$이므로 $\lim\limits_{x \to 2-} f(x) = 1$ [거짓]

STEP Ⓑ $y = |f(x)|$의 그래프를 그려 $x = 2$에서 연속인지 확인하기

ㄷ. 함수 $y = |f(x)|$의 그래프는
오른쪽 그림과 같다.
$\therefore \lim\limits_{x \to 2} |f(x)| = |f(2)| = 1$
즉 함수 $|f(x)|$는 $x = 2$에서
연속이다. [참]
따라서 옳은 것은 ㄱ, ㄷ이다.

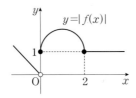

0236

정답 ①

STEP Ⓐ $\lim\limits_{x \to 0} f(x) = f(0)$을 만족하는 함수 찾기

① $f(x) = x|x|$에 대하여 $f(0) = 0$이고
$\lim\limits_{x \to 0} f(x) = \lim\limits_{x \to 0} x|x| = 0$이므로 $\lim\limits_{x \to 0} f(x) = f(0)$
즉 함수 $f(x)$는 $x = 0$에서 연속이다.

② $f(x) = \dfrac{1}{x}$에서 $\lim\limits_{x \to 0} f(x) = \pm\infty$이므로
$x = 0$에서 불연속이다.

③ $f(x) = \dfrac{|x|}{x}$에서 $\lim\limits_{x \to 0+} f(x) = 1$, $\lim\limits_{x \to 0-} f(x) = -1$이므로
$x = 0$에서 불연속이다.

④ $f(x) = \sqrt{x-2}$에서 $\lim\limits_{x \to 0} f(x)$의 값이 존재하지 않으므로
$x = 0$에서 불연속이다.

⑤ $f(x) = -\sqrt{3x-1}$에서 $\lim\limits_{x \to 0} f(x)$의 값이 존재하지 않으므로
$x = 0$에서 불연속이다.
따라서 $x = 0$에서 연속인 함수는 ①이다.

0237

정답 ⑤

STEP Ⓐ 함수의 연속조건을 이용하여 진위판단하기

① $f(x) = x|x-2|$에서 $\lim\limits_{x \to 2} f(x) = f(2) = 0$이므로 $x = 2$에서 연속이다.

② $f(x) = \begin{cases} |x-1| & (x \neq 2) \\ 1 & (x = 2) \end{cases}$에서 $\lim\limits_{x \to 2} f(x) = f(2) = 1$이므로
$x = 2$에서 연속이다.

③ $f(x) = \begin{cases} x^2-1 & (x \geq 2) \\ 5-x & (x < 2) \end{cases}$에서 $\lim\limits_{x \to 2} f(x) = f(2) = 3$이므로
$x = 2$에서 연속이다.

④ $f(x) = \begin{cases} \dfrac{x^2-4}{x-2} & (x \neq 2) \\ 4 & (x = 2) \end{cases}$에서 $\lim\limits_{x \to 2} f(x) = f(2) = 4$이므로
$x = 2$에서 연속이다.

⑤ $f(x) = \begin{cases} \dfrac{x^2-x-2}{x-2} & (x \neq 2) \\ 2 & (x = 2) \end{cases}$에서
$\lim\limits_{x \to 2} f(x) = \lim\limits_{x \to 2} \dfrac{x^2-x-2}{x-2}$
$= \lim\limits_{x \to 2} \dfrac{(x-2)(x+1)}{x-2}$
$= \lim\limits_{x \to 2} (x+1) = 3$

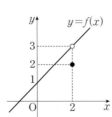

$f(2) = 2$이므로 $\lim\limits_{x \to 2} f(x) \neq f(2)$

즉 함수 $f(x)$는 $x = 2$에서 불연속이다
따라서 $x = 2$에서 불연속인 함수 $f(x)$는 ⑤이다.

내신연계 출제문항 094

$x = 1$에서 연속인 함수만을 [보기]에서 있는 대로 고른 것은?
(단, $[x]$는 x보다 크지 않은 최대의 정수이다.)

> ㄱ. $f(x) = \begin{cases} \dfrac{x^2-1}{x-1} & (x \neq 1) \\ 2 & (x = 1) \end{cases}$
>
> ㄴ. $g(x) = \begin{cases} \dfrac{x^3-1}{x-1} & (x \neq 1) \\ 3 & (x = 1) \end{cases}$
>
> ㄷ. $h(x) = [x-1]$

① ㄱ   ② ㄱ, ㄴ   ③ ㄱ, ㄷ
④ ㄴ, ㄷ   ⑤ ㄱ, ㄴ, ㄷ

STEP Ⓐ 함수의 연속조건을 이용하여 진위판단하기

ㄱ. $\lim\limits_{x \to 1} \dfrac{x^2-1}{x-1} = \lim\limits_{x \to 1} \dfrac{(x-1)(x+1)}{x-1} = \lim\limits_{x \to 1}(x+1) = 2 = f(1)$이므로
$f(x)$는 $x = 1$에서 연속이다.

ㄴ. $\lim\limits_{x \to 1} \dfrac{x^3-1}{x-1} = \lim\limits_{x \to 1} \dfrac{(x-1)(x^2+x+1)}{x-1} = \lim\limits_{x \to 1}(x^2+x+1) = 3 = g(1)$
$\lim\limits_{x \to 1} g(x) = g(1) = 3$이므로 $g(x)$는 $x = 1$에서 연속이다.

ㄷ. $\lim\limits_{x \to 1-} [x-1] = -1$, $\lim\limits_{x \to 1+} [x-1] = 0$이므로
$x \to 1$일 때, 극한값이 존재하지 않는다.
$h(x)$는 $x = 1$에서 불연속이다.
따라서 $x = 1$에서 연속인 함수는 ㄱ, ㄴ이다.

정답 ②

0238

정답 ②

STEP Ⓐ 함수의 연속조건을 이용하여 진위판단하기

ㄱ. 함수 $f(x)$는 $f(2) = 5$이고
$\lim\limits_{x \to 2} f(x) = \lim\limits_{x \to 2} \dfrac{2x^2-3x-2}{x-2}$
$= \lim\limits_{x \to 2} \dfrac{(x-2)(2x+1)}{x-2}$
$= \lim\limits_{x \to 2} (2x+1) = 5$
이므로 $\lim\limits_{x \to 2} f(x) = f(2)$
즉 함수 $f(x)$는 $x = 2$에서 연속이다.

ㄴ. 함수 $f(x)$는 $f(2) = 0$이지만
$\lim\limits_{x \to 2+} f(x) = \lim\limits_{x \to 2+} \dfrac{x(x-2)}{x-2} = \lim\limits_{x \to 2+} x = 2$
$\lim\limits_{x \to 2-} f(x) = \lim\limits_{x \to 2-} \dfrac{-x(x-2)}{x-2}$
$= \lim\limits_{x \to 2-} (-x) = -2$
$\therefore \lim\limits_{x \to 2+} f(x) \neq \lim\limits_{x \to 2-} f(x)$
즉 $\lim\limits_{x \to 2} f(x)$의 값이 존재하지 않으므로
함수 $f(x)$는 $x = 2$에서 불연속이다.

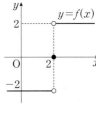

ㄷ. 함수 $f(x)$는 $f(2) = 1$이고
$\lim\limits_{x \to 2} f(x) = \lim\limits_{x \to 2} \dfrac{x^2-3x+2}{x-2}$
$= \lim\limits_{x \to 2} \dfrac{(x-1)(x-2)}{x-2}$
$= \lim\limits_{x \to 2} (x-1) = 1$
이므로 $\lim\limits_{x \to 2} f(x) = f(2)$
즉 함수 $f(x)$는 $x = 2$에서 연속이다.

ㄹ. 함수 $f(x)$는 $f(2)=0$이지만

$$\lim_{x \to 2+} f(x) = \lim_{x \to 2+} \frac{x-2}{x-2} = 1,$$

$$\lim_{x \to 2-} f(x) = \lim_{x \to 2-} \frac{-(x-2)}{x-2} = -1$$

$$\therefore \lim_{x \to 2+} f(x) \neq \lim_{x \to 2-} f(x)$$

즉 $\lim_{x \to 2} f(x)$의 값이 존재하지 않으므로

함수 $f(x)$는 $x=2$에서 불연속이다.

따라서 $x=2$에서 불연속인 함수는 ㄴ, ㄹ이다.

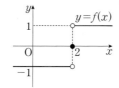

내/신/연/계/ 출제문항 095

다음 함수 중 $x=0$에서 연속인 함수를 모두 고르면?

① $f(x) = \begin{cases} \dfrac{\sqrt{x^2+4}-2}{x} & (x \neq 0) \\ 1 & (x=0) \end{cases}$ ② $f(x) = \begin{cases} x+1 & (x \neq 0) \\ 3 & (x=0) \end{cases}$

③ $f(x) = \begin{cases} -2x+1 & (x \geq 0) \\ x+5 & (x < 0) \end{cases}$ ④ $f(x) = \dfrac{2}{x+1}$

⑤ $f(x) = \begin{cases} \dfrac{x^2-x}{x} & (x \neq 0) \\ 0 & (x=0) \end{cases}$

STEP Ⓐ 함수의 연속조건을 이용하여 진위판단하기

① 함수 $f(x)$에 대하여 $f(0)=1$이고

$$\lim_{x \to 0} f(x) = \lim_{x \to 0} \frac{\sqrt{x^2+4}-2}{x} = \lim_{x \to 0} \frac{(\sqrt{x^2+4}-2)(\sqrt{x^2+4}+2)}{x(\sqrt{x^2+4}+2)}$$

$$= \lim_{x \to 0} \frac{x^2}{x(\sqrt{x^2+4}+2)} = \lim_{x \to 0} \frac{x}{\sqrt{x^2+4}+2} = 0$$

이므로 $\lim_{x \to 0} f(x) \neq f(0)$

즉 함수 $f(x)$는 $x=0$에서 불연속이다.

② 함수 $f(x)$에 대하여 $f(0)=3$이고

$$\lim_{x \to 0} f(x) = \lim_{x \to 0}(x+1) = 1$$이므로

$$\lim_{x \to 0} f(x) \neq f(0)$$

즉 함수 $f(x)$는 $x=0$에서 불연속이다.

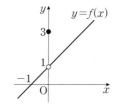

③ $\lim_{x \to 0+} f(x) = \lim_{x \to 0+}(-2x+1) = 1$

$\lim_{x \to 0-} f(x) = \lim_{x \to 0-}(x+5) = 5$

$\lim_{x \to 0+} f(x) \neq \lim_{x \to 0-} f(x)$이므로

$\lim_{x \to 0} f(x)$의 값이 존재하지 않으므로

함수 $f(x)$는 $x=0$에서 불연속이다.

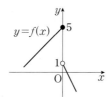

④ 함수 $f(x)$에 대하여 $f(0)=2$이고

$$\lim_{x \to 0} f(x) = \lim_{x \to 0} \frac{2}{x+1} = 2$$이므로

$$\lim_{x \to 0} f(x) = f(0)$$

즉 함수 $f(x)$는 $x=0$에서 연속이다.

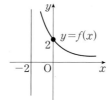

⑤ 함수 $f(x)$에 대하여 $f(0)=0$이고

$$\lim_{x \to 0} f(x) = \lim_{x \to 0} \frac{x^2-x}{x}$$

$$= \lim_{x \to 0}(x-1) = -1$$

이므로 $\lim_{x \to 0} f(x) \neq f(0)$

즉 함수 $f(x)$는 $x=0$에서 불연속이다.

따라서 $x=0$에서 연속인 함수는 ④이다.

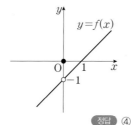

정답 ④

정답 ③

STEP Ⓐ 함수의 $x=0$에서 연속조건을 이용하여 진위판단하기

$$g(x) = \begin{cases} \dfrac{f(x)-f(0)}{x} & (x \neq 0) \\ f(0) & (x=0) \end{cases}$$에서

ㄱ. $f(x)=x+1$에서 $g(x) = \begin{cases} 1 & (x \neq 0) \\ 1 & (x=0) \end{cases}$이므로

$x=0$에서 연속이다.

ㄴ. $f(x)=x^3+5x+5$에서 $g(x) = \begin{cases} x^2+5 & (x \neq 0) \\ 5 & (x=0) \end{cases}$이므로

$x=0$에서 연속이다.

ㄷ. $f(x)=\dfrac{1}{x+1}$에서 $g(x) = \begin{cases} -\dfrac{1}{x+1} & (x \neq 0) \\ 1 & (x=0) \end{cases}$이므로

$$\lim_{x \to 0} g(x) = -1 \neq g(0)$$

$x=0$에서 불연속이다.

따라서 연속인 것은 ㄱ, ㄴ이다.

내/신/연/계/ 출제문항 096

다항함수 $f(x)$에 대하여 함수 $g(x)$를

$$g(x) = \begin{cases} \dfrac{f(x)-3}{x-1} & (x \neq 1) \\ f(1) & (x=1) \end{cases}$$

로 정의할 때, 함수 $g(x)$가 $x=1$에서 연속이 되도록 하는 함수만을 [보기]에서 있는 대로 고른 것은?

ㄱ. $f(x)=3x$
ㄴ. $f(x)=x^3+2$
ㄷ. $f(x)=2x^2+1$

① ㄱ   ② ㄴ   ③ ㄱ, ㄴ
④ ㄱ, ㄷ   ⑤ ㄱ, ㄴ, ㄷ

STEP Ⓐ 함수의 $x=1$에서 연속조건을 이용하여 진위판단하기

함수 $g(x)$는 $x=1$에서 연속이 되려면 $\lim_{x \to 1} g(x) = g(1)$을 만족시켜야 한다.

ㄱ. $f(x)=3x$일 때, $\lim_{x \to 1} g(x) = \lim_{x \to 1} \frac{3x-3}{x-1} = 3$이고

$g(1)=f(1)=3$이므로 $\lim_{x \to 1} g(x) = g(1)$

즉 함수 $g(x)$는 $x=1$에서 연속이다.

ㄴ. $f(x)=x^3+2$일 때,

$$\lim_{x \to 1} g(x) = \lim_{x \to 1} \frac{(x^3+2)-3}{x-1} = \lim_{x \to 1} \frac{(x-1)(x^2+x+1)}{x-1}$$

$$= \lim_{x \to 1}(x^2+x+1) = 3$$

이고 $g(1)=f(1)=3$이므로 $\lim_{x \to 1} g(x) = g(1)$

즉 함수 $g(x)$는 $x=1$에서 연속이다.

ㄷ. $f(x)=2x^2+1$일 때,

$$\lim_{x \to 1} g(x) = \lim_{x \to 1} \frac{(2x^2+1)-3}{x-1} = \lim_{x \to 1} \frac{2(x-1)(x+1)}{x-1}$$

$$= \lim_{x \to 1} 2(x+1) = 4$$

이고 $g(1)=f(1)=3$이므로 $\lim_{x \to 1} g(x) \neq g(1)$

즉 함수 $g(x)$는 $x=1$에서 불연속이다.

따라서 함수 $g(x)$가 $x=1$에서 연속이 되도록 하는 함수는 ㄱ, ㄴ이다.

정답 ③

0240

정답 ③

STEP Ⓐ 함수의 극한값 존재조건 구하기

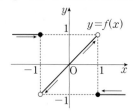 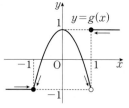

ㄱ. $\lim_{x \to 1+} f(x)g(x)=(-1)\cdot 1=-1$, $\lim_{x \to 1-} f(x)g(x)=1\cdot(-1)=-1$

$\therefore \lim_{x \to 1} f(x)g(x)=-1$ [참]

STEP Ⓑ 함수의 연속조건을 이용하여 진위판단하기

ㄴ. $\lim_{x \to 1+}\{f(x)+g(x)\}=(-1)+1=0$, $\lim_{x \to 1-}\{f(x)+g(x)\}=1+(-1)=0$

$f(1)+g(1)=(-1)+1=0$, 즉 $\lim_{x \to 1}\{f(x)+g(x)\}=f(1)+g(1)$이므로

$y=f(x)+g(x)$는 $x=1$에서 연속이다. [참]

ㄷ. $\lim_{x \to 1+} f(x)g(x)=\lim_{x \to 1+} f(x)\times \lim_{x \to 1+} g(x)=(-1)\times(-1)=1$

$\lim_{x \to 1-} f(x)g(x)=\lim_{x \to 1-} f(x)\times \lim_{x \to 1-} g(x)=1\times(-1)=-1$

$\lim_{x \to 1+} f(x)g(x)\neq \lim_{x \to 1-} f(x)g(x)$

즉 $\lim_{x \to 1} f(x)g(x)$의 값이 존재하지 않으므로 함수 $y=f(x)g(x)$는

$x=-1$에서 불연속이다. [거짓]

따라서 옳은 것은 ㄱ, ㄴ이다.

내·신·연·계 출제문항 **097**

두 함수 $y=f(x)$, $y=g(x)$의 그래프가 그림과 같을 때, 다음 중 옳지 않은 것은?

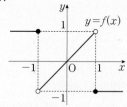 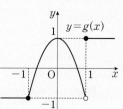

① $f(-1)g(1)=1$

② $\lim_{x \to 1-} f(g(x))=-1$

③ $\lim_{x \to -1} f(x)g(x+2)=-1$

④ 함수 $y=f(g(x))$는 $x=1$에서 불연속이다.

⑤ 함수 $y=f(x)+g(x)$는 $x=1$에서 연속이다.

STEP Ⓐ 함수의 그래프에서 함숫값, 극한값, 연속의 진위판단하기

① $f(-1)g(1)=1\cdot 1=1$ [참]

② $g(x)=t$로 놓으면 $x \to 1-$일 때, $t=-1+$

$\lim_{x \to 1-} f(g(x))=\lim_{t \to -1+} f(t)=-1$ [참]

③ $\lim_{x \to -1+} f(x)g(x+2)=-1\cdot 1=-1$

$\lim_{x \to -1-} f(x)g(x+2)=1\cdot(-1)=-1$이므로 $\lim_{x \to -1} f(x)g(x+2)=-1$ [참]

④ $f(g(1))=-1$이고 $\lim_{x \to 1+} f(g(x))=-1$, $\lim_{x \to 1-} f(g(x))=-1$이므로

$\lim_{x \to 1} f(g(x))=f(g(1))$, 즉 $y=f(g(x))$는 $x=1$에서 연속이다. [거짓]

⑤ $\lim_{x \to 1+}\{f(x)+g(x)\}=(-1)+1=0$, $\lim_{x \to 1-}\{f(x)+g(x)\}=1+(-1)=0$

$f(1)+g(1)=(-1)+1=0$, 즉 $\lim_{x \to 1}\{f(x)+g(x)\}=f(1)+g(1)$이므로

$y=f(x)+g(x)$는 $x=1$에서 연속이다. [참]

따라서 옳지 않은 것은 ④이다.

정답 ④

0241

정답 ③

STEP Ⓐ 함수의 극한값 존재조건 구하기

ㄱ. $\lim_{x \to 1+}\{f(x)+g(x)\}=1+1=2$

$\lim_{x \to 1-}\{f(x)+g(x)\}=1+(-1)=0$

즉 극한값 $\lim_{x \to 1}\{f(x)+g(x)\}$는 존재하지 않는다. [거짓]

STEP Ⓑ 함수의 연속조건을 이용하여 진위판단하기

ㄴ. $\lim_{x \to 1+}\{f(x)-g(x)\}=1-1=0$

$\lim_{x \to 1-}\{f(x)-g(x)\}=1-(-1)=2$

즉 극한값 $\lim_{x \to 1}\{f(x)-g(x)\}$가 존재하지 않으므로

함수 $f(x)-g(x)$는 $x=-1$에서 불연속이다. [거짓]

ㄷ. $\lim_{x \to 1+} f(x)g(x)=(-1)\times 1=-1$

$\lim_{x \to 1-} f(x)g(x)=1\times(-1)=-1$

$f(1)g(1)=(-1)\times 1=-1$

즉 $\lim_{x \to 1} f(x)g(x)=f(1)g(1)$이므로

함수 $f(x)g(x)$는 $x=1$에서 연속이다. [참]

따라서 옳은 것은 ㄷ이다.

0242

정답 ④

STEP Ⓐ 함수의 극한값 존재조건 구하기

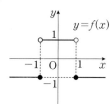 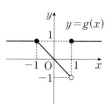

ㄱ. $\lim_{x \to 1+} f(x)g(x)=1\times 1=1$

$\lim_{x \to 1-} f(x)g(x)=(-1)\times 1=-1$

즉 극한값 $\lim_{x \to 1} f(x)g(x)$는 존재하지 않는다. [거짓]

STEP Ⓑ 함수의 연속조건을 이용하여 진위판단하기

ㄴ. $\lim_{x \to 1+}\{f(x)+g(x)\}=1+1=2$

$\lim_{x \to 1-}\{f(x)+g(x)\}=(-1)+1=0$

즉 극한값 $\lim_{x \to 1}\{f(x)+g(x)\}$가 존재하지 않으므로

함수 $f(x)+g(x)$는 $x=-1$에서 불연속이다. [참]

ㄷ. $\lim_{x \to 1+} f(x)g(x)=(-1)\times 1=-1$

$\lim_{x \to 1-} f(x)g(x)=1\times(-1)=-1$

$f(1)g(1)=(-1)\times 1=-1$

즉 $\lim_{x \to 1} f(x)g(x)=f(1)g(1)$이므로

함수 $f(x)g(x)$는 $x=1$에서 연속이다. [참]

따라서 옳은 것은 ㄴ, ㄷ이다.

두 함수 $y=f(x)$, $y=g(x)$의 그래프가 그림과 같다. [보기]에서 옳은 것만을 있는 대로 고른 것은?

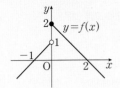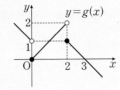

ㄱ. $\lim\limits_{x\to 0+}f(x)\times\lim\limits_{x\to 2-}g(x)=4$

ㄴ. 함수 $f(x)+g(x)$는 $x=0$에서 연속이다.

ㄷ. 함수 $f(x)g(x)$는 $x=2$에서 연속이다.

① ㄱ ② ㄷ ③ ㄱ, ㄴ
④ ㄴ, ㄷ ⑤ ㄱ, ㄴ, ㄷ

STEP Ⓐ 함수의 극한값 존재조건 구하기

ㄱ. $\lim\limits_{x\to 0+}f(x)=2$, $\lim\limits_{x\to 2-}g(x)=2$이므로

$\lim\limits_{x\to 0+}f(x)\times\lim\limits_{x\to 2-}g(x)=4$ [참]

STEP Ⓑ 함수 $f(x)+g(x)$가 $x=0$에서 연속성 판단하기

ㄴ. $f(0)+g(0)=2+0=2$

$\lim\limits_{x\to 0+}\{f(x)+g(x)\}=\lim\limits_{x\to 0+}f(x)+\lim\limits_{x\to 0+}g(x)=2+0=2$

$\lim\limits_{x\to 0-}\{f(x)+g(x)\}=\lim\limits_{x\to 0-}f(x)+\lim\limits_{x\to 0-}g(x)=1+1=2$

즉 $\lim\limits_{x\to 0}\{f(x)+g(x)\}=f(0)+g(0)$이므로

함수 $f(x)+g(x)$는 $x=0$에서 연속이다. [참]

STEP Ⓒ $x=2$에서 함수 $f(x)g(x)$의 연속성 판단하기

ㄷ. $f(2)g(2)=0\times 1=0$

$\lim\limits_{x\to 2+}\{f(x)g(x)\}=\lim\limits_{x\to 2+}f(x)\times\lim\limits_{x\to 2+}g(x)=0\times 1=0$

$\lim\limits_{x\to 2-}\{f(x)g(x)\}=\lim\limits_{x\to 2-}f(x)\times\lim\limits_{x\to 2-}g(x)=0\times 2=0$

즉 $\lim\limits_{x\to 2}\{f(x)g(x)\}=f(2)g(2)$이므로

함수 $f(x)g(x)$는 $x=2$에서 연속이다. [참]

따라서 옳은 것은 ㄱ, ㄴ, ㄷ이다. 정답 ⑤

0243

정답 ④

STEP Ⓐ 함수의 연속조건을 이용하여 진위판단하기

ㄱ. $\lim\limits_{x\to 0-}\{f(x)+g(x)\}=0+(-1)=-1$

$\lim\limits_{x\to 0+}\{f(x)+g(x)\}=0+1=1$

$\lim\limits_{x\to 0-}\{f(x)+g(x)\}\neq\lim\limits_{x\to 0+}\{f(x)+g(x)\}$이므로

$f(x)+g(x)$는 $x=0$에서 불연속이다.

ㄴ. $\lim\limits_{x\to 0}f(x)g(x)=f(0)g(0)=0$이므로

$f(x)g(x)$는 $x=0$에서 연속이다.

ㄷ. $x-1=t$로 놓으면 $x\to 0$일 때, $t\to -1$이므로

$\lim\limits_{x\to 0}f(x-1)=\lim\limits_{t\to -1}f(t)=f(-1)$

즉 $f(x-1)$은 $x=0$에서 연속이다.

따라서 연속인 함수는 ㄴ, ㄷ이다.

두 함수 $y=f(x),y=g(x)$의 그래프가 아래와 같을 때, 다음 [보기] 중 $x=0$에서 연속인 함수를 모두 고르면?

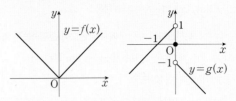

ㄱ. $f(x)+g(x)$

ㄴ. $f(x)g(x)$

ㄷ. $g(x+1)$

① ㄱ ② ㄴ ③ ㄱ, ㄴ
④ ㄴ, ㄷ ⑤ ㄱ, ㄴ, ㄷ

STEP Ⓐ 함수의 연속조건을 이용하여 진위판단하기

ㄱ. $\lim\limits_{x\to 0+}\{f(x)+g(x)\}=0+(-1)=-1$, $\lim\limits_{x\to 0-}\{f(x)+g(x)\}=0+1=1$이므로

$\lim\limits_{x\to 0}\{f(x)+g(x)\}$이 존재하지 않는다.

즉 함수 $f(x)+g(x)$는 $x=0$에서 불연속이다.

ㄴ. $f(0)g(0)=0$이고

$\lim\limits_{x\to 0+}\{f(x)g(x)\}=0\times(-1)=0$, $\lim\limits_{x\to 0-}\{f(x)g(x)\}=0\times 1=0$이므로

$\lim\limits_{x\to 0}f(x)g(x)=f(0)g(0)$

즉 함수 $f(x)g(x)$는 $x=0$에서 연속이다.

ㄷ. $x+1=t$로 놓으면 $x\to 0$일 때, $t\to 1$이므로

$\lim\limits_{x\to 0}g(x+1)=\lim\limits_{t\to 1}g(t)=g(1)$

즉 $g(x+1)$은 $x=0$에서 연속이다.

따라서 연속인 함수는 ㄴ, ㄷ이다. 정답 ④

0244

정답 ①

STEP Ⓐ 함수의 연속조건을 이용하여 진위판단하기

ㄱ. $f(1)g(1)=0\cdot 1=0$이고

$\lim\limits_{x\to 1+}f(x)g(x)=1\times 1=1$, $\lim\limits_{x\to 1-}f(x)g(x)=1\times 1=1$이므로

$\lim\limits_{x\to 1}f(x)g(x)\neq f(1)g(1)$

즉 함수 $f(x)g(x)$는 $x=1$에서 불연속이다. [거짓]

ㄴ. $f(1)-g(1)=0-1=-1$이고

$\lim\limits_{x\to 1+}\{f(x)-g(x)\}=1-1=0$, $\lim\limits_{x\to 1-}\{f(x)-g(x)\}=1-1=0$이므로

$\lim\limits_{x\to 1}\{f(x)-g(x)\}\neq f(1)-g(1)$

즉 함수 $f(x)-g(x)$는 $x=1$에서 불연속이다. [거짓]

ㄷ. $\dfrac{f(2)}{\{g(2)\}^2}=\dfrac{0}{(-1)^2}=0$이고

$\lim\limits_{x\to 2+}\dfrac{f(x)}{\{g(x)\}^2}=\dfrac{0}{1^2}=0$, $\lim\limits_{x\to 2-}\dfrac{f(x)}{\{g(x)\}^2}=\dfrac{0}{(-1)^2}=0$이므로

$\lim\limits_{x\to 2}\dfrac{f(x)}{\{g(x)\}^2}=\dfrac{f(2)}{\{g(2)\}^2}$

즉 함수 $\dfrac{f(x)}{\{g(x)\}^2}$는 $x=2$에서 연속이다. [참]

따라서 옳은 것은 ㄷ이다.

0245

STEP A 함수의 그래프에서 극한값 구하기

ㄱ. $\lim\limits_{x\to-1^-}f(x)+\lim\limits_{x\to1^+}f(x)=1+(-1)=0$ [참]

STEP B $-x=t$로 치환하고 $t=-1$에서 극한값이 존재하는지 확인하기

ㄴ. $\lim\limits_{x\to1^-}f(-x)=\lim\limits_{t\to-1^+}f(t)=-1$, $\lim\limits_{x\to1^+}f(-x)=\lim\limits_{t\to-1^-}f(t)=1$

$\lim\limits_{x\to1^-}f(-x)\neq\lim\limits_{x\to1^+}f(-x)$이므로

함수 $f(-x)$는 $x=1$에서 극한값이 존재하지 않는다. [거짓]

STEP C $x=1$에서의 좌극한, 우극한, 함숫값이 모두 같은지 확인하기

ㄷ. $f(1)f(-1)=1\cdot(-1)=-1$이고

$\lim\limits_{x\to1^-}f(x)f(-x)=1\cdot(-1)=-1$, $\lim\limits_{x\to1^+}f(x)f(-x)=(-1)\cdot1=-1$

$\therefore \lim\limits_{x\to1}f(x)f(-x)=-1$

즉 $f(1)f(-1)=\lim\limits_{x\to1}f(x)f(-x)$이므로

함수 $f(x)f(-x)$는 $x=1$에서 연속이다. [참]

따라서 옳은 것은 ㄱ, ㄷ이다.

0246

STEP A 극한값과 연속의 정의를 이용하여 진위판단하기

두 함수 $f(x)$, $g(x)$의 그래프는 각각 다음과 같다.

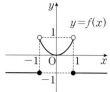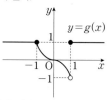

ㄱ. $\lim\limits_{x\to1^+}f(x)g(x)=(-1)\times1=-1$, $\lim\limits_{x\to1^-}f(x)g(x)=1\times(-1)=-1$

$\therefore \lim\limits_{x\to1}f(x)g(x)=-1$ [참]

ㄴ. $\lim\limits_{x\to0^+}g(x-1)=\lim\limits_{t\to-1^+}g(t)=1$, $\lim\limits_{x\to0^-}g(x-1)=\lim\limits_{t\to-1^-}g(t)=1$

즉 $\lim\limits_{x\to0}g(x-1)=1$이고 $g(-1)=1$이므로

함수 $g(x-1)$은 $x=0$에서 연속이다. [참]

ㄷ. $\lim\limits_{x\to1^-}f(x)g(x-1)=\lim\limits_{x\to1^-}f(x)\cdot\lim\limits_{x\to1^-}g(x-1)$

$=\lim\limits_{x\to1^-}f(x)\cdot\lim\limits_{t\to0^-}g(t)$ ← $x-1=t$

$=1\times0=0$

$\lim\limits_{x\to1^+}f(x)g(x-1)=\lim\limits_{x\to1^+}f(x)\cdot\lim\limits_{x\to1^+}g(x-1)$

$=\lim\limits_{x\to1^+}f(x)\cdot\lim\limits_{t\to0^+}g(t)$ ← $x-1=t$

$=-1\times0=0$

즉 $\lim\limits_{x\to1^-}f(x)g(x-1)=\lim\limits_{x\to1^+}f(x)g(x-1)=0$이고

$x=1$에서 함숫값은 $f(1)g(0)=(-1)\times0=0$

$\therefore \lim\limits_{x\to1}f(x)g(x-1)=f(1)g(0)$

함수 $f(x)g(x-1)$은 $x=1$에서 연속이다. [참]

따라서 옳은 것은 ㄱ, ㄴ, ㄷ이다.

참고

함수 $f(x)g(x)$은 $x=1$에서 연속이다.

함수 $f(x)g(x)$은 $x=1$에서 극한값과 함숫값을 표로 나타내면 다음과 같다.

$x=1$	좌극한값 $x\to1-$	우극한값 $x\to1+$	함숫값
$f(x)$	1	-1	$f(1)=-1$
$g(x)$	-1	1	$g(1)=1$
$f(x)g(x)$	-1	-1	-1

즉 $\lim\limits_{x\to1}f(x)g(x)=f(1)g(1)=-1$이므로 $x=1$에서 연속이다.

두 함수

$$f(x)=\begin{cases}-1 & (|x|\geq1)\\1 & (|x|<1)\end{cases}, \quad g(x)=\begin{cases}1 & (|x|\geq1)\\-x & (|x|<1)\end{cases}$$

에 대하여 옳은 것만을 [보기]에서 있는 대로 고른 것은?

ㄱ. $\lim\limits_{x\to1}f(x)g(x)=-1$

ㄴ. 함수 $g(x+1)$은 $x=0$에서 연속이다.

ㄷ. 함수 $f(x)g(x+1)$은 $x=-1$에서 연속이다.

① ㄱ   ② ㄴ   ③ ㄱ, ㄴ
④ ㄱ, ㄷ   ⑤ ㄱ, ㄴ, ㄷ

STEP A $x=1$에서의 좌극한, 우극한이 같은지 확인하기

두 함수 $f(x)$, $g(x)$의 그래프는 각각 다음과 같다.

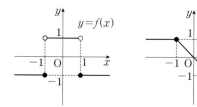

ㄱ. $\lim\limits_{x\to1^-}f(x)g(x)=(-1)\times1=-1$, $\lim\limits_{x\to1^+}f(x)g(x)=1\times(-1)=-1$

$\therefore \lim\limits_{x\to1}f(x)g(x)=-1$ [참]

STEP B $x+1=t$로 치환하고 $t=1$에서 연속인지 확인하기

ㄴ. $\lim\limits_{x\to0^+}g(x+1)=\lim\limits_{t\to1^+}g(t)=1$, $\lim\limits_{x\to0^-}g(x+1)=\lim\limits_{t\to1^-}g(t)=-1$

즉 $\lim\limits_{x\to0^+}g(x+1)\neq\lim\limits_{x\to0^-}g(x+1)$이므로

함수 $g(x+1)$은 $x=0$에서 불연속이다. [거짓]

STEP C $x=-1$에서의 좌극한, 우극한, 함숫값이 모두 같은지 확인하기

ㄷ. $\lim\limits_{x\to-1^-}f(x)g(x+1)=\lim\limits_{x\to-1^-}f(x)\cdot\lim\limits_{x\to-1^-}g(x+1)$

$=\lim\limits_{x\to-1^-}f(x)\cdot\lim\limits_{t\to0^-}g(t)$

$=-1\cdot0=0$

$\lim\limits_{x\to-1^+}f(x)g(x+1)=\lim\limits_{x\to-1^+}f(x)\cdot\lim\limits_{x\to-1^+}g(x+1)$

$=\lim\limits_{x\to-1^+}f(x)\cdot\lim\limits_{t\to0^+}g(t)$

$=1\cdot0=0$

즉 $\lim\limits_{x\to-1^-}f(x)g(x+1)=\lim\limits_{x\to-1^+}f(x)g(x+1)=0$이고

$x=-1$에서 함숫값은 $f(-1)g(0)=(-1)\times0=0$

$\therefore \lim\limits_{x\to-1}f(x)g(x+1)=f(-1)g(0)$

함수 $f(x)g(x+1)$은 $x=-1$에서 연속이다. [참]

따라서 옳은 것은 ㄱ, ㄷ이다.

0247

STEP A 함수의 그래프에서 극한값 구하기

ㄱ. $\lim\limits_{x\to1^-}f(g(x))=\lim\limits_{g(x)\to1^-}f(g(x))=-1$ [거짓]

STEP B $x=1$에서 좌극한, 우극한, 함숫값이 같은지 확인하기

ㄴ. $\lim\limits_{x\to1^-}f(x)g(x)=(-1)\cdot1=-1$

$\lim\limits_{x\to1^+}f(x)g(x)=0$이므로 $\lim\limits_{x\to1^-}f(x)g(x)\neq\lim\limits_{x\to1^+}f(x)g(x)$

즉 극한값 $\lim\limits_{x\to1}f(x)g(x)$가 존재하지 않으므로

함수 $f(x)g(x)$는 $x=1$에서 불연속이다. [참]

STEP **C** $x=-1$에서의 좌극한, 우극한, 함숫값이 모두 같은지 확인하기

ㄷ. $\lim\limits_{x \to -1-}(g \circ f)(x)=\lim\limits_{x \to -1-}g(f(x))=g(0)=0$

$\lim\limits_{x \to -1+}(g \circ f)(x)=\lim\limits_{x \to -1+}g(f(x))=g(-1)=0$

$\therefore \lim\limits_{x \to -1}(g \circ f)(x)=0$

이때 $(g \circ f)(-1)=g(f(-1))=g(-1)=0$

$\therefore \lim\limits_{x \to -1}(g \circ f)(x)=(g \circ f)(-1)$

즉 함수 $(g \circ f)(x)$는 $x=-1$에서 연속이다. [참]

따라서 옳은 것은 ㄴ, ㄷ이다.

0248
정답 ④

STEP **A** $x=0$에서 좌극한, 우극한이 같은지 확인하기

ㄱ. $\lim\limits_{x \to 0+}f(x)=1$, $\lim\limits_{x \to 0-}f(x)=-1$이므로

$\lim\limits_{x \to 0}f(x)$가 존재하지 않는다. [거짓]

STEP **B** $g(x)=t$라 두고 $x=0$에서 좌극한, 우극한 구하기

ㄴ. $g(x)=t$라 하면

$x \to 0+$일 때, $t \to 0+$이므로 $\lim\limits_{x \to 0+}f(g(x))=\lim\limits_{t \to 0+}f(t)=1$

$x \to 0-$일 때, $t \to 0+$이므로 $\lim\limits_{x \to 0-}f(g(x))=\lim\limits_{t \to 0+}f(t)=1$

즉 $\lim\limits_{x \to 0}f(g(x))=1$이다. [참]

STEP **C** $x=0$에서의 좌극한, 우극한, 함숫값이 모두 같은지 확인하기

ㄷ. $\lim\limits_{x \to 0+}f(x)g(x)=1 \times 0=0$, $\lim\limits_{x \to 0-}f(x)g(x)=-1 \times 0=0$이고

$f(0)g(0)=0$이므로 $\lim\limits_{x \to 0}f(x)g(x)=f(0)g(0)$

즉 함수 $f(x)g(x)$는 $x=0$에서 연속이다. [참]

따라서 옳은 것은 ㄴ, ㄷ이다.

0249
정답 ③

STEP **A** 함수의 그래프에서 좌극한과 우극한 구하기

ㄱ. $\lim\limits_{x \to 1-}f(x)=0$, $\lim\limits_{x \to 1+}f(x)=1$이므로 $\lim\limits_{x \to 1-}f(x)<\lim\limits_{x \to 1+}f(x)$ [참]

STEP **B** $\dfrac{1}{t}=x$로 치환하고 함수의 그래프에서 극한값 구하기

ㄴ. $\dfrac{1}{t}=x$라 하면 $t \to \infty$일 때, $x \to 0+$이므로

$\lim\limits_{t \to \infty}f\left(\dfrac{1}{t}\right)=\lim\limits_{x \to 0+}f(x)=1$ [참]

STEP **C** $f(x)=s$로 치환하고 $x=3$에서 좌극한, 우극한, 함숫값이 모두 같은지 확인하기

ㄷ. $f(x)=s$라 하면

$x=3-$일 때, $s \to 2+$이므로 $\lim\limits_{x \to 3-}f(f(x))=\lim\limits_{s \to 2+}f(s)=3$

$x=3+$일 때, $s \to 2-$이므로 $\lim\limits_{x \to 3+}f(f(x))=\lim\limits_{s \to 2-}f(s)=1$

$\lim\limits_{x \to 3-}f(f(x)) \neq \lim\limits_{x \to 3+}f(f(x))$이므로 함수 $f(f(x))$는 $x=3$에서

극한값이 존재하지 않는다.

즉 함수 $f(f(x))$는 $x=3$에서 불연속이다. [거짓]

따라서 옳은 것은 ㄱ, ㄴ이다.

0250
정답 ③

STEP **A** 함수의 그래프에서 극한값 구하기

ㄱ. $\lim\limits_{x \to -1+}f(x)=1$ [참]

STEP **B** $t=x-3$으로 치환하고 $x=2$에서 극한값 구하기

ㄴ. $t=x-3$이라 하면
 (i) $x \to 2+$일 때, $t \to -1+$이므로

$\lim\limits_{x \to 2+}f(x)f(x-3)=\lim\limits_{x \to 2+}f(x) \cdot \lim\limits_{t \to -1+}f(t)=-2$

 (ii) $x \to 2-$일 때, $t \to -1-$이므로

$\lim\limits_{x \to 2-}f(x)f(x-3)=\lim\limits_{x \to 2-}f(x) \cdot \lim\limits_{t \to -1-}f(t)=-2$

 (i), (ii)에 의하여 $\lim\limits_{x \to 2}f(x)f(x-3)=-2$이다. [거짓]

STEP **C** $x=-1$에서의 좌극한, 우극한, 함숫값이 모두 같은지 확인하기

ㄷ. $x \to -1+$일 때, $f(x) \to 1-$이므로

$\lim\limits_{x \to -1+}(f \circ f)(x)=\lim\limits_{t \to 1-}f(t)=1$

$x \to -1-$일 때, $f(x) \to -1$이므로

$\lim\limits_{x \to -1-}(f \circ f)(x)=\lim\limits_{x \to -1-}f(-1)=f(-1)=1$

또한, $(f \circ f)(-1)=1$

$\therefore \lim\limits_{x \to -1}(f \circ f)(x)=(f \circ f)(-1)=1$

즉 함수 $f(f(x))$은 $x=-1$에서 연속이다. [참]

따라서 옳은 것은 ㄱ, ㄷ이다.

0251
정답 ③

STEP **A** $x=0$에서의 좌극한, 우극한, 함숫값이 모두 같은지 확인하기

ㄱ. $x-1=t$라 하면

$x \to 0+$일 때, $t \to -1+$이므로 $\lim\limits_{x \to 0+}f(x-1)=\lim\limits_{t \to -1+}f(t)=1$

$x \to 0-$일 때, $t \to -1-$이므로 $\lim\limits_{x \to 0-}f(x-1)=\lim\limits_{t \to -1-}f(t)=1$

$x=0$일 때, $t=-1$이므로 $f(0-1)=f(-1)=1$

이므로 함수 $f(x-1)$는 $x=0$에서 연속이다. [참]

STEP **B** $x=1$에서의 좌극한, 우극한, 함숫값이 모두 같은지 확인하기

ㄴ. $\lim\limits_{x \to 1-}f(x)f(-x)=0$, $\lim\limits_{x \to 1+}f(x)f(-x)=-1$이므로

$\therefore \lim\limits_{x \to 1}f(x)f(-x)$이 존재하지 않는다.

즉 함수 $f(x)f(-x)$은 $x=1$에서 불연속이다. [거짓]

STEP **C** $f(x)=t$로 치환하고 $x=3$에서 불연속인지 확인하기

ㄷ. $f(x)=t$로 놓으면 $x \to 3-$일 때, $t \to 1-$이고

$x \to 3+$일 때, $t \to 1+$이므로

$\lim\limits_{x \to 3-}f(f(x))=\lim\limits_{t \to 1-}f(t)=0$, $\lim\limits_{x \to 3+}f(f(x))=\lim\limits_{t \to 1+}f(t)=-1$

$\therefore \lim\limits_{x \to 3}f(f(x))$이 존재하지 않는다.

즉 함수 $f(f(x))$은 $x=3$에서 불연속이다. [참]

따라서 옳은 것은 ㄱ, ㄷ이다.

I

함수의 극한과 연속

0252

STEP Ⓐ **함수가 연속일 조건을 이용하여 진위판단하기**

ㄱ. $\lim\limits_{x \to 2-}\{f(x)+g(x)\}=2+(-2)=0$, $\lim\limits_{x \to 2+}\{f(x)+g(x)\}=-2+2=0$

$f(2)+g(2)=-2+2=0$

즉 $\lim\limits_{x \to 2}\{f(x)+g(x)\}=f(2)+g(2)$이므로

함수 $f(x)+g(x)$는 $x=2$에서 연속이다. [참]

ㄴ. $\lim\limits_{x \to 0-}f(x)g(x)=0 \times 2=0$, $\lim\limits_{x \to 0+}f(x)g(x)=0 \times (-2)=0$

$f(0)g(0)=2 \times 0=0$

즉 $\lim\limits_{x \to 0}f(x)g(x)=f(0)g(0)$이므로

함수 $f(x)g(x)$는 $x=0$에서 연속이다. [참]

ㄷ. 함수 $f(g(x))$에서 $f(g(-2))=f(0)=2$이고 $g(x)=t$라 하면

$x \to -2-$일 때, $t \to 0-$이므로 $\lim\limits_{x \to -2-}f(g(x))=\lim\limits_{t \to 0-}f(t)=0$

$x \to -2+$일 때, $t \to 0+$이므로 $\lim\limits_{x \to -2+}f(g(x))=\lim\limits_{t \to 0+}f(t)=0$

$\lim\limits_{x \to -2}f(g(x)) \neq f(g(-2))$

즉 함수 $f(g(x))$는 $x=-2$에서 불연속이다. [거짓]

ㄹ. $\lim\limits_{x \to 2-}\dfrac{g(x)}{f(x)}=\dfrac{-2}{2}=-1$, $\lim\limits_{x \to 2+}\dfrac{g(x)}{f(x)}=\dfrac{2}{-2}=-1$

$\dfrac{g(2)}{f(2)}=\dfrac{2}{-2}=-1$

$\lim\limits_{x \to 2}\dfrac{g(x)}{f(x)}=\dfrac{g(2)}{f(2)}$이므로 함수 $\dfrac{g(x)}{f(x)}$는 $x=2$에서 연속이다. [참]

따라서 옳은 것은 ㄱ, ㄴ, ㄹ이다.

내신연계 출제문항 **101**

두 함수 $f(x)$와 $g(x)$의 그래프가 다음 그림과 같다. [보기]에서 옳은 것만을 있는 대로 고른 것은?

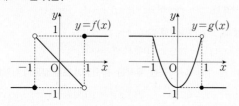

ㄱ. 함수 $f(x)+g(x)$는 $x=1$에서 연속이다.
ㄴ. 함수 $f(x)g(x)$는 $x=1$에서 연속이다.
ㄷ. 함수 $g(f(x))$는 $x=-1$에서 연속이다.
ㄹ. 함수 $\dfrac{g(x)}{f(x)}$는 $x=1$에서 연속이다.

① ㄱ
② ㄱ, ㄷ
③ ㄴ, ㄹ
④ ㄱ, ㄴ, ㄹ
⑤ ㄱ, ㄴ, ㄷ, ㄹ

STEP Ⓐ **함수가 연속일 조건을 이용하여 진위판단하기**

ㄱ. $\lim\limits_{x \to 1+}\{f(x)+g(x)\}=1+(-1)=0$

$\lim\limits_{x \to 1-}\{f(x)+g(x)\}=-1+1=0$

$f(1)+g(1)=1+(-1)=0$

즉 $\lim\limits_{x \to 1}\{f(x)+g(x)\}=f(1)+g(1)$이므로

$f(x)+g(x)$는 $x=1$에서 연속이다. [참]

ㄴ. $\lim\limits_{x \to 1+}f(x)g(x)=1 \times (-1)=-1$

$\lim\limits_{x \to 1-}f(x)g(x)=(-1) \times 1=-1$

$f(1)g(1)=1 \times (-1)=-1$

즉 $\lim\limits_{x \to 1}f(x)g(x)=f(1)g(1)$이므로

$f(x)g(x)$는 $x=1$에서 연속이다. [참]

ㄷ. 함수 $g(f(x))$에서 $g(f(-1))=g(-1)=1$이고 $f(x)=t$라 하면

$x \to -1+$일 때, $t \to 1-$이므로 $\lim\limits_{x \to -1+}g(f(x))=\lim\limits_{t \to 1-}g(t)=1$

$x \to -1-$일 때, $t=-1$이므로 $\lim\limits_{x \to -1-}g(f(x))=\lim\limits_{t \to -1}g(t)=1$

$\lim\limits_{x \to -1}g(f(x))=g(f(-1))$

함수 $g(f(x))$는 $x=-1$에서 연속이다. [참]

ㄹ. $\lim\limits_{x \to 1+}\dfrac{g(x)}{f(x)}=\dfrac{-1}{1}=-1$, $\lim\limits_{x \to 1-}\dfrac{g(x)}{f(x)}=\dfrac{1}{-1}=-1$

$\dfrac{g(1)}{f(1)}=\dfrac{-1}{1}=-1$

즉 $\lim\limits_{x \to 1}\dfrac{g(x)}{f(x)}=\dfrac{g(1)}{f(1)}$이므로

함수 $\dfrac{g(x)}{f(x)}$는 $x=1$에서 연속이다. [참]

따라서 옳은 것은 ㄱ, ㄴ, ㄷ, ㄹ이다.

0253

STEP Ⓐ **함수 $f(x)$가 실수 전체의 집합에서 연속이 될 조건 이해하기**

$x \neq 2$일 때, 함수 $f(x)$는 다항함수이므로
$x \neq 2$인 모든 실수 x에서 연속이다.
즉 함수 $f(x)$가 실수 전체의 집합에서 연속이 되려면
$x=2$에서 연속이어야 한다.

STEP Ⓑ **함수 $f(x)$가 $x=2$에서 연속이 되도록 하는 a의 값 구하기**

함수 $f(x)$가 $x=2$에서 연속이므로

$\lim\limits_{x \to 2-}f(x)=\lim\limits_{x \to 2+}f(x)=f(2)$이어야 한다.

$\lim\limits_{x \to 2-}f(x)=\lim\limits_{x \to 2-}(3x+6)=3 \cdot 2+6=12$ ······ ㉠

$\lim\limits_{x \to 2+}f(x)=\lim\limits_{x \to 2+}(x^2+ax-4)=4+2a-4=2a$ ······ ㉡

$f(2)=2^2+2a-4=2a$ ······ ㉢

위의 ㉠, ㉡, ㉢의 값이 같아야 하므로 $12=2a$
따라서 $a=6$

0254

STEP Ⓐ **함수 $f(x)$가 모든 실수 x에서 연속이려면 함수 $f(x)$는 $x=1$에서 연속임을 이용하여 a의 값 구하기**

함수 $f(x)$가 모든 실수 x에서 연속이려면 $x=1$에서 연속이어야 하므로
$\lim\limits_{x \to 1+}f(x)=\lim\limits_{x \to 1-}f(x)=f(1)$이어야 한다.

이때 $\lim\limits_{x \to 1+}f(x)=\lim\limits_{x \to 1+}(-x+a)=-1+a$, $\lim\limits_{x \to 1-}f(x)=\lim\limits_{x \to 1-}(x^2+3x-1)=3$

$f(1)=-1+a$이므로 $-1+a=3$
따라서 $a=4$

내신연계 출제문항 102

함수 $f(x)=\begin{cases}2x+1 & (x \geq 2)\\x^2+3x+a & (x<2)\end{cases}$ 가 모든 실수 x에서 연속이 되도록 하는 상수 a의 값은?

① -6 ② -5 ③ -4
④ -3 ⑤ -2

STEP A 함수 $f(x)$가 모든 실수 x에서 연속이려면 함수 $f(x)$는 $x=2$에서 연속임을 이용하여 a의 값 구하기

함수 $f(x)$가 모든 실수 x에서 연속이려면 $x=2$에서 연속이어야 하므로

$\lim\limits_{x \to 2+}f(x)=\lim\limits_{x \to 2-}f(x)=f(2)$ ······ ㉠

이어야 한다.

이때 $\lim\limits_{x \to 2+}f(x)=\lim\limits_{x \to 2+}(2x+1)=5$, $\lim\limits_{x \to 2-}f(x)=\lim\limits_{x \to 2-}(x^2+3x+a)=10+a$

$f(2)=2 \cdot 2+1=5$이므로

㉠에서 $10+a=5$

따라서 $a=-5$ 정답 ②

0255 정답 ③

STEP A 함수 $f(x)$가 모든 실수 x에서 연속이려면 함수 $f(x)$는 $x=-1$에서 연속임을 이용하여 a의 값 구하기

함수 $f(x)$가 모든 실수 x에서 연속이려면 $x=-1$에서 연속이어야 하므로

$\lim\limits_{x \to -1+}f(x)=\lim\limits_{x \to -1-}f(x)=f(-1)$이어야 한다.

이때 $\lim\limits_{x \to -1+}f(x)=\lim\limits_{x \to -1+}\sqrt{-x+a}=\sqrt{1+a}$,

$\lim\limits_{x \to -1-}f(x)=\lim\limits_{x \to -1-}(-x^2+2x+7)=-1-2+7=4$

$f(-1)=4$이므로 $\sqrt{1+a}=4$

따라서 $a=16-1=15$

0256 정답 ⑤

STEP A $x=-1$에서 연속일 조건 구하기

함수 $f(x)$가 모든 실수 x에서 연속이 되려면 $x=-1$, $x=2$에서 연속이어야 한다.

$x=-1$에서 연속일 때, $\lim\limits_{x \to -1}f(x)=f(-1)$을 만족해야 한다.

$f(-1)=\lim\limits_{x \to -1-}f(x)=\lim\limits_{x \to -1-}(2x-1)=-3$,

$\lim\limits_{x \to -1+}f(x)=\lim\limits_{x \to -1+}(x^2+ax+b)=1-a+b$에서

$-3=1-a+b$ $\therefore a-b=4$ ······ ㉠

STEP B $x=2$에서 연속일 조건 구하기

$x=2$에서 연속일 때, $\lim\limits_{x \to 2}f(x)=f(2)$를 만족해야 한다.

$f(2)=\lim\limits_{x \to 2-}f(x)=\lim\limits_{x \to 2-}(x^2+ax+b)=4+2a+b$,

$\lim\limits_{x \to 2+}f(x)=\lim\limits_{x \to 2+}(3x+3)=9$에서

$4+2a+b=9$ $\therefore 2a+b=5$ ······ ㉡

㉠, ㉡을 연립하여 풀면 $a=3$, $b=-1$

따라서 $a+b=3+(-1)=2$

0257 정답 ⑤

STEP A $x=1$에서 연속일 조건 구하기

함수 $f(x)$가 모든 실수에서 연속이므로 $x=1$, $x=3$에서 연속이어야 한다.

$x=1$에서 연속일 때, $\lim\limits_{x \to 1}f(x)=f(1)$을 만족해야 한다.

$\lim\limits_{x \to 1-}(4x-1)=\lim\limits_{x \to 1+}(x^2-ax+b)=3$

$1-a+b=3$ $\therefore -a+b=2$ ······ ㉠

STEP B $x=3$에서 연속일 조건 구하기

$x=3$에서 연속일 때, $\lim\limits_{x \to 3}f(x)=f(3)$을 만족해야 한다.

$\lim\limits_{x \to 3-}(x^2-ax+b)=\lim\limits_{x \to 3+}(x+2)=3^2-3a+b$

$9-3a+b=5$ $\therefore -3a+b=-4$ ······ ㉡

STEP C $a+b$의 값 구하기

㉠, ㉡에서 연립하여 풀면 $a=3$, $b=5$

따라서 $a+b=8$

내신연계 출제문항 103

함수 $f(x)=\begin{cases}ax+1 & (x>2)\\x^2+1 & (-1<x \leq 2)\\x+b & (x \leq -1)\end{cases}$ 가 모든 실수 x에서 연속이 되도록 하는 상수 a, b에 대하여 ab의 값은?

① 6 ② 8 ③ 10
④ 12 ⑤ 16

STEP A $x=-1$에서 연속일 조건 구하기

함수 $f(x)$가 모든 실수에서 연속이므로 $x=-1$, $x=2$에서 연속이어야 한다.

$x=-1$에서 연속이려면 $\lim\limits_{x \to -1}f(x)=f(-1)$

$\lim\limits_{x \to -1-}(x+b)=\lim\limits_{x \to -1+}(x^2+1)=f(-1)$

$-1+b=2$ $\therefore b=3$ ······ ㉠

STEP B $x=2$에서 연속일 조건 구하기

$x=2$에서 연속이려면 $\lim\limits_{x \to 2}f(x)=f(2)$

$\lim\limits_{x \to 2-}(x^2+1)=\lim\limits_{x \to 2+}(ax+1)=f(2)$

$4+1=2a+1$ $\therefore a=2$ ······ ㉡

STEP C ab의 값 구하기

㉠, ㉡에서 $a=2$, $b=3$

따라서 $ab=6$ 정답 ①

0258

STEP A 함수 $|f(x)|$가 실수 전체의 집합에서 연속이 되기 위한 조건 구하기

함수 $|f(x)|$가 실수 전체의 집합에서 연속이 되려면
$x=a$에서 연속이어야 하므로
$$\lim_{x\to a+}|f(x)|=\lim_{x\to a-}|f(x)|=|f(a)|$$
$|a^2-4|=|a+2|$에서 $a^2-4=\pm(a+2)$

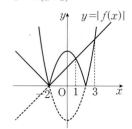

(i) $a^2-4=a+2$일 때,
　　$a^2-a-6=0$에서 $a=-2$ 또는 $a=3$
(ii) $a^2-4=-(a+2)$일 때,
　　$a^2+a-2=0$에서 $a=-2$ 또는 $a=1$

STEP B 모든 실수 a의 값의 합 구하기

(i), (ii)에서 함수 $|f(x)|$가 실수 전체의 집합에서 연속이 되도록 하는
실수 a의 값은 -2, 1, 3으로 그 합은 $(-2)+1+3=2$

0259

정답 ③

STEP A $x=-1$, $x=0$, $x=1$에서 연속성 조사하기

함수 $f(x)$는 $x=-1$, $x=0$, $x=1$에서만 불연속이므로
함수 $f(x)-k$도 $x=-1$, $x=0$, $x=1$에서만 불연속이다.
즉 함수 $|f(x)-k|$가 불연속이 될 수 있는 x의 값은
$x=-1$, $x=0$, $x=1$뿐이다.
즉 함수 $|f(x)-k|$가 불연속인 실수 x의 개수가 1이 되려면
$x=-1$, $x=0$, $x=1$ 중 두 개의 x에서 연속이어야 한다.

STEP B 함수 $|f(x)-k|$가 불연속인 실수 x의 개수가 1이 되게 하는 k의 값 구하기

(i) 함수 $|f(x)-k|$가 $x=-1$에서 연속일 조건
　　$\lim_{x\to-1-}|f(x)-k|=|2-k|$, $\lim_{x\to-1+}|f(x)-k|=|0-k|=|k|$,
　　$|f(-1)-k|=|2-k|$이므로 $|2-k|=|k|$, $(2-k)^2=k^2$이어야 한다.
　　즉 $4-4k+k^2=k^2$이어야 하므로 $k=1$
(ii) 함수 $|f(x)-k|$가 $x=0$에서 연속일 조건
　　$\lim_{x\to0-}|f(x)-k|=|2-k|$, $\lim_{x\to0+}|f(x)-k|=|2-k|$,
　　$|f(0)-k|=|0-k|=|k|$이므로 $|2-k|=|k|$, $(2-k)^2=k^2$이어야 한다.
　　즉 $4-4k+k^2=k^2$이어야 하므로 $k=1$
(iii) 함수 $|f(x)-k|$가 $x=1$에서 연속일 조건
　　$\lim_{x\to1-}|f(x)-k|=|4-k|$, $\lim_{x\to1+}|f(x)-k|=|0-k|=|k|$,
　　$|f(1)-k|=|0-k|=|k|$이므로 $|4-k|=|k|$, 즉 $(4-k)^2=k^2$이어야 한다.
　　즉 $16-8k+k^2=k^2$이어야 하므로 $k=2$
(i), (ii), (iii)에서
$k=1$이면 함수 $|f(x)-k|$는 $x=1$에서만 불연속,
$k=2$이면 함수 $|f(x)-k|$는 $x=-1$, $x=0$에서만 불연속,
$k\neq1$, $k\neq2$이면 함수 $|f(x)-k|$는
$x=-1$, $x=0$, $x=1$에서만 불연속이다.
따라서 함수 $|f(x)-k|$가 불연속인 실수 x의 개수가 1이 되도록 하는
상수 k의 값은 $k=1$

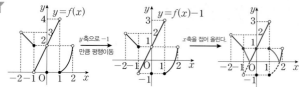

열린구간 $(-2, 2)$에서 정의된 함수 $y=f(x)$의 그래프가 그림과 같다.
함수 $|f(x)-k|$가 불연속인 실수 $x(-2<x<2)$의 개수가 1이 되도록
하는 상수 k의 값은?

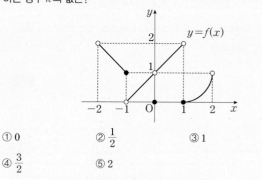

① 0　　　　　② $\frac{1}{2}$　　　　　③ 1

④ $\frac{3}{2}$　　　　　⑤ 2

STEP A $x=-1$, $x=0$, $x=1$에서 연속성 조사하기

함수 $f(x)$는 $x=-1$, $x=0$, $x=1$에서만 불연속이므로
함수 $f(x)-k$도 $x=-1$, $x=0$, $x=1$에서만 불연속이다.
즉 함수 $|f(x)-k|$가 불연속이 될 수 있는 x의 값은
$x=-1$, $x=0$, $x=1$뿐이다.

STEP B 함수 $|f(x)-k|$가 불연속인 실수 x의 개수가 1이 되게 하는 k의 값 구하기

즉 함수 $|f(x)-k|$가 불연속인 실수 x의 개수가 1이 되려면
$x=-1$, $x=0$, $x=1$ 중 두 개의 x에서 연속이어야 한다.
(i) 함수 $|f(x)-k|$가 $x=-1$에서 연속일 조건
　　$\lim_{x\to-1-}|f(x)-k|=|1-k|$, $\lim_{x\to-1+}|f(x)-k|=|0-k|=|k|$,
　　$|f(-1)-k|=|1-k|$이므로 $|1-k|=|k|$, $(1-k)^2=k^2$이어야 한다.
　　즉 $1-2k+k^2=k^2$이어야 하므로 $k=\frac{1}{2}$
(ii) 함수 $|f(x)-k|$가 $x=0$에서 연속일 조건
　　$\lim_{x\to0-}|f(x)-k|=|1-k|$, $\lim_{x\to0+}|f(x)-k|=|1-k|$,
　　$|f(0)-k|=|0-k|=|k|$이므로 $|1-k|=|k|$, $(1-k)^2=k^2$이어야 한다.
　　즉 $1-2k+k^2=k^2$이어야 하므로 $k=\frac{1}{2}$
(iii) 함수 $|f(x)-k|$가 $x=1$에서 연속일 조건
　　$\lim_{x\to1-}|f(x)-k|=|2-k|$, $\lim_{x\to1+}|f(x)-k|=|0-k|=|k|$,
　　$|f(1)-k|=|2-k|=|k|$이므로 $|2-k|=|k|$, 즉 $(2-k)^2=k^2$이어야 한다.
　　즉 $4-4k+k^2=k^2$이어야 하므로 $k=1$
(i), (ii), (iii)에서
$k=\frac{1}{2}$이면 함수 $|f(x)-k|$는 $x=1$에서만 불연속,
$k=1$이면 함수 $|f(x)-k|$는 $x=-1$, $x=0$에서만 불연속,
$k\neq\frac{1}{2}$, $k\neq1$이면 함수 $|f(x)-k|$는
$x=-1$, $x=0$, $x=1$에서만 불연속이다.
따라서 함수 $|f(x)-k|$가 불연속인 실수 x의 개수가 1이 되도록 하는
상수 k의 값은 $k=\frac{1}{2}$

정답 ②

0260

STEP Ⓐ $x=3$에서 $f(x)$가 연속일 조건 이해하기

함수 $f(x)$가 모든 실수 x에서 연속이므로 $x=3$에서도 연속이다.

즉 $\lim\limits_{x \to 3} f(x)=f(3)=a$

STEP Ⓑ 극한값을 구하여 a값 구하기

$$\lim_{x \to 3} \frac{x^2+x-12}{x-3}=\lim_{x \to 3}\frac{(x-3)(x+4)}{x-3}$$
$$=\lim_{x \to 3}(x+4)$$
$$=3+4=7$$

따라서 $a=7$

0261

STEP Ⓐ $x=2$에서 $f(x)$가 연속일 조건 이해하기

함수 $f(x)$가 모든 실수 x에서 연속이므로 $x=2$에서도 연속이다.

$\lim\limits_{x \to 2} f(x)=f(2)$

STEP Ⓑ 극한값이 존재할 조건을 이용하여 a의 값 구하기

$$\lim_{x \to 2} \frac{2x^3-4x^2-x+2}{x-2}=\lim_{x \to 2}\frac{(2x^2-1)(x-2)}{x-2}$$
$$=\lim_{x \to 2}(2x^2-1)$$
$$=8-1=7$$

따라서 $a=7$

내/신/연/계/ 출제문항 105

함수 $f(x)=\begin{cases} \dfrac{3x^3-6x^2-x+2}{x-2} & (x \neq 2) \\ k & (x=2) \end{cases}$ 가 모든 실수 x에서 연속일 때,

상수 k의 값은?

① 10   ② 11   ③ 12

④ 13   ⑤ 14

STEP Ⓐ $x=2$에서 $f(x)$가 연속일 조건 이해하기

함수 $f(x)$가 모든 실수 x에서 연속이므로 $x=2$에서도 연속이다.

즉 $f(2)=\lim\limits_{x \to 2} f(x)$

STEP Ⓑ 극한값이 존재할 조건을 이용하여 k의 값 구하기

$$\lim_{x \to 2} \frac{3x^3-6x^2-x+2}{x-2}=\lim_{x \to 2}\frac{(3x^2-1)(x-2)}{x-2}$$
$$=\lim_{x \to 2}(3x^2-1)=11$$

따라서 $k=11$

0262

STEP Ⓐ $x=1$에서 $f(x)$가 연속일 조건 이해하기

함수 $f(x)$가 $x=1$에서 연속이므로 $\lim\limits_{x \to 1} f(x)=f(1)=a$

STEP Ⓑ 극한값을 구하여 a값 구하기

$$\lim_{x \to 1+} \frac{\sqrt{x+8}-3}{x-1}=\lim_{x \to 1+}\frac{(\sqrt{x+8}-3)(\sqrt{x+8}+3)}{(x-1)\sqrt{x+8}+3}$$
$$=\lim_{x \to 1+}\frac{x-1}{(x-1)\sqrt{x+8}+3}$$
$$=\lim_{x \to 1+}\frac{1}{\sqrt{x+8}+3}$$
$$=\frac{1}{3+3}=\frac{1}{6}$$

따라서 $a=\dfrac{1}{6}$

0263

STEP Ⓐ $x=3$에서 $f(x)$가 연속일 조건 이해하기

함수 $f(x)$가 모든 실수 x에서 연속이므로 $x=3$에서도 연속이다.

즉 $\lim\limits_{x \to 3} f(x)=f(3)$

STEP Ⓑ 극한값이 존재할 조건을 이용하여 a의 값 구하기

$\lim\limits_{x \to 3} \dfrac{x^2-x+a}{x-3}=b$에서

$x \to 3$일 때, (분모)$\to 0$이고 극한값이 존재하므로 (분자)$\to 0$이어야 한다.

즉 $\lim\limits_{x \to 3}(x^2-x+a)=0$이므로 $9-3+a=0$ $\therefore a=-6$

STEP Ⓒ 극한값을 구하여 b값 구하기

$$\lim_{x \to 3} \frac{x^2-x-6}{x-3}=\frac{(x-3)(x+2)}{x-3}$$
$$=\lim_{x \to 3}(x+2)=5$$

$\therefore b=5$

따라서 $a+b=-6+5=-1$

내/신/연/계/ 출제문항 106

함수 $f(x)=\begin{cases} \dfrac{x^2-x+a}{x+1} & (x \neq -1) \\ b & (x=-1) \end{cases}$ 가 $x=-1$에서 연속일 때,

상수 a, b에 대하여 $a+b$의 값은?

① -6 ② -5 ③ -4

④ -3 ⑤ -2

STEP Ⓐ $x=-1$에서 $f(x)$가 연속일 조건 이해하기

함수 $f(x)$가 $x=-1$에서 연속이므로 $\lim\limits_{x \to -1} f(x)=f(-1)$

STEP Ⓑ 극한값을 구하여 a값 구하기

$\lim\limits_{x \to -1} \dfrac{x^2-x+a}{x+1}=b$에서

$x \to -1$일 때, (분모)$\to 0$이고 극한값이 존재하므로 (분자)$\to 0$이어야 한다.

즉 $\lim\limits_{x \to -1}(x^2-x+a)=0$이므로 $1+1+a=0$ $\therefore a=-2$

STEP Ⓒ 극한값을 구하여 b값 구하기

$$b=\lim_{x \to -1} \frac{x^2-x-2}{x+1}=\lim_{x \to -1}\frac{(x+1)(x-2)}{x+1}$$
$$=\lim_{x \to -1}(x-2)=-3$$

따라서 $a=-2$, $b=-3$이므로 $a+b=-5$

0264

STEP Ⓐ $x=-1$에서 $f(x)$가 연속일 조건 이해하기

함수 $f(x)$가 모든 실수 x에서 연속이므로 $x=-1$에서도 연속이다.
$$\lim_{x\to-1}f(x)=f(-1)$$

STEP Ⓑ 극한값이 존재할 조건을 이용하여 a의 값 구하기

$$\lim_{x\to-1}\frac{x^2+ax-4}{x+1}=b$$에서

$x\to-1$일 때, (분모)$\to0$이고 극한값이 존재하므로 (분자)$\to0$이어야 한다.

즉 $\lim_{x\to-1}(x^2+ax-4)=0$이므로 $1-a-4=0$

$\therefore a=-3$

STEP Ⓒ 극한값을 구하여 b값 구하기

$$b=\lim_{x\to-1}\frac{x^2-3x-4}{x+1}=\lim_{x\to-1}\frac{(x+1)(x-4)}{x+1}$$
$$=\lim_{x\to-1}(x-4)=-5$$

따라서 $a=-3$, $b=-5$이므로 $ab=-3\times(-5)=15$

내신연계 출제문항 107

함수 $f(x)=\begin{cases}\dfrac{x^2+2ax+b}{x-1} & (x\neq1)\\ b & (x=1)\end{cases}$가 모든 실수 x에서 연속이 되도록

실수 a, b에 대하여 $b-a$의 값은?

① $\dfrac{1}{4}$ ② $\dfrac{1}{2}$ ③ $\dfrac{3}{4}$

④ $\dfrac{5}{4}$ ⑤ $\dfrac{3}{2}$

STEP Ⓐ $x=1$에서 $f(x)$가 연속일 조건 이해하기

함수 $f(x)$가 실수 전체의 집합에서 연속이려면 $x=1$에서 연속이여야 하므로
$$\lim_{x\to1}f(x)=f(1)$$

STEP Ⓑ 극한값이 존재할 조건을 이용하여 a와 b의 관계식 구하기

$$\lim_{x\to1}\frac{x^2+2ax+b}{x-1}=b$$이고

$x\to1$일 때, (분모)$\to0$이고 극한값이 존재하므로 (분자)$\to0$이어야 한다.

즉 $\lim_{x\to1}(x^2+2ax+b)=0$이므로 $1+2a+b=0$

$b=-2a-1$ $\cdots\cdots$ ㉠

STEP Ⓒ 극한값을 구하여 a, b의 값 구하기

$$\lim_{x\to1}\frac{x^2+2ax+b}{x-1}=\lim_{x\to1}\frac{x^2+2ax-2a-1}{x-1}$$
$$=\lim_{x\to1}\frac{(x-1)(x+2a+1)}{x-1}$$
$$=\lim_{x\to1}(x+2a+1)=2a+2$$

$\therefore 2a+2=b$ $\cdots\cdots$ ㉡

㉠, ㉡을 연립하여 풀면 $a=-\dfrac{3}{4}$, $b=\dfrac{1}{2}$

따라서 $b-a=\dfrac{1}{2}-\left(-\dfrac{3}{4}\right)=\dfrac{5}{4}$

0265

STEP Ⓐ $x=-1$에서 $f(x)$가 연속일 조건 이해하기

함수 $f(x)$가 모든 실수 x에서 연속이려면 $x=-1$에서 연속이어야 하므로
$$\lim_{x\to-1}f(x)=f(-1)$$

STEP Ⓑ 극한값이 존재할 조건을 이용하여 a, b 사이의 관계식 구하기

$$\lim_{x\to-1}\frac{x^2+ax+b}{x+1}=5$$에서

$x\to-1$일 때, (분모)$\to0$이고 극한값이 존재하므로 (분자)$\to0$이어야 한다.

즉 $\lim_{x\to-1}(x^2+ax+b)=0$이므로 $1-a+b=0$

$\therefore b=a-1$ $\cdots\cdots$ ㉠

STEP Ⓒ 극한값을 구하여 a, b값 구하기

$$\lim_{x\to-1}\frac{x^2+ax+a-1}{x+1}=\lim_{x\to-1}\frac{(x^2-1)+a(x+1)}{x+1}$$
$$=\lim_{x\to-1}\frac{(x+1)(x-1+a)}{x+1}$$
$$=\lim_{x\to-1}(x-1+a)=a-2$$

$a-2=5$ $\therefore a=7$

㉠에서 $b=7-1=6$

$x\neq-1$일 때, $f(x)=\dfrac{x^2+7x+6}{x+1}=\dfrac{(x+1)(x+6)}{x+1}=x+6$

따라서 $f(2)=2+6=8$

0266

STEP Ⓐ $x=-1$에서 $f(x)$가 연속일 조건 이해하기

함수 $f(x)$가 모든 실수 x에서 연속이므로 $x=-1$에서도 연속이다.
$$\lim_{x\to-1}f(x)=f(-1)$$

STEP Ⓑ 극한값이 존재할 조건을 이용하여 a, b 사이의 관계식 구하기

$$\lim_{x\to-1}\frac{x^3+ax-b}{(x+1)^2}=c$$ $\cdots\cdots$ ㉠

$x\to-1$일 때, (분모)$\to0$이고 극한값이 존재하므로 (분자)$\to0$이어야 한다.

즉 $\lim_{x\to-1}(x^3+ax-b)=0$이므로 $-1-a-b=0$

$b=-a-1$ $\cdots\cdots$ ㉡

STEP Ⓒ 극한값을 구하여 a, b, c값 구하기

$b=-a-1$을 ㉠에 대입하면

$$\lim_{x\to-1}\frac{x^3+ax+a+1}{(x+1)^2}=\lim_{x\to-1}\frac{(x^3+1)+a(x+1)}{(x+1)^2}$$
$$=\lim_{x\to-1}\frac{(x+1)(x^2-x+1+a)}{(x+1)^2}$$
$$=\lim_{x\to-1}\frac{x^2-x+a+1}{x+1}=c$$

$x\to-1$일 때, (분모)$\to0$이고 극한값이 존재하므로 (분자)$\to0$이어야 한다.

즉 $\lim_{x\to-1}(x^2-x+a+1)=0$이므로 $1+1+a+1=0$

$\therefore a=-3$

$a=-3$을 ㉡에 대입하면 $b=2$

$$c=\lim_{x\to-1}\frac{x^2-x-2}{x+1}=\lim_{x\to-1}\frac{(x+1)(x-2)}{x+1}=\lim_{x\to-1}(x-2)=-3$$

따라서 $a=-3$, $b=2$, $c=-3$이므로 $a+b+c=-4$

0267

STEP **A** $x=1$에서 $f(x)$가 연속일 조건 이해하기

$x=1$에서 연속이므로 $\lim\limits_{x \to 1} f(x) = f(1)$

STEP **B** 극한값이 존재할 조건을 이용하여 a, b 사이의 관계식 구하기

$\lim\limits_{x \to 1} \dfrac{a\sqrt{x+3}+b}{x-1} = 2$에서

$x \to 1$일 때, (분모)$\to 0$이고 극한값이 존재하므로 (분자)$\to 0$이어야 한다.

즉 $\lim\limits_{x \to 1}(a\sqrt{x+3}+b)=0$이므로 $2a+b=0$

$\therefore b=-2a$

STEP **C** 극한값을 구하여 a, b값 구하기

$$\lim_{x \to 1}\frac{a\sqrt{x+3}-2a}{x-1}=\lim_{x \to 1}\frac{a(\sqrt{x+3}-2)(\sqrt{x+3}+2)}{(x-1)(\sqrt{x+3}+2)}$$
$$=\lim_{x \to 1}\frac{a(x-1)}{(x-1)(\sqrt{x+3}+2)}$$
$$=\lim_{x \to 1}\frac{a}{\sqrt{x+3}+2}$$
$$=\frac{a}{4}$$
$$=2$$

따라서 $a=8$, $b=-16$이므로 $a+b=-8$

내/신/연/계/ 출제문항 108

함수 $f(x)=\begin{cases} \dfrac{\sqrt{x+a}-2}{x-1} & (x \ne 1) \\ b & (x=1) \end{cases}$ 가 $x=1$에서 연속일 때,

상수 a, b에 대하여 ab의 값은?

① $\dfrac{1}{4}$ ② $\dfrac{1}{3}$ ③ $\dfrac{2}{3}$

④ $\dfrac{3}{4}$ ⑤ $\dfrac{3}{2}$

STEP **A** $x=1$에서 $f(x)$가 연속일 조건 이해하기

함수 $f(x)$가 $x=1$에서 연속이어야 하므로

$\lim\limits_{x \to 1}f(x)=f(1)$에서 $\lim\limits_{x \to 1}\dfrac{\sqrt{x+a}-2}{x-1}=b$ …… ㉠

STEP **B** 극한값이 존재할 조건을 이용하여 a값 구하기

$\lim\limits_{x \to 1}\dfrac{\sqrt{x+a}-2}{x-1}=b$에서

$x \to 1$일 때, (분모)$\to 0$이고 극한값이 존재하므로 (분자)$\to 0$이어야 한다.

즉 $\lim\limits_{x \to 1}(\sqrt{x+a}-2)=0$이므로 $\sqrt{1+a}-2=0$

$1+a=4$ $\therefore a=3$

STEP **C** 극한값을 구하여 b값 구하기

$$b=\lim_{x \to 1}\frac{\sqrt{x+3}-2}{x-1}=\lim_{x \to 1}\frac{(\sqrt{x+3}-2)(\sqrt{x+3}+2)}{(x-1)(\sqrt{x+3}+2)}$$
$$=\lim_{x \to 1}\frac{1}{\sqrt{x+3}+2}=\frac{1}{4}$$

따라서 $a=3$, $b=\dfrac{1}{4}$이므로 $ab=\dfrac{3}{4}$

 정답 ④

0268

STEP **A** $x=2$에서 $f(x)$가 연속일 조건 이해하기

함수 $f(x)$가 $x=2$에서 연속이므로 $\lim\limits_{x \to 2}f(x)=f(2)$

STEP **B** 극한값이 존재할 조건을 이용하여 a값 구하기

$\lim\limits_{x \to 2}\dfrac{\sqrt{x^2+5}-a}{x-2}=b$에서

$x \to 2$일 때, (분모)$\to 0$이고 극한값이 존재하므로 (분자)$\to 0$이어야 한다.

즉 $\lim\limits_{x \to 2}(\sqrt{x^2+5}-a)=0$이므로 $\sqrt{9}-a=0$

$\therefore a=3$

STEP **C** 극한값을 구하여 b값 구하기

$$\lim_{x \to 2}\frac{\sqrt{x^2+5}-3}{x-2}=\lim_{x \to 2}\frac{(\sqrt{x^2+5}-3)(\sqrt{x^2+5}+3)}{(x-2)(\sqrt{x^2+5}+3)}$$
$$=\lim_{x \to 2}\frac{x^2-4}{(x-2)(\sqrt{x^2+5}+3)}$$
$$=\lim_{x \to 2}\frac{x+2}{\sqrt{x^2+5}+3}$$
$$=\frac{2}{3}=b$$

따라서 $a=3$, $b=\dfrac{2}{3}$이므로 $ab=2$

내/신/연/계/ 출제문항 109

함수

$$f(x)=\begin{cases} \dfrac{\sqrt{x^2+3}-a}{x-1} & (x \ne 1) \\ a & (x=1) \end{cases}$$

가 모든 실수 x에서 연속이 되도록 하는 실수 a, b에 대하여 ab의 값은?

① $\dfrac{1}{2}$ ② 1 ③ $\dfrac{3}{2}$

④ 2 ⑤ $\dfrac{5}{2}$

STEP **A** $x=1$에서 $f(x)$가 연속일 조건 이해하기

함수 $f(x)$가 모든 실수 x에서 연속이므로 $x=1$에서도 연속이다.

$\lim\limits_{x \to 1}f(x)=f(1)$

STEP **B** 극한값이 존재할 조건을 이용하여 a값 구하기

$\lim\limits_{x \to 1}\dfrac{\sqrt{x^2+3}-a}{x-1}=b$에서

$x \to 1$일 때, (분모)$\to 0$이고 극한값이 존재하므로 (분자)$\to 0$이어야 한다.

즉 $\lim\limits_{x \to 1}(\sqrt{x^2+3}-a)=0$이므로 $\sqrt{4}-a=0$

$\therefore a=2$

STEP **C** 극한값을 구하여 b값 구하기

$$\lim_{x \to 1}\frac{\sqrt{x^2+3}-2}{x-1}=\lim_{x \to 1}\frac{(\sqrt{x^2+3}-2)(\sqrt{x^2+3}+2)}{(x-1)(\sqrt{x^2+3}+2)}$$
$$=\lim_{x \to 1}\frac{x^2-1}{(x-1)(\sqrt{x^2+3}+2)}$$
$$=\lim_{x \to 1}\frac{x+1}{\sqrt{x^2+3}+2}$$
$$=\frac{1}{2}=b$$

따라서 $a=2$, $b=\dfrac{1}{2}$이므로 $ab=1$

정답 ②

0269

정답 ④

STEP A $x=-1$에서 $f(x)$가 연속일 조건 이해하기

함수 $f(x)$가 모든 실수 x에서 연속이므로 $x=-1$에서도 연속이다.
$$\lim_{x \to -1} f(x) = f(-1)$$

STEP B 극한값이 존재할 조건을 이용하여 a, b 사이의 관계식 구하기

$$\lim_{x \to -1} \frac{\sqrt{x^2+a}+b}{x+1} = -\frac{1}{2}$$에서

$x \to -1$일 때, (분모)$\to 0$이고 극한값이 존재하므로 (분자)$\to 0$이어야 한다.

즉 $\lim_{x \to -1}(\sqrt{x^2+a}+b)=0$이므로 $b=-\sqrt{1+a}$ ······ ㉠

STEP C 극한값을 구하여 a, b값 구하기

$$\lim_{x \to -1} \frac{\sqrt{x^2+a}-\sqrt{1+a}}{x+1} = \lim_{x \to -1} \frac{x^2-1}{(x+1)(\sqrt{x^2+a}+\sqrt{1+a})}$$

$$= \lim_{x \to -1} \frac{x-1}{\sqrt{x^2+a}+\sqrt{1+a}}$$
$$= -\frac{1}{\sqrt{1+a}}$$

$-\dfrac{1}{\sqrt{1+a}} = -\dfrac{1}{2}$이므로 $\sqrt{1+a}=2$ $\therefore a=3$

㉠에서 $b=-2$

따라서 $a^2+b^2 = 3^2+(-2)^2 = 9+4 = 13$

0270

정답 ①

STEP A $x=1$에서 $f(x)$가 연속일 조건 이해하기

함수 $f(x)$가 모든 실수 x에서 연속이려면 $\lim_{x \to 1} f(x) = f(1)$이어야 한다.

STEP B 극한값이 존재할 조건을 이용하여 a값 구하기

$$\lim_{x \to 1} \frac{\sqrt{x+3}+a}{x^3-1} = b$$에서

$x \to 1$일 때, (분모)$\to 0$이고 극한값이 존재하므로 (분자)$\to 0$이어야 한다.

즉 $\lim_{x \to 1}(\sqrt{x+3}+a)=0$이므로 $2+a=0$ ······ ㉠

$\therefore a=-2$

STEP C 극한값을 구하여 b값 구하기

$$b = \lim_{x \to 1} \frac{\sqrt{x+3}-2}{x^3-1} = \lim_{x \to 1} \frac{(\sqrt{x+3}-2)(\sqrt{x+3}+2)}{(x^3-1)(\sqrt{x+3}+2)}$$
$$= \lim_{x \to 1} \frac{x-1}{(x-1)(x^2+x+1)(\sqrt{x+3}+2)}$$
$$= \lim_{x \to 1} \frac{1}{(x^2+x+1)(\sqrt{x+3}+2)}$$
$$= \frac{1}{(1+1+1)(2+2)} = \frac{1}{12}$$

따라서 $a=-2$, $b=\dfrac{1}{12}$이므로 $ab=-\dfrac{1}{6}$

0271

정답 ③

STEP A $x=0$에서 연속일 조건을 이용하여 k 구하기

함수 $f(x)+g(x)$가 $x=0$에서 연속이려면
$$\lim_{x \to 0}\{f(x)+g(x)\} = f(0)+g(0)$$이어야 한다.

$f(0)+g(0)=k$

$\lim_{x \to 0^-}\{f(x)+g(x)\} = \lim_{x \to 0^-}\{(-x+1)+(x^2+3)\}=4$,

$\lim_{x \to 0^+}\{f(x)+g(x)\} = \lim_{x \to 0^+}\{(x^3)+(x+k)\}=k$

따라서 $k=4$

함수 $y=f(x)$의 그래프가 오른쪽 그림과 같다. 함수 $g(x)$는 $x \neq 1$인 모든 실수 x에서 연속이고
$$\lim_{x \to 1} g(x) = a, \quad \lim_{x \to 1^+} g(x) = b, \quad g(1)=3$$
이다. 함수 $f(x)+g(x)$가 $x=1$에서 연속일 때, 상수 a, b에 대하여 $a+b$의 값은?

① 3 ② 4 ③ 5
④ 6 ⑤ 7

STEP A $x=1$에서 좌극한과 우극한 구하기

$f(x)+g(x)=h(x)$로 놓으면

$\lim_{x \to 1^-} f(x)=1$, $\lim_{x \to 1^+} f(x)=3$, $f(1)=2$이므로

$\lim_{x \to 1^-} h(x) = \lim_{x \to 1^-}\{f(x)+g(x)\} = 1+a$

$\lim_{x \to 1^+} h(x) = \lim_{x \to 1^+}\{f(x)+g(x)\} = 3+b$

$h(1) = f(1)+g(1) = 2+3 = 5$

STEP B $x=1$에서 연속일 조건을 이용하여 $a+b$ 구하기

이때 함수 $h(x)$가 $x=1$에서 연속이므로
$$\lim_{x \to 1^-} h(x) = \lim_{x \to 1^+} h(x) = h(1)$$
$1+a = 3+b = 5$

따라서 $a=4$, $b=2$이므로 $a+b=6$

정답 ④

0272

정답 ④

STEP A $x=3$, $x=-3$에서 $f(x)$가 연속일 조건 이해하기

함수 $f(x)$가 모든 실수 x에서 연속이므로
$x=3$, $x=-3$에서 연속이어야 한다.

STEP B $x=3$에서 $f(x)$가 연속일 조건을 이용하여 a, b의 관계식 구하기

함수 $f(x)$는 $x=3$에서 연속이려면
$$\lim_{x \to 3^+} f(x) = \lim_{x \to 3^-} f(x) = f(3)$$이어야 한다.

$f(3)=3a+b$이고
$$\lim_{x \to 3^+} f(x) = \lim_{x \to 3^+}(ax+b) = 3a+b$$
$$\lim_{x \to 3^-} f(x) = \lim_{x \to 3^-} \frac{|x|-3}{9-x^2} = \lim_{x \to 3^-} \frac{x-3}{-(x-3)(x+3)} = \lim_{x \to 3^-} \frac{1}{-x-3} = -\frac{1}{6}$$

이므로 $3a+b = -\dfrac{1}{6}$ ······ ㉠

STEP C $x=-3$에서 $f(x)$가 연속일 조건을 이용하여 a, b의 관계식 구하기

함수 $f(x)$는 $x=-3$에서 연속이므로
$$\lim_{x \to -3^+} f(x) = \lim_{x \to -3^-} f(x) = f(-3)$$이어야 한다.

$f(-3)=-3a+b$이고
$$\lim_{x \to -3^+} f(x) = \lim_{x \to -3^+} \frac{|x|-3}{9-x^2} = \lim_{x \to -3^+} \frac{-x-3}{-(x-3)(x+3)} = \lim_{x \to -3^+} \frac{1}{x-3} = -\frac{1}{6}$$
$$\lim_{x \to -3^-} f(x) = \lim_{x \to -3^-}(ax+b) = -3a+b$$이므로
$$-3a+b = -\frac{1}{6}$$ ······ ㉡

㉠, ㉡를 연립하여 풀면 $a=0$, $b=-\dfrac{1}{6}$

따라서 $a-b = \dfrac{1}{6}$

0273

정답 ③

STEP A $x=1$, $x=2$에서 $f(x)$가 연속일 조건 이해하기

함수 $f(x)$가 모든 실수 x에서 연속이려면
$x=1$, $x=2$에서도 연속이어야 한다.

STEP B $x=1$에서 $f(x)$가 연속일 조건을 이용하여 a, b의 관계식 구하기

함수 $f(x)$가 $x=1$에서 연속이므로
$$\lim_{x \to 1+}(ax+1)=\lim_{x \to 1-}(x^2-x+b)=f(1)$$
즉 $a+1=b$ …… ㉠

STEP C $x=2$에서 $f(x)$가 연속일 조건을 이용하여 a, b의 관계식 구하기

또, 함수 $f(x)$가 $x=2$에서 연속이므로
$$\lim_{x \to 2+}(ax+1)=\lim_{x \to 2-}(x^2-x+b)=f(2)$$
즉 $2a+1=2+b$ …… ㉡
㉠, ㉡을 연립하여 풀면 $a=2$, $b=3$
따라서 $ab=6$

내/신/연/계 출제문항 111

함수 $f(x)=\begin{cases} x+a & (x<0 \text{ 또는 } x>3) \\ x^2+bx+1 & (0 \le x \le 3) \end{cases}$ 이 구간 $(-\infty, \infty)$에서

연속이 되도록 하는 상수 a, b에 대하여 $a+b$의 값은?

① -4 ② -3 ③ -2
④ -1 ⑤ 2

STEP A 함수 $f(x)$가 구간 $(-\infty, \infty)$에서 연속이 될 조건 이해하기

함수 $f(x)$가 구간 $(-\infty, \infty)$에서 연속이 되려면
$x=0$, $x=3$에서도 연속이 되어야 한다.

STEP B $x=0$에서 $f(x)$가 연속임을 이용하여 a값 구하기

함수 $f(x)$가 $x=0$에서 연속이므로
$$\lim_{x \to 0-}f(x)=\lim_{x \to 0+}f(x)=f(0)$$
$a=1$ …… ㉠

STEP C $x=3$에서 $f(x)$가 연속임을 이용하여 b값 구하기

함수 $f(x)$가 $x=3$에서 연속이므로
$$\lim_{x \to 3-}f(x)=\lim_{x \to 3+}f(x)=f(3)\text{가 되려면}$$
$3+a=9+3b+1$ …… ㉡
㉡에 ㉠을 대입하여 정리하면 $b=-2$
따라서 $a+b=-1$

정답 ④

0274

정답 ②

STEP A 함수 $f(x)$가 모든 실수 x에서 연속이 될 조건 이해하기

$$f(x)=\begin{cases} x^2+x-b & (|x|<1) \\ ax+2 & (|x| \ge 1) \end{cases}=\begin{cases} ax+2 & (x \ge 1) \\ x^2+x-b & (-1<x<1) \\ ax+2 & (x \le -1) \end{cases}$$

함수 $f(x)$가 모든 실수 x에서 연속이려면
$x=-1$, $x=1$에서도 연속이어야 한다.

STEP B $x=-1$에서 $f(x)$가 연속임을 이용하여 a, b 사이의 관계식 구하기

함수 $f(x)$가 $x=-1$에서 연속이려면
$$\lim_{x \to -1-}f(x)=\lim_{x \to -1+}f(x)=f(-1)$$
$-b=-a+2$에서 $a-b=2$ …… ㉠

STEP C $x=1$에서 $f(x)$가 연속임을 이용하여 a, b값 구하기

함수 $f(x)$가 $x=1$에서 연속이려면
$$\lim_{x \to 1-}f(x)=\lim_{x \to 1+}f(x)=f(1)$$
$2-b=a+2$에서 $a+b=0$ …… ㉡
㉠, ㉡을 연립하여 풀면 $a=1$, $b=-1$
따라서 $a+b=1-1=0$

0275

정답 ①

STEP A 함수 $f(x)$가 모든 실수 x에서 연속이 될 조건 이해하기

$$f(x)=\begin{cases} -x^2+ax+b & (-1<x<1) \\ x(x-1) & (x \le -1 \text{ 또는 } x \ge 1) \end{cases}\text{에서}$$

$y=x(x-1)$, $y=-x^2+ax+b$가 연속함수이므로
함수 $f(x)$가 모든 실수에서 연속이려면 $f(x)$가 $x=-1$와 $x=1$에서
연속이어야 하고 $y=f(x)$의 그래프는 다음 그림과 같다.

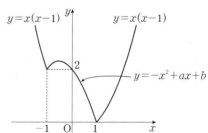

STEP B $x=1$, $x=-1$에서 연속이 되도록 하는 a, b의 값 구하기

(i) $x=-1$에서 연속이려면
$$\lim_{x \to -1-}f(x)=\lim_{x \to -1+}f(x)=f(-1)\text{이므로 } f(-1)=2$$
$$\lim_{x \to -1-}x(x-1)=\lim_{x \to -1+}(-x^2+ax+b)$$
$2=-1-a+b$ $\therefore a-b=-3$ …… ㉠

(ii) $x=1$에서 연속이려면
$$\lim_{x \to 1-}f(x)=\lim_{x \to 1+}f(x)=f(1)\text{이므로 } f(1)=0$$
$$\lim_{x \to 1-}(-x^2+ax+b)=\lim_{x \to 1+}x(x-1)$$
$-1+a+b=0$ $\therefore a+b=1$ …… ㉡
㉠, ㉡을 연립하여 풀면 $a=-1$, $b=2$
따라서 $2a-b=-2-2=-4$

함수 $f(x)=\begin{cases} -x^2+ax+b & (|x|<2) \\ x(x-2) & (|x|\ge 2) \end{cases}$ 가 모든 실수 x에서 연속이 되도록

하는 두 상수 a, b에 대하여 ab의 값은?

① -20　　　　② -18　　　　③ -16
④ -14　　　　⑤ -12

STEP ④ 함수 $f(x)$가 모든 실수 x에서 연속이 될 조건 이해하기

$f(x)=\begin{cases} -x^2+ax+b & (|x|<2) \\ x(x-2) & (|x|\ge 2) \end{cases}=\begin{cases} x(x-2) & (x\ge 2) \\ -x^2+ax+b & (-2<x<2) \\ x(x-2) & (x\le -2) \end{cases}$

함수 $f(x)$가 모든 실수 x에서 연속이려면
$x=-2$, $x=2$에서 연속이어야 한다.

STEP ③ $x=-2$에서 $f(x)$가 연속임을 이용하여 a, b 사이의 관계식 구하기

함수 $f(x)$가 $x=-2$에서 연속이려면
$f(-2)=8$,
$\lim\limits_{x\to -2^-}f(x)=\lim\limits_{x\to -2^-}\{x(x-2)\}=8$,
$\lim\limits_{x\to -2^+}f(x)=\lim\limits_{x\to -2^+}(-x^2+ax+b)=-4-2a+b$
$-4-2a+b=8$ $\therefore -2a+b=12$ ······ ㉠

STEP ⑤ $x=2$에서 $f(x)$가 연속임을 이용하여 a, b값 구하기

또한, $f(2)=0$,
$\lim\limits_{x\to 2^-}f(x)=\lim\limits_{x\to 2^-}(-x^2+ax+b)=-4+2a+b$,
$\lim\limits_{x\to 2^+}f(x)=\lim\limits_{x\to 2^+}\{x(x-2)\}=0$
$-4+2a+b=0$ $\therefore 2a+b=4$ ······ ㉡
㉠, ㉡을 연립하여 풀면 $a=-2$, $b=8$
따라서 $ab=-2\cdot 8=-16$　　　　정답 ③

0276

정답 ⑤

STEP ④ $x=0$에서 연속이기 위한 조건 구하기

함수 $f(x)$가 $x=0$에서 연속이므로 $\lim\limits_{x\to 0^-}f(x)=\lim\limits_{x\to 0^+}f(x)=f(0)$
한편 $x<0$일 때, $g(x)=-f(x)+x^2+4$이고
$x>0$일 때, $g(x)=f(x)-x^2-2x-8$이다.

STEP ③ 함수의 극한의 존재 조건을 이용하여 $f(0)$ 구하기

$\lim\limits_{x\to 0^-}g(x)=\lim\limits_{x\to 0^-}\{-f(x)+x^2+4\}$ ← $\lim\limits_{x\to 0^-}f(x)=f(0)$
　　　　　$=-f(0)+4$
$\lim\limits_{x\to 0^+}g(x)=\lim\limits_{x\to 0^+}\{f(x)-x^2-2x-8\}$ ← $\lim\limits_{x\to 0^+}f(x)=f(0)$
　　　　　$=f(0)-8$
이므로 $\lim\limits_{x\to 0^-}g(x)-\lim\limits_{x\to 0^+}g(x)=6$에서
$\{-f(0)+4\}-\{f(0)-8\}=6$, $-2f(0)=-6$
따라서 $f(0)=3$

$x=2$에서 연속인 함수 $f(x)$가
$$\lim\limits_{x\to 2^-}f(x)=3a-2,\ \lim\limits_{x\to 2^+}f(x)=2a+1$$
을 만족시킬 때, $f(2)$의 값은? (단, a는 상수이다.)

① 1　　　　② 3　　　　③ 5
④ 7　　　　⑤ 9

STEP ④ $x=2$에서 연속일 조건을 만족하는 a의 값 구하기

함수 $f(x)$가 $x=2$에서 연속이므로
$\lim\limits_{x\to 2^-}f(x)=\lim\limits_{x\to 2^+}f(x)=f(2)$이 성립해야 한다.
즉 $3a-2=2a+1$에서 $a=3$

STEP ③ $f(2)$의 값 구하기

따라서 $x=2$에서 연속이므로
$f(2)=\lim\limits_{x\to 2}f(x)=3a-2=2a+1=7$　　　　정답 ④

0277

정답 ①

STEP ④ $x\ne -1$일 때, $f(x)$를 구하여 $\lim\limits_{x\to -1}f(x)=f(-1)$임을 이용하기

$x\ne -1$이면 $f(x)=\dfrac{x^2-2x-3}{x+1}$
함수 $f(x)$가 실수 전체에서 연속이므로 $f(x)$는 $x=-1$에서도 연속이다.
즉 $\lim\limits_{x\to -1}f(x)=f(-1)$이다.
따라서 $f(-1)=\lim\limits_{x\to -1}\dfrac{x^2-2x-3}{x+1}=\lim\limits_{x\to -1}\dfrac{(x+1)(x-3)}{x+1}=\lim\limits_{x\to -1}(x-3)=-4$

0278

정답 ③

STEP ④ 함수 $f(x)$가 $x=-1$, $x=1$에서 연속일 조건 구하기

$x\ne \pm 1$일 때, $f(x)=\dfrac{x^3+3x^2-x-3}{x^2-1}$
모든 실수 x에서 함수 $f(x)$가 연속이므로 $x=-1$, $x=1$에서 연속이다.
즉 $\lim\limits_{x\to -1}f(x)=f(-1)$, $\lim\limits_{x\to 1}f(x)=f(1)$이어야 한다.

STEP ③ $f(-1)+f(1)$의 값 구하기

$\lim\limits_{x\to -1}f(x)=f(-1)$에서
$f(-1)=\lim\limits_{x\to -1}\dfrac{x^3+3x^2-x-3}{x^2-1}=\lim\limits_{x\to -1}\dfrac{(x-1)(x+1)(x+3)}{(x-1)(x+1)}$
　　　$=\lim\limits_{x\to -1}(x+3)=2$
$\lim\limits_{x\to 1}f(x)=f(1)$에서
$f(1)=\lim\limits_{x\to 1}\dfrac{x^3+3x^2-x-3}{x^2-1}=\lim\limits_{x\to 1}\dfrac{(x-1)(x+1)(x+3)}{(x-1)(x+1)}$
　　　$=\lim\limits_{x\to 1}(x+3)=4$
따라서 $f(-1)+f(1)=2+4=6$

0279

정답 ③

STEP ④ $f(x)$가 모든 실수 x에서 연속일 조건 이해하기

$x\ne 2$이면 $f(x)=\dfrac{\sqrt{x+7}-3}{x-2}$
$x\ge 7$인 모든 실수 x에 대하여 연속이므로 $x=2$에서도 연속이다.
즉 $f(2)=\lim\limits_{x\to 2}f(x)$이다.

STEP ③ 분자를 유리화하고 극한값을 구하여 $f(2)$값 구하기

$f(2)=\lim\limits_{x\to 2}\dfrac{\sqrt{x+7}-3}{x-2}=\lim\limits_{x\to 2}\dfrac{(\sqrt{x+7}-3)(\sqrt{x+7}+3)}{(x-2)(\sqrt{x+7}+3)}$
　　　$=\lim\limits_{x\to 2}\dfrac{x-2}{(x-2)(\sqrt{x+7}+3)}$
　　　$=\lim\limits_{x\to 2}\dfrac{1}{\sqrt{x+7}+3}=\dfrac{1}{6}$

$x \geq 1$인 모든 실수 x에서 연속인 함수 $f(x)$가
$$(x-2)f(x)=\sqrt{x-1}-1$$
을 만족시킬 때, $f(2)$의 값은?

① $\dfrac{1}{3}$　　　② $\dfrac{1}{2}$　　　③ $\dfrac{2}{3}$

④ 2　　　⑤ 3

STEP ⓐ $x=2$에서 연속임을 이해하기

$x \neq 2$일 때, $f(x)=\dfrac{\sqrt{x-1}-1}{x-2}$

$x \geq 1$인 모든 실수 x에 대하여 연속이므로 $x=2$에서도 연속이다.

즉 $f(2)=\lim\limits_{x \to 2} f(x)$이다.

STEP ⓑ $f(2)$의 값 구하기

$$\begin{aligned}
f(2) &= \lim_{x \to 2} \frac{\sqrt{x-1}-1}{x-2} = \lim_{x \to 2} \frac{(\sqrt{x-1}+1)(\sqrt{x-1}-1)}{(x-2)(\sqrt{x-1}+1)} \\
&= \lim_{x \to 2} \frac{x-2}{(x-2)(\sqrt{x-1}+1)} \\
&= \lim_{x \to 2} \frac{1}{\sqrt{x-1}+1} = \frac{1}{2}
\end{aligned}$$

 정답 ②

0280

정답 ⑤

STEP ⓐ $f(x)$가 모든 실수 x에서 연속일 조건 이해하기

$x \neq 2$일 때, $f(x)=\dfrac{1}{x-2}\left(\dfrac{1}{3}-\dfrac{1}{x+1}\right)$

$x \neq -1$인 모든 실수 x에서 함수 $f(x)$가 연속이므로 $x=2$에서 연속이다.

즉 $f(2)=\lim\limits_{x \to 2} f(x)$이다.

STEP ⓑ $f(2)$의 값 구하기

$$\begin{aligned}
f(2) &= \lim_{x \to 2} f(x) = \lim_{x \to 2} \frac{1}{x-2}\left(\frac{1}{3}-\frac{1}{x+1}\right) \\
&= \lim_{x \to 2} \frac{1}{x-2} \cdot \frac{x-2}{3(x+1)} \\
&= \lim_{x \to 2} \frac{1}{3(x+1)} = \frac{1}{9}
\end{aligned}$$

$x \neq 1$인 모든 실수 x에서 연속인 함수 $f(x)$가
$$(x+1)f(x)=\frac{1}{2}+\frac{1}{x-1}$$
을 만족시킬 때, $f(-1)$의 값은?

① $-\dfrac{1}{3}$　　　② $-\dfrac{1}{4}$　　　③ $-\dfrac{1}{6}$

④ $-\dfrac{1}{8}$　　　⑤ $-\dfrac{1}{9}$

STEP ⓐ $f(x)$가 모든 실수 x에서 연속일 조건 이해하기

$x \neq -1$일 때, $f(x)=\dfrac{1}{x+1}\left(\dfrac{1}{2}+\dfrac{1}{x-1}\right)$

$x \neq -1$인 모든 실수 x에서 함수 $f(x)$가 연속이므로 $x=-1$에서 연속이다.

즉 $f(-1)=\lim\limits_{x \to -1} f(x)$이다.

STEP ⓑ $f(-1)$의 값 구하기

$$\begin{aligned}
f(-1) &= \lim_{x \to -1} \frac{1}{x+1}\left(\frac{1}{2}+\frac{1}{x-1}\right) = \lim_{x \to -1}\left\{\frac{1}{x+1} \cdot \frac{x+1}{2(x-1)}\right\} \\
&= \lim_{x \to -1} \frac{1}{2(x-1)} = -\frac{1}{4}
\end{aligned}$$

 정답 ②

0281

정답 ③

STEP ⓐ $x \neq 1$일 때, $f(x)$를 구하여 $\lim\limits_{x \to 1} f(x)=f(1)$임을 이용하기

$x \neq 1$일 때, $f(x)=\dfrac{x^2+x-a}{x-1}$

함수 $f(x)$가 실수 전체의 집합에서 연속이므로 $x=1$에서 연속이다.

즉 $\lim\limits_{x \to 1} f(x)=f(1)$이다.

$$f(1)=\lim_{x \to 1} f(x) = \lim_{x \to 1} \frac{x^2+x-a}{x-1} \qquad \cdots\cdots ㉠$$

㉠에서

$x \to 1$일 때, (분모)$\to 0$이고 극한값이 존재하므로 (분자)$\to 0$이어야 한다.

즉 $\lim\limits_{x \to 1}(x^2+x-a)=0$이므로 $1+1-a=0$

$\therefore a=2$

STEP ⓑ $f(1)$값 구하기

$a=2$를 ㉠에 대입하면

$$\begin{aligned}
f(1) &= \lim_{x \to 1} f(x) = \lim_{x \to 1} \frac{x^2+x-2}{x-1} \\
&= \lim_{x \to 1} \frac{(x-1)(x+2)}{x-1} \\
&= \lim_{x \to 1}(x+2) = 3
\end{aligned}$$

따라서 함수 $f(x)$가 연속함수이므로 $f(1)=3$

실수 전체의 집합에서 연속인 함수 $f(x)$가
$$(x-1)f(x)=x^2+x+k$$
를 만족시킬 때, $f(1)$의 값은? (단, k는 상수이다.)

① 1　　　② 2　　　③ 3

④ 4　　　⑤ 5

STEP ⓐ $x \neq 1$일 때, $f(x)$를 구하여 $\lim\limits_{x \to 1} f(x)=f(1)$임을 이용하기

$x \neq 1$일 때, $f(x)=\dfrac{x^2+x+k}{x-1}$

함수 $f(x)$가 실수 전체의 집합에서 연속이므로 $x=1$에서 연속이다.

즉 $\lim\limits_{x \to 1} f(x)=f(1)$이다.

$$f(1)=\lim_{x \to 1} f(x) = \lim_{x \to 1} \frac{x^2+x+k}{x-1} \qquad \cdots\cdots ㉠$$

$x \to 1$일 때, (분모)$\to 0$이고 극한값이 존재하므로 (분자)$\to 0$이어야 한다.

즉 $\lim\limits_{x \to 1}(x^2+x+k)=0$이므로 $1+1+k=0$

$\therefore k=-2$

STEP ⓑ $f(1)$값 구하기

$k=-2$를 ㉠에 대입하면

$$\begin{aligned}
f(1) &= \lim_{x \to 1} \frac{x^2+x-2}{x-1} = \lim_{x \to 1} \frac{(x-1)(x+2)}{x-1} \\
&= \lim_{x \to 1}(x+2) = 3
\end{aligned}$$

따라서 함수 $f(x)$가 연속함수이므로 $f(1)=3$

 정답 ③

0282
정답 ④

STEP Ⓐ $x \neq 1$일 때, $f(x)$를 구하여 $\lim_{x \to 1} f(x) = f(1)$임을 이용하기

$x \neq 1$일 때, $f(x) = \dfrac{x^2 + ax - 5}{x - 1}$

함수 $f(x)$가 실수 전체의 집합에서 연속이므로 $x = 1$에서 연속이다.
즉 $\lim_{x \to 1} f(x) = f(1)$이다.

$$f(1) = \lim_{x \to 1} f(x) = \lim_{x \to 1} \frac{x^2 + ax - 5}{x - 1} \quad \cdots\cdots \ \text{㉠}$$

$x \to 1$일 때, (분모)$\to 0$이고 극한값이 존재하므로 (분자)$\to 0$이어야 한다.
즉 $\lim_{x \to 1}(x^2 + ax - 5) = 0$이므로 $a - 4 = 0$
$\therefore a = 4$

STEP Ⓑ $f(1)$값 구하기

$a = 4$를 ㉠에 대입하면

$$\begin{aligned} f(1) = \lim_{x \to 1} f(x) &= \lim_{x \to 1} \frac{x^2 + 4x - 5}{x - 1} \\ &= \lim_{x \to 1} \frac{(x-1)(x+5)}{x-1} \\ &= \lim_{x \to 1}(x+5) = 6 \end{aligned}$$

따라서 $a + f(1) = 4 + 6 = 10$

0283
정답 ②

STEP Ⓐ 함수 $f(x)$가 $x = -3$에서 연속일 조건 구하기

$(x+3)f(x) = ax^3 + bx$에서 $x \neq -3$일 때,
$f(x) = \dfrac{ax^3 + bx}{x + 3}$
함수 $f(x)$가 모든 실수에서 연속이므로 $x = -3$에서도 연속이다.
즉 $\lim_{x \to -3} f(x) = f(-3)$

STEP Ⓑ 극한값이 존재하고 (분모)$\to 0$이므로 (분자)$\to 0$이어야 함을 이용하여 a, b의 값 구하기

$f(-3) = \lim_{x \to -3} \dfrac{ax^3 + bx}{x+3}$
$x \to -3$일 때, (분모)$\to 0$이고 극한값이 존재하므로 (분자)$\to 0$이어야 한다.
즉 $\lim_{x \to -3}(ax^3 + bx) = 0$이므로 $-27a - 3b = 0$ $\cdots\cdots$ ㉠

또, $f(2) = 4$이므로 $f(2) = \dfrac{8a + 2b}{5} = 4$에서

$4a + b = 10 \qquad\qquad \cdots\cdots$ ㉡
㉠, ㉡을 연립하여 풀면 $a = -2$, $b = 18$

STEP Ⓒ $f(-3)$의 값 구하기

$$\begin{aligned} \text{따라서 } f(-3) = \lim_{x \to -3} f(x) &= \lim_{x \to -3} \frac{-2x^3 + 18x}{x+3} \\ &= \lim_{x \to -3} \frac{-2x(x-3)(x+3)}{x+3} \\ &= \lim_{x \to -3} \{-2x(x-3)\} \\ &= -36 \end{aligned}$$

내/신/연/계/ 출제문항 117

모든 실수 x에서 연속인 함수 $f(x)$가
$$(x-3)f(x) = 2x^2 + ax - b$$
를 만족시키고, $f(4) = 9$일 때, $f(3)$의 값은? (단, a, b는 상수)

① 5 　　　　 ② 6 　　　　 ③ 7
④ 8 　　　　 ⑤ 9

STEP Ⓐ 함수 $f(x)$가 $x = 3$에서 연속일 조건 구하기

$x \neq 3$일 때, $f(x) = \dfrac{2x^2 + ax - b}{x - 3}$이므로
모든 실수 x에서 함수 $f(x)$가 연속이려면 $x = 3$에서 연속이어야 하므로
$\lim_{x \to 3} f(x) = f(3)$이다.

STEP Ⓑ 극한값이 존재하고 (분모)$\to 0$이므로 (분자)$\to 0$이어야 함을 이용하여 a, b의 값 구하기

이때 $\lim_{x \to 3} f(x) = \lim_{x \to 3} \dfrac{2x^2 + ax - b}{x - 3}$
$x \to 3$일 때, (분모)$\to 0$이고 극한값이 존재하므로 (분자)$\to 0$이다.
즉 $\lim_{x \to 3}(2x^2 + ax - b) = 0$이므로
$18 + 3a - b = 0 \qquad\qquad \cdots\cdots$ ㉠
또, $(x-3)f(x) = 2x^2 + ax - b$의 양변에 $x = 4$를 대입하면
$(4-3)f(4) = 32 + 4a - b$
$f(4) = 9$에서 $4a - b = -23 \qquad \cdots\cdots$ ㉡
㉠, ㉡을 연립하여 풀면 $a = -5$, $b = 3$

STEP Ⓒ $f(3)$의 값 구하기

$$\begin{aligned} \text{따라서 } f(3) = \lim_{x \to 3} \frac{2x^2 - 5x - 3}{x - 3} &= \lim_{x \to 3} \frac{(x-3)(2x+1)}{x-3} \\ &= \lim_{x \to 3}(2x+1) = 7 \end{aligned}$$

정답 ③

0284
정답 ④

STEP Ⓐ 함수 $f(x)$가 $x = -1$에서 연속일 조건 구하기

$x \neq -1$일 때, $f(x) = \dfrac{ax^2 - bx}{x + 1}$이므로
함수 $f(x)$는 모든 실수 x에서 연속이려면 $x = -1$에서 연속이어야 하므로
$\lim_{x \to -1} f(x) = f(-1)$이다.

STEP Ⓑ 극한값이 존재하고 (분모)$\to 0$이므로 (분자)$\to 0$이어야 함을 이용하여 a, b의 값 구하기

$f(-1) = \lim_{x \to -1} \dfrac{ax^2 - bx}{x + 1}$
$x \to -1$일 때, (분모)$\to 0$이고 극한값이 존재하므로 (분자)$\to 0$이다.
즉 $\lim_{x \to -1}(ax^2 - bx) = 0$이므로 $a + b = 0$ $\cdots\cdots$ ㉠
또, $(x+1)f(x) = ax^2 - bx$의 양변에 $x = 1$을 대입하면
$2 \times f(1) = 2 \times 3 = a - b$ $\therefore a - b = 6 \qquad \cdots\cdots$ ㉡
㉠, ㉡을 연립하여 풀면 $a = 3$, $b = -3$

STEP Ⓒ $f(-1)$의 값 구하기

따라서 $f(-1) = \lim_{x \to -1} \dfrac{3x^2 + 3x}{x + 1} = \lim_{x \to -1} \dfrac{3x(x+1)}{x+1} = \lim_{x \to -1} 3x = -3$

0285

정답 ⑤

STEP A 함수 $f(x)$가 $x=a$에서 연속일 조건 구하기

$x \neq a$일 때, $f(x) = \dfrac{x^2-x+b}{x-a}$ 이므로

모든 실수 x에서 함수 $f(x)$가 연속이려면 $x=a$에서 연속이어야 하므로

$f(a) = \lim\limits_{x \to a} f(x)$ 이다.

STEP B 극한값이 존재하고 (분모)$\to 0$이므로 (분자)$\to 0$이어야 함을 이용하여 a, b의 값 구하기

$f(a) = \lim\limits_{x \to a} \dfrac{x^2-x+b}{x-a}$ ...... ㉠

$x \to a$일 때, (분모)$\to 0$이고 극한값이 존재하므로 (분자)$\to 0$이다.

즉 $\lim\limits_{x \to a}(x^2-x+b)=0$이므로 $a^2-a+b=0$

$\therefore b = -a^2+a$ ...... ㉡

STEP C $a+b+f(1)$의 값 구하기

$b = -a^2+a$을 ㉠에 대입하면

$f(a) = \lim\limits_{x \to a} \dfrac{x^2-x-a^2+a}{x-a} = \lim\limits_{x \to a} \dfrac{(x-a)(x+a-1)}{x-a}$

$\qquad = \lim\limits_{x \to a}(x+a-1) = 2a-1$

$2a-1=3$이므로 $a=2$

㉡에서 $b=-4+2=-2$

$f(x) = \dfrac{x^2-x-2}{x-2}$ 이므로 $f(1)=2$

따라서 $a+b+f(1) = 2+(-2)+2 = 2$

0286

정답 ③

STEP A 함수 $f(x)$가 $x=-1$, $x=1$에서 연속일 조건 구하기

$x \neq -1$, $x \neq 1$일 때,

$f(x) = \dfrac{ax^3+bx^2-ax-b}{x^2-1} = ax+b$

함수 $f(x)$가 실수 전체의 집합에서 연속이려면

$f(x)$는 $x=-1$, $x=1$에서도 연속이어야 한다.

즉 $\lim\limits_{x \to -1} f(x) = f(-1)$, $\lim\limits_{x \to 1} f(x) = f(1)$이다.

STEP B $x=-1$에서 연속이기 위한 a, b의 관계식 구하기

$x=-1$에서 연속이므로

$f(-1) = \lim\limits_{x \to -1} \dfrac{ax^3+bx^2-ax-b}{x^2-1} = \lim\limits_{x \to -1} \dfrac{(ax+b)(x^2-1)}{x^2-1}$

$\qquad = \lim\limits_{x \to -1}(ax+b)$

$f(-1)=1$이므로 $-a+b=1$ ...... ㉠

STEP C $x=1$에서 연속이기 위한 a, b의 관계식 구하기

$x=1$에서 연속이므로

$f(1) = \lim\limits_{x \to 1} \dfrac{ax^3+bx^2-ax-b}{x^2-1} = \lim\limits_{x \to 1} \dfrac{(ax+b)(x^2-1)}{x^2-1}$

$\qquad = \lim\limits_{x \to 1}(ax+b)$

$f(1)=2$이므로 $a+b=2$ ...... ㉡

㉠, ㉡을 연립하여 풀면 $a = \dfrac{1}{2}$, $b = \dfrac{3}{2}$

따라서 $ab = \dfrac{3}{4}$

모든 실수에서 연속인 함수 $f(x)$가

$$(x^2-1)f(x) = ax^3+bx^2-ax-b, \quad f(1)=3, \quad f(-1)=-1$$

을 만족할 때, 상수 a, b에 대하여 $a+b$의 값은?

① -3 ② -2 ③ 1

④ 2 ⑤ 3

STEP A $f(x)$의 식 정리하기

$(x^2-1)f(x) = ax^3+bx^2-ax-b$에서 $x \neq -1$, $x \neq 1$이면

$f(x) = \dfrac{ax(x^2-1)+b(x^2-1)}{x^2-1} = \dfrac{(ax+b)(x^2-1)}{x^2-1} = ax+b$

STEP B $x=-1$, $x=1$에서 연속임을 이용하여 a, b의 값 구하기

이때 $f(1)=3$, $f(-1)=-1$이므로 $x=-1$, $x=1$에서 연속이려면

$f(1) = \lim\limits_{x \to 1} f(x) = \lim\limits_{x \to 1}(ax+b) = a+b = 3$ ...... ㉠

$f(-1) = \lim\limits_{x \to -1} f(x) = \lim\limits_{x \to -1}(ax+b) = -a+b = -1$ ...... ㉡

㉠, ㉡을 연립하여 풀면 $a=2$, $b=1$

따라서 $a+b=3$

정답 ⑤

0287

정답 ③

STEP A 함수 $f(x)$가 $x=1$, $x=2$에서 연속일 조건 구하기

$x \neq 1$, $x \neq 2$이면 $f(x) = \dfrac{x^3+ax+b}{x^2-3x+2}$

함수 $f(x)$가 실수 전체의 집합에서 연속이므로

$f(x)$는 $x=1$, $x=2$에서도 연속이다.

즉 $\lim\limits_{x \to 1} f(x) = f(1)$, $\lim\limits_{x \to 2} f(x) = f(2)$이다.

STEP B $x=1$에서 연속이기 위한 a, b의 관계식 구하기

$x=1$에서 연속이므로

$f(1) = \lim\limits_{x \to 1} \dfrac{x^3+ax+b}{x^2-3x+2}$에서

$x \to 1$일 때, (분모)$\to 0$이고 극한값이 존재하므로 (분자)$\to 0$이다.

즉 $\lim\limits_{x \to 1}(x^3+ax+b)=0$이므로 $1+a+b=0$

$\therefore a+b = -1$ ...... ㉠

STEP C $x=2$에서 연속이기 위한 a, b의 관계식 구하기

$x=2$에서 연속이므로

$f(2) = \lim\limits_{x \to 2} \dfrac{x^3+ax+b}{x^2-3x+2}$에서

$x \to 2$일 때, (분모)$\to 0$이고 극한값이 존재하므로 (분자)$\to 0$이다.

즉 $\lim\limits_{x \to 2}(x^3+ax+b)=0$이므로 $8+2a+b=0$

$\therefore 2a+b = -8$ ...... ㉡

㉠, ㉡을 연립하여 풀면 $a=-7$, $b=6$

STEP D $f(1)+f(2)$의 값 구하기

$a=-7$, $b=6$이므로

$f(x) = \dfrac{x^3-7x+6}{x^2-3x+2} = \dfrac{(x+3)(x-1)(x-2)}{(x-1)(x-2)}$

$f(1) = \lim\limits_{x \to 1} f(x) = \lim\limits_{x \to 1} \dfrac{(x+3)(x-1)(x-2)}{(x-1)(x-2)} = \lim\limits_{x \to 1}(x+3) = 4$

$f(2) = \lim\limits_{x \to 2} f(x) = \lim\limits_{x \to 2} \dfrac{(x+3)(x-1)(x-2)}{(x-1)(x-2)} = \lim\limits_{x \to 2}(x+3) = 5$

따라서 $f(1)+f(2)=9$

모든 실수 x에서 연속인 함수 $f(x)$가

$$(x^2-4)f(x)=x^3+ax+b$$

를 만족시킬 때, $f(-2)+f(2)$의 값은? (단, a, b는 상수)

① -2 ② -1 ③ 0
④ 1 ⑤ 2

STEP Ⓐ 함수 $f(x)$가 $x=-2$, $x=2$에서 연속일 조건 구하기

$x \neq -2$, $x \neq 2$일 때, $f(x)=\dfrac{x^3+ax+b}{x^2-4}$

함수 $f(x)$가 실수 전체의 집합에서 연속이려면 $f(x)$는

$x=-2$, $x=2$이어야 하므로 $\lim\limits_{x\to -2}f(x)=f(-2)$, $\lim\limits_{x\to 2}f(x)=f(2)$이다.

STEP Ⓑ $x=-2$에서 연속이기 위한 a, b의 관계식 구하기

$x=-2$에서 연속이므로 $f(-2)=\lim\limits_{x\to -2}\dfrac{x^3+ax+b}{x^2-4}$에서

$x\to -2$일 때, (분모)$\to 0$이고 극한값이 존재하므로 (분자)$\to 0$이다.

즉 $\lim\limits_{x\to -2}(x^3+ax+b)=0$이므로 $-8-2a+b=0$

$\therefore -2a+b=8$ ······ ㉠

STEP Ⓒ $x=2$에서 연속이기 위한 a, b의 관계식 구하기

$x=2$에서 연속이므로 $f(2)=\lim\limits_{x\to 2}\dfrac{x^3+ax+b}{x^2-4}$에서

$x\to 2$일 때, (분모)$\to 0$이고 극한값이 존재하므로 (분자)$\to 0$이다.

즉 $\lim\limits_{x\to 2}(x^3+ax+b)=0$이므로 $8+2a+b=0$

$\therefore 2a+b=-8$ ······ ㉡

㉠, ㉡을 연립하여 풀면 $a=-4$, $b=0$

STEP Ⓓ $f(-2)+f(2)$의 값 구하기

따라서 $x\neq -2$, $x\neq 2$일 때, $f(x)=\dfrac{x^3-4x}{x^2-4}=x$이므로

$f(-2)+f(2)=\lim\limits_{x\to -2}f(x)+\lim\limits_{x\to 2}f(x)=-2+2=0$ 정답 ③

0288   정답 ①

STEP Ⓐ $x=0$에서 좌극한, 우극한, 함숫값이 모두 같음을 이용하기

함수 $f(g(x))$가 $x=0$에서 연속이므로 $\lim\limits_{x\to 0}f(g(x))=f(g(0))$

$\lim\limits_{x\to 0-}f(g(x))=f(-1)=1-a$

$\lim\limits_{x\to 0+}f(g(x))=f(1)=1+a$

$f(g(0))=f(-1)=1-a$

따라서 $1-a=1+a$에서 $a=0$

0289   정답 ③

STEP Ⓐ 함수 $g(f(x))$가 모든 실수 x에서 연속일 조건 이해하기

함수 $g(f(x))$가 $x=2$에서 연속이면 함수 $g(f(x))$는 모든 실수 x에서 연속이다.

STEP Ⓑ $x=2$에서 좌극한, 우극한, 함숫값이 모두 같음을 이용하기

(i) $x<2$일 때, $g(f(x))=g(x^2-3)=(x^2-3)^2+k(x^2-3)$

$\lim\limits_{x\to 2-}g(f(x))=k+1$

(ii) $x\geq 2$일 때, $g(f(x))=g(4-x)=(4-x)^2+k(4-x)$

$\lim\limits_{x\to 2+}g(f(x))=2k+4$

(i), (ii)에서 $x=2$에서 연속이므로 $\lim\limits_{x\to 2-}g(f(x))=\lim\limits_{x\to 2+}g(f(x))=g(f(2))$

따라서 $k+1=2k+4$이므로 $k=-3$

두 함수

$$f(x)=\begin{cases}x^2-x+2a & (x\geq 1)\\ 3x+a & (x<1)\end{cases},\ g(x)=x^2+ax+3$$

에 대하여 합성함수 $(g\circ f)(x)$가 실수 전체의 집합에서 연속이 되도록 하는 모든 상수 a의 값의 합은?

① $\dfrac{7}{4}$ ② $\dfrac{15}{8}$ ③ 2
④ $\dfrac{17}{8}$ ⑤ $\dfrac{9}{4}$

STEP Ⓐ $(g\circ f)(x)$가 실수 전체의 집합에서 연속일 조건 이해하기

$f(x)$는 $x\neq 1$인 모든 실수 x에서 연속이고 $g(x)$는 모든 실수에서 연속이므로 $(g\circ f)(x)$는 $x\neq 1$인 모든 실수에서 연속이다.

이때 $(g\circ f)(x)$가 모든 실수에서 연속이므로 $x=1$에서 연속이어야 한다.

즉 $\lim\limits_{x\to 1+}g(f(x))=\lim\limits_{x\to 1-}g(f(x))=g(f(1))$

STEP Ⓑ $x=1$에서 좌극한, 우극한, 함숫값이 모두 같음을 이용하여 a의 값 구하기

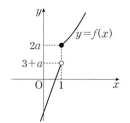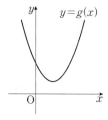

$g(f(1))=g(2a)=4a^2+2a^2+3=6a^2+3$

$\lim\limits_{x\to 1+}g(f(x))=\lim\limits_{x\to 1+}g(x^2-x+2a)=g(2a)=4a^2+2a^2+3=6a^2+3$

$\lim\limits_{x\to 1-}g(f(x))=\lim\limits_{x\to 1-}g(3x+a)=g(3+a)=(3+a)^2+a(3+a)+3$

$\qquad\qquad\qquad\qquad\qquad =2a^2+9a+12$

이므로 $6a^2+3=2a^2+9a+12$이어야 하므로

$4a^2-9a-9=0$, $(a-3)(4a+3)=0$

$\therefore a=3$ 또는 $a=-\dfrac{3}{4}$

따라서 구하는 모든 상수 a의 값의 합은 $\dfrac{9}{4}$ 정답 ⑤

0290   정답 ④

STEP Ⓐ $x=2$에서 좌극한, 우극한, 함숫값이 모두 같음을 이용하기

합성함수 $y=(f\circ f)(x)$가 $x=2$에서 연속이므로

$\lim\limits_{x\to 2}(f\circ f)(x)=(f\circ f)(2)$

$\lim\limits_{x\to 2}f(x)=\lim\limits_{x\to 2}\dfrac{x^2-4}{x-2}=\lim\limits_{x\to 2}\dfrac{(x-2)(x+2)}{x-2}=\lim\limits_{x\to 2}(x+2)=4$

$\lim\limits_{x\to 2}(f\circ f)(x)=f(4)=\dfrac{4^2-4}{4-2}=6$

$(f\circ f)(2)=f(f(2))=f(a)=\dfrac{a^2-4}{a-2}\ (a\neq 2)$

즉 $\dfrac{a^2-4}{a-2}=6$에서 $a^2-4=6a-12$, $a^2-6a+8=0$

$(a-2)(a-4)=0$

따라서 $a\neq 2$이므로 $a=4$

0291

STEP Ⓐ $(g \circ f)(x)$**가 실수 전체의 집합에서 연속일 조건 이해하기**

최고차항의 계수가 1이고 $g(0)=3$을 만족하는 삼차함수 $g(x)$를
$g(x)=x^3+ax^2+bx+3$ (a, b는 상수)라고 하면
$g(x)$는 모든 실수에서 연속이고 $f(x)$는 $x=0$, $x=1$에서 불연속이므로
합성함수 $(g \circ f)(x)$가 실수 전체의 집합에서 연속이려면 $x=0$, $x=1$에서도
연속이어야 한다.

STEP Ⓑ $x=0$, $x=1$**에서** $(g \circ f)(x)$**가 연속임을 이용하여** a, b **사이의 관계식 구하기**

(i) 함수 $(g \circ f)(x)$가 $x=0$에서 연속이어야 하므로 $g(f(0))=g(0)=3$이고
$f(x)=t$로 놓으면 $y=f(x)$의 그래프에서
$x \to 0$일 때, $t \to 1-$이므로 $\lim\limits_{x \to 0} g(f(x)) = \lim\limits_{t \to 1-} g(t) = g(1)$
즉 $\lim\limits_{x \to 0} g(f(x)) = g(f(0))$이므로 $a+b+4=3$
$\therefore a+b=-1$ ...... ㉠

(ii) 함수 $(g \circ f)(x)$가 $x=1$에서 연속이어야 하므로 $g(f(1))=g(0)=3$이고
$f(x)=t$로 놓으면 $y=f(x)$의 그래프에서
$x \to 1+$일 때, $t \to -1+$이므로 $\lim\limits_{x \to 1+} g(f(x)) = \lim\limits_{t \to -1+} g(t) = g(-1)$
$x \to 1-$일 때, $t \to 0+$이므로 $\lim\limits_{x \to 1-} g(f(x)) = \lim\limits_{t \to 0+} g(t) = g(0)$
즉 $\lim\limits_{x \to 1+} g(f(x)) = \lim\limits_{x \to 1-} g(f(x)) = g(f(1))$이므로 $a-b+2=3$
$\therefore a-b=1$ ...... ㉡
㉠, ㉡을 연립하여 풀면 $a=0$, $b=-1$

STEP Ⓒ $g(3)$**의 값 구하기**

따라서 $g(x)=x^3-x+3$이므로 $g(3)=27-3+3=27$

내/신/연/계/ 출제문항 **121**

실수 전체의 집합에서 정의된 함수 $f(x)$의
그래프가 오른쪽 그림과 같다.
함수 $g(x)=x^3+ax^2+bx+1$에 대하여
합성함수 $g(f(x))$가 모든 실수 x에서 연
속일 때, 상수 a, b에 대하여 ab의 값은?

① -8 ② -6
③ -4 ④ -2
⑤ -1

STEP Ⓐ $(g \circ f)(x)$**가 실수 전체의 집합에서 연속일 조건 이해하기**

함수 $f(x)$가 $x=1$에서 불연속이고 함수 $g(x)$는 실수 전체에서 연속이므로
합성함수 $g(f(x))$가 모든 실수에서 연속이므로 $x=1$에서 연속이어야 한다.
즉 $\lim\limits_{x \to 1+} g(f(x)) = \lim\limits_{x \to 1-} g(f(x)) = g(f(1))$

STEP Ⓑ $x=1$**에서** $(g \circ f)(x)$**가 연속임을 이용하여** a, b **사이의 관계식 구하기**

$f(x)=t$로 놓으면 $y=f(x)$의 그래프에서 $x \to 1+$일 때, $t \to 2+$이므로
$\lim\limits_{x \to 1+} g(f(x)) = \lim\limits_{t \to 2+} g(t) = g(2) = 8+4a+2b+1 = 9+4a+2b$
$x \to 1-$일 때, $t \to 0-$이므로 $\lim\limits_{x \to 1-} g(f(x)) = \lim\limits_{t \to 0-} g(t) = g(0)=1$이고
$g(f(1))=g(1)=1+a+b+1=2+a+b$이므로
$9+4a+2b=1=2+a+b$이 성립하므로
$2a+b=-4$, $a+b=-1$을 연립하여 풀면 $a=-3$, $b=2$

STEP Ⓒ ab**의 값 구하기**

따라서 $ab=-6$

 정답 ②

0292

STEP Ⓐ $f(x)=t$ **라 두고** $x=2$**에서 연속임을 이용하기**

합성함수 $(g \circ f)(x)$가 실수 전체에서 연속이므로
$x=2$에서도 연속이어야 한다.
함수 $g(x)$는 다항함수이므로 모든 실수에서 연속이다.
$f(x)=t$로 놓으면 $y=f(x)$의 그래프에서
$x \to 2-$일 때, $t \to 0-$이므로 $\lim\limits_{x \to 2-} g(f(x)) = \lim\limits_{t \to 0-} g(t) = g(0)$
$x \to 2+$일 때, $t \to 2-$이므로 $\lim\limits_{x \to 2+} g(f(x)) = \lim\limits_{t \to 2-} g(t) = g(2)$
이고 $g(f(2))=g(1)$
이므로 $\lim\limits_{x \to 2-} g(f(x)) = \lim\limits_{x \to 2+} g(f(x)) = g(f(2)) = g(1)$
즉 $g(0)=g(2)=g(1)$

STEP Ⓑ $g(1)$, $g(2)$**의 값 구하기**

따라서 $g(0)=10$이므로 $g(1)+g(2)=10+10=20$

0293

STEP Ⓐ **함수** $(f \circ g)(x)$**가** $x=2$**에서 극한값과 함숫값 구하기**

이차함수
$g(x)=x^2-4x+k=(x-2)^2+k-4$
는 모든 실수에서 연속이다.
이때 함수 $(f \circ g)(x)$의 $x=2$에서
극한값은 $g(x)=t$라 하면
오른쪽 $y=g(x)$의 그래프에서
$x \to 2$일 때, $t \to (k-4)+$이므로
$\lim\limits_{x \to 2} f(g(x)) = \lim\limits_{t \to (k-4)+} f(t)$
또한, 함수 $f(g(x))$가 $x=2$에서 함숫값은 $f(g(2))=f(k-4)$이다.

STEP Ⓑ **함수** $(f \circ g)(x)$**가** $x=2$**에서 불연속이 되는** k**의 값 구하기**

함수 $(f \circ g)(x)$가 $x=2$에서 불연속이려면
$\lim\limits_{t \to (k-4)+} f(t) \neq f(k-4)$이어야 한다.
즉 함수 $f(x)$의 $x=k-4$의 우극한값과 함숫값이 서로 다르므로
$k-4=2$ 또는 $k-4=3$
$\therefore k=6$ 또는 $k=7$
따라서 k의 값의 합은 $6+7=13$

> **참고**
>
> $x=1$에서는 $\lim\limits_{x \to 1+} f(x) = f(1)=3$
>
> $x=2$에서는 $\lim\limits_{x \to 2} f(x)=2$, $f(2)=1$
>
> $\therefore \lim\limits_{x \to 2+} f(x) \neq f(2)$
>
> $x=3$에서는 $\lim\limits_{x \to 3+} f(x)=2$, $f(3)=1$
>
> $\therefore \lim\limits_{x \to 3+} f(x) \neq f(3)$
>
>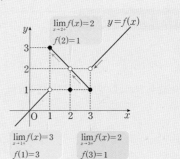

0294

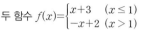

STEP Ⓐ $x=1$에서 $f(x)g(x)$의 함숫값과 극한값 구하기

두 함수 $f(x)=\begin{cases} x+3 & (x \leq 1) \\ -x+2 & (x > 1) \end{cases}$

의 그래프는 오른쪽 그림과 같다.

$\lim_{x \to 1+} f(x)g(x) = \lim_{x \to 1+} f(x) \cdot \lim_{x \to 1+} g(x)$
$\qquad = \lim_{x \to 1+}(-x+2) \cdot \lim_{x \to 1+}(x+a)$
$\qquad = (-1+2) \cdot (1+a) = a+1$

$\lim_{x \to 1-} f(x)g(x) = \lim_{x \to 1-} f(x) \cdot \lim_{x \to 1-} g(x)$
$\qquad = \lim_{x \to 1-}(x+3) \cdot \lim_{x \to 1-}(x+a)$
$\qquad = (1+3) \cdot (1+a) = 4a+4$

$x=1$에서 함숫값은 $f(1)g(1)=(1+3) \cdot (1+a)=4a+4$

STEP Ⓑ $x=1$에서 연속이 되도록 하는 상수 a의 값 구하기

함수 $f(x)g(x)$가 $x=1$에서 연속이려면
$\lim_{x \to 1+} f(x)g(x) = \lim_{x \to 1-} f(x)g(x) = f(1)g(1)$이어야 하므로
$a+1=4a+4$, $3a=-3$
따라서 $a=-1$

다른풀이 함수 $f(x)$가 $x=1$에서 불연속이므로 $g(1)=0$임을 이용하여 풀이하기

함수 $f(x)$가 $x=1$에서 불연속이고 $f(x)g(x)$가 $x=1$에서 연속이므로
$g(1)=0$이어야 한다.
즉 $g(1)=1+a=0$ $\therefore a=-1$

0295

STEP Ⓐ $x=3$에서 $f(x)g(x)$의 연속일 조건 구하기

함수 $f(x)g(x)$가 $x=3$에서 연속이므로
$\lim_{x \to 3} f(x)g(x) = f(3)g(3)$

STEP Ⓑ $x=3$에서 $f(x)g(x)$의 함숫값과 극한값 구하기

$f(3)=1$, $g(3)=3+a$이므로 $f(3)g(3)=3+a$
$\lim_{x \to 3+} f(x)g(x) = \lim_{x \to 3+}(x-2)(x+a)=3+a$
$\lim_{x \to 3-} f(x)g(x) = \lim_{x \to 3-}(x-1)(x+a)=2(3+a)=6+2a$
따라서 $3+a=6+2a$이므로 $a=-3$

다른풀이 함수 $f(x)$가 $x=3$에서 불연속이므로 $g(3)=0$임을 이용하여 풀이하기

함수 $f(x)$가 $x=3$에서 불연속이고 $f(x)g(x)$가 $x=3$에서 연속이므로
$g(3)=0$이어야 한다.
즉 $g(3)=3+a=0$ $\therefore a=-3$

내/신/연/계/ 출제문항 122

두 함수
$$f(x)=\begin{cases} 2x+1 & (x \geq 3) \\ -x+5 & (x < 3) \end{cases}, g(x)=x+k$$
에 대하여 함수 $f(x)g(x)$가 $x=3$에서 연속일 때, 상수 k의 값은?

① -3 ② -2 ③ -1
④ 1 ⑤ 2

STEP Ⓐ $x=3$에서 $f(x)g(x)$의 연속일 조건 구하기

함수 $f(x)g(x)$가 $x=3$에서 연속이므로
$\lim_{x \to 3} f(x)g(x) = f(3)g(3)$

STEP Ⓑ $x=3$에서 $f(x)g(x)$의 함숫값과 극한값 구하기

$f(3)=7$, $g(3)=3+k$이므로 $f(3)g(3)=7(3+k)$
$\lim_{x \to 3+} f(x)g(x) = \lim_{x \to 3+}(2x+1)(x+k)=7(3+k)$
$\lim_{x \to 3-} f(x)g(x) = \lim_{x \to 3-}(-x+5)(x+k)=2(3+k)$
따라서 $7(3+k)=2(3+k)$이므로 $k=-3$

다른풀이 함수 $f(x)$가 $x=3$에서 불연속이므로 $g(3)=0$임을 이용하여 풀이하기

함수 $f(x)$가 $x=3$에서 불연속이고 $f(x)g(x)$가 $x=3$에서 연속이므로
$g(3)=0$이어야 한다.
즉 $g(3)=3+k=0$ $\therefore k=-3$

0296

STEP Ⓐ $x=1$에서 $f(x)g(x)$의 함숫값과 극한값 구하기

$\lim_{x \to 1-} f(x)g(x) = \lim_{x \to 1-} f(x) \cdot \lim_{x \to 1-} g(x)=1 \cdot (1+a-9)=a-8$
$\lim_{x \to 1+} f(x)g(x) = \lim_{x \to 1+} f(x) \cdot \lim_{x \to 1+} g(x)=4 \cdot (1+a-9)=4(a-8)$
$x=1$에서 함숫값은 $f(1)g(1)=4(a-8)$

STEP Ⓑ $f(x)g(x)$가 $x=1$에서 연속이 되는 a 구하기

함수 $f(x)g(x)$가 $x=1$에서 연속이려면
$\lim_{x \to 1+} f(x)g(x) = \lim_{x \to 1-} f(x)g(x) = f(1)g(1)$이어야 하므로
$a-8=4(a-8)$, $3a=24$
따라서 $a=8$

다른풀이 함수 $f(x)$가 $x=1$에서 불연속이므로 $g(1)=0$임을 이용하여 풀이하기

함수 $f(x)$가 $x=1$에서 불연속이고 $f(x)g(x)$가 $x=1$에서 연속이므로
$g(1)=0$이어야 한다.
즉 $g(1)=1+a-9=0$ $\therefore a=8$

0297

STEP Ⓐ 함수 $f(x)g(x)$가 모든 실수 전체에서 연속이기 위한 조건 구하기

함수 $f(x)$는 $x \neq -1$인 모든 실수 x에서 연속이고
일차함수 $g(x)$는 실수 전체의 집합에서 연속이다.
함수 $f(x)g(x)$가 $x=-1$에서 연속이면 실수 전체의 집합에서 연속이다.

STEP Ⓑ 함수 $f(x)g(x)$가 $x=-1$에서 연속임을 이용하여 a의 값 구하기

$\lim_{x \to -1-} f(x)g(x) = \lim_{x \to -1-} f(x) \cdot \lim_{x \to -1-} g(x)$
$\qquad = \lim_{x \to -1-}(x+a) \cdot \lim_{x \to -1-}(x-a)$
$\qquad = (-1+a)(-1-a)$
$\qquad = -(a-1)(a+1)$

$\lim_{x \to -1+} f(x)g(x) = \lim_{x \to -1+} f(x) \cdot \lim_{x \to -1+} g(x)$
$\qquad = \lim_{x \to -1+} x^2 \cdot \lim_{x \to -1+}(x-a)$
$\qquad = 1 \cdot (-1-a)$
$\qquad = -(a+1)$

$f(-1)g(-1)=1 \cdot (-1-a)=-(a+1)$

이때 함수 $f(x)g(x)$가 $x=-1$에서 연속이려면
$\lim_{x \to -1-} f(x)g(x) = \lim_{x \to -1+} f(x)g(x) = f(-1)g(-1)$이어야 하므로
$-(a-1)(a+1)=-(a+1)$, 즉 $(a+1)(a-2)=0$
$\therefore a=-1$ 또는 $a=2$
따라서 구하는 모든 상수 a의 값의 합은 $-1+2=1$

함수 $f(x)$는 $x \neq -1$인 모든 실수 x에서 연속이고
일차함수 $g(x)$는 모든 실수 x에서 연속이다.

이때 $\lim\limits_{x \to -1^-} f(x)$, $\lim\limits_{x \to -1^+} f(x)$, $f(-1)$의 값이 존재하므로

함수 $f(x)g(x)$가 $x=-1$에서 연속인 경우는 다음 두 가지가 있다.

(i) 함수 $f(x)$가 $x=-1$에서 연속일 때,

　　$\lim\limits_{x \to -1^-} f(x) = \lim\limits_{x \to -1^+} f(x) = f(-1)$이어야 하므로 $-1+a=1$에서 $a=2$

(ii) $g(-1)=0$일 때,

　　$g(-1)=-1-a=0$에서 $a=-1$

0298

 정답 ⑤

STEP ④ 함수 $f(x)g(x)$가 $x=a$에서 연속임을 이해하기

함수 $f(x)=\begin{cases} x+3 & (x \leq a) \\ x^2-x & (x > a) \end{cases}$는 $x=a$를 제외한 실수 전체에서 연속이고

일차함수 $g(x)$는 실수 전체에서 연속이므로 $f(x)g(x)$가 실수 전체에서

연속이려면 $f(x)g(x)$가 $x=a$에서 연속이면 된다.

STEP ⑧ $\lim\limits_{x \to a} f(x)g(x)=f(a)g(a)$를 이용하여 a 구하기

$\lim\limits_{x \to a^-} f(x)g(x) = \lim\limits_{x \to a^-}(x+3)\{x-(2a+7)\}=(a+3)(-a-7)$

$\lim\limits_{x \to a^+} f(x)g(x) = \lim\limits_{x \to a^+}(x^2-x)\{x-(2a+7)\}=(a^2-a)(-a-7)$

$x=a$에서 함숫값은 $f(a)g(a)=(a+3)(-a-7)$

$f(x)g(x)$가 $x=a$에서 연속이므로

$\lim\limits_{x \to a^-} f(x)g(x) = \lim\limits_{x \to a^+} f(x)g(x) = f(a)g(a)$이어야 하므로

$(a+3)(-a-7)=(a^2-a)(-a-7)$이므로

$(-a-7)\{(a+3)-(a^2-a)\}=0$

$(a+7)(a^2-2a-3)=0$, $(a+7)(a-3)(a+1)=0$

$\therefore a=-7$ 또는 $a=-1$ 또는 $a=3$

따라서 모든 실수 a의 값의 곱은 $(-1) \cdot 3 \cdot (-7)=21$

다른풀이 ⟩ 함수 $f(x)$가 $x=a$에서 연속일 때와 불연속일 때로 나누어 풀이하기

함수 $f(x)g(x)$가 실수 전체의 집합에서 연속이 되려면

함수 $f(x)$가 $x=a$에서 연속이거나 ◀ 연속×연속=연속

$g(a)=0$이어야 한다. ◀ 함수 $f(x)$가 $x=a$에서 불연속이면 $g(a)=0$

(i) 함수 $f(x)$가 $x=a$에서 연속일 때,

　　$\lim\limits_{x \to a^+} f(x) = \lim\limits_{x \to a^-} f(x) = f(a)$에서

　　$\lim\limits_{x \to a^+} f(x) = \lim\limits_{x \to a^+}(x^2-x)=a^2-a$

　　$\lim\limits_{x \to a^-} f(x) = \lim\limits_{x \to a^-}(x+3)=a+3$이므로

　　$a^2-a=a+3$, $a^2-2a-3=0$, $(a-3)(a+1)=0$

　　$\therefore a=-1$ 또는 $a=3$

(ii) 함수 $f(x)$가 $x=a$에서 불연속일 때,

　　$g(a)=-a-7=0$이어야 한다.

　　$\therefore a=-7$

(i), (ii)에 의하여 모든 실수 a의 값의 곱은 $(-1) \cdot 3 \cdot (-7)=21$

0299

정답 ①

STEP ④ 이차함수 $f(x)=x^2+ax+b$라 놓고 $g(x)$가 불연속인 점 찾기

$f(x)$의 최고차항의 계수가 1이므로 $f(x)=x^2+ax+b$ (a, b는 실수)라 하면

함수 $f(x)$는 모든 실수에서 연속이고 함수 $g(x)$는 $x=0$, $x=2$에서

불연속이므로 함수 $f(x)g(x)$가 실수 전체 집합에서 연속이기 위해서는

함수 $f(x)g(x)$가 $x=0$, $x=2$에서 연속이어야 한다.

STEP ⑧ $f(x)g(x)$가 연속이 되도록 하는 $f(x)$ 구하기

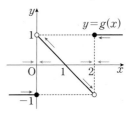

(i) $x=0$에서 연속인 경우

　　$\lim\limits_{x \to 0^+} f(x)g(x) = \lim\limits_{x \to 0^+} f(x) \cdot \lim\limits_{x \to 0^+} g(x) = b \cdot 1 = b$

　　$\lim\limits_{x \to 0^-} f(x)g(x) = \lim\limits_{x \to 0^-} f(x) \cdot \lim\limits_{x \to 0^-} g(x) = b \cdot (-1) = -b$

　　$x=0$에서 함숫값은 $f(0)g(0)=b \cdot (-1)=-b$

　　즉 $b=-b$이므로 $b=0$

(ii) $x=2$에서 연속인 경우

　　$\lim\limits_{x \to 2^+} f(x)g(x) = \lim\limits_{x \to 2^+} f(x) \lim\limits_{x \to 2^+} g(x) = (4+2a) \cdot 1 = 4+2a$

　　$\lim\limits_{x \to 2^-} f(x)g(x) = \lim\limits_{x \to 2^-} f(x) \lim\limits_{x \to 2^-} g(x) = (4+2a) \cdot (-1) = -4-2a$

　　$x=2$에서 함숫값은 $f(2)g(2)=(4+2a) \cdot 1=4+2a$

　　즉 $4+2a=-4-2a$이므로 $a=-2$

(i), (ii)에 의하여 $f(x)=x^2-2x$이므로 $f(5)=5^2-2 \cdot 5=15$

다른풀이 ⟩ 함수 $g(x)$가 $x=0$, $x=2$에서 불연속이므로 $f(0)=0$, $f(2)=0$임을 이용하여 풀이하기

$g(x)$가 $x=0$, $x=2$에서 불연속이고 $f(x)g(x)$가 실수 전체에서 연속이려면

$f(0)=0$, $f(2)=0$이어야 한다.

즉 $f(x)$의 최고차항의 계수가 1인 이차함수이므로 $f(x)=x(x-2)$

$\therefore f(5)=5 \cdot 3=15$

내/신/연/계/ 출제문항 123

함수 $f(x)=\begin{cases} 1 & (1<x<3) \\ 3-|x-2| & (x \leq 1,\ x \geq 3) \end{cases}$에 대하여 함수 $y=f(x)$의

그래프는 그림과 같다. 최고차항의 계수가 1인 이차함수 $g(x)$에 대하여

함수 $f(x)g(x)$가 실수 전체의 집합에서 연속일 때, $g(2)$의 값은?

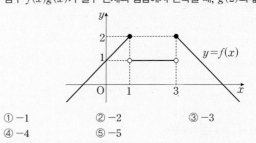

① -1　　　　② -2　　　　③ -3

④ -4　　　　⑤ -5

STEP ④ $f(x)g(x)$가 실수 전체의 집합에서 연속일 조건 이해하기

함수 $g(x)$는 실수 전체의 집합에서 연속이므로 함수 $f(x)g(x)$가

실수 전체의 집합에서 연속이려면 $x=1$, $x=3$에서 연속이어야 한다.

STEP ⑧ $x=1$에서 좌극한, 우극한, 함숫값이 모두 같음을 이용하기

(i) $\lim\limits_{x \to 1^-} f(x)g(x) = 1 \cdot g(1)$, $\lim\limits_{x \to 1^+} f(x)g(x) = 2 \cdot g(1)$

　　$f(1)g(1)=2 \cdot g(1)$이므로 $g(1)=2g(1)$에서 $g(1)=0$ …… ㉠

STEP ⓒ $x=3$에서 좌극한, 우극한, 함숫값이 모두 같음을 이용하기

(ii) $\lim\limits_{x \to 3^+} f(x)g(x) = 2 \cdot g(3)$, $\lim\limits_{x \to 3^-} f(x)g(x) = 1 \cdot g(3)$

　　$f(3)g(3)=2 \cdot g(3)$이므로 $g(3)=2g(3)$에서 $g(3)=0$ …… ㉡

　　㉠, ㉡에서 $g(x)=(x-1)(x-3)=x^2-4x+3$

따라서 $g(2)=4-8+3=-1$

 정답 ①

0300

정답 ⑤

STEP **A** 함수의 극한값, 연속조건을 이용하여 진위판단하기

ㄱ. $x \to 0+$일 때, $f(x) \to 1$이므로 $\lim\limits_{x \to 0+} f(x) = 1$ [참]

ㄴ. $\lim\limits_{x \to 1-} f(x) = 2$, $\lim\limits_{x \to 1+} f(x) = 2$이므로 $\lim\limits_{x \to 1} f(x) = 2$

또한, $x = 1$에서 함숫값은 $f(1) = 1$

∴ $\lim\limits_{x \to 1} f(x) \neq f(1)$

즉 $x = 1$에서 함수 $y = f(x)$는 불연속이다. [거짓]

ㄷ. $g(x) = (x - 1)f(x)$라 하면

$x = 1$에서 함숫값 $g(1) = (1 - 1) \times f(1) = 0$

$\lim\limits_{x \to 1+} g(x) = \lim\limits_{x \to 1+} (x - 1)f(x) = 0 \times 2 = 0$

$\lim\limits_{x \to 1-} g(x) = \lim\limits_{x \to 1-} (x - 1)f(x) = 0 \times 2 = 0$

즉 $\lim\limits_{x \to 1} g(x) = g(1)$이므로 함수 $g(x) = (x - 1)f(x)$는 $x = 1$에서 연속이다.
[참]

ㄹ. $g(x) = (x + 1)f(x)$라 하면

함수 $f(x)$가 $x = 0$, $x = 1$에서 불연속이므로

$x = 0$, $x = 1$에서 함수 $g(x)$의 연속성을 조사하여야 한다.

(i) $\lim\limits_{x \to 0+} g(x) = \lim\limits_{x \to 0+} (x + 1)f(x) = 1$, $\lim\limits_{x \to 0-} g(x) = \lim\limits_{x \to 0-} (x + 1)f(x) = 0$

이므로 $\lim\limits_{x \to 0+} g(x) \neq \lim\limits_{x \to 0-} g(x)$

즉 함수 $g(x)$는 $x = 0$에서 불연속이다.

(ii) $\lim\limits_{x \to 1+} g(x) = \lim\limits_{x \to 1+} (x + 1)f(x) = 4$, $\lim\limits_{x \to 1-} g(x) = \lim\limits_{x \to 1-} (x + 1)f(x) = 4$

또, $g(1) = 2 \times f(1) = 2 \times 1 = 2$이므로 $\lim\limits_{x \to 1} g(x) \neq g(1)$

즉 함수 $g(x)$는 $x = 1$에서 불연속이다.

(i), (ii)에서 함수 $(x + 1)f(x)$는 $x = 0$, $x = 1$에서 불연속이다. [참]

따라서 옳은 것은 ㄱ, ㄷ, ㄹ이다.

0301

정답 ③

STEP **A** $y = f(x)$의 그래프를 이용하여 극한값과 연속성 판단하기

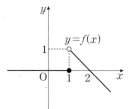

ㄱ. $x > 1$에서 $f(x) = -x + 2$이므로

$\lim\limits_{x \to 1+} f(x) = \lim\limits_{x \to 1+} (-x + 2) = -1 + 2 = 1$ [참]

ㄴ. $x \leq 1$에서 $f(x) = a$이므로 $a = 0$일 때, $\lim\limits_{x \to 1-} f(x) = \lim\limits_{x \to 1-} a = \lim\limits_{x \to 1-} 0 = 0$

ㄱ에서 $\lim\limits_{x \to 1+} f(x) \neq \lim\limits_{x \to 1-} f(x)$이므로 $\lim\limits_{x \to 1} f(x)$가 존재하지 않는다.

즉 함수 $f(x)$는 $x = 1$에서 불연속이다. [거짓]

STEP **B** $x = 1$에서 연속성 조사하기

ㄷ. 함수 $g(x) = (x - 1)f(x)$라 하면

$\lim\limits_{x \to 1+} g(x) = \lim\limits_{x \to 1+} (x - 1)f(x) = \lim\limits_{x \to 1+} (x - 1)(-x + 2) = 0$

$\lim\limits_{x \to 1-} g(x) = \lim\limits_{x \to 1-} (x - 1)f(x) = \lim\limits_{x \to 1-} a(x - 1) = 0$

$x = 1$에서 함숫값은 $g(1) = (1 - 1)f(1) = 0$이므로 $\lim\limits_{x \to 1} g(x) = g(1)$

즉 함수 $y = (x - 1)f(x)$는 $x = 1$에서 연속이다.

한편 $x > 1$, $x \leq 1$에서 함수 $f(x)$는 다항함수이므로 연속함수의 성질에
의해 함수 $y = (x - 1)f(x)$는 실수 전체의 집합에서 연속이다. [참]

따라서 옳은 것은 ㄱ, ㄷ이다.

함수 $f(x)$가

$$f(x) = \begin{cases} a & (x \leq 1) \\ -x + 3 & (x > 1) \end{cases}$$

일 때, 옳은 것을 [보기]에서 있는 대로 고른 것은? (단, a는 상수이다.)

> ㄱ. $\lim\limits_{x \to 1+} f(x) = 2$
>
> ㄴ. $a = 1$이면 함수 $f(x)$는 $x = 1$에서 연속이다.
>
> ㄷ. 함수 $y = (x^2 - 1)f(x)$는 실수 전체의 집합에서 연속이다.

① ㄱ   ② ㄴ   ③ ㄱ, ㄷ
④ ㄴ, ㄷ   ⑤ ㄱ, ㄴ, ㄷ

STEP **A** $f(x)$의 $x = 1$에서의 우극한 구하기

ㄱ. $x > 1$에서 $f(x) = -x + 3$이므로

$\lim\limits_{x \to 1+} f(x) = \lim\limits_{x \to 1+} (-x + 3) = 2$ [참]

STEP **B** $x = 1$에서 좌극한, 우극한, 함숫값이 모두 같은지 확인하기

ㄴ. $x \leq 1$에서 $f(x) = a$이므로 $\lim\limits_{x \to 1-} f(x) = \lim\limits_{x \to 1-} a = \lim\limits_{x \to 1-} 1 = 1$

ㄱ에서 $\lim\limits_{x \to 1+} f(x) \neq \lim\limits_{x \to 1-} f(x)$

$\lim\limits_{x \to 1} f(x)$의 극한값이 존재하지 않는다.

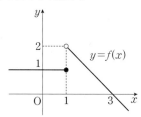

즉 함수 $f(x)$는 $x = 1$에서 불연속이다. [거짓]

ㄷ. 함수 $g(x) = (x^2 - 1)f(x)$에 대하여

$\lim\limits_{x \to 1+} g(x) = \lim\limits_{x \to 1+} (x^2 - 1)f(x) = \lim\limits_{x \to 1+} (x^2 - 1)(-x + 3) = 0$

$\lim\limits_{x \to 1-} g(x) = \lim\limits_{x \to 1-} (x^2 - 1)f(x) = \lim\limits_{x \to 1-} a(x^2 - 1) = 0$

이므로 $\lim\limits_{x \to 1} g(x) = 0$이고 $g(1) = (1 - 1)f(1) = 0$

∴ $\lim\limits_{x \to 1} g(x) = g(1)$

즉 함수 $y = (x^2 - 1)f(x)$는 $x = 1$에서 연속이다.

한편 $x > 1$, $x \leq 1$에서 함수 $f(x)$는 다항함수이므로

연속함수의 성질에 의해 함수 $y = (x^2 - 1)f(x)$는 실수 전체의 집합에서
연속이다. [참]

따라서 옳은 것은 ㄱ, ㄷ이다.

정답 ③

0302

STEP A $y=f(x)$의 그래프를 이용하여 극한값과 연속성 판단하기

ㄱ. 함수 $y=f(x)$의 그래프는 오른쪽
그림과 같으므로 불연속이 되는
x의 값은 -1, 1의 2개이다. [참]

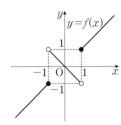

ㄴ. $\lim_{x \to 1-}(x-1)f(x)$
$=\lim_{x \to 1-}(x-1)(-x)=0$
$\lim_{x \to 1+}(x-1)f(x)$
$=\lim_{x \to 1+}(x-1)x=0$
$(1-1) \times f(1)=0$이므로 함수 $(x-1)f(x)$는 $x=1$에서 연속이다. [참]

STEP B $h(x)=\{f(x)\}^2$의 $x=\pm1$에서 연속성 조사하기

ㄷ. $h(x)=\{f(x)\}^2$이라 하면
(i) $x=-1$에서 연속성을 조사하면
　$h(-1)=\{f(-1)\}^2=(-1)^2=1$
　$\lim_{x \to -1-}h(x)=\lim_{x \to -1-}x^2=(-1)^2=1$
　$\lim_{x \to -1+}h(x)=\lim_{x \to -1+}(-x)^2=1^2=1$
　즉 $\lim_{x \to -1}h(x)=h(-1)=1$이므로 함수 $h(x)$는 $x=-1$에서 연속이다.
(ii) $x=1$에서 연속성을 조사하면
　$h(1)=\{f(1)\}^2=1^2=1$
　$\lim_{x \to 1-}h(x)=\lim_{x \to 1-}(-x)^2=(-1)^2=1$
　$\lim_{x \to 1+}h(x)=\lim_{x \to 1+}x^2=1^2=1$
　즉 $\lim_{x \to 1}h(x)=h(1)=1$이므로 함수 $h(x)$는 $x=1$에서 연속이다.
(iii) $f(x)$가 $x \neq \pm1$인 모든 실수에서 연속이므로
　$\{f(x)\}^2$도 $x \neq \pm1$인 모든 실수에서 연속이다.
(i)~(iii)로 부터 함수 $\{f(x)\}^2$은 실수전체의 집합에서 연속이다. [참]
따라서 옳은 것은 ㄱ, ㄴ, ㄷ이다.

> **참고** $\{f(x)\}^2=x^2$이므로 함수 $\{f(x)\}^2$은 실수 전체의 집합에서 연속이다.

0303

STEP A 함수 $\dfrac{g(x)}{f(x)}$가 실수 전체의 집합에서 연속일 조건 구하기

$x<2$일 때, $f(x)=x^2-4x+6=(x-2)^2+2>0$
$x \geq 2$일 때, $f(x)=1>0$
이므로 함수 $f(x)$는 실수 전체의 집합에서 $f(x)>0$

그런데 $f(x)$는 $x=2$에서 불연속이므로 함수 $\dfrac{g(x)}{f(x)}$가 실수 전체의 집합에서
연속이기 위해서는 $x=2$에서 연속이어야 한다.

STEP B $x=2$에서 연속이 되도록 하는 a의 값 구하기

$\lim_{x \to 2-}\dfrac{g(x)}{f(x)}=\lim_{x \to 2-}\dfrac{ax+1}{x^2-4x+6}=\dfrac{2a+1}{2}$

$\lim_{x \to 2+}\dfrac{g(x)}{f(x)}=\lim_{x \to 2+}\dfrac{ax+1}{1}=2a+1$

$x=2$에서 함숫값은 $\dfrac{g(2)}{f(2)}=2a+1$

함수 $\dfrac{g(x)}{f(x)}$가 $x=2$에서 연속이므로

$\lim_{x \to 2-}\dfrac{g(x)}{f(x)}=\lim_{x \to 2+}\dfrac{g(x)}{f(x)}=\dfrac{g(2)}{f(2)}$

따라서 $\dfrac{2a+1}{2}=2a+1$이므로 $2a+1=4a+2$, $2a=-1$ $\therefore a=-\dfrac{1}{2}$

함수 $f(x)=\begin{cases} x^2-4x+5 & (x \leq 2) \\ x-2 & (x>2) \end{cases}$ 와 최고차항의 계수가 1인 이차함수

$g(x)$에 대하여 함수 $\dfrac{g(x)}{f(x)}$가 실수 전체의 집합에서 연속일 때, $g(5)$의 값

은?

① 5　　　　② 6　　　　③ 7
④ 8　　　　⑤ 9

STEP A $x=2$에서 $\dfrac{g(x)}{f(x)}$의 연속조건 구하기

이차함수 $g(x)$는 실수 전체의 집합에서 연속이다.
함수 $f(x)$는 실수 전체의 집합에서 $f(x)>0$이고 $x=2$에서만 불연속이다.
함수 $\dfrac{g(x)}{f(x)}$가 실수 전체의 집합에서 연속이기 위해서는 $x=2$에서 연속이므로

$\lim_{x \to 2+}\dfrac{g(x)}{f(x)}=\lim_{x \to 2-}\dfrac{g(x)}{f(x)}=\dfrac{g(2)}{f(2)}$이 성립한다.

STEP B 함수의 극한의 성질을 이용하여 $g(x)$ 구하기

$\lim_{x \to 2+}\dfrac{g(x)}{x-2}=\lim_{x \to 2-}\dfrac{g(x)}{x^2-4x+5}=\dfrac{g(2)}{f(2)}$

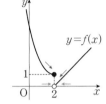

$\lim_{x \to 2+}\dfrac{g(x)}{x-2}$가 존재하고 $x \to 2+$에서
(분모)$\to 0$이고 극한값이 존재하므로
(분자)$\to 0$이어야 한다.
즉 $\lim_{x \to 2+}g(x)=0$이므로 $g(2)=0$

이때 이차함수 $g(x)$를 $g(x)=(x-2)(x+a)$라 하면 …… ㉠

$\lim_{x \to 2-}\dfrac{g(x)}{x^2-4x+5}=\dfrac{g(2)}{1}=0$이므로 $\lim_{x \to 2+}\dfrac{g(x)}{x-2}=0$

㉠을 대입하면 $\lim_{x \to 2+}\dfrac{(x-2)(x+a)}{x-2}=\lim_{x \to 2+}(x+a)=2+a=0$

$\therefore a=-2$

따라서 $g(x)=(x-2)^2$이므로 $g(5)=(5-2)^2=9$　　　

0304

STEP A $f(x)g(x)$가 모든 실수에서 연속이므로 함수 $f(x)g(x)$가 $x=2$에서도 연속임을 이해하기

$y=f(x)$의 그래프가 오른쪽 그림과
같으므로 $x=2$에서 불연속이다.
조건 (나)에서 함수 $f(x)g(x)$가
모든 실수에서 연속이려면 $x=2$에서
연속이 되어야 하므로
$\lim_{x \to 2}f(x)g(x)=f(2)g(2)$를 만족하여
야 한다.

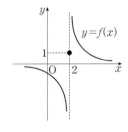

STEP B $x=2$에서 $f(x)g(x)$의 극한값 구하기

$\lim_{x \to 2}f(x)g(x)=\lim_{x \to 2}\dfrac{2g(x)}{x-2}=f(2)g(2)=g(2)(\because f(2)=1)$이므로
$x \to 2$일 때, (분모)$\to 0$이고 극한값이 존재하므로 (분자)$\to 0$이어야 한다.
즉 $\lim_{x \to 2}2g(x)=0$이므로 $g(2)=0$

이때 $g(x)$가 이차함수이므로
$g(x)=(x-2)(ax+b)$ $(a \neq 0, a, b$는상수$)$로 놓으면
조건 (가)에서 $g(0)=8$이므로 $g(0)=-2b=8$
$\therefore b=-4$
$\therefore g(x)=(x-2)(ax-4)$

STEP ⓒ $g(x)$를 구하여 $g(6)$ 구하기

또한, $x=2$에서 연속이므로 $\lim_{x \to 2}f(x)g(x)=f(2)g(2)$

$$\lim_{x \to 2}\frac{2(x-2)(ax-4)}{x-2}=\lim_{x \to 2}2(ax-4)$$
$$=2(2a-4)$$
$$=1 \cdot 0=0$$

$\therefore a=2$

따라서 $g(x)=2(x-2)^2$이므로 $g(6)=2(6-2)^2=32$

내/신/연/계 출제문항 126

두 함수 $f(x)=\begin{cases} \dfrac{x}{x-2} & (x \neq 2), \\ 1 & (x=2) \end{cases}$, $g(x)=x^2+ax+b$에 대하여

함수 $f(x)g(x)$가 실수 전체의 집합에서 연속일 때, $g(5)$의 값은? (단, a, b는 상수이다.)

① 7   ② 8   ③ 9
④ 10   ⑤ 11

STEP ⓐ 함수 $f(x)g(x)$가 실수 전체의 집합에서 연속일 조건 구하기

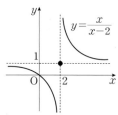

$y=\dfrac{x}{x-2}=\dfrac{x-2+2}{x-2}=\dfrac{2}{x-2}+1$이므로 점근선의 방정식은 $x=2$, $y=1$

함수 $f(x)$는 $x \neq 2$인 모든 실수 x에서 연속이고

함수 $g(x)$는 실수 전체의 집합에서 연속이므로

함수 $f(x)g(x)$가 $x=2$에서 연속이면 실수 전체의 집합에서 연속이다.

이때 함수 $f(x)g(x)$가 $x=2$에서 연속이려면

$\lim_{x \to 2}f(x)g(x)=f(2)g(2)$이어야 한다.

STEP ⓑ 함수의 극한의 성질을 이용하여 $g(x)$ 구하기

$x=2$에서 함숫값은 $f(2)g(2)=1 \cdot (2^2+2a+b)=4+2a+b$이므로

$\lim_{x \to 2}\dfrac{x(x^2+ax+b)}{x-2}=4+2a+b$ ······ ㉠

㉠에서

$x \to 2$일 때, (분모)$\to 0$이고 극한값이 존재하므로 (분자)$\to 0$이어야 한다.

즉 $\lim_{x \to 2}x(x^2+ax+b)=0$이므로 $2(4+2a+b)=0$

$\therefore b=-2a-4$ ······ ㉡

㉡을 ㉠에 대입하면

$\lim_{x \to 2}\dfrac{x(x^2+ax-2a-4)}{x-2}=4+2a+(-2a-4)=0$

$\lim_{x \to 2}\dfrac{x(x^2+ax-2a-4)}{x-2}=\lim_{x \to 2}\dfrac{x(x-2)(x+2+a)}{x-2}$
$=\lim_{x \to 2}x(x+2+a)$
$=2(4+a)=0$

$\therefore a=-4$

이것을 ㉡에 대입하면 $b=4$

따라서 $g(x)=x^2-4x+4=(x-2)^2$이므로 $g(5)=9$

0305

STEP ⓐ $\dfrac{x}{f(x)}$에서 $f(x)=0$인 x에서만 불연속임을 이용하기

$g(x)=x$라 하면 두 다항함수 $f(x)$, $g(x)$는 실수 전체의 집합에서

연속이므로 함수 $\dfrac{g(x)}{f(x)}=\dfrac{x}{f(x)}$는 $f(x)=0$인 x에서만 불연속이다.

STEP ⓑ 이차함수 $f(x)$의 식을 작성하기

조건 (가)에서 함수 $\dfrac{x}{f(x)}$가 $x=1$, $x=2$에서 불연속이므로

이차방정식 $f(x)=0$은 $x=1$, $x=2$를 근으로 갖는다.

이때 이차함수 $f(x)$의 이차항의 계수를 $a \neq 0$라 하면

$f(x)=a(x-1)(x-2)$ ······ ㉠

STEP ⓒ 조건 (나)에서 이차항의 계수 구하기

조건 (나)에 ㉠을 대입하면

$\lim_{x \to 2}\dfrac{f(x)}{x-2}=\lim_{x \to 2}\dfrac{a(x-1)(x-2)}{x-2}=\lim_{x \to 2}a(x-1)=a(2-1)=a$

$\therefore a=4$

따라서 $f(x)=4(x-1)(x-2)$이므로 $f(4)=4 \cdot 3 \cdot 2=24$

다른풀이 미분계수를 이용하여 풀이하기

조건 (나)에서 $\lim_{x \to 2}\dfrac{f(x)}{x-2}=4$이므로

$x \to 2$일 때, (분모)$\to 0$이고 극한값이 존재하므로 (분자)$\to 0$이어야 한다.

즉 $\lim_{x \to 2}f(x)=0$에서 $f(2)=0$

이때 $\lim_{x \to 2}\dfrac{f(x)}{x-2}=\lim_{x \to 2}\dfrac{f(x)-f(2)}{x-2}=f'(2)$이므로 $f'(2)=4$

㉠에서 $f(x)=a(x-1)(x-2)$이므로 $f'(x)=a(x-2)+a(x-1)$

$f'(2)=4$이므로 $f'(2)=a(2-1)=a$ $\therefore a=4$

따라서 $f(x)=4(x-1)(x-2)$이므로 $f(4)=4 \cdot 3 \cdot 2=24$

0306

STEP ⓐ 함수 $f(x)$가 $x=0$에서 불연속이 될 조건 구하기

$\lim_{x \to 0-}f(x)=\lim_{x \to 0-}(x+2)=2$

$\lim_{x \to 0+}f(x)=\lim_{x \to 0+}(-x+a)=a$

$f(0)=2$이므로 함수 $f(x)$가 $x=0$에서 불연속이 되려면

$a \neq 2$ ······ ㉠

STEP ⓑ $f(x)f(x-1)$가 $x=1$에서 연속임을 이용하여 a의 값 구하기

$\lim_{x \to 1-}f(x)f(x-1)=\lim_{x \to 1-}f(x) \cdot \lim_{t \to 0-}f(t)$ ← $x-1=t$ 라 하면 $x \to 1-$이면 $t \to 0-$
$=\lim_{x \to 1-}(-x+a) \cdot \lim_{t \to 0-}(t+2)$
$=(-1+a) \cdot 2=2(a-1)$

$\lim_{x \to 1+}f(x)f(x-1)=\lim_{x \to 1+}f(x) \cdot \lim_{t \to 0+}f(t)$ ← $x-1=t$ 라 하면 $x \to 1+$이면 $t \to 0+$
$=\lim_{x \to 1+}(-x+a) \cdot \lim_{t \to 0+}(-t+a)$
$=(-1+a) \cdot a=a^2-a$

$x=1$에서 함숫값은 $f(1)f(0)=(-1+a)(0+2)=2(a-1)$

이므로 함수 $f(x)f(x-1)$이 $x=1$에서 연속이 되려면

$\lim_{x \to 1-}f(x)f(x-1)=\lim_{x \to 1+}f(x)f(x-1)=f(1)f(0)$

$2(a-1)=a^2-a$, $a^2-3a+2=0$, $(a-1)(a-2)=0$

$\therefore a=1$ 또는 $a=2$

따라서 ㉠에 의해 $a=1$

0307

정답 ④

STEP A 함수 $g(x)$가 실수 전체의 집합에서 연속이 될 조건 구하기

$f(x-1)=\begin{cases}-x & (x \le 1)\\ 2x-2+a & (x > 1)\end{cases}$ 이므로

$g(x)=f(x)f(x-1)=\begin{cases}(-x-1)(-x) & (x \le 0)\\ (2x+a)(-x) & (0 < x \le 1)\\ (2x+a)(2x-2+a) & (x > 1)\end{cases}$

함수 $g(x)$가 실수 전체의 집합에서 연속이 되기 위하여 $x=0$, $x=1$에서도 연속이 되어야 한다.

STEP B $x=0$에서 좌극한, 우극한, 함숫값이 모두 같은지 확인하기

(ⅰ) $x=0$일 때, $\lim_{x \to 0-}g(x)=g(0)=\lim_{x \to 0+}g(x)$이므로

함수 $g(x)$는 a의 값에 관계없이 $x=0$에서 연속이다.

STEP C $x=1$에서 좌극한, 우극한, 함숫값이 모두 같음을 이용하기

(ⅱ) $x=1$일 때, 함수 $g(x)$가 $x=1$에서 연속이 되려면

$\lim_{x \to 1-}g(x)=g(1)=\lim_{x \to 1+}g(x)$

$-(a+2)=(a+2)a$, $(a+1)(a+2)=0$

(ⅰ), (ⅱ)에서 $a \ne -1$이므로 $a=-2$

> **다른풀이** 모든 실수에서 $g(x)$가 연속임을 이용하여 a 구하기

함수 $g(x)$가 실수 전체의 집합에서 연속이 되기 위하여 $x=0$, $x=1$에서도 연속이 되어야 한다.

(ⅰ) $x=0$일 때, $\lim_{x \to 0-}g(x)=g(0)=\lim_{x \to 0+}g(x)$이므로

함수 $g(x)$는 a의 값에 관계없이 $x=0$에서 연속이다.

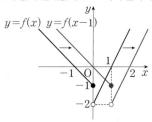

(ⅱ) $x=1$일 때, 함수 $g(x)$가 $x=1$에서 연속이 되려면

$\lim_{x \to 1-}g(x)=g(1)=\lim_{x \to 1+}g(x)$이어야 하므로

$-(a+2)=(a+2)a$, $(a+1)(a+2)=0$

(ⅰ), (ⅱ)에서 $a \ne -1$이므로 $a=-2$

내신연계 출제문항 127

함수

$$f(x)=\begin{cases}x+1 & (x \le 0)\\ -\dfrac{1}{2}x+7 & (x > 0)\end{cases}$$

에 대하여 함수 $f(x)f(x-a)$가 $x=a$에서 연속이 되도록 하는 모든 실수 a의 값의 합은?

① 12　　　　② 13　　　　③ 15
④ 16　　　　⑤ 17

STEP A 함수 $f(x)f(x-a)$가 $x=a$에서 연속일 조건 이해하기

$y=f(x)$의 그래프를 그리면 다음과 같으므로 함수 $f(x)$는 $x=0$에서 불연속이다.

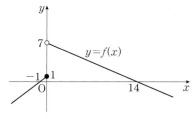

또, $y=f(x-a)$의 그래프는 $y=f(x)$의 그래프를 x축의 방향으로 a만큼 평행이동한 것이므로 함수 $f(x-a)$는 $x=a$에서 불연속이다.

즉 함수 $f(x)f(x-a)$가 $x=a$에서 연속이 되려면

$x=a$에서 함수 $f(x)$의 극한값과 함숫값이 모두 0이어야 한다.

$\therefore \lim_{x \to a}f(x)=f(a)=0$

STEP B $y=f(x)$의 그래프를 평행이동하여 $x=a$에서 연속이 되도록 하는 a의 값 구하기

다음 그림과 같이 함수 $y=f(x)$의 그래프를 x축의 방향으로 각각

$a=-1$, $a=14$만큼 평행이동하면 $\lim_{x \to a}f(x)f(x-a)=f(a)f(0)=0$이 되어

함수 $f(x)f(x-a)$는 $x=a$에서 연속이다.

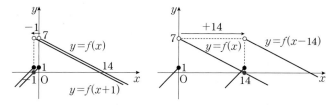

따라서 구하는 모든 실수 a의 값의 합은 $(-1)+14=13$

> **다른풀이** a의 범위에 따라 경우를 나누고, $x=a$에서 좌극한, 우극한, 함숫값이 모두 같음을 이용하기

(ⅰ) $a=0$일 때,

$\lim_{x \to a+}f(x)f(x-a)=\lim_{x \to 0+}\{f(x)\}^2=49$

$\lim_{x \to a-}f(x)f(x-a)=\lim_{x \to 0-}\{f(x)\}^2=1$

$\lim_{x \to a+}f(x)f(x-a) \ne \lim_{x \to a-}f(x)f(x-a)$

$a=0$일 때 함수 $f(x)f(x-a)$는 $x=0$에서 불연속이다.

(ⅱ) $a>0$일 때,

$f(a)f(0)=f(a)=-\dfrac{1}{2}a+7$

$\lim_{x \to a+}f(x)f(x-a)=\left(-\dfrac{1}{2}a+7\right) \cdot 7$

$\lim_{x \to a-}f(x)f(x-a)=\left(-\dfrac{1}{2}a+7\right) \cdot 1$

$-\dfrac{1}{2}a+7=\left(-\dfrac{1}{2}a+7\right) \cdot 7$

$\therefore a=14$

(ⅲ) $a<0$일 때,

$f(a)f(0)=f(a)=a+1$

$\lim_{x \to a+}f(x)f(x-a)=(a+1) \cdot 7$

$\lim_{x \to a-}f(x)f(x-a)=(a+1) \cdot 1$

$a+1=(a+1) \cdot 7$

$\therefore a=-1$

따라서 모든 실수 a의 값의 합은 $14+(-1)=13$

정답 ②

0308

STEP A 함수 $g(x)$가 $x=0$에서 연속일 조건 이해하기

함수 $g(x)=f(x)\{f(x)+k\}$가 $x=0$에서 연속이므로

$\lim\limits_{x\to0-}g(x)=\lim\limits_{x\to0+}g(x)=g(0)$이 성립한다.

그림에서 $\lim\limits_{x\to0-}f(x)=2$, $\lim\limits_{x\to0+}f(x)=0$, $f(0)=2$

STEP B $x=0$에서 좌극한, 우극한, 함수값이 모두 같음을 이용하기

(i) $g(0)=f(0)\{f(0)+k\}=2(2+k)=2k+4$

(ii) $\lim\limits_{x\to0+}g(x)=\lim\limits_{x\to0+}f(x)\{f(x)+k\}$

$\qquad=\lim\limits_{x\to0+}f(x)\cdot\lim\limits_{x\to0+}\{f(x)+k\}$

$\qquad=0\cdot k=0$

(iii) $\lim\limits_{x\to0-}g(x)=\lim\limits_{x\to0-}f(x)\{f(x)+k\}$

$\qquad=\lim\limits_{x\to0-}f(x)\cdot\lim\limits_{x\to0-}\{f(x)+k\}$

$\qquad=2\cdot(2+k)=2k+4$

(i)~(iii)에 의하여 함수 $g(x)$가 $x=0$에서 연속이 되어야 하므로 $2k+4=0$

$\therefore k=-2$

내/신/연/계 출제문항 128

함수

$$f(x)=\begin{cases} x^2+1 & (|x|\le 2) \\ -2x+3 & (|x|>2) \end{cases}$$

에 대하여 함수 $f(-x)\{f(x)+k\}$가 $x=2$에서 연속이 되도록 하는 상수 k의 값은?

① 12　　　　② 14　　　　③ 16
④ 18　　　　⑤ 20

STEP A $-x=t$로 치환하여 함수 $f(-x)$의 $x=2$에서의 좌극한, 우극한 구하기

$\lim\limits_{x\to2-}f(x)=5$, $\lim\limits_{x\to2+}f(x)=-1$이고 $-x=t$라 하면

$x\to2-$일 때, $t\to-2+$

$x\to2+$일 때, $t\to-2-$이므로

$\lim\limits_{x\to2-}f(-x)=\lim\limits_{t\to-2+}f(t)=5$

$\lim\limits_{x\to2+}f(-x)=\lim\limits_{t\to-2-}f(t)=7$

STEP B $x=2$에서 좌극한, 우극한, 함수값이 모두 같음을 이용하기

함수 $f(-x)\{f(x)+k\}$가

$\lim\limits_{x\to2-}f(-x)\{f(x)+k\}=5(5+k)$

$\lim\limits_{x\to2+}f(-x)\{f(x)+k\}=7(-1+k)$

$f(-2)\{f(2)+k\}=5(5+k)$이므로 $x=2$에서 연속이 되기 위해서는

$5(5+k)=7(-1+k)$, $25+5k=-7+7k$

따라서 $k=16$

0309

STEP A $g_k(x)$가 불연속인 점에서 $f(x)g_k(x)$의 연속성 조사하기

ㄱ. $y=f(x)g_1(x)$일 때, $y=f(x)$와 $y=g_1(x)$는 모두 연속이므로

$y=f(x)g_1(x)$도 $[-1,3]$에서 연속이다.

ㄴ. $y=f(x)g_2(x)$일 때, $y=f(x)$는 $[-1,3]$에서 연속이고

$y=g_2(x)$는 $x=0$에서 불연속이므로 $x=0$에서 연속성을 조사한다.

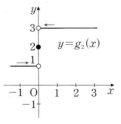

$\lim\limits_{x\to0-}f(x)g_2(x)=0\cdot1=0$, $\lim\limits_{x\to0+}f(x)g_2(x)=0\cdot3=0$

$\therefore \lim\limits_{x\to0}f(x)g_2(x)=0$

$x=0$에서 함숫값 $f(0)g_2(0)=0\cdot2=0$

$\lim\limits_{x\to0}f(x)g_2(x)=f(0)g_2(0)$이므로

$y=f(x)g_2(x)$는 $x=0$에서 연속이다.

즉 $y=f(x)g_2(x)$는 구간 $[-1,3]$에서 연속이다.

ㄷ. $y=f(x)g_3(x)$일 때, $y=f(x)$는 $[-1,3]$에서 연속이고

$y=g_3(x)$는 $x=2$에서 불연속이므로 $x=2$에서 연속성을 조사한다.

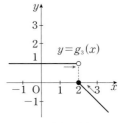

$\lim\limits_{x\to2-}f(x)g_3(x)=0\cdot1=0$, $\lim\limits_{x\to2+}f(x)g_3(x)=0\cdot0=0$

$\therefore \lim\limits_{x\to2}f(x)g_3(x)=0$

$x=2$에서 함숫값 $f(2)g_3(2)=0\cdot0=0$

$\lim\limits_{x\to0}f(x)g_3(x)=f(0)g_3(0)$이므로

$y=f(x)g_3(x)$는 $x=0$에서 연속이다.

즉 $y=f(x)g_3(x)$는 구간 $[-1,3]$에서 연속이다.

ㄱ, ㄴ, ㄷ에서 세 함수 $f(x)g_1(x)$, $f(x)g_2(x)$, $f(x)g_3(x)$ 모두 닫힌구간 $[-1,3]$에서 연속이다.

0310

STEP Ⓐ $f(x)$가 불연속인 점에서 $f(x)g_k(x)$의 연속성 조사하기

닫힌구간 $[-2, 1]$에서 함수 $f(x)$는 $x=-1$에서만 불연속이고
[보기]의 함수 $g(x)$는 모두 모든 실수에서 연속이므로
함수 $f(x)g(x)$는 $x=-1$에서 연속이어야 한다.

ㄱ. $\lim\limits_{x \to -1+} f(x)g_1(x) = 1 \cdot 0 = 0$

$\lim\limits_{x \to -1-} f(x)g_1(x) = (-1) \cdot 0 = 0$

$f(-1)g_1(-1) = 0 \cdot 0 = 0$

즉 $\lim\limits_{x \to -1} f(x)g(x) = f(-1)g_1(-1)$이므로

함수 $f(x)g_1(x)$는 $x=-1$에서 연속이다.

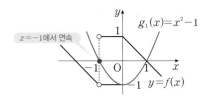

ㄴ. $\lim\limits_{x \to -1+} f(x)g_2(x) = 1 \cdot 0 = 0$

$\lim\limits_{x \to -1-} f(x)g_2(x) = (-1) \cdot 0 = 0$

$f(-1)g_2(-1) = 0 \cdot 0 = 0$

즉 $\lim\limits_{x \to -1} f(x)g_2(x) = f(-1)g_2(-1)$이므로

함수 $f(x)g_2(x)$는 $x=-1$에서 연속이다.

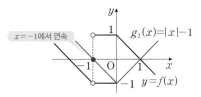

ㄷ. $\lim\limits_{x \to -1+} f(x)g_3(x) = 1 \cdot (-2) = -2$

$\lim\limits_{x \to -1-} f(x)g_3(x) = (-1) \cdot (-2) = 2$

즉 $\lim\limits_{x \to -1-} f(x)g_3(x) \neq \lim\limits_{x \to -1+} f(x)g_3(x)$이므로

함수 $f(x)g_3(x)$는 $x=-1$에서 불연속이다.

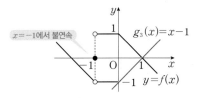

따라서 주어진 조건을 만족시키는 함수 $g_k(x)$는 ㄱ, ㄴ이다.

내신연계 출제문항 129

함수 $f(x) = \begin{cases} x-2 & (x>1) \\ 0 & (-1 \leq x \leq 1) \\ x+2 & (x<-1) \end{cases}$일 때,

함수 $f(x)g_k(x)(k=1, 2, 3)$가 실수 전체의 집합에서 연속이 되게 하는
함수 $g_k(x)$를 [보기]에서 있는 대로 고르면?

> ㄱ. $g_1(x) = x^2 - 1$
> ㄴ. $g_2(x) = |x-1|$
> ㄷ. $g_3(x) = |x| - 1$

① ㄱ　　　　② ㄱ, ㄴ　　　　③ ㄱ, ㄷ
④ ㄴ, ㄷ　　　⑤ ㄱ, ㄴ, ㄷ

STEP Ⓐ $f(x)$가 불연속인 점에서 $f(x)g_k(x)$의 연속성 조사하기

함수 $f(x)$는 다음 그림과 같이 $x=-1$, $x=1$에서 불연속이고
함수 $g_1(x)$, $g_2(x)$, $g_3(x)$는 실수 전체의 집합에서 연속이므로
$f(x)g_k(x)(k=1, 2, 3)$가 실수 전체의 집합에서 연속이려면
$x=-1$, $x=1$에서 연속이어야 한다.

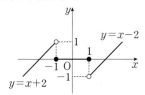

STEP Ⓑ $f(x)g_k(x)$이 연속이 되게 하는 함수 $g_k(x)$ 구하기

ㄱ. $g_1(x) = x^2 - 1$에서

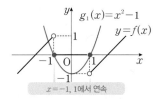

(i) $\lim\limits_{x \to -1} f(x)g_1(x) = f(-1)g_1(-1) = 0$이므로

함수 $f(x)g_1(x)$는 $x=-1$에서 연속이다.

(ii) $\lim\limits_{x \to 1} f(x)g_1(x) = f(1)g_1(1) = 0$이므로

함수 $f(x)g_1(x)$는 $x=1$에서 연속이다.

(i), (ii)에서 함수 $f(x)g_1(x)$는 실수 전체의 집합에서 연속이다.

ㄴ. $g_2(x) = |x-1|$에서

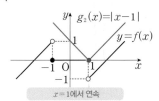

$\lim\limits_{x \to -1-} f(x)g_2(x) = 1 \times 2 = 2$, $\lim\limits_{x \to -1+} f(x)g_2(x) = 0 \times 2 = 0$

즉 $\lim\limits_{x \to -1} f(x)g_2(x)$의 값이 존재하지 않으므로

함수 $f(x)g_2(x)$는 $x=-1$에서 불연속이다.

ㄷ. $g_3(x) = |x| - 1$에서

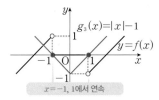

(i) $\lim\limits_{x \to -1} f(x)g_3(x) = f(-1)g_3(-1) = 0$이므로

함수 $f(x)g_3(x)$는 $x=-1$에서 연속이다.

(ii) $\lim\limits_{x \to 1} f(x)g_3(x) = f(1)g_3(1) = 0$이므로

함수 $f(x)g_3(x)$는 $x=1$에서 연속이다.

(i), (ii)에서 함수 $f(x)g_3(x)$는 실수 전체의 집합에서 연속이다.

따라서 실수 전체의 집합에서 연속이 되게 하는 함수 $g_k(x)$는 ㄱ, ㄷ이다.

정답 ③

0311

정답 ⑤

STEP A $y=f(x)+f(-x)$의 그래프 그리기

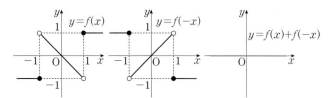

STEP B 극한값과 연속의 존재 조건을 이용하여 진위판단하기

ㄱ. $\lim\limits_{x\to1+}f(x)=1$, $\lim\limits_{x\to1+}f(-x)=-1$이므로 $\lim\limits_{x\to1+}\{f(x)+f(-x)\}=0$ [참]

ㄴ. $f(1)+f(-1)=1+(-1)=0$, $\lim\limits_{x\to1-}f(x)=-1$, $\lim\limits_{x\to1-}f(-x)=1$이므로

$\lim\limits_{x\to1-}\{f(x)+f(-x)\}=0$

즉 함수 $f(x)+f(-x)$는 $x=1$에서 연속이다. [참]

ㄷ. $f(-x)=\begin{cases} 1 & (x\le-1) \\ x & (-1<x<1) \\ -1 & (x\ge1) \end{cases}$이므로

$f(x)+f(-x)=0$, 즉 함수 $f(x)+f(-x)$는 실수 전체 집합에서 연속이다. [참]

따라서 옳은 것은 ㄱ, ㄴ, ㄷ이다.

0312

정답 ②

STEP A $y=f(x)+f(-x)$의 그래프 그리기

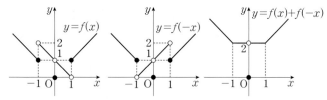

STEP B 극한값과 연속의 존재 조건을 이용하여 진위판단하기

ㄱ. $\lim\limits_{x\to1+}f(x)=1$, $\lim\limits_{x\to1+}f(-x)=1$이므로 $\lim\limits_{x\to1+}\{f(x)+f(-x)\}=2$ [거짓]

ㄴ. $f(1)+f(-1)=1+1=2$

$\lim\limits_{x\to1-}f(x)=0$, $\lim\limits_{x\to1-}f(-x)=2$이므로 $\lim\limits_{x\to1-}\{f(x)+f(-x)\}=2$

즉 함수 $f(x)+f(-x)$는 $x=1$에서 연속이다. [참]

ㄷ. $\lim\limits_{x\to0+}\{f(x)+f(-x)\}=2$, $\lim\limits_{x\to0-}\{f(x)+f(-x)\}=2$

$f(0)+f(0)=0$이므로 함수 $f(x)+f(-x)$는 $x\ne0$인 실수 전체의 집합에서 연속이다. [거짓]

따라서 옳은 것은 ㄴ이다.

0313

정답 ②

STEP A 두 함수 $f(x)+f(-x)$, $f(x)-f(-x)$식 구하기

$f(x)=\begin{cases} 0 & (|x|>1) \\ 1 & (x=1) \\ 1-|x| & (|x|<1) \\ -1 & (x=-1) \end{cases}$이므로

$f(x)+f(-x)=\begin{cases} 0 & (|x|\ge1) \\ 2-2|x| & (|x|<1) \end{cases}$

$f(x)-f(-x)=\begin{cases} 0 & (|x|>1 \text{ 또는 } |x|<1) \\ 2 & (x=1) \\ -2 & (x=-1) \end{cases}$

STEP B 불연속인 x의 값의 개수 구하기

이때 함수 $f(x)+f(-x)$는 모든 실수에서 연속이므로 $m=0$

또, 함수 $f(x)-f(-x)$가 불연속인 x의 값은 $x=-1$, $x=1$의 2개이므로

$n=2$

따라서 $m+n=2$

다른풀이 두 함수 $y=f(x)+f(-x)$, $y=f(x)-f(-x)$의 그래프를 이용하여 풀이하기

함수 $y=f(-x)$의 그래프는 함수 $y=f(x)$의 그래프와 y축에 대하여 대칭이므로 두 그래프는 다음과 같다.

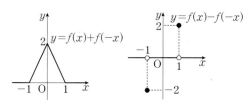

두 함수 $y=f(x)+f(-x)$, $y=f(x)-f(-x)$의 그래프는 다음과 같다.

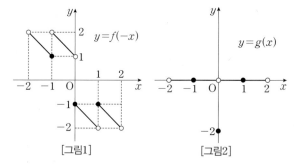

따라서 $m=0$, $n=2$이므로 $m+n=2$

0314

정답 ⑤

STEP A 함수 $g(x)$의 그래프 그리기

함수 $y=f(-x)$의 그래프는 함수 $y=f(x)$의 그래프를 y축에 대하여 대칭이동한 것과 같으므로 [그림1]과 같고 $g(x)=f(x)+f(-x)$이므로 함수 $y=g(x)$의 그래프는 [그림2]와 같다.

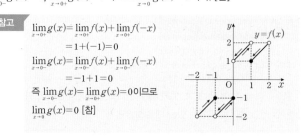

[그림1]   [그림2]

STEP B 극한값과 연속의 존재 조건을 이용하여 진위판단하기

ㄱ. $\lim\limits_{x\to0-}f(x)=-1$, $\lim\limits_{x\to0+}f(x)=1$이므로 $\lim\limits_{x\to0}f(x)$는 존재하지 않는다. [거짓]

ㄴ. 위의 $y=g(x)$의 그래프에서

$\lim\limits_{x\to0-}g(x)=0$, $\lim\limits_{x\to0+}g(x)=0$이므로 $\lim\limits_{x\to0}g(x)=0$이다. [참]

참고

$\lim\limits_{x\to0+}g(x)=\lim\limits_{x\to0+}f(x)+\lim\limits_{x\to0+}f(-x)$
$=1+(-1)=0$
$\lim\limits_{x\to0-}g(x)=\lim\limits_{x\to0-}f(x)+\lim\limits_{x\to0-}f(-x)$
$=-1+1=0$
즉 $\lim\limits_{x\to0+}g(x)=\lim\limits_{x\to0-}g(x)=0$이므로
$\lim\limits_{x\to0}g(x)=0$ [참]

ㄷ. $x=1$에서 함숫값은 $g(1)=f(1)+f(-1)=1+(-1)=0$

$\lim\limits_{x\to1+}g(x)=\lim\limits_{x\to1+}f(x)+\lim\limits_{x\to1+}f(-x)=1+(-1)=0$

$\lim\limits_{x\to1-}g(x)=\lim\limits_{x\to1-}f(x)+\lim\limits_{x\to1-}f(-x)=2+(-2)=0$

즉 $\lim\limits_{x\to1}g(x)=g(1)=0$이므로 함수 $g(x)$는 $x=1$에서 연속이다. [참]

따라서 옳은 것은 ㄴ, ㄷ이다.

0315

STEP A $x < -1$, $x \geq 1$에서 함수 $g(x)$의 그래프 그리기

$g(x) = \dfrac{f(x)+|f(x)|}{2}$에서

$f(x) \geq 0$이면 $g(x) = \dfrac{f(x)+f(x)}{2} = f(x)$

$f(x) < 0$이면 $g(x) = \dfrac{f(x)-f(x)}{2} = 0$

즉 $x < -1$, $x \geq 1$에서 함수 $y = g(x)$의 그래프는 그림과 같다.

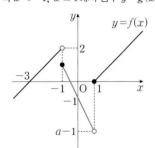 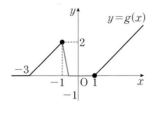

STEP B 함수 $g(x)$가 실수 전체의 집합에서 연속이 될 조건 구하기

함수 $g(x)$가 실수 전체의 집합에서 연속이려면
함수 $g(x)$가 $x = -1$에서 연속이어야 한다.

즉 $\lim\limits_{x \to -1-} g(x) = \lim\limits_{x \to -1+} g(x) = g(-1)$이 성립해야 한다.

$\lim\limits_{x \to -1-} g(x) = \lim\limits_{x \to -1+} (x+3) = 2$이므로 $\lim\limits_{x \to -1} g(x) = g(-1) = 2$

따라서 $f(-1) = g(-1) = 2$이므로 $-a-1 = 2$에서 $a = -3$

0316

STEP A 두 함수 $g(x)$, $h(x)$의 그래프 그리기

$-1 \leq x < 0$일 때, $f(x) \leq 0$이고 $0 \leq x \leq 1$일 때, $f(x) > 0$이므로

$g(x) = f(x) + |f(x)|$, $g(x) = \begin{cases} 0 & (-1 \leq x < 0) \\ 2f(x) & (0 \leq x \leq 1) \end{cases}$

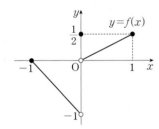 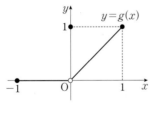

한편 함수 $y = f(-x)$의 그래프는 함수 $y = f(x)$의 그래프를 y축에 대하여 대칭이동한 것과 같으므로 [그림1]과 같고 $h(x) = f(x) + f(-x)$이므로 함수 $y = h(x)$의 그래프는 [그림2]와 같다.

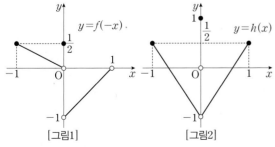

[그림1]　　　　[그림2]

STEP B [보기]의 진위판단하기

ㄱ. 위의 $y = g(x)$의 그래프에서
$\lim\limits_{x \to 0-} g(x) = 0$, $\lim\limits_{x \to 0+} g(x) = 0$이므로 $\lim\limits_{x \to 0} g(x) = 0$이다. [참]

참고 $g(x) = f(x) + |f(x)|$에서

$\lim\limits_{x \to 0+} g(x) = \lim\limits_{x \to 0+} \{f(x) + |f(x)|\}$
$= \lim\limits_{x \to 0+} f(x) + \lim\limits_{x \to 0+} |f(x)|$
$= 0 + 0 = 0$

$\lim\limits_{x \to 0-} g(x) = \lim\limits_{x \to 0-} \{f(x) + |f(x)|\}$
$= \lim\limits_{x \to 0-} f(x) + \lim\limits_{x \to 0-} |f(x)|$
$= -1 + |-1|$
$= -1 + 1 = 0$

$\lim\limits_{x \to 0+} g(x) = \lim\limits_{x \to 0-} g(x) = 0$이므로 $\lim\limits_{x \to 0} g(x) = 0$

ㄴ. $y = |h(x)|$의 그래프는 다음 그림과 같다.

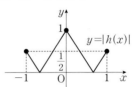

$\lim\limits_{x \to 0-} |h(x)| = |-1| = 1$, $\lim\limits_{x \to 0+} |h(x)| = |-1| = 1$이고
$|h(0)| = 1$이므로 함수 $|h(x)|$는 $x = 0$에서 연속이다. [참]

ㄷ. $y = g(x)$, $y = |h(x)|$의 그래프는 다음과 같다.

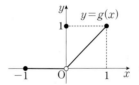 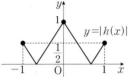

$\lim\limits_{x \to 0} g(x) = 0$, $\lim\limits_{x \to 0} |h(x)| = 1$에서 $\lim\limits_{x \to 0} g(x)|h(x)| = 0 \times 1 = 0$

$g(0) = 1$이고 $h(0) = 1$이므로 $g(0)|h(0)| = 1 \times 1 = 1$

$\lim\limits_{x \to 0} g(x)|h(x)| \neq g(0)|h(0)|$이므로

함수 $g(x)|h(x)|$는 $x = 0$에서 불연속이다. [거짓]

따라서 옳은 것은 ㄱ, ㄴ이다.

내/신/연/계 출제문항 130

함수 $f(x) = \begin{cases} x+2 & (x < -1) \\ 0 & (x = -1) \\ x^2 & (-1 < x < 1) \\ x-2 & (x \geq 1) \end{cases}$ 에 대하여 옳은 것만을 [보기]에서 있는

대로 고른 것은?

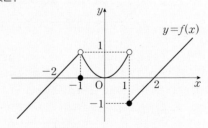

ㄱ. $\lim\limits_{x \to 1+} \{f(x) + f(-x)\} = 0$

ㄴ. 함수 $f(x) - |f(x)|$가 불연속인 점은 1개이다.

ㄷ. 함수 $f(x)f(x-a)$가 실수 전체의 집합에서 연속이 되는 상수 a는 없다.

① ㄱ　　　　② ㄱ, ㄴ　　　　③ ㄱ, ㄷ
④ ㄴ, ㄷ　　　　⑤ ㄱ, ㄴ, ㄷ

ㄱ. 함수 $y=f(-x)$의 그래프는 함수 $y=f(x)$의 그래프를 y축에 대하여 대칭이동한 것과 같으므로 [그림1]과 같고 $h(x)=f(x)+f(-x)$이므로 함수 $y=h(x)$의 그래프는 [그림2]와 같다.

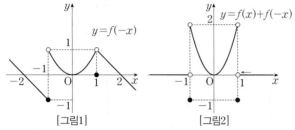

[그림1]   [그림2]

$$\lim_{x \to 1+}\{f(x)+f(-x)\}=0 \text{ [참]}$$

참고

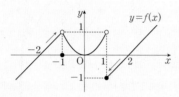

$-x=t$로 놓으면 $x \to 1+$일 때, $t \to -1$이므로

ㄱ. $\lim_{x \to 1+}\{f(x)+f(-x)\}=\lim_{x \to 1+}f(x)+\lim_{x \to 1+}f(-x)=-1+\lim_{t \to -1-}f(t)$
$$=(-1)+1=0 \text{ [참]}$$

ㄴ. (i) $f(x) \geq 0$, 즉 $-2 \leq x < 1$, $x \geq 2$일 때,
$$f(x)-|f(x)|=f(x)-f(x)=0$$
(ii) $f(x) < 0$, 즉 $x < -2$, $1 \leq x < 2$일 때,
$$f(x)-|f(x)|=f(x)+f(x)=2f(x)$$

(i), (ii)에서 함수 $y=f(x)-|f(x)|$의 그래프는 다음 그림과 같고 $x=1$에서만 불연속이다. [참]

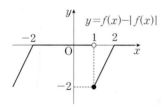

참고

ㄴ. $y=|f(x)|$의 그래프를 그리면 다음 그림과 같다.

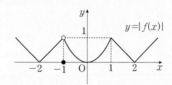

$f(x)$는 $x=-1$, $x=1$에서 $|f(x)|$는 $x=-1$에서 불연속이므로 $f(x)-|f(x)|$의 연속성은 $x=-1$, $x=1$일 때만 따져 보면 된다.

(i) $x=-1$일 때, $\lim_{x \to -1-}\{f(x)-|f(x)|\}=1-1=0$

$\lim_{x \to -1+}\{f(x)-|f(x)|\}=1-1=0$

$f(-1)-|f(-1)|=0-0=0$이므로

$\lim_{x \to -1}\{f(x)-|f(x)|\}=f(-1)-|f(-1)|$이 성립한다.

즉 함수 $f(x)-|f(x)|$는 $x=-1$에서 연속이다.

(ii) $x=1$일 때, $\lim_{x \to 1+}\{f(x)-|f(x)|\}=-1-1=-2$

$\lim_{x \to 1-}\{f(x)-|f(x)|\}=1-1=0$이므로

$\lim_{x \to 1}\{f(x)-|f(x)|\}$의 값이 존재하지 않는다.

즉 함수 $f(x)-|f(x)|$는 $x=1$에서 불연속이다.

(i), (ii)에서 $f(x)-|f(x)|$가 불연속인 점은 1개이다. [참]

ㄷ. 함수 $f(x)$는 $x=-1$과 $x=1$에서 불연속이다.

또, $f(x-a)$는 $f(x)$를 x축의 방향으로 a만큼 평행이동한 것이므로 $x=a-1$과 $x=a+1$에서 불연속이다.

예를 들어 $a=1$이면 $f(x-1)$은 $x=0$, 2에서 불연속이므로 $f(x)f(x-1)$은 $x \neq -1$, 0, 1, 2인 모든 실수 x에서 연속이다.

함수 $f(x)f(x-1)$이 $x=-1$, $x=0$, $x=1$, $x=2$에서의 연속성을 조사해 보자.

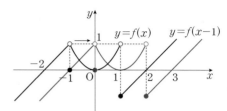

(i) $x=-1$에서 연속성을 조사하면
$x=-1$에서 함숫값은 $f(-1)f(-2)=0 \cdot 0=0$
$\lim_{x \to -1-}f(x)f(x-1)=1 \cdot 0=0$,
$\lim_{x \to -1+}f(x)f(x-1)=1 \cdot 0=0$
즉 $x=-1$에서 연속이다.

(ii) $x=0$에서 연속성을 조사하면
$x=0$에서 함숫값은 $f(0)f(-1)=0 \cdot 0=0$
$\lim_{x \to 0-}f(x)f(x-1)=0 \cdot 1=0$,
$\lim_{x \to 0+}f(x)f(x-1)=0 \cdot 1=0$
즉 $x=0$에서 연속이다.

(iii) $x=1$에서 연속성을 조사하면
$x=1$에서 함숫값은 $f(1)f(0)=(-1) \cdot 0=0$
$\lim_{x \to 1-}f(x)f(x-1)=1 \cdot 0=0$,
$\lim_{x \to 1+}f(x)f(x-1)=(-1) \cdot 0=0$
즉 $x=1$에서 연속이다.

(iv) $x=2$에서 연속성을 조사하면
$x=2$에서 함숫값은 $f(2)f(1)=0 \cdot (-1)=0$
$\lim_{x \to 2-}f(x)f(x-1)=0 \cdot 1=0$,
$\lim_{x \to 2+}f(x)f(x-1)=0 \cdot (-1)=0$
즉 $x=2$에서 연속이다.

(i)~(iv)에서 함수 $f(x)f(x-1)$는 실수 전체에서 연속이다.

함수 $f(x)f(x-a)$가 실수 전체에서의 집합에서 연속이 되는 상수 $a=1$이 존재한다. [거짓]

따라서 옳은 것은 ㄱ, ㄴ이다.

정답 ②

  $y=f(x-a)$의 그래프는 $y=f(x)$의 그래프를 x축의 방향으로 a만큼 평행이 동한 함수이고 함수 $f(x)f(x-a)$가 연속이 되려면 극한값과 함숫값이 모두 0이 되어야 한다.

불연속점이 되는 부분의 함수에 0으로 연속인 함수를 곱하는 것이므로 $a=1$일 때, $f(x)f(x-1)$가 $x=-1$, 0, 1, 2에서 좌극한, 우극한, 함숫값이 모두 0이 되어 실수 전체의 집합에서 연속이다.

즉 $y=f(x)$가 불연속이 되는 x의 좌표를 $y=f(x-a)$의 그래프가 지나면 함숫값이 0이 되므로 연속이 된다.

0317

STEP **A** x값의 범위에 따라 $[x-1]$의 값 구하기

$0 \le x < 1$일 때, $[x-1]=-1$
$1 \le x < 2$일 때, $[x-1]=0$
$2 \le x < 3$일 때, $[x-1]=1$
$x=3$일 때, $[x-1]=2$

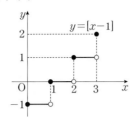

STEP **B** 그래프를 그려 불연속이 되는 실수의 개수 구하기

따라서 불연속이 되는 실수 x의 개수는 1, 2, 3으로 3개이다.

내/신/연/계/ 출제문항 131

닫힌구간 $[1,\ 4]$에서 함수 $f(x)=[x-2]$가 불연속인 x의 값의 개수는?
(단, $[x]$는 x보다 크지 않은 최대의 정수)

① 1 　　　② 2 　　　③ 3
④ 4 　　　⑤ 5

STEP **A** x값의 범위에 따라 $[x-2]$의 값 구하기

$1 \le x < 2$일 때, $f(x)=[x-2]=-1$
$2 \le x < 3$일 때, $f(x)=[x-2]=0$
$3 \le x < 4$일 때, $f(x)=[x-2]=1$
$x=4$일 때 $f(x)=2$

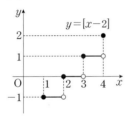

STEP **B** 그래프를 그려 불연속이 되는 실수의 개수 구하기

따라서 불연속이 되는 실수 x는 2, 3, 4이므로 그 개수는 3개이다.

정답 ③

0318

STEP **A** 정수 n에 대하여 $x \to n-$이면 $\lim\limits_{x \to n-}[x]=n-1$이고 $x \to n+$이면 $\lim\limits_{x \to n+}[x]=n$임을 이용하기

(i) $n-1 \le x < n$일 때, $[x]=n-1$이므로

$$\lim_{x \to n-}f(x)=\frac{(n-1)^2+n}{n-1}=\frac{n^2-n+1}{n-1}$$

(ii) $n \le x < n+1$일 때, $[x]=n$이므로

$$\lim_{x \to n+}f(x)=\frac{n^2+n}{n}=n+1$$

(iii) $f(n)=\dfrac{n^2+n}{n}=n+1$

STEP **B** $\lim\limits_{x \to n}f(x)=f(n)$임을 이용하여 n의 값 구하기

(i)~(iii)에서 함수 $f(x)$가 $x=n$에서 연속이므로

$\lim\limits_{x \to n}f(x)=f(n)$이 성립해야 한다.

즉 $\dfrac{n^2-n+1}{n-1}=n+1$에서 $n^2-n+1=(n+1)(n-1)$, $n^2-n+1=n^2-1$
따라서 $n=2$

0319

STEP **A** $f(x)$가 $x=1$에서 연속일 조건 이해하기

함수 $f(x)=[x]^2+a[x]$가 $x=1$에서 연속이므로 $\lim\limits_{x \to 1}f(x)=f(1)$

STEP **B** x값의 범위에 따라 $[x]$의 값 구하기

(i) $0 \le x < 1$에서 $[x]=0$이므로 $\lim\limits_{x \to 1-}f(x)=0$

(ii) $1 \le x < 2$에서 $[x]=1$이므로 $\lim\limits_{x \to 1+}f(x)=1+a$

(iii) $f(1)=1+a$

STEP **C** $x=1$에서 좌극한, 우극한, 함숫값이 모두 같음을 이용하기

(i)~(iii)에 의하여 $1+a=0$이므로 $a=-1$

내/신/연/계/ 출제문항 132

함수
$$f(x)=a[x]^2-3[x]+2$$
가 $x=2$에서 연속이 되도록 하는 실수 a의 값은?
(단, $[x]$보다 크지 않은 최대의 정수이다.)

① 1 　　　② 2 　　　③ 3
④ 4 　　　⑤ 5

STEP **A** $f(x)$가 $x=2$에서 연속일 조건 이해하기

함수 $f(x)=a[x]^2-3[x]+2$가 $x=2$에서 연속이므로 $\lim\limits_{x \to 2}f(x)=f(2)$

STEP **B** x값의 범위에 따라 $[x]$의 값 구하기

(i) $1 \le x < 2$에서 $[x]=1$이므로 $\lim\limits_{x \to 2-}f(x)=a-3+2=a-1$

(ii) $2 \le x < 3$에서 $[x]=2$이므로 $\lim\limits_{x \to 2+}f(x)=4a-6+2=4a-4$

(iii) $f(2)=4a-3 \cdot 2+2=4a-4$

STEP **C** $x=2$에서 좌극한, 우극한, 함숫값이 모두 같음을 이용하기

(i)~(iii)에 의하여 $a-1=4a-4$이므로 $a=1$

정답 ①

0320

STEP **A** 정수 n에 대하여 $x \to n-$이면 $\lim\limits_{x \to n-}[x]=n-1$이고 $x \to n+$이면 $\lim\limits_{x \to n+}[x]=n$임을 이용하기

함수 $f(x)$가 모든 실수 x에서 연속이려면
$x=n$(n은 정수)에서도 연속이어야 한다.
즉 $\lim\limits_{x \to n}f(x)=f(n)$
$f(x)=[x+1]^2+(ax+b)[x]$

(i) $n-1 \le x < n$일 때,
　　　$n \le x+1 < n+1$이므로 $[x]=n-1$, $[x+1]=n$
　　　$\lim\limits_{x \to n-}f(x)=\lim\limits_{x \to n-}([x+1]^2+(ax+b)[x])$
　　　　　　　$=n^2+(an+b)(n-1)$
　　　　　　　$=(a+1)n^2+(b-a)n-b$

(ii) $n \le x < n+1$일 때,
　　　$n+1 \le x+1 < n+2$이므로 $[x]=n$, $[x+1]=n+1$
　　　$\lim\limits_{x \to n+}f(x)=\lim\limits_{x \to n+}([x+1]^2+(ax+b)[x])$
　　　　　　　$=(n+1)^2+(an+b)n$
　　　　　　　$=(a+1)n^2+(b+2)n+1$

(iii) $f(n)=(n+1)^2+(an+b)n=(a+1)n^2+(b+2)n+1$

(i)~(iii)에서 함수 $f(x)$가 $x=n$에서 연속이므로
$(a+1)n^2+(b-a)n-b=(a+1)n^2+(b+2)n+1$
이 등식이 임의의 정수 n에 대하여 성립해야 하므로
$b-a=b+2$, $-b=1$
따라서 $a=-2$, $b=-1$이므로 $a+b=-2+(-1)=-3$

0321

정답 ①

STEP ⓐ $x=1$에서도 연속이 되도록 하는 b의 값 구하기

함수 $f(x)$가 모든 실수 x에 대하여 연속이므로 $x=1$에서 연속이어야 한다.
즉 $\lim_{x \to 1} f(x) = f(1)$
$\lim_{x \to 1-} f(x) = \lim_{x \to 1-}(ax+1) = a+1$
$\lim_{x \to 1+} f(x) = \lim_{x \to 1+}(-x^2-3ax+b) = -1-3a+b$에서
$a+1=-1-3a+b$
$\therefore b=4a+2$ ...... ㉠

STEP ⓑ $f(x+4)=f(x)$에서 $f(3)=f(-1)$을 이용하여 a, b값 구하기

또, $f(x+4)=f(x)$에 $x=-1$을 대입하면
$f(3)=f(-1)$이고 함수 $f(x)$가 $x=3$에서 연속이므로
$\lim_{x \to 3} f(x) = f(3) = f(-1)$
즉 $\lim_{x \to 3-}(-x^2-3ax+b) = f(-1) = -a+1$에서
$-9-9a+b=-a+1$
$\therefore b=8a+10$ ...... ㉡
㉠, ㉡을 연립하여 풀면 $a=-2$, $b=-6$

STEP ⓒ $f(10)$의 값 구하기

따라서 $f(x)=-x^2+6x-6 (1 \le x \le 3)$이므로 $f(10)=f(6)=f(2)=2$

0322

정답 ⑤

STEP ⓐ $x=2$에서 연속이 되도록 하는 a, b의 관계식 구하기

함수 $f(x)$가 모든 실수 x에 대하여 연속이므로 $x=2$에서 연속이어야 한다.
$\lim_{x \to 2-} f(x) = \lim_{x \to 2+} f(x) = f(2)$에서
$\lim_{x \to 2-} 2x = \lim_{x \to 2+}(ax+b) = 2a+b$
$2a+b=4$ ...... ㉠

STEP ⓑ $f(x+4)=f(x)$에서 $f(4)=f(0)$을 이용하여 a, b값 구하기

$f(x+4)=f(x)$에 $x=0$을 대입하면
$f(4)=f(0)=0$이고 함수 $f(x)$가 $x=4$에서 연속이므로
$\lim_{x \to 4-} f(x) = f(4) = f(0)$
즉 $\lim_{x \to 4-}(ax+b) = f(0) = 0$에서 $4a+b=0$ ...... ㉡
㉠, ㉡을 연립하여 풀면 $a=-2$, $b=8$

STEP ⓒ $f(7)$의 값 구하기

따라서 $f(x)=-2x+8 (2 \le x \le 4)$이므로 $f(7)=f(3)=-2 \cdot 3+8=2$

내 신 연 계 출제문항 133

함수 $f(x)$는 모든 실수 x에 대하여 $f(x+2)=f(x)$를 만족시키고,
$$f(x) = \begin{cases} ax+1 & (-1 \le x < 0) \\ 3x^2+2ax+b & (0 \le x < 1) \end{cases}$$
이다. 함수 $f(x)$가 실수 전체의 집합에서 연속일 때, 두 상수 a, b에 대하여 $a+b$의 값은?

① -2 ② -1 ③ 0
④ 1 ⑤ 2

STEP ⓐ $x=0$에서도 연속이 되도록 하는 b의 값 구하기

함수 $f(x)$가 모든 실수 x에서 연속이므로 $f(x)$는 $x=0$에서도 연속이다.
$\lim_{x \to 0-} f(x) = \lim_{x \to 0+} f(x) = f(0)$이어야 한다.
$\lim_{x \to 0-} f(x) = \lim_{x \to 0-}(ax+1) = 1$
$\lim_{x \to 0+} f(x) = \lim_{x \to 0+}(3x^2+2ax+b) = 3 \cdot 0^2+2a \cdot 0+b = b$
$f(0)=b$이므로 $b=1$ ...... ㉠

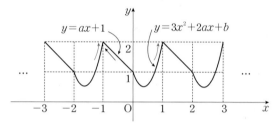

STEP ⓑ $f(x+2)=f(x)$에서 $f(1)=f(-1)$을 이용하여 관계식 구하기

또한, $f(x+2)=f(x)$에 $x=-1$을 대입하면
$f(1)=f(-1)$이고 함수 $f(x)$가 $x=1$에서 연속이므로
$\lim_{x \to 1} f(x) = f(1) = f(-1)$
즉 $\lim_{x \to 1-}(3x^2+2ax+b) = f(-1) = -a+1$에서
$3+2a+b=-a+1$
$\therefore 3a+b=-2$ ...... ㉡
㉠, ㉡을 연립하여 풀면 $a=-1$, $b=1$
따라서 $a+b=0$

정답 ③

참고

함수 $f(x)$가 모든 실수 x에 대하여 $f(x+2)=f(x)$를 만족시키므로
$\lim_{x \to 1-} f(x) = \lim_{x \to 1+} f(x)$ ← $f(x+2)=f(x)$에서 $f(-1)=f(1)$
이때 $x=-1$에서 $f(x)$가 연속이므로
$f(-1) = \lim_{x \to -1-} f(x) = \lim_{x \to -1+} f(x)$이 성립한다.
$f(-1)=-a+1$
$\lim_{x \to 1-} f(x) = \lim_{x \to 1-} f(x) = \lim_{x \to 1-}(3x^2+2ax+b) = 3+2a+b$
$\lim_{x \to 1+} f(x) = \lim_{x \to 1+}(ax+1) = -a+1$
$-a+1=3+2a+b$ $\therefore 3a+b=-2$ ...... ㉡
㉠, ㉡을 연립하여 풀면 $a=-1$, $b=1$
따라서 $a+b=0$

0323

STEP A $x=3$에서도 연속이 되도록 하는 b의 값 구하기

함수 $f(x)$가 실수 전체의 집합에서 연속이므로 $x=3$에서도 연속이다.

즉 $f(3)=\lim\limits_{x\to3-}f(x)=\lim\limits_{x\to3+}f(x)$이므로 $\lim\limits_{x\to3+}\{a(x-3)^2+b\}=5$

$\therefore b=5$

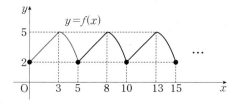

STEP B $f(x)=f(x+5)$에서 $f(0)=f(5)$를 이용하여 a의 값 구하기

한편 $f(x)=f(x+5)$에 $x=0$을 대입하면

$f(0)=f(5)$이고 함수 $f(x)$가 $x=5$에서 연속이므로

$\lim\limits_{x\to5-}f(x)=f(5)=f(0)$

즉 $\lim\limits_{x\to5-}\{a(x-3)^2+5\}=f(0)=2$에서 $4a+5=2$

$\therefore a=-\dfrac{3}{4}$

STEP C $f(39)$의 값 구하기

따라서 $f(x)=\begin{cases}x+2 & (0\le x\le 3)\\ -\dfrac{3}{4}(x-3)^2+5 & (3<x\le 5)\end{cases}$이고 $f(x)=f(x+5)$이므로

$f(39)=f(34)=\cdots=f(4)=-\dfrac{3}{4}(4-3)^2+5=\dfrac{17}{4}$

내/신/연/계 출제문항 134

함수 $f(x)$가 다음 조건을 만족시킨다.

> (가) $f(x)=\begin{cases}x+a & (0\le x\le 1)\\ b(x-1)^2+2 & (1<x<3)\end{cases}$
>
> (나) 모든 실수 x에 대하여 $f(x)=f(x+3)$이다.

함수 $f(x)$가 실수 전체의 집합에서 연속일 때, 상수 a, b에 대하여 $a-b$의 값은?

① $\dfrac{1}{4}$ ② $\dfrac{3}{4}$ ③ $\dfrac{5}{4}$

④ $\dfrac{7}{4}$ ⑤ $\dfrac{9}{4}$

STEP A $x=1$에서 연속임이 되도록 하는 a의 값 구하기

함수 $f(x)$가 실수 전체의 집합에서 연속이려면

$x=1$에서 연속이어야 하므로 $\lim\limits_{x\to1}f(x)=f(1)$

즉 $\lim\limits_{x\to1-}(x+a)=\lim\limits_{x\to1+}\{b(x-1)^2+2\}=f(1)$에서 $1+a=2$이므로 $a=1$

STEP B $f(x)=f(x+3)$에서 $f(0)=f(3)$를 이용하여 b의 값 구하기

또한, $f(x)=f(x+3)$이므로 $f(0)=f(3)=1$이고

함수 $f(x)$가 $x=3$에서 연속이므로 $\lim\limits_{x\to3}f(x)=f(3)$이어야 한다.

즉 $\lim\limits_{x\to3-}\{b(x-1)^2+2\}=1$에서 $4b+2=1$이므로 $b=-\dfrac{1}{4}$

따라서 $a-b=1-\left(-\dfrac{1}{4}\right)=\dfrac{5}{4}$

0324

STEP A $y=|x^2-1|$의 그래프를 그리기

$y=|x^2-1|$의 그래프는 $y=x^2-1$의 그래프에서 $y<0$인 부분을 x축에 대하여 대칭이동한 것이므로 다음 그림과 같다.

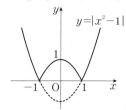 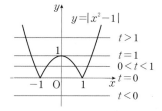

STEP B 함수 $f(t)$의 그래프에서 [보기]의 진위판단하기

함수 $f(t)=\begin{cases}0 & (t<0)\\ 2 & (t=0)\\ 4 & (0<t<1)\\ 3 & (t=1)\\ 2 & (t>1)\end{cases}$와

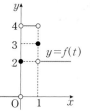

그 그래프는 오른쪽 그림과 같다.

ㄱ. $f(1)=3$ [참]

ㄴ. $\lim\limits_{t\to1-}f(t)=4$ [참]

ㄷ. 열린구간 $(-1, 4)$에서 함수 $f(t)$의 불연속점은 2개이다. [참]

따라서 옳은 것은 ㄱ, ㄴ, ㄷ이다.

내/신/연/계 출제문항 135

실수 t에 대하여 직선 $y=t$가 곡선 $y=|x^2-2x|$와 만나는 점의 개수를 $f(t)$라 하자. 최고차항의 계수가 1인 이차함수 $g(t)$에 대하여 함수 $f(t)g(t)$가 모든 실수 t에서 연속일 때, $f(3)+g(3)$의 값은?

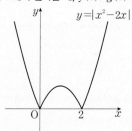

① 4 ② 6 ③ 8

④ 10 ⑤ 12

STEP A 그림을 그려 t의 범위에 따라 $f(t)$의 값 구하기

$f(t)$는 $y=|x^2-2x|$의 그래프와 직선 $y=t$가 만나는 점의 개수이므로 위치에 따라 다음과 같은 함수가 만들어진다.

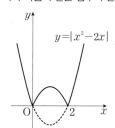 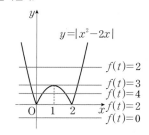

STEP B 함수 $f(t)$의 식을 이용하여 그리기

함수 $f(t)=\begin{cases}0 & (t<0)\\ 2 & (t=0)\\ 4 & (0<t<1)\\ 3 & (t=1)\\ 2 & (t>1)\end{cases}$와

그 그래프는 오른쪽 그림과 같다.

STEP ⓒ $t=0$, $t=1$에서 함수 $f(t)g(t)$가 연속이 되도록 하는 $g(t)$ 구하기

이때 함수 $f(t)$는 $t=0$과 $t=1$에서 불연속이고 함수 $f(t)g(t)$가 모든 실수 t에서 연속이기 위해서는 $g(0)=0$, $g(1)=0$이어야 한다.

즉 $g(t)$는 최고차항의 계수가 1인 이차함수이므로 $g(t)=t(t-1)$

따라서 $f(3)+g(3)=2+6=8$　　　　　정답 ③

0325　　　정답 ②

STEP ⓐ 이차방정식의 판별식을 이용하여 근을 판별하기

이차방정식 $x^2+2(a-2)x+a-2=0$의 판별식을 D라고 하면

$\dfrac{D}{4}=(a-2)^2-(a-2)=(a-2)(a-3)$이므로

(i) $\dfrac{D}{4}>0$이면 서로 다른 두 실근이므로 $f(a)=2$

　　즉 $(a-2)(a-3)>0$에서 $a<2$ 또는 $a>3$

(ii) $\dfrac{D}{4}=0$이면 서로 같은 실근이므로 $f(a)=1$

　　즉 $(a-2)(a-3)=0$에서 $a=2$ 또는 $a=3$

(iii) $\dfrac{D}{4}<0$이면 서로 다른 두 허근이므로 $f(a)=0$

　　즉 $(a-2)(a-3)<0$에서 $2<a<3$

(i)~(iii)에 의하여

$f(a)=\begin{cases} 2 & (a<2 \text{ 또는 } a>3) \\ 1 & (a=2 \text{ 또는 } a=3) \\ 0 & (2<a<3) \end{cases}$

이를 그래프로 나타내면 다음 그림과 같다.

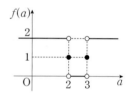

STEP ⓑ 함수 $f(a)$가 불연속인 모든 a의 값 구하기

따라서 불연속인 a의 값은 2, 3이고 $2+3=5$

내/신/연/계 출제문항 136

실수 a에 대하여 집합 $\{x|ax^2+2(a-2)x-(a-2)=0,\ x\text{는 실수}\}$의 원소의 개수를 $f(a)$라 할 때, 옳은 것만을 [보기]에서 있는 대로 골라라.

ㄱ. $\lim\limits_{a\to 0}f(a)=f(0)$

ㄴ. $\lim\limits_{a\to c+}f(a)\neq\lim\limits_{a\to c-}f(a)$인 실수 c는 2개이다.

ㄷ. 함수 $f(a)$가 불연속인 점은 3개이다.

① ㄱ　　　　② ㄱ, ㄴ　　　　③ ㄱ, ㄷ
④ ㄴ, ㄷ　　⑤ ㄱ, ㄴ, ㄷ

STEP ⓐ $a=0$, $a\neq0$일 때로 나누어서 $f(a)$ 구하기

$ax^2+2(a-2)x-(a-2)=0$에서

(i) $a=0$인 경우

　　$-4x+2=0$이므로 실수 x는 $x=\dfrac{1}{2}$인 한 개이므로 $f(0)=1$

(ii) $a\neq0$인 경우

　　방정식 $ax^2+2(a-2)x-(a-2)=0$의 판별식을 D라 하면

　　서로 다른 두 실근을 가질 조건

$\dfrac{D}{4}=(a-2)^2+a(a-2)$

$\quad=2a^2-6a+4$

$\quad=2(a^2-3a+2)$

$\quad=2(a-1)(a-2)>0$

$\therefore\ a<1$ 또는 $a>2$

즉 $a\neq0$이므로 $a<0$ 또는 $0<a<1$ 또는 $a>2$일 때, $f(a)=2$

또한, 중근(한 개의 실근)을 가질 조건은 $\dfrac{D}{4}=2(a-1)(a-2)=0$

$\therefore\ a=1$ 또는 $a=2$일 때, $f(a)=1$

또한, 실근을 갖지 않을 조건은 $\dfrac{D}{4}=2(a-1)(a-2)<0$

$\therefore\ 1<a<2$일 때, $f(a)=0$

STEP ⓑ $f(a)$의 그래프로 [보기]의 진위판단하기

(i), (ii)에 의하여

$f(a)=\begin{cases} 2 & (a<0 \text{ 또는 } 0<a<1,\ a>2) \\ 1 & (a=0,\ 1,\ 2) \\ 0 & (1<a<2) \end{cases}$

이를 그래프로 나타내면 다음 그림과 같다.

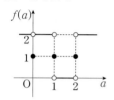

ㄱ. $\lim\limits_{a\to 0}f(a)=2$, $f(0)=1$이므로 $\lim\limits_{a\to 0}f(a)\neq f(0)$ [거짓]

ㄴ. $\lim\limits_{a\to c+}f(a)\neq\lim\limits_{a\to c-}f(a)$인 실수 c는 $c=1$, $c=2$이므로 2개이다. [참]

ㄷ. 함수 $f(a)$는 $a=0$, 1, 2에서 연속이 아니므로 함수 $f(a)$가 불연속점은 3개이다. [참]

따라서 옳은 것은 ㄴ, ㄷ이다.　　　정답 ④

0326　　　정답 ③

STEP ⓐ 두 함수의 그래프를 그려 t의 범위에 따라 교점의 개수 구하기

$g(t)$는 $f(x)=x^2-2|x|+3$의 그래프와 직선 $y=t$가 만나는 점의 개수이므로 위치에 따라 다음과 같은 함수가 만들어진다.

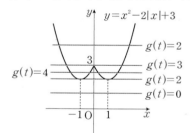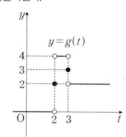

$\therefore\ g(t)=\begin{cases} 0 & (t<2) \\ 2 & (t=2) \\ 4 & (2<t<3) \\ 3 & (t=3) \\ 2 & (t>3) \end{cases}$

STEP ⓑ 함수의 극한값 구하기

따라서 $\lim\limits_{t\to 3+}g(t)=2$, $\lim\limits_{t\to 2+}g(t)=4$이므로 $a+b=2+4=6$

실수 t에 대하여 곡선 $y=x^2-3|x|+1$과 직선 $y=x+t$의 서로 다른 교점의 개수를 $f(t)$라 하자. 함수 $f(t)$가 $t=a$에서 불연속인 모든 실수 a의 값의 합은?

① -2 ② -1 ③ 0
④ 1 ⑤ 2

STEP Ⓐ 두 함수의 그래프를 그려 t의 범위에 따라 교점의 개수 구하기

곡선 $y=x^2-3|x|+1$과 직선 $y=x+t$의 교점의 개수는
$x^2-3|x|+1=x+t$에서 $x^2-3|x|-x+1=t$이므로
$y=x^2-3|x|-x+1$와 $y=t$의 교점의 개수와 같다.

이때 $g(x)=x^2-3|x|-x+1$에서 $g(x)=\begin{cases}(x-2)^2-3 & (x \geq 0) \\ (x+1)^2 & (x<0)\end{cases}$

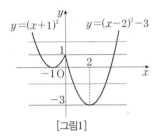
[그림1]

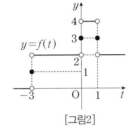
[그림2]

즉 함수 $y=g(x)$의 그래프는 [그림1]과 같으므로 주어진 곡선과 직선의 서로 다른 교점의 개수는 함수 $y=g(x)$의 그래프와 직선 $y=t$의 교점의 개수와 같다.

STEP Ⓑ 함수 $f(t)$가 $t=a$에서 불연속이 되는 a의 값 구하기

$f(t)=\begin{cases}0 & (t<-3) \\ 1 & (t=-3) \\ 2 & (-3<t<0) \\ 3 & (t=0) \\ 4 & (0<t<1) \\ 3 & (t=1) \\ 2 & (t>1)\end{cases}$ 이므로 함수 $y=f(t)$의 그래프는 [그림2]와 같다.

즉 함수 $f(t)$는 $t=-3$, $t=0$, $t=1$에서 불연속이므로
$a=-3$ 또는 $a=0$ 또는 $a=1$
따라서 구하는 모든 실수 a의 값의 합은 $-3+0+1=-2$ 정답 ①

0327
정답 ③

STEP Ⓐ 그림을 그려 t의 범위에 따라 $f(t)$의 값 구하기

원 $x^2+y^2=t^2$과 직선 $y=1$이 만나는 점의 개수가 $f(t)$이므로 t의 범위에 따라 $f(t)$를 구해보면 다음과 같다.

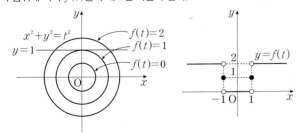

STEP Ⓑ $x=1$에서 좌극한, 우극한, 함숫값이 모두 같음을 이용하기

함수 $f(t)=\begin{cases}2 & (|t|>1) \\ 1 & (|t|=1) \\ 0 & (|t|<1)\end{cases}$ 이고 함수 $(x+k)f(x)$가 구간 $(0, \infty)$에서 연속이면
$x=1$에서 연속이다.
$(1+k)f(1)=\lim_{x \to 1-}(x+k)f(x)=\lim_{x \to 1+}(x+k)f(x)$
$(1+k)\cdot 1=(1+k)\cdot 0=(1+k)\cdot 2$ ∴ $k=-1$
따라서 $f(1)+k=1-1=0$

실수 t에 대하여 x에 대한 이차방정식 $x^2-4x+t-1=0$의 서로 다른 실근의 개수를 $f(t)$라 하자. 함수 $(t-a)f(t)$가 모든 실수 t에서 연속이 되도록 하는 상수 a의 값은?

① 1 ② 2 ③ 3
④ 4 ⑤ 5

STEP Ⓐ 이차방정식의 판별식을 이용하여 근을 판별하기

x에 대한 이차방정식 $x^2-4x+t-1=0$의 판별식을 D라 하면
$D=16-4(t-1)=-4t+20$
이므로
$D>0$, 즉 $t<5$일 때, $f(t)=2$
$D=0$, 즉 $t=5$일 때, $f(t)=1$
$D<0$, 즉 $t>5$일 때, $f(t)=0$
즉 함수 $f(t)$는 $t=5$에서만 불연속이다.

STEP Ⓑ 함수 $(t-a)f(t)$가 $t=5$에서 연속이 되도록 하는 a의 값 구하기

함수 $(t-a)f(t)$가 $t=5$에서 연속이면 모든 실수 t에서 연속이다.
이때 $(5-a)f(5)=(5-a)\times 1=5-a$이고
$\lim_{t \to 5+}(t-a)f(t)=\lim_{t \to 5+}(t-a)\times\lim_{t \to 5+}f(t)=(5-a)\times 0=0$
$\lim_{t \to 5-}(t-a)f(t)=\lim_{t \to 5-}(t-a)\times\lim_{t \to 5-}f(t)=(5-a)\times 2=2(5-a)$이므로
함수 $(t-a)f(t)$가 $t=5$에서 연속이려면 $5-a=0=2(5-a)$이어야 한다.
따라서 $a=5$ 정답 ⑤

0328
정답 ④

STEP Ⓐ 범위에 따라 $f(k)$의 값 구하기

원 $(x-1)^2+y^2=1$의 중심 $(1, 0)$과 직선 $y=x+k$
즉 $x-y+k=0$ 사이의 거리는 $\dfrac{|k+1|}{\sqrt{2}}$

(i) $\dfrac{|k+1|}{\sqrt{2}}<1$, 즉 $-1-\sqrt{2}<k<-1+\sqrt{2}$일 때,
주어진 원과 직선은 서로 다른 두 점에서 만난다.
(ii) $\dfrac{|k+1|}{\sqrt{2}}=1$, 즉 $k=-1\pm\sqrt{2}$일 때,
주어진 원과 직선은 한 점에서 만난다.
(iii) $\dfrac{|k+1|}{\sqrt{2}}>1$, 즉 $k<-1-\sqrt{2}$ 또는 $k>-1+\sqrt{2}$일 때,
주어진 원과 직선은 만나지 않는다.
(i)~(iii)에서
$f(k)=\begin{cases}2 & (-1-\sqrt{2}<k<-1+\sqrt{2}) \\ 1 & (k=-1\pm\sqrt{2}) \\ 0 & (k<-1-\sqrt{2}\ \text{또는}\ k>-1+\sqrt{2})\end{cases}$
이므로 함수 $y=f(k)$의 그래프는 오른쪽 그림과 같고 불연속이 되는 점은 $-1-\sqrt{2}$, $-1+\sqrt{2}$

STEP Ⓑ 함수 $f(k)$의 그래프에서 [보기]의 진위판단하기

ㄱ. $f(-1-\sqrt{2})=1$ [참]
ㄴ. $\lim_{k \to (-1+\sqrt{2})^-}f(k)=2$ [거짓]
ㄷ. 함수 $f(k)$의 불연속점은 2개이다. [참]
따라서 옳은 것은 ㄱ, ㄷ이다.

0329

정답 ②

STEP Ⓐ 직선과 원이 접할 때의 t의 값 구하기

직선 $x-2y+t=0$과 원 $x^2+(y-3)^2=5$가 접할 때, 원의 중심 $(0, 3)$에서

직선 $x-2y+t=0$ 사이의 거리는 원의 반지름 $\sqrt{5}$와 같으므로

$$\frac{|0-6+t|}{\sqrt{1^2+(-2)^2}}=\sqrt{5}, \; |-6+t|=5$$

이때 $-6+t=\pm5$이므로 $t=1$, $t=11$

STEP Ⓑ 그림을 그려 t의 범위에 따라 $f(t)$의 값 구하기

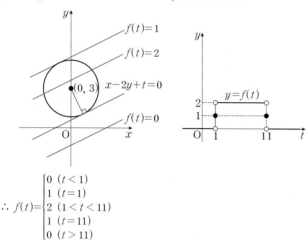

$$\therefore f(t)=\begin{cases} 0 & (t<1) \\ 1 & (t=1) \\ 2 & (1<t<11) \\ 1 & (t=11) \\ 0 & (t>11) \end{cases}$$

STEP Ⓒ $f(x)$가 $x=a$에서 불연속일 때, $f(x)g(x)$가 연속이려면 $g(a)=0$이어야 함을 이용하기

이때 $f(t)$는 $t=1$, $t=11$에서 불연속이므로 이차함수 $g(t)$는

$t=1$, $t=11$을 지나는 최고차항이 1인 이차함수이어야 한다.

즉 $g(t)=(t-1)(t-11)$

따라서 $f(2)+g(2)=2+(-9)=-7$

> **참고** 함수 $f(t)$가 $t=a$에서 불연속이 되도록 하는 모든 실수 a의 합은 $1+11=12$

0330

정답 ⑤

STEP Ⓐ 연속인 구간 구하기

ㄱ. 함수 $f(x)=\dfrac{1}{x-1}$는 정의역은 $x\neq1$인 모든 실수에서 연속이므로

구간 $(-\infty, 1)\cup(1, \infty)$에서 연속이다. [참]

ㄴ. 함수 $f(x)=\sqrt{2-x}$는 정의역 $\{x|x\leq2\}$에서 연속이므로

구간 $(-\infty, 2]$에서 연속이다. [참]

ㄷ. 함수 $f(x)=\dfrac{x^2-3}{x^2+x+1}$에서 모든 실수 x에 대하여 $x^2+x+1>0$이므로

$x^2+x+1=0$을 만족시키는 실수 x가 존재하지 않는다.

즉 함수 $f(x)$는 실수 전체의 집합 $(-\infty, \infty)$에서 연속이다. [참]

따라서 옳은 것은 ㄱ, ㄴ, ㄷ이다.

두 함수 $f(x)=x^2-2$, $g(x)=x+4$에 대하여 함수 $\dfrac{g(x)}{f(x)-g(x)}$가 연속인 구간은?

① $(-\infty, -2)\cup(3, \infty)$

② $(-\infty, -1)\cup(2, \infty)$

③ $(-\infty, -4)\cup(4, \infty)$

④ $(-\infty, -1)\cup(-1, 2)\cup(2, \infty)$

⑤ $(-\infty, -2)\cup(-2, 3)\cup(3, \infty)$

STEP Ⓐ 연속함수의 성질을 이용하여 함수가 연속인 구간 구하기

함수 $\dfrac{g(x)}{f(x)-g(x)}=\dfrac{x+4}{(x^2-2)-(x+4)}=\dfrac{x+4}{x^2-x-6}=\dfrac{x+4}{(x-3)(x+2)}$

이므로 $(x+2)(x-3)=0$일 때만 불연속이다.

따라서 $x=-2$, $x=3$에서 불연속이므로 연속인 구간은

$(-\infty, -2)\cup(-2, 3)\cup(3, \infty)$

정답 ⑤

0331

정답 ③

STEP Ⓐ 구간에서 연속인 구간 구하기

① $f(x)=\dfrac{2}{x-3}$는 정의역은 $x\neq3$인 모든 실수에서 연속이므로

구간 $(-\infty, 3)$, $(3, \infty)$에서 연속이다. [참]

② $f(x)=\sqrt{2x-1}+1$는 정의역 $\left\{x|x\geq\dfrac{1}{2}\right\}$에서 연속이므로

구간 $\left[\dfrac{1}{2}, \infty\right)$에서 연속이다. [참]

③ $f(x)=\dfrac{x-2}{x^2+3x+2}=\dfrac{x-2}{(x+1)(x+2)}$는 $(x+1)(x+2)=0$일 때만

불연속이다.

함수 $f(x)$는 $x\neq-2$, $x\neq-1$인 모든 실수

즉 구간 $(-\infty, -2)$, $(-2, -1)$, $(-1, \infty)$에서 연속이다. [거짓]

④ $f(x)=\dfrac{1}{x^2+1}$에서 모든 실수 x에 대하여 $x^2+1>0$이므로

$x^2+1=0$을 만족시키는 실수 x가 존재하지 않는다.

즉 함수 $f(x)$는 실수 전체의 집합, 즉 구간 $(-\infty, \infty)$에서 연속이다. [참]

⑤ $f(x)=\begin{cases} x-1 & (x\geq0) \\ x+1 & (x<0) \end{cases}$는 $x\neq0$인 모든 실수에서 연속이므로

구간 $(-\infty, 0)\cup(0, \infty)$에서 연속이다. [참]

따라서 옳지 않은 것은 ③이다.

0332

정답 ⑤

STEP Ⓐ 연속함수의 성질을 이용하여 함수가 연속인 구간 구하기

ㄱ. $\dfrac{g(x)}{f(x)}=\dfrac{2x+2}{x^2+x}$는 $x^2+x=x(x+1)=0$일 때만 불연속이므로

$x\neq-1$, $x\neq0$인 모든 실수에서 연속이다.

즉 구간 $(-\infty, -1)$, $(-1, 0)$, $(0, \infty)$에서 연속이다. [참]

ㄴ. $\sqrt{f(x)g(x)}=\sqrt{(x^2+x)(2x+2)}=\sqrt{2x(x+1)^2}\geq0$

이므로 $x\geq0$인 모든 실수에서 연속이다.

즉 구간 $[0, \infty)$에서 연속이다. [참]

ㄷ. $\dfrac{f(x)+g(x)}{f(x)-g(x)}=\dfrac{x^2+3x+2}{x^2-x-2}$는 $x^2-x-2=(x+1)(x-2)=0$일 때만

불연속이므로 $x\neq-1$, $x\neq2$인 모든 실수에서 연속이다.

즉 구간 $(-\infty, -1)$, $(-1, 2)$, $(2, \infty)$에서 연속이다. [참]

따라서 옳은 것은 ㄱ, ㄴ, ㄷ이다.

0333

 정답 ⑤

STEP A 모든 실수에서 연속인 함수 구하기

ㄱ. $\lim_{x \to 2} f(x) = \lim_{x \to 2} \frac{x^2-x-2}{x-2} = \lim_{x \to 2} \frac{(x-2)(x+1)}{x-2} = \lim_{x \to 2} (x+1) = 3$

$f(2) = 3$

$\lim_{x \to 2} f(x) = f(2)$를 만족하므로 함수 $f(x)$는 모든 실수 x에서 연속이다. [참]

ㄴ. 함수 $f(x) = \begin{cases} x & (x > 0) \\ 0 & (x = 0) \\ -x & (x < 0) \end{cases}$ 이므로 모든 실수 x에서 연속이려면

$x = 0$에서 연속이어야 한다.

$\lim_{x \to 0+} f(x) = \lim_{x \to 0+} x = 0$, $\lim_{x \to 0-} f(x) = \lim_{x \to 0-} x = 0$에서 $\lim_{x \to 0} f(x) = 0$이고

$f(0) = 0$이므로 $\lim_{x \to 0} f(x) = f(0)$을 만족시키므로

함수 $f(x)$는 모든 실수 x에서 연속이다. [참]

ㄷ. $f(x) = \frac{1}{x^2+x+1}$에서 모든 실수 x에 대하여 $x^2+x+1 > 0$이므로

$x^2+x+1 = 0$을 만족시키는 실수 x가 존재하지 않는다.

즉 함수 $f(x)$는 모든 실수 x에서 연속이다. [참]

따라서 모든 실수 x에서 연속인 함수는 ㄱ, ㄴ, ㄷ이다.

0334

정답 ④

STEP A 닫힌구간 $[-2, 2]$에서 함수가 정의되는지 확인하기

다항함수 $f(x) = x^2+2x+2$와 $g(x) = x^2-1$에 대하여

닫힌구간 $[-2, 2]$에서 연속이므로

① $f(x)+g(x) = (x^2+2x+2)+(x^2-1) = 2x^2+2x+1$은 다항함수이므로 모든 실수 x에 대하여 연속이다.

② $f(x)-g(x) = (x^2+2x+2)-(x^2-1) = 2x+3$은 다항함수이므로 모든 실수 x에 대하여 연속이다.

③ $f(x)g(x) = (x^2+2x+2)(x^2-1) = x^4+2x^3+x^2-2x-2$는 다항함수이므로 모든 실수 x에 대하여 연속이다.

④ $\frac{f(x)}{g(x)} = \frac{x^2+2x+2}{x^2-1}$은 $x = 1$ 또는 $x = -1$에서 정의되지 않으므로

$x = 1$ 또는 $x = -1$에서 불연속이다.

⑤ $\frac{g(x)}{f(x)} = \frac{x^2-1}{x^2+2x+2} = \frac{x^2-1}{(x+1)^2+1}$은 모든 실수 x에서 $x^2+2x+2 > 0$

이므로 $x^2+2x+2 = 0$을 만족시키는 실수 x가 존재하지 않는다.

즉 모든 실수 x에 대하여 연속이다.

따라서 모든 실수 x에서 연속이 아닌 함수는 ④이다.

내신연계 출제문항 140

두 함수 $f(x) = x+3$, $g(x) = x^2+2$에 대하여 [보기]의 함수 중 모든 실수에서 연속인 함수인 것은?

ㄱ. $f(x)+g(x)$	ㄴ. $f(x)g(x)$
ㄷ. $\frac{g(x)}{f(x)}$	ㄹ. $\frac{f(x)}{g(x)}$

① ㄷ ② ㄴ, ㄷ ③ ㄷ, ㄹ

④ ㄱ, ㄴ, ㄹ ⑤ ㄱ, ㄴ, ㄷ, ㄹ

STEP A 연속함수의 성질을 이용하여 실수에서 연속인 함수 구하기

ㄱ. $f(x)+g(x) = (x+3)+(x^2+2) = x^2+x+5$

다항함수이므로 모든 실수 x에 대하여 연속이다.

ㄴ. $f(x)g(x) = (x+3)(x^2+2) = x^3+3x^2+2x+6$

다항함수이므로 모든 실수 x에 대하여 연속이다.

ㄷ. $\frac{g(x)}{f(x)} = \frac{x^2+2}{x+3}$은 $x = -3$에서 정의되지 않으므로 $x = -3$에서 불연속이다.

ㄹ. $\frac{f(x)}{g(x)} = \frac{x+3}{x^2+2}$은 모든 실수 x에서 $x^2+2 > 0$이므로

$x^2+2 = 0$을 만족시키는 실수 x가 존재하지 않는다.

즉 실수 전체의 집합에서 연속이다.

따라서 실수 전체의 집합에서 연속인 함수는 ㄱ, ㄴ, ㄹ이다.

 정답 ④

0335

정답 ④

STEP A 주어진 함수가 실수 전체의 집합에서 정의되는지 확인하기

① $f(x)+g(x) = x^2+2+\frac{1}{x-1}$이므로 $x = 1$에서 불연속

② $f(x)g(x) = (x^2+2) \cdot \frac{1}{x-1} = \frac{x^2+2}{x-1}$이므로 $x = 1$에서 불연속

③ $f(g(x)) = f\left(\frac{1}{x-1}\right) = \left(\frac{1}{x-1}\right)^2+2$이므로 $x = 1$에서 불연속

④ $g(f(x)) = \frac{1}{x^2+2-1} = \frac{1}{x^2+1}$에서 $x^2+1 > 0$이므로 모든 실수에서 연속이다.

⑤ $\frac{g(x)}{f(x)} = \frac{1}{(x-1)(x^2+2)}$이므로 $x = 1$에서 불연속

따라서 모든 실수 x에서 연속인 함수는 ④이다.

내신연계 출제문항 141

함수 $f(x)$가 $x = a$에서 연속일 때, $x = a$에서 연속인 것만을 [보기]에서 있는 대로 고른 것은? (단, $f(a) \neq 0$)

ㄱ. $y = \{f(x)\}^2$	ㄴ. $y = \frac{1}{f(x)}$
ㄷ. $y = f(f(x))$	

① ㄱ ② ㄴ ③ ㄷ

④ ㄱ, ㄴ ⑤ ㄱ, ㄴ, ㄷ

STEP A $f(a) = k$라 두고 극한값과 함숫값이 같은지 확인하기

ㄱ. $f(a) = k(k \neq 0)$라고 하자.

$y = \{f(x)\}^2$에서 $\{f(a)\}^2 = k^2$

$\lim_{x \to a} \{f(x)\}^2 = \lim_{x \to a} f(x) \cdot \lim_{x \to a} f(x) = k^2$

$\lim_{x \to a} \{f(x)\}^2$은 $x = a$에서 연속이다.

ㄴ. $f(a) = k(k \neq 0)$라고 하자.

$y = \frac{1}{f(x)}$에서 $\frac{1}{f(a)} = \frac{1}{k}$, $\lim_{x \to a} \frac{1}{f(x)} = \frac{1}{f(a)} = \frac{1}{k}$

$\lim_{x \to a} \frac{1}{f(x)} = \frac{1}{f(a)}$이므로 함수 $y = \frac{1}{f(x)}$은 $x = a$에서 연속이다.

STEP B $x = a$에서 함수가 정의되는지 확인하기

ㄷ. 반례 $f(x) = \frac{1}{x+1}(x \neq -1)$에서 $y = f(f(x)) = \frac{x+1}{x+2}(x \neq -2)$

이므로 $f(x)$는 $x = -2$에서 연속이지만

$y = f(f(x))$는 $x = -2$에서 불연속이다.

참고 $f(a) = k(k \neq 0)$라 하고 함수 $f(x)$가 $x = k$에서 정의되지 않는다고 가정하자.

$y = f(f(x))$에서 $f(f(a)) = f(k)$

이때 $f(x)$가 $x = k$에서 정의되지 않으므로 $y = f(f(x))$는 $x = a$에서 불연속이다.

따라서 $x = a$에서 연속인 함수는 ㄱ, ㄴ이다.

 정답 ④

0336

정답 ④

STEP A 함수 $f(x)$가 실수 전체의 집합에서 연속일 조건 구하기

함수 $f(x)$가 실수 전체의 집합에서 연속이기 위해서는 모든 실수 x에 대하여 분모가 0이 아니어야 한다.

즉 모든 실수 x에 대하여 $x^2+ax+2a \neq 0$

STEP B 판별식 $D < 0$ 임을 이용하여 a의 범위 구하기

이차방정식 $x^2+ax+2a=0$의 판별식을 D라 하면

$D=a^2-8a<0$에서 $a(a-8)<0$

$\therefore 0<a<8$

따라서 정수 a는 1, 2, 3, 4, 5, 6, 7이므로 합은 $1+2+3+4+5+6+7=28$

0337

정답 ③

STEP A 주어진 함수가 실수 전체의 집합에서 연속일 조건 구하기

함수 $\dfrac{f(x)}{g(x)}$가 실수 전체의 집합에서 연속이기 위해서는 모든 실수 x에 대하여 분모 $g(x)=3x^2-2ax+3 \neq 0$이어야 한다.

STEP B a의 범위 구하기

이차방정식 $3x^2-2ax+3=0$의 판별식을 D라 하면

$\dfrac{D}{4}=a^2-9<0$에서 $(a-3)(a+3)<0$

$\therefore -3<a<3$

따라서 정수 a는 $-2, -1, 0, 1, 2$이므로 정수의 개수는 5개이다.

내/신/연/계 출제문항 142

두 함수 $f(x)=x^3-4x+3$, $g(x)=x^2+ax+1$에 대하여 함수 $\dfrac{f(x)}{g(x)}$가

모든 실수에서 연속이 되도록 하는 정수 a의 개수는?

① 1   ② 2   ③ 3

④ 4   ⑤ 5

STEP A 주어진 함수가 실수 전체의 집합에서 연속일 조건 구하기

함수 $\dfrac{f(x)}{g(x)}$가 모든 실수에서 연속이려면 모든 실수 x에 대하여

$g(x) \neq 0$이어야 하므로 방정식 $g(x)=0$이 실근을 가지지 않아야 한다.

STEP B 판별식 $D < 0$ 임을 이용하여 a의 범위 구하기

이때 $x^2+ax+1=0$의 판별식을 D라고 하면 $D=a^2-4<0$

즉 $-2<a<2$

따라서 구하는 정수 a는 $-1, 0, 1$이므로 정수의 개수는 3개이다.   정답 ③

0338

정답 ④

STEP A 연속함수의 성질을 이용하여 진위판단하기

함수 $f(x)$, $g(x)$가 모두 $x=a$에서 연속이면

$\lim\limits_{x \to a} f(x)=f(a)$, $\lim\limits_{x \to a} g(x)=g(a)$이므로

① $\lim\limits_{x \to a}\{f(x)+2g(x)\}=f(a)+2g(a)$

② $\lim\limits_{x \to a}\{3f(x)-g(x)\}=3f(a)-g(a)$

③ $\lim\limits_{x \to a}[\{f(x)\}^2+g(x)]=\lim\limits_{x \to a}f(x) \cdot \lim\limits_{x \to a}f(x)+\lim\limits_{x \to a}g(x)$

$\qquad\qquad\qquad\quad =f(a) \cdot f(a)+g(a)$

$\qquad\qquad\qquad\quad =\{f(a)\}^2+g(a)$

④ $g(a)=0$이면 함수 $\dfrac{f(x)+g(x)}{\{g(x)\}^2}$는 $x=a$에서 정의되어 있지 않으므로

함수 $\dfrac{f(x)+g(x)}{\{g(x)\}^2}$은 $x=a$에서 불연속이다.

⑤ $\lim\limits_{x \to a}f(x)g(x)\{f(x)-2g(x)\}=f(a)g(a)\{f(a)-2g(a)\}$

따라서 ④이다.

0339

정답 ④

STEP A 연속함수의 성질을 이용하여 진위판단하기

함수 $f(x)$, $g(x)$가 모두 $x=a$에서 연속이면

$\lim\limits_{x \to a}f(x)=f(a)$, $\lim\limits_{x \to a}g(x)=g(a)$이므로

ㄱ. $\lim\limits_{x \to a}\{f(x)+2g(x)\}=f(a)+2g(a)$

ㄴ. $\lim\limits_{x \to a}\{g(x)\}^2=\lim\limits_{x \to a}g(x) \cdot g(x)=g(a) \cdot g(a)=\{g(a)\}^2$

ㄷ. $\lim\limits_{x \to a}\{f(x)-g(x)\}\{f(x)+g(x)\}=\{f(a)-g(a)\}\{f(a)+g(a)\}$

ㄹ. $f(a)=0$이면 $\dfrac{3g(a)}{f(a)}$가 정의되지 않으므로

$\dfrac{3g(x)}{f(x)}+f(x)$는 $x=a$에서 불연속이다.

따라서 $x=a$에서 반드시 연속인 것은 ㄱ, ㄴ, ㄷ이다.

0340

정답 ③

STEP A 연속함수의 성질을 이용하여 진위판단하기

두 함수 $f(x)$, $g(x)$가 $x=a$에서 연속이므로

$\lim\limits_{x \to a}f(x)=f(a)$, $\lim\limits_{x \to a}g(x)=g(a)$

ㄱ. $\lim\limits_{x \to a}3f(x)g(x)=3f(a)g(a)$

ㄴ. **반례** $f(x)=1$, $g(x)=x$로 놓으면

$f(x)-\dfrac{f(x)}{g(x)}=1-\dfrac{1}{x}$

이때 $x=0$에서 $f(x)$, $g(x)$가 모두 연속이지만

$f(x)-\dfrac{f(x)}{g(x)}$는 $x=0$에서 불연속이다.

ㄷ. $f(x)$와 $g(x)$가 연속함수이고 $|f(x)|+1>0$이므로

$\dfrac{g(x)}{|f(x)|+1}$는 $x=a$에서 연속이다.

ㄹ. 함수 $g(f(x))$가 $x=a$에서 연속이려면

$\lim\limits_{x \to a}g(f(x))=g(f(a))$이어야 한다.

즉 함수 $g(x)$가 $x=f(a)$에서 연속이라는 조건이 필요하다.

반례 $f(x)=\dfrac{1}{x}$, $g(x)=\dfrac{1}{x-2}$이면

$g(f(x))=g\left(\dfrac{1}{x}\right)=\dfrac{1}{\dfrac{1}{x}-2}=\dfrac{x}{1-2x}$

이때 $x=\dfrac{1}{2}$에서 $f(x)$, $g(x)$가 모두 연속이지만 $g(f(x))$는

$x=\dfrac{1}{2}$에서 정의되지 않으므로 $g(f(x))$는 $x=\dfrac{1}{2}$에서 불연속이다.

따라서 $x=a$에서 반드시 연속인 것은 ㄱ, ㄷ이다.

두 함수 $f(x)$, $g(x)$가 각각 $x=a$에서 연속일 때, $x=a$에서 반드시 연속인 함수만을 [보기]에서 있는 대로 고른 것은?

> ㄱ. $f(x)-2g(x)$
> ㄴ. $\{f(x)\}^2$
> ㄷ. $\dfrac{1}{f(x)g(x)}$
> ㄹ. $\dfrac{2f(x)}{\{g(x)\}^2}$

① ㄷ   ② ㄱ, ㄴ   ③ ㄴ, ㄹ
④ ㄱ, ㄴ, ㄷ   ⑤ ㄴ, ㄷ, ㄹ

STEP Ⓐ 연속함수의 성질을 이용하여 진위판단하기

함수 $f(x)$, $g(x)$가 모두 $x=a$에서 연속이면

$\lim\limits_{x \to a} f(x) = f(a)$, $\lim\limits_{x \to a} g(x) = g(a)$이므로

ㄱ. $\lim\limits_{x \to a}\{f(x)-2g(x)\}=f(a)-2g(a)$

ㄴ. $\lim\limits_{x \to a}\{f(x)\}^2=\lim\limits_{x \to a} f(x) \cdot f(x)=f(a) \cdot f(a)=\{f(a)\}^2$

ㄷ. $g(a)=0$이면 $\dfrac{1}{f(a)g(a)}$가 정의되지 않으므로

$\dfrac{1}{f(x)g(x)}$는 $x=a$에서 불연속이다.

ㄹ. $g(a)=0$이면 $\dfrac{2f(a)}{\{g(a)\}^2}$가 정의되지 않으므로

$\dfrac{2f(x)}{\{g(x)\}^2}$는 $x=a$에서 불연속이다.

따라서 $x=a$에서 반드시 연속인 것은 ㄱ, ㄴ이다.   정답 ②

0341

정답 ①

STEP Ⓐ [반례]를 생각하여 연속, 불연속 판별하기

ㄱ. $f(x)$와 $f(x)+g(x)$가 $x=a$에서 연속이면
$\lim\limits_{x \to a} f(x)=f(a)$, $\lim\limits_{x \to a}\{f(x)+g(x)\}=f(a)+g(a)$

$\therefore \lim\limits_{x \to a} g(x)=\lim\limits_{x \to a}\{f(x)+g(x)-f(x)\}$
$= \lim\limits_{x \to a}\{f(x)+g(x)\}-\lim\limits_{x \to a} f(x)$
$= f(a)+g(a)-f(a)$
$= g(a)$

즉 함수 $g(x)$도 $x=a$에서 연속이다. [참]

ㄴ. 반례 $f(x)=\begin{cases} -1 & (x \le 0) \\ 0 & (x > 0) \end{cases}$, $g(x)=\begin{cases} 1 & (x \le 0) \\ 0 & (x > 0) \end{cases}$이면

$f(x)$, $g(x)$가 $x=0$에서 불연속이지만

$\lim\limits_{x \to 0}\{f(x)+g(x)\}=f(0)+g(0)=0$

즉 $f(x)+g(x)$는 $x=0$에서 연속이다. [거짓]

ㄷ. 반례 $f(x)=\begin{cases} 1 & (x \le 0) \\ 0 & (x > 0) \end{cases}$, $g(x)=\begin{cases} 0 & (x \le 0) \\ 1 & (x > 0) \end{cases}$이면

$f(x)$와 $g(x)$가 $x=0$에서 모두 불연속이지만

$\lim\limits_{x \to 0} f(x)g(x)=f(0)g(0)=0$

즉 $f(x)g(x)$는 $x=0$에서 연속이다. [거짓]

따라서 옳은 것은 ㄱ이다.

0342

정답 ③

STEP Ⓐ 연속함수의 성질을 이용하여 진위판단하기

ㄱ. 반례 $f(x)=\dfrac{1}{x-2}$, $g(x)=x+1$이면

두 함수 $f(x)$, $g(x)$는 $x=1$에서 연속이지만
$f(g(1))=f(2)$이고 함수 $f(x)$는 $x=2$에서 정의되지 않으므로
$x=1$에서 $f(g(x))$는 불연속이다. [거짓]

ㄴ. 반례 $f(x)=0$, $g(x)=\begin{cases} 1 & (x \ge 0) \\ -1 & (x < 0) \end{cases}$이면

두 함수 $f(x)$와 $f(x)g(x)$는 $x=0$에서 연속이지만
$g(x)$는 $x=0$에서 불연속이다. [거짓]

ㄷ. $f(x)+g(x)=h(x)$로 놓으면 $g(x)=h(x)-f(x)$

이때 $f(x)$와 $h(x)$가 $x=a$에서 연속이므로
$g(x)$도 $x=a$에서 연속이다. [참]

따라서 옳은 것은 ㄷ이다.

두 함수 $f(x)$, $g(x)$에 대하여 다음 [보기]에서 옳은 것을 모두 고른 것은?

> ㄱ. $f(x)$와 $f(x)+g(x)$가 모두 $x=a$에서 연속이면 $g(x)$도 $x=a$에서 연속이다.
> ㄴ. $\{f(x)\}^2$이 $x=a$에서 연속이면 $f(x)$도 $x=a$에서 연속이다.
> ㄷ. $f(x)$와 $g(x)$가 모두 $x=a$에서 연속이면 $f(g(x))$도 $x=a$에서 연속이다.

① ㄱ   ② ㄴ   ③ ㄷ
④ ㄱ, ㄴ   ⑤ ㄱ, ㄴ, ㄷ

STEP Ⓐ 연속함수의 성질을 이용하여 진위판단하기

ㄱ. $h(x)=f(x)+g(x)$로 놓으면 $g(x)=h(x)-f(x)$

이때 $f(x)$와 $h(x)$가 연속이므로 $g(x)$도 연속함수이다. [참]

ㄴ. 반례 $f(x)=\begin{cases} -1 & (x \ge 0) \\ 1 & (x < 0) \end{cases}$이면 $\{f(x)\}^2=1$이므로

$x=0$에서 연속이지만 $f(x)$는 $x=0$에서 불연속이다. [거짓]

ㄷ. 반례 두 함수 $f(x)=\begin{cases} 1 & (x \ge 0) \\ -1 & (x < 0) \end{cases}$, $g(x)=x-1$은

모두 $x=1$에서 연속이지만 합성함수 $(f \circ g)(x)=\begin{cases} 1 & (x \ge 1) \\ -1 & (x < 1) \end{cases}$은

$x=1$에서 불연속이다. [거짓] ◀ $f(x)=\dfrac{1}{x-2}$, $g(x)=x+1$이면 $x=1$에서 연속이지만 $f(g(x))$는 $x=1$에서 불연속이다.

따라서 옳은 것은 ㄱ이다.   정답 ①

함수의 극한과 연속

0343

정답 ②

STEP A 연속함수의 성질을 이용하여 진위판단하기

ㄱ. **반례** 두 함수 $f(x)=\begin{cases} x & (x \geq 1) \\ x-1 & (x < 1) \end{cases}$, $g(x)=-x+1$이면

$f(x)g(x)$는 $x=1$에서 연속이지만

함수 $f(x)$는 $x=1$에서 불연속이다. [거짓]

ㄴ. **반례** $f(x)=\begin{cases} 1 & (x \geq 0) \\ -1 & (x < 0) \end{cases}$이면

함수 $|f(x)|$는 $x=0$에서 연속이지만

함수 $f(x)$는 $x=0$에서 불연속이다. [거짓]

ㄷ. **반례** $f(x)=0$, $g(x)=\begin{cases} 1 & (x \geq 0) \\ -1 & (x < 0) \end{cases}$이면

$\dfrac{f(x)}{g(x)}=0$이므로 두 함수 $f(x)$, $\dfrac{f(x)}{g(x)}$는 $x=0$에서 연속이지만

함수 $g(x)$는 $x=0$에서 불연속이다. [거짓]

ㄹ. 함수 $f(x)$가 $x=a$에서 연속이므로 $\lim_{x \to a} f(x)=f(a)$,

$\lim_{x \to a}\{f(x)\}^2=\lim_{x \to a}f(x)\times\lim_{x \to a}f(x)=f(a)\times f(a)=\{f(a)\}^2$

즉 함수 $\{f(x)\}^2$는 $x=a$에서 연속이다. [참]

따라서 옳은 것은 ㄹ이다.

0344

정답 ①

STEP A 최대 최소 정리를 이용하여 진위판단하기

ㄱ. $x=2$일 때, 최댓값 2를 갖는다. [참]

ㄴ. 닫힌구간 $[2, 4]$에서 최솟값을 갖지 않는다. [거짓]

ㄷ. 닫힌구간 $[3, 4]$에서 $x=4$일 때, 최댓값 3을 갖는다. [거짓]

따라서 옳은 것은 ㄱ뿐이다.

0345

정답 ③

STEP A 구간 $[-1, 1]$에서 함수 $f(x)$의 최댓값 구하기

닫힌구간 $[-1, 1]$에서

함수 $f(x)=x^2+2x=(x+1)^2-1$

이므로

최댓값은 $M=f(1)=3$

STEP B 구간 $[-1, 1]$에서 함수 $g(x)$의 최솟값 구하기

닫힌구간 $[-1, 1]$에서

함수 $g(x)=\dfrac{3}{x-2}$의 최솟값은

$m=g(1)=-3$

따라서 $M+m=3+(-3)=0$

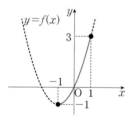
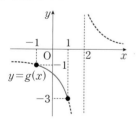

구간 $[-2, 1]$에서 함수 $f(x)=\dfrac{8}{x+3}$의 최솟값을 a,

함수 $g(x)=-\sqrt{x+2}+3$의 최댓값을 b라 할 때, $a+b$의 값은?

① 4   ② 5   ③ 6

④ 7   ⑤ 8

STEP A 구간 $[-2, 1]$에서 함수 $f(x)$의 최솟값 구하기

닫힌구간 $[-2, 1]$에서

함수 $f(x)=\dfrac{8}{x+3}$의 최솟값은

$a=f(1)=2$

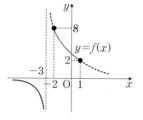

STEP B 구간 $[-2, 1]$에서 함수 $g(x)$의 최댓값 구하기

닫힌구간 $[-2, 1]$에서 함수 $g(x)=-\sqrt{x+2}+3$의 최댓값은

$b=g(-2)=3$

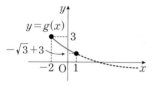

따라서 $a+b=2+3=5$

정답 ②

0346

정답 ①

STEP A 구간 $[-1, 1]$에서 함수 $f(x)$의 최댓값 구하기

닫힌구간 $[-1, 1]$에서

$f(x)=-4x^2-4x+7$에서

$f(x)=-4\left(x+\dfrac{1}{2}\right)^2+8$

이므로

최댓값은 $M=f\left(-\dfrac{1}{2}\right)=8$

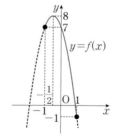

STEP B 구간 $[-1, 1]$에서 함수 $g(x)$의 최솟값 구하기

닫힌구간 $[-1, 1]$에서

$g(x)=-\sqrt{x+3}+1$의 최솟값은

$m=g(1)=-1$

따라서 $M+m=8+(-1)=7$

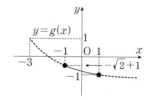

0347

STEP Ⓐ 구간 $[-1, 2]$에서 함수 $f(x)$의 최댓값, 최솟값 구하기

$f(x)=|x^2-4x+3|+2$
$\quad\;\;=|(x-2)^2-1|+2$

이므로 함수 $f(x)$는

$x=-1$일 때, 최댓값 $f(-1)=10$을 가지고

$x=1$일 때, 최솟값 $f(1)=2$를 가진다.

따라서 $M+m=10+2=12$

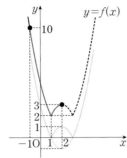

0348

STEP Ⓐ 최고차항의 계수를 비교하여 $f(x)$ 구하기

$f(x)=\lim\limits_{s \to \infty}\dfrac{(x^2-2x)s^2+5s}{s^2-2x}$

$\quad\;\;=\lim\limits_{s \to \infty}\dfrac{(x^2-2x)+\dfrac{5}{s}}{1-\dfrac{2x}{s^2}}$ ◀ 분모의 최고차항 s^2로 분모, 분자를 나눈다.

$\quad\;\;=x^2-2x$

STEP Ⓑ 구간 $[-1, 4]$에서 함수 $f(x)$의 최댓값, 최솟값 구하기

함수 $f(x)=x^2-2x=(x-1)^2-1$

이므로 닫힌구간 $[-1, 4]$에서

$x=4$일 때, 최댓값 $f(4)=8$을 가지고

$x=1$일 때, 최솟값 $f(1)=-1$을 가진다.

따라서 $M+m=8+(-1)=7$

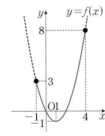

닫힌구간 $[0, 3]$에서 정의된 함수

$$f(x)=\lim\limits_{t \to \infty}\dfrac{(x^2-2x)t+3}{\sqrt{t^2+2x}}$$

의 최댓값을 M, 최솟값을 m이라 할 때, $M+m$의 값은?

① 2   ② 3   ③ 4

④ 5   ⑤ 6

STEP Ⓐ 최고차항의 계수를 비교하여 $f(x)$ 구하기

$f(x)=\lim\limits_{t \to \infty}\dfrac{(x^2-2x)t+3}{\sqrt{t^2+2x}}$

$\quad\;\;=\lim\limits_{t \to \infty}\dfrac{x^2-2x+\dfrac{3}{t}}{\sqrt{1+\dfrac{2x}{t^2}}}$ ◀ 분모의 최고차항 t로 분모, 분자를 나눈다.

$\quad\;\;=x^2-2x$

STEP Ⓑ 구간 $[0, 3]$에서 함수 $f(x)$의 최댓값, 최솟값 구하기

함수 $f(x)=x^2-2x=(x-1)^2-1$

이므로 닫힌구간 $[0, 3]$에서

$x=3$일 때, 최댓값 $f(3)=3$을 가지고

$x=1$일 때, 최솟값 $f(1)=-1$을 가진다.

따라서 $M+m=3+(-1)=2$

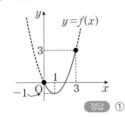

0349

STEP Ⓐ 함수의 그래프에서 극한값이 존재하는지 판별하기

ㄱ. $\lim\limits_{x \to 1}f(x)=-2$ [참]

ㄴ. 함수 $f(x)$는 닫힌구간 $[0, 2]$에서 최솟값을 갖지 않는다. [거짓]

ㄷ. 함수 $f(x)$의 그래프가 $x=-1$, $x=1$, $x=4$에서 끊어져 있으므로 불연속이 되는 x의 값은 3개이다. [거짓]

ㄹ. 함수 $f(x)$는 열린구간 $(1, 3)$에서 오른쪽 그림과 같이 최댓값을 갖지 않는다. [거짓]

따라서 옳은 것은 ㄱ이다.

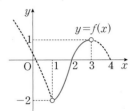

닫힌구간 $[-2, 2]$에서 정의된 함수 $y=f(x)$의 그래프가 다음 그림과 같다.

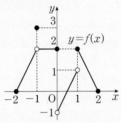

함수 $y=f(x)$에 대한 설명 중 옳은 것만을 [보기]에서 있는 대로 고른 것은?

> ㄱ. 닫힌구간 $[-2, 2]$에서 불연속인 점은 3개이다.
> ㄴ. 함수 $f(x)$는 닫힌구간 $[-2, 2]$에서 최댓값과 최솟값을 모두 갖는다.
> ㄷ. $\lim\limits_{x \to a}f(x)$의 값이 존재하지 않는 $a(-2<a<2)$의 개수는 2이다.

① ㄱ   ② ㄴ   ③ ㄱ, ㄷ

④ ㄴ, ㄷ   ⑤ ㄱ, ㄴ, ㄷ

STEP Ⓐ 함수의 그래프에서 불연속점의 개수 구하기

ㄱ. 닫힌구간 $[-2, 2]$에서 $x=-1$, $x=0$, $x=1$에서 함수 $f(x)$는 불연속인 점은 3개이다. [참]

ㄴ. 함수 $f(x)$는 닫힌구간 $[-2, 2]$에서 $x=-1$일 때, 최댓값 3을 갖지만 최솟값은 갖지 않는다. [거짓]

ㄷ. $x=0$, $x=1$에서 $\lim\limits_{x \to a}f(x)$의 값이 존재하지 않으므로 개수는 2이다. [참]

따라서 옳은 것은 ㄱ, ㄷ이다.

0350

STEP Ⓐ 사잇값 정리를 이용하여 방정식이 범위 내에서 실근을 가질 조건 구하기

$f(x)=x^3-x^2+a$라고 하면 함수 $f(x)$는 다항함수이므로

닫힌구간 $[-1, 2]$에서 연속이고 $f(-1)=a-2$, $f(2)=a+4$

이때 $f(-1)f(2)<0$이면 사잇값 정리에 의하여

$f(c)=0$인 c가 열린구간 $(-1, 2)$에 적어도 하나 존재하므로

방정식 $x^3-x^2+a=0$이 -1과 2 사이에서 적어도 하나의 실근을 가진다.

STEP Ⓑ a의 범위 구하기

따라서 $f(-1)f(2)=(a-2)(a+4)<0$이므로 $-4<a<2$

방정식 $x^3-3x^2+a=0$이 열린구간 $(-2, -1)$에서 적어도 하나의 실근을
갖도록 하는 정수 a의 개수는?

① 11   ② 12   ③ 13

④ 14   ⑤ 15

STEP A 사잇값 정리를 이용하여 방정식이 범위 내에서 실근을 가질 조건 구하기

$f(x)=x^3-3x^2-a$로 놓으면 함수 $f(x)$는 다항함수이므로

열린구간 $(-2, -1)$에서 연속이다.

$f(x)=0$이 열린구간 $(-2, -1)$에서 적어도 하나의 실근을 가지려면

$f(-2)f(-1)<0$이어야 하므로

$f(-2)f(-1)=(-20+a)(-4+a)<0$

$\therefore \ 4<a<20$

따라서 구하는 정수 a는 5, 6, 7, …, 18, 19이므로 15개이다. 정답 ⑤

0351

정답 ⑤

STEP A 사잇값 정리를 이용하여 방정식이 범위 내에서 실근을 가질 조건 구하기

ㄱ. $f(x)=x^3-x^2+2x+1=0$이라 하면

함수 $f(x)$는 닫힌구간 $[-1, 1]$에서 연속이고

$f(-1)=-3<0$, $f(1)=3>0$이므로 사잇값의 정리에 의하여

$f(c)=0$인 c가 열린구간 $(-1, 1)$에 적어도 하나 존재한다.

즉 방정식 $x^3-x^2+2x+1=0$이 구간 $(-1, 1)$에서 적어도 하나의 실근을

갖는다. [참]

ㄴ. $f(x)=x^4+x^3-7x+1$이라 하면

함수 $f(x)$는 닫힌구간 $[1, 2]$에서 연속이고

$f(1)=-4<0$, $f(2)=11>0$이므로 사잇값의 정리에 의하여 $f(c)=0$인

c가 열린구간 $(1, 2)$에 적어도 하나 존재한다. [참]

즉 방정식 $x^4+x^3-7x+1=0$이 구간 $(1, 2)$에서 적어도 하나의 실근을

갖는다.

ㄷ. $f(x)=x^3+4x+3$이라 하면

함수 $f(x)$는 닫힌구간 $[-1, 0]$에서 연속이고

$f(-1)=-2<0$, $f(0)=3>0$이므로 사잇값의 정리에 의하여 $f(c)=0$인

c가 열린구간 $(-1, 0)$에서 적어도 하나의 실근을 갖는다.

즉 방정식 $x^3+4x+3=0$이 구간 $(-1, 0)$에서 적어도 하나의 실근을

갖는다. [참]

따라서 옳은 것은 ㄱ, ㄴ, ㄷ이다.

0352

정답 ⑤

STEP A 사잇값 정리를 이용하여 방정식이 범위 내에서 실근을 가질 조건 구하기

ㄱ. $f(x)=x^3+x-1$로 놓으면 함수 $f(x)$는 닫힌구간 $[0, 1]$에서 연속이고

$f(0)=-1<0$, $f(1)=1>0$이므로 사잇값의 정리에 의하여 $f(c)=0$인

c가 열린구간 $(0, 1)$에 적어도 하나 존재한다.

즉 삼차방정식 $x^3+x-1=0$은 0과 1 사이에 적어도 하나의 실근을 가진다.

ㄴ. $f(x)=2x^3+x^2-4$로 놓으면 함수 $f(x)$는 닫힌구간 $[0, 2]$에서 연속이고

$f(0)=-4<0$, $f(2)=16>0$이므로 사잇값의 정리에 의하여 $f(c)=0$인

c가 열린구간 $(0, 2)$에 적어도 하나 존재한다.

즉 방정식 $2x^3+x^2-4=0$은 열린구간 $(0, 2)$에서 적어도 하나의 실근을

가진다.

ㄷ. $f(x)=x^4+x^3+2x-3$으로 놓으면 함수 $f(x)$는 닫힌구간 $[-1, 1]$에서

연속이고 $f(-1)=-5<0$, $f(1)=1>0$이므로 사잇값의 정리에 의하여

$f(c)=0$인 c가 열린구간 $(-1, 1)$에 적어도 하나 존재한다.

즉 방정식 $x^4+x^3+2x-3=0$은 열린구간 $(-1, 1)$에서 적어도 하나의

실근을 가진다.

ㄹ. $f(x)=2x+1-\dfrac{3}{x}$으로 놓으면 함수 $f(x)$는 닫힌구간 $[-2, -1]$에서

연속이고 $f(-2)=-\dfrac{3}{2}<0$, $f(-1)=2>0$이므로 사잇값의 정리에

의하여 $f(c)=0$인 c가 열린구간 $(-2, -1)$에 적어도 하나 존재한다.

즉 방정식 $2x+1=\dfrac{3}{x}$은 열린구간 $(-2, -1)$에 적어도 하나의 실근을

가진다.

따라서 옳은 것은 ㄱ, ㄴ, ㄷ, ㄹ이다.

0353

정답 ③

STEP A 주어진 구간에서 함숫값 구하기

$f(x)=x^3-x^2-2$이라 하면 함수 $f(x)$는 모든 실수 x에서 연속이다.

$f(-1)=-4$, $f(0)=-2$, $f(1)=-2$, $f(2)=2$, $f(3)=16$, $f(4)=46$

STEP B 사잇값 정리에 의하여 실근이 존재하는 구간 구하기

$f(1)f(2)<0$이므로 사잇값의 정리에 의하여 구간 $(1, 2)$에서 $f(c)=0$인 c가

적어도 하나씩 존재한다.

따라서 실근이 속하는 구간은 $(1, 2)$

방정식 $x^3-5x-6=0$이 오직 하나의 실근을 가질 때, 다음 중 이 방정식의
실근이 존재하는 구간은?

① $(-2, -1)$ ② $(-1, 0)$ ③ $(0, 1)$

④ $(1, 2)$ ⑤ $(2, 3)$

STEP A 주어진 구간에서 함숫값 구하기

$f(x)=x^3-5x-6$이라 하면 함수 $f(x)$는 모든 실수 x에서 연속이다.

$f(-2)=-4<0$, $f(-1)=-2<0$, $f(0)=-6<0$,

$f(1)=-10<0$, $f(2)=-8<0$, $f(3)=6>0$

STEP B 사잇값 정리에 의하여 실근이 존재하는 구간 구하기

사잇값의 정리에 의하여 방정식 $x^3-5x-6=0$은 열린구간 $(2, 3)$에서

적어도 하나의 실근을 갖는다. 정답 ⑤

0354

정답 ④

STEP A 주어진 구간에서 함숫값 구하기

$f(x)=2x^3+3x^2-x-1$이라 하면

함수 $f(x)$는 모든 실수 x에서 연속이다.

$f(-2)<0$, $f(-1)>0$, $f(0)<0$, $f(1)>0$, $f(2)>0$

STEP B 사잇값 정리에 의하여 실근이 존재하는 구간 구하기

$f(-2)f(-1)<0$, $f(-1)f(0)<0$, $f(0)f(1)<0$이므로

사잇값의 정리에 의하여 방정식 $f(x)=0$은 열린구간

$(-2, -1)$, $(-1, 0)$, $(0, 1)$에서 각각 적어도 하나의 실근을 갖는다.

따라서 [보기] 중 실근이 속하는 구간은 ㄱ, ㄴ, ㄷ이다.

0355

정답 ③

STEP A 함숫값의 부호가 변하는 구간 찾기

$f(x)=x^3-2x^2-5x+8$이라 하면

$f(x)$는 모든 실수 x에서 연속이다.

$f(-3)=-22<0$, $f(-2)=2>0$, $f(-1)=10>0$, $f(0)=8>0$,

$f(1)=2>0$, $f(2)=-2<0$, $f(3)=2>0$, $f(4)=20>0$

STEP B 사잇값 정리에 의하여 실근이 존재하는 구간 구하기

$f(-3)f(-2)<0$, $f(1)f(2)<0$, $f(2)f(3)<0$이므로

사잇값 정리에 의하여 구간 $(-3, -2)$, $(1, 2)$, $(2, 3)$에 $f(c)=0$인

c가 적어도 하나씩 존재한다.

따라서 실근이 속하는 구간은 ㄱ, ㄷ이다.

0356

정답 ⑤

STEP A 사잇값 정리를 이용하여 방정식이 범위 내에서 실근을 가질 조건 구하기

사잇값 정리에 의하여 방정식 $f(x)=0$이 구간 $(-3, 1)$에서 실근을 가지려면

$f(-3)f(1)<0$이어야 하므로 $(a+2)(a-5)<0$

$\therefore -2<a<5$

따라서 구하는 정수 a의 개수는 $-1, 0, 1, 2, 3, 4$이므로 6개이다.

내/신/연/계/ 출제문항 **150**

연속함수 $f(x)$가 $f(0)=k+2$, $f(1)=k-3$을 만족시킬 때, 방정식

$f(x)=1$이 열린구간 $(0, 1)$에서 실근을 갖도록 하는 정수 k의 개수는?

① 1   ② 2   ③ 3
④ 4   ⑤ 5

STEP A $g(x)=f(x)-1$라 두고 사잇값 정리를 이용하기

$g(x)=f(x)-1$이라 하면 $g(x)$는 연속함수이므로

사잇값 정리에 의하여 방정식 $g(x)=0$이 구간 $(0, 1)$에서 실근을 가지려면

$g(0)g(1)<0$이어야 한다.

$g(0)=f(0)-1=k+2-1=k+1$

$g(1)=f(1)-1=k-3-1=k-4$이므로 $(k+1)(k-4)<0$

$\therefore -1<k<4$

따라서 구하는 정수 k의 개수는 $0, 1, 2, 3$이므로 4개이다.

정답 ④

0357

정답 ②

STEP A 사잇값 정리를 이용하여 k의 범위 구하기

다항함수 $f(x)$는 연속함수이므로 사잇값 정리에 의하여 방정식 $f(x)=0$이

구간 $(0, 1)$에서 실근을 가지려면 $f(0)f(1)<0$이어야 한다.

$f(0)f(1)=(k+2)(k-3)<0$

$\therefore -2<k<3$

따라서 구하는 정수 k의 개수는 $-1, 0, 1, 2$이므로 4개이다.

0358

정답 ②

STEP A 사잇값 정리를 이용하여 실근의 개수 a 구하기

$f(0)f(1)=2\cdot(-1)=-2<0$, $f(1)f(2)=(-1)\cdot2=-2<0$이므로

사잇값의 정리에 의하여 방정식 $f(x)=0$은 열린구간 $(0, 1)$, $(1, 2)$에서

각각 적어도 하나의 실근을 가지므로 $a=2$

STEP B 사잇값 정리를 이용하여 실근의 개수 b 구하기

$f(-1)f(0)<0$, $f(0)f(1)<0$, $f(1)f(2)<0$이므로 사잇값의 정리에 의하여

방정식 $f(x)=0$은 열린구간 $(-1, 0)$, $(0, 1)$, $(1, 2)$에서 각각 적어도 하나의

실근을 가지므로 $b=3$

따라서 $a+b=2+3=5$

내/신/연/계/ 출제문항 **151**

다음 조건을 만족하는 상수 a, b에 대하여 $a+b$의 값은?

> (가) 연속함수 $f(x)$가
>
> $$f(-2)=-1, \quad f(-1)=1$$
> $$f(0)=-3, \quad f(1)=-2, \quad f(2)=2$$
>
> 일 때, 방정식 $f(x)=0$은 열린구간 $(-2, 2)$에서 적어도 a개의
> 실근을 가진다.
>
> (나) 연속함수 $f(x)$에 대하여
>
> $$f(-2)=-2, \quad f(-1)=\frac{1}{2}, \quad f(0)=2,$$
> $$f(1)=-1, \quad f(2)=2, \quad f(3)=-4$$
>
> 일 때, 방정식 $f(x)=0$은 열린구간 $(-2, 3)$에서 적어도 b개의
> 실근을 가진다.

① 4   ② 5   ③ 6
④ 7   ⑤ 8

STEP A 사잇값 정리를 이용하여 실근의 개수 a 구하기

$f(-2)f(-1)<0$, $f(-1)f(0)<0$, $f(1)f(2)<0$이므로

사잇값의 정리에 따라 방정식 $f(x)=0$은

열린구간 $(-2, -1)$, $(-1, 0)$, $(1, 2)$에서 각각 적어도 하나의 실근을 가지므로

$a=3$

STEP B 사잇값 정리를 이용하여 실근의 개수 b 구하기

$f(-2)f(-1)=(-2)\cdot\frac{1}{2}<0$, $f(0)f(1)=2\cdot(-1)<0$

$f(1)f(2)=(-1)\cdot2<0$, $f(2)f(3)=2\cdot(-4)<0$이므로 사잇값 정리에 의하여

방정식 $f(x)=0$은 열린구간 $(-2, -1)$, $(0, 1)$, $(1, 2)$, $(2, 3)$에서 각각 적어도

하나의 실근을 가지므로 $b=4$

따라서 $a+b=3+4=7$

 정답 ④

0359

STEP Ⓐ 함숫값의 부호가 변하는 구간 찾기

$f(1)f(2)<0$, $f(3)f(4)<0$이므로 사잇값의 정리에 의하여
방정식 $f(x)=0$이 구간 $(1, 2)$와 구간 $(3, 4)$에서 각각 적어도 하나의 실근을 갖는다.

STEP Ⓑ 사잇값 정리를 이용하여 실근의 개수 구하기

또, 함수 $f(x)$는 $f(x)=f(-x)$, 즉 y축에 대하여 대칭이므로
방정식 $f(x)=0$이 구간 $(-2, -1)$과 구간 $(-4, -3)$에서도 각각 적어도 하나의 실근을 갖는다.
즉 함수 $y=f(x)$의 그래프의 개형은 다음 그림과 같다.

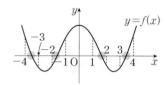

따라서 방정식 $f(x)=0$의 실근은 적어도 4개이다.

연속함수 $f(x)$가 모든 실수 x에 대하여 $f(x)=f(-x)$를 만족시키고
$$f(2)f(3)<0, \ f(4)f(5)<0$$
일 때, 방정식 $f(x)=0$은 적어도 몇 개의 실근을 갖는가?

① 1 　　　　 ② 2 　　　　 ③ 3
④ 4 　　　　 ⑤ 6

STEP Ⓐ 함숫값의 부호가 변하는 구간 찾기

$f(2)f(3)<0$, $f(4)f(5)<0$이고 $f(x)=f(-x)$에서
$f(-2)f(-3)<0$, $f(-4)f(-5)<0$

STEP Ⓑ 사잇값 정리를 이용하여 실근의 개수 구하기

사잇값의 정리에 의하여 방정식 $f(x)=0$은
열린구간 $(-5, -4)$, $(-3, -2)$, $(2, 3)$, $(4, 5)$에서 각각 적어도 하나의 실근을 갖는다.
따라서 방정식 $f(x)=0$은 적어도 4개의 실근을 갖는다.

0360

STEP Ⓐ $g(x)=f(x)-x$라 두고 함숫값의 부호가 변하는 구간 찾기

$g(x)=f(x)-x$로 놓으면 $g(x)$는 모든 실수에서 연속이다.
$f(-1)=1$, $f(0)=-1$, $f(1)=2$, $f(2)=1$에서
$g(-1)=f(-1)-(-1)=1-(-1)=2>0$
$g(0)=f(0)-0=-1-0=-1<0$
$g(1)=f(1)-1=2-1=1>0$
$g(2)=f(2)-2=1-2=-1<0$
이므로 $g(-1)g(0)<0$, $g(0)g(1)<0$, $g(1)g(2)<0$

STEP Ⓑ 사잇값 정리를 이용하여 실근의 개수 구하기

사잇값의 정리에 의하여 방정식 $g(x)=0$, 즉 $f(x)=x$는
열린구간 $(-1, 0)$, $(0, 1)$, $(1, 2)$에서 각각 적어도 하나의 실근을 갖는다.
따라서 방정식 $f(x)=x$는 구간 $(-1, 0)$, $(0, 1)$, $(1, 2)$에서 각각 적어도 하나씩 실근을 가지므로 서로 다른 실근이 적어도 세 개이다.

연속함수 $y=f(x)$의 그래프가 네 점 $(-1, 0)$, $(0, -2)$, $(1, 2)$, $(2, 1)$을
지날 때, 방정식 $f(x)=x$의 열린구간 $(-1, 2)$에서의 실근의 개수에 대한 설명으로 옳은 것은?

① 실근을 가지지 않는다.
② 오직 하나의 실근을 가진다.
③ 서로 다른 실근은 두 개뿐이다.
④ 서로 다른 실근이 적어도 세 개이다.
⑤ 서로 다른 실근이 적어도 네 개이다.

STEP Ⓐ $g(x)=f(x)-x$라 두고 함숫값의 부호가 변하는 구간 찾기

$g(x)=f(x)-x$라고 하면 $g(x)$는 연속함수이고
$g(-1)=f(-1)-(-1)=0-(-1)=1>0$
$g(0)=f(0)-0=-2-0=-2<0$
$g(1)=f(1)-1=2-1=1>0$
$g(2)=f(2)-2=1-2=-1<0$
이때 $g(-1)g(0)<0$, $g(0)g(1)<0$, $g(1)g(2)<0$이므로

STEP Ⓑ 사잇값 정리를 이용하여 실근의 개수 구하기

사잇값의 정리에 따라 방정식 $g(x)=0$, 즉 $f(x)=x$는
열린구간 $(-1, 0)$, $(0, 1)$, $(1, 2)$에서 각각 적어도 하나의 실근을 갖는다.
따라서 방정식 $f(x)=x$는 열린구간 $(-1, 2)$에서 적어도 3개의 실근을 갖는다.

0361

STEP Ⓐ 사잇값 정리를 이용하여 실근의 개수 a 구하기

조건 (가)에서 $g(x)=f(x)-x$로 놓으면
$g(-2)=f(-2)+2=-2<0$
$g(-1)=f(-1)+1=2>0$
$g(0)=f(0)-1=-1<0$
$g(1)=f(1)-1=1>0$
$g(2)=f(2)-2=2>0$
이므로
$g(-2)g(-1)<0$, $g(-1)g(0)<0$, $g(0)g(1)<0$
사잇값 정리에 의해 열린구간 $(-2, -1)$, $(-1, 0)$, $(0, 1)$에 각각 적어도 하나의 실근을 가지므로 $a=3$

STEP Ⓑ 사잇값 정리를 이용하여 실근의 개수 b 구하기

조건 (나)에서 $h(x)=xf(x)-4$로 놓으면
함수 $f(x)$가 연속함수이므로 $h(x)$도 연속함수이다.
$h(1)=f(1)-4=1-4=-3<0$
$h(2)=2f(2)-4=12-4=8>0$
$h(3)=3f(3)-4=4-4=0$
$h(4)=4f(4)-4=-4-4=-8<0$
$h(5)=5f(5)-4=-4<0$
이므로 사잇값 정리에 의하여 방정식 $h(x)=0$은 열린구간 $(1, 2)$에서 적어도 한 개의 실근을 갖고 또 다른 실근 $x=3$을 가지므로 $b=2$
따라서 $a+b=3+2=5$

0362

STEP Ⓐ $g(x)=x^2f(x)-(2x+1)$로 놓고 사잇값 정리를 이용하기

$g(x)=x^2f(x)-(2x+1)$로 놓으면

함수 $f(x)$가 연속함수이므로 $g(x)$도 연속함수이다.

$g(-1)=f(-1)+1=2>0$

$g(0)=-1<0$

$g(1)=f(1)-3=0$

$g(2)=4f(2)-5=3>0$

이므로

사잇값 정리에 의하여 방정식 $g(x)=0$은 열린구간 $(-1,\ 0)$에서 적어도

한 개의 실근을 갖고 또 다른 실근은 $x=1$을 갖는다.

STEP Ⓑ m의 값 구하기

따라서 방정식 $g(x)=0$은 열린구간 $(-1,\ 2)$에서 적어도 2개의 실근을 갖는다.

즉 $m=2$

0363

STEP Ⓐ $g(x)=f(x)-x^2$로 놓고 사잇값 정리를 이용하기

$g(x)=f(x)-x^2$로 놓으면 함수 $g(x)$는 연속함수이고 다음이 성립한다.

$g(-1)=f(-1)-1>0$ ← $f(-1)>1$

$g(0)=f(0)-0^2=a+1$

$g(1)=f(1)-1=a-2-1=a-3$

$g(2)=f(2)-4<0$ ← $f(2)<4$

사잇값의 정리에 의하여 $g(c)=0$인 점 c가 열린구간 $(0,\ 1)$에 적어도 하나가

존재하므로 $g(0)g(1)=(a+1)(a-3)<0$이어야 한다.

따라서 $-1<a<3$이므로 정수 a의 개수는 0, 1, 2의 3개이다.

내/신/연/계/ 출제문항 154

모든 실수 x에서 연속인 함수 $f(x)$에 대하여

$$f(0)=1,\ f(1)=a^2-a-1,\ f(2)=13$$

이다. 방정식 $f(x)-x^2-4x=0$이 구간 $(0,\ 1)$과 구간 $(1,\ 2)$에서 적어도

하나의 실근을 갖도록 하는 실수 a의 값의 범위가 $\alpha<x<\beta$일 때, $\alpha\beta$의

값은?

① -6 ② -4 ③ -2

④ 4 ⑤ 6

STEP Ⓐ $g(x)=f(x)-x^2-4x$로 놓고 사잇값 정리를 이용하기

$g(x)=f(x)-x^2-4x$로 놓으면 함수 $g(x)$는 모든 실수 x에서 연속이다.

사잇값의 정리에 의하여 방정식 $g(x)=0$이 구간 $(0,\ 1)$과 구간 $(1,\ 2)$에서

각각 적어도 하나의 실근을 가지려면

$g(0)g(1)<0,\ g(1)g(2)<0$이어야 한다.

STEP Ⓑ $g(1)<0$임을 이용하여 a의 범위 구하기

이때 $g(0)=f(0)=1>0$, $g(2)=f(2)-12=1>0$이므로

$g(1)<0$이어야 한다.

$g(1)=f(1)-5=a^2-a-6=(a+2)(a-3)<0$에서 $-2<a<3$

따라서 $\alpha=-2$, $\beta=3$이므로 $\alpha\beta=-6$

0364

STEP Ⓐ $g(x)=f(x)-x$라 두고 사잇값 정리를 이용하기

ㄱ. $g(x)=f(x)-x$로 놓으면

$g(1)=f(1)-1=2-1=1>0$

$g(-1)=f(-1)+1=-2+1=-1<0$

이므로 열린구간 $(-1,\ 1)$에서 반드시 실근을 가진다.

STEP Ⓑ $h(x)=xf(x)-1$이라 두고 사잇값 정리를 이용하기

ㄴ. $h(x)=xf(x)-1$로 놓으면

$h(1)=f(1)-1=2-1=1>0$

$h(-1)=-f(-1)-1=2-1=1>0$

$h(0)=-1<0$

이므로 $(-1,\ 1)$에서 적어도 2개의 실근을 갖는다.

STEP Ⓒ $i(x)=xf(x)-x-2$라 두고 사잇값 정리를 이용하기

ㄷ. $i(x)=xf(x)-x-2$로 놓으면

$i(1)=f(1)-1-2=-1<0$

$i(-1)=-f(-1)+1-2=1>0$

이므로 열린구간 $(-1,\ 1)$에서 반드시 실근을 가진다.

따라서 반드시 실근을 가지는 것은 ㄱ, ㄴ, ㄷ이다.

내/신/연/계/ 출제문항 155

함수 $f(x)$가 닫힌구간 $[0,\ 1]$에서 연속이고

$$f(0)=2,\ f(1)=0$$

일 때, 실근이 열린구간 $(0,\ 1)$에 반드시 존재하는 방정식만을 [보기]에서

있는 대로 고른 것은?

ㄱ. $f(x)+2x=0$
ㄴ. $f(x)-x^2=0$
ㄷ. $f(x)-\dfrac{1}{x+1}=0$

① ㄱ ② ㄴ ③ ㄷ

④ ㄴ, ㄷ ⑤ ㄱ, ㄴ, ㄷ

STEP Ⓐ 사잇값 정리를 이용하여 방정식이 범위 내에서 실근을 가질 조건 구하기

ㄱ. $g(x)=f(x)+2x$로 놓으면 함수 $g(x)$는 닫힌구간 $[0,\ 1]$에서 연속이고

$g(0)=2>0$, $g(1)=2>0$이므로 $g(c)=0$인 c가 열린구간 $(0,\ 1)$에

존재하는지 알 수 없다.

즉 방정식 $f(x)+2x=0$은 열린구간 $(0,\ 1)$에서 실근을 갖는지 알 수 없다.

ㄴ. $g(x)=f(x)-x^2$로 놓으면 함수 $g(x)$는 닫힌구간 $[0,\ 1]$에서 연속이고

$g(0)=2>0$, $g(1)=-1<0$이므로 사잇값의 정리에 의하여 $g(c)=0$인

c가 열린구간 $(0,\ 1)$에 적어도 하나 존재한다.

즉 방정식 $f(x)-x^2=0$은 열린구간 $(0,\ 1)$에서 적어도 하나의 실근을

갖는다.

ㄷ. $g(x)=f(x)-\dfrac{1}{x+1}$로 놓으면 함수 $g(x)$는 닫힌구간 $[0,\ 1]$에서 연속이고

$g(0)=1>0$, $g(1)=-\dfrac{1}{2}<0$이므로 사잇값의 정리에 의하여 $g(c)=0$인

c가 열린구간 $(0,\ 1)$에 적어도 하나 존재한다.

즉 방정식 $f(x)-\dfrac{1}{x+1}=0$은 열린구간 $(0,\ 1)$에서 적어도 하나의 실근을

갖는다.

따라서 실근이 열린구간 $(0,\ 1)$에 반드시 존재하는 방정식은 ㄴ, ㄷ이다.

0365

정답 ③

STEP Ⓐ 함수 $f(x)$가 닫힌구간 $[a, c]$에서 연속이고 $f(a)f(b)<0$, $f(b)f(c)<0$일 때, 사잇값의 정리에 의하여 실근 구하기

$f(x)=(x-a)(x-b)+(x-b)(x-c)+(x-c)(x-a)$라고 하면
함수 $f(x)$는 이차함수이므로 실수 전체의 집합에서 연속이다.
즉 구간 $[a, c]$에서 연속이다.
이때 $a<b<c$이므로
$f(a)=(a-b)(a-c)>0$
$f(b)=(b-c)(b-a)<0$
$f(c)=(c-a)(c-b)>0$
이므로 사잇값의 정리에 의하여 방정식 $f(x)=0$은
열린구간 (a, b), (b, c) 사이에 각각 적어도 하나의 실근을 갖는다.

STEP Ⓑ 서로 다른 두 실근 α, β의 범위 구하기

이때 방정식 $f(x)=0$은 이차방정식이고 두 근이 α, $\beta (\alpha<\beta)$이므로
$a<\alpha<b<\beta<c$

내신연계 출제문항 156

세 실수 a, b, $c(a<b<c)$에 대하여 방정식
$$(x-a)(x-b)(x-c)+(x-a)(x-b)$$
$$+(x-b)(x-c)+(x-c)(x-a)=0$$
의 근에 대한 다음 설명 중 옳은 것은?
① 실근을 갖지 않는다.
② 1개의 실근을 갖는다.
③ 2개의 실근을 갖는다.
④ 3개의 실근을 갖는다.
⑤ 4개의 실근을 갖는다.

STEP Ⓐ 주어진 방정식의 좌변을 $f(x)$로 놓고 사잇값의 정리를 이용하기

$f(x)=(x-a)(x-b)(x-c)+(x-a)(x-b)$
$\qquad +(x-b)(x-c)+(x-c)(x-a)$
로 놓으면 $f(x)$는 모든 실수 x에서 연속이고
$\lim_{x \to -\infty} f(x)=-\infty<0$
$f(a)=(a-b)(a-c)>0$
$f(b)=(b-c)(b-a)<0$
$f(c)=(c-a)(c-b)>0$
$\lim_{x \to \infty} f(x)=\infty>0$
이때 사잇값의 정리에 의하여 방정식 $f(x)=0$은
열린구간 $(-\infty, a)$, (a, b), (b, c)에서 각각 적어도 하나의 실근을 갖는다.
따라서 주어진 방정식은 삼차방정식이므로 3개의 실근을 갖는다. 정답 ④

0366

정답 ④

STEP Ⓐ $f(x)=(x+1)(x-1)g(x)$라 두고 극한에 대입하여 $g(-1)$, $g(1)$의 값 구하기

$\lim_{x \to -1} \dfrac{f(x)}{x+1}=p \, (p>0)$에서
$x \to -1$일 때, (분모)$\to 0$이고 극한값이 존재하므로 (분자)$\to 0$이어야 한다.
즉 $\lim_{x \to -1} f(x)=0$이므로 $f(-1)=0$ ······ ㉠
$\lim_{x \to 1} \dfrac{f(x)}{1-x}=q \, (q<0)$에서
$x \to 1$일 때, (분모)$\to 0$이고 극한값이 존재하므로 (분자)$\to 0$이어야 한다.
즉 $\lim_{x \to 1} f(x)=0$이므로 $f(1)=0$ ······ ㉡
㉠, ㉡에서 $f(x)$가 다항함수이므로
$f(x)=(x+1)(x-1)g(x) \, (g(x)$는 다항함수)로 놓으면
$\lim_{x \to -1} \dfrac{f(x)}{x+1}=p$에서
$\lim_{x \to -1} \dfrac{(x+1)(x-1)g(x)}{x+1}=\lim_{x \to -1}(x-1)g(x)=-2g(-1)=p$
$\therefore g(-1)=-\dfrac{p}{2}$
$\lim_{x \to 1} \dfrac{f(x)}{1-x}=q$에서
$\lim_{x \to 1} \dfrac{(x+1)(x-1)g(x)}{1-x}=\lim_{x \to 1}\{-(x+1)g(x)\}=-2g(1)=q$
$\therefore g(1)=-\dfrac{q}{2}$

STEP Ⓑ 사잇값 정리를 이용하여 실근의 개수 구하기

다항함수 $g(x)$는 닫힌구간 $[-1, 1]$에서 연속이고
$g(-1)=-\dfrac{p}{2}<0$, $g(1)=-\dfrac{q}{2}>0$
이므로 사잇값 정리에 의하여 $g(c)=0$인 c가
열린구간 $(-1, 1)$에 적어도 하나 존재한다. ······ ㉢
㉠, ㉡, ㉢에서 방정식 $f(x)=0$은 -1과 1을 포함하여 적어도 3개의 실근을 가진다.

내신연계 출제문항 157

다음 조건을 모두 만족시키는 다항함수 $f(x)$가 있다. 방정식 $f(x)=0$이 닫힌구간 [1, 2]에서 가질 수 있는 실근의 최소 개수는?

> (가) $\lim\limits_{x \to 1} \dfrac{f(x)}{x-1} = 2$
>
> (나) $\lim\limits_{x \to 2} \dfrac{f(x)}{x-2} = 1$

① 1   ② 2   ③ 3
④ 4   ⑤ 5

STEP ⓐ (분모)→0이고 극한값이 존재하므로 (분자)→0임을 이용하여 다항함수 $f(x)$ 결정하기

조건 (가)에서 $\lim\limits_{x \to 1} \dfrac{f(x)}{x-1} = 2$

$x \to 1$일 때, (분모)→0이고 극한값이 존재하므로 (분자)→0이어야 한다.

즉 $\lim\limits_{x \to 1} f(x)=0$이므로 $f(1)=0$ …… ㉠

조건 (나)에서 $\lim\limits_{x \to 2} \dfrac{f(x)}{x-2} = 1$

$x \to 2$일 때, (분모)→0이고 극한값이 존재하므로 (분자)→0이어야 한다.

즉 $\lim\limits_{x \to 2} f(x)=0$이므로 $f(2)=0$ …… ㉡

㉠, ㉡에서 $f(x)$가 다항함수이므로
$f(x)=(x-1)(x-2)Q(x)$ ($Q(x)$는 다항함수)라고 하면

STEP ⓑ $\dfrac{0}{0}$꼴 극한값을 구하여 사잇값의 정리를 이용하여 실근 구하기

$\lim\limits_{x \to 1} \dfrac{f(x)}{x-1}=2$에서 $\lim\limits_{x \to 1} \dfrac{(x-1)(x-2)Q(x)}{x-1}=\lim\limits_{x \to 1}(x-2)Q(x)=-Q(1)=2$

$\therefore Q(1)=-2$ …… ㉢

$\lim\limits_{x \to 2} \dfrac{f(x)}{x-2}=1$에서 $\lim\limits_{x \to 2} \dfrac{(x-1)(x-2)Q(x)}{x-2}=\lim\limits_{x \to 2}(x-1)Q(x)=Q(2)$

$\therefore Q(2)=1$ …… ㉣

이때 $Q(x)$는 다항함수이므로 모든 실수에서 연속이고 $Q(1)<0$, $Q(2)>0$이므로 사잇값의 정리에 의하여 방정식 $Q(x)=0$은 열린구간 (1, 2)에서 적어도 하나의 실근을 갖는다.   …… ㉤

STEP ⓒ 방정식 $f(x)=0$의 실근의 개수 구하기

㉢, ㉣, ㉤에서 방정식 $f(x)=0$은 두 실근 1, 2를 갖고 열린구간 (1, 2)에서 적어도 하나의 실근을 가지므로 닫힌구간 [1, 2]에서 적어도 3개의 실근을 갖는다.

정답 ③

0367

정답 ④

STEP ⓐ 사잇값 정리의 실생활 활용하여 구하기

버스가 A정류장을 출발한 지 t초 후의 속력을 $f(t)$라 하고 B정류장에 갈 때까지 걸린 시간을 a초라 하면
함수 $f(t)$는 닫힌구간 [0, a]에서 연속이다.
이때 $f(t)=40$인 순간은 t가 적어도 두 번이다.
또한, B정류장에서 C정류장까지 갈 때의 걸린 시간을 b초라 하면
함수 $f(t)$는 닫힌구간 [a, b]에서 연속이다.
이때 $f(t)=40$인 순간은 t가 적어도 두 번이다.
따라서 $f(t)=40$인 t는 적어도 4번이다.

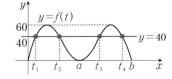

0368

정답 ②

STEP ⓐ 사잇값 정리의 실생활 활용하여 구하기

P지점에서 x만큼 이동한 지점의 수온을 $f(x)°$C로 놓고 다음과 같이 연속함수 $f(x)$의 그래프를 그려본다.

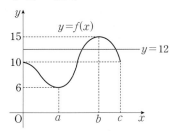

함수 $f(x)$는 $6 \leq f(x) \leq 15$인 연속함수이다.
P지점부터 A, B지점까지의 거리를 각각 a, b라 하고
다시 P지점까지 한 바퀴 돌아오는 거리를 c라 하면
$f(0)=10$, $f(a)=6$, $f(b)=15$, $f(c)=10$이므로
A, B 사이와 B, P 사이에 각각 수온이 12°C인 지점이 적어도 한 군데씩 있다.
따라서 수온이 12°C인 지점은 적어도 두 군데 있으므로 k의 최솟값은 2

0369

정답 ③

STEP ⓐ 사잇값 정리의 실생활 활용하여 진위판단하기

육상선수가 출발선을 떠난 지 t초 후의 속력을 $f(t)$m/s로 놓고 다시 출발선에 올 때까지 걸린 시간을 a초라 하면
함수 $f(t)$는 닫힌구간 [0, a]에서 연속이다.

ㄱ. 함수 $y=f(t)$의 그래프가 오른쪽 그림과 같다고 하자.
이때 $f(t)=11$인 순간은 $t=0$, $t=a$로 2번뿐이다. [거짓]

ㄴ. 함수 $y=f(t)$의 그래프가 ㄱ과 같다고 하면 닫힌구간 [0, a]에서 $f(t) \leq 11$이다. [거짓]

ㄷ. 최대·최소 정리에 의하여 $f(t)$는 닫힌구간 [0, a]에서 반드시 최댓값과 최솟값을 갖는다.
이때 최댓값을 M, 최솟값을 m이라 하자.
(i) $M=m=11$이면 주어진 명제는 참이다.
(ii) $M>11$일 때, $f(b)=M$ ($0<b<a$)이라 하면
    $11<k<M$인 k에 대하여
    $f(0)=11<k$, $f(b)=M>k$, $f(a)=11<k$이므로
    사잇값의 정리에 의하여 방정식 $f(x)=k$의 해가
    열린구간 (0, b), (b, a)에 각각 적어도 하나씩 존재한다.
    즉 어느 두 순간의 속력이 k로 같다.
(iii) $m<11$일 때, (ii)와 같은 방법으로 증명할 수 있다.
(i)~(iii)에 의하여 출발선을 떠날 때와 다시 출발선에 왔을 때를 제외하고 어느 두 순간의 속력이 같은 경우가 있다. [참]
따라서 옳은 것은 ㄷ뿐이다.

0370

<정답> 해설참조

| 1단계 | $f(x)$는 $x=a$에서 함수가 정의되어 있지 않다. | ◀ 30% |

(1) 함수 $f(x)$는 $x=a$에서 함수가 정의되어 있지 않다.

따라서 함수 $f(x)$는 $x=a$에서 불연속이다.

| 2단계 | $\lim\limits_{x \to a} f(x) \neq f(a)$이므로 불연속이다. | ◀ 40% |

(2) $\lim\limits_{x \to a} f(x)=1$, $f(a)=2$이므로 $\lim\limits_{x \to a} f(x) \neq f(a)$이다.

따라서 함수 $f(x)$는 $x=a$에서 불연속이다.

| 3단계 | $x=a$에서 극한값이 존재하지 않으므로 불연속이다. | ◀ 30% |

(3) $\lim\limits_{x \to a-} f(x)=1$, $\lim\limits_{x \to a+} f(x)=2$이므로 $x=a$에서 극한값이 존재하지 않는다.

따라서 함수 $f(x)$는 $x=a$에서 불연속이다.

내/신/연/계 출제문항 158

함수 $y=f(x)$의 그래프가 그림과 같을 때, 물음에 답하고 그 과정을 서술하여라.

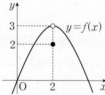

[1단계] $x=2$에서의 함숫값 $f(2)$를 구한다.

[2단계] $\lim\limits_{x \to 2} f(x)$를 구한다.

[3단계] 함수 $f(x)$가 $x=2$에서 연속인지 불연속인지 판단한다.

| 1단계 | $x=2$에서의 함숫값 $f(2)$를 구한다. | ◀ 30% |

$f(2)=2$이므로 $x=2$에서 정의되어 있다.

| 2단계 | $\lim\limits_{x \to 2} f(x)$를 구한다. | ◀ 40% |

$\lim\limits_{x \to 2+} f(x) = \lim\limits_{x \to 2-} f(x)=3$이므로 $\lim\limits_{x \to 2} f(x)$가 존재한다.

| 3단계 | 함수 $f(x)$가 $x=2$에서 연속인지 불연속인지 판단한다. | ◀ 30% |

$\lim\limits_{x \to 2} f(x)=3 \neq f(2)=2$이므로 $x=2$에서 불연속이다.

<정답> 해설참조

0371

<정답> 해설참조

| 1단계 | $g(1)$의 값을 구한다. | ◀ 30% |

$g(1)=\{f(1)-1\}\{f(1)-2\}=(2-1)(2-2)=0$

| 2단계 | 극한값 $\lim\limits_{x \to 1} g(x)$를 구한다. | ◀ 50% |

$x \to 1-$일 때, $f(x) \to 1$이므로

$\lim\limits_{x \to 1-} g(x) = \lim\limits_{x \to 1-}\{f(x)-1\}\{f(x)-2\}=(1-1)(1-2)=0$

$x \to 1+$일 때, $f(x) \to 2$이므로

$\lim\limits_{x \to 1+} g(x) = \lim\limits_{x \to 1+}\{f(x)-1\}\{f(x)-2\}=(2-1)(2-2)=0$

따라서 $\lim\limits_{x \to 1} g(x)=0$

| 3단계 | 함수 $g(x)$가 $x=1$에서 연속인지 불연속인지를 구한다. | ◀ 20% |

따라서 $g(1)=\lim\limits_{x \to 1} g(x)$이므로 함수 $g(x)$는 $x=1$에서 연속이다.

0372

<정답> 해설참조

| 1단계 | 함수 $\dfrac{f(x)}{g(x)}$가 모든 실수 x에서 연속이 되기 위한 조건을 구한다. | ◀ 30% |

함수 $\dfrac{f(x)}{g(x)}$가 모든 실수 x에서 연속이려면 모든 실수 x에 대하여

$g(x) \neq 0$이어야 하므로 방정식 $g(x)=0$이 실근을 갖지 않아야 한다.

| 2단계 | a의 범위를 구한다. | ◀ 40% |

이차방정식 $x^2+ax+4=0$의 판별식을 D라고 하면

$D=a^2-16<0$에서 $(a+4)(a-4)<0$

$\therefore -4<a<4$

| 3단계 | 정수 a의 개수를 구한다. | ◀ 30% |

따라서 정수 a의 개수는 $-3, -2, -1, 0, 1, 2, 3$이므로 7개이다.

0373

<정답> 해설참조

| 1단계 | 함수 $f(x)$가 모든 실수에서 연속일 조건을 구한다. | ◀ 20% |

함수 $f(x)$는 $x \neq 1$인 실수 전체의 집합에서 연속이므로 $x=1$에서 연속이면 모든 실수에서 연속이다.

| 2단계 | 함수의 극한의 성질을 이용하여 a를 구한다. | ◀ 30% |

함수 $f(x)$가 $x=1$에서 연속이 되려면 $\lim\limits_{x \to 1} f(x)=f(1)=b$

$\lim\limits_{x \to 1} \dfrac{2x^2+ax+1}{x-1}=b$에서

$x \to 1$일 때, (분모)$\to 0$이고 극한값이 존재하므로 (분자)$\to 0$이어야 한다.

$\lim\limits_{x \to 1}(2x^2+ax+1)=0$이므로 $a+3=0$

$\therefore a=-3$

| 3단계 | 극한값을 구하여 b의 값을 구한다. | ◀ 30% |

$a=-3$을 주어진 식에 대입하면

$\lim\limits_{x \to 1} f(x)=\lim\limits_{x \to 1} \dfrac{2x^2-3x+1}{x-1}=\lim\limits_{x \to 1} \dfrac{(x-1)(2x-1)}{x-1}$
$=\lim\limits_{x \to 1}(2x-1)=1$

$\therefore b=1$

| 4단계 | $a+b$의 값을 구한다. | ◀ 20% |

따라서 $a=-3$, $b=1$이므로 $a+b=-2$

0374

<정답> 해설참조

| 1단계 | $x \neq 1$일 때, $f(x)$를 구한다. | ◀ 20% |

$x \neq 1$일 때, $f(x)=\dfrac{x^2+2x+a}{x-1}$

| 2단계 | $\lim\limits_{x \to 1} f(x)=f(1)$임을 이용하여 상수 a의 값을 구한다. | ◀ 50% |

함수 $f(x)$가 실수 전체의 집합에서 연속이므로 $f(x)$는 $x=1$에서도 연속이다.

즉 $\lim\limits_{x \to 1} f(x)=f(1)$

$f(1)=\lim\limits_{x \to 1} \dfrac{x^2+2x+a}{x-1}$ ...... ㉠

㉠에서 $x \to 1$일 때, (분모)$\to 0$이고 극한값이 존재하므로 (분자)$\to 0$이다.

즉 $\lim\limits_{x \to 1}(x^2+2x+a)=0$이므로 $1+2+a=0$

$\therefore a=-3$

| 3단계 | $f(1)$의 값을 구한다. | ◀ 30% |

따라서 $a=-3$을 ㉠에 대입하면

$f(1)=\lim\limits_{x \to 1} \dfrac{x^2+2x-3}{x-1}=\lim\limits_{x \to 1} \dfrac{(x+3)(x-1)}{x-1}=\lim\limits_{x \to 1}(x+3)=4$

0375

정답 해설참조

1단계 다항함수 $f(x)$를 구한다. ◀ 50%

$$f(x)=\lim_{t\to\infty}\frac{(x-2)-(x^2-2x)t}{1+t}$$

$$=\lim_{t\to\infty}\frac{\dfrac{(x-2)}{t}-(x^2-2x)}{\dfrac{1}{t}+1}$$ ← 분모의 최고차항 t로 분모 분자를 나눈다.

$$=-(x^2-2x)=-x^2+2x$$

2단계 함수 $f(x)$의 최댓값 M과 최솟값 m을 구한다. ◀ 40%

$f(x)=-x^2+2x=-(x-1)^2+1$이므로

닫힌구간 $[0,\ 4]$에서

$x=1$일 때, 최댓값은 $M=f(1)=1$

$x=4$일 때, 최솟값은 $m=f(4)=-8$

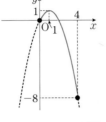

3단계 $M+m$의 값을 구한다. ◀ 10%

따라서 $M+m=1+(-8)=-7$

0376

정답 해설참조

1단계 $x=1$에서 연속이 되기 위한 조건을 이용하여 b의 값을 구한다. ◀ 30%

함수 $f(x)$가 $x=1$에서 연속이므로 $\lim_{x\to1}f(x)=f(1)$이 성립한다.

$$\lim_{x\to1-}(x+1)=\lim_{x\to1+}\{a(x-1)^2+b\}=f(1)$$

$2=b$

$\therefore b=2$

2단계 조건 $f(x+2)=f(x)$를 이용하여 a의 값을 구한다. ◀ 30%

$f(x+2)=f(x)$에서 $f(2)=f(0)$이므로 $a+b=1$

$b=2$이므로 $a=-1$

3단계 $f\left(\dfrac{23}{2}\right)$의 값을 구한다. ◀ 40%

따라서 $f(x)=\begin{cases}x+1 & (0\le x<1)\\ -(x-1)^2+2 & (1\le x\le2)\end{cases}$이므로

$$f\left(\frac{23}{2}\right)=f\left(10+\frac{3}{2}\right)=f\left(\frac{3}{2}\right)=-\left(\frac{3}{2}-1\right)^2+2=\frac{7}{4}$$

0377

정답 해설참조

1단계 $\lim_{x\to\infty}\dfrac{f(x)}{x^2}=1$, $\lim_{x\to1}\dfrac{f(x)}{x-1}=k$를 만족하는 다항함수 $f(x)$의 식을 작성한다. ◀ 40%

$\lim_{x\to\infty}\dfrac{f(x)}{x^2}=1$에서 $f(x)$는 최고차항의

계수가 1인 이차함수이다.

$\lim_{x\to1}\dfrac{f(x)}{x-1}=k$에서

$x\to1$일 때, (분모)$\to0$이고 극한값이

존재하므로 (분자)$\to0$이어야 한다.

즉 $\lim_{x\to1}f(x)=0$에서 $f(1)=0$

$\therefore f(x)=(x-1)(x-a)$ (a는 상수)

$$\lim_{x\to1}\frac{f(x)}{x-1}=\lim_{x\to1}\frac{(x-1)(x-a)}{x-1}=\lim_{x\to1}(x-a)=1-a=k$$

즉 $f(x)=(x-1)(x-a)(\because a=1-k)$ ……㉠

2단계 함수 $f(x)g(x)$가 $x=2$에서 연속이 되는 조건을 구한다. ◀ 20%

$f(x)g(x)$가 $x=2$에서 연속이므로

$\lim_{x\to2+}f(x)g(x)=\lim_{x\to2-}f(x)g(x)=f(2)g(2)$이다.

3단계 상수 k의 값을 구한다. ◀ 40%

$\lim_{x\to2+}f(x)g(x)=\lim_{x\to2+}f(x)\lim_{x\to2+}g(x)=(2-1)\cdot(2-a)\cdot0=0$

$\lim_{x\to2-}f(x)g(x)=\lim_{x\to2-}f(x)\lim_{x\to2-}g(x)=(2-1)(2-a)\cdot(2+1)=3(2-a)$

$x=2$에서 함숫값은 $f(2)g(2)=3(2-a)$

$f(x)g(x)$가 $x=2$에서 연속이므로

$\lim_{x\to2+}f(x)g(x)=\lim_{x\to2-}f(x)g(x)=f(2)g(2)$이어야 하므로

$3(2-a)=0$ $\therefore a=2$

따라서 $a=2$를 ㉠에 대입하면 $k=-1$

다른풀이 함수 $g(x)$가 $x=2$에서 불연속이므로 $f(2)=0$임을 이용하여 풀이하기

$g(x)$가 $x=2$에서 불연속이고 $f(x)g(x)$가 $x=2$에서 연속이므로

$f(2)=0$이어야 한다.

$f(2)=(2-1)(2-a)=0$이므로 $a=2$

0378

정답 해설참조

1단계 $y=|x^2-2x|$의 그래프를 그린다. ◀ 30%

$y=x^2-2x=x(x-2)$의 그래프에서

$y\le0$부분을 x축에 대하여 대칭이동하면

오른쪽 그림과 같다.

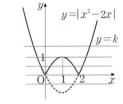

2단계 직선 $y=k$(k는 실수)의 교점의 개수인 $f(k)$의 식을 세운다. ◀ 20%

함수 $f(k)$의 식을 정리하면 다음과 같다.

$$f(k)=\begin{cases}0 & (k<0)\\ 2 & (k=0)\\ 4 & (0<k<1)\\ 3 & (k=1)\\ 2 & (k>1)\end{cases}$$

3단계 $k=a$에서 불연속인 상수 a의 값을 구한다. ◀ 20%

즉 함수 $f(k)$는 $k=0$, $k=1$에서

불연속이므로 $a=0$ 또는 $a=1$

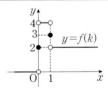

4단계 함수 $f(k)g(k)$가 모든 실수 k에서 연속이 되도록 하는 최고차항의 계수가 1인 이차함수 $g(k)$를 구한다. ◀ 20%

$f(k)$는 $k=0$, $k=1$에서 불연속이므로 이차함수 $g(k)$는

$k=0$, $k=1$을 지나는 최고차항이 1인 이차함수이어야 한다.

$\therefore g(k)=k(k-1)$

5단계 $f(1)+g(2)$의 값을 구한다. ◀ 10%

따라서 $f(1)+g(2)=3+2=5$

0379

정답 해설참조

1단계 $\lim_{x\to1}g(x)=2$를 이용하여 다항함수 $f(x)$의 차수를 결정한다. ◀ 30%

$\lim_{x\to1}g(x)=2$이므로 $\lim_{x\to1}g(x)=\lim_{x\to1}\dfrac{f(x)-x^2}{x-1}=2$에서

$f(x)-x^2$는 최고차항의 계수가 2인 일차함수이어야 한다.

$f(x)-x^2=2x+a$ (단, a는 실수)로 놓을 수 있다.

$\therefore f(x)=x^2+2x+a$

| 2단계 | 함수 $g(x)$가 $x=1$에서 연속조건을 이용하여 함수 $f(x)$를 구한다. | ◀ 40% |

함수 $g(x)$는 모든 실수에서 연속이므로 $x=1$에서 연속이어야 한다.

즉 $\lim\limits_{x \to 1} g(x) = g(1) = k$가 성립하므로

$$\lim_{x \to 1} g(x) = \lim_{x \to 1} \frac{f(x) - x^2}{x-1} = \lim_{x \to 1} \frac{(x^2 + 2x + a) - x^2}{x-1}$$
$$= \lim_{x \to 1} \frac{2x+a}{x-1} = k \quad \cdots\cdots \bigcirc$$

$x \to 1$일 때, (분모)$\to 0$이고 극한값이 존재하므로 (분자)$\to 0$이어야 한다.

즉 $\lim\limits_{x \to 1}(2x+a) = 0$이므로 $2 + a = 0$ ∴ $a = -2$

∴ $f(x) = x^2 + 2x - 2$

| 3단계 | k를 구한다. | ◀ 20% |

$\bigcirc$에서 $k = \lim\limits_{x \to 1} \frac{2x-2}{x-1} = \lim\limits_{x \to 1} \frac{2(x-1)}{x-1} = 2$

| 4단계 | $k + f(3)$의 값을 구한다. | ◀ 10% |

따라서 $f(3) = 3^2 + 2 \cdot 3 - 2 = 13$이므로 $k + f(3) = 2 + 13 = 15$

0380

정답 해설참조

| 1단계 | (a, b)에서 적어도 하나의 실근이 존재함을 보인다. | ◀ 40% |

$f(x) = (x-a)(x-b) + (x-a)(x-c) + (x-b)(x-c)$라 하면

함수 $f(x)$는 닫힌구간 $[a, b]$에서 연속이고

$f(a) = (a-b)(a-c) > 0$, $f(b) = (b-a)(b-c) < 0$이므로

사잇값 정리에 의하여 $f(t) = 0$인 t가 a와 b 사이에 적어도 하나 존재한다.

| 2단계 | (b, c)에서 적어도 하나의 실근이 존재함을 보인다. | ◀ 40% |

또, 함수 $f(x)$는 닫힌 구간 $[b, c]$에서 연속이고

$f(b) = (b-a)(b-c) < 0$, $f(c) = (c-a)(c-b) > 0$이므로

사잇값 정리에 의하여 $f(s) = 0$인 s가 b와 c 사이에 적어도 하나 존재한다.

| 3단계 | 방정식 $f(x) = 0$이 서로 다른 실근을 가짐을 파악한다. | ◀ 20% |

한편 $f(x) = 0$은 이차방정식이므로 최대 2개의 실근을 가진다.

따라서 $f(x) = 0$은 서로 다른 두 실근을 가진다.

0381

정답 해설참조

| 1단계 | $g(x) = f(x) - x$로 놓고 $g(0)$, $g\left(\frac{1}{3}\right)$, $g\left(\frac{1}{2}\right)$, $g\left(\frac{2}{3}\right)$, $g\left(\frac{3}{4}\right)$, $g(1)$의 값의 부호를 구한다. | ◀ 40% |

$g(x) = f(x) - x$라 하면 $f(x)$가 연속함수이므로 함수 $g(x)$는 닫힌구간 $[0, 1]$에서 연속이다.

$g(0) = -\frac{1}{2} < 0$, $g\left(\frac{1}{3}\right) = \frac{1}{6} > 0$, $g\left(\frac{1}{2}\right) = -\frac{5}{6} < 0$,

$g\left(\frac{2}{3}\right) = \frac{1}{12} > 0$, $g\left(\frac{3}{4}\right) = \frac{1}{20} > 0$, $g(1) = -\frac{1}{6} < 0$

| 2단계 | 함수 $g(x)$에 사잇값의 정리를 적용하여 실근의 위치를 파악한다. | ◀ 40% |

사잇값의 정리에 의하여

$g(0)g\left(\frac{1}{3}\right) < 0$, $g\left(\frac{1}{3}\right)g\left(\frac{1}{2}\right) < 0$, $g\left(\frac{1}{2}\right)g\left(\frac{2}{3}\right) < 0$, $g\left(\frac{3}{4}\right)g(1) < 0$이므로

방정식 $g(x) = 0$의 해가 열린구간 $\left(0, \frac{1}{3}\right)$, $\left(\frac{1}{3}, \frac{1}{2}\right)$, $\left(\frac{1}{2}, \frac{2}{3}\right)$, $\left(\frac{3}{4}, 1\right)$에 각각 적어도 하나씩 존재한다.

| 3단계 | 방정식 $f(x) - x = 0$의 실근의 개수를 구한다. | ◀ 20% |

따라서 방정식 $f(x) - x = 0$은 열린구간 $(0, 1)$에서 적어도 4개의 실근을 갖는다.

S T E P 3   **행복한 1등급 문제**

0382

정답 5

STEP Ⓐ 극한값이 존재할 조건을 이용하여 a값 구하기

함수 $f(x)$가 $x=0$에서 연속이므로 $\lim\limits_{x \to 0} \dfrac{\sqrt{x+a} - \sqrt{1+bx}}{x^n} = -1$

$x \to 0$일 때, (분모)$\to 0$이고 극한값이 존재하므로 (분자)$\to 0$이어야 한다.

즉 $\lim\limits_{x \to 0}(\sqrt{x+a} - \sqrt{1+bx}) = 0$

∴ $a = 1$

STEP Ⓑ 분자를 유리화하고 극한값이 0이 아님을 이용하여 n값 구하기

$$\lim_{x \to 0} \frac{\sqrt{x+1} - \sqrt{1+bx}}{x^n} = \lim_{x \to 0} \frac{(\sqrt{x+1} - \sqrt{1+bx})(\sqrt{x+1} + \sqrt{1+bx})}{x^n(\sqrt{x+1} + \sqrt{1+bx})}$$
$$= \lim_{x \to 0} \frac{x(1-b)}{x^n(\sqrt{x+1} + \sqrt{1+bx})}$$

한편 $\lim\limits_{x \to 0} f(x) = f(0) = -1$이므로 $n = 1$

STEP Ⓒ 극한값을 구하여 b값 구하기

$\lim\limits_{x \to 0} \dfrac{1-b}{\sqrt{x+1} + \sqrt{1+bx}} = -1$이므로 $\dfrac{1-b}{1+1} = -1$, $1-b = -2$

∴ $b = 3$

따라서 $a = 1$, $b = 3$, $n = 1$이므로 $a+b+n = 5$

0383

정답 -1

STEP Ⓐ $\lim\limits_{x \to 0-}\{g(x)\}^2 = \lim\limits_{x \to 0+}\{g(x)\}^2 = \{g(0)\}^2$임을 이해하기

함수 $y = \{g(x)\}^2$이 $x=0$에서 연속이므로

$\lim\limits_{x \to 0-}\{g(x)\}^2 = \lim\limits_{x \to 0+}\{g(x)\}^2 = \{g(0)\}^2 \quad \cdots\cdots \bigcirc$

이 성립한다.

STEP Ⓑ $x+1 = t$로 치환하여 극한값 구하기

$x+1 = t$로 놓으면 $x \to 0-$일 때, $t \to 1-$이므로

$$\lim_{x \to 0-}\{g(x)\}^2 = \lim_{x \to 0-}\{f(x+1)\}^2$$
$$= \lim_{t \to 1-}\{f(t)\}^2$$
$$= a^2$$

STEP Ⓒ $x-1 = s$로 치환하여 극한값 구하기

$x-1 = s$로 놓으면 $x \to 0+$일 때, $s \to -1+$이므로

$$\lim_{x \to 0+}\{g(x)\}^2 = \lim_{x \to 0+}\{f(x-1)\}^2$$
$$= \lim_{s \to -1+}\{f(s)\}^2$$
$$= (2+a)^2$$

$\{g(0)\}^2 = \{f(1)\}^2 = a^2$

$\bigcirc$에 대입하면 $a^2 = (2+a)^2$, $4a + 4 = 0$

따라서 $a = -1$

내신연계 출제문항 159

함수 $f(x) = x^3 + ax$에 대하여

$$g(x) = \begin{cases} f(x+1) & (x \geq 1) \\ f(x-2) & (x < 1) \end{cases}$$

이라 하자. 함수 $y = \{g(x)\}^2$이 $x=1$에서 연속일 때의 상수 a는 두 개 존재한다. 각각의 값을 α, β라 할 때, $|\alpha - \beta|$의 값을 구하여라.

STEP Ⓐ $\lim_{x\to 1}\{g(x)\}^2=\lim_{x\to 1+}\{g(x)\}^2=\{g(1)\}^2$임을 이해하기

함수 $y=\{g(x)\}^2$이 $x=1$에서 연속이므로

$\{g(1)\}^2=\lim_{x\to 1-}\{g(x)\}^2=\lim_{x\to 1+}\{g(x)\}^2$

$\{g(1)\}^2=\{f(2)\}^2=(8+2a)^2=4a^2+32a+64$

$\lim_{x\to 1-}\{g(x)\}^2=\lim_{x\to 1-}\{f(x-2)\}^2=\{f(-1)\}^2=(-1-a)^2=a^2+2a+1$

$\lim_{x\to 1+}\{g(x)\}^2=\lim_{x\to 1+}\{f(x+1)\}^2=\{f(2)\}^2=(8+2a)^2=4a^2+32a+64$

즉 $4a^2+32a+64=a^2+2a+1$이므로 $3a^2+30a+63=0$

$a^2+10a+21=0$, $(a+3)(a+7)=0$

$\therefore a=-3$ 또는 -7

STEP Ⓑ $|\alpha-\beta|$의 값 구하기

따라서 $|\alpha-\beta|=|(-3)-(-7)|=4$ 〔정답〕 4

0384

〔정답〕 4

STEP Ⓐ 주어진 조건을 정리하여 $f(x)$를 식으로 나타내기

$(x-1)f(x)=g(x)-g(1)$에서 $x\neq 1$일 때,

$f(x)=\dfrac{g(x)-g(1)}{x-1}$

이때 $g(x)=x^3-ax$이고 $g(1)=1-a$이므로

$f(x)=\dfrac{x^3-ax-(1-a)}{x-1}$

STEP Ⓑ $x=1$에서 극한값과 함숫값이 같음을 이용하기

함수 $f(x)$가 모든 실수 x에 대하여 연속이므로

$f(x)$는 $x=1$에서 연속이다.

$f(1)=\lim_{x\to 1}f(x)=\lim_{x\to 1}\dfrac{x^3-ax-(1-a)}{x-1}=\lim_{x\to 1}\dfrac{(x-1)(x^2+x-a+1)}{x-1}$

$\qquad\qquad\qquad\qquad\qquad =\lim_{x\to 1}(x^2+x-a+1)$

$\qquad\qquad\qquad\qquad\qquad =3-a$

따라서 $3-a=-1$이므로 $a=4$

0385

〔정답〕 -8

STEP Ⓐ 함수 $f(x)$가 $x=2$에서 연속일 조건 구하기

$x\neq 2$, $x\neq -1$일 때, $f(x)=\dfrac{ax^2+bx-4}{x^2-x-2}$이고

모든 실수 x에서 함수 $f(x)$가 연속이므로 $x=2$, $x=-1$에서 연속이다.

즉 $\lim_{x\to 2}f(x)=f(2)$, $\lim_{x\to -1}f(x)=f(-1)$가 되어야 한다.

STEP Ⓑ 조건을 만족하는 상수 a, b의 값 구하기

조건 (가)에서 $\lim_{x\to\infty}f(x)=\lim_{x\to\infty}\dfrac{ax^2+bx-4}{x^2-x-2}=2$이므로 $a=2$

조건 (나)에서 $f(2)=\lim_{x\to 2}f(x)=\lim_{x\to 2}\dfrac{2x^2+bx-4}{x^2-x-2}=c$이므로

$x\to 2$일 때, (분모)$\to 0$이고 극한값이 존재하므로 (분자)$\to 0$이어야 한다.

즉 $\lim_{x\to 2}(2x^2+bx-4)=4+2b=0$

$\therefore b=-2$

STEP Ⓒ c의 값 구하기

함수 $f(x)$가 $x=2$에서 연속이므로

$f(2)=\lim_{x\to 2}f(x)=\lim_{x\to 2}\dfrac{2x^2-2x-4}{x^2-x-2}=\lim_{x\to 2}\dfrac{2(x-2)(x+1)}{(x-2)(x+1)}=2$

$\therefore c=2$

따라서 $a=2$, $b=-2$, $c=2$이므로 $abc=-8$

0386

〔정답〕 0

STEP Ⓐ 합성함수 $(f\circ g)(x)$가 불연속이 되는 x의 값 구하기

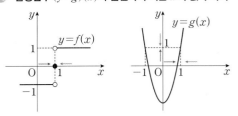

함수 $f(x)$는 $x=1$에서 불연속이고 함수 $g(x)$는 모든 실수에서 연속이므로

함수 $f(g(x))$는 $g(x)=1$에서 연속성을 조사하면 된다.

$g(x)=3x^2-2=1$에서 $3x^2-3=0$

$\therefore x=1$ 또는 $x=-1$

STEP Ⓑ $x=1$과 $x=-1$에서 합성함수 $(f\circ g)(x)$가 연속성 조사하기

(i) $x=1$인 경우 $\lim_{x\to 1}f(g(x))$의 극한값은

　　$g(x)=t$로 놓으면 $y=g(x)$의 그래프에서

　　$x\to 1+$일 때, $t\to 1+$이므로 $\lim_{x\to 1+}f(g(x))=\lim_{t\to 1+}f(t)=1$ ……㉠

　　$x\to 1-$일 때, $t\to 1-$이므로 $\lim_{x\to 1-}f(g(x))=\lim_{t\to 1-}f(t)=-1$ ……㉡

　　㉠, ㉡에서 $\lim_{x\to 1+}f(g(x))\neq\lim_{x\to 1-}f(g(x))$이므로

　　함수 $f(g(x))$는 $x=1$에서 불연속이다.

(ii) $x=-1$인 경우 $\lim_{x\to -1}f(g(x))$의 극한값은

　　$g(x)=t$로 놓으면 $y=g(x)$의 그래프에서

　　$x\to -1+$일 때, $t\to 1-$이므로 $\lim_{x\to -1+}f(g(x))=\lim_{t\to 1-}f(t)=-1$……㉢

　　$x\to -1-$일 때, $t\to 1+$이므로 $\lim_{x\to -1-}f(g(x))=\lim_{t\to 1+}f(t)=1$ ……㉣

　　㉢, ㉣에서 $\lim_{x\to -1+}f(g(x))\neq\lim_{x\to -1-}f(g(x))$이므로

　　함수 $f(g(x))$는 $x=-1$에서 불연속이다.

(i), (ii)에서 함수 $f(g(x))$가 불연속이 되는 x의 값은 -1, 1이므로 합은

$-1+1=0$

0387

〔정답〕 $\dfrac{5}{3}$

STEP Ⓐ $x=2$에서 연속조건 구하기

함수 $f(x)$가 모든 실수 x에서 연속이므로 $x=2$에서도 연속이어야 한다.

즉 $\lim_{x\to 2}f(x)=f(2)$이므로 $f(2)=2a+b$이고

$\lim_{x\to 2-}f(x)=\lim_{x\to 2-}(5-2x)=1$, $\lim_{x\to 2+}f(x)=\lim_{x\to 2+}(ax+b)=2a+b$에서

$\therefore 2a+b=1$ ……㉠

STEP Ⓑ $f(x+4)=f(x)$임을 이용하여 식 세우기

또한, $f(x+2)=f(x-2)$에 x대신 $x+2$를 대입하면

$f(x+4)=f(x)$이므로 $f(5)=f(1)$에서

$\lim_{x\to 5}f(x)=f(1)$

$\therefore 5a+b=3$ ……㉡

STEP Ⓒ $f(11)$의 값 구하기

㉠, ㉡을 연립하여 풀면 $a=\dfrac{2}{3}$, $b=-\dfrac{1}{3}$

$\therefore f(x)=\begin{cases}5-2x & (1\leq x<2)\\ \dfrac{2}{3}x-\dfrac{1}{3} & (2\leq x<5)\end{cases}$

따라서 함수 $f(x)$는 $f(x+4)=f(x)$를 만족하므로

$f(11)=f(7)=f(3)=\dfrac{2}{3}\cdot 3-\dfrac{1}{3}=\dfrac{5}{3}$

0388

정답 -7

STEP Ⓐ 극한값이 존재할 조건을 이용하여 a값 구하기

$x=1$에서 연속이므로 $\lim\limits_{x \to 1}f(x)=f(1)$

$\lim\limits_{x \to 1-}(ax+b)=\lim\limits_{x \to 1+}\dfrac{x^3-5x^2+5x-a}{x-1}=a+b$

$x \to 1$일 때, (분모)$\to 0$이고 극한값이 존재하므로 (분자)$\to 0$이어야 한다.

즉 $\lim\limits_{x \to 1+}(x^3-5x^2+5x-a)=0$이므로 $1-5+5-a=0$

$\therefore a=1$

STEP Ⓑ 극한값을 구하여 b값 구하기

$\lim\limits_{x \to 1+}\dfrac{x^3-5x^2+5x-1}{x-1}=\lim\limits_{x \to 1+}\dfrac{(x-1)(x^2-4x+1)}{x-1}$

$\qquad\qquad\qquad\qquad =\lim\limits_{x \to 1+}(x^2-4x+1)=-2$

이때 $a+b=-2$이므로 $a=1$, $b=-3$

STEP Ⓒ $f(x)$의 최댓값, 최솟값 구하기

따라서

$f(x)=\begin{cases}x-3 & (-2 \le x \le 1)\\x^2-4x+1 & (1 < x \le 3)\end{cases}$

이므로

$x=-2$일 때, 최솟값 $f(-2)=-5$

$x=3$일 때, 최댓값은 -2이므로

합은 $-5+(-2)=-7$

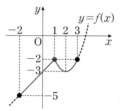

0389

정답 -4

STEP Ⓐ 함수 $f(x)$가 $x=1$에서 불연속일 조건 구하기

함수 $f(x)$가 $x=1$에서 불연속이므로

$\lim\limits_{x \to 1-}(x^2+3x+5) \ne \lim\limits_{x \to 1+}(2x+a)$

$9 \ne 2+a$ $\quad \therefore a \ne 7$ $\qquad$ ...... ㉠

STEP Ⓑ $f(x)f(3-x)$가 $x=2$에서 연속일 조건 구하기

$3-x=t$로 놓으면

$x \to 2-$일 때, $t \to 1+$이므로

$\lim\limits_{x \to 2-}f(x)f(3-x)=\lim\limits_{x \to 2-}f(x) \times \lim\limits_{x \to 2-}f(3-x)$

$\qquad\qquad\qquad\quad =\lim\limits_{x \to 2-}f(x) \times \lim\limits_{t \to 1+}f(t)$

$\qquad\qquad\qquad\quad =(4+a)(2+a)$

$x \to 2+$일 때, $t \to 1-$이므로

$\lim\limits_{x \to 2+}f(x)f(3-x)=\lim\limits_{x \to 2+}f(x) \times \lim\limits_{x \to 2+}f(3-x)$

$\qquad\qquad\qquad\quad =\lim\limits_{x \to 2+}f(x) \times \lim\limits_{t \to 1-}f(t)$

$\qquad\qquad\qquad\quad =(4+a) \cdot 9$

$f(2)f(1)=(4+a) \cdot 9$

함수 $f(x)f(3-x)$가 $x=2$에서 연속이려면

$\lim\limits_{x \to 2-}f(x)f(3-x)=\lim\limits_{x \to 2+}f(x)f(3-x)=f(2)f(1)$

$(4+a)(2+a)=9(4+a)$

$(a+4)(a-7)=0$

따라서 ㉠에서 $a \ne 7$이므로 $a=-4$

0390

정답 3

STEP Ⓐ 함수 $f(x)f(x-a)$가 실수 전체의 집합에서 연속이기 위한 조건 구하기

함수 $f(x)$는 $x \ne 0$인 실수 전체의 집합에서 연속이고 함수 $f(x-a)$는 $x \ne a$인 실수 전체의 집합에서 연속이다.

즉 a의 값에 관계없이 함수 $f(x)f(x-a)$는 $x \ne 0$, $x \ne a$인 실수 전체의 집합에서 연속이다.

함수 $f(x)f(x-a)$가 실수 전체의 집합에서 연속이기 위해서는

함수 $f(x)f(x-a)$가 $x=0$, $x=a$에서 연속이어야 한다.

STEP Ⓑ $a=0$, $a>0$, $a<0$로 나누어 a의 값 구하기

(ⅰ) $a=0$일 때, ⟵ $x=0$에서 함수 $f(x)$의 함숫값의 절댓값 $3=|-3|$이 같을 때, 성립한다.

함수 $\{f(x)\}^2$은 $x=0$에서 연속이어야 한다.

$\lim\limits_{x \to 0-}\{f(x)\}^2=(-3)^2=9$, $\lim\limits_{x \to 0+}\{f(x)\}^2=3^2=9$, $\{f(0)\}^2=3^2=9$이므로

$\lim\limits_{x \to 0}\{f(x)\}^2=\{f(0)\}^2$

즉 함수 $\{f(x)\}^2$은 $x=0$에서 연속이다.

따라서 함수 $\{f(x)\}^2$은 실수 전체의 집합에서 연속이므로

$a=0$은 주어진 조건을 만족시킨다.

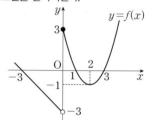

(ⅱ) $a>0$일 때,

함수 $f(x)f(x-a)$가 $x=0$, $x=a$에서 연속이어야 한다.

함수 $f(x)f(x-a)$가 $x=0$에서 연속이어야 하므로

$\lim\limits_{x \to 0-}f(x)f(x-a)=\lim\limits_{x \to 0+}f(x)f(x-a)=f(0)f(0-a)$

$(-3) \times f(-a)=3 \times f(-a)=3 \times f(-a)$이므로

$f(-a)=0$, $-(-a)-3=0$에서 $a=3$ $\qquad$ ...... ㉠

또, 함수 $f(x)f(x-a)$가 $x=a$에서 연속이어야 하므로

$\lim\limits_{x \to a-}f(x)f(x-a)=\lim\limits_{x \to a+}f(x)f(x-a)=f(a)f(a-a)$

$f(a) \times (-3)=f(a) \times 3=f(a) \times 3$이므로 $f(a)=0$

$a^2-4a+3=0$, $(a-1)(a-3)=0$에서 $a=1$ 또는 $a=3$ $\qquad$ ...... ㉡

㉠, ㉡에서 $a=3$

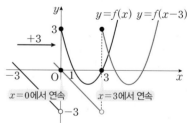

(ⅲ) $a<0$일 때,

함수 $f(x)f(x-a)$가 $x=a$, $x=0$에서 연속이어야 한다.

함수 $f(x)f(x-a)$가 $x=a$에서 연속이어야 하므로

$\lim\limits_{x \to a-}f(x)f(x-a)=\lim\limits_{x \to a+}f(x)f(x-a)=f(a)f(a-a)$

$f(a) \times (-3)=f(a) \times 3=f(a) \times 3$이므로

$f(a)=0$, $-a-3=0$에서 $a=-3$ $\qquad$ ...... ㉢

또, 함수 $f(x)f(x-a)$가 $x=0$에서 연속이어야 하므로

$\lim\limits_{x \to 0-}f(x)f(x-a)=\lim\limits_{x \to 0+}f(x)f(x-a)=f(0)f(0-a)$

$(-3) \times f(-a)=3 \times f(-a)=3 \times f(-a)$이므로

$f(-a)=0$, $(-a)^2-4(-a)+3=0$

$(a+1)(a+3)=0$에서 $a=-1$ 또는 $a=-3$ $\qquad$ ...... ㉣

ⓒ, ⓔ에서 $a=-3$

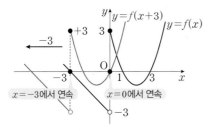

(ⅰ)~(ⅲ)에서 구하는 a의 값은 $a=-3$ 또는 $a=0$ 또는 $a=3$
따라서 구하는 상수 a의 개수는 3

0391

정답 1

STEP A **함수 $f(x)g(x)$가 실수 전체에서 연속이기 위한 조건 구하기**

함수 $f(x)$는 $x=0$에서만 불연속이고 함수 $g(x)$는 $x=a$에서만 불연속이므로 함수 $f(x)g(x)$가 $x=0$, $x=a$에서만 연속이면 실수 전체의 집합에서 연속이다.

STEP B **a의 범위에 따른 함수 $f(x)g(x)$의 연속임을 이용하여 a의 값 구하기**

(ⅰ) $a>0$일 때,

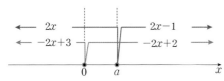

$$f(x)g(x)=\begin{cases}(-2x+3)\times 2x & (x<0)\\(-2x+2)\times 2x & (0\le x<a)\\(-2x+2)\times(2x-1) & (x\ge a)\end{cases}$$

이므로 $x=0$에서 연속이다.
즉 $x=a$에서 연속이면 $f(x)g(x)$는 실수 전체에서 연속이므로
$$\lim_{x\to a-}f(x)g(x)=\lim_{x\to a+}f(x)g(x)=f(a)g(a)$$
$(-2a+2)\times 2a=(-2a+2)(2a-1)$
$-4a^2+4a=-4a^2+6a-2$
즉 $2a=2$이므로 $a=1$

(ⅱ) $a=0$일 때,

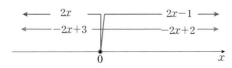

$$f(x)g(x)=\begin{cases}(-2x+3)\times 2x & (x<0)\\(-2x+2)\times(2x-1) & (x\ge 0)\end{cases}$$

이므로 $x=0$에서 불연속이다.
$f(x)g(x)$는 실수 전체의 집합에서 연속일 수 없다.

(ⅲ) $a<0$일 때,

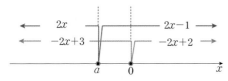

$$f(x)g(x)=\begin{cases}(-2x+3)\times 2x & (x<a)\\(-2x+3)\times(2x-1) & (a\le x<0)\\(-2x+2)\times(2x-1) & (x\ge 0)\end{cases}$$

이므로 $x=0$에서 불연속이다.
$f(x)g(x)$는 실수 전체의 집합에서 연속일 수 없다.

(ⅰ)~(ⅲ)에서 $f(x)g(x)$가 실수 전체의 집합에서 연속이 되는 상수 $a=1$이다.

내/신/연/계 출제문항 160

두 함수
$$f(x)=\begin{cases}-x+2 & (x<0)\\-x+4 & (x\ge 0)\end{cases},\quad g(x)=\begin{cases}x+a+1 & (x<b)\\x+a & (x\ge b)\end{cases}$$
가 있다. 함수 $f(x)g(x)$가 실수 전체의 집합에서 연속이 되도록 하는 두 상수 a, $b\,(b>0)$에 대하여 $a+b$의 값은?

① 3   ② 4   ③ 5
④ 6   ⑤ 7

STEP A **$x=0$에서 연속일 조건을 이용하여 a 구하기**

함수 $f(x)$는 $x\ne 0$인 모든 실수 x에서 연속이고
함수 $g(x)$는 $x\ne b$인 모든 실수 x에서 연속이므로
함수 $f(x)g(x)$가 실수 전체의 집합에서 연속이려면 $x=0$과 $x=b$에서 연속이어야 한다.
(ⅰ) $x=0$에서 연속일 조건
$b>0$이므로 $\lim\limits_{x\to 0-}f(x)g(x)=\lim\limits_{x\to 0-}(-x+2)(x+a+1)=2(a+1)$
$\lim\limits_{x\to 0+}f(x)g(x)=\lim\limits_{x\to 0+}(-x+4)(x+a+1)=4(a+1)$
$f(0)g(0)=4(a+1)$
이때 $\lim\limits_{x\to 0-}f(x)g(x)=\lim\limits_{x\to 0+}f(x)g(x)=f(0)g(0)$이어야 하므로
$2(a+1)=4(a+1)$ $\therefore a=-1$

STEP B **$x=b$에서 연속일 조건을 이용하여 b 구하기**

(ⅱ) $x=b$에서 연속일 조건
$b>0$이므로
$\lim\limits_{x\to b-}f(x)g(x)=\lim\limits_{x\to b-}(-x+4)(x+a+1)=(-b+4)(b+a+1)$
$\lim\limits_{x\to b+}f(x)g(x)=\lim\limits_{x\to b+}(-x+4)(x+a)=(-b+4)(b+a)$
$f(b)g(b)=(-b+4)(b+a)$
이때 $\lim\limits_{x\to b-}f(x)g(x)=\lim\limits_{x\to b+}f(x)g(x)=f(b)g(b)$이어야 하므로
$(-b+4)(b+a+1)=(-b+4)(b+a)$
$(-b+4)\{(b+a+1)-(b+a)\}=(-b+4)\times 1=0$ $\therefore b=4$

STEP C **$a+b$의 값 구하기**

(ⅰ), (ⅱ)에서 $a=-1$, $b=4$이므로 $a+b=-1+4=3$

정답 ①

0392

정답 $\dfrac{5}{13}$

STEP A **조건 (가), (나)를 만족하는 삼차함수 $f(x)$와 $g(x)$의 식을 구하기**

조건 (가)에서 모든 실수 x에 대하여
$f(x)g(x)=x(x+3)$이고
조건 (나)에서 $g(0)=1$이므로 위의 식에 $x=0$을 대입하면
$f(0)g(0)=0(0+3)=0$
$g(0)=1$이므로 $f(0)=0$
이때 $f(x)$는 최고차항의 계수가 1인 삼차함수이므로
$f(x)=x^3+ax^2+bx=x(x^2+ax+b)\,(a, b는 상수)$로 놓으면
이때 $g(x)=\dfrac{x(x+3)}{f(x)}=\dfrac{x(x+3)}{x(x^2+ax+b)}$ ◀ $g(x)=\begin{cases}\dfrac{x+3}{x^2+ax+b} & (x^2+ax+b\ne 0)\\ \blacklozenge & (x^2+ax+b=0)\end{cases}$

STEP B **함수 $g(x)$가 실수 전체의 집합에서 연속임을 이용하여 a의 범위 구하기**

한편 함수 $g(x)$가 실수 전체의 집합에서 연속이므로 $\lim\limits_{x\to 0}g(x)=g(0)$에서
$$\lim_{x\to 0}g(x)=\lim_{x\to 0}\frac{x(x+3)}{x(x^2+ax+b)}=\lim_{x\to 0}\frac{x+3}{x^2+ax+b}=\frac{3}{b}$$
또, 조건 (나)에서 $g(0)=1$이므로 $\dfrac{3}{b}=1$ $\therefore b=3$

이때 $g(x)=\dfrac{x+3}{x^2+ax+3}$

함수 $g(x)$가 실수 전체 집합에서 연속이어야 하므로

방정식 $x^2+ax+3=0$은 허근을 가져야 한다.

즉 판별식을 D라 하면 $D<0$이어야 한다.

$D=a^2-12<0$, $(a+2\sqrt3)(a-2\sqrt3)<0$

$\therefore -2\sqrt3<a<2\sqrt3$ ...... ㉠

STEP ⓒ $f(1)$이 **자연수임을 이용하여** a**의 범위 구하기**

한편 $f(1)$이 자연수이므로 $f(1)=1\times(1^2+a+3)=a+4$에서 $a+4$가

자연수이어야 하므로 $a\ge-3$인 정수이다. ...... ㉡

㉠, ㉡에서 $-3\le a<2\sqrt3$이므로 정수 a의 값은 -3, -2, -1, 0, 1, 2, 3

STEP ⓓ $g(2)$**의 최솟값 구하기**

따라서 $g(2)=\dfrac{5}{4+2a+3}=\dfrac{5}{2a+7}$

이므로 $a=3$일 때,

이 값은 최솟값 $\dfrac{5}{13}$를 갖는다.

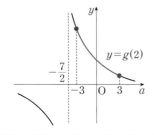

다른풀이 **삼차함수** $f(x)$**를 정하여 풀이하기**

STEP Ⓐ **조건 (가), (나)를 만족하는 삼차함수** $f(x)$**와** $g(x)$**의 식을 구하기**

조건 (가)에서 $g(x)=\dfrac{x(x+3)}{f(x)}$이라 하면

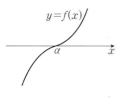

$f(x)$는 삼차함수이므로 반드시 x축과

적어도 한 점에서 만난다.

즉 $f(x)=(x-\alpha)Q(x)$꼴이라 하면

분모에서 0이 되는 x가 반드시 존재하게

되므로 $g(x)$가 연속이라는 조건에 모순이

된다.

그런데도 $g(x)$가 연속이 되려면

$g(x)=\dfrac{x(x+3)}{f(x)}=\dfrac{x(x+3)}{(x-\alpha)Q(x)}$에서 $(x-\alpha)$가 약분이 되고

동시에 이차식 $Q(x)$가 근이 없어야 한다. ◀ 분모가 0이 되지 않도록 한다.

(i) $f(x)=(x+3)Q_1(x)$라 하면

$\quad g(x)=\dfrac{x(x+3)}{(x+3)Q_1(x)}=\dfrac{x}{Q_1(x)}$

이때 $g(0)=0$이므로 가정에서 $g(0)=1$이므로 모순이다.

(ii) $f(x)=xQ_2(x)$라 하면

$\quad g(x)=\dfrac{x(x+3)}{xQ_2(x)}=\dfrac{x+3}{Q_2(x)}$

이때 $Q_2(x)=x^2+ax+b$라 하면

$\quad g(0)=\dfrac{3}{Q_2(0)}=\dfrac{3}{b}=1$이므로 $b=3$

(i), (ii)에서 $f(x)=x(x^2+ax+3)$이다.

STEP Ⓑ $f(1)$**이 자연수임을 이용하여** a**의 범위 구하기**

한편 $f(1)$이 자연수이므로

$f(1)=1\times(1^2+a+3)=a+4$ ...... ㉠

함수 $g(x)$가 실수 전체 집합에서 연속이어야 하므로

방정식 $x^2+ax+3=0$은 허근을 가져야 한다.

즉 판별식을 D라 하면 $D<0$이어야 한다.

$D=a^2-12<0$, $(a+2\sqrt3)(a-2\sqrt3)<0$

$\therefore -2\sqrt3<a<2\sqrt3$ ...... ㉡

㉠, ㉡에서 $a+4$가 자연수이어야 하므로 정수 a는

-3, -2, -1, 0, 1, 2, 3

STEP ⓒ $g(2)$**의 최솟값 구하기**

따라서 $g(2)=\dfrac{5}{4+2a+3}=\dfrac{5}{2a+7}$

이므로 $a=3$일 때,

최솟값은 $g(2)=\dfrac{5}{13}$

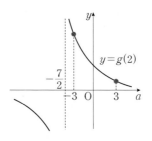

0393

정답 ⑤

STEP Ⓐ **연속이기 위한 조건을 이용하여 참, 거짓 판단하기**

ㄱ. $\displaystyle\lim_{x\to-1-}f(x)=\lim_{x\to-1-}\dfrac{ax}{x-1}=\dfrac{a\cdot(-1)}{-1-1}=\dfrac{a}{2}$

$\displaystyle\lim_{x\to-1+}f(x)=\lim_{x\to-1+}\dfrac{a}{1-x}=\dfrac{a}{1+1}=\dfrac{a}{2}$

$f(-1)=\dfrac{a}{2}$

즉 $\displaystyle\lim_{x\to-1}f(x)=f(-1)$이므로 함수 $f(x)$는 $x=-1$에서 연속이다. [참]

ㄴ. 함수 $f(x)$가 모든 실수에서 연속이 되려면 $x=-1$, $x=1$에서

연속이 되어야 한다.

$x=1$에서 연속이 되려면 $\displaystyle\lim_{x\to1}f(x)=f(1)$이 만족해야 하므로

$\displaystyle\lim_{x\to1-}f(x)=\lim_{x\to1+}f(x)$가 존재해야한다.

즉 $\displaystyle\lim_{x\to1+}f(x)=\lim_{x\to1+}\dfrac{ax}{x-1}$에서 (분모)$\to0$이므로 (분자)$\to0$이다.

$\displaystyle\lim_{x\to1+}ax=0$이므로 $a=0$

$a=0$일 때, 함수 $f(x)=0$이므로 모든 실수에서 연속이다. [참]

STEP Ⓑ $f(x)=a$**의 실근의 개수 구하기**

ㄷ. (i) $a>0$일 때, $y=f(x)$의 그래프는 다음 그림과 같다.

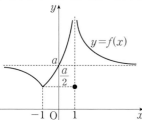

(ii) $a<0$인 경우 (i)의 그래프를 x축으로 대칭이동한 그래프이다.

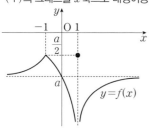

(i), (ii)에서 $y=f(x)$의 그래프와 직선 $y=a$는 한 점에서 만난다. [참]

따라서 옳은 것은 ㄱ, ㄴ, ㄷ이다.

다른풀이 ㄷ. x의 범위에 따른 방정식 $f(x)=a$를 구하여 풀이하기

(i) $|x|>1$일 때, $f(x)=\dfrac{ax}{x-1}$이므로 $\dfrac{ax}{x-1}=a$

$\quad\dfrac{x}{x-1}=1(\because a\ne0)$을 만족하는 x는 존재하지 않는다.

(ii) $|x|<1$일 때, $f(x)=\dfrac{a}{1-x}$이므로 $\dfrac{a}{1-x}=a$

$\quad\dfrac{1}{1-x}=1(\because a\ne0)$, $1-x=1$ $\therefore x=0$

$\quad x=0$은 주어진 범위를 만족하므로 $f(x)=a$의 근은 한 개의 실근을 가진다.

(iii) $|x|=1$일 때, $f(x)=\dfrac{a}{2}$에서 $\dfrac{a}{2}=a$인데 $a\ne0$이므로

만족하는 a의 값이 존재하지 않는다.

(i)~(iii)에서 $f(x)=a$는 단 한 개의 실근을 가진다. [참]

01 STEP1 내신정복기출유형
미분계수와 도함수

0394
정답 ⑤

STEP Ⓐ 함수 $f(x)$의 평균변화율 구하기

닫힌구간 $[a,\ a+2]$에서 함수 $f(x)=2x^2+x$의 평균변화율은

$$\frac{\Delta y}{\Delta x}=\frac{f(a+2)-f(a)}{(a+2)-a}=\frac{\{2(a+2)^2+(a+2)\}-(2a^2+a)}{2}=4a+5=13$$

따라서 $a=2$

내/신/연/계/ 출제문항 161

함수 $f(x)=3x^2-4x+1$에 대하여 x의 값이 a에서 $a+2$까지 변할 때의 평균변화율이 8이다. a의 값은?

① 1 ② 2 ③ 3
④ 4 ⑤ 5

STEP Ⓐ 함수 $f(x)$의 평균변화율 구하기

닫힌구간 $[a,\ a+2]$에서 함수 $f(x)=3x^2-4x+1$의 평균변화율은

$$\frac{\Delta y}{\Delta x}=\frac{f(a+2)-f(a)}{(a+2)-a}=\frac{3(a+2)^2-4(a+2)+1-(3a^2-4a+1)}{2}=6a+2$$

따라서 $6a+2=8$이므로 $a=1$

정답 ①

0395
정답 ②

STEP Ⓐ 함수 $f(x)$의 평균변화율 구하기

닫힌구간 $[-1,\ 1]$에서 함수 $f(x)=2x^2+ax+3$의 평균변화율은

$$\frac{\Delta y}{\Delta x}=\frac{f(1)-f(-1)}{1-(-1)}=\frac{(2+a+3)-(2-a+3)}{2}=\frac{2a}{2}=a$$

따라서 $a=3$

내/신/연/계/ 출제문항 162

함수 $f(x)=x^3-2x+1$에 대하여 x의 값이 1에서 a까지 변할 때의 평균변화율이 11일 때, 상수 a의 값의 합은?

① -2 ② -1 ③ 0
④ 1 ⑤ 2

STEP Ⓐ 함수 $f(x)$의 평균변화율 구하기

함수 $f(x)=x^3-2x+1$에 대하여 x의 값이 1에서 a까지 변할 때의 평균변화율은

$$\frac{\Delta y}{\Delta x}=\frac{f(a)-f(1)}{a-1}=\frac{a^3-2a+1-(1-2+1)}{a-1}=\frac{(a-1)(a^2+a-1)}{a-1}$$

$$=a^2+a-1=11$$

$a^2+a-12=0$, $(a+4)(a-3)=0$

따라서 $a=-4$ 또는 $a=3$이므로 합은 -1

정답 ②

0396
정답 ④

STEP Ⓐ 함수 $f(x)$의 평균변화율을 이용하여 함숫값의 차이 구하기

$\dfrac{f(3)-f(1)}{3-1}=5$이므로 $f(3)-f(1)=10$ …… ㉠

$\dfrac{f(4)-f(3)}{4-3}=2$이므로 $f(4)-f(3)=2$ …… ㉡

STEP Ⓑ 두 식을 연립하여 구하고자 하는 평균변화율 구하기

㉠과 ㉡을 변끼리 더하면 $f(4)-f(1)=12$

따라서 x의 값이 1에서 4까지 변할 때, 평균변화율은

$$\frac{f(4)-f(1)}{4-1}=\frac{12}{3}=4$$

내/신/연/계/ 출제문항 163

함수 $f(x)$에 대하여 x의 값이 1에서 3까지 변할 때 평균변화율은 2이고, x의 값이 3에서 4까지 변할 때 평균변화율은 -1이다. x의 값이 1에서 4까지 변할 때, 평균변화율은?

① -6 ② -3 ③ 1
④ 3 ⑤ 6

STEP Ⓐ 함수 $f(x)$의 평균변화율을 이용하여 함숫값의 차이 구하기

$\dfrac{f(3)-f(1)}{3-1}=2$이므로 $f(3)-f(1)=4$ …… ㉠

$\dfrac{f(4)-f(3)}{4-3}=-1$이므로 $f(4)-f(3)=-1$ …… ㉡

STEP Ⓑ 두 식을 연립하여 구하고자 하는 평균변화율 구하기

㉠과 ㉡을 변끼리 더하면 $f(4)-f(1)=3$

따라서 x의 값이 1에서 4까지 변할 때, 평균변화율은

$$\frac{f(4)-f(1)}{4-1}=\frac{3}{3}=1$$

정답 ③

0397
정답 ③

STEP Ⓐ 함수 $f(x)$의 평균변화율을 이용하여 함숫값의 차이 구하기

구간 $[n,\ n+1]$에서 함수 $y=f(x)$의 평균변화율이 n이므로

$$\frac{f(n+1)-f(n)}{(n+1)-n}=n$$에서 $f(n+1)-f(n)=n$

STEP Ⓑ 식을 연립하여 구하고자 하는 평균변화율 구하기

$n=1,\ 2,\ 3,\ \cdots,\ 15$를 대입하여 변끼리 더하면

$$f(16)-f(1)=1+2+3+\cdots+15=120$$

따라서 $\dfrac{f(16)-f(1)}{16-1}=\dfrac{120}{15}=8$

0398

정답 ②

STEP A 주어진 그래프에서 $g(b)$, $g(c)$의 값 구하기

주어진 그래프에서 $f(a)=b$, $f(b)=c$이고 $g(x)$는 $f(x)$의 역함수이므로
$g(b)=a$, $g(c)=b$

STEP B 함수 $g(x)$의 평균변화율 구하기

따라서 함수 $g(x)$에 대하여 구간 $[b, c]$에서의 평균변화율은

$$\frac{g(c)-g(b)}{c-b}=\frac{b-a}{c-b}$$

0399

정답 ①

STEP A 역함수의 성질을 이용하여 $g(2)$, $g(-2)$의 값 구하기

함수 $f(x)$의 역함수가 $g(x)$이므로
$g(2)=a$로 놓으면 $f(a)=2$에서 ← $f^{-1}(x)=g(x)$
$a^3+a=2$, $(a-1)(a^2+a+2)=0$
즉 $a=1$이므로 $g(2)=1$
또한, $g(-2)=b$로 놓으면 $f(b)=-2$이므로
$b^3+b=-2$, $(b+1)(b^2-b+2)=0$
즉 $b=-1$이므로 $g(-2)=-1$

STEP B 함수 $g(x)$의 평균변화율 구하기

따라서 함수 $y=g(x)$의 구간 $[-2, 2]$에서의 평균변화율은

$$\frac{g(2)-g(-2)}{2-(-2)}=\frac{1-(-1)}{4}=\frac{1}{2}$$

내/신/연/계 출제문항 164

함수 $f(x)$의 역함수 $g(x)$에 대하여 $f(a)=-1$, $f(b)=3$이다.
x의 값이 a에서 b까지 변할 때 $f(x)$의 평균변화율은 $\frac{1}{5}$일 때, x의 값이 -1에서 3까지 변할 때의 함수 $g(x)$의 평균변화율은? (단, $a<b$)

① -5 ② $-\frac{1}{5}$ ③ -1

④ $\frac{1}{5}$ ⑤ 5

STEP A 함수 $f(x)$의 평균변화율 구하기

x의 값이 a에서 b까지 변할 때,
$f(x)$의 평균변화율은 $\frac{1}{5}$이므로
$$\frac{f(b)-f(a)}{b-a}=\frac{1}{5} \qquad\qquad \cdots\cdots ㉠$$

STEP B 함수 $f(x)$의 역함수 $g(x)$의 평균변화율 구하기

이때 함수 $f(x)$의 역함수가 $g(x)$이고
$f(a)=-1$, $f(b)=3$이므로 $g(-1)=a$, $g(3)=b$
㉠에서 $\frac{3-(-1)}{g(3)-g(-1)}=\frac{1}{5}$이므로 $\frac{g(3)-g(-1)}{3-(-1)}=5$
따라서 x의 값이 -1에서 3까지 변할 때의 함수 $g(x)$의 평균변화율은 5

다른풀이 직선 $y=x$에 대하여 대칭임을 이용하여 풀이하기

x의 값이 a에서 b까지 변할 때, $f(x)$의 평균변화율은 $\frac{1}{5}$이므로
$$\frac{f(b)-f(a)}{b-a}=\frac{1}{5}에서 \frac{3-(-1)}{b-a}=\frac{1}{5}$$
$$\therefore b-a=20 \qquad\qquad \cdots\cdots ㉠$$

이때 함수 $f(x)$의 역함수가 $g(x)$이고
$f(a)=-1$, $f(b)=3$이므로 $g(-1)=a$, $g(3)=b$
따라서 x의 값이 -1에서 3까지 변할 때의 함수 $g(x)$의 평균변화율은

$$\frac{g(3)-g(-1)}{3-(-1)}=\frac{b-a}{4}=\frac{20}{4}=5$$

정답 ⑤

0400

정답 ②

STEP A 직선 AQ가 한없이 가까워지는 직선 이해하기

점 Q가 점 A에 한없이 가까워질 때, 직선 AQ는 점 A에서
곡선 $y=f(x)$에 그은 접선에 한없이 가까워진다.

STEP B 미분계수 식을 이용하여 $f'(1)$의 값 구하기

$$\begin{aligned}f'(1)&=\lim_{h\to 0}\frac{f(1+h)-f(1)}{h}\\&=\lim_{h\to 0}\frac{\{(1+h)^3-1\}-(1-1)}{h}\\&=\lim_{h\to 0}(3+3h+h^2)=3\end{aligned}$$

따라서 직선 AQ의 기울기는 3에 한없이 가까워진다.

0401

정답 ③

STEP A 미분계수 식을 이용하여 $Q'(3)$의 값 구하기

$t=3$일 때, 전선을 지나는 전하량의 미분계수는

$$\begin{aligned}Q'(3)&=\lim_{h\to 0}\frac{Q(3+h)-Q(3)}{h}\\&=\lim_{h\to 0}\frac{\{(3+h)^3-(3+h)^2+3(3+h)+3\}-(3^3-3^2+3\cdot 3+3)}{h}\\&=\lim_{h\to 0}\frac{27h+9h^2+h^3-6h-h^2+3h}{h}\\&=\lim_{h\to 0}\frac{h^3+8h^2+24h}{h}\\&=\lim_{h\to 0}(h^2+8h+24)=24\end{aligned}$$

따라서 $t=3$일 때, 전선을 지나는 전하량의 순간변화율은 24

다른풀이 다항함수의 미분법을 이용하여 $Q'(3)$의 값 구하기

$Q'(t)=3t^2-2t+3$이므로 $Q'(3)=27-6+3=24$

내/신/연/계 출제문항 165

시각 t에서의 어느 회로의 한 지점을 지나는 전하량 $Q(t)$가
$$Q(t)=t^3-6t^2+15t+3$$
이다. 전류 $I(t)$는 전하량의 시각 t에서의 순간변화율일 때, 전류가 최소일 때의 전하량은?

① 19 ② 17 ③ 15
④ 13 ⑤ 11

STEP A 전류가 최소가 되는 t의 값 구하기

$I(t)=Q'(t)$이므로 $I(t)=3t^2-12t+15=3(t-2)^2+3$
$t=2$일 때, 전류의 최솟값은 3이다.

STEP B 전하량 구하기

따라서 구하는 전하량은 $Q(2)=8-24+30+3=17$

정답 ②

0402

정답 ③

STEP A 평균변화율을 이용하여 a의 값 구하기

구간 $[1, 4]$에서의 평균변화율이 3일 때,

$$\frac{f(4)-f(1)}{4-1}=\frac{(16+4a+b)-(1+a+b)}{4-1}=5+a=3$$에서 $a=-2$

$\therefore f(x)=x^2-2x+b$

STEP B 미분계수 식을 이용하여 $f'(4)$의 값 구하기

이때 $x=4$에서 미분계수는

$$f'(4)=\lim_{h\to 0}\frac{f(4+h)-f(4)}{h}=\lim_{h\to 0}\frac{(4+h)^2-2(4+h)+b-(16-8+b)}{h}$$
$$=\lim_{h\to 0}(h+6)=6$$

0403

정답 ④

STEP A 함수 $f(x)$의 평균변화율 구하기

함수 $f(x)=x^2-3x$에서 x의 값이 1에서 3까지 변할 때의 평균변화율은

$$\frac{f(3)-f(1)}{3-1}=\frac{(9-9)-(1-3)}{2}=1$$

STEP B 미분계수 식을 이용하여 $f'(c)$의 값 구하기

또, $x=c$에서의 미분계수는

$$f'(c)=\lim_{h\to 0}\frac{f(c+h)-f(c)}{h}=\lim_{h\to 0}\frac{\{(c+h)^2-3(c+h)\}-(c^2-3c)}{h}$$
$$=\lim_{h\to 0}\frac{(2c-3+h)h}{h}$$
$$=\lim_{h\to 0}(2c-3+h)$$
$$=2c-3$$

따라서 $2c-3=1$이므로 $c=2$

> **참고** 다항함수의 미분법을 이용하면
> 함수 $f(x)=x^2-3x$에서 $f'(x)=2x-3$
> $x=c$에서의 미분계수는 $f'(c)=2c-3$이므로 $2c-3=1$
> $\therefore c=2$

0404

정답 ③

STEP A 함수 $f(x)$의 평균변화율 구하기

함수 $f(x)=x^2+2x+3$에서 x의 값이 -1에서 3까지 변할 때의
평균변화율은 $\dfrac{f(3)-f(-1)}{3-(-1)}=\dfrac{18-2}{4}=4$

STEP B 미분계수 식을 이용하여 $f'(a)$의 값 구하기

또, $x=a$에서의 미분계수는

$$f'(a)=\lim_{h\to 0}\frac{f(a+h)-f(a)}{h}=\lim_{h\to 0}\frac{\{(a+h)^2+2(a+h)+3\}-(a^2+2a+3)}{h}$$
$$=\lim_{h\to 0}\frac{(2a+2)h+h^2}{h}$$
$$=2a+2$$

따라서 $2a+2=4$이므로 $a=1$

> **참고** 다항함수의 미분법을 이용하면
> $f(x)=x^2+2x+3$에서 $f'(x)=2x+2$이므로
> $x=a$에서의 미분계수는 $f'(a)=2a+2$
> 따라서 $2a+2=4$이므로 $a=1$

함수 $f(x)=x^2-x+2$에서 x의 값이 1에서 a까지 변할 때의 평균변화율과
$x=2$에서의 미분계수 $f'(2)$가 같을 때, 상수 a의 값은?

① 1 ② $\dfrac{3}{2}$ ③ 2

④ $\dfrac{5}{2}$ ⑤ 3

STEP A 함수 $f(x)$의 평균변화율 구하기

함수 $f(x)=x^2-x+2$에서 x의 값이 1에서 a까지 변할 때의 평균변화율은

$$\frac{f(a)-f(1)}{a-1}=\frac{(a^2-a+2)-(1^2-1+2)}{a-1}$$
$$=\frac{a^2-a}{a-1}=\frac{a(a-1)}{a-1}=a$$

STEP B 미분계수 식을 이용하여 $f'(a)$의 값 구하기

또, 함수 $f(x)$의 $x=2$에서의 미분계수는

$$f'(2)=\lim_{h\to 0}\frac{f(2+h)-f(2)}{h}=\lim_{h\to 0}\frac{\{(2+h)^2-(2+h)+2\}-(2^2-2+2)}{h}$$
$$=\lim_{h\to 0}\frac{3h+h^2}{h}$$
$$=\lim_{h\to 0}(3+h)=3$$

따라서 $a=3$

정답 ⑤

> **참고** 다항함수의 미분법을 이용하면
> $f(x)=x^2-x+2$에서 $f'(x)=2x-1$이므로
> $x=2$에서의 미분계수는 $f'(2)=3$
> 따라서 $a=3$

0405

정답 ④

STEP A 함수 $f(x)$의 평균변화율 구하기

함수 $f(x)=-x^2+3x+1$에서 x의 값이 -1에서 2까지 변할 때의
평균변화율은

$$\frac{f(2)-f(-1)}{2-(-1)}=\frac{(-4+6+1)-(-1-3+1)}{3}=2 \quad\cdots\cdots\ \bigcirc$$

STEP B 미분계수 식을 이용하여 $f'(a)$의 값 구하기

함수 $f(x)=-x^2+3x+1$ 위의 점 $(a, f(a))$에서의 접선의 기울기는

$$f'(a)=\lim_{h\to 0}\frac{f(a+h)-f(a)}{h}=\lim_{h\to 0}\frac{-(a+h)^2+3(a+h)+1-(-a^2+3a+1)}{h}$$
$$=\lim_{h\to 0}\frac{-2ah+3h-h^2}{h}$$
$$=-2a+3 \quad\cdots\cdots\ \bigcirc$$

따라서 주어진 조건에서 $\bigcirc$, $\bigcirc$이 같으므로 $-2a+3=2$ $\therefore a=\dfrac{1}{2}$

> **참고** 다항함수의 미분법을 이용하면
> $f(x)=-x^2+3x+1$에서 양변을 x에 대하여 미분하면
> $f'(x)=-2x+3$이므로 점 $(a, f(a))$에서의 접선의 기울기는
> $f'(a)=-2a+3$
> $-2a+3=2$이므로 $a=\dfrac{1}{2}$

0406

정답 ④

STEP A 함수 $f(x)$의 평균변화율 구하기

함수 $f(x)=2x^3-9x^2+12x$에서

$x=0$에서 $x=3$까지 변할 때의 평균변화율은

$$\frac{f(3)-f(0)}{3-0}=\frac{9-0}{3}=3 \qquad \cdots\cdots ㉠$$

STEP B 미분계수 식을 이용하여 $f'(a)$의 값 구하기

함수 $f(x)$의 $x=a$에서의 순간변화율은

$$f'(a)=\lim_{h\to 0}\frac{f(a+h)-f(a)}{h}$$

$$=\lim_{h\to 0}\frac{\{2(a+h)^3-9(a+h)^2+12(a+h)\}-(2a^3-9a^2+12a)}{h}$$

$$=6a^2-18a+12 \qquad \cdots\cdots ㉡$$

STEP C a의 값의 곱 구하기

주어진 조건에서 ㉠, ㉡이 같으므로 $6a^2-18a+12=3$에서 $2a^2-6a+3=0$

따라서 이차방정식의 근과 계수의 관계에 의하여 a의 값의 곱은 $\dfrac{3}{2}$

> **참고** 다항함수의 미분법을 이용하여
>
> 함수 $f(x)=2x^3-9x^2+12x$에서 양변을 x에 대하여 미분하면
>
> $$f'(x)=6x^2-18x+12$$
>
> $x=a$에서의 순간변화율 $f'(a)=6a^2-18a+12$이므로 $6a^2-18a+12=3$
>
> $2a^2-6a+3=0$
>
> 따라서 이차방정식의 근과 계수의 관계에 의하여 a의 값의 곱은 $\dfrac{3}{2}$

내신연계 출제문항 167

함수 $f(x)=x^3$에서 x의 값이 1에서 a까지 변할 때의 평균변화율이 점 (a, a^3)에서의 접선의 기울기와 같을 때, 상수 a의 값의 합은?

① $-\dfrac{1}{2}$ ② $-\dfrac{1}{4}$ ③ 0

④ $\dfrac{1}{2}$ ⑤ 2

STEP A 함수 $f(x)$의 평균변화율 구하기

함수 $f(x)=x^3$에서 x의 값이 1에서 a까지 변할 때의 평균변화율은

$$\frac{f(a)-f(1)}{a-1}=\frac{a^3-1}{a-1}=\frac{(a-1)(a^2+a+1)}{a-1}$$

$$=a^2+a+1 \qquad \cdots\cdots ㉠$$

STEP B 미분계수 식을 이용하여 $f'(a)$의 값 구하기

함수 $y=x^3$ 위의 점 (a, a^3)에서의 접선의 기울기는

$$f'(a)=\lim_{h\to 0}\frac{f(a+h)-f(a)}{h}=\lim_{h\to 0}\frac{(a+h)^3-a^3}{h}$$

$$=\lim_{h\to 0}\frac{3ah^2+3a^2h+h^3}{h}$$

$$=3a^2 \qquad \cdots\cdots ㉡$$

STEP C a의 값의 합 구하기

주어진 조건에서 ㉠, ㉡이 같으므로 $a^2+a+1=3a^2$, $2a^2-a-1=0$

따라서 이차방정식의 근과 계수의 관계에 의하여 a의 값의 합은 $\dfrac{1}{2}$ 정답 ④

> **참고** 다항함수의 미분법을 이용하여
>
> 함수 $f(x)=x^3$에서 양변을 x에 대하여 미분하면 $f'(x)=3x^2$
>
> 점 (a, a^3)에서의 접선의 기울기 $f'(a)=3a^2$

0407

정답 ⑤

STEP A $x=2$에서 미분계수 $f'(2)$ 구하기

$f(x+2)-f(2)=x^3+6x^2+14x$이므로

$$f'(2)=\lim_{h\to 0}\frac{f(2+h)-f(2)}{h}=\lim_{h\to 0}\frac{h^3+6h^2+14h}{h}$$

$$=\lim_{h\to 0}(h^2+6h+14)$$

$$=14$$

> **다른풀이** $f(x)$를 구하여 $f'(2)$ 풀이하기
>
> $f(x+2)-f(2)=x^3+6x^2+14x$에서
>
> $f(x+2)=x^3+6x^2+14x+f(2)$이므로
>
> $f(t)=(t-2)^3+6(t-2)^2+14(t-2)+f(2)$ ← $x+2=t$로 치환
>
> $=t^3+2t-12+f(2)$
>
> $f(t)$를 t에 대하여 미분하면 $f'(t)=3t^2+2$
>
> 따라서 $f'(2)=3\cdot 2^2+2=14$

0408

정답 ②

STEP A 함수의 그래프에서 직선 PQ와 기울기가 같은 접선 그리기

다음 그림과 같이 두 점 P, Q를 잇는 직선을 그리면 이 직선과 같은 기울기를 가지며 곡선에 접하는 직선은 모두 2개를 그을 수 있다.

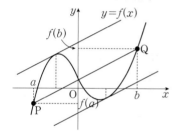

따라서 x가 a에서 b까지 변할 때, $f(x)$의 평균변화율과 $x=c$에서의 미분계수가 같게 되는 실수 c는 2개 존재한다.

내신연계 출제문항 168

오른쪽 그림은 다항함수 $y=f(x)$의 그래프이다.

$$\frac{f(b)-f(a)}{b-a}=f'(c)$$

를 만족하는 상수 c의 개수는?

(단, $a<c<b$)

① 1   ② 2

③ 3   ④ 4

⑤ 5

STEP A 평균변화율과 미분계수가 같은 상수 c의 개수 구하기

$\dfrac{f(b)-f(a)}{b-a}$는 구간 $[a, b]$에서의 $y=f(x)$의 평균변화율이므로 직선 AB의 기울기이고 $f'(c)$는 $x=c$일 때의 미분계수이므로 곡선 $y=f(x)$ 위의 점 $(c, f(c))$에서의 접선의 기울기를 의미한다.

따라서 다음 그림과 같이 직선 AB와 평행한 접선을 3개 그을 수 있다. ($\because a<c<b$)   정답 ③

0409

정답 ④

STEP A 두 점 사이의 거리를 이용하여 $f(a)-f(2)$의 값 구하기

$a>2$이므로 $f(a)>f(2)$이고

두 점 $(2, f(2))$, $(a, f(a))$ 사이의 거리가 a^2-4이므로

$\sqrt{(a-2)^2+\{f(a)-f(2)\}^2}=a^2-4$

양변을 제곱하면 $(a-2)^2+\{f(a)-f(2)\}^2=(a^2-4)^2$

$\{f(a)-f(2)\}^2=(a^2-4)^2-(a-2)^2$

$\qquad\qquad\quad =(a+2)^2(a-2)^2-(a-2)^2$

$\qquad\qquad\quad =(a-2)^2\{(a+2)^2-1\}$ $\qquad$ …… ㉠

$\therefore f(a)-f(2)=(a-2)\sqrt{a^2+4a+3}$ $(\because a>2$이고 $f(a)>f(2))$

STEP B $f'(2)$의 값 구하기

따라서 $f'(2)=\lim\limits_{a\to 2}\dfrac{f(a)-f(2)}{a-2}=\lim\limits_{a\to 2}\dfrac{(a-2)\sqrt{a^2+4a+3}}{a-2}$

$\qquad\qquad\qquad\qquad\qquad =\lim\limits_{a\to 2}\sqrt{a^2+4a+3}$

$\qquad\qquad\qquad\qquad\qquad =\sqrt{15}$

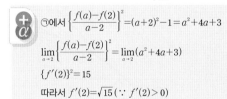

㉠에서 $\left\{\dfrac{f(a)-f(2)}{a-2}\right\}^2=(a+2)^2-1=a^2+4a+3$

$\lim\limits_{a\to 2}\left\{\dfrac{f(a)-f(2)}{a-2}\right\}^2=\lim\limits_{a\to 2}(a^2+4a+3)$

$\{f'(2)\}^2=15$

따라서 $f'(2)=\sqrt{15}(\because f'(2)>0)$

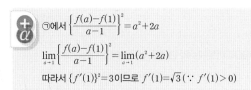

㉠에서 $\left\{\dfrac{f(a)-f(1)}{a-1}\right\}^2=a^2+2a$

$\lim\limits_{a\to 1}\left\{\dfrac{f(a)-f(1)}{a-1}\right\}^2=\lim\limits_{a\to 1}(a^2+2a)$

따라서 $\{f'(1)\}^2=3$이므로 $f'(1)=\sqrt{3}(\because f'(1)>0)$

내신연계 출제문항 169

양의 실수 전체의 집합에서 증가하는 함수 $f(x)$가 $x=1$에서 미분가능하다. 1보다 큰 모든 실수 a에 대하여 점 $(1, f(1))$와 점 $(a, f(a))$ 사이의 거리가 a^2-1일 때, $f'(1)$의 값은?

① 1
② $\dfrac{\sqrt{5}}{2}$
③ $\dfrac{\sqrt{6}}{2}$
④ $\sqrt{2}$
⑤ $\sqrt{3}$

STEP A 두 점 사이의 거리 공식을 이용하여 $f(a)$ 구하기

$a>1$이므로 $f(a)>f(1)$이고

두 점 $(1, f(1))$, $(a, f(a))$ 사이의 거리가 a^2-1이므로

$\sqrt{(a-1)^2+\{f(a)-f(1)\}^2}=a^2-1$

양변을 제곱하면

$(a-1)^2+\{f(a)-f(1)\}^2=(a^2-1)^2$

$\{f(a)-f(1)\}^2=(a^2-1)^2-(a-1)^2$

$\qquad\qquad\quad =(a-1)^2\{(a+1)^2-1\}$

$\qquad\qquad\quad =(a-1)^2(a^2+2a)$ $\qquad$ …… ㉠

$\therefore f(a)-f(1)=(a-1)\sqrt{a^2+2a}$ $(\because a>1$이고 $f(a)>f(1))$

STEP B 미분계수의 정의를 이용하여 $f'(1)$의 값 구하기

따라서 함수 $f(x)$가 $x=1$에서 미분계수를 구하면

$f'(1)=\lim\limits_{a\to 1}\dfrac{f(a)-f(1)}{a-1}=\lim\limits_{a\to 1}\dfrac{(a-1)\sqrt{a^2+2a}}{a-1}$

$\qquad\qquad\qquad\qquad =\lim\limits_{a\to 1}\sqrt{a^2+2a}$

$\qquad\qquad\qquad\qquad =\sqrt{3}$

정답 ⑤

0410

정답 ④

STEP A 평균변화율과 미분계수의 관계를 이용하여 진위판단하기

두 점 $A(a, f(a))$, $B(b, f(b))$에 대하여

직선 AB의 기울기는 $\dfrac{f(b)-f(a)}{b-a}$

곡선 $y=f(x)$ 위의 점 $A(a, f(a))$에서의

접선의 기울기는 $f'(a)$

곡선 $y=f(x)$ 위의 점 $B(b, f(b))$에서의

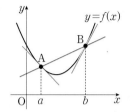

접선의 기울기는 $f'(b)$이므로

$f'(a)<\dfrac{f(b)-f(a)}{b-a}<f'(b)$

0411

정답 ②

STEP A 주어진 부등식에서 각 항의 의미 이해하기

$\dfrac{f(a)-f(b)}{a-b}$는 $y=f(x)$ 위의 두 점 $(a, f(a))$, $(b, f(b))$를 지나는 직선의 기울기이고 $f'(a)$는 $x=a$에서 $y=f(x)$의 접선의 기울기이다.

STEP B 부등식을 만족하는 그래프의 개형 구하기

이때 $\dfrac{f(a)-f(b)}{a-b}>f'(a)$이려면 다음 그래프와 같아야 한다.

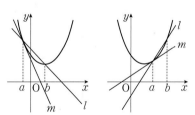

즉 (직선 l의 기울기)>(직선 m의 기울기)

따라서 함수 $y=f(x)$의 그래프는 모든 실수 x에 대하여 아래로 볼록한 곡선이어야 하므로 주어진 조건을 만족하는 함수 $y=f(x)$의 그래프의 개형은 ②이다.

0412

STEP A 평균변화율과 미분계수의 관계를 이용하여 진위판단하기

$f(x_1+h)-f(x_1)>f'(x_1)\times h$에서 $h>0$이므로 양변을 h로 나누면

$$\frac{f(x_1+h)-f(x_1)}{h}>f'(x_1)$$

이때 x의 값이 x_1에서 x_1+h까지 변할때의 함수 $f(x)$의 평균변화율이 $x=x_1$에서의 미분계수보다 크므로 함수 $y=f(x)$의 그래프는 아래로 볼록이다.

ㄱ ㄴ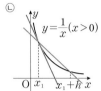

ㄷ 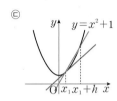 ㄹ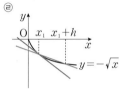

따라서 주어진 조건을 만족시키는 함수는 ㄴ, ㄷ, ㄹ이다.

0413

STEP A 평균변화율과 미분계수의 관계를 이용하여 진위판단하기

다음 그림과 같이 $A(a, f(a))$, $B(b, f(b))$라고 하자.

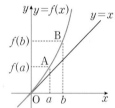

ㄱ. $\dfrac{f(a)}{a}$는 원점과 점 A를 지나는 직선의 기울기이고

$\dfrac{f(b)}{b}$는 원점과 점 B를 지나는 직선의 기울기이므로 $\dfrac{f(a)}{a}<\dfrac{f(b)}{b}$ [거짓]

ㄴ. 직선 AB의 기울기는 1보다 크므로 $\dfrac{f(b)-f(a)}{b-a}>1$

이때 $b-a>0$이므로 $f(b)-f(a)>b-a$ [참]

ㄷ. $f'(a)$는 점 A에서의 접선의 기울기이고

$f'(b)$는 점 B에서의 접선의 기울기이므로 $f'(a)<f'(b)$ [참]

ㄹ. $0<a<b$일 때, $\dfrac{a+b}{2}>\sqrt{ab}$이고 열린구간 (a, b)에서

접선의 기울기가 점점 증가하므로 $f'\left(\dfrac{a+b}{2}\right)>f'(\sqrt{ab})$ [참]

따라서 옳은 것은 ㄴ, ㄷ, ㄹ이다.

오른쪽 그림은 미분가능한 함수 $y=f(x)$와 $y=x$의 그래프이다. $0<a<b$일 때, 다음 중 옳은 것을 모두 고르면?

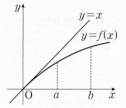

ㄱ. $\dfrac{f(a)}{a}<\dfrac{f(b)}{b}$ ㄴ. $f(b)-f(a)>b-a$

ㄷ. $f'(a)>f'(b)$ ㄹ. $f'\left(\dfrac{a+b}{2}\right)\geq f'(\sqrt{ab})$

① ㄱ   ② ㄷ   ③ ㄱ, ㄷ

④ ㄴ, ㄹ   ⑤ ㄴ, ㄷ, ㄹ

STEP A 평균변화율과 미분계수의 기하학적 의미 이해하기

ㄱ. $\dfrac{f(a)}{a}=\dfrac{f(a)-f(0)}{a-0}$이므로

두 점 $(0, f(0))$, $A(a, f(a))$를 지나는 직선의 기울기이다.

(직선 OA의 기울기)$=\dfrac{f(a)}{a}$

(직선 OB의 기울기)$=\dfrac{f(b)}{b}$

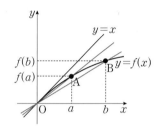

즉 $\dfrac{f(a)}{a}>\dfrac{f(b)}{b}$이므로 옳지 않다.

[거짓]

ㄴ. $\dfrac{f(b)-f(a)}{b-a}$는

두 점 $A(a, f(a))$, $B(b, f(b))$를 지나는 직선의 기울기이고

이 기울기는 직선 $y=x$의 기울기

1보다 작으므로 $\dfrac{f(b)-f(a)}{b-a}<1$

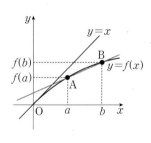

즉 $f(b)-f(a)<b-a$ ($\because b-a>0$)

[거짓]

ㄷ. $f'(a)$는 점 $A(a, f(a))$에서 그은 접선의 기울기, $f'(b)$는 점 $B(b, f(b))$에서 그은 접선의 기울기이므로

두 점 A, B에서의 접선의 기울기를 비교하면 $f'(a)>f'(b)$가 옳다.

[참]

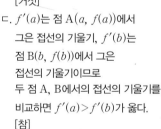

ㄹ. $0<a<b$일 때,

$\dfrac{a+b}{2}\geq\sqrt{ab}$이고 열린구간 (a, b)에서 접선의 기울기가

점점 감소하므로 $f'\left(\dfrac{a+b}{2}\right)\leq f'(\sqrt{ab})$ [거짓]

따라서 옳은 것은 ㄷ이다.

0414

STEP A 평균변화율과 미분계수의 기하학적 의미 이해하기

ㄱ. 세 점
O(0, 0), A(a, f(a)), B(b, f(b))에
대하여 두 직선 OA, OB의 기울기는
각각

$$\frac{f(a)-0}{a-0}=\frac{f(a)}{a}, \frac{f(b)-0}{b-0}=\frac{f(b)}{b}$$

이고 그래프에서 직선 OB의 기울기가
직선 OA의 기울기보다 크므로

$$\frac{f(a)}{a}<\frac{f(b)}{b}$$ 이다. [거짓]

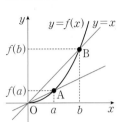

STEP B 점 A, B에서 접선의 기울기를 비교하여 부등식 확인하기

ㄴ. 두 점 $(a, f(a))$, $(b, f(b))$에서의
접선의 기울기는 각각 $f'(a)$, $f'(b)$
이고 그래프에서 두 접선의 기울기를
비교해보면 $f'(a)<f'(b)$이다. [참]

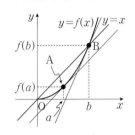

STEP C 직선 AB의 기울기를 이용하여 부등식 확인하기

ㄷ. 두 점 $(a, f(a))$, $(b, f(b))$를 지나는

직선의 기울기 $\frac{f(b)-f(a)}{b-a}$는 1보다

크므로 $\frac{f(b)-f(a)}{b-a}>1$

즉 $f(b)-f(a)>b-a$이다. [참]
따라서 옳은 것은 ㄴ, ㄷ이다.

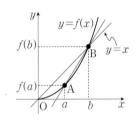

내/신/연/계 출제문항 171

오른쪽 그림과 같은 다항함수
$y=f(x)$의 그래프와 직선 $y=x$에서
$0<a<1<b$일 때, [보기]에서 옳은
것을 모두 고르면?

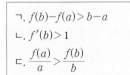

> ㄱ. $f(b)-f(a)>b-a$
> ㄴ. $f'(b)>1$
> ㄷ. $\frac{f(a)}{a}>\frac{f(b)}{b}$

① ㄱ   ② ㄱ, ㄴ   ③ ㄴ, ㄷ
④ ㄱ, ㄷ   ⑤ ㄱ, ㄴ, ㄷ

STEP A 직선 AB의 기울기를 이용하여 부등식 확인하기

두 점 A, B의 좌표를 각각 A(a, f(a)), B(b, f(b))라 하자.
ㄱ. 두 점 $(a, f(a))$, $(b, f(b))$를 지나는

직선의 기울기 $\frac{f(b)-f(a)}{b-a}$는

1보다 크므로 $\frac{f(b)-f(a)}{b-a}>1$

즉 $f(b)-f(a)>b-a$ [참]

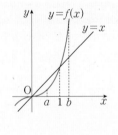

STEP B 점 B에서 접선의 기울기를 이용하여 부등식 확인하기

ㄴ. 점 B(b, f(b))에서 접하는 접선의
기울기가 직선 $y=x$의 기울기보다
크므로 $f'(b)>1$ [참]

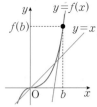

STEP C 직선 OA, OB의 기울기를 비교하여 부등식 확인하기

ㄷ. 두 직선 OA, OB의 기울기는 각각

$$\frac{f(a)-0}{a-0}=\frac{f(a)}{a}, \frac{f(b)-0}{b-0}=\frac{f(b)}{b}$$

그래프에서 직선 OB의 기울기가
직선 OA의 기울기보다 크므로

$$\frac{f(a)}{a}<\frac{f(b)}{b}$$ [거짓]

따라서 옳은 것은 ㄱ, ㄴ이다.

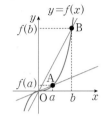

정답 ②

0415

정답 ②

STEP A 평균변화율과 미분계수의 기하학적 의미 이해하기

ㄱ. 직선 OA의 기울기가 직선 OB의 기울기보다 작으므로

$$\frac{f(a)-f(0)}{a-0}<\frac{f(b)-f(0)}{b-0}, \frac{f(a)}{a}<\frac{f(b)}{b}$$

ㄴ. 점 A에서의 접선의 기울기가 점 B에서의 접선의 기울기보다 작으므로
$f'(a)<f'(b)$

ㄷ. 직선 AB의 기울기는 $\frac{1}{2}$보다 크므로

$$\frac{f(b)-f(a)}{b-a}>\frac{1}{2}, f(b)-f(a)>\frac{b-a}{2}$$

따라서 옳은 것은 ㄴ뿐이다.

0416

정답 ③

STEP A 두 직선의 기울기를 비교하여 부등식 확인하기

ㄱ. $g(4)=\frac{f(4)-f(1)}{4-1}=\frac{4-1}{3}=1$ ◀ 두 점 $(1, f(1))$, $(4, f(4))$를 지나는 직선의 기울기

$g(5)=\frac{f(5)-f(1)}{5-1}=\frac{9-1}{4}=2$ ◀ 두 점 $(1, f(1))$, $(5, f(5))$를 지나는 직선의 기울기

∴ $g(4)<g(5)$이다. [참]

STEP B $f(x)=f(1)$을 만족하는 x의 개수 구하기

ㄴ. $g(x)=0$에서 $\frac{f(x)-f(1)}{x-1}=0$이므로 $f(x)=f(1)$
$(x-2)^2-1=0$, $x^2-4x+3=0$, $(x-1)(x-3)=0$
즉 $1<x\le5$에서 $x=3$이므로 x의 값은 1개이다. [거짓]

STEP C 그래프에서 두 직선의 기울기를 비교하여 부등식 확인하기

ㄷ. $g(3)=\frac{f(3)-f(1)}{3-1}=\frac{1-1}{2}=0$
$f'(3)$은 $x=3$에서의 접선의 기울기
이므로 오른쪽 그림에서 $f'(3)>0$
∴ $g(3)<f'(3)$ [참]
따라서 옳은 것은 ㄱ, ㄷ이다.

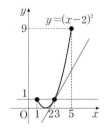

구간 [1, 6]에서 함수 $f(x)=(x-3)^2$의
그래프가 오른쪽 그림과 같을 때,
함수 $g(x)=\dfrac{f(x)-f(1)}{x-1}$ $(1<x\leq6)$에
대하여 다음 [보기]에서 옳은 것을 모두
고르면?

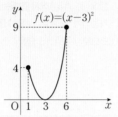

ㄱ. $g(5)<g(6)$
ㄴ. $g(x)=0$인 x의 값은 1개이다.
ㄷ. $g(5)<f'(5)$

---

① ㄱ   ② ㄴ   ③ ㄱ, ㄷ
④ ㄴ, ㄷ   ⑤ ㄱ, ㄴ, ㄷ

STEP Ⓐ 평균변화율과 미분계수를 이용하여 [보기]의 진위판단하기

ㄱ. $g(5)=\dfrac{f(5)-f(1)}{5-1}=\dfrac{4-4}{4}=0$

   $g(6)=\dfrac{f(6)-f(1)}{6-1}=\dfrac{9-4}{5}=1$

   $g(5)<g(6)$ [참]

ㄴ. $g(x)=0$에서 $\dfrac{f(x)-f(1)}{x-1}=0$이므로 $f(x)=f(1)$

   $(x-3)^2-4=0$, $x^2-6x+5=0$, $(x-1)(x-5)=0$

   즉 $1<x\leq6$에서 $x=5$이므로 x의 값은 1개이다. [참]

ㄷ. $g(5)=\dfrac{f(5)-f(1)}{5-1}=\dfrac{4-4}{2}=0$

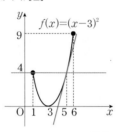

   $f'(5)$은 $x=5$에서의 접선의 기울기
이므로 오른쪽 그림에서 $f'(5)>0$
이므로 $g(5)<f'(5)$ [참]

따라서 옳은 것은 ㄱ, ㄴ, ㄷ이다.

정답 ⑤

0417

정답 ③

STEP Ⓐ 평균변화율과 미분계수를 이용하여 [보기]의 진위판단하기

ㄱ. $g(3)=\dfrac{f(3)-f(1)}{3-1}=\dfrac{3-3}{2}=0$, $g(6)=\dfrac{f(6)-f(1)}{6-1}=\dfrac{6-3}{5}=\dfrac{3}{5}$이므로

   $g(3)<g(6)$ [참]

ㄴ. $g(x)=\dfrac{1}{2}$이므로 점 $(1, 3)$을 지나고

   기울기가 $\dfrac{1}{2}$인 직선의 방정식은

   $h(x)=\dfrac{1}{2}x+\dfrac{5}{2}$

   즉 $1<x\leq9$인 범위에서

   $g(x)=\dfrac{1}{2}$인 x의 값의 개수는

두 함수 $y=f(x)$와 $y=\dfrac{1}{2}x+\dfrac{5}{2}$의 그래프의 교점의 개수 중 $x=1$을
제외하면 2개이다. [거짓]

ㄷ. $g(x)$는 두 점 $(1, f(1))$, $(x, f(x))$를 지나는 두 직선의 기울기이므로
   $x=9$일 때, 최솟값을 가진다. [참]

따라서 옳은 것은 ㄱ, ㄷ이다.

0418

정답 ④

STEP Ⓐ 미분계수의 정의를 이용하여 극한값 구하기

$\displaystyle\lim_{h\to0}\dfrac{f(1+3h)-f(1)}{3h}\times\dfrac{3}{2}=\dfrac{3}{2}f'(1)$이므로

$\dfrac{3}{2}f'(1)=2$에서 $f'(1)=\dfrac{4}{3}$

0419

정답 ⑤

STEP Ⓐ 미분계수의 정의를 이용하여 극한값 구하기

$\displaystyle\lim_{h\to0}\dfrac{f(a+h)-f(a-h)}{h}=\lim_{h\to0}\dfrac{f(a+h)-f(a)+f(a)-f(a-h)}{h}$

$\displaystyle\qquad=\lim_{h\to0}\dfrac{f(a+h)-f(a)}{h}+\lim_{h\to0}\dfrac{f(a-h)-f(a)}{-h}$

$\displaystyle\qquad=f'(a)+f'(a)$

$\displaystyle\qquad=2f'(a)=4$

$\displaystyle\qquad=2\cdot2=4$

0420

정답 ①

STEP Ⓐ 미분계수의 정의를 이용하여 극한값 구하기

$\displaystyle\lim_{h\to0}\dfrac{f(4+2h)-f(4-5h)}{3h}$

$\displaystyle=\lim_{h\to0}\dfrac{f(4+2h)-f(4)+f(4)-f(4-5h)}{3h}$

$\displaystyle=\lim_{h\to0}\dfrac{f(4+2h)-f(4)}{3h}+\lim_{h\to0}\dfrac{f(4)-f(4-5h)}{3h}$

$\displaystyle=\dfrac{2}{3}\lim_{h\to0}\dfrac{f(4+2h)-f(4)}{2h}+\dfrac{5}{3}\lim_{h\to0}\dfrac{f(4-5h)-f(4)}{-5h}$

$\displaystyle=\dfrac{2}{3}f'(4)+\dfrac{5}{3}f'(4)$

$\displaystyle=\dfrac{7}{3}f'(4)=\dfrac{7}{3}\cdot3=7$

$x=a$에서 미분 가능한 함수 $f(x)$에 대하여 $f'(a)=2$일 때,

$\displaystyle\lim_{h\to0}\dfrac{2h}{f(a-h)-f(a+h)}$의 값은?

① -1 ② $-\dfrac{2}{3}$ ③ $-\dfrac{1}{2}$

④ $\dfrac{1}{2}$ ⑤ $\dfrac{3}{2}$

STEP Ⓐ 미분계수의 정의를 이용하여 극한값 구하기

$\displaystyle\lim_{h\to0}\dfrac{1}{\dfrac{f(a-h)-f(a+h)}{2h}}=\lim_{h\to0}\dfrac{-1}{\dfrac{f(a+h)-f(a-h)}{2h}}$

$\displaystyle\qquad=\lim_{h\to0}\dfrac{-1}{\dfrac{f(a+h)-f(a)+f(a)-f(a-h)}{2h}}$

$\displaystyle\qquad=\lim_{h\to0}\dfrac{-1}{\dfrac{1}{2}\cdot\dfrac{f(a+h)-f(a)}{h}+\dfrac{1}{2}\cdot\dfrac{f(a-h)-f(a)}{-h}}$

$\displaystyle\qquad=\dfrac{-1}{\dfrac{1}{2}f'(a)+\dfrac{1}{2}f'(a)}$

$\displaystyle\qquad=\dfrac{-1}{f'(a)}=-\dfrac{1}{2}$

정답 ③

0421

STEP A 미분계수의 정의를 이용하여 극한값 구하기

$$\lim_{h \to 0} \frac{f(1+2h)-f(1-4h)}{3h}$$

$$= \lim_{h \to 0} \frac{f(1+2h)-f(1)-f(1-4h)+f(1)}{3h}$$

$$= \lim_{h \to 0} \frac{f(1+2h)-f(1)}{2h} \cdot \frac{2}{3} + \lim_{h \to 0} \frac{f(1-4h)-f(1)}{-4h} \cdot \frac{4}{3}$$

$$= \frac{2}{3}f'(1) + \frac{4}{3}f'(1)$$

$$= 2f'(1)$$

$$= 10$$

$$\therefore f'(1) = 5$$

따라서 곡선 $y=f(x)$ 위의 점 $(1, f(1))$에서의 접선의 기울기는 $f'(1)=5$

내신연계 출제문항 174

곡선 $y=f(x)$ 위의 점 $(2, f(2))$에서 접선의 기울기가 3일 때,

$$\lim_{h \to 0} \frac{f(2+h)-f(2-3h)}{6h}$$

의 값은?

① $\frac{2}{3}$　　② $\frac{3}{2}$　　③ 2

④ $\frac{9}{2}$　　⑤ 6

STEP A $f'(2)$의 값 구하기

곡선 $y=f(x)$ 위의 점 $(2, f(2))$에서 접선의 기울기가 3이므로

$f'(2)=3$

STEP B 미분계수의 정의를 이용하여 극한값 구하기

$$\lim_{h \to 0} \frac{f(2+h)-f(2-3h)}{6h}$$

$$= \lim_{h \to 0} \frac{f(2+h)-f(2)-f(2-3h)+f(2)}{6h}$$

$$= \lim_{h \to 0} \frac{f(2+h)-f(2)}{h} \cdot \frac{1}{6} + \lim_{h \to 0} \frac{f(2-3h)-f(2)}{-3h} \cdot \frac{1}{2}$$

$$= \frac{1}{6}f'(2) + \frac{1}{2}f'(2)$$

$$= \frac{2}{3}f'(2)$$

$$= \frac{2}{3} \cdot 3 = 2$$

0422

STEP A $\frac{1}{x}=h$로 치환하고 미분계수의 정의를 이용하여 극한값 구하기

$\frac{1}{x}=h$로 놓으면 $x \to \infty$일 때, $h \to 0$이므로

$$\lim_{x \to \infty} x\left\{f\left(3+\frac{1}{x}\right)-f(3)\right\} = \lim_{n \to \infty} \frac{f\left(3+\frac{1}{x}\right)-f(3)}{\frac{1}{x}}$$

$$= \lim_{h \to 0} \frac{f(3+h)-f(3)}{h}$$

$$= f'(3) = 6$$

0423

STEP A $\frac{1}{x}=h$로 치환하고 미분계수의 정의를 이용하여 극한값 구하기

$\frac{1}{x}=h$로 놓으면 $x \to \infty$일 때, $h \to 0$이므로

$$\lim_{x \to \infty} x\left\{f\left(1+\frac{2}{x}\right)-f\left(1-\frac{3}{x}\right)\right\}$$

$$= \lim_{h \to 0} \frac{f(1+2h)-f(1-3h)}{h}$$

$$= \lim_{h \to 0} \frac{f(1+2h)-f(1)}{h} - \lim_{h \to 0} \frac{f(1-3h)-f(1)}{h}$$

$$= \lim_{h \to 0} \frac{f(1+2h)-f(1)}{2h} \cdot 2 - \lim_{h \to 0} \frac{f(1-3h)-f(1)}{-3h} \cdot (-3)$$

$$= 2f'(1) - (-3)f'(1)$$

$$= 5f'(1) = 5 \cdot 6 = 30$$

내신연계 출제문항 175

미분가능한 함수 $f(x)$에 대하여 $f'(1)=10$일 때,

$$\lim_{x \to \infty} x\left\{2f\left(1+\frac{1}{x^2}\right)-f\left(1-\frac{3}{x}\right)-f\left(1+\frac{2}{x}\right)\right\}$$

의 값은?

① 6　　　② 7　　　③ 8

④ 9　　　⑤ 10

STEP A $\frac{1}{x}=h$로 치환하고 미분계수의 정의를 이용하여 극한값 구하기

$\frac{1}{x}=h$로 놓으면 $x \to \infty$일 때, $h \to 0$이므로

$$\lim_{n \to \infty} x\left\{2f\left(1+\frac{1}{x^2}\right)-f\left(1-\frac{3}{x}\right)-f\left(1+\frac{2}{x}\right)\right\}$$

$$= \lim_{h \to 0} \frac{2f(1+h^2)-f(1-3h)-f(1+2h)}{h}$$

$$= \lim_{h \to 0} \frac{2\{f(1+h^2)-f(1)\}}{h^2} \cdot h - \lim_{h \to 0} \frac{f(1-3h)-f(1)}{-3h} \cdot (-3)$$

$$\qquad\qquad - \lim_{h \to 0} \frac{f(1+2h)-f(1)}{2h} \cdot 2$$

$$= 2f'(1) \cdot 0 - f'(1) \cdot (-3) - f'(1) \cdot 2$$

$$= (3-2)f'(1)$$

$$= 1 \cdot 10 = 10$$

0424

STEP A 축차대입한 후 미분계수의 정의를 이용하여 극한값 구하기

$$\lim_{h \to 0} \frac{1}{h}\left\{\sum_{k=1}^{20} f(1+kh) - 20f(1)\right\}$$

$$= \lim_{h \to 0} \frac{f(1+h)-f(1)}{h} + \lim_{h \to 0} \frac{f(1+2h)-f(1)}{h} + \cdots + \lim_{h \to 0} \frac{f(1+20h)-f(1)}{h}$$

$$= \lim_{h \to 0} \frac{f(1+h)-f(1)}{h} + \lim_{h \to 0} \frac{f(1+2h)-f(1)}{2h} \cdot 2 + \cdots$$

$$\qquad\qquad + \lim_{h \to 0} \frac{f(1+20h)-f(1)}{20h} \cdot 20$$

$$= f'(1) + 2f'(1) + 3f'(1) + \cdots + 20f'(1)$$

$$= (1+2+3+\cdots+20)f'(1)$$

$$= \frac{20(1+20)}{2} \cdot 2$$

$$= 420$$

내/신/연/계 출제문항 176

미분가능한 함수 $y=f(x)$에 대하여 $f'(1)=a$일 때,

$$\lim_{h \to 0} \frac{1}{h}\left\{\sum_{k=1}^{5} f(1+kh)-5f(1)\right\}=420$$

을 만족시키는 상수 a의 값은?

① 24 ② 26 ③ 28
④ 30 ⑤ 32

STEP Ⓐ **시그마의 성질을 이용하여 식을 정리하기**

$$\lim_{h \to 0} \frac{1}{h}\left\{\sum_{k=1}^{5} f(1+kh)-5f(1)\right\}$$

$$=\lim_{h \to 0} \frac{1}{h}\left\{f(1+h)+f(1+2h)+\cdots+f(1+5h)-5f(1)\right\}$$

$$=\lim_{h \to 0}\left\{\frac{f(1+h)-f(1)}{h}+\frac{f(1+2h)-f(1)}{h}+\cdots+\frac{f(1+5h)-f(1)}{h}\right\}$$

STEP Ⓑ **미분계수의 정의를 이용하여 a의 값 구하기**

$$\lim_{h \to 0} \frac{f(1+kh)-f(1)}{h}=kf'(1)$$이므로

$$\lim_{h \to 0} \frac{f(1+h)-f(1)}{h}+\lim_{h \to 0} \frac{f(1+2h)-f(1)}{2h}\cdot 2+\cdots+\lim_{h \to 0} \frac{f(1+5h)-f(1)}{5h}\cdot 5$$

$$=f'(1)+2f'(1)+\cdots+5f'(1)$$

$$=15f'(1)=15a=420$$

따라서 $a=28$

 정답 ③

0425

정답 ⑤

STEP Ⓐ **미분계수 식을 이용하여 극한값 구하기**

① $\lim_{x \to 2} \frac{f(x)-f(2)}{x^2-4}=\lim_{x \to 2} \frac{f(x)-f(2)}{x-2}\cdot \frac{1}{x+2}=\frac{1}{4}\cdot f'(2)=\frac{1}{4}\cdot 12=3$

② $\lim_{\triangle x \to 0} \frac{f(2+\triangle x)-f(2)}{\triangle x}=f'(2)=12$

③ $\lim_{h \to 0} \frac{f(2-3h)-f(2)}{2h}=\lim_{h \to 0} \frac{f(2-3h)-f(2)}{-3h}\cdot \left(-\frac{3}{2}\right)=\left(-\frac{3}{2}\right)f'(2)=-18$

④ $\lim_{h \to 0} \frac{f(2-3h)-f(2+2h)}{6h}$

$$=\lim_{h \to 0} \frac{f(2-3h)-f(2)+f(2)-f(2+2h)}{6h}$$

$$=\lim_{h \to 0} \frac{f(2-3h)-f(2)}{6h}-\lim_{h \to 0} \frac{f(2+2h)-f(2)}{6h}$$

$$=\lim_{h \to 0} \frac{f(2-3h)-f(2)}{-3h}\cdot \left(-\frac{1}{2}\right)-\lim_{h \to 0} \frac{f(2+2h)-f(2)}{2h}\cdot \frac{1}{3}$$

$$=-\frac{1}{2}f'(2)-\frac{1}{3}f'(2)$$

$$=-\frac{5}{6}\cdot 12=-10$$

⑤ $\lim_{h \to 0} \frac{f(2h+2)-f(-2h+2)}{3h}$

$$=\lim_{h \to 0} \frac{f(2+2h)-f(2)+f(2)-f(2-2h)}{3h}$$

$$=\lim_{h \to 0} \frac{f(2+2h)-f(2)}{3h}-\lim_{h \to 0} \frac{f(2-2h)-f(2)}{3h}$$

$$=\lim_{h \to 0} \frac{f(2+2h)-f(2)}{2h}\cdot \frac{2}{3}-\lim_{h \to 0} \frac{f(2-2h)-f(2)}{-2h}\cdot \left(-\frac{2}{3}\right)$$

$$=\frac{2}{3}f'(2)+\frac{2}{3}f'(2)$$

$$=\frac{4}{3}\cdot 12=16$$

따라서 극한값이 가장 큰 것은 ⑤이다.

0426

 정답 ②

STEP Ⓐ **$x=1$에서 접선의 기울기 구하기**

곡선 $y=f(x)$ 위의 점 $(1, f(1))$에서의 접선의 기울기가 5이므로
$f'(1)=5$

STEP Ⓑ **미분계수의 식을 변형하기**

$$\lim_{x \to 1} \frac{f(x^2)-f(1)}{x-1}=\lim_{x \to 1} \frac{f(x^2)-f(1)}{x^2-1}\times (x+1)$$

$$=\lim_{x \to 1} \frac{f(x^2)-f(1)}{x^2-1}\times \lim_{x \to 1}(x+1)$$

$$=f'(1)\times 2$$

$$=5\times 2=10$$

0427

 정답 ③

STEP Ⓐ **함수 $f(x)$ 위의 점 $(1, f(1))$에서의 접선의 기울기 구하기**

직선 AB의 기울기는 $\frac{2-1}{5-(-1)}=\frac{1}{6}$이므로

직선 AB와 수직인 직선의 기울기는 -6이다.

즉 곡선 $y=f(x)$ 위의 점 $(1, f(1))$에서의 접선의 기울기가 -6이므로
$f'(1)=-6$

STEP Ⓑ **미분계수의 식을 변형하기**

$$\lim_{x \to 1} \frac{f(x)-f(1)}{x^3-1}=\lim_{x \to 1} \frac{f(x)-f(1)}{(x-1)(x^2+x+1)}$$

$$=\lim_{x \to 1} \frac{f(x)-f(1)}{x-1}\times \lim_{x \to 1} \frac{1}{x^2+x+1}$$

$$=f'(1)\times \frac{1}{3}$$

$$=(-6)\times \frac{1}{3}=-2$$

내/신/연/계 출제문항 177

미분가능한 함수 $f(x)$에 대하여 곡선 $y=f(x)$ 위의 점 $(2, f(2))$에서

접하는 접선의 기울기가 24일 때, $\lim_{x \to 2} \frac{f(x)-f(2)}{x^3-8}$의 값은?

① 2 ② 4 ③ 6
④ 8 ⑤ 10

STEP Ⓐ **$x=2$에서 접선의 기울기 구하기**

곡선 $y=f(x)$ 위의 점 $(2, f(2))$에서의 접선의 기울기가 24이므로
$f'(2)=24$

STEP Ⓑ **미분계수의 식을 변형하기**

$$\lim_{x \to 2} \frac{f(x)-f(2)}{x^3-8}=\lim_{x \to 2} \frac{f(x)-f(2)}{(x-2)(x^2+2x+4)}$$

$$=\lim_{x \to 2} \frac{f(x)-f(2)}{x-2}\times \lim_{x \to 2} \frac{1}{x^2+2x+4}$$

$$=f'(2)\times \frac{1}{12}$$

$$=24\times \frac{1}{12}=2$$

정답 ①

134

0428

정답 ⑤

STEP Ⓐ 미분계수 식을 이용하여 극한값 구하기

$$\lim_{h \to 0} \frac{f(2+5h)-f(2)}{h} = \lim_{h \to 0} \frac{f(2+5h)-f(2)}{5h} \cdot 5 = 5f'(2) = 20$$

$$\lim_{x \to 2} \frac{f(x^2)-f(4)}{x-2} = \lim_{x \to 2} \frac{f(x^2)-f(4)}{x^2-4} \cdot (x+2) = 4 \cdot f'(4) = 20$$

따라서 $20+20=40$

0429

정답 ①

STEP Ⓐ 미분계수 식을 이용하여 $f'(3)$의 값 구하기

$$\lim_{x \to 3} \frac{f(x)-f(3)}{x-3} = f'(3) = 2$$

STEP Ⓑ 미분계수 식을 이용하여 극한값 구하기

$$\lim_{x \to 3} \frac{f(x)-f(3)}{x^2-9} = \lim_{x \to 3} \frac{f(x)-f(3)}{x-3} \cdot \frac{1}{x+3}$$

$$= \lim_{x \to 3} \frac{f(x)-f(3)}{x-3} \cdot \lim_{x \to 3} \frac{1}{x+3}$$

$$= f'(3) \cdot \frac{1}{6} = 2 \cdot \frac{1}{6} = \frac{1}{3}$$

0430

정답 ③

STEP Ⓐ 미분계수 식을 이용하여 $f'(1)$의 값 구하기

$$\lim_{x \to 1} \frac{f(x)-f(1)}{x^2-1} = \lim_{x \to 1} \left\{ \frac{f(x)-f(1)}{x-1} \cdot \frac{1}{x+1} \right\} = \frac{1}{2} f'(1) = -1$$이므로

$f'(1) = -2$

STEP Ⓑ 미분계수의 정의를 이용하여 극한값 구하기

$$\lim_{h \to 0} \frac{f(1-2h)-f(1+5h)}{h}$$

$$= \lim_{h \to 0} \frac{\{f(1-2h)-f(1)\} - \{f(1+5h)-f(1)\}}{h}$$

$$= -2\lim_{h \to 0} \frac{f(1-2h)-f(1)}{-2h} - 5\lim_{h \to 0} \frac{f(1+5h)-f(1)}{5h}$$

$$= -2 \cdot f'(1) - 5f'(1)$$

$$= -7f'(1) = 14$$

내/신/연/계/ 출제문항 178

미분가능한 함수 $f(x)$에 대하여

$$\lim_{h \to 0} \frac{f(1+2h)-f(1-3h)}{h} = 10$$

일 때, $\lim_{x \to 1} \frac{f(x^2)-f(1)}{x-1}$의 값은?

① 3   ② 4   ③ 5

④ 6   ⑤ 7

STEP Ⓐ 미분계수 식을 이용하여 $f'(1)$의 값 구하기

$$\lim_{h \to 0} \frac{f(1+2h)-f(1-3h)}{h}$$

$$= \lim_{h \to 0} \frac{f(1+2h)-f(1)+f(1)-f(1-3h)}{h}$$

$$= \lim_{h \to 0} \frac{f(1+2h)-f(1)}{2h} \cdot 2 - \lim_{h \to 0} \frac{f(1-3h)-f(1)}{-3h} \cdot (-3)$$

$$= 2f'(1) - \{-3f'(1)\} = 5f'(1)$$

이므로 $5f'(1) = 10$ ∴ $f'(1) = 2$

STEP Ⓑ 미분계수의 정의를 이용하여 극한값 구하기

$$\lim_{x \to 1} \frac{f(x^2)-f(1)}{x-1} = \lim_{x \to 1} \frac{f(x^2)-f(1)}{x^2-1} \cdot (x+1) = 2f'(1) = 4$$

정답 ②

0431

정답 ④

STEP Ⓐ 미분계수를 이용한 극한값 계산하기

$$\lim_{x \to 1} \frac{f(x^2)-xf(1)}{x-1} = \lim_{x \to 1} \frac{f(x^2)-f(1)+f(1)-xf(1)}{x-1}$$

$$= \lim_{x \to 1} \left\{ \frac{f(x^2)-f(1)}{x-1} - \frac{f(1)(x-1)}{x-1} \right\}$$

$$= \lim_{x \to 1} \frac{f(x^2)-f(1)}{x^2-1} \times (x+1) - f(1)$$

$$= 2f'(1) - f(1)$$

$$= 2 \cdot (-2) - 3 = -7$$

내/신/연/계/ 출제문항 179

다항함수 $f(x)$에 대하여

$$f(3)=1, \quad f'(3)=-2$$

일 때, $\lim_{x \to 3} \frac{x^2-9f(x)}{x-3}$의 값은?

① 12   ② 18   ③ 24

④ 30   ⑤ 36

STEP Ⓐ 미분계수를 이용한 극한값 계산하기

$$\lim_{x \to 3} \frac{x^2-9f(x)}{x-3} = \lim_{x \to 3} \frac{x^2-9+9-9f(x)}{x-3}$$

$$= \lim_{x \to 3} \frac{x^2-9}{x-3} - \lim_{x \to 3} \frac{9f(x)-9}{x-3}$$

$$= \lim_{x \to 3} \frac{(x-3)(x+3)}{x-3} - 9\lim_{x \to 3} \frac{f(x)-1}{x-3}$$

$$= \lim_{x \to 3} (x+3) - 9\lim_{x \to 3} \frac{f(x)-f(3)}{x-3} \quad \Leftarrow f(3)=1$$

$$= 6 - 9f'(3)$$

$$= 6 - 9 \cdot (-2) = 24$$

정답 ③

0432

정답 ②

STEP Ⓐ 주어진 식을 변형하고 미분계수 식을 이용하여 극한값 구하기

$$\lim_{x \to 3} \frac{xf(3)-3f(x)}{x-3} = \lim_{x \to 3} \frac{-3f(x)+3f(3)-3f(3)+xf(3)}{x-3}$$

$$= \lim_{x \to 3} \frac{-3\{f(x)-f(3)\}+f(3)(x-3)}{x-3}$$

$$= \lim_{x \to 3} -3\left\{ \frac{f(x)-f(3)}{x-3} \right\} + f(3)$$

$$= -3 \cdot f'(3) + f(3)$$

$$= -3 \cdot 1 + 2 = -1$$

0433

STEP A 주어진 식을 변형하고 미분계수 식을 이용하여 극한값 구하기

$\lim\limits_{x \to 1} \dfrac{x^3 f(1) - f(x^3)}{x-1}$

$= \lim\limits_{x \to 1} \dfrac{x^3 f(1) - f(1) - f(x^3) + f(1)}{x-1}$

$= \lim\limits_{x \to 1} \dfrac{f(1)(x^3-1)}{x-1} - \lim\limits_{x \to 1} \dfrac{f(x^3) - f(1)}{x-1}$

$= \lim\limits_{x \to 1} \dfrac{f(1)(x-1)(x^2+x+1)}{x-1} - \lim\limits_{x \to 1} \left\{ \dfrac{f(x^3) - f(1)}{x^3 - 1} \times (x^2+x+1) \right\}$

$= 3f(1) - 3f'(1)$

$= 3 \times 5 - 3 \times 2 = 9$

내/신/연/계/ 출제문항 180

다항함수 $f(x)$에 대하여 $f(2)=6$, $f'(2)=2$일 때,

$\lim\limits_{x \to 2} \dfrac{x^2 f(2) - 4f(x)}{x-2}$의 값은?

① 12   ② 16   ③ 18
④ 20   ⑤ 24

STEP A 주어진 식을 변형하고 미분계수 식을 이용하여 극한값 구하기

$\lim\limits_{x \to 2} \dfrac{x^2 f(2) - 4f(x)}{x-2} = \lim\limits_{x \to 2} \dfrac{x^2 f(2) - 4f(2) + 4f(2) - 4f(x)}{x-2}$

$= \lim\limits_{x \to 2} \dfrac{\{x^2 f(2) - 4f(2)\} - 4\{f(x) - f(2)\}}{x-2}$

$= \lim\limits_{x \to 2} \dfrac{f(2)(x^2-4)}{x-2} - 4 \lim\limits_{x \to 2} \dfrac{f(x) - f(2)}{x-2}$

$= f(2) \times \lim\limits_{x \to 2}(x+2) - 4f'(2)$

$= 4f(2) - 4f'(2)$

$= 4\{f(2) - f'(2)\}$

$= 4(6-2) = 16$

0434

STEP A 주어진 식을 변형하고 미분계수식을 이용하여 극한값 구하기

$\lim\limits_{x \to 3} \dfrac{9f(x) - x^2 f(3)}{x-3} = \lim\limits_{x \to 3} \dfrac{9f(x) - 9f(3) + 9f(3) - x^2 f(3)}{x-3}$

$= \lim\limits_{x \to 3} \left\{ 9 \cdot \dfrac{f(x) - f(3)}{x-3} - \dfrac{(x^2-9)f(3)}{x-3} \right\}$

$= 9f'(3) - 6f(3) = 3$

따라서 $f'(3) = -1$이므로 $f(3) = -2$

0435

STEP A $f(1)$의 값 구하기

$(x-1)f'(x) = x^2 - 1 - f(x)$에 $x=1$을 대입하면

$0 = 1 - 1 - f(1)$ ∴ $f(1) = 0$

STEP B $x=1$에서 연속임을 이용하여 $f'(1)$의 값 구하기

한편 $x \neq 1$일 때, $f'(x) = \dfrac{x^2 - 1 - f(x)}{x-1}$

이때 도함수 $f'(x)$는 연속함수이므로 $x=1$에서 연속이다.

$f'(1) = \lim\limits_{x \to 1} f'(x) = \lim\limits_{x \to 1} \dfrac{x^2 - 1 - f(x)}{x-1}$

$\qquad = \lim\limits_{x \to 1} \dfrac{x^2 - 1}{x-1} - \lim\limits_{x \to 1} \dfrac{f(x) - f(1)}{x-1}$ ← $f(1) = 0$

$\qquad = 2 - f'(1)$

따라서 $f'(1) = 2 - f'(1)$에서 $f'(1) = 1$

0436

STEP A 극한값이 존재할 조건을 이용하여 $f(2)$의 값 구하기

$\lim\limits_{x \to 2} \dfrac{f(x) - 3}{x^3 - 8} = \dfrac{1}{2}$에서

$x \to 2$일 때, (분모)$\to 0$이고 극한값이 존재하므로 (분자)$\to 0$이다.

즉 $\lim\limits_{x \to 2} \{f(x) - 3\} = 0$이므로 $f(2) - 3 = 0$

∴ $f(2) = 3$

STEP B 미분계수 식을 이용하여 극한값 구하기

$\lim\limits_{x \to 2} \dfrac{f(x) - 3}{x^3 - 8} = \lim\limits_{x \to 2} \dfrac{f(x) - f(2)}{(x-2)(x^2+2x+4)}$

$= \lim\limits_{x \to 2} \dfrac{f(x) - f(2)}{x-2} \times \lim\limits_{x \to 2} \dfrac{1}{x^2+2x+4}$

$= \dfrac{1}{12} f'(2) = \dfrac{1}{2}$

∴ $f'(2) = 6$

따라서 $f(2)f'(2) = 3 \cdot 6 = 18$

내/신/연/계/ 출제문항 181

다항함수 $f(x)$에 대하여

$$\lim\limits_{x \to 1} \dfrac{f(x) - 2}{x^2 - 1} = 3$$

일 때, $\dfrac{f'(1)}{f(1)}$의 값은?

① 3   ② $\dfrac{7}{2}$ ③ 4
④ $\dfrac{9}{2}$ ⑤ 5

STEP A 극한값이 존재할 조건을 이용하여 $f(1)$의 값 구하기

$\lim\limits_{x \to 1} \dfrac{f(x) - 2}{x^2 - 1} = 3$에서

$x \to 1$일 때, (분모)$\to 0$이고 극한값이 존재하므로 (분자)$\to 0$이어야 한다.

$\lim\limits_{x \to 1} \{f(x) - 2\} = 0$이므로 $f(1) - 2 = 0$

∴ $f(1) = 2$

STEP B 미분계수 식을 이용하여 극한값 구하기

$\lim\limits_{x \to 1} \dfrac{f(x) - 2}{x^2 - 1} = \lim\limits_{x \to 1} \dfrac{f(x) - f(1)}{x-1} \cdot \dfrac{1}{x+1} = f'(1) \cdot \dfrac{1}{2} = 3$

∴ $f'(1) = 6$

따라서 $\dfrac{f'(1)}{f(1)} = \dfrac{6}{2} = 3$

0437

STEP A 극한값이 존재할 조건을 이용하여 $f(2)$, $f'(2)$의 값 구하기

$\lim\limits_{x \to 2} \dfrac{f(x)-1}{x-2}=2$에서

$x \to 2$일 때, (분모)→ 0이고 극한값이 존재하므로 (분자)→ 0이어야 한다.

즉 $\lim\limits_{x \to 2}\{f(x)-1\}=0$이므로 $f(2)-1=0$

$\therefore f(2)=1$

$\lim\limits_{x \to 2} \dfrac{f(x)-1}{x-2}=\lim\limits_{x \to 2} \dfrac{f(x)-f(2)}{x-2}=f'(2)=2$

STEP B 미분계수의 정의를 이용하여 극한값 구하기

$\lim\limits_{h \to 0} \dfrac{f(2+h)-f(2-h)}{h}=\lim\limits_{h \to 0} \dfrac{f(2+h)-f(2)}{h}+\lim\limits_{h \to 0} \dfrac{f(2-h)-f(2)}{-h}$

$\qquad\qquad\qquad\qquad\quad =2f'(2)$

$\qquad\qquad\qquad\qquad\quad =2 \cdot 2=4$

내/신/연/계/ 출제문항 182

미분가능한 함수 $f(x)$에 대하여

$$\lim\limits_{x \to 1} \dfrac{f(x)-a}{x-1}=10$$

일 때, $\lim\limits_{h \to 0} \dfrac{f(1+h)-f(1-3h)}{h}$의 값은? (단, a는 상수이다.)

① 20 　　　　② 25 　　　　③ 30

④ 35 　　　　⑤ 40

STEP A 극한값이 존재할 조건을 이용하여 $f(1)$, $f'(1)$의 값 구하기

$\lim\limits_{x \to 1} \dfrac{f(x)-a}{x-1}=10$에서

$x \to 1$일 때, (분모)→ 0이고 극한값이 존재하므로 (분자)→ 0이다.

즉 $\lim\limits_{x \to 1}\{f(x)-a\}=0$이므로 $f(1)-a=0$

$\therefore a=f(1)$

이때 $\lim\limits_{x \to 1} \dfrac{f(x)-a}{x-1}=\lim\limits_{x \to 1} \dfrac{f(x)-f(1)}{x-1}=f'(1)=10$

STEP B 미분계수의 정의를 이용하여 극한값 구하기

$\lim\limits_{h \to 0} \dfrac{f(1+h)-f(1-3h)}{h}$

$=\lim\limits_{h \to 0} \dfrac{f(1+h)-f(1)-f(1-3h)+f(1)}{h}$

$=\lim\limits_{h \to 0} \dfrac{f(1+h)-f(1)}{h}+\lim\limits_{h \to 0} \dfrac{f(1-3h)-f(1)}{-3h} \cdot 3$

$=f'(1)+3f'(1)$

$=4f'(1)$

$=4 \cdot 10=40$

0438

STEP A 미분계수의 정의를 이용하여 $f'(1)$의 값 구하기

$\lim\limits_{x \to 1} \dfrac{f(x^2)-f(1)}{x-1}=\lim\limits_{x \to 1}\left\{\dfrac{f(x^2)-f(1)}{x^2-1}\times(x+1)\right\}$

$\qquad\qquad\qquad\quad =\lim\limits_{x^2 \to 1} \dfrac{f(x^2)-f(1)}{x^2-1}\times\lim\limits_{x \to 1}(x+1)$

$\qquad\qquad\qquad\quad =f'(1)\times 2=6$

$\therefore f'(1)=3$

STEP B 미분계수의 정의를 이용하여 $f'(2)$ 구하기

$\lim\limits_{h \to 0} \dfrac{f(1+h^2)-f(1)}{h}=\lim\limits_{h \to 0}\left\{\dfrac{f(1+h^2)-f(1)}{h^2}\times h\right\}$

$\qquad\qquad\qquad\qquad =\lim\limits_{h^2 \to 0} \dfrac{f(1+h^2)-f(1)}{h^2}\times\lim\limits_{h \to 0} h$

$\qquad\qquad\qquad\qquad =f'(1)\times 0=0$

$\lim\limits_{h \to 0} \dfrac{f(2+3h)-f(2)}{h}=\lim\limits_{h \to 0}\left\{\dfrac{f(2+3h)-f(2)}{3h}\times 3\right\}$

$\qquad\qquad\qquad\qquad =3f'(2)$

이므로 $3f'(2)=0$에서 $f'(2)=0$

따라서 $f'(1)+f'(2)=3+0=3$

0439

STEP A 극한값이 존재할 조건을 이용하여 $f(2)$, $f'(2)$의 값 구하기

$\lim\limits_{x \to 2} \dfrac{f(x)-5}{x-2}=3$에서

$x \to 2$일 때, (분모)→ 0이고 극한값이 존재하므로 (분자)→ 0이어야 한다.

즉 $\lim\limits_{x \to 2}\{f(x)-5\}=0$이므로 $f(2)-5=0$

$\therefore f(2)=5$

$\lim\limits_{x \to 2} \dfrac{f(x)-5}{x-2}=\lim\limits_{x \to 2} \dfrac{f(x)-f(2)}{x-2}=f'(2)=3$

STEP B 미분계수의 정의를 이용하여 극한값 구하기

$\lim\limits_{h \to 0} \dfrac{f(2+h)-(1+h)f(2)}{h}=\lim\limits_{h \to 0} \dfrac{f(2+h)-f(2)-hf(2)}{h}$

$\qquad\qquad\qquad\qquad\qquad =\lim\limits_{h \to 0} \dfrac{f(2+h)-f(2)}{h}-f(2)$

$\qquad\qquad\qquad\qquad\qquad =f'(2)-f(2)$

$\qquad\qquad\qquad\qquad\qquad =3-5=-2$

0440

STEP A (분모)→ 0이고 극한값이 존재하므로 (분자)→ 0임을 이용하기

$\lim\limits_{x \to 2} \dfrac{f(x)}{x^2-4}=1$ 　　　　…… ㉠

$x \to 2$일 때, (분모)→ 0이고 극한값이 존재하므로 (분자)→ 0이어야 한다.

즉 $\lim\limits_{x \to 2} f(x)=0$이므로 $f(2)=0$

STEP B 미분계수의 정의를 이용하여 $f'(2)$ 구하기

이것을 ㉠에 대입하면

$\lim\limits_{x \to 2} \dfrac{f(x)}{x^2-4}=\lim\limits_{x \to 2} \dfrac{f(x)-f(2)}{(x-2)(x+2)}$

$\qquad\qquad\qquad =\lim\limits_{x \to 2} \dfrac{f(x)-f(2)}{x-2}\times\lim\limits_{x \to 2} \dfrac{1}{x+2}$

$\qquad\qquad\qquad =f'(2)\times\dfrac{1}{4}=1$

$\therefore f'(2)=4$

STEP C $\lim\limits_{h \to 0} \dfrac{f(2+5h)}{h}$의 값 구하기

$\lim\limits_{h \to 0} \dfrac{f(2+5h)}{h}=\lim\limits_{h \to 0} \dfrac{f(2+5h)-f(2)}{h}$ ← $f(2)=0$

$\qquad\qquad\quad =\lim\limits_{h \to 0} \dfrac{f(2+5h)-f(2)}{5h}\times 5$

$\qquad\qquad\quad =5f'(2)$

$\qquad\qquad\quad =5\times 4=20$

0441 〔정답〕 ①

STEP A 함수 $f(x)$의 그래프가 y축에 대하여 대칭이면 $f'(x)$의 그래프가 원점에 대하여 대칭임을 이해하기

함수 $y=f(x)$의 그래프가 y축에 대하여 대칭이므로
$f(x)=f(-x)$가 성립한다.

이때 $f'(-x)=\lim_{t\to-x}\dfrac{f(t)-f(-x)}{t-(-x)}$ ← 미분계수의 정의

여기서 $t=-s$로 놓으면 $t\to-x$일 때, $s\to x$이므로

$\lim_{t\to-x}\dfrac{f(t)-f(-x)}{t-(-x)}=\lim_{s\to x}\dfrac{f(-s)-f(-x)}{-s-(-x)}$

$=-\lim_{s\to x}\dfrac{f(s)-f(x)}{s-x}\ (\because f(-x)=f(x))$

$=-f'(x)$

∴ $f'(-x)=-f'(x)$

즉 $f'(2)=-f'(-2)=-3$이므로 $f'(-2)=3$

STEP B 미분계수의 정의를 이용하여 극한값 구하기

$\lim_{x\to-2}\dfrac{f(x^2)-f(4)}{f(x)-f(2)}$

$=\lim_{x\to-2}\left\{\dfrac{x-(-2)}{f(x)-f(-2)}\cdot\dfrac{f(x^2)-f(4)}{x^2-4}\cdot(x-2)\right\}\ (\because f(-x)=f(x))$

$=\lim_{x\to-2}\dfrac{x-(-2)}{f(x)-f(-2)}\cdot\lim_{x\to-2}\dfrac{f(x^2)-f(4)}{x^2-4}\cdot\lim_{x\to-2}(x-2)$

$(x^2=t$로 놓으면 $x\to-2$일 때, $t\to4)$

$=\lim_{x\to-2}\dfrac{1}{\dfrac{f(x)-f(-2)}{x-(-2)}}\cdot\lim_{t\to4}\dfrac{f(t)-f(4)}{t-4}\cdot\lim_{x\to-2}(x-2)$

$=\dfrac{1}{f'(-2)}\cdot f'(4)\cdot(-4)$

$=\dfrac{1}{3}\cdot6\cdot(-4)$

$=-8$

다른풀이 $f(x)=f(-x)$을 이용하여 풀이하기

함수 $y=f(x)$의 그래프가 y축에 대하여 대칭이므로 $f(x)=f(-x)$이다.

$\lim_{x\to-2}\dfrac{f(x^2)-f(4)}{f(x)-f(2)}=\lim_{x\to-2}\dfrac{f(x^2)-f(4)}{f(-x)-f(2)}$

$=\lim_{x\to-2}\left\{\dfrac{f(x^2)-f(4)}{x^2-4}\cdot\dfrac{-x-2}{f(-x)-f(2)}\cdot(-x+2)\right\}$

$=f'(4)\cdot\dfrac{1}{f'(2)}\cdot4$

$=6\cdot\dfrac{1}{-3}\cdot4=-8$

 $f(x)=f(-x)$에서 $f'(x)=-f'(-x)$의 증명
$f(-x)=f(x)$이므로 $f(-x+h)=f(x-h)$이 성립한다.

$f'(-x)=\lim_{h\to0}\dfrac{f(-x+h)-f(-x)}{h}$

$=\lim_{h\to0}\dfrac{f(x-h)-f(x)}{h}$ ← $f(-x)=f(x)$

$=\lim_{h\to0}\dfrac{f(x-h)-f(x)}{-h}\times(-1)$

$=-f'(x)$

참고 함수 $f(x)$가 $f(x)=f(-x)$이면 $f(x)$는 y축에 대하여 대칭이다.
이때 함수 $f(x)$를 x로 미분하면 $f'(x)$는 원점에 대하여 대칭이므로 원점을 반드시 지난다.

함수 $y=f(x)$의 그래프는 y축에 대하여 대칭이고
$f'(3)=-2$, $f'(-9)=3$일 때, $\lim_{x\to-3}\dfrac{f(x^2)-f(9)}{f(x)-f(-3)}$ 의 값은?

① -9 ② -6 ③ 6
④ 9   ⑤ 12

STEP A 미분계수의 정의를 이용하여 극한값 구하기

$\lim_{x\to-3}\dfrac{f(x^2)-f(9)}{f(x)-f(-3)}=\lim_{x\to-3}\left\{\dfrac{x-(-3)}{f(x)-f(-3)}\cdot\dfrac{f(x^2)-f(9)}{x^2-9}\cdot(x-3)\right\}$

$=\lim_{x\to-3}\dfrac{1}{\dfrac{f(x)-f(-3)}{x-(-3)}}\cdot\lim_{x\to-3}\dfrac{f(x^2)-f(9)}{x^2-9}\cdot\lim_{x\to-3}(x-3)$

$=\dfrac{1}{f'(-3)}\cdot f'(9)\cdot(-6)$

STEP B 함수 $f(x)$의 그래프가 y축에 대하여 대칭이면 $f'(x)$의 그래프가 원점에 대하여 대칭임을 이해하기

이때 함수 $y=f(x)$의 그래프가 y축에 대하여 대칭이므로
$f(x)=f(-x)$이다.
양변을 x에 대하여 미분하면 $f'(x)=-f'(-x)$
$f'(-3)=-f'(3)=2$, $f'(9)=-f'(-9)=-3$

따라서 구하는 식의 값은 $\dfrac{1}{f'(-3)}\cdot f'(9)\cdot(-6)=\dfrac{1}{2}\cdot(-3)\cdot(-6)=9$

다른풀이 $f(x)=f(-x)$을 이용하여 풀이하기

함수 $y=f(x)$의 그래프가 y축에 대하여 대칭이므로 $f(x)=f(-x)$이다.

$\lim_{x\to-3}\dfrac{f(x^2)-f(9)}{f(x)-f(-3)}=\lim_{x\to-3}\dfrac{f(x^2)-f(9)}{f(-x)-f(3)}$

$=\lim_{x\to-3}\left\{\dfrac{f(x^2)-f(9)}{x^2-9}\cdot\dfrac{-x-3}{f(-x)-f(3)}\cdot(-x+3)\right\}$

$=f'(9)\cdot\dfrac{1}{f'(3)}\cdot6$

$=(-3)\cdot\dfrac{1}{-2}\cdot6=9$ 〔정답〕 ④

0442 〔정답〕 ④

STEP A $x-2=h$로 치환하고 미분계수의 정의를 이용하여 극한값 구하기

$f(3)=4$이고 $x-2=h$로 놓으면 $x\to2$일 때, $h\to0$이므로

$\lim_{x\to2}\dfrac{f(x+1)-4}{x^2-4}=\lim_{x\to2}\dfrac{f(x+1)-f(3)}{(x+2)(x-2)}$

$=\lim_{h\to0}\dfrac{f(3+h)-f(3)}{(h+4)h}$

$=\lim_{h\to0}\dfrac{f(3+h)-f(3)}{h}\cdot\lim_{h\to0}\dfrac{1}{h+4}$

$=\dfrac{1}{4}f'(3)=\dfrac{1}{4}\cdot24$

$=6$

0443

정답 ④

STEP Ⓐ 극한값이 존재할 조건을 이용하여 $f(4)$의 값 구하기

$\lim\limits_{x \to 2} \dfrac{f(x+2)-3}{x^2-4}=6$에서

$x \to 2$일 때, (분모)$\to 0$이고 극한값이 존재하므로 (분자)$\to 0$이어야 한다.

즉 $\lim\limits_{x \to 2}\{f(x+2)-3\}=0$이므로 $f(4)-3=0$

$\therefore f(4)=3$

STEP Ⓑ $x+2=t$로 치환하고 미분계수의 정의를 이용하여 극한값 구하기

$\lim\limits_{x \to 2} \dfrac{f(x+2)-3}{x^2-4}=6$에서

$x+2=t$로 놓으면 $x \to 2$일 때, $t \to 4$이므로

$\lim\limits_{t \to 4} \dfrac{f(t)-3}{(t-2)^2-4}=\lim\limits_{t \to 4} \dfrac{f(t)-f(4)}{t-4} \cdot \dfrac{1}{t}$ ← $f(2)=5$

$\qquad\qquad\qquad =f'(4) \cdot \dfrac{1}{4}=6$

$\therefore f'(4)=24$

따라서 $f(4)+f'(4)=3+24=27$

내/신/연/계/ 출제문항 184

다항함수 $f(x)$에 대하여

$$\lim_{x \to 1} \dfrac{f(x+1)-5}{x^2-1}=6$$

일 때, $f(2)+f'(2)$의 값은?

① 13 　　　　 ② 15 　　　　 ③ 17
④ 19 　　　　 ⑤ 21

STEP Ⓐ 극한값이 존재할 조건을 이용하여 $f(4)$의 값 구하기

$\lim\limits_{x \to 1} \dfrac{f(x+1)-5}{x^2-1}=6$에서

$x \to 1$일 때, (분모)$\to 0$이고 극한값이 존재하므로 (분자)$\to 0$이어야 한다.

즉 $\lim\limits_{x \to 1}\{f(x+1)-5\}=0$이므로 $f(2)-5=0$

$\therefore f(2)=5$

STEP Ⓑ $x+1=t$로 치환하고 미분계수의 정의를 이용하여 극한값 구하기

$\lim\limits_{x \to 1} \dfrac{f(x+1)-5}{x^2-1}=6$에서

$x+1=t$로 놓으면 $x \to 1$일 때, $t \to 2$이므로

$\lim\limits_{t \to 2} \dfrac{f(t)-5}{(t-1)^2-1}=\lim\limits_{t \to 2} \dfrac{f(t)-f(2)}{t-2} \cdot \dfrac{1}{t}$

$\qquad\qquad\qquad =f'(2) \cdot \dfrac{1}{2}=6$

$\therefore f'(2)=12$

따라서 $f(2)+f'(2)=17$

정답 ③

0444

정답 ⑤

STEP Ⓐ 극한값이 존재할 조건을 이용하여 $f(1)$의 값 구하기

$\lim\limits_{x \to 2} \dfrac{x^3-8}{f(x-1)-4}$에서

$x \to 2$일 때, (분자)$\to 0$이고 0 아닌 극한값이 존재하므로 (분모)$\to 0$이어야 한다.

즉 $\lim\limits_{x \to 2}\{f(x-1)-4\}=0$이므로 $f(1)-4=0$

$\therefore f(1)=4$

STEP Ⓑ $x-1=t$로 치환하고 미분계수 식을 이용하여 극한값 구하기

한편 $x-1=t$로 놓으면 $x \to 2$일 때, $t \to 1$이므로

$\lim\limits_{x \to 2} \dfrac{x^3-8}{f(x-1)-4}=\lim\limits_{t \to 1} \dfrac{(t+1)^3-8}{f(t)-f(1)}$

$\qquad\qquad\qquad =\lim\limits_{t \to 1} \dfrac{t^3+3t^2+3t-7}{f(t)-f(1)}$

$\qquad\qquad\qquad =\lim\limits_{t \to 1} \dfrac{(t-1)(t^2+4t+7)}{f(t)-f(1)}$

$\qquad\qquad\qquad =\lim\limits_{t \to 1} \dfrac{t^2+4t+7}{\dfrac{f(t)-f(1)}{t-1}}$

$\qquad\qquad\qquad =\dfrac{12}{f'(1)}=\dfrac{12}{2}$

$\qquad\qquad\qquad =6$

0445

정답 ②

STEP Ⓐ 주어진 식에서 $f(0)$의 값 구하기

주어진 식에 $x=0$, $y=0$을 대입하면

$f(0)=f(0)+f(0)$에서 $f(0)=0$

STEP Ⓑ 미분계수의 정의를 이용하여 $f'(0)$의 값 구하기

$f'(7)=\lim\limits_{h \to 0} \dfrac{f(7+h)-f(7)}{h}$

$\qquad =\lim\limits_{h \to 0} \dfrac{f(7)+f(h)-f(7)}{h}$

$\qquad =\lim\limits_{h \to 0} \dfrac{f(h)}{h}$

$\qquad =\lim\limits_{h \to 0} \dfrac{f(h)-f(0)}{h}$

$\qquad =f'(0)=3$

따라서 $f'(0)=3$

0446

정답 ②

STEP Ⓐ 주어진 식에서 $f(0)$의 값 구하기

주어진 식에 $x=0$, $y=0$을 대입하면

$f(0)=f(0)+f(0)+0$에서 $f(0)=0$

STEP Ⓑ 미분계수의 정의를 이용하여 $f'(0)$의 값 구하기

$f'(0)=\lim\limits_{h \to 0} \dfrac{f(0+h)-f(0)}{h}$

$\qquad =\lim\limits_{h \to 0} \dfrac{f(0)+f(h)-f(0)}{h}$

$\qquad =\lim\limits_{h \to 0} \dfrac{f(h)}{h}=3$

STEP Ⓒ 미분계수의 정의를 이용하여 $f'(2)$의 값 구하기

$f'(2)=\lim\limits_{h \to 0} \dfrac{f(2+h)-f(2)}{h}$

$\qquad =\lim\limits_{h \to 0} \dfrac{f(2)+f(h)+2h-f(2)}{h}$ ← $f(x+y)=f(x)+f(y)+xy$

$\qquad =\lim\limits_{h \to 0} \left\{ \dfrac{f(h)}{h}+2 \right\}$

$\qquad =f'(0)+2$

$\qquad =3+2=5$

미분가능한 함수 $f(x)$가 모든 실수 x, y에 대하여

$$f(x+y)=f(x)+f(y)+2xy$$

를 만족하고 $f'(0)=5$일 때, $f'(-3)$의 값은?

① -3 ② -2 ③ -1
④ 1 ⑤ 2

STEP Ⓐ **주어진 식에서 $f(0)$의 값 구하기**

$f(x+y)=f(x)+f(y)+2xy$에 $x=0$, $y=0$을 대입하면

$f(0)=f(0)+f(0)$에서 $f(0)=0$

STEP Ⓑ **미분계수의 정의를 이용하여 $f'(0)$의 값 구하기**

$f'(0)=\displaystyle\lim_{h\to 0}\frac{f(0+h)-f(0)}{h}$

$\quad=\displaystyle\lim_{h\to 0}\frac{f(0)+f(h)-f(0)}{h}$

$\quad=\displaystyle\lim_{h\to 0}\frac{f(h)}{h}=5$

STEP Ⓒ **미분계수의 정의를 이용하여 $f'(-3)$의 값 구하기**

$f'(x)=\displaystyle\lim_{h\to 0}\frac{f(x+h)-f(x)}{h}$

$\quad=\displaystyle\lim_{h\to 0}\frac{f(x)+f(h)+2xh-f(x)}{h}$

$\quad=\displaystyle\lim_{h\to 0}\frac{f(h)+2xh}{h}$

$\quad=f'(0)+2x=2x+5$

따라서 $f'(-3)=2\cdot(-3)+5=-1$

정답 ③

0447

정답 ⑤

STEP Ⓐ **관계식이 주어질 때, 도함수를 구하여 진위판단하기**

ㄱ. $f(x+y)=f(x)+f(y)-xy$에 $x=0$, $y=0$을 대입하면

$\quad f(0)=f(0)+f(0)$에서 $f(0)=0$ [참]

ㄴ. $f'(2)=\displaystyle\lim_{h\to 0}\frac{f(2+h)-f(2)}{h}$

$\quad\quad=\displaystyle\lim_{h\to 0}\frac{f(2)+f(h)-2h-f(2)}{h}$

$\quad\quad=\displaystyle\lim_{h\to 0}\frac{f(h)}{h}-2$

즉 $\displaystyle\lim_{h\to 0}\frac{f(h)}{h}-2=4$이므로 $\displaystyle\lim_{h\to 0}\frac{f(h)}{h}=6$

$f'(x)=\displaystyle\lim_{h\to 0}\frac{f(x+h)-f(x)}{h}$

$\quad=\displaystyle\lim_{h\to 0}\frac{f(x)+f(h)-xh-f(x)}{h}$

$\quad=\displaystyle\lim_{h\to 0}\frac{f(h)}{h}-x$

$\quad=6-x$ [참]

ㄷ. 함수 $f(x)$가 미분가능하므로 모든 실수 a에 대하여 연속이다.

$\quad\therefore \displaystyle\lim_{x\to a}f(x)=f(a)$ [참]

따라서 옳은 것은 ㄱ, ㄴ, ㄷ이다.

0448

정답 ④

STEP Ⓐ **주어진 식에서 $f(0)$의 값 구하기**

$f(x+y)=f(x)+f(y)+2xy-3$에 $x=0$, $y=0$을 대입하면

$f(0)=f(0)+f(0)-3$

$\therefore f(0)=3$

STEP Ⓑ **미분계수의 정의를 이용하여 $f'(0)$의 값 구하기**

$f'(2)=\displaystyle\lim_{h\to 0}\frac{f(2+h)-f(2)}{h}$

$\quad=\displaystyle\lim_{h\to 0}\frac{f(2)+f(h)+4h-3-f(2)}{h}$

$\quad=\displaystyle\lim_{h\to 0}\frac{f(h)+4h-3}{h}$

$\quad=\displaystyle\lim_{h\to 0}\frac{f(h)-3}{h}+4$

$\quad=f'(0)+4=1$

$\therefore f'(0)=-3$

STEP Ⓒ **미분계수의 정의를 이용하여 $f'(5)$의 값 구하기**

$f'(5)=\displaystyle\lim_{h\to 0}\frac{f(5+h)-f(5)}{h}$

$\quad=\displaystyle\lim_{h\to 0}\frac{f(5)+f(h)+10h-3-f(5)}{h}$

$\quad=\displaystyle\lim_{h\to 0}\frac{f(h)+10h-3}{h}$

$\quad=\displaystyle\lim_{h\to 0}\frac{f(h)-3}{h}+10$

$\quad=f'(0)+10$

$\quad=-3+10=7$

함수 $f(x)$가 임의의 두 실수 x, y에 대하여

$$f(x+y)=f(x)+f(y)+xy+1$$

을 만족하고 $f'(0)=5$일 때, $f'(1)$의 값은?

① 2 ② 3 ③ 4
④ 5 ⑤ 6

STEP Ⓐ **주어진 식에서 $f(0)$의 값 구하기**

$f(x+y)=f(x)+f(y)+xy+1$에 $x=y=0$을 대입하면

$f(0)=f(0)+f(0)+0+1$에서 $f(0)=-1$

STEP Ⓑ **미분계수의 정의를 이용하여 $f'(0)$의 값 구하기**

$f'(0)=\displaystyle\lim_{h\to 0}\frac{f(0+h)-f(0)}{h}$

$\quad=\displaystyle\lim_{h\to 0}\frac{f(0)+f(h)+1-f(0)}{h}$

$\quad=\displaystyle\lim_{h\to 0}\frac{f(h)+1}{h}=5$

STEP Ⓒ **미분계수의 정의를 이용하여 $f'(1)$의 값 구하기**

$f'(1)=\displaystyle\lim_{h\to 0}\frac{f(1+h)-f(1)}{h}$

$\quad=\displaystyle\lim_{h\to 0}\frac{f(1)+f(h)+h+1-f(1)}{h}$

$\quad=\displaystyle\lim_{h\to 0}\frac{f(h)+h+1}{h}$

$\quad=f'(0)+1$

$\quad=5+1=6$

정답 ⑤

0449

정답 ②

STEP A 주어진 식에서 $f(0)$의 값 구하기

$f(x+y)=f(x)+f(y)+axy$에 $x=0$, $y=0$을 대입하면

$f(0)=f(0)+f(0)+0$에서 $f(0)=0$

STEP B 미분계수의 정의를 이용하여 $f'(0)$의 값 구하기

$$f'(0)=\lim_{h \to 0}\frac{f(0+h)-f(0)}{h}$$
$$=\lim_{h \to 0}\frac{f(0)+f(h)-f(0)}{h}$$
$$=\lim_{h \to 0}\frac{f(h)}{h}=5$$

STEP C 미분계수의 정의를 이용하여 $f'(-3)$의 값 구하기

$$f'(x)=\lim_{h \to 0}\frac{f(x+h)-f(x)}{h}$$
$$=\lim_{h \to 0}\frac{f(x)+f(h)+axh-f(x)}{h}$$
$$=\lim_{h \to 0}\frac{f(h)+axh}{h}$$
$$=f'(0)+ax=ax+5$$

따라서 $3x+5=ax+5$이므로 $a=3$

0450

정답 ③

STEP A 주어진 식에서 $f(0)$의 값 구하기

조건 (가)에서 $f(x+y)=f(x)f(y)$의 양변에 $x=0$, $y=0$을 대입하면

$f(0)=f(0)\times f(0)$

$f(0)\{f(0)-1\}=0$

이때 조건 (나)에서 $f(x)>0$이므로 $f(0)=1$

STEP B 미분계수의 정의를 이용하여 $\dfrac{f'(x)}{f(x)}$의 값 구하기

$$f'(x)=\lim_{h \to 0}\frac{f(x+h)-f(x)}{h}$$
$$=\lim_{h \to 0}\frac{f(x)f(h)-f(x)}{h}$$
$$=\lim_{h \to 0}\frac{f(x)\{f(h)-1\}}{h}$$
$$=f(x)\lim_{h \to 0}\frac{f(h)-1}{h} \quad \Leftarrow \lim_{h \to 0}\frac{f(h)-f(0)}{h}=f'(0)$$
$$=f(x)f'(0)$$

따라서 $\dfrac{f'(x)}{f(x)}=\dfrac{f(x)f'(0)}{f(x)}=f'(0)=3$

미분가능한 함수 $f(x)$가 모든 실수 x, y에 대하여

$$f(x)>0 \text{이고 } f(x+y)=2f(x)f(y)$$

을 만족시킨다. $f'(0)=5$일 때, $\dfrac{f'(2)}{f(2)}$의 값은?

① 2 ② 4 ③ 6
④ 8 ⑤ 10

STEP A 주어진 식에서 $f(0)$의 값 구하기

$f(x+y)=2f(x)f(y)$의 양변에 $x=0$, $y=0$을 대입하면

$f(0)=2f(0)\times f(0)$, $f(0)\{2f(0)-1\}=0$

이때 조건 (나)에서 $f(x)>0$이므로 $f(0)=\dfrac{1}{2}$

STEP B 미분계수의 정의를 이용하여 $\dfrac{f'(x)}{f(x)}$의 값 구하기

$$f'(2)=\lim_{h \to 0}\frac{f(2+h)-f(2)}{h}$$
$$=\lim_{h \to 0}\frac{2f(2)f(h)-f(2)}{h}$$
$$=\lim_{h \to 0}\frac{2f(2)\left\{f(h)-\frac{1}{2}\right\}}{h}$$
$$=2f(2)\lim_{h \to 0}\frac{f(h)-f(0)}{h} \quad \Leftarrow f(0)=\frac{1}{2}$$
$$=2f(2)f'(0)$$
$$=10f(2)$$

따라서 $\dfrac{f'(2)}{f(2)}=\dfrac{10f(2)}{f(2)}=10$

정답 ⑤

0451

정답 ②

STEP A 주어진 식에서 $f(0)$의 값 구하기

$f(x+y)=f(x)+f(y)+4xy+2$에 $x=0$, $y=0$을 대입하면

$f(0)=f(0)+f(0)+0+2$

$\therefore f(0)=-2$

STEP B 미분계수의 정의를 이용하여 $f'(2)$의 값 구하기

조건 (나) $\lim_{x \to 2}\dfrac{f(x)}{x-2}=5$에서

$x \to 2$일 때, (분자)$\to 0$이고 극한값이 존재하므로 (분모)$\to 0$이어야 한다.

즉 $\lim_{x \to 2}f(x)=0$이므로 $f(2)=0$이다.

또한, $\lim_{x \to 2}\dfrac{f(x)}{x-2}=\lim_{x \to 2}\dfrac{f(x)-f(2)}{x-2}=f'(2)=5$

STEP C $f'(0)$의 값 구하기

$$f'(2)=\lim_{h \to 0}\frac{f(2+h)-f(2)}{h}$$
$$=\lim_{h \to 0}\frac{f(2)+f(h)+8h+2-f(2)}{h} \quad \Leftarrow f(2+h)=f(2)+f(h)+8h+2$$
$$=\lim_{h \to 0}\frac{f(h)+8h+2}{h}$$
$$=\lim_{h \to 0}\frac{f(h)+2}{h}+8 \quad \Leftarrow 2=-f(0)$$
$$=\lim_{h \to 0}\frac{f(h)-f(0)}{h}+8$$
$$=f'(0)+8$$

따라서 $f'(0)+8=5$이므로 $f'(0)=-3$

미분가능한 함수 $f(x)$가 모든 실수 x, y에 대하여

$$f(x+y)=f(x)+f(y)+5xy$$

를 만족할 때, $\sum_{k=1}^{10}\{f'(k)-f'(0)\}$의 값은?

① 265   ② 269   ③ 273
④ 275   ⑤ 285

STEP Ⓐ 주어진 식에서 $f(0)$의 값 구하기

$f(x+y)=f(x)+f(y)+5xy$에 $x=y=0$을 대입하면

$f(0)=f(0)+f(0)+0$에서 $f(0)=0$

STEP Ⓑ 미분계수의 정의를 이용하여 $f'(k)$의 값 구하기

$$f'(0)=\lim_{h\to 0}\frac{f(0+h)-f(0)}{h}$$
$$=\lim_{h\to 0}\frac{f(0)+f(h)-f(0)}{h}$$
$$=\lim_{h\to 0}\frac{f(h)}{h}$$

$$f'(k)=\lim_{h\to 0}\frac{f(k+h)-f(k)}{h}$$
$$=\lim_{h\to 0}\frac{f(k)+f(h)+5kh-f(k)}{h}$$
$$=\lim_{h\to 0}\frac{f(h)+5kh}{h}$$
$$=\lim_{h\to 0}\frac{f(h)}{h}+5k$$
$$=f'(0)+5k$$

STEP Ⓒ $\sum_{k=1}^{10}\{f'(k)-f'(0)\}$의 값 구하기

따라서 $\sum_{k=1}^{10}\{f'(k)-f'(0)\}=\sum_{k=1}^{10}\{f'(0)+5k-f'(0)\}$
$$=\sum_{k=1}^{10}5k=5\cdot\frac{10(10+1)}{2}$$
$$=275$$

정답 ④

0452

정답 ③

STEP Ⓐ 함수 $f(x)$가 $x=a$에서 미분가능하면 $f(x)$는 $x=a$에서 연속임을 증명하기

함수 $y=f(x)$가 $x=a$에서 미분가능하면 미분계수

$$f'(a)=\lim_{x\to a}\frac{f(x)-f(a)}{x-a}$$

가 존재하고, 이때 $f(a)$는 일정한 값이므로

함수 $y=f(x)$가 $x=a$에서 미분가능하면

$$\lim_{x\to a}\{f(x)-f(a)\}=\lim_{x\to a}\left\{\frac{f(x)-f(a)}{\boxed{x-a}}\times(x-a)\right\}$$
$$=\lim_{x\to a}\frac{f(x)-f(a)}{\boxed{x-a}}\times\lim_{x\to a}(x-a)$$
$$=\boxed{f'(a)}\times 0=0$$

이므로 다음이 성립한다.

$$\lim_{x\to a}f(x)=\boxed{f(a)}$$

0453

정답 ②

STEP Ⓐ 집합 A, B의 포함관계 이해하기

집합 A는 $x=a$에서 미분가능한 집합이고
집합 B는 $x=a$에서 연속인 집합이다.
즉 $A\subset B$이다.

STEP Ⓑ 집합의 성질을 이용하여 [보기]의 참, 거짓 판별하기

ㄱ. $A\cap B=A\neq\varnothing$ [거짓]
ㄴ. $A\cup B=B$ [참]
ㄷ. $A-B=\varnothing$ [참]
ㄹ. $A\neq B$ [거짓]
따라서 옳은 것은 ㄴ, ㄷ이다.

0454

정답 ④

STEP Ⓐ 연속이지만 미분가능하지 않음 보이기

$\lim_{x\to 1}f(x)=0$이고 $\boxed{f(1)}=0$이므로 $f(x)$는 $x=1$에서 연속이다.
한편

$$\lim_{x\to 1+}\frac{f(x)-f(1)}{x-1}=\lim_{x\to 1+}\frac{|x-1|}{x-1}$$
$$=\lim_{x\to 1+}\frac{(x-1)}{x-1}$$
$$=\boxed{1}$$

$$\lim_{x\to 1-}\frac{f(x)-f(1)}{x-1}=\lim_{x\to 1-}\frac{|x-1|}{x-1}$$
$$=\lim_{x\to 1-}\frac{-(x-1)}{x-1}$$
$$=\boxed{-1}$$

이므로 $\lim_{x\to 1}\frac{f(x)-f(1)}{x-1}$은 존재하지 않는다.
따라서 함수 $f(x)=2|x-1|$은 $x=1$에서 연속이지만 미분가능하지 않다.

0455

정답 ⑤

STEP Ⓐ 연속이지만 미분가능하지 않음 보이기

$\lim_{x\to 1}f(x)=0$이고 $\boxed{f(1)}=0$이므로 $\lim_{x\to 1}f(x)=f(1)$
즉 함수 $f(x)$는 $x=1$에서 연속이다.
한편

$$\lim_{x\to 1+}\frac{f(x)-f(1)}{x-1}=\lim_{x\to 1+}\frac{|(x-1)(x+1)|}{x-1}$$
$$=\lim_{x\to 1+}\frac{(x-1)(x+1)}{x-1}$$
$$=\lim_{x\to 1+}(x+1)$$
$$=\boxed{2}$$

$$\lim_{x\to 1-}\frac{f(x)-f(1)}{x-1}=\lim_{x\to 1-}\frac{|(x-1)(x+1)|}{x-1}$$
$$=\lim_{x\to 1-}\frac{-(x-1)(x+1)}{x-1}$$
$$=\lim_{x\to 1-}(-x-1)$$
$$=\boxed{-2}$$

에서 $f'(1)=\lim_{x\to 1}\frac{f(x)-f(1)}{x-1}$은 존재하지 않으므로 함수 $f(x)$는 $x=1$에서
미분가능하지 않다.
따라서 함수 $f(x)=|x^2-1|$은 $x=1$에서 연속이지만 미분가능하지 않다.

0456 정답 ④

STEP Ⓐ 함수 $f(x)$가 $x=0$에서 연속이려면 $\lim_{x\to 0}f(x)=f(0)$이어야 하고

미분가능하면 $f'(0)$이 존재해야 함을 보이기

ㄱ. $f(x)=|x|$에서 $f(x)=\begin{cases} x & (x\ge 0) \\ -x & (x<0) \end{cases}$

$\lim_{x\to 0}f(x)=0=f(0)$이므로 함수 $f(x)$는 $x=0$에서 연속이고

$\lim_{h\to 0+}\dfrac{f(0+h)-f(0)}{h}=1$, $\lim_{h\to 0-}\dfrac{f(0+h)-f(0)}{h}=-1$이므로

함수 $f(x)$는 $x=0$에서 미분가능하지 않다.

ㄴ. $f(x)=x|x|$에서 $f(x)=\begin{cases} x^2 & (x\ge 0) \\ -x^2 & (x<0) \end{cases}$

$\lim_{x\to 0}f(x)=0=f(0)$이므로 함수 $f(x)$는 $x=0$에서 연속이고

$\lim_{h\to 0+}\dfrac{f(0+h)-f(0)}{h}=0$, $\lim_{h\to 0-}\dfrac{f(0+h)-f(0)}{h}=0$이므로

$\lim_{h\to 0}\dfrac{f(0+h)-f(0)}{h}$이 존재한다.

즉 함수 $f(x)$는 $x=0$에서 미분가능하다.

ㄷ. $f(x)=x+|x|$에서 $f(x)=\begin{cases} 2x & (x\ge 0) \\ 0 & (x<0) \end{cases}$

$\lim_{x\to 0}f(x)=0=f(0)$이므로 함수 $f(x)$는 $x=0$에서 연속이고

$\lim_{h\to 0+}\dfrac{f(0+h)-f(0)}{h}=2$, $\lim_{h\to 0-}\dfrac{f(0+h)-f(0)}{h}=0$이므로

함수 $f(x)$는 $x=0$에서 미분가능하지 않다.

따라서 $x=0$에서 연속이지만 미분가능하지 않은 것은 ㄱ, ㄷ이다.

0457 정답 ②

STEP Ⓐ 함수 $f(x)$가 $x=0$에서 연속이려면 $\lim_{x\to 0}f(x)=f(0)$이어야 하고

미분가능하면 $f'(0)$이 존재해야 함을 보이기

ㄱ. $f(x)=[x]$에서 $f(x)=\begin{cases} 0 & (0\le x<1) \\ -1 & (-1\le x<0) \end{cases}$

$\lim_{x\to 0+}[x]=0$, $\lim_{x\to 0-}[x]=-1$이므로 $f(x)$는 $x=0$에서 불연속이다.

ㄴ. $g(x)=\sqrt{x^2}=|x|$에서 $g(x)=\begin{cases} x & (x\ge 0) \\ -x & (x<0) \end{cases}$

$\lim_{x\to 0}g(x)=\lim_{x\to 0}|x|=0$, $g(0)=0$이므로 $g(x)$는 $x=0$에서 연속이다.

$\lim_{h\to 0+}\dfrac{g(0+h)-g(0)}{h}=\lim_{h\to 0+}\dfrac{|h|-0}{h}=\lim_{h\to 0+}\dfrac{h}{h}=1$

$\lim_{h\to 0-}\dfrac{g(0+h)-g(0)}{h}=\lim_{h\to 0-}\dfrac{|h|-0}{h}=\lim_{h\to 0-}\dfrac{-h}{h}=-1$이므로

$g(x)$는 $x=0$에서 미분가능하지 않다.

ㄷ. $k(x)=x|x|$에서 $k(x)=\begin{cases} x^2 & (x\ge 0) \\ -x^2 & (x<0) \end{cases}$

$\lim_{x\to 0}k(x)=\lim_{x\to 0}x|x|=0$, $k(0)=0$이므로 $k(x)$는 $x=0$에서 연속이다.

$\lim_{h\to 0+}\dfrac{k(0+h)-k(0)}{h}=\lim_{h\to 0+}\dfrac{h|h|-0}{h}=\lim_{h\to 0+}\dfrac{h^2}{h}=\lim_{h\to 0+}h=0$

$\lim_{h\to 0-}\dfrac{k(0+h)-k(0)}{h}=\lim_{h\to 0-}\dfrac{h|h|-0}{h}=\lim_{h\to 0-}\dfrac{-h^2}{h}=\lim_{h\to 0-}(-h)=0$

이므로 $k(x)$는 $x=0$에서 미분가능하다.

ㄹ. $p(x)=x^2|x|$에서 $p(x)=\begin{cases} x^3 & (x\ge 0) \\ -x^3 & (x<0) \end{cases}$

$\lim_{x\to 0}p(x)=p(0)=0$이므로 $x=0$에서 연속이다.

$\lim_{h\to 0+}\dfrac{p(0+h)-p(0)}{h}=\lim_{h\to 0+}\dfrac{h^3}{h}=\lim_{h\to 0+}h^2=0$

$\lim_{h\to 0-}\dfrac{p(0+h)-p(0)}{h}=\lim_{h\to 0-}\dfrac{-h^3}{h}=\lim_{h\to 0-}(-h^2)=0$

$p(x)$는 $x=0$에서 연속이고 미분가능하다.

따라서 $x=0$에서 연속이지만 미분가능하지 않은 함수는 ㄴ뿐이다.

내신연계 출제문항 189

$x=0$에서 미분가능한 함수인 것만을 [보기]에서 있는 대로 고르면?

> ㄱ. $f(x)=x+|x|$
> ㄴ. $g(x)=-x|x|$
> ㄷ. $k(x)=x^2|x|$
> ㄹ. $i(x)=x\sqrt{|x|}$

① ㄱ   ② ㄱ, ㄴ   ③ ㄴ, ㄷ
④ ㄴ, ㄷ, ㄹ   ⑤ ㄱ, ㄴ, ㄷ, ㄹ

STEP Ⓐ 함수 $f(x)$가 $x=0$에서 연속이려면 $\lim_{x\to 0}f(x)=f(0)$이어야 하고

미분가능하면 $f'(0)$이 존재해야 함을 보이기

ㄱ. $f(x)=x+|x|$에서 $f(x)=\begin{cases} 2x & (x\ge 0) \\ 0 & (x<0) \end{cases}$

$\lim_{x\to 0}f(x)=0=f(0)$이므로 함수 $f(x)$는 $x=0$에서 연속이고

$\lim_{h\to 0+}\dfrac{f(0+h)-f(0)}{h}=2$, $\lim_{h\to 0-}\dfrac{f(0+h)-f(0)}{h}=0$이므로

함수 $f(x)$는 $x=0$에서 미분가능하지 않다.

ㄴ. $\lim_{h\to 0+}\dfrac{g(0+h)-g(0)}{h}=\lim_{h\to 0+}\dfrac{-h^2}{h}=\lim_{h\to 0+}(-h)=0$

$\lim_{h\to 0-}\dfrac{g(0+h)-g(0)}{h}=\lim_{h\to 0-}\dfrac{h^2}{h}=\lim_{h\to 0-}h=0$이므로

함수 $g(x)$는 $x=0$에서 미분가능하다.

ㄷ. $\lim_{h\to 0+}\dfrac{k(0+h)-k(0)}{h}=\lim_{h\to 0+}\dfrac{h^3}{h}=\lim_{h\to 0+}h^2=0$

$\lim_{h\to 0-}\dfrac{k(0+h)-k(0)}{h}=\lim_{h\to 0-}\dfrac{-h^3}{h}=\lim_{h\to 0-}(-h^2)=0$이므로

함수 $k(x)$는 $x=0$에서 미분가능하다.

ㄹ. $\lim_{h\to 0+}\dfrac{i(0+h)-i(0)}{h}=\lim_{h\to 0+}\dfrac{h\sqrt{h}}{h}=\lim_{h\to 0+}\sqrt{h}=0$

$\lim_{h\to 0-}\dfrac{i(0+h)-i(0)}{h}=\lim_{h\to 0-}\dfrac{h\sqrt{-h}}{h}=\lim_{h\to 0-}\sqrt{-h}=0$이므로

함수 $i(x)$는 $x=0$에서 미분가능하다.

따라서 $x=0$에서 미분가능한 함수인 것은 ㄴ, ㄷ, ㄹ이다. 정답 ④

0458 정답 ③

STEP Ⓐ $\lim_{x\to 0}\dfrac{f(x)-f(0)}{x}$의 값이 존재하는지 조사하기

ㄱ. $\lim_{x\to 0-}\dfrac{f(x)-f(0)}{x}=\lim_{x\to 0-}\dfrac{-x^2}{x}=\lim_{x\to 0-}(-x)=0$

$\lim_{x\to 0+}\dfrac{f(x)-f(0)}{x}=\lim_{x\to 0+}\dfrac{x^2}{x}=\lim_{x\to 0-}x=0$

이므로 $f'(0)$이 존재하므로 미분가능하다.

ㄴ. $\lim_{x\to 0-}\dfrac{g(x)-g(0)}{x}=\lim_{x\to 0-}\dfrac{(x^2-1)-(-1)}{x}=\lim_{x\to 0-}x=0$

$\lim_{x\to 0+}\dfrac{g(x)-g(0)}{x}=\lim_{x\to 0+}\dfrac{-1-(-1)}{x}=0$

이므로 $g'(0)$이 존재하므로 미분가능하다.

ㄷ. $\lim_{x\to 0-}h(x)=\lim_{x\to 0-}(2x+1)=1$

$\lim_{x\to 0+}h(x)=\lim_{x\to 0+}(x^2+x)=0$

즉 함수 $h(x)$는 $x=0$에서 불연속이므로 미분가능하지 않다.

따라서 $x=0$에서 미분가능한 것은 ㄱ, ㄴ이다.

참고

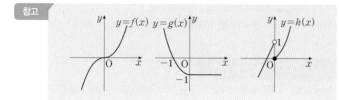

내/신/연/계/ 출제문항 **190**

$x=2$에서 미분가능한 함수만을 [보기]에서있는 대로 고른 것은?

ㄱ.	$f(x)=\begin{cases} x^2-x-2 & (x \le 2) \\ x-2 & (x > 2) \end{cases}$
ㄴ.	$f(x)=\begin{cases} x^2-x-2 & (x \le 2) \\ 3x-6 & (x > 2) \end{cases}$
ㄷ.	$f(x)=\begin{cases} x-2 & (x \le 2) \\ (x-2)^2 & (x > 2) \end{cases}$
ㄹ.	$f(x)=\begin{cases} x^2+x & (x \ge 2) \\ -x^2+9x-8 & (x < 2) \end{cases}$

① ㄴ   ② ㄱ, ㄹ   ③ ㄱ, ㄴ
④ ㄴ, ㄹ   ⑤ ㄱ, ㄴ, ㄷ, ㄹ

STEP A **함수 $f(x)$가 $x=2$에서 연속이려면 $\lim_{x \to 2} f(x) = f(2)$이어야 하고**
미분가능하면 $f'(2)$이 존재해야 함을 보이기

ㄱ. (i) $\lim_{x \to 2+} f(x) = \lim_{x \to 2+}(x-2) = 0$, $\lim_{x \to 2-} f(x) = \lim_{x \to 2-}(x^2-x-2) = 0$,
 $f(2)=0$에서 $\lim_{x \to 2+} f(x) = \lim_{x \to 2-} f(x) = f(2)$이므로
 함수 $f(x)$는 $x=2$에서 연속이다.

(ii) $\lim_{x \to 2+} \dfrac{f(x)-f(2)}{x-2} = \lim_{x \to 2+} \dfrac{(x-2)-0}{x-2} = 1$
 $\lim_{x \to 2-} \dfrac{f(x)-f(2)}{x-2} = \lim_{x \to 2-} \dfrac{(x^2-x-2)-0}{x-2} = \lim_{x \to 2-} \dfrac{(x-2)(x+1)}{x-2}$
 $\qquad\qquad\qquad\qquad\qquad\qquad = \lim_{x \to 2-}(x+1) = 3$

(i), (ii)에서 $\lim_{x \to 2} \dfrac{f(x)-f(2)}{x-2}$은 존재하지 않으므로
함수 $f(x)$는 $x=2$에서 미분가능하지 않다.

ㄴ. (i) $\lim_{x \to 2+} f(x) = \lim_{x \to 2+}(3x-6) = 0$, $\lim_{x \to 2-} f(x) = \lim_{x \to 2-}(x^2-x-2) = 0$,
 $f(2)=0$에서 $\lim_{x \to 2+} f(x) = \lim_{x \to 2-} f(x) = f(2)$이므로
 함수 $f(x)$는 $x=2$에서 연속이다.

(ii) $\lim_{x \to 2+} \dfrac{f(x)-f(2)}{x-2} = \lim_{x \to 2+} \dfrac{(3x-6)-0}{x-2} = 3$
 $\lim_{x \to 2-} \dfrac{f(x)-f(2)}{x-2} = \lim_{x \to 2-} \dfrac{(x^2-x-2)-0}{x-2} = \lim_{x \to 2-} \dfrac{(x-2)(x+1)}{x-2}$
 $\qquad\qquad\qquad\qquad\qquad\qquad = \lim_{x \to 2-}(x+1) = 3$

(i), (ii)에서 $\lim_{x \to 2} \dfrac{f(x)-f(2)}{x-2}$은 존재하므로
함수 $f(x)$는 $x=2$에서 미분가능하다.

ㄷ. (i) $\lim_{x \to 2+} f(x) = \lim_{x \to 2+}(x-2)^2 = 0$, $\lim_{x \to 2-} f(x) = \lim_{x \to 2-}(x-2) = 0$,
 $f(2)=0$에서 $\lim_{x \to 2+} f(x) = \lim_{x \to 2-} f(x) = f(2)$이므로
 함수 $f(x)$는 $x=2$에서 연속이다.

(ii) $\lim_{x \to 2+} \dfrac{f(x)-f(2)}{x-2} = \lim_{x \to 2+} \dfrac{(x-2)^2-0}{x-2} = \lim_{x \to 2+}(x-2) = 0$
 $\lim_{x \to 2-} \dfrac{f(x)-f(2)}{x-2} = \lim_{x \to 2-} \dfrac{(x-2)-0}{x-2} = 1$

(i), (ii)에서 $\lim_{x \to 2} \dfrac{f(x)-f(2)}{x-2}$은 존재하지 않으므로
함수 $f(x)$는 $x=2$에서 미분가능하지 않다.

ㄹ. (i) $\lim_{x \to 2+} f(x) = \lim_{x \to 2+}(x^2+x) = 6$, $\lim_{x \to 2-} f(x) = \lim_{x \to 2-}(-x^2+9x-8) = 6$,
 $f(2)=6$에서 $\lim_{x \to 2+} f(x) = \lim_{x \to 2-} f(x) = f(2)$이므로
 함수 $f(x)$는 $x=2$에서 연속이다.

(ii) $\lim_{x \to 2+} \dfrac{f(x)-f(2)}{x-2} = \lim_{x \to 2+} \dfrac{(x^2+x)-6}{x-2} = \lim_{x \to 2+} \dfrac{(x-2)(x+3)}{x-2}$
 $\qquad\qquad\qquad\qquad\qquad\qquad = \lim_{x \to 2+}(x+3) = 5$
 $\lim_{x \to 2-} \dfrac{f(x)-f(2)}{x-2} = \lim_{x \to 2-} \dfrac{(-x^2+9x-8)-6}{x-2} = \lim_{x \to 2-} \dfrac{-(x-2)(x-7)}{x-2}$
 $\qquad\qquad\qquad\qquad\qquad\qquad = \lim_{x \to 2-}-(x-7) = 5$

(i), (ii)에서 $\lim_{x \to 2} \dfrac{f(x)-f(2)}{x-2}$은 존재하므로 함수 $f(x)$는 $x=2$에서
미분가능하다.
따라서 $x=2$에서 미분가능한 함수는 ㄴ, ㄹ이다.

다른풀이 그래프를 이용하여 풀이하기

ㄱ. 함수 $f(x)$의 그래프는 $x=2$에서
 꺾여 있으므로 $f(x)$는 $x=2$에서
 미분가능하지 않다.

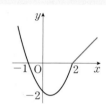

ㄴ. $f(x)$의 그래프는 $x=2$에서
 매끄럽게 연결되어 있으므로
 $f(x)$는 $x=2$에서 미분가능하다.

ㄷ. 함수 $f(x)$의 그래프는 $x=2$에서
 꺾여 있으므로 $f(x)$는 $x=2$에서
 미분가능하지 않다.

ㄹ. $f(x)$의 그래프는 $x=2$에서
 매끄럽게 연결되어 있으므로
 $f(x)$는 $x=2$에서 미분가능하다.

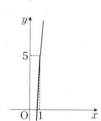

따라서 $x=2$에서 연속이지만 미분가능하지 않은 함수는 ㄴ, ㄹ이다.

정답 ④

144

0459

정답 ③

STEP Ⓐ 주어진 함수를 식으로 표현하고 $x=0$에서 좌미분계수와 우미분계수가 같은지 확인하기

ㄱ. $xf(x)=\begin{cases} x^2 & (x \geq 0) \\ -x^2 & (x<0) \end{cases}$이므로 $xf(x)=h_1(x)$라 하면

$$\lim_{x \to 0+} \frac{h_1(x)-h_1(0)}{x-0} = \lim_{x \to 0+} \frac{x^2}{x} = 0$$

$$\lim_{x \to 0-} \frac{h_1(x)-h_1(0)}{x-0} = \lim_{x \to 0-} \frac{-x^2}{x} = 0$$

$\therefore h_1'(0)=0$

함수 $xf(x)$는 $x=0$에서 미분가능하다. [참]

ㄴ. $f(x)g(x)=\begin{cases} 2x^2+x & (x \geq 0) \\ x^2+x & (x<0) \end{cases}$이므로 $f(x)g(x)=h_2(x)$라 하면

$$\lim_{x \to 0+} \frac{h_2(x)-h_2(0)}{x-0} = \lim_{x \to 0+} \frac{2x^2+x}{x} = 1$$

$$\lim_{x \to 0-} \frac{h_2(x)-h_2(0)}{x-0} = \lim_{x \to 0-} \frac{x^2+x}{x} = 1$$

$\therefore h_2'(0)=1$

함수 $f(x)g(x)$는 $x=0$에서 미분가능하다. [참]

ㄷ. $f(x)-g(x)=\begin{cases} -x-1 & (x \geq 0) \\ 1 & (x<0) \end{cases}$이고

$x \geq 0$에서 $-x-1<0$이므로 $|f(x)-g(x)|=\begin{cases} x+1 & (x \geq 0) \\ 1 & (x<0) \end{cases}$

$|f(x)-g(x)|=h_3(x)$라 하면

$$\lim_{x \to 0+} \frac{h_3(x)-h_3(0)}{x-0} = \lim_{x \to 0+} \frac{(x+1)-1}{x} = 1$$

$$\lim_{x \to 0-} \frac{h_3(x)-h_3(0)}{x-0} = \lim_{x \to 0-} \frac{1-1}{x} = 0$$

함수 $|f(x)-g(x)|$는 $x=0$에서 미분가능하지 않다. [거짓]

따라서 $x=0$에서 미분가능한 것은 ㄱ, ㄴ이다.

0460

정답 ④

STEP Ⓐ 연속이 아니거나 좌미분계수와 우미분계수가 다른 점 찾기

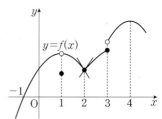

$x=1$에서 함수 $f(x)$는 $\lim_{x \to 1} f(x) \neq f(1)$이므로 함수 $f(x)$는 $x=1$에서 불연속이다.

$x=2$에서 함수 $y=f(x)$의 그래프 위의 점 $(2, f(2))$에서 접선을 그을 수 없으므로 함수 $f(x)$는 $x=2$에서 연속이지만 미분가능하지 않다.

$x=3$에서 $\lim_{x \to 3+} f(x) \neq \lim_{x \to 3-} f(x)$이므로 함수 $f(x)$는 $x=3$에서 불연속이다.

따라서 미분가능하지 않는 점의 개수는 $x=1$, $x=2$, $x=3$이므로 3이다.

0461

정답 ⑤

STEP Ⓐ 함수의 그래프를 보고 참, 거짓 판별하기

① $f'(2)$는 $x=2$에서 접선의 기울기이므로 양수이다. [참]

② $\lim_{x \to 3+} f(x) = \lim_{x \to 3-} f(x)$이므로 $x=3$에서 극한값이 존재한다. [참]

③ 함수 $f(x)$는 $x=3$, $x=5$에서 불연속이므로 불연속인 점은 2개이다. [참]

④ 불연속점과 뾰족한 점에서는 미분가능하지 않으므로 함수 $f(x)$가 미분가능하지 않은 점은 $x=1$, $x=3$, $x=5$일 때의 3개이다. [참]

⑤ $f'(x)=0$은 $x=0$일 때, 1개이다. [거짓]

따라서 옳지 않은 것은 ⑤이다.

내신연계 출제문항 191

구간 $[-2, 2]$에서 함수 $f(x)$의 그래프가 오른쪽 그림과 같을 때, 다음 중 옳은 것은?

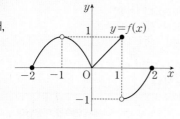

① $\lim_{x \to 1} f(x)$의 값이 존재한다.

② $f'(x)=0$인 값은 1개이다.

③ $-1<x<0$일 때, $f'(x)>0$이다.

④ 함수 $f(x)$가 불연속인 x의 값은 1개이다.

⑤ 함수 $f(x)$가 미분가능하지 않은 x의 값은 2개이다.

STEP Ⓐ 함수의 그래프를 보고 참, 거짓 판별하기

① $\lim_{x \to 1+} f(x) = \lim_{x \to 1-} f(x)$이므로 극한값이 존재한다. [참]

② $f'(x)=0$인 값은 존재하지 않는다. [거짓]

③ $-1<x<0$일 때, $f(x)$는 감소함수이므로 $f'(x)<0$이다. [거짓]

④ 함수 $f(x)$가 $x=-1$, $x=1$에서 불연속이므로 2개이다. [거짓]

⑤ 함수 $f(x)$는 $x=-1$, $x=0$, $x=1$에서 미분가능하지 않으므로 3개이다. [거짓]

따라서 옳은 것은 ①이다.

정답 ①

0462

정답 ④

STEP Ⓐ 함수의 그래프를 보고 참, 거짓 판별하기

① $\lim_{x \to 2+} f(x) = \lim_{x \to 2-} f(x)$이므로 $x=2$에서 좌극한, 우극한의 값이 같다.
즉 $\lim_{x \to 2} f(x)$값이 존재한다. [참]

② 함수 $f(x)$는 $x=2$, $x=6$에서 불연속이므로 불연속인 점은 2개이다. [참]

③ 함수 $f(x)$의 그래프 위의 $x=4$인 점에서 접선을 그을 수 없으므로 함수 $f(x)$는 $x=4$에서 연속이지만 미분가능하지 않다. [참]

④ $x=4$인 점에서 미분가능하지 않으므로 미분계수가 존재하지 않는다. [거짓]

⑤ 불연속인 점과 뾰족한 점에서는 미분가능하지 않으므로 함수 $f(x)$에서 미분가능하지 않은 점은 $x=2$, $x=4$, $x=6$일 때의 3개이다. [참]

따라서 옳지 않은 것은 ④이다.

0463

정답 ⑤

STEP Ⓐ 함수 $f(x)$가 $x=a$에서 불연속이거나 미분계수가 존재하지 않으면 $f(x)$는 $x=a$에서 미분불가능임을 이용하여 진위판단하기

ㄱ. $\lim_{x \to 1+} f(x) \neq \lim_{x \to 1-} f(x)$이므로 $x=1$에서 극한값이 존재하지 않는다. [참]

ㄴ. $-2<x<6$에서 $f(x)$의 불연속점은 $x=1$, 4일 때, 2개이다. [참]

ㄷ. 불연속점과 뾰족한 점에서는 미분가능하지 않으므로 $f(x)$의 미분가능하지 않은 점은 $x=1$, 3, 4일 때, 3개이다. [참]

ㄹ. $x=-1$일 때, 점 $(-1, f(-1))$에서의 접선의 기울기가 음수이므로 $f'(-1)<0$이다. [참]

따라서 옳은 것은 ㄱ, ㄴ, ㄷ, ㄹ이다.

0464

STEP Ⓐ 함수의 그래프를 보고 [보기]의 참, 거짓 판별하기

ㄱ. 함수 $f(x)$는 $x=0$, $x=1$에서 불연속이므로 불연속인 점은 2개이다. [참]

ㄴ. 함수 $f(x)$는 $x=3$에서 연결되어 있지만 접선을 그을 수 없다.
즉 연속이지만 미분가능하지 않다. [거짓]

ㄷ. ㄴ에서 $f'(3)$의 값이 존재하지 않으므로 $f'(x)$는 $x=3$에서 연속이
아니다. [거짓]

따라서 옳은 것은 ㄱ이다.

0465

STEP Ⓐ $x=-2$에서 연속을 이용하여 a, b 사이의 관계식 구하기

'실수 전체의 집합에서 미분가능' 이라고 주어졌지만
결국 함수 $f(x)$는 각 구간에서 다항함수이므로 $x \neq -2$인 모든 실수에서
미분가능이므로 $x=-2$에서만 미분가능할 조건만 고려한다.

(i) 함수 $f(x)$가 $x=-2$에서 연속이려면

$$\lim_{x \to -2^-} f(x) = \lim_{x \to -2^+} f(x) = f(-2)$$이어야 한다.

$\lim_{x \to -2^-}(x^2+ax+b) = \lim_{x \to -2^+} 2x = 4-2a+b$에서

$4-2a+b=-4$이므로 $-2a+b=-8$ ······ ㉠

STEP Ⓑ $x=-2$에서 미분가능함을 이용하여 a, b의 값 구하기

(ii) 함수 $f(x)$가 $x=-2$에서 미분가능하려면

$$\lim_{x \to -2^-} \frac{f(x)-f(-2)}{x-(-2)} = \lim_{x \to -2^-} \frac{(x^2+ax+b)-(4-2a+b)}{x+2}$$

$$= \lim_{x \to -2^-} \frac{x^2+ax+2(a-2)}{x+2} \quad \Leftarrow 1=a+b$$

$$= \lim_{x \to -2^-} \frac{(x+2)(x+a-2)}{x+2}$$

$$= \lim_{x \to -2^-} (x+a-2) = a-4$$

$$\lim_{x \to -2^+} \frac{f(x)-f(-2)}{x-(-2)} = \lim_{x \to -2^+} \frac{2x-(4-2a+b)}{x+2}$$

$$= \lim_{x \to -2^+} \frac{2(x+2)}{x+2} \quad \Leftarrow -2a+b=-8$$

$$= 2$$

따라서 $\lim_{x \to -2^-} \frac{f(x)-f(-2)}{x+2} = \lim_{x \to -2^+} \frac{f(x)-f(-2)}{x+2}$ 이어야 하므로

$a-4=2$ ∴ $a=6$

㉠에 대입하면 $b=2 \cdot 6-8=4$

따라서 $a+b=10$

$x=-2$에서 미분가능하므로

$$\lim_{h \to 0^+} \frac{f(-2+h)-f(-2)}{h}$$

$$= \lim_{h \to 0^+} \frac{2(-2+h)-2(-2)}{h}$$

$$= \lim_{h \to 0^+} \frac{2h}{h} = 2$$

$$\lim_{h \to 0^-} \frac{f(-2+h)-f(-2)}{h}$$

$$= \lim_{h \to 0^-} \frac{(-2+h)^2+a(-2+h)+b-(4-2a+b)}{h}$$

$$= \lim_{h \to 0^-} \frac{(-4+a)h+h^2}{h}$$

$$= -4+a$$

즉 $2=-4+a$ 이므로 $a=6$ ······ ㉡

㉠, ㉡을 연립하여 풀면 $a=6$, $b=4$

따라서 $a+b=6+4=10$

그래프: $y=x^2+6x+4$, $y=2x$

다른풀이 미분한 후 $x=-2$를 대입하여 풀이하기

STEP Ⓐ $x=-2$에서 연속을 이용하여 a, b 사이의 관계식 구하기

함수 $f(x)$는 $x=-2$에서 연속이므로

$$\lim_{x \to -2^-}(x^2+ax+b) = \lim_{x \to -2^+} 2x = f(-2)$$

$4-2a+b=-4$, $2a-b=8$

∴ $b=2a-8$ ······ ㉠

STEP Ⓑ 미분한 후 $x=-2$를 대입하여 a, b의 값 구하기

함수 $f(x)$를 미분하면 $f'(x) = \begin{cases} 2x+a & (x<-2) \\ 2 & (x>-2) \end{cases}$

$x=-2$에서 미분가능 하므로 $\lim_{x \to -2^-} f'(x) = \lim_{x \to -2^+} f'(x)$

$$\lim_{x \to -2^-}(2x+a) = \lim_{x \to -2^+} 2$$

$-4+a=2$ ∴ $a=6$

㉠에 대입하면 $b=2 \cdot 6-8=4$

따라서 $a+b=10$

0466

STEP Ⓐ $x=1$에서 연속임을 이용하여 a, b 사이의 관계식 구하기

함수 $f(x)$가 모든 실수 x에서 미분가능하려면
$x=1$에서 연속이고 미분가능하여야 한다.

(i) 함수 $f(x)$가 $x=1$에서 연속이려면

$$\lim_{x \to 1^-} x^2 = \lim_{x \to 1^+}(ax+b) = f(1)$$

$1=a+b$ ∴ $a+b=1$ ······ ㉠

STEP Ⓑ $x=1$에서 미분가능함을 이용하여 a, b의 값 구하기

(ii) 함수 $f(x)$가 $x=1$에서 미분가능하려면

$$\lim_{x \to 1^-} \frac{f(x)-f(1)}{x-1} = \lim_{x \to 1^-} \frac{x^2-(a+b)}{x-1}$$

$$= \lim_{x \to 1^-} \frac{x^2-1}{x-1} \quad \Leftarrow 1=a+b$$

$$= \lim_{x \to 1^-} \frac{(x-1)(x+1)}{x-1}$$

$$= \lim_{x \to 1^-} (x+1) = 2$$

$$\lim_{x \to 1^+} \frac{f(x)-f(1)}{x-1} = \lim_{x \to 1^+} \frac{ax+b-(a+b)}{x-1}$$

$$= \lim_{x \to 1^+} \frac{a(x-1)}{x-1} \quad \Leftarrow 1=a+b$$

$$= a$$

$\lim_{x \to 1^-} \frac{f(x)-f(1)}{x-1} = \lim_{x \to 1^+} \frac{f(x)-f(1)}{x-1}$ 이어야 하므로 $a=2$

㉠에 대입하면 $b=-1$

따라서 $a=2$, $b=-1$이므로 $2a+b=3$

함수 $f(x)$가 $x=1$에서 미분가능하므로 연속이다.

즉 $\lim_{x \to 1^+} f(x) = \lim_{x \to 1^-} f(x) = f(1)$이므로

$a+b=1$ ······ ㉠

또한, $f'(x) = \begin{cases} 2x & (x<1) \\ a & (x>1) \end{cases}$이고 함수 $f(x)$는 $x=1$에서 미분가능하므로

$2=a$ ······ ㉡

따라서 $a=2$, $b=-1$이므로 $2a+b=3$

함수
$$f(x)=\begin{cases} x^3-ax^2 & (x \geq 1) \\ bx-3 & (x < 1) \end{cases}$$
가 모든 실수 x에서 미분가능할 때, 상수 a, b에 대하여 $a+b$의 값은?

① 1   ② 3   ③ 4
④ 5   ⑤ 6

STEP A $x=1$에서 연속임을 이용하여 a, b 사이의 관계식 구하기

함수 $f(x)$는 $x=1$에서 미분가능하므로 $x=1$에서 연속이다.

(i) 함수 $f(x)$가 $x=1$에서 연속이려면 $\lim_{x \to 1-}f(x)=f(1)$에서

$b-3=1-a$, 즉 $a+b=4$ ...... ㉠

STEP B $x=1$에서 미분가능 함을 이용하여 a, b의 값 구하기

(ii) 함수 $f(x)$가 $x=1$에서 미분가능하려면

$$\lim_{x \to 1+}\frac{f(x)-f(1)}{x-1}=\lim_{x \to 1+}\frac{x^3-ax^2-1+a}{x-1}$$
$$=\lim_{x \to 1+}\frac{(x-1)\{x^2+(1-a)x+1-a\}}{x-1}$$
$$=\lim_{x \to 1+}(x^2+x-ax+1-a)$$
$$=-2a+3$$

$$\lim_{x \to 1-}\frac{f(x)-f(1)}{x-1}=\lim_{x \to 1-}\frac{bx-3-1+a}{x-1}$$
$$=\lim_{x \to 1-}\frac{(4-a)x-4+a}{x-1}$$
$$=\lim_{x \to 1-}\frac{(-a+4)(x-1)}{x-1}$$
$$=-a+4$$

$\lim_{x \to 1+}\frac{f(x)-f(1)}{x-1}=\lim_{x \to 1-}\frac{f(x)-f(1)}{x-1}$ 이어야 하므로

$-2a+3=-a+4$, 즉 $a=-1$ ...... ㉡

㉠, ㉡에서 $a=-1$, $b=5$

따라서 $a+b=-1+5=4$

다른풀이 다항함수의 미분법을 이용하여 $f'(x)$의 식 구하기

함수 $f(x)$가 $x=1$에서 미분가능하므로 연속이다.

즉 $\lim_{x \to 1+}f(x)=\lim_{x \to 1-}f(x)=f(1)$이므로 $1-a=b-3$

$-a-b=-4$ ...... ㉠

또한, $f'(x)=\begin{cases} 3x^2-2ax & (x > 1) \\ b & (x < 1) \end{cases}$이고

함수 $f(x)$는 $x=1$에서 미분가능하므로

$3-2a=b$ ...... ㉡

따라서 $a=-1$, $b=5$이므로 $a+b=4$ 정답 ③

0467

정답 ⑤

STEP A $x=1$에서 연속임을 이용하여 a, b 사이의 관계식 구하기

함수 $f(x)$가 $x=1$에서 미분가능하므로 함수 $f(x)$는 $x=1$에서 연속이다.

$\lim_{x \to 1+}f(x)=\lim_{x \to 1-}f(x)=f(1)$이므로 $3=a+2b+3$

$\therefore a+2b=0$ ...... ㉠

STEP B $x=1$에서 미분가능 함을 이용하여 a, b의 값 구하기

함수 $f(x)$가 $x=1$에서 미분가능하므로

$$\lim_{x \to 1+}\frac{f(x)-f(1)}{x-1}=\lim_{x \to 1+}\frac{2x+1-3}{x-1}$$
$$=\lim_{x \to 1+}\frac{2(x-1)}{x-1}=2$$

$$\lim_{x \to 1-}\frac{f(x)-f(1)}{x-1}=\lim_{x \to 1-}\frac{ax^2+2bx+3-3}{x-1}$$
$$=\lim_{x \to 1-}\frac{ax(x-1)}{x-1} \quad \leftarrow 2b=-a$$
$$=\lim_{x \to 1-}ax=a$$

$\lim_{x \to 1-}\frac{f(x)-f(1)}{x-1}=\lim_{x \to 1-}\frac{f(x)-f(1)}{x-1}$이어야 하므로

$2=a$, 즉 $a=2$ ...... ㉡

㉠, ㉡을 연립하여 풀면 $a=2$, $b=-1$

STEP C $f(-1)$의 값 구하기

따라서 $f(x)=\begin{cases} 2x+1 & (x \geq 1) \\ 2x^2-2x+3 & (x < 1) \end{cases}$이므로 $f(-1)=2+2+3=7$

참고

$f'(x)=\begin{cases} 2 & (x > 1) \\ 2ax+2b & (x < 1) \end{cases}$이고

함수 $f(x)$는 $x=1$에서 미분가능하므로 $2=2a+2b$

$\therefore a+b=1$ ...... ㉡

㉠, ㉡을 연립하여 풀면 $b=-1$, $a=2$

$f(x)=\begin{cases} 2x+1 & (x \geq 1) \\ 2x^2-2x+3 & (x < 1) \end{cases}$이므로 $f(-1)=2+2+3=7$

실수 a, b에 대하여 함수
$$f(x)=\begin{cases} x^2+ax+b & (x \geq 2) \\ 2x^3 & (x < 2) \end{cases}$$
가 모든 실수 x에서 미분가능할 때, $f(3)$의 값은?

① -28 ② -12 ③ 36
④ 41 ⑤ 60

STEP A $x=2$에서 연속임을 이용하여 a, b 사이의 관계식 구하기

함수 $f(x)$는 모든 실수 x에서 미분가능하므로 $x=2$에서 연속이다.

즉 $\lim_{x \to 2+}f(x)=\lim_{x \to 2-}f(x)=f(2)$이므로 $4+2a+b=16$

$\therefore 2a+b=12$ ...... ㉠

STEP B $x=2$에서 미분가능 함을 이용하여 a, b의 값 구하기

함수 $f(x)$가 $x=2$에서 미분가능하므로

$$\lim_{x \to 2+}\frac{f(x)-f(2)}{x-2}=\lim_{x \to 2+}\frac{x^2+ax+b-(4+2a+b)}{x-2}$$
$$=\lim_{x \to 2+}\frac{(x-2)(x+2+a)}{x-2}$$
$$=\lim_{x \to 2+}(x+2+a)$$
$$=4+a$$

$$\lim_{x \to 2-}\frac{f(x)-f(2)}{x-2}=\lim_{x \to 2-}\frac{2x^3-(4+2a+b)}{x-2}$$
$$=\lim_{x \to 2-}\frac{2(x^3-8)}{x-2} \quad \leftarrow 2a+b=12$$
$$=\lim_{x \to 2-}2(x^2+2x+4)$$
$$=24$$

$\lim_{x \to 2+}\frac{f(x)-f(2)}{x-2}=\lim_{x \to 2-}\frac{f(x)-f(2)}{x-2}$ 이어야 하므로

$4+a=24$, 즉 $a=20$ ...... ㉡

㉠, ㉡을 연립하여 풀면 $a=20$, $b=-28$

STEP C $f(3)$의 값 구하기

따라서 $f(x)=\begin{cases} x^2+20x-28 & (x \geq 2) \\ 2x^3 & (x < 2) \end{cases}$이므로 $f(3)=9+60-28=41$

정답 ④

$f'(x)=\begin{cases} 2x+a & (x>2) \\ 6x^2 & (x<2) \end{cases}$ 이고

함수 $f(x)$는 $x=2$에서 미분가능하므로 $4+a=24$

$\therefore a=20$ ...... ㉡

㉠, ㉡을 연립하여 풀면 $a=20$, $b=-28$

$f(x)=\begin{cases} x^2+20x-28 & (x\geq 2) \\ 2x^3 & (x<2) \end{cases}$ 이므로 $f(3)=9+60-28=41$

0468 정답 ②

STEP A $x=0$에서 연속임을 이용하여 a, b 사이의 관계식 구하기

함수 $f(x)$가 $x=0$에서 미분가능하므로 $x=0$에서 연속이다.

$\lim\limits_{x\to 0+}f(x)=\lim\limits_{x\to 0-}f(x)=f(0)$이어야 한다.

$\lim\limits_{x\to 0-}(-x+1)=\lim\limits_{x\to 0+}\{a(x-1)^2+b\}=a+b$에서

$1=a+b$ ...... ㉠

STEP B $x=0$에서 미분가능함을 이용하여 a, b의 값 구하기

$x=0$에서 미분가능하므로 미분계수 $f'(0)=\lim\limits_{x\to 0}\dfrac{f(x)-f(0)}{x-0}$이 존재한다.

$\lim\limits_{x\to 0-}\dfrac{f(x)-f(0)}{x-0}=\lim\limits_{x\to 0-}\dfrac{(-x+1)-1}{x-0}$

$=\lim\limits_{x\to 0-}\dfrac{-x}{x}=-1$

$\lim\limits_{x\to 0+}\dfrac{f(x)-f(0)}{x-0}=\lim\limits_{x\to 0+}\dfrac{a(x-1)^2+b-(a+b)}{x-0}$

$=\lim\limits_{x\to 0+}\dfrac{ax^2-2ax}{x}=-2a$

에서 $-1=-2a$ $\therefore a=\dfrac{1}{2}$ ...... ㉡

㉡을 ㉠에 대입하여 $b=\dfrac{1}{2}$

STEP C $f(1)$의 값 구하기

따라서 $f(x)=\begin{cases} -x+1 & (x<0) \\ \dfrac{1}{2}(x-1)^2+\dfrac{1}{2} & (x\geq 0) \end{cases}$ 이므로 $f(1)=\dfrac{1}{2}(1-1)^2+\dfrac{1}{2}=\dfrac{1}{2}$

미분한 후 $x=0$을 대입하여 풀이하기

STEP A 함수 $f(x)$가 $x=0$에서 연속이 됨을 이용하기

함수 $f(x)$가 $x=0$에서 미분가능하므로 $x=0$에서 연속이다.

$\lim\limits_{x\to 0+}f(x)=\lim\limits_{x\to 0-}f(x)=f(0)$이어야 한다.

$\lim\limits_{x\to 0-}(-x+1)=\lim\limits_{x\to 0+}\{a(x-1)^2+b\}=a+b$에서

$1=a+b$ ...... ㉠

STEP B 미분한 후 $x=0$을 대입하여 a, b의 값 구하기

함수 $f(x)$를 미분하면 $f'(x)=\begin{cases} -1 & (x<0) \\ 2a(x-1) & (x>0) \end{cases}$

$f(x)$는 $x=0$에서 미분가능하므로

$f'(0)=\lim\limits_{x\to 0-}(-1)=\lim\limits_{x\to 0+}2a(x-1)-1=-2a$

$\therefore a=\dfrac{1}{2}$ ...... ㉡

㉡을 ㉠에 대입하여 $b=\dfrac{1}{2}$

따라서 $f(x)=\begin{cases} -x+1 & (x<0) \\ \dfrac{1}{2}(x-1)^2+\dfrac{1}{2} & (x\geq 0) \end{cases}$ 이므로 $f(1)=\dfrac{1}{2}(1-1)^2+\dfrac{1}{2}=\dfrac{1}{2}$

0469 정답 ④

STEP A $x=1$에서 연속임을 이용하여 a, b의 관계식 구하기

함수 $f(x)$는 $x=1$에서 연속이므로 $\lim\limits_{x\to 1-}f(x)=\lim\limits_{x\to 1+}f(x)=f(1)$이다.

즉 $\lim\limits_{x\to 1-}(x^2+a)=\lim\limits_{x\to 1+}(-x^2+bx)=-1+b$에서

$1+a=-1+b$ $\therefore a-b=-2$ ...... ㉠

STEP B $x=1$에서 미분가능 함을 이용하여 a, b의 값 구하기

함수 $f(x)$는 $x=1$에서 미분가능하므로

$\lim\limits_{x\to 1-}\dfrac{f(x)-f(1)}{x-1}=\lim\limits_{x\to 1-}\dfrac{(x^2+a)-(-1+b)}{x-1}=\lim\limits_{x\to 1-}\dfrac{(x^2+a)-(-1+a+2)}{x-1}$

$=\lim\limits_{x\to 1-}\dfrac{x^2-1}{x-1}$

$=\lim\limits_{x\to 1-}(x+1)=2$

$\lim\limits_{x\to 1+}\dfrac{f(x)-f(1)}{x-1}=\lim\limits_{x\to 1+}\dfrac{(-x^2+bx)-(-1+b)}{x-1}=\lim\limits_{x\to 1+}\dfrac{(x-1)(-x-1+b)}{x-1}$

$=\lim\limits_{x\to 1+}(-x-1+b)=-2+b$

$\lim\limits_{x\to 1-}\dfrac{f(x)-f(1)}{x-1}=\lim\limits_{x\to 1+}\dfrac{f(x)-f(1)}{x-1}$이어야 하므로 $2=-2+b$에서 $b=4$

㉠에서 $a=2$

STEP C $f(-1)+f(2)$의 값 구하기

따라서 $f(x)=\begin{cases} x^2+2 & (x<1) \\ -x^2+4x & (x\geq 1) \end{cases}$ 이므로 $f(-1)+f(2)=3+4=7$

함수

$$f(x)=\begin{cases} ax^3+2x^2-3 & (x\geq -1) \\ x^2+bx & (x<-1) \end{cases}$$

가 $x=-1$에서 미분가능할 때, 상수 a, b에 대하여 $a+b$의 값은?

① 2   ② 3   ③ 4
④ 6   ⑤ 8

STEP A $x=-1$에서 연속이 됨을 이용하기

함수 $f(x)$가 $x=-1$에서 미분가능하므로 $x=-1$에서 연속이다.

$x=-1$에서 연속이므로 $\lim\limits_{x\to -1+}f(x)=\lim\limits_{x\to -1-}f(x)=f(-1)$이어야 한다.

$\lim\limits_{x\to -1+}(ax^3+2x^2-3)=\lim\limits_{x\to -1-}(x^2+bx)=-a-1$에서

$-a-1=1-b$ $\therefore a-b=-2$ ...... ㉠

STEP B 함수 $f(x)$가 $x=-1$에서 미분계수가 존재함을 이용하기

함수 $f(x)$가 $x=-1$에서 미분가능하므로

$\lim\limits_{x\to -1-}\dfrac{f(x)-f(-1)}{x-(-1)}=\lim\limits_{x\to -1-}\dfrac{x^2+bx-(-1+b)}{x+1}$

$=\lim\limits_{x\to -1-}\dfrac{(x-1)(x-1+b)}{x-1}$

$=\lim\limits_{x\to -1-}(x-1+b)=-2+b$

$\lim\limits_{x\to -1+}\dfrac{f(x)-f(-1)}{x-(-1)}=\lim\limits_{x\to -1+}\dfrac{ax^3+2x^2-3-(1-b)}{x+1}$

$=\lim\limits_{x\to -1+}\dfrac{(x+1)\{ax^2-(a-2)x+a-2\}}{x+1}$

$=\lim\limits_{x\to -1+}\{ax^2-(a-2)x+a-2\}$

$=3a-4$

$\lim\limits_{x\to -1-}\dfrac{f(x)-f(-1)}{x-(-1)}=\lim\limits_{x\to -1+}\dfrac{f(x)-f(-1)}{x-(-1)}$이어야 하므로

$-2+b=3a-4$ $\therefore 3a-b=2$ ...... ㉡

㉠, ㉡을 연립하여 풀면 $a=2$, $b=4$

따라서 $a+b=2+4=6$ 정답 ④

함수 $f(x)$를 미분하면 $f'(x)=\begin{cases}3ax^2+4x & (x\geq -1)\\ 2x+b & (x<-1)\end{cases}$

$f(x)$는 $x=-1$에서 미분가능하므로

$f'(-1)=\lim_{x\to -1+}(3ax^2+4x)=\lim_{x\to -1-}(2x+b)$에서

$3a-4=-2+b$ $\therefore 3a-b=2$ ...... ㉡

㉠, ㉡을 연립하여 풀면 $a=2$, $b=4$

따라서 $a+b=2+4=6$

0470

 정답 ②

STEP Ⓐ $x=a$에서 연속임을 이용하여 a, b의 관계식 구하기

함수 $f(x)$가 $x=a$에서 미분가능하므로 함수 $f(x)$는 $x=a$에서 연속이다.

$\lim_{x\to a-}(3x+b)=\lim_{x\to a+}\left(\dfrac{1}{3}x^3+2x-1\right)=f(a)$에서

$3a+b=\dfrac{1}{3}a^3+2a-1$ ...... ㉠

STEP Ⓑ $x=a$에서 미분가능 함을 이용하여 a, b의 값 구하기

$\begin{aligned}\lim_{x\to a-}\dfrac{f(x)-f(a)}{x-a}&=\lim_{x\to a-}\dfrac{(3x+b)-\left(\frac{1}{3}a^3+2a-1\right)}{x-a}\\&=\lim_{x\to a-}\dfrac{(3x+b)-(3a+b)}{x-a}\quad \leftarrow 3a+b=\frac{1}{3}a^3+2a-1\\&=\lim_{x\to a-}\dfrac{3(x-a)}{x-a}\\&=\lim_{x\to a-}3=3\end{aligned}$

$\begin{aligned}\lim_{x\to a+}\dfrac{f(x)-f(a)}{x-a}&=\lim_{x\to a+}\dfrac{\left(\frac{1}{3}x^3+2x-1\right)-\left(\frac{1}{3}a^3+2a-1\right)}{x-a}\\&=\lim_{x\to a+}\dfrac{\frac{1}{3}(x^3-a^3)+2(x-a)}{x-a}\\&=\lim_{x\to a+}\dfrac{\frac{1}{3}(x-a)(x^2+ax+a^2)+2(x-a)}{x-a}\\&=\lim_{x\to a+}\left\{\dfrac{1}{3}(x^2+ax+a^2)+2\right\}\\&=a^2+2\end{aligned}$

$\lim_{x\to a-}\dfrac{f(x)-f(a)}{x-a}=\lim_{x\to a+}\dfrac{f(x)-f(a)}{x-a}$이어야 하므로

$3=a^2+2$, $a^2=1$, $a^2=1$

이때 $a>0$이므로 $a=1$

㉠에 $a=1$을 대입하면 $3+b=\dfrac{1}{3}+2-1$에서 $b=-\dfrac{5}{3}$

따라서 $a+b=1+\left(-\dfrac{5}{3}\right)=-\dfrac{2}{3}$

0471

정답 ③

STEP Ⓐ $x=1$, $x=2$에서 연속임을 이용하여 a, b의 관계식 구하기

함수 $f(x)$가 $x=1$에서 미분가능하므로 $x=1$에서 연속이다.

즉 $\lim_{x\to 1-}f(x)=\lim_{x\to 1+}f(x)=f(1)$에서

$\lim_{x\to 1-}ax^2=\lim_{x\to 1+}(-ax^2+bx+c)=-a+b+c$

$a=-a+b+c$

$\therefore 2a-b-c=0$ ...... ㉠

함수 $f(x)$가 $x=2$에서 미분가능하므로 $x=2$에서 연속이다.

즉 $\lim_{x\to 2-}f(x)=\lim_{x\to 2+}f(x)=f(2)$에서 $\lim_{x\to 2-}(-ax^2+bx+c)=\lim_{x\to 2+}1=1$

$-4a+2b+c=1$

$\therefore -4a+2b+c=1$ ...... ㉡

STEP Ⓑ $f'(1)$, $f'(2)$가 존재함을 이용하여 a, b, c의 값 구하기

또, $f'(1)$이 존재하므로

$\begin{aligned}\lim_{x\to 1-}\dfrac{f(x)-f(1)}{x-1}&=\lim_{x\to 1-}\dfrac{ax^2-a}{x-1}\\&=\lim_{x\to 1-}\dfrac{a(x+1)(x-1)}{x-1}\\&=\lim_{x\to 1-}a(x+1)=2a\end{aligned}$

$\begin{aligned}\lim_{x\to 1+}\dfrac{f(x)-f(1)}{x-1}&=\lim_{x\to 1+}\dfrac{(-ax^2+bx+c)-(-a+b+c)}{x-1}\\&=\lim_{x\to 1+}\dfrac{-a(x^2-1)+b(x-1)}{x-1}\\&=\lim_{x\to 1+}\{-a(x+1)+b\}\\&=-2a+b\end{aligned}$

에서 $2a=-2a+b$ $\therefore b=4a$ ...... ㉢

또, $f'(2)$이 존재하므로 $-4a+b=0$이 성립한다.

㉠, ㉡, ㉢을 연립하여 풀면 $a=\dfrac{1}{2}$, $b=2$, $c=-1$

따라서 $abc=-1$

0472

 정답 ④

STEP Ⓐ 주어진 그림에서 함수 $f(x)$의 그래프 개형 파악하기

$g(x)$가 모든 실수 x에 대하여 미분가능하려면 $x=-1$, $x=1$일 때도 미분가능하고 연속이어야 한다.

$g(x)=\begin{cases}-x-1 & (x<-1)\\ ax^2+bx+c & (-1\leq x<1)\\ x-1 & (x\geq 1)\end{cases}$

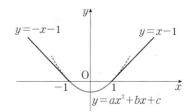

STEP Ⓑ $x=-1$, $x=1$에서 미분가능하도록 a, b, c 구하기

(ⅰ) $x=-1$일 때, 함수 $g(x)$가 $x=-1$에서 연속이므로

$g(-1)=\lim_{x\to -1}(-x-1)=\lim_{x\to -1}(ax^2+bx+c)$

$0=a-b+c$ $\therefore a-b+c=0$ ...... ㉠

$x=-1$에서의 미분계수 $g'(-1)$이 존재해야하므로

함수 $g(x)$를 미분하면 $g'(x)=\begin{cases}-1 & (x<-1)\\ 2ax+b & (-1\leq x<1)\end{cases}$

$g'(-1)=\lim_{x\to -1-}-1=\lim_{x\to -1+}(2ax+b)$

$-1=-2a+b$ $\therefore -2a+b=-1$ ...... ㉡

(ⅱ) $x=1$일 때, 함수 $g(x)$가 $x=1$에서 연속이므로

$g(1)=\lim_{x\to 1-}(ax^2+bx+c)=\lim_{x\to 1+}(x-1)$

$\therefore a+b+c=0$ ...... ㉢

$x=1$에서의 미분계수 $g'(1)$이 존재해야하므로

함수 $g(x)$를 미분하면 $g'(x)=\begin{cases}2ax+b & (-1\leq x<1)\\ 1 & (x\geq 1)\end{cases}$

$g'(1)=\lim_{x\to 1-}(2ax+b)=\lim_{x\to 1+}1$

$\therefore 2a+b=1$ ...... ㉣

㉠, ㉡, ㉢, ㉣을 연립하여 풀면 $a=\dfrac{1}{2}$, $b=0$, $c=-\dfrac{1}{2}$

따라서 $a+b-c=1$

$g(x)$가 모든 실수 x에 대하여 미분가능하려면 $x=-1$, $x=1$에서 연속이어야 한다.

$\lim\limits_{x \to -1-} g(x) = \lim\limits_{x \to -1+} g(x)$에서 $f(-1)=0$

$\therefore a-b+c=0$

$\lim\limits_{x \to 1-} g(x) = \lim\limits_{x \to 1+} g(x)$에서 $f(1)=0$

$\therefore a+b+c=0$

또, $x=-1$, $x=1$에서 미분계수가 존재하여야 하므로

$\lim\limits_{h \to 0-} \dfrac{g(-1+h)-g(-1)}{h} = \lim\limits_{h \to 0+} \dfrac{g(-1+h)-g(-1)}{h}$에서

$-1=-2a+b$ ...... ㉠

$\lim\limits_{h \to 0-} \dfrac{g(1+h)-g(1)}{h} = \lim\limits_{h \to 0+} \dfrac{g(1+h)-g(1)}{h}$에서

$2a+b=1$ ...... ㉡

㉠, ㉡을 연립하여 풀면 $a=\dfrac{1}{2}$, $b=0$, $c=-\dfrac{1}{2}$

따라서 $a+b-c=1$

내/신/연/계/ 출제문항 195

다음 그림은 $y=2$와 $y=x+1$의 그래프의 일부분이다.

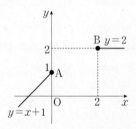

두 점 $A(0, 1)$, $B(2, 2)$ 사이를 구간 $[0, 2]$에서 정의된 이차함수 $f(x)=ax^2+bx+c$의 그래프로 연결하여 그래프 전체를 나타내는 함수가 실수 전체에서 미분가능하도록 상수 a, b, c를 정할 때, $8a-4b+2c$의 값은?

① -4 ② -3 ③ -2
④ -1 ⑤ 0

STEP A 다항함수의 미분법을 이용하여 $f'(x)$의 식 구하기

$f(x)=\begin{cases} x+1 & (x \le 0) \\ ax^2+bx+c & (0 < x \le 2) \\ 2 & (x > 2) \end{cases}$ 이므로 $f'(x)=\begin{cases} 1 & (x < 0) \\ 2ax+b & (0 < x < 2) \\ 0 & (x > 2) \end{cases}$

STEP B $x=0$에서 연속, 미분가능함을 이용하여 b, c의 값 구하기

(i) $x=0$에서 미분가능하므로 $x=0$에서 연속이므로 $\lim\limits_{x \to 0} f(x) = f(0)$

$\therefore 1=c$

$x=0$에서 미분계수가 존재하므로 $1=b$

STEP C $x=2$에서 연속, 미분가능함을 이용하여 a의 값 구하기

(ii) $x=2$에서 미분가능하므로 $x=2$에서 연속이므로 $\lim\limits_{x \to 2} f(x) = f(2)$

$\therefore 4a+2b+c=2$

$x=2$에서 미분계수가 존재하므로 $4a+b=0$

$\therefore a=-\dfrac{1}{4}$

(i), (ii)에서 $a=-\dfrac{1}{4}$, $b=1$, $c=1$

따라서 $8a-4b+2c=-4$

정답 ①

0473

정답 ②

STEP A $f(x)g(x)$의 식 작성하기

$f(x)=\begin{cases} -x+2 & (x < 2) \\ x-2 & (x \ge 2) \end{cases}$ 이므로 $F(x)=f(x)g(x)$라 하면

$F(x)=\begin{cases} -x^2+2x & (x < 2) \\ (x-2)(x+a) & (x \ge 2) \end{cases}$

STEP B 미분계수의 정의를 이용하여 a의 값 구하기

함수 $F(x)$가 $x=2$에서 미분가능 하므로

$\lim\limits_{x \to 2-} \dfrac{F(x)-F(2)}{x-2} = \lim\limits_{x \to 2+} \dfrac{F(x)-F(2)}{x-2}$

이때 $\lim\limits_{x \to 2-} \dfrac{F(x)-F(2)}{x-2} = \lim\limits_{x \to 2-} \dfrac{-x^2+2x}{x-2} = \lim\limits_{x \to 2-} (-x) = -2$,

$\lim\limits_{x \to 2+} \dfrac{F(x)-F(2)}{x-2} = \lim\limits_{x \to 2+} \dfrac{(x-2)(x+a)}{x-2} = \lim\limits_{x \to 2+} (x+a) = 2+a$

이므로 $-2=2+a$에서 $a=-4$

STEP C 함수 $x^2g(x)$의 $x=a$에서의 미분계수 구하기

따라서 $G(x)=x^2g(x)$라 하면 $x < 2$일 때, $G(x)=x^3$, $G'(x)=3x^2$이므로

$G'(a)=G'(-4)=48$

내/신/연/계/ 출제문항 196

두 함수

$$f(x)=\begin{cases} 0 & (x < 1) \\ x-1 & (x \ge 1) \end{cases}, \quad g(x)=ax+b$$

에 대하여 함수 $f(x)g(x)$가 실수 전체의 집합에서 미분가능하다.

$g(-1)=-4$일 때, $g(6)$의 값은? (단, a, b는 상수이다.)

① 4 ② 6 ③ 8
④ 10 ⑤ 12

STEP A 미분계수의 정의를 이용하여 a, b의 값 구하기

$f(x)=\begin{cases} 0 & (x < 1) \\ x-1 & (x \ge 1) \end{cases}$ 이므로 $h(x)=f(x)g(x)$라 하면

$h(x)=\begin{cases} 0 & (x < 1) \\ (x-1)(ax+b) & (x \ge 1) \end{cases}$

함수 $h(x)$가 $x=1$에서 미분가능하고

$\lim\limits_{x \to 1-} \dfrac{h(x)-h(1)}{x-1} = \lim\limits_{x \to 1+} \dfrac{h(x)-h(1)}{x-1}$

이때 $\lim\limits_{x \to 1-} \dfrac{h(x)-h(1)}{x-1} = \lim\limits_{x \to 1-} \dfrac{0-0}{x-1} = 0$,

$\lim\limits_{x \to 1+} \dfrac{h(x)-h(1)}{x-1} = \lim\limits_{x \to 1+} \dfrac{(x-1)(ax+b)}{x-1} = \lim\limits_{x \to 1+} (ax+b) = a+b$

이므로 $a+b=0$ ...... ㉠

$g(-1)=-4$이므로 $-a+b=-4$ ...... ㉡

㉠, ㉡을 연립하여 풀면 $a=2$, $b=-2$

STEP B $g(6)$의 값을 구하기

따라서 $g(x)=2x-2$이므로 $g(6)=2 \cdot 6 - 2 = 10$

정답 ④

0474

정답 ③

STEP A 다항함수의 미분법을 이용하여 $f'(1)$의 값 구하기

$f(x)=\dfrac{1}{2}x^2 + \dfrac{1}{4}x^4 + \cdots + \dfrac{1}{100}x^{100}$ 에서 $f'(x)=x+x^3+\cdots+x^{99}$

따라서 $f'(1) = \underbrace{1+1+1+\cdots+1}_{50개} = 50$

0475

정답 ②

STEP Ⓐ 다항함수의 미분법을 이용하여 $f'(1)$의 값 구하기

$f(x)=x+x^2+x^3+\cdots+x^{10}$에서 $f'(x)=1+2x+3x^2+\cdots+10x^9$

따라서 $f'(1)=1+2+3+\cdots+10=\dfrac{10\cdot11}{2}=55$

내/신/연/계 출제문항 197

함수 $f(x)=x+x^2+x^3+\cdots+x^{n-1}$일 때, $f'(1)=55$를 만족하는 양의 정수 n의 값은?

① 9   ② 10   ③ 11
④ 12   ⑤ 13

STEP Ⓐ 다항함수의 미분법을 이용하여 $f'(1)$의 값 구하기

$f(x)=x+x^2+x^3+\cdots+x^{n-1}$에서 $f'(x)=1+2x+3x^2+\cdots+(n-1)x^{n-2}$

이므로 $f'(1)=1+2+3+\cdots+(n-1)=\dfrac{(n-1)n}{2}$

따라서 $\dfrac{(n-1)n}{2}=55$이므로 $n=11$

정답 ③

0476

정답 ③

STEP Ⓐ 다항함수의 미분법을 이용하여 $f'(2)$의 값 구하기

$f(x)=3x^2-xf'(2)$의 양변을 x에 대하여 미분하면

$f'(x)=6x-f'(2)$

위의 식에 $x=2$를 대입하면 $f'(2)=12-f'(2)$

$\therefore f'(2)=6$

STEP Ⓑ $f'(1)$의 값 구하기

따라서 $f'(x)=6x-6$이므로 $f'(1)=0$

내/신/연/계 출제문항 198

다항함수 $f(x)$가
$$f(x)=2x^3-x^2-xf'(2)$$
를 만족시킬 때, $f'(-1)$의 값은?

① -5   ② -4   ③ -3
④ -2   ⑤ -1

STEP Ⓐ 미분법을 이용하여 $f'(2)$ 구하기

$f(x)=2x^3-x^2-xf'(2)$의 양변을 x에 대하여 미분하면

$f'(x)=6x^2-2x-f'(2)$

양변에 $x=2$를 대입하면 $f'(2)=24-4-f'(2)$

$\therefore f'(2)=10$

STEP Ⓑ $f'(x)$을 이용하여 $f'(-1)$의 값 구하기

따라서 $f'(x)=6x^2-2x-10$이므로 $f'(-1)=6+2-10=-2$

정답 ④

0477

정답 ①

STEP Ⓐ 미분법을 이용하여 $f'(1)$ 구하기

$f(x)=30x^3-f'(1)x^2+5$의 양변을 x에 대하여 미분하면

$f'(x)=90x^2-f'(1)\times2x$

양변에 $x=1$을 대입하면 $f'(1)=90-2f'(1)$

즉 $3f'(1)=90$

$\therefore f'(1)=30$

STEP Ⓑ $f(1)$의 값 구하기

따라서 $f(x)=30x^3-30x^2+5$이므로 $f(1)=30-30+5=5$

0478

정답 ⑤

STEP Ⓐ 다항함수의 미분법을 이용하여 a의 값 구하기

$f(x)=7x^3-ax+3$에서 $f'(x)=21x^2-a$이므로

$f'(1)=21-a=2$

따라서 $a=19$

0479

정답 ②

STEP Ⓐ 다항함수의 미분법을 이용하여 a, b의 값 구하기

$f(x)=x^2+ax+b$에서 $f'(x)=2x+a$

이때 $f(1)=1+a+b=2$이므로 $a+b=1$ ……… ㉠

또, $f'(2)=4+a=0$이므로 $a=-4$

$a=-4$를 ㉠에 대입하면 $b=5$

STEP Ⓑ $f(3)$의 값 구하기

따라서 $f(x)=x^2-4x+5$이므로 $f(3)=9-12+5=2$

내/신/연/계 출제문항 199

함수 $f(x)=x^3-9x^2+ax+b$에 대하여
$$f(1)=21, \quad f'(3)=-3$$
일 때, $f(2)$의 값은? (단, a, b는 상수이다.)

① 17   ② 19   ③ 21
④ 23   ⑤ 25

STEP Ⓐ 다항함수의 미분법을 이용하여 a, b의 값 구하기

$f(x)=x^3-9x^2+ax+b$

$f(1)=1-9+a+b=21$에서 $a+b=29$ ……… ㉠

$f'(x)=3x^2-18x+a$에서 $f'(3)=-27+a=-3$

$\therefore a=24$ ……… ㉡

㉡를 ㉠에 대입하면 $24+b=29$에서 $b=5$

STEP Ⓑ $f(2)$의 값 구하기

따라서 $f(x)=x^3-9x^2+24x+5$이므로 $f(2)=8-36+48+5=25$ 정답 ⑤

0480

정답 ②

STEP A 다항함수의 미분법을 이용하여 $f'(x)$의 식 세우기

$f(x)=ax^2+bx+c$ $(a\neq 0, a, b, c$는 상수)라고 하면
$f'(x)=2ax+b$

STEP B 주어진 함숫값들을 이용하여 a, b, c의 값 구하기

$f(1)=6$에서 $a+b+c=6$ ...... ㉠
$f'(-1)=-5$에서 $-2a+b=-5$ ...... ㉡
$f'(1)=3$에서 $2a+b=3$ ...... ㉢
㉠, ㉡, ㉢을 연립하여 풀면 $a=2, b=-1, c=5$

STEP C $f(3)$의 값 구하기

따라서 $f(x)=2x^2-x+5$이므로 $f(3)=18-3+5=20$

내 신 연 계 출제문항 200

이차함수 $f(x)=ax^2+bx+c$에 대하여
$$f(2)=-6, f'(0)=3, f'(1)=7$$
을 만족시키는 상수 a, b, c에 대하여 abc의 값은?

① -240 ② -160 ③ -120
④ -100 ⑤ -80

STEP A 다항함수의 미분법을 이용하여 $f'(x)$의 식 세우기

$f(x)=ax^2+bx+c$에서 $f'(x)=2ax+b$

STEP B 주어진 함숫값들을 이용하여 a, b, c의 값 구하기

$f(2)=-6$에서 $4a+2b+c=-6$ ...... ㉠
$f'(0)=3$에서 $b=3$ ...... ㉡
$f'(1)=7$에서 $2a+b=7$ ...... ㉢
㉠, ㉡, ㉢을 연립하여 풀면 $a=2, b=3, c=-20$
따라서 $abc=2\cdot 3\cdot(-20)=-120$

정답 ③

0481

정답 ③

STEP A 다항함수의 미분법을 이용하여 a의 값 구하기

$f(x)=x^3+ax+b$에서 $f'(x)=3x^2+a$
조건 (가)에서 $f'(0)=f(0)$이므로 $a=b$ ...... ㉠
조건 (나)에서 $f(1)=5$이므로 $1+a+b=5$ ...... ㉡
㉠, ㉡을 연립하여 풀면 $a=2, b=2$

STEP B $f(2)$의 값 구하기

따라서 $f(x)=x^3+2x+2$이므로 $f(2)=8+4+2=14$

0482

정답 ①

STEP A 주어진 식을 변형하여 미분계수의 정의 이용하기

두 함수 $f(x), g(x)$가 미분가능할 때, $y=f(x)g(x)$의 도함수는 다음과 같다.

$$y'=\lim_{h\to 0}\frac{f(x+h)g(x+h)-f(x)g(x)}{h}$$

$$=\lim_{h\to 0}\frac{f(x+h)g(x+h)-\boxed{f(x)g(x+h)}+\boxed{f(x)g(x+h)}-f(x)g(x)}{h}$$

$$=\lim_{h\to 0}\frac{\boxed{\{f(x+h)-f(x)\}}\times g(x+h)+f(x)\times \boxed{\{g(x+h)-g(x)\}}}{h}$$

$$=\lim_{h\to 0}\frac{\boxed{f(x+h)-f(x)}}{h}\times \lim_{h\to 0}g(x+h)+f(x)\times \lim_{h\to 0}\frac{g(x+h)-g(x)}{h}$$

$$=f'(x)g(x)+f(x)g'(x)$$

따라서 (가) $f(x)g(x+h)$, (나) $\{f(x+h)-f(x)\}$, (다) $\{g(x+h)-g(x)\}$

0483

정답 ②

STEP A 도함수의 정의를 이용하여 빈칸추론하기

$F(x)=\{f(x)\}^2$으로 놓으면 $y=F(x)$에서

$$y'=\lim_{h\to 0}\frac{F(x+h)-F(x)}{h}$$

$$=\lim_{h\to 0}\frac{\{f(x+h)\}^2-\{f(x)\}^2}{h}$$

$$=\lim_{h\to 0}\frac{f(x+h)-f(x)}{h}\times \lim_{h\to 0}\boxed{f(x+h)+f(x)}$$

$$=\boxed{f'(x)\times 2f(x)}$$

따라서 (가) $f(x+h)+f(x)$, (나) $2f(x)f'(x)$

0484

정답 ④

STEP A 곱의 미분법을 이용하여 $f'(1)$의 값 구하기

$f'(x)=(x-1)'(x^3+x^2+x+1)+(x-1)(x^3+x^2+x+1)'$
$\qquad=(x^3+x^2+x+1)+(x-1)(3x^2+2x+1)$
$\qquad=4x^3$
따라서 $f'(1)=4$

다른풀이 곱셈공식을 이용하여 $f(x)$를 간단히 하기

$f(x)=(x-1)(x^3+x^2+x+1)=x^4-1$이므로
$f'(x)=4x^3$
따라서 $f'(1)=4$

0485

정답 ⑤

STEP A 곱의 미분법을 이용하여 $f'(1)$의 값 구하기

$f(x)=(x^2+1)(x^2+x-2)+(x^2+2x-2)^2$에서
$f'(x)=2x(x^2+x-2)+(x^2+1)(2x+1)+2(x^2+2x-2)(2x+2)$
$f'(1)=2\cdot 0+2\cdot 3+2\cdot 1\cdot 4=14$

0486

 정답 ⑤

STEP Ⓐ **곱의 미분법을 이용하여 $h'(0)$의 값 구하기**

$h(x)=f(x)g(x)$에서

$h'(x)=f'(x)g(x)+f(x)g'(x)$

$\quad =(3x^2+6x-1)(x^2+5x+2)+(x^3+3x^2-x+1)(2x+5)$

따라서 $h'(0)=(-1)\cdot 2+1\cdot 5=3$

내신연계 출제문항 201

두 함수

$$f(x)=-x^2+3x+1,\ g(x)=2x^3-x^2+x-3$$

에 대하여 곡선 $y=f(x)g(x)$ 위의 점 $(1,-3)$에서 접하는 접선의 기울기는?

① 13　　　　② 12　　　　③ 13
④ 14　　　　⑤ 15

STEP Ⓐ **곱의 미분법을 이용하여 $x=1$에서 미분계수 구하기**

$y'=f'(x)g(x)+f(x)g'(x)$

$\quad =(-2x+3)(2x^3-x^2+x-3)+(-x^2+3x+1)(6x^2-2x+1)$

따라서 $x=1$에서 접선의 기울기는

$f'(1)g(1)+f(1)g'(1)=-1+15=14$　　　 정답 ④

0487

 정답 ④

STEP Ⓐ **$f(x)=(x^2-1)g(x)$에서 $g(2)$의 값 구하기**

$f(2)=3g(2)=6$에서 $g(2)=2$

STEP Ⓑ **곱의 미분법을 이용하여 $f'(2)$의 값 구하기**

$f(x)=(x^2-1)g(x)$에서 $f'(x)=2xg(x)+(x^2-1)g'(x)$

따라서 $f'(2)=4g(2)+3g'(2)=8+(-9)=-1$

내신연계 출제문항 202

모든 실수 x에 대하여 미분가능한 함수 $f(x),\ g(x)$가

$$f(5)=-1,\ f'(5)=2,\ g(x)=xf(x)-x^2+3x$$

를 만족시킬 때, $g'(5)$의 값은?

① 1　　　　② 2　　　　③ 3
④ 4　　　　⑤ 5

STEP Ⓐ **곱의 미분법을 이용하여 $g'(5)$의 값 구하기**

$g(x)=xf(x)-x^2+3x$에서 $g'(x)=f(x)+xf'(x)-2x+3$

따라서 $f(5)=-1,\ f'(5)=2$이므로

$g'(5)=f(5)+5f'(5)-7=-1+5\cdot 2-7=2$　　　 정답 ②

0488

 정답 ⑤

STEP Ⓐ **$f(2),\ f'(2)$의 값 구하기**

곡선 $y=f(x)$ 위의 점 $(2,3)$에서의 접선의 기울기가 2이므로

$f(2)=3,\ f'(2)=2$

STEP Ⓑ **곱의 미분법을 이용하여 $g'(2)$의 값 구하기**

이때 $g(x)=xf(x)$에서 $g'(x)=f(x)+xf'(x)$

따라서 $g'(2)=f(2)+2f'(2)=3+2\cdot 2=7$

내신연계 출제문항 203

다항함수 $f(x)$에 대하여 곡선 $y=f(x)$ 위의 점 $(2,1)$에서의 접선의 기울기가 2이다. $g(x)=x^3f(x)$일 때, $g'(2)$의 값은?

① 18　　　　② 21　　　　③ 25
④ 28　　　　⑤ 32

STEP Ⓐ **$f(2),\ f'(2)$의 값 구하기**

곡선 $y=f(x)$ 위의 점 $(2,1)$에서의 접선의 기울기가 2이므로

$f'(2)=2$

곡선 $y=f(x)$가 점 $(2,1)$을 지나므로 $f(2)=1$

STEP Ⓑ **곱의 미분법을 이용하여 $g'(2)$의 값 구하기**

$g(x)=x^3f(x)$에서 $g'(x)=3x^2f(x)+x^3f'(x)$

따라서 $g'(2)=3\cdot 2^2\cdot f(2)+2^3\cdot f'(2)=12\cdot 1+8\cdot 2=28$　　　 정답 ④

0489

 정답 ③

STEP Ⓐ **$f(1),\ f'(1)$의 값 구하기**

곡선 $y=f(x)$ 위의 점 $(1,1)$에서의 접선의 기울기가 2이므로

$f'(1)=2$

곡선 $y=f(x)$가 점 $(1,1)$을 지나므로 $f(1)=1$

STEP Ⓑ **곱의 미분법을 이용하여 $g'(1)$의 값 구하기**

따라서 $g(x)=(x^2+3x)f(x)$에서 $g'(x)=(2x+3)f(x)+(x^2+3x)f'(x)$

이므로 $g'(1)=5f(1)+4f'(1)=5\cdot 1+4\cdot 2=13$

내신연계 출제문항 204

다항함수 $f(x)$에 대하여 곡선 $y=f(x)$ 위의 점 $(2,f(2))$에서의 접선의 방정식이 $y=2x-3$일 때, 곡선 $y=(x-1)f(x)$ 위의 점 $(2,f(2))$에서의 접선의 기울기는?

① 1　　　　② 2　　　　③ 3
④ 4　　　　⑤ 5

STEP Ⓐ **$f(2),\ f'(2)$의 값 구하기**

점 $(2,f(2))$이 접선의 방정식 $y=2x-3$을 지나므로 $f(2)=1$

또한, 점 $(2,f(2))$에서의 접선의 기울기가 2이므로 $f'(2)=2$

STEP Ⓑ **곡선 $y=(x-1)f(x)$ 위의 점 $(2,f(2))$에서의 접선의 기울기 구하기**

$g(x)=(x-1)f(x)$로 놓으면 $g'(x)=f(x)+(x-1)f'(x)$이므로

$x=2$에서 미분계수는 $g'(2)=f(2)+f'(2)=3$

따라서 곡선 $y=(x-1)f(x)$ 위의 점 $(2,f(2))$에서의 접선의 기울기는 3이다.

 정답 ③

0490

정답 ②

STEP Ⓐ **그래프의 각 점에서의 함숫값과 미분계수의 부호 구하기**

각 점에서 함숫값과 미분계수는 다음과 같다.

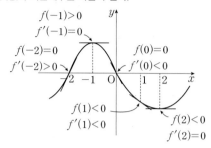

STEP Ⓑ **곱의 미분법을 이용하여 각 x값에서의 $g'(x)$의 부호 구하기**

$g(x)=x^3 f(x)$에서 $g'(x)=3x^2 f(x)+x^3 f'(x)$이므로

$g'(-2)=12f(-2)-8f'(-2)=-8f'(-2)<0$

$g'(-1)=3f(-1)-f'(-1)=3f(-1)>0$

$g'(0)=0$

$g'(1)=3f(1)+f'(1)<0$

$g'(2)=12f(2)+8f'(2)=12f(2)<0$

STEP Ⓒ **$g'(x)$의 값을 양이 되게 하는 x의 값 구하기**

따라서 $g'(x)$의 값을 양이 되게 하는 $x=-1$

내/신/연/계/ 출제문항 205

오른쪽 그림과 같이 다항함수
$y=f(x)$의 그래프에서 $x=1$인
점에서의 접선을 l이라고 하자.
이때 함수 $g(x)=(x^2+2x+2)f(x)$
일 때, $g'(1)$의 값은?

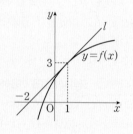

① 10 ② 12
③ 16 ④ 17
⑤ 24

STEP Ⓐ **함수의 그래프에서 $f(1)$의 값 구하기**

함수 $y=f(x)$의 그래프가 점 $(1, 3)$을 지나므로 $f(1)=3$

STEP Ⓑ **접선의 기울기를 구하여 $f'(1)$의 값 구하기**

또, $x=1$인 점에서의 접선의 기울기는 $f'(1)$와 같고

이 접선은 두 점 $(1, 3)$, $(-2, 0)$를 지나므로 $f'(1)=\dfrac{0-3}{-2-1}=1$

STEP Ⓒ **곱의 미분법을 이용하여 $g'(1)$의 값 구하기**

이때 $g'(x)=(x^2+2x+2)'f(x)+(x^2+2x+2)f'(x)$

$\qquad =(2x+2)f(x)+(x^2+2x+2)f'(x)$

따라서 $g'(1)=4f(1)+5f'(1)=12+5=17$

정답 ④

0491

정답 ②

STEP Ⓐ **곱의 미분법을 이용하여 상수 a의 값 구하기**

$f(x)=(x^3+a)(x^3+x^2+x+2)$에서

$f'(x)=3x^2(x^3+x^2+x+2)+(x^3+a)(3x^2+2x+1)$이므로

$f'(1)=3(1+1+1+2)+(1+a)(3+2+1)=15+6(1+a)=3$

$6(1+a)=-12$

따라서 $a=-3$

내/신/연/계/ 출제문항 206

함수 $f(x)=(x^3+ax^2+1)(x^2-ax+3)$에 대하여 $f'(1)=4$일 때,
상수 a의 값은? (단, $a>0$)

① 1 ② 2 ③ 3
④ 4 ⑤ 5

STEP Ⓐ **곱의 미분법을 이용하여 상수 a의 값 구하기**

$f(x)=(x^3+ax^2+1)(x^2-ax+3)$에서

$f'(x)=(3x^2+2ax)(x^2-ax+3)+(x^3+ax^2+1)(2x-a)$이므로

$f'(1)=(3+2a)(4-a)+(2+a)(2-a)$

$\qquad =-2a^2+5a+12+4-a^2$

$\qquad =-3a^2+5a+16$

이때 $f'(1)=4$에서 $-3a^2+5a+16=4$

$3a^2-5a-12=0$, $(a-3)(3a+4)=0$

따라서 $a>0$이므로 $a=3$

정답 ③

0492

정답 ①

STEP Ⓐ **$f(1)$, $f'(1)$의 값 구하기**

곡선 $y=f(x)$ 위의 점 $(1, 4)$에서의 접선의 기울기가 -6이므로

$f(1)=4$, $f'(1)=-6$

STEP Ⓑ **곱의 미분법을 이용하여 $f'(x)$의 식 구하기**

$f(x)=(x^2-5)(ax+b)$에서 $f'(x)=2x(ax+b)+(x^2-5)\cdot a$

STEP Ⓒ **$f(1)$, $f'(1)$을 이용하여 a, b의 값 구하기**

$f(1)=-4(a+b)=4$

$\therefore a+b=-1$ $\qquad\cdots\cdots$ ㉠

$f'(1)=2(a+b)-4a=-6$

$\therefore -a+b=-3$ $\qquad\cdots\cdots$ ㉡

따라서 ㉠, ㉡에서 $a=1$, $b=-2$이므로 $ab=-2$

내/신/연/계/ 출제문항 207

곡선 $y=(3x-4)^2(2x-a)$ 위의 $x=1$인 점에서의 접선의 기울기가
8일 때, 상수 a의 값은?

① 1 ② 2 ③ 3
④ 4 ⑤ 5

STEP Ⓐ **곱의 미분법을 이용하기**

$f(x)=(3x-4)^2(2x-a)$로 놓으면

$f'(x)=\{(3x-4)^2\}'(2x-a)+(3x-4)^2(2x-a)'$

$\qquad =\{2(3x-4)\times 3\}(2x-a)+(3x-4)^2\times 2$

$\qquad =6(3x-4)(2x-a)+2(3x-4)^2$

$\qquad =2(3x-4)(9x-3a-4)$

STEP Ⓑ **미분계수 $f'(1)$ 구하기**

이때 곡선 $y=f(x)$ 위의 $x=1$인 점에서의 접선의 기울기가 8이므로

$f'(1)=2\times(-1)\times(5-3a)=8$

따라서 $3a=9$이므로 $a=3$

정답 ③

0493

STEP ⓐ 곱의 미분법을 이용하기

$y=f(x)g(x)$에서 $y'=f'(x)g(x)+f(x)g'(x)$이므로
$x=1$에서 접선의 기울기는
$f'(1)g(1)+f(1)g'(1)=-8$ ⋯⋯ ㉠

STEP ⓑ 양수 k의 값 구하기

$f(x)=(x-k)^2$에서 $f'(x)=2(x-k)$이므로
$f(1)=(1-k)^2$, $f'(1)=2(1-k)$
이때 $g(1)=1$, $g'(1)=-3$을 ㉠에 대입하면
$2(1-k)\cdot1+(1-k)^2\cdot(-3)=-8$
$3k^2-4k-7=0$, $(3k-7)(k+1)=0$
따라서 양수 k는 $k=\dfrac{7}{3}$

0494

STEP ⓐ 곱의 미분법을 이용하여 $f'(x)$의 식 구하기

$f'(x)=(2x-1)'(x-3)(x-a)+(2x-1)(x-3)'(x-a)$
$\qquad\qquad+(2x-1)(x-3)(x-a)'$
$\quad=2(x-3)(x-a)+(2x-1)(x-a)+(2x-1)(x-3)$
$\quad=6x^2-4ax-14x+7a+3$

STEP ⓑ $f'(2)=2$임을 이용하여 a의 값 구하기

이때 $f'(2)=2$이므로 $f'(2)=6\cdot2^2-4a\cdot2-14\cdot2+7a+3=-1-a=2$
따라서 $a=-3$

내/신/연/계 출제문항 208

함수 $f(x)=(x-1)(x-2)(x-a)$에 대하여
$$f'(a)=f'(1)+f'(2)$$
를 만족시키는 모든 실수 a의 값의 합은?

① -5 ② -3 ③ -1
④ 1 ⑤ 3

STEP ⓐ 곱의 미분법을 이용하여 $f'(x)$의 식 구하기

$f(x)=(x-1)(x-2)(x-a)$에서
$f'(x)=(x-2)(x-a)+(x-1)(x-a)+(x-1)(x-2)$

STEP ⓑ $f'(a)=f'(1)+f'(2)$를 만족하는 실수 a의 합 구하기

$f'(a)=(a-1)(a-2)$
$f'(1)=(1-2)(1-a)=a-1$
$f'(2)=(2-1)(2-a)=-a+2$
$f'(a)=f'(1)+f'(2)$이므로 $a^2-3a+2=1$에서
$a^2-3a+1=0$ ⋯⋯ ㉠
따라서 이차방정식 ㉠은 서로 다른 두 실근을 가지므로 이차방정식의 근과 계수의 관계에서 모든 실수 a의 값의 합은 3   정답 ⑤

0495

STEP ⓐ 주어진 조건에서 $f(x)$의 삼차함수의 식 구하기

$f(-1)=f(1)=f(2)=k$ (k는 상수)로 놓으면
$f(x)-k=0$의 세 근이 -1, 1, 2이고 최고차항의 계수가 1인 삼차함수는
$f(x)-k=(x+1)(x-1)(x-2)$
∴ $f(x)=(x+1)(x-1)(x-2)+k$

STEP ⓑ 곱의 미분법을 이용하여 $f'(0)$의 값 구하기

$f'(x)=(x-1)(x-2)+(x+1)(x-2)+(x+1)(x-1)$
따라서 $f'(0)=-1$

0496

STEP ⓐ 주어진 조건에서 $f(x)$의 삼차함수의 식 구하기

곡선 $y=f(x)$가 세 점 $(1, 8)$, $(2, 8)$, $(4, 8)$을 지나므로
$f(1)=f(2)=f(4)=8$로 놓으면
$f(x)-8=0$의 세 근이 1, 2, 4이고 최고차항의 계수가 1인 삼차함수는
$f(x)-8=(x-1)(x-2)(x-4)$
∴ $f(x)=(x-1)(x-2)(x-4)+8$

STEP ⓑ 곱의 미분법을 이용하여 $f'(0)$의 값 구하기

$f'(x)=(x-2)(x-4)+(x-1)(x-4)+(x-1)(x-2)$
따라서 $f'(1)=-1\cdot(-3)=3$

> **참고**
> $f(x)=(x-1)(x-2)(x-4)+8=x^3-7x^2+14x$
> 따라서 $f'(x)=3x^2-14x+14$이므로 $f'(1)=3$

0497

STEP ⓐ 주어진 조건에서 $f(x)$의 함수식 구하기

$f(2)=f(4)=f(6)=k$ (k는 상수)로 놓으면
$f(x)-k=0$의 세 근이 2, 4, 6이고 최고차항의 계수가 1인 삼차함수는
$f(x)-k=(x-2)(x-4)(x-6)$
∴ $f(x)=(x-2)(x-4)(x-6)+k$

STEP ⓑ 곱의 미분법을 이용하여 $f'(x)$의 함수식 구하기

$f'(x)=(x-4)(x-6)+(x-2)(x-6)+(x-2)(x-4)$

STEP ⓒ $f'(2)$, $f'(4)$, $f'(6)$의 값 구하기

$f'(2)=(2-4)(2-6)=8$
$f'(4)=(4-2)(4-6)=-4$
$f'(6)=(6-2)(6-4)=8$
따라서 $f'(2)+f'(4)+f'(6)=8+(-4)+8=12$

삼차함수 $f(x)=x^3+ax^2+bx+c$가 $f(0)=f(1)=f(2)$을 만족시킬 때, $f'(0)+f'(1)+f'(2)$의 값은? (단, a, b, c는 상수)

① 1　　　　　② 2　　　　　③ 3
④ 4　　　　　⑤ 5

STEP Ⓐ **주어진 조건에서 $f(x)$의 함수식 구하기**

$f(0)=f(1)=f(2)=k$ (k는 상수)로 놓으면

방정식 $f(x)-k=0$의 세 근이 0, 1, 2이고 최고차항의 계수가 1인 삼차함수는

$f(x)-k=x(x-1)(x-2)$

∴ $f(x)=x(x-1)(x-2)+k$

STEP Ⓑ **곱의 미분법을 이용하여 $f'(x)$의 함수식 구하기**

$f'(x)=(x-1)(x-2)+x(x-2)+x(x-1)$

STEP Ⓒ **$f'(0)$, $f'(1)$, $f'(2)$의 값 구하기**

$f'(0)=(0-1)(0-2)=2$

$f'(1)=1\cdot(1-2)=-1$

$f'(2)=2\cdot(2-1)=2$

따라서 $f'(0)+f'(1)+f'(2)=2+(-1)+2=3$

다른풀이 직접 대입하고 연립하여 풀이하기

$f(x)=x^3+ax^2+bx+c$에서

$f(0)=f(1)$이므로 $c=1+a+b+c$

∴ $a+b=-1$　　　　　……㉠

$f(0)=f(2)$이므로 $c=8+4a+2b+c$

∴ $2a+b=-4$　　　　　……㉡

㉠, ㉡을 연립하여 풀면 $a=-3$, $b=2$

즉 $f(x)=x^3-3x^2+2x+c$이므로 $f'(x)=3x^2-6x+2$

따라서 $f'(0)+f'(1)+f'(2)=2+(-1)+2=3$

정답 ③

0498

정답 ⑤

STEP Ⓐ **조건 (가)에서 함수 $f(x)$의 값 구하기**

조건 (가)에서 $f(a)=f(2)=f(6)=k$라 하면

$f(a)-k=f(2)-k=f(6)-k=0$

이때 $f(x)$는 최고차항의 계수가 1인 삼차함수이므로

삼차방정식 $f(x)-k=0$의 서로 다른 세 실근이 a, 2, 6

즉 $f(x)-k=(x-a)(x-2)(x-6)$

∴ $f(x)=(x-a)(x-2)(x-6)+k$

STEP Ⓑ **곱의 미분법을 이용하여 $f'(a)$ 구하기**

이때 $f(x)$를 x에 대하여 미분하면

$f'(x)=(x-2)(x-6)+(x-a)(x-6)+(x-a)(x-2)$

조건 (나)에서 $f'(2)=-4$이므로

$f'(2)=(2-a)(2-6)=-4(2-a)$

$\qquad\qquad=-8+4a$

$\qquad\qquad=-4$

∴ $a=1$

따라서 $f'(a)=(a-2)(a-6)$이므로 $f'(1)=(1-2)(1-6)=(-1)\cdot(-5)=5$

0499

정답 ②

STEP Ⓐ **곱의 미분법을 이용하여 $f'(x)$의 함수식 구하기**

$f(x)=(x-a)(x-b)(x-c)$라고 하면

$f'(x)=(x-b)(x-c)+(x-a)(x-c)+(x-a)(x-b)$

STEP Ⓑ **$f'(3)=4$임을 이용하여 a, b, c 사이의 관계식 구하기**

점 (3, 4)에서의 접선의 기울기가 4이므로 $f'(3)=4$

$f'(3)=(3-b)(3-c)+(3-a)(3-c)+(3-a)(3-b)=4$

$\dfrac{1}{3-a}+\dfrac{1}{3-b}+\dfrac{1}{3-c}=\dfrac{4}{(3-a)(3-b)(3-c)}$

STEP Ⓒ **$f(3)=4$임을 이용하여 구하고자 하는 식의 값 구하기**

이때 $f(3)=4$에서 $(3-a)(3-b)(3-c)=4$이므로

$\dfrac{1}{a-3}+\dfrac{1}{b-3}+\dfrac{1}{c-3}=-\dfrac{4}{4}=-1$

곡선 $y=(x-a)(x-b)(x-c)$ 위의 점 (2, 6)에서의 접선의 기울기가 3일 때,

$$\frac{1}{2-a}+\frac{1}{2-b}+\frac{1}{2-c}$$

의 값은? (단, a, b, c는 상수이다.)

① $\dfrac{1}{2}$　　　　② 1　　　　③ $\dfrac{3}{2}$
④ 2　　　　⑤ 3

STEP Ⓐ **곱의 미분법을 이용하여 $f'(x)$의 함수식 구하기**

$f(x)=(x-a)(x-b)(x-c)$라 하면

$f'(x)=(x-b)(x-c)+(x-a)(x-c)+(x-a)(x-b)$

STEP Ⓑ **$f'(2)=3$임을 이용하여 a, b, c 사이의 관계식 구하기**

$f(2)=6$에서 $(2-a)(2-b)(2-c)=6$　　　……㉠

이고 $f'(2)=3$이므로

$(2-b)(2-c)+(2-a)(2-c)+(2-a)(2-b)=3$　　……㉡

따라서 ㉠, ㉡에서

$\dfrac{1}{2-a}+\dfrac{1}{2-b}+\dfrac{1}{2-c}=\dfrac{(2-b)(2-c)+(2-a)(2-c)+(2-a)(2-b)}{(2-a)(2-b)(2-c)}$

$\qquad\qquad\qquad\qquad\qquad=\dfrac{3}{6}=\dfrac{1}{2}$

정답 ①

0500

정답 ②

STEP Ⓐ **곱의 미분법을 이용하여 $f'(x)$의 함수식 구하기**

$f'(x)=(x-b)(x-c)+(x-a)(x-c)+(x-a)(x-b)$

STEP Ⓑ **$f'(a)$, $f'(b)$, $f'(c)$를 구하여 구하고자 하는 식에 대입하기**

$f'(a)=(a-b)(a-c)$, $f'(b)=(b-a)(b-c)$, $f'(c)=(c-a)(c-b)$

∴ $\dfrac{a}{f'(a)}+\dfrac{b}{f'(b)}+\dfrac{c}{f'(c)}$

$=\dfrac{a}{(a-b)(a-c)}+\dfrac{b}{(b-a)(b-c)}+\dfrac{c}{(c-a)(c-b)}$

$=\dfrac{-a(b-c)-b(c-a)-c(a-b)}{(a-b)(b-c)(c-a)}$

$=\dfrac{-ab+ac-bc+ba-ca+cb}{(a-b)(b-c)(c-a)}$

$=0$

최고차항이 1인 삼차함수 $f(x)$가 서로 다른 세 실수 a, b, c에 대하여 $f(a)=f(b)=f(c)=0$을 만족할 때,

$$\frac{a^2}{f'(a)}+\frac{b^2}{f'(b)}+\frac{c^2}{f'(c)}$$

의 값은?

① -2 ② -1 ③ 0
④ 1 ⑤ 2

STEP Ⓐ $f(x)$의 식을 세우고 곱의 미분법을 이용하여 $f'(x)$의 함수식 구하기

x^3의 계수가 1이고 $f(a)=f(b)=f(c)=0$이므로

$f(x)=(x-a)(x-b)(x-c)$

$f'(x)=(x-b)(x-c)+(x-a)(x-c)+(x-a)(x-b)$

STEP Ⓑ $f'(a)$, $f'(b)$, $f'(c)$를 구하여 구하고자 하는 식에 대입하기

$f'(a)=(a-b)(a-c)$

$f'(b)=(b-a)(b-c)$

$f'(c)=(c-a)(c-b)$

$\therefore \dfrac{a^2}{f'(a)}+\dfrac{b^2}{f'(b)}+\dfrac{c^2}{f'(c)}$

$=\dfrac{a^2}{(a-b)(a-c)}+\dfrac{b^2}{(b-a)(b-c)}+\dfrac{c^2}{(c-a)(c-b)}$

$=\dfrac{-a^2(b-c)-b^2(c-a)-c^2(a-b)}{(a-b)(b-c)(c-a)}$

$=\dfrac{-(a-b)(b-c)(a-c)}{(a-b)(b-c)(c-a)}$

$=1$

정답 ④

0501

정답 ⑤

STEP Ⓐ $f(x)$의 식을 세우고 다항함수의 미분법을 이용하여 $f'(x)$의 함수식 구하기

$y=f(x)$의 그래프와 직선 $y=k$의 교점의 x좌표가 각각 a, b, c이므로

방정식 $f(x)=k$의 세 근이 a, b, c이므로

$f(x)-k=(x-a)(x-b)(x-c)$

즉 $f(x)=(x-a)(x-b)(x-c)+k$이므로

$f'(x)=(x-b)(x-c)+(x-a)(x-c)+(x-a)(x-b)$

STEP Ⓑ $f'(a)$, $f'(b)$, $f'(c)$의 값을 구하여 [보기]의 참, 거짓 판별하기

$f'(a)=(a-b)(a-c)$ ……… ㉠

$f'(b)=(b-a)(b-c)$ ……… ㉡

$f'(c)=(c-a)(c-b)$ ……… ㉢

ㄱ. ㉠, ㉡에서 $f'(a)+f'(b)=(a-b)(a-c-b+c)=(a-b)^2>0$

ㄴ. ㉡, ㉢에서 $f'(b)+f'(c)=(b-c)(b-a-c+a)=(b-c)^2>0$

ㄷ. ㉠, ㉢에서 $f'(c)+f'(a)=(c-a)(c-b-a+b)=(c-a)^2>0$

따라서 옳은 것은 ㄱ, ㄴ, ㄷ이다.

다음 그림과 같이 최고차항의 계수가 음수인 삼차함수 $y=f(x)$의 그래프와 직선 $y=k$가 서로 다른 세 점 A, B, C에서 만난다. 세 점 A, B, C의 x좌표를 각각 a, b, c라 할 때, [보기]에서 옳은 것만을 있는 대로 고른 것은? (단, $a<b<c$)

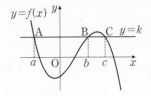

ㄱ. $f'(a)>0$
ㄴ. $f'(a)+f'(c)<0$
ㄷ. $f'(a)f'(b)f'(c)>0$

① ㄱ   ② ㄴ   ③ ㄱ, ㄷ
④ ㄴ, ㄷ   ⑤ ㄱ, ㄴ, ㄷ

STEP Ⓐ $x=a$, $x=b$, $x=c$에서 미분계수 구하기

함수 $y=f(x)$의 그래프 위의 점 $(t,\ f(t))$에서의 접선의 기울기는 함수 $f(x)$의 $x=t$에서의 미분계수 $f'(t)$와 같으므로

$f'(a)<0$, $f'(b)>0$, $f'(c)<0$

STEP Ⓑ [보기]의 진위판단하기

ㄱ. $f'(a)<0$ [거짓]

ㄴ. $f'(a)+f'(c)<0$ [참]

ㄷ. $f'(a)f'(b)f'(c)>0$ [참]

따라서 옳은 것은 ㄴ, ㄷ이다.

정답 ④

0502

정답 ⑤

STEP Ⓐ 극한값이 존재할 조건을 이용하여 $f(2)$의 값 구하기

$\lim\limits_{x\to 2}\dfrac{f(x)-3}{x-2}=4$에서

$x\to 2$일 때, (분모)$\to 0$이고 극한값이 존재하므로 (분자)$\to 0$이다.

즉 $\lim\limits_{x\to 2}\{f(x)-3\}=0$이므로 $f(2)=3$

STEP Ⓑ 미분계수의 정의를 이용하여 $f'(2)$의 값 구하기

이때 $\lim\limits_{x\to 2}\dfrac{f(x)-3}{x-2}=\lim\limits_{x\to 2}\dfrac{f(x)-f(2)}{x-2}=f'(2)=4$

STEP Ⓒ 곱의 미분법을 이용하여 $g'(2)$의 값 구하기

$g(x)=x^2f(x)$에서 $g'(x)=2xf(x)+x^2f'(x)$

따라서 $g'(2)=4f(2)+4f'(2)=4\cdot 3+4\cdot 4=28$

두 다항함수 $f(x)$, $g(x)$가

$$f(x)=(x^2-1)(3x+2),\ \lim_{x\to-1}\frac{g(x)+2}{x^2-1}=3$$

을 만족할 때, $h(x)=f(x)g(x)$라고 정의할 때, $h'(-1)$의 값은?

① -4 ② -3 ③ 1
④ 3 ⑤ 4

STEP ⓐ $\lim_{x\to-1}\dfrac{g(x)+2}{x^2-1}=3$에서 $g(-1)$, $g'(-1)$의 값 구하기

$\lim_{x\to-1}\dfrac{g(x)+2}{x^2-1}=3$에서

$x\to-1$일 때, (분모)$\to 0$이고 극한값이 존재하므로 (분자)$\to 0$이어야 한다.

즉 $\lim_{x\to-1}(g(x)+2)=0$이므로 $g(-1)+2=0$

$\therefore g(-1)=-2$

또한, $\lim_{x\to-1}\dfrac{g(x)+2}{x^2-1}=\lim_{x\to-1}\dfrac{g(x)-g(-1)}{x-(-1)}\cdot\dfrac{1}{x-1}$

$\qquad\qquad\qquad\qquad =g'(-1)\cdot\dfrac{1}{-2}=3$

$\therefore g'(-1)=-6$

STEP ⓑ 곱의 미분법을 이용하여 $f'(-1)$의 값 구하기

또한, $f(x)=(x^2-1)(3x+2)$에서 $f'(x)=2x(3x+2)+(x^2-1)\cdot 3$

$\therefore f'(-1)=2$

STEP ⓒ 곱의 미분법을 이용하여 $h'(-1)$의 값 구하기

$h(x)=f(x)g(x)$에서 $h'(x)=f'(x)g(x)+f(x)g'(x)$

따라서 $h'(-1)=f'(-1)g(-1)+f(-1)g'(-1)$

$\qquad\qquad =2\cdot(-2)+0\cdot(-6)=-4$

정답 ①

0503

STEP ⓐ $\lim_{x\to1}\dfrac{f(x)-2}{x-1}=3$에서 $f(1)$, $f'(1)$의 값 구하기

$\lim_{x\to1}\dfrac{f(x)-2}{x-1}=3$에서

$x\to 1$일 때, (분모)$\to 0$이고 극한값이 존재하므로 (분자)$\to 0$이어야 한다.

$\lim_{x\to1}(f(x)-2)=0$이므로 $f(1)-2=0$

$\therefore f(1)=2$

또한, $\lim_{x\to1}\dfrac{f(x)-2}{x-1}=\lim_{x\to1}\dfrac{f(x)-f(1)}{x-1}=f'(1)=3$

STEP ⓑ $\lim_{x\to1}\dfrac{g(x)+2}{x-1}=5$에서 $g(1)$, $g'(1)$의 값 구하기

$\lim_{x\to1}\dfrac{g(x)+2}{x-1}=5$에서

$x\to 1$일 때, (분모)$\to 0$이고 극한값이 존재하므로 (분자)$\to 0$이어야 한다.

$\lim_{x\to1}(g(x)+2)=0$이므로 $g(1)+2=0$

$\therefore g(1)=-2$

또한, $\lim_{x\to1}\dfrac{g(x)+2}{x-1}=\lim_{x\to1}\dfrac{g(x)-g(1)}{x-1}=g'(1)=5$

STEP ⓒ 곱의 미분법을 이용하여 $h'(1)$의 값 구하기

이때 $h(x)=f(x)g(x)$에서 $h'(x)=f'(x)g(x)+f(x)g'(x)$

따라서 $h'(1)=f'(1)g(1)+f(1)g'(1)=3\cdot(-2)+2\cdot5=4$

정답 ④

0504

STEP ⓐ $\lim_{x\to2}\dfrac{f(x)-2}{x^2-4}=2$에서 $f(2)$, $f'(2)$의 값 구하기

$\lim_{x\to2}\dfrac{f(x)-2}{x^2-4}=2$에서

$x\to 2$일 때, (분모)$\to 0$이고 극한값이 존재하므로 (분자)$\to 0$이어야 한다.

$\lim_{x\to2}\{f(x)-2\}=0$이므로 $f(2)-2=0$

$\therefore f(2)=2$

또한, $\lim_{x\to2}\dfrac{f(x)-2}{x^2-4}=\lim_{x\to2}\left\{\dfrac{f(x)-f(2)}{x-2}\times\dfrac{1}{x+2}\right\}$

$\qquad\qquad\qquad\qquad =f'(2)\times\dfrac{1}{4}=2$

$\therefore f'(2)=8$

STEP ⓑ $\lim_{x\to2}\dfrac{g(x)-1}{x^3-8}=1$에서 $g(2)$, $g'(2)$의 값 구하기

$\lim_{x\to2}\dfrac{g(x)-1}{x^3-8}=1$에서

$x\to 2$일 때, (분모)$\to 0$이고 극한값이 존재하므로 (분자)$\to 0$이어야 한다.

$\lim_{x\to2}\{g(x)-1\}=0$이므로 $g(2)=1$

$\therefore g(2)=1$

또한, $\lim_{x\to2}\dfrac{g(x)-1}{x^3-8}=\lim_{x\to2}\left\{\dfrac{g(x)-g(2)}{x-2}\times\dfrac{1}{x^2+2x+4}\right\}$

$\qquad\qquad\qquad\qquad =\dfrac{1}{12}g'(2)=1$

$\therefore g'(2)=12$

STEP ⓒ 곱의 미분법을 이용하여 $h'(2)$의 값 구하기

이때 $h(x)=f(x)g(x)$에서 $h'(x)=f'(x)g(x)+f(x)g'(x)$이므로

$x=2$에서의 접선의 기울기는

$h'(2)=f'(2)g(2)+f(2)g'(2)=8\cdot1+2\cdot12=32$

0505

STEP ⓐ $\lim_{x\to3}\dfrac{f(x)-2}{x-3}=1$에서 $f(3)$, $f'(3)$의 값 구하기

$\lim_{x\to3}\dfrac{f(x)-2}{x-3}=1$에서

$x\to 3$일 때, (분모)$\to 0$이고 극한값이 존재하므로 (분자)$\to 0$이어야 한다.

즉 $\lim_{x\to3}\{f(x)-2\}=0$이므로 $f(3)=2$

또한, $\lim_{x\to3}\dfrac{f(x)-2}{x-3}=\lim_{x\to3}\dfrac{f(x)-f(3)}{x-3}=f'(3)=1$

STEP ⓑ $\lim_{x\to3}\dfrac{g(x)-1}{x-3}=2$에서 $g(3)$, $g'(3)$의 값 구하기

$\lim_{x\to3}\dfrac{g(x)-1}{x-3}=2$에서

$x\to 3$일 때, (분모)$\to 0$이고 극한값이 존재하므로 (분자)$\to 0$이어야 한다.

즉 $\lim_{x\to3}\{g(x)-1\}=0$이므로 $g(3)=1$

또한, $\lim_{x\to3}\dfrac{g(x)-1}{x-3}=\lim_{x\to3}\dfrac{g(x)-g(3)}{x-3}=g'(3)=2$

STEP ⓒ 곱의 미분법을 이용하여 $x=3$에서의 미분계수 구하기

따라서 $y'=f'(x)g(x)+f(x)g'(x)$이므로 $x=3$에서 미분계수는

$f'(3)g(3)+f(3)g'(3)=1\cdot1+2\cdot2=5$

내신연계 출제문항 214

미분가능한 두 함수 $f(x)$, $g(x)$가

$$\lim_{x \to 2} \frac{f(x)-3}{x-2}=1, \lim_{x \to 2} \frac{g(x)+2}{x-2}=3$$

을 만족시킬 때, 함수 $f(x)g(x)$의 $x=2$에서 미분계수는?

① 7   ② 8   ③ 9
④ 10   ⑤ 11

STEP A $\lim_{x \to 2} \dfrac{f(x)-3}{x-2}=1$에서 $f(2)$, $f'(2)$의 값 구하기

$\lim_{x \to 2} \dfrac{f(x)-3}{x-2}=1$에서

$x \to 2$일 때, (분모)$\to 0$이고 극한값이 존재하므로 (분자)$\to 0$이어야 한다.
즉 $\lim_{x \to 2}\{f(x)-3\}=0$이므로 $f(2)=3$

또한, $\lim_{x \to 2} \dfrac{f(x)-3}{x-2}=\lim_{x \to 2} \dfrac{f(x)-f(2)}{x-2}=f'(2)=1$

STEP B $\lim_{x \to 2} \dfrac{g(x)+2}{x-2}=3$에서 $g(2)$, $g'(2)$의 값 구하기

$\lim_{x \to 2} \dfrac{g(x)+2}{x-2}=3$에서

$x \to 2$일 때, (분모)$\to 0$이고 극한값이 존재하므로 (분자)$\to 0$이어야 한다.
즉 $\lim_{x \to 2}\{g(x)+2\}=0$이므로 $g(2)=-2$

또한, $\lim_{x \to 2} \dfrac{g(x)+2}{x-2}=\lim_{x \to 2} \dfrac{g(x)-g(2)}{x-2}=g'(2)=3$

STEP C 곱의 미분법을 이용하여 $x=2$에서의 미분계수 구하기

따라서 $\{f(x)g(x)\}'=f'(x)g(x)+f(x)g'(x)$이므로
함수 $f(x)g(x)$의 $x=2$에서 미분계수는
$f'(2)g(2)+f(2)g'(2)=1 \cdot (-2)+3 \cdot 3=7$ 정답 ①

0506
정답 ③

STEP A $\lim_{x \to 0} \dfrac{f(x)-2}{x}=3$에서 $f(0)$, $f'(0)$의 값 구하기

$\lim_{x \to 0} \dfrac{f(x)-2}{x}=3$에서

$x \to 0$일 때,(분모)$\to 0$이고 극한값이 존재하므로 (분자)$\to 0$이어야 한다.
즉 $\lim_{x \to 0}\{f(x)-2\}=0$이므로 $f(0)=2$

또한, $\lim_{x \to 0} \dfrac{f(x)-2}{x}=\lim_{x \to 0} \dfrac{f(x)-f(0)}{x}=f'(0)=3$

STEP B $\lim_{x \to 3} \dfrac{g(x-3)-1}{x-3}=6$에서 $g(0)$, $g'(0)$의 값 구하기

$\lim_{x \to 3} \dfrac{g(x-3)-1}{x-3}=6$이므로

$x-3=t$라 하면 $x \to 3$일 때, $t \to 0$

$\lim_{t \to 0} \dfrac{g(t)-1}{t}=6$

$t \to 0$에서 (분모)$\to 0$이고 극한값이 존재하므로 (분자)$\to 0$이어야 한다.
즉 $\lim_{t \to 0}\{g(t)-1\}=0$이므로 $g(0)=1$

또한, $\lim_{t \to 0} \dfrac{g(t)-1}{t}=\lim_{t \to 0} \dfrac{g(t)-g(0)}{t}=g'(0)=6$

STEP C 곱의 미분법을 이용하여 $h'(0)$의 값 구하기

$h(x)=f(x)g(x)$이므로 $h'(x)=f'(x)g(x)+f(x)g'(x)$
따라서 $h'(0)=f'(0)g(0)+f(0)g'(0)=3 \cdot 1+2 \cdot 6=15$

0507
정답 ④

STEP A 다항함수의 미분법을 이용하여 $f(1)$, $f'(1)$, $g(1)$, $g'(1)$의 값 구하기

$f(x)=x^{10}+1$에서 $f'(x)=10x^9$이므로
$f(1)=2$, $f'(1)=10$
$g(x)=1+x+x^2+\cdots+x^{10}$에서 $g'(x)=1+2x+3x^2+\cdots+10x^9$이므로
$g(1)=11$, $g'(1)=55$

STEP B 곱의 미분법을 이용하여 극한값 구하기

$h(x)=f(x)g(x)$로 놓으면 $h'(x)=f'(x)g(x)+f(x)g'(x)$

따라서 $\lim_{x \to 1} \dfrac{f(x)g(x)-f(1)g(1)}{x-1}=\lim_{x \to 1} \dfrac{h(x)-h(1)}{x-1}=h'(1)$
$\qquad\qquad\qquad\qquad =f'(1)g(1)+f(1)g'(1)$
$\qquad\qquad\qquad\qquad =10 \cdot 11+2 \cdot 55$
$\qquad\qquad\qquad\qquad =220$

내신연계 출제문항 215

두 함수

$$f(x)=x^2+1, \ g(x)=(1+x)(x^2+x)$$

에 대하여 $\lim_{h \to 0} \dfrac{f(1+h)g(1+h)-f(1)g(1)}{h}$의 값은?

① 12   ② 16   ③ 20
④ 24   ⑤ 30

STEP A 다항함수의 미분법을 이용하여 $f(1)$, $f'(1)$, $g(1)$, $g'(1)$의 값 구하기

$f(x)=x^2+1$에서 $f'(x)=2x$이므로
$f(1)=2$, $f'(1)=2$
$g(x)=(1+x)(x^2+x)$에서
$g'(x)=x^2+x+(1+x)(2x+1)=3x^2+4x+1$이므로
$g(1)=4$, $g'(1)=8$

STEP B 곱의 미분법을 이용하여 극한값 구하기

따라서 $k(x)=f(x)g(x)$로 놓으면 $k'(x)=f'(x)g(x)+f(x)g'(x)$

$\lim_{h \to 0} \dfrac{f(1+h)g(1+h)-f(1)g(1)}{h}=\lim_{h \to 0} \dfrac{k(1+h)-k(1)}{h}=k'(1)$
$\qquad\qquad\qquad\qquad =f'(1)g(1)+f(1)g'(1)$
$\qquad\qquad\qquad\qquad =2 \cdot 4+2 \cdot 8$
$\qquad\qquad\qquad\qquad =24$ 정답 ④

0508

STEP Ⓐ 다항함수의 미분법을 이용하여 $f(1)$, $f'(1)$, $g(1)$, $g'(1)$의 값 구하기

$f(x)=x^2+2x+3$에서 $f'(x)=2x+2$이므로
$f(1)=6$, $f'(1)=4$
$g(x)=(x^3+2x)^2$에서 $g'(x)=2(x^3+2x)\cdot(3x^2+2)$이므로
$g(1)=9$, $g'(1)=2\cdot3\cdot5=30$

STEP Ⓑ 곱의 미분법을 이용하여 극한값 구하기

따라서 $h(x)=f(x)g(x)$로 놓으면 $h'(x)=f'(x)g(x)+f(x)g'(x)$

$$\lim_{x\to1}\frac{f(x)g(x)-f(1)g(1)}{x^2-1}=\lim_{x\to1}\frac{h(x)-h(1)}{x^2-1}$$
$$=\lim_{x\to1}\frac{h(x)-h(1)}{x-1}\times\frac{1}{x+1}$$
$$=\frac{1}{2}h'(1)$$
$$=\frac{1}{2}\{f'(1)g(1)+f(1)g'(1)\}$$
$$=\frac{1}{2}(4\cdot9+6\cdot30)$$
$$=108$$

0509

STEP Ⓐ $g(x)=(x^2+3x)f(x)$라 두고 $g(2)$와 극한값 구하기

$g(x)=(x^2+3x)f(x)$로 놓으면 $g(2)=(4+6)f(2)=30$
$$\lim_{x\to2}\frac{(x^2+3x)f(x)-30}{x-2}=\lim_{x\to2}\frac{g(x)-g(2)}{x-2}=g'(2)$$

STEP Ⓑ 곱의 미분법을 이용하여 $g'(2)$의 값 구하기

$g'(x)=(2x+3)f(x)+(x^2+3x)f'(x)$
따라서 구하는 극한값은 $g'(2)=7f(2)+10f'(2)=61$

함수 $f(x)$에 대하여 $f(3)=2$, $f'(3)=4$일 때,
$$\lim_{x\to3}\frac{(x^3-3x^2+9)f(x)-9f(3)}{x^2-9}$$의 값은?

① 3　　　　② 5　　　　③ 7
④ 9　　　　⑤ 11

STEP Ⓐ 미분계수를 이용하여 구하기

$g(x)=(x^3-3x^2+9)f(x)$로 놓으면 $g(3)=9f(3)$
$$\lim_{x\to3}\frac{(x^3-3x^2+9)f(x)-9f(3)}{x^2-9}=\lim_{x\to3}\frac{g(x)-g(3)}{(x-3)(x+3)}$$
$$=\lim_{x\to3}\frac{g(x)-g(3)}{x-3}\times\frac{1}{x+3}$$
$$=\frac{1}{6}\cdot g'(3)$$

STEP Ⓑ 곱의 미분법을 이용하여 $g'(3)$의 값 구하기

$g(x)=(x^3-3x^2+9)f(x)$에서
$g'(x)=(3x^2-6x)f(x)+(x^3-3x^2+9)f'(x)$이므로
$g'(3)=9f(3)+9f'(3)=9\cdot2+9\cdot4=54$
따라서 $\frac{1}{6}\cdot g'(3)=\frac{1}{6}\cdot54=9$

0510

STEP Ⓐ 극한값이 존재할 조건을 이용하여 a, b의 관계식 구하기

$\lim_{x\to1}\frac{g(x)}{x-1}=-3$에서
$x\to1$일 때 (분모)$\to0$이고 극한값이 존재하므로 (분자)$\to0$이어야 한다.
즉 $\lim_{x\to1}g(x)=0$이고 함수 $g(x)$는 연속함수이므로 $g(1)=0$이다.
$f(x)=x^2+ax+b$ (a, b는 상수)로 놓으면
$g(1)=3f(1)=0$에서 $f(1)=0$이므로
$1+a+b=0$　　　　　　　……㉠

STEP Ⓑ 곱의 미분법을 이용하여 $g'(0)$의 값 구하기

함수 $g(x)$는 실수 전체의 집합에서 미분가능하므로
$\lim_{x\to1}\frac{g(x)}{x-1}=\lim_{x\to1}\frac{g(x)-g(1)}{x-1}=g'(1)=-3$이고
$g'(x)=(2x+2)f(x)+(x^2+2x)f'(x)$　　　……㉡
$g'(1)=4f(1)+3f'(1)=-3$
$f(1)=0$이므로 $f'(1)=-1$
$f'(x)=2x+a$에서 $f'(1)=2+a=-1$
$\therefore a=-3$
㉠에서 $b=2$
따라서 $f(x)=x^2-3x+2$이므로 ㉡에서 $g'(0)=2f(0)=2\times2=4$

실수 전체의 집합에서 미분가능한 함수 $f(x)$에 대하여 함수 $g(x)$를
$g(x)=(x^2-2x+a)f(x)$라 하자.

$$f(2)\neq0이고,\ \lim_{x\to2}\frac{g(x)-2f(2)}{x^3-8}=\frac{1}{3}$$

일 때, $f(a)+f'(a)$의 값은? (단, a는 상수이다.)

① 2　　　　② 4　　　　③ 6
④ 8　　　　⑤ 10

STEP Ⓐ 극한값이 존재할 조건을 이용하여 관계식 구하기

$\lim_{x\to2}\frac{g(x)-2f(2)}{x^3-8}=\frac{1}{3}$에서
$x\to1$일 때 (분모)$\to0$이고 극한값이 존재하므로 (분자)$\to0$이어야 한다.
즉 $\lim_{x\to2}\{g(x)-2f(2)\}=0$이고 함수 $g(x)$가 $x=2$에서 미분가능하므로
$x=2$에서 연속이다.
$\therefore g(2)-2f(2)=0$　　　　　　　……㉠

STEP Ⓑ $g(2)$를 이용하여 a의 값 구하기

한편 $g(x)=(x^2-2x+a)f(x)$에서 $g(2)=af(2)$이므로
㉠에서 $af(2)-2f(2)=0$, $(a-2)f(2)=0$
이때 $f(2)\neq0$이므로 $a-2=0$에서 $a=2$

STEP Ⓒ 곱의 미분법을 이용하여 $f(a)+f'(a)$의 값 구하기

또한, ㉠에서 $g(2)=2f(2)$이므로
$$\lim_{x\to2}\frac{g(x)-2f(2)}{x^3-8}=\lim_{x\to2}\left\{\frac{g(x)-g(2)}{x-2}\times\frac{1}{x^2+2x+4}\right\}=\frac{1}{12}g'(2)=\frac{1}{3}$$
$\therefore g'(2)=4$
한편 $g(x)=(x^2-2x+a)f(x)$에서 곱의 미분법에 의하여
$g'(x)=(2x-2)f(x)+(x^2-2x+2)f'(x)$이므로
$g'(2)=2f(2)+2f'(2)=4$
$f(2)+f'(2)=2$
따라서 $f(a)+f'(a)=f(2)+f'(2)=2$

0511

STEP Ⓐ **미분계수의 정의를 이용하여 구하기**

조건 (나)에서 $h(x)=f(x)g(x)$로 놓으면

$h(0)=f(0)g(0)=1\cdot4=4$

$$\lim_{x\to0}\frac{f(x)g(x)-4}{x}=\lim_{x\to0}\frac{f(x)g(x)-f(0)g(0)}{x}$$
$$=\lim_{x\to0}\frac{h(x)-h(0)}{x}$$
$$=h'(0)$$

STEP Ⓑ **곱의 미분법을 이용하여 $g'(0)$의 값 구하기**

$h'(x)=f'(x)g(x)+f(x)g'(x)$이므로

$h'(0)=f'(0)g(0)+f(0)g'(0)$
$\quad\ =1\cdot g'(0)+(-6)\cdot4=0$
$\quad\ =g'(0)-24=0$

따라서 $g'(0)=24$

내신연계 출제문항 218

두 다항함수 $f(x)$, $g(x)$가 다음 조건을 만족시킬 때,

$\displaystyle\lim_{x\to0}\frac{f(x)g(x)-3}{x}$의 값은?

> (가) $f(0)=1$, $f'(0)=7$
>
> (나) $\displaystyle\lim_{x\to1}\frac{g(x-1)-3}{x-1}=5$

① 20　　　　② 22　　　　③ 24
④ 26　　　　⑤ 28

STEP Ⓐ $\displaystyle\lim_{x\to1}\frac{g(x-1)-3}{x-1}=5$에서 $g(0)$, $g'(0)$의 값 구하기

$\displaystyle\lim_{x\to1}\frac{g(x-1)-3}{x-1}=5$에서 $x-1=t$라 하면 $x\to1$일 때, $t\to0$

$\displaystyle\lim_{x\to1}\frac{g(x-1)-3}{x-1}=\lim_{t\to0}\frac{g(t)-3}{t}=5$

$t\to0$일 때, (분모)$\to0$이고 극한값이 존재하므로 (분자)$\to0$이다.

$\displaystyle\lim_{t\to0}\{g(t)-3\}=0$이므로 $g(0)-3=0$ ∴ $g(0)=3$

또, $\displaystyle\lim_{t\to0}\frac{g(t)-3}{t}=\lim_{t\to0}\frac{g(t)-g(0)}{t}=g'(0)=5$

STEP Ⓑ **곱의 미분법을 이용하여 값 구하기**

$h(x)=f(x)g(x)$로 놓으면 $h(0)=f(0)g(0)=1\cdot3=3$

$$\lim_{x\to0}\frac{f(x)g(x)-3}{x}=\lim_{x\to0}\frac{f(x)g(x)-f(0)g(0)}{x}$$
$$=\lim_{x\to0}\frac{h(x)-h(0)}{x}$$
$$=h'(0)$$

따라서 $h'(x)=f'(x)g(x)+f(x)g'(x)$이므로

$h'(0)=f'(0)g(0)+f(0)g'(0)=7\cdot3+1\cdot5=26$　　 정답 ④

0512

STEP Ⓐ **(분모)$\to0$이면 (분자)$\to0$임을 이용하여 $f(0)$, $g(0)$을 구하고 미분계수의 정의를 이용하여 $f'(0)$, $g'(0)$ 구하기**

$\displaystyle\lim_{x\to0}\frac{f(x)-1}{x}=-5$에서 $f(0)=1$, $f'(0)=-5$

$\displaystyle\lim_{x\to0}\frac{g(x)+2}{x}=3$에서 $g(0)=-2$, $g'(0)=3$

$h(x)=f(x)g(x)$로 놓으면 $h(0)=f(0)g(0)=1\cdot(-2)=-2$

STEP Ⓑ **곱의 미분법을 이용하여 $h'(0)$ 구하기**

$h'(x)=f'(x)g(x)+f(x)g'(x)$

따라서 $\displaystyle\lim_{x\to0}\frac{f(x)g(x)-f(0)g(0)}{x}=\lim_{x\to0}\frac{h(x)-h(0)}{x}=h'(0)$

$\qquad\qquad=f'(0)g(0)+f(0)g'(0)$
$\qquad\qquad=(-5)\times(-2)+1\times3$
$\qquad\qquad=13$

다른풀이 직접 미분계수의 정의를 이용하여 풀이하기

$$\lim_{x\to0}\frac{f(x)g(x)+2}{x}=\lim_{x\to0}\frac{f(x)g(x)-f(0)g(0)}{x}$$
$$=\lim_{x\to0}\frac{f(x)g(x)-f(0)g(x)+f(0)g(x)-f(0)g(0)}{x}$$
$$=\lim_{x\to0}\frac{\{f(x)-f(0)\}g(x)}{x}+\lim_{x\to0}\frac{f(0)\{g(x)-g(0)\}}{x}$$
$$=\lim_{x\to0}\frac{f(x)-f(0)}{x}\cdot\lim_{x\to0}g(x)+f(0)\cdot\lim_{x\to0}\frac{g(x)-g(0)}{x}$$
$$=f'(0)g(0)+f(0)g'(0)$$
$$=(-5)\cdot(-2)+1\cdot3$$
$$=13$$

0513

STEP Ⓐ **극한값이 존재할 조건과 미분계수 식을 이용하여 $f(2)$, $f'(2)$, $g(2)$, $g'(2)$의 값 구하기**

$\displaystyle\lim_{x\to2}\frac{f(x)+1}{x-2}=3$에서 $f(2)=-1$, $f'(2)=3$

$\displaystyle\lim_{x\to2}\frac{g(x)-3}{x-2}=1$에서 $g(2)=3$, $g'(2)=1$

STEP Ⓑ $h(x)=f(x)g(x)$라 두고 미분계수 식을 이용하여 극한값 구하기

이때 $h(x)=f(x)g(x)$라 놓으면

$\displaystyle\lim_{x\to2}\frac{f(x)g(x)-f(2)g(2)}{x-2}=\lim_{x\to2}\frac{h(x)-h(2)}{x-2}=h'(2)$

STEP Ⓒ **곱의 미분법을 이용하여 $h'(2)$의 값 구하기**

$h'(x)=f'(x)g(x)+f(x)g'(x)$에서

$h'(2)=f'(2)g(2)+f(2)g'(2)=3\cdot3+(-1)\cdot1=8$

따라서 $\displaystyle\lim_{x\to2}\frac{f(x)g(x)-f(2)g(2)}{x-2}=h'(2)=8$

다른풀이 주어진 식을 변형하여 미분계수 식 이용하기

$$\lim_{x\to2}\frac{f(x)g(x)-f(2)g(2)}{x-2}$$
$$=\lim_{x\to2}\frac{f(x)g(x)-f(2)g(x)+f(2)g(x)-f(2)g(2)}{x-2}$$
$$=\lim_{x\to2}\frac{\{f(x)-f(2)\}g(x)}{x-2}+\lim_{x\to2}\frac{f(2)\{g(x)-g(2)\}}{x-2}$$
$$=\lim_{x\to2}\frac{f(x)-f(2)}{x-2}\cdot\lim_{x\to2}g(x)+f(2)\cdot\lim_{x\to2}\frac{g(x)-g(2)}{x-2}$$
$$=f'(2)g(2)+f(2)g'(2)$$
$$=3\cdot3+(-1)\cdot1$$
$$=8$$

0514

정답 ①

STEP Ⓐ $f(x)=x^9-5x^3+10x$ 라 두고 주어진 식 변형하기

$f(x)=x^9-5x^3+10x$ 로 놓으면 $f(1)=6$ 이므로

$$\lim_{x\to 1}\frac{x^9-5x^3+10x-6}{x-1}=\lim_{x\to 1}\frac{f(x)-f(1)}{x-1}=f'(1)$$

STEP Ⓑ 다항함수의 미분법을 이용하여 $f'(1)$ 의 값 구하기

따라서 $f'(x)=9x^8-15x^2+10$ 이므로 $f'(1)=4$

내신연계 출제문항 219

$\lim_{x\to 1}\dfrac{x+x^2+x^3+\cdots+x^{10}-10}{x-1}$ 의 값은?

① 45   ② 50   ③ 55
④ 60   ⑤ 65

STEP Ⓐ 미분계수를 이용하여 구하기

$f(x)=x+x^2+x^3+\cdots+x^{10}$ 로 놓으면 $f(1)=10$ 이므로

(주어진 식)$=\lim_{x\to 1}\dfrac{f(x)-f(1)}{x-1}=f'(1)$

이때 $f'(x)=1+2x+3x^2+\cdots+10x^9$ 이므로

$$\lim_{x\to 1}\frac{x+x^2+x^3+\cdots+x^{10}-10}{x-1}=f'(1)=55$$

정답 ③

0515

정답 ⑤

STEP Ⓐ 극한값이 존재할 조건을 이용하여 n의 값 구하기

$\lim_{x\to 2}\dfrac{x^n+x-34}{x-2}=a$ 에서

$x\to 2$일 때, (분모)$\to 0$이고 극한값이 존재하므로 (분자)$\to 0$이다.

즉 $\lim_{x\to 2}(x^n+x-34)=0$이므로 $2^n+2-34=0$, $2^n=32$

$\therefore n=5$

STEP Ⓑ 미분계수의 정의를 이용하여 식 변형하기

$f(x)=x^5+x$로 놓으면 $f(2)=34$이므로

$$\lim_{x\to 2}\frac{x^5+x-34}{x-2}=\lim_{x\to 2}\frac{f(x)-f(2)}{x-2}=f'(2)$$

STEP Ⓒ 다항함수의 미분법을 이용하여 $f'(2)$의 값 구하기

이때 $f'(x)=5x^4+1$이므로 $f'(2)=5\cdot 2^4+1=81$ $\therefore a=81$

따라서 $n+a=5+81=86$

내신연계 출제문항 220

자연수 n과 상수 a에 대하여

$$\lim_{x\to 3}\frac{x^n-x^3-9x-27}{x-3}=a$$

일 때, $n+a$의 값은?

① 27   ② 30   ③ 48
④ 76   ⑤ 80

STEP Ⓐ 극한값이 존재할 조건을 이용하여 n의 값 구하기

$\lim_{x\to 3}\dfrac{x^n-x^3-9x-27}{x-3}=a$ 에서

$x\to 3$일 때, (분모)$\to 0$이고 극한값이 존재하므로 (분자)$\to 0$이어야 한다.

즉 $\lim_{x\to 3}(x^n-x^3-9x-27)=0$이므로 $3^n-81=0$, $3^n=81$

$\therefore n=4$

STEP Ⓑ 미분계수의 정의를 이용하여 식 변형하기

$f(x)=x^4-x^3-9x$로 놓으면 $f(3)=3^4-3^3-9\cdot 3=27$이므로

$$\lim_{x\to 3}\frac{x^4-x^3-9x-27}{x-3}=\lim_{x\to 3}\frac{f(x)-f(3)}{x-3}=f'(3)$$

STEP Ⓒ 다항함수의 미분법을 이용하여 $f'(3)$의 값 구하기

$f(x)=x^4-x^3-9x$에서 $f'(x)=4x^3-3x^2-9$이므로

$f'(3)=4\cdot 3^3-3\cdot 3^2-9=72$

$\therefore a=72$

따라서 $n+a=4+72=76$

정답 ④

0516

정답 ⑤

STEP Ⓐ 미분계수의 정의를 이용하여 식 변형하기

$f(x)=x^n+5x$로 놓으면 $f(1)=6$

$a_n=\lim_{x\to 1}\dfrac{x^n+5x-6}{x-1}=\lim_{x\to 1}\dfrac{f(x)-f(1)}{x-1}=f'(1)$

STEP Ⓑ 다항함수의 미분법을 이용하여 $f'(1)$의 값 구하기

이때 $f'(x)=nx^{n-1}+5$이므로 $f'(1)=n+5$

$\therefore a_n=n+5$

STEP Ⓒ 시그마의 성질을 이용하여 구하기

따라서 $\displaystyle\sum_{n=1}^{15}a_n=\sum_{n=1}^{15}(n+5)=\dfrac{15\cdot 16}{2}+5\cdot 15=195$

내신연계 출제문항 221

자연수 n에 대하여

$$a_n=\lim_{x\to 1}\frac{x^n-3x+2}{x-1}$$

일 때, $\displaystyle\sum_{n=1}^{10}a_n$의 값은?

① 20   ② 25   ③ 30
④ 55   ⑤ 85

STEP Ⓐ 미분계수의 정의를 이용하여 식 변형하기

$f(x)=x^n-3x$로 놓으면 $f(1)=-2$

$a_n=\lim_{x\to 1}\dfrac{x^n-3x+2}{x-1}=\lim_{x\to 1}\dfrac{f(x)-f(1)}{x-1}=f'(1)$

STEP Ⓑ 다항함수의 미분법을 이용하여 $f'(1)$의 값 구하기

이때 $f'(x)=nx^{n-1}-3$이므로 $f'(1)=n-3$

STEP Ⓒ $\displaystyle\sum_{n=1}^{10}a_n$의 값 구하기

따라서 $\displaystyle\sum_{n=1}^{10}a_n=\sum_{n=1}^{10}(n-3)=\dfrac{10\cdot 11}{2}-3\cdot 10=25$

정답 ②

0517

STEP Ⓐ **미분계수의 정의를 이용하여 극한값 구하기**

조건 (가)에서 $f(x)=x^3+9x+2$에서 $f'(x)=3x^2+9$이므로

$$\lim_{x \to 1}\frac{f(x)-f(1)}{x^2-1}=\lim_{x \to 1}\left\{\frac{f(x)-f(1)}{x-1} \times \frac{1}{x+1}\right\}$$
$$=\frac{1}{2}f'(1)$$
$$=\frac{1}{2}(3+9)=6$$

$\therefore a=6$

STEP Ⓑ **미분계수의 정의를 이용하여 극한값 구하기**

조건 (나)에서 $f(x)=x^3+4x-2$에서 $f'(x)=3x^2+4$이므로

$$\lim_{h \to 0}\frac{f(1+3h)-f(1)}{h}=\lim_{h \to 0}\frac{f(1+3h)-f(1)}{3h} \cdot 3$$
$$=3f'(1)$$
$$=3(3+4)=21$$

$\therefore b=21$
따라서 $a+b=6+21=27$

내신연계 출제문항 222

다음 조건을 만족하는 극한값 a, b에 대하여 ab의 값은?

> (가) 함수 $f(x)=3x^2-x$에 대하여 $\lim\limits_{x \to 1}\dfrac{f(x^2)-f(1)}{x-1}=a$
>
> (나) 함수 $f(x)=x^3-5x+4$에 대하여 $\lim\limits_{h \to 0}\dfrac{f(1+2h)-f(1)}{h}=b$

① -40 ② -36 ③ -30
④ -26 ⑤ -24

STEP Ⓐ **미분계수의 정의를 이용하여 극한값 구하기**

조건 (가)에서 $f(x)=3x^2-x$에서 $f'(x)=6x-1$

$$\lim_{x \to 1}\frac{f(x^2)-f(1)}{x-1}=\lim_{x \to 1}\left\{\frac{f(x^2)-f(1)}{x^2-1} \times (x+1)\right\}$$
$$=2f'(1)$$
$$=2(6-1)=10$$

$\therefore a=10$

STEP Ⓑ **미분계수의 정의를 이용하여 극한값 구하기**

조건 (나)에서 $f(x)=x^3-5x+4$에서 $f'(x)=3x^2-5$

$$\lim_{h \to 0}\frac{f(1+2h)-f(1)}{h}=2f'(1)=2 \cdot (-2)=-4$$

$\therefore b=-4$
따라서 $ab=10 \cdot (-4)=-40$

정답 ①

0518

STEP Ⓐ **미분계수의 정의를 이용하여 극한값 구하기**

조건 (가)에서 $f(x)=x^3-4x+2$에서 $f'(x)=3x^2-4$

$$\lim_{x \to 2}\frac{f(x)-2}{x^2-4}=\lim_{x \to 2}\left\{\frac{f(x)-f(2)}{x-2} \times \frac{1}{x+2}\right\}$$
$$=\frac{1}{4}f'(2)$$
$$=\frac{1}{4} \cdot 8=2$$

$\therefore a=2$

STEP Ⓑ **미분계수의 정의를 이용하여 극한값 구하기**

조건 (나)에서 $f(x)=5x^2+1$에서 $f'(x)=10x$

$$\lim_{h \to 0}\frac{f(4-h)-f(4)}{8h}=-\frac{1}{8}\lim_{h \to 0}\frac{f(4-h)-f(4)}{-h}$$
$$=-\frac{1}{8}f'(4)$$
$$=-\frac{1}{8} \cdot 40=-5$$

$\therefore b=-5$
따라서 $ab=2 \cdot (-5)=-10$

0519

STEP Ⓐ **주어진 식을 변형하여 미분계수의 정의 이용하기**

$$\lim_{h \to 0}\frac{f(1+5h)-f(1-2h)}{h}$$
$$=\lim_{h \to 0}\frac{f(1+5h)-f(1)+f(1)-f(1-2h)}{h}$$
$$=\lim_{h \to 0}\left\{\frac{f(1+5h)-f(1)}{5h} \cdot 5-\frac{f(1-2h)-f(1)}{-2h} \cdot (-2)\right\}$$
$$=5f'(1)+2f'(1)$$
$$=7f'(1)$$

STEP Ⓑ **다항함수의 미분법을 이용하여 $f'(1)$의 값 구하기**

따라서 $f'(x)=6x^2+2x-4$에서 $f'(1)=4$이므로 $7f'(1)=28$

0520

STEP Ⓐ **주어진 식을 변형하여 미분계수 식 이용하기**

$$\lim_{x \to 1}\frac{x^3-1}{f(x^2)-f(1)}=\lim_{x \to 1}\frac{x^2+x+1}{\dfrac{f(x^2)-f(1)}{x-1}}$$
$$=\lim_{x \to 1}\frac{x^2+x+1}{\dfrac{f(x^2)-f(1)}{x^2-1} \cdot (x+1)}$$
$$=\frac{3}{2f'(1)}$$

STEP Ⓑ **다항함수의 미분법을 이용하여 $f'(1)$의 값 구하기**

따라서 $f'(x)=4x^3+1$에서 $f'(1)=5$이므로 $\dfrac{3}{2f'(1)}=\dfrac{3}{10}$

0521

 정답 ④

STEP Ⓐ 미분계수를 이용하여 식을 정리하기

$$\lim_{x \to 1} \frac{\{f(x)\}^2 - \{f(1)\}^2}{x-1} = \lim_{x \to 1} \left[\frac{f(x)-f(1)}{x-1} \times \{f(x)+f(1)\} \right]$$

$$= \lim_{x \to 1} \frac{f(x)-f(1)}{x-1} \times \lim_{x \to 1} \{f(x)+f(1)\}$$

$$= f'(1) \times 2f(1)$$

STEP Ⓑ 다항함수의 미분법을 이용하여 주어진 값 구하기

$f(x) = 2x^3 - 3x^2 + x + 1$에서 $f(1) = 1$

$f'(x) = 6x^2 - 6x + 1$이므로 $f'(1) = 1$

따라서 $f'(1) \times 2f(1) = 1 \times 2 \times 1 = 2$

0522

정답 ③

STEP Ⓐ 주어진 식을 변형하여 미분계수의 정의 이용하기

조건 (나)에서

$\lim_{x \to 2} \dfrac{f(x)-g(x)}{x-2} = 2$에서

$x \to 2$일 때, (분모)$\to 0$이고 극한값이 존재하므로 (분자)$\to 0$이어야 한다.

즉 $\lim_{x \to 2} \{f(x)-g(x)\} = 0$이므로 $f(2)-g(2) = 0$

$\therefore f(2) = g(2)$

STEP Ⓑ 다항함수의 미분법을 이용하여 $g'(2)$의 값 구하기

조건 (가)의 양변에 $x=2$를 대입하면

$g(2) = 8f(2) - 7$이므로 $f(2) = 8f(2) - 7$

$\therefore f(2) = 1$

한편 (나)에서

$$\lim_{x \to 2} \frac{f(x)-g(x)}{x-2} = \lim_{x \to 2} \frac{f(x)-f(2)-\{g(x)-g(2)\}}{x-2}$$

$$= \lim_{x \to 2} \frac{f(x)-f(2)}{x-2} - \lim_{x \to 2} \frac{g(x)-g(2)}{x-2}$$

$$= f'(2) - g'(2) = 2 \qquad \cdots\cdots ㉠$$

또, (가)에서 양변을 x에 대하여 미분하면

$g'(x) = 3x^2 f(x) + x^3 f'(x)$이므로 양변에 $x=2$를 대입하면

$g'(2) = 12f(2) + 8f'(2)$

$\qquad = 12 \cdot 1 + 8f'(2)$

$\qquad = 12 + 8f'(2)$

$8f'(2) - g'(2) = -12 \qquad \cdots\cdots ㉡$

㉠, ㉡를 연립하여 풀면 $f'(2) = -2$, $g'(2) = -4$

따라서 곡선 $y = g(x)$ 위의 점 $(2, g(2))$에서의 접선의 기울기는

$g'(2) = -4$

내신연계 출제문항 223

함수 $f(x) = (x^2+x+1)(ax+b)$가 다음 두 조건을 만족할 때,
곡선 $y = f(x)$ 위의 점 $(10, f(10))$에서의 접선의 기울기는?

(가) $\lim\limits_{x \to 2} \dfrac{f(x)-f(2)}{x-2} = 12$

(나) $\lim\limits_{x \to 1} \dfrac{x^3-1}{f(x)-f(1)} = 1$

① 111   ② 212   ③ 300
④ 350   ⑤ 380

STEP Ⓐ 미분계수 식을 이용하여 $f'(2)$의 값 구하기

조건 (가)에서 $f'(2) = 12$

STEP Ⓑ 식을 변형하고 미분계수 식을 이용하여 극한값 구하기

조건 (나)에서 $\lim\limits_{x \to 1} \dfrac{x^3-1}{f(x)-f(1)} = \lim\limits_{x \to 1} \dfrac{(x-1)(x^2+x+1)}{f(x)-f(1)}$

$$= \lim_{x \to 1} \frac{(x-1)}{f(x)-f(1)} \times (x^2+x+1)$$

$$= \frac{1}{f'(1)} \cdot 3 = 1$$

$\therefore f'(1) = 3$

STEP Ⓒ $f'(2)$, $f'(1)$의 값을 이용하여 a, b의 값 구하기

$f(x) = (x^2+x+1)(ax+b)$에서

$f'(x) = (2x+1)(ax+b) + (x^2+x+1)a$이므로

$f'(1) = 3(a+b) + 3a = 6a + 3b = 3$

$\therefore 2a+b = 1 \qquad \cdots\cdots ㉠$

$f'(2) = 5(2a+b) + 7a = 17a + 5b = 12 \qquad \cdots\cdots ㉡$

㉠, ㉡을 연립하여 풀면 $a = 1$, $b = -1$

따라서 $x=10$에서 접선의 기울기는

$f'(10) = 21(10a+b) + 111a = 21(10-1) + 111 = 300$

정답 ③

0523

 정답 ④

STEP Ⓐ $\dfrac{1}{x} = h$로 치환하고 미분계수의 정의를 이용하여 극한값 구하기

$\dfrac{1}{x} = h$로 놓으면 $x \to \infty$일 때, $h \to 0$이므로

$\lim\limits_{x \to \infty} x\left\{ f\left(2 + \dfrac{1}{x}\right) - f(2) \right\} = \lim\limits_{h \to 0} \dfrac{f(2+h)-f(2)}{h} = f'(2)$

STEP Ⓑ 다항함수의 미분법을 이용하여 $f'(2)$의 값 구하기

이때 $f(x) = (x+1)(x^2+5)$에서 $f'(x) = (x^2+5) + (x+1) \cdot 2x$

따라서 $f'(2) = 9 + 12 = 21$

0524

 정답 ③

STEP Ⓐ $\dfrac{1}{t} = h$로 치환하고 미분계수의 정의를 이용하여 극한값 구하기

$\dfrac{1}{t} = h$로 놓으면 $t \to \infty$일 때, $h \to 0$이므로

$\lim\limits_{t \to \infty} t\left\{ f\left(1 + \dfrac{3}{t}\right) - f\left(1 - \dfrac{4}{t}\right) \right\}$

$$= \lim_{h \to 0} \frac{1}{h} \{f(1+3h) - f(1-4h)\}$$

$$= \lim_{h \to 0} \frac{f(1+3h)-f(1)+f(1)-f(1-4h)}{h}$$

$$= \lim_{3h \to 0} \frac{f(1+3h)-f(1)}{3h} \cdot 3 - \lim_{-4h \to 0} \frac{f(1-4h)-f(1)}{-4h} \cdot (-4)$$

$$= 3f'(1) - (-4)f'(1)$$

$$= 7f'(1)$$

STEP Ⓑ 다항함수의 미분법을 이용하여 $f'(1)$의 값 구하기

이때 $f(x) = x^5 - x^4 + x^3$에서 $f'(x) = 5x^4 - 4x^3 + 3x^2$

따라서 $f'(1) = 5 - 4 + 3 = 4$이므로 $7f'(1) = 28$

함수 $f(x)=x^3-5x-10$에 대하여

$$\lim_{t \to \infty} t\left\{f\left(2+\frac{1}{t}\right)-f\left(2-\frac{3}{t}\right)\right\}$$

의 값은?

① 21   ② 24   ③ 28

④ 29   ⑤ 32

STEP Ⓐ $\frac{1}{t}=h$로 치환하고 미분계수의 정의를 이용하여 극한값 구하기

$\frac{1}{t}=h$로 놓으면 $t \to \infty$일 때, $h \to 0$이므로

$\lim\limits_{t \to \infty} t\left\{f\left(2+\frac{1}{t}\right)-f\left(2-\frac{3}{t}\right)\right\}$

$=\lim\limits_{h \to 0}\dfrac{f(2+h)-f(2-3h)}{h}$

$=\lim\limits_{h \to 0}\dfrac{f(2+h)-f(2)+f(2)-f(2-3h)}{h}$

$=\lim\limits_{h \to 0}\dfrac{f(2+h)-f(2)}{h}-\lim\limits_{h \to 0}\dfrac{f(2-3h)-f(2)}{-3h}\times 3$

$=f'(2)+3f'(2)$

$=4f'(2)$

STEP Ⓑ 다항함수의 미분법을 이용하여 $f'(2)$의 값 구하기

이때 $f(x)=x^3-5x-10$에서 $f'(x)=3x^2-5$

따라서 $f'(2)=12-5=7$이므로 $4f'(2)=4\cdot 7=28$ 정답 ③

0525 정답 ③

STEP Ⓐ $\frac{1}{t}=h$로 치환하고 미분계수의 정의를 이용하여 극한값 구하기

$\frac{1}{t}=h$로 놓으면 $t \to \infty$일 때, $h \to 0$이므로

$\lim\limits_{t \to \infty} t\left\{f\left(2+\frac{a}{t}\right)-5\right\}=\lim\limits_{h \to 0}\dfrac{f(2+ah)-5}{h}=30$

이때 $f(2)=5$이므로

$\lim\limits_{h \to 0}\dfrac{f(2+ah)-5}{h}=\lim\limits_{h \to 0}\dfrac{f(2+ah)-f(2)}{ah}\times a=af'(2)$

즉 $af'(2)=30$ ...... ㉠

STEP Ⓑ 다항함수의 미분법을 이용하여 $f'(1)$의 값 구하기

이때 $f(x)=x^3-2x+1$에서 $f'(x)=3x^2-2$

따라서 ㉠에서 $a\times 10=30$이므로 $a=3$

0526 정답 ④

STEP Ⓐ $\frac{3}{t}=h$로 치환하고 미분계수의 정의를 이용하여 극한값 구하기

$\frac{3}{t}=h$로 놓으면 $t \to \infty$일 때, $h \to 0$이므로

$\lim\limits_{t \to \infty} t^2\left\{f\left(1+\frac{3}{t}\right)-f(1)\right\}^2=\lim\limits_{h \to 0}\left(\dfrac{3}{h}\right)^2\{f(1+h)-f(1)\}^2$

$=\lim\limits_{h \to 0}9\left\{\dfrac{f(1+h)-f(1)}{h}\right\}^2$

$=9\{f'(1)\}^2$

STEP Ⓑ 다항함수의 미분법을 이용하여 $f'(1)$의 값 구하기

이때 $f(x)=x^4-2x^2+2x+5$에서 $f'(x)=4x^3-4x+2$

따라서 $f'(1)=2$이므로 $9\{f'(1)\}^2=9\cdot 2^2=36$

함수 $f(x)=x^4-2x^2+3x+1$에 대하여

$$\lim_{t \to \infty} t^2\left\{f\left(1+\frac{2}{t}\right)-f(1)\right\}^2$$

의 값은?

① 16   ② 18   ③ 27

④ 36   ⑤ 64

STEP Ⓐ $\frac{2}{t}=h$로 치환하고 미분계수의 정의를 이용하여 극한값 구하기

$\frac{2}{t}=h$로 놓으면 $t \to \infty$일 때, $h \to 0$이므로

$\lim\limits_{t \to \infty} t^2\left\{f\left(1+\frac{2}{t}\right)-f(1)\right\}^2=\lim\limits_{h \to 0}\left(\dfrac{2}{h}\right)^2\{f(1+h)-f(1)\}^2$

$=\lim\limits_{h \to 0}4\left\{\dfrac{f(1+h)-f(1)}{h}\right\}^2$

$=4\{f'(1)\}^2$

STEP Ⓑ 다항함수의 미분법을 이용하여 $f'(1)$의 값 구하기

이때 $f(x)=x^4-2x^2+3x+1$에서 $f'(x)=4x^3-4x+3$

따라서 $f'(1)=3$이므로 $4\{f'(1)\}^2=4\times 3^2=36$ 정답 ④

참고

$\frac{1}{t}=h$로 놓으면 $t \to \infty$일 때, $h \to 0$이므로

$\lim\limits_{t \to \infty} t^2\left\{f\left(1+\frac{2}{t}\right)-f(1)\right\}^2=\lim\limits_{h \to 0}\left\{\dfrac{f(1+2h)-f(1)}{h}\right\}^2$

$=\lim\limits_{h \to 0}\left\{\dfrac{f(1+2h)-f(1)}{2h}\right\}^2\times 2^2$

$=4\{f'(1)\}^2$

$=4\times 9=36$

0527 정답 ③

STEP Ⓐ 극한값이 존재할 조건을 이용하여 $f(1)$의 값 구하기

$\lim\limits_{x \to 1}\dfrac{f(x)-5}{x-1}=8$에서

$x \to 1$일 때, (분모)$\to 0$이고 극한값이 존재하므로 (분자)$\to 0$이어야 한다.

즉 $\lim\limits_{x \to 1}\{f(x)-5\}=0$이므로 $f(1)-5=0$

$\therefore f(1)=5$

STEP Ⓑ 미분계수 식을 이용하여 $f'(1)$의 값 구하기

미분계수의 정의에 의하여

$\lim\limits_{x \to 1}\dfrac{f(x)-5}{x-1}=\lim\limits_{x \to 1}\dfrac{f(x)-f(1)}{x-1}=f'(1)=8$

STEP Ⓒ $f(1)$, $f'(1)$을 이용하여 a, b의 값 구하기

$f(x)=2x^3+ax^2+bx$에서 $f'(x)=6x^2+2ax+b$이므로

$f(1)=2+a+b=5$ ...... ㉠

$f'(1)=6+2a+b=8$ ...... ㉡

㉠, ㉡을 연립하여 풀면 $a=-1$, $b=4$

따라서 $ab=-4$

0528

STEP A 극한값이 존재할 조건을 이용하여 $f(1)$의 값 구하기

$\lim\limits_{x \to 1} \dfrac{f(x)-2}{x-1}=3$에서

$x \to 1$일 때, (분모)→ 0이고 극한값이 존재하므로 (분자)→ 0이어야 한다.

즉 $\lim\limits_{x \to 1}\{f(x)-2\}=0$이므로 $f(1)-2=0$ $\therefore$ $f(1)=2$

STEP B 미분계수 식을 이용하여 $f'(1)$의 값 구하기

한편 미분계수의 정의에 의하여

$\lim\limits_{x \to 1}\dfrac{f(x)-2}{x-1}=\lim\limits_{x \to 1}\dfrac{f(x)-f(1)}{x-1}=f'(1)=3$

STEP C $f(1)$, $f'(1)$을 이용하여 a, b의 값 구하기

$f(x)=x^5+ax+b$에서 $f'(x)=5x^4+a$이므로

$f(1)=1+a+b=2$ $\cdots\cdots$ ㉠

$f'(1)=5+a=3$ $\cdots\cdots$ ㉡

㉠, ㉡을 연립하여 풀면 $a=-2$, $b=3$

따라서 $f(x)=x^5-2x+3$이므로 $f(-1)=-1+2+3=4$

내·신·연·계 출제문항 226

함수 $f(x)=x^3+ax^2+bx$에 대하여

$$\lim\limits_{x \to 1}\dfrac{f(x)-3}{x-1}=3$$

일 때, $f(2)$의 값은? (단, a, b는 상수이다.)

① 4   ② 6   ③ 8

④ 10   ⑤ 12

STEP A 극한값이 존재할 조건을 이용하여 $f(1)$의 값 구하기

$\lim\limits_{x \to 1}\dfrac{f(x)-3}{x-1}=3$에서

$x \to 1$일 때, (분모)→ 0이고 극한값이 존재하므로 (분자)→ 0이어야 한다.

즉 $\lim\limits_{x \to 1}\{f(x)-3\}=0$이므로 $f(1)-3=0$ $\therefore$ $f(1)=3$

STEP B 미분계수 식을 이용하여 $f'(1)$의 값 구하기

한편 미분계수의 정의에 의하여

$\lim\limits_{x \to 1}\dfrac{f(x)-3}{x-1}=\lim\limits_{x \to 1}\dfrac{f(x)-f(1)}{x-1}=f'(1)=3$

STEP C $f(1)$, $f'(1)$을 이용하여 a, b의 값 구하기

$f(x)=x^3+ax^2+bx$에서 $f'(x)=3x^2+2ax+b$이므로

$f(1)=1+a+b=3$, $a+b=2$ $\cdots\cdots$ ㉠

$f'(1)=3+2a+b=3$, $2a+b=0$ $\cdots\cdots$ ㉡

㉠, ㉡을 연립하여 풀면 $a=-2$, $b=4$

따라서 $f(x)=x^3-2x^2+4x$이므로 $f(2)=8-8+8=8$

0529

STEP A 다항함수의 미분법을 이용하여 $f'(1)$의 값 구하기

$f(x)=x^2+ax$에서 $f'(x)=2x+a$이므로 $f'(1)=2+a$

STEP B 미분계수의 정의를 이용하여 식을 변형하기

$\lim\limits_{h \to 0}\dfrac{f(1+h)-f(1)}{2h}=\dfrac{1}{2}\lim\limits_{h \to 0}\dfrac{f(1+h)-f(1)}{h}=\dfrac{1}{2}f'(1)=\dfrac{1}{2}(2+a)$

따라서 $\dfrac{1}{2}(2+a)=6$에서 $a=10$

내·신·연·계 출제문항 227

함수 $f(x)=-3x^2+ax$에 대하여

$$\lim\limits_{h \to 0}\dfrac{f(1+2h)-f(1)}{h}=8$$

일 때, 상수 a의 값은?

① 2   ② 4   ③ 6

④ 8   ⑤ 10

STEP A 다항함수의 미분법을 이용하여 $f'(1)$의 값 구하기

$f(x)=-3x^2+ax$에서 $f'(x)=-6x+a$이므로

$f'(1)=-6+a$

STEP B 미분계수의 정의를 이용하여 식을 변형하기

$\lim\limits_{h \to 0}\dfrac{f(1+2h)-f(1)}{h}=\lim\limits_{h \to 0}\dfrac{f(1+2h)-f(1)}{2h}\times 2$

$=2f'(1)=2(-6+a)$

따라서 $2(-6+a)=8$에서 $a=10$

0530

STEP A 극한값이 존재할 조건과 미분계수의 정의를 이용하여 $f(2)$, $f'(2)$의 값 구하기

$\lim\limits_{h \to 0}\dfrac{f(2+2h)-4}{h}=12$에서

$h \to 0$일 때, (분모)→ 0이고 극한값이 존재하므로 (분자)→ 0이어야 한다.

즉 $\lim\limits_{h \to 0}\{f(2+2h)-4\}=0$이므로 $f(2)-4=0$

$\therefore$ $f(2)=4$

또한, $\lim\limits_{h \to 0}\dfrac{f(2+2h)-f(2)}{2h}\times 2=2f'(2)=12$

$\therefore$ $f'(2)=6$

STEP B 다항함수의 미분법을 이용하여 $f(-2)$의 값 구하기

$f(x)=x^3+ax^2+b$에서 $f'(x)=3x^2+2ax$

$f(2)=8+4a+b=4$, $4a+b=-4$ $\cdots\cdots$ ㉠

$f'(2)=12+4a=6$, $a=-\dfrac{3}{2}$ $\cdots\cdots$ ㉡

㉠, ㉡을 연립하여 풀면 $a=-\dfrac{3}{2}$, $b=2$

따라서 $f(x)=x^3-\dfrac{3}{2}x^2+2$이므로 $f(-2)=-8-6+2=-12$

0531

STEP A 주어진 식을 변형하여 미분계수의 정의 이용하기

$\lim\limits_{k \to 0}\dfrac{f(1+h)-f(1-h)}{h}=\lim\limits_{h \to 0}\dfrac{f(1+h)-f(1)+f(1)-f(1-h)}{h}$

$=\lim\limits_{k \to 0}\dfrac{f(1+h)-f(1)}{h}+\lim\limits_{h \to 0}\dfrac{f(1-h)-f(1)}{-h}$

$=f'(1)+f'(1)$

$=2f'(1)=20$

$\therefore$ $f'(1)=10$

STEP B 다항함수의 미분법을 이용하여 a의 값 구하기

$f(x)=x^3+x^2+ax+1$에서 $f'(x)=3x^2+2x+a$

따라서 $f'(1)=5+a=10$이므로 $a=5$

내/신/연/계 출제문항 228

함수 $f(x)=x^3+ax^2-4x+1$이

$$\lim_{h \to 0}\frac{f(1+h)-f(1-3h)}{2h}=6$$

을 만족시킬 때, 상수 a의 값은?

① 2 　　　　② 3 　　　　③ 4
④ 5 　　　　⑤ 6

STEP Ⓐ 미분계수의 식을 변형하기

$$\lim_{h \to 0}\frac{f(1+h)-f(1-3h)}{2h}$$

$$=\lim_{h \to 0}\frac{f(1+h)-f(1)+f(1)-f(1-3h)}{2h}$$

$$=\lim_{h \to 0}\frac{f(1+h)-f(1)}{h}\times\frac{1}{2}+\lim_{h \to 0}\frac{f(1-3h)-f(1)}{-3h}\times\frac{3}{2}$$

$$=\frac{1}{2}f'(1)+\frac{3}{2}f'(1)$$

$$=2f'(1)$$

즉 $2f'(1)=6$이므로 $f'(1)=3$

STEP Ⓑ 미분법을 이용하여 a의 값 구하기

$f(x)=x^3+ax^2-4x+1$에서 $f'(x)=3x^2+2ax-4$이므로

$f'(1)=2a-1$

따라서 $2a-1=3$이므로 $a=2$　　　정답 ①

0532 　　　정답 ①

STEP Ⓐ 주어진 식을 변형하여 미분계수의 정의 이용하기

$$\lim_{h \to 0}\frac{f(a+h)-f(a-h)}{h}=\lim_{h \to 0}\frac{\{f(a+h)-f(a)\}-\{f(a-h)-f(a)\}}{h}$$

$$=\lim_{h \to 0}\frac{f(a+h)-f(a)}{h}-\lim_{h \to 0}\frac{f(a-h)-f(a)}{h}$$

$$=f'(a)+f'(a)$$

$$=2f'(a)=8$$

STEP Ⓑ 다항함수의 미분법을 이용하여 a의 값 구하기

따라서 $f(x)=x^2-6x+5$에서 $f'(x)=2x-6$이고

$f'(a)=2a-6=4$이므로 $a=5$

0533 　　　정답 ①

STEP Ⓐ 극한값이 존재할 조건을 이용하여 a의 값 구하기

$$\lim_{x \to 1}\frac{f(x)}{x-1}=k$$에서 $$\lim_{x \to 1}\frac{2x^3+5x^2-4x+a}{x-1}=k$$

$x \to 1$일 때, (분모)$\to 0$이고 극한값이 존재하므로 (분자)$\to 0$이어야 한다.

즉 $\lim_{x \to 1}(2x^3+5x^2-4x+a)=0$이므로 $2+5-4+a=0$

$\therefore a=-3$

STEP Ⓑ 다항함수의 미분법을 이용하여 $f'(1)$의 값 구하기

$$\lim_{x \to 1}\frac{f(x)}{x-1}=\lim_{x \to 1}\frac{f(x)-f(1)}{x-1}=f'(1)$$

이때 $f'(x)=6x^2+10x-4$이므로 $f'(1)=6+10-4=12$

$\therefore k=12$

따라서 $ak=-3 \cdot 12=-36$

0534 　　　정답 ①

STEP Ⓐ 극한값이 존재할 조건과 미분계수 식을 이용하여 $f(2)$, $f'(2)$, $f'(1)$의 값 구하기

$$\lim_{x \to 2}\frac{f(x)}{x-2}=12$$에서

$x \to 2$일 때, (분모)$\to 0$이고 극한값이 존재하므로 (분자)$\to 0$이어야 한다.

즉 $\lim_{x \to 2}f(x)=0$이므로 $f(2)=0$

이때 $\lim_{x \to 2}\frac{f(x)}{x-2}=\lim_{x \to 2}\frac{f(x)-f(2)}{x-2}=f'(2)=12$

또한, $\lim_{h \to 0}\frac{f(1+h)-f(1-h)}{h}=\lim_{h \to 0}\frac{f(1+h)-f(1)+f(1)-f(1-h)}{h}$

$$=\lim_{h \to 0}\frac{f(1+h)-f(1)}{h}+\lim_{h \to 0}\frac{f(1-h)-f(1)}{-h}$$

$$=f'(1)+f'(1)$$

$$=2f'(1)$$

즉 $2f'(1)=2$이므로 $f'(1)=1$

STEP Ⓑ $f(2)$, $f'(2)$, $f'(1)$을 이용하여 a, b, c의 값 구하기

$f(x)=x^3+ax^2+bx+c$에서 $f'(x)=3x^2+2ax+b$이므로

$f(2)=8+4a+2b+c=0$ 　　…… ㉠

$f'(2)=12+4a+b=12$ 　　…… ㉡

$f'(1)=3+2a+b=1$ 　　…… ㉢

㉠, ㉡, ㉢을 연립하여 풀면 $a=1$, $b=-4$, $c=-4$

STEP Ⓒ $f(1)$의 값 구하기

따라서 $f(x)=x^3+x^2-4x-4$이므로 $f(1)=-6$

내/신/연/계 출제문항 229

함수 $f(x)=x^3+ax^2+bx+1$에 대하여

$$\lim_{x \to 2}\frac{f(x)-f(2)}{x-2}=-1, \quad \lim_{h \to 0}\frac{f(1-2h)-f(1+2h)}{h}=8$$

을 만족시킬 때, $f(2)$의 값은? (단, a, b는 상수)

① -2 　　　　② -1 　　　　③ 0
④ 1 　　　　⑤ 2

STEP Ⓐ 미분계수 식을 이용하여 $f'(2)$, $f'(1)$의 값 구하기

$\lim_{x \to 2}\frac{f(x)-f(2)}{x-2}=f'(2)$이므로 $f'(2)=-1$

$\lim_{h \to 0}\frac{f(1-2h)-f(1+2h)}{h}$

$=\lim_{h \to 0}\frac{f(1-2h)-f(1)+f(1)-f(1+2h)}{h}$

$=\lim_{h \to 0}\frac{f(1-2h)-f(1)}{-2h}\times(-2)-\lim_{h \to 0}\frac{f(1+2h)-f(1)}{2h}\times 2$

$=-2f'(1)-2f'(1)$

$=-4f'(1)$

즉 $-4f'(1)=8$이므로 $f'(1)=-2$

STEP Ⓑ $f'(2)$, $f'(1)$을 이용하여 a, b, c의 값 구하기

$f(x)=x^3+ax^2+bx+1$에서 $f'(x)=3x^2+2ax+b$

$f'(2)=12+4a+b=-1$, $4a+b=-13$ 　　…… ㉠

$f'(1)=3+2a+b=-2$, $2a+b=-5$ 　　…… ㉡

㉠, ㉡을 연립하여 풀면 $a=-4$, $b=3$

STEP Ⓒ $f(2)$의 값 구하기

따라서 $f(x)=x^3-4x^2+3x+1$이므로 $f(2)=8-16+6+1=-1$　　정답 ②

0535

STEP A 극한값이 존재할 조건을 이용하여 $f(1)$의 값 구하기

$\lim\limits_{x\to 1}\dfrac{f(x)}{x^2+2x-3}=\dfrac{1}{2}$에서

$x\to 1$일 때, (분모)$\to 0$이고 극한값이 존재하므로 (분자)$\to 0$이어야 한다.

즉 $\lim\limits_{x\to 1}f(x)=0$이므로 $f(1)=0$

STEP B 함수 $f(x)$의 식을 세우고 극한값을 이용하여 a, b의 값 구하기

$f(x)=(x-1)(ax+b)\,(a\ne 0)$라 하면

$$\lim\limits_{x\to 1}\dfrac{f(x)}{x^2+2x-3}=\lim\limits_{x\to 1}\dfrac{(x-1)(ax+b)}{(x-1)(x+3)}$$
$$=\lim\limits_{x\to 1}\dfrac{ax+b}{x+3}$$
$$=\dfrac{a+b}{4}=\dfrac{1}{2}$$

$\therefore a+b=2$ ...... ㉠

한편

$$\lim\limits_{h\to 0}\dfrac{f(2+h)-f(2)}{2h}=\dfrac{1}{2}\lim\limits_{h\to 0}\dfrac{f(2+h)-f(2)}{h}$$
$$=\dfrac{1}{2}f'(2)=4$$

$\therefore f'(2)=8$

그런데 $f'(x)=(x-1)'(ax+b)+(x-1)(ax+b)'$
$$=(ax+b)+(x-1)\cdot a$$
$$=2ax-a+b$$

이므로

$f'(2)=4a-a+b=3a+b=8$ ...... ㉡

㉠, ㉡을 연립하여 풀면 $a=3$, $b=-1$

STEP C $f(3)$의 값 구하기

따라서 $f(x)=(x-1)(3x-1)$이므로 $f(3)=2\cdot 8=16$

0536

STEP A 다항함수 $f(x)$의 차수 구하기

$\lim\limits_{x\to\infty}\dfrac{f(x)}{x^2+x-3}=2$에서 $f(x)$는 최고차항의 계수가 2인 이차함수이다.

$f(x)=2x^2+ax+b\,(a,\ b$는 상수$)$라 하면

$f'(x)=4x+a$

STEP B 미분계수의 정의를 이용하여 극한값 구하기

$\lim\limits_{x\to 1}\dfrac{f(x)-10}{x-1}=5$에서

$x\to 1$일 때, (분모)$\to 0$이고 극한값이 존재하므로 (분자)$\to 0$이어야 한다.

즉 $\lim\limits_{x\to 1}\{f(x)-10\}=0$이므로 $f(1)=10$

또한, $\lim\limits_{x\to 1}\dfrac{f(x)-10}{x-1}=\lim\limits_{x\to 1}\dfrac{f(x)-f(1)}{x-1}=f'(1)=5$

$f(1)=2+a+b=10$ ...... ㉠

$f'(1)=4+a=5$ $\therefore a=1$

$a=1$을 ㉠에 대입하면 $b=7$

따라서 $f(x)=2x^2+x+7$이므로 $f(3)=18+3+7=28$

0537

STEP A 극한값이 존재할 조건을 이용하여 $f(x)-2x^2$의 식 세우기

조건 (가)에서 $\lim\limits_{x\to\infty}\dfrac{f(x)-2x^2}{x^2-1}=2$이므로

함수 $f(x)-2x^2$은 이차항의 계수가 2인 이차함수이다.

조건 (나)에서 $\lim\limits_{x\to 1}\dfrac{f(x)-2x^2}{x^2-1}=2$이므로

$x\to 1$일 때, (분모)$\to 0$이고 극한값이 존재하므로 (분자)$\to 0$이어야 한다.

즉 $\lim\limits_{x\to 1}\{f(x)-2x^2\}=0$이므로 $f(1)-2=0$

조건 (가), (나)에서

$f(x)-2x^2=2(x-1)(x-a)$ (단, a는 상수)라 하면

$$\lim\limits_{x\to 1}\dfrac{f(x)-2x^2}{x^2-1}=\lim\limits_{x\to 1}\dfrac{2(x-1)(x-a)}{x^2-1}$$
$$=\lim\limits_{x\to 1}\dfrac{2(x-a)}{x+1}$$
$$=1-a=2$$

$\therefore a=-1$

STEP B $f'(5)$의 값 구하기

$f(x)=2x^2+2(x-1)(x+1)=4x^2-2$

따라서 $f'(x)=8x$이므로 $f'(5)=40$

 내신연계 출제문항 **230**

다항함수 $f(x)$가 다음 조건을 만족시킨다.

$$\lim\limits_{x\to\infty}\dfrac{f(x)}{x^2+x+1}=2,\ \ \lim\limits_{x\to 0}\dfrac{f(x)}{x}=3$$

함수 $y=f(x)$의 그래프 위의 점 $(2,\ f(2))$에서의 접선의 기울기는?

① 7   ② 9   ③ 11
④ 14   ⑤ 16

STEP A 다항함수 $f(x)$의 차수 구하기

$\lim\limits_{x\to\infty}\dfrac{f(x)}{x^2+x+1}=2$에서 $f(x)$의 최고차항의 계수가 2인 이차함수이다.

$f(x)=2x^2+ax+b(a,\ b$는 상수$)$라 하면

$f'(x)=4x+a$

STEP B 극한값이 존재할 조건을 이용하여 a, b의 값 구하기

$\lim\limits_{x\to 0}\dfrac{f(x)}{x}=3$에서

$x\to 0$일 때, (분모)$\to 0$이고 극한값이 존재하므로 (분자)$\to 0$이어야 한다.

즉 $\lim\limits_{x\to 0}f(x)=0$이므로 $f(0)=0$

또한, $\lim\limits_{x\to 0}\dfrac{f(x)}{x}=\lim\limits_{x\to 0}\dfrac{f(x)-f(0)}{x}=f'(0)=3$

$f(0)=b=0$

$f'(0)=a=3$

STEP C 다항함수의 미분법을 이용하여 $f'(2)$의 값 구하기

$f(x)=2x^2+3x$이므로 $f'(x)=4x+3$

따라서 점 $(2,\ f(2))$에서의 접선의 기울기는 $f'(2)=4\cdot 2+3=11$

내신연계 출제문항 231

다항함수 $f(x)$가 다음 조건을 만족시킬 때, $f(-1)+f'(-1)$의 값은?

(가) $\lim_{x \to \infty} \dfrac{f(x)-2x^3}{x^2+1}=-2$	(나) $\lim_{x \to 1} \dfrac{f(x+1)-3}{x(x-1)}=12$

① 3 ② 6 ③ 9
④ 12 ⑤ 15

STEP Ⓐ 극한값이 존재할 조건을 이용하여 $f(x)-2x^2$의 식 세우기

조건 (가) $\lim_{x \to \infty} \dfrac{f(x)-2x^3}{x^2+1}=-2$에서

함수 $f(x)-2x^3$은 이차항의 계수가 -2인 이차함수이므로

$f(x)-2x^3=-2x^2+ax+b\,(a,\,b$는 상수$)$라 하면

$f(x)=2x^3-2x^2+ax+b$

STEP Ⓑ 미분계수를 이용하여 삼차함수 $f(x)$ 구하기

조건 (나) $\lim_{x \to 1} \dfrac{f(x+1)-3}{x(x-1)}=2$에서

$x \to 1$일 때, (분모)$\to 0$이고 극한값이 존재하므로 (분자)$\to 0$이어야 한다.

즉 $\lim_{x \to 1}\{f(x+1)-3\}=0$이므로 $f(2)-3=0$

$\therefore f(2)=3$

즉 $16-8+2a+b=3$에서 $2a+b=-5$ …… ㉠

$x+1=t$라 하면 $x \to 1$일 때, $t \to 2$이므로

$\lim_{x \to 1} \dfrac{f(x+1)-3}{x(x-1)}=\lim_{t \to 2} \dfrac{f(t)-f(2)}{(t-1)(t-2)}$ ← $f(2)=3$

$=\lim_{t \to 2}\left\{\dfrac{f(t)-f(2)}{t-2} \times \dfrac{1}{t-1}\right\}$

$=f'(2)$

즉 $f'(2)=12$

$f'(x)=6x^2-4x+a$이므로 $f'(2)=24-8+a=12$ $\therefore a=-4$

$a=-4$을 ㉠에 대입하면 $b=3$

$\therefore f(x)=2x^3-2x^2-4x+3$

STEP Ⓒ $f(-1)+f'(-1)$의 값 구하기

$f(x)=2x^3-2x^2-4x+3$이므로 $f(-1)=-2-2+4+3=3$

또한, $f'(x)=6x^2-4x-4$이므로 $f'(-1)=6+4-4=6$

따라서 $f(-1)+f'(-1)=3+6=9$

정답 ③

0538

정답 ③

STEP Ⓐ 다항함수 $f(x)$의 차수 구하기

$\lim_{x \to \infty} \dfrac{f(x)}{2x^3+3x-1}=1$에서 $f(x)$의 최고차항의 계수가 2인 삼차함수이다.

$f(x)=2x^3+ax^2+bx+c\,(a,\,b,\,c$는 상수$)$라 하면

$f'(x)=6x^2+2ax+b$

STEP Ⓑ 미분계수의 정의를 이용하여 극한값 구하기

$\lim_{x \to 0} \dfrac{f'(x)}{x}=1$에서

$x \to 0$일 때, (분모)$\to 0$이고 극한값이 존재하므로 (분자)$\to 0$이어야 한다.

즉 $\lim_{x \to 0} f'(x)=0$이므로 $f'(0)=0$

$f'(0)=b=0$

또한, $\lim_{x \to 0} \dfrac{f'(x)}{x}=\lim_{x \to 0} \dfrac{6x^2+2ax}{x}=\lim_{x \to 0}(6x+2a)=2a=1$

$\therefore a=\dfrac{1}{2}$

따라서 $f'(x)=6x^2+x$이므로 $f'(1)=6+1=7$

0539

정답 ③

STEP Ⓐ 극한값이 존재할 조건을 이용하여 $f(3)$의 값 구하기

$\lim_{x \to 2} \dfrac{f(x+1)-8}{x^2-4}=5$에서

$x \to 2$일 때, (분모)$\to 0$이고 극한값이 존재하므로 (분자)$\to 0$이어야 한다.

즉 $\lim_{x \to 2}\{f(x+1)-8\}=0$이므로 $f(3)=8$ …… ㉠

STEP Ⓑ $x-2=h$로 치환하고 미분계수의 정의를 이용하여 $f'(3)$의 값 구하기

또한, $x-2=h$로 놓으면 $x \to 2$일 때, $h \to 0$이므로

$\lim_{x \to 2} \dfrac{f(x+1)-8}{x^2-4}=\lim_{x \to 2} \dfrac{f(x+1)-f(3)}{(x+2)(x-2)}$

$=\lim_{h \to 0} \dfrac{f(3+h)-f(3)}{(h+4)h}$

$=\lim_{h \to 0} \dfrac{f(3+h)-f(3)}{h} \cdot \lim_{h \to 0} \dfrac{1}{h+4}$

$=\dfrac{1}{4}f'(3)$

이때 $\dfrac{1}{4}f'(3)=5$이므로 $f'(3)=20$ …… ㉡

STEP Ⓒ $f(3)$, $f'(3)$을 이용하여 함수 $f(2)$의 값 구하기

$f(x)=x^2+7ax+b$에서 $f'(x)=2x+7a$

㉠, ㉡에서 $f(3)=9+21a+b=8$, $f'(3)=6+7a=20$이므로

$a=2,\ b=-43$

따라서 $f(x)=x^2+14x-43$이므로 $f(2)=-11$

내신연계 출제문항 232

함수 $f(x)=x^3+ax+b$가

$$\lim_{x \to 1} \dfrac{f(x+1)-3}{x^2-1}=4$$

를 만족시킬 때, $f(1)$의 값은? (단, $a,\,b$는 상수)

① -2 ② -1 ③ 0
④ 1 ⑤ 2

STEP Ⓐ 극한값이 존재할 조건을 이용하여 $f(2)$의 값 구하기

$\lim_{x \to 1} \dfrac{f(x+1)-3}{x^2-1}=4$에서

$x \to 2$일 때, (분모)$\to 0$이고 극한값이 존재 하므로 (분자)$\to 0$이다.

$\lim_{x \to 1}\{f(x+1)-3\}=0$이므로 $f(2)=3$

STEP Ⓑ $x+1=t$로 치환하고 미분계수의 정의를 이용하여 $f'(2)$의 값 구하기

$x+1=t$로 놓으면 $x \to 1$일 때, $t \to 2$이므로

$\lim_{x \to 1} \dfrac{f(x+1)-3}{x^2-1}=\lim_{t \to 2} \dfrac{f(t)-3}{(t-1)^2-1}$

$=\lim_{t \to 2} \dfrac{f(t)-f(2)}{t-2} \times \dfrac{1}{t}=\dfrac{1}{2}f'(2)$

즉 $\dfrac{1}{2}f'(2)=4$이므로 $f'(2)=8$

STEP Ⓒ $f(2)$, $f'(2)$을 이용하여 함수 $f(1)$의 값 구하기

한편 $f(x)=x^3+ax+b$에서 $f'(x)=3x^2+a$

$f(2)=3$에서 $8+2a+b=3$ …… ㉠

$f'(2)=8$에서 $12+a=8$ $\therefore a=-4$

$a=-4$를 ㉠에 대입하면 $b=3$

따라서 $f(x)=x^3-4x+3$이므로 $f(1)=1-4+3=0$

정답 ③

0540

정답 ①

STEP A 극한값이 존재할 조건을 이용하여 a의 값 구하기

조건 (가)에서 $\lim\limits_{x \to 0} \dfrac{x^n+x^{n-1}+\cdots+x^2+x+a}{x}=1$

$x \to 0$일 때, (분모)$\to 0$이고 극한값이 존재하므로 (분자)$\to 0$이어야 한다.

$\lim\limits_{x \to 0}(x^n+x^{n-1}+\cdots+x^2+x+a)=0$이므로 $a=0$

즉 $f(x)=x^n+x^{n-1}+\cdots+x^2+x$ $\cdots\cdots$ ㉠

STEP B 미분계수 식을 이용하여 극한값을 구하여 n의 값 구하기

조건 (나)에서 $\lim\limits_{x \to 1} \dfrac{f(x)-f(1)}{x-1}=f'(1)=66$

㉠에서 $f'(x)=nx^{n-1}+(n-1)x^{n-2}+\cdots+2x+1$

$f'(1)=n+(n-1)+\cdots+2+1=\dfrac{n(n+1)}{2}=66$

$\therefore n=11$

STEP C $f(1)$의 값 구하기

따라서 $f(x)=x^{11}+x^{10}+\cdots+x^2+x$이므로 $f(1)=11$

0541

정답 ④

STEP A 극한값이 존재할 조건을 이용하여 $f(2)$의 값 구하기

$\lim\limits_{x \to 2} \dfrac{f(x)}{(x-2)\{f'(x)\}^2}=\dfrac{1}{4}$에서

$x \to 2$일 때, (분모)$\to 0$이고 극한값이 존재하므로 (분자)$\to 0$이어야 한다.

즉 $\lim\limits_{x \to 2}f(x)=0$이므로 $f(2)=0$

STEP B 미분계수의 정의를 이용하여 $f'(2)$의 값 구하기

$$\lim_{x \to 2} \frac{f(x)}{(x-2)\{f'(x)\}^2}=\lim_{x \to 2}\left[\frac{f(x)-f(2)}{x-2}\times\frac{1}{\{f'(x)\}^2}\right]$$
$$=f'(2)\times\frac{1}{\{f'(2)\}^2}$$
$$=\frac{1}{f'(2)}$$

이므로 $\dfrac{1}{f'(2)}=\dfrac{1}{4}$에서 $f'(2)=4$

STEP C 함수 $f(3)$의 값 구하기

삼차함수 $f(x)$의 최고차항의 계수가 1이고 $f(1)=0$, $f(2)=0$이므로

$f(x)=(x-1)(x-2)(x+a)$ (a는 상수)

로 놓을 수 있다.

$f'(x)=(x-2)(x+a)+(x-1)(x+a)+(x-1)(x-2)$이므로

$f'(2)=2+a=4$에서 $a=2$

따라서 $f(x)=(x-1)(x-2)(x+2)$이므로 $f(3)=2\cdot1\cdot5=10$

0542

정답 ④

STEP A $f(x)=ax^2+bx+c$라 두고 주어진 식에 대입하기

$f(x)=ax^2+bx+c$라 하면

조건 (가)에서 $f(0)=c=2$ $\cdots\cdots$ ㉠

또, $f'(x)=2ax+b$이므로 조건 (나)에서

$2(ax^2+bx+2)-(x-1)(2ax+b)=2$

$(2a+b)x+b+4-2=0$

STEP B 항등식의 성질을 이용하여 a, b의 값 구하기

항등식의 성질에 의하여

$2a+b=0$, $b=-2$ $\cdots\cdots$ ㉡

㉠, ㉡에서 $a=1$, $b=-2$, $c=2$

STEP C $f(2)$의 값 구하기

따라서 $f(x)=x^2-2x+2$이므로 $f(2)=4-4+2=2$

0543

정답 ①

STEP A 항등식의 계수비교법을 이용하여 a, b의 값 구하기

$f(x)=ax^2+b$에서 $f'(x)=2ax$이므로

주어진 등식에 대입하면 $4(ax^2+b)=(2ax)^2+x^2+4$

좌변과 우변을 각각 정리하면 $4ax^2+4b=(4a^2+1)x^2+4$

이 식은 x에 대한 항등식이므로 $4a=4a^2+1$, $(2a-1)^2=0$

$\therefore a=\dfrac{1}{2}$

$4b=4$ $\therefore b=1$

STEP B $f(2)$의 값 구하기

따라서 $f(x)=\dfrac{1}{2}x^2+1$ 이므로 $f(2)=3$

0544

정답 ④

STEP A $f(x)$를 n차 다항식이라 두고 최고차항의 차수를 비교하여 n의 값 구하기

함수 $f(x)$가 n차 함수이면 $f'(x)$는 $(n-1)$차 함수이므로

$\{f'(x)\}^2=4f(x)$에서 $2(n-1)=n$

$\therefore n=2$

STEP B $f(x)=x^2+ax+b$라 두고 주어진 식에 대입하여 a, b, c의 값 구하기

이때 $f(x)=ax^2+bx+c$ ($a \neq 0$, b, c는 상수)로 놓으면

$f'(x)=2ax+b$

$\{f'(x)\}^2=4f(x)$에서 $4a^2x^2+4abx+b^2=4ax^2+4bx+4c$

즉 $4a^2=4a$, $4ab=4b$, $b^2=4c$이므로 $a=1$

또, $f(1)=a+b+c=0$이고 $a=1$이므로

$1+b+c=0$에서 $c=-b-1$ $\cdots\cdots$ ㉠

$b^2=4c$에 ㉠을 대입하여 풀면 $b=-2$

$b=-2$를 ㉠에 대입하면 $c=1$이므로 $f(x)=x^2-2x+1$

따라서 $f(2)=4-4+1=1$

최고차항의 계수가 1인 다항함수 $f(x)$가
$$f(x)f'(x)=2x^3-9x^2+5x+6$$
을 만족할 때, $f(-3)$의 값은?

① 16　　　　② 18　　　　③ 20
④ 22　　　　⑤ 24

STEP Ⓐ $f(x)$를 n차 다항식이라 두고 최고차항의 차수를 비교하여 n의 값 구하기

함수 $f(x)$가 n차 함수이면 $f'(x)$는 $(n-1)$차 함수이므로
$f(x)f'(x)=2x^3-9x^2+5x+6$에서 $n+(n-1)=3$
$\therefore n=2$

STEP Ⓑ $f(x)=x^2+ax+b$라 두고 주어진 식에 대입하여 a, b의 값 구하기

이때 $f(x)=x^2+ax+b$ (a, b는 상수)로 놓으면
$f'(x)=2x+a$이므로
$f(x)f'(x)=(x^2+ax+b)(2x+a)$
$\qquad =2x^3+3ax^2+(a^2+2b)x+ab$
$\qquad =2x^3-9x^2+5x+6$
$3a=-9$, $ab=6$이므로 $a=-3$, $b=-2$

STEP Ⓒ $f(-3)$의 값 구하기

따라서 $f(x)=x^2-3x-2$이므로 $f(-3)=9+9-2=16$　　　정답 ①

두 조건을 만족시키는 n차 함수 $f(x)$에 대하여 $f(4)$의 값은?

> (가) $f(-1)=8$
> (나) $2f(x)=(x-1)f'(x)$

① 12　　　　② 14　　　　③ 16
④ 18　　　　⑤ 20

STEP Ⓐ $f(x)$를 n차 다항식이라 두고 최고차항의 차수를 비교하여 n의 값 구하기

$f(x)$의 차수가 n (n은 자연수)이므로 $f'(x)$의 차수는 $n-1$이고
조건 (나)에서 좌변과 우변의 차수는 같다.
$f(x)$의 최고차항을 ax^n ($a\neq0$)으로 놓으면
$f'(x)$의 최고차항은 anx^{n-1}이므로 양변의 최고차항의 계수를 비교하면
$2a=na$
$\therefore n=2$

STEP Ⓑ $f(x)=ax^2+bx+c$라 두고 주어진 식에 대입하여 a, b, c의 값 구하기

즉 $f(x)=ax^2+bx+c$로 놓으면 $f'(x)=2ax+b$이므로
조건 (나)에 대입하면
$2ax^2+2bx+2c=2ax^2+(b-2a)x-b$
이 식이 모든 실수 x에 대하여 성립하므로
$2b=b-2a$, $2c=-b$　　　……㉠
한편 (가)에서 $f(-1)=a-b+c=8$　　　……㉡
㉠, ㉡을 연립하여 풀면 $a=2$, $b=-4$, $c=2$

STEP Ⓒ $f(4)$의 값 구하기

따라서 $f(x)=2x^2-4x+2$이므로 $f(4)=32-16+2=18$　　　정답 ④

0545　　　정답 ②

STEP Ⓐ $f(x)$를 n차 다항식이라 두고 최고차항의 차수를 비교하여 n의 값 구하기

함수 $f(x)$의 최고차항을 ax^n ($a\neq0$, n은 자연수)라 하면
$2f(x)-xf'(x)$에서 최고차항만 계산해 보면
$2ax^n-x\times nax^{n-1}=(2-n)ax^n$이므로
$n=1$ 또는 $n=2$

STEP Ⓑ a, b, c의 값 구하기

(i) $n=1$일 때,
　$2f(x)-xf'(x)$의 최고차항이 ax이므로 $a=5$
　$f(x)=5x+b$ (b는 상수)라 하면
　$f'(x)=5$이므로 $2f(x)-xf'(x)=10x+2b-5x=5x+2b$
　$b=-2$이므로 $f(x)=5x-2$
　이때 $f(1)=5-2=3$이므로 조건 (나)를 만족시키지 않는다.
(ii) $n=2$일 때,
　$f(x)=ax^2+bx+c$ (a, b, c는 상수)라 하면
　$f'(x)=2ax+b$이므로
　$2f(x)-xf'(x)=2ax^2+2bx+2c-2ax^2-bx=bx+2c$
　$b=5$, $c=-2$이므로 $f(x)=ax^2+5x-2$
　$f(1)=a+5-2=a+3=2$에서 $a=-1$
따라서 $f(x)=-x^2+5x-2$이므로 $f(2)=-2^2+5\times2-2=4$

0546　　　정답 ②

STEP Ⓐ 몫과 나머지를 임의로 두고 식 세우기

$x^{10}-3x^2+4$을 $(x+1)^2$으로 나누었을 때 몫을 $Q(x)$,
나머지를 $R(x)=ax+b$ (a, b는 상수)라고 하면
$x^{10}-3x^2+4=(x+1)^2Q(x)+ax+b$　　　……㉠

STEP Ⓑ $x=-1$을 대입하여 a, b 사이의 관계식 구하기

㉠의 양변에 $x=-1$을 대입하면 $2=-a+b$　　　……㉡

STEP Ⓒ 양변을 x로 미분한 후 $x=-1$을 대입하여 a, b의 값 구하기

㉠의 양변을 x에 대하여 미분하면
$10x^9-6x=2(x+1)Q(x)+(x+1)^2Q'(x)+a$　　　……㉢
㉢의 양변에 $x=-1$을 대입하면 $-4=a$
$a=-4$를 ㉡에 대입하면 $b=-2$
따라서 $R(x)=-4x-2$이므로 $R\left(\dfrac{1}{2}\right)=-4\cdot\dfrac{1}{2}-2=-4$

내신연계 출제문항 235

다항식 $x^{10}-x^4+3x^2+1$을 $(x-1)^2$으로 나누었을 때의 나머지를 $R(x)$라 할 때, $R(2)$의 값은?

① 16 　　　　② 18 　　　　③ 20
④ 22 　　　　⑤ 24

STEP A 몫과 나머지를 임의로 두고 식 세우기

다항식 $x^{10}-x^4+3x^2+1$을 이차식 $(x-1)^2$으로 나누었을 때의 몫을 $Q(x)$,
나머지를 $R(x)=ax+b(a, b$는 상수)라 하면
$$x^{10}-x^4+3x^2+1=(x-1)^2Q(x)+ax+b \qquad \cdots\cdots \text{㉠}$$

STEP B $x=1$을 대입하여 a, b 사이의 관계식 구하기

㉠의 양변에 $x=1$을 대입하면 $4=a+b$ 　　　　$\cdots\cdots$ ㉡

STEP C 양변을 x로 미분한 후 $x=1$을 대입하여 a, b의 값 구하기

㉠의 양변을 x에 대하여 미분하면
$$10x^9-4x^3+6x=2(x-1)Q(x)+(x-1)^2Q'(x)+a$$
이 식의 양변에 $x=1$을 대입하면 $12=a$
$a=12$를 ㉡에 대입하면 $b=-8$
따라서 나머지는 $R(x)=12x-8$이므로 $R(2)=24-8=16$ 　　정답 ①

0547 　　정답 ③

STEP A 몫을 임의로 두고 식 세우기

다항식 x^5+ax+b를 $(x-2)^2$으로 나누었을 때의 몫을 $Q(x)$라 하면
$$x^5+ax+b=(x-2)^2Q(x) \qquad \cdots\cdots \text{㉠}$$

STEP B $x=2$를 대입하여 a, b 사이의 관계식 구하기

㉠의 양변에 $x=2$를 대입하면 $32+2a+b=0$ 　　$\cdots\cdots$ ㉡

STEP C 양변을 x로 미분한 후 $x=2$를 대입하여 a, b의 값 구하기

㉠의 양변을 x에 대하여 미분하면
$$5x^4+a=2(x-2)Q(x)+(x-2)^2Q'(x) \qquad \cdots\cdots \text{㉢}$$
㉢의 양변에 $x=2$를 대입하면 $80+a=0$ ∴ $a=-80$
$a=-80$을 ㉡에 대입하면 $b=128$
따라서 $a+b=-80+128=48$

 내신연계 출제문항 236

다항식 $x^{100}+ax^2+b$가 $(x-1)^2$으로 나누어 떨어질 때,
상수 a, b에 대하여 $b-a$의 값은?

① 59 　　　　② 69 　　　　③ 79
④ 89 　　　　⑤ 99

STEP A 몫을 임의로 두고 식 세우기

다항식 $x^{100}+ax^2+b$를 $(x-1)^2$으로 나누었을 때의 몫을 $Q(x)$라 하면
$$x^{100}+ax^2+b=(x-1)^2Q(x) \qquad \cdots\cdots \text{㉠}$$

STEP B $x=1$를 대입하여 a, b 사이의 관계식 구하기

㉠의 양변에 $x=1$를 대입하면 $1+a+b=0$ 　　$\cdots\cdots$ ㉡

STEP C 양변을 x로 미분한 후 $x=1$을 대입하여 a, b의 값 구하기

㉠의 양변을 x에 대하여 미분하면
$$100x^4+2a=2(x-1)Q(x)+(x-1)^2Q'(x) \qquad \cdots\cdots \text{㉢}$$
㉢의 양변에 $x=1$을 대입하면 $100+2a=0$ ∴ $a=-50$
$a=-50$을 ㉡에 대입하면 $b=49$
따라서 $b-a=49-(-50)=99$ 　　정답 ⑤

0548 　　정답 ⑤

STEP A 몫을 임의로 두고 식 세우기

x^4-ax^2+b를 $(x+1)^2$으로 나누었을 때의 몫을 $Q(x)$라고 하면
$$x^4-ax^2+b=(x+1)^2Q(x)+2x-1 \qquad \cdots\cdots \text{㉠}$$

STEP B $x=-1$을 대입하여 a, b 사이의 관계식 구하기

㉠의 양변에 $x=-1$을 대입하면 $1-a+b=-3$ 　　$\cdots\cdots$ ㉡

STEP C 양변을 x로 미분한 후 $x=-1$을 대입하여 a, b의 값 구하기

㉠의 양변을 x에 대하여 미분하면
$$4x^3-2ax=2(x+1)Q(x)+(x+1)^2Q'(x)+2 \qquad \cdots\cdots \text{㉢}$$
㉢의 양변에 $x=-1$을 대입하면 $-4+2a=2$
∴ $a=3$
$a=3$을 ㉡에 대입하면 $1-3+b=-3$
∴ $b=-1$
따라서 $a+b=3+(-1)=2$

0549 　　정답 ②

STEP A 극한값이 존재할 조건을 이용하여 $f(2), f'(2)$의 값 구하기

$\lim\limits_{x\to2}\dfrac{f(x)+3}{x-2}=-2$에서

$x\to2$일 때, (분모)$\to0$이고 극한값이 존재하므로 (분자)$\to0$이어야 한다.
즉 $\lim\limits_{x\to2}\{f(x)+3\}=0$이므로 $f(2)+3=0$

∴ $f(2)=-3$

또한, $\lim\limits_{x\to2}\dfrac{f(x)+3}{x-2}=\lim\limits_{x\to2}\dfrac{f(x)-f(2)}{x-2}=f'(2)=-2$

STEP B 몫과 나머지를 임의로 두고 식을 세운 후 $x=2$를 대입하여 a, b
사이의 관계식 구하기

$f(x)$를 $(x-2)^2$으로 나누었을 때의 몫을 $Q(x)$,
나머지를 $R(x)=ax+b(a, b$는 상수)라 하면
$$f(x)=(x-2)^2Q(x)+ax+b \qquad \cdots\cdots \text{㉠}$$
㉠에 $x=2$를 대입하면 $f(2)=2a+b$
∴ $2a+b=-3$ 　　　　$\cdots\cdots$ ㉡

STEP C 양변을 x로 미분한 후 $x=2$를 대입하여 a, b의 값 구하기

㉠의 양변을 x에 대하여 미분하면
$$f'(x)=2(x-2)Q(x)+(x-2)^2Q'(x)+a \qquad \cdots\cdots \text{㉢}$$
㉢에 $x=2$를 대입하면 $f'(2)=a$
∴ $a=-2$
$a=-2$를 ㉡에 대입하면 $b=1$
따라서 나머지는 $R(x)=-2x+1$이므로 $R(5)=-9$

내·신·연·계 출제문항 237

다항함수 $f(x)$에 대하여

$$\lim_{x \to 2} \frac{f(x)-4}{x-2} = -4$$

가 성립할 때, 다항식 $f(x)$를 $(x-2)^2$으로 나누었을 때의 나머지를 $R(x)$라 하면 $R(3)$의 값은?

① -8 ② -4 ③ 0
④ 4 ⑤ 8

STEP A 극한값이 존재할 조건을 이용하여 $f(2)$, $f'(2)$의 값 구하기

$\lim_{x \to 2} \dfrac{f(x)-4}{x-2} = -4$에서

$x \to 2$일 때, (분모)$\to 0$이고 극한값이 존재하므로 (분자)$\to 0$이어야 한다.

즉 $\lim_{x \to 2}\{f(x)-4\}=0$이므로 $f(2)-4=0$

$\therefore f(2)=4$

또한, $\lim_{x \to 2} \dfrac{f(x)-4}{x-2} = \lim_{x \to 2} \dfrac{f(x)-f(2)}{x-2}=f'(2)=-4$

STEP B 몫과 나머지를 임의로 두고 식을 세운 후 $x=2$를 대입하여 a, b 사이의 관계식 구하기

$f(x)$를 $(x-2)^2$으로 나누었을 때의 몫을 $Q(x)$,

나머지를 $R(x)=ax+b$ (a, b는 상수)라 하면

$f(x)=(x-2)^2 Q(x)+ax+b$ ...... ㉠

㉠에 $x=2$를 대입하면 $f(2)=2a+b$

$\therefore 2a+b=4$ ...... ㉡

STEP C 양변을 x로 미분한 후 $x=2$를 대입하여 a, b의 값 구하기

㉠의 양변을 x에 대하여 미분하면

$f'(x)=2(x-2)Q(x)+(x-2)^2 Q'(x)+a$ ...... ㉢

㉢에 $x=2$를 대입하면 $f'(2)=a$

$\therefore a=-4$

$a=-4$를 ㉡에 대입하면 $b=12$

따라서 나머지는 $R(x)=-4x+12$이므로 $R(3)=0$ 〔정답〕 ③

0550 〔정답〕 ②

STEP A 극한값이 존재할 조건을 이용하여 $f(2)$, $f'(2)$의 값 구하기

$\lim_{x \to 2} \dfrac{f(x)-a}{x-2} = 4$에서

$x \to 0$일 때, (분모)$\to 0$이고 극한값이 존재하므로 (분자)$\to 0$이어야 한다.

즉 $\lim_{x \to 2}\{f(x)-a\}=0$이므로 $f(2)=a$

또한, $\lim_{x \to 2} \dfrac{f(x)-a}{x-2} = \lim_{x \to 2} \dfrac{f(x)-f(2)}{x-2}=f'(2)=4$ ...... ㉠

STEP B 몫을 임의로 두고 식을 세운 후 $x=2$를 대입하여 a, b 사이의 관계식 구하기

$f(x)$를 $(x-2)^2$으로 나누었을 때의 몫을 $Q(x)$라 하면

$f(x)=(x-2)^2 Q(x)+bx+3$ ...... ㉡

㉡의 양변에 $x=2$를 대입하면 $f(2)=2b+3=a$ ...... ㉢

STEP C 양변을 x로 미분한 후 $x=2$를 대입하여 a, b의 값 구하기

㉡의 양변을 x에 대하여 미분하면

$f'(x)=2(x-2)Q(x)+(x-2)^2 Q'(x)+b$ ...... ㉣

㉣에 $x=2$를 대입하면 $f'(2)=b$

㉠, ㉣에서 $a=11$, $b=4$

따라서 $a+b=15$

0551 〔정답〕 ①

STEP A 주어진 조건에서 $f(2)$, $f'(2)$의 값 구하기

다항함수 $y=f(x)$의 그래프 위의 점 $(2, 1)$에서의 접선의 기울기가 -3이므로

$f(2)=1$, $f'(2)=-3$

STEP B 몫과 나머지를 임의로 두고 식을 세운 후 $x=2$를 대입하여 a, b 사이의 관계식 구하기

이때 $f(x)$를 $(x-2)^2$으로 나눌 때의 몫을 $Q(x)$,

나머지를 $R(x)=ax+b$ (단, a, b는 상수)라 하면

$f(x)=(x-2)^2 Q(x)+ax+b$ ...... ㉠

㉠의 양변에 $x=2$를 대입하면 $f(2)=2a+b=1$ ...... ㉡

STEP C 양변을 x로 미분한 후 $x=2$를 대입하여 a, b의 값 구하기

㉠의 양변을 x에 대하여 미분하면

$f'(x)=2(x-2)Q(x)+(x-2)^2 Q'(x)+a$ ...... ㉢

㉢에 $x=2$를 대입하면 $f'(2)=a$

$\therefore a=-3$ ← $x=2$인 점에서의 접선의 기울기가 -3

$a=-3$을 ㉡에 대입하면 $b=7$

따라서 $R(x)=-3x+7$이므로 $R(1)=-3+7=4$

내·신·연·계 출제문항 238

다항함수 $y=f(x)$의 그래프 위의 점 $(2, 3)$에서의 접선의 기울기가 2이다. $f(x)$를 $(x-2)^2$으로 나누었을 때의 나머지를 $R(x)$라 할 때, $R(3)$의 값은?

① 3 ② 4 ③ 5
④ 6 ⑤ 7

STEP A 주어진 조건에서 $f(2)$, $f'(2)$의 값 구하기

다항함수 $y=f(x)$의 그래프 위의 점 $(2, 3)$에서의 접선의 기울기가 2이므로

$f(2)=3$, $f'(2)=2$

STEP B 몫과 나머지를 임의로 두고 식을 세운 후 $x=2$를 대입하여 a, b 사이의 관계식 구하기

이때 $f(x)$를 $(x-2)^2$으로 나눌 때의 몫을 $Q(x)$,

나머지를 $R(x)=ax+b$ (단, a, b는 상수)라 하면

$f(x)=(x-2)^2 Q(x)+ax+b$ ...... ㉠

㉠의 양변에 $x=2$를 대입하면

$f(2)=2a+b=3$ ...... ㉡

STEP C 양변을 x로 미분한 후 $x=2$를 대입하여 a, b의 값 구하기

㉠의 양변을 x에 대하여 미분하면

$f'(x)=2(x-2)Q(x)+(x-2)^2 Q'(x)+a$ ...... ㉢

㉢에 $x=2$를 대입하면 $f'(2)=a$

$\therefore a=2$ ← $x=2$인 점에서의 접선의 기울기가 2

$a=2$를 ㉡에 대입하면 $b=-1$

따라서 $R(x)=2x-1$이므로 $R(3)=6-1=5$ 〔정답〕 ③

0552 정답 ②

STEP Ⓐ **몫과 나머지를 임의로 두고 식 세우기**

$f(x)$를 $(x-1)^2$으로 나눌 때의 몫을 $Q(x)$,
나머지를 $R(x)=ax+b$ (단, a, b는 상수)라 하면
$f(x)=(x-1)^2Q(x)+ax+b$ ...... ㉠

STEP Ⓑ $x=1$을 대입하여 a, b 사이의 관계식 구하기

점 $(1, 4)$가 함수 $y=f(x)$의 그래프 위의 점이므로 $f(1)=4$
㉠의 양변에 $x=1$을 대입하면 $f(1)=a+b=4$ ...... ㉡

STEP Ⓒ **양변을 x로 미분한 후 $x=1$을 대입하여 a, b의 값 구하기**

㉠의 양변을 x에 대하여 미분하면
$f'(x)=2(x-1)Q(x)+(x-1)^2Q'(x)+a$ ...... ㉢
$x=1$인 점에서의 접선의 기울기가 2이므로 $f'(1)=2$
㉢의 양변에 $x=1$을 대입하면 $f'(1)=a=2$
$a=2$을 ㉡에 대입하면 $b=2$
따라서 $R(x)=2x+2$이므로 $R(2)=4+2=6$

0553 정답 ③

STEP Ⓐ **몫을 임의로 두고 식 세우기**

$f(x)$를 $(x-1)^2$으로 나눈 몫을 $Q(x)$라 하면
$f(x)=(x-1)^2Q(x)+3x+2$ ...... ㉠

STEP Ⓑ $f(1)$, $f'(1)$의 값 구하기

㉠에 $x=1$을 대입하면 $f(1)=0+3+2=5$
㉠의 양변을 x에 대하여 미분하면
$f'(x)=2(x-1)Q(x)+(x-1)^2Q'(x)+3$ ...... ㉡
㉡에 $x=1$를 대입하면 $f'(1)=0+0+3=3$

STEP Ⓒ **곡선 $y=x^2f(x)$ 위의 $x=1$인 점에서의 접선의 기울기 구하기**

따라서 $g(x)=x^2f(x)$로 놓으면 $g'(x)=2xf(x)+x^2f'(x)$이므로
$g'(1)=2f(1)+f'(1)=2\times5+3=13$

0554 정답 해설참조

| 1단계 | 1에서 3까지 변할 때의 평균변화율을 구한다. | ◀ 40% |

x의 값이 1에서 3까지 변할 때의 평균변화율은
$\dfrac{f(3)-f(1)}{3-1}=\dfrac{22-4}{2}=9$

| 2단계 | $x=a$에서의 미분계수 $f'(x)$를 구한다. | ◀ 40% |

함수 $f(x)$의 $x=a$에서의 미분계수는
$f(x)=2x^2+x+1$에서 $f'(x)=4x+1$
$f'(a)=4a+1$

| 3단계 | 평균변화율과 미분계수가 같은 a의 값을 구한다. | ◀ 20% |

평균변화율과 미분계수가 같으므로 $f'(a)=4a+1=9$에서 $a=2$

0555 정답 해설참조

| 1단계 | $f(2)$의 값을 구한다. | ◀ 30% |

$\displaystyle\lim_{x\to2}\dfrac{f(x)-5}{x^3-8}=\dfrac{1}{6}$ 에서
$x\to2$일 때, (분모)$\to0$이고 극한값이 존재하므로 (분자)$\to0$이다.
즉 $\displaystyle\lim_{x\to2}\{f(x)-5\}=0$이므로 $f(2)-5=0$
$\therefore f(2)=5$

| 2단계 | 미분계수의 정의를 이용하여 $f'(2)$의 값을 구한다. | ◀ 50% |

$\displaystyle\lim_{x\to2}\dfrac{f(x)-5}{x^3-8}=\lim_{x\to2}\dfrac{f(x)-f(2)}{(x-2)(x^2+2x+4)}$

$\qquad=\displaystyle\lim_{x\to2}\dfrac{f(x)-f(2)}{x-2}\times\lim_{x\to2}\dfrac{1}{x^2+2x+4}$

$\qquad=\dfrac{1}{12}f'(2)=\dfrac{1}{6}$

$\therefore f'(2)=2$

| 3단계 | $f(2)f'(2)$의 값을 구한다. | ◀ 20% |

따라서 $f(2)f'(2)=2\cdot5=10$

0556 정답 해설참조

| 1단계 | 미분계수를 이용하여 구한다. | ◀ 40% |

$\displaystyle\lim_{x\to4}\dfrac{f(x)-f(4)}{x-4}=f'(4)$이므로
$f(x)=2x^2-3x+7$에서 $f'(x)=4x-3$
$\therefore f'(4)=4\cdot4-3=13$

| 2단계 | 미분계수를 이용하여 구한다. | ◀ 60% |

$\displaystyle\lim_{x\to4}\dfrac{x^2f(4)-16f(x)}{x^2-16}=\lim_{x\to4}\dfrac{-16f(x)+16f(4)-16f(4)+x^2f(4)}{x^2-16}$

$\qquad=\displaystyle\lim_{x\to4}\dfrac{-16\{f(x)-f(4)\}+f(4)(x^2-16)}{x^2-16}$

$\qquad=\displaystyle-16\lim_{x\to4}\dfrac{f(x)-f(4)}{x-4}\cdot\dfrac{1}{x+4}+f(4)$

$\qquad=\displaystyle-16\cdot f'(4)\cdot\dfrac{1}{8}+f(4)$

$\qquad=-2\cdot f'(4)+f(4)$

이때 $f(x)=2x^2-3x+7$에서 $f'(x)=4x-3$
따라서 $-2\cdot f'(4)+f(4)=-2\cdot13+27=1$

0557

정답 해설참조

> **1단계** $f(0)$를 구한다. ◀ 20%

$f(x+y)=f(x)+f(y)-3xy-2$에 $x=y=0$을 대입하면

$f(0)=f(0)+f(0)+0-2$에서 $f(0)=2$

> **2단계** $\displaystyle\lim_{h \to 0}\dfrac{f(h)-2}{h}$를 구한다. ◀ 40%

$f(x+y)=f(x)+f(y)-3xy-2$에서

$f'(0)=\displaystyle\lim_{h \to 0}\dfrac{f(0+h)-f(0)}{h}=\lim_{h \to 0}\dfrac{f(0)+f(h)-2-f(0)}{h}$

$\qquad=\displaystyle\lim_{h \to 0}\dfrac{f(h)-2}{h}$ ← $\displaystyle\lim_{h \to 0}\dfrac{f(h)-f(0)}{h}=f'(0)$

$\qquad=5$

> **3단계** $f'(x)$를 구한다. ◀ 40%

$f'(x)=\displaystyle\lim_{h \to 0}\dfrac{f(x+h)-f(x)}{h}=\lim_{h \to 0}\dfrac{f(x)+f(h)-3xh-2-f(x)}{h}$

$\qquad=\displaystyle\lim_{h \to 0}\dfrac{f(h)-3xh-2}{h}$

$\qquad=\displaystyle\lim_{h \to 0}\dfrac{f(h)-2}{h}-3x$

$\qquad=-3x+5$

0558

정답 해설참조

> **1단계** $f(x)$의 차수를 구한다. ◀ 30%

$f(x)$의 차수가 n (n은 자연수)이라 하면

$f'(x)$의 차수는 $n-1$이다.

$xf(x)$와 $(x^2+1)f'(x)$는 모두 $(n+1)$차식이므로

주어진 등식이 성립하려면 $n+1=3$ ∴ $n=2$

즉 $f(x)$는 이차식이다.

> **2단계** x에 대한 항등식의 미정계수법을 이용하여 $f(x)$를 구한다. ◀ 50%

$f(x)=ax^2+bx+c$로 놓으면 $f'(x)=2ax+b$이므로

$xf(x)+(x^2+1)f'(x)=x(ax^2+bx+c)+(x^2+1)(2ax+b)$

$\qquad\qquad\qquad\qquad=3ax^3+2bx^2+(2a+c)x+b$

이 식이 모든 실수 x에 대하여 성립하므로 x에 대한 항등식

$3ax^3+2bx^2+(2a+c)x+b=6x^3+4x^2+2$

$3a=6$, $2b=4$, $2a+c=0$이므로 $a=2$, $b=2$, $c=-4$

즉 $f(x)=2x^2+2x-4$

> **3단계** $f(2)$의 값을 구한다. ◀ 20%

따라서 $f(x)=2x^2+2x-4$이므로 $f(2)=8+4-4=8$

0559

정답 해설참조

> **1단계** 극한값 존재조건과 미분계수의 정의를 이용하여 $f(1)$, $f'(1)$의 값을 구한다. ◀ 30%

$\displaystyle\lim_{x \to 1}\dfrac{f(x)}{x-1}=8$에서

$x \to 1$일 때, (분모)$\to 0$이고 극한값이 존재하므로 (분자)$\to 0$이다.

즉 $\displaystyle\lim_{x \to 1}f(x)=0$이어야 하므로 $f(1)=0$

또한, $\displaystyle\lim_{x \to 1}\dfrac{f(x)-f(1)}{x-1}=f'(1)$이므로 $f'(1)=8$

> **2단계** 상수 a, b의 값을 구한다. ◀ 30%

이차함수 $f(x)=ax^2-4x+b$에서 $f'(x)=2ax-4$

$f(1)=a-4+b=0$ ∴ $b=-a+4$ ...... ㉠

$f'(1)=2a-4=8$ ∴ $a=6$

$a=6$을 ㉠에 대입하면 $b=-2$

즉 $a=6$, $b=-2$

> **3단계** $f(2)$의 값을 구한다. ◀ 40%

따라서 $f(x)=6x^2-4x-2$이므로 $f(2)=24-8-2=14$

0560

정답 해설참조

> **1단계** 다항식 $x^{10}-2x^3+4$을 $(x-1)^2$, $Q(x)$, $R(x)$를 이용하여 나타낸다. ◀ 40%

$x^{10}-2x^3+4$를 $(x-1)^2$으로 나누었을 때의 몫 $Q(x)$,

$R(x)=ax+b$ (a, b는 상수)라고 하면

$x^{10}-2x^3+4=(x-1)^2Q(x)+ax+b$ ...... ㉠

> **2단계** 함수 $y=\{f(x)\}^2$의 도함수를 이용하여 a, b의 값을 구한다. ◀ 40%

㉠의 양변에 $x=1$을 대입하면 $3=a+b$ ...... ㉡

㉠의 양변을 x에 대하여 미분하면

$10x^9-6x^2=2(x-1)Q(x)+(x-1)^2Q'(x)+a$ ...... ㉢

㉢의 양변에 $x=1$을 대입하면 $4=a$

$a=4$를 ㉡에 대입하면 $b=-1$

> **3단계** 나머지를 $R(x)$를 구한다. ◀ 20%

따라서 구하는 나머지는 $4x-1$

0561

정답 해설참조

> **1단계** $x=2$에서 연속임을 이용하여 a, b의 관계식을 구한다. ◀ 20%

함수 $f(x)$가 $x=2$에서 미분가능하면 연속이므로

$\displaystyle\lim_{x \to 2+}(bx^2+4)=4b+4$

$\displaystyle\lim_{x \to 2-}(x^2+ax)=4+2a$

$4b+4=4+2a$에서 $a-2b=0$ ...... ㉠

> **2단계** $x=2$에서 미분계수가 같음을 이용하여 a, b의 관계식을 구한다. ◀ 30%

함수 $f(x)$가 $x=2$에서 미분가능하므로

$\displaystyle\lim_{h \to 0+}\dfrac{f(2+h)-f(2)}{h}=\lim_{h \to 0+}\dfrac{b(2+h)^2+4-(4b+4)}{h}=4b$ ← $f(2)=4+2a=4+4b$

$\displaystyle\lim_{h \to 0-}\dfrac{f(2+h)-f(2)}{h}=\lim_{h \to 0-}\dfrac{(2+h)^2+a(2+h)-(4+2a)}{h}=4+a$

$4b=4+a$에서 $a-4b=-4$ ...... ㉡

> **3단계** 상수 a, b의 값을 구한다. ◀ 20%

㉠, ㉡을 연립하여 풀면 $a=4$, $b=2$

> **4단계** $f(-1)+f(3)$의 값을 구하여라. ◀ 30%

$f(x)=\begin{cases} x^2+4x & (x \le 2) \\ 2x^2+4 & (x > 2) \end{cases}$이므로

$f(-1)=(-1)^2+4\cdot(-1)=-3$

$f(3)=2\cdot3^2+4=22$

따라서 $f(-1)+f(3)=-3+22=19$

0562

정답 해설참조

1단계 $\lim\limits_{x \to 1} \dfrac{f(x)-2}{x-1}=2$에서 $f(1)$, $f'(1)$의 값을 구한다. ◀ 30%

$\lim\limits_{x \to 1} \dfrac{f(x)-2}{x-1}=2$에서

$x \to 1$일 때, (분모)→ 0이고 극한값이 존재하므로 (분자)→ 0이다.

즉 $\lim\limits_{x \to 1}\{f(x)-2\}=0$에서 $f(1)=2$

또한, $\lim\limits_{x \to 1} \dfrac{f(x)-2}{x-1}=\lim\limits_{x \to 1} \dfrac{f(x)-f(1)}{x-1}=f'(1)=2$

2단계 $\lim\limits_{x \to 1} \dfrac{g(x)+2}{x-1}=-2$에서 $g(1)$, $g'(1)$의 값을 구한다. ◀ 30%

$\lim\limits_{x \to 1} \dfrac{g(x)+2}{x-1}=-2$에서

$x \to 1$일 때, (분모)→ 0이고 극한값이 존재하므로 (분자)→ 0이다.

즉 $\lim\limits_{x \to 1}\{g(x)+2\}=0$에서 $g(1)=-2$

또한, $\lim\limits_{x \to 1} \dfrac{g(x)+2}{x-1}=\lim\limits_{x \to 1} \dfrac{g(x)-g(1)}{x-1}=g'(1)=-2$

3단계 곱의 미분법을 이용하여 $x=1$에서 미분계수를 구한다. ◀ 40%

$y=f(x)g(x)+2f(x)$에서 $y'=f'(x)g(x)+f(x)g'(x)+2f'(x)$

따라서 $x=1$에서의 미분계수는

$f'(1)g(1)+f(1)g'(1)+2f'(1)=2 \cdot (-2)+2 \cdot (-2)+2 \cdot 2=-4$

0563

정답 해설참조

1단계 최고차항의 계수가 k라 하면 $f(1)=f(2)=f(3)=3$을 만족하는 삼차함수 $f(x)$의 식을 작성한다. ◀ 40%

$f(1)=f(2)=f(3)=3$에서 $f(x)-3=0$의 세 근이 1, 2, 3이므로

$f(x)-3=k(x-1)(x-2)(x-3)$ (k는 상수)로 놓으면

$f(x)=k(x-1)(x-2)(x-3)+3$

2단계 $f(0)=-3$을 만족하는 k를 구한다. ◀ 40%

이때 $f(0)=k \cdot (-1) \cdot (-2) \cdot (-3)+3=-3$에서 $k=1$

$\therefore f(x)=(x-1)(x-2)(x-3)+3=x^3-6x^2+11x-3$

3단계 $f'(4)$의 값을 구한다. ◀ 20%

따라서 $f'(x)=3x^2-12x+11$이므로 $f'(4)=3 \cdot 4^2-12 \cdot 4+11=11$

0564

정답 해설참조

1단계 $\lim\limits_{x \to 1} \dfrac{f(x)-3}{x-1}=-3$에서 $f(1)$, $f'(1)$의 값을 구한다. ◀ 30%

$\lim\limits_{x \to 1} \dfrac{f(x)-3}{x-1}=-3$에서

$x \to 1$일 때, (분모)→ 0이고 극한값이 존재 하므로 (분자)→ 0이어야 한다.

즉 $\lim\limits_{x \to 1}\{f(x)-3\}=0$이므로 $f(1)-3=0$

$\therefore f(1)=3$

이때 $\lim\limits_{x \to 1} \dfrac{f(x)-3}{x-1}=\lim\limits_{x \to 1} \dfrac{f(x)-f(1)}{x-1}=f'(1)=-3$

2단계 몫과 나머지를 정하여 나눗셈의 관계식을 세운다. ◀ 30%

다항함수 $f(x)$를 $(x-1)^2$으로 나눈 몫을 $Q(x)$,

나머지를 $ax+b$ (단, a, b는 상수)라 하면

$f(x)=(x-1)^2 Q(x)+ax+b$ ······ ㉠

3단계 수치대입법과 곱의 미분법을 이용하여 나머지를 구한다. ◀ 40%

㉠에 $x=1$을 대입하면 $f(1)=a+b$

$\therefore a+b=3$ ······ ㉡

㉠의 양변을 x에 대하여 미분하면

$f'(x)=2(x-1)Q(x)+(x-1)^2 Q'(x)+a$ ······ ㉢

㉢에 $x=1$을 대입하면 $f'(1)=a$

$\therefore a=-3$

$a=-3$을 ㉡에 대입하면 $b=6$

따라서 구하는 나머지는 $-3x+6$

0565

정답 해설참조

1단계 $x=1$에서 연속임을 서술한다. ◀ 50%

$f(x)=|x^3-1|$에서

$f(x)=\begin{cases} -x^3+1 & (x<1) \\ x^3-1 & (x \geq 1) \end{cases}$ 이고

그래프는 오른쪽 그림과 같다.

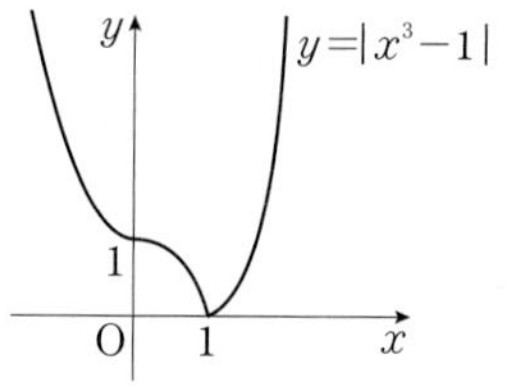

$\lim\limits_{x \to 1-} f(x)=\lim\limits_{x \to 1-}(-x^3+1)=0$

$\lim\limits_{x \to 1+} f(x)=\lim\limits_{x \to 1+}(x^3-1)=0$

$f(1)=0$이므로 $\lim\limits_{x \to 1} f(x)=f(1)$

즉 함수 $f(x)$는 $x=1$에서 연속이다.

2단계 $x=1$에서 미분가능하지 않음을 서술한다. ◀ 50%

$\lim\limits_{h \to 0-} \dfrac{f(1+h)-f(1)}{h}=\lim\limits_{h \to 0-} \dfrac{-(1+h)^3+1}{h}$

$=\lim\limits_{h \to 0-} \dfrac{-3h-3h^2-h^3}{h}=-3$ ······ ㉠

$\lim\limits_{h \to 0+} \dfrac{f(1+h)-f(1)}{h}=\lim\limits_{h \to 0+} \dfrac{(1+h)^3-1}{h}$

$=\lim\limits_{h \to 0+} \dfrac{3h+3h^2+h^3}{h}=3$ ······ ㉡

㉠, ㉡에서 $f'(1)$은 존재하지 않는다.

즉 함수 $f(x)$는 $x=1$에서 미분가능하지 않다.

따라서 함수 $f(x)=|x^3-1|$은 $x=1$에서 연속이지만 미분가능하지 않다.

0566

STEP **A** $f(x) \geq 2x$에서 미분계수의 범위를 이용하여 $f'(1)$ 구하기

양수 x에 대하여

(i) $f(x) \geq 2x$에서 $f(1)=2$이므로 $f(x)-f(1) \geq 2x-2$

$x>1$일 때, $\dfrac{f(x)-f(1)}{x-1} \geq \dfrac{2x-2}{x-1}$이므로

$\displaystyle\lim_{x \to 1+}\dfrac{f(x)-f(1)}{x-1} \geq \lim_{x \to 1+}\dfrac{2x-2}{x-1}=2$

$x<1$일 때, $\dfrac{f(x)-f(1)}{x-1} \leq \dfrac{2x-2}{x-1}$이므로

$\displaystyle\lim_{x \to 1-}\dfrac{f(x)-f(1)}{x-1} \leq \lim_{x \to 1-}\dfrac{2x-2}{x-1}=2$

함수 $f(x)$가 미분가능하므로

$f'(1)=\displaystyle\lim_{x \to 1+}\dfrac{f(x)-f(1)}{x-1}=\lim_{x \to 1-}\dfrac{f(x)-f(1)}{x-1}$

$\therefore f'(1)=2$

STEP **B** $f(x) \leq 3x$에서 미분계수의 범위를 이용하여 $f'(2)$ 구하기

(ii) $f(x) \leq 3x$에서 $f(2)=6$이므로 $f(x)-f(2) \leq 3x-6$

$x>2$일 때, $\dfrac{f(x)-f(2)}{x-2} \leq \dfrac{3x-6}{x-2}$이므로

$\displaystyle\lim_{x \to 2+}\dfrac{f(x)-f(2)}{x-2} \leq \lim_{x \to 2+}\dfrac{3x-6}{x-2}=3$

$x<2$일 때, $\dfrac{f(x)-f(2)}{x-2} \geq \dfrac{3x-6}{x-2}$이므로

$\displaystyle\lim_{x \to 2-}\dfrac{f(x)-f(2)}{x-2} \geq \lim_{x \to 2-}\dfrac{3x-6}{x-2}=3$

함수 $f(x)$가 미분가능하므로

$f'(2)=\displaystyle\lim_{x \to 2+}\dfrac{f(x)-f(2)}{x-2}=\lim_{x \to 2-}\dfrac{f(x)-f(2)}{x-2}$

$\therefore f'(2)=3$

따라서 $f'(1)+f'(2)=2+3=5$

다른풀이 함수의 그래프를 그려 직관적으로 풀이하기

STEP **A** 조건을 만족하는 함수 $y=f(x)$의 그래프의 개형 그리기

조건에서 함수 $f(x)$가 $x>0$에서 미분가능하고 $f(1)=2$이고 $f(2)=6$이므로

함수 $y=f(x)$는 점 $(1, 2)$와 $(2, 6)$을 지난다.

즉 함수 $y=f(x)$의 그래프는 $x=1$에서 직선 $y=2x$와 만나고 $x=2$에서 직선 $y=3x$와 만난다.

함수 $y=f(x)$의 그래프의 개형은 오른쪽 그림과 같이 조건에서 $2x \leq f(x) \leq 3x$이므로 함수 $y=f(x)$의 그래프는 두 직선 $y=2x$와 $y=3x$ 사이에 있어야 한다.

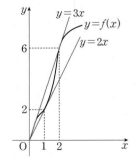

STEP **B** 함수 $y=f(x)$의 그래프가 두 직선 $y=2x$, $y=3x$에 접함을 이용하여 미분계수 구하기

함수 $y=f(x)$가 점 $(1, 2)$를 지나며 직선 $y=2x$에 접하므로 $f'(1)=2$이고

함수 $f(x)$가 점 $(2, 6)$을 지나며 직선 $y=3x$에 접하므로 $f'(2)=3$

따라서 $f'(1)+f'(2)=5$

0567

STEP **A** 주어진 직선과 곡선 사이의 관계를 구하여 함수 $y=f(x)$가 만족하는 조건 이해하기

$y=6x-6$과 $y=2x^3-2$는 모두 $(1, 0)$을 지나고 $(1, 0)$에서의 접선의 기울기가 6이다.

모든 양의 실수 x에 대하여 $6x-6 \leq f(x) \leq 2x^3-2$이므로 $y=f(x)$는 $x=1$에서 $y=6x-6$과 접해야 한다.

즉 $f(x)$는 $(1, 0)$을 지나고 $f'(1)=6$ ……… ㉠

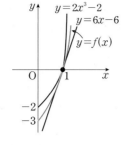

STEP **B** $f(x)$를 일차, 이차, 삼차식으로 두고 조건을 만족하는 $f(x)$의 함수식 구하기

$f(x)$가 다항함수이고 $x \to \infty$일 때, $f(x) \leq 2x^3-2$에서 $f(x)$는 최고차항의 계수가 1이므로 일차함수가 아닌 삼차 이하의 다항함수이다.

(i) $f(x)$가 일차식인 경우

최고차항의 계수가 1이면서 ㉠을 만족시킬 수 없다.

즉 조건을 만족시키는 일차함수 $f(x)$는 존재하지 않는다.

(ii) $f(x)$가 이차식인 경우

$f(x)=x^2+ax-3$ $(\because f(0)=-3)$라 하면

$f(1)=1+a-3=0$ $\therefore a=2$

$\therefore f(x)=x^2+2x-3$

이때 $f'(1)=4$이므로 ㉠을 만족시킬 수 없다.

(iii) $f(x)$가 삼차식인 경우

$f(x)=x^3+ax^2+bx-3$ $(\because f(0)=-3)$라 하면

$f(1)=1+a+b-3=0$

$\therefore a+b=2$ ……… ㉡

$f'(x)=3x^2+2ax+b$에서 $f'(1)=1+2a+b=6$

$\therefore 2a+b=3$ ……… ㉢

㉡, ㉢을 연립하여 풀면 $a=1$, $b=1$

$\therefore f(x)=x^3+x^2+x-3$

STEP **C** $f(3)$의 값 구하기

따라서 $f(3)=27+9+3-3=36$

0568

STEP **A** 주어진 식을 변형하여 미분계수 식 이용하기

$\displaystyle\lim_{x \to a}\dfrac{x^2f(a)-a^2f(x)}{x-a}=\lim_{x \to a}\dfrac{x^2f(a)-a^2f(a)+a^2f(a)-a^2f(x)}{x-a}$

$\displaystyle=\lim_{x \to a}\dfrac{(x^2-a^2)f(a)-a^2\{f(x)-f(a)\}}{x-a}$

$\displaystyle=\lim_{x \to a}\dfrac{(x^2-a^2)f(a)}{x-a}-\lim_{x \to a}\dfrac{a^2\{f(x)-f(a)\}}{x-a}$

$\displaystyle=\lim_{x \to a}(x+a)f(a)-a^2 \cdot f'(a)$

$=2af(a)-a^2f'(a)$

STEP **B** $f(a)$, $f'(a)$의 값을 대입하여 최댓값 구하기

즉 $2af(a)-a^2f'(a)=-2a^2+8a=-2(a-2)^2+8$

따라서 $a=2$일 때, 최댓값은 8

0569

STEP A $f(x)$를 임의로 두고 극한에 대입하여 식 정리하기

조건 (가)에서 $f(x)=(x-2)^3(x-\alpha)$로 놓으면

조건 (나)에서

$$\lim_{x\to1}\frac{f(x)-f(1)+f(1)-x^2f(1)}{x^2-1}=\lim_{x\to1}\left\{\frac{1}{x+1}\cdot\frac{f(x)-f(1)}{x-1}-\frac{(x^2-1)f(1)}{x^2-1}\right\}$$
$$=\frac{1}{2}f'(1)-f(1)$$
$$=7$$

이므로 $f'(1)-2f(1)=14$

STEP B $f'(1)$, $f(1)$값을 대입하여 α의 값 구하기

$f'(x)=3(x-2)^2(x-\alpha)+(x-2)^3$

$\therefore f(1)=(1-2)^3(1-\alpha)=\alpha-1$

$f'(1)=3(1-2)^2(1-\alpha)+(1-2)^3=2-3\alpha$

$f'(1)-2f(1)=2-3\alpha-2(\alpha-1)=-5\alpha+4=14$

$\therefore \alpha=-2$

STEP C $f(3)$의 값 구하기

따라서 $f(x)=(x-2)^3(x+2)$이므로 $f(3)=(3-2)^3(3+2)=1\times5=5$

0570

STEP A $-20=-5f(1)$를 대입하고 미분계수의 정의를 이용하여 극한값 구하기

$f(1)=4$이므로 $-20=-5f(1)$ ······ ㉠

$$\lim_{h\to0}\frac{1}{h}\left\{-20+\sum_{k=1}^5f(1+k^2h)\right\}=\lim_{h\to0}\frac{1}{h}\sum_{k=1}^5\{f(1+k^2h)-f(1)\}$$
$$=\sum_{k=1}^5\lim_{h\to0}\left\{\frac{f(1+k^2h)-f(1)}{k^2h}\cdot k^2\right\}$$
$$=\sum_{k=1}^5f'(1)k^2$$
$$=f'(1)\cdot\frac{5(5+1)(10+1)}{6}$$
$$=55f'(1)$$

즉 $55f'(1)=110$에서 $f'(1)=2$ ······ ㉡

STEP B $f(1)=4$, $f'(1)=2$를 이용하여 a, b의 값 구하기

이때 $f(x)=x^3+x^2+ax+b$에서 $f'(x)=3x^2+2x+a$

㉠, ㉡에서 $f(1)=2+a+b=4$ $\therefore a+b=2$

$f'(1)=3+2+a=2$

$\therefore a=-3$

따라서 $a=-3$, $b=5$이므로 $ab=-15$

0571

STEP A $\frac{1}{n}=h$로 치환하고 미분계수의 정의를 이용하여 식 정리하기

$\frac{1}{n}=h$로 놓으면 $n\to\infty$일 때, $h\to0$이므로

$$\lim_{n\to\infty}n\left\{f\left(1+\frac{1}{n}\right)+f\left(1+\frac{2}{n}\right)+f\left(1+\frac{2^2}{n}\right)+\cdots+f\left(1+\frac{2^9}{n}\right)-10\right\}$$
$$=\lim_{h\to0}\frac{1}{h}\{f(1+h)+f(1+2h)+f(1+2^2h)+\cdots+f(1+2^9h)-10f(1)\}$$
$$=\sum_{k=1}^{10}\lim_{h\to0}\left\{\frac{f(1+2^{k-1}h)-f(1)}{2^{k-1}h}\right\}\cdot2^{k-1}$$
$$=\sum_{k=1}^{10}f'(1)\cdot2^{k-1}$$

STEP B 다항함수의 미분법을 이용하여 $f'(1)$의 값 구하기

이때 $f(x)=x^2$에서 $f'(x)=2x$이므로 $f'(1)=2$

STEP C 주어진 식의 값 구하기

따라서 $\sum_{k=1}^{10}f'(1)\cdot2^{k-1}=\sum_{k=1}^{10}2^k=\frac{2(2^{10}-1)}{2-1}=2046$

0572

STEP A $x=a$에서 미분가능일 조건을 만족하는 a의 값 구하기

함수 $f(x)$가 $x=a$에서 미분가능하므로 $x=a$에서 연속이다.

즉 $\lim_{x\to a-}f(x)=\lim_{x\to a+}f(x)=f(a)$에서

$a+1=a^3-2a+b$이므로 $b=-a^3+3a+1$

또, $\lim_{x\to a-}\frac{f(x)-f(a)}{x-a}=\lim_{x\to a+}\frac{f(x)-f(a)}{x-a}$이어야 하므로

$$\lim_{x\to a-}\frac{f(x)-f(a)}{x-a}=\lim_{x\to a-}\frac{(x+1)-(a+1)}{x-a}=1$$

$$\lim_{x\to a-}\frac{f(x)-f(a)}{x-a}=\lim_{x\to a+}\frac{(x^3-2x+b)-(a+1)}{x-a}$$
$$=\lim_{x\to a+}\frac{(x^3-2x-a^3+3a+1)-(a+1)}{x-a}$$
$$=\lim_{x\to a+}\frac{x^3-2x-a^3+2a}{x-a}$$
$$=\lim_{x\to a+}\frac{(x-a)(x^3+ax+a^2-2)}{x-a}$$
$$=3a^2-2$$

$\lim_{x\to a-}\frac{f(x)-f(a)}{x-a}=\lim_{x\to a+}\frac{f(x)-f(a)}{x-a}$이어야 하므로

$3a^2-2=1$에서 $(a+1)(a-1)=0$

$\therefore a=-1$ 또는 $a=1$

STEP B 함수 $f(x)$가 일대일 대응일 조건을 만족하는 함수 $f(x)$ 구하기

(i) $a=-1$일 때, $b=-1$이므로

$f(x)=\begin{cases}x+1 & (x\le-1)\\x^3-2x-1 & (x>-1)\end{cases}$

$x>-1$일 때, $f'(x)=3x^2-2$에서

$-1<x<-\frac{\sqrt{6}}{3}$과 $x>\frac{\sqrt{6}}{3}$일 때, $f'(x)>0$이고

$-\frac{\sqrt{6}}{3}<x<\frac{\sqrt{6}}{3}$일 때, $f'(x)<0$이 되어

함수 $f(x)$가 일대일대응이 아니므로 조건 (나)를 만족시키지 못한다.

(ii) $a=1$일 때, $b=3$이므로

$f(x)=\begin{cases}x+1 & (x\le1)\\x^3-2x+3 & (x>1)\end{cases}$

$x\le1$일 때, $f'(x)=1>0$이고

$x>1$일 때, $f'(x)=3x^2-2$에서 $f'(x)>0$이므로

함수 $f(x)$는 일대일대응이다.

(i), (ii)에서 $f(x)=\begin{cases}x+1 & (x\le1)\\x^3-2x+3 & (x>1)\end{cases}$이므로

$a+b+f(3)=1+3+(3^3-2\times3+3)=28$

0573

-6

STEP A $f(x)$가 모든 실수 x에서 미분가능할 조건 이해하기

함수 $f(x)$가 모든 실수 x에 대하여 미분가능하려면
$x=-1$, $x=1$에서 미분가능해야 한다.

STEP B $x=-1$, 1에서 좌미분계수와 우미분계수가 같음을 이용하기

$$f'(x)=\begin{cases} -3 & (x<-1) \\ 3x^2+2bx+c & (-1<x<1) \\ -3 & (x>1) \end{cases}$$ 이므로

$x=-1$에서 미분가능이므로 $\lim\limits_{x\to-1+}f'(x)=\lim\limits_{x\to-1-}f'(x)$

$f'(-1)=-3$에서 $3-2b+c=-3$ ······ ㉠

$x=1$에서 미분가능이므로 $\lim\limits_{x\to1+}f'(x)=\lim\limits_{x\to1-}f'(x)$

$f'(1)=-3$에서 $3+2b+c=-3$ ······ ㉡

㉠, ㉡을 연립하여 풀면 $b=0$, $c=-6$

STEP C $x=-1$, 1에서 연속임을 이용하기

또한, 함수 $f(x)$가 $x=-1$, $x=1$에서 미분가능하면 연속이므로
$$\lim_{x\to-1-}f(x)=\lim_{x\to-1+}f(x)=f(-1), \lim_{x\to1-}f(x)=\lim_{x\to1+}f(x)=f(1)$$
$f(-1)=3+a=-1+b-c$ ∴ $a=2$
$f(1)=-3+d=1+b+c$ ∴ $d=-2$
따라서 $a+b+c+d=-6$

0574

7

STEP A $f(x)$의 식 작성하기

점 $P(x,\ x-2)$와 점 $A(0,\ 4)$ 사이의 거리의 제곱은
$$\overline{PA}^2=x^2+(x-2-4)^2=2x^2-12x+36$$
또, 점 $P(x,\ x-2)$와 $B(2,\ 0)$ 사이의 거리의 제곱은
$$\overline{PB}^2=(x-2)^2+(x-2)^2=2x^2-8x+8$$
이때 $\overline{PA}^2\leq\overline{PB}^2$에서 $2x^2-12x+36\leq2x^2-8x+8$
$4x\geq28$, $x\geq7$이므로
$x\geq7$일 때, $f(x)=\overline{PA}^2$
$x<7$일 때, $f(x)=\overline{PB}^2$
즉 $f(x)=\begin{cases} 2x^2-12x+36 & (x\geq7) \\ 2x^2-8x+8 & (x<7) \end{cases}$

STEP B $x=a$에서 미분가능하지 않을 때, a의 값 구하기

(i) $x>7$일 때,
　$f(x)$는 이차함수이므로 $x>7$인 모든 실수 x에서 미분가능하다.
(ii) $x=7$에서 미분가능한지 조사해 보면
$$\lim_{x\to7-}\frac{f(x)-f(7)}{x-7}=\lim_{x\to7-}\frac{(2x^2-8x+8)-50}{x-7}$$
$$=\lim_{x\to7-}\frac{2(x+3)(x-7)}{x-7}$$
$$=\lim_{x\to7-}2(x+3)=20$$
$$\lim_{x\to7+}\frac{f(x)-f(7)}{x-7}=\lim_{x\to7+}\frac{(2x^2-12x+36)-50}{x-7}$$
$$=\lim_{x\to7+}\frac{2(x+1)(x-7)}{x-7}$$
$$=\lim_{x\to7+}2(x+1)=16$$
이므로 $f'(7)$은 존재하지 않는다.
　따라서 함수 $f(x)$는 $x=7$에서 미분가능하지 않다.
(iii) $x<7$일 때,
　$f(x)$는 이차함수이므로 $x<7$인 모든 실수 x에서 미분가능하다.
(i)~(iii)에서 구하는 a의 값은 7

0575

$\dfrac{1}{2}$

STEP A 분자, 분모를 x로 나누고 미분계수 식을 이용하여 식 정리하기

(가), (다)에서 $f_1(0)=0$, $f_2(0)=0$, $f_1'(0)f_2'(0)=-1$이므로

(나)에서 $f_i'(0)=\lim\limits_{x\to0}\dfrac{f_i(x)+2kx}{f_i(x)+kx}=\lim\limits_{x\to0}\dfrac{\dfrac{f_i(x)}{x}+2k}{\dfrac{f_i(x)}{x}+k}=\dfrac{f_i'(0)+2k}{f_i'(0)+k}$

$\{f_i'(0)\}^2+kf_i'(0)=f_i'(0)+2k$, $\{f_i'(0)\}^2+(k-1)f_i'(0)-2k=0$

STEP B 근과 계수의 관계를 이용하여 k의 값 구하기

위 방정식의 두 근이 $f_1'(0)$, $f_2'(0)$ $(i=1,\ 2)$이므로 두 근의 곱에서
$f_1'(0)f_2'(0)=-2k=-1$ (∵ 두 직선의 기울기가 수직이므로 $mm'=-1$)
따라서 $k=\dfrac{1}{2}$

> **참고** 다항함수 $f(x)$에 대하여 $f(0)=0$일 때,
> $x=0$에서 미분계수는 $f'(0)=\lim\limits_{x\to0}\dfrac{f(x)-f(0)}{x-0}=\lim\limits_{x\to0}\dfrac{f(x)}{x}$

0576

③

STEP A 미분계수의 정의를 이용하여 참, 거짓을 판별하기

함수 $y=f(x)$의 그래프는 다음과 같다.

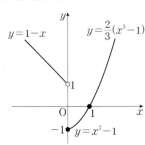

ㄱ. (i) $f(1)=\lim\limits_{x\to1-}(x^2-1)=\lim\limits_{x\to1+}\dfrac{2}{3}(x^3-1)=0$이므로
　　　$x=1$에서 함수 $f(x)$는 연속이다.
　(ii) $f'(x)=\begin{cases} -1 & (x<0) \\ 2x & (0<x<1) \\ 2x^2 & (x>1) \end{cases}$에서
　　　$f'(1)=\lim\limits_{x\to1-}2x=\lim\limits_{x\to1+}2x^2=2$
　　　$x=1$에서의 미분계수 $f'(1)$이 존재한다.
　(i), (ii)에서 $f(x)$는 $x=1$에서 미분가능하다. [참]

ㄴ. $x<0$일 때, $f(x)>0$이므로 $|f(x)|=f(x)=1-x$
　　$0<x<1$일 때, $f(x)<0$이므로 $|f(x)|=-f(x)=1-x^2$
　　즉 $g(x)=|f(x)|=\begin{cases} 1-x & (x<0) \\ -x^2+1 & (0\leq x<1) \end{cases}$라 하면
　　$g'(x)=\begin{cases} -1 & (x<0) \\ -2x & (0<x<1) \end{cases}$이므로

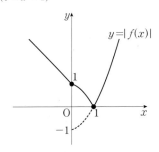

(ⅰ) $g(0)=|f(0)|=\lim\limits_{x\to 0-}(1-x)=\lim\limits_{x\to 0+}(-x^2+1)=1$

　　　　$x=1$에서 함수 $f(x)$는 연속이다.

(ⅱ) $g'(x)=\begin{cases}-1 & (x<0)\\-2x & (0<x<1)\end{cases}$ 에서

　　　　$\lim\limits_{x\to 0-}(-1)=-1,\ \lim\limits_{x\to 0+}(-2x)=0$

　　　　이므로 $\lim\limits_{x\to 0-}(-1)\neq\lim\limits_{x\to 0+}(-2x)$

　　　　$x=0$에서의 미분계수 $g'(0)$이 존재하지 않는다.

(ⅰ), (ⅱ)에서 $|f(x)|$는 $x=0$에서 미분가능하지 않다. [거짓]

STEP **B**　함수 $xf(x)$가 $x=0$에서 **연속**이므로 $x^2f(x)$는 $x=0$에서
　　　　　　미분가능임을 보이기

ㄷ. $g(x)=x^k f(x)=\begin{cases}x^k(1-x) & (x<0)\\x^k(x^2-1) & (0\le x<1)\end{cases}$ (단, k는 자연수)

라 하면 $g(0)=0$

$\lim\limits_{x\to 0-}\dfrac{g(x)-g(0)}{x-0}=\lim\limits_{x\to 0-}\dfrac{x^k(1-x)}{x}$

$\qquad\qquad\qquad\qquad=\lim\limits_{x\to 0-}x^{k-1}(1-x)$

이 극한은 $k=1$이면 1, $k\ge 2$이면 0의 값을 가진다.

$\lim\limits_{x\to 0+}\dfrac{g(x)-g(0)}{x-0}=\lim\limits_{x\to 0+}\dfrac{x^k(x^2-1)}{x}$

$\qquad\qquad\qquad\qquad=\lim\limits_{x\to 0+}x^{k-1}(x^2-1)$

이 극한은 $k=1$이면 -1, $k\ge 2$이면 0의 값이다.

$k\ge 2$이면 $\lim\limits_{x\to 0-}x^{k-1}(1-x)=\lim\limits_{x\to 0+}x^{k-1}(x^2-1)=0$

즉 $x^k f(x)$가 $x=0$에서 미분가능하도록 하는 최소의 자연수는 2이다. [참]

따라서 옳은 것은 ㄱ, ㄷ이다.

0577

정답 32

STEP **A**　함수 $f(x)$는 실수 전체의 집합에서 미분가능함을 이용하여 a
　　　　　　구하기

함수 $f(x)$는 $x\le a$, $x>a$일 때, 다항함수이므로 이 범위에서 미분가능하다.
한편 조건 (가)에서 함수 $f(x)$가 실수 전체의 집합에서 미분가능해야 하므로
아래 그림과 같이 함수 $f(x)$는 $a=1$에서 미분가능해야 한다.

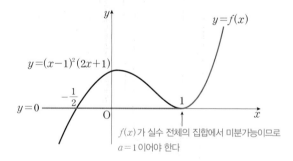

$f(x)$가 실수 전체의 집합에서 미분가능이므로
$a=1$이어야 한다

즉 $\lim\limits_{x\to a-}\dfrac{f(x)-f(a)}{x-a}=\lim\limits_{x\to a+}\dfrac{f(x)-f(a)}{x-a}$ ◀ 대수적으로 해설하면

이어야 한다.

이때 $\lim\limits_{x\to a-}\dfrac{f(x)-f(a)}{x-a}=\lim\limits_{x\to a-}\dfrac{0-0}{x-a}=0$　……㉠

또, $\lim\limits_{x\to a+}\dfrac{f(x)-f(a)}{x-a}=\lim\limits_{x\to a+}\dfrac{(x-1)^2(2x+1)}{x-a}$

여기서 $x\to a+$일 때, (분모)$\to 0$이고 극한값이 존재해야하므로
(분자)$\to 0$에서

$\lim\limits_{x\to a+}(x-1)^2(2x+1)=0,\ (a-1)^2(2a+1)=0$

$\therefore a=-\dfrac{1}{2}$ 또는 $a=1$

(ⅰ) $a=-\dfrac{1}{2}$일 때,

$\lim\limits_{x\to a+}\dfrac{f(x)-f(a)}{x-a}=\lim\limits_{x\to -\frac{1}{2}+}\dfrac{(x-1)^2(2x+1)}{x-\left(-\dfrac{1}{2}\right)}$

$\qquad\qquad\qquad\qquad=\lim\limits_{x\to -\frac{1}{2}+}2(x-1)^2$

$\qquad\qquad\qquad\qquad=\dfrac{9}{2}$

이 값은 ㉠의 값과 다르므로 $a=-\dfrac{1}{2}$일 때,

함수 $f(x)$는 미분가능하지 않다.

(ⅱ) $a=1$일 때,

$\lim\limits_{x\to a+}\dfrac{f(x)-f(a)}{x-a}=\lim\limits_{x\to 1+}\dfrac{(x-1)^2(2x+1)}{x-1}$

$\qquad\qquad\qquad\qquad=\lim\limits_{x\to 1+}(x-1)(2x+1)=0$

이 값은 ㉠의 값과 같으므로 $a=1$일 때, 함수 $f(x)$는 미분가능하다.

(ⅰ), (ⅱ)에서 $a=1$

STEP **B**　조건 (나)를 만족하는 함수 $g(x)$가 $f(x)$에 접할 때, 접선의 방정
　　　　　　식 구하기

한편 조건 (나)에서 모든 실수 x에 대하여 $f(x)\ge g(x)$이어야 하므로
함수 $y=f(x)$의 그래프는 함수 $y=g(x)$의 그래프보다 위쪽에 있거나 접해야
한다.

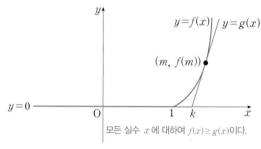

모든 실수 x에 대하여 $f(x)\ge g(x)$이다.

$x>1$일 때, 함수 $f(x)=(x-1)^2(2x+1)$과 접하고 기울기가 12인
접선의 접점을 $(m, f(m))(m>1)$이라 하자.

$f'(x)=\{(x-1)^2\}'(2x+1)+(x-1)^2(2x+1)'$

$\qquad=2(x-1)(2x+1)+2(x-1)^2$

$\qquad=(x-1)\{(4x+2)+(2x-2)\}$

$\qquad=6x(x-1)$

이때 접선의 기울기가 12이므로 $6m(m-1)=12$, $m^2-m-2=0$

$(m+1)(m-2)=0$

$\therefore m=-1$ 또는 $m=2$

이때 $m>1$이므로 $m=2$

그러므로 접점은 $(2,5)$에서 접선의 방정식은

$y-5=12(x-2)$, $y=12x-19$

$\therefore y=12\left(x-\dfrac{19}{12}\right)$

STEP **C**　k의 **최솟값** 구하기

그러므로 $k\ge\dfrac{19}{12}$이므로 k의 최솟값은 $\dfrac{19}{12}$

따라서 $a+p+q=1+12+19=32$

02 접선의 방정식

0578

정답 ②

STEP Ⓐ **접선의 기울기를 이용하여 $f'(2)$의 값 구하기**

곡선 $y=f(x)$ 위의 점 $(2, 3)$에서의 접선이 $y=x+1$이므로 $f'(2)=1$

STEP Ⓑ **미분계수의 정의를 이용하여 극한값 구하기**

$$\lim_{h \to 0}\frac{f(2+h)-f(2-h)}{h}=\lim_{h \to 0}\frac{f(2+h)-f(2)-\{f(2-h)-f(2)\}}{h}$$
$$=\lim_{h \to 0}\frac{f(2+h)-f(2)}{h}+\lim_{h \to 0}\frac{f(2-h)-f(2)}{-h}$$
$$=f'(2)+f'(2)$$
$$=2f'(2)=2$$

0579

정답 ②

STEP Ⓐ **접선의 기울기를 이용하여 $f'(1)$의 값 구하기**

점 $(1, f(1))$에서의 접선의 기울기가 4이므로 $f'(1)=4$

STEP Ⓑ **$\frac{1}{n}=h$로 치환하고 미분계수의 정의를 이용하여 극한값 구하기**

$\frac{1}{n}=h$로 놓으면 $n \to \infty$일 때, $h \to 0$이다.

따라서 $\lim_{n \to \infty}\frac{n}{2}\left\{f\left(1+\frac{1}{n}\right)-f(1)\right\}=\frac{1}{2}\lim_{n \to \infty}\frac{f\left(1+\frac{1}{n}\right)-f(1)}{\frac{1}{n}}$
$$=\frac{1}{2}\lim_{h \to 0}\frac{f(1+h)-f(1)}{h}$$
$$=\frac{1}{2}f'(1)=\frac{1}{2}\cdot 4$$
$$=2$$

내/신/연/계 출제문항 239

미분가능한 함수 $y=f(x)$의 그래프 위의 한 점 $(3, 2)$에서의 접선의 기울기가 5일 때,
$$\lim_{n \to \infty}n\left\{f\left(3+\frac{1}{n}\right)-f\left(3-\frac{2}{n}\right)\right\}$$
의 값은?

① 6   ② 10   ③ 12
④ 15   ⑤ 18

STEP Ⓐ **접선의 기울기를 이용하여 $f'(3)$의 값 구하기**

점 $(3, 2)$에서의 접선의 기울기가 5이므로 $f'(3)=5$

STEP Ⓑ **$\frac{1}{n}=h$로 치환하고 미분계수의 정의를 이용하여 극한값 구하기**

$\frac{1}{n}=h$로 놓으면 $n \to \infty$일 때, $h \to 0$이므로

$\lim_{n \to \infty}n\left\{f\left(3+\frac{1}{n}\right)-f\left(3-\frac{2}{n}\right)\right\}$
$$=\lim_{h \to 0}\frac{f(3+h)-f(3-2h)}{h}$$
$$=\lim_{h \to 0}\frac{f(3+h)-f(3)}{h}-\lim_{h \to 0}\frac{f(3-2h)-f(3)}{-2h}\cdot(-2)$$
$$=f'(3)+2f'(3)=3f'(3)$$
$$=3 \cdot 5=15$$

정답 ④

0580

정답 ⑤

STEP Ⓐ **수직인 두 직선의 기울기의 곱이 -1임을 이용하여 $f'(1)$ 구하기**

$y=f(x)$ 위의 점 $(1, f(1))$에서의 접선과 직선 $y=-\frac{1}{3}x+2$가

서로 수직이므로 $f'(1)\times\left(-\frac{1}{3}\right)=-1$

$\therefore f'(1)=3$

STEP Ⓑ **미분계수의 정의를 이용하여 극한값 구하기**

이때 $\frac{1}{n}=h$라 하면 $n \to \infty$일 때, $h \to 0$

$\lim_{n \to \infty}n\left\{f\left(1+\frac{1}{2n}\right)-f\left(1-\frac{1}{3n}\right)\right\}$
$$=\lim_{h \to 0}\frac{f\left(1+\frac{h}{2}\right)-f\left(1-\frac{h}{3}\right)}{h}$$
$$=\lim_{h \to 0}\left\{\frac{f\left(1+\frac{h}{2}\right)-f(1)}{\frac{h}{2}}\times\frac{1}{2}+\frac{f\left(1-\frac{h}{3}\right)-f(1)}{-\frac{h}{3}}\times\frac{1}{3}\right\}$$
$$=\frac{1}{2}f'(1)+\frac{1}{3}f'(1)$$

따라서 $\frac{1}{2}f'(1)+\frac{1}{3}f'(1)=\frac{1}{2}\cdot 3+\frac{1}{3}\cdot 3=\frac{5}{2}$

0581

정답 ③

STEP Ⓐ **$f'(a)=3$임을 이용하여 a의 값 구하기**

$f(x)=x^2-5x+3$에서 $f'(x)=2x-5$

$x=a$에서 접선의 기울기가 3이므로 $f'(a)=3$

즉 $2a-5=3$에서 $a=4$

STEP Ⓑ **$f(a)=b$임을 이용하여 b의 값 구하기**

따라서 점 $(4, b)$가 곡선 $y=f(x)$ 위의 점이므로

$b=f(4)=4^2-5\cdot 4+3=-1$이므로 $a+b=3$

0582

정답 ①

STEP Ⓐ **$f'(1)=-2$임을 이용하여 a의 값 구하기**

$f(x)=x^2+ax+b$로 놓으면 $f'(x)=2x+a$

점 $(1, 2)$에서 접선의 기울기가 -2이므로

$f'(1)=-2$에서 $2+a=-2$

$\therefore a=-4$

STEP Ⓑ **$f(1)=2$임을 이용하여 b의 값 구하기**

점 $(1, 2)$가 곡선 $y=x^2+ax+b$ 위의 점이므로

$1+a+b=2$ .... ㉠

$a=-4$를 ㉠에 대입하면 $b=5$

따라서 $ab=-20$

함수 $f(x)=x^3+ax^2+bx$의 그래프 위의 점 $(1, -2)$에서의 접선의
기울기가 -4일 때, 상수 a, b에 대하여 $b-a$의 값은?

① 1　　　　② 2　　　　③ 3
④ 4　　　　⑤ 5

STEP A $f'(1)=-4$임을 이용하여 a, b의 관계식 구하기

$f(x)=x^3+ax^2+bx$에서 $f'(x)=3x^2+2ax+b$

점 $(1, -2)$에서의 접선의 기울기가 -4이므로

$f'(1)=-4$에서 $3+2a+b=-4$

$\therefore 2a+b=-7$　　　　……㉠

STEP B $f(1)=-2$임을 이용하여 a, b의 관계식 구하기

점 $(1, -2)$가 함수 $f(x)=x^3+ax^2+bx$ 위의 점이므로

$f(1)=1+a+b=-2$

$\therefore a+b=-3$　　　　……㉡

㉠, ㉡을 연립하여 풀면 $a=-4$, $b=1$

따라서 $b-a=1-(-4)=5$　　　　정답 ⑤

0583　　정답 ②

STEP A 다항함수의 미분법을 이용하여 $f'(1)$의 값 구하기

$f(x)=x^4-3x^2+1$로 놓으면 $f'(x)=4x^3-6x$에서 $f'(1)=-2$

STEP B 두 직선의 기울기가 같음을 이용하여 a의 값 구하기

직선 $ax+y-3=0$, 즉 $y=-ax+3$에 평행하므로 $-a=-2$

따라서 $a=2$

0584　　정답 ⑤

STEP A $f'(a)=-4$임을 이용하여 a의 값 구하기

$f(x)=-x^3+8x-1$로 놓으면 $f'(x)=-3x^2+8$

점 (a, b)에서의 접선의 기울기는 $f'(a)=-3a^2+8$

이때 직선 $x-4y+8=0$의 기울기는 $\frac{1}{4}$이고

이 직선과 점 (a, b)에서의 접선이 수직이므로

$(-3a^2+8)\times\frac{1}{4}=-1$, $a^2=4$

$\therefore a=2\,(\because a>0)$

STEP B $f(a)=b$임을 이용하여 b의 값 구하기

점 $(2, b)$가 곡선 $y=-x^3+8x-1$ 위의 점이므로

$b=-a^3+8a-1=7$

따라서 $a=2$, $b=7$이므로 $a+b=9$

곡선 $y=ax^2+bx+1$ 위의 점 $(1, 3)$에서 접하는 접선이
직선 $y=-\frac{1}{5}x+1$과 수직일 때, $a-b$의 값은? (단, a, b는 상수)

① -4　　　　② -2　　　　③ 1
④ 2　　　　⑤ 4

STEP A 점 $(1, 3)$을 대입하여 a, b의 관계식 구하기

$f(x)=ax^2+bx+1$로 놓으면 $f'(x)=2ax+b$

$f(1)=3$이므로 $a+b+1=3$　　　　……㉠

STEP B 수직조건을 이용하여 a, b의 관계식 구하기

$y=f(x)$에서 $x=1$에서 접선의 방정식이

직선 $y=-\frac{1}{5}x+1$와 수직이므로 $f'(1)=5$ ◀ $-\frac{1}{5}\times m=-1$

$2a+b=5$　　　　……㉡

㉠, ㉡를 연립하여 풀면 $a=3$, $b=-1$

따라서 $a-b=4$　　　　정답 ⑤

0585　　정답 ①

STEP A $(1, 1)$을 곡선에 대입하여 a, b 사이의 관계식 구하기

$f(x)=2x^3+ax+b$로 놓으면 $f'(x)=6x^2+a$

점 $(1, 1)$이 곡선 $y=f(x)$ 위의 점이므로

$a+b=-1$　　　　……㉠

STEP B $f'(1)=2$임을 이용하여 a, b의 값 구하기

수직인 직선의 기울기는 $-\frac{1}{2}$이므로 $x=1$에서 접선의 기울기는 2

즉 $f'(1)=2$에서 $6+a=2$

$\therefore a=-4$

㉠에서 $b=3$

따라서 $a=-4$, $b=3$이므로 $a^2+b^2=25$

곡선 $y=x^3-ax+b$ 위의 점 $(1, 1)$에서의 접선과 수직인 직선의 기울기가
$-\frac{1}{2}$이다. 두 상수 a, b에 대하여 $a+b$의 값은?

① -4　　　　② -2　　　　③ 2
④ 4　　　　⑤ 6

STEP A 두 직선이 수직이면 기울기의 곱이 -1임을 이용하여 a 구하기

$y=x^3-ax+b$에서 $y'=3x^2-a$이므로

점 $(1, 1)$에서의 접선의 기울기는 $3-a$

이때 이 접선과 수직인 직선의 기울기가 $-\frac{1}{2}$이므로

$(3-a)\times\left(-\frac{1}{2}\right)=-1$, $3-a=2$

$\therefore a=1$

STEP B 점 $(1, 1)$을 곡선 $y=x^3-x+b$에 대입하여 b 구하기

또한, 점 $(1, 1)$은 곡선 $y=x^3-x+b$ 위의 점이므로 $1=1^3-1+b$

$\therefore b=1$

따라서 $a+b=2$　　　　정답 ③

0586

STEP Ⓐ **접선의 기울기를 구하여 접선에 수직인 직선의 기울기 구하기**

$f(x)=x^3+ax^2+b$로 놓으면 $f'(x)=3x^2+2ax$

$x=-1$에서 접선의 기울기는 $f'(-1)=3-2a$이므로

접선에 수직인 직선의 기울기는 $-\dfrac{1}{3-2a}$

즉 $-\dfrac{1}{3-2a}=-\dfrac{1}{4}$에서 $a=-\dfrac{1}{2}$

STEP Ⓑ **(1, 5)를 곡선에 대입하여 b의 값 구하기**

또한, 점 $(1, 5)$는 곡선 $y=x^3+ax^2+b$ 위의 점이므로

$1+a+b=5, 1-\dfrac{1}{2}+b=5$

$\therefore b=\dfrac{9}{2}$

따라서 $a=-\dfrac{1}{2}$, $b=\dfrac{9}{2}$이므로 $b-a=5$

함수 $f(x)=x(x-3)(x-a)$의 그래프 위의 점 $(0, 0)$에서의 접선과 점 $(3, 0)$에서의 접선이 서로 수직이 되도록 하는 모든 실수 a의 값의 합은?

① $\dfrac{3}{2}$　　　② 2　　　③ $\dfrac{5}{2}$

④ 3　　　⑤ $\dfrac{7}{2}$

STEP Ⓐ **$x=0$과 $x=3$에서 접선의 기울기를 구하기**

$f(x)=x(x-3)(x-a)$에서

$f'(x)=(x-3)(x-a)+x(x-a)+x(x-3)$이므로

$f'(0)=3a, f'(3)=3(3-a)$

STEP Ⓑ **수직인 두 직선의 기울기의 곱이 -1임을 이용하여 a의 값의 합 구하기**

이때 점 $(0, 0)$에서의 접선과 점 $(3, 0)$에서의 접선이 서로 수직이므로

$f'(0) \times f'(3)=-1$

$3a \times 3(3-a)=-1, 9a^2-27a-1=0$

따라서 근과 계수의 관계에 의하여 두 근의 합은 $\dfrac{27}{9}=3$

0587

STEP Ⓐ **$x=1$에서 기울기는 2임을 이용하여 p의 값 구하기**

$f(x)=x^3+px+q$로 놓으면 $f'(x)=3x^2+p$

곡선 $y=f(x)$ 위의 점 $(1, 2)$에서 접선이 원점을 지나므로

$x=1$에서 접선의 기울기는 $\dfrac{2-0}{1-0}=2$

즉 $f'(1)=2$이므로 $f'(1)=3+p=2$

$\therefore p=-1$

STEP Ⓑ **점 $(1, 2)$을 대입하여 p, q의 관계식 구하기**

곡선 $f(x)=x^3+px+q$이 $(1, 2)$을 지나므로 $f(1)=2$

$2=1+p+q$ $\therefore p+q=1$ $\cdots\cdots$ ㉠

$p=-1$을 ㉠에 대입하면 $q=2$

따라서 $q-p=2-(-1)=3$

곡선 $y=x^3+ax+b$ 위의 점 $(1, 1)$에서 그은 접선이 원점을 지날 때, 상수 a, b에 대하여 ab의 값은?

① -4　　　② -2　　　③ 2

④ 4　　　⑤ 6

STEP Ⓐ **점 $(1, 1)$을 대입하여 a, b의 관계식 구하기**

$f(x)=x^3+ax+b$라 하면 이 곡선이 $(1, 1)$을 지나므로 $f(1)=1$

$1=1+a+b$ $\therefore a+b=0$ $\cdots\cdots$ ㉠

STEP Ⓑ **$x=1$에서 기울기는 1임을 이용하여 a, b 구하기**

곡선 $y=f(x)$ 위의 점 $(1, 1)$에서 접선이 원점을 지나므로

$x=1$에서 접선의 기울기는 $\dfrac{1-0}{1-0}=1$

$f'(x)=3x^2+a$에서 $f'(1)=3+a=1$ $\therefore a=-2$

$a=-2$를 ㉠에 대입하면 $b=2$

따라서 $ab=2 \times (-2)=-4$

0588

STEP Ⓐ **다항함수의 미분법을 이용하여 $f'(2)$, $g'(1)$의 값 구하기**

$f(x)=\dfrac{1}{3}x^3+\dfrac{4}{3}$로 놓으면 $f'(x)=x^2$이므로

점 $(2, 4)$에서의 접선의 기울기는 $f'(2)=4$ $\cdots\cdots$ ㉠

$g(x)=x^2+ax+b$로 놓으면 $g'(x)=2x+a$이므로

점 $(1, 0)$에서의 접선의 기울기는 $g'(1)=2+a$ $\cdots\cdots$ ㉡

두 접선이 일치하므로 ㉠, ㉡에서 $4=2+a$

$\therefore a=2$

STEP Ⓑ **$(1, 0)$이 곡선 위의 점임을 이용하여 b의 값 구하기**

점 $(1, 0)$은 곡선 $y=x^2+ax+b$ 위의 점이므로 $0=1+a+b$

$a=2$를 대입하면 $b=-3$

따라서 $a=2$, $b=-3$이므로 $ab=-6$

곡선 $y=\dfrac{1}{3}x^3+\dfrac{4}{3}$의 $x=2$인 점에서의 접선과 곡선 $y=x^2+ax+b$ 위의 점 $(1, 0)$에서의 접선이 일치할 때, 상수 a, b에 대하여 ab의 값은?

① -10　　　② -8　　　③ -6

④ -4　　　⑤ -2

STEP Ⓐ **$x=2$에서 접선의 기울기 구하기**

$f(x)=\dfrac{1}{3}x^3+\dfrac{4}{3}$로 놓으면 $f'(x)=x^2$

이때 $x=2$인 점에서의 접선의 기울기 $f'(2)=4$ $\cdots\cdots$ ㉠

STEP Ⓑ **$x=1$에서 접선의 기울기 구하기**

$g(x)=x^2+ax+b$로 놓으면 $g'(x)=2x+a$

점 $(1, 0)$에서의 접선의 기울기는 $g'(1)=2+a$ $\cdots\cdots$ ㉡

STEP Ⓒ **a, b의 값 구하기**

점 $(1, 0)$이 곡선 $g(x)=x^2+ax+b$ 위의 점이므로

$0=1+a+b$ $\cdots\cdots$ ㉢

㉠, ㉡에서 $4=2+a$ $\therefore a=2$

㉢에서 $b=-3$

따라서 $ab=2 \cdot (-3)=-6$

0589

STEP ⓐ $\overline{BD}=k$라 하고 직선 AC의 기울기 구하기

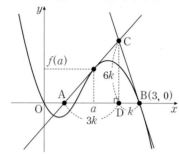

$f(x)=-x^3+4x^2-3x$에서 $f'(x)=-3x^2+8x-3$이므로

점 B$(3, 0)$에서의 접선의 기울기는 $f'(3)=-6$

이때 $\overline{AD}:\overline{DB}=3:1$이므로 $\overline{BD}=k\,(k>0)$라 하면 $\overline{AD}=3k$

직선 BC의 기울기는 $\dfrac{\overline{CD}}{-k}=-6$이므로 $\overline{CD}=6k$

또, 직선 AC의 기울기는 $\dfrac{6k}{3k}=2$

STEP ⓑ 직선 AC의 기울기가 2임을 이용하여 a값들의 곱 구하기

$f'(a)=-3a^2+8a-3=2$를 만족하는 a를 구하면 $3a^2-8a+5=0$

따라서 $3a^2-8a+5=0$은 서로 다른 두 실근을 가지므로 근과 계수의 관계에 의하여 a값들의 곱은 $\dfrac{5}{3}$

0590

STEP ⓐ 다항함수의 미분법을 이용하여 $f'(1)$의 값 구하기

$f(x)=x^3+6x^2-11x+7$로 놓으면

$f'(x)=3x^2+12x-11$

곡선 $y=f(x)$ 위의 점 $(1, 3)$에서의 접선의 기울기는 $f'(1)=4$

STEP ⓑ 기울기와 한 점을 이용하여 접선의 방정식 구하기

점 $(1, 3)$에서의 접선의 방정식은 $y-3=4(x-1)$

$\therefore y=4x-1$

따라서 $m-n=4-(-1)=5$

0591

STEP ⓐ 다항함수의 미분법을 이용하여 $f'(2)$의 값 구하기

$f(x)=(x^2-x)(x-3)$으로 놓으면

$f'(x)=(2x-1)(x-3)+(x^2-x)$

곡선 $y=f(x)$ 위의 점 $(2, -2)$에서의 접선의 기울기는 $f'(2)=-1$

STEP ⓑ 기울기와 한 점을 이용하여 접선의 방정식 구하기

점 $(2, -2)$에서의 접선의 방정식은 $y-(-2)=-(x-2)$

$\therefore y=-x$

따라서 $a=-1$, $b=0$이므로 $b-a=1$

0592

STEP ⓐ 점 $(1, 2)$를 곡선에 대입하여 a, b 사이의 관계식 구하기

점 $(1, 2)$가 곡선 $y=x^3+ax+b$ 위의 점이므로

$2=1+a+b$

$\therefore a+b=1$ ...... ㉠

STEP ⓑ 곡선을 $f(x)$라 두고 $f'(1)=-2$임을 이용하여 a, b의 값 구하기

$f(x)=x^3+ax+b$로 놓으면 $f'(x)=3x^2+a$

점 $(1, 2)$에서의 접선의 기울기가 -2이므로

$f'(1)=3+a=-2$

$\therefore a=-5$

$a=-5$를 ㉠에 대입하면 $b=6$

따라서 $a=-5$, $b=6$이므로 $a-b=-5-6=-11$

내/신/연/계/ 출제문항 246

곡선 $y=-x^2+ax+b$ 위의 점 $(3, 5)$에서의 접선의 방정식이 $y=-x+8$일 때, 상수 a, b에 대하여 $a-b$의 값은?

① 6   ② 7   ③ 8
④ 9   ⑤ 10

STEP ⓐ 점 $(3, 5)$를 곡선에 대입하여 a, b 사이의 관계식 구하기

점 $(3, 5)$가 곡선 $y=-x^2+ax+b$ 위의 점이므로

$5=-9+3a+b$

$\therefore 3a+b=14$ ...... ㉠

STEP ⓑ 곡선을 $f(x)$라 두고 $f'(3)=-1$임을 이용하여 a, b의 값 구하기

$f(x)=-x^2+ax+b$로 놓으면 $f'(x)=-2x+a$

점 $(3, 5)$에서의 접선의 기울기가 -1이므로

$f'(3)=-6+a=-1$

$\therefore a=5$

$a=5$를 ㉠에 대입하면 $b=-1$

따라서 $a=5$, $b=-1$이므로 $a-b=5-(-1)=6$

0593

STEP ⓐ 곡선을 $f(x)$라 두고 $f'(1)$의 값 구하기

$f(x)=-x^3+2x$로 놓으면 $f'(x)=-3x^2+2$

점 $(1, 1)$에서의 접선의 기울기는 $f'(1)=-1$

STEP ⓑ 기울기와 한 점을 이용하여 접선의 방정식 구하기

점 $(1, 1)$에서의 접선의 방정식은 $y-1=-(x-1)$

$\therefore y=-x+2$

STEP ⓒ $(-10, a)$를 식에 대입하여 a의 값 구하기

따라서 접선 $y=-x+2$가 점 $(-10, a)$를 지나므로 $a=10+2=12$

0594

정답 ③

STEP Ⓐ 곡선을 $f(x)$라 두고 $f'(1)$의 값 구하기

$f(x)=x^3-x^2+a$로 놓으면 $f'(x)=3x^2-2x$

$x=1$에서의 접선의 기울기는 $f'(1)=3-2=1$

STEP Ⓑ 기울기와 한 점을 이용하여 접선의 방정식 구하기

점 $(1,\,a)$에서의 접선의 방정식은 $y-a=1(x-1)$

$\therefore y=x-1+a$

STEP Ⓒ $(0,\,12)$를 식에 대입하여 a의 값 구하기

이 접선이 점 $(0,\,12)$를 지나므로 $12=0-1+a$

따라서 $a=13$

내/신/연/계 출제문항 247

곡선 $y=x^4-3x^2+a$ 위의 점 $(1,\,2)$에서의 접선이 점 $(0,\,b)$를 지날 때, 상수 $a,\,b$에 대하여 $a+b$의 값은?

① 6　　　　② 7　　　　③ 8
④ 9　　　　⑤ 10

STEP Ⓐ 점 $(1,\,2)$가 곡선 위의 점임을 이용하여 a값 구하기

점 $(1,\,2)$가 곡선 $y=x^4-3x^2+a$ 위의 점이므로

$2=1-3\cdot1+a$　$\therefore a=4$

STEP Ⓑ 점 $(1,\,2)$에서의 접선의 방정식 구하기

$f(x)=x^4-3x^2+a$로 놓으면 $f'(x)=4x^3-6x$

점 $(1,\,2)$에서의 접선의 기울기는 $f'(1)=4-6=-2$

점 $(1,\,2)$에서의 접선의 방정식은 $y-2=-2(x-1)$

$\therefore y=-2x+4$

STEP Ⓒ $a+b$의 값 구하기

점 $(0,\,b)$가 이 직선 $y=-2x+4$ 위에 있으므로 $b=4$

따라서 $a+b=4+4=8$

정답 ③

0595

정답 ①

STEP Ⓐ 다항함수의 미분법을 이용하여 $f'(1)$의 값 구하기

$f(x)=x^3+ax^2+9x+3$에서 $f'(x)=3x^2+2ax+9$

점 $(1,\,f(1))$에서 접선의 기울기는 $f'(1)=3+2a+9=2a+12$

STEP Ⓑ $f'(1)=2$임을 이용하여 a의 값 구하기

점 $(1,\,f(1))$에서의 접선의 방정식이 $y=2x+b$이므로

$f'(1)=2,\ 2a+12=2$

$\therefore a=-5$

STEP Ⓒ $f(1)=2+b$에서 b의 값 구하기

또, $f(1)=2+b$에서 $1-5+9+3=2+b$

$\therefore b=6$

따라서 $a=-5,\ b=6$이므로 $a+b=-5+6=1$

다른풀이 접선의 방정식을 구하여 풀이하기

삼차함수 $f(x)$의 그래프 위의 점 $(1,\,f(1))$에서의 접선의 방정식은

$y-f(1)=f'(1)(x-1)$

이때 $f(1)=1+a+9+3=a+13$이고 $f'(x)=3x^2+2ax+9$에서

$f'(1)=3+2a+9=2a+12$이므로 $y-(a+13)=(2a+12)(x-1)$

$y=(2a+12)x-a+1=2x+b$

$2a+12=2$　　　……㉠

$-a+1=b$　　　……㉡

따라서 ㉠, ㉡을 연립하여 풀면 $a=-5,\ b=6$　$\therefore a+b=1$

0596

정답 ③

STEP Ⓐ $f(2),\ f'(2)$의 값 구하기

직선 $y=2x-3$이 점 $(2,\,1)$을 지나므로 곡선 $y=f(x)$도 점 $(2,\,1)$을 지난다.

즉 $f(2)=1,\ f'(2)=2$

STEP Ⓑ $x=2$에서 접선의 기울기 구하기

$g(x)=(x-1)f(x)$로 놓으면 $g'(x)=f(x)+(x-1)f'(x)$이므로

$g'(2)=f(2)+f'(2)=3$

따라서 곡선 $y=(x-1)f(x)$ 위의 점 $(2,\,f(2))$에서의 접선의 기울기는 3

내/신/연/계 출제문항 248

다항함수 $y=f(x)$의 그래프 위의 점 $(1,\,2)$에서의 접선의 방정식이 $y=3x-1$일 때, 곡선 $y=\{f(x)\}^2$ 위의 x좌표가 1인 점에서의 접선의 방정식은?

① $y=6x-2$　　② $y=6x-4$　　③ $y=12x-8$
④ $y=12x-10$　　⑤ $y=12x-12$

STEP Ⓐ $f(1),\ f'(1)$의 값 구하기

다항함수 $y=f(x)$의 그래프가 점 $(1,\,2)$를 지나고

그 점에서의 접선의 기울기가 3이므로 $f(1)=2,\ f'(1)=3$

STEP Ⓑ $x=1$에서 접선의 방정식 구하기

$g(x)=\{f(x)\}^2$으로 놓으면 $g'(x)=2f(x)f'(x)$

이때 $x=1$에서의 접선의 기울기는 $g'(1)=2f(1)f'(1)=12$

또, x좌표가 1인 점의 y좌표는 $g(1)=\{f(1)\}^2=4$

따라서 구하는 접선의 방정식은 $y=12x-8$

정답 ③

0597

정답 ①

STEP Ⓐ 곡선 $y=f(x)$ 위의 점 $(1,\,f(1))$에서의 접선의 기울기 구하기

곡선 $y=f(x)$ 위의 점 $(1,\,f(1))$에서의 접선의 방정식이 $y=2x+1$이므로

$f'(1)=2$

또한, 곡선 $y=f(x)$는 점 $(1,\,3)$을 지나므로 $f(1)=3$

STEP Ⓑ 곡선 $y=g(x)$ 위의 점 $(1,\,g(1))$에서의 접선의 기울기 구하기

곡선 $y=g(x)$ 위의 점 $(1,\,g(1))$에서의 접선의 방정식이 $y=3x-2$이므로

$g'(1)=3$

또한, 곡선 $y=g(x)$는 점 $(1,\,1)$을 지나므로 $g(1)=1$

STEP Ⓒ 곡선 위의 점 $(1,\,f(1)g(1))$에서 접선의 기울기 구하기

따라서 $h(x)=f(x)g(x)$라 하면 $h'(x)=f'(x)g(x)+f(x)g'(x)$이므로

곡선 $y=f(x)g(x)$ 위의 점 $(1,\,f(1)g(1))$에서의 접선의 기울기는

$h'(1)=f'(1)g(1)+f(1)g'(1)=2\times1+3\times3=11$

0598

 정답 ⑤

STEP Ⓐ $f(2)=g'(2)=1$임을 이용하여 접선의 식 세우기

곡선 $y=g(x)$ 위의 점 $(2,\ g(2))$에서의 접선의 방정식은

$y=g'(2)(x-2)+g(2)$ ...... ㉠

이때 $g'(x)=f(x)$이고 $f(2)=1$에서 $g'(2)=1$이므로

㉠에서 $y=1\cdot(x-2)+g(2)$

$\therefore y=x-2+g(2)$ ...... ㉡

STEP Ⓑ 접선의 y절편이 -5임을 이용하여 접선의 방정식 구하기

이때 접선의 y절편이 -5이므로 $x=0$, $y=-5$를 ㉡에 대입하면

$-5=-2+g(2)$ $\therefore g(2)=-3$

이때 접선의 방정식은 $y=x-5$이므로 $y=0$을 대입하면 $0=x-5$

$\therefore x=5$

따라서 접선의 x절편은 5

내신연계 출제문항 **249**

곡선 $y=x^3+x+a$ 위의 점 $(1,\ b)$에서의 접선의 y절편이 -3일 때, 상수 a, b에 대하여 $a+b$의 값은?

① -2　　② -1　　③ 0

④ 1　　⑤ 2

STEP Ⓐ 점 $(1,\ b)$를 지남을 이용하여 a, b의 관계식 구하기

$f(x)=x^3+x+a$라 하면 점 $(1,\ b)$를 지나므로

$f(1)=b$이므로 $2+a=b$ ...... ㉠

STEP Ⓑ 점 $(1,\ b)$에서 접선의 방정식 구하기

$f'(x)=3x^2+1$에서 $f'(1)=4$이므로

점 $(1,\ 2+a)$에서의 접선의 방정식은 $y-(2+a)=4(x-1)$

즉 $y=4x+a-2$ ...... ㉡

STEP Ⓒ 접선의 y절편이 -3임을 이용하여 a, b의 값 구하기

이때 직선 ㉡의 y절편이 -3이므로 $a-2=-3$

$\therefore a=-1$

$a=-1$을 ㉠에 대입하면 $b=1$

따라서 $a+b=-1+1=0$

정답 ③

0599

정답 ⑤

STEP Ⓐ 극한값이 존재할 조건과 (가)에 $x=2$를 대입하여 $g(2)$의 값 구하기

조건 (나)에서 $\lim\limits_{x\to 2}\dfrac{f(x)-g(x)}{x-2}=2$

$x\to 2$일 때, (분모)$\to 0$이고 극한값이 존재하므로 (분자)$\to 0$이어야 한다.

$\lim\limits_{x\to 2}\{f(x)-g(x)\}=0$이므로 $f(2)=g(2)$

조건 (가)에서 $x=2$를 대입하면 $g(2)=8f(2)-7$이므로

$g(2)=8g(2)-7$에서 $g(2)=1$

STEP Ⓑ 식을 변형하고 미분계수 식을 이용하여 정리하기

또, 조건 (나)에서

$\lim\limits_{x\to 2}\dfrac{\{f(x)-f(2)\}-\{g(x)-g(2)\}}{x-2}=\lim\limits_{x\to 2}\dfrac{f(x)-f(2)}{x-2}-\lim\limits_{x\to 2}\dfrac{g(x)-f(2)}{x-2}$

$=f'(2)-g'(2)$

$=2$

STEP Ⓒ (가)를 미분하고 $x=2$를 대입하여 $g'(2)$의 값 구하기

조건 (가)의 양변을 x에 대하여 미분하면 $g'(x)=3x^2 f(x)+x^3 f'(x)$

$x=2$를 대입하면 $g'(2)=12\cdot 1+8f'(2)$

$g'(2)=12\cdot 1+8\{g'(2)+2\}=8g'(2)+28$ ◀ $f'(2)=g'(2)+2$

$\therefore g'(2)=-4$

이때 점 $(2,\ g(2))$에서의 접선의 방정식은 $y-g(2)=g'(2)(x-2)$

$y-1=-4(x-2)$ $\therefore y=-4x+9$

따라서 $a^2+b^2=(-4)^2+9^2=97$

내신연계 출제문항 **250**

두 다항함수 $f(x)$, $g(x)$가 다음 조건을 만족시킨다.

> (가) $\lim\limits_{x\to -2}\dfrac{f(x)-1}{x+2}=2$
>
> (나) 모든 실수 x에 대하여 $g(x)=(x^2-1)f(x)$이다.

곡선 $y=g(x)$ 위의 점 $(-2,\ g(-2))$에서의 접선의 방정식이 $y=ax+b$일 때, $a+b$의 값은? (단, a, b는 상수이다.)

① 6　　② 7　　③ 8

④ 9　　⑤ 10

STEP Ⓐ 극한값이 존재할 조건과 미분계수를 이용하여 $f(-2)$, $f'(-2)$의 값 구하기

$\lim\limits_{x\to -2}\dfrac{f(x)-1}{x+2}=2$에서

$x\to -2$일 때, (분모)$\to 0$이고 극한값이 존재하므로 (분자)$\to 0$이어야 한다.

즉 $\lim\limits_{x\to -2}\{f(x)-1\}=0$이므로 $f(-2)=1$ ◀ 다항함수 $f(x)$는 연속함수

또한, $\lim\limits_{x\to -2}\dfrac{f(x)-1}{x+2}=\lim\limits_{x\to -2}\dfrac{f(x)-f(-2)}{x-(-2)}=f'(-2)=2$

STEP Ⓑ 기울기와 한 점을 이용하여 접선의 방정식 구하기

$g(x)=(x^2-1)f(x)$에서 $g'(x)=2xf(x)+(x^2-1)f'(x)$

$g(-2)=3f(-2)=3\times 1=3$

$g'(-2)=-4f(-2)+3f'(-2)=-4\times 1+3\times 2=-4+6=2$

곡선 $y=g(x)$ 위의 점 $(-2,\ 3)$에서의 접선의 방정식은

$y-3=2(x+2)$, $y=2x+7$

따라서 $a=2$, $b=7$이므로 $a+b=2+7=9$

정답 ④

0600

정답 ③

STEP Ⓐ 항등식을 이용하여 곡선이 항상 지나는 점 구하기

곡선 $y=x^3+ax^2+(2a-1)x+a+2$의 식을 a에 대한 내림차순으로 정리하면

$(x^2+2x+1)a+(x^3-x+2-y)=0$

이것은 a에 대한 항등식이므로 $x^2+2x+1=0$, $x^3-x+2-y=0$

$\therefore x=-1$, $y=2$

즉 주어진 곡선은 a의 값에 관계없이 점 $P(-1,\ 2)$를 지난다.

STEP Ⓑ 점 $P(-1,\ 2)$에서의 기울기를 구하여 접선의 방정식 구하기

$f(x)=x^3+ax^2+(2a-1)x+a+2$로 놓으면

$f'(x)=3x^2+2ax+2a-1$이므로

점 $P(-1,\ 2)$에서의 접선의 기울기는 $f'(-1)=3-2a+2a-1=2$

점 $P(-1,\ 2)$에서의 접선의 방정식은 $y-2=2\{x-(-1)\}$

$\therefore y=2x+4$

따라서 $m=2$, $n=4$이므로 $m+n=6$

0601

정답 ②

STEP A 항등식을 이용하여 곡선이 항상 지나는 점 구하기

곡선 $y=x^3+ax^2+(2a+1)x+a+5$의 식을 a에 대한 내림차순으로
정리하면 $(x^2+2x+1)a+(x^3+x+5-y)=0$
이것은 a에 대한 항등식이므로 $x^2+2x+1=(x+1)^2=0$
$x^3+x+5-y=0$
$\therefore x=-1, y=3$
즉 주어진 곡선은 a의 값에 관계없이 점 $P(-1, 3)$을 지난다.

STEP B 점 $P(-1, 3)$에서의 기울기를 구하여 접선에 수직인 직선의
방정식 구하기

$f(x)=x^3+ax^2+(2a+1)x+a+5$로 놓으면
$f'(x)=3x^2+2ax+2a+1$이므로
점 $P(-1, 3)$에서의 접선의 기울기는 $f'(-1)=3-2a+2a+1=4$
이때 접선에 수직인 직선의 기울기는 $-\dfrac{1}{4}$이므로
수직인 직선의 방정식은 점 $P(-1, 3)$을 지나고 기울기가 $-\dfrac{1}{4}$이므로
$y-3=-\dfrac{1}{4}(x+1)$ $\therefore y=-\dfrac{1}{4}x+\dfrac{11}{4}$
따라서 $m=-\dfrac{1}{4}$, $n=\dfrac{11}{4}$이므로 $\dfrac{n}{m}=-11$

0602

정답 ③

STEP A 항등식을 이용하여 곡선이 항상 지나는 두 점 구하기

$y=x^3-ax^2+2ax+1$의 식을 a에 대한 내림차순으로 정리하면
$(-x^2+2x)a+(x^3+1-y)=0$이 a에 대한 항등식이므로
$-x^2+2x=0$, $x^3+1-y=0$
위의 식을 연립하면 $x=0$, $y=1$ 또는 $x=2$, $y=9$
즉 a의 값에 관계없이 지나는 두 점의 좌표는 $(0, 1)$, $(2, 9)$

STEP B 각 점에서의 기울기 구하기

$f(x)=x^3-ax^2+2ax+1$로 놓으면 $f'(x)=3x^2-2ax+2a$
점 $(0, 1)$과 $(2, 9)$에서의 접선의 기울기는 각각
$f'(0)=2a$, $f'(2)=12-2a$

STEP C 두 기울기의 곱이 -1임을 이용하여 모든 실수 a의 합 구하기

이때 두 접선이 서로 수직이므로 $2a(12-2a)=-1$, $4a^2-24a-1=0$
따라서 이차방정식의 근과 계수의 관계에 의하여 모든 실수 a의 합은 6

0603

정답 ②

STEP A 극한값이 존재할 조건을 이용하여 $f(2)$의 값 구하기

$\lim\limits_{x\to 2}\dfrac{f(x)-1}{x-2}=4$에서
$x\to 2$일 때, (분모)$\to 0$이고 극한값이 존재하므로 (분자)$\to 0$이다.
즉 $\lim\limits_{x\to 2}\{f(x)-1\}=0$이므로 $f(2)=1$

STEP B 미분계수 식을 이용하여 $f'(2)$의 값 구하기

$\lim\limits_{x\to 2}\dfrac{f(x)-1}{x-2}=\lim\limits_{x\to 2}\dfrac{f(x)-f(2)}{x-2}=f'(2)=4$

STEP C 기울기와 한 점을 이용하여 접선의 방정식 구하기

점 $(2, 1)$에서의 접선의 기울기가 4이므로 접선의 방정식은
$y-1=4(x-2)$, $y=4x-7$
따라서 $a=4$, $b=-7$이므로 $ab=-28$

0604

정답 ③

STEP A 극한값이 존재할 조건을 이용하여 $f(1)$의 값 구하기

$\lim\limits_{x\to 1}\dfrac{f(x)+1}{x^3-1}=-1$에서
$x\to 1$일 때, (분모)$\to 0$이고 극한값이 존재하므로 (분자)$\to 0$이다.
즉 $\lim\limits_{x\to 1}\{f(x)+1\}=0$이므로 $f(1)=-1$

STEP B 미분계수 식을 이용하여 $f'(1)$의 값 구하기

$\lim\limits_{x\to 1}\dfrac{f(x)+1}{x^3-1}=\lim\limits_{x\to 1}\dfrac{f(x)-f(1)}{x-1}\cdot\dfrac{1}{x^2+x+1}$
$=f'(1)\cdot\dfrac{1}{3}=-1$
$\therefore f'(1)=-3$

STEP C 기울기와 한 점을 이용하여 접선의 방정식 구하기

이때 점 $(1, -1)$에서 접선의 방정식은 $y+1=-3(x-1)$
따라서 $y=-3x+2$

내/신/연/계/ 출제문항 251

다항함수 $f(x)$에 대하여 $\lim\limits_{x\to 1}\dfrac{f(x)-3}{x^3-1}=\dfrac{2}{3}$일 때, 곡선 $y=f(x)$ 위의 점
$(1, f(1))$에서의 접선의 방정식을 $y=ax+b$라 할 때, 상수 a, b에 대하
여 $a+b$의 값은?

① -3　　　　② -2　　　　③ -1
④ 1　　　　⑤ 3

STEP A 극한값이 존재할 조건을 이용하여 $f(1)$의 값 구하기

$\lim\limits_{x\to 1}\dfrac{f(x)-3}{x^3-1}=\dfrac{2}{3}$에서
$x\to 1$일 때, (분모)$\to 0$이고 극한값이 존재하므로 (분자)$\to 0$이어야 한다.
즉 $\lim\limits_{x\to 1}\{f(x)-3\}=0$
$\therefore f(1)=3$

STEP B 미분계수 식을 이용하여 $f'(1)$의 값 구하기

$\lim\limits_{x\to 1}\dfrac{f(x)-3}{x^3-1}=\lim\limits_{x\to 1}\dfrac{f(x)-f(1)}{(x-1)(x^2+x+1)}$
$=\lim\limits_{x\to 1}\dfrac{f(x)-f(1)}{x-1}\cdot\lim\limits_{x\to 1}\dfrac{1}{x^2+x+1}$
$=\dfrac{1}{3}f'(1)=\dfrac{2}{3}$
$\therefore f'(1)=2$

STEP C 기울기와 한 점을 이용하여 접선의 방정식 구하기

$x=1$에서의 접선의 기울기는 2이고 점 $(1, 3)$을 지나는 접선의 방정식은
$y-3=2(x-1)$ $\therefore y=2x+1$
따라서 $a+b=2+1=3$

정답 ⑤

0605

STEP Ⓐ 극한값이 존재할 조건을 이용하여 $f(-1)$의 값 구하기

$\lim\limits_{x \to 0} \dfrac{f(x-1)}{x} = -2$에서

$x \to 0$일 때, (분모)$\to 0$이고 극한값이 존재하므로 (분자)$\to 0$이다.

즉 $\lim\limits_{x \to 0} f(x-1) = 0$이므로 $f(-1) = 0$

STEP Ⓑ $x-1=t$로 치환하고 미분계수 식을 이용하여 $f'(-1)$의 값 구하기

$x-1=t$로 놓으면 $x \to 0$일 때, $t \to -1$이고

$$\lim\limits_{x \to 0} \dfrac{f(x-1)}{x} = \lim\limits_{t \to -1} \dfrac{f(t)}{t+1}$$

$$= \lim\limits_{t \to -1} \dfrac{f(t)-f(-1)}{t-(-1)}$$

$$= f'(-1) = -2$$

이므로 $x=-1$인 점에서의 접선의 기울기는 -2

STEP Ⓒ 기울기와 한 점을 이용하여 접선의 방정식 구하기

점 $(-1, 0)$에서의 접선의 방정식은 $y-0 = -2(x+1)$

$\therefore y = -2x-2$

직선 $y = -2x-2$의 x절편은 -1, y절편은 -2이다.

따라서 $m = -1$, $n = -2$이므로 $m+n = -3$

내/신/연/계/ 출제문항 252

다항함수 $f(x)$가

$$\lim\limits_{x \to 3} \dfrac{f(x-1)-4}{x-3} = 1$$

을 만족시킬 때, 곡선 $y = f(x)$ 위의 점 $(2, f(2))$에서의 접선이 x축, y축과 만나는 점을 각각 A, B라 하자. 두 점 A, B 사이의 거리는?

① $\sqrt{2}$ ② 2 ③ $2\sqrt{2}$

④ 4 ⑤ $4\sqrt{2}$

STEP Ⓐ 극한값이 존재할 조건을 이용하여 $f(2)$의 값 구하기

$\lim\limits_{x \to 3} \dfrac{f(x-1)-4}{x-3} = 1$에서

$x \to 3$일 때, (분모)$\to 0$이고 극한값이 존재하므로 (분자)$\to 0$이다.

즉 $\lim\limits_{x \to 3} \{f(x-1)-4\} = 0$이므로 $f(2)-4 = 0$

$\therefore f(2) = 4$

STEP Ⓑ $x-1=t$로 치환하고 미분계수 식을 이용하여 $f'(2)$의 값 구하기

$x-1=t$로 놓으면 $x \to 3$일 때, $t \to 2$이고

$$\lim\limits_{x \to 3} \dfrac{f(x-1)-4}{x-3} = \lim\limits_{t \to 2} \dfrac{f(t)-4}{t-2}$$

$$= \lim\limits_{t \to 2} \dfrac{f(t)-f(2)}{t-2}$$

$$= f'(2)$$

이므로 $f'(2) = 1$

STEP Ⓒ 기울기와 한 점을 이용하여 접선의 방정식 구하기

따라서 곡선 $y = f(x)$ 위의 점 $(2, 4)$에서의 접선의 방정식은

$y-4 = 1 \cdot (x-2)$, 즉 $y = x+2$

이때 직선 $y = x+2$가 x축과 만나는 점은 A$(-2, 0)$

y축과 만나는 점은 B$(0, 2)$이므로 $\overline{AB} = \sqrt{2^2+2^2} = 2\sqrt{2}$

0606

STEP Ⓐ 극한값이 존재할 조건을 이용하여 $f(2)$의 값 구하기

$\lim\limits_{x \to 2} \dfrac{f(x)-2}{x-2} = -3$에서

$x \to 2$일 때, (분모)$\to 0$이고 극한값이 존재하므로 (분자)$\to 0$이다.

즉 $\lim\limits_{x \to 2} \{f(x)-2\} = 0$이므로 $f(2) = 2$

STEP Ⓑ 미분계수 식을 이용하여 $f'(2)$의 값 구하기

$$\lim\limits_{x \to 2} \dfrac{f(x)-2}{x-2} = \lim\limits_{x \to 2} \dfrac{f(x)-f(2)}{x-2} = f'(2) = -3$$

STEP Ⓒ 접선의 기울기와 지나는 점을 구하여 접선의 방정식 구하기

한편 $g(x) = (x-1)^2$에서 $g'(x) = 2(x-1)$이므로 $g(2) = 1$, $g'(2) = 2$

이때 $y = f(x)g(x)$에서 $y' = f'(x)g(x) + f(x)g'(x)$이므로

곡선 $y = f(x)g(x)$ 위의 점 중 x좌표가 2인 점에서의 접선의 기울기는

$f'(2)g(2) + f(2)g'(2) = (-3) \cdot 1 + 2 \cdot 2 = 1$

또, $f(2)g(2) = 2$이므로 구하는 접선의 방정식은 $y-2 = 1 \cdot (x-2)$

$\therefore y = x$

따라서 $a = 1$, $b = 0$이므로 $a+b = 1$

0607

STEP Ⓐ 접선의 기울기를 구하여 접선에 수직인 직선의 기울기 구하기

$f(x) = x^3 - 3x^2 + 4$로 놓으면 $f'(x) = 3x^2 - 6x$

점 $(1, 2)$에서의 접선의 기울기는 $f'(1) = 3-6 = -3$이므로

이 접선에 수직인 직선의 기울기는 $\dfrac{1}{3}$

STEP Ⓑ 기울기와 한 점을 이용하여 직선의 방정식 구하기

즉 구하는 직선의 방정식은 $y-2 = \dfrac{1}{3}(x-1)$

$\therefore y = \dfrac{1}{3}x + \dfrac{5}{3}$

따라서 $a = \dfrac{1}{3}$, $b = \dfrac{5}{3}$이므로 $b-a = \dfrac{4}{3}$

내/신/연/계/ 출제문항 253

곡선 $y = x^3 - 2x^2 + 3x - 3$ 위의 점 $(1, -1)$을 지나고, 이 점에서의 접선에 수직인 직선의 방정식을 $y = ax + b$라 할 때, 상수 a, b에 대하여 $a+b$의 값은?

① -2 ② $-\dfrac{1}{2}$ ③ -1

④ 1 ⑤ 2

STEP Ⓐ 접선의 기울기를 구하여 접선에 수직인 직선의 기울기 구하기

$f(x) = x^3 - 2x^2 + 3x - 3$으로 놓으면 $f'(x) = 3x^2 - 4x + 3$

점 $(1, -1)$에서의 접선의 기울기는 $f'(1) = 2$이므로

이 접선에 수직인 직선의 기울기는 $-\dfrac{1}{2}$

STEP Ⓑ 기울기와 한 점을 이용하여 직선의 방정식 구하기

즉 구하는 직선의 방정식은 $y+1 = -\dfrac{1}{2}(x-1)$

$\therefore y = -\dfrac{1}{2}x - \dfrac{1}{2}$

따라서 $a = -\dfrac{1}{2}$, $b = -\dfrac{1}{2}$이므로 $a+b = -1$

0616

정답 ③

STEP Ⓐ 점 A에서의 접선의 방정식 구하기

$f(x)=x^3$으로 놓으면 $f'(x)=3x^2$

$x=1$에서 접선의 기울기는 $f'(1)=3$

즉 점 A$(1, 1)$에서의 접선의 방정식은 $y-1=3(x-1)$

$\therefore y=3x-2$

STEP Ⓑ 점 B의 좌표 구하기

한편 점 B의 교점의 x좌표는

$x^3=3x-2$에서 $x^3-3x+2=0$,

$(x-1)^2(x+2)=0$

그런데 $x \neq 1$이므로 $x=-2$

이때 $f(-2)=-8$

즉 점 B의 좌표는 $(-2, -8)$

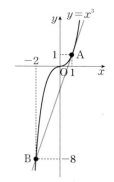

STEP Ⓒ $\overline{AB}$의 길이 구하기

따라서 구하는 $\overline{AB}$의 길이는 $\overline{AB}=\sqrt{(-2-1)^2+(-8-1)^2}=\sqrt{90}=3\sqrt{10}$

0617

정답 ①

STEP Ⓐ 점 A$(1, -4)$에서의 기울기를 구하여 접선의 방정식 구하기

$f(x)=x^3-5x$로 놓으면 $f'(x)=3x^2-5$이므로

점 A$(1, -4)$에서의 접선의 기울기는 $f'(1)=3-5=-2$

점 A$(1, -4)$에서의 접선의 방정식은 $y-(-4)=-2(x-1)$

$\therefore y=-2x-2$

이때 점 B$(0, -2)$

STEP Ⓑ 직선과 곡선을 연립하여 교점의 좌표 구하기

이때 접선과 곡선 $y=f(x)$가
만나는 점의 x좌표는

$x^3-5x=-2x-2$

$x^3-3x+2=0$

$(x-1)^2(x+2)=0$

$\therefore x=1$ 또는 $x=-2$

즉 C의 좌표는 C$(-2, 2)$

STEP Ⓒ 두 점 사이의 거리공식을 이용하여 선분 AB, BC의 길이 구하기

$\overline{AB}=\sqrt{(0-1)^2+\{-2-(-4)\}^2}=\sqrt{5}$

$\overline{BC}=\sqrt{(-2-0)^2+\{2-(-2)\}^2}=2\sqrt{5}$

따라서 $\overline{AB}:\overline{BC}=\sqrt{5}:2\sqrt{5}=1:2$

참고
$\overline{AB}:\overline{BC}=\overline{A'B}:\overline{BC'}$
$=2:4$
$=1:2$

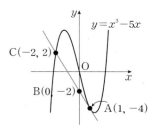

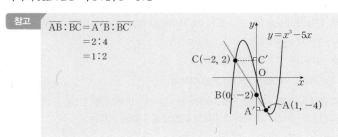

오른쪽 그림과 같이 곡선
$y=-x^3+5x-3$ 위의 점 A$(1, 1)$
에서의 접선이 y축과 만나는 점을
B, 이 곡선과 다시 만나는 점을 C라
할 때, $\overline{AB}:\overline{BC}$는?

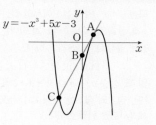

① $1:2$ ② $1:3$

③ $2:3$ ④ $2:5$

⑤ $3:4$

STEP Ⓐ 점 A$(1, 1)$에서의 기울기를 구하여 접선의 방정식 구하기

$f(x)=-x^3+5x-3$으로 놓으면 $f'(x)=-3x^2+5$이므로

점 A$(1, 1)$에서의 접선의 기울기는 $f'(1)=-3+5=2$

점 A$(1, 1)$에서의 접선의 방정식은 $y-1=2(x-1)$

$\therefore y=2x-1$

이때 점 B$(0, -1)$

STEP Ⓑ 직선과 곡선을 연립하여 교점의 좌표 구하기

이때 접선과 곡선 $y=f(x)$가 만나는 점의 x좌표는

$-x^3+5x-3=2x-1$, $x^3-3x+2=0$, $(x-1)^2(x+2)=0$

$\therefore x=1$ 또는 $x=-2$

즉 C의 좌표는 C$(-2, -5)$

STEP Ⓒ 두 점 사이의 거리공식을 이용하여 선분 AB, BC의 길이 구하기

$\overline{AB}=\sqrt{(0-1)^2+(-1-1)^2}=\sqrt{5}$

$\overline{BC}=\sqrt{(-2-0)^2+\{-5-(-1)\}^2}=2\sqrt{5}$

따라서 $\overline{AB}:\overline{BC}=\sqrt{5}:2\sqrt{5}=1:2$

정답 ①

0618

정답 ②

STEP Ⓐ 점 P$(-1, 1)$에서 접선의 방정식 구하기

$f(x)=x^3-2x$로 놓으면 $f'(x)=3x^2-2$

점 P$(-1, 1)$에서 접선의 기울기는 $f'(-1)=3-2=1$이므로

접선의 방정식은 $y-1=1 \cdot (x+1)$ $\therefore y=x+2$

접선이 x축, y축과 만나는 점을 각각 Q, R이라 하면

Q$(-2, 0)$, R$(0, 2)$

STEP Ⓑ 곡선과 접선의 교점의 x좌표 구하기

또, 곡선 $y=x^3-2x$과 직선 $y=x+2$의 교점의 x좌표는

$x^3-2x=x+2$, $x^3-3x-2=0$, $(x+1)^2(x-2)=0$

$\therefore x=-1$ 또는 $x=2$

그런데 점 S의 좌표는 점 P와 다른 점이므로 S$(2, 4)$이다.

STEP Ⓒ $\overline{PQ}:\overline{QR}:\overline{RS}$의 값 구하기

P$(-1, 1)$, Q$(-2, 0)$, R$(0, 2)$, S$(2, 4)$

따라서 $\overline{PQ}:\overline{QR}:\overline{RS}=\sqrt{2}:2\sqrt{2}:2\sqrt{2}=1:2:2$이므로 $a+b=2+2=4$

참고
$\overline{PQ}:\overline{QR}:\overline{RS}$
$=\overline{P'Q}:\overline{R'Q}:\overline{S'R'}$
$=1:2:2$

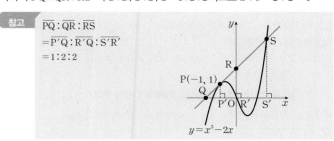

곡선 $y=x^3$ 위의 점 P에서의 접선이
x축, y축 및 곡선 $y=x^3$과 만나는
점을 각각 Q, R, S라고 하자.

$$\overline{PQ}:\overline{QR}:\overline{RS}=1:a:b$$

일 때, 상수 a, b에 대하여 $a+b$의 값은?
(단, 점 P와 점 S는 각각 제1사분면과
제3사분면 위의 점이다.)

① 2   ② 6
③ 8   ④ 10
⑤ 12

STEP Ⓐ **점 $P(t, t^3)$에서 접선의 방정식 구하기**

점 P의 좌표를 (t, t^3)이라고 하면 $f(x)=x^3$에서 $f'(x)=3x^2$
$f'(t)=3t^2$이므로 점 P에서의 접선의 방정식은 $y-t^3=3t^2(x-t)$
$y=3t^2x-2t^3$ ⋯⋯ ㉠

STEP Ⓑ **점 Q, R, S의 좌표 구하기**

이때 ㉠이 x축과 만나는 점 Q의 x좌표는 $0=3t^2x-2t^3$
$\therefore x=\dfrac{2}{3}t$

점 Q의 좌표는 $\left(\dfrac{2}{3}t, 0\right)$이고 ㉠이 y축과 만나는 점 R의 y좌표는 $y=-2t^3$
점 R의 좌표는 $(0, -2t^3)$이다.

STEP Ⓒ **곡선과 접선의 교점의 x좌표 구하기**

또, 곡선 $y=x^3$과 직선 $y=3t^2x-2t^3$과의 교점의 좌표를 구하면
$x^3=3t^2x-2t^3$, $(x-t)^2(x+2t)=0$
$x=t$ 또는 $x=-2t$
점 S의 좌표는 $(-2t, -8t^3)$

STEP Ⓓ **$\overline{PQ}:\overline{QR}:\overline{RS}$의 값 구하기**

따라서
$P(t, t^3)$, $Q\left(\dfrac{2}{3}t, 0\right)$, $R(0, -2t^3)$,
$S(-2t, -8t^3)$
이때 네 점 P, Q, R, S는 일직선 위에
있으므로

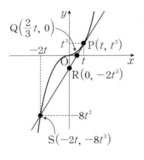

$\overline{PQ}:\overline{QR}:\overline{RS}=\left(t-\dfrac{2}{3}t\right):\dfrac{2}{3}t:2t$
$=\dfrac{1}{3}t:\dfrac{2}{3}t:2t$
$=1:2:6$

따라서 $a=2$, $b=6$이므로 $a+b=2+6=8$

0619

STEP Ⓐ **$f'(t)=9$를 만족시키는 t의 값 구하기**

$f(x)=x^3-3x+1$로 놓으면 $f'(x)=3x^2-3$
접점의 좌표를 (t, t^3-3t+1)이라 하면
접선의 기울기가 9이므로
$f'(t)=3t^2-3=9$에서 $3(t^2-4)=0$, $3(t-2)(t+2)=0$
$\therefore t=2$ 또는 $t=-2$

STEP Ⓑ **두 점 사이의 거리공식을 이용하여 거리 구하기**

두 접점의 좌표가 $(2, 3)$, $(-2, -1)$이므로 두 점 사이의 거리는
$\sqrt{(-2-2)^2+(-1-3)^2}=4\sqrt{2}$

0620

STEP Ⓐ **$f'(t)=-1$을 만족시키는 t의 값 구하기**

두 점 $A(0, 1)$, $B(1, 0)$을 지나는 직선의 기울기는 $\dfrac{0-1}{1-0}=-1$이고
$f(x)=-x^2+1$로 놓으면 $f'(x)=-2x$이므로 접점의 x좌표를 t라 하면
$f'(t)=-2t=-1$에서 $t=\dfrac{1}{2}$
점 P의 좌표는 $P\left(\dfrac{1}{2}, \dfrac{3}{4}\right)$

STEP Ⓑ **접선 l의 방정식 구하기**

접선 l은 기울기가 -1이고 점 $P\left(\dfrac{1}{2}, \dfrac{3}{4}\right)$을 지나므로 접선 l의 방정식은
$y-\dfrac{3}{4}=-\left(x-\dfrac{1}{2}\right)$, 즉 $y=-x+\dfrac{5}{4}$
따라서 $a=-1$, $b=\dfrac{5}{4}$이므로 $a+b=-1+\dfrac{5}{4}=\dfrac{1}{4}$

0621

STEP Ⓐ **접선의 기울기를 이용하여 접점의 좌표 구하기**

$f(x)=-2x^2+5x$로 놓으면
$f'(x)=-4x+5$
접점의 좌표를 $(a, -2a^2+5a)$라 하면
접선의 기울기가 -3이므로
$f'(a)=-4a+5=-3$, 즉 $a=2$

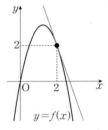

STEP Ⓑ **접선의 방정식 구하기**

접점의 좌표가 $(2, 2)$이므로 구하는 접선의 방정식은 $y-2=-3(x-2)$
즉 $y=-3x+8$

STEP Ⓒ **원점에서 접선까지의 거리 구하기**

따라서 원점 $(0, 0)$에서 접선 $3x+y-8=0$까지 거리는 $\dfrac{|0+0-8|}{\sqrt{3^2+1}}=\dfrac{4\sqrt{10}}{5}$

0622

STEP Ⓐ **$f'(x)=3$을 만족시키는 x값 구하기**

$f(x)=x^3-3x^2+3x-1$로 놓으면 $f'(x)=3x^2-6x+3$
접점의 좌표를 (t, t^3-3t^2+3t-1)이라 하면
직선 $y=3x+2$에 평행하므로 접선의 기울기가 3이다.
$f'(t)=3t^2-6t+3=3$에서 $3t(t-2)=0$
$\therefore t=0$ 또는 $t=2$

STEP Ⓑ **$x=0, 2$일 때, 접선의 방정식 구하기**

즉 접점의 좌표는 $(0, -1)$ 또는 $(2, 1)$이므로 접선의 방정식은
$y+1=3(x-0)$에서 $3x-y-1=0$
$y-1=3(x-2)$에서 $3x-y-5=0$

STEP Ⓒ **두 직선 사이의 거리 구하기**

따라서 두 직선 사이의 거리는 직선 $3x-y-1=0$ 위의 한 점 $(0, -1)$과
직선 $3x-y-5=0$ 사이의 거리와 같으므로 구하는 거리는
$\dfrac{|0+1-5|}{\sqrt{3^2+(-1)^2}}=\dfrac{4}{\sqrt{10}}=\dfrac{2\sqrt{10}}{5}$

곡선 $y=x^3-x+2$의 접선 중에서 직선 $y=2x-1$과 평행한 두 접선 사이의 거리는?

① $\dfrac{\sqrt{5}}{5}$ ② $\dfrac{2\sqrt{5}}{5}$ ③ $\dfrac{3\sqrt{5}}{5}$

④ $\dfrac{4\sqrt{5}}{5}$ ⑤ $\sqrt{5}$

STEP Ⓐ $f'(x)=2$를 만족시키는 x값 구하기

$f(x)=x^3-x+2$로 놓으면 $f'(x)=3x^2-1$
접점의 좌표를 $(t,\ t^3-t+2)$라 하면
직선 $y=2x-1$에 평행하므로 접선의 기울기가 2이다.
즉 $f'(t)=3t^2-1=2$
$3t^2-3=0,\ (t-1)(t+1)=0$
∴ $t=-1$ 또는 $t=1$

STEP Ⓑ $x=-1$, 1일 때, 접선의 방정식 구하기

즉 접점의 좌표는 $(-1,\ 2)$ 또는 $(1,\ 2)$이므로 접선의 방정식은
$y-2=2(x+1)$에서 $2x-y+4=0$
$y-2=2(x-1)$에서 $2x-y=0$

STEP Ⓒ 두 직선 사이의 거리 구하기

따라서 두 직선 사이의 거리는 직선 $2x-y=0$ 위의 한 점 $(0,\ 0)$과
직선 $2x-y+4=0$ 사이의 거리와 같으므로 구하는 거리는

$$\frac{|4|}{\sqrt{2^2+(-1)^2}}=\frac{4}{\sqrt{5}}=\frac{4\sqrt{5}}{5}$$

정답 ④

0623

정답 ①

STEP Ⓐ 주어진 직선과 평행한 접선이 존재하지 않을 조건 구하기

$f(x)=x^3-ax^2+5x+1$로 놓으면 $f'(x)=3x^2-2ax+5$
직선 $y=2x+1$과 평행한 직선이 존재하지 않으려면
$f'(x)=3x^2-2ax+5\neq2$

STEP Ⓑ 판별식 $D<0$임을 이용하여 a의 범위 구하기

이때 $3x^2-2ax+3\neq0$을 만족하려면 이차방정식 $3x^2-2ax+3=0$이
허근을 가져야 하므로 판별식을 D라 하면
$\dfrac{D}{4}=a^2-9<0,\ (a-3)(a+3)<0$
∴ $-3<a<3$
따라서 정수 a는 $-2,\ -1,\ 0,\ 1,\ 2$이므로 a의 개수는 5개이다.

0624

정답 ③

STEP Ⓐ $f'(t)=12$를 만족시키는 t값 구하기

$f(x)=2x^3-3x^2$으로 놓으면 $f'(x)=6x^2-6x$
접점의 좌표를 $(t,\ 2t^3-3t^2)$이라 하면 접선의 기울기가 12이므로
$f'(t)=12$에서 $6t^2-6t=12,\ 6(t+1)(t-2)=0$
∴ $t=-1$ 또는 $t=2$

STEP Ⓑ 접점과 기울기를 이용하여 접선의 방정식 구하기

접점의 좌표는 $(-1,\ -5),\ (2,\ 4)$이므로 접선의 방정식은
$y=12x+7$ 또는 $y=12x-20$
따라서 $k>0$이므로 $k=7$

0625

정답 ②

STEP Ⓐ 직선과 곡선의 그래프가 서로 다른 두 점에서 만나는 경우는 두 그래프가 접해야 함을 이해하기

직선 $y=x+3$을 x축의 방향으로 k만큼 평행이동한 직선의 방정식은
$y=x-k+3$

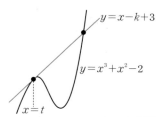

STEP Ⓑ 곡선 위의 점에서 접선이 직선과 일치함을 이용하여 정수 k, t 구하기

$y=x^3+x^2-2$와 직선 $y=x-k+3$의 접점의 x좌표를 t라 하면
$x=t$일 때, 접선의 기울기가 1이다.
$f(x)=x^3+x^2-2$로 놓으면 $f'(x)=3x^2+2x$이므로
$f'(t)=3t^2+2t=1$
$3t^2+2t-1=0,\ (t+1)(3t-1)=0$
∴ $t=-1$ 또는 $t=\dfrac{1}{3}$
그런데 t는 정수이므로 $t=-1$
접점의 좌표가 $(-1,\ -2)$이므로
$x=-1,\ y=-2$를 $y=x-k+3$에 대입하면 $-2=-1-k+3$
∴ $k=4$
따라서 $k+t=4+(-1)=3$

곡선 $y=x^3+6x^2+10x+4$를 x축의 방향으로 m만큼 평행이동하면
직선 $y=x-2$와 접할 때, 모든 m의 값은?

① 7 ② 8 ③ 9
④ 10 ⑤ 11

STEP Ⓐ $-m$만큼 평행이동한 직선의 방정식 구하기

$f(x)=x^3+6x^2+10x+4$로 놓으면 $f'(x)=3x^2+12x+10$
직선 $y=x-2$를 x축의 방향으로 $-m$만큼 평행이동한 직선의 방정식은
$y=x+m-2$

STEP Ⓑ $f'(x)=1$을 만족시키는 x값 구하기

이때 접선의 기울기가 1이므로 $f'(x)=1$에서 $3x^2+12x+10=1$
$3(x+1)(x+3)=0$
∴ $x=-3$ 또는 $x=-1$

STEP Ⓒ 접점의 좌표를 직선에 대입하여 m의 값 구하기

$x=-3$에서 $f(-3)=-27+54-30+4=1$
$x=-1$에서 $f(-1)=-1+6-10+4=-1$
접점의 좌표가 $(-3,\ 1),\ (-1,\ -1)$이고
접점이 각각 직선 $y=x+m-2$ 위의 점이므로
$1=-3+m-2$에서 $m=6$
$-1=-1+m-2$에서 $m=2$
따라서 모든 m의 합은 $6+2=8$

정답 ②

0626

STEP A $f'(t)=8$을 만족시키는 t값 구하기

$f(x)=x^4+2x^2+a$ 로 놓으면 $f'(x)=4x^3+4x$

접점의 좌표를 $(t,\ t^4+2t^2+a)$이라고 하면 접선의 기울기가 8이므로

$f'(t)=8$에서 $4t^3+4t=8,\ 4(t-1)(t^2+t+2)=0$ $\therefore t=1$

STEP B 접선의 방정식을 구하여 a의 값 구하기

접점의 좌표가 $(1,\ 3+a)$이므로 접선의 방정식은 $y-(3+a)=8(x-1)$

즉 $y=8x-5+a$이므로 $-5+a=2$

따라서 $a=7$

내/신/연/계/ 출제문항 261

직선 $y=-2x+5$를 x축의 방향으로 k만큼 평행이동하면
곡선 $y=6x^4-8x^3+3x^2-8x$와 접할 때, 상수 k의 값은?

① -5 ② -1 ③ 1
④ 2 ⑤ 5

STEP A k만큼 평행이동한 직선의 방정식 구하기

$f(x)=6x^4-8x^3+3x^2-8x$로 놓으면 $f'(x)=24x^3-24x^2+6x-8$

직선 $y=-2x+5$를 x축의 방향으로 k만큼 평행이동한 직선의 방정식은

$y=-2(x-k)+5=-2x+2k+5$

STEP B $f'(x)=-2$를 만족시키는 x값 구하기

접점의 좌표를 $(t,\ 6t^4-8t^3+3t^2-8t)$이라 하면

접선의 기울기가 -2이므로 $f'(t)=-2$에서 $24t^3-24t^2+6t-8=-2$

$4t^3-4t^2+t-1=0,\ (4t^2+1)(t-1)=0$ $\therefore t=1$

STEP C 접점의 좌표를 직선에 대입하여 k의 값 구하기

접점의 좌표가 $(1,\ -7)$이고 이 점은 직선 $y=-2x+2k+5$ 위의 점이므로

$-2+2k+5=-7$

따라서 $k=-5$

정답 ①

0627

정답 ⑤

STEP A $x=3$에서 접선의 방정식에 평행한 또 다른 접점의 x좌표 구하기

$f(x)=x^3-3x^2+x+1$로 놓으면 $f'(x)=3x^2-6x+1$

$x=3$에서 접선의 기울기는 $f'(3)=27-18+1=10$

기울기가 10인 또 다른 접선의 접점의 x좌표를 $t(t\neq3)$라 하면

$3t^2-6t+1=10$에서 $3(t-3)(t+1)=0$ $\therefore t=-1(\because t\neq3)$

STEP B 점 $B(-1,\ -4)$에서 접선의 방정식 구하기

즉 접점의 좌표가 $(-1,\ -4)$이고 기울기가 10인 접선의 방정식은

$y+4=10(x+1)$ $\therefore y=10x+6$

따라서 이 직선이 점 $(a,\ -4)$를 지나므로 $-4=10a+6$ $\therefore a=-1$

다른풀이 두 점 A, B에서의 접선이 서로 평행함을 이용하여 풀이하기

STEP A $f'(3)=f'(k)$를 만족하는 k의 값 구하기

$f(x)=x^3-3x^2+x+1$로 놓으면 $f'(x)=3x^2-6x+1$

이때 점 A의 x좌표가 3이므로 점 B의 x좌표를 $k(k\neq3)$라 하면

두 점 A, B에서의 접선이 서로 평행하므로 $f'(3)=f'(k)$

즉 $3\cdot3^2-6\cdot3+1=3k^2-6k+1$

$k^2-2k-3=0,\ (k+1)(k-3)=0$

$\therefore k=-1(\because k\neq3)$

0628

STEP A 접점을 임의로 두고 접선의 기울기가 1임을 이용하여 접점의 좌표 구하기

직선 AB가 삼차함수 $y=x^3-5x$의
그래프에 접하는 점의 좌표를
$(a,\ a^3-5a)(a<0)$로 놓으면

$y'=3x^2-5$이고 직선 AB의 기울기
가 1이므로 $3a^2-5=1,\ a^2=2$

$\therefore a=-\sqrt{2}(\because a<0)$

이때 접점의 좌표는

$(-\sqrt{2},\ -2\sqrt{2}+5\sqrt{2})$

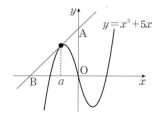

STEP B 직선 AB의 방정식에서 A, B의 좌표 구하기

즉 $(-\sqrt{2},\ 3\sqrt{2})$이므로 직선 AB의 방정식은 $y-3\sqrt{2}=x-(-\sqrt{2})$

$\therefore y=x+4\sqrt{2}$

두 점 A, B의 좌표가 각각 $A(0,\ 4\sqrt{2})$, $B(-4\sqrt{2},\ 0)$이므로

$\overline{AB}=\sqrt{(4\sqrt{2})^2+(4\sqrt{2})^2}=8$

STEP C 정사각형 ABCD의 둘레의 길이 구하기

따라서 구하는 정사각형 ABCD의 둘레의 길이는 $4\overline{AB}=4\times8=32$

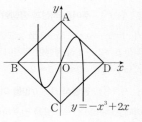

내/신/연/계/ 출제문항 262

오른쪽 그림과 같이 정사각형 ABCD
의 네 꼭짓점이 모두 x, y축 위에 있
고 변 AD와 변 BC가 각각 삼차함수
$y=-x^3+2x$의 그래프와 접할 때,
정사각형 ABCD의 넓이는?

① 6 ② 8
③ 10 ④ 12
⑤ 14

STEP A 접점을 임의로 두고 접선의 기울기가 -1임을 이용하여 접점의 좌표 구하기

직선 AD가 삼차함수 $y=-x^3+2x$의 그래프에 접하는 점의 좌표를

$(a,\ -a^3+2a)(a>0)$로 놓으면 $y'=-3x^2+2$이고

직선 AD의 기울기가 -1이므로 $-3a^2+2=-1$

$\therefore a=1(a>0)$

STEP B 직선 AD의 방정식에서 A, D의 좌표 구하기

이때 접점의 좌표는 $(1,\ 1)$이므로 접선 AD의 방정식은 $y-1=-1\cdot(x-1)$

$\therefore y=-x+2$

두 점 A, D의 좌표가 각각 $A(0,\ 2)$, $D(2,\ 0)$이므로

$\overline{AD}=\sqrt{(2-0)^2+(0-2)^2}=2\sqrt{2}$

STEP C 정사각형 ABCD의 넓이 구하기

따라서 구하는 정사각형 ABCD의 넓이는 $2\sqrt{2}\cdot2\sqrt{2}=8$

정답 ②

194

0629 정답 ③

STEP A 직선과 삼차함수 $y=f(x)$의 그래프가 접해야 함을 이해하기

$f(x)=-x^3+2x$로 놓으면

$f'(x)=-3x^2+2$

직선과 곡선의 그래프가 서로
다른 두 점에서 만나는 경우는
오른쪽 그림과 같이 직선과
삼차함수 $y=f(x)$의 그래프가
접해야 한다.

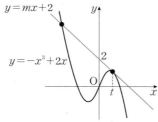

STEP B 접점의 좌표를 임의로 두고 접선의 방정식 구하기

$f(x)=-x^3+2x$의 접점을 $(t, -t^3+2t)$라 하면

이 점에서의 접선의 기울기가 $f'(t)=-3t^2+2$이므로

접선의 방정식은 $y-(-t^3+2t)=(-3t^2+2)(x-t)$

$\therefore y=(-3t^2+2)x+2t^3$ ...... ㉠

이때 ㉠이 $y=mx+2$와 일치해야 하므로

$-3t^2+2=m$ ...... ㉡

$2t^3=2$ ...... ㉢

따라서 ㉢에서 $t=1$ (∵ t는 실수)이므로 ㉡에 대입하면 $m=-1$

> **참고** 직선 $y=mx+2$가 곡선 $y=-x^3+2x$에 접할 때, 상수 m의 값을 구하는
> 문제와 같다.

내/신/연/계/ 출제문항 263

직선 $y=mx+8$이 곡선 $y=x^3+2x^2-3x$와 서로 다른 두 점에서 만날 때,
실수 m의 값은?

① $\dfrac{1}{2}$ ② $\dfrac{2}{3}$ ③ 1

④ $\dfrac{3}{2}$ ⑤ 2

STEP A 직선과 곡선의 그래프가 서로 다른 두 점에서 만나는 경우는 두
그래프가 접해야 함을 이해하기

$f(x)=x^3+2x^2-3x$로 놓으면

$f'(x)=3x^2+4x-3$

직선과 곡선이 서로 다른 두 점에서
만나는 경우는 오른쪽 그림과 같이
직선과 곡선의 그래프가 접해야 한
다.

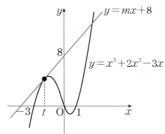

STEP B 곡선 위의 점에서 접선이 직선과 일치함을 이용하여 실수 m 구하기

$f(x)=x^3+2x^2-3x$의 접점을 (t, t^3+2t^2-3t)라 하면

이 점에서의 접선의 기울기가 $f'(t)=3t^2+4t-3$이므로

접선의 방정식은 $y-(t^3+2t^2-3t)=(3t^2+4t-3)(x-t)$

$\therefore y=(3t^2+4t-3)x-2t^3-2t^2$ ...... ㉠

이때 ㉠이 $y=mx+8$과 일치해야 하므로

$3t^2+4t-3=m$ ...... ㉡

$-2t^3-2t^2=8$ ...... ㉢

㉢에서 $t^3+t^2+4=0$, $(t+2)(t^2-t+2)=0$

$\therefore t=-2$ (∵ t는 실수)

따라서 $t=-2$를 ㉡에 대입하면 $m=12-8-3=1$ 정답 ③

0630 정답 ②

STEP A 직선과 곡선의 그래프가 서로 다른 두 점에서 만나는 경우는
두 그래프가 접해야 함을 이해하기

$f(x)=x^3-3x^2+4x+k$로 놓으면

$f'(x)=3x^2-6x+4$

직선과 곡선이 서로 다른 두 점에서
만나는 경우는 오른쪽 그림과 같이
직선과 곡선의 그래프가 접해야 한
다.

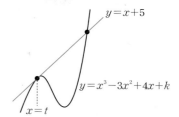

STEP B 곡선 위의 점에서 접선이 직선과 일치함을 이용하여 실수 k 구하기

$f(x)=x^3-3x^2+4x+k$의 접점을 (t, t^3-3t^2+4t+k)라 하면

이 점에서의 접선의 기울기가 $f'(t)=3t^2-6t+4$이므로

접선의 방정식은 $y-(t^3-3t^2+4t+k)=(3t^2-6t+4)(x-t)$

$\therefore y=(3t^2-6t+4)x-2t^3+3t^2+k$ ...... ㉠

이때 ㉠이 $y=4x+5$와 일치해야 하므로

$3t^2-6t+4=4$ ...... ㉡

$-2t^3+3t^2+k=5$ ...... ㉢

㉡에서 $3t^2-6t=0$, $3t(t-2)=0$ $\therefore t=0$ 또는 $t=2$

㉢에 대입하면 $k=5$ 또는 $k=9$

따라서 k값의 합은 $5+9=14$

> **다른풀이** 접점의 좌표를 구하여 이용하여 풀이하기
>
> $f(x)=x^3-3x^2+4x+k$로 놓으면 $f'(x)=3x^2-6x+4$
>
> 접점의 x좌표를 $x=t$이라 하면 접점의 기울기가 4이므로
>
> $f'(t)=4$에서 $3t^2-6t+4=4$
>
> $3t(t-2)=0$ $\therefore t=0$ 또는 $t=2$
>
> 접점의 좌표가 $(0, 5)$ 또는 $(2, 13)$이므로 곡선 $f(x)=x^3-3x^2+4x+k$에
> 대입하면 $k=5$ 또는 $k=9$
>
> 따라서 k값의 합은 $5+9=14$

내/신/연/계/ 출제문항 264

직선 $y=5x+k$와 함수
$f(x)=x(x+1)(x-4)$의 그래프가 서로
다른 두 점에서 만날 때, 양수 k의 값은?

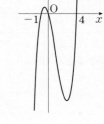

① 5   ② $\dfrac{11}{2}$

③ 6   ④ $\dfrac{13}{2}$

⑤ 7

STEP A 직선 $y=5x+k$와 함수 $y=f(x)$의 그래프가 서로 다른 두 점에
서 만나기 위한 조건 이해하기

직선 $y=5x+k$가 함수 $y=f(x)$의 그래프와 서로 다른 두 점에서 만나려면

직선 $y=5x+k$가 삼차함수 $y=f(x)$의 그래프와 접해야 한다.

STEP B $y=f(x)$의 그래프에 접하고 기울기가 5인 접선을 이용하여 양수
k 구하기

$f(x)=x(x+1)(x-4)=x^3-3x^2-4x$에서 $f'(x)=3x^2-6x-4$

접선 $y=5x+k$의 기울기가 5이므로

$f'(x)=5$인 x의 값이 접점의 x좌표이다.

$3x^2-6x-4=5$, $3x^2-6x-9=0$

$x^2-2x-3=0$, $(x+1)(x-3)=0$

$\therefore x=-1$ 또는 $x=3$

(i) $x=-1$일 때,

$f(-1)=-1-3+4=0$이고

접점 $(-1,\ 0)$에서 접선의 기울기

$f'(-1)=5$

접선의 방정식은 $y-0=5(x+1)$

$\therefore\ y=5x+5$

즉 $k=5$

(ii) $x=3$일 때,

$f(3)=27-27-12=-12$이고

접점 $(3,\ -12)$에서 접선의 기울기

$f'(3)=5$

접선의 방정식은 $y+12=5(x-3)$

$\therefore\ y=5x-27$

즉 $k=-27$

(i), (ii)에 의하여 양수인 k는 5이다.

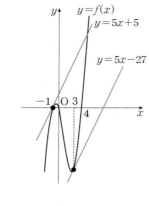

다른풀이 접점의 좌표를 구하여 이용하여 풀이하기

$f(x)=x(x+1)(x-4)=x^3-3x^2-4x$로 놓으면 $f'(x)=3x^2-6x-4$

접점의 x좌표를 $x=t$이라 하면 접선의 기울기가 5이므로

$f'(t)=5$에서 $3t^2-6t-4=5$

$3(t+1)(t-3)=0$

$\therefore\ t=-1$ 또는 $t=3$

접점의 좌표가 $(-1,\ 0)$, $(3,\ -12)$이므로 직선 $y=5x+k$에 대입하면

$0=-5+k,\ -12=15+k$

따라서 $k=5,\ k=-27$이므로 양수 k는 5이다.

다른풀이 직선과 함수 $f(x)$를 연립하여 풀이하기

직선 $y=5x+k$와 함수 $f(x)=x(x+1)(x-4)$의 그래프의 교점의 개수를 구하기 위해 연립하면 $x(x+1)(x-4)=5x+k$에서 $x^3-3x^2-9x-k=0$이 중근과 한 실근을 가져야 한다.

이때 $x^3-3x^2-9x=k$이므로 $g(x)=x^3-3x^2-9x$라 하면

$y=g(x)$와 $y=k$의 교점이 두 개이어야 한다.

$g'(x)=3x^2-6x-9=3(x-3)(x+1)$

$g'(x)=0$에서 $x=-1$ 또는 $x=3$

함수 $g(x)$의 증가와 감소를 표로 나타내면 다음과 같다.

z		-1		3	
$g'(x)$	$+$	0	$-$	0	$+$
$g(x)$	↗	극대	↘	극소	↗

$g(x)$의 극솟값은 $g(3)=-27$, 극댓값은 $g(-1)=5$이므로 그래프는 다음과 같다.

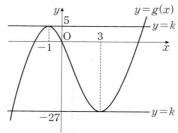

따라서 $k=5(\because\ k>0)$일 때, $g(x)=k$는 중근과 한 실근을 가진다.

0631

STEP A 두 함수 $y=f(x)$, $y=g(x)$의 교점은 $y=f(x)$와 $y=x$의 교점임을 이해하기

함수 $g(x)$가 함수 $f(x)$의 역함수이고 함수 $y=f(x)$의 그래프와 함수 $y=g(x)$의 그래프가 서로 다른 두 점에서 만나므로 함수 $f(x)$의 그래프와 직선 $y=x$가 서로 다른 두 점에서 만난다.

즉 아래 그림과 같이 직선 $y=x$와 삼차함수 $y=f(x)$의 그래프가 접해야 한다.

STEP B $f'(x)=1$을 만족하는 x의 값 구하여 상수 a의 값 구하기

함수 $f(x)=\dfrac{1}{3}x^3+a$의 그래프와

직선 $y=x$의 접점의 x좌표를 t라 하면

$f(t)=t$이므로 $\dfrac{1}{3}t^3+a=t$

$\therefore\ a=-\dfrac{1}{3}t^3+t$ $\quad\cdots\cdots$ ㉠

또한, $f'(x)=x^2$이므로 $x=t$에서 접선의 기울기는 1이므로

$f'(t)=t^2=1$

$\therefore\ t=1$ 또는 $t=-1$

$t=1$일 때, ㉠에 대입하면 $a=\dfrac{2}{3}$

$t=-1$일 때, ㉠에 대입하면 $a=-\dfrac{2}{3}$

따라서 모든 상수 a의 값의 곱은 $\dfrac{2}{3}\times\left(-\dfrac{2}{3}\right)=-\dfrac{4}{9}$

0632

STEP A 접선의 기울기가 최대가 되는 x좌표 구하기

$y=-\dfrac{2}{3}x^3-2x^2+x+\dfrac{1}{3}$에서 $y'=-2x^2-4x+1=-2(x+1)^2+3$이므로

접선의 기울기는 $x=-1$에서 최대이고 최댓값 3을 갖는다.

즉 접점의 x좌표가 -1일 때, 접선의 기울기의 최댓값이 3이다.

STEP B 접점과 기울기를 이용하여 접선의 방정식 구하기

기울기가 최대인 접선의 접점은 $(-1,\ -2)$이고 기울기가 3인 접선의 방정식은

$y-(-2)=3(x+1)$ $\therefore\ y=3x+1$

따라서 $a=3$, $b=1$이므로 $a+b=4$

내/신/연/계 출제문항 265

곡선 $y=-x^3+6x^2-8$ 위의 점에서 접하는 접선 중에서 기울기가 최대인 접선의 방정식이 $(2,\ a)$를 지날 때, 상수 a의 값은?

① 6 ② 8 ③ 12

④ 16 ⑤ 18

STEP A 접선의 기울기가 최소가 되는 x좌표 구하기

$y=-x^3+6x^2-8$에서 $y'=-3x^2+12x=-3(x-2)^2+12$이므로

접선의 기울기는 $x=2$에서 최대이고 최댓값은 12이다.

STEP B 접점과 기울기를 이용하여 접선의 방정식 구하기

기울기가 최대인 접선의 접점은 $(2,\ 8)$이고 기울기가 12인 접선의 방정식은

$y-8=12(x-2)$ $\therefore\ y=12x-16$

따라서 접선 $y=12x-16$이 점 $(2,\ a)$를 지나므로 $a=24-16=8$

0633
정답 ④

STEP A 접선의 기울기가 최소가 되는 x좌표 구하기

$y=x^3+3x^2+7x+1$에서 $y'=3x^2+6x+7=3(x+1)^2+4$이므로
접선의 기울기는 $x=-1$에서 최소이고 최솟값 4를 갖는다.

STEP B 접점과 기울기를 이용하여 접선의 방정식 구하기

기울기가 최소인 접선의 접점은 $(-1, -4)$이고 기울기가 4인 접선의 방정식은
$y+4=4(x+1)$ ∴ $y=4x$
따라서 $a=4$, $b=0$이므로 $a+b=4+0=4$

0634
정답 ②

STEP A 접선의 기울기가 최소가 되는 x좌표 구하기

$y=x^3-6x^2+4$에서 $y'=3x^2-12x=3(x-2)^2-12$이므로
접선의 기울기는 $x=2$일 때, 최솟값 -12를 갖는다.

STEP B 접점과 기울기를 이용하여 접선의 방정식 구하기

기울기가 최소인 접선의 접점은 $(2, -12)$이고
기울기가 -12인 접선의 방정식은 $y+12=-12(x-2)$
∴ $y=-12x+12$

STEP C 접선의 방정식과 x축, y축으로 둘러싸인 도형의 넓이 구하기

따라서 구하는 도형의 넓이는
$\frac{1}{2}\times12\times1=6$

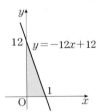

내/신/연/계/ 출제문항 266

곡선 $y=x^3-3x^2+5x+1$의 접선 중에서 기울기가 최소인 접선과 x축, y축으로 둘러싸인 도형의 넓이는?

① 1　　　② $\frac{3}{2}$　　　③ 2

④ $\frac{5}{2}$　　　⑤ 3

STEP A 접선의 기울기가 최소가 되는 x좌표 구하기

$y=x^3-3x^2+5x+1$에서 $y'=3x^2-6x+5=3(x-1)^2+2$이므로
접선의 기울기는 $x=1$에서 최소이고 최솟값 2를 갖는다.

STEP B 접점과 기울기를 이용하여 접선의 방정식 구하기

기울기가 최소인 접선의 접점은 $(1, 4)$이고
기울기가 2인 접선의 방정식은 $y-4=2(x-1)$ ∴ $y=2x+2$

STEP C 접선의 방정식과 x축, y축으로 둘러싸인 도형의 넓이 구하기

따라서 구하는 도형의 넓이는
$\frac{1}{2}\times1\times2=1$

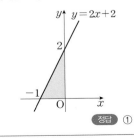

정답 ①

0635
정답 ②

STEP A 직선 $y=2x-3$과 평행한 접선의 접점의 좌표 구하기

$f(x)=x^2$으로 놓으면 $f'(x)=2x$
곡선 $y=f(x)$의 접선 중에서
직선 $y=2x-3$과 평행한 접선의
접점의 좌표를 (t, t^2)이라 하면
이 점에서의 접선의 기울기가
2이므로
$f'(t)=2t=2$ ∴ $t=1$

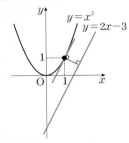

STEP B 점 $(1, 1)$과 직선 $y=2x-3$ 사이의 거리 구하기

접점의 좌표는 $(1, 1)$이고 점 $(1, 1)$과 직선 $y=2x-3$
즉 $2x-y-3=0$ 사이의 거리가 구하는 최솟값이므로

$\frac{|2\cdot1-1-3|}{\sqrt{2^2+(-1)^2}}=\frac{2}{\sqrt{5}}=\frac{2\sqrt{5}}{5}$

0636
정답 ②

STEP A $y=2x-5$를 평행이동시켜 곡선에 접할 때 접점을 P라 두면 구하는 최단거리는 점 P와 직선 사이의 거리임을 이해하기

곡선 $y=x^2+4x+3$ 위를 움직이는 점 P와 직선 $y=2x-5$ 사이의 거리가
최소일 때는 점 P에서의 접선이 직선 $y=2x-5$와 평행할 때이다.

STEP B $f'(t)=2$를 만족시키는 t값 구하기

$f(x)=x^2+4x+3$로 놓으면 $f'(x)=2x+4$
곡선 $y=f(x)$의 접선 중에서 직선 $y=2x-5$와 평행한 접선의 접점의 좌표를
$P(t, t^2+4t+3)$이라 하면 이 점에서의 접선의 기울기가 2이어야 하므로
$f'(t)=2t+4=2$
∴ $t=-1$

STEP C 점 $(-1, 0)$과 직선 $y=2x-5$ 사이의 거리 구하기

따라서 접점이 $P(-1, 0)$이므로 점 $P(-1, 0)$에서 직선 $y=2x-5$
즉 $2x-y-5=0$까지의 거리는 $\frac{|-2-0-5|}{\sqrt{2^2+(-1)^2}}=\frac{7}{\sqrt{5}}=\frac{7\sqrt{5}}{5}$

내/신/연/계/ 출제문항 267

곡선 $y=\frac{1}{3}x^3+\frac{11}{3}$ $(x>0)$ 위를 움직이는 점 P와 직선 $x-y-10=0$
사이의 거리를 최소가 되게 하는 곡선 위의 점 P의 좌표를 (a, b)라 할 때,
$a+b$의 값은?

① 2　　　② 3　　　③ 4

④ 5　　　⑤ 6

STEP A 점 P가 곡선 위를 움직일 때, 점 P와 직선 사이의 거리가 최소가 되는 경우는 점 P에서의 접선이 직선과 평행인 경우임을 이해하기

곡선과 직선은 $x>0$에서 곡선의 기울기가 급격하게 커지므로 만나지 않고 사이가 점점 벌어지므로
$f(x)=\frac{1}{3}x^3+\frac{11}{3}$ $(x>0)$이라 하면
곡선 $y=f(x)$ 위를 움직이는
점 $P(a, b)$에서의 기울기가 직선
$x-y-10=0$의 기울기와 같을 때,
점 P와 직선 사이의 거리가 최소가 된다.

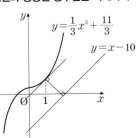

점 P의 좌표를 $\left(a, \frac{1}{3}a^3+\frac{11}{3}\right)(a>0)$이라 하면

$f(x)=\frac{1}{3}x^3+\frac{11}{3}\ (x>0)$에서 $f'(x)=x^2$이므로

점 P에서의 접선의 기울기 $f'(a)=a^2=1$에서 $a=1(\because a>0)$

이때 $f(1)=\frac{1}{3}+\frac{11}{3}=4$

따라서 점 P의 좌표는 (1, 4)이므로 $a+b=5$ 〔정답〕④

0637 〔정답〕③

STEP A 삼각형 ABP의 넓이가 최대가 되는 점 P의 위치 구하기

선분 AB의 길이는 일정하므로 점 P에서 선분 AB에 내린 수선의 길이 PH가 최대일 때, 삼각형 ABP의 넓이가 최대이다.

직선 AB의 기울기 $\frac{1-4}{4-1}=-1$과 점 P에서의 접선의 기울기가 같아야 한다.

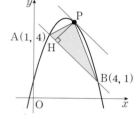

STEP B $f'(x)=-1$인 x의 값 구하기

$f(x)=-x^2+4x+1$에서 $f'(x)=-2x+4$이므로

기울기가 -1일 때, $-2x+4=-1$

따라서 $x=\frac{5}{2}$

참고

점 $P\left(\frac{5}{2}, \frac{19}{4}\right)$에서 직선 AB, 즉 $x+y-5=0$까지 거리는

$$\frac{\left|\frac{5}{2}+\frac{19}{4}-5\right|}{\sqrt{1^2+(-1)^2}}=\frac{\frac{9}{4}}{\sqrt{2}}=\frac{9\sqrt{2}}{8}$$

삼각형 ABP의 넓이의 최댓값은 $\frac{1}{2}\cdot3\sqrt{2}\cdot\frac{9\sqrt{2}}{8}=\frac{27}{8}$

0638 〔정답〕②

STEP A 삼각형 OAP의 넓이가 최대가 되는 점 P의 위치 구하기

삼각형 OAP의 넓이가 최대일 때는 밑변의 길이가 $\overline{OA}$로 일정하므로 점 P에서 직선 $y=x$까지 거리 $\overline{PH}$가 최대이어야 한다.

즉 곡선 $y=f(x)$ 위의 점 P에서의 접선의 기울기가 직선 OA의 기울기인 1과 같아야 한다.

STEP B $f'\left(\frac{1}{2}\right)=1$을 만족하는 a의 값 구하기

즉 점 P에서 접선은 직선 $y=x$와 평행하면 된다.

이때 삼각형 OAP의 넓이가 최대가 되는 점 P의 x좌표가 $\frac{1}{2}$이므로

$f'\left(\frac{1}{2}\right)=1$이어야 한다.

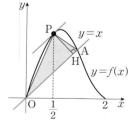

$f(x)=ax(x-2)^2$에서

$f'(x)=a(x-2)^2+2ax(x-2)$
$\qquad=a(x-2)(3x-2)$

이므로

$f'\left(\frac{1}{2}\right)=a\cdot\left(-\frac{3}{2}\right)\cdot\left(-\frac{1}{2}\right)=\frac{3}{4}a=1$

따라서 $a=\frac{4}{3}$

곡선 $y=x^3-5x^2+4x+4$ 위에 세 점 A$(-1, -6)$, B$(2, 0)$, C$(4, 4)$가 있다. 곡선 위에서 두 점 A, B 사이를 움직이는 점 P와 곡선 위에서 두 점 B, C 사이를 움직이는 점 Q에 대하여 사각형 AQCP의 넓이가 최대가 되도록 하는 두 점 P, Q의 x좌표의 곱은?

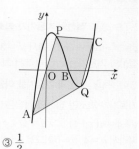

① $\frac{1}{6}$ ② $\frac{1}{3}$ ③ $\frac{1}{2}$

④ $\frac{2}{3}$ ⑤ $\frac{5}{6}$

STEP A 세 점 A, B, C가 일직선 위에 있으므로 삼각형 ACP와 삼각형 AQC의 넓이가 최대일 때 넓이가 최대임을 이해하기

직선 AB의 기울기는 $\frac{0-(-6)}{2-(-1)}=\frac{6}{3}=2$이고

직선 BC의 기울기는 $\frac{4-0}{4-2}=\frac{4}{2}=2$이므로

세 점 A, B, C는 일직선 위에 있다.

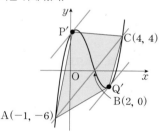

이때
(사각형 AQCP의 넓이)=(삼각형 ACP의 넓이)+(삼각형 AQC의 넓이)
이며 세 점 A, B, C는 고정되어 있고 두 점 P, Q는 움직이는 점이다.
두 삼각형 ACP, AQC의 밑변을 선분 AC라 하면 높이는 각각 선분 AC에서 두 점 P, Q까지의 거리이다.
이때 선분 AC는 일정하므로 사각형 AQCP의 넓이가 최대가 되려면 선분 AC에서 두 점 P, Q까지의 거리가 각각 최대이어야 한다.
직선 AC의 기울기가 2이므로 접선의 기울기가 2가 되는 접점 P′, Q′이 각각 점 P, Q가 되어야 한다.

STEP B 사각형 AQCP의 넓이가 최대일 때 접선의 기울기가 2가 되는 접점 P, Q의 x좌표의 곱 구하기

$y=x^3-5x^2+4x+4$에서 $y'=3x^2-10x+4$이므로
기울기가 2일 때, $3x^2-10x+4=2$
$\therefore 3x^2-10x+2=0$
따라서 이 이차방정식의 두 근이 사각형 AQCP의 넓이가 최대일 때의 두 점 P, Q의 x좌표이므로 이차방정식의 근과 계수의 관계에 의하여 두 근의 곱은 $\frac{2}{3}$이다.

〔정답〕④

0639

STEP Ⓐ 직선 AB와 평행하고 곡선 $y=x^2$에 접하는 접점의 좌표 구하기

직선 AB는 두 점 A$(-1, 1)$, B$(2, 4)$
를 지나므로 직선 AB에 평행한
직선의 기울기는 $\dfrac{4-1}{2-(-1)}=1$

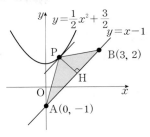

직선 AB의 방정식은
$y-1=1\cdot(x+1)$, 즉 $x-y+2=0$

$f(x)=x^2$이라 하면 $f'(x)=2x$

접점의 좌표를 (t, t^2)이라 하면 접선의 기울기가 1이므로

$f'(t)=2t=1$ $\therefore t=\dfrac{1}{2}$

즉 접점의 좌표가 $\left(\dfrac{1}{2}, \dfrac{1}{4}\right)$이다.

STEP Ⓑ 곡선 $y=x^2$ 위의 점과 직선 AB 사이의 거리의 최댓값 구하기

점 $\left(\dfrac{1}{2}, \dfrac{1}{4}\right)$에서 직선 AB 사이의 거리가 최대가 되므로
구하는 거리의 최댓값은 직선 $x-y+2=0$ 사이의 거리이다.

$\dfrac{\left|\dfrac{1}{2}-\dfrac{1}{4}+2\right|}{\sqrt{1+(-1)^2}}=\dfrac{9}{4\sqrt{2}}$

STEP Ⓒ 삼각형 ABP의 넓이의 최댓값 구하기

따라서 선분 AB의 길이는 $\sqrt{(2+1)^2+(4-1)^2}=3\sqrt{2}$이므로
구하는 삼각형 ABP의 넓이의 최댓값은 $\dfrac{1}{2}\cdot3\sqrt{2}\cdot\dfrac{9}{4\sqrt{2}}=\dfrac{27}{8}$

내/신/연/계/ 출제문항 269

함수 $f(x)=-x^2+3x+1$의 그래프 위에 두 점 A$(0, 1)$, B$(2, 3)$과 두 점
A, B 사이를 움직이는 점 P가 있다. 삼각형 ABP의 넓이의 최댓값은?

① $\dfrac{1}{2}$ ② 1 ③ $\dfrac{3}{2}$

④ 2 ⑤ 4

STEP Ⓐ 삼각형 ABP의 넓이가 최대가 되는 상황 이해하기

선분 AB의 길이는 일정하므로 점 P에서 선분 AB에 내린 수선의 길이가
최대일 때, 삼각형 ABP의 넓이가 최대이다.
즉 곡선 $y=f(x)$ 위의 점 P에서의 접선의 기울기가 직선 AB의 기울기와
같아야 한다.

STEP Ⓑ 직선 AB와 점 P에서의 접선의 기울기가 같음을 이용하여 P의
x좌표 구하기

이때 직선 AB의 기울기는
$\dfrac{3-1}{2-0}=1$과 점 P에서의
접선의 기울기가 같아야 한다.

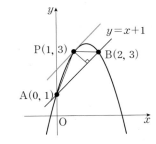

$f(x)=-x^2+3x+1$에서
$f'(x)=-2x+3$
접점의 x좌표를 t라 하면
접선의 기울기가 1이므로
$-2t+3=1$ $\therefore t=1$

STEP Ⓒ 삼각형 ABP의 넓이의 최댓값 구하기

점 P$(1, 3)$에서 직선 AB의 방정식 $y-1=1\cdot(x-0)$
즉 $x-y+1=0$까지 거리 $\dfrac{|1-3+1|}{\sqrt{1^2+(-1)^2}}=\dfrac{1}{\sqrt{2}}$

또한, 선분 $\overline{AB}=\sqrt{(2-0)^2+(3-1)^2}=2\sqrt{2}$

따라서 삼각형 ABP의 넓이의 최댓값은 $\dfrac{1}{2}\cdot\dfrac{1}{\sqrt{2}}\cdot2\sqrt{2}=1$

 정답 ②

0640

STEP Ⓐ 점 P에서 접선의 기울기가 1일 때, 구하는 최단거리는 점 P와
직선 $y=x-1$ 사이의 거리임을 이해하기

직선 AB의 기울기는 1이므로
점 P에서의 접선의 기울기가
1일 때, 점 P와 직선 $y=x-1$
사이의 거리가 최단 거리이다.

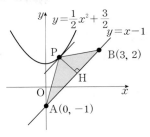

STEP Ⓑ $f'(a)=1$을 만족시키는 a값 구하기

$f(x)=\dfrac{1}{2}x^2+\dfrac{3}{2}$이라고 하면 $f'(x)=x$

점 P의 좌표를 $\left(a, \dfrac{1}{2}a^2+\dfrac{3}{2}\right)$이라 하면
$f'(a)=a=1$

STEP Ⓒ 점 P와 직선 사이의 거리를 구하여 △PAB의 넓이 구하기

점 P의 좌표는 $(1, 2)$

점 P와 직선 $x-y-1=0$ 사이의 거리 $\overline{PH}$는 $\overline{PH}=\dfrac{|1-2-1|}{\sqrt{2}}=\sqrt{2}$

따라서 삼각형 PAB의 넓이는 $\dfrac{1}{2}\cdot\overline{AB}\cdot\overline{PH}=\dfrac{1}{2}\cdot\sqrt{9+9}\cdot\sqrt{2}=3$

내/신/연/계/ 출제문항 270

곡선 $y=x^2$위의 점 P와 두 점
A$(1, 0)$, B$(0, -2)$에 대하여
삼각형 APB의 넓이의 최솟값은?

① $\dfrac{1}{2}$ ② $\dfrac{1}{3}$

③ $\dfrac{\sqrt{2}}{2}$ ④ $\dfrac{2}{3}$

⑤ $\sqrt{2}$

STEP Ⓐ 직선 AB에 평행한 접점 P의 좌표 구하기

두 점 A$(1, 0)$, B$(0, -2)$를 지나는 직선의 방정식은 $y=2x-2$
삼각형 APB의 넓이가 최소가 되려면 점 P에서의 접선의 기울기가
직선 AB의 기울기와 같아야 한다.
$f(x)=x^2$으로 놓으면 $f'(x)=2x$
점 P의 x좌표를 $x=t$라 하면 $f'(t)=2t=2$
$\therefore t=1$
점 P의 좌표는 $(1, 1)$

STEP Ⓑ 삼각형 APB의 넓이의 최솟값 구하기

점 P$(1, 1)$과 직선 $y=2x-2$

즉 $2x-y-2=0$ 사이의 거리는 $\dfrac{|2-1-2|}{\sqrt{2^2+(-1)^2}}=\dfrac{1}{\sqrt{5}}$

또한, 두 점 A$(1, 0)$, B$(0, -2)$ 사이의 거리는
$\overline{AB}=\sqrt{(0-1)^2+(-2-0)^2}=\sqrt{5}$

따라서 삼각형 APB의 넓이의 최솟값은 $\dfrac{1}{2}\cdot\sqrt{5}\cdot\dfrac{1}{\sqrt{5}}=\dfrac{1}{2}$ 정답 ①

0641

STEP Ⓐ 접점의 좌표를 임의로 두고 접선의 방정식 구하기

$f(x)=x^3-6x+1$로 놓으면
$f'(x)=3x^2-6$
접점의 좌표를 $(t,\ t^3-6t+1)$이라 하면
접선의 방정식은
$y-(t^3-6t+1)=(3t^2-6)(x-t)$
$y=(3t^2-6)x-2t^3+1$ ...... ㉠

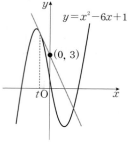

$y=x^2-6x+1$
$(0,\ 3)$

STEP Ⓑ $(0,\ 3)$을 접선에 대입하여 t의 값 구하기

접선 ㉠이 점 $(0,\ 3)$을 지나므로 $3=-2t^3+1$, $t^3+1=0$
$\therefore t=-1$
즉 구하는 접선의 방정식은 ㉠에서 $y=-3x+3$
따라서 $a=-3$, $b=3$이므로 $ab=-9$

0642

STEP Ⓐ 접점의 좌표를 임의로 두고 접선의 방정식 구하기

$f(x)=-2x^2+3x+1$로 놓으면 $f'(x)=-4x+3$
접점의 좌표를 $(t,\ -2t^2+3t+1)$라고 하면 접선의 기울기는
$f'(t)=-4t+3$이므로 접선의 방정식은
$y-(-2t^2+3t+1)=(-4t+3)(x-t)$
$\therefore y=(-4t+3)x+2t^2+1$

STEP Ⓑ $(-1,\ 4)$를 접선에 대입하여 t의 값 구하기

이 접선이 점 $(-1,\ 4)$를 지나므로 $4=4t-3+2t^2+1$
$2t^2+4t-6=0$, $t^2+2t-3=0$, $(t-1)(t+3)=0$
$\therefore t=-3$ 또는 $t=1$
따라서 접선의 기울기는 $f'(t)=-4t+3$이므로
두 기울기의 곱은 $f'(-3)f'(1)=15\cdot(-1)=-15$

내/신/연/계 출제문항 271

점 $(1,\ 4)$에서 곡선 $y=-x^2+x+3$에 그은 접선의 방정식의 기울기의 곱은?

① -6 ② -5 ③ -4
④ -3 ⑤ -2

STEP Ⓐ 접점의 좌표를 임의로 두고 접선의 방정식 구하기

$f(x)=-x^2+x+3$으로 놓으면
$f'(x)=-2x+1$
접점의 좌표를 $(a,\ -a^2+a+3)$
이라 하면 접선의 기울기는
$f'(a)=-2a+1$이므로
접선의 방정식은
$y-(-a^2+a+3)=(-2a+1)(x-a)$
 ...... ㉠

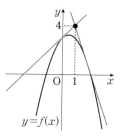

$y=f(x)$

STEP Ⓑ $(1,\ 4)$를 접선에 대입하여 a의 값 구하기

이 접선이 점 $(1,\ 4)$를 지나므로 $4-(-a^2+a+3)=(-2a+1)(1-a)$
$a^2-2a=0$, $a(a-2)=0$
$a=0$ 또는 $a=2$

STEP Ⓒ 기울기의 곱 구하기

따라서 접선의 기울기는 $f'(a)=-2a+1$이므로
두 기울기의 곱은 $f'(0)f'(2)=1\cdot(-3)=-3$

0643

STEP Ⓐ 접점의 좌표를 임의로 두고 접선의 방정식 구하기

$f(x)=x^4+12$로 놓으면 $f'(x)=4x^3$
접점의 좌표를 $(a,\ a^4+12)$라 하면
접선의 기울기는 $f'(a)=4a^3$이므로 접선의 방정식은
$y-(a^4+12)=4a^3(x-a)$ ...... ㉠

STEP Ⓑ 원점을 접선에 대입하여 a의 값을 구한 후 접선의 방정식 구하기

이 접선이 원점 $(0,\ 0)$을 지나므로 $-a^4-12=-4a^4$, $a^4-4=0$
$\therefore a=-\sqrt{2}$ 또는 $a=\sqrt{2}$
그런데 접점은 제1사분면에 있으므로 $a=\sqrt{2}$
$a=\sqrt{2}$를 ㉠에 대입하여 접선의 방정식을 구하면
$y=8\sqrt{2}x$

STEP Ⓒ 점 $(k,\ 32)$를 지남을 이용하여 k의 값 구하기

이때 접선이 점 $(k,\ 32)$를 지나므로 $32=8\sqrt{2}k$
따라서 $k=2\sqrt{2}$

0644

STEP Ⓐ 접점의 좌표를 임의로 두고 접선의 방정식 구하기

$f(x)=x^3+2x+2$로 놓으면 $f'(x)=3x^2+2$
접점의 좌표를 $P(t,\ t^3+2t+2)$라 하면
이 점에서의 접선의 기울기는 $f'(t)=3t^2+2$이므로 접선의 방정식은
$y-(t^3+2t+2)=(3t^2+2)(x-t)$
$\therefore y=(3t^2+2)x-2t^3+2$

STEP Ⓑ $(0,\ 0)$을 접선에 대입하여 t의 값 구하기

이 접선이 원점을 지나므로 $0=-2t^3+2$, $t^3=1$
$\therefore t=1$

STEP Ⓒ 두 점 사이의 거리공식을 이용하여 $\overline{OP}$의 길이 구하기

따라서 점 P의 좌표는 $(1,\ 5)$이므로 $\overline{OP}=\sqrt{1^2+5^2}=\sqrt{26}$

점 $(2, -3)$에서 곡선 $y=x^2-5x+4$에 그은 접선의 접점을 각각 P, Q라 할 때, 선분 PQ의 길이는?

① $2\sqrt{2}$　　　　② 3　　　　③ $\sqrt{10}$
④ $2\sqrt{3}$　　　　⑤ $\sqrt{11}$

STEP A 접점의 좌표를 임의로 두고 접선의 방정식 구하기

$f(x)=x^2-5x+4$로 놓으면 $f'(x)=2x-5$

접점의 좌표를 (t, t^2-5t+4)라고 하면

접선의 기울기는 $f'(t)=2t-5$이므로 접선의 방정식은

$y-(t^2-5t+4)=(2t-5)(x-t)$

$\therefore y=(2t-5)x-t^2+4$

STEP B $(2, -3)$을 접선에 대입하여 t의 값 구하기

이 접선이 점 $(2, -3)$을 지나므로 $-3=4t-10-t^2+4$

$t^2-4t+3=0$, $(t-1)(t-3)=0$

$\therefore t=1$ 또는 $t=3$

STEP C 두 점 사이의 거리공식을 이용하여 $\overline{PQ}$의 길이 구하기

즉 두 접점의 좌표는 P$(1, 0)$, Q$(3, -2)$

따라서 선분 PQ의 길이는 $\sqrt{(3-1)^2+(-2-0)^2}=2\sqrt{2}$ 　정답 ①

0645

정답 ②

STEP A 접점의 좌표를 임의로 두고 접선의 방정식 구하기

$f(x)=x^3-1$로 놓으면 $f'(x)=3x^2$

접점의 좌표를 (t, t^3-1)이라 하면

접선의 기울기는 $f'(t)=3t^2$이므로 접선의 방정식은

$y-(t^3-1)=3t^2(x-t)$

즉 $y=3t^2(x-t)+t^3-1$ 　……… ㉠

STEP B $(0, -3)$을 접선에 대입하여 t의 값 구하기

접선 ㉠이 점 $(0, -3)$을 지나므로 $-3=3t^2(0-t)+t^3-1$

$2t^3=2$

$\therefore t=1$

$t=1$을 ㉠에 대입하면 $y=3(x-1)$

STEP C $(a, 0)$을 접선에 대입하여 a의 값 구하기

$y=3(x-1)$에 $x=a$, $y=0$을 대입하면 $0=3(a-1)$

따라서 $a=1$

점 $(0, -4)$에서 곡선 $y=x^3-2$에 그은 접선이 x축과 만나는 점의 좌표를 $(a, 0)$이라 할 때, a의 값은?

① $\dfrac{7}{6}$　　　　② $\dfrac{4}{3}$　　　　③ $\dfrac{3}{2}$
④ $\dfrac{5}{3}$　　　　⑤ $\dfrac{11}{6}$

STEP A 접점의 좌표를 임의로 두고 접선의 방정식 구하기

$f(x)=x^3-2$로 놓으면 $f'(x)=3x^2$이므로

접점의 좌표를 (t, t^3-2)로 놓으면 이 점에서의 접선의 방정식은

$y-(t^3-2)=3t^2(x-t)$ 　……… ㉠

STEP B $(0, -4)$를 접선에 대입하여 t의 값 구하기

접선 ㉠이 점 $(0, -4)$를 지나므로 $-4-(t^3-2)=3t^2(0-t)$

$-t^3-2=-3t^3$, $2t^3=2$ 　$\therefore t=1$

$t=1$을 ㉠에 대입하면 $y=3x-4$

STEP C $(a, 0)$을 접선에 대입하여 a의 값 구하기

따라서 이 접선이 점 $(a, 0)$을 지나므로 $0=3a-4$에서 $a=\dfrac{4}{3}$ 　정답 ②

0646

정답 ②

STEP A 접점의 좌표를 임의로 두고 접선의 방정식 구하기

$f(x)=-x^2+k$로 놓으면 $f'(x)=-2x$이므로

접점의 좌표를 $(t, -t^2+k)$로 놓으면 이 점에서의 접선의 방정식은

$y+t^2-k=-2t(x-t)$ 　……… ㉠

STEP B $(-1, 0)$을 접선에 대입하여 t에 대한 이차방정식 구하기

접선 ㉠이 점 $(-1, 0)$을 지나므로

$t^2-k=-2t(-1-t)=2t+2t^2$

STEP C 근과 계수의 관계와 수직조건을 이용하여 k의 값 구하기

$t^2+2t+k=0$이 이차방정식의 두 근을 α, β라고 하면

두 접선이 수직이므로 $(-2\alpha)\cdot(-2\beta)=-1$

$\therefore \alpha\beta=-\dfrac{1}{4}$

따라서 근과 계수와의 관계에 의하여 $\alpha\beta=k$에서 $k=-\dfrac{1}{4}$

0647

정답 ①

STEP A 접점의 좌표를 임의로 두고 접선의 방정식 구하기

$f(x)=-x^2-2x$라고 하면 $f'(x)=-2x-2$

접점의 좌표를 $(t, -t^2-2t)$라고 하면

접선의 기울기는 $f'(t)=-2t-2$이므로 접선의 방정식은

$y-(-t^2-2t)=(-2t-2)(x-t)$

$y=(-2t-2)x+t^2$ 　……… ㉠

STEP B $(-1, 2)$를 접선에 대입하여 t의 값 구하기

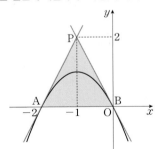

이 접선이 점 P$(-1, 2)$를 지나므로 $2=(-2t-2)\cdot(-1)+t^2$

$t^2+2t=0$, $t(t+2)=0$

$\therefore t=-2$ 또는 $t=0$

A$(-2, 0)$, B$(0, 0)$

STEP C 삼각형 PAB의 넓이 구하기

따라서 삼각형 PAB의 넓이는 $\dfrac{1}{2}\cdot 2\cdot 2=2$

점 $(-2, 1)$에서 곡선 $y=x^2+x$에 그은 두 접선의 접점과 원점을 꼭짓점으로 하는 삼각형의 넓이는?

① $\dfrac{3}{2}$　　② 3　　③ $\dfrac{9}{2}$

④ 6　　⑤ $\dfrac{15}{2}$

STEP A 접점의 좌표를 임의로 두고 접선의 방정식 구하기

$f(x)=x^2+x$로 놓으면 $f'(x)=2x+1$이므로

접점의 좌표를 (t, t^2+t)로 놓으면 이 점에서의 접선의 방정식은

$y-(t^2+t)=(2t+1)(x-t)$ ⋯⋯ ㉠

STEP B $(-2, 1)$을 접선에 대입하여 t의 값 구하기

접선 ㉠이 점 $(-2, 1)$을 지나므로 $1-(t^2+t)=(2t+1)(-2-t)$

$t^2+4t+3=0$, $(t+1)(t+3)=0$

$\therefore t=-3$ 또는 $t=-1$

두 접선의 접점의 좌표는 $(-3, 6)$, $(-1, 0)$

STEP C 삼각형의 넓이 구하기

두 접선의 접점과 원점을 꼭짓점으로 하는 삼각형의 넓이는 $\dfrac{1}{2}\times1\times6=3$

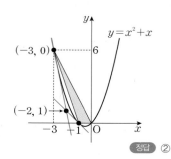

정답 ②

0648

정답 ②

STEP A 접점의 좌표를 임의로 두고 접선의 방정식 구하기

$f(x)=x^4-x^2+2$로 놓으면

$f'(x)=4x^3-2x$이므로

접점의 좌표를 (t, t^4-t^2+2)라고 하면 접선의 방정식은

$y-(t^4-t^2+2)=(4t^3-2t)(x-t)$ ⋯⋯ ㉠

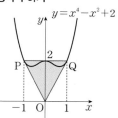

STEP B $(0, 0)$을 접선에 대입하여 t의 값 구하기

접선 ㉠이 점 $(0, 0)$을 지나므로 $-(t^4-t^2+2)=-t(4t^3-2t)$

$3t^4-t^2-2=0$, $(t^2-1)(3t^2+2)=0$, $t^2-1=0$

$\therefore t=-1$ 또는 $t=1$

STEP C 삼각형의 넓이 구하기

따라서 두 접점의 좌표는 $(-1, 2)$, $(1, 2)$이므로 구하는 삼각형의 넓이는

$\dfrac{1}{2}\cdot2\cdot2=2$

원점 O에서 곡선 $y=x^4-3x^2+6$에 그은 두 접선의 접점을 각각 A, B라 할 때, 삼각형 OAB의 넓이는?

① $2\sqrt{2}$　　② $3\sqrt{2}$　　③ $4\sqrt{2}$

④ $5\sqrt{2}$　　⑤ $6\sqrt{2}$

STEP A 접점의 좌표를 임의로 두고 접선의 방정식 구하기

$f(x)=x^4-3x^2+6$로 놓으면 $f'(x)=4x^3-6x$

접점의 좌표를 (t, t^4-3t^2+6)이라 하면

접선의 방정식은 $y=(4t^3-6t)x-3t^4+3t^2+6$

STEP B $(0, 0)$을 접선에 대입하여 t의 값 구하기

이 접선이 원점을 지나므로 $3t^4-3t^2-6=0$, $3(t^2+1)(t^2-2)=0$

그런데 t는 실수이므로 $t=-\sqrt{2}$ 또는 $t=\sqrt{2}$

STEP C 삼각형의 넓이 구하기

즉 접점의 좌표는 $(-\sqrt{2}, 4)$, $(\sqrt{2}, 4)$

따라서 삼각형 OAB의 넓이는 $\dfrac{1}{2}\cdot2\sqrt{2}\cdot4=4\sqrt{2}$

정답 ③

0649

정답 ③

STEP A 접점의 좌표를 임의로 두고 접선의 방정식 구하기

$f(x)=x^3-2x$로 놓으면 $f'(x)=3x^2-2$이므로 접점 A의 좌표를 (t, t^3-2t)로 놓으면 이 점에서의 접선의 방정식은

$y-(t^3-2t)=(3t^2-2)(x-t)$ ⋯⋯ ㉠

STEP B $(0, 2)$를 접선에 대입하여 t의 값 구하기

접선 ㉠이 점 $(0, 2)$를 지나므로 $2-(t^3-2t)=(3t^2-2)(0-t)$

$2-t^3+2t=-3t^3+2t$, $t^3=-1$　$\therefore t=-1(\because a$는 실수$)$

즉 접점 A의 좌표는 $(-1, 1)$이고 접선의 방정식은 $y=x+2$

STEP C 접선과 곡선을 연립하여 두 점 A, B 구하기

이때 접선이 곡선과 만나는 점의 x좌표는 $x^3-2x=x+2$에서

$x^3-3x-2=0$, $(x+1)^2(x-2)=0$　$\therefore x=-1$ 또는 $x=2$

즉 점 A, B의 좌표는 $A(-1, 1)$, $B(2, 4)$

따라서 $\overline{AB}=\sqrt{(-1-2)^2+(1-4)^2}=3\sqrt{2}$

오른쪽 그림과 같이 곡선 $y=x^3-2x$ 위의 점 $A(-1, 1)$에서의 접선이 점 A가 아닌 점 B에서 이 곡선과 만날 때, 선분 AB의 길이는?

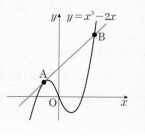

① $2\sqrt{2}$　　② 4

③ $3\sqrt{2}$　　④ 9

⑤ $4\sqrt{2}$

STEP A 점 $A(-1, 1)$에서의 접선의 방정식 구하기

$f(x)=x^3-2x$로 놓으면 $f'(x)=3x^2-2$

$x=-1$에서 접선의 기울기는 $f'(-1)=3-2=1$

점 $A(-1, 1)$에서의 접선의 방정식은 $y-1=1\cdot(x+1)$　$\therefore y=x+2$

STEP B 점 A에서의 접선과 곡선의 교점을 구한 후 접점이 아닌 점 B를 구하여 두 점 사이의 거리 AB 구하기

이때 곡선 $y=x^3-2x$와 접선 $y=x+2$가 만나는 점의 x좌표는

$x^3-2x=x+2$, $x^3-3x-2=0$, $(x+1)^2(x-2)=0$

$\therefore x=-1$ 또는 $x=2$

이때 접선 $y=x+2$에서 점 $A(-1, 1)$이 아닌 교점의 좌표가 점 B이므로

점의 좌표는 $B(2, 4)$

따라서 $\overline{AB}=\sqrt{(2+1)^2+(4-1)^2}=3\sqrt{2}$

$(t+1)(t-3)=0$ ∴ $t=-1$ 또는 $t=3$

즉 접점의 좌표는 $Q(-1, 2)$, $R(3, -6)$

STEP B 삼각형 PQR의 넓이 구하기

이때 $\overline{QR}=\sqrt{(-1-3)^2+(2+6)^2}=4\sqrt{5}$

직선 QR의 기울기는 $\dfrac{2-(-6)}{-1-3}=-2$이므로

직선 QR의 방정식은 $y-2=-2(x+1)$ ∴ $2x+y=0$

직선 QR와 점 $P(1, 6)$ 사이의 거리는 $\dfrac{|2\cdot1+6|}{\sqrt{2^2+1^2}}=\dfrac{8}{\sqrt{5}}=\dfrac{8\sqrt{5}}{5}$

따라서 삼각형 PQR의 넓이는 $\dfrac{1}{2}\cdot4\sqrt{5}\cdot\dfrac{8\sqrt{5}}{5}=16$

정답 ③

다른풀이 근과 계수의 관계를 이용하여 풀이하기

곡선 $y=x^3-2x$ 위의 점 $A(-1, 1)$에서의 접선을
$y=mx+n(m, n$은 상수$)$이라 하면 교점 B의 x좌표를 a라 하고

두 점 A, B가 곡선 $y=x^3-2x$와 직선 $y=mx+n$의 교점이고

점 A는 접점이므로 방정식 $x^3-2x=mx+n$

즉 $x^3-(2+m)x-n=0$의 세 근이 a, -1, -1이므로

$x^3-(2+m)x-n=(x+1)^2(x-a)=x^3-(a-2)x^2-(2a-1)x-a$

계수를 비교하면 $a-2=0$

∴ $a=2$

따라서 점 B의 좌표는 $(2, 4)$이므로 $\overline{AB}=\sqrt{(2+1)^2+(4-1)^2}=3\sqrt{2}$

정답 ③

0650

정답 ③

STEP A 점 $P(1, -4)$에서 곡선에 그은 접선의 접점 구하기

$f(x)=x^2-1$로 놓으면 $f'(x)=2x$

접점의 좌표를 (t, t^2-1)이라 하면
이 점에서의 접선의 기울기는
$f'(t)=2t$이므로 접선의 방정식은
$y-(t^2-1)=2t(x-t)$

∴ $y=2tx-t^2-1$

이 접선이 점 $P(1, -4)$를 지나므로
$-4=2t-t^2-1$에서
$t^2-2t-3=0$, $(t+1)(t-3)=0$
∴ $t=-1$ 또는 $t=3$
∴ $Q(-1, 0)$, $R(3, 8)$

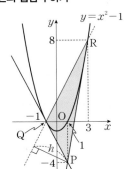

STEP B 삼각형 PQR의 넓이 구하기

이때 $\overline{QR}=\sqrt{\{3-(-1)\}^2+(8-0)^2}=4\sqrt{5}$

직선 QR의 기울기는 $\dfrac{8-0}{3-(-1)}=2$이므로

직선 QR의 방정식은 $y-0=2(x+1)$ ∴ $2x-y+2=0$

점 $P(1, -4)$와 직선 QR 사이의 거리는 $\dfrac{|2\cdot1-(-4)+2|}{\sqrt{2^2+1^2}}=\dfrac{8}{\sqrt{5}}=\dfrac{8\sqrt{5}}{5}$

따라서 삼각형 PQR의 넓이는 $\dfrac{1}{2}\cdot\dfrac{8\sqrt{5}}{5}\cdot4\sqrt{5}=16$

내/신/연/계 출제문항 277

오른쪽 그림과 같이 점 $P(1, 6)$에서
곡선 $y=-x^2+3$에 그은 두 접선의
접점을 각각 Q, R이라고 할 때,
삼각형 PQR의 넓이는?

① 12 ② 14
③ 16 ④ 18
⑤ 20

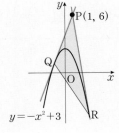

STEP A 점 $P(1,6)$에서 곡선에 그은 접선의 접점 구하기

$f(x)=-x^2+3$으로 놓으면 $f'(x)=-2x$

접점의 좌표를 $(t, -t^2+3)$이라 하면

이 점에서의 접선의 기울기는 $f'(t)=-2t$이므로 접선의 방정식은

$y-(-t^2+3)=-2t(x-t)$ ∴ $y=-2tx+t^2+3$

이 곡선이 점 $P(1, 6)$을 지나므로 $6=-2t+t^2+3$, $t^2-2t-3=0$

0651

정답 ④

STEP A 다항함수의 미분법을 이용하여 각 함수의 도함수 구하기

$f(x)=x^3+ax$, $g(x)=bx^2+x+4$로 놓으면
$f'(x)=3x^2+a$, $g'(x)=2bx+1$

STEP B $f(1)=g(1)$임을 이용하여 a, b 사이의 관계식 구하기

두 곡선이 $x=1$인 점에서 공통인 접선을 가지므로
$f(1)=g(1)$에서 $1+a=b+5$
∴ $a-b=4$ ...... ㉠

STEP C $f'(1)=g'(1)$임을 이용하여 a, b의 값 구하기

$f'(1)=g'(1)$에서 $3+a=2b+1$
∴ $a-2b=-2$ ...... ㉡
㉠, ㉡에서 연립하여 풀면 $a=10$, $b=6$
따라서 $ab=10\cdot6=60$

내/신/연/계 출제문항 278

두 곡선
$$y=2x^3+ax+b, \quad y=ax^2+bx+1$$
에 대하여 x좌표가 -1인 점에서 접선의 방정식이 같을 때,
상수 a, b의 합 $a+b$의 값은?

① -5 ② -3 ③ -1
④ 1 ⑤ 3

STEP A 다항함수의 미분법을 이용하여 각 함수의 도함수 구하기

$f(x)=2x^3+ax+b$, $g(x)=ax^2+bx+1$로 놓으면
$f'(x)=6x^2+a$, $g'(x)=2ax+b$

STEP B $f(-1)=g(-1)$임을 이용하여 a, b 사이의 관계식 구하기

두 곡선이 $x=-1$인 점에서 공통인 접선을 가지므로
$f(-1)=g(-1)$에서 $-2-a+b=a-b+1$
∴ $a-b=-\dfrac{3}{2}$ ...... ㉠

STEP C $f'(-1)=g'(-1)$임을 이용하여 a, b의 값 구하기

$f'(-1)=g'(-1)$에서 $6+a=-2a+b$
∴ $3a-b=-6$ ...... ㉡
㉠, ㉡을 연립하여 풀면 $a=-\dfrac{9}{4}$, $b=-\dfrac{3}{4}$

따라서 $a+b=-\dfrac{9}{4}+\left(-\dfrac{3}{4}\right)=-3$

정답 ②

0652

STEP Ⓐ 점 $(1, 2)$를 지남을 이용하여 c의 값 구하기

두 곡선 $y=x^3+ax+b$, $y=x^2+cx$

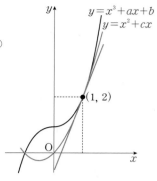

$y=x^3+ax+b$
$y=x^2+cx$
$(1, 2)$

는 모두 점 $(1, 2)$를 지나므로

$2=1+a+b$에서 $a+b=1$ ······ ㉠

$2=1+c$에서 $c=1$이므로 $y=x^2+x$

$f(x)=x^2+x$라 하면 $f'(x)=2x+1$

곡선 $y=x^2+x$ 위의 점 $(1, 2)$에서의

접선의 기울기는

$f'(1)=3$이므로 접선의 방정식은

$y-2=3(x-1)$, 즉 $y=3x-1$

즉 곡선 $y=x^3+ax+b$ 위의 점 $(1, 2)$

에서의 접선의 방정식은 $y=3x-1$

STEP Ⓑ 점 $(1, 2)$에서 접선의 방정식을 이용하여 b, c의 값 구하기

$g(x)=x^3+ax+b$라 하면 $g'(x)=3x^2+a$

곡선 $y=x^3+ax+b$ 위의 점 $(1, 2)$에서의 접선의 기울기가 3이므로

$3+a=3$, 즉 $a=0$

$a=0$을 ㉠에 대입하면 $b=1$

STEP Ⓒ $a+b+c$의 값 구하기

따라서 $a=0$, $b=1$, $c=1$이므로 $a+b+c=0+1+1=2$

내/신/연/계 출제문항 279

두 곡선

$$y=x^2+ax+b, \quad y=-x^3+c$$

가 점 $(1, -2)$에서 접할 때, 상수 a, b, c에 대하여 abc의 값은?

① 6   ② 8   ③ 10

④ 12   ⑤ 14

STEP Ⓐ $(1, -2)$를 각 함수에 대입하여 c값과 a, b 사이의 관계식 구하기

두 곡선 $f(x)=x^2+ax+b$, $g(x)=-x^3+c$라 하면

두 곡선이 $(1, -2)$를 지나므로

$-2=1+a+b$ ······ ㉠

$-2=-1+c$ ······ ㉡

STEP Ⓑ $f'(1)=g'(1)$임을 이용하여 a, b의 값 구하기

$f'(x)=2x+a$, $g'(x)=-3x^2$이므로

점 $(1, -2)$에서 공통인 접선을 가지므로 접선의 기울기가 같으므로

$f'(1)=g'(1)$에서 $2+a=-3$

$\therefore a=-5$

㉠, ㉡에서 $a=-5$, $b=2$, $c=-1$

따라서 $abc=(-5)\cdot2\cdot(-1)=10$

정답 ③

0653

STEP Ⓐ 다항함수의 미분법을 이용하여 각 함수의 도함수 구하기

두 곡선 $f(x)=x^3+ax^2+bx+3$, $g(x)=x^2-1$에서

$f'(x)=3x^2+2ax+b$, $g'(x)=2x$

STEP Ⓑ $(1, 0)$을 $f(x)$에 대입하여 a, b 사이의 관계식 구하기

이때 두 곡선이 $(1, 0)$을 지나므로

$f(1)=1+a+b+3=0$

$\therefore a+b=-4$ ······ ㉠

STEP Ⓒ $f'(1)g'(1)=-1$임을 이용하여 a, b의 값 구하기

점 $(1, 0)$에서 두 접선이 수직이므로

$f'(1)g'(1)=(3+2a+b)\cdot2=-1$

$\therefore 2a+b=-\dfrac{7}{2}$ ······ ㉡

㉠, ㉡을 연립하여 풀면 $a=\dfrac{1}{2}$, $b=-\dfrac{9}{2}$

따라서 $b-a=\left(-\dfrac{9}{2}\right)-\dfrac{1}{2}=-5$

내/신/연/계 출제문항 280

두 곡선 $y=x^3$과 $y=ax^2+bx$가 점 $(1, 1)$에서 만나고, 이 점에서의 접선이 서로 수직일 때 상수 a, b에 대하여 $b-a$의 값은?

① $\dfrac{11}{3}$ ② 4   ③ $\dfrac{7}{3}$

④ 2   ⑤ $\dfrac{5}{2}$

STEP Ⓐ 다항함수의 미분법을 이용하여 각 함수의 도함수 구하기

두 곡선 $f(x)=x^3$, $g(x)=ax^2+bx$로 놓으면

$f'(x)=3x^2$, $g'(x)=2ax+b$

STEP Ⓑ $(1, 1)$을 $g(x)$에 대입하여 a, b 사이의 관계식 구하기

이때 두 곡선이 $(1, 1)$을 지나므로

$g(1)=a+b=1$ ······ ㉠

STEP Ⓒ $f'(1)g'(1)=-1$임을 이용하여 a, b의 값 구하기

점 $(1, 1)$에서 두 접선이 수직이므로

$f'(1)g'(1)=3(2a+b)=-1$

$\therefore 2a+b=-\dfrac{1}{3}$ ······ ㉡

㉠, ㉡을 연립하여 풀면 $a=-\dfrac{4}{3}$, $b=\dfrac{7}{3}$

따라서 $b-a=\dfrac{7}{3}-\left(-\dfrac{4}{3}\right)=\dfrac{11}{3}$

정답 ①

0654

STEP A 점 $(-1, 3)$에서 접선의 방정식 구하기

$y = 2x^2 + 1$

$y = 2x^3 - ax + 3$

$f(x) = 2x^2 + 1$로 놓으면 $f'(x) = 4x$

곡선 $y = f(x)$ 위의 점 $(-1, 3)$에서의 접선의 기울기는 $f'(-1) = -4$이므로

이때 접선의 방정식은 $y = -4x - 1$ ······ ㉠

STEP B 접점의 좌표를 임의로 두고 접선의 방정식 구하기

또한, 곡선 $y = 2x^3 - ax + 3$에 접하는 접점을 $(t, 2t^3 - at + 3)$이라 하면

이 점에서의 접선의 기울기는 $6t^2 - a$

접선의 방정식은 $y - (2t^3 - at + 3) = (6t^2 - a)(x - t)$

$y = (6t^2 - a)x - 4t^3 + 3$ ······ ㉡

STEP C 두 직선의 방정식을 비교하여 t, a의 값 구하기

㉡이 ㉠과 일치해야 하므로 $6t^2 - a = -4$ ······ ㉢

$-4t^3 + 3 = -1$ ······ ㉣

따라서 ㉣에서 $t = 1$이므로 ㉢에 대입하면 $a = 10$

다른풀이 두 점을 지나는 직선의 기울기를 이용하여 풀이하기

$f(x) = 2x^2 + 1$로 놓으면 $f'(x) = 4x$이므로

$(-1, 3)$에서의 접선의 기울기는 -4

또, $g(x) = 2x^3 - ax + 3$으로 놓고 접점의 좌표를 $(t, g(t))$라 하면

$g'(t) = 6t^2 - a = -4$

$\therefore a - 4 = 6t^2$

또한, 두 점 $(-1, 3)$, $(t, 2t^3 - at + 3)$을 지나는 직선의 기울기가 -4와

같으므로 $\dfrac{2t^3 - at + 3 - 3}{t + 1} = -4$, $2t^3 - at = -4(t + 1)$

$2t^3 - (a - 4)t + 4 = 0$ ······ ㉡

㉠, ㉡에서 $2t^3 - 6t^3 + 4 = 0$, $t^3 = 1$

따라서 $t = 1$이므로 ㉠에서 $a = 10$

0655

STEP A 점 $(-1, 3)$에서 접선의 방정식 구하기

$f(x) = x^3 - 4x$로 놓으면 $f'(x) = 3x^2 - 4$이므로

점 $(-1, 3)$에서의 접선의 기울기는 $f'(-1) = -1$

STEP B 접점의 좌표를 임의로 두고 접선의 기울기 구하기

이때 $g(x) = x^2 + ax + 6$으로 놓고 접점의 좌표를 $(t, g(t))$라 하면

$g'(t) = 2t + a = -1$

$\therefore a + 1 = -2t$ ······ ㉠

STEP C 두 접점을 지나는 직선의 기울기가 -1임을 이용하여 t, a의 값 구하기

또한, 두 점 $(-1, 3)$, $(t, t^2 + at + 6)$을 지나는 직선의 기울기가

접선의 기울기 -1과 같으므로

$\dfrac{t^2 + at + 6 - 3}{t - (-1)} = -1$

$\therefore t^2 + (a + 1)t + 4 = 0$ ······ ㉡

㉠, ㉡에서 $t^2 - 2t + 4 = 0$, $t^2 = 4$ $\therefore t = \pm 2$

$t = 2$일 때, $a = -5$이고 $t = -2$일 때, $a = 3$

따라서 모든 실수 a의 값의 곱은 $-5 \cdot 3 = -15$

다른풀이 접선과 곡선의 방정식을 연립한 후 판별식 $D = 0$임을 이용하기

$f(x) = x^3 - 4x$로 놓으면 $f'(x) = 3x^2 - 4$이므로 $f'(-1) = -1$

곡선 $y = f(x)$ 위의 점 $(-1, 3)$에서의 접선의 방정식은 $y - 3 = -(x + 1)$

즉 $y = -x + 2$

이때 직선 $y = -x + 2$가 곡선 $y = x^2 + ax + 6$에 접하므로

이차방정식 $x^2 + (a + 1)x + 4 = 0$의 판별식을 D라 하면

$D = (a + 1)^2 - 4 \cdot 4 = 0$

따라서 $a^2 + 2a - 15 = 0$의 모든 실수 a의 값의 곱은 -15

참고 점 $(-1, 3)$은 곡선 $y = x^2 + ax + 6$ 위의 점이 될 수 없다.

$g(x) = x^2 + ax + 6$으로 놓으면 $g(-1) = 3$에서 $a = 4$

이때 $g'(-1) = 2 \neq -1$

내/신/연/계 출제문항 281

곡선 $y = x^2$ 위의 점 $(-2, 4)$에서의 접선이 곡선 $y = x^3 + ax - 2$에

접할 때, 상수 a의 값은?

① -9 ② -7 ③ -5

④ -3 ⑤ -1

STEP A 곡선 $y = x^2$ 위의 점 $(-2, 4)$에서의 접선의 방정식 구하기

$f(x) = x^2$으로 놓으면 $f'(x) = 2x$이므로 점 $(-2, 4)$에서의 접선의 기울기는

$f'(-2) = 2 \cdot (-2) = -4$

점 $(-2, 4)$에서의 접선의 방정식은 $y - 4 = -4(x + 2)$

$\therefore y = -4x - 4$ ······ ㉠

STEP B 곡선 $y = x^3 + ax - 2$와 접선의 방정식이 접할 때, a 구하기

$y = x^2$

$y = x^3 - 7x - 2$

$y = -4x - 4$

$f(x) = x^3 + ax - 2$라 하면 $f'(x) = 3x^2 + a$

접점 $(t, t^3 + at - 2)$에서의 접선의 방정식은

$y - (t^3 + at - 2) = (3t^2 + a)(x - t)$

$\therefore y = (3t^2 + a)x - 2t^3 - 2$ ······ ㉡

㉠, ㉡에서 두 직선은 일치하므로 $3t^2 + a = -4$, $-2t^3 - 2 = -4$

$\therefore t = 1$

따라서 $t = 1$을 $3t^2 + a = -4$에 대입하면 $a = -7$

다른풀이 두 점을 지나는 직선의 기울기를 이용하여 풀이하기

$f(x) = x^2$로 놓으면 $f'(x) = 2x$이므로

$(-2, 4)$에서의 접선의 기울기는 -4이다.

또, $g(x) = x^3 + ax - 2$으로 놓고 접점의 좌표를 $(t, g(t))$라 하면

$g'(t) = 3t^2 + a = -4$ $\therefore a + 4 = -3t^2$ ······ ㉠

또한, 두 점 $(-2, 4)$, $(t, t^3 + at - 2)$를 지나는 직선의 기울기가

-4와 같으므로 $\dfrac{t^3 + at - 2 - 4}{t - (-2)} = -4$

$t^3 + at - 6 = -4(t + 2)$, $t^3 + (a + 4)t + 2 = 0$ ······ ㉡

㉠, ㉡에서 $t^3 + (-3t^2) \cdot t + 2 = 0$ $\therefore t^3 = 1$

따라서 $t = 1$이므로 ㉠에서 $a = -7$

$x=t$에서 접점을 지나는 접선과 곡선을 이용하여 풀이하기

점 $(-2, 4)$에서의 접선의 방정식은 $y-4=-4(x+2)$

$\therefore y=-4x-4$ ...... ㉠

직선 ㉠이 곡선 $y=x^3+ax-2$에 접하므로 접점의 좌표를

(t, t^3+at-2) (t는 실수)라 하면

$y'=3x^2+a$이고 $x=t$에서의 접선의 기울기가 -4이므로

$3t^2+a=-4$ $\therefore a=-3t^2-4$ ...... ㉡

접선 ㉠이 점 (t, t^3+at-2)를 지나므로

$-4t-4=t^3+at-2$ ...... ㉢

㉡을 ㉢에 대입하면 $-4t-4=t^3+(-3t^2-4)t-2$

$-4t-4=t^3-3t^3-4t-2$, $2t^3=2$, $t^3=1$

$\therefore t=1$

따라서 $t=1$을 ㉡에 대입하면 $a=-3\cdot1^2-4=-7$ 정답 ②

0656 정답 ②

STEP **A** 접선의 기울기를 구하여 접선의 방정식 구하기

$g(x)=x^3-2x+2$로 놓으면 $g'(x)=3x^2-2$

$x=1$에서 접선의 기울기 $g'(1)=1$

점 $(1, 1)$에서 접선의 방정식은 $y-1=1\cdot(x-1)$ $\therefore y=x$

STEP **B** $f(2)=2$, $f'(2)=1$임을 이용하여 a, b의 값 구하기

이때 $f(x)=x^2+ax+b$라 하면 접선 $y=x$와 점 A$(2, 2)$에서 접하므로

$f(x)=x^2+ax+b$에서 $f'(x)=2x+a$

$f(2)=4+2a+b=2$

$\therefore 2a+b=-2$ ...... ㉠

$f'(2)=4+a=1$ $\therefore a=-3$

㉠에서 $b=4$

STEP **C** $f(3)$의 값 구하기

따라서 $f(x)=x^2-3x+4$이므로 $f(3)=9-9+4=4$

0657 정답 ⑤

STEP **A** $y=f(x)$ 위의 점 P$(1, 1)$에서의 접선의 방정식 구하기

$f(x)=x^2$에서 $f'(x)=2x$

점 P$(1, 1)$에서의 접선 l의 기울기가 $f'(1)=2$

점 P$(1, 1)$에서의 접선 l의 방정식은 $y-1=2(x-1)$ $\therefore y=2x-1$

STEP **B** 점 Q를 $(t, -(t-3)^2+k)$라 하고 접선의 방정식을 구하여 접선 l과 일치함을 이용하여 점 Q의 좌표 구하기

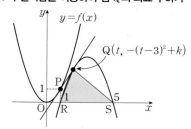

또한, $g(x)=-(x-3)^2+k$에서 $g'(x)=-2(x-3)=-2x+6$

접점 Q의 좌표를 $(t, -(t-3)^2+k)$라 하면

점 Q$(t, -(t-3)^2+k)$에서의 접선의 기울기가 $g'(t)=-2t+6$

점 $(t, -(t-3)^2+k)$에서의 접선의 방정식은

$y+(t-3)^2-k=(-2t+6)(x-t)$

$y=(-2t+6)x+t^2-9+k$ ...... ㉠

이때 접선 ㉠이 직선 $y=2x-1$과 일치하므로

$-2t+6=2$, $t^2-9+k=-1$

$\therefore t=2$, $k=4$, 즉 접점 Q$(2, 3)$

STEP **C** 삼각형 QRS의 넓이 구하기

$g(x)=-(x-3)^2+4=-x^2+6x-5=-(x-1)(x-5)$이므로

곡선 $y=g(x)$와 x축이 만나는 두 점은 각각 R$(1, 0)$, S$(5, 0)$

따라서 삼각형 QRS의 넓이는 $\frac{1}{2}\cdot(5-1)\cdot3=6$

접점 Q의 좌표를 (a, b)라 하면

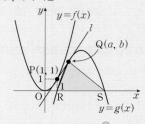

$b=2a-1$ ...... ㉠

직선 l에 곡선 $y=g(x)$가 접하므로

$g'(x)=-2x+6$에서 $g'(a)=-2a+6=2$ $\therefore a=2$

$a=2$를 ㉠에 대입하면 $b=3$이므로 점 Q의 좌표는 Q$(2, 3)$

$g(2)=-1+k=3$이므로 $k=4$

두 점 R, S 중에서 원점으로부터 가까운 점을 R이라 하면 R$(1, 0)$, S$(5, 0)$

따라서 삼각형 QRS의 넓이는 $\frac{1}{2}\cdot(5-1)\cdot3=6$

점 Q의 좌표와 k의 값을 이차방정식의 판별식으로 풀이하기

직선 $y=2x-1$과 곡선 $y=g(x)$가 접하므로 $2x-1=-(x-3)^2+k$

$(x-3)^2+2x-1-k=0$

이차방정식 $x^2-4x+8-k=0$의 판별식을 D라 하면

$\frac{D}{4}=4-(8-k)=0$ $\therefore k=4$

$k=4$일 때, $x^2-4x+4=(x-2)^2=0$ $\therefore x=2$

따라서 Q$(2, 3)$

0658 정답 ①

STEP **A** 두 접점의 좌표 구하기

$f(x)=-x^2+4$로 놓으면

$f'(x)=-2x$

접점의 좌표를 $(t, -t^2+4)$라 하면

이 점에서의 접선의 기울기가

$f'(t)=-2t$

두 점 $(0, 0)$, $(t, -t^2+4)$을 지나는

직선은 접선과 수직이므로

$\frac{-t^2+4-0}{t-0}=\frac{1}{2t}$, $t^2=\frac{7}{2}$

$\therefore t=-\frac{\sqrt{14}}{2}$ 또는 $t=\frac{\sqrt{14}}{2}$

즉 두 접점의 좌표는 $\left(-\frac{\sqrt{14}}{2}, \frac{1}{2}\right)$, $\left(\frac{\sqrt{14}}{2}, \frac{1}{2}\right)$

STEP **B** 반지름의 길이 구하기

이때 원의 반지름의 길이 r은 원점과 접점 사이의 거리이므로

$r=\sqrt{\left(\frac{\sqrt{14}}{2}-0\right)^2+\left(\frac{1}{2}-0\right)^2}=\frac{\sqrt{15}}{2}$

따라서 원의 넓이는 $\pi r^2=\pi\cdot\left(\frac{\sqrt{15}}{2}\right)^2=\frac{15}{4}\pi$

0659

STEP A 곡선 $y=f(x)$ 위의 점 $(1, 1)$에서의 접선의 방정식 구하기

$f(x)=x^4$으로 놓으면 $f'(x)=4x^3$
곡선 $y=f(x)$ 위의 점 $(1, 1)$에서의
접선의 기울기가 $f'(1)=4$이므로
이 접선에 수직인 직선의 기울기는
$-\dfrac{1}{4}$이다.

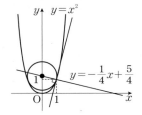

점 $(1, 1)$을 지나고 기울기가 $-\dfrac{1}{4}$인
직선의 방정식은 $y-1=-\dfrac{1}{4}(x-1)$

$\therefore y=-\dfrac{1}{4}x+\dfrac{5}{4}$ ...... ㉠

STEP B 반지름의 길이 구하기

중심이 y축 위에 있는 원의 방정식을 $x^2+(y-a)^2=r^2 (r>0)$이라 하면
직선 ㉠이 원의 중심 $(0, a)$를 지나야 하므로 $a=\dfrac{5}{4}$

이때 반지름의 길이 r은 두 점 $(1, 1)$, $\left(0, \dfrac{5}{4}\right)$ 사이의 거리와 같으므로

$r=\sqrt{(1-0)^2+\left(1-\dfrac{5}{4}\right)^2}=\dfrac{\sqrt{17}}{4}$

 내/신/연/계 출제문항 282

오른쪽 그림과 같이 중심의 좌표가 $(0, a)$
이고 반지름의 길이가 1인 원 C가 곡선
$y=x^2$과 서로 다른 두 점에서 접할 때,
a의 값은?

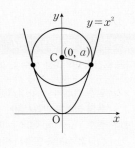

① $\dfrac{3}{2}$ ② $\dfrac{5}{4}$

③ $\dfrac{7}{4}$ ④ 2

⑤ $\dfrac{9}{4}$

STEP A 직선 CP와 접선은 서로 수직임을 이용하기

$f(x)=x^2$으로 놓으면 $f'(x)=2x$
오른쪽 그림과 같이 접점을 $P(t, t^2)$
이라 하면 점 P에서의 접선의 기울기는
$f'(t)=2t$
이때 원의 중심 C와 점 P를 지나는
직선의 기울기는 $\dfrac{t^2-a}{t-0}$ 이고
직선 CP와 접선은 서로 수직이므로

$2t \times \dfrac{t^2-a}{t}=-1, 2(t^2-a)=-1$

$\therefore t^2=a-\dfrac{1}{2}$ ...... ㉠

STEP B 원 C의 반지름의 길이가 1임을 이용하여 a의 값 구하기

또, 원 C의 반지름의 길이가 1이므로 $\overline{CP}=\sqrt{(t-0)^2+(t^2-a)^2}=1$
$\therefore t^2+(t^2-a)^2=1$ ...... ㉡
㉠을 ㉡에 대입하면 $\left(a-\dfrac{1}{2}\right)+\left(a-\dfrac{1}{2}-a\right)^2=1$

따라서 $a=\dfrac{5}{4}$

 정답 ②

0660

STEP A 주어진 함수에 롤의 정리 적용하기

함수 $f(x)$는 구간 $[0, 2]$에서 연속이고 구간 $(0, 2)$에서 미분가능하며
$f(0)=f(2)$이므로 $f'(c)=0$인 c가 0과 2 사이에 적어도 하나 존재한다.

STEP B $f'(c)=0$을 만족하는 c의 값 구하기

$f'(x)=-2x+2$에서 $f'(c)=-2c+2$
따라서 $-2c+2=0$이므로 $c=1$

0661

STEP A 닫힌구간 $[-1, 1]$에서 롤의 정리가 성립하는 것의 진위판단하기

ㄱ. 함수 $f(x)=x^2-1$은 닫힌구간 $[-1, 1]$에서 연속이고
  열린구간 $(-1, 1)$에서 미분가능하며 $f(-1)=f(1)=0$이므로
  $f'(c)=0$인 c가 열린구간 $(-1, 1)$에 적어도 하나 존재한다.
  즉 롤의 정리가 성립한다. [참]
ㄴ. 함수 $f(x)=|x|$는 닫힌구간 $[-1, 1]$에서 연속이고
  $f(-1)=f(1)=1$이지만 $x=0$에서 미분가능하지 않으므로
  롤의 정리가 성립하지 않는다. [거짓]
ㄷ. 함수 $f(x)$는 닫힌구간 $[-1, 1]$에서 연속이고
  열린구간 $(-1, 1)$에서 미분가능하며 $f(-1)=f(1)=2$이므로
  $f'(c)=0$인 c가 열린구간 $(-1, 1)$에 적어도 하나 존재한다.
  즉 롤의 정리가 성립한다. [참]
따라서 롤의 정리가 성립하는 것은 ㄱ, ㄷ이다.

0662

STEP A 롤의 정리에서 $f(0)=f(a)$를 만족하는 a의 값 구하기

함수 $f(x)=x^3-6x^2+9x+1$은 닫힌구간 $[0, a]$에서 연속이고
열린구간 $(0, a)$에서 미분가능하다.
이때 롤의 정리를 만족시키려면 $f(0)=f(a)$이어야 하므로
$1=a^3-6a^2+9a+1, a(a-3)^2=0$
$\therefore a=3 (\because a>0)$

STEP B $f'(b)=0$을 만족하는 b의 값 구하기

$f'(x)=3x^2-12x+9$에서 $f'(b)=0$이므로
$3b^2-12b+9=0, 3(b-1)(b-3)=0$
$\therefore b=1 (\because 0<b<3)$
따라서 $a+b=3+1=4$

함수 $f(x)=\frac{1}{3}x^3+x^2-3x-1$에 대하여 닫힌구간 $[-a, a]$에서 롤의 정리를 만족시키는 상수 c의 값이 존재할 때, $a+c$의 값은? (단, $a>0$)

① 2   ② 3   ③ 4
④ 5   ⑤ 6

STEP Ⓐ **롤의 정리에서 $f(-a)=f(a)$를 만족하는 a의 값 구하기**

함수 $f(x)=\frac{1}{3}x^3+x^2-3x-1$은 닫힌구간 $[-a, a]$에서 연속이고
열린구간 $(-a, a)$에서 미분가능하다.
이때 롤의 정리를 만족시키려면 $f(-a)=f(a)$이어야 하므로

$-\frac{1}{3}a^3+a^2+3a-1=\frac{1}{3}a^3+a^2-3a-1$

$a^3-9a=0$, $a(a+3)(a-3)=0$

$\therefore a=3 (\because a>0)$

STEP Ⓑ **$f'(c)=0$을 만족하는 c의 값 구하기**

$f'(x)=x^2+2x-3$에서 $f'(c)=0$이므로
$c^2+2c-3=0$, $(c+3)(c-1)=0$
$\therefore c=1 (\because -3<c<3)$
따라서 $a+c=3+1=4$ 정답 ③

0663

정답 ④

STEP Ⓐ **그래프에서 접선을 그려 롤의 정리, 평균값 정리를 만족하는 실수 x의 개수 구하기**

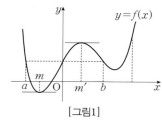
[그림1]

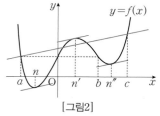
[그림2]

[그림1]에서 롤의 정리를 만족하는 실수 x는 2개,
[그림2]에서 열린구간 (a, c)에서 평균값 정리를 만족하는 실수 x는 3개이므로
$p+q=5$

0664

정답 ②

STEP Ⓐ **주어진 함수에 평균값의 정리 적용하기**

함수 $f(x)$는 구간 $[-1, 2]$에서 연속이고 구간 $(-1, 2)$에서 미분가능하다.
$\frac{f(2)-f(-1)}{2-(-1)}=f'(c)$인 c가 구간 $(-1, 2)$에 적어도 하나 존재한다.

STEP Ⓑ **$f'(c)=-2$를 만족하는 c의 값 구하기**

$\frac{f(2)-f(-1)}{2-(-1)}=-2$이고 $f'(x)=4x-4$이므로 $4c-4=-2$
따라서 $c=\frac{1}{2}$

0665

정답 ⑤

STEP Ⓐ **롤의 정리를 만족시키는 상수 a의 값 구하기**

함수 $f(x)=x^2-4x+3$은 닫힌구간
$[1, 3]$에서 연속이고 열린구간 $(1, 3)$
에서 미분가능하며 $f(1)=f(3)=0$이다.
그러므로 롤의 정리에 의하여
$f'(a)=0$인 a가 열린구간 $(1, 3)$에
존재한다.

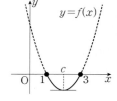

이때 $f'(x)=2x-4$이므로
$f'(a)=2a-4=0$ $\therefore a=2$

STEP Ⓑ **평균값의 정리를 만족시키는 상수 b의 값 구하기**

함수 $f(x)=-x^2+4x$는 닫힌구간
$[0, 3]$에서 연속이고 열린구간 $(0, 3)$
에서 미분가능하므로 평균값 정리에
의하여 $\frac{f(3)-f(0)}{3-0}=f'(b)$인 b가
열린구간 $(0, 3)$에서 적어도 하나
존재한다.

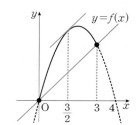

이때 $f'(x)=-2x+4$이므로

$\frac{3-0}{3-0}=-2b+4$ $\therefore b=\frac{3}{2}$

따라서 $a=2$, $b=\frac{3}{2}$이므로 $ab=3$

다음 조건을 만족하는 상수 a, b에 대하여 $a+b$의 값은?

> (가) 함수 $f(x)=-x^2+4x$에 대하여 닫힌구간 $[0, 4]$에서 롤의 정리를 만족시키는 상수 a의 값을 구한다.
> (나) 함수 $f(x)=x^2-3x-4$에 대하여 닫힌구간 $[0, 2]$에서 평균값 정리를 만족시키는 실수 b의 값을 구한다.

① 2   ② 3   ③ 4
④ 5   ⑤ 6

STEP Ⓐ **롤의 정리를 만족시키는 상수 a의 값 구하기**

함수 $f(x)=-x^2+4x$는 닫힌구간 $[0, 4]$에서 연속이고
열린구간 $(0, 4)$에서 미분가능하다.
또, $f(0)=f(4)=0$이므로 롤의 정리에 의하여
$f'(a)=0$을 만족시키는 a가 열린구간 $(0, 4)$에 적어도 하나 존재한다.
이때 a의 값은 $f'(a)=-2a+4=0$에서 $a=2$

STEP Ⓑ **평균값의 정리를 만족시키는 상수 b의 값 구하기**

함수 $f(x)=x^2-3x-4$에 대하여 닫힌구간 $[0, 2]$에서 연속이고
열린구간 $(0, 2)$에서 미분가능 하므로 평균값 정리에 의하여
$\frac{f(2)-f(0)}{2-0}=f'(b)$인 b가 열린구간 $(0, 2)$에서 적어도 하나 존재한다.
$f(2)=-6$, $f(0)=-4$, $f'(b)=2b-3$이므로 $-1=2b-3$
$\therefore b=1$
따라서 $a+b=2+1=3$ 정답 ②

0666

STEP A 롤의 정리와 평균값 정리를 이용하여 진위판단하기

ㄱ. 함수 $f(x)$는 닫힌구간 $[0, 2]$에서 연속이고
열린구간 $(0, 2)$에서 미분가능하고 $f(0)=f(2)=7$이다.
롤의 정리에 의하여 $f'(c)=0$인 c가 열린구간 $(0, 2)$에서
적어도 하나 존재한다.
$f'(x)=2x-2$에서 $f'(c)=2c-2=0$이므로 $c=1$ [참]

ㄴ. 함수 $f(x)$는 닫힌구간 $[-2, 3]$에서 연속이고
열린구간 $(-2, 3)$에서 미분가능하므로 평균값 정리에 의하여
$\dfrac{f(3)-f(-2)}{3-(-2)}=f'(c)$인 c가 열린구간 $(-2, 3)$에서 적어도 하나 존재한다.
그런데 $f(-2)=14$, $f(3)=-1$, $f'(c)=2c-4$이므로
$\dfrac{-1-14}{3-(-2)}=2c-4$, $-3=2c-4$
$\therefore c=\dfrac{1}{2}$ [참]

ㄷ. $g(x)=f(x)-\dfrac{1}{2}x$는 다항함수이므로 닫힌구간 $[1, 3]$에서 연속이고
열린구간 $(1, 3)$에서 미분가능하다.
$g(1)=f(1)-\dfrac{1}{2}=\dfrac{1}{2}$, $g(3)=f(3)-\dfrac{3}{2}=\dfrac{1}{2}$에서 $g(1)=g(3)$이므로
롤의 정리에 의하여 $g'(c)=0$인 c가 열린구간 $(1, 3)$에서 적어도 하나 존재
한다. [참]
따라서 옳은 것은 ㄱ, ㄴ, ㄷ이다.

0667

STEP A 롤의 정리를 이용하여 a의 값 구하기

함수 $f(x)$는 닫힌구간 $[0, a]$에서 연속이고
열린구간 $(0, a)$에서 미분가능하고 $f(0)=f(a)=0$이므로 롤의 정리에 의하여
$f'(c)=0$인 c가 열린구간 $(0, a)$에서 적어도 하나 존재한다.
조건 (가)에서 $f'\left(\dfrac{1}{3}\right)=0$이므로
$f'(x)=2x(x-a)+x^2$에서 $f'\left(\dfrac{1}{3}\right)=\dfrac{2}{3}\left(\dfrac{1}{3}-a\right)+\dfrac{1}{9}=0$이므로 $a=\dfrac{1}{2}$

STEP B 평균값 정리를 이용하여 b의 값 구하기

함수 $f(x)$는 닫힌구간 $[-1, b]$에서 연속이고 열린구간 $(-1, b)$에서
미분가능하므로 평균값 정리에 의하여 $\dfrac{f(b)-f(-1)}{b-(-1)}=f'(c)$인 $c=\dfrac{1}{2}$가
열린구간 $(-1, b)$에서 적어도 하나 존재한다.
조건 (나)에서 $f(x)=x^2-3$이므로 $f'(x)=2x$
$f(b)=b^2-3$, $f(-1)=1-3=-2$, $f'\left(\dfrac{1}{2}\right)=2\cdot\dfrac{1}{2}=1$
$\dfrac{b^2-3-(-2)}{b+1}=1$에서 $b^2-1=b+1$
$b^2-b-2=0$, $(b-2)(b+1)=0$
$\therefore b=2(\because b>-1)$

STEP C ab의 값 구하기

따라서 $a=\dfrac{1}{2}$, $b=2$이므로 $ab=1$

함수 $f(x)=x^2-3x-4$에 대하여 닫힌구간 $[-1, a]$에서 평균값 정리를
만족시키는 상수 c의 값이 $\dfrac{1}{2}$일 때, 상수 a의 값은? (단, $a>-1$)

① 0 ② 1 ③ 2
④ 3 ⑤ 4

STEP A 평균값 정리를 이용하여 식 적성하기

함수 $f(x)=x^2-3x-4$에 대하여 닫힌구간 $[-1, a]$에서 평균값 정리를
만족시키는 상수 c의 값이 $\dfrac{1}{2}$이므로 $\dfrac{f(a)-f(-1)}{a-(-1)}=f'\left(\dfrac{1}{2}\right)$인
상수 $\dfrac{1}{2}$이 열린구간 $(-1, a)$에 존재한다.
$f'(x)=2x-3$이므로 $f'\left(\dfrac{1}{2}\right)=-2$

STEP B a의 값 구하기

$\dfrac{a^2-3a-4}{a+1}=-2$이므로 $a^2-3a-4=-2a-2$
$a^2-a-2=0$, $(a+1)(a-2)=0$
따라서 $a=2(\because a>-1)$

0668

STEP A 주어진 구간에서 함수가 미분가능한지 확인하기

ㄱ. $f(x)=3$은 구간 $[-1, 2]$에서 연속이고
구간 $(-1, 2)$에서 미분가능하므로 $\dfrac{f(2)-f(-1)}{2-(-1)}=f'(c)$인
c가 -1과 2 사이에 적어도 하나 존재한다.

ㄴ. $f(x)=|x-1|$는 구간 $[-1, 2]$에서 연속이고
구간 $(-1, 2)$에서 $x=1$에서 미분가능하지 않으므로
평균값 정리를 만족시키는 c는 존재하지 않는다.

ㄷ. $f(x)=x^4-3x^3+x+\dfrac{1}{2}$은 구간 $[-1, 2]$에서 연속이고
구간 $(-1, 2)$에서 미분가능하므로 $\dfrac{f(2)-f(-1)}{2-(-1)}=f'(c)$인
c가 -1과 2 사이에 적어도 하나 존재한다.

ㄹ. $f(x)=\begin{cases}3(x-1)^3 & (x\geq 1) \\ -2x+2 & (x<1)\end{cases}$는 구간 $[-1, 2]$에서 연속이고
구간 $(-1, 2)$에서 $x=1$에서 미분가능하지 않으므로
평균값 정리를 만족시키는 c는 존재하지 않는다.
따라서 평균값 정리를 만족시키는 실수 c가 존재하는 함수는 ㄱ, ㄷ이다.

구간 $[-1, 1]$에서 평균값 정리를 만족시키는 실수 c가 존재하는 함수인 것
만을 [보기]에서 있는 대로 고른 것은?

> ㄱ. $f(x)=2x-1$
> ㄴ. $f(x)=|x|$
> ㄷ. $f(x)=2x^4+4x^2-3x-8$
> ㄹ. $f(x)=\begin{cases}x^3 & (x<0) \\ x^2 & (x\geq 0)\end{cases}$

① ㄱ ② ㄱ, ㄴ ③ ㄱ, ㄷ
④ ㄱ, ㄷ, ㄹ ⑤ ㄴ, ㄷ, ㄹ

ㄱ. $f(x)=2x-1$은 구간 $[-1, 1]$에서 연속이고

구간 $(-1, 1)$에서 미분가능하므로 $\dfrac{f(1)-f(-1)}{1-(-1)}=f'(c)$인

c가 -1과 1 사이에 적어도 하나 존재한다.

ㄴ. $f(x)=|x|$는 구간 $[-1, 1]$에서 연속이고

구간 $(-1, 1)$에서 $x=0$에서 미분가능하지 않으므로

평균값 정리를 만족시키는 c는 존재하지 않는다.

ㄷ. $f(x)=2x^4+4x^2-3x-8$은 구간 $[-1, 1]$에서 연속이고

구간 $(-1, 1)$에서 미분가능하므로 $\dfrac{f(1)-f(-1)}{1-(-1)}=f'(c)$인

c가 -1과 1 사이에 적어도 하나 존재한다.

ㄹ. $f(x)=\begin{cases} x^3 & (x<0) \\ x^2 & (x\geq 0) \end{cases}$는 구간 $[-1, 1]$에서 연속이고

구간 $(-1, 1)$에서 미분가능하므로 $\dfrac{f(1)-f(-1)}{1-(-1)}=f'(c)$인

c가 -1과 1 사이에 적어도 하나 존재한다.

따라서 평균값 정리를 만족시키는 실수 c가 존재하는 함수는 ㄱ, ㄷ, ㄹ이다.

정답 ④

0669
정답 ⑤

STEP Ⓐ 각 함수의 그래프를 그려 미분가능성, 연속성을 조사하기

$f(1)-f(-1)=2f'(c)$에서 $\dfrac{f(1)-f(-1)}{1-(-1)}=f'(c)$ ······ ㉠

②, ③ 함수 $y=f(x)$는 $x=0$에서 미분가능하지 않으므로

㉠을 만족시키는 c가 열린구간 $(-1, 1)$에 존재하지 않는다.

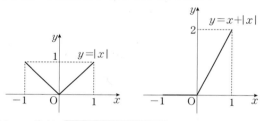

①, ④ 함수 $y=f(x)$는 $x=0$에서 불연속이므로

㉠을 만족시키는 c가 열린구간 $(-1, 1)$에 존재하지 않는다.

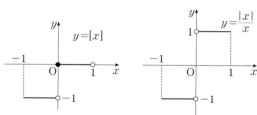

⑤ 함수 $f(x)=x|x|=\begin{cases} x^2 & (x\geq 0) \\ -x^2 & (x<0) \end{cases}$은 구간 $[-1, 1]$에서 연속이고

열린구간 $(-1, 1)$에서 미분가능하므로 평균값 정의에 의하여

㉠을 만족하는 c가 열린구간 $(-1, 1)$에서 적어도 하나 존재한다.

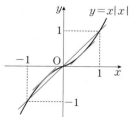

0670
정답 ④

STEP Ⓐ 주어진 함수에 평균값의 정리 적용하기

평균값 정리에 의하여 $\dfrac{f(b)-f(a)}{b-a}=f'(c)\,(a<c<b$ 또는 $b<c<a)$인

c가 존재한다.

STEP Ⓑ $f'(c)$의 그래프를 그려 k의 범위 구하기

$0\leq a<c<b\leq 3$ 또는 $0\leq b<c<a\leq 3$이므로 $0<c<3$

$f'(x)=x^2-2x$에서 $f'(c)=(c-1)^2-1$

$k=f'(c)$라고 하면 그래프는 다음 그림과 같다.

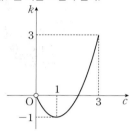

따라서 $0<c<3$이므로 $-1\leq k<3$이다.

이때 $\dfrac{f(b)-f(a)}{b-a}=-1$을 만족시키는 a, b의 값은 존재하지 않으므로

$-1<k<3$

0671
정답 ②

STEP Ⓐ 주어진 함수에 평균값의 정리 적용하기

모든 실수 x에 대하여 함수 $f(x)$는 미분가능하므로 함수 $f(x)$는 닫힌구간 $[0, 1]$에서 연속이고 열린구간 $(0, 1)$에서 미분가능하다.

평균값의 정리에 의하여 $\dfrac{f(1)-f(0)}{1-0}=f'(c)\,(0<c<1)$을 만족시키는 c가 적어도 하나 존재한다.

STEP Ⓑ $|f'(c)|\leq 2$임을 이용하여 $f(1)$의 범위 구하기

그런데 조건 (가)에서 $|f'(c)|\leq 2$이므로 $\left|\dfrac{f(1)-f(0)}{1-0}\right|\leq 2$

$|f(1)-3|\leq 2$ ($\because$ 조건 (나))

$-2\leq f(1)-3\leq 2$, $1\leq f(1)\leq 5$

따라서 $f(1)$의 최댓값과 최솟값은 각각 5, 1이므로 구하는 합은 $5+1=6$

참고
$f(x)=2x+3$이면 함수 $f(x)$는 주어진 조건을 만족시키고 $f(1)=5$
또한, $f(x)=-2x+3$이면 함수 $f(x)$는 주어진 조건을 만족시키고 $f(1)=1$

내/신/연/계/ 출제문항 287

미분가능한 함수 $f(x)$가 다음 조건을 만족시킬 때, $f(2)$의 최댓값과 최솟값의 합은?

(가) 모든 실수 x에 대하여 $|f'(x)|\leq 1$이다.
(나) $f(1)=2$

① 3   ② 4   ③ 5
④ 6   ⑤ 7

STEP Ⓐ 주어진 함수에 평균값의 정리 적용하기

모든 실수 x에 대하여 함수 $f(x)$는 미분가능하므로
함수 $f(x)$는 닫힌구간 $[1, 2]$에서 연속이고
열린구간 $(1, 2)$에서 미분가능하므로 평균값의 정리에 의하여

$\dfrac{f(2)-f(1)}{2-1}=f(2)-f(1)=f'(c)\,(1<c<2)$인 c가 열린구간 $(1, 2)$에 적어도 하나 존재한다.

STEP **B** $|f'(c)| \le 1$임을 이용하여 $f(1)$의 범위 구하기

그런데 조건 (가)에서 $|f'(c)| \le 1$이므로 $|f(2)-f(1)| \le 1$

조건 (나)에서 $f(1)=2$이므로 $|f(2)-2| \le 1$

$-1 \le f(2)-2 \le 1$ $\therefore 1 \le f(2) \le 3$

따라서 $f(2)$의 최댓값은 3이고 최솟값은 1이므로 최댓값과 최솟값의 합은

$3+1=4$

정답 ②

0672

정답 ⑤

STEP **A** 평균값 정리의 성립조건 구하기

함수 $f(x)$가 실수 전체의 집합에서 미분가능하므로 $f(x)$는 닫힌구간 $[x-1,\ x+2]$에서 연속이고 열린구간 $(x-1,\ x+2)$에서 미분가능하다.

그러므로 평균값 정리에 의하여 $\dfrac{f(x+2)-f(x-1)}{(x+2)-(x-1)}=f'(c)$인 c가 구간 $(x-1,\ x+2)$에 적어도 하나 존재한다.

STEP **B** 도함수를 구하여 평균값 정리를 만족하는 극한값 구하기

즉 $f(x+2)-f(x-1)=3f'(c)$

이때 $x \to \infty$이면 $c \to \infty$이므로

$\displaystyle\lim_{x \to \infty}\{f(x+2)-f(x-1)\}=\lim_{c \to \infty}3f'(c)=3 \cdot 2=6$

내/신/연/계 출제문항 **288**

모든 실수 x에 대하여 미분가능한 함수 $f(x)$가 $\displaystyle\lim_{x \to \infty}f'(x)=\dfrac{2}{3}$를 만족한다고 한다. 이때 $\displaystyle\lim_{x \to \infty}\{f(x+4)-f(x-2)\}$의 값은?

① 4   ② 5   ③ 6
④ 7   ⑤ 8

STEP **A** 주어진 함수에 평균값의 정리 적용하기

함수 $f(x)$는 임의의 실수 x에 대하여 구간 $[x-2,\ x+4]$에서 연속이고 구간 $(x-2,\ x+4)$에서 미분가능하므로 평균값 정리에 의하여

$\dfrac{f(x+4)-f(x-2)}{(x+4)-(x-2)}=f'(c)$인 c가 $x-2$와 $x+4$ 사이에 존재한다.

STEP **B** 주어진 식을 변형하여 극한값 구하기

즉 $f(x+4)-f(x-2)=6f'(c)$이고 $x \to \infty$이면 $c \to \infty$이므로

$\displaystyle\lim_{x \to \infty}\{f(x+4)-f(x-2)\}=\lim_{c \to \infty}6f'(c)=6 \cdot \dfrac{2}{3}=4$

정답 ①

0673

정답 ⑤

STEP **A** 함수식에 각 값을 대입하여 정리하기

함수 $f(x)=x^2$에서 $f'(x)=2x$

$\dfrac{f(a+h)-f(a)}{h}=\dfrac{(a+h)^2-a^2}{h}=2a+h$이고 $f'(a+\theta h)=2a+2\theta h$

STEP **B** 좌변과 우변에 대입하여 θ의 값 구하기

$\dfrac{f(a+h)-f(a)}{h}=f'(a+\theta h)$에 대입하면 $2a+h=2a+2\theta h$

따라서 $\theta=\dfrac{1}{2}(\because h>0)$

0674

정답 ⑤

STEP **A** 도함수를 구하고 함수식에 각 값을 대입하여 θ의 값 구하기

함수 $f(x)=x^3+1$에서 $f'(x)=3x^2$

$f(x+h)-f(x)=hf'(x+\theta h)$에서 $(x+h)^3+1-(x^3+1)=3h(x+\theta h)^2$

$3hx^2+3h^2x+h^3=3h(x+\theta h)^2$

양변을 $3h$로 나누면 $x^2+hx+\dfrac{h^2}{3}=(x+\theta h)^2$

$\therefore \theta=\dfrac{1}{h}\left(\sqrt{x^2+xh+\dfrac{h^2}{3}}-x\right)$

STEP **B** 분자를 유리화하여 $\displaystyle\lim_{h \to 0}\theta$의 값 구하기

따라서 $\displaystyle\lim_{h \to 0}\theta=\lim_{h \to 0}\dfrac{1}{h}\left(\sqrt{x^2+xh+\dfrac{h^2}{3}}-x\right)$

$=\displaystyle\lim_{h \to 0}\dfrac{xh+\dfrac{h^2}{3}}{h\left(\sqrt{x^2+xh+\dfrac{h^2}{3}}+x\right)}$

$=\displaystyle\lim_{h \to 0}\dfrac{x+\dfrac{h}{3}}{\sqrt{x^2+xh+\dfrac{h^2}{3}}+x}$

$=\dfrac{x}{x+x}=\dfrac{1}{2}$

내/신/연/계 출제문항 **289**

함수 $f(x)=x^3$에 대하여 상수 $\theta(0<\theta<1)$가

$$f(a+h)-f(a)=hf'(a+\theta h)$$

를 만족시킬 때, $\displaystyle\lim_{h \to 0}\theta$ 값은? (단, $a>0$)

 ① $\dfrac{\sqrt{2}}{2}$ ② $\dfrac{1}{2}$ ③ $\dfrac{1}{4}$

 ④ $\dfrac{1}{3}$ ⑤ $\dfrac{\sqrt{3}}{2}$

STEP **A** 도함수를 구하여 함수식에 각 값을 대입하여 θ의 값 구하기

함수 $f(x)=x^3$에서 $f'(x)=3x^2$

$f(a+h)-f(a)=hf'(a+\theta h)$에서 $(a+h)^3-a^3=3h(a+\theta h)^2$

$3ha^2+3h^2a+h^3=3h(a+\theta h)^2$

양변을 $3h$로 나누면 $a^2+ha+\dfrac{h^2}{3}=(a+\theta h)^2$

$\therefore \theta=\dfrac{1}{h}\left(\sqrt{a^2+ah+\dfrac{h^2}{3}}-a\right)$

STEP **B** 분자를 유리화하여 $\displaystyle\lim_{h \to 0}\theta$의 값 구하기

따라서 $\displaystyle\lim_{h \to 0}\theta=\lim_{h \to 0}\dfrac{1}{h}\left(\sqrt{a^2+ah+\dfrac{h^2}{3}}-a\right)$

$=\displaystyle\lim_{h \to 0}\dfrac{ah+\dfrac{h^2}{3}}{h\left(\sqrt{a^2+ah+\dfrac{h^2}{3}}+a\right)}$

$=\displaystyle\lim_{h \to 0}\dfrac{a+\dfrac{h}{3}}{\sqrt{a^2+ah+\dfrac{h^2}{3}}+a}$

$=\dfrac{a}{a+a}=\dfrac{1}{2}$

정답 ②

0675

STEP Ⓐ 평균값 정리를 이용하여 진위판단하기

ㄱ. 함수 $f(x)$가 닫힌구간 $[1, 4]$에서 연속이고
열린구간 $(1, 4)$에서 미분가능하므로 평균값 정리에 의하여
$f'(c) = \dfrac{f(4)-f(1)}{4-1} = \dfrac{7-1}{3} = 2$인 c가 열린구간 $(1, 4)$에 적어도 하나
존재한다. [참]

ㄴ. $a < x < b$인 x에 대하여 함수 $f(x)$는 닫힌구간 $[a, x]$에서 연속이고
열린구간 (a, x)에서 미분가능하므로 평균값 정리에 의하여
$\dfrac{f(x)-f(a)}{x-a} = f'(c)$인 c가 구간 (a, x)에 적어도 하나 존재한다.
그런데 $f'(c) = 0$이므로 $f(x)-f(a) = 0$, 즉 $f(x) = f(a)$
즉 $f(x)$는 구간 $[a, b]$에서 상수함수이다. [참]

ㄷ. $h(x) = f(x)-g(x)$라 하면 $h(x)$는 닫힌구간 $[a, b]$에서 연속이고
열린구간 (a, b)에서 미분가능하며 구간 (a, b)에 속하는 모든 x에 대하여
$h'(x) = f'(x)-g'(x) = 0$
즉 $h(x)$는 구간 $[a, b]$에서 상수함수이므로
$h(x) = f(x)-g(x) = k$ (k는 상수)
$\therefore f(x) = g(x)+k$ [거짓]
따라서 옳은 것은 ㄱ, ㄴ이다.

0676

STEP Ⓐ 평균값 정리를 이용하여 빈칸추론하기

$a < x \leq b$인 x에 대하여 함수 $f(x)$는 닫힌구간 $[a, x]$에서 $\boxed{\text{연속}}$ 이고
열린구간 (a, x)에서 $\boxed{\text{미분가능}}$ 하므로 $\boxed{\text{평균값 정리}}$ 에 의하여
$\dfrac{f(x)-f(a)}{x-a} = f'(c)$인 c가 구간 (a, x)에 적어도 하나 존재한다.
그런데 $f'(c) = \boxed{0}$ 이므로 $\dfrac{f(x)-f(a)}{x-a} = 0$
$f(x)-f(a) = 0$이므로 $f(x) = \boxed{f(a)}$
따라서 $f(x)$는 구간 $[a, b]$에서 상수함수이다.

0677

| 1단계 | 점 A에서의 접선의 방정식을 구한다. | ◀ 40% |

$f(x) = x^3-5x+1$로 놓으면 $f'(x) = 3x^2-5$
$x=1$에서 접선의 기울기는 $f'(1) = 3-5 = -2$
즉 점 A$(1, -3)$에서의 접선의 방정식은
$y-(-3) = -2(x-1)$, $y = -2x-1$

| 2단계 | 점 B의 좌표를 구한다. | ◀ 40% |

한편 점 B가 곡선 $y = x^3-5x+1$과 직선 $y = -2x-1$의 교점이므로
$x^3-5x+1 = -2x-1$에서 $x^3-3x+2 = 0$, $(x-1)^2(x+2) = 0$
그런데 $x \neq 1$이므로 $x = -2$
이때 $f(-2) = -8+10+1 = 3$, 즉 점 B의 좌표는 $(-2, 3)$

| 3단계 | $\overline{AB}$의 길이를 구한다. | ◀ 20% |

따라서 구하는 $\overline{AB}$의 길이는 $\overline{AB} = \sqrt{(-2-1)^2+\{3-(-3)\}^2} = \sqrt{45} = 3\sqrt{5}$

0678

| 1단계 | 삼차항의 계수가 1인 삼차함수 $f(x)$를 구한다. | ◀ 40% |

삼차항의 계수가 1인 삼차함수 $f(x)$가 $f(-1) = f(0) = f(1) = 1$을 만족하므로
$f(-1)-1 = 0$, $f(0)-1 = 0$, $f(1)-1 = 0$
$\therefore f(x)-1 = x(x+1)(x-1)$
$\therefore f(x) = x^3-x+1$

| 2단계 | 곡선 $y = f(x)$ 위의 점 $(1, f(1))$에서의 접선의 기울기를 구한다. | ◀ 30% |

이때 $f'(x) = 3x^2-1$이므로 $x=1$인 점에서의 접선의 기울기는 $f'(1) = 2$

| 3단계 | 접선의 방정식을 구한다. | ◀ 30% |

점 $(1, f(1))$, 즉 점 $(1, 1)$에서의 접선의 방정식은 $y-1 = 2(x-1)$
따라서 $y = 2x-1$

0679

| 1단계 | 직선 $x+2y-2 = 0$에 수직인 접선의 접점의 좌표를 구한다. | ◀ 40% |

$f(x) = x^3-x+3$이라 하면 $f'(x) = 3x^2-1$
접점의 좌표를 (t, t^3-t+3)이라 하면 직선 $x+2y-2 = 0$의 기울기가
$-\dfrac{1}{2}$이므로 이 직선과 수직인 접선의 기울기가 2이다.
즉 $f'(t) = 3t^2-1 = 2$
$3t^2-3 = 0$, $(t-1)(t+1) = 0$
$\therefore t = -1$ 또는 $t = 1$
즉 접점의 좌표는 $(-1, 3)$ 또는 $(1, 3)$이다.

| 2단계 | 두 접선의 방정식을 구한다. | ◀ 30% |

점 $(-1, 3)$ 또는 점 $(1, 3)$에서 접선의 방정식은
$y-3 = 2(x+1)$에서 $2x-y+5 = 0$
$y-3 = 2(x-1)$에서 $2x-y+1 = 0$

| 3단계 | 두 접선 사이의 거리를 구한다. | ◀ 30% |

두 직선 사이의 거리는 직선 $2x-y+5 = 0$ 위의 한 점 $(0, 5)$와
직선 $2x-y+1 = 0$ 사이의 거리와 같으므로 구하는 거리는
$\dfrac{|0-5+1|}{\sqrt{2^2+(-1)^2}} = \dfrac{4}{\sqrt{5}} = \dfrac{4\sqrt{5}}{5}$

0680

정답 해설참조

1단계 도함수 $f'(x)$를 구한다. ◀ 10%

$f(x)=x^3+5$에서 $f'(x)=3x^2$

2단계 닫힌구간 $[-1, 2a]$에서 함수 $f(x)$에 대한 평균값 정리를 이용하여 관계식을 구한다. ◀ 50%

함수 $f(x)$는 닫힌구간 $[-1, 2a]$에서 연속이고

열린구간 $(-1, 2a)$에서 미분가능하므로 평균값 정리에 의하여

$\dfrac{f(2a)-f(-1)}{2a-(-1)}=f'(a)$인 a가 열린구간 $(-1, 2a)$에 적어도 하나 존재한다.

3단계 2단계의 관계식으로 부터 상수 a의 값을 구한다. ◀ 40%

$f(2a)=8a^3+5$, $f(-1)=4$, $f'(a)=3a^2$이므로

$\dfrac{8a^3+5-4}{2a+1}=3a^2$, $8a^3+1=6a^3+3a^2$

$2a^3-3a^2+1=0$, $(a-1)(2a^2-a-1)=0$, $(a-1)^2(2a+1)=0$

따라서 $a=1$ $(\because -1<2a)$

0681

정답 해설참조

1단계 점 $(1, 2)$에서의 접선의 기울기를 구한다. ◀ 30%

$f(x)=2x^3-x^2+1$이라 하면 $f'(x)=6x^2-2x$

점 $(1, 2)$에서의 접선의 기울기는 $f'(1)=6-2=4$

2단계 접선과 수직이고 점 $(1, 2)$를 지나는 직선의 방정식을 구한다. ◀ 40%

따라서 이 접선에 수직인 직선의 기울기는 $-\dfrac{1}{4}$이므로 기울기가 $-\dfrac{1}{4}$이고

점 $(1, 2)$를 지나는 직선의 방정식은 $y-2=-\dfrac{1}{4}(x-1)$, 즉 $y=-\dfrac{1}{4}x+\dfrac{9}{4}$

3단계 삼각형 OAB의 넓이를 구한다. ◀ 30%

따라서 $A(9, 0)$, $B\left(0, \dfrac{9}{4}\right)$이므로 삼각형 OAB의 넓이는 $\dfrac{1}{2}\times 9\times\dfrac{9}{4}=\dfrac{81}{8}$

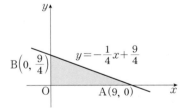

0682

정답 해설참조

1단계 점 Q의 좌표를 구한다. ◀ 20%

$f(x)=x^2-1$로 놓으면 $f'(x)=2x$

점 $P(t, t^2-1)$에서의 접선의 기울기가 $2t$이므로 접선의 방정식은

$y-(t^2-1)=2t(x-t)$

$\therefore y=2tx-t^2-1$ ...... ㉠

이때 점 Q의 y좌표는 직선 ㉠의 y절편이므로 점 Q의 좌표는 $(0, -t^2-1)$

2단계 점 R의 좌표를 구한다. ◀ 30%

점 P를 지나고 점 P에서의 접선에
수직인 직선의 방정식은

$y-(t^2-1)=-\dfrac{1}{2t}(x-t)$

$\therefore y=-\dfrac{1}{2t}x+t^2-\dfrac{1}{2}$ ...... ㉡

이때 점 R의 y좌표는 직선 ㉡의

y절편이므로 점 R의 좌표는 $\left(0, t^2-\dfrac{1}{2}\right)$

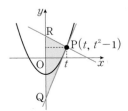

3단계 $\lim\limits_{t\to 1}\overline{QR}$의 값을 구한다. ◀ 20%

$\overline{QR}=\left|\left(t^2-\dfrac{1}{2}\right)-(-t^2-1)\right|=2t^2+\dfrac{1}{2}$

$\lim\limits_{t\to 1}\overline{QR}=\lim\limits_{t\to 1}\left(2t^2+\dfrac{1}{2}\right)=2+\dfrac{1}{2}=\dfrac{5}{2}$

4단계 $\lim\limits_{t\to 2}S(t)$의 값을 구한다. ◀ 30%

따라서 삼각형 PQR의 넓이를 $S(t)=\dfrac{1}{2}\times\overline{QR}\times t=\dfrac{1}{2}\left(2t^2+\dfrac{1}{2}\right)\times t$

$\lim\limits_{t\to 2}S(t)=\lim\limits_{t\to 2}\dfrac{1}{2}t\left(2t^2+\dfrac{1}{2}\right)=\dfrac{1}{2}\times 2\times\left(8+\dfrac{1}{2}\right)=\dfrac{17}{2}$

0683

정답 해설참조

1단계 곡선 $y=-x^2+4$ 위의 점 $(t, -t^2+4)$에서 접선의 방정식을 구한다. ◀ 30%

$f(x)=-x^2+4$라고 하면 $f'(x)=-2x$

접점의 좌표를 $(t, -t^2+4)$이므로 접선의 방정식은

$y-(-t^2+4)=-2t(x-t)$

$\therefore y=-2tx+t^2+4$

2단계 1단계의 접선이 점 $A(2, k)$를 지남을 이용하여 t에 대한 이차방정식을 구한다. ◀ 20%

이 접선이 점 $A(2, k)$를 지나므로 $k=(-2t)\times 2+t^2+4$

$\therefore t^2-4t+4-k=0$

3단계 k의 값의 범위에 따라 접선의 개수를 구한다. ◀ 50%

이 이차방정식의 서로 다른 실근 t의 개수가 구하는 접선의 개수이므로
이차방정식의 판별식을 D라고 하면

$\dfrac{D}{4}=(-2)^2-(4-k)=k$

따라서 구하는 접선의 개수는 $k>0$일 때 2, $k=0$일 때 1, $k<0$일 때 0이다.

0684

정답 해설참조

1단계 점 P의 좌표를 구한다. ◀ 40%

두 점 $A(0, 2)$, $B(2, 0)$을 지나는 직선의 기울기는

$\dfrac{0-2}{2-0}=-1$이고 직선의 방정식은 $y=-x+2$

$f(x)=-\dfrac{1}{2}x^2+2$로 놓으면 $f'(x)=-x$

접점의 좌표를 $\left(t, -\dfrac{1}{2}t^2+2\right)$이라 하면 접선의 기울기가 -1이므로

$f'(t)=-t=-1$

$\therefore t=1$

즉 접점의 좌표는 $P\left(1, \dfrac{3}{2}\right)$

2단계 점 P에서 직선 AB까지 거리를 구한다. ◀ 30%

이때 점 $P\left(1, \dfrac{3}{2}\right)$에서 직선 $x+y-2=0$까지 거리는

$h=\dfrac{\left|1+\dfrac{3}{2}-2\right|}{\sqrt{1^2+1^2}}=\dfrac{\sqrt{2}}{4}$

3단계 삼각형 PAB의 넓이를 구한다. ◀ 30%

선분 $AB=\sqrt{2^2+2^2}=2\sqrt{2}$

따라서 삼각형 PAB의 넓이를 S라 하면 $S=\dfrac{1}{2}\cdot\overline{AB}\cdot h=\dfrac{1}{2}\cdot 2\sqrt{2}\cdot\dfrac{\sqrt{2}}{4}=\dfrac{1}{2}$

0685

정답 해설참조

1단계 두 점 A, B를 지나는 직선에 평행하고 곡선 $y=x^2$에 접하는 직선의 방정식을 구한다. ◀ 30%

두 점 A$(2, -2)$, B$(4, 2)$를 지나는 직선의 기울기는 $\dfrac{2-(-2)}{4-2}=2$

$f(x)=x^2$로 놓으면 $f'(x)=2x$

접점의 x좌표를 $x=t$라 하면 $f'(t)=2$이므로 $2t=2$

$\therefore t=1$

즉 접점의 좌표가 $(1, 1)$이므로 접선의 방정식은 $y-1=2(x-1)$

$y=2x-1$

2단계 곡선 위의 한 점 P와 직선 AB 사이의 거리의 최솟값을 구한다. ◀ 40%

직선 AB와의 거리가 최소가 되는 곡선 $y=x^2$ 위의 점 P의 좌표는 $(1, 1)$

이때 두 점 A$(2, -2)$, B$(4, 2)$를 지나는 직선의 방정식은

$y-2=\dfrac{2-(-2)}{4-2}(x-4)$

$\therefore y=2x-6$

이므로 점 P$(1, 1)$에서 직선 AB, 즉 $y=2x-6$ 사이의 거리는

$\dfrac{|2-1-6|}{\sqrt{2^2+(-1)^2}}=\sqrt{5}$

3단계 삼각형 ABP의 넓이의 최솟값을 구한다. ◀ 30%

따라서 $\overline{AB}=\sqrt{(4-2)^2+(2-(-2))^2}=2\sqrt{5}$이므로

삼각형 ABP의 넓이의 최솟값은 $\dfrac{1}{2}\cdot 2\sqrt{5}\cdot\sqrt{5}=5$

0686

정답 해설참조

STEP A 주어진 함수에 평균값의 정리 적용하기

다항함수는 모든 실수 x에서 미분가능하므로 함수 $f(x)$는

닫힌구간 $[0, 2]$에서 연속이고 열린구간 $(0, 2)$에서 미분가능하므로
평균값 정리에 의하여

$\boxed{\dfrac{f(2)-f(0)}{2-0}}=f'(c)$인 c가 열린구간 $(0, 2)$에 적어도 하나 존재한다.

$f(0)=-3$이고 $f'(c)\leq 5$이므로

$\dfrac{f(2)-(-3)}{2}=f'(c)$에서 $f(2)=\boxed{2}\,f'(c)-3\leq 2\cdot 5-3=\boxed{7}$

따라서 $f(2)\leq 7$이므로 $f(2)$의 최댓값은 $\boxed{7}$이다.

즉 (가) $f(2)-f(0)$, (나) 2, (다) 7

내/신/연/계/ 출제문항 290

다항함수 $y=f(x)$의 그래프가 다음 조건을 모두 만족시킬 때, $f(2)$의 최댓값은?

> (가) 점 $(0, 1)$을 지난다.
> (나) x좌표가 0보다 크고 2보다 작은 곡선 위의 임의의 점에서의 접선의 기울기가 4 이하이다.

① 6 ② 7 ③ 8
④ 9 ⑤ 10

STEP A 주어진 함수에 평균값의 정리 적용하기

다항함수는 모든 실수 x에서 미분가능하므로 함수 $f(x)$는

닫힌구간 $[0, 2]$에서 연속이고 열린구간 $(0, 2)$에서 미분가능하므로

평균값 정리에 의하여 $\dfrac{f(2)-f(0)}{2-0}=f'(c)$ ······ ㉠

인 c가 열린구간 $(0, 2)$에 적어도 하나 존재한다.

STEP B $f(2)$의 최댓값 구하기

조건 (가)에서 $f(0)=1$ ······ ㉡

조건 (나)에서 $f'(c)\leq 4$이므로 ㉠, ㉡에 의하여

$\dfrac{f(2)-1}{2}\leq 4$, $f(2)-1\leq 8$

따라서 $f(2)\leq 9$이므로 $f(2)$의 최댓값은 9

정답 ④

0687

정답 해설참조

STEP A 두 점 A$(a, f(a))$, B$(b, f(b))$를 지나는 직선의 방정식을 구하여 $y=g(x)$ 라 할 때, 함수 $h(x)=f(x)-g(x)$로 두기

함수 $f(x)$가 닫힌구간 $[a, b]$에서 연속이고 열린구간 (a, b)에서 미분가능하다고 하자.

함수 $y=f(x)$의 그래프 위의 두 점 A$(a, f(a))$, B$(b, f(b))$를 지나는 직선의 방정식을 $y=g(x)$라고 하면

$g(x)=\boxed{\dfrac{f(b)-f(a)}{b-a}}(x-a)+f(a)$

이때 $h(x)=f(x)-g(x)$라 하면

$h(x)=f(x)-g(x)=f(x)-\left\{\boxed{\dfrac{f(b)-f(a)}{b-a}}(x-a)+f(a)\right\}$

STEP B 구간 $[a, b]$에서 함수 $h(x)$가 롤의 정리를 만족시킴을 보이기

함수 $h(x)$는 닫힌구간 $[a, b]$에서 연속이고

열린구간 (a, b)에서 미분가능하며 $\boxed{h(a)=h(b)=0}$ 이다.

따라서 롤의 정리에 의하여

$h'(c)=f'(c)-g'(c)=f'(c)-\boxed{\dfrac{f(b)-f(a)}{b-a}}=0$ ◀ $g'(c)=\dfrac{f(b)-f(a)}{b-a}$

인 c가 a와 b 사이에 적어도 하나 존재한다.

STEP C 함수 $f(x)$가 평균값 정리를 만족시킴을 보이기

즉 $f'(c)=\boxed{\dfrac{f(b)-f(a)}{b-a}}$를 만족하는 c가 a와 b 사이에서 적어도 하나 존재한다.

따라서 (가) $\dfrac{f(b)-f(a)}{b-a}$ (나) $h(a)=h(b)=0$

0688

정답 −12

STEP ⓐ **함수의 그래프에서 $f(1)$, $f'(1)$의 값 구하기**

주어진 그림에서 $f(1)=1$, $f'(1)=0$

STEP ⓑ **$g(1)$, $g'(1)$의 값 구하기**

$g(x)=(x^2+2x-2)f(x)$에서 $g(1)=f(1)=1$

$g'(x)=(2x+2)f(x)+(x^2+2x-2)f'(x)$

$g'(1)=4f(1)+f'(1)=4$

STEP ⓒ **한 점과 기울기를 이용하여 접선의 방정식 구하기**

점 $(1, 1)$에서의 접선의 방정식은 $y-1=4(x-1)$

$\therefore y=4x-3$

따라서 $a=4$, $b=-3$이므로 $ab=-12$

0689

정답 −2

STEP ⓐ **점 $A(\alpha, \beta)$에서의 접선의 방정식 구하기**

$f(x)=-x^2+2x+4$로 놓으면 $f'(x)=-2x+2$

점 $A(\alpha, \beta)$에서의 접선의 기울기는 $f'(\alpha)=-2\alpha+2$이므로

접선의 방정식은 $y-\beta=(-2\alpha+2)(x-\alpha)$

$\therefore y=-2(\alpha-1)(x-\alpha)+\beta$

이때 $\beta=-\alpha^2+2\alpha+4$이므로 $y=-2(\alpha-1)(x-\alpha)-\alpha^2+2\alpha+4$

$\therefore y=-2(\alpha-1)x+\alpha^2+4$

STEP ⓑ **접선의 방정식에서 점 P, Q의 좌표 구하기**

이 접선이 x축, y축과 만나는 점이 각각 P, Q이므로

$P\left(\dfrac{\alpha^2+4}{2(\alpha-1)}, 0\right)$, $Q(0, \alpha^2+4)$

STEP ⓒ **$\triangle OAQ=\triangle OAP$임을 이용하여 α, β의 값 구하기**

직선 OA가 $\triangle POQ$의 넓이를 이등분하므로 $\triangle OAQ=\triangle OAP$

즉 $(\alpha^2+4)\alpha=\dfrac{\alpha^2+4}{2(\alpha-1)}\beta$에서 $\alpha=\dfrac{\beta}{2(\alpha-1)}$, $2\alpha(\alpha-1)=\beta$

$2\alpha(\alpha-1)=-\alpha^2+2\alpha+4$

$3\alpha^2-4\alpha-4=0$, $(3\alpha+2)(\alpha-2)=0$

따라서 $\alpha=2 (\because \alpha>0)$, $\beta=4$이므로 $\alpha-\beta=-2$

> 참고
> $\overline{AQ}=\overline{AP}$임을 이용하면 점 A는 $\overline{PQ}$의 중점이다.
> $(\alpha, \beta)=\left(\dfrac{\alpha^2+4}{4(\alpha-1)}, \dfrac{\alpha^2+4}{2}\right)$
> 즉 $\alpha=\dfrac{\alpha^2+4}{4(\alpha-1)}$, $\beta=\dfrac{\alpha^2+4}{2}$이므로
> $\alpha=\dfrac{\alpha^2+4}{4(\alpha-1)}$에서 $3\alpha^2-4\alpha-4=0$, $(3\alpha+2)(\alpha-2)=0$
> $\alpha=2 (\because \alpha>0)$, $\beta=4$이므로 $\alpha-\beta=-2$

0690

정답 $\dfrac{10}{3}$

STEP ⓐ **접점의 좌표를 임의로 두고 접선의 방정식 구하기**

$f(x)=x^3-3x^2+2$로 놓으면 $f'(x)=3x^2-6x$

접점을 (t, t^3-3t^2+2)로 놓으면 접선의 방정식은

$y-(t^3-3t^2+2)=(3t^2-6t)(x-t)$

STEP ⓑ **$(a, 2)$를 접선에 대입하여 방정식 구하기**

이 직선이 점 $(a, 2)$를 지나므로 $2-(t^3-3t^2+2)=(3t^2-6t)(a-t)$

$t\{2t^2-3(a+1)t+6a\}=0$ 　　　…… ㉠

$\therefore t=0$ 또는 $2t^2-3(a+1)t+6a=0$

STEP ⓒ **이차방정식이 0을 근으로 갖거나 0이 아닌 중근을 갖도록 하는 모든 a의 값의 합 구하기**

접선이 두 개이려면 ㉠이 서로 다른 두 실근을 가져야 하므로

이차방정식 $2t^2-3(a+1)t+6a=0$의 두 근 중 하나가 0이거나 0이 아닌 중근을 가져야 한다.

(ⅰ) $t=0$을 근으로 가질 때, $6a=0$
　　 $\therefore a=0$

(ⅱ) 0이 아닌 중근을 가질 때, $D=9(a+1)^2-8\times 6a=0$에서
　　 $3a^2-10a+3=0$, $(3a-1)(a-3)=0$
　　 $\therefore a=\dfrac{1}{3}$ 또는 $a=3$

(ⅰ), (ⅱ)에서 모든 a의 값의 합은 $0+\dfrac{1}{3}+3=\dfrac{10}{3}$

0691

정답 20

STEP ⓐ **점 $(a, 0)$에서 곡선 $y=3x^3$에 그은 접선의 방정식 구하기**

$y=3x^3$에서 $y'=9x^2$

점 $(a, 0)$에서 곡선 $y=3x^3$에 그은 접선의 접점을 $P(p, 3p^3)$이라 하면

접선의 방정식은 $y-3p^3=9p^2(x-p)$

$\therefore y=9p^2x-6p^3$ 　　…… ㉠

STEP ⓑ **점 $(0, a)$에서 곡선 $y=3x^3$에 그은 접선의 방정식 구하기**

점 $(0, a)$에서 곡선 $y=3x^3$에 그은 접선의 접점을 $P(q, 3q^3)$이라 하면

접선의 방정식은 $y-3q^3=9q^2(x-q)$

$\therefore y=9q^2x-6q^3$ 　　…… ㉡

STEP ⓒ **점 $(a, 0)$에서 곡선에 그은 접선과 점 $(0, a)$에서 곡선에 그은 접선이 서로 평행함을 이용하기**

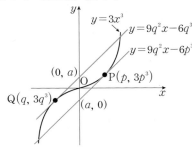

두 직선 ㉠, ㉡이 서로 평행하므로 $9p^2=9q^2$ $\therefore p=-q (\because p\neq q)$

이때 ㉠이 점 $(a, 0)$을 지나므로 $0=9p^2-6p^3$ $\therefore a=\dfrac{2}{3}p$

㉡이 점 $(0, a)$를 지나므로 $a=9q^2\cdot 0-6q^3$ $\therefore a=-6q^3$

즉 $a=\dfrac{2}{3}p=-6q^3$이므로 $p=-q$에서 $\dfrac{2}{3}p=6p^3$

$18p^3-2p=0$, $p(3p+1)(3p-1)=0$ $\therefore p=\dfrac{1}{3} (\because p>0)$

따라서 $a=\dfrac{2}{3}p=\dfrac{2}{9}$이므로 $90a=90\cdot\dfrac{2}{9}=20$

STEP A 접점을 $(t, 3t^3)$으로 놓고 접선의 방정식 구하기

$y=3x^3$에서 $y'=9x^2$

접점의 좌표를 $(t, 3t^3)$이라 하면 $y'=9t^2$이므로 접선의 방정식은

$y-3t^3=9t^2(x-t)$, $y=9t^2x-6t^3$ ...... ㉠

(i) ㉠이 점 $(a, 0)$을 지날 때,

$9t^2a-6t^3=0$, $3a-2t=0$ $\therefore t=\dfrac{3}{2}a$

접선의 방정식은 $y=\dfrac{81}{4}a^2x-\dfrac{81}{4}a^3$ ...... ㉡

(ii) ㉠이 점 $(0, a)$를 지날 때,

$a=-6t^3$ $\therefore t=\left(-\dfrac{a}{6}\right)^{\frac{1}{3}}$

접선의 방정식은 $y=9\left(-\dfrac{a}{6}\right)^{\frac{2}{3}}x+a$ ...... ㉢

STEP B 점 $(a, 0)$에서 곡선에 그은 접선과 점 $(0, a)$에서 곡선에 그은 접선이 서로 평행함을 이용하기

이때 ㉡, ㉢이 서로 평행하므로 $\dfrac{81}{4}a^2=9\left(-\dfrac{a}{6}\right)^{\frac{2}{3}}$, $\left(\dfrac{9}{4}a^2\right)^3=\left(-\dfrac{a}{6}\right)^2$

$\dfrac{9^3}{4^3}a^6=\dfrac{1}{6^2}a^2$, $a^4=\dfrac{2^4}{3^8}$ $\therefore a=\dfrac{2}{3^2}=\dfrac{2}{9}$

따라서 $90a=20$

0692

정답 $\dfrac{1}{2}$

STEP A 교점의 좌표 구하기

방정식 $f(x)=2x$, 즉

$\dfrac{1}{4}x^2(x^2-6x+12)=2x$에서

$x(x^3-6x^2+12x-8)=0$

$x(x-2)^3=0$

$x=0$ 또는 $x=2$

즉 점 A의 좌표는 $(2, 4)$이고 함수

$y=f(x)$의 그래프와 직선 $y=2x$를

좌표평면 위에 나타내면 오른쪽 그림과 같다.

STEP B OPA의 넓이가 최대일 때, a의 값 구하기

직선 $y=2x$와 점 P 사이의 거리가 최대일 때,

삼각형 OPA의 넓이가 최대이다.

이때 삼각형 OPA의 넓이가 최대일 때의 점 P는 $0<x<2$에서

곡선 $y=f(x)$의 기울기가 2인 접선의 접점이다.

$f'(x)=x^3-\dfrac{9}{2}x^2+6x$이므로 $f'(x)=2$에서 $2x^3-9x^2+12x-4=0$

$(2x-1)(x-2)^2=0$, $0<x<2$이므로 $x=\dfrac{1}{2}$

따라서 삼각형 OPA의 넓이는 $x=\dfrac{1}{2}$일 때, 최대이므로 $a=\dfrac{1}{2}$

0693

정답 ⑤

STEP A 조건을 만족하는 사차함수 $f(x)$ 구하기

사차함수 $f(x)=ax^4+bx^2+c$는 $f(x)=f(-x)$를 만족하므로

y축에 대하여 대칭인 함수이다.

이때 조건 (가)에서

방정식 $f(x)=0$의 서로 다른 실근의 개수가 3이므로 $f(0)=c=0$

즉 $f(x)=ax^4+bx^2$에서 $f'(x)=4ax^3+2bx$

또한, 조건 (나)에서 $f(1)=-\dfrac{3}{4}$, $f'(-1)=1$이므로

$f(1)=-\dfrac{3}{4}$에서 $f(1)=a+b=-\dfrac{3}{4}$ ...... ㉠

$f'(-1)=1$에서 $f'(-1)=-4a-2b=1$ ...... ㉡

㉠, ㉡을 연립하여 풀면 $a=\dfrac{1}{4}$, $b=-1$ $\therefore f(x)=\dfrac{1}{4}x^4-x^2$

STEP B [보기]의 참, 거짓을 판단하기

ㄱ. $f(0)=0$ [참]

ㄴ. $f(x)=\dfrac{1}{4}x^4-x^2=\dfrac{1}{4}x^2(x+2)(x-2)$

방정식 $f(x)=0$의 세 근은 $\alpha=-2$, $\beta=0$, $\gamma=2$

이때 $f'(x)=x^3-2x$이므로 $f'(\alpha)=f'(-2)=-4$ [참]

STEP C 곡선 밖의 점에서 접선의 방정식을 이용하여 직선의 기울기의 범위 구하기

ㄷ. 함수 $y=|f(x)|=\left|\dfrac{1}{4}x^4-x^2\right|$의 그래프는 다음 그림과 같다.

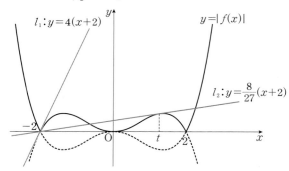

곡선 $y=-f(x)$ 위의 점 $(-2, 0)$에서의 접선 l_1의 기울기는

$-f'(-2)=-(-4)=4$

점 $(-2, 0)$에서 곡선 $y=-f(x)$에 그은 접선 중 하나를 l_2라 할 때,

접점을 $\left(t, -\dfrac{1}{4}t^4+t^2\right)(t\neq-2, 0)$이라 하자.

직선 l_2의 기울기는 $-f'(t)=-(t^3-2t)=-t^3+2t$

직선 l_2의 방정식은 $y=(-t^3+2t)(x-t)-\dfrac{1}{4}t^4+t^2$

직선 l_2가 점 $(-2, 0)$을 지나므로

$0=(-t^3+2t)(-2-t)-\dfrac{1}{4}t^4+t^2$

$t(3t-4)(t+2)^2=0$ $\therefore t=\dfrac{4}{3}$ ←$t\neq-2, 0$

$-f'\left(\dfrac{4}{3}\right)=-\left(\dfrac{4}{3}\right)^3+2\times\dfrac{4}{3}=\dfrac{8}{27}$

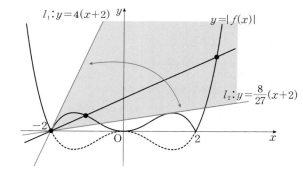

함수 $y=|f(x)|$의 그래프와 직선 $y=k(x+2)$의 교점의 개수는

(i) $0<k<\dfrac{8}{27}$일 때, 5개

(ii) $k=\dfrac{8}{27}$일 때, 4개

(iii) $\dfrac{8}{27}<k<4$일 때, 3개

(iv) $k\geq4$일 때, 2개

그러므로 방정식 $|f(x)|=k(x+2)$의 서로 다른 실근의 개수가 3이

되도록 하는 양수 k의 범위는 $\dfrac{8}{27}<k<4$ [참]

따라서 옳은 것은 ㄱ, ㄴ, ㄷ이다.

03 함수의 극대 극소와 그래프

0694

정답 (가) 평균값 (나) > (다) <

STEP A 평균값 정리를 이용하여 함수의 증가와 미분계수의 부호 사이의 관계에 대한 빈칸추론하기

함수 $f(x)$가 닫힌구간 $[a, b]$에서
연속이고 열린구간 (a, b)에서
미분가능할 때, 닫힌구간 $[a, b]$에
속하는 임의의 두 수를
x_1, $x_2(x_1 < x_2)$라고 하면
[평균값] 정리에 의하여
$$\frac{f(x_2)-f(x_1)}{x_2-x_1}=f'(c)$$
즉 $f(x_2)-f(x_1)=f'(c)(x_2-x_1)$ ...... ㉠
인 c가 x_1과 x_2 사이에 존재한다.
$f'(c)\boxed{>}0$이고 $x_2-x_1\boxed{>}0$이므로 ㉠에 의하여
$f(x_2)-f(x_1)\boxed{>}0$, 즉 $f(x_1)\boxed{<}f(x_2)$이다.
따라서 함수 $f(x)$는 이 구간에서 증가한다.

0695

정답 ④

STEP A $f'(x)\leq 0$을 만족하는 구간 구하기

$f(x)=x^3-3x^2-24x+2$에서
$f'(x)=3x^2-6x-24=3(x+2)(x-4)$
$f'(x)=0$에서 $x=-2$ 또는 $x=4$
함수 $f(x)$의 증가와 감소를 나타내면 다음 표와 같다.

x	$\cdots$	-2	$\cdots$	4	$\cdots$
$f'(x)$	+	0	−	0	+
$f(x)$	↗	극대	↘	극소	↗

따라서 함수 $f(x)$는 닫힌구간 $[-2, 4]$에서 감소하므로 $\alpha=-2$, $\beta=4$
$\therefore \alpha+\beta=-2+4=2$

참고 함수 $f(x)$는 닫힌구간 $[\alpha, \beta]$에서 감소하므로 이 구간에서
$f'(x)\leq 0$이어야 하므로 $3(x+2)(x-4)\leq 0$
$\therefore -2\leq x\leq 4$

0696

정답 ④

STEP A 함수 $f(x)$가 닫힌구간 $[-1, 2]$에서 증가하도록 하는 a, b의 값 구하기

$f(x)=-x^3+ax^2+bx-2$에서 $f'(x)=-3x^2+2ax+b$
$f(x)$가 증가하는 x의 값의 범위가 $-1\leq x\leq 2$이므로
이 구간에서 $-3x^2+2ax+b\geq 0$ ...... ㉠
부등식 ㉠의 해가 $-1\leq x\leq 2$이므로
$-3(x+1)(x-2)\geq 0$
즉 $-3x^2+3x+6\geq 0$ ...... ㉡
㉠, ㉡에서 $a=\dfrac{3}{2}$, $b=6$
따라서 $2a-b=3-6=-3$

다른풀이 이차방정식의 근과 계수의 관계를 이용하여 풀이하기

$f(x)=-x^3+ax^2+bx-2$에서 $f'(x)=-3x^2+2ax+b$
함수 $f(x)$가 증가하는 x의 값의 범위가 $-1\leq x\leq 2$이므로
이차방정식 $f'(x)=0$의 두 근이 -1, 2이다.
따라서 이차방정식의 근과 계수의 관계에 의하여
$$-1+2=\frac{2a}{3}, \ -1\times 2=-\frac{b}{3}$$
$\therefore a=\dfrac{3}{2}$, $b=6$
따라서 $2a-b=3-6=-3$

내/신/연/계/ 출제문항 291

함수 $f(x)=\dfrac{1}{3}x^3-x^2-ax+2$가 감소하는 x의 값의 범위가 $-1\leq x\leq b$
일 때, 상수 a, b에 대하여 $a+b$의 값은?

① 2   ② 3   ③ 4
④ 5   ⑤ 6

STEP A 함수 $f(x)$가 닫힌구간 $[-1, b]$에서 감소하도록 하는 a, b의 값 구하기

$f(x)=\dfrac{1}{3}x^3-x^2-ax+2$에서 $f'(x)=x^2-2x-a$
$f(x)$가 감소하는 x의 값의 범위가 $-1\leq x\leq b$이므로
이 구간에서 $x^2-2x-a\leq 0$ ...... ㉠
부등식 ㉠의 해가 $-1\leq x\leq b$이므로 $(x+1)(x-b)\leq 0$
즉 $x^2-(b-1)x-b\leq 0$ ...... ㉡
㉠, ㉡에서 $2=b-1$, $a=b$
$\therefore a=3$, $b=3$
따라서 $a+b=3+3=6$

다른풀이 이차방정식의 근과 계수의 관계를 이용하여 풀이하기

$f(x)=\dfrac{1}{3}x^3-x^2-ax+2$에서 $f'(x)=x^2-2x-a$
함수 $f(x)$가 감소하는 x의 값의 범위가 $-1\leq x\leq b$이므로
이차방정식 $f'(x)=0$의 두 근이 -1, b이다.
이차방정식의 근과 계수의 관계에 의하여 $-1+b=2$, $-1\times b=-a$
$\therefore a=3$, $b=3$
따라서 $a+b=3+3=6$

정답 ⑤

0697

정답 ③

STEP A $f'(x)\geq 0$을 만족하는 구간 구하기

$f(x)=-x^3-3x^2+24x-2$에서
$f'(x)=-3x^2-6x+24=-3(x+4)(x-2)$
함수 $f(x)$가 증가하는 구간을 $[\alpha, \beta]$라 하면
이 구간에서 $f'(x)\geq 0$이어야 한다.
즉 $-3(x+4)(x-2)\geq 0$, $(x+4)(x-2)\leq 0$
$\therefore -4\leq x\leq 2$
함수 $f(x)$는 닫힌구간 $[-4, 2]$에서 증가한다.

STEP B a의 최솟값 m과 b의 최댓값 M 구하기

이때 열린구간 (a, b)에서 함수 $f(x)$가 증가하므로
열린구간 (a, b)가 닫힌구간 $[-4, 2]$에 포함되어야 한다.
$\therefore -4\leq a < b\leq 2$
따라서 a의 최솟값은 $m=-4$, b의 최댓값은 $M=2$이므로
$M-m=2-(-4)=6$

다른풀이 도함수를 이용하여 함수 $f(x)$의 증가와 감소를 표로 나타내서 풀이하기

$f(x)=-x^3-3x^2+24x-2$에서

$f'(x)=-3x^2-6x+24=-3(x+4)(x-2)$

$f'(x)=0$에서 $x=-4$ 또는 $x=2$

함수 $f(x)$의 증가와 감소를 나타내면 다음 표와 같다.

x	$\cdots$	-4	$\cdots$	2	$\cdots$
$f'(x)$	$-$	0	$+$	0	$-$
$f(x)$	$\searrow$	극소	$\nearrow$	극대	$\searrow$

함수 $f(x)$는 닫힌구간 $[-4, 2]$에서 증가하고

반닫힌구간 $(-\infty, -4]$, $[2, \infty)$에서 감소한다.

이때 열린구간 (a, b)에서 함수 $f(x)$가 증가하므로

열린구간 (a, b)가 닫힌구간 $[-4, 2]$에 포함되어야 한다.

$\therefore -4 \leq a < b \leq 2$

따라서 a의 최솟값은 $m=-4$, b의 최댓값은 $M=2$이므로

$M-m=2-(-4)=6$

내/신/연/계 출제문항 292

함수 $f(x)=2x^3-12x^2+18x-4$가 열린구간 (a, b)에서 감소하도록 하는

실수 a, b에 대하여 $b-a$의 최댓값은?

① 2 ② 3 ③ 4
④ 5 ⑤ 6

STEP Ⓐ $f'(x) \leq 0$을 만족하는 구간 구하기

$f(x)=2x^3-12x^2+18x-4$에서

$f'(x)=6x^2-24x+18=6(x-1)(x-3)$

함수 $f(x)$가 감소하는 구간을 $[\alpha, \beta]$라 하면

이 구간에서 $f'(x) \leq 0$이어야 한다.

즉 $6(x-1)(x-3) \leq 0$ $\therefore 1 \leq x \leq 3$

함수 $f(x)$는 닫힌구간 $[1, 3]$에서 감소한다.

STEP Ⓑ a의 최솟값 m과 b의 최댓값 M 구하기

이때 열린구간 (a, b)에서 함수 $f(x)$가 감소하므로

열린구간 (a, b)가 닫힌구간 $[1, 3]$에 포함되어야 한다.

$\therefore 1 \leq a < b \leq 3$

따라서 a의 최솟값은 1, b의 최댓값은 3이므로 $b-a$의 최댓값은

$b-a=3-1=2$

다른풀이 도함수를 이용하여 함수 $f(x)$의 증가와 감소를 표로 나타내서 풀이하기

$f(x)=2x^3-12x^2+18x-4$에서

$f'(x)=6x^2-24x+18=6(x-1)(x-3)$

$f'(x)=0$에서 $x=1$ 또는 $x=3$

함수 $f(x)$의 증가와 감소를 나타내면 다음 표와 같다.

x	$\cdots$	1	$\cdots$	3	$\cdots$
$f'(x)$	$+$	0	$-$	0	$+$
$f(x)$	$\nearrow$	극대	$\searrow$	극소	$\nearrow$

이때 열린구간 (a, b)에서 함수 $f(x)$가 감소하므로

열린구간 (a, b)가 닫힌구간 $[1, 3]$에 포함되어야 한다.

$\therefore 1 \leq a < b \leq 3$

따라서 a의 최솟값은 1, b의 최댓값은 3이므로 $b-a$의 최댓값은 $3-1=2$

정답 ①

0698

 정답 ③

STEP Ⓐ $f'(x) \leq 0$을 만족하는 구간 구하기

$f(x)=\frac{1}{3}x^3-9x+3$에서 $f'(x)=x^2-9$

함수 $f(x)$가 감소하는 구간을 $[\alpha, \beta]$라 하면

이 구간에서 $f'(x) \leq 0$이어야 한다.

즉 $x^2-9 \leq 0$ $\therefore -3 \leq x \leq 3$

함수 $f(x)$는 닫힌구간 $[-3, 3]$에서 감소한다.

STEP Ⓑ 양수 a의 최댓값 구하기

이때 열린구간 $(-a, a)$에서 함수 $f(x)$가 감소하므로

열린구간 $(-a, a)$가 닫힌구간 $[-3, 3]$에 포함되어야 한다.

$\therefore -3 \leq -a < a \leq 3$

따라서 a의 최댓값은 3

다른풀이 도함수를 이용하여 함수 $f(x)$의 증가와 감소를 표로 나타내서 풀이하기

$f(x)=\frac{1}{3}x^3-9x+3$에서 $f'(x)=x^2-9$

$f'(x)=0$에서 $x=-3$ 또는 $x=3$

함수 $f(x)$의 증가와 감소를 나타내면 다음 표와 같다.

x	$\cdots$	-3	$\cdots$	3	$\cdots$
$f'(x)$	$+$	0	$-$	0	$+$
$f(x)$	$\nearrow$	극대	$\searrow$	극소	$\nearrow$

이때 열린구간 $(-a, a)$에서 함수 $f(x)$가 감소하므로

열린구간 $(-a, a)$가 닫힌구간 $[-3, 3]$에 포함되어야 한다.

$\therefore -3 \leq -a < a \leq 3$

따라서 a의 최댓값은 3

0699

 정답 ①

STEP Ⓐ 조건 (가), (나)를 만족하는 $f'(x)=0$인 x의 값 구하기

조건 (가), (나)에서

함수 $f(x)$가 $-3 < x < -1$에서 증가하고 $-1 < x < 3$에서

감소하므로 함수 $f(x)$는 $x=-1$에서 극댓값을 갖는다.

즉 $f'(-1)=0$ $\cdots\cdots$ ㉠

또, 함수 $f(x)$가 $-1 < x < 3$에서 감소하고 $3 < x < 4$에서 증가하므로

함수 $f(x)$는 $x=3$에서 극솟값을 갖는다.

즉 $f'(3)=0$ $\cdots\cdots$ ㉡

STEP Ⓑ 삼차함수 $f(x)$의 식을 작성하여 $f(3)$의 값 구하기

또, $f(0)=0$이므로 $f(x)=x^3+ax^2+bx$ (a, b는 상수)로 놓으면

$f'(x)=3x^2+2ax+b$

㉠, ㉡에서 $f'(x)=0$인 두 근이 -1, 3이므로

이차방정식의 근과 계수의 관계에 의하여

$-1+3=-\frac{2a}{3}$, $-1 \times 3 = \frac{b}{3}$

$\therefore a=-3$, $b=-9$

따라서 $f(x)=x^3-3x^2-9x$이므로 $f(3)=27-27-27=-27$

참고 함수 $f(x)$의 증가와 감소를 표로 나타내면 다음과 같다.

x	-3	$\cdots$	-1	$\cdots$	3	$\cdots$	4
$f'(x)$		$+$	0	$-$	0	$+$	
$f(x)$		$\nearrow$	극대	$\searrow$	극소	$\nearrow$	

함수 $f(x)=-2x^3+ax^2+bx+1$이 $-1\leq x\leq 1$에서 증가하고 $x\leq -1$, $x\geq 1$에서 감소할 때, 상수 a, b에 대하여 $a+b$의 값은?

① 2   ② 4   ③ 6
④ 8   ⑤ 10

STEP Ⓐ **주어진 조건를 만족하는 $f'(x)=0$인 x값 구하기**

함수 $f(x)$가 $x\leq -1$에서 감소하고 $-1\leq x\leq 1$에서 증가하므로
함수 $f(x)$는 $x=-1$에서 극솟값을 갖는다.
즉 $f'(-1)=0$ …… ㉠
또, 함수 $f(x)$가 $-1\leq x\leq 1$에서 증가하고 $x\geq 1$에서 감소하므로
함수 $f(x)$는 $x=1$에서 극댓값을 갖는다.
즉 $f'(1)=0$ …… ㉡

STEP Ⓑ **a, b의 값 구하기**

$f(x)=-2x^3+ax^2+bx+1$에서 $f'(x)=-6x^2+2ax+b$
주어진 조건에 의하여 이차방정식 $f'(x)=0$의 두 근은 -1, 1이므로
이차방정식의 근과 계수의 관계에 의하여
$$-1+1=\frac{2a}{6},\ -1\times 1=-\frac{b}{6}$$
따라서 $a=0$, $b=6$이므로 $a+b=6$ 정답 ③

> **참고**
>
> 함수 $f(x)$의 증가와 감소를 표로 나타내면 다음과 같다.
>
> | x | … | -1 | … | 1 | … |
> |---|---|---|---|---|---|
> | $f'(x)$ | $-$ | 0 | $+$ | 0 | $-$ |
> | $f(x)$ | ↘ | 극소 | ↗ | 극대 | ↘ |

0700

정답 ①

STEP Ⓐ **함수 $f(x)$가 증가하기 위한 조건 구하기**

함수 $f(x)=\frac{1}{3}x^3+ax^2+(a+6)x$이 실수 전체의 집합에서 증가하려면
모든 실수 x에 대하여 $f'(x)\geq 0$이 성립해야 한다.

STEP Ⓑ **이차방정식이 중근 또는 허근을 가질 조건 구하기**

$f'(x)=x^2+2ax+(a+6)\geq 0$이어야
하므로 이차함수 $y=f'(x)$가 x축에
접하거나 x축 보다 위에 있어야 한다.
이차방정식 $f'(x)=0$의 판별식을 D
라 하면

$$\frac{D}{4}=a^2-(a+6)\leq 0,\ (a+2)(a-3)\leq 0$$
따라서 $-2\leq a\leq 3$

>
> 이차방정식 $ax^2+bx+c=0$의 판별식을 D라 할 때,
> ① 모든 실수 x에 대하여 이차부등식 $ax^2+bx+c\geq 0$이 성립하기 위한
>   조건 ⇨ $a>0$, $D\leq 0$
> ② 모든 실수 x에 대하여 이차부등식 $ax^2+bx+c\leq 0$이 성립하기 위한
>   조건 ⇨ $a<0$, $D\leq 0$

0701

정답 ②

STEP Ⓐ **함수 $f(x)$가 감소함수가 되기 위한 조건 구하기**

함수 $f(x)$가 실수 전체의 구간에서 감소하므로
모든 실수 x에 대하여 부등식 $f'(x)\leq 0$이 성립해야 한다.

STEP Ⓑ **이차방정식이 중근 또는 허근을 가질 조건 구하기**

$f'(x)=-3x^2+2kx-3\leq 0$이어야
하므로 이차함수 $y=f'(x)$가 x축
에 접하거나 x축 보다 아래에 있어
야 한다.
이차방정식 $f'(x)=0$의 판별식을
D라 하면

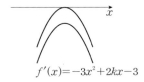
$f'(x)=-3x^2+2kx-3$

$$\frac{D}{4}=k^2-9\leq 0,\ (k+3)(k-3)\leq 0$$
$$\therefore\ -3\leq k\leq 3$$
따라서 정수 k는 -3, -2, -1, 0, 1, 2, 3이므로 개수는 7개이다.

0702

정답 ③

STEP Ⓐ **삼차함수 $f(x)$가 일대일함수이고 최고차항의 계수가 음수이므로 $f(x)$가 실수 전체의 집합에서 감소하기 위한 조건 구하기**

임의의 두 실수 x_1, x_2에 대하여 $x_1\neq x_2$이면 $f(x_1)\neq f(x_2)$를 만족시키는
함수는 일대일 함수이고 함수 $f(x)$의 최고차항의 계수가 음수이므로
$f(x)$는 실수 전체의 집합에서 감소한다.
즉 모든 실수 x에 대하여 $f'(x)\leq 0$이다.

STEP Ⓑ **이차방정식이 중근 또는 허근을 가질 조건 구하기**

$f(x)=-\frac{1}{3}x^3+ax^2-x+a$에서 $f'(x)=-x^2+2ax-1$
이차방정식 $f'(x)=0$의 판별식을 D라 하면
$$\frac{D}{4}=a^2-1\leq 0,\ (a+1)(a-1)\leq 0$$
따라서 $-1\leq a\leq 1$

0703

정답 ③

STEP Ⓐ **주어진 조건이 성립하기 위한 함수 $f(x)$의 조건 이해하기**

함수 $f(x)$가 임의의 두 실수 x_1, x_2에 대하여 $x_1<x_2$일 때,
$f(x_1)<f(x_2)$가 성립하려면 $f(x)$는 실수 전체의 집합에서 증가해야 한다.
즉 모든 실수 x에 대하여 $f'(x)\geq 0$이어야 한다.

STEP Ⓑ **이차방정식이 중근 또는 허근을 가질 조건 구하기**

$f(x)=x^3+kx^2+2kx+7$에서 $f'(x)=3x^2+2kx+2k$
이차방정식 $f'(x)=0$의 판별식을 D라고 하면
$$\frac{D}{4}=k^2-6k\leq 0,\ k(k-6)\leq 0$$
따라서 $0\leq k\leq 6$

내/신/연/계 출제문항 294

함수 $f(x) = -x^3 + ax^2 + 2ax + 5$가 $x_1 < x_2$인 임의의 두 수 x_1, x_2에 대하여 항상 $f(x_1) > f(x_2)$를 만족시키도록 하는 정수 a의 개수는?

① 3   ② 4   ③ 5
④ 6   ⑤ 7

STEP A 삼차함수가 모든 실수 x에 대하여 감소하기 위한 조건 구하기

임의의 실수 x_1, x_2에 대하여 $x_1 < x_2$이면 $f(x_1) > f(x_2)$를 만족시키는 함수 $f(x)$는 실수 전체에서 감소이어야 하므로 $f'(x) \leq 0$이어야 한다.

STEP B 이차방정식이 중근 또는 허근을 가질 조건 구하기

$f(x) = -x^3 + ax^2 + 2ax + 5$에서
$f'(x) = -3x^2 + 2ax + 2a \leq 0$이어야
하므로 이차방정식
$f'(x) = -3x^2 + 2ax + 2a = 0$
의 판별식을 D라 하면
$\frac{D}{4} = a^2 + 6a \leq 0$, $a(a+6) \leq 0$
$\therefore -6 \leq a \leq 0$

따라서 정수 a의 개수는 $-6, -5, -4, -3, -2, -1, 0$이므로 7개이다.

0704

STEP A 함수 $f(x)$가 일대일대응일 조건 이해하기

함수 $f(x)$의 최고차항의 계수가 양수이므로 함수 $f(x)$가 일대일대응이 되려면 $f(x)$가 실수 전체의 집합에서 증가해야 한다.
즉 모든 실수 x에 대하여 부등식 $f'(x) \geq 0$이어야 한다.

STEP B 이차방정식이 중근 또는 허근을 가질 조건 구하기

$f(x) = x^3 - ax^2 + ax$에서 $f'(x) = 3x^2 - 2ax + a \geq 0$이어야 하므로
이차방정식 $3x^2 - 2ax + a = 0$의 판별식을 D라 하면
$\frac{D}{4} = (-a)^2 - 3a \leq 0$, $a(a-3) \leq 0$
따라서 $0 \leq a \leq 3$

> **참고** [같은 문제 다른 표현]
> 삼차함수 $f(x) = x^3 - ax^2 + ax$의 역함수가 존재하기 위한 상수 a의 범위를 구하여라.

내/신/연/계 출제문항 295

함수 $f(x) = -x^3 + ax^2 - 3x$가 일대일대응이 되도록 하는 정수 a의 개수는?

① 6   ② 7   ③ 8
④ 9   ⑤ 10

STEP A 함수 $f(x)$가 일대일대응일 조건 이해하기

함수 $f(x)$가 실수전체의 집합에서 일대일대응이려면 함수 $f(x)$의 최고차항의 계수가 음수이므로 함수 $f(x)$는 실수 전체의 집합에서 감소해야 한다.
즉 모든 실수 x에 대하여 $f'(x) \leq 0$이어야 한다.

STEP B 이차방정식이 중근 또는 허근을 가질 조건 구하기

$f(x) = -x^3 + ax^2 - 3x$에서 $f'(x) = -3x^2 + 2ax - 3 \leq 0$이어야 하므로
이차방정식 $-3x^2 + 2ax - 3 = 0$의 판별식을 D라고 하면
$\frac{D}{4} = a^2 - 9 \leq 0$, $(a+3)(a-3) \leq 0$

0705

STEP A 함수 $f(x)$의 역함수가 존재할 조건 이해하기

함수 $f(x)$의 역함수가 존재하려면 함수 $f(x)$가 일대일대응이어야 한다.
함수 $f(x)$의 최고차항의 계수가 음수이므로 실수 전체의 집합에서 감소해야 하므로 $f'(x) \leq 0$이어야 한다.

STEP B 이차방정식이 중근 또는 허근을 가질 조건 구하기

$f'(x) = -3x^2 + 2ax + a - 6 \leq 0$이어야 하므로
이차방정식 $-3x^2 + 2ax + a - 6 = 0$의 판별식을 D라 하면
$\frac{D}{4} = a^2 + 3(a-6) \leq 0$, $a^2 + 3a - 18 \leq 0$, $(a-3)(a+6) \leq 0$
$\therefore -6 \leq a \leq 3$
a의 최댓값 $M = 3$, 최솟값 $m = -6$
따라서 $M + m = 3 + (-6) = -3$

0706

STEP A 함수 $f(x)$의 역함수가 존재할 조건 이해하기

함수 $f(x)$의 역함수가 존재하기 위해서는 $f(x)$가 일대일대응이어야 한다.
$f(x)$의 최고차항의 계수가 양수이므로 $f(x)$는 실수 전체의 집합에서 증가해야 하므로 $f'(x) \geq 0$이어야 한다.

STEP B 판별식을 이용하여 a의 범위 구하기

$f(x) = \frac{1}{3}x^3 - ax^2 + 3ax$에서 $f'(x) = x^2 - 2ax + 3a \geq 0$이어야 하므로
이차방정식 $x^2 - 2ax + 3a = 0$의 판별식을 D라 하면
$\frac{D}{4} = a^2 - 3a \leq 0$, $a(a-3) \leq 0$
$\therefore 0 \leq a \leq 3$
따라서 정수 a의 개수는 $0, 1, 2, 3$이므로 4개이다.

내/신/연/계 출제문항 296

함수 $f(x) = x(x^2 + ax + a)$가 역함수를 갖도록 하는 정수 a의 개수는?

① 1   ② 2   ③ 3
④ 4   ⑤ 5

STEP A 함수 $f(x)$의 역함수가 존재할 조건 이해하기

함수 $f(x)$의 역함수가 존재하려면 $f(x)$의 최고차항의 계수가 양수이므로 $f(x)$는 실수 전체의 집합에서 증가해야 한다.
즉 모든 실수 x에 대하여 $f'(x) \geq 0$이어야 한다.

STEP B 이차방정식이 중근 또는 허근을 가질 조건 구하기

$f(x) = x(x^2 + ax + a) = x^3 + ax^2 + ax$에서
$f'(x) = 3x^2 + 2ax + a \geq 0$이어야 하므로
이차방정식 $f'(x) = 0$의 판별식을 D라 하면
$\frac{D}{4} = a^2 - 3a \leq 0$, $a(a-3) \leq 0$ $\therefore 0 \leq a \leq 3$
따라서 조건을 만족시키는 정수 a의 개수는 $0, 1, 2, 3$이므로 4개이다.

0707

정답 ②

STEP Ⓐ **함수 $f(x)$가 증가하기 위한 a의 범위 구하기**

$f(x)=x^3+ax^2+ax$에서 $f'(x)=3x^2+2ax+a$

함수 $f(x)$가 모든 구간에서 증가하려면 모든 실수 x에 대하여

$f'(x)\geq 0$이어야 하므로 방정식 $f'(x)=0$의 판별식을 D_1이라 하면

$\dfrac{D_1}{4}=a^2-3a\leq 0,\ a(a-3)\leq 0$

$\therefore\ 0\leq a\leq 3$ ……㉠

STEP Ⓑ **함수 $g(x)$가 감소하기 위한 a의 범위 구하기**

또, $g(x)=-x^3+(a+1)x^2-(a+1)x$에서

$g'(x)=-3x^2+2(a+1)x-(a+1)$

함수 $g(x)$가 모든 구간에서 감소하려면 모든 실수 x에 대하여

$g'(x)\leq 0$이어야 하므로 방정식 $g'(x)=0$의 판별식을 D_2라 하면

$\dfrac{D_2}{4}=(a+1)^2-3(a+1)\leq 0,\ (a+1)(a-2)\leq 0$

$\therefore\ -1\leq a\leq 2$ ……㉡

따라서 ㉠, ㉡의 공통 범위는 $0\leq a\leq 2$

0708

정답 ③

STEP Ⓐ **삼차함수가 모든 실수 x에 대하여 감소하기 위한 조건 구하기**

임의의 실수 $x_1,\ x_2$에 대하여 $x_1<x_2$이면 $f(x_1)>f(x_2)$를 만족시키는 함수 $f(x)$는 실수 전체에서 감소이어야 한다.

즉, 모든 실수 x에 대하여 $f'(x)\leq 0$이어야 한다.

STEP Ⓑ **이차방정식이 중근 또는 허근을 가질 조건 구하기**

$f'(x)=3ax^2-6x+(a+2)\leq 0$이어야

하므로 $a<0$ ……㉠

이차함수 $y=f'(x)$가 x축에 접하거나

x축보다 아래에 있어야 한다.

이차방정식 $f'(x)=0$의 판별식을

D라 하면

$\dfrac{D}{4}=(-3)^2-3a(a+2)\leq 0$

$f'(x)=3ax^2-6x+(a+2)$

$a^2+2a-3\geq 0,\ (a-1)(a+3)\geq 0$

$a\leq -3$ 또는 $a\geq 1$ ……㉡

따라서 ㉠, ㉡의 공통범위를 구하면 $a\leq -3$

0709

정답 ②

STEP Ⓐ **삼차함수 $f(x)$는 $x\geq a$에서 일대일함수이고 최고차항의 계수가 양수이므로 $f(x)$는 $x\geq a$에서 증가해야 함을 이용하기**

$f(x)=\dfrac{1}{3}x^3-\dfrac{5}{2}x^2+6x+1$에서 $f'(x)=x^2-5x+6=(x-2)(x-3)$

$f'(x)=0$에서 $x=2$ 또는 $x=3$

$x\geq a$에서 임의의 두 실수 $x_1,\ x_2$에 대하여 $x_1\neq x_2$이면 $f(x_1)\neq f(x_2)$를

만족시키는 함수 $f(x)$는 일대일함수이고 함수 $f(x)$의 최고차항의 계수가

양수이므로 $f(x)$는 $x\geq a$에서 증가해야 한다.

즉 $x\geq a$에서 $f'(x)\geq 0$이어야 한다.

따라서 오른쪽 그림에서 $a\geq 3$일 때,

$x\geq a$에서 $f'(x)\geq 0$이므로 구하는

실수 a의 최솟값은 3이다.

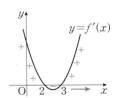

$y=f'(x)$

내/신/연/계/ 출제문항 297

함수 $f(x)=-x^3+4x^2+3x+2$이 $x\geq a$에서 임의의 두 실수 $x_1,\ x_2$에 대하여 $f(x_1)=f(x_2)$이면 $x_1=x_2$가 성립하도록 하는 실수 a의 최솟값은?

① 2   ② 3   ③ 4

④ 5   ⑤ 6

STEP Ⓐ **삼차함수 $f(x)$는 $x\geq a$에서 일대일함수이고 최고차항의 계수가 음수이므로 $f(x)$는 $x\geq a$에서 감소해야 함을 이용하기**

$f(x)=-x^3+4x^2+3x+2$에서 $f'(x)=-3x^2+8x+3=-(3x+1)(x-3)$

$f'(x)=0$에서 $x=-\dfrac{1}{3}$ 또는 $x=3$

$x\geq a$에서 임의의 두 실수 $x_1,\ x_2$에

대하여 $f(x_1)=f(x_2)$이면 $x_1=x_2$를

만족시키는 함수 $f(x)$는 일대일함수

이고 함수 $f(x)$의 최고차항의 계수가

음수이므로 $f(x)$는 $x\geq a$에서 감소

해야 한다.

즉 $x\geq a$에서 $f'(x)\leq 0$이어야 한다.

따라서 오른쪽 그림에서 $a\geq 3$일 때,

$x\geq a$에서 $f'(x)\leq 0$이므로 구하는

실수 a의 최솟값은 3이다.

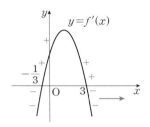

$y=f'(x)$

정답 ②

0710

정답 ③

STEP Ⓐ **주어진 조건이 성립하기 위한 함수 $f(x)$의 조건 이해하기**

모든 실수 t에 대하여 $x\leq t$에서 함수 $f(x)$의 최솟값이 $f(t)$와 같으므로

함수 $f(x)$는 실수 전체의 집합에서 감소한다.

즉 모든 실수 x에 대하여 $f'(x)\leq 0$이어야 한다.

STEP Ⓑ **이차방정식이 중근 또는 허근을 가질 조건 구하기**

$f(x)=-x^3+ax^2+ax$에서 $f'(x)=-3x^2+2ax+a$

이차방정식 $f'(x)=0$의 판별식을 D라 하면

$\dfrac{D}{4}=a^2+3a\leq 0,\ a(a+3)\leq 0\ \therefore\ -3\leq a\leq 0$

따라서 정수 a의 개수는 $-3,\ -2,\ -1,\ 0$이므로 4개이다.

내/신/연/계/ 출제문항 298

함수 $f(x)=x^3+ax^2+2ax$와 실수 t에 대하여 $x\leq t$에서 함수 $f(x)$의 최댓값을 $g(t)$라 할 때, 모든 실수 t에 대하여 $g(t)=f(t)$가 성립하도록 하는 정수 a의 개수는?

① 4   ② 5   ③ 6

④ 7   ⑤ 8

STEP Ⓐ **주어진 조건이 성립하기 위한 함수 $f(x)$의 조건 이해하기**

모든 실수 t에 대하여 $x\leq t$에서 함수 $f(x)$의 최댓값이 $f(t)$와 같으므로

함수 $f(x)$는 실수 전체의 집합에서 증가한다.

즉 모든 실수 x에 대하여 $f'(x)\geq 0$이어야 한다.

STEP Ⓑ **이차방정식이 중근 또는 허근을 가질 조건 구하기**

$f(x)=x^3+ax^2+2ax$에서 $f'(x)=3x^2+2ax+2a$

이차방정식 $f'(x)=0$의 판별식을 D라 하면

$\dfrac{D}{4}=a^2-6a\leq 0,\ a(a-6)\leq 0\ \therefore\ 0\leq a\leq 6$

따라서 정수 a의 개수는 $0,\ 1,\ 2,\ 3,\ 4,\ 5,\ 6$이므로 7개이다.

정답 ④

0711

정답 ④

STEP A **주어진 조건이 성립하기 위한 함수 $f(x)$의 조건 이해하기**

$f(x) = \dfrac{2}{3}x^3 + \dfrac{1}{2}(a-1)x^2 + 2x$에서 $f'(x) = 2x^2 + (a-1)x + 2$

모든 실수 t에 대하여 직선 $y = t$와 곡선 $y = f(x)$가 만나는 점의 개수가 1이 되려면 삼차함수 $f(x)$의 최고차항의 계수가 양수이므로 실수 전체의 집합에서 증가한다.

즉 $f'(x) = 2x^2 + (a-1)x + 2 \geq 0$이어야 한다.

STEP B **이차방정식이 중근 또는 허근을 가질 조건 구하기**

이차방정식 $2x^2 + (a-1)x + 2 = 0$의 판별식을 D라 하면

$D = (a-1)^2 - 16 \leq 0$에서 $a^2 - 2a - 15 \leq 0$, $(a+3)(a-5) \leq 0$

$-3 \leq a \leq 5$

따라서 정수 a의 개수는 $-3, -2, -1, \cdots, 5$이므로 9개이다.

0712

정답 ④

STEP A **$g(t)$가 실수 전체의 집합에서 연속일 조건 이해하기**

방정식 $2x^3 + ax^2 + 6x - 3 = t$의 실근은

두 그래프 $f(x) = 2x^3 + ax^2 + 6x - 3$, $y = t$의 교점과 같다.

이때 서로 다른 실근의 개수 $g(t)$는 상수함수이므로 $g(t)$가 실수전체의 집합에서 연속이 되려면 실수 t에 대하여 실근의 개수가 일정해야 한다.

$\therefore g(t) = 1$

즉 삼차함수 $f(x) = 2x^3 + ax^2 + 6x - 3$는 실수 전체의 집합에서 증가한다.

STEP B **판별식을 이용하여 a의 범위 구하기**

모든 실수 x에 대하여 $f'(x) = 6x^2 + 2ax + 6 \geq 0$이므로

이차방정식 $f'(x) = 0$의 판별식을 D라 하면

$\dfrac{D}{4} = a^2 - 36 \leq 0$, $(a+6)(a-6) \leq 0$

$\therefore -6 \leq a \leq 6$

따라서 a의 최댓값 $M = 6$, 최솟값 $m = -6$이므로 $M - m = 6 - (-6) = 12$

참고 삼차함수의 그래프의 개형을 생각해 보면 다음과 같이 이 그래프와 직선 $y = t$가 한 점에서 만나는 실수 t가 항상 존재함을 알 수 있다.

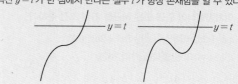

임의의 실수 t에 대하여 x에 대한 방정식

$$x^3 + ax^2 + 2ax + 1 = t$$

의 서로 다른 실근의 개수를 $g(t)$라 할 때, 함수 $g(t)$가 실수 전체에서 연속이 되도록 하는 모든 정수 a의 개수는?

① 3   ② 4   ③ 5
④ 6   ⑤ 7

STEP A **$g(t)$가 실수 전체의 집합에서 연속일 조건 이해하기**

삼차함수 $f(x) = x^3 + ax^2 + 2ax + 1$과 직선 $y = t$의 교점의 개수가 1인 실수 t는 항상 존재하므로 함수 $g(t)$가 연속함수이려면 $g(t) = 1$이어야 한다.

즉 모든 실수 t에 대하여 삼차함수 $f(x) = x^3 + ax^2 + 2ax + 1$과 직선 $y = t$의 교점의 개수가 항상 1이어야 하므로 삼차함수 $f(x) = x^3 + ax^2 + 2ax + 1$은 실수 전체의 집합에서 증가한다.

STEP B **판별식 $\dfrac{D}{4} \leq 0$임을 이용하여 a의 범위 구하기**

$f'(x) = 3x^2 + 2ax + 2a$이므로

이차방정식 $3x^2 + 2ax + 2a = 0$의 판별식을 D라 하면

$\dfrac{D}{4} = a^2 - 6a \leq 0$에서 $0 \leq a \leq 6$

따라서 정수 a의 개수는 $0, 1, 2, 3, 4, 5, 6$이므로 7개이다.

정답 ⑤

0713

정답 ①

STEP A **함수 $f(x)$가 증가함수가 되기 위한 조건 구하기**

함수 $f(x)$가 실수 전체의 집합에서 증가함수가 되기 위한 조건은 $f'(x) \geq 0$

STEP B **함수 $f(x)$는 $x = 2a$를 기준으로 x의 값의 범위를 나누고 각 경우에서 $f'(x) \geq 0$이 되는 a의 값의 범위 구하기**

(i) $x > 2a$일 때,

$f(x) = x^3 + 6x^2 + 15x - 30a + 3$에서

$f'(x) = 3x^2 + 12x + 15 = 3(x^2 + 4x + 5) > 0$이므로

$x > 2a$일 때, 함수 $f(x)$는 증가함수이다.

(ii) $x \leq 2a$일 때,

$f(x) = x^3 + 6x^2 - 15x + 30a + 3$

$f'(x) = 3x^2 + 12x - 15 = 3(x+5)(x-1)$

$f'(x) = 0$에서 $x = -5$ 또는 $x = 1$

함수 $f(x)$의 증가와 감소를 표로 나타내면 다음과 같다.

x	$\cdots$	-5	$\cdots$	1	$\cdots$
$f'(x)$	$+$	0	$-$	0	$+$
$f(x)$	↗	극대	↘	극소	↗

함수 $f(x)$는 $x = -5$에서 극대, $x = 1$에서 극소이고 그래프는 오른쪽 그림과 같다.

함수 $f(x)$가 실수 전체의 집합에서 증가하려면 $2a \leq -5$

$\therefore a \leq -\dfrac{5}{2}$

따라서 실수 a의 최댓값은 $-\dfrac{5}{2}$

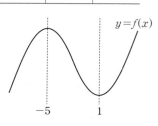

0714

정답 ②

STEP A **삼차함수 $f(x)$가 열린구간 $(1, 4)$에서 증가하려면 이 구간의 모든 x에 대하여 $f'(x) \geq 0$임을 이용하기**

$f(x) = -x^3 - 3x^2 + kx - 1$에서

$f'(x) = -3x^2 - 6x + k = -3(x+1)^2 + 3 + k$

함수 $f(x)$가 열린구간 $(1, 4)$에서 증가하려면

$1 < x < 4$에서 $f'(x) \geq 0$이어야 하므로

오른쪽 그림에서

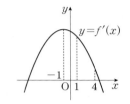

$f'(1) = -3 - 6 + k \geq 0$에서

$k \geq 9$ ...... ㉠

$f'(4) = -48 - 24 + k \geq 0$에서

$k \geq 72$ ...... ㉡

따라서 ㉠, ㉡의 공통부분의 범위는 $k \geq 72$

내/신/연/계/ 출제문항 300

함수 $f(x) = x^3 + 6x^2 + kx - 1$이 닫힌구간 $[-3, 1]$에서 증가하도록 하는 상수 k의 값의 범위는?

① $k \geq 8$　　　　② $k \geq 10$　　　　③ $k \geq 12$
④ $k \leq -15$　　　⑤ $k \leq 9$

STEP A **함수 $f(x)$가 닫힌구간 $[-3, 1]$에서 증가하는 k의 범위 구하기**

$f'(x) = 3x^2 + 12x + k$
$\qquad = 3(x+2)^2 + k - 12$

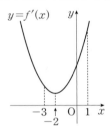

함수 $f(x)$가 닫힌구간 $[-3, 1]$에서

증가하려면 $-3 \leq x \leq 1$에서

$f'(x) \geq 0$이어야 한다.

따라서 $f'(-2) \geq 0$이므로 $k - 12 \geq 0$

$\therefore k \geq 12$

정답 ③

0715

정답 ④

STEP A **삼차함수 $f(x)$가 열린구간 $(1, 3)$에서 감소하려면 이 구간의 모든 x에 대하여 $f'(x) \leq 0$임을 이용하기**

$f(x) = x^3 - 3x^2 + 2ax + 5$에서 $f'(x) = 3x^2 - 6x + 2a$

함수 $f(x)$가 열린구간 $(1, 3)$에서

$x_1 < x_2$이면 $f(x_1) > f(x_2)$이려면 $f(x)$가 감소해야 한다.

즉 함수 $f(x)$가 $1 < x < 3$에서 $f'(x) \leq 0$이어야 한다.

$f'(x) = 3(x-1)^2 + 2a - 3$이므로 함수

$y = f'(x)$의 그래프는 오른쪽 그림과 같다.

$f'(1) = -3 + 2a \leq 0$에서

$a \leq \dfrac{3}{2}$ ...... ㉠

$f'(3) = 27 - 18 + 2a \leq 0$에서

$a \leq -\dfrac{9}{2}$ ...... ㉡

따라서 ㉠, ㉡의 공통부분의 범위는 구하면 $a \leq -\dfrac{9}{2}$이므로 a의 최댓값은 $-\dfrac{9}{2}$

내/신/연/계/ 출제문항 301

함수 $f(x) = x^3 + ax^2 - 9x + 2$가 구간 $(-2, 1)$이 속하는 임의의 두 실수 x_1, x_2에 대하여 $x_1 < x_2$이면 $f(x_1) > f(x_2)$가 성립하도록 하는 정수 a의 개수는?

① 3　　　　② 4　　　　③ 5
④ 6　　　　⑤ 7

STEP A **삼차함수 $f(x)$가 열린구간 $(-2, 1)$에서 감소하려면 이 구간의 모든 x에 대하여 $f'(x) \leq 0$임을 이용하기**

$f(x) = x^3 + ax^2 - 9x + 2$에서 $f'(x) = 3x^2 + 2ax - 9$

함수 $f(x)$가 열린구간 $(-2, 1)$에 속하는 임의의 두 실수 x_1, x_2에 대하여

$x_1 < x_2$이면 $f(x_1) > f(x_2)$가 성립하려면 함수 $f(x)$가 열린구간 $(-2, 1)$에서

감소해야 한다. 즉 $-2 < x < 1$에서 $f'(x) \leq 0$이어야 하므로

$f'(-2) = 12 - 4a - 9 \leq 0$에서 $a \geq \dfrac{3}{4}$ ...... ㉠

$f'(1) = 3 + 2a - 9 \leq 0$에서 $a \leq 3$ ...... ㉡

㉠, ㉡의 공통 범위를 구하면 $\dfrac{3}{4} \leq a \leq 3$

따라서 정수 a의 개수는 1, 2, 3이므로 3개이다.

정답 ①

0716

정답 ②

STEP A **곡선 $y = f(x)$ 위의 점 $(t, f(t))$에서의 접선의 방정식의 y절편 $g(t)$ 구하기**

$f(x) = x^3 + 2ax^2 - ax$에서 $f'(x) = 3x^2 + 4ax - a$

접점의 좌표를 $(t, t^3 + 2at^2 - at)$에서 접선의 방정식은

$y - (t^3 + 2at^2 - at) = (3t^2 + 4at - a)(x - t)$

$y = (3t^2 + 4at - a)x - 2t^3 - 2at^2$

$x = 0$일 때, y절편은 $g(t)$이므로 $g(t) = -2t^3 - 2at^2$

STEP B **함수 $g(t)$가 열린구간 $(0, 4)$에서 증가하는 a의 범위 구하기**

함수 $g(t)$가 구간 $(0, 4)$에서 증가하려면

$0 < t < 4$에서 $g'(t) \geq 0$이어야 하므로

$g'(0) \geq 0$, $g'(4) \geq 0$이어야 한다.

$g'(0) = 0$이므로 만족한다.

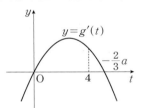

$g'(4) = -96 - 16a \geq 0$ $\therefore a \leq -6$

따라서 구하는 a의 최댓값은 -6

내/신/연/계/ 출제문항 302

함수 $f(x) = x^3 - (a+2)x^2 + ax$에 대하여 곡선 $y = f(x)$ 위의 점 $(t, f(t))$에서의 접선의 y절편을 $g(t)$라 하자.
함수 $g(t)$가 열린구간 $(0, 5)$에서 증가할 때, a의 최솟값은?

① 10　　　　② 12　　　　③ 13
④ 16　　　　⑤ 18

STEP A **곡선 $y = f(x)$ 위의 점 $(t, f(t))$에서의 접선의 방정식의 y절편 $g(t)$ 구하기**

$f(x) = x^3 - (a+2)x^2 + ax$에서 $f'(x) = 3x^2 - 2(a+2)x + a$

점 $(t, t^3 - (a+2)t^2 + at)$에서의 접선의 방정식은

$y - \{t^3 - (a+2)t^2 + at\} = \{3t^2 - 2(a+2)t + a\}(x - t)$

$x = 0$일 때, y절편은 $g(t)$이므로

$g(t) - \{t^3 - (a+2)t^2 + at\} = \{3t^2 - 2(a+2)t + a\}(0 - t)$

$\therefore g(t) = -2t^3 + (a+2)t^2$

STEP B 함수 $g(t)$가 열린구간 $(0, 5)$에서 증가하는 a의 범위 구하기

함수 $g(t)$가 열린구간 $(0, 5)$에서
증가하려면 $0 < t < 5$에서
$g'(t) = -6t^2 + 2(a+2) \geq 0$이어야
하므로 $g'(0) \geq 0$, $g'(5) \geq 0$이어야 한다.
$g'(0) = 0$이므로 만족한다.
$g'(5) = -150 + 10(a+2) = 10a - 130 \geq 0$
$\therefore a \geq 13$
따라서 구하는 a의 최솟값은 13

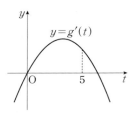

다른풀이 함수 $g(t)$가 열린구간 $(0, 5)$에서 증가하는 a의 범위 구하기

함수 $g(t)$가 열린구간 $(0, 5)$에서 증가하므로 열린구간 $(0, 5)$에서
$g'(t) \geq 0$이어야 한다.
$g'(t) = -6t^2 + 2(a+2)t = -2t(3t - (a+2))$
$g'(t) = 0$에서 $t = 0$ 또는 $t = \dfrac{a+2}{3}$일 때, 함수 $g(t)$는 극값을 갖는다.
함수 $g(t)$의 증가와 감소를 표로 나타내면 다음과 같다.

t	$\cdots$	0	$\cdots$	$\dfrac{a+2}{3}$	$\cdots$
$g'(t)$	$-$	0	$+$	0	$-$
$g(t)$	$\searrow$	극소	$\nearrow$	극대	$\searrow$

즉 그림에서 구간 $\left(0, \dfrac{a+2}{3}\right)$에서
증가한다.
따라서 $5 \leq \dfrac{a+2}{3}$에서 $a \geq 13$이므로
a의 최솟값은 13

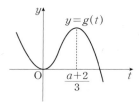

정답 ③

0717

정답 ③

STEP A 함수의 극대와 극소의 판정을 이용하여 [보기]의 참, 거짓 판정하기

ㄱ. $x = 2$에서 미분가능한 함수 $f(x)$가 극값을 가지면 $f'(2) = 0$이다. [참]
ㄴ. 열린구간 $(1, 5)$에서 미분가능하므로 함수 $f(x)$는 연속이다. [참]
ㄷ. 열린구간 $(3, 4)$의 모든 x에 대하여 $f'(x) > 0$이면 $f(x)$는 이 구간에서
증가한다. [참]
ㄹ. **반례** $f'(x) = (x-1)^2$에서 $f'(1) = 0$이지만 $x = 1$에서
극댓값 또는 극솟값을 가지지 않는다. [거짓]
따라서 옳은 것은 ㄱ, ㄴ, ㄷ이다.

0718

정답 ⑤

STEP A 함수의 극대와 극소의 판정을 이용하여 [보기]의 참, 거짓 판정하기

ㄱ. 다항함수 $f(x)$는 모든 실수에서 미분가능하므로 $x = a$에서 극값을 가지면
$f'(a) = 0$ [참]
ㄴ. $f'(a) > 0$이면 $f(x)$는 $x = a$에서 증가하므로 $x = a$에서 극대도 극소도
아니다.
일반적으로 $f(x)$가 미분가능 할 때, $f'(a) \neq 0$이면 $x = a$에서 극값을
갖지 않는다. [참]
ㄷ. 함수 $f(x)$에서 a를 포함하는 어떤 열린구간에 속하는 모든 x에 대하여
$f(x) \leq f(a)$ 또는 $f(x) \geq f(a)$이면 함수 $f(x)$는 $x = a$에서 극대 또는
극소가 되므로 $x = a$에서 극값을 가지면 좌우에서 $f'(x)$의 부호가 모두
양 $(+)$도 아니고 음 $(-)$도 아니다. [참]
따라서 옳은 것은 ㄱ, ㄴ, ㄷ이다.

0719

STEP A 함수의 극대와 극소의 판정을 이용하여 [보기]의 참, 거짓 판정하기

ㄱ. 함수 $f(x)$가 $x = a$를 포함하는 어떤 열린구간에 속하는 모든 x에 대하여
$f(a) \leq f(x)$일 때, 함수 $f(x)$는 $x = a$에서 극소라고 하며
이때의 함숫값 $f(a)$를 극솟값이라고 한다. [참]
ㄴ. 함수 $f(x)$가 $x = a$에서 미분가능하고 $x = a$에서 극값을 가지면
$f'(a) = 0$이다. [참]
ㄷ. 상수함수가 아닌 다항함수가 증가하기 위한 조건
함수 $f(x)$가 다항함수이므로 함수 $f(x)$가 열린구간 (a, b)에서 증가하면
열린구간 (a, b)의 점 $(x, f(x))$에서의 접선의 기울기는 $f'(x) \geq 0$이다.
역으로 함수 $f(x)$가 상수함수 아닌 다항함수이므로 열린구간 (a, b)에서
$f'(x) \geq 0$이면 함수 $f(x)$는 열린구간 (a, b)에서 증가한다. [참]
따라서 옳은 것은 ㄱ, ㄴ, ㄷ이다.

내/신/연/계 출제문항 303

함수 $f(x)$에 대하여 다음 중 옳지 않은 것은?

① 함수 $f(x)$가 $x = a$에서 극값을 갖더라도 $f'(a)$가 존재하지 않을 수도
있다.
② 함수 $f(x)$에서 $f'(a) = 0$이어도 $f(x)$가 $x = a$에서 극값을 갖지 않을
수도 있다.
③ 함수 $f(x)$가 $x = a$에서 미분가능하고 $x = a$에서 극값을 가지면
$f'(a) = 0$이다.
④ 미분가능한 함수 $f(x)$에 대하여 $f'(a) = 0$이고 $x = a$의 좌우에서
$f'(x)$의 부호가 양에서 음으로 바뀌면 $f(x)$는 $x = a$에서 극대이다.
⑤ 함수 $f(x)$에서 $x = a$를 포함하는 어떤 열린구간에 속하는 모든 x에
대하여 $f(x) \leq f(a)$일 때, 함수 $f(x)$는 $x = a$에서 극소이다.

STEP A 함수 $f(x)$에 대한 진위판단하기

① $f(x) = |x - 1|$일 때, $x = 1$에서 극솟값 0이 존재하지만 함수 $f(x)$는
$x = 1$에서 미분가능하지 않으므로 $f'(1)$이 존재하지 않는다. [참]
② 함수 $f(x) = x^3$의 도함수 $f'(x) = 3x^2$에서 $f'(0) = 0$이지만 $x = 0$의
좌우에서 $f'(x) > 0$이므로 $f(x)$는 $x = 0$에서 극값을 갖지 않는다. [참]
③ 함수 $f(x)$가 $x = a$에서 미분가능하므로 $x = a$에서 극값을 가지면
$f'(a) = 0$이다. [참]
← 이것의 역은 성립하지 않는다.
$f(x) = x^3$일 때, $f'(0) = 0$이지만 함수 $f(x)$는 $x = 0$에서 극값을 갖지 않는다.
④ 미분가능한 함수 $f(x)$에 대하여 $f'(a) = 0$이고 $x = a$의 좌우에서
$f'(x)$의 부호가 양에서 음으로 바뀌면 $f(x)$는 $x = a$에서 극대이다. [참]
⑤ 함수 $f(x)$에서 $x = a$를 포함하는 어떤 열린구간에 속하는 모든 x에 대하여
$f(x) \leq f(a)$일 때, 함수 $f(x)$는 $x = a$에서 극대이다. [거짓]
따라서 옳지 않은 것은 ⑤이다.

정답 ⑤

0720

정답 ①

STEP A 함수의 극대와 극소의 판정을 이용하여 참, 거짓 판정하기

① **반례** $f(x)=x^3$일 때, $(-\infty, \infty)$에서 증가하지만 $f'(x)=3x^2$에서 $f'(0)=0$이므로 $f'(x)=0$인 x가 존재한다. [거짓]

② 실수 전체의 집합에서 증가하므로 모든 실수 x에 대하여 $f'(x) \geq 0$이다. [참]

③ $x=a$에서 미분가능한 함수 $f(x)$에 대하여 $x=a$의 좌우에서 $f'(x)$의 값의 부호가 음에서 양으로 바뀌면 $f(x)$는 $x=a$에서 극소이다. [참]

④ $x=a$를 포함하는 어떤 열린구간에 속하는 모든 x에 대하여 $f(x) \leq f(a)$이면 함수 $f(x)$는 $x=a$에서 극대이다. [참]

⑤ 함수 $f(x)$가 여러 개의 극대, 극소가 존재 할 때에는 극댓값이 극솟값보다 작은 경우도 있다. [참]

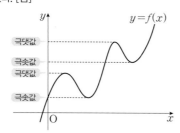

내/신/연/계/ 출제문항 304

연속함수 $f(x)$에 대하여 다음 중 옳은 것은?

① $f'(a)=0$이면 함수 $f(x)$는 $x=a$에서 극값을 갖는다.

② 함수 $f(x)$가 $x=a$에서 극값을 가지면 $f'(a)=0$이다.

③ $x=a$의 좌우에서 $f'(x)$의 값의 부호가 양에서 음으로 바뀌면 $f(x)$는 $x=a$에서 극소이다.

④ $x=a$를 포함하는 어떤 열린구간에 속하는 모든 x에 대하여 $f(a) \leq f(x)$이면 함수 $f(x)$는 $x=a$에서 극대이다.

⑤ 함수 $f(x)$가 극대, 극소가 되는 점이 각각 하나씩만 존재하면 극댓값은 극솟값보다 항상 크다.

STEP A 함수의 극대와 극소의 판정을 이용하여 참, 거짓 판정하기

① **반례** $f(x)=x^3$일 때, $f'(0)=0$이지만 함수 $f(x)$는 $x=0$에서 극값을 갖지 않는다.

② **반례** $f(x)=|x|$일 때, 함수 $f(x)$는 $x=0$에서 극소이지만 $x=0$에서 미분가능하지 않다.
함수 $f(x)$가 $x=a$에서 극값을 가지면 $f'(a)=0$이다. [거짓]

③ $x=a$에서 미분가능한 함수 $f(x)$에 대하여 $x=a$의 좌우에서 $f'(x)$의 값의 부호가 양에서 음으로 바뀌면 $f(x)$는 $x=a$에서 극대이다. [거짓]

④ $x=a$를 포함하는 어떤 열린구간에 속하는 모든 x에 대하여 $f(a) \leq f(x)$이면 함수 $f(x)$는 $x=a$에서 극소이다. [거짓]

⑤ 연속함수 $f(x)$가 $x=a$에서 극대, $x=\beta$에서 극소를 가지면 그래프는 다음과 같다.

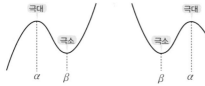

즉 함수 $f(x)$가 극대, 극소가 되는 점이 각각 하나씩만 존재하면 극댓값은 극솟값보다 항상 크다. [참]
따라서 옳은 것은 ⑤이다.

정답 ⑤

0721

정답 ③

STEP A $f(x)$의 증가와 감소를 나타내는 표를 작성하기

$f(x)=x^3-6x^2+9x+9$에서
$f'(x)=3x^2-12x+9=3(x-1)(x-3)$
$f'(x)=0$에서 $x=1$ 또는 $x=3$
함수 $f(x)$의 증가와 감소를 표로 나타내면 다음과 같다.

x	$\cdots$	1	$\cdots$	3	$\cdots$
$f'(x)$	+	0	−	0	+
$f(x)$	↗	13	↘	9	↗

STEP B 함수 $f(x)$의 극솟값과 극댓값 구하기

함수 $f(x)$는 $x=1$에서 극대이고 극댓값은 $f(1)=13$
$x=3$에서 극소이고 극솟값은 $f(3)=9$
따라서 $a=3$, $b=9$이므로 $a+b=12$

내/신/연/계/ 출제문항 305

함수
$$f(x)=-x^4+4x^3-4x^2-6$$
가 $x=a$에서 극솟값 b를 가질 때, 두 상수 a, b에 대하여 $a+b$의 값은?

① −8   ② −7   ③ −6
④ −5   ⑤ −4

STEP A $f(x)$의 증가와 감소를 나타내는 표를 작성하기

$f(x)=-x^4+4x^3-4x^2-6$에서
$f'(x)=-4x^3+12x^2-8x$
$\quad\quad=-4x(x^2-3x+2)$
$\quad\quad=-4x(x-1)(x-2)$
$f'(x)=0$에서 $x=0$ 또는 $x=1$ 또는 $x=2$
함수 $f(x)$의 증가와 감소를 표로 나타내면 다음과 같다.

x	$\cdots$	0	$\cdots$	1	$\cdots$	2	$\cdots$
$f'(x)$	+	0	−	0	+	0	−
$f(x)$	↗	−6	↘	−7	↗	−6	↘

STEP B 함수 $f(x)$의 극솟값 구하기

함수 $f(x)$는 $x=1$일 때, 극소이고 극솟값 $f(1)=-7$을 가진다.
따라서 $a=1$, $b=-7$이므로 $a+b=1+(-7)=-6$

정답 ③

0722

정답 ②

STEP A 도함수를 이용하여 함수 $f(x)$의 증가와 감소를 표로 나타내기

$f(x)=-x^3+3x+1$에서
$f'(x)=-3x^2+3=-3(x+1)(x-1)$
$f'(x)=0$에서 $x=-1$ 또는 $x=1$
함수 $f(x)$의 증가와 감소를 표로 나타내면 다음과 같다.

x	$\cdots$	−1	$\cdots$	1	$\cdots$
$f'(x)$	−	0	+	0	−
$f(x)$	↘	극소	↗	극대	↘

함수 $f(x)$는

$x=-1$에서 극소이고 극솟값 $f(-1)=-1$

$x=1$에서 극대이고 극댓값 $f(1)=3$을 갖는다.

따라서 두 점 $(-1, -1)$, $(1, 3)$을 지나는 직선의 기울기는 $\dfrac{3-(-1)}{1-(-1)}=2$

내/신/연/계/ 출제문항 306

함수 $f(x)=x^3-3x^2$이 $x=\alpha$, $x=\beta$에서 극값을 가질 때, 두 점 $A(\alpha, f(\alpha))$, $B(\beta, f(\beta))$를 지나는 직선의 기울기는?

① -6 ② -4 ③ -2

④ 2 ⑤ 4

STEP ⓐ 도함수를 이용하여 함수 $f(x)$의 증가와 감소를 표로 나타내기

$f(x)=x^3-3x^2$에서

$f'(x)=3x^2-6x=3x(x-2)$

$f'(x)=0$에서 $x=0$ 또는 $x=2$

함수 $f(x)$의 증가와 감소를 표로 나타내면 다음과 같다.

x	$\cdots$	0	$\cdots$	2	$\cdots$
$f'(x)$	$+$	0	$-$	0	$+$
$f(x)$	↗	극대	↘	극소	↗

STEP ⓑ 극점을 지나는 직선의 기울기 구하기

함수 $f(x)$는

$x=0$에서 극대이고 극댓값 $f(0)=0$

$x=2$에서 극소이고 극솟값 $f(2)=-4$를 갖는다.

따라서 두 점 $(0, 0)$, $(2, -4)$를 지나는 직선의 기울기는 $\dfrac{-4-0}{2-0}=-2$

정답 ③

0723

정답 ①

STEP ⓐ 도함수를 이용하여 함수 $f(x)$의 증가와 감소를 표로 나타내기

$f(x)=x^3-3x-2$에서

$f'(x)=3x^2-3=3(x+1)(x-1)$

$f'(x)=0$에서 $x=-1$ 또는 $x=1$

함수 $f(x)$의 증가와 감소를 표로 나타내면 다음과 같다.

x	$\cdots$	-1	$\cdots$	1	$\cdots$
$f'(x)$	$+$	0	$-$	0	$+$
$f(x)$	↗	극대	↘	극소	↗

STEP ⓑ 삼각형 OPQ의 넓이 구하기

함수 $f(x)$는

$x=-1$에서 극대이고 극댓값은

$f(-1)=0$

$x=1$에서 극소이고 극솟값은

$f(1)=-4$

이므로 $P(-1, 0)$, $Q(1, -4)$

따라서 오른쪽 그림에서 △OPQ의

넓이는 $\dfrac{1}{2} \cdot 1 \cdot 4 = 2$

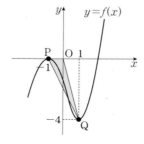

내/신/연/계/ 출제문항 307

함수 $f(x)=\dfrac{1}{4}x^4-2x^2+1$의 그래프에서 극대 또는 극소가 되는 세 점을 꼭짓점으로 하는 삼각형의 넓이는?

① 2 ② 4 ③ 6

④ 8 ⑤ 10

STEP ⓐ 함수 $f(x)$의 증가와 감소를 나타내는 표를 작성하여 극대와 극소 구하기

$f'(x)=x^3-4x=x(x+2)(x-2)$

$f'(x)=0$에서 $x=-2$ 또는 $x=0$ 또는 $x=2$

함수 $f(x)$의 증가와 감소를 표로 나타내면 다음과 같다.

x	$\cdots$	-2	$\cdots$	0	$\cdots$	2	$\cdots$
$f'(x)$	$-$	0	$+$	0	$-$	0	$+$
$f(x)$	↘	-3	↗	1	↘	-3	↗

STEP ⓑ 삼각형의 넓이 구하기

함수 $f(x)$는

$x=-2$ 또는 $x=2$일 때, 극솟값 -3이고

$x=0$일 때, 극댓값 1을 가지므로

함수 $y=f(x)$의 그래프는 오른쪽 그림과

같다.

따라서 세 점으로 둘러싸인 삼각형의

넓이는 $\dfrac{1}{2} \cdot 4 \cdot 4 = 8$

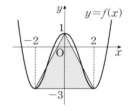

정답 ④

0724

정답 ①

STEP ⓐ 곡선 $y=f(x)$ 위의 점 $(t, f(t))$에서의 접선의 방정식 구하기

$f(x)=x^3-3x^2+2x$에서 $f'(x)=3x^2-6x+2$

곡선 $y=f(x)$ 위의 점 $(t, f(t))$에서의 접선의 방정식은

$y-f(t)=f'(t)(x-t)$

$\therefore y=f'(t)x-tf'(t)+f(t)$

STEP ⓑ 접선의 y절편 삼차함수 $g(t)$의 증가와 감소를 표로 나타내기

이 접선의 y절편 $g(t)$는

$g(t)=-tf'(t)+f(t)$

$\quad = -t(3t^2-6t+2)+t^3-3t^2+2t$

$\quad = -2t^3+3t^2$

$g'(t)=-6t^2+6t=-6t(t-1)$

$g'(t)=0$에서 $t=0$ 또는 $t=1$

함수 $g(t)$의 증가와 감소를 나타내면 다음 표와 같다.

t	$\cdots$	0	$\cdots$	1	$\cdots$
$g'(t)$	$-$	0	$+$	0	$-$
$g(t)$	↘	극소	↗	극대	↘

STEP ⓒ $a+b$의 값 구하기

함수 $g(t)$는

$t=1$에서 극대이고 극댓값은 $g(1)=1$

$t=0$에서 극소이고 극솟값은 $g(0)=0$

따라서 $a=0$, $b=1$이므로 $a+b=0+1=1$

0725
정답 ④

STEP Ⓐ 도함수를 이용하여 함수 $f(x)$의 증가와 감소를 표로 나타내기

$f(x)=(x+1)^2(x-3)+a$에서

$f'(x)=(2x+2)(x-3)+(x+1)^2\cdot1=(x+1)(3x-5)$

$f'(x)=0$에서 $x=-1$ 또는 $x=\dfrac{5}{3}$

함수 $f(x)$의 증가와 감소를 나타내면 다음 표와 같다.

x	$\cdots$	-1	$\cdots$	$\dfrac{5}{3}$	$\cdots$
$f'(x)$	$+$	0	$-$	0	$+$
$f(x)$	↗	극대	↘	극소	↗

STEP Ⓑ $f(-1)=5$임을 이용하여 a의 값 구하기

함수 $f(x)$가 $x=-1$에서 극대이고 극댓값 5를 가지므로 $f(-1)=a=5$
따라서 $a=5$

내/신/연/계/ 출제문항 308

함수 $f(x)=(x-1)^2(x-4)+a$의 극솟값이 10일 때, 상수 a의 값은?

① 10 ② 12 ③ 14
④ 16 ⑤ 18

STEP Ⓐ 도함수를 이용하여 함수 $f(x)$의 증가와 감소를 표로 나타내기

$f(x)=(x-1)^2(x-4)+a$에서

$f'(x)=2(x-1)(x-4)+(x-1)^2=3(x-1)(x-3)$

$f'(x)=0$에서 $x=1$ 또는 $x=3$

함수 $f(x)$의 증가와 감소를 나타내면 다음 표와 같다.

x	$\cdots$	1	$\cdots$	3	$\cdots$
$f'(x)$	$+$	0	$-$	0	$+$
$f(x)$	↗	극대	↘	극소	↗

STEP Ⓑ $f(3)=10$임을 이용하여 a의 값 구하기

$f(x)$는 $x=3$에서 극소이므로 $f(3)=10$
$f(3)=(3-1)^2(3-4)+a=10$
따라서 $a=14$

정답 ③

0726
정답 ②

STEP Ⓐ $f'(1)=0$임을 이용하여 a의 값 구하기

$f(x)=x^3+ax^2-9x+3$에서 $f'(x)=3x^2+2ax-9$
$f(x)$가 $x=1$에서 극솟값을 가지므로 $f'(1)=3+2a-9=0$
$\therefore a=3$

STEP Ⓑ 도함수를 이용하여 함수 $f(x)$의 증가와 감소를 표로 나타내기

$f(x)=x^3+3x^2-9x+3$에서

$f'(x)=3x^2+6x-9=3(x+3)(x-1)$

$f'(x)=0$에서 $x=-3$ 또는 $x=1$

$f(x)$의 증가와 감소를 나타내면 다음 표와 같다.

x	$\cdots$	-3	$\cdots$	1	$\cdots$
$f'(x)$	$+$	0	$-$	0	$+$
$f(x)$	↗	극대	↘	극소	↗

STEP Ⓒ $f(x)$의 극댓값 구하기

따라서 $f(x)$는 $x=-3$에서 극대이고 극댓값 $f(-3)=30$을 갖는다.

0727
정답 ①

STEP Ⓐ 도함수를 이용하여 함수 $f(x)$의 증가와 감소를 표로 나타내기

$f(x)=x^3-9x^2+24x+a$에서

$f'(x)=3x^2-18x+24=3(x^2-6x+8)=3(x-2)(x-4)$

$f'(x)=0$에서 $x=2$ 또는 $x=4$

$f(x)$의 증가와 감소를 나타내면 다음 표와 같다.

x	$\cdots$	2	$\cdots$	4	$\cdots$
$f'(x)$	$+$	0	$-$	0	$+$
$f(x)$	↗	$20+a$	↘	$16+a$	↗

STEP Ⓑ $f(2)=10$임을 이용하여 a의 값 구하기

함수 $f(x)$는 $x=2$에서 극대이고 극댓값 $f(2)=20+a$를 가지므로
$20+a=10$에서 $a=-10$
$\therefore f(x)=x^3-9x^2+24x-10$

STEP Ⓒ $f(x)$의 극솟값 구하기

따라서 함수 $f(x)$는 $x=4$에서 극소이고 극솟값은
$f(4)=64-144+96-10=6$

내/신/연/계/ 출제문항 309

함수 $f(x)=x^3-3x+a$의 극댓값이 12일 때, 함수 $f(x)$의 극솟값은?

① 6 ② 8 ③ 10
④ 14 ⑤ 24

STEP Ⓐ 도함수를 이용하여 함수 $f(x)$의 증가와 감소를 표로 나타내기

$f(x)=x^3-3x+a$에서

$f'(x)=3x^2-3=3(x+1)(x-1)$

$f'(x)=0$에서 $x=-1$ 또는 $x=1$

함수 $f(x)$의 증가와 감소를 나타내면 다음 표와 같다.

x	$\cdots$	-1	$\cdots$	1	$\cdots$
$f'(x)$	$+$	0	$-$	0	$+$
$f(x)$	↗	극대	↘	극소	↗

STEP Ⓑ $f(-1)=12$임을 이용하여 a의 값 구하기

$f(x)$는 $x=-1$일 때, 극대이고 극댓값은
$f(-1)=-1+3+a=12$이므로 $a=10$
$\therefore f(x)=x^3-3x+10$

STEP Ⓒ $f(x)$의 극솟값 구하기

따라서 $f(x)$는 $x=1$에서 극소이고 극솟값은 $f(1)=1-3+10=8$　정답 ②

0728

정답 ②

STEP A 도함수를 이용하여 함수 $f(x)$의 증가와 감소를 표로 나타내기

$f(x)=x^3-6ax^2+9a^2x+1$에서

$f'(x)=3x^2-12ax+9a^2=3(x-a)(x-3a)$

$f'(x)=0$에서 $x=a$ 또는 $x=3a$

$f(x)$의 증가와 감소를 표로 나타내면 다음과 같다.

x	$\cdots$	a	$\cdots$	$3a$	$\cdots$
$f'(x)$	$+$	0	$-$	0	$+$
$f(x)$	↗	$4a^3+1$	↘	1	↗

STEP B 극댓값과 극솟값의 합이 34임을 이용하여 양수 a의 값 구하기

함수 $f(x)$는

$x=a$에서 극대이고 극댓값은 $f(a)=4a^3+1$

$x=3a$에서 극소이고 극솟값은 $f(3a)=1$

이때 극댓값과 극솟값의 합이 34이므로 $4a^3+1+1=34$, $a^3=8$

따라서 a는 실수이므로 $a=2$

내/신/연/계/ 출제문항 310

함수 $f(x)=-x^3+3x+k$의 극댓값과 극솟값의 합이 0일 때, 상수 k의 값은?

① -2　　　② -1　　　③ 0

④ 1　　　⑤ 2

STEP A 도함수를 이용하여 함수 $f(x)$의 증가와 감소를 표로 나타내기

$f'(x)=-3x^2+3=0$

$f'(x)=0$에서 $x=-1$ 또는 $x=1$

함수 $f(x)$의 증가와 감소를 나타내면 다음 표와 같다.

x	$\cdots$	-1	$\cdots$	1	$\cdots$
$f'(x)$	$-$	0	$+$	0	$-$
$f(x)$	↘	극소	↗	극대	↘

STEP B 극값의 합이 0임을 이용하여 k의 값 구하기

$x=-1$에서 극소이고 극솟값은 $f(-1)=-2+k$

$x=1$에서 극대이고 극댓값은 $f(1)=2+k$

이므로 (극솟값)+(극댓값)$=2k=0$

따라서 $k=0$

정답 ③

0729

정답 ③

STEP A 도함수를 이용하여 함수 $f(x)$의 증가와 감소를 표로 나타내기

$f(x)=x^3-3x^2-9x+k$에서 $f'(x)=3x^2-6x-9=3(x+1)(x-3)$

$f'(x)=0$에서 $x=-1$ 또는 $x=3$

함수 $f(x)$의 증가와 감소를 나타내면 다음 표와 같다.

x	$\cdots$	-1	$\cdots$	3	$\cdots$
$f'(x)$	$+$	0	$-$	0	$+$
$f(x)$	↗	$5+k$	↘	$-27+k$	↗

함수 $f(x)$는

$x=-1$에서 극대이고 극댓값 $f(-1)=5+k$

$x=3$에서 극소이고 극솟값 $f(3)=-27+k$를 갖는다.

STEP B 두 값의 절댓값이 같음을 이용하여 k의 값 구하기

또한, 극댓값과 극솟값의 절댓값이 같으므로

$5+k+(-27+k)=0$에서 $2k=22$

따라서 $k=11$

내/신/연/계/ 출제문항 311

함수 $f(x)=x^3-6x^2+k$의 극댓값과 극솟값의 절댓값이 같고 그 부호가 서로 다를 때, 상수 k의 값은?

① 10　　　② 12　　　③ 14

④ 16　　　⑤ 18

STEP A 도함수를 이용하여 함수 $f(x)$의 증가와 감소를 표로 나타내기

$f(x)=x^3-6x^2+k$에서

$f'(x)=3x^2-12x=3x(x-4)$

$f'(x)=0$에서 $x=0$ 또는 $x=4$

함수 $f(x)$의 증가와 감소를 나타내면 다음 표와 같다.

x	$\cdots$	0	$\cdots$	4	$\cdots$
$f'(x)$	$+$	0	$-$	0	$+$
$f(x)$	↗	k	↘	$-32+k$	↗

함수 $f(x)$는

$x=0$에서 극대이고 극댓값 $f(0)=k$

$x=4$에서 극소이고 극솟값 $f(4)=-32+k$를 갖는다.

STEP B 두 값의 절댓값이 같음을 이용하여 k의 값 구하기

극댓값과 극솟값의 절댓값이 같으므로

$k+(-32+k)=0$에서 $2k=32$

따라서 $k=16$

정답 ④

0730

정답 ①

STEP A 도함수를 이용하여 함수 $f(x)$의 증가와 감소를 표로 나타내기

$f(x)=2x^3-6x^2+a$에서

$f'(x)=6x^2-12x=6x(x-2)$

$f'(x)=0$에서 $x=0$ 또는 $x=2$

함수 $f(x)$의 증가와 감소를 나타내면 다음 표와 같다.

x	$\cdots$	0	$\cdots$	2	$\cdots$
$f'(x)$	$+$	0	$-$	0	$+$
$f(x)$	↗	극대	↘	극소	↗

STEP B 극값의 곱이 -12임을 이용하여 a의 값 구하기

$x=0$에서 극대이고 극댓값은 $f(0)=a$

$x=2$에서 극소이고 극솟값은 $f(2)=a-8$

모든 극값의 곱이 -12이므로

$f(0) \times f(2)=a(a-8)=a^2-8a=-12$

$a^2-8a+12=0$, $(a-2)(a-6)=0$

따라서 $a=2$ 또는 $a=6$이므로 합은 $2+6=8$

0731

정답 ②

STEP A 극대인 점과 극소인 점이 원점에 대하여 대칭임을 이용하여 상수 a의 값 구하기

$f(x)=\dfrac{1}{3}x^3-(a-2)x^2-2x$에서

$f'(x)=x^2-2(a-2)x-2$

함수 $y=f(x)$의 그래프에서 극대인 점과 극소인 점의 x좌표를 각각 α, β라 하면 원점에 대하여 대칭이므로 $\alpha+\beta=0$

한편 α, β는 이차방정식 $f'(x)=x^2-2(a-2)x-2=0$의 두 근이므로
이차방정식의 근과 계수의 관계에 의하여 $\alpha+\beta=2(a-2)=0$

따라서 $a=2$

0732

정답 ②

STEP A 도함수를 이용하여 함수 $f(x)$의 증가와 감소를 표로 나타내기

$f(x)=2x^3-6x+a$에서

$f'(x)=6x^2-6=6(x-1)(x+1)$

$f'(x)=0$에서 $x=-1$ 또는 $x=1$

함수 $f(x)$의 증가와 감소를 나타내면 다음 표와 같다.

x	$\cdots$	-1	$\cdots$	1	$\cdots$
$f'(x)$	$+$	0	$-$	0	$+$
$f(x)$	↗	극대	↘	극소	↗

STEP B $f(1)=-1$임을 이용하여 a의 값 구하기

$x=1$에서 극소이고 극솟값 $f(1)=2-6+a=-1$

$\therefore a=3$

따라서 $a=3$, $b=1$이므로 $ab=3$

0733

정답 ③

STEP A 도함수를 이용하여 함수 $f(x)$의 증가와 감소를 표로 나타내기

$f(x)=4x^3+3ax^2+b$에서

$f'(x)=12x^2+6ax=6x(2x+a)$

$f'(x)=0$에서 $x=0$ 또는 $x=-\dfrac{a}{2}$

함수 $f(x)$의 증가와 감소를 나타내면 다음 표와 같다.

x	$\cdots$	0	$\cdots$	$-\dfrac{a}{2}$	$\cdots$
$f'(x)$	$+$	0	$-$	0	$+$
$f(x)$	↗	극대	↘	극소	↗

STEP B $f(x)$가 $x=2$에서 극솟값 -7을 가짐을 이용하여 a, b의 값 구하기

$f(x)$는 $x=2$에서 극솟값 -7을 가지므로 $-\dfrac{a}{2}=2$

$\therefore a=-4$

$f(2)=32-48+b=-7$에서 $b=9$

STEP C 극댓값을 구하기

따라서 $f(x)=4x^3-12ax^2+9$이므로 극댓값은 $f(0)=9$

함수 $f(x)=-2x^3+ax^2+6x+b$가 $x=1$에서 극댓값 5를 가질 때, 극솟값은? (단, a, b는 상수)

① -5 ② -4 ③ -3
④ -2 ⑤ -1

STEP A $x=1$에서 극댓값이 5임을 이용하여 a, b의 값 구하기

$f'(x)=-6x^2+2ax+6$이고

함수 $f(x)$가 $x=1$에서 극댓값 5를 가지므로 $f'(1)=0$, $f(1)=5$

$f'(1)=-6+2a+6=0$에서 $a=0$

$f(1)=-2+a+6+b=5$에서 $b=1$

STEP B 함수 $f(x)$의 극솟값 구하기

$f(x)=-2x^3+6x+1$이므로

$f'(x)=-6x^2+6=-6(x+1)(x-1)$

$f'(x)=0$에서 $x=-1$ 또는 $x=1$

함수 $f(x)$의 증가와 감소를 표로 나타내면 다음과 같다.

x	$\cdots$	-1	$\cdots$	1	$\cdots$
$f'(x)$	$-$	0	$+$	0	$-$
$f(x)$	↘	극소	↗	5	↘

따라서 함수 $f(x)$는 $x=-1$에서 극소이고 극솟값 $f(-1)=-3$을 갖는다.

정답 ③

0734

정답 ②

STEP A $x=1$에서 극댓값이 5임을 이용하여 a, b의 값 구하기

$f'(x)=3x^2+2ax+b$이고 함수 $f(x)$가 $x=1$에서 극댓값을 가지므로

$f'(1)=3+2a+b=0$

$\therefore 2a+b=-3$ ······ ㉠

또, 극댓값이 5이므로 $f(1)=1+a+b+1=5$

$\therefore a+b=3$ ······ ㉡

㉠, ㉡을 연립하여 풀면 $a=-6$, $b=9$

STEP B 함수 $f(x)$의 극솟값 구하기

$f(x)=x^3-6x^2+9x+1$에서 $f'(x)=3x^2-12x+9=3(x-1)(x-3)$

$f'(x)=0$에서 $x=1$ 또는 $x=3$

함수 $f(x)$의 증가와 감소를 나타내는 표를 만들면 다음과 같다.

x	$\cdots$	1	$\cdots$	3	$\cdots$
$f'(x)$	$+$	0	$-$	0	$+$
$f(x)$	↗	5	↘	극소	↗

함수 $f(x)$는 $x=3$에서 극소이고 극솟값 $f(3)=1$을 갖는다.

따라서 두 상수 a, b의 값과 극솟값의 합은 $-6+9+1=4$

0735
정답 ⑤

STEP Ⓐ $f'(1)=f'(3)=0$임을 이용하여 a, b의 값 구하기

$f(x)=x^3+ax^2+bx+c$에서 $f'(x)=3x^2+2ax+b$

함수 $f(x)$는 $x=1$과 $x=3$에서 극값을 가지므로

$f'(1)=0$에서 $3+2a+b=0$ ······ ㉠

$f'(3)=0$에서 $27+6a+b=0$ ······ ㉡

㉠, ㉡을 연립하여 풀면 $a=-6$, $b=9$

STEP Ⓑ $f(3)=2$임을 이용하여 c의 값 구하기

$f(x)=x^3-6x^2+9x+c$이므로

$x=3$에서 극솟값 2을 가지므로 $f(3)=2$

즉 $f(3)=27-54+27+c=2$ ∴ $c=2$

STEP Ⓒ $f(x)$의 극댓값 구하기

따라서 함수 $f(x)$는 $f(x)=x^3-6x^2+9x+2$이므로

$x=1$에서 극대이고 극댓값은 $f(1)=1-6+9+2=6$

내/신/연/계/ 출제문항 313

함수 $f(x)=x^3+ax^2+bx+c$가 $x=3$에서 극솟값을 갖고,
$x=-1$에서 극댓값 9를 가질 때, $f(x)$의 극솟값은?

① -25 ② -24 ③ -23
④ -22 ⑤ -21

STEP Ⓐ $f'(-1)=f'(3)=0$임을 이용하여 a, b의 값 구하기

$f(x)=x^3+ax^2+bx+c$에서 $f'(x)=3x^2+2ax+b$

함수 $f(x)$는 $x=-1$과 $x=3$에서 극값을 가지므로

$f'(-1)=0$에서 $3-2a+b=0$ ······ ㉠

$f'(3)=0$에서 $27+6a+b=0$ ······ ㉡

㉠, ㉡을 연립하여 풀면 $a=-3$, $b=-9$

STEP Ⓑ $f(-1)=9$임을 이용하여 c의 값 구하기

$f(x)=x^3-3x^2-9x+c$이므로

$x=-1$에서 극댓값 9을 가지므로 $f(-1)=9$

즉 $f(-1)=-1-3+9+c=9$ ∴ $c=4$

STEP Ⓒ $f(x)$의 극솟값 구하기

따라서 함수 $f(x)$는 $f(x)=x^3-3x^2-9x+4$이므로

$x=3$에서 극소이고 극솟값은 $f(3)=27-27-27+4=-23$

정답 ③

0736
정답 ④

STEP Ⓐ 도함수 $f'(x)$를 구하고 $f'(x)=0$인 x의 값 구하기

$f(x)=x^3+ax^2+bx+c$에서 $f'(x)=3x^2+2ax+b$
조건 (가)에 의하여
방정식 $f'(x)=3x^2+2ax+b=0$의 두 실근이 $x=-1$, $x=3$이므로
이차방정식의 근과 계수의 관계에 의하여

$-1+3=-\dfrac{2}{3}a$, $(-1)\times3=\dfrac{b}{3}$이므로 $a=-3$, $b=-9$

STEP Ⓑ $f(4)=0$을 만족하는 상수 c의 값 구하기

$f(x)=x^3-3x^2-9x+c$이므로
조건 (나)에 의하여
$f(4)=64-48-36+c=0$ ∴ $c=20$
따라서 $a+b+c=(-3)+(-9)+20=8$

내/신/연/계/ 출제문항 314

함수 $f(x)=-x^3+ax^2+bx+c$가 $x=1$에서 극솟값 -1을 갖고 $x=3$에서 극댓값을 갖는다. 실수 a, b, c에 대하여 a, b, c와 극댓값의 합은?

① -3 ② -2 ③ 0
④ 2 ⑤ 3

STEP Ⓐ $f'(1)=f'(3)=0$임을 이용하여 a, b의 값 구하기

$f(x)=-x^3+ax^2+bx+c$에서 $f'(x)=-3x^2+2ax+b$

함수 $f(x)$가 $x=1$과 $x=3$에서 극값을 가지므로

$f'(1)=-3+2a+b=0$ ······ ㉠

$f'(3)=-27+6a+b=0$ ······ ㉡

㉠, ㉡을 연립하여 풀면 $a=6$, $b=-9$

STEP Ⓑ $x=1$에서 극솟값 -1을 가짐을 이용하여 c 구하기

$f(x)=-x^3+6x^2-9x+c$이고 $x=1$에서 극솟값 -1을 가지므로

$f(1)=-1+6-9+c=-1$

∴ $c=3$

STEP Ⓒ $f(x)$의 극댓값 구하기

함수 $f(x)=-x^3+6x^2-9x+3$이므로

$x=3$에서 극대이고 극댓값은 $f(3)=-27+54-27+3=3$

따라서 $a=6$, $b=-9$, $c=3$와 극댓값이 3이므로

$a+b+c+($극댓값$)=6+(-9)+3+3=3$

정답 ⑤

0737
정답 ⑤

STEP Ⓐ $f'(0)=f'(-2)=0$임을 이용하여 a, b의 값 구하기

최고차항의 계수가 1인 삼차함수 $f(x)=x^3+ax^2+bx+c$로 놓으면

$f'(x)=3x^2+2ax+b$

함수 $f(x)$가 $x=0$, $x=-2$에서 극값을 가지므로

$f'(0)=b=0$ ······ ㉠

$f'(-2)=12-4a+b=0$ ······ ㉡

㉠, ㉡을 연립하여 풀면 $b=0$, $a=3$

∴ $f(x)=x^3+3x^2+c$

STEP Ⓑ $f(-2)=0$임을 이용하여 c의 값 구하기

함수 $f(x)$가 $x=-2$에서 극댓값 0이므로 $f(-2)=-8+12+c=0$

∴ $c=-4$

STEP Ⓒ $f(2)$의 값 구하기

따라서 $f(x)=x^3+3x^2-4$이므로 $f(2)=8+12-4=16$

0738
정답 ①

STEP Ⓐ $g(2)=32$임을 이용하여 $f(2)$의 값 구하기

$g(x)=(x^2+2x)f(x)$에서 $g'(x)=(2x+2)f(x)+(x^2+2x)f'(x)$

$g(x)$가 $x=2$에서 극댓값이 32이므로 $g'(2)=0$이고 $g(2)=32$

한편 $g(x)=(x^2+2x)f(x)$에 $x=2$를 대입하면

$g(2)=(2^2+2\cdot2)f(2)=32$이므로 $f(2)=4$

STEP Ⓑ $g'(2)=0$임을 이용하여 $f'(2)$의 값 구하기

$g'(x)=(2x+2)f(x)+(x^2+2x)f'(x)$이므로

$x=2$을 대입하면 $g'(2)=6f(2)+8f'(2)=24+8f'(2)=0$ ← $f(2)=4$

따라서 $f'(2)=-3$

두 다항함수 $f(x)$와 $g(x)$가 모든 실수 x에 대하여
$$g(x)=(x^3+1)f(x)$$
를 만족시킨다. $g(x)$가 $x=1$에서 극솟값 12를 가질 때, $f(1)-f'(1)$의 값은?

① 11 　　② 13 　　③ 15
④ 17 　　⑤ 19

STEP Ⓐ $g(1)=12$임을 이용하여 $f(1)$의 값 구하기

$g(x)$가 $x=1$에서 극솟값 12를 가지므로 $g(1)=12$, $g'(1)=0$
한편 $g(x)=(x^3+1)f(x)$에 $x=1$을 대입하면
$g(1)=2f(1)=12$에서 $f(1)=6$

STEP Ⓑ $g'(1)=0$임을 이용하여 $f'(1)$의 값 구하기

$g'(x)=3x^2f(x)+(x^3+1)f'(x)$이므로
$x=1$을 대입하면 $g'(1)=3f(1)+2f'(1)=0$
$\therefore f'(1)=-9$ ← $f(1)=6$
따라서 $f(1)-f'(1)=6-(-9)=15$ 　정답 ③

0739 　정답 ②

STEP Ⓐ 함수 $f(x)$가 $x=2$에서 극솟값 3을 가짐을 이용하기

다항함수 $f(x)$가 $x=2$에서 극솟값 3을 가지므로 $f'(2)=0$, $f(2)=3$
$g(x)=(x^2+2)f(x)$에서 $g'(x)=2xf(x)+(x^2+2)f'(x)$이므로
$g(2)=6f(2)=6\cdot3=18$
$g'(2)=4f(2)+6f'(2)=4\cdot3+6\cdot0=12$

STEP Ⓑ 함수 $g(x)$ 위의 점 $(2, g(2))$에서 접선의 방정식 구하기

곡선 $y=g(x)$ 위의 점 $(2, g(2))$에서의 접선의 방정식은
$y-g(2)=g'(2)(x-2)$
$y-18=12(x-2)$ ← $g(2)=18$, $g'(2)=12$
$\therefore y=12x-6$
따라서 이 접선이 $(0, a)$을 지나므로 $a=-6$

두 다항함수 $f(x)$와 $g(x)$가 모든 실수 x에 대하여
$$g(x)=(-2x+1)f(x)$$
를 만족시킨다. $f(x)$가 $x=3$에서 극값 1을 가질 때, $y=g(x)$ 위의 $x=3$인 점에서의 접선과 원점 사이의 거리는?

① $\dfrac{\sqrt{2}}{2}$ 　　② $\sqrt{2}$ 　　③ $\dfrac{\sqrt{5}}{5}$
④ $\sqrt{5}$ 　　⑤ $2\sqrt{5}$

STEP Ⓐ 함수 $f(x)$가 $x=3$에서 극값 1을 가짐을 이용하기

다항함수 $f(x)$가 $x=3$에서 극값 1을 가지므로 $f'(3)=0$, $f(3)=1$
$g(x)=(-2x+1)f(x)$에서 $g'(x)=-2f(x)+(-2x+1)f'(x)$이므로
$g(3)=-5f(3)=-5$ ← $f(3)=1$
$g'(3)=-2f(3)-5f'(3)=-2\cdot1-0=-2$

STEP Ⓑ 함수 $g(x)$ 위의 점 $(3, g(3))$에서 접선의 방정식 구하기

곡선 $y=g(x)$ 위의 점 $(3, g(3))$에서의 접선의 방정식은
$y-g(3)=g'(3)(x-3)$

$y+5=-2(x-3)$ ← $g(3)=-5$, $g'(3)=-2$
$\therefore y=-2x+1$
따라서 원점과 접선 $2x+y-1=0$ 사이의 거리는 $\dfrac{|-1|}{\sqrt{2^2+1^2}}=\dfrac{\sqrt{5}}{5}$ 　정답 ③

0740 　정답 ②

STEP Ⓐ 조건 (가)를 만족하는 $f(-1)$, $f'(-1)$의 값 구하기

$f(x)=x^3+ax^2+bx+c$ (a, b, c는 상수)로 놓으면
$f'(x)=3x^2+2ax+b$

조건 (가)에서 $\displaystyle\lim_{x\to-1}\dfrac{f(x)+2}{x+1}=0$이므로
$x\to-1$일 때, (분모)→ 0이고 극한값이 존재하므로 (분자)→ 0이다.
즉 $\displaystyle\lim_{x\to-1}\{f(x)+2\}=0$이므로 $f(-1)+2=0$
$\therefore f(-1)=-2$ 　　…… ㉠
또, $\displaystyle\lim_{x\to-1}\dfrac{f(x)+2}{x+1}=\lim_{x\to-1}\dfrac{f(x)-f(-1)}{x-(-1)}=f'(-1)$이므로
$f'(-1)=0$ 　　…… ㉡

STEP Ⓑ 조건 (나)를 만족하는 $f'(3)$의 값 구하기

조건 (나)에서 함수 $f(x)$가 $x=3$에서 극솟값을 가지므로
$f'(3)=0$ 　　…… ㉢

STEP Ⓒ $f(2)$의 값 구하기

㉡, ㉢에 의하여 $f'(-1)=3-2a+b=0$
$f'(3)=27+6a+b=0$
위의 두 식을 연립하여 풀면 $a=-3$, $b=-9$
$f(x)=x^3-3x^2-9x+c$이므로 ㉠에서
$f(-1)=-1-3+9+c=-2$ $\therefore c=-7$
따라서 $f(x)=x^3-3x^2-9x-7$이므로 $f(2)=8-12-18-7=-29$

> **참고**
> ㉡, ㉢에 의하여 $f'(x)$는 $x+1$과 $x-3$을 인수로 가지므로
> $f'(x)=3x^2+2ax+b=3(x+1)(x-3)$
> $3x^2+2ax+b=3x^2-6x-9$ $\therefore a=-3$, $b=-9$
> 즉 $f(x)=x^3-3x^2-9x+c$이고 ㉠에 의하여
> $f(-1)=-1-3+9+c=-2$ $\therefore c=-7$
> 따라서 $f(x)=x^3-3x^2-9x-7$

삼차함수 $f(x)$가 다음 조건을 모두 만족시킬 때, 함수 $f(x)$의 극댓값은?

> (가) $\displaystyle\lim_{x\to0}\dfrac{f(x)}{x}=-12$
> (나) $x=1$에서 극솟값 -7을 갖는다.

① 5 　　② 10 　　③ 15
④ 20 　　⑤ 25

STEP Ⓐ 조건 (가)에서 극한값의 존재조건과 미분계수를 이용하여 c, d의 값 구하기

$f(x)=ax^3+bx^2+cx+d$ ($a\ne0$, b, c, d는 상수)로 놓으면
$f'(x)=3ax^2+2bx+c$

조건 (가)에서 $\displaystyle\lim_{x\to0}\dfrac{f(x)}{x}=-12$이므로
$x\to0$일 때, (분모)→ 0이고 극한값이 존재하므로 (분자)→ 0이다.

즉 $\lim_{x \to 0} f(x) = 0$이므로 $f(0) = 0$ ······ ㉠

또, $\lim_{x \to 0} \dfrac{f(x)}{x} = \lim_{x \to 0} \dfrac{f(x)-f(0)}{x-0} = f'(0)$이므로

$f'(0) = -12$ ······ ㉡

㉠, ㉡에 의하여 $f(0) = 0$에서 $d = 0$

$f'(0) = -12$에서 $c = -12$

STEP Ⓑ **조건 (나)에서 $f(1) = -7$, $f'(1) = 0$임을 이용하여 a, b의 값 구하기**

조건 (나)에서 삼차함수 $f(x)$가 $x = 1$에서 극솟값 -7을 가지므로

$f(1) = -7$, $f'(1) = 0$

$f(1) = -7$에서 $a + b - 12 = -7$

$\therefore a + b = 5$ ······ ㉢

$f'(1) = 0$에서 $3a + 2b - 12 = 0$

$\therefore 3a + 2b = 12$ ······ ㉣

㉢, ㉣을 연립하여 풀면 $a = 2$, $b = 3$

STEP Ⓒ **$f(x)$의 극댓값 구하기**

$f(x) = 2x^3 + 3x^2 - 12x$이고

$f'(x) = 6x^2 + 6x - 12 = 6(x+2)(x-1)$

$f'(x) = 0$에서 $x = -2$ 또는 $x = 1$

함수 $f(x)$의 증가와 감소를 표로 나타내면 다음과 같다.

x	$\cdots$	-2	$\cdots$	1	$\cdots$
$f'(x)$	$+$	0	$-$	0	$+$
$f(x)$	↗	극대	↘	-7	↗

따라서 함수 $f(x)$는 $x = -2$에서 극대이고 극댓값 $f(-2) = 20$ ·정답· ④

0741

·정답· ⑤

STEP Ⓐ **주어진 조건에서 $f'(x)$의 함수식 세우기**

조건 (가)에서 함수 $f(x)$는 최고차항의 계수가 1인 삼차함수이다.

즉 $f'(x)$는 이차함수이고 이차항의 계수는 3이다.

또한, 조건 (나)에서 함수 $f(x)$가 $x = -1$과 $x = 2$에서 극값을 가지므로

$f'(x)$는 $x+1$과 $x-2$를 인수로 갖는다.

$\therefore f'(x) = 3(x+1)(x-2)$

STEP Ⓑ **식을 변형하고 미분계수의 정의를 이용하여 극한값 구하기**

$$\lim_{h \to 0} \frac{f(3+h)-f(3-h)}{h} = \lim_{h \to 0} \frac{\{f(3+h)-f(3)\}-\{f(3-h)-f(3)\}}{h}$$

$$= \lim_{h \to 0} \frac{f(3+h)-f(3)}{h} + \lim_{h \to 0} \frac{f(3-h)-f(3)}{-h}$$

$$= 2f'(3) = 2 \cdot 3 \cdot 4 \cdot 1 = 24$$

내/신/연/계 출제문항 318

다항함수 $f(x)$가 다음 조건을 만족시킨다.

> (가) $\lim_{x \to \infty} \dfrac{f(x)}{x^3} = -2$
>
> (나) 함수 $f(x)$는 $x = -2$와 $x = 1$에서 극값을 갖는다.

$\lim_{k \to 0} \dfrac{f(h)-f(-h)}{h}$ 의 값은?

① 8   ② 12   ③ 16
④ 20   ⑤ 24

STEP Ⓐ **주어진 조건에서 $f'(x)$의 함수식 세우기**

조건 (가)에서 $f(x)$는 최고차항의 계수가 -2인 삼차함수이다.

함수 $f(x)$의 도함수 $f'(x)$는 최고차항의 계수가 -6인 이차함수이다.

또, 조건 (나)에서 함수 $f(x)$는 $x = -2$와 $x = 1$에서 극값을 가지므로 $f'(x)$는 $x+2$와 $x-1$를 인수로 갖는다.

$\therefore f'(x) = -6(x+2)(x-1)$

STEP Ⓑ **식을 변형하고 미분계수의 정의를 이용하여 극한값 구하기**

$$\lim_{h \to 0} \frac{f(h)-f(-h)}{h} = \lim_{h \to 0} \frac{\{f(h)-f(0)\}-\{f(-h)-f(0)\}}{h}$$

$$= \lim_{h \to 0} \frac{f(h)-f(0)}{h} + \lim_{h \to 0} \frac{f(-h)-f(0)}{-h}$$

$$= 2f'(0)$$

$$= 2 \cdot 12$$

$$= 24$$

·정답· ⑤

0742

STEP Ⓐ **도함수 $f'(x)$를 구하고 $f'(x) = 0$인 x의 값 구하기**

$f(x) = \begin{cases} x^3 - 3ax^2 - 1 & (x < 1) \\ a(x-4) & (x \geq 1) \end{cases}$ 에서

$f'(x) = \begin{cases} 3x(x-2a) & (x < 1) \\ a & (x > 1) \end{cases}$

$f'(x) = 0$에서 $x = 0$ 또는 $x = 2a$

STEP Ⓑ **$f(x)$의 증가와 감소를 나타내는 표를 작성하여 극대와 극소 구하기**

$a < 0$이므로 함수 $f(x)$의 증가와 감소를 표로 나타내면 다음과 같다.

x	$\cdots$	$2a$	$\cdots$	0	$\cdots$	1	$\cdots$
$f'(x)$	$+$	0	$-$	0	$+$		$-$
$f(x)$	↗	극대	↘	극소	↗	극대	↘

함수 $f(x)$는

$x = 2a$에서 극대이고 극댓값은 $f(2a) = (2a)^3 - 3a \cdot (2a)^2 - 1 = -4a^3 - 1$

$x = 0$에서 극소이고 극솟값은 $f(0) = -1$

$x = 1$에서 극대이고 극댓값은 $f(1) = a(1-4) = -3a$

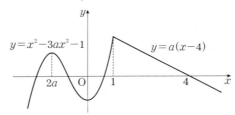

STEP Ⓒ **모든 극값의 합이 5임을 이용하여 $f(-3)$ 구하기**

모든 극값의 합이 5이므로

$(-4a^3 - 1) + (-1) + (-3a) = 5$, $4a^3 + 3a + 7 = 0$

$(a+1)(4a^2 - 4a + 7) = 0$ $\therefore a = -1$

$\therefore f(x) = \begin{cases} x^3 + 3x^2 - 1 & (x < 1) \\ -x + 4 & (x \geq 1) \end{cases}$

따라서 $f(-3) = -27 + 27 - 1 = -1$

0743

STEP Ⓐ $f'(-2)=f'(1)=0$임을 이용하여 a, b의 값 구하기

$f(x)=2x^3+ax^2+bx$에서 $f'(x)=6x^2+2ax+b$

이때 $x=-2$에서 극대, $x=1$에서 극소이므로

$f'(-2)=0$, $f'(1)=0$

$f'(-2)=0$에서 $24-4a+b=0$ ······ ㉠

$f'(1)=0$에서 $6+2a+b=0$ ······ ㉡

㉠, ㉡을 연립하여 풀면 $a=3$, $b=-12$

$f(x)=2x^3+3x^2-12x$

STEP Ⓑ 함수 $f(x)$의 극댓값과 극솟값 구하기

$x=-2$에서 극대이고 극댓값은 $f(-2)=-16+12+24=20$

$x=1$에서 극소이고 극솟값은 $f(1)=2+3-12=-7$

따라서 극댓값과 극솟값의 합은 $20+(-7)=13$

0744

STEP Ⓐ $f'(0)=f'(2)=0$임을 이용하여 a, b의 값 구하기

$f(x)=x^3+ax^2+bx+c$ (단, a, b, c는 상수)로 놓으면

$f'(x)=3x^2+2ax+b$

이때 도함수 $y=f'(x)$의 그래프와 x축과의 교점의 x좌표가

$x=0$ 또는 $x=2$이므로 $f'(0)=0$, $f'(2)=0$

$f'(0)=b=0$, $f'(2)=12+4a+b=0$

즉 $a=-3$

∴ $f(x)=x^3-3x^2+c$

STEP Ⓑ 함수 $f(x)$의 극솟값이 1임을 이용하여 c의 값 구하기

함수 $f(x)$의 증가와 감소를 표로 나타내면 다음과 같다.

x	···	0	···	2	···
$f'(x)$	+	0	−	0	+
$f(x)$	↗	극대	↘	극소	↗

함수 $f(x)$는 $x=2$에서 극소이고 극솟값이 1이므로 $f(2)=1$

$f(2)=8-12+c=1$ ∴ $c=5$

$f(x)=x^3-3x^2+5$

STEP Ⓒ 극댓값 구하기

따라서 함수 $f(x)$는 $x=0$에서 극대이고 극댓값은 $f(0)=5$

최고차항의 계수가 1인 삼차함수 $f(x)$의
도함수 $y=f'(x)$의 그래프가 오른쪽 그림
과 같다. 함수 $f(x)$의 극솟값이 -6일 때,
$f(x)$의 극댓값은?

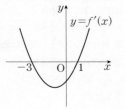

① 22　　　　② 23
③ 24　　　　④ 25
⑤ 26

STEP Ⓐ $f(x)$의 증가와 감소를 표로 나타내어 a, b, c의 값 구하기

$f(x)=x^3+ax^2+bx+c$ (a, b, c는 상수)로 놓으면

$f'(x)=3x^2+2ax+b$

$y=f'(x)$의 그래프가 x축과 만나는 점의 x좌표가 -3, 1이므로

$f'(-3)=0$, $f'(1)=0$이므로

$f'(-3)=27-6a+b=0$ ······ ㉠

$f'(1)=3+2a+b=0$ ······ ㉡

㉠, ㉡을 연립하여 풀면 $a=3$, $b=-9$

∴ $f(x)=x^3+3x^2-9x+c$

STEP Ⓑ 함수 $f(x)$의 극솟값이 -6임을 이용하여 c의 값 구하기

$f(x)$의 증가와 감소를 표로 나타내면 다음과 같다.

x	···	-3	···	1	···
$f'(x)$	+	0	−	0	+
$f(x)$	↗	극대	↘	극소	↗

함수 $f(x)$는 $x=1$에서 극소이고 극솟값이 -6이므로

$f(1)=1+3-9+c=-6$ ∴ $c=-1$

STEP Ⓒ $f(x)$의 극댓값 구하기

따라서 $f(x)=x^3+3x^2-9x-1$이므로 구하는 극댓값은

$f(-3)=-27+27+27-1=26$

0745

STEP Ⓐ $f'(1)=f'(2)=0$임을 이용하여 a, b의 값 구하기

$f(x)=-2x^3+ax^2+bx+c$에서 $f'(x)=-6x^2+2ax+b$

이때 도함수 $y=f'(x)$의 그래프와 x축과의 교점의 x좌표가

$x=1$ 또는 $x=2$이므로 $f'(1)=0$, $f'(2)=0$

$f'(1)=0$에서 $-6+2a+b=0$ ····· ㉠

$f'(2)=0$에서 $-24+4a+b=0$ ····· ㉡

㉠, ㉡을 연립하여 풀면 $a=9$, $b=-12$

$f(x)=-2x^3+9x^2-12x+c$

STEP Ⓑ 함수 $f(x)$의 극솟값이 -2임을 이용하여 c의 값 구하기

함수 $f(x)$의 증가와 감소를 표로 나타내면 다음과 같다.

x	···	1	···	2	···
$f'(x)$	−	0	+	0	−
$f(x)$	↘	극소	↗	극대	↘

이때 함수 $f(x)$는 $x=1$에서 극소이고 극솟값이 -2이므로

$f(1)=-2+9-12+c=-2$ ∴ $c=3$

STEP Ⓒ 극댓값 구하기

따라서 $f(x)=-2x^3+9x^2-12x+3$이므로 $x=2$에서 극대이고 극댓값은

$f(2)=-16+36-24+3=-1$

오른쪽 그림은 함수
$$f(x)=2x^3+ax^2+bx+c$$
의 도함수 $y=f'(x)$의 그래프이다.
함수 $f(x)$의 극솟값이 3일 때, 상수
a, b, c에 대하여 $a+b+c+$(극댓값)
의 값은?

① 2   ② 3
③ 4   ④ 5
⑤ 6

STEP Ⓐ $f'(1)=f'(2)=0$임을 이용하여 a, b의 값 구하기

$f'(x)=6x^2+2ax+b$에서 $f'(1)=0$, $f'(2)=0$이므로
$f'(1)=6+2a+b=0$, $2a+b=-6$ ······ ㉠
$f'(2)=24+4a+b=0$, $4a+b=-24$ ······ ㉡
㉠, ㉡을 연립하여 풀면 $a=-9$, $b=12$
$\therefore f(x)=2x^3-9x^2+12x+c$

STEP Ⓑ 함수 $f(x)$의 극솟값이 3임을 이용하여 c의 값 구하기

함수 $f(x)$의 증가와 감소를 표로 나타내면 다음과 같다.

x	···	1	···	2	···
$f'(x)$	+	0	−	0	+
$f(x)$	↗	극대	↘	극소	↗

이때 함수 $f(x)$는 $x=2$에서 극소이고 극솟값이 3이므로 $f(2)=3$
$f(2)=16-36+24+c=c+4=3$ ← $f(x)=2x^3-9x^2+12x+c$
$\therefore c=-1$
$f(x)=2x^3-9x^2+12x-1$

STEP Ⓒ $a+b+c+$(극댓값)의 값 구하기

$x=1$에서 극대이고 극댓값은 $f(1)=2-9+12-1=4$
따라서 $a+b+c+$(극댓값)$=-9+12+(-1)+4=6$ 정답 ⑤

0746

정답 ②

STEP Ⓐ 주어진 조건을 식으로 표현하기

함수 $f(x)$가 $x=a$에서 극댓값 b를 가지므로
$f(a)=b$, $f'(a)=0$

STEP Ⓑ 곱의 미분법을 이용하여 $x=a$에서 접선의 기울기 구하기

곡선 $y=xf(x)$에서 $y'=f(x)+xf'(x)$이므로
$x=a$인 점에서의 접선의 기울기는
$f(a)+af'(a)=b+a\cdot0=b$

STEP Ⓒ 기울기와 한 점을 이용하여 접선의 방정식 구하기

따라서 점 (a, ab)에서의 접선의 방정식은 $y-ab=b(x-a)$
$\therefore y=bx$

0747

STEP Ⓐ $f'(1)=0$, $f(1)=3$임을 이용하여 a, b, c의 관계식 구하기

$f(x)=x^3+ax^2+bx+c$ (단, a, b, c는 상수)로 놓으면
$f'(x)=3x^2+2ax+b$
조건 (가)에서 함수 $f(x)$는 $x=1$에서 극댓값 3을 가지므로
$f'(1)=0$, $f(1)=3$
$f'(1)=3+2a+b=0$
$\therefore 2a+b=-3$ ······ ㉠
$f(1)=1+a+b+c=3$
$\therefore a+b+c=2$ ······ ㉡

STEP Ⓑ $f'(2)=-5$임을 이용하여 a, b의 관계식 구하기

조건 (나)에서 $x=2$에서의 접선의 기울기가 -5
$f'(2)=12+4a+b=-5$
$\therefore 4a+b=-17$ ······ ㉢
㉠, ㉢을 연립하여 풀면 $a=-7$, $b=11$
이를 ㉡에 대입하면 $c=-2$

STEP Ⓒ $f(2)$의 값 구하기

따라서 $f(x)=x^3-7x^2+11x-2$이므로 $f(2)=8-28+22-2=0$

삼차함수 $f(x)$가 다음 조건을 만족할 때, 함수 $f(1)$의 값은?

> (가) $x=-3$에서 극댓값 1이다.
> (나) 곡선 $y=f(x)$ 위의 점 $(0, 1)$에서의 접선의 방정식은 $y=9x+1$
> 이다.

① 13   ② 14   ③ 17
④ 18   ⑤ 20

STEP Ⓐ $f(0)=1$, $f'(0)=9$임을 이용하여 c, d의 값 구하기

$f(x)=ax^3+bx^2+cx+d$ (단, $a\neq0$, b, c, d는 상수)로 놓으면
$f'(x)=3ax^2+2bx+c$
조건 (나)에서 곡선 $y=f(x)$는 점 $(0, 1)$을 지나고
그 점에서의 접선의 기울기가 9이므로 $f(0)=1$, $f'(0)=9$
$f(0)=d=1$, $f'(0)=c=9$

STEP Ⓑ $f'(-3)=0$, $f(-3)=1$임을 이용하여 a, b의 값 구하기

조건 (가)에서 함수 $f(x)$는 $x=-3$에서 극댓값 1을 가지므로
$f'(-3)=0$, $f(-3)=1$
$f'(-3)=27a-6b+9=0$에서
$9a-2b=-3$ ······ ㉠
$f(-3)=-27a+9b-3\cdot9+1=1$에서
$-3a+b=3$ ······ ㉡
㉠, ㉡을 연립하여 풀면 $a=1$, $b=6$
$\therefore f(x)=x^3+6x^2+9x+1$

STEP Ⓒ $f(1)$의 값 구하기

따라서 $f(1)=1+6+9+1=17$ 정답 ③

0748

STEP Ⓐ $f(0)=0$, $f'(0)=-12$임을 이용하여 c, d의 값 구하기

$f(x)=ax^3+bx^2+cx+d$ (단, $a\neq 0$, b, c, d는 상수)로 놓으면

$f'(x)=3ax^2+2bx+c$

조건 (나)에서 곡선 $y=f(x)$는 점 $(0, 0)$을 지나고

그 점에서의 접선의 기울기가 -12이므로 $f(0)=0$, $f'(0)=-12$

$f(0)=d=0$, $f'(0)=c=-12$

STEP Ⓑ $f'(-1)=0$, $f(-1)=7$임을 이용하여 a, b의 값 구하기

조건 (가)에서 함수 $f(x)$는 $x=-1$에서 극댓값 7을 가지므로

$f'(-1)=0$, $f(-1)=7$

$f'(-1)=3a-2b-12=0$

$\therefore 3a-2b=12$ ...... ㉠

$f(-1)=-a+b+12=7$

$\therefore -a+b=-5$ ...... ㉡

㉠, ㉡을 연립하여 풀면 $a=2$, $b=-3$

STEP Ⓒ $f(x)$의 극솟값 구하기

$f(x)=2x^3-3x^2-12x$이므로

$f'(x)=6x^2-6x-12=6(x+1)(x-2)=0$

$f'(x)=0$에서 $x=-1$ 또는 $x=2$

함수 $f(x)$의 증가와 감소를 표로 나타내면 다음과 같다.

x	$\cdots$	-1	$\cdots$	2	$\cdots$
$f'(x)$	$+$	0	$-$	0	$+$
$f(x)$	↗	극대	↘	극소	↗

따라서 삼차함수 $y=f(x)$가 $x=2$에서 극소이고 극솟값은

$f(2)=16-12-24=-20$

내/신/연/계 출제문항 322

삼차함수 $f(x)$가 다음 조건을 모두 만족시킬 때, $f(x)$의 극솟값은?

> (가) $x=1$에서 극댓값 7을 갖는다.
> (나) 곡선 $y=f(x)$ 위의 점 $(0, 2)$에서의 접선의 방정식은 $y=12x+2$이다.

① 6 ② 5 ③ 4
④ 3 ⑤ 2

STEP Ⓐ 조건을 만족하는 삼차함수 $f(x)$ 구하기

$f(x)=ax^3+bx^2+cx+d$ ($a\neq 0$, b, c, d 상수)로 놓으면

$f'(x)=3ax^2+2bx+c$

조건 (가)에서 함수 $f(x)$는 $x=1$에서 극댓값 7을 가지므로

$f'(1)=0$, $f(1)=7$

$f(1)=a+b+c+d=7$ ...... ㉠

$f'(1)=3a+2b+c=0$ ...... ㉡

조건 (나)에서 곡선 $y=f(x)$ 위의 점 $(0, 2)$에서의 접선의 방정식이

$y=12x+2$이므로 $f(0)=2$, $f'(0)=12$

$f(0)=d=2$ ...... ㉢

$f'(0)=c=12$ ...... ㉣

㉠, ㉡, ㉢, ㉣을 연립하여 풀면

$a=2$, $b=-9$, $c=12$, $d=2$

STEP Ⓑ 극솟값 구하기

$f(x)=2x^3-9x^2+12x+2$이므로

$f'(x)=6x^2-18x+12=6(x-1)(x-2)$

$f'(x)=0$에서 $x=1$ 또는 $x=2$

함수 $f(x)$의 증가와 감소를 표로 나타내면 다음과 같다.

x	$\cdots$	1	$\cdots$	2	$\cdots$
$f'(x)$	$+$	0	$-$	0	$+$
$f(x)$	↗	극대	↘	극소	↗

따라서 삼차함수 $y=f(x)$가 $x=2$에서 극소이고 극솟값은

$f(2)=16-36+24+2=6$

0749

STEP Ⓐ $f(x)$의 증가와 감소를 나타내는 표를 작성하여 극대, 극소 구하기

$f(x)=x^3-3ax^2+4a$로 놓으면

$f'(x)=3x^2-6ax=3x(x-2a)$

$f'(x)=0$에서 $x=0$ 또는 $x=2a$

함수 $f(x)$의 증가와 감소를 표로 나타내면 다음과 같다.

x	$\cdots$	0	$\cdots$	$2a$	$\cdots$
$f'(x)$	$+$	0	$-$	0	$+$
$f(x)$	↗	극대	↘	극소	↗

$a>0$이므로 $x=0$에서 극대이고 극댓값 $f(0)=4a$

$x=2a$에서 극소이고 극솟값 $f(2a)=-4a^3+4a$를 갖는다.

STEP Ⓑ 삼차함수의 y절편이 양수이고 그래프가 x축에 접하기 위해서는 극솟값이 0임을 이용하여 a의 값 구하기

$a>0$에 의해 y절편이 양수이므로

삼차함수의 그래프가 x축에 접하기
위해서는 극솟값이 0이 되어야 하므로
그래프의 개형은 오른쪽 그림과 같다.
즉 $x=2a$일 때, x축에 접해야 하므로

$f(2a)=-4a^3+4a=0$

$a^3-a=0$, $a(a+1)(a-1)=0$

$a>0$이므로 $a=1$

따라서 $f(x)=x^3-3x^2+4$이므로 $f(4)=64-48+4=20$

다른풀이 (극댓값)×(극솟값)$=0$임을 이용하여 풀이하기

$f(x)=x^3-3ax^2+4a$에서

$f'(x)=3x^2-6ax=3x(x-2a)$

$f'(x)=0$에서 $x=0$ 또는 $x=2a$

함수 $f(x)$의 증가와 감소를 표로 나타내면 다음과 같다.

x	$\cdots$	0	$\cdots$	$2a$	$\cdots$
$f'(x)$	$+$	0	$-$	0	$+$
$f(x)$	↗	$4a$	↘	$-4a^3+4a$	↗

삼차함수 $f(x)=x^3-3ax^2+4a$는

$x=0$에서 극대, $x=2a$에서 극소이므로

함수 $f(x)$가 x축에 접하려면 극댓값 또는 극솟값이 0이어야 한다.

$f(0)f(2a)=(4a)\cdot(-4a^3+4a)=-16a^2(a^2-1)=0$

$a>0$이므로 $a=1$

따라서 $f(x)=x^3-3x^2+4$이므로 $f(4)=20$

0750

STEP Ⓐ $f(x)$의 증가와 감소를 나타내는 표를 작성하여 극대, 극소 구하기

$f(x)=x^3-3x^2-9x+a$로 놓으면

$f'(x)=3x^2-6x-9=3(x+1)(x-3)$

$f'(x)=0$에서 $x=-1$ 또는 $x=3$

함수 $f(x)$의 증가와 감소를 표로 나타내면 다음과 같다.

x	$\cdots$	-1	$\cdots$	3	$\cdots$
$f'(x)$	$+$	0	$-$	0	$+$
$f(x)$	↗	극대	↘	극소	↗

함수 $f(x)$는

$x=-1$에서 극대이고 극댓값은 $f(-1)=-1-3+9+a=5+a$

$x=3$에서 극소이고 극솟값은 $f(3)=27-27-27+a=-27+a$

STEP Ⓑ 함수 $y=f(x)$의 그래프와 x축이 서로 다른 두 점에서 만나기 위해서는 함수 $f(x)$가 x축에 접함을 이용하기

함수 $y=f(x)$의 그래프와 x축이 서로 다른 두 점에서 만나기 위해서는 함수 $f(x)$가 x축에 접해야 하므로 극댓값 또는 극솟값이 0이어야 한다.

$f(-1)f(3)=(5+a)(-27+a)=0$

$\therefore a=-5$ 또는 $a=27$

따라서 상수 a의 모든 값의 합은 $-5+27=22$

내/신/연/계 출제문항 323

삼차함수 $f(x)=-2x^3+3ax^2-4a$의 그래프가 x축에 접하도록 하는 모든 실수 a의 값의 곱은? (단, $a\neq0$)

① -4 ② $-2\sqrt{2}$ ③ -2

④ $2\sqrt{2}$ ⑤ 4

STEP Ⓐ $f(x)$가 극값을 가지는 x값 구하기

$f(x)=-2x^3+3ax^2-4a$에서

$f'(x)=-6x^2+6ax=-6x(x-a)$

$f'(x)=0$에서 $x=0$ 또는 $x=a$

즉 함수 $f(x)$는 $x=0$, $x=a$에서 극값을 갖는다.

STEP Ⓑ $f(x)$의 그래프가 x축에 접하도록 하는 a의 값 구하기

이때 함수 $y=f(x)$의 그래프가 x축에 접하므로 $f(0)=0$ 또는 $f(a)=0$

(i) $f(0)=0$인 경우

    $f(0)=-4a=0$에서 $a=0$

    그런데 조건에서 $a\neq0$이므로 $f(0)=0$이 아니다.

(ii) $f(a)=0$인 경우

    $f(a)=-2a^3+3a^3-4a=0$

    $a^3-4a=0$, $a(a+2)(a-2)=0$

    $\therefore a=-2$ 또는 $a=2$ ($\because a\neq0$)

(i), (ii)에서 모든 실수 a의 값의 곱은 $(-2)\cdot2=-4$

0751

STEP Ⓐ 조건을 만족하는 삼차함수 $f(x)$ 결정하기

조건 (가)에 의하여

$f(1)=f'(1)=0$에서

함수 $y=f(x)$의 그래프는 $x=1$에서

x축에 접하므로 최고차항의 계수가 1인

삼차함수 $f(x)$를 $f(x)=(x-1)^2(x-a)$

(단, a는 상수)로 놓으면

조건 (나)에서 $f(0)=2$이므로 $-a=2$

$\therefore a=-2$

$\therefore f(x)=(x-1)^2(x+2)$

STEP Ⓑ $f(x)$의 증가와 감소를 나타내는 표를 작성하여 극대, 극소 구하기

$f(x)=(x-1)^2(x+2)$에서

$f'(x)=2(x-1)(x+2)+(x-1)^2=(x-1)(3x+3)$

$f'(x)=0$에서 $x=1$ 또는 $x=-1$

함수 $f(x)$의 증가와 감소를 표로 나타내면 다음과 같다.

x	$\cdots$	-1	$\cdots$	1	$\cdots$
$f'(x)$	$+$	0	$-$	0	$+$
$f(x)$	↗	극대	↘	극소	↗

따라서 함수 $f(x)$는 $x=-1$에서 극대이고 극댓값은 $f(-1)=4$

내/신/연/계 출제문항 324

삼차함수 $y=f(x)$가 서로 다른 세 실수 a, b, c에 대하여

$$f(a)=f(b)=0, \quad f'(a)=f'(c)=0$$

을 만족시킨다. c를 a와 b로 나타내면?

① $a+b$ ② $\dfrac{a+b}{2}$ ③ $\dfrac{a+b}{3}$

④ $\dfrac{a+2b}{3}$ ⑤ $\dfrac{2a+b}{3}$

STEP Ⓐ 조건을 만족하는 삼차함수 $f(x)$ 결정하기

$f(a)=f(b)=0$이므로 $f(x)$는 $x-a$, $x-b$를 인수로 갖는다.

또한, $f(a)=f'(a)=0$이므로 $f(x)$는 $(x-a)^2$을 인수로 가지므로

$f(x)=k(x-a)^2(x-b)$ (단, $k\neq0$인 상수)

STEP Ⓑ 곱의 미분법을 이용하여 c를 a와 b로 나타내기

$f(x)=k(x-a)^2(x-b)$에서

$f'(x)=2k(x-a)(x-b)+k(x-a)^2=k(x-a)(3x-a-2b)$

$f'(c)=0$이므로 $f'(c)=k(c-a)(3c-a-2b)=0$

그런데 $a\neq c$이므로 $3c-a-2b=0$

따라서 $c=\dfrac{a+2b}{3}$

> **+α**
>
> 사차함수 $f(x)$에 대하여
>
> $f'(a)=f(a)=0$, $f'(b)=f(b)=0$ (단, $a\neq b$)
>
> 이 성립할 때, 방정식 $f(x)=0$의 서로 다른 실근은 a, b이다.
>
> **증명**
>
> $f'(a)=f(a)=0$이므로 $f(x)$는 $(x-a)^2$을 인수로 갖는다.
>
> $f'(b)=f(b)=0$이므로 $f(x)$는 $(x-b)^2$을 인수로 갖는다.
>
> 즉 $f(x)=k(x-a)^2(x-b)^2$ (k는 0이 아닌 상수)
>
> 따라서 함수 $f(x)=0$은 서로 다른 두 실근 a, b를 가진다.

0752

 정답 ⑤

STEP Ⓐ 주어진 그래프를 보고 $f(x)$의 함수식 세우기

함수 $f(x)=x^3+ax^2+bx$의 그래프는 원점을 지나고
x축과 한 점에서 접하므로

$f(x)=x(x^2+ax+b)$

$\qquad =x\left(x+\dfrac{a}{2}\right)^2$ ← 그림에서 $x<0$에서 x축과 한 점에서 접하기 위해서는
$\qquad\qquad\qquad\qquad\quad$ x^2+ax+b가 완전제곱식 형태가 되어야 한다.

$\qquad =x^3+ax^2+\dfrac{a^2}{4}x$

이때 $-\dfrac{a}{2}<0$이므로 $a>0$ $\therefore b=\dfrac{a^2}{4}$ …… ㉠

STEP Ⓑ $f(x)$가 극솟값을 가지는 x값 구하기

$f'(x)=3x^2+2ax+\dfrac{a^2}{4}=\dfrac{1}{4}(2x+a)(6x+a)$

$f'(x)=0$에서 $x=-\dfrac{a}{2}$ 또는 $x=-\dfrac{a}{6}$

$a>0$에서 함수 $f(x)$의 증가와 감소를 표로 나타내면 다음과 같다.

x	$\cdots$	$-\dfrac{a}{2}$	$\cdots$	$-\dfrac{a}{6}$	$\cdots$
$f'(x)$	$+$	0	$-$	0	$+$
$f(x)$	↗	극대	↘	극소	↗

그런데 $a>0$이므로 $f(x)$는 $x=-\dfrac{a}{6}$에서 극솟값 -4를 가진다.

STEP Ⓒ $f\left(-\dfrac{a}{6}\right)=-4$임을 이용하여 a, b의 값 구하기

즉 $f\left(-\dfrac{a}{6}\right)=\left(-\dfrac{a}{6}\right)\cdot\left(\dfrac{a}{3}\right)^2=-\dfrac{a^3}{54}=-4$에서 $a^3=216$

$\therefore a=6$

㉠에서 $b=\dfrac{6^2}{4}=9$

따라서 $a=6$, $b=9$이므로 $a+b=15$

 내/신/연/계 출제문항 325

함수 $f(x)=-x^3+px^2+qx$의 그래프가 원점 이외의 점에서 x축과 접하고 극솟값 -4를 가질 때, 상수 p, q에 대하여 $p+q$의 값은?

① -4 ② -3 ③ -2
④ -1 ⑤ 3

STEP Ⓐ 주어진 조건을 이용하여 $f(x)$의 함수식 세우기

$f(x)=-x^3+px^2+qx$의 그래프가 $(\alpha,0)(\alpha\neq0)$에서 x축과 접한다고 하면

$f(x)=-x(x-\alpha)^2=-x^3+2\alpha x^2-\alpha^2 x$

← $f(x)$는 $x=\alpha$에서 극대가 되고 극댓값 0을 가진다. 즉 $f(\alpha)=0$, $f'(\alpha)=0$

STEP Ⓑ $f(x)$가 극솟값을 가지는 x값을 구하여 α의 값 구하기

$f'(x)=-3x^2+4\alpha x-\alpha^2$
$\qquad =-(x-\alpha)(3x-\alpha)$

$f'(x)=0$에서 $x=\alpha$ 또는 $x=\dfrac{\alpha}{3}$

이때 $f(x)$는 $x=\dfrac{\alpha}{3}$에서

극솟값 -4를 가지므로

$f\left(\dfrac{\alpha}{3}\right)=-\dfrac{4}{27}\alpha^3=-4$ ← $f(x)=-x(x-\alpha)^2$

$\therefore \alpha=3$

따라서 $f(x)=-x^3+6x^2-9x$이므로 $p=6$, $q=-9$

$\therefore p+q=-3$

정답 ②

0753

 정답 ①

STEP Ⓐ 극값을 갖기 위한 양의 정수 a의 최솟값 구하기

$f(x)=x^3-ax^2+2ax+2$에서 $f'(x)=3x^2-2ax+2a$

함수 $f(x)$가 극값을 가지려면 이차방정식 $3x^2-2ax+2a=0$이
서로 다른 두 실근을 가져야 하므로 $f'(x)$의 판별식을 D라고 하면

$\dfrac{D}{4}=a^2-6a>0$, $a(a-6)>0$

$\therefore a<0$ 또는 $a>6$

따라서 양의 정수 a의 최솟값은 7

 내/신/연/계 출제문항 326

함수 $f(x)=\dfrac{1}{3}x^3+ax^2+3ax+2$가 극댓값과 극솟값을 모두 갖기 위한 양의 정수 a의 최솟값은?

① 2 ② 3 ③ 4
④ 5 ⑤ 6

STEP Ⓐ 극값을 갖기 위한 양의 정수 a의 최솟값 구하기

$f(x)=\dfrac{1}{3}x^3+ax^2+3ax+2$에서 $f'(x)=x^2+2ax+3a$

함수 $f(x)$가 극댓값과 극솟값을 모두 가지려면
이차방정식 $x^2+2ax+3a=0$은 서로 다른 두 실근을 가져야 하므로
$f'(x)$의 판별식을 D라고 하면

$\dfrac{D}{4}=a^2-3a>0$, $a(a-3)>0$

$\therefore a<0$ 또는 $a>3$

따라서 양의 정수 a의 최솟값은 4

정답 ③

0754

정답 ③

STEP Ⓐ 극값을 갖지 않도록 하는 정수 a의 개수 구하기

$f(x)=x^3+ax^2+(a+6)x+2$에서 $f'(x)=3x^2+2ax+(a+6)$

함수 $f(x)$가 극값을 갖지 않도록 하려면
방정식 $f'(x)=0$이 허근 및 중근을 가져야 하므로
이차방정식 $3x^2+2ax+(a+6)=0$의 판별식을 D라 하면 $D\leq0$이어야 한다.

$\dfrac{D}{4}=a^2-3a-18\leq0$, $(a-6)(a+3)\leq0$

$\therefore -3\leq a\leq6$

따라서 이를 만족하는 정수 a의 개수는 $6-(-3)+1=10$

> **참고** 최고차항계수가 양수이므로 극값을 갖지 않으려면 실수전체의 집합에서 증가이여야 한다.
> $f'(x)=3x^2+2ax+a+6\geq0$

0755

 정답 ⑤

STEP Ⓐ 극값을 갖지 않도록 하는 정수 a의 개수 구하기

$f(x)=x^3+kx^2-2kx+3$에서 $f'(x)=3x^2+2kx-2k$

함수 $f(x)$가 극값을 갖지 않으려면 이차방정식 $3x^2+2kx-2k=0$이
중근 또는 허근을 가져야 하므로 판별식을 D라 하면

$\dfrac{D}{4}=k^2+6k\leq0$, $k(k+6)\leq0$

$\therefore -6\leq k\leq0$

따라서 정수 k의 개수는 $-6,-5,-4,-3,-2,-1,0$이므로 7개이다.

내/신/연/계 출제문항 327

함수
$$f(x)=x^3-ax^2+2ax+1$$
이 극값을 갖지 않도록 하는 정수 a의 개수는?

① 5   ② 6   ③ 7
④ 8   ⑤ 9

STEP Ⓐ 극값을 갖지 않도록 하는 정수 a의 개수 구하기

$f(x)=x^3-ax^2+2ax+1$에서 $f'(x)=3x^2-2ax+2a$

함수 $f(x)$가 극값을 갖지 않으려면 $f'(x)=0$이 허근 및 중근을 가져야 하므로

이차방정식 $3x^2-2ax+2a=0$의 판별식을 D라 하면 $D \le 0$이어야 한다.

$\dfrac{D}{4}=a^2-6a \le 0$, $0 \le a \le 6$

따라서 정수 a의 개수는 0, 1, 2, 3, 4, 5, 6이므로 7개이다.

0756   정답 ③

STEP Ⓐ $f'(x)=0$의 판별식이 0보다 작거나 같음을 이용하여 a의 범위 구하기

$f(x)=-x^3+ax^2+2ax+3$에서 $f'(x)=-3x^2+2ax+2a$

함수 $f(x)$가 극값을 갖지 않으려면 $f'(x)=0$이 중근 또는 허근을 가져야 한다.

이차방정식 $-3x^2+2ax+2a=0$의 판별식을 D라고 하면

$\dfrac{D}{4}=a^2+6a \le 0$, $a(a+6) \le 0$

$\therefore -6 \le a \le 0$

따라서 $\alpha=-6$, $\beta=0$이므로 $\beta-\alpha=0-(-6)=6$

0757   정답 ③

STEP Ⓐ 극값을 갖기 위한 a의 범위 구하기

$f(x)=x^3-ax^2+(a^2-2a)x$에서 $f'(x)=3x^2-2ax+a^2-2a$

함수 $f(x)$가 극값을 가지려면 방정식 $f'(x)=0$이 서로 다른 두 실근을 가져야

하므로 이차방정식 $3x^2-2ax+a^2-2a=0$의 판별식을 D_1이라 하면

$\dfrac{D_1}{4}=a^2-3(a^2-2a)>0$, $a^2-3a<0$

$a(a-3)<0$ $\therefore 0<a<3$ $\qquad \cdots\cdots \bigcirc$

STEP Ⓑ 극값을 갖지 않도록 하는 a의 범위 구하기

$g(x)=\dfrac{1}{3}x^3+ax^2+(5a-4)x+2$에서 $g'(x)=x^2+2ax+5a-4$

함수 $g(x)$가 극값을 갖지 않으려면 방정식 $g'(x)=0$이 서로 다른 두 실근을

갖지 않아야 한다.

즉 중근 또는 허근을 가져야 하므로 이차방정식 $x^2+2ax+5a-4=0$의

판별식을 D_2라 하면

$\dfrac{D_2}{4}=a^2-5a+4 \le 0$, $(a-1)(a-4) \le 0$

$\therefore 1 \le a \le 4$ $\qquad \cdots\cdots \bigcirc$

$\bigcirc$, $\bigcirc$의 공통 범위는 $1 \le a < 3$이므로 정수 a의 값은 1, 2

따라서 a의 값의 합은 3

0758   정답 ③

STEP Ⓐ 삼차함수 $f(x)$가 x축과 한 번만 만나는 경우 이해하기

함수 $f(x)=\dfrac{1}{3}x^3+ax^2+x+k$의 그래프가 실수 k의 값에 관계없이

x축과 한 번만 만나므로 함수 $f(x)$는 극값을 갖지 않는다.

STEP Ⓑ 삼차함수 $f(x)$가 극값을 갖지 않을 조건 구하기

$f(x)=\dfrac{1}{3}x^3+ax^2+x+k$에서 $f'(x)=x^2+2ax+1$

함수 $f(x)$가 극값을 갖지 않으려면 이차방정식 $f'(x)=0$이 중근 또는 허근을

가져야 하므로 이차방정식 $f'(x)=0$의 판별식을 D라 하면

$\dfrac{D}{4}=a^2-1 \le 0$, $(a-1)(a+1) \le 0$

$\therefore -1 \le a \le 1$

따라서 정수 a의 개수는 -1, 0, 1이므로 3개이다.

내/신/연/계 출제문항 328

함수 $f(x)=-x^3+2ax^2+4ax+k$의 그래프가 실수 k의 값에 관계없이

x축과 한 번만 만난다고 할 때, 정수 a의 개수는?

① 1   ② 2   ③ 3
④ 4   ⑤ 5

STEP Ⓐ 삼차함수 $f(x)$가 x축과 한 번만 만나는 경우 이해하기

함수 $f(x)=-x^3+2ax^2+4ax+k$의 그래프가 실수 k의 값에 관계없이

x축과 한 번만 만나므로 함수 $f(x)$는 극값을 갖지 않는다.

STEP Ⓑ 삼차함수 $f(x)$가 극값을 갖지 않을 조건 구하기

$f(x)=-x^3+2ax^2+4ax+k$에서 $f'(x)=-3x^2+4ax+4a$

함수 $f(x)$가 극값을 갖지 않으려면 이차방정식 $f'(x)=0$이 중근 또는 허근을

가져야 하므로 이차방정식 $f'(x)=0$의 판별식을 D라 하면

$\dfrac{D}{4}=4a^2+12a \le 0$, $4a(a+3) \le 0$

$\therefore -3 \le a \le 0$

따라서 정수 a의 개수는 -3, -2, -1, 0이므로 4개이다.

0759   정답 ③

STEP Ⓐ 주어진 그래프를 이용하여 $y=f'(x)$의 함수식 구하기

$y=f'(x)$는 최고차항의 계수가 1인 이차함수이고

$y=f'(x)-a$의 그래프는 x축과 두 점 $(-1, 0)$, $(3, 0)$에서 만나므로

$f'(x)-a=(x+1)(x-3)$

$\therefore f'(x)=x^2-2x-3+a$

STEP Ⓑ 극값을 갖기 위한 양의 정수 a의 최솟값 구하기

이때 $f(x)$가 극댓값과 극솟값을 모두 갖기 위해서는 $f'(x)=0$이 서로 다른

두 실근을 가져야 하므로 이차방정식 $x^2-2x-3+a=0$의 판별식을 D라 하면

$\dfrac{D}{4}=(-1)^2-(-3+a)=4-a>0$에서 $4-a>0$

$\therefore a<4$

따라서 정수 a의 최댓값은 3

최고차항의 계수가 $\frac{2}{3}$인 삼차함수 $f(x)$의
도함수 $f'(x)$에 대하여
곡선 $y=f'(x)+a$는 $x=-3$과 $x=2$에서
x축과 만난다.
함수 $f(x)$가 극댓값과 극솟값을 가질 때,
정수 a의 최솟값은?

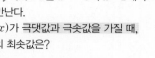

① -13 ② -12 ③ -11
④ -10 ⑤ -9

STEP Ⓐ 주어진 조건에서 $y=f'(x)$의 함수식 구하기

삼차함수 $f(x)$의 최고차항의 계수가 $\frac{2}{3}$이므로
도함수 $f'(x)$의 최고차항의 계수는 2인 이차함수이고
$y=f'(x)+a$의 그래프는 x축과 두 점 $(-3, 0)$, $(2, 0)$에서 만나므로
$f'(x)+a=2(x+3)(x-2)$
$\therefore f'(x)=2x^2+2x-(a+12)$

STEP Ⓑ 극값을 갖기 위한 양의 정수 a의 최솟값 구하기

이때 $f(x)$가 극댓값과 극솟값을 갖기 위해서는 $f'(x)=0$이 서로 다른 두 실근을 가져야 하므로 이차방정식 $2x^2+2x-(a+12)=0$의 판별식을 D라 하면
$\frac{D}{4}=1^2+2(a+12)>0$, $2a+25>0$
$\therefore a>-\frac{25}{2}$
따라서 정수 a의 최솟값은 -12

 정답 ②

0760

정답 ③

STEP Ⓐ 주어진 범위에서 극댓값과 극솟값을 모두 가질 조건 이해하기

$f(x)=x^3-3x^2+ax+1$에서
$f'(x)=3x^2-6x+a=3(x-1)^2-3+a$
함수 $f(x)$가 $-1<x<2$에서 극댓값과
극솟값을 모두 가지려면 이차방정식
$f'(x)=0$은 $-1<x<2$에서 서로 다른
두 실근을 가져야 하므로 $y=f'(x)$의
그래프가 오른쪽 그림과 같아야 한다.

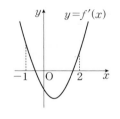

STEP Ⓑ 판별식과 함숫값 축의 방정식을 사용하여 미지수의 범위 구하기

(i) $f'(x)=0$의 판별식을 D라고 하면
$\frac{D}{4}=9-3a>0$ $\therefore a<3$
(ii) $f'(-1)>0$이어야 하므로
$f'(-1)=3+6+a>0$ $\therefore a>-9$
(iii) $f'(2)>0$이어야 하므로
$f'(2)=12-12+a>0$ $\therefore a>0$
(iv) $y=f'(x)$의 그래프의 축의 방정식은 $x=1$이므로 -1과 2 사이에 있다.
(i)~(iv)에서 상수 a의 값의 범위는 $0<a<3$

0761

정답 ⑤

STEP Ⓐ 주어진 범위에서 극댓값과 극솟값을 모두 가질 조건 이해하기

$f(x)=x^3-2x^2+ax+1$에서 $f'(x)=3x^2-4x+a$
함수 $f(x)$가 $-1<x<2$에서 극댓값과 극솟값을 모두 가지려면
이차방정식 $f'(x)=0$은 $-1<x<2$에서 서로 다른 두 실근을 가져야 한다.

STEP Ⓑ 판별식과 함숫값을 사용하여 미지수의 범위 구하기

(i) 방정식 $f'(x)=0$의 판별식을
D라고 하면
$\frac{D}{4}=4-3a>0$, $a<\frac{4}{3}$
(ii) $f'(-1)>0$이어야 하므로
$a+7>0$ $\therefore a>-7$
(iii) $f'(2)>0$이어야 하므로
$a+4>0$ $\therefore a>-4$

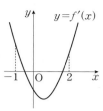

(i)~(iii)에서 $-4<a<\frac{4}{3}$
따라서 정수 a의 개수는 $-3, -2, -1, 0, 1$이므로 5개이다.

함수 $f(x)=x^3-3x^2+ax-1$이 $0<x<3$에서 극댓값과 극솟값을 모두
가질 때, 실수 a의 값의 범위는?

① $a>-9$ ② $a>5$ ③ $0<a<3$
④ $-1<a<3$ ⑤ $-3<a<0$

STEP Ⓐ 주어진 범위에서 극댓값과 극솟값을 모두 가질 조건 이해하기

$f(x)=x^3-3x^2+ax-1$에서 $f'(x)=3x^2-6x+a$
$0<x<3$에서 극댓값과 극솟값을 모두 가지려면 방정식 $f'(x)=0$의
서로 다른 두 근이 0과 3 사이에 있어야 한다.

STEP Ⓑ 판별식과 함숫값 축의 방정식을 사용하여 미지수의 범위 구하기

(i) $f'(x)=0$의 판별식을 D라고 하면
$D>0$이어야 하므로
$D=36-12a>0$ $\therefore a<3$
(ii) $f'(0)>0$에서 $a>0$
(iii) $f'(3)>0$에서 $27-18+a>0$
$\therefore a>-9$

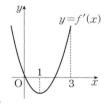

(i)~(iii)에서 구하는 a의 값의 범위는 $0<a<3$

정답 ③

0762

정답 ④

STEP Ⓐ 주어진 범위에서 극댓값과 극솟값을 모두 가질 조건 이해하기

$f(x)=x^3-6x^2+2ax+3$에서 $f'(x)=3x^2-12x+2a$
$f(x)$가 구간 $(-1, 3)$에서 극댓값과 극솟값을 모두 가지려면
방정식 $f'(x)=0$이 구간 $(-1, 3)$에서 서로 다른 두 실근을 가져야 한다.

STEP Ⓑ 판별식과 함숫값을 이용하여 a의 범위 구하기

(i) 방정식 $f'(x)=0$의 판별식을
D라고 하면
$\frac{D}{4}=36-6a>0$ $\therefore a<6$
(ii) $f'(-1)=3+12+2a>0$
$\therefore a>-\frac{15}{2}$
$f'(3)=27-36+2a>0$ $\therefore a>\frac{9}{2}$

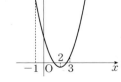

STEP Ⓒ 축의 방정식이 주어진 범위 사이에 있는지 확인하기

(iii) $y=f'(x)$의 그래프의 축의 방정식은 $x=2$이므로 -1과 3 사이에 있다.
(i)~(iii)에서 구하는 a의 값의 범위는 $\frac{9}{2}<a<6$

0763

STEP Ⓐ 주어진 범위에서 극댓값과 극솟값을 모두 가질 조건 이해하기

$f(x)=x^3-3ax^2+3ax-1$에서
$f'(x)=3x^2-6ax+3a$
함수 $f(x)$가 $x>-1$에서 극댓값과
극솟값을 모두 가지려면 방정식
$f'(x)=0$의 서로 다른 두 실근이
모두 $x>-1$에 있어야 하므로
$y=f'(x)$의 그래프가 오른쪽 그림과 같아야 한다.

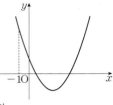

STEP Ⓑ 판별식과 함숫값을 이용하여 a의 범위 구하기

(i) 이차방정식 $3x^2-6ax+3a=0$의 판별식을 D라 할 때,
$\dfrac{D}{4}=9a^2-9a>0$에서 $9a(a-1)>0$
$\therefore a<0$ 또는 $a>1$
(ii) $f'(-1)=3+6a+3a>0$에서 $a>-\dfrac{1}{3}$

STEP Ⓒ 축의 방정식이 주어진 범위에 있도록 하는 a의 범위 구하기

(iii) 이차함수 $y=f'(x)$의 그래프의 축의 방정식은 $x=a$이므로 $a>-1$
(i)~(iii)에서 실수 a의 값의 범위는 $-\dfrac{1}{3}<a<0$ 또는 $a>1$

0764

STEP Ⓐ 주어진 조건을 만족하도록 하는 $f'(x)$의 조건 이해하기

$f(x)=-2x^3+ax^2+4a^2x-3$에서
$f'(x)=-6x^2+2ax+4a^2$
이차방정식 $f'(x)=0$의 두 실근을
$\alpha,\ \beta\ (\alpha<\beta)$라 하면 $-1<\alpha<1,\ \beta>1$
이므로 오른쪽 그림에서 $f'(-1)<0,\ f'(1)>0$

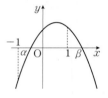

STEP Ⓑ $f'(-1)<0,\ f'(1)>0$에서 a의 범위 구하기

(i) $f'(-1)<0$에서 $-6-2a+4a^2<0$, $2a^2-a-3<0$
$(a+1)(2a-3)<0$ $\therefore -1<a<\dfrac{3}{2}$
(ii) $f'(1)>0$에서 $-6+2a+4a^2>0$, $2a^2+a-3>0$
$(2a+3)(a-1)>0$ $\therefore a<-\dfrac{3}{2}$ 또는 $a>1$
(i), (ii)에서 a의 값의 범위는 $1<a<\dfrac{3}{2}$

내/신/연/계/ 출제문항 331

함수 $f(x)=x^3+(a+1)x^2+ax+3$이 $-2<x<-1$인 x의 값에서
극댓값을 갖고, $x>-1$인 x의 값에서 극솟값을 가질 때, 실수 a의 값의
범위가 $\alpha<x<\beta$일 때, $\beta-\alpha$의 값은?

① $\dfrac{2}{3}$ ② 1 ③ $\dfrac{4}{3}$
④ $\dfrac{5}{3}$ ⑤ 2

STEP Ⓐ 주어진 범위에서 극댓값과 극솟값을 모두 가질 조건 이해하기

$f'(x)=3x^2+2(a+1)x+a$
방정식 $f'(x)=0$의 두 실근을
$\alpha,\ \beta\ (\alpha<\beta)$라 하면
$-2<\alpha<-1,\ \beta>-1$이어야 하므로
$y=f'(x)$의 그래프는 오른쪽 그림과
같아야 한다.

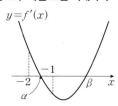

STEP Ⓑ 판별식과 함숫값을 이용하여 a의 범위 구하기

$f'(-2)=12-4(a+1)+a>0$에서
$8-3a>0$ $\therefore a<\dfrac{8}{3}$ …… ㉠
$f'(-1)=3-2(a+1)+a<0$에서
$1-a<0$ $\therefore a>1$ …… ㉡
㉠, ㉡에서 $1<a<\dfrac{8}{3}$

따라서 $\beta=\dfrac{8}{3}$, $\alpha=1$이므로 $\beta-\alpha=\dfrac{5}{3}$

0765

STEP Ⓐ 주어진 조건을 만족하도록 하는 $f'(x)$의 조건 이해하기

$f(x)=x^3-kx^2-k^2x+3$에서
$f'(x)=3x^2-2kx-k^2$
함수 $f(x)$가 $-2<x<2$에서
극댓값을 갖고 $x>2$에서 극솟값을
가지려면 방정식 $f'(x)=0$의
두 실근 중 한 근은 $-2<x<2$에
있고 다른 한 근은 $x>2$에 있어야
하므로 $y=f'(x)$의 그래프가 오른쪽 그림과 같아야 한다.
즉 방정식 $f'(x)=0$의 두 실근을 $\alpha,\ \beta\ (\alpha<\beta)$라 하면
$-2<\alpha<2<\beta$이어야 한다.

STEP Ⓑ $f'(-2)>0,\ f'(2)<0$에서 k의 범위 구하기

(i) $f'(-2)=-k^2+4k+12>0$에서 $(k+2)(k-6)<0$
$\therefore -2<k<6$
(ii) $f'(2)=-k^2-4k+12<0$에서 $(k+6)(k-2)>0$
$\therefore k<-6$ 또는 $k>2$
(i), (ii)에서 실수 k의 값의 범위는 $2<k<6$
따라서 정수 k의 개수는 3, 4, 5이므로 3개이다.

내/신/연/계/ 출제문항 332

함수 $f(x)=x^3-ax^2+ax-3$이 구간 $(0,\ 1)$과 구간 $(2,\ 3)$에서 극값을
가지도록 하는 정수 a의 개수는?

① 1 ② 2 ③ 3
④ 4 ⑤ 5

STEP Ⓐ 주어진 조건을 만족하도록 하는 $f'(x)$의 조건 이해하기

$f(x)=x^3-ax^2+ax-3$에서
$f'(x)=3x^2-2ax+a=0$
함수 $f(x)$가 $0<x<1$에서
극댓값을 갖고 $2<x<3$에서 극솟값을
가지려면 $y=f'(x)$의 그래프가 오른쪽
그림과 같아야 한다.
즉 방정식 $f'(x)=0$의 두 실근을
$\alpha,\ \beta\ (\alpha<\beta)$라 하면 $0<\alpha<1,\ 2<\beta<3$이어야 한다.

STEP Ⓑ $f'(0)>0,\ f'(1)<0,\ f'(2)<0,\ f'(3)>0$에서 a의 범위 구하기

$f'(x)=3x^2-2ax+a=0$의 서로 다른 두 실근이 구간 $(0,\ 1)$과 $(2,\ 3)$에
각각 존재해야 하므로 $f'(0)>0,\ f'(1)<0,\ f'(2)<0,\ f'(3)>0$
즉 $a>0,\ 3-a<0,\ 12-3a<0,\ 27-5a>0$에서 $4<a<\dfrac{27}{5}$
따라서 정수 a는 5이므로 개수는 1개이다.

0766

STEP A $y=f'(x)$의 그래프에서 직선 $x=a$가 곡선 $f(x)$의 극대인 점과 극소인 점 사이에 있을 조건을 구하기

$f(x)=x^3-ax^2-100x+10$에서

$f'(x)=3x^2-2ax-100$

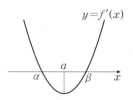

$y=f'(x)$는 최고차항의 계수가 양수인 이차함수이다.

이때 극대인 점과 극소인 점이 되는 x좌표의 값을 각각 α, β라 하면 곡선 $y=f(x)$의 도함수 $y=f'(x)$의 그래프는 오른쪽 그림과 같다.

즉 직선 $x=a$는 극대인 점과 극소인 점 사이를 지나야 하므로 $\alpha<a<\beta$를 만족해야 한다.

$\therefore f'(a)<0$ ← $f'(x)=3x^2-2ax-100=0$의 두 근 사이에 a가 존재

STEP B a가 정수라는 점에 주의하여 정수 a의 개수 구하기

$f(x)=x^3-ax^2-100x+10$에서 $f'(x)=3x^2-2ax-100$

즉 $f'(a)=3a^2-2a^2-100<0$이 성립해야 하므로

$a^2-100<0$, $(a+10)(a-10)<0$ $\therefore -10<a<10$

따라서 정수 a의 개수는 $-9, -8, \cdots, -1, 0, 1, \cdots, 8, 9$이므로 19개이다.

← 정수 a의 개수는 $(10-(-10))-1=19$

다른풀이 직선 $x=a$가 극대인 점과 극소인 점 사이를 지나는 조건을 이용하여 풀이하기

직선 $x=a$가 곡선 $f(x)$의 극대인 점과 극소인 점 사이를 지나도록 그래프를 그려 보면 오른쪽 그림과 같다.

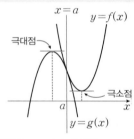

이때 $x=a$에서 곡선 $y=f(x)$의 접선의 방정식을 $y=g(x)$라 하면 접선 $g(x)$의 기울기가 $f'(a)$이므로 극대인 점과 극소인 점 사이를 직선 $x=a$가 지나는 조건은 $f'(a)<0$

$f(x)=x^3-ax^2-100x+10$에서 $f'(x)=3x^2-2ax-100$

즉 $f'(a)=3a^2-2a^2-100<0$이 성립해야 하므로

$a^2-100<0$, $(a+10)(a-10)<0$ $\therefore -10<a<10$

따라서 조건을 만족하는 정수 a의 개수는 $-9, -8, \cdots, -1, 0, 1, \cdots, 8, 9$이므로 19개이다.

0767

STEP A $f(x)$가 극댓값을 가질 조건 이해하기

$f(x)=x^4+4x^3-4ax^2$에서

$f'(x)=4x^3+12x^2-8ax=4x(x^2+3x-2a)$

사차함수 $f(x)$가 극댓값을 가지려면 방정식 $f'(x)=0$이 서로 다른 세 실근을 가져야 하고 $4x(x^2+3x-2a)=0$의 한 근이 $x=0$이므로 방정식 $x^2+3x-2a=0$이 0이 아닌 서로 다른 두 실근을 가져야 한다.

STEP B $g(0)\neq 0$임을 이용하여 a의 조건 구하기

(i) $g(x)=x^2+3x-2a$라 하면

$g(x)=0$은 0을 제외한 근을 가져야 하므로 $g(0)\neq 0$에서 $a\neq 0$

(ii) 방정식 $x^2+3x-2a=0$의 판별식을 D라고 하면

$D=9+8a>0$에서 $a>-\dfrac{9}{8}$

(i), (ii)에서 $-\dfrac{9}{8}<a<0$ 또는 $a>0$

함수 $f(x)=-x^4+4x^3+2ax^2$이 극솟값을 갖기 위한 실수 a의 값의 범위는?

① $-\dfrac{9}{4}<a<0$ ② $-4<a<0$

③ $-\dfrac{3}{2}<a<0$ 또는 $a>0$ ④ $-\dfrac{8}{7}<a<0$ 또는 $a>0$

⑤ $-\dfrac{9}{4}<a<0$ 또는 $a>0$

STEP A $f(x)$가 극솟값을 가질 조건 이해하기

$f(x)=-x^4+4x^3+2ax^2$에서

$f'(x)=-4x^3+12x^2+4ax=-4x(x^2-3x-a)$

함수 $f(x)$가 극솟값을 가지려면 방정식 $f'(x)=0$이 서로 다른 세 실근을 가져야 하고 방정식 $-4x(x^2-3x-a)=0$의 한 근이 $x=0$이므로 $x^2-3x-a=0$은 0이 아닌 서로 다른 두 실근을 가져야 한다.

STEP B 극솟값을 가질 조건 구하기

(i) $g(x)=x^2-3x-a$라 하면

$g(x)=0$은 0을 제외한 근을 가져야 하므로

$g(0)\neq 0$에서 $a\neq 0$

(ii) 방정식 $x^2-3x-a=0$의 판별식 $D>0$이어야 하므로

$D=9+4a>0$에서 $a>-\dfrac{9}{4}$

(i), (ii)에서 $-\dfrac{9}{4}<a<0$ 또는 $a>0$

0768

STEP A 도함수 $f'(x)$를 구하여 $f'(x)=0$인 값 구하기

$f(x)=2x^4-px^3+x^2$에서

$f'(x)=8x^3-3px^2+2x=x(8x^2-3px+2)$

$f'(x)=0$에서 $x=0$ 또는 $8x^2-3px+2=0$

STEP B 사차함수 $f(x)$가 극값을 한 개 가지기 위한 조건 구하기

함수 $f(x)$가 극값을 하나만 가지려면 삼차방정식 $f'(x)=0$이 한 실근과 두 허근 또는 한 실근과 중근 (또는 삼중근)을 가져야 한다.

이차방정식 $8x^2-3px+2=0$의 판별식을 D라 하면

(i) $x(8x^2-3px+2)=0$이 한 실근과 두 허근을 갖는 경우

이차방정식 $8x^2-3px+2=0$이 허근을 가져야 하므로

$D=9p^2-64<0$, $(3p-8)(3p+8)<0$ $\therefore -\dfrac{8}{3}<p<\dfrac{8}{3}$

(ii) $x(8x^2-3px+2)=0$이 한 실근과 중근을 갖는 경우

이차방정식 $8x^2-3px+2=0$이 0을 근으로 갖거나 0이 아닌 실수를 중근으로 가져야 한다.

이때 $8x^2-3px+2=0$이 0을 근으로 가질 수 없으므로 0이 아닌 실수를 중근으로 가져야 한다.

$D=9p^2-64=0$, $(3p-8)(3p+8)=0$ $\therefore p=-\dfrac{8}{3}$ 또는 $p=\dfrac{8}{3}$

(i), (ii)에서 $-\dfrac{8}{3}\leq p\leq \dfrac{8}{3}$

따라서 $M=\dfrac{8}{3}$, $m=-\dfrac{8}{3}$이므로 $\dfrac{M}{m}=-1$

 사차함수 $f(x)$가 극값을 한 개 가지기 위한 세 가지 경우
① $f'(x)=a(x-\alpha)^2(x-\beta)$ $(\alpha\neq\beta)$
② $f'(x)=a(x-\alpha)(x^2+bx+c)$ $(b^2-4c<0)$
③ $f'(x)=a(x-\alpha)^3$

다른풀이 사차함수 $f(x)$가 극값을 하나만 가지려면 삼차방정식 $f'(x)=0$이 서로 다른 세 실근을 가질 조건을 구하여 그 결과를 부정하면 된다.

삼차방정식 $x(8x^2-3px+2)=0$이 서로 다른 세 실근을 가지려면

이차방정식 $8x^2-3px+2=0$이 0이 아닌 서로 다른 두 실근을 가져야 한다.

이때 $x=0$은 $8x^2-3px+2=0$의 근이 될 수 없으므로

이차방정식 $8x^2-3px+2=0$의 판별식을 D라 하면

$D=9p^2-64>0$에서 $(3p-8)(3p+8)>0$

$\therefore p<-\dfrac{8}{3}$ 또는 $p>\dfrac{8}{3}$

따라서 함수 $f(x)$가 극값을 하나만 갖도록 하는 실수 p의 값의 범위는

$-\dfrac{8}{3}\le p\le\dfrac{8}{3}$ ← 부정

내/신/연/계/ 출제문항 334

함수 $f(x)=x^4+ax^3+2x^2+5$가 극값을 하나만 갖도록 하는 실수 a의 값의 범위는?

① $-\dfrac{8}{3}<a<0$　　② $-\dfrac{8}{3}\le a\le\dfrac{8}{3}$　　③ $-3\le a\le 3$

④ $-8\le a\le 8$　　⑤ $-\dfrac{3}{2}<a<\dfrac{3}{2}$

STEP Ⓐ 도함수 $f'(x)$를 구하여 $f'(x)=0$인 값 구하기

$f(x)=x^4+ax^3+2x^2+5$에서

$f'(x)=4x^3+3ax^2+4x=x(4x^2+3ax+4)$

$f'(x)=0$에서 $x=0$ 또는 $4x^2+3ax+4=0$

STEP Ⓑ 사차함수 $f(x)$가 극값을 한 개 가지기 위한 조건 구하기

함수 $f(x)$가 극값을 하나만 가지려면 삼차방정식 $f'(x)=0$이 한 실근과 두 허근 또는 한 실근과 중근 (또는 삼중근)을 가져야 한다.

이차방정식 $4x^2+3ax+4=0$의 판별식을 D라 하면

(i) $x(4x^2+3ax+4)=0$이 한 실근과 두 허근을 갖는 경우

이차방정식 $4x^2+3ax+4=0$이 허근을 가져야 하므로

$D=9a^2-64<0$, $(3a-8)(3a+8)<0$　$\therefore -\dfrac{8}{3}<a<\dfrac{8}{3}$

(ii) $x(4x^2+3ax+4)=0$이 한 실근과 중근을 갖는 경우

이차방정식 $4x^2+3ax+4=0$이 0을 근으로 갖거나 0이 아닌 실수를 중근으로 가져야 한다.

이때 $4x^2+3ax+4=0$이 0을 근으로 가질 수 없으므로 0이 아닌 실수를 중근으로 가져야 한다.

$D=9a^2-64=0$, $(3a-8)(3a+8)=0$　$\therefore a=-\dfrac{8}{3}$ 또는 $a=\dfrac{8}{3}$

(i), (ii)에서 $-\dfrac{8}{3}\le a\le\dfrac{8}{3}$

다른풀이 사차함수 $f(x)$가 극값을 하나만 가지려면 삼차방정식 $f'(x)=0$이 서로 다른 세 실근을 가질 조건을 구하여 그 결과를 부정하면 된다.

삼차방정식 $x(4x^2+3ax+4)=0$이 서로 다른 세 실근을 가지려면

이차방정식 $4x^2+3ax+4=0$이 0이아닌 서로 다른 두 실근을 가져야 한다.

이때 $x=0$은 $4x^2+3ax+4=0$의 근이 될 수 없으므로

이차방정식 $4x^2+3ax+4=0$의 판별식을 D라 하면

$D=9a^2-64>0$에서 $(3a-8)(3a+8)>0$

$\therefore a<-\dfrac{8}{3}$ 또는 $a>\dfrac{8}{3}$

따라서 함수 $f(x)$가 극값을 하나만 갖도록 하는 실수 a의 값의 범위는

$-\dfrac{8}{3}\le a\le\dfrac{8}{3}$ ← 부정

정답 ②

0769

정답 ②

STEP Ⓐ $f(x)$가 극댓값을 갖지 않을 조건 이해하기

$f(x)=3x^4-8x^3+2ax^2+1$에서

$f'(x)=12x^3-24x^2+4ax=4x(3x^2-6x+a)$

사차함수 $f(x)$가 극댓값을 갖지 않으려면 삼차방정식 $f'(x)=0$이 한 실근과 두 허근을 갖거나 한 실근과 중근을 갖거나 삼중근을 가져야 한다.

STEP Ⓑ 사차함수 $f(x)$가 극값을 한 개 가지기 위한 조건 구하기

(i) $f'(x)=0$이 한 실근과 두 허근을 갖는 경우

$4x(3x^2-6x+a)=0$의 한 근이 $x=0$이므로

이차방정식 $3x^2-6x+a=0$이 허근을 가져야 한다.

즉 판별식을 D라 하면 $\dfrac{D}{4}=9-3a<0$　$\therefore a>3$

(ii) $f'(x)=0$이 한 실근과 중근을 갖거나 삼중근을 갖는 경우

$4x(3x^2-6x+a)=0$의 한 근이 $x=0$이므로 이차방정식

$3x^2-6x+a=0$이 $x=0$을 근으로 갖거나 중근을 가져야 한다.

$3x^2-6x+a=0$이 $x=0$을 근으로 가지면 $a=0$

$3x^2-6x+a=0$이 중근을 가지면 판별식을 D라 하면

$\dfrac{D}{4}=9-3a=0$　$\therefore a=3$

(i), (ii)에서 실수 a의 범위는 $a=0$ 또는 $a\ge 3$

0770

정답 ①

STEP Ⓐ 사차함수가 세 극값을 가질 조건 구하기

$f(x)=\dfrac{1}{4}x^4+\dfrac{1}{3}(a+1)x^3-ax$에서

$f'(x)=x^3+(a+1)x^2-a=(x+1)(x^2+ax-a)$

$f'(x)=0$을 만족하는 x에서 극값을 가지므로

$(x+1)(x^2+ax-a)=0$의 서로 다른 세 실근이 α, β, γ이다.

즉 $\alpha=-1$이고 이차방정식 $x^2+ax-a=0$의 서로 다른 두 실근이 β, γ이다.
← $\alpha<0<\beta<\gamma<3$

STEP Ⓑ 이차함수의 두 근이 범위 $0<\beta<\gamma<3$에 있기 위한 조건 구하기

이때 $g(x)=x^2+ax-a$라 하면 $g(x)=0$의 두 근이 $0<\beta<\gamma<3$을 만족해야 하므로 판별식 D에 대하여 다음을 만족해야 한다.

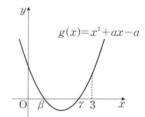

(i) $D=a^2+4a>0$, $a(a+4)>0$
　　$\therefore a<-4$ 또는 $a>0$

(ii) $g(x)=x^2+ax-a=\left(x+\dfrac{a}{2}\right)^2-\dfrac{a^2}{4}-a$에서 대칭축이 $x=-\dfrac{a}{2}$이므로
　　$0<-\dfrac{a}{2}<3$　$\therefore -6<a<0$

(iii) $g(0)>0$에서 $g(0)=-a>0$　$\therefore a<0$

(iv) $g(3)>0$에서 $g(3)=9+3a-a>0$　$\therefore a>-\dfrac{9}{2}$

(i)~(iv)에 의하여 실수 a의 값의 범위는 $-\dfrac{9}{2}<a<-4$

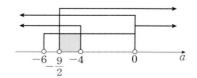

0771

정답 ④

STEP A 함수 $f(x)$의 증가와 감소를 표로 나타내기

사차함수 $y=f'(x)$의 그래프에서 $f'(x)=0$이 되는 x의 값은 α, β, γ이므로
함수 $f(x)$의 증가와 감소를 나타내면 다음 표와 같다.

x	$\cdots$	α	$\cdots$	β	$\cdots$	γ	$\cdots$
$f'(x)$	$+$	0	$-$	0	$+$	0	$+$
$f(x)$	↗	극대	↘	극소	↗		↗

STEP B 표를 보고 [보기]의 참, 거짓 판별하기

ㄱ. $x=\alpha$, $x=\beta$의 좌우에서 $f'(x)$의 부호가 바뀌므로
함수 $f(x)$는 $x=\alpha$, $x=\beta$에서 극값을 갖는다.
즉 함수 $f(x)$가 극값을 갖는 점의 개수는 2이다. [거짓]
ㄴ. $f(x)$는 $x=\beta$의 좌우에서 $f'(x)$의 부호가 음($-$)에서 양($+$)으로
바뀌므로 함수 $f(x)$는 $x=\beta$에서 극솟값을 갖는다. [참]
ㄷ. 열린구간 (β, γ)에서 $f'(x)>0$이므로 함수 $f(x)$는 이 구간에서 증가한다.
[참]
따라서 옳은 것은 ㄴ, ㄷ이다.

0772

정답 ⑤

STEP A $f(x)$의 증가와 감소를 표로 나타내기

함수 $y=f'(x)$의 그래프에서 $f'(x)=0$이 되는 x의 값은 -2, 1, 3이므로
함수 $f(x)$의 증가와 감소를 나타내면 다음 표와 같다.

x	$\cdots$	-2	$\cdots$	1	$\cdots$	3	$\cdots$
$f'(x)$	$-$	0	$+$	0	$-$	0	$+$
$f(x)$	↘	극소	↗	극대	↘	극소	↗

STEP B 표를 보고 [보기]의 참, 거짓 판별하기

① $f(x)$는 구간 $(-2, 1)$에서 $f'(x)>0$이므로
이 구간에서 함수 $f(x)$는 증가한다. [참]
② $f(x)$는 구간 $(1, 3)$에서 $f'(x)<0$이므로
이 구간에서 함수 $f(x)$는 감소한다. [참]
③ $f(x)$는 $x=-2$의 좌우에서 $f'(x)$의 부호가 음($-$)에서 양($+$)으로
바뀌므로 함수 $f(x)$는 $x=-2$에서 극솟값을 갖는다. [참]
④ $f(x)$는 $x=1$의 좌우에서 $f'(x)$의 부호가 양($+$)에서 음($-$)으로 바뀌므로
함수 $f(x)$는 $x=1$에서 극댓값을 갖는다. [참]
⑤ $f(x)$는 $x=-2$과 $x=3$에서 극솟값을 갖고 $x=1$에서 극댓값을 갖는다.
즉 극값을 갖는 점의 개수는 3개이다. [거짓]
따라서 옳지 않은 것은 ⑤이다.

0773

정답 ④

STEP A 함수 $f(x)$의 증가와 감소를 표로 나타내기

사차함수 $y=f'(x)$의 그래프에서 $f'(x)=0$이 되는 x의 값은 a, b, c이므로
함수 $f(x)$의 증가와 감소를 나타내면 다음 표와 같다.

x	$\cdots$	a	$\cdots$	b	$\cdots$	c	$\cdots$
$f'(x)$	$+$	0	$+$	$+$	$+$	0	$-$
$f(x)$	↗		↗	↗	↗	극대	↘

STEP B 참, 거짓 판별하기

① $f(x)$는 $b<x<c$에서 $f'(x)>0$이므로
이 구간에서 함수 $f(x)$는 증가하고 $x>c$에서 $f'(x)<0$이므로
이 구간에서 함수 $f(x)$는 감소한다. [거짓]
② $f(x)$는 $x=a$의 좌우에서 $f'(x)$의 부호가 바뀌지 않으므로
함수 $f(x)$는 $x=a$에서 극값을 갖지 않는다. [거짓]
③ $f'(b) \neq 0$이므로 함수 $f(x)$는 $x=b$에서 극값을 갖지 않는다. [거짓]
④ $f(x)$는 $x=c$의 좌우에서 $f'(x)$의 부호가 양($+$)에서 음($-$)으로 바뀌므로
함수 $f(x)$는 $x=c$에서 극댓값을 갖고 최고차항이 음수이므로
$f(x)$는 $x=c$에서 최댓값을 갖는다. [참]
⑤ $f(x)$는 구간 $(-\infty, a)$, (a, c)에서 $f'(x)>0$이므로
이 구간에서 함수 $f(x)$는 증가한다. [거짓]
따라서 옳은 것은 ④이다.

내/신/연/계 출제문항 335

함수 $f(x)$의 도함수 $y=f'(x)$의 그래프가 다음 그림과 같을 때, [보기] 중
옳은 것을 모두 고르면?

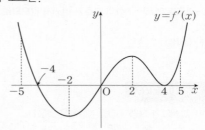

ㄱ. $f(x)$는 닫힌구간 $[-2, 2]$에서 증가한다.
ㄴ. $f(x)$는 $x=0$에서 극소이다.
ㄷ. $f(x)$는 $x=4$에서 극값을 갖는다.
ㄹ. 닫힌구간 $[-5, 5]$에서 $f(x)$의 극값은 2개이다.

① ㄱ
② ㄱ, ㄴ
③ ㄴ, ㄹ
④ ㄷ, ㄹ
⑤ ㄱ, ㄴ, ㄷ, ㄹ

STEP A 함수 $f(x)$의 증가와 감소를 표로 나타내기

함수 $y=f'(x)$의 그래프에서 $f'(x)=0$이 되는 x의 값은 -4, 0, 4이므로
함수 $f(x)$의 증가와 감소를 나타내면 다음 표와 같다.

x	$\cdots$	-4	$\cdots$	0	$\cdots$	4	$\cdots$
$f'(x)$	$+$	0	$-$	0	$+$	0	$+$
$f(x)$	↗	극대	↘	극소	↗		↗

STEP B [보기]의 참, 거짓 판별하기

ㄱ. $-2<x<0$에서 $f'(x)<0$이므로 함수 $f(x)$는 감소하고
$0<x<2$에서 $f'(x)>0$이므로 함수 $f(x)$는 증가한다. [거짓]
ㄴ. $x=0$에서 $f'(x)$의 부호가 ($-$)에서 ($+$)으로 바뀌므로 극소이다. [참]
ㄷ. $f'(4)=0$이지만 $x=4$의 좌우에서 $f'(x)$의 부호가 바뀌지 않으므로
$f(x)$는 $x=4$에서 극값을 갖지 않는다. [거짓]
ㄹ. 함수 $f(x)$는 $x=-4$에서 극대, $x=0$에서 극소이므로
닫힌구간 $[-5, 5]$에서 $f(x)$의 극값은 2개이다. [참]
따라서 [보기] 중 옳은 것은 ㄴ, ㄹ이다.

정답 ③

0774

STEP Ⓐ 함수 $f(x)$의 증가와 감소를 표로 나타내기

함수 $y=f'(x)$의 그래프에서 $f'(x)=0$이 되는 x의 값은 -1, 2, 4이므로 함수 $f(x)$의 증가와 감소를 나타내면 다음 표와 같다.

x	$\cdots$	-1	$\cdots$	2	$\cdots$	4	$\cdots$
$f'(x)$	$-$	0	$+$	0	$-$	0	$+$
$f(x)$	↘	극소	↗	극대	↘	극소	↗

STEP Ⓑ 표를 보고 [보기]의 참, 거짓 판별하기

① 구간 $(-2, -1)$에서 $f'(x)<0$이므로 함수 $f(x)$는 감소,
   구간 $(-1, 1)$에서 $f'(x)>0$이므로 함수 $f(x)$는 증가한다. [거짓]
② 구간 $(1, 2)$에서 $f'(x)>0$이므로 함수 $f(x)$는 증가한다. [거짓]
③ 구간 $(4, 5)$에서 $f'(x)>0$이므로 함수 $f(x)$는 증가한다. [참]
④ $f(x)$는 $x=2$에서 $f'(x)$의 부호가 양$(+)$에서 음$(-)$으로 바뀌므로
   함수 $f(x)$는 $x=2$ 극대이다. [거짓]
⑤ $f(x)$는 $x=3$의 좌우에서 $f'(x)$의 부호가 바뀌지 않으므로 극값을 갖지
   않는다. [거짓]
따라서 옳은 것은 ③이다.

내/신/연/계 출제문항 336

도함수 $f'(x)$의 그래프가 그림과 같을 때, 옳은 것은?

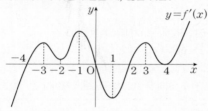

① 함수 $f(x)$는 $x=-3$에서 극대이다.
② 함수 $f(x)$는 $x=-2$에서 극소이다.
③ 함수 $f(x)$는 $x=0$에서 극대이다.
④ 함수 $f(x)$는 열린구간 $(-1, 1)$에서 감소한다.
⑤ 함수 $f(x)$는 열린구간 $(1, 3)$에서 증가한다.

STEP Ⓐ $f(x)$의 증가와 감소를 표로 나타내기

함수 $y=f'(x)$의 그래프에서 $f'(x)=0$이 되는 x의 값은 -4, 0, 2, 4이므로 함수 $f(x)$의 증가와 감소를 조사하면 다음 표와 같다.

x	$\cdots$	-4	$\cdots$	0	$\cdots$	2	$\cdots$	4	$\cdots$
$f'(x)$	$-$	0	$+$	0	$-$	0	$+$	0	$+$
$f(x)$	↘	극소	↗	극대	↘	극소	↗		↗

STEP Ⓑ 참, 거짓 판별하기

① 함수 $f(x)$는 $x=-3$에서 $f'(-3)\neq0$이므로
   $x=-3$에서 극값을 갖지 않는다. [거짓]
② 함수 $f(x)$는 $x=-2$에서 $f'(-2)\neq0$이므로
   $x=-2$에서 극값을 갖지 않는다. [거짓]
③ 함수 $f(x)$는 $x=0$에서 $f'(x)$의 부호가 양$(+)$에서 음$(-)$으로 바뀌므로
   함수 $f(x)$는 $x=0$에서 극대이다. [참]
④ 함수 $f(x)$는 구간 $(-1, 0)$에서 증가 $(0, 1)$에서 감소한다. [거짓]
⑤ 함수 $f(x)$는 구간 $(1, 2)$에서 감소 $(2, 3)$에서 증가한다. [거짓]
따라서 옳은 것은 ③이다.

0775

STEP Ⓐ 함수 $f(x)$의 증가와 감소를 표로 나타내기

함수 $y=f'(x)$의 그래프에서 $f'(x)=0$이 되는 x의 값은 -7, -3, -2, 2, 7이므로 함수 $f(x)$의 증가와 감소를 조사하면 다음 표와 같다.

x	$\cdots$	-7	$\cdots$	-3	$\cdots$	-2	$\cdots$	2	$\cdots$	7	$\cdots$
$f'(x)$	$-$	0	$+$	0	$-$	0	$+$	0	$-$	0	$+$
$f(x)$	↘	극소	↗	극대	↘	극소	↗	극대	↘	극소	↗

STEP Ⓑ 극대, 극소가 되는 x의 개수 구하기

$f(x)$는 $x=-3$, $x=2$에서 극대이므로 $a=2$
$x=-7$, $x=-2$, $x=7$에서 극소이므로 $b=3$
따라서 $b-a=1$

0776

STEP Ⓐ $f(x)$의 증가와 감소를 표로 나타내기

$f'(x)=(2x+1)(x-2)(x^2-1)(x^3-1)$
$\qquad=(x+1)(2x+1)(x-2)(x-1)^2(x^2+x+1)$
$f'(x)=0$에서 $x=-1$ 또는 $x=-\dfrac{1}{2}$ 또는 $x=1$ 또는 $x=2$
함수 $f(x)$의 증가와 감소를 조사하면 다음 표와 같다.

x	$\cdots$	-1	$\cdots$	$-\dfrac{1}{2}$	$\cdots$	1	$\cdots$	2	$\cdots$
$f'(x)$	$-$	0	$+$	0	$-$	0	$-$	0	$+$
$f(x)$	↘	극소	↗	극대	↘		↘	극소	↗

STEP Ⓑ 극대, 극소가 되는 x의 개수 구하기

$f(x)$는 $x=-1$, $x=2$에서 극소이므로 $b=2$
$x=-\dfrac{1}{2}$에서 극대이므로 $a=1$
따라서 $2a+b=4$

0777

STEP Ⓐ 각 점에서 $f'(x)$와 $f(x)$의 부호를 표로 나타내기

점 A, B, C, D, $\cdots$, H의 x좌표를 각각 a, b, c, d, $\cdots$, h로 놓고 $f'(x)$와 $f(x)$의 부호를 조사하면 다음과 같다.

x	a	b	c	d	e	f	g	h
$f'(x)$	$-$		0	$+$	$+$	0	$-$	$-$
$f(x)$	$+$	$-$	$-$	$-$	$+$	$+$	$+$	$-$

STEP Ⓑ $f'(x)f(x)\geq0$을 만족하는 점의 개수 구하기

따라서 $f'(x)f(x)\geq0$을 만족하는 점은 B, C, E, F, H이므로 5개이다.

0778

정답 ①

STEP Ⓐ $f(x)$의 증가와 감소를 나타낸 표를 이용하여 $y=f(x)$의 그래프 그리기

$y=f'(x)$의 그래프가 x축과 만나는 점의 x좌표가 a, b이므로 함수 $f(x)$의 증가와 감소를 표로 나타내면 다음과 같다.

x	$\cdots$	a	$\cdots$	b	$\cdots$
$f'(x)$	$-$	0	$+$	0	$+$
$f(x)$	$\searrow$	극소	$\nearrow$		$\nearrow$

주어진 그래프에서 $f'(a)=0$, $f'(b)=0$이고 $x=a$의 좌우에서 $f'(x)$의 부호가 음에서 양으로 바뀌므로 $x=a$에서 극소이다.

STEP Ⓑ 방정식 $f(x)=0$이 한 개의 실근을 가질 조건 구하기

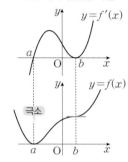

방정식 $f(x)=0$이 한 개의 실근을 가지려면 함수 $y=f(x)$의 그래프가 x축과 한 점에서 만나야 하므로 $f(a)=0$이어야 한다.

0779

정답 ②

STEP Ⓐ 함수 $f(x)$의 증가와 감소를 표로 나타내기

연속함수 $y=f'(x)$의 그래프에서 $f'(x)=0$이 되는 x의 값은 a, c, e, f, g이므로 함수 $f(x)$의 증가와 감소를 나타내면 다음 표와 같다.

x	$\cdots$	a	$\cdots$	c	$\cdots$	e	$\cdots$	f	$\cdots$	g	$\cdots$
$f'(x)$	$+$	0	$+$	0	$-$	0	$+$	없음	$-$	0	$+$
$f(x)$	$\nearrow$		$\nearrow$	극대	$\searrow$	극소	$\nearrow$	극대	$\searrow$	극소	$\nearrow$

STEP Ⓑ 참, 거짓 판별하기

① $f'(b)$가 존재하므로 $f(x)$는 $x=b$에서 미분가능하다. [거짓]

② $f(x)$는 $x=f$의 좌우에서 $f'(x)$의 부호가 양($+$)에서 음($-$)으로 바뀌므로 함수 $f(x)$는 $x=f$에서 극댓값을 가진다. [참]

③ $f(x)$는 구간 $d<x<e$에서 $f'(x)<0$이므로 이 구간에서 함수 $f(x)$는 감소하고 (e, f)에서 $f'(x)>0$이므로 이 구간에서 함수 $f(x)$는 증가한다. [거짓]

④ 함수 $f(x)$는 $x=c$에서 극대이지만 극댓값이 0인지는 알 수 없다. [거짓]

⑤ $x=c$, $x=f$에서 $f'(x)$의 부호가 양($+$)에서 음($-$)으로 바뀌므로 $f(x)$는 극대이고 $x=e$, $x=g$에서 $f'(x)$의 부호가 음($-$)에서 양($+$)으로 바뀌므로 $f(x)$는 극소이므로 극값은 4개이다. [거짓]

따라서 옳은 것은 ②이다.

내/신/연/계/ 출제문항 337

모든 실수 x에서 연속인 함수 $f(x)$의 도함수 $f'(x)$에 대하여 $y=f'(x)$의 그래프가 아래 그림과 같다. 다음 중 함수 $y=f(x)$에 대한 설명으로 옳은 것은? (단, O는 원점이다.)

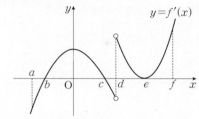

① 함수 $f(x)$는 $x=d$에서 미분가능하다.

② 함수 $f(x)$는 구간 $(0, c)$에서 감소한다.

③ 함수 $f(x)$는 $x=0$에서 극댓값을 갖는다.

④ 함수 $f(x)$는 $x=d$에서 극솟값을 갖는다.

⑤ 함수 $f(x)$는 구간 (a, f)에서 1개의 극댓값과 1개의 극솟값을 갖는다.

STEP Ⓐ 함수 $f(x)$의 증가와 감소를 표로 나타내기

함수 $y=f'(x)$의 그래프에서 $f'(x)=0$이 되는 x의 값은 b, c, d이므로 함수 $f(x)$의 증가와 감소를 나타내면 다음 표와 같다.

x	a	$\cdots$	b	$\cdots$	0	$\cdots$	c	$\cdots$	d	$\cdots$	e	$\cdots$	f
$f'(x)$	$-$	$-$	0	$+$	$+$	$+$	0	$-$		$+$	0	$+$	$+$
$f(x)$	$\searrow$	$\searrow$	극소	$\nearrow$	$\nearrow$	$\nearrow$	극대	$\searrow$	극소	$\nearrow$		$\nearrow$	$\nearrow$

STEP Ⓑ 그래프와 표를 이용하여 [보기]의 참, 거짓 판별하기

① 함수 $y=f(x)$는 $x=d$에서 미분가능하지 않다. [거짓]

② 함수 $y=f(x)$는 구간 $(0, c)$에서 증가한다. [거짓]

③ 함수 $y=f(x)$는 $x=0$에서 $f'(0)>0$이다. [거짓]

④ 함수 $y=f(x)$는 $x=d$에서 $f'(x)$의 부호가 음($-$)에서 양($+$)으로 바뀌므로 $f(x)$는 $x=d$에서 극솟값을 갖는다. [참]

⑤ 함수 $y=f(x)$는 구간 (a, f)에서 1개의 극댓값과 2개의 극솟값을 갖는다. [거짓]

따라서 옳은 것은 ④이다.

정답 ④

0780

정답 ④

STEP Ⓐ 함수 $f(x)$의 증가와 감소를 표로 나타내기

연속함수 $y=f'(x)$의 그래프에서 $f'(x)=0$이 되는 x의 값은 a, c이므로 함수 $f(x)$의 증가와 감소를 나타내면 다음 표와 같다.

x	$\cdots$	a	$\cdots$	b	$\cdots$	c	$\cdots$
$f'(x)$	$+$	0	$-$	없음	$+$	0	$+$
$f(x)$	$\nearrow$	극대	$\searrow$	극소	$\nearrow$		$\nearrow$

STEP Ⓑ [보기]의 참, 거짓 판별하기

ㄱ. $x=a$일 때, $f'(a)=0$이고 $x=a$의 좌우에서 $f'(x)$의 부호가 양($+$)에서 음($-$)으로 바뀌므로 $f(x)$는 $x=a$에서 극댓값을 갖는다. [참]

ㄴ. 함수 $f(x)$는 $x=b$에서 $f'(x)$의 부호가 음($-$)에서 양($+$)으로 바뀌므로 $f(x)$는 $x=b$에서 극솟값을 갖는다. [거짓]

ㄷ. 구간 (b, c)에서 $f'(x)>0$이므로 $f(x)$는 증가한다. [참]

따라서 옳은 것은 ㄱ, ㄷ이다.

0781

STEP Ⓐ 함수 $f(x)$의 증가와 감소를 표로 나타내기

함수 $y=f'(x)$의 그래프에서 $f'(x)=0$이 되는 x의 값은 0, 2이므로 함수 $f(x)$의 증가와 감소를 조사하면 다음 표와 같다.

x	$\cdots$	0	$\cdots$	2	$\cdots$
$f'(x)$	$-$	0	$+$	0	$-$
$f(x)$	$\searrow$	극소	$\nearrow$	극대	$\searrow$

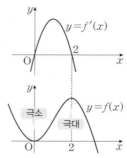

STEP Ⓑ 참, 거짓 판별하기

① $x=0$의 좌우에서 $f'(x)$의 부호가 음에서 양으로 바뀌고 $x=2$의 좌우에서 $f'(x)$의 부호가 양에서 음으로 바뀌므로 극솟값은 $f(0)=0$, 극댓값은 $f(2)$이다. [거짓]

② $f(x)$는 $x=1$의 좌우에서 $f'(x)$의 값의 부호가 바뀌지 않으므로 함수 $f(x)$는 $x=1$에서 극값을 갖지 않는다. [거짓]

③ 함수 $f(x)$는 $x=0$일 때, 극솟값을 갖고 그때의 y의 값이 0이므로 x축에 접하고 삼차함수이므로 x축과 두 점에서 만난다. [거짓]

④ 열린구간 $(1, 2)$에서 $f'(x)>0$이므로 이 구간에서 함수 $f(x)$는 증가하고 열린구간 $(2, \infty)$에서 $f'(x)<0$이므로 이 구간에서 함수 $f(x)$는 감소한다. [거짓]

⑤ 삼차함수 $f(x)$는 $x=0$에서 접하고 $x=2$에서 $f'(x)$의 부호가 양에서 음으로 바뀌므로 극댓값을 갖는다. [참]

따라서 옳은 것은 ⑤이다.

내/신/연/계/ 출제문항 338

사차함수 $f(x)$의 도함수 $y=f'(x)$의 그래프가 오른쪽 그림과 같고 $f(-1)<0<f(3)<f(1)$일 때, 옳은 것만을 [보기]에서 있는 대로 고른 것은?

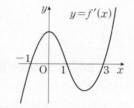

ㄱ. $f(2)>0$
ㄴ. $f(x)$는 $x=-1$에서 극소이다.
ㄷ. $y=f(x)$의 그래프는 x축과 서로 다른 네 점에서 만난다.

---

① ㄱ   ② ㄱ, ㄴ   ③ ㄱ, ㄷ
④ ㄴ, ㄷ   ⑤ ㄱ, ㄴ, ㄷ

STEP Ⓐ 함수 $f(x)$의 증가와 감소를 표로 나타내기

$y=f'(x)$의 그래프가 x축과 만나는 점의 x좌표가 -1, 1, 3이므로 함수 $f(x)$의 증가와 감소를 표로 나타내면 다음과 같다.

x	$\cdots$	-1	$\cdots$	1	$\cdots$	3	$\cdots$
$f'(x)$	$-$	0	$+$	0	$-$	0	$+$
$f(x)$	$\searrow$	극소	$\nearrow$	극대	$\searrow$	극소	$\nearrow$

이때 $f(-1)<0<f(3)<f(1)$이므로 함수 $y=f(x)$의 그래프의 개형은 오른쪽 그림과 같다.

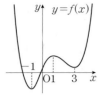

STEP Ⓑ 함수의 그래프를 보고 참, 거짓 판별하기

ㄱ. $f(1)>0$, $f(3)>0$이고 $f(x)$는 구간 $(1, 3)$에서 감소하므로 $f(2)>0$이다. [참]

ㄴ. $x=-1$의 좌우에서 $f'(x)$의 부호가 음$(-)$에서 양$(+)$으로 바뀌므로 $f(x)$는 $x=-1$에서 극솟값을 갖는다. [참]

ㄷ 함수 $y=f(x)$의 그래프는 x축과 두 개의 교점을 갖는다. [거짓]

따라서 옳은 것은 ㄱ, ㄴ이다.

0782

STEP Ⓐ $y=f'(x)$의 그래프에서 $f(x)$의 그래프의 개형 그리기

$f'(x)$의 부호를 조사하여 함수 $f(x)$의 증가와 감소를 표로 나타내면 다음과 같다.

x	$\cdots$	-2	$\cdots$	0	$\cdots$	1	$\cdots$	3	$\cdots$
$f'(x)$	$+$	0	$-$	0	$+$	0	$-$	0	$-$
$f(x)$	$\nearrow$	5	$\searrow$	2	$\nearrow$	5	$\searrow$	-1	$\searrow$

이때 그래프의 개형은 그림과 같다.

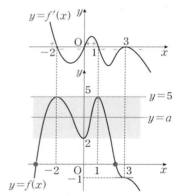

STEP Ⓑ [보기]의 참, 거짓 판단하기

ㄱ. 극댓값은 $x=-2$, $x=1$에서 각각 5이고 극솟값은 $x=0$에서 2이므로 합은 12이다. [거짓]

ㄴ. 방정식 $f(x)=0$은 한 개의 음근과 한 개의 양근을 갖는다. [참]

ㄷ. 상수 a의 값에 따라 방정식 $f(x)-a=0$은 최대 4개의 실근을 갖는다. [거짓]

ㄹ. 방정식 $f(x)-5=0$의 서로 다른 두 실근은 -2, 1이다. [참]

따라서 옳은 것은 ㄴ, ㄹ이다.

0783

STEP Ⓐ 함수의 극대, 극소와 미분계수의 부호에 따른 원소 구하기

조건 (가)에서 열린구간 $\left(-2-\frac{1}{2}, -2+\frac{1}{2}\right)$에 속하는 모든 실수 x에 대하여
$f(x) \leq f(-2)$이므로 함수 $f(x)$는 $x=-2$에서 극대이다.

열린구간 $\left(1-\frac{1}{2}, 1+\frac{1}{2}\right)$에 속하는 모든 실수 x에 대하여
$f(x) \leq f(1)$이므로 함수 $f(x)$는 $x=1$에서 극대이다.

$\therefore A=\{-2, 1\}$

조건 (나)에서 열린구간 $\left(-3-\frac{1}{2}, -3+\frac{1}{2}\right)$에 속하는 모든 실수 x에 대하여
$f(x) \geq f(-3)$이므로 함수 $f(x)$는 $x=-3$에서 극소이다.

열린구간 $\left(-1-\frac{1}{2}, -1+\frac{1}{2}\right)$에 속하는 모든 실수 x에 대하여
$f(x) \geq f(-1)$이므로 함수 $f(x)$는 $x=-1$에서 극소이다.

열린구간 $\left(2-\frac{1}{2}, 2+\frac{1}{2}\right)$에 속하는 모든 실수 x에 대하여
$f(x) \geq f(2)$이므로 함수 $f(x)$는 $x=2$에서 극소이다.

$\therefore B=\{-3, -1, 2\}$

조건 (다)에서 $c=-3$, $c=-2$, $c=-1$, $c=1$, $c=2$일 때,
열린구간 $\left(c-\frac{1}{2}, c+\frac{1}{2}\right)$에 속하는 모든 실수 x_1, x_2에 대하여
$x_1 < c < x_2$이면 $f'(x_1)f'(x_2) < 0$이고 $c=-3$, $c=-1$, $c=1$일 때,
$\lim_{h \to 0} \frac{f(c+h)-f(c)}{h}$가 존재한다. $\therefore C=\{-3, -1, 1\}$

STEP Ⓑ $n(A)+n(B)+n(C)$의 값 구하기

따라서 $n(A)+n(B)+n(C)=2+3+3=8$

0784

정답 ①

STEP Ⓐ $y=f'(x)$의 그래프를 이용하여 함수 $f(x)$의 증감표를 만든 후 함수 $f(x)$가 증가 또는 감소하는 구간, 극값을 갖는 x의 값 등을 찾아 $y=f(x)$의 그래프의 개형을 유추하기

$y=f'(x)$의 그래프가 x축과 만나는 점의 x좌표가 -1, 1이므로
$f'(x)=0$에서 $x=-1$ 또는 $x=1$
함수 $f(x)$의 증가와 감소를 표로 나타내면 다음과 같다.

x	$\cdots$	-1	$\cdots$	1	$\cdots$
$f'(x)$	$-$	0	$+$	0	$+$
$f(x)$	$\searrow$	극소	$\nearrow$		$\nearrow$

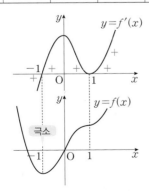

함수 $f(x)$는 $x < -1$일 때, 감소하고
$x > -1$일 때, 증가하므로 $x=-1$에서 극소이다.
한편 $x=1$의 좌우에서는 $f'(x)$의 부호가 바뀌지 않으므로
함수 $f(x)$는 $x=1$에서 극값을 갖지 않는다.
따라서 함수 $y=f(x)$의 그래프의 개형이 될 수 있는 것은 ①이다.

함수 $y=f(x)$의 도함수 $y=f'(x)$의
그래프가 오른쪽 그림과 같을 때,
다음 중 함수 $y=f(x)$의 그래프의
개형으로 옳은 것은?

① ② ③

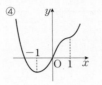 ④ ⑤

STEP Ⓐ $y=f'(x)$의 그래프를 이용하여 함수 $f(x)$의 증감표를 만든 후 함수 $f(x)$가 증가 또는 감소하는 구간, 극값을 갖는 x의 값 등을 찾아 $y=f(x)$의 그래프의 개형을 유추하기

$y=f'(x)$의 그래프가 x축과 만나는 점의 x좌표가 -1, 1이므로
$f'(x)=0$에서 $x=-1$ 또는 $x=1$
함수 $f(x)$의 증가와 감소를 표로 나타내면 다음과 같다.

x	$\cdots$	-1	$\cdots$	1	$\cdots$
$f'(x)$	$+$	0	$-$	0	$-$
$f(x)$	$\nearrow$	극대	$\searrow$		$\searrow$

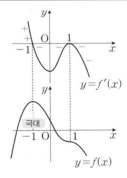

함수 $f(x)$는
$x < -1$일 때, 증가하고
$x > -1$일 때, 감소하므로 $x=-1$에서 극대이다.
한편 $x=1$의 좌우에서는 $f'(x)$의 부호가 바뀌지 않으므로
함수 $f(x)$는 $x=1$에서 극값을 갖지 않는다.
따라서 함수 $y=f(x)$의 그래프의 개형이 될 수 있는 것은 ⑤이다. 정답 ⑤

0785

정답 ①

STEP A $y=f'(x)$의 그래프를 이용하여 함수 $f(x)$의 증감표를 만든 후 함수 $f(x)$가 증가 또는 감소하는 구간, 극값을 갖는 x의 값 등을 찾아 $y=f(x)$의 그래프의 개형을 유추하기

$y=f'(x)$의 그래프가 x축과 만나는 점의 x좌표가 -2, 0, 2이므로
$f'(x)=0$에서 $x=-2$ 또는 $x=0$ 또는 $x=2$
함수 $f(x)$의 증가와 감소를 표로 나타내면 다음과 같다.

x	$\cdots$	-2	$\cdots$	0	$\cdots$	2	$\cdots$
$f'(x)$	$+$	0	$-$	0	$-$	0	$+$
$f(x)$	↗	극대	↘		↘	극소	↗

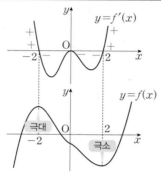

함수 $f(x)$는
$x<-2$일 때, 증가하고 $x>-2$일 때, 감소하므로 $x=-2$에서 극대이다.
한편 $x=0$의 좌우에서는 $f'(x)$의 부호가 바뀌지 않으므로
함수 $f(x)$는 $x=0$에서 극값을 갖지 않는다.
함수 $f(x)$는 $x<2$일 때, 감소하고 $x>2$일 때, 증가하므로 $x=2$에서 극소이다.
따라서 함수 $y=f(x)$의 그래프의 개형이 될 수 있는 것은 ①이다.

0786

정답 ⑤

STEP A 함수 $f(x)$의 증가와 감소를 조사하여 표로 정리하기

함수 $f(x)$의 증가와 감소를 조사하면 다음 표와 같다.

x	(-3)	$\cdots$	-2	$\cdots$	0	$\cdots$	1	$\cdots$	2	$\cdots$	(3)
$f'(x)$		$+$	0	$-$	0	$-$		$+$	0	$-$	
$f(x)$		↗	극대	↘		↘	극소	↗	극대	↘	

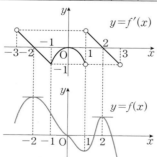

STEP B 도함수 $f'(x)$의 부호를 이용하여 참, 거짓의 진위판단하기

ㄱ. x가 우측에서 1에 가까워질 때, $f'(x)$의 극한값이 1이므로
$\lim\limits_{x \to 1+}f'(x)=1$ [거짓]

ㄴ. 열린구간 $(-2, 0)$에서 함수 $f(x)$가 감소하고 $f(0)=0$이므로
$f(-2)>f(0)=0$ [참]

ㄷ. 함수 $f(x)$는 열린구간 $(-3, 3)$에서 $x=-2$에서 극대, $x=1$일 때 극소,
$x=2$일 때 극대이므로 3개의 극값을 가진다. [참]
따라서 옳은 것은 ㄴ, ㄷ이다.

0787

정답 ③

STEP A 함수의 그래프에서 a, d의 부호 구하기

함수 $f(x)=ax^3+bx^2+cx+d$의 그래프에서
$x \to \infty$일 때, $f(x) \to \infty$이므로 $a>0$
또, 주어진 그래프의 y절편이 양수이므로 $d>0$

STEP B $f'(0)=c$임을 이용하여 c의 부호 구하기

$f'(x)=3ax^2+2bx+c$에서 $f'(0)=c$
c는 $x=0$인 점에서의 접선의 기울기이므로 $c<0$

STEP C 근과 계수의 관계를 이용하여 b의 부호 구하기

한편 방정식 $f'(x)=0$의 두 실근이 α, β이고 $\alpha+\beta>0$이므로
근과 계수의 관계에 의해 $\alpha+\beta=-\dfrac{2b}{3a}>0$
$a>0$이므로 $b<0$
따라서 $a>0$, $b<0$, $c<0$, $d>0$이므로 값이 양수인 것은 bc

내/신/연/계 출제문항 340

삼차함수 $f(x)=ax^3+bx^2+cx+d$의 그래프가 오른쪽 그림과 같이 $x=\alpha$, $x=\beta$에서 극값을 가질 때, $y=ax^2+bx+c$의 그래프의 개형으로 옳은 것은? (단, $|\alpha|<|\beta|$)

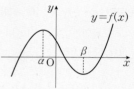

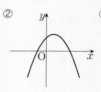

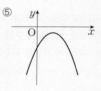

STEP A 주어진 그래프에서 a, d, c의 부호 구하기

함수 $f(x)=ax^3+bx^2+cx+d$의 그래프에서
$x \to \infty$일 때, $f(x) \to \infty$이므로 $a>0$
또, 주어진 그래프의 y절편이 양수이므로 $d>0$
$f'(x)=3ax^2+2bx+c$에서 $f'(0)=c$
c는 $x=0$인 점에서의 접선의 기울기이므로 $c<0$

STEP B 근과 계수의 관계를 이용하여 b의 부호 구하기

한편 방정식 $f'(x)=0$의 두 실근은 α, β이고 $\alpha+\beta>0$이므로
근과 계수의 관계에 의해 $\alpha+\beta=-\dfrac{2b}{3a}>0$
$a>0$이므로 $b<0$

STEP C $y=ax^2+bx+c$의 그래프의 개형 찾기

따라서 $a>0$, $b<0$, $c<0$이므로 $y=ax^2+bx+c$의 그래프는
$a>0$이므로 아래로 볼록이고 $b<0$이므로 축 $x=-\dfrac{b}{2a}>0$이고
y절편은 $c<0$이므로 그래프 개형은 ①이다.

정답 ①

0788

STEP Ⓐ 도함수의 그래프를 이용하여 계수의 부호 결정하기

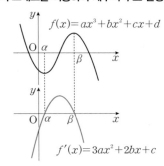

함수 $f(x)=ax^3+bx^2+cx+d$ 의 그래프에서

$x \to \infty$ 일 때, $f(x) \to -\infty$ 이므로 $a<0$

$f(x)$ 가 $x=\alpha$, $x=\beta$ 에서 극값을 가지므로

방정식 $f'(x)=3ax^2+2bx+c=0$ 의 두 근이 α, β 이므로

근과 계수의 관계에서 $\alpha+\beta=-\dfrac{2b}{3a}>0$

$a<0$ 이므로 $b>0$

$\alpha\beta=\dfrac{c}{3a}>0$

$a<0$ 이므로 $c<0$

또, $y=f(x)$ 의 그래프의 y 절편에서 $d<0$ 이다.

STEP Ⓑ 절댓값의 성질을 이용하여 주어진 값 구하기

따라서 $a<0$, $b>0$, $c<0$, $d<0$ 이므로

$\dfrac{a}{|a|}+\dfrac{2b}{|b|}+\dfrac{3c}{|c|}+\dfrac{4d}{|d|}=\dfrac{a}{-a}+\dfrac{2b}{b}+\dfrac{3c}{-c}+\dfrac{4d}{-d}=-1+2-3-4=-6$

내/신/연/계 출제문항 341

함수 $f(x)=-x^3+ax^2+bx+c$ 의 그래프가 오른쪽 그림과 같을 때, $\dfrac{|a|}{a}+\dfrac{|b|}{b}+\dfrac{|c|}{c}$ 의 값은?
(단, a, b, c 는 0이 아닌 상수)

① -3 ② -2
③ -1 ④ 1
⑤ 2

STEP Ⓐ 도함수의 그래프를 이용하여 계수의 부호 결정하기

$f'(x)=-3x^2+2ax+b$ 이고 함수 $f(x)$ 가 $x=\alpha$ 와 $x=\beta$ 에서 극값을 갖는다고 하면

이차방정식 $f'(x)=0$ 의 해는 $x=\alpha$ 또는 $x=\beta$

$\alpha>0$, $\beta>0$ 이므로 근과 계수의 관계에 의하여

$\alpha+\beta=\dfrac{2a}{3}>0$ 에서 $a>0$

$\alpha\beta=-\dfrac{b}{3}>0$ 에서 $b<0$

한편 함수 $y=f(x)$ 의 그래프와 y 축의 교점의 y 좌표가 c 이므로 $c>0$

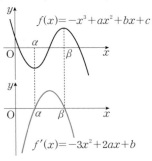

STEP Ⓑ 절댓값의 성질을 이용하여 주어진 값 구하기

따라서 $a>0$, $b<0$, $c>0$ 이므로

$\dfrac{|a|}{a}+\dfrac{|b|}{b}+\dfrac{|c|}{c}=\dfrac{a}{a}+\dfrac{-b}{b}+\dfrac{c}{c}=1-1+1=1$

0789

STEP Ⓐ 함수의 그래프를 보고 a, e 의 부호 구하기

함수 $f(x)=ax^4+bx^3+cx^2+dx+e$ 의 그래프에서

$x \to \infty$ 일 때, $f(x) \to \infty$ 이므로 $a>0$

또, 주어진 그래프의 y 절편이 음수이므로 $e<0$

STEP Ⓑ $f'(x)=0$ 에서 근과 계수의 관계를 이용하여 b, c, d 의 부호 구하기

$f'(x)=4ax^3+3bx^2+2cx+d$ 에서

$f'(x)=0$ 의 세 양수인 근이 α, β, γ 이므로 근과 계수의 관계에서

$\alpha+\beta+\gamma=-\dfrac{3b}{4a}>0$ 이므로 $b<0$ ← $a>0$

$\alpha\beta+\beta\gamma+\gamma\alpha=\dfrac{2c}{4a}>0$ 이므로 $c>0$ ← $a>0$

$\alpha\beta\gamma=-\dfrac{d}{4a}>0$ 이므로 $d<0$ ← $a>0$

따라서 $a>0$, $b<0$, $c>0$, $d<0$, $e<0$ 이므로 음수인 것은 3개이다.

0790

STEP A 조건 (다)에서 두 곡선 $y=f(x)$, $y=f(4)$의 위치 파악하기

최고차항의 계수가 1이고 방정식 $f(x)=f(4)$는 서로 다른 두 실근을 가지므로 두 가지 경우로 나누어 생각한다.

(i) 함수 $y=f(x)-f(4)$의 그래프가 $x=2$에서 x축에 접하고 $x=4$에서 만나는 경우

$f(x)-f(4)=(x-2)^2(x-4)$

양변을 x에 대하여 미분하면

$f'(x)=2(x-2)(x-4)+(x-2)^2$

$\qquad =(x-2)(3x-10)$

이므로 $f'\left(\dfrac{11}{3}\right)=\dfrac{5}{3}\cdot 1>0$이고

조건 (가)를 만족시키지 않는다.

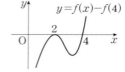

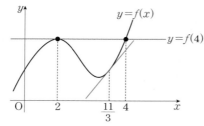

(ii) 함수 $y=f(x)-f(4)$의 그래프가 $x=4$에서 x축에 접하는 경우

$f'(2)=0$, $f'(4)=0$이고 $f'(x)$는
최고차항의 계수가 3인 이차함수이므로

$f'(x)=3(x-2)(x-4)$

이때 $f'\left(\dfrac{11}{3}\right)=3\cdot\dfrac{5}{3}\cdot\left(-\dfrac{1}{3}\right)<0$이므로

조건 (가)를 만족시킨다.

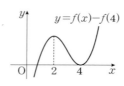

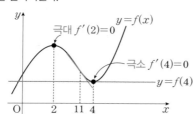

$f'(x)=3(x-2)(x-4)$ ← $f(x)$의 최고차항이 x^3이다.

STEP B 조건을 만족하는 삼차함수 $f(x)$ 구하기

$f(x)=x^3+ax^2+bx+c\,(a,\,b,\,c$는 상수)라 하면

$f'(x)=3x^2+2ax+b$이므로 $f'(x)=0$의 두 근이 2, 4이므로

$f'(x)=3(x-2)(x-4)=3x^2-18x+24$에서 $a=-9$, $b=24$

$\therefore f(x)=x^3-9x^2+24x+c$

함수 $f(x)$가 $x=2$에서 극댓값이 35이므로 $f(2)=35$

즉 $f(2)=8-36+48+c=35$에서 $c=15$

따라서 $f(x)=x^3-9x^2+24x+15$이므로 $f(0)=15$

다른풀이 부정적분을 이용하여 함수 $f(x)$ 풀이하기

STEP A 함수 $f(x)$의 부정적분을 구하여 $f(0)$의 값 구하기

$f'(x)=3(x-2)(x-4)$

$f(x)=\displaystyle\int 3(x-2)(x-4)dx=x^3-9x^2+24x+C$ (단, C는 적분상수이다.)

$f(2)=C+20=35$이므로 $C=15$

따라서 $f(x)=x^3-9x^2+24x+15$이므로 $f(0)=15$

0791

STEP A 조건을 만족하는 함수 $f(x)-p$의 식 구하기

삼차방정식 $f(x)-p=0$의 서로 다른 실근의 개수가 2이므로

중근과 하나의 실근을 가지므로 삼차함수 $y=f(x)$와 상수함수 $y=p$의 교점은 한 점에서 접하고 한 점을 지난다.

조건 (가)와 조건 (나)를 만족시키는 함수 $y=f(x)$의 그래프는 그림과 같다.

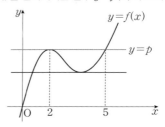

즉 $f(x)-p=(x-2)^2(x-5)$ ← $f(x)$의 최고차항의 계수가 1

STEP B p를 구하여 삼차함수 $f(x)$ 구하기

$f(0)=0$이므로 $f(0)-p=(0-2)^2(0-5)=-20$

$\therefore p=20$

$f(x)=(x-2)^2(x-5)+20=x^3-9x^2+24x$

STEP C $f(x)$의 증가와 감소를 나타내는 표를 작성하여 극솟값 구하기

$f(x)=x^3-9x^2+24x$에서

$f'(x)=3x^2-18x+24=3(x-2)(x-4)$

$f'(x)=0$에서 $x=2$ 또는 $x=4$

함수 $f(x)$의 증가와 감소를 표로 나타내면 다음과 같다.

x	$\cdots$	2	$\cdots$	4	$\cdots$
$f'(x)$	$+$	0	$-$	0	$+$
$f(x)$	↗	극대	↘	극소	↗

함수 $f(x)$는 $x=4$에서 극소이고 극솟값은 $f(4)=64-144+96=16$

따라서 $a=4$, $m=16$이므로 $a+m=20$

0792

STEP A 조건 (가), (나)를 만족하는 도함수 $f'(x)$ 구하기

$f(x)=ax^3+bx^2+cx+d\,(a\neq 0)$라 하면

$f'(x)=3ax^2+2bx+c$

$f'(-3)=f'(3)$이므로 $f'(x)$는 $x=0$에
대하여 대칭이므로 $b=0$

조건 (가)에서 $f(x)$가 $x=-2$에서

극댓값을 가지므로 $f'(-2)=12a+c=0$

$\therefore c=-12a$

즉 $f'(x)=3ax^2+2bx+c=3ax^2-12a=3a(x+2)(x-2)\,(a>0)$

ㄱ. $f'(x)$는 $x=0$에서 최솟값을 갖는다. [참]

STEP B 삼차함수 $y=f(x)$와 상수함수 $y=f(2)$의 교점의 개수 구하기

ㄴ. $f'(x)=3ax^2-12a=3a(x+2)(x-2)$이고

조건 (가)에 의하여 삼차함수 $f(x)$는 $x=2$에서 극솟값을 갖는다.

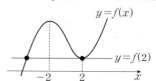

즉 그림과 같이 방정식 $f(x)=f(2)$는 서로 다른 두 실근을 갖는다. [참]

STEP **C** 점 $(-1, f(-1))$에서 접선의 방정식을 구하여 접선이
점 $(2, f(2))$를 지남을 보이기

ㄷ. $b=0$, $c=-12a$이므로 $f(x)=ax^3-12ax+d(a>0)$
$f'(x)=3ax^2-12a$에서 $x=-1$에서 접선의 기울기는
$f'(-1)=3a-12a=-9a$
점 $(-1, 11a+d)$에서의 접선의 방정식은 ← $f(-1)=-a+12a+d=11a+d$
$y-(11a+d)=-9a(x+1)$
$y=-9ax+2a+d$ ...... ㉠
㉠에 점 $(2, f(2))$, 즉 $(2, -16a+d)$를 대입하면
$-16a+d=-18a+2a+d=-16a+d$
등식이 성립하므로 점 $(-1, f(-1))$에서의 접선이 점 $(2, f(2))$를 지난다.
[참]
따라서 옳은 것은 ㄱ, ㄴ, ㄷ이다.

0793

 정답 ③

STEP **A** 사차함수 $f(x)$를 그려서 미분가능하지 않은 x의 값 구하기

함수 $f(x)=(x-1)(x-2)(x-3)^2$에 대하여 $g(x)=|f(x)|$의 그래프가
다음과 같다.

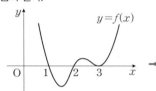 →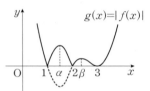

따라서 미분가능하지 않은 x의 값은 1, 2이므로 합은 $1+2=3$

참고

$g(x)=|f(x)|$의 증가와 감소를 표로 나타내면 다음과 같다.

x	$\cdots$	1	$\cdots$	α	$\cdots$	2	$\cdots$	β	$\cdots$	3	$\cdots$
$f'(x)$	$-$		$+$	0	$-$		$+$	0	$-$	0	$+$
$f(x)$	↘	극소	↗	극대	↘	극소	↗	극대	↘	극소	↗

$g(x)=|f(x)|$가 극소가 되는 x의 값은 1, 2, 3이다.

0794

 정답 ③

STEP **A** 함수 $f(x)$의 증가와 감소를 표로 나타내기

$f(x)=x^3+3x^2-9x+n$에서 $f'(x)=3x^2+6x-9=3(x+3)(x-1)$
$f'(x)=0$에서 $x=-3$ 또는 $x=1$이므로
함수 $f(x)$의 증가와 감소를 표로 나타내면 다음과 같다.

x	$\cdots$	-3	$\cdots$	1	$\cdots$
$f'(x)$	$+$	0	$-$	0	$+$
$f(x)$	↗	극대	↘	극소	↗

함수 $f(x)$는 $x=-3$에서 극대이고 극댓값 $f(-3)=n+27$
$x=1$에서 극소이고 극솟값 $f(1)=n-5$를 갖는다.

STEP **B** 주어진 조건을 만족하도록 그래프를 그려 n의 최솟값 구하기

이때 $f(-3)=n+27>0$이므로 함수 $g(x)=|f(x)|$의 미분가능하지 않은
점이 1개가 되려면 $y=f(x)$의 그래프가 다음 그림과 같아야 한다.

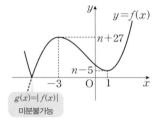

따라서 $f(1)=n-5\geq0$이므로 $n\geq5$, 즉 최솟값은 5

내/신/연/계 출제문항 **342**

자연수 n에 대하여 함수 $f(x)=2x^3-6x+1+n$일 때, 함수 $g(x)=|f(x)|$의 미분가능하지 않은 점이 1개가 되도록 하는 n의 최솟값은?

① 3 ② 4 ③ 5
④ 6 ⑤ 7

STEP **A** $f(x)=2x^3-6x+1+n$의 증가와 감소를 표로 나타내기

$f(x)=2x^3-6x+1+n$에서 $f'(x)=6x^2-6x=6(x+1)(x-1)$
$f'(x)=0$에서 $x=-1$ 또는 $x=1$이므로
함수 $f(x)$의 증가와 감소를 표로 나타내면 다음과 같다.

x	$\cdots$	-1	$\cdots$	1	$\cdots$
$f'(x)$	$+$	0	$-$	0	$+$
$f(x)$	↗	극대	↘	극소	↗

함수 $f(x)$는 $x=-1$에서 극대이고 극댓값 $f(-1)=n+5$
$x=1$에서 극소이고 극솟값 $f(1)=n-3$를 갖는다.

STEP **B** 주어진 조건을 만족하도록 그래프를 그려 n의 최솟값 구하기

이때 $f(-1)=n+5>0$이므로 함수 $g(x)=|f(x)|$의 미분가능하지 않은
점이 1개가 되려면 $y=f(x)$의 그래프가 다음 그림과 같아야 한다.

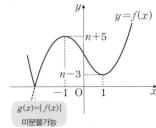

따라서 $f(1)=n-3\geq0$이므로 $n\geq3$, 즉 최솟값은 3 정답 ①

0795

STEP A $f(x)$의 증가와 감소를 표로 나타내기

$f(x)=x^3-3x^2-9x+a$에서

$f'(x)=3x^2-6x-9=3(x^2-2x-3)=3(x+1)(x-3)$

$f'(x)=0$에서 $x=-1$ 또는 $x=3$

함수 $f(x)$의 증가와 감소를 나타내면 다음 표와 같다.

x	$\cdots$	-1		3	$\cdots$
$f'(x)$	$+$	0	$-$	0	$+$
$f(x)$	↗	$a+5$	↘	$a-27$	↗

STEP B $f(x)$의 극댓값, 극솟값을 구하여 그래프 그리기

함수 $f(x)$는 $x=-1$에서 극대이고

극댓값 $f(-1)=a+5$

$x=3$에서 극소이고

극솟값 $f(3)=a-27$을 가진다.

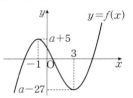

$g(x)=|f(x)|$가

$x=\alpha$, $x=\beta\,(\alpha<\beta)$에서

극댓값을 가지려면

$f(-1)=a+5>0$이고

$f(3)=a-27<0$

$\therefore -5<a<27$

따라서 정수 a는 -4, -3, $\cdots$, 26

이므로 개수는 31개이다.

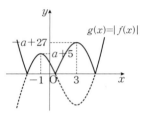

참고 $g(x)=|f(x)|$가 두 개의 극댓값이 존재할 때,
즉 극솟값이 3개가 존재하기 위한 a의 범위를 구하는 문제이다.

0796

STEP A 함수 $f(x)$의 증가와 감소를 표로 나타내기

$f(x)=x^4-4x^3-2x^2+12x+a$

$f'(x)=4x^3-12x^2-4x+12$
$\quad\;\;=4(x+1)(x-1)(x-3)$

$f'(x)=0$에서 $x=-1$ 또는 $x=1$ 또는 $x=3$

함수 $f(x)$의 증가와 감소를 표로 나타내면 다음과 같다.

x	$\cdots$	-1	$\cdots$	1	$\cdots$	3	$\cdots$
$f'(x)$	$-$	0	$+$	0	$-$	0	$+$
$f(x)$	↘	극소	↗	극대	↘	극소	↗

함수 $f(x)$는

$x=-1$ 또는 $x=3$에서 극소이고

극솟값 $f(-1)=f(3)=a-9$를 갖고

$x=1$에서 극대이고

극댓값 $f(1)=a+7$을 갖는다.

이때 함수 $y=f(x)$의 그래프는

오른쪽 그림과 같다.

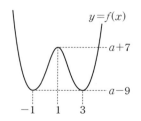

STEP B 주어진 조건을 만족하도록 그래프를 그려 a의 최솟값 구하기

함수 $g(x)=|f(x)|$가 미분가능하지 않은 점이 2개이려면

아래 참고 ④, ⑤에 의해 $f(1)\leq0$이어야 한다.

따라서 $f(1)=a+7\leq0$이므로 $a\leq-7$

즉 a의 최댓값은 -7

참고 $f(-1)$ 또는 $f(1)$의 값에 따라 함수 $g(x)=|f(x)|$의 그래프는 다음과 같다.

① $f(-1)>0$일 때,

② $f(-1)=0$일 때,

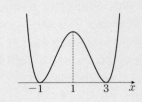

③ $f(-1)<0<f(1)$일 때,

④ $f(1)=0$일 때,

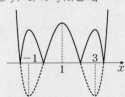
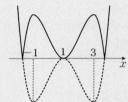

⑤ $f(1)<0$일 때,

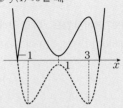

따라서 함수 $g(x)=|f(x)|$는 $f(-1)\geq0$일 때, 모든 실수에서 미분가능하고
$f(-1)<0<f(1)$일 때, 네 점에서 미분가능하지 않고
$f(1)\leq0$일 때, 두 점에서 미분가능하지 않다.

내/신/연/계 출제문항 343

삼차함수 $f(x)=2x^3+ax^2$에 대하여 $g(x)=|f(x)|$라 할 때,
$g(x)$가 실수전체에서 미분가능하도록 하는 상수 a의 값은?

① 0　　　② 1　　　③ 2
④ 3　　　⑤ 4

STEP A $g(x)$가 실수전체에서 미분가능하도록 하는 a의 값 구하기

$f(x)=2x^3+ax^2=x^2(2x+a)$이므로

방정식 $f(x)=0$에서 $x=0$ 또는 $x=-\dfrac{a}{2}$

즉 함수 $g(x)$의 그래프는 $x=0$, $x=-\dfrac{a}{2}$에서 x축과 만나고

$f(x)=2x^3+ax^2$의 그래프에서 x축 아래에 있는 부분을 위로 꺾어 올려 그린
그래프이므로 다음과 같다.

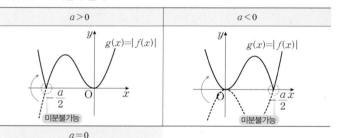

$a>0$		$a<0$

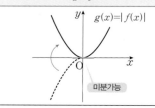

이때 위의 그림과 같이 $a>0$ 또는 $a<0$이면
함수 $g(x)$는 $x=-\dfrac{a}{2}$에서 좌미분계수와 우미분계수의 값이 서로 다르므로
미분불가능하다.
따라서 $g(x)=|f(x)|$가 실수 전체의 집합에서 미분가능하려면
$-\dfrac{a}{2}=0$이어야 하므로 $a=0$

 실수전체의 집합에서 미분가능한 함수 $f(x)$에 대하여 $f(k)=0$일 때, $g(x)=|f(x)|$가 $x=k$에서 미분가능하기 위한 조건은 $f'(k)=0$임을 이용하여 풀이하기

$f(x)=2x^3+ax^2=x^2(2x+a)$

방정식 $f(x)=0$에서 $x=0$ 또는 $x=-\dfrac{a}{2}$이므로
$g(x)=|f(x)|$가 실수 전체의 집합에서 미분가능하려면
$f'(0)=0$, $f'\left(-\dfrac{a}{2}\right)=0$을 만족시켜야 한다.
이때 $f'(x)=6x^2+2ax$이고 a의 값에 관계없이 $f'(0)=0$이 성립하므로
$f'\left(-\dfrac{a}{2}\right)=\dfrac{1}{2}a^2=0$에서 $a=0$ ⟨정답 ①⟩

0797 ⟨정답 ③⟩

STEP Ⓐ $g(1)=g'(1)$**의 값 구하기**

최고차항의 계수가 1인 사차함수 $f(x)$에 대하여
함수 $g(x)=|f(x)|$가 $x=1$에서 미분가능하려면
$f(1)\neq0$ 또는 $f(1)=0$이고 $f'(1)=0$이어야 한다. ⋯⋯ ㉠
이때 함수 $g(x)$가 $x=1$에서 미분가능하고 조건 (나)에 의하여
$x=1$에서 극솟값을 가지므로 $g'(1)=0$
조건 (가)에 의하여 $g(1)=g'(1)=0$이므로
$g(1)=|f(1)|=0$에서 $f(1)=0$
즉 ㉠에 의하여 $f(1)=0$, $f'(1)=0$

STEP Ⓑ **주어진 조건을 만족하는 그래프 그리기**

사차함수 $y=f(x)$의 그래프에서
함수 $g(x)=|f(x)|$가 $x=-1$, $x=0$에서 극솟값을 갖는 그래프는
다음과 같다.

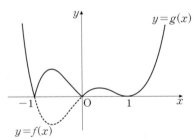

STEP Ⓒ $f(x)$**의 함수식을 구하여** $g(2)$**의 값 구하기**

최고차항의 계수가 1인 사차함수 $f(x)$는 $f(x)=(x-1)^2x(x+1)$
따라서 $g(x)=|(x-1)^2x(x+1)|$이므로 $g(2)=6$

0798 ⟨정답 ⑤⟩

STEP Ⓐ **삼차함수** $f(x)$**의 개형 그리기**

조건 (가)에서 $f(-1)=0$, $f'(-1)\neq0$이고
$x=-1$이 아닌 임의의 실수 p에 대하여
$f(p)\neq0$이거나 $f(p)=0$, $f'(p)=0$
즉 방정식 $f(x)=0$은 $x=-1$을 실근으로 가져야 하는데
함수 $|f(x)|$가 $x=-1$에서 미분가능하지 않으므로
$x=-1$은 중근이 아니고 $x=-1$의 좌우에서 부호가 바뀐다.

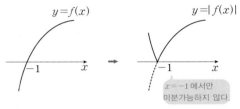

$x=-1$에서만 미분가능하지 않다.

조건 (나)에 의하여 $f(x)=0$은 닫힌구간 $[3, 5]$에서
적어도 하나의 실근을 가져야 하므로
조건 (가)에 의해 함수 $|f(x)|$는 미분가능해야 하므로
방정식 $f(x)=0$은 닫힌구간 $[3, 5]$에서 중근을 가져야 한다.
⟵ $f(x)=0$의 한 실근을 k라 하면 $f(k)=0$, $f'(k)=0$
함수 $f(x)$의 그래프가 x축에 접하는 접점의 x좌표를 $\alpha(3\leq\alpha\leq5)$라 하면
조건 (가), (나)를 동시에 만족하는 삼차함수 $f(x)$의 개형은 다음과 같다.

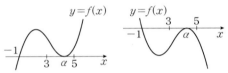

STEP Ⓑ **삼차함수** $f(x)$**의 식을 이용하여** $\dfrac{f'(0)}{f(0)}$**의 최댓값, 최솟값을 구하기**

$f(x)=k(x+1)(x-\alpha)^2(k\neq0, 3\leq\alpha\leq5)$라 하면
$f'(x)=k(x-\alpha)^2+2k(x+1)(x-\alpha)$
$\therefore \dfrac{f'(0)}{f(0)}=\dfrac{-2k\alpha+k\alpha^2}{k\alpha^2}=1-\dfrac{2}{\alpha}$

이때 $3\leq\alpha\leq5$이므로 $\dfrac{f'(0)}{f(0)}$은
$\alpha=5$일 때, 최댓값 $M=1-\dfrac{2}{5}=\dfrac{3}{5}$을 가지고
$\alpha=3$일 때, 최솟값 $m=1-\dfrac{2}{3}=\dfrac{1}{3}$을 가진다.
따라서 $Mm=\dfrac{3}{5}\cdot\dfrac{1}{3}=\dfrac{1}{5}$

다음 조건을 만족하는 삼차함수 $f(x)$에 대하여 $\dfrac{f'(1)}{f(1)}$의 최댓값은?

(가) 함수 $f(x)$의 최고차항의 계수는 1이다.
(나) 함수 $|f(x)|$는 $x=0$에서만 미분가능하지 않다.
(다) 방정식 $f(x)=0$은 닫힌구간 $[4, 6]$에서 적어도 하나의 실근을 갖는다.

① $\dfrac{1}{15}$ ② $\dfrac{1}{5}$ ③ $\dfrac{1}{3}$
④ $\dfrac{7}{15}$ ⑤ $\dfrac{3}{5}$

STEP A 삼차함수 $f(x)$의 개형 그리기

조건 (나)에서 $f(0)=0$, $f'(0)\neq0$이고
$x=0$이 아닌 임의의 실수 p에 대하여
$f(p)\neq0$이거나 $f(p)=0$, $f'(p)=0$
즉 방정식 $f(x)=0$은 $x=0$을 실근으로 가져야 하는데
함수 $|f(x)|$가 $x=0$에서 미분가능하지 않으므로
$x=0$은 중근이 아니고 $x=0$의 좌우에서 부호가 바뀐다.

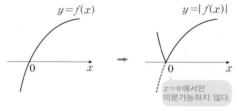

> $x=0$에서만 미분가능하지 않다.

조건 (다)에 의하여 닫힌구간 $[4, 6]$에서 함수 $|f(x)|$는 미분가능해야 하므로
방정식 $f(x)=0$은 닫힌구간 $[4, 6]$에서 중근을 가져야 한다.
← $f(x)=0$의 한 실근을 k라 하면 $f(k)=0$, $f'(k)=0$
함수 $f(x)$의 그래프가 x축에 접하는 접점의 x좌표를 $\alpha(4\leq\alpha\leq6)$라 하면
조건 (가), (나), (다)를 동시에 만족하는 삼차함수 $f(x)$의 개형은 다음과 같다.

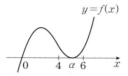

STEP B 삼차함수 $f(x)$의 식을 이용하여 $\dfrac{f'(1)}{f(1)}$의 최댓값, 최솟값을 구하기

$f(x)=x(x-\alpha)^2(4\leq\alpha\leq6)$라 하면
$f'(x)=(x-\alpha)^2+2x(x-\alpha)$
$\therefore \dfrac{f'(1)}{f(1)}=\dfrac{(1-\alpha)^2+2(1-\alpha)}{(1-\alpha)^2}=\dfrac{3-\alpha}{1-\alpha}$

이때 $4\leq\alpha\leq6$이므로 $\dfrac{f'(1)}{f(1)}$은
$\alpha=6$일 때, 최댓값 $\dfrac{3-6}{1-6}=\dfrac{3}{5}$을 가지고
$\alpha=4$일 때, 최솟값 $\dfrac{3-4}{1-4}=\dfrac{1}{3}$을 가진다.

따라서 최댓값은 $\dfrac{3}{5}$

 정답 ⑤

0799

 정답 ③

STEP A 최고차항의 계수가 1이고 조건 (가), (나)를 만족하는 삼차함수 $f(x)$의 식 작성하기

조건 (가)에서
$f(x)=x^3+ax^2+bx+8$ (a, b는 상수) ······ ㉠
이라 하면 조건 (나)에서 함수 $f(x)$의 그래프는 점 $(-2, 0)$을 지나므로
$f(-2)=-8+4a-2b+8=0$에서 $b=2a$ ······ ㉡
㉠과 ㉡에서 $f(x)=x^3+ax^2+2ax+8$

STEP B 조건 (나), (다)를 만족하는 삼차방정식의 근을 이해하기

즉 $f(x)=x^3+ax^2+2ax+8=(x+2)\{x^2+(a-2)x+4\}$이므로
← 조립제법으로 인수분해
조건 (다)에서 방정식 $f(x)=0$은 $x=-2$이외의 근을 하나만 가져야 하고
조건 (나)에서 방정식 $f(x)=0$이 $x=-2$를 중근으로 갖게 되면
함수 $|f(x)|$는 $x=-2$에서 미분가능하게 되므로
$x^2+(a-2)x+4=0$의 근은 -2가 아닌 중근을 가져야 한다.
즉 이차방정식 $x^2+(a-2)x+4=0$의 판별식을 D라 하면
$D=(a-2)^2-4\cdot4=0$에서 $a^2-4a-12=0$, $(a-6)(a+2)=0$
$\therefore a=6$ 또는 $a=-2$

STEP C $f(x)$의 극솟값 구하기

$a=6$일 때,
$f(x)=(x+2)^3$이므로 조건 (다)를 만족시키지 않는다.
$a=-2$일 때,
$f(x)=(x+2)(x-2)^2$이므로 조건 (다)를 만족시킨다.
즉 $f(x)=x^3-2x^2-4x+8$이므로
$f'(x)=3x^2-4x-4=(x-2)(3x+2)$
$f'(x)=0$에서 $x=-\dfrac{2}{3}$ 또는 $x=2$
함수 $f(x)$의 증가와 감소를 표로 나타내면 다음과 같다.

x	$\cdots$	$-\dfrac{2}{3}$	$\cdots$	2	$\cdots$
$f'(x)$	$+$	0	$-$	0	$+$
$f(x)$	↗	극대	↘	극소	↗

따라서 함수 $f(x)$는 $x=2$에서 극소이고 극솟값은
$f(2)=2^3-2\cdot2^2-4\cdot2+8=0$

다른풀이 $y=f(x)$의 그래프를 이용하여 풀이하기

조건 (나)에서 함수 $|f(x)|$는 $x=-2$에서만 미분가능하지 않고
조건 (다)를 만족시키는 함수 $y=f(x)$의 그래프와 x축이 서로 다른 두 점에서
만나므로 함수 $y=f(x)$의 그래프의 개형은 다음 그림과 같다.

(i)   (ii)

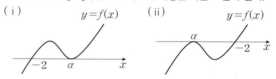

$f(x)=(x+2)(x-\alpha)^2(\alpha\neq-2)$라 하면
조건 (가)에서 $f(0)=2(-\alpha)^2=2\alpha^2=8$
이때 $\alpha\neq-2$이므로 $\alpha=2$이다.
따라서 함수 $y=f(x)$의 그래프는 (i)과 같으므로 함수 $f(x)$의 극솟값은
$f(\alpha)=0$

0800

정답 ②

STEP A **함수 $f(x)$의 그래프 그리기**

삼차항의 계수가 1이므로 조건 (가), (나)에 의하여 함수 $y=f(x)$의 그래프는
다음 그림과 같이 두 가지의 경우로 나누어 생각할 수 있다.

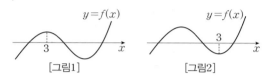

[그림1]에서 $f'(0)>0$, $f'(1)>0$이므로 조건 (다)를 만족시킬 수 없다.
따라서 함수 $y=f(x)$의 그래프는 [그림2]와 같다.

STEP B **그래프와 조건 (다)를 이용하여 $f(x)$의 식 구하기**

즉 함수 $f(x)$는 $x=3$에서 극솟값 -1을 갖는다.
$f(x)=x^3+ax^2+bx+c$ (a, b, c는 정수)로 놓으면
$f(3)=27+9a+3b+c=-1$ ...... ㉠
$f'(x)=3x^2+2ax+b$이므로
$f'(3)=27+6a+b=0$ ...... ㉡
조건 (다)에 의하여
$f'(0) \times f'(1)=b(3+2a+b)=-12$ ...... ㉢
㉡에서 $b=-6a-27$이므로 ㉢에 대입하면
$(-6a-27)(3+2a-6a-27)=-12$
$(2a+9)(a+6)=-1$
$2a^2+21a+55=0$
$(2a+11)(a+5)=0$
a는 정수이므로 $a=-5$
㉡에서 $b=3$이고 ㉠에서 $c=8$
따라서 $f(x)=x^3-5x^2+3x+8$이므로 $f(4)=64-80+12+8=4$

> **다른풀이** $f(x)+1$의 그래프가 $x=3$에서 x축과 접함을 이용하여 풀이하기

[그림2]에서 함수 $f(x)$는 $x=3$에서 극솟값 -1을 가지므로
함수 $y=f(x)$의 그래프와 직선 $y=-1$의 교점의 x좌표를 a, 3이라 하면
$f(x)+1=(x-a)(x-3)^2$
$f(x)=(x-a)(x-3)^2-1$
$f'(x)=(x-3)^2+2(x-a)(x-3)$이므로 $f'(0)=9+6a$
$f'(1)=4-4(1-a)=4a$
$f'(0) \times f'(1)=(9+6a) \times 4a=-12$에서
$24a^2+36a+12=0$
$2a^2+3a+1=0$
$(a+1)(2a+1)=0$
$\therefore a=-1$ 또는 $a=-\dfrac{1}{2}$
함수 $f(x)$의 모든 항의 계수가 정수이므로 $a=-1$
따라서 $f(x)=(x+1)(x-3)^2-1$이므로 $f(4)=5 \cdot 1-1=4$

0801

정답 ③

STEP A **조건 (가), (나)를 만족하는 삼차함수 $f(x)$ 구하기**

함수 $f(x)$는 다항함수이므로
조건 (가)에서
$f(x)-x^3=-6x^2+ax+b$ (a, b는 상수)로 놓을 수 있다.
$f(x)=x^3-6x^2+ax+b$에서 $f'(x)=3x^2-12x+a$이고
조건 (나)에서
$f'(1)=3-12+a=0$
즉 $a=9$이므로 $f(x)=x^3-6x^2+9x+b$

STEP B **함수 $f(x)$의 증가와 감소를 표로 나타내기**

$f'(x)=3x^2-12x+9=3(x-1)(x-3)$
$f'(x)=0$에서 $x=1$ 또는 $x=3$
함수 $f(x)$의 증가와 감소를 표로 나타내면 다음과 같다.

x	$\cdots$	1	$\cdots$	3	$\cdots$
$f'(x)$	$+$	0	$-$	0	$+$
$f(x)$	↗	극대	↘	극소	↗

함수 $f(x)$는 $x=1$에서 극대이고 극댓값은
$f(1)=1-6+9+b=b+4$
$x=3$에서 극소이고 극솟값은
$f(3)=27-54+27+b=b$

STEP C **그래프와 조건 (다)를 이용하여 $f(1)$의 식 구하기**

조건 (다)에서 방정식 $|f(x)|=1$이 서로 다른 5개의 실근을 가지므로
함수 $y=|f(x)|$의 그래프의 개형은 다음과 같이 두 가지 경우가 있다.
(ⅰ) (극댓값)$=1$, (극솟값)<-1인 경우

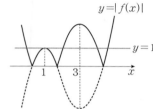

(극댓값)$=b+4=1$이면 $b=-3$이므로 (극솟값)$=b<-1$이 된다.
그런데 $f(0)=b<-2$가 되어 조건을 만족시키지 않는다.
(ⅱ) (극댓값)>1, (극솟값)$=-1$인 경우

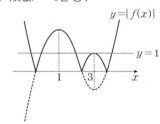

(극솟값)$=b=-1$이면 (극댓값)$=b+4=3>1$이 된다.
이때 $f(0)=b>-2$가 되어 조건을 만족시킨다.
(ⅰ), (ⅱ)에서 $b=-1$이므로 $f(x)=x^3-6x^2+9x-1$
따라서 $f(1)=1-6+9-1=3$

0802

정답 ④

STEP A **$f(x)$의 증가와 감소를 표로 나타내고 그래프 그리기**

$f(x)=x^4-6x^2-8x+13$에서
$f'(x)=4x^3-12x-8=4(x+1)^2(x-2)$
$f'(x)=0$에서 $x=-1$ 또는 $x=2$
함수 $f(x)$의 증가와 감소를 나타내면 다음 표와 같다.

x	$\cdots$	-1	$\cdots$	2	$\cdots$
$f'(x)$	$-$	0	$-$	0	$+$
$f(x)$	↘	16	↘	극소	↗

$x=2$일 때, 극소이고 극솟값은 $f(2)=-11$

STEP B $\,|f(x)-k|$가 한 점에서만 미분가능하지 않을 그래프의 모양 이해하기

이때 $|f(x)-k|$가 $x=a$에서만 미분가능하지 않으므로 오른쪽 그림과 같이 극소가 아니면서 접선의 기울기가 0이 되는 점이 x축이 지나야 한다.

즉 사차함수 $y=f(x)$의 점 $A(-1,\ 16)$이 y축의 방향으로 -16만큼 평행이동 하여야 하므로 $k=16$

또한, 이때 미분가능하지 않은 점의 x좌표 a는

$f(a)=16,\ a\neq -1$에서

$a^4-6a^2-8a+13=16$

$a^4-6a^2-8a-3=0$

$(a+1)^3(a-3)=0$

$\therefore\ a=3(\because\ a\neq -1)$

따라서 $k=16,\ a=3$이므로

$k+a=16+3=19$

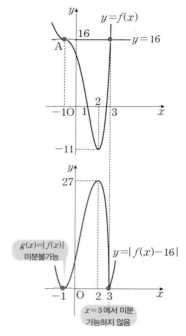

0803

정답 ④

STEP A 함수 $f(x)$의 증가와 감소를 표로 나타내기

$f(x)=2x^3-9x^2+12x-5$에서 $f'(x)=6x^2-18x+12=6(x-1)(x-2)$

$f'(x)=0$에서 $x=1$ 또는 $x=2$

함수 $f(x)$의 증가와 감소를 표로 나타내면 다음과 같다.

x	$\cdots$	1	$\cdots$	2	$\cdots$
$f'(x)$	$+$	0	$-$	0	$+$
$f(x)$	↗	0	↘	-1	↗

함수 $y=f(x)$의 그래프의 개형은 [그림1]과 같다.

STEP B $g(x)$가 $x=k$에서만 미분가능하지 않을 조건 구하기

이때 함수 $g(x)$는 $x=k$에서만 미분가능하지 않으므로 함수 $y=g(x)$의 그래프의 개형은 [그림2]와 같아야 한다.

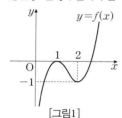 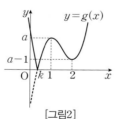

[그림1]　　　[그림2]

즉 $a-1\geq 0$이어야 하므로 구하는 a의 값의 범위는 $a\geq 1$

0804

정답 ③

STEP A 함수 $|f(x)-f(1)|$이 $x=a$에서 미분가능하지 않으면 $f(a)-f(1)=0$임을 이용하기

조건 (가)에서 함수 $f(x)$가 $x=2$에서 극값을 가지므로 $f'(2)=0$

조건 (나)에서 $g(x)=f(x)-f(1)$이라 하면 $f(x)$가 사차함수이므로 $g(x)$도 사차함수이다.

$g(x)=f(x)-f(1)$의 양변을 x에 대하여 미분하면

$g'(x)=f'(x)$　　　$\cdots\cdots$ ㉠

즉 $g'(2)=f'(2)=0$이고 함수 $g(x)$도 $x=2$에서 극값을 갖는다.

한편 $|g(x)|$가 미분가능하지 않은 점은 $g(x)=0$인 점이고

$g(x)=0$인 점은 $g(1)=f(1)-f(1)=0$, $g(a)=0(a>2)$

그런데 조건 (나)에서 $|g(x)|$가 $x=a(a>2)$에서만 미분가능하지 않으므로 $x=1$에서는 미분가능해야만 한다.

STEP B 조건을 만족하는 함수 $g(x)$의 그래프의 개형을 유추하기

$g(x)=f(x)-f(1)$의 그래프는 다음 두 가지 개형의 경우이다.

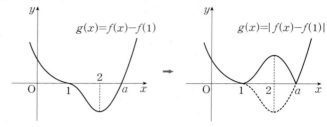

[$f(x)$의 최고차항의 계수가 양수인 경우]

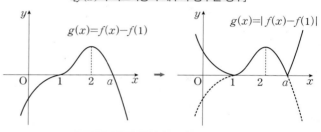

[$f(x)$의 최고차항의 계수가 음수인 경우]

즉 함수 $g(x)$는 $(x-1)^3$을 인수로 가지므로 $g'(x)$는 $(x-1)^2$을 인수로 갖고 $g'(2)=0$, $x-2$도 인수를 갖는다.

$g'(x)=k(x-1)^2(x-2)$ (k는 0이 아닌 상수)라 하면

$f'(x)=k(x-1)^2(x-2)$ $(\because$ ㉠$)$

따라서 $\dfrac{f'(5)}{f'(3)}=\dfrac{k(5-1)^2(5-2)}{k(3-1)^2(3-2)}=\dfrac{k\cdot 4^2\cdot 3}{k\cdot 2^2\cdot 1}=12$

참고

$g(x)$가 $x=1$에서 삼중근을 갖고 $x=a$에서 나머지 한 근을 가져야 하므로

$\therefore\ g(x)=k(x-1)^3(x-a)$

$f'(x)=g'(x)=3k(x-1)^2(x-a)+k(x-1)^3$

$f'(2)=0$이므로 $3k(2-a)+k=0$　$\therefore\ a=\dfrac{7}{3}$

따라서 $\dfrac{f'(5)}{f'(3)}=\dfrac{3k\cdot 4^2\cdot\left(5-\dfrac{7}{3}\right)+k\cdot 4^3}{3k\cdot 2^2\cdot\left(3-\dfrac{7}{3}\right)+k\cdot 2^3}=12$

➕α 함수 $y=|g(x)|$의 그래프의 개형

(i) $g(a)\neq 0$이면 $y=|g(x)|$는 $x=a$에서 미분가능하다.

(ii) $g(a)=0$일 때,

$\Rightarrow g'(a)=0$이면 $y=|g(x)|$는 $x=a$에서 미분가능하다.

$\Rightarrow g'(a)\neq 0$이면 $y=|g(x)|$는 $x=a$에서 미분가능하지 않다.

(i), (ii)에서 $g(a)=0$이고 $y=|g(x)|$는 $x=a$에서 미분가능 해야 하므로 $g'(a)=0$

256

0805

STEP A 조건 (가), (나)를 만족하는 사차함수 그래프 개형에 따른 진위판단하기

조건 (나)에서 $|f(x)| \geq 0$이므로 방정식 $|f(x)| = f(0)$이 실근을 갖지 않으려면 $f(0) < 0$이어야 한다.

ㄱ. $a = 0$이면 조건
(가)에서 $f'(x) = x^2(x-2)$이므로
함수 $y = f(x)$의 그래프는
오른쪽 그림과 같다.
즉 방정식 $f(x) = 0$은 서로 다른
두 실근을 갖는다. [참]

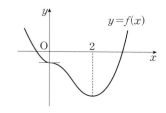

ㄴ. **반례** $0 < a < 2$이고 $f(a) > 0$일 때, $f(2) > 0$이면 다음 그림과 같이 방정식 $f(x) = 0$은 서로 다른 두 실근을 갖는다. [거짓]

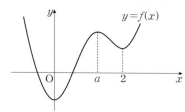

STEP B $|f(x) - f(2)|$을 이해하여 미분가능하지 않은 k의 위치 구하기

ㄷ. 함수 $|f(x) - f(2)|$가 $x = k$에서만
미분가능하지 않으려면
$f(x) - f(2) = \dfrac{1}{4}(x-k)(x-2)^3$
이어야 한다.
또, $f'(0) = 0$이므로 함수
$y = |f(x) - f(2)|$의 그래프는
오른쪽 그림과 같다.
이때 함수 $|f(x) - f(2)|$는 $k < 0$
인 실수 k에 대하여 $x = k$에서만
미분가능하지 않다. [참]
따라서 옳은 것은 ㄱ, ㄷ이다.

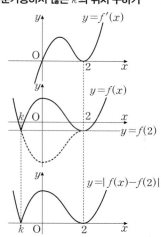

참고 조건 (가), (나)를 만족하는 사차함수 $f(x)$의 그래프의 개형

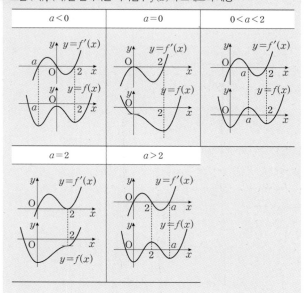

$a < 0$	$a = 0$	$0 < a < 2$

$a = 2$	$a > 2$

0806

STEP A 조건 (가)를 만족하는 삼차함수 $f(x)$의 식 작성하기

조건 (가)에 의하여 방정식 $f(x) = f(2)$의 서로 다른 두 실근을
2, $\alpha (\alpha \neq 2)$라 하자.

$\alpha > 2$일 때, 가능한 함수 $y = f(x)$의 그래프의 개형은 다음의 두 가지이다.
(i)　　　　(ii)

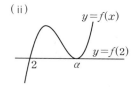

또, $\alpha < 2$일 때, 가능한 함수 $y = f(x)$의 그래프의 개형은 다음의 두 가지이다.
(i)　　　　(ii)

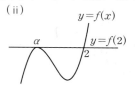

따라서 $f(2) = k$라 하면 함수 $f(x)$를
$f(x) = (x-2)(x-\alpha)^2 + k$ 또는 $f(x) = (x-2)^2(x-\alpha) + k$로 놓을 수 있다.

STEP B $f'(-1) = f'(3)$을 만족하고 함수 $|f(x) - f(2)|$의 극댓값이 자연수인 삼차함수 $f(x)$ 구하기

(i) $f(x) = (x-2)(x-\alpha)^2 + k$인 경우
$f'(x) = (x-\alpha)^2 + 2(x-2)(x-\alpha) = (x-\alpha)(3x-\alpha-4)$이고
$f'(-1) = (-1-\alpha)(-\alpha-7) = \alpha^2 + 8\alpha + 7$
$f'(3) = (3-\alpha)(5-\alpha) = \alpha^2 - 8\alpha + 15$이므로
$f'(-1) = f'(3)$에서 $\alpha = \dfrac{1}{2}$
즉 $f(x) = (x-2)\left(x-\dfrac{1}{2}\right)^2 + k$이고 $f'(x) = \left(x-\dfrac{1}{2}\right)\left(3x-\dfrac{9}{2}\right)$
이므로 함수 $y = f(x)$의 그래프의 개형은 다음 그림과 같다.

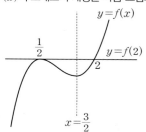

이때 함수 $y = |f(x) - f(2)|$는 $x = \dfrac{3}{2}$에서 극댓값을 갖고 그 값은
$\left|f\left(\dfrac{3}{2}\right) - f(2)\right| = \left|\left(k-\dfrac{1}{2}\right) - k\right| = \dfrac{1}{2}$

(ii) $f(x) = (x-2)^2(x-\alpha) + k$인 경우
$f'(x) = 2(x-2)(x-\alpha) + (x-2)^2 = (x-2)(3x-2\alpha-2)$이고
$f'(-1) = -3(-5-2\alpha) = 15 + 6\alpha$
$f'(3) = 7 - 2\alpha$이므로 $f'(-1) = f'(3)$에서 $\alpha = -1$
즉 $f(x) = (x+1)(x-2)^2 + k$이고 $f'(x) = 3x(x-2)$
이므로 함수 $y = f(x)$의 그래프의 개형은 다음 그림과 같다.

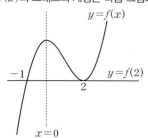

이때 함수 $y=|f(x)-f(2)|$는 $x=0$에서 극댓값을 갖고 그 값은

$|f(0)-f(2)|=|(k+4)-k|=4$

(ⅰ), (ⅱ)에 의하여 함수 $|f(x)-f(2)|$의 극댓값이 자연수인 경우

함수 $f(x)$는 $f(x)=(x-2)^2(x+1)+k$

따라서 $f(3)-f(1)=(4+k)-(2+k)=2$

0807

정답 ③

STEP Ⓐ $h(x)$의 증가와 감소를 표로 나타내기

$h(x)=f(x)-g(x)$에서 $h'(x)=f'(x)-g'(x)$

$h'(x)=0$에서 $x=0$ 또는 $x=2$ 또는 $x=5$

함수 $h(x)=f(x)-g(x)$의 증가와 감소를 표로 나타내면 다음과 같다.

x	$\cdots$	0	$\cdots$	2	$\cdots$	5	$\cdots$
$h'(x)$	$-$	0	$+$	0	$-$	0	$+$
$h(x)$	$\searrow$	극소	$\nearrow$	극대	$\searrow$	극소	$\nearrow$

STEP Ⓑ $h(x)$가 극대가 되는 x의 값 구하기

따라서 $h(x)=f(x)-g(x)$는 $x=2$에서 극대가 된다.

0808

정답 ④

STEP Ⓐ 함수 $h(x)$의 증가와 감소를 조사하여 표로 정리하기

$h(x)=f(x)-g(x)$에서 $h'(x)=f'(x)-g'(x)$

$h'(x)=0$에서 $x=b$ 또는 $x=d$ 또는 $x=e$

함수 $h(x)$의 증가와 감소를 표로 나타내면 다음과 같다.

x	$\cdots$	b	$\cdots$	d	$\cdots$	e	$\cdots$
$h'(x)$	$+$	0	$-$	0	$+$	0	$-$
$h(x)$	$\nearrow$	극대	$\searrow$	극소	$\nearrow$	극대	$\searrow$

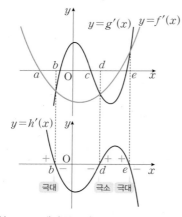

따라서 함수 $h(x)$는 $x=d$에서 극소이므로 ④이다.

내/신/연/계/ 출제문항 **345**

사차함수 $f(x)$의 도함수 $y=f'(x)$의 그래프와 이차함수 $g(x)$의 도함수 $y=g'(x)$의 그래프가 다음 그림과 같다. $y=f'(x)$와 $y=g'(x)$의 그래프의 교점의 x좌표가 b, e일 때, 함수 $h(x)=f(x)-g(x)$가 극소인 x의 값은?

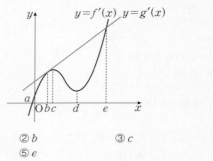

① a ② b ③ c

④ d ⑤ e

STEP Ⓐ 함수 $h(x)$의 증가와 감소를 조사하여 표로 정리하기

$h(x)=f(x)-g(x)$에서 $h'(x)=f'(x)-g'(x)$

$h'(x)=0$에서 $x=b$ 또는 $x=e$

함수 $h(x)$의 증가와 감소를 표로 나타내면 다음과 같다.

x	$\cdots$	b	$\cdots$	e	$\cdots$
$h'(x)$	$-$	0	$-$	0	$+$
$h(x)$	$\searrow$		$\searrow$	극소	$\nearrow$

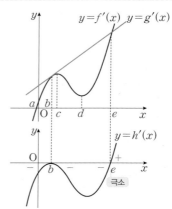

따라서 함수 $h(x)$가 극소일 때의 x의 값은 e이다.

정답 ⑤

0809

STEP A 함수 $h(x)$의 증가와 감소를 조사하여 [보기]의 진위판단하기

ㄱ. $0 < x < 2$에서 $f'(x) < g'(x)$이므로 $h'(x) = f'(x) - g'(x) < 0$
  즉 $h(x)$는 감소한다. [참]

ㄴ. $h(x) = f(x) - g(x)$에서 $h'(x) = f'(x) - g'(x)$
  $h'(x) = 0$에서 $f'(x) = g'(x)$인 x좌표는 $x = 0$ 또는 $x = 2$
  $h(x)$의 증가와 감소를 표로 나타내면 다음과 같다.

x	$\cdots$	0	$\cdots$	2	$\cdots$
$h'(x)$	$+$	0	$-$	0	$+$
$h(x)$	↗	극대	↘	극소	↗

  즉 $x = 0$에서 극댓값, $x = 2$에서 극솟값을 갖는다. [참]

ㄷ. $x = 0$에서 극대이고 극댓값은 $h(0) = f(0) - g(0) = 0$이므로
  다음과 같은 그래프가 된다.

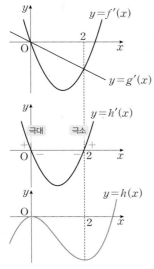

  방정식 $h(x) = 0$은 서로 다른 두 실근을 갖는다. [거짓]
따라서 옳은 것은 ㄱ, ㄴ이다.

삼차함수 $y = f(x)$의 도함수와 이차함수 $y = g(x)$의 도함수의 그래프가 다음 그림과 같다.

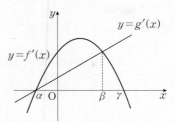

$h(x) = f(x) - g(x)$라 하고 $f(0) = g(0)$일 때, [보기]에서 옳은 것만을 있는 대로 고른 것은?

> ㄱ. $\alpha < x < \beta$에서 $h(x)$는 증가한다.
> ㄴ. 함수 $h(x)$는 $x = \beta$에서 극댓값을 갖는다.
> ㄷ. 방정식 $h(x) = 0$은 서로 다른 세 실근을 갖는다.

① ㄱ ② ㄴ ③ ㄱ, ㄴ
④ ㄴ, ㄷ ⑤ ㄱ, ㄴ, ㄷ

STEP A 함수 $h(x)$의 증가와 감소를 조사하여 표로 정리하기

$h(x) = f(x) - g(x)$에서 $h'(x) = f'(x) - g'(x)$
이때 $y = f'(x)$와 $y = g'(x)$의 그래프가 $x = \alpha$, $x = \beta$에서 만나므로
$h'(x) = 0$에서 $x = \alpha$ 또는 $x = \beta$
함수 $h(x)$의 증가와 감소를 표로 나타내면 다음과 같다.

x	$\cdots$	α	$\cdots$	β	$\cdots$
$h'(x)$	$-$	0	$+$	0	$-$
$h(x)$	↘	극소	↗	극대	↘

STEP B 함숫값의 부호를 이용하여 참, 거짓 판단하기

ㄱ. $\alpha < x < \beta$일 때, $h'(x) > 0$이므로 $h(x)$는 증가한다. [참]

ㄴ. $h'(\beta) = 0$이고 $x = \beta$의 좌우에서 $h'(x)$의 부호가 양에서 음으로 바뀌므로
  $h(x)$는 $x = \beta$에서 극댓값을 갖는다. [참]

ㄷ. $f(0) = g(0)$이므로 $h(0) = 0$
  $\alpha < 0 < \beta$이므로 $y = h(x)$의 그래프의 개형은 다음 그림과 같다.

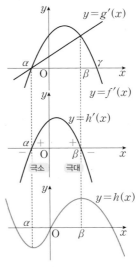

  즉 $y = h(x)$의 그래프는 x축과 서로 다른 세 점에서 만나므로
  방정식 $h(x) = 0$은 서로 다른 세 실근을 갖는다. [참]
따라서 옳은 것은 ㄱ, ㄴ, ㄷ이다.

0810

STEP Ⓐ $h'(x)=0$을 만족시키는 x값을 구하여 $h(x)$의 증가와 감소를 표로 나타내기

$h(x)=g(x)-f(x)$에서 $h'(x)=g'(x)-f'(x)$이므로

$h'(x)=0$에서 $x=b$ 또는 $x=e$

함수 $h(x)=g(x)-f(x)$의 증가와 감소를 나타내면 다음 표와 같다.

x	a	$\cdots$	b	$\cdots$	e	$\cdots$
$h'(x)$	$+$	$+$	0	$-$	0	$+$
$h(x)$	↗	↗	극대	↘	극소	↗

STEP Ⓑ 표와 그래프를 이용하여 [보기]의 참, 거짓 판별하기

ㄱ. 열린구간 (a, b)에서 $h'(x)>0$이므로 $h(x)$는 증가한다. [거짓]

ㄴ. $h(x)$는 $x=e$에서 $h'(x)$의 부호가 음($-$)에서 양($+$)으로 바뀌므로
$h(x)$는 $x=e$에서 극솟값을 갖는다. [참]

ㄷ. $g(e)>f(e)$에서 극솟값은 $h(e)=g(e)-f(e)>0$이므로
삼차 방정식 $h(x)=0$은 한 개의 실근을 가진다. [참]

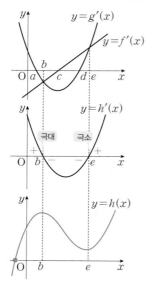

따라서 옳은 것은 ㄴ, ㄷ이다.

0811

STEP Ⓐ $y=f(x)-g(x)$의 증감표를 작성하여 [보기]의 참, 거짓 판단하기

ㄱ. $x<0$에서 $f'(x)>g'(x)$이므로 $y'=f'(x)-g'(x)>0$
즉 $y=f(x)-g(x)$는 증가한다. [참]

ㄴ. $f'(x)=g'(x)$의 세 근을 $0, a, b\ (0<a<b)$라 하고
$f'(x)-g'(x)=0$에서 $x=0$ 또는 $x=a$ 또는 $x=b$
함수 $y=f(x)-g(x)$의 증가와 감소를 표로 나타내면 다음과 같다.

x	$\cdots$	0	$\cdots$	a	$\cdots$	b	$\cdots$
$f'(x)-g'(x)$	$+$	0	$-$	0	$+$	0	$-$
$f(x)-g(x)$	↗	극대	↘	극소	↗	극대	↘

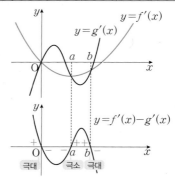

즉 $y=f(x)-g(x)$는 $x=a$에서 극솟값이 존재한다. [참]

STEP Ⓑ $h(x)$의 그래프의 개형을 이용하여 2개의 양의 실근을 가짐을 보이기

ㄷ. $f'(x)=g'(x)$의 세 근을 $0, a, b\ (0<a<b)$라 하고
$f'(x)-g'(x)=0$에서 $x=0$ 또는 $x=a$ 또는 $x=b$이므로
$h(x)=f'(x)-g'(x)=kx(x-a)(x-b)$ (단, $k<0$)
$y=h(x)$, $y=h'(x)$의 개형은 다음 그림과 같으므로
$h'(x)=0$은 서로 다른 2개의 양의 실근을 갖는다. [참]

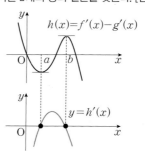

따라서 옳은 것은 ㄱ, ㄴ, ㄷ이다.

0812

STEP A 함수 $h(x)$의 증가와 감소를 조사하여 표로 정리하기

$h(x)=f(x)-g(x)$에서 $h'(x)=f'(x)-g'(x)$

$h'(x)=0$에서 $x=a$ 또는 $x=b$

함수 $h(x)$의 증가와 감소를 표로 나타내면 다음과 같다.

x	$\cdots$	a	$\cdots$	b	$\cdots$
$h'(x)$	+	0	−	0	+
$h(x)$	↗	극대	↘	극소	↗

STEP B $h(x)$의 그래프의 개형을 이용하여 [보기]의 참, 거짓 판단하기

ㄱ. 함수 $h(x)$는 $x=a$에서 극댓값을 갖는다. [참]

ㄴ. $h(b)=0$일 때, 함수 $y=h(x)$의 그래프는 다음과 같다.

즉 방정식 $h(x)=0$의 서로 다른 실근의 개수는 2이다. [참]

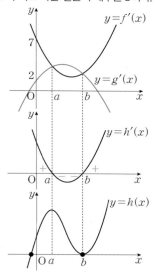

STEP C 평균값 정리를 이용하여 $h(\beta)-h(\alpha)<5(\beta-\alpha)$임을 보이기

ㄷ. 함수 $h(x)$는 닫힌구간 $[\alpha,\ \beta]$에서 연속이고 열린구간 $(\alpha,\ \beta)$에서

미분가능하므로 평균값 정리에 의하여 $\dfrac{h(\beta)-h(\alpha)}{\beta-\alpha}=h'(\gamma)$를

만족시키는 γ가 열린구간 $(\alpha,\ \beta)$에 존재한다.

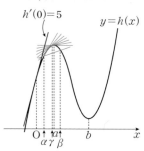

열린구간 $(0,\ b)$에 있는 모든 실수 x에 대하여 $h'(x)<5$이므로

$\dfrac{h(\beta)-h(\alpha)}{\beta-\alpha}=h'(\gamma)<5$ ← $h'(0)=f'(0)-g'(0)=7-2=5$

$\therefore h(\beta)-h(\alpha)<5(\beta-\alpha)$ [참]

따라서 옳은 것은 ㄱ, ㄴ, ㄷ이다.

0813

STEP A 다항함수의 성질을 이용하여 진위판단하기

ㄱ. [반례] $f(x)=x^2+1$이면 $f'(x)=2x$이므로

$f'(0)=0$이지만 $f(0)=1\neq0$이다. [거짓]

ㄴ. 다항함수는 모든 실수 x에서 연속이므로 $\lim\limits_{x\to a}g(x)=g(a)$ [참]

ㄷ. $h(x)=h(-x)$이므로

$h'(0)=\lim\limits_{x\to0}\dfrac{h(x)-h(0)}{x}=\lim\limits_{x\to0}\left\{\dfrac{h(-x)-h(0)}{-x}\times(-1)\right\}=-h'(0)$

즉 $h'(0)=0$이다. [참]

따라서 옳은 것은 ㄴ, ㄷ이다.

0814

STEP A $f(-x)=f(x)$에서 $a=0$, $c=0$임을 이해하기

조건 (가)에서 $f(-x)=f(x)$이므로 함수 $y=f(x)$는 y축에 대하여

대칭이므로 $a=0$, $c=0$

STEP B $f(x)$가 $x=\pm\sqrt{-\dfrac{b}{2}}$에서 극솟값을 가짐을 이해하기

즉 $f(x)=x^4+bx^2+6$이므로 $f'(x)=4x^3+2bx=2x(2x^2+b)$

$f'(x)=0$에서 $x=0$ 또는 $x=\pm\sqrt{-\dfrac{b}{2}}\ (b<0)$

이때 사차항의 계수가 양수이고 조건 (가)에서 사차함수 $f(x)$의 그래프가

y축에 대하여 대칭이므로 $x=\pm\sqrt{-\dfrac{b}{2}}$에서 극솟값을 갖는다.

STEP C $f(x)$의 극솟값이 -10임을 이용하여 b의 값 구하기

조건 (나)에서 함수 $f(x)=x^4+bx^2+6$은 극솟값 -10을 가지므로

$f\left(\pm\sqrt{-\dfrac{b}{2}}\right)=\dfrac{b^2}{4}-\dfrac{b^2}{2}+6=-10,\ -\dfrac{b^2}{4}=-16$

$b^2=64$에서 $b=-8\ (\because b<0)$

따라서 $f(x)=x^4-8x^2+6$이므로 $f(3)=81-72+6=15$

내/신/연/계/ 출제문항 347

최고차항의 계수가 1인 사차함수 $f(x)$가 다음 조건을 만족시킬 때, $f(1)$의 값은?

> (가) 모든 실수 x에 대하여 $f(x)-f(-x)=0$이다.
> (나) 함수 $f(x)$는 $x=2$에서 극솟값 -6을 갖는다.

① 1 ② 2 ③ 3
④ 4 ⑤ 5

STEP A $f'(x)=f'(-x)$에서 함수 $f(x)$는 y축에 대한 대칭을 이용하여 함수식 가정하기

최고차항의 계수가 1인 사차함수 $f(x)$가 조건 (가)에서 모든 실수 x에 대하여

$f(x)=f(-x)$이므로 $f(x)=x^4+ax^2+b\ (a,\ b$는 상수)로 놓는다.

STEP B $f(2)=-6$, $f'(2)=0$임을 이용하여 $f(x)$의 함수식 구하기

이때 $f'(x)=4x^3+2ax$이므로 조건 (나)에서

$f(2)=16+4a+b=-6$ ······ ㉠

$f'(2)=32+4a=0$ ······ ㉡

㉠, ㉡을 연립하면 $a=-8$, $b=10$

STEP C $f(1)$의 값 구하기

따라서 $f(x)=x^4-8x^2+10$이므로 $f(1)=1-8+10=3$

0815

정답 ⑤

STEP Ⓐ $f(x)$의 함수식을 임의로 두기

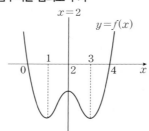

원점을 지나고 최고차항의 계수가 1인 사차함수

$f(x)=x^4+ax^3+bx^2+cx$ (단, a, b, c, d는 상수)

STEP Ⓑ **함수 $f(x)$가 $f(2+x)=f(2-x)$이므로 함수 $f(x)$의 그래프는 직선 $x=2$에 대하여 대칭임을 이용하여 $f(x)$의 함수식 구하기**

조건 (가)에서 $f(2+x)=f(2-x)$이므로 $y=f(x)$는 $x=2$에 대하여 대칭이고

조건 (나)에서 $x=1$에서 극소이므로 $x=3$에서 극소, $x=2$에서 극대이다.

$f'(x)=4x^3+3ax^2+2bx+c$

$\qquad =4(x-1)(x-2)(x-3)$

$\qquad =4x^3-24x^2+44x-24$

STEP Ⓒ $f(x)$의 극댓값 구하기

이때 $a=-8$, $b=22$, $c=-24$이므로 $f(x)=x^4-8x^3+22x^2-24x$

따라서 $x=2$에서 극대이고 극댓값 $a=f(2)=-8$이므로 $a^2=64$

0816

정답 ⑤

STEP Ⓐ $f'(x)=f'(-x)$를 이용하여 함수 $f(x)$의 미정계수 구하기

$f(x)=x^3+ax^2+bx+c$ (단, a, b, c, d는 상수)로 놓으면

$f'(x)=3x^2+2ax+b$

조건 (가)에서 $f'(x)=f'(-x)$이므로

$3x^2+2ax+b=3x^2-2ax+b$

모든 실수 x에 대하여 $4ax=0$이 성립하려면 $a=0$

$\therefore f'(x)=3x^2+b$, $f(x)=x^3+bx+c$

조건 (나)에서 $f'(1)=0$이고 $f(1)=0$이므로

$f'(1)=3+b=0$, $f(1)=1+b+c=0$

두 식을 연립하면 $b=-3$, $c=2$

$\therefore f(x)=x^3-3x+2$

STEP Ⓑ 함수 $f(x)$의 증가와 감소를 표로 나타내어 극댓값 구하기

$f'(x)=3x^2-3=3(x^2-1)$

$f'(x)=0$에서 $x=-1$ 또는 $x=1$

함수 $f(x)$의 증가와 감소를 나타내면 다음 표와 같다.

x	$\cdots$	-1	$\cdots$	1	$\cdots$
$f'(x)$	$+$	0	$-$	0	$+$
$f(x)$	↗	극대	↘	극소	↗

따라서 $f(x)$는 $x=-1$에서 극대이고 극댓값은 $f(-1)=-1+3+2=4$

최고차항의 계수가 1인 삼차함수 $f(x)$가 다음 조건을 만족시킬 때, $f(x)$의 극솟값은?

> (가) 모든 실수 x에 대하여 $f'(x)=f'(-x)$이다.
> (나) 함수 $f(x)$는 $x=-1$에서 극댓값 4를 갖는다.

① -2 ② -1 ③ 0

④ 1 ⑤ 2

STEP Ⓐ **조건을 만족하는 $f(x)$의 함수식 구하기**

$f(x)=x^3+ax^2+bx+c$ (단, a, b, c, d는 상수)라 하면

$f'(x)=3x^2+2ax+b$

조건 (가)에서 $f'(x)=f'(-x)$이므로

$3x^2+2ax+b=3x^2-2ax+b$

모든 실수 x에 대하여 $4ax=0$이 성립하려면 $a=0$

$\therefore f'(x)=3x^2+b$, $f(x)=x^3+bx+c$

조건 (나)에서 $f'(-1)=0$이고 $f(-1)=4$이므로

$f'(-1)=3+b=0$, $f(-1)=-1-b+c=4$

두 식을 연립하면 $b=-3$, $c=2$

즉 $f(x)=x^3-3x+2$

STEP Ⓑ **함수 $f(x)$의 증가와 감소를 표로 나타내어 극솟값 구하기**

$f'(x)=3x^2-3=3(x^2-1)$

$f'(x)=0$에서 $x=-1$ 또는 $x=1$

함수 $f(x)$의 증가와 감소를 표로 나타내면 다음과 같다.

x	$\cdots$	-1	$\cdots$	1	$\cdots$
$f'(x)$	$+$	0	$-$	0	$+$
$f(x)$	↗	극대	↘	극소	↗

따라서 $f(x)$는 $x=1$에서 극소이고 극솟값은 $f(1)=1-3+2=0$ 정답 ③

0817

정답 ②

STEP Ⓐ $f'(1-x)=f'(1+x)$을 만족하는 극솟값 구하기

함수 $f(x)$는 $x=-1$에서 극댓값을 가지므로 $f'(-1)=0$

모든 실수 x에서 $f'(1-x)=f'(1+x)$이므로

이 식의 양변에 $x=2$를 대입하면 $f'(-1)=f'(3)$

이때 $f'(-1)=0$이므로 $f'(3)=0$

즉 함수 $f(x)$는 $x=3$에서 극솟값을 갖는다.

STEP Ⓑ 함수 $f(x)$의 극댓값과 극솟값의 차 구하기

$f(x)=x^3+ax^2+bx+c$ (a, b, c는 상수)로 놓으면

$f'(x)=3x^2+2ax+b$

이때 $f'(x)=0$이 $x=-1$, $x=3$을 근으로 가지므로

$f'(x)=3(x+1)(x-3)$

즉 $f'(x)=3x^2+2ax+b=3x^2-6x-9$이므로

$2a=-6$, $b=-9$에서 $a=-3$, $b=-9$

따라서 $f(x)=x^3-3x^2-9x+c$이므로 함수 $f(x)$의 극댓값과 극솟값의 차는

$f(-1)-f(3)=(5+c)-(-27+c)=32$

최고차항의 계수가 1인 삼차함수 $f(x)$가 다음 조건을 만족시킬 때, 함수 $f(x)$의 극댓값과 극솟값의 차는?

> (가) 모든 실수 x에 대하여 $f'(2+x)=f'(2-x)$이다.
> (나) 함수 $f(x)$는 $x=1$에서 극댓값을 갖는다.

① 1   ② 2   ③ 3
④ 4   ⑤ 5

STEP Ⓐ 조건을 만족하는 삼차함수 $f(x)$ 구하기

$f(x)=x^3+ax^2+bx+c$ (단, a, b, c, d는 상수)이라 하면

$f'(x)=3x^2+2ax+b$

조건 (가)에서 이차함수 $y=f'(x)$의 그래프가 직선 $x=2$에 대하여 대칭이므로 축이 $x=2$이다.

즉 $-\dfrac{a}{3}=2$에서 $a=-6$

조건 (나)에서 $f'(1)=0$이므로 $3+2a+b=0$에서 $b=9$

$\therefore f(x)=x^3-6x^2+9x+c$에서

STEP Ⓑ $f(x)$의 증가와 감소를 표로 나타내어 극솟값 구하기

$f'(x)=3x^2-12x+9=3(x-1)(x-3)$

$f'(x)=0$에서 $x=1$ 또는 $x=3$

함수 $f(x)$의 증가와 감소를 표로 나타내면 다음과 같다.

x	$\cdots$	1	$\cdots$	3	$\cdots$
$f'(x)$	$+$	0	$-$	0	$+$
$f(x)$	↗	극대	↘	극소	↗

STEP Ⓒ 함수 $f(x)$의 극댓값과 극솟값의 차 구하기

함수 $f(x)$는 $x=1$에서 극대이고 극댓값은 $f(1)=c+4$

$x=3$에서 극소이고 극솟값은 $f(3)=c$

따라서 구하는 값은 $f(1)-f(3)=(c+4)-c=4$ 정답 ④

0818   정답 ①

STEP Ⓐ 함수 $f(x)$가 $f(2+x)=f(2-x)$이므로 함수 $f(x)$의 그래프는 직선 $x=2$에 대하여 대칭임을 이용하여 $f(x)$의 함수식 구하기

사차함수 $f(x)$는 최고차항의 계수가 1이고 모든 실수 x에 대하여 $f(2+x)=f(2-x)$를 만족하므로 직선 $x=2$에 대하여 대칭이다.

즉 함수 $f(x)$는 y축과 평행한 직선을 기준으로 대칭이므로 우함수의 꼴이며 그 직선이 $x=2$이므로 y축에 대하여 대칭인 함수를 x축의 양의 방향으로 2만큼 평행이동한 함수와 같다.

$\therefore f(x)=(x-2)^4+a(x-2)^2+b$ (단, a, b는 상수)

또한, $f(0)<f(2)$이고 방정식 $f(|x|)=1$의 서로 다른 실근의 개수가 3이려면 $f(x)$가 $x=0$, 4에서 극솟값 1을 갖고 $x=2$에서 극댓값을 가져야 한다.

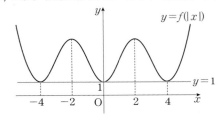

$f(0)=f(4)=1$에서 $16+4a+b=1$ $\cdots\cdots$ ㉠

STEP Ⓑ 함수식을 이용하여 $f(x)$의 극댓값 구하기

$f'(x)=4(x-2)^3+2a(x-2)$에서 $f'(0)=f'(4)=0$이므로

$-32-4a=0$ $\cdots\cdots$ ㉡

㉠, ㉡을 연립하면 $a=-8$, $b=17$

따라서 $f(x)=(x-2)^4-8(x-2)^2+17$이므로 함수 $f(x)$의 극댓값은

$f(2)=17$

다른풀이 $y=f(|x|)$의 그래프와 $y=1$과 교점을 이용하여 풀이하기

$y=f(|x|)$의 그래프와 $y=1$과 교점을 이루는 여러 가지 그래프의 유형은 다음과 같다.

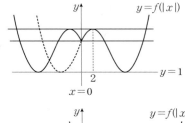

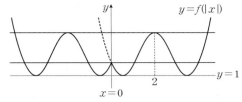

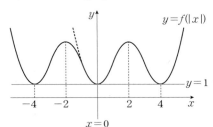

이때 조건을 만족하는 그래프는 세 번째 그래프이므로 $f(x)=x^2(x-4)^2+1$

따라서 극댓값은 $f(2)=4\cdot4+1=17$

> **+α** 사차함수가 x축과 $x=\alpha$, $x=\beta$에서 접하는 식을 작성하면 $y=a(x-\alpha)^2(x-\beta)^2$이다.
>
>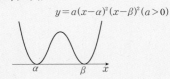
>
> $$y=a(x-\alpha)^2(x-\beta)^2 \ (a>0)$$

다른풀이 적분을 이용한 풀이하기

사차함수 $f(x)$는 최고차항의 계수가 1이고 모든 실수 x에 대하여 $f(2+x)=f(2-x)$를 만족하므로 직선 $x=2$에 대하여 대칭이다.

$f(0)<f(2)$이며 방정식 $f(|x|)=1$의 서로 다른 실근의 개수가 3이므로 사차함수 $f(x)$는 $x=0$, $x=4$에서 극솟값을 가지고 $x=2$에서 극댓값을 가진다.

즉 $f'(x)=4x(x-2)(x-4)=4x^3-24x^2+32x$라 하면

$f(x)=x^4-8x^3+16x^2+C$ (단, C는 적분상수)

이때 $f(0)=1$이므로 $C=1$

$\therefore f(x)=x^4-8x^3+16x^2+1$

따라서 구하는 극댓값은 $f(2)=2^4-8\cdot2^3+16\cdot2^2+1=17$

0819

정답 ②

STEP A 함수 $f(x)$는 $x=0$에서 극댓값 2임을 이용하기

$f(x)=x^3+ax^2+bx+c$ (a, b, c는 상수)로 놓으면

$f'(x)=3x^2+2ax+b$

조건 (가)에서 $f(0)=c=2$, $f'(0)=b=0$

STEP B 방정식 $|f(x)|=2$의 서로 다른 실근의 개수가 4가 될 때, 함수 $f(x)$의 극댓값 극솟값 구하기

조건 (나)에서 방정식 $|f(x)|=2$의 실근은 함수 $y=|f(x)|$의 그래프와 직선 $y=2$의 교점의 x좌표이므로 서로 다른 실근의 개수가 4이려면 함수 $f(x)$의 극솟값이 -2이어야 한다.

즉 함수 $y=f(x)$의 그래프는 그림과 같아야 한다.

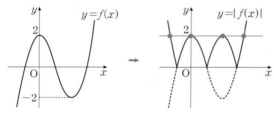

$f'(x)=3x^2+2ax=x(3x+2a)$이므로 $f'(x)=0$에서

$x=0$ 또는 $x=-\dfrac{2}{3}a$

$f\left(-\dfrac{2}{3}a\right)=\left(-\dfrac{2}{3}a\right)^3+a\left(-\dfrac{2}{3}a\right)^2+2=\dfrac{4}{27}a^3+2=-2$

즉 $a^3=-27$이므로 $a=-3$

따라서 $f(x)=x^3-3x^2+2$이므로 $f(3)=3^3-3\cdot3^2+2=2$

0820

정답 ⑤

STEP A $f(-x)=-f(x)$를 만족하는 함수 $f(x)$는 원점에 대하여 대칭임을 이용하여 함수 $y=f(x)$의 그래프의 개형 찾기

최고차항의 계수가 1이고 모든 실수 x에 대해 $f(-x)=-f(x)$를 만족시키는 삼차함수 $f(x)$는 원점에 대하여 대칭이므로 그래프는 다음 두 가지가 있다.

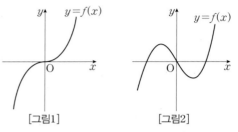

[그림1]　　　　[그림2]

STEP B 방정식 $|f(x)|=2$의 서로 다른 실근의 개수가 4가 될 때, 함수 $f(x)$의 극댓값 극솟값 구하기

그런데 방정식 $|f(x)|=2$가 서로 다른 실근이 4개의 실근을 가지므로 가능한 $y=f(x)$의 그래프는 [그림2]이고 두 함수 $y=|f(x)|$, $y=2$의 그래프는 서로 다른 네 점에서 만나야 하므로 다음 그림과 같다.

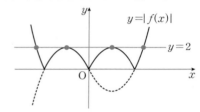

즉 함수 $y=f(x)$의 극솟값은 -2, 극댓값은 2를 갖는다.

STEP C 극솟값이 -2임을 이용하여 삼차함수 $f(x)$ 구하기

이때 최고차항의 계수가 1이고 $f(-x)=-f(x)$이므로 삼차함수 $f(x)$가 원점에 대하여 대칭이므로 $f(x)=x^3-ax$ ($a>0$)로 놓으면

$f'(x)=3x^2-a=0$에서 $x=\pm\sqrt{\dfrac{a}{3}}$

$x=\sqrt{\dfrac{a}{3}}$에서 극솟값 -2를 갖는다.

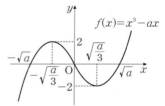

즉 $f\left(\sqrt{\dfrac{a}{3}}\right)=-2$이므로 $f\left(\sqrt{\dfrac{a}{3}}\right)=\left(\sqrt{\dfrac{a}{3}}\right)^3-a\cdot\sqrt{\dfrac{a}{3}}=-2$

즉 $\dfrac{a}{3}\sqrt{\dfrac{a}{3}}-a\cdot\sqrt{\dfrac{a}{3}}=-2$에서 $\dfrac{a}{3}\sqrt{\dfrac{a}{3}}=1$

양변을 제곱하면 $\dfrac{a^3}{27}=1$, $a^3=27$

$\therefore a=3$

따라서 $f(x)=x^3-3x$이므로 $f(3)=3^3-3\cdot3=18$

> **참고**
> 삼차함수 $f(x)$가 모든 실수 x에 대하여 $f(-x)=-f(x)$를 만족시키면 $y=f(x)$의 그래프는 원점에 대하여 대칭이다.
> 즉 $f(x)=ax^3+bx$ ($a\neq0$)로 놓을 수 있다.

최고차항의 계수가 1인 삼차함수 $f(x)$가 모든 실수 x에 대하여
$$f(-x)=-f(x)$$
를 만족시킨다. 방정식 $|f(x)|=16$이 서로 다른 네 개의 실근을 가질 때, $f(3)$의 값은?

① -10 ② -9 ③ -8
④ -7 ⑤ -6

STEP Ⓐ $f(-x)=-f(x)$를 만족하는 함수 $f(x)$는 원점에 대하여 대칭임을 이용하여 함수 $y=f(x)$의 그래프의 개형 찾기

삼차함수 $f(x)$가 $f(-x)=-f(x)$를 만족시키고 방정식 $|f(x)|=16$이 서로 다른 네 개의 실근을 가지므로 함수 $y=f(x)$의 그래프의 개형은 오른쪽 그림과 같다.

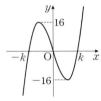

STEP Ⓑ 방정식 $|f(x)|=16$의 서로 다른 실근의 개수가 4가 될 때, 함수 $f(x)$의 극댓값, 극솟값 구하기

$f(x)=x(x+k)(x-k)=x^3-k^2x\,(k>0)$라 하면
$f'(x)=3x^2-k^2$
$f'(x)=0$에서 $x=-\dfrac{\sqrt{3}}{3}k$ 또는 $x=\dfrac{\sqrt{3}}{3}k$
즉 함수 $f(x)$는
$x=-\dfrac{\sqrt{3}}{3}k$에서 극댓값 16
$x=\dfrac{\sqrt{3}}{3}k$에서 극솟값 -16을 가지므로

STEP Ⓒ 극솟값이 -16임을 이용하여 삼차함수 $f(x)$ 구하기

$f\left(\dfrac{\sqrt{3}}{3}k\right)=-16$, $\dfrac{\sqrt{3}}{9}k^3-\dfrac{\sqrt{3}}{3}k^3=-16$
$k^3=24\sqrt{3}$, $k=2\sqrt{3}$
따라서 $f(x)=x^3-12x$이므로 $f(3)=-9$ 정답 ②

0821   정답 ⑤

STEP Ⓐ $f(-x)=f(x)$를 만족하는 함수 $f(x)$는 y축에 대하여 대칭임을 이용하여 함수 $y=f(x)$의 그래프의 개형 찾기

최고차항의 계수가 1이고 y축에 대하여 대칭인 사차함수 $f(x)=x^4+ax^2+b\,(a,\,b$는 상수)라 하면
$f'(x)=4x^3+2ax$

STEP Ⓑ $f(2)=-6$, $f'(2)=0$임을 이용하여 $f(x)$의 함수식 구하기

함수 $f(x)$는 $x=2$에서 극솟값 -6이므로
$f(2)=-6$, $f'(2)=0$
$f(2)=16+4a+b=-6$
$\therefore 4a+b=-22$ ······ ㉠
$f'(2)=32+4a=0$ $\therefore a=-8$
㉠에서 $b=10$
$\therefore f(x)=x^4-8x^2+10$

STEP Ⓒ $y=|f(x)|$의 그래프를 그려 $|f(x)|=6$의 실근의 개수 구하기

이때 $y=|f(x)|$의 그래프는 다음과 같고 방정식 $|f(x)|=6$의 실근의 개수는 곡선 $y=|f(x)|$와 직선 $y=6$의 교점의 개수와 같다.

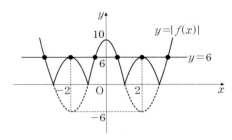

따라서 방정식 $|f(x)|=6$을 만족하는 서로 다른 실근의 개수는 6개이다.

최고차항의 계수가 1인 사차함수 $f(x)$가 $f(0)=0$이고 모든 실수 x에 대하여 $f(-x)=f(x)$를 만족시킨다. 방정식 $|f(x)|=4$의 실근의 개수가 4일 때, $f(3)$의 값은?

① 30 ② 35 ③ 40
④ 45 ⑤ 50

STEP Ⓐ $f(-x)=f(x)$를 만족하는 함수 $f(x)$는 y축에 대하여 대칭임을 이용하여 함수 $y=f(x)$의 그래프의 개형 찾기

최고차항의 계수가 1인 사차함수 $f(x)$가 $f(0)=0$, $f(-x)=f(x)$를 만족시키고 방정식 $|f(x)|=4$의 실근의 개수가 4이려면 사차함수 $y=f(x)$의 극댓값은 0, 극솟값은 -4를 가져야 하며 두 함수 $y=|f(x)|$, $y=4$의 그래프는 서로 다른 네 점에서 만나야 하므로 그래프의 개형은 그림과 같아야 한다.

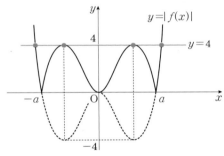

STEP Ⓑ 방정식 $|f(x)|=4$의 서로 다른 실근의 개수가 4가 될 때, 함수 $f(x)$의 극댓값 극솟값 구하기

이때 최고차항의 계수가 1이고 $f(-x)=f(x)$이므로 사차함수 $f(x)$가 y축에 대하여 대칭이므로 x축과 만나는 점의 x좌표를 $-a,\,0,\,a\,(a>0)$라 하고 $f(x)=x^2(x+a)(x-a)=x^4-a^2x^2\,(a>0)$라 하면
$f'(x)=4x^3-2a^2x=2x(\sqrt{2}x+a)(\sqrt{2}x-a)$
$f'(x)=0$에서 $x=-\dfrac{a}{\sqrt{2}}$ 또는 $x=0$ 또는 $x=\dfrac{a}{\sqrt{2}}$
이때 함수 $f(x)$는 $x=\dfrac{a}{\sqrt{2}}$에서 극솟값 -4를 가지므로
$f\left(\dfrac{a}{\sqrt{2}}\right)=-4$에서 $\dfrac{a^4}{4}-\dfrac{a^4}{2}=-4$, $a^4=16$
$\therefore a=2\,(\because a>0)$
따라서 $f(x)=x^4-4x^2$이므로 $f(3)=81-36=45$ 정답 ④

0822

정답 ①

STEP Ⓐ $f(-x)=f(x)$**를 만족하는 함수** $f(x)$**는 y축에 대하여 대칭임을 이용하여 함수 $y=f(x)$의 그래프의 개형 찾기**

최고차항의 계수가 1이고 상수항이 2인 y축에 대하여 대칭인 사차함수
$f(x)=x^4+ax^2+2$라 하면 방정식 $|f(x)|=2$의 실근의 개수는 곡선
$y=|f(x)|$와 직선 $y=2$의 교점의 개수와 같다.

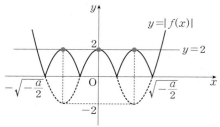

STEP Ⓑ $|f(x)|=2$**의 서로 다른 실근의 개수가 5가 될 때, 함수 $f(x)$의 극댓값, 극솟값 구하기**

$|f(x)|=2$의 서로 다른 실근의 개수가 5이려면
함수 $f(x)=x^4+ax^2+2$의 극솟값이 -2이고 $x=0$에서 극댓값이 2이다.

STEP Ⓒ $f(x)$**의 극솟값이 -2임을 이용하여 a의 값 구하기**

$f'(x)=4x^3+2ax=2x(2x^2+a)$ (단, $a<0$)이므로
$f'(x)=0$에서 $x=0$ 또는 $x=\pm\sqrt{-\dfrac{a}{2}}$

이때 $x=\pm\sqrt{-\dfrac{a}{2}}$에서 극솟값이 -2이므로 $f\left(\pm\sqrt{-\dfrac{a}{2}}\right)=-2$

$\dfrac{a^2}{4}+a\left(-\dfrac{a}{2}\right)+2=-2$, $\dfrac{a^2}{4}=4$ ∴ $a^2=16$

∴ $a=-4\,(\because a<0)$

따라서 $f(x)=x^4-4x^2+2$이므로 $f(1)=1-4+2=-1$

0823

정답 ⑤

STEP Ⓐ **주어진 구간에서** $f(x)$**의 증가와 감소를 표로 나타내기**

$f(x)=x^3-3x+5$에서 $f'(x)=3x^2-3=3(x+1)(x-1)$
$f'(x)=0$에서 $x=-1$ 또는 $x=1$
구간 $[0, 2]$에서 함수 $f(x)$의 증가와 감소를 표로 나타내면 다음과 같다.

x	0	$\cdots$	1	$\cdots$	2
$f'(x)$		$-$	0	$+$	
$f(x)$	5	$\searrow$	3	$\nearrow$	7

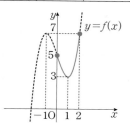

STEP Ⓑ **닫힌구간** $[0, 2]$**에서 함수 $f(x)$의 극값, $f(0)$, $f(2)$를 구한 다음 크기를 비교하여 최댓값과 최솟값 구하기**

따라서 함수 $f(x)$는
$x=1$일 때, 최솟값 $m=f(1)=3$을 가지고
$x=2$일 때, 최댓값 $M=f(2)=7$을 가진다.
∴ $M+m=7+3=10$

0824

정답 ②

STEP Ⓐ **주어진 구간에서** $f(x)$**의 증가와 감소를 표로 나타내기**

$f'(x)=6x^2-6x=6x(x-1)$
$f'(x)=0$에서 $x=0$ 또는 $x=1$
닫힌구간 $[0, 2]$에서 함수 $f(x)$의 증가와 감소를 표로 나타내면 다음과 같다.

x	0	$\cdots$	1	$\cdots$	2
$f'(x)$	0	$-$	0	$+$	
$f(x)$	1	$\searrow$	0	$\nearrow$	5

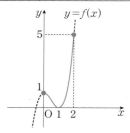

STEP Ⓑ **닫힌구간** $[0, 2]$**에서 함수 $f(x)$의 극값, $f(0)$, $f(2)$를 구한 다음 크기를 비교하여 최댓값과 최솟값 구하기**

따라서 함수 $f(x)$는 $x=2$일 때, 최댓값은 $M=f(2)=5$이고
$x=1$일 때, 최솟값은 $m=f(1)=0$이다.
∴ $M+m=5+0=5$

내/신/연/계/ 출제문항 352

닫힌구간 $[0, 3]$에서 함수 $f(x)=2x^3-9x^2+12x-1$의 최댓값을 M, 최솟값을 m이라 할 때, $M-m$의 값은?

① 3   ② 5   ③ 7
④ 9   ⑤ 10

STEP Ⓐ **주어진 구간에서** $f(x)$**의 증가와 감소를 표로 나타내기**

$f'(x)=6x^2-18x+12=6(x-1)(x-2)$
$f'(x)=0$에서 $x=1$ 또는 $x=2$
닫힌구간 $[0, 3]$에서 함수 $f(x)$의 증가와 감소를 표로 나타낸다.

x	0	$\cdots$	1	$\cdots$	2	$\cdots$	3
$f'(x)$		$+$	0	$-$	0	$+$	
$f(x)$	-1	$\nearrow$	4	$\searrow$	3	$\nearrow$	8

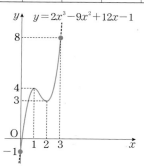

STEP Ⓑ **닫힌구간** $[0, 3]$**에서 함수 $f(x)$의 극값, $f(0)$, $f(3)$를 구한 다음 크기를 비교하여 최댓값과 최솟값 구하기**

따라서 함수 $f(x)$는 $x=3$에서 최대이고 최댓값은 $M=f(3)=8$,
$x=0$에서 최소이고 최솟값은 $m=f(0)=-1$이므로 $M-m=8-(-1)=9$

정답 ④

0825

정답 ③

STEP A 주어진 구간에서 $f(x)$의 증가와 감소를 표로 나타내기

$f'(x)=6x^2-18x+12=6(x-1)(x-2)$

$f'(x)=0$에서 $x=1$ 또는 $x=2$

구간 $[0, 2]$에서 $f(x)$의 증가와 감소를 표로 나타내면 다음과 같다.

x	0	$\cdots$	1	$\cdots$	2
$f'(x)$		$+$	0	$-$	
$f(x)$	-2	$\nearrow$	3	$\searrow$	2

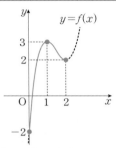

STEP B 닫힌구간 $[0, 2]$에서 함수 $f(x)$의 극값, $f(0)$, $f(2)$를 구한 다음 크기를 비교하여 최댓값과 최솟값 구하기

따라서 함수 $f(x)$는

$x=1$일 때, 최댓값은 $M=f(1)=3$

$x=0$일 때, 최솟값은 $m=f(0)=-2$이므로 $M+m=3+(-2)=1$

0826

정답 ③

STEP A 주어진 구간에서 $g(x)$의 증가와 감소를 표로 나타내기

$g(x)=x^3-3x$로 놓으면 $g'(x)=3x^2-3=3(x+1)(x-1)$

$g'(x)=0$에서 $x=-1$ 또는 $x=1$

닫힌구간 $[-1, a]$에서 $f(x)$의 증가와 감소를 표로 나타낸다.

x	$\cdots$	-1	$\cdots$	1	$\cdots$
$g'(x)$	$+$	0	$-$	0	$+$
$g(x)$	$\nearrow$	2	$\searrow$	-2	$\nearrow$

STEP B $f(1)+f(2)+f(3)$의 값 구하기

$a=1$일 때, 닫힌구간 $[-1, 1]$에서의 최댓값은 $f(1)=g(-1)=2$

$a=2$일 때, 닫힌구간 $[-1, 2]$에서의 최댓값은 $f(2)=g(2)=2$

$a=3$일 때, 닫힌구간 $[-1, 3]$에서의 최댓값은 $f(3)=g(3)=18$

따라서 $f(1)+f(2)+f(3)=2+2+18=22$

내/신/연/계 출제문항 353

닫힌구간 $[-1, a]$에서 함수 $f(x)=-x^3+3x+4$가
최솟값 $f(-1)$을 가질 때, 정수 a의 개수는? (단, $a>-1$)

① 1 　　　② 2 　　　③ 3
④ 4 　　　⑤ 5

STEP A 주어진 구간에서 $f(x)$의 증가와 감소를 표로 나타내기

$f(x)=-x^3+3x+4$에서

$f'(x)=-3x^2+3=-3(x+1)(x-1)$

$f'(x)=0$에서 $x=-1$ 또는 $x=1$

닫힌구간 $[-1, a]$에서 $f(x)$의 증가와 감소를 표로 나타낸다.

---

x	-1	$\cdots$	1	$\cdots$
$f'(x)$	0	$+$	0	$-$
$f(x)$	2	$\nearrow$	6	$\searrow$

STEP B 최솟값 $f(-1)$을 가질 때, a의 범위 구하기

이때 $f(x)=2$에서 $-x^3+3x+4=2$

$x^3-3x-2=0$, $(x+1)^2(x-2)=0$

$\therefore x=-1$ 또는 $x=2$

따라서 함수 $y=f(x)$의 그래프는
오른쪽 그림과 같고 함수 $f(x)$가
최솟값 $f(-1)=2$를 갖기 위한 값의
범위는 $-1<a\le2$
즉 정수 a는 0, 1, 2이므로 3개이다.

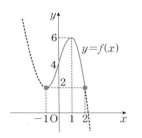

정답 ③

0827

정답 ③

STEP A 주어진 구간에서 $f(x)$의 증가와 감소를 표로 나타내기

$f(x)=x^4-8x^2+5$에서 $f'(x)=4x^3-16x=4x(x+2)(x-2)$

$-3\le x\le1$일 때, $f'(x)=0$에서 $x=-2$ 또는 $x=0$

구간 $[-3, 1]$에서 함수의 증가와 감소를 나타내면 다음 표와 같다.

x	-3	$\cdots$	-2	$\cdots$	0	$\cdots$	1
$f'(x)$		$-$	0	$+$	0	$-$	
$f(x)$	14	$\searrow$	-11	$\nearrow$	5	$\searrow$	-2

STEP B 주어진 구간에서 $f(x)$의 최댓값, 최솟값 구하기

따라서 함수 $f(x)$는

$x=-3$에서 최대이고 최댓값은

$M=f(-3)=14$,

$x=-2$에서 최소이고 최솟값은

$m=f(-2)=-11$이므로

$M-m=14-(-11)=25$

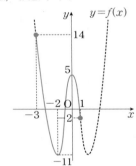

내/신/연/계 출제문항 354

구간 $[-3, -1]$에서 함수 $f(x)=x^4+4x^3+4x^2-3$의 최댓값을 M,
최솟값을 m이라고 할 때, $M+m$의 값은?

① -3 　　　② 3 　　　③ 6
④ 9 　　　⑤ 12

STEP A 주어진 구간에서 $f(x)$의 증가와 감소를 표로 나타내기

$f(x)=x^4+4x^3+4x^2-3$에서

$f'(x)=4x^3+12x^2+8x=4x(x+1)(x+2)$

$-3\le x\le-1$일 때, $f'(x)=0$에서 $x=-2$ 또는 $x=-1$

구간 $[-3, -1]$에서 함수의 증가와 감소를 나타내면 다음과 같다.

x	-3	$\cdots$	-2	$\cdots$	-1
$f'(x)$		$-$	0	$+$	0
$f(x)$	6	$\searrow$	-3	$\nearrow$	-2

STEP B 주어진 구간에서 $f(x)$의 최댓값, 최솟값 구하기

따라서 함수 $f(x)$는

$x=-3$일 때, 최댓값 $M=f(-3)=6$

$x=-2$일 때, 최솟값 $m=f(-2)=-3$

을 가지므로 $M+m=3$

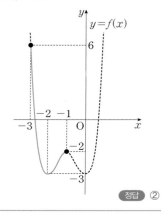

정답 ②

따라서 구간 $[-1,\ 2]$에서 $f(x)$는 $x=0$일 때, 극대이고 동시에 최대이므로 $f(x)$의 최댓값은 $f(0)$

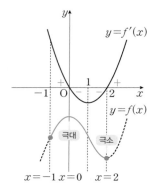

정답 ①

0828

정답 ③

STEP A 닫힌구간 $[-1,\ 3]$에서 주어진 구간에서 $f(x)$의 증가와 감소를 표로 나타내기

닫힌구간 $[-1,\ 3]$에서 함수 $f(x)$의 증가와 감소를 나타내면 다음 표와 같다.

x	-1	$\cdots$	1	$\cdots$	3
$f'(x)$	0	$+$	0	$-$	0
$f(x)$		↗	극대	↘	

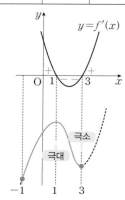

따라서 구간 $[-1,\ 3]$에서 함수 $f(x)$는 $x=1$일 때, 극대이면서 최대이므로 $f(x)$의 최댓값은 $f(1)$

내/신/연/계 출제문항 355

삼차함수 $f(x)$의 도함수 $y=f'(x)$의 그래프가 오른쪽 그림과 같을 때, 닫힌구간 $[-1,\ 2]$에서 함수 $f(x)$가 최대가 되는 x의 값은?

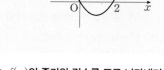

① 0   ② 1
③ 2   ④ 3
⑤ 4

STEP A 닫힌구간 $[-1,\ 2]$에서 함수 $f(x)$의 증가와 감소를 표로 나타내기

닫힌구간 $[-1,\ 2]$에서 함수 $f(x)$의 증가와 감소를 표로 나타내면 다음과 같다.

x	-1	$\cdots$	0	$\cdots$	2
$f'(x)$		$+$	0	$-$	
$f(x)$		↗	극대	↘	

0829

정답 ①

STEP A 주어진 구간에서 $f(x)$의 증가와 감소를 표로 나타내기

구간 $[0,\ 4]$에서 함수 $f(x)$의 증가와 감소를 나타내면 다음 표와 같다.

x	0	$\cdots$	2	$\cdots$	4
$f'(x)$	0	$-$	0	$+$	0
$f(x)$		↘	극소	↗	

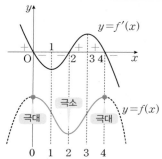

STEP B $f(x)$의 최솟값 구하기

따라서 $x=2$일 때, 함수 $f(x)$는 극소이면서 최소이다. $\therefore a=2$

0830

정답 ④

STEP A 주어진 그래프에서 a, b, c의 값 구하기

$f(x)=x^3+ax^2+bx+c$에서 $f'(x)=3x^2+2ax+b$

주어진 그래프에서 $f'(0)=f'(2)=0$이므로

$f'(x)=3x(x-2)=3x^2-6x$

즉 $f'(x)=3x^2+2ax+b=3x^2-6x$에서 $a=-3$, $b=0$

또한, 주어진 그래프에서 $f(x)$는 $x=0$에서 극대이므로 $f(0)=c=5$

$\therefore f(x)=x^3-3x^2+5$

STEP B 구간 $[-2,\ 3]$에서 최댓값 구하기

구간 $[-2,\ 3]$에서 $f(x)$의 증가와 감소를 나타내면 다음 표와 같다.

x	-2	$\cdots$	0	$\cdots$	2	$\cdots$	3
$f'(x)$		$+$	0	$-$	0	$+$	
$f(x)$	-15	↗	5	↘	1	↗	5

따라서 함수 $f(x)$는 $x=0$, $x=3$에서 최대이고 $f(0)=5$, $f(3)=5$이므로 최댓값은 5

함수 $f(x)=x^3+ax^2+bx+c$의
도함수 $y=f'(x)$의 그래프가 오른쪽
그림과 같다. 함수 $f(x)$의 극댓값이
5일 때, 구간 $[-2, 3]$에서 함수 $f(x)$
의 최솟값은? (단, a, b, c는 상수)

① -27 ② -24
③ -20 ④ -15
⑤ 27

STEP A **주어진 그래프에서 a, b, c의 값 구하기**

$f'(x)=3x^2+2ax+b$이고 주어진 그래프에서 $f'(0)=f'(4)=0$이므로

$f'(x)=3x(x-4)=3x^2-12x$

즉 $f'(x)=3x^2+2ax+b=3x^2-12x$에서 $a=-6$, $b=0$

또한, 주어진 그래프에서 $f(x)$는 $x=0$에서 극대이므로 $f(0)=c=5$

$\therefore f(x)=x^3-6x^2+5$

STEP B **구간 $[-2, 3]$에서 최댓값 구하기**

구간 $[-2, 3]$에서 $f(x)$의 증가와 감소를 나타내면 다음 표와 같다.

x	-2	$\cdots$	0	$\cdots$	3
$f'(x)$		$+$	0	$-$	0
$f(x)$	-27	↗	5	↘	-22

따라서 함수 $f(x)$는 $x=-2$에서 최소이고 최솟값은 $f(-2)=-27$ 정답 ①

0831

정답 ①

STEP A **주어진 그래프에서 a, b, c의 값 구하기**

$f(x)=x^3+ax^2+bx+c$에서 $f'(x)=3x^2+2ax+b$

주어진 그래프에서 $f'(1)=f'(3)=0$이므로

$f'(x)=3(x-1)(x-3)=3x^2-12x+9$

즉 $f'(x)=3x^2+2ax+b=3x^2-12x+9$에서 $a=-6$, $b=9$

$\therefore f(x)=x^3-6x^2+9x+c$

STEP B **구간 $[0, 3]$에서 최댓값 구하기**

구간 $[0, 3]$에서 $f(x)$의 증가와 감소를 나타내면 다음 표와 같다.

x	0	$\cdots$	1	$\cdots$	3
$f'(x)$	0	$+$	0	$-$	0
$f(x)$		↗	극대	↘	극소

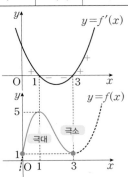

함수 $f(x)$는 $x=1$에서 극대이면서 최대이므로 최댓값은 $f(1)=5$

$f(1)=1-6+9+c=5$ $\therefore c=1$

따라서 $f(x)=x^3-6x^2+9x+1$이므로 $f(0)=1$, $f(3)=1$이므로

함수 $f(x)$의 최솟값은 1

0832

정답 ③

STEP A **주어진 구간에서 $g(x)$의 증가와 감소를 표로 나타내기**

$P(t)=-t^4+12t^3-48t^2+64t$에서

$P'(t)=-4t^3+36t^2-96t+64$

$\quad\quad\ =-4(t^3-9t^2+24t-16)$

$\quad\quad\ =-4(t-1)(t-4)^2$

$P'(t)=0$에서 $t=1$ 또는 $t=4$

닫힌구간 $[0, 4]$에서 $f(x)$의 증가와 감소를 표로 나타낸다.

t	0	$\cdots$	1	$\cdots$	4
$P'(t)$	0	$+$	0	$-$	0
$P(t)$	0	↗	27	↘	0

STEP B **주어진 구간에서 $f(x)$의 최댓값 구하기**

따라서 구간 $[0, 4]$에서 함수 $P(t)$는 $t=1$에서 극대이면서 최대이므로

최댓값은 $P(1)=27$

$\therefore a+M=1+27=28$

0833

정답 ①

STEP A **$x^2-2x-1=t$로 치환하고 t의 범위 구하기**

$f(x)=-(x^2-2x-1)^3+3(x^2-2x-1)^2-6$

$t=x^2-2x-1$이라 하면

$t=(x-1)^2-2$이므로

$-1\le x\le 1$일 때, $-2\le t\le 2$

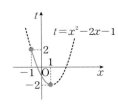

STEP B **주어진 구간에서 $g(t)$의 증가와 감소를 표로 나타내기**

$g(t)=-t^3+3t^2-6$로 놓으면

$g'(t)=-3t^2+6t=-3t(t-2)$

$g'(t)=0$에서 $t=0$ 또는 $t=2$

닫힌구간 $[-2, 2]$에서 함수 $g(t)$의 증가와 감소를 표로 나타내면 다음과 같다.

t	-2	$\cdots$	0	$\cdots$	2
$g'(t)$		$-$	0	$+$	0
$g(t)$	14	↘	-6	↗	-2

STEP C **$g(t)$의 최솟값, 최댓값 구하기**

함수 $g(t)$는

$t=-2$일 때, 최댓값은 $g(-2)=14$

$t=0$일 때, 최솟값은 $g(0)=-6$

따라서 $M+m=14+(-6)=8$

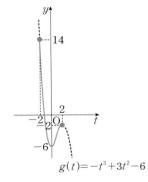

0834

STEP Ⓐ $x^2-4x+3=t$로 치환하고 t의 범위 구하기

$y=(x^2-4x+3)^3-3(x^2-4x+3)+4$

$t=x^2-4x+3$라고 하면

$t=(x-2)^2-1$이므로

$2\le x\le 4$에서 $-1\le t\le 3$

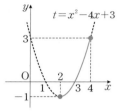

STEP Ⓑ 주어진 구간에서 $f(t)$의 증가와 감소를 표로 나타내기

$f(t)=t^3-3t+4$로 놓으면

$f'(t)=3t^2-3=3(t+1)(t-1)$

$f'(t)=0$에서 $t=-1$ 또는 $t=1$

닫힌구간 $[-1, 3]$에서 함수의 증가와 감소를 나타내면 다음 표와 같다.

t	-1	$\cdots$	1	$\cdots$	3
$f'(t)$	0	$-$	0	$+$	$+$
$f(t)$	극대	↘	극소	↗	22

STEP Ⓒ $f(t)$의 최솟값, 최댓값 구하기

$t=-1$에서 극댓값은 $f(-1)=6$

$t=1$에서 극솟값은 $f(1)=2$

따라서 최솟값은 $m=f(1)=2$

최댓값은 $M=f(3)=22$이므로

$M+m=24$

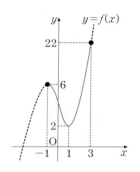

내/신/연/계/ 출제문항 357

$0\le x\le 3$일 때, 함수

$$f(x)=(x^2-2x+2)^3-3(x^2-2x+2)^2+1$$

의 최댓값을 M, 최솟값을 m이라 할 때, $M+m$의 값은?

① 32   ② 36   ③ 40

④ 44   ⑤ 48

STEP Ⓐ $x^2-2x+2=t$로 치환하고 t의 범위 구하기

$f(x)=(x^2-2x+2)^3-3(x^2-2x+2)^2+1$

$t=x^2-2x+2$라고 하면 $t=(x-1)^2+1$이므로

$0\le x\le 3$에서 $1\le t\le 5$

STEP Ⓑ 주어진 구간에서 $f(t)$의 증가와 감소를 표로 나타내기

$f(t)=t^3-3t^2+1$

$f'(t)=3t^2-6t=3t(t-2)$

$f'(t)=0$에서 $t=0$ 또는 $t=2$

닫힌구간 $[1, 5]$에서 함수의 증가와 감소를 나타내면 다음 표와 같다.

t	1	$\cdots$	2	$\cdots$	5
$f'(t)$	$-$	$-$	0	$+$	$+$
$f(t)$	-1	↘	-3	↗	51

STEP Ⓒ $f(t)$의 최솟값, 최댓값 구하기

따라서 $t=2$에서 최솟값은 $f(2)=-3$, $t=5$에서 최댓값은 $f(5)=51$이므로

$M+m=48$

0835

STEP Ⓐ $-x^2+2x+2=t$로 치환하고 t의 범위 구하기

$g(x)=t$로 놓으면

$t=-x^2+2x+2=-(x-1)^2+3$

이므로

$-1\le x\le 2$일 때, $-1\le t\le 3$

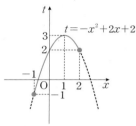

STEP Ⓑ 주어진 구간에서 $f(t)$의 증가와 감소를 표로 나타내기

$(f\circ g)(x)=f(g(x))=f(t)=t^3-6t^2+9t+2$

$f'(t)=3t^2-12t+9=3(t-1)(t-3)$

$f'(t)=0$에서 $t=1$ 또는 $t=3$

닫힌구간 $[-1, 3]$에서 함수 $f(t)$의 증가와 감소를 표로 나타내면 다음과 같다.

t	-1	$\cdots$	1	$\cdots$	3
$f'(t)$		$+$	0	$-$	0
$f(t)$	-14	↗	6	↘	2

STEP Ⓒ $f(t)$의 최솟값, 최댓값 구하기

함수 $f(t)$는

$t=1$일 때, 최댓값은 $f(1)=6$

$t=-1$일 때, 최솟값은 $f(-1)=-14$

따라서 $M+m=6+(-14)=-8$

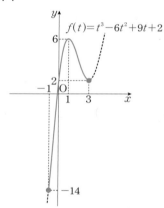

내/신/연/계/ 출제문항 358

두 함수 $f(x)$, $g(x)$가

$$f(x)=x^3-3x+4, \quad g(x)=-x^2+2x-1$$

일 때, 합성함수 $(f\circ g)(x)$의 최댓값은?

① -2 ② 0   ③ 2

④ 4   ⑤ 6

STEP Ⓐ $g(x)=t$로 치환하고 t의 범위 구하기

$g(x)=t$로 놓으면 $t=-x^2+2x-1=-(x-1)^2$

∴ $t\le 0$

STEP Ⓑ 주어진 구간에서 $f(t)$의 증가와 감소를 표로 나타내기

$(f\circ g)(x)=f(g(x))=f(t)=t^3-3t+4$

$f'(t)=3t^2-3=3(t+1)(t-1)$

$f'(t)=0$에서 $t=-1\,(\because t\le 0)$

구간 $t\le 0$에서 함수 $g(t)$의 증가와 감소를 표로 나타내면 다음과 같다.

t	$\cdots$	-1	$\cdots$	0
$f'(t)$	$+$	0	$-$	
$f(t)$	↗	6	↘	4

따라서 $f(t)$는 $t \le 0$에서 $t=-1$일 때,
최댓값 $f(-1)=6$을 가지므로
$(f \circ g)(x)$의 최댓값은 6

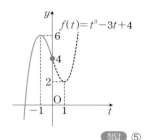

정답 ⑤

0836

정답 ③

STEP Ⓐ 주어진 구간에서 함수 $f(x)$의 증가와 감소를 표로 나타내기

$f(x)=2x^3-9x^2+12x+a$에서
$f'(x)=6x^2-18x+12=6(x-1)(x-2)$
$f'(x)=0$에서 $x=1$ 또는 $x=2$
닫힌구간 $[1, 3]$에서 함수 $f(x)$의 증가와 감소를 표로 나타내면 다음과 같다.

x	1	$\cdots$	2	$\cdots$	3
$f'(x)$	0	$-$	0	$+$	
$f(x)$	$a+5$	$\searrow$	$a+4$	$\nearrow$	$a+9$

STEP Ⓑ 최솟값이 3임을 이용하여 미정계수 구하기

닫힌구간 $[1, 3]$에서 함수 $f(x)$는 $x=2$일 때, 극소이면서 최소이므로
최솟값은 $f(2)=a+4=3$에서 $a=-1$
$\therefore f(x)=2x^3-9x^2+12x-1$

STEP Ⓒ $f(x)$의 최댓값 구하기

함수 $f(x)$의 그래프를 그리면
오른쪽과 같다.
이때 $a+5 < a+9$이므로
함수 $f(x)$는 $x=3$일 때,
최댓값을 갖는다.
따라서 최댓값은
$f(3)=a+9=-1+9=8$

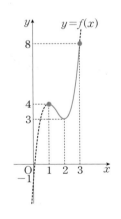

내/신/연/계 출제문항 359

닫힌구간 $[-2, 2]$에서 함수
$$f(x)=2x^3-6x^2+a$$
의 최솟값이 -35일 때, 함수 $f(x)$의 최댓값은? (단, a는 상수)
① 2   ② 3   ③ 4
④ 5   ⑤ 6

STEP Ⓐ 닫힌구간 $[-2, 2]$에서 함수 $f(x)$의 증가와 감소를 표로 나타내기

$f(x)=2x^3-6x^2+a$에서 $f'(x)=6x^2-12x=6x(x-2)$
$f'(x)=0$에서 $x=0$ 또는 $x=2$
구간 $[-2, 2]$에서 함수 $f(x)$의 증가와 감소를 표로 나타내면 다음과 같다.

x	-2	$\cdots$	0	$\cdots$	2
$f'(x)$		$+$	0	$-$	0
$f(x)$	$a-40$	$\nearrow$	a	$\searrow$	$a-8$

STEP Ⓑ 최솟값이 -35임을 이용하여 최댓값 구하기

닫힌구간 $[-2, 2]$에서 함수 $f(x)$는 $x=-2$일 때, 최소이므로
최솟값은 $f(-2)=a-40=-35$ $\therefore a=5$
따라서 최댓값은 $f(0)=a=5$

정답 ④

0837

정답 ①

STEP Ⓐ 주어진 구간에서 함수 $f(x)$의 증가와 감소를 표로 나타내기

$f(x)=x^3+3x^2+k-5$에서 $f'(x)=3x^2+6x=3x(x+2)$
$f'(x)=0$에서 $x=-2$ 또는 $x=0$
닫힌구간 $[-2, 2]$에서 함수 $f(x)$의 증가와 감소를 표로 나타내면 다음과 같다.

x	-2	$\cdots$	0	$\cdots$	2
$f'(x)$	0	$-$	0	$+$	
$f(x)$	$k-1$	$\searrow$	$k-5$	$\nearrow$	$k+15$

STEP Ⓑ 최댓값이 8임을 이용하여 미정계수 구하기

함수 $f(x)$는 $x=2$일 때,
최대이므로 최댓값은
$f(2)=k+15=8$에서 $k=-7$
$\therefore f(x)=x^3+3x^2-12$

STEP Ⓒ $f(x)$의 최솟값 구하기

함수 $f(x)$의 그래프를 그리면
오른쪽과 같다.
이때 함수 $f(x)$는 $x=0$일 때,
최솟값을 갖는다.
따라서 최솟값은
$f(0)=k-5=-7-5=-12$

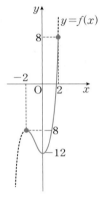

0838

정답 ①

STEP Ⓐ 주어진 구간에서 함수 $f(x)$의 증가와 감소를 표로 나타내기

$f(x)=x^3-12x+a$에서 $f'(x)=3x^2-12=3(x+2)(x-2)$
$f'(x)=0$에서 $x=-2$ 또는 $x=2$
닫힌구간 $[0, 4]$에서 함수 $f(x)$의 증가와 감소를 표로 나타내면 다음과 같다.

x	0	$\cdots$	2	$\cdots$	4
$f'(x)$	0	$-$	0	$+$	$+$
$f(x)$	a	$\searrow$	$a-16$	$\nearrow$	$a+16$

STEP Ⓑ 최댓값이 20임을 이용하여 미정계수 구하기

닫힌구간 $[0, 4]$에서 함수 $f(x)$는
$x=4$일 때, 최대이므로 최댓값은
$f(4)=a+16=20$ $\therefore a=4$
$\therefore f(x)=x^3-12x+4$

STEP Ⓒ $f(x)$의 최솟값 구하기

함수 $f(x)$의 그래프를 그리면
오른쪽과 같다.
이때 함수 $f(x)$는 $x=2$일 때,
최솟값을 갖는다.
따라서 최솟값은
$f(2)=a-16=4-16=-12$

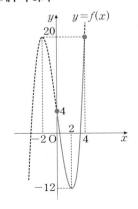

닫힌구간 $[-2, 2]$에서 정의된 함수
$$f(x)=-x^3+3x^2+a$$
의 최솟값이 -4일 때, $f(x)$의 최댓값은? (단, a는 상수)

① 12　　　　② 14　　　　③ 16
④ 18　　　　⑤ 20

STEP Ⓐ **닫힌구간 $[-2, 2]$에서 함수 $f(x)$의 증가와 감소를 표로 나타내기**

$f(x)=-x^3+3x^2+a$에서 $f'(x)=-3x^2+6x=-3x(x-2)$
$f'(x)=0$에서 $x=0$ 또는 $x=2$
구간 $[-2, 2]$에서 함수 $f(x)$의 증가와 감소를 표로 나타내면 다음과 같다.

x	-2	$\cdots$	0	$\cdots$	2
$f'(x)$		$-$	0	$+$	0
$f(x)$	$20+a$	$\searrow$	a	$\nearrow$	$4+a$

STEP Ⓑ **최솟값이 -4임을 이용하여 최댓값 구하기**

즉 함수 $f(x)$는
$x=-2$일 때, 최댓값 $20+a$를 가지고
$x=0$일 때, 최솟값 a를 가진다.
이때 함수 $f(x)$의 최솟값은 -4이므로
$a=-4$
따라서 함수 $f(x)$의 최댓값은
$f(-2)=20+a=20-4=16$

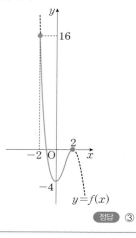

정답 ③

0839

정답 ③

STEP Ⓐ **주어진 구간에서 $f(x)$의 증가와 감소를 표로 나타내기**

$f(x)=ax^3-3ax^2+2$에서 $f'(x)=3ax^2-6ax=3ax(x-2)$
$f'(x)=0$에서 $x=0$ 또는 $x=2$
구간 $[0, 4]$에서 함수 $f(x)$의 증가와 감소를 나타내면 다음 표와 같다.

x	0	$\cdots$	2	$\cdots$	4
$f'(x)$		$+$	0	$-$	
$f(x)$	2	$\nearrow$	$-4a+2$	$\searrow$	$16a+2$

STEP Ⓑ **최솟값이 -14임을 이용하여 a의 값 구하기**

함수 $f(x)$는 $x=4$일 때, 최소이고 최솟값이 -14이므로
$f(4)=16a+2=-14$
$\therefore a=-1$

STEP Ⓒ **$f(x)$의 최댓값 구하기**

따라서 $x=2$에서 극대이면서 최대이므로
최댓값은 $f(2)=-4a+2=4+2=6$

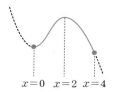

0840

정답 ④

STEP Ⓐ **주어진 구간에서 $f(x)$의 증가와 감소를 표로 나타내기**

$f(x)=x^3-3x^2+a$에서 $f'(x)=3x^2-6x=3x(x-2)$
$f'(x)=0$에서 $x=0$ 또는 $x=2$
구간 $[1, 4]$에서 함수 $f(x)$의 증가와 감소를 나타내면 다음 표와 같다.

x	1	$\cdots$	2	$\cdots$	4
$f'(x)$		$-$	0	$+$	
$f(x)$	$a-2$	$\searrow$	$a-4$	$\nearrow$	$a+16$

STEP Ⓑ **$f(x)$의 최댓값, 최솟값 구하기**

함수 $f(x)$의 최댓값은 $f(1)$과 $f(4)$ 중에서 큰 값이므로 $M=f(4)=a+16$
함수 $f(x)$의 최솟값은 $f(2)$이므로 $m=f(2)=a-4$

STEP Ⓒ **$M+m=20$임을 이용하여 a의 값 구하기**

$M+m=(a+16)+(a-4)=2a+12=20$
이므로 $2a=8$
따라서 $a=4$

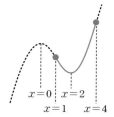

닫힌구간 $[-2, 4]$에서 함수
$$f(x)=x^3-3x^2-9x+k$$
의 최댓값을 M, 최솟값을 m이라 하자. $M+m=-12$일 때,
상수 k의 값은?

① 1　　　　② 2　　　　③ 3
④ 4　　　　⑤ 5

STEP Ⓐ **주어진 구간에서 $f(x)$의 증가와 감소를 표로 나타내기**

$f(x)=x^3-3x^2-9x+k$에서 $f'(x)=3x^2-6x-9=3(x+1)(x-3)$
$f'(x)=0$에서 $x=-1$ 또는 $x=3$
구간 $[-2, 4]$에서 함수 $f(x)$의 증가와 감소를 표로 나타내면 다음과 같다.

x	-2	$\cdots$	-1	$\cdots$	3	$\cdots$	4
$f'(x)$		$+$	0	$-$	0	$+$	
$f(x)$	$-2+k$	$\nearrow$	$5+k$	$\searrow$	$-27+k$	$\nearrow$	$-20+k$

STEP Ⓑ **$f(x)$의 최댓값, 최솟값 구하기**

구간 $[-2, 4]$에서 함수 $f(x)$는 $x=-1$일 때, 최댓값 $f(-1)=5+k$
$x=3$일 때, 최솟값 $f(3)=-27+k$를 갖는다.

STEP Ⓒ **최댓값과 최솟값의 합이 -12임을 이용하여 k의 값 구하기**

이때 함수 $f(x)$의 최댓값과 최솟값의 합이 -12이므로
$M+m=5+k+(-27+k)=-12$, $-22+2k=-12$
따라서 $k=5$

정답 ⑤

0841

STEP A 구간 $[-1, 3]$에서 함수 $f(x)$의 증가와 감소를 표로 나타내기

$f(x)=x^3-3x+a$에서 $f'(x)=3x^2-3=3(x+1)(x-1)$

$f'(x)=0$에서 $x=-1$ 또는 $x=1$

닫힌구간 $[-1, 3]$에서 함수 $f(x)$의 증가와 감소를 표로 나타내면 다음과 같다.

x	-1	$\cdots$	1	$\cdots$	3
$f'(x)$	0	$-$	0	$+$	
$f(x)$	$a+2$	$\searrow$	$a-2$	$\nearrow$	$a+18$

STEP B $M\times m=-100$임을 이용하여 a의 값 구하기

닫힌구간 $[-1, 3]$에서 함수 $f(x)$는

$x=3$일 때, 최댓값 $M=a+18$

$x=1$일 때, 최솟값 $m=a-2$

이때 $M\times m=-100$이므로

$M\times m=(a+18)(a-2)=-100$

$a^2+16a+64=0$, $(a+8)^2=0$

따라서 $a=-8$

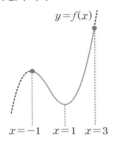

0842

STEP A 주어진 구간에서 $f(x)$의 증가와 감소를 표로 나타내기

$f(x)=x^4-10x^2+a$에서 $f'(x)=4x^3-20x=4x(x^2-5)$

$f'(x)=0$에서 $x=-\sqrt{5}$ 또는 $x=0$ 또는 $x=\sqrt{5}$

구간 $[-2, 3]$에서 함수 $f(x)$의 증가와 감소를 표로 나타내면 다음과 같다.

x	-2	$\cdots$	0	$\cdots$	$\sqrt{5}$	$\cdots$	3
$f'(x)$		$+$	0	$-$	0	$+$	
$f(x)$	$a-24$	$\nearrow$	a	$\searrow$	$a-25$	$\nearrow$	$a-9$

STEP B $M+m=11$임을 이용하여 a의 값 구하기

닫힌구간 $[-2, 3]$에서 함수 $f(x)$는

$x=0$일 때, 최댓값 $f(0)=a$를 갖고

$x=\sqrt{5}$일 때, 최솟값 $f(\sqrt{5})=a-25$를 갖는다.

따라서 $M+m=a+(a-25)=2a-25=11$

이므로 $a=18$

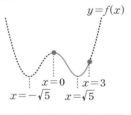

다른풀이 $x^2=t$ 치환하여 풀이하기

$x^2=t$로 치환하면 $-2\le x\le 3$일 때, $0\le t\le 9$이고

$x^4-10x^2+a=t^2-10t+a=(t-5)^2+a-25$

$0\le t\le 9$에서 함수 $y=(t-5)^2+a-25$는 $t=5$일 때, 최솟값 $a-25$를 갖고

$t=0$일 때, 최댓값 a를 가지므로 $M+m=a+(a-25)=2a-25=11$

따라서 $a=18$

0843

STEP A 주어진 구간에서 $f(x)$의 증가와 감소를 표로 나타내기

$f(x)=ax^3-3ax^2+b$에서 $f'(x)=3ax^2-6ax=3ax(x-2)$

$f'(x)=0$에서 $x=0$ 또는 $x=2$

구간 $[1, 4]$에서 함수 $f(x)$의 증가와 감소를 나타내면 다음 표와 같다.

x	1	$\cdots$	2	$\cdots$	4
$f'(x)$		$-$	0	$+$	
$f(x)$	$-2a+b$	$\searrow$	$-4a+b$	$\nearrow$	$16a+b$

STEP B 최댓값, 최솟값을 이용하여 a, b의 값 구하기

$a>0$이므로 구간 $[1, 4]$에서 함수 $f(x)$는

최댓값 $f(4)=16a+b$,

최솟값 $f(2)=-4a+b$를 갖는다.

즉 $16a+b=22$, $-4a+b=-18$이므로

두 식을 연립하여 풀면 $a=2$, $b=-10$

따라서 $a+b=-8$

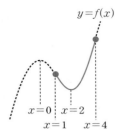

닫힌구간 $[-1, 2]$에서 삼차함수

$$f(x)=ax^3-6ax^2+b\,(a>0)$$

가 최댓값 3, 최솟값 -29를 가질 때, 상수 a, b에 대하여 $a+b$의 값은?

① 3   ② 4   ③ 5

④ 6   ⑤ 7

STEP A 주어진 구간에서 $f(x)$의 증가와 감소를 표로 나타내기

$f(x)=ax^3-6ax^2+b$에서 $f'(x)=3ax^2-12ax=3ax(x-4)$

$f'(x)=0$에서 $x=0$ 또는 $x=4$

구간 $[-1, 2]$에서 함수 $f(x)$의 증가와 감소를 나타내면 다음 표와 같다.

x	-1	$\cdots$	0	$\cdots$	2
$f'(x)$		$+$	0	$-$	
$f(x)$	$-7a+b$	$\nearrow$	b	$\searrow$	$-16a+b$

STEP B 최댓값, 최솟값을 이용하여 a, b의 값 구하기

$a>0$이므로 구간 $[-1, 2]$에서 함수 $f(x)$는 최댓값 $f(0)=b$,

최솟값 $f(2)=-16a+b$를 갖는다.

따라서 $b=3$, $-16a+b=-29$이므로 두 식을 연립하여 풀면

$a=2$, $b=3$이므로 $a+b=5$

0844

STEP A 주어진 구간에서 $f(x)$의 증가와 감소를 표로 나타내기

$f(x)=ax^3-3ax^2+b$에서 $f'(x)=3ax^2-6ax=3ax(x-2)$

$0\le x\le 4$일 때, $f'(x)=0$에서 $x=0$ 또는 $x=2$

구간 $[0, 4]$에서 함수 $f(x)$의 증가와 감소를 나타내면 다음 표와 같다.

x	0	$\cdots$	2	$\cdots$	4
$f'(x)$	0	$+$	0	$-$	
$f(x)$	b	$\nearrow$	$-4a+b$	$\searrow$	$16a+b$

STEP B 최댓값, 최솟값을 이용하여 a, b의 값 구하기

$a<0$이므로 닫힌구간 $[0, 4]$에서

함수 $f(x)$의

최댓값은 $f(2)=-4a+b$,

최솟값은 $f(4)=16a+b$을 갖는다.

$-4a+b=5$, $16a+b=-15$

위의 두 식을 연립하여 풀면

$a=-1$, $b=1$

따라서 $a+b=-1+1=0$

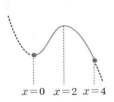

0845

STEP Ⓐ 함수 $f(x)$의 증가와 감소를 표로 나타내기

$f(x)=3ax^4-4ax^3+b$에서 $f'(x)=12ax^3-12ax^2=12ax^2(x-1)$

$f'(x)=0$에서 $x=0$ 또는 $x=1$

구간 $[0, 2]$에서 함수 $f(x)$의 증가와 감소를 표로 나타내면 다음과 같다.

x	0	$\cdots$	1	$\cdots$	2
$f'(x)$	0	$-$	0	$+$	0
$f(x)$	b	$\searrow$	$-a+b$	$\nearrow$	$16a+b$

STEP Ⓑ 최댓값이 30, 최솟값이 -4임을 이용하여 a, b의 값 구하기

함수 $f(x)$의
최댓값은 $f(2)=16a+b=30$ ····· ㉠
최솟값은 $f(1)=-a+b=-4$ ····· ㉡
따라서 ㉠, ㉡을 연립하여 풀면 $a=2$, $b=-2$
이므로 $a-b=2-(-2)=4$

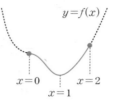

0846

STEP Ⓐ 함수 $f(x)$는 닫힌구간 $[-2, 0]$에서 $x=-1$일 때, 최댓값 4를 가짐을 이용하여 a, b의 값 구하기

$f(x)=-3x^4+6x^3+ax^2+b$에서
$f'(x)=-12x^3+18x^2+2ax=-2x(6x^2-9x-a)$
함수 $f(x)$는 닫힌구간 $[-2, 0]$에서 $x=-1$일 때, 최댓값 4를 가지므로
$x=-1$일 때, 극댓값 4를 가져야 한다.
$f'(-1)=30-2a=0$에서 $a=15$
$f(-1)=-9+a+b=-9+15+b=4$에서 $b=-2$

STEP Ⓑ $f(-2)$의 값 구하기

따라서 $f(x)=-3x^4+6x^3+15x^2-2$이므로
$f(-2)=-48-48+60-2=-38$

내신연계 출제문항 363

함수
$$f(x)=ax^4-2x^3+2x^2+b$$
가 $x=-2$에서 최댓값 6을 가질 때, $f(1)$의 값은? (단, a, b는 상수)

① -4 ② -3 ③ -2
④ -1 ⑤ 1

STEP Ⓐ 실수전체의 집합에서 정의된 함수 $f(x)$가 $x=-2$에서 최댓값을 가지면 함수 $f(x)$는 $x=-2$에서 극값을 가짐을 이용하여 a, b의 값 구하기

$f(x)=ax^4-2x^3+2x^2+b$에서 $f'(x)=4ax^3-6x^2+4x$
함수 $f(x)$가 $x=-2$에서 최댓값 6을 가지므로
함수 $f(x)$는 $x=-2$에서 극댓값 6을 가진다.
즉 $f'(-2)=0$, $f(-2)=6$
$f'(-2)=-32a-24-8=0$에서 $a=-1$
또한, $f(-2)=6$이므로 $16a+16+8+b=6$에서 $b=-2$

STEP Ⓑ $f(1)$의 값 구하기

따라서 $f(x)=-x^4-2x^3+2x^2-2$이므로 $f(1)=-1-2+2-2=-3$

 실수 전체의 집합에서 정의된 다항함수 $f(x)$가 $x=a$에서 최댓값을 가지면
다항함수 $f(x)$는 $x=a$에서 극댓값을 갖는다.
즉 다항함수 $f(x)$가 $x=a$에서 최댓값을 가지면 모든 실수 x에 대하여
$f(x)\le f(a)$이므로 함수 $f(x)$는 $x=a$에서 극댓값 $f(a)$를 갖는다.

0847

STEP Ⓐ P의 좌표를 임의로 두고 l을 식으로 표현하기

점 P의 좌표를 (t, t^2)으로 놓으면
$l=\overline{PA}=\sqrt{(t-3)^2+t^4}=\sqrt{t^4+t^2-6t+9}$

STEP Ⓑ $f(t)$의 증가와 감소를 표로 나타내기

$f(t)=t^4+t^2-6t+9$로 놓으면
함수 $f(t)$가 최소일 때, l도 최소이다.
$f'(t)=4t^3+2t-6=(t-1)(4t^2+4t+6)$
$f'(t)=0$에서 $t=1$ ← $4t^2+4t+6=4\left(t+\frac{1}{2}\right)^2+5>0$
함수 $f(t)$의 증가와 감소를 나타내면 다음
표와 같다.

t	$\cdots$	1	$\cdots$
$f'(t)$	$-$	0	$+$
$f(t)$	$\searrow$	5	$\nearrow$

STEP Ⓒ l의 최솟값 구하기

따라서 $t=1$일 때, 극소이면서 최소이다.
즉 $f(t)$는 최솟값 5를 가지므로 l의 최솟값은 $\sqrt5$

다른풀이 수직조건을 이용하여 풀이하기

점 P의 좌표를 (t, t^2)이라 하면
오른쪽 그림과 같이 점 P에서의 접선과
두 점 $A(3, 0)$, $P(t, t^2)$을 잇는 직선이
수직일 때, l이 최소가 된다.
점 P에서의 접선의 기울기는

$y'=2x$에서 $2t$이므로 $2t\cdot\dfrac{t^2-0}{t-3}=-1$,
$2t^3+t-3=0$, $(t-1)(2t^2+2t+3)=0$
이때 $2t^2+2t+3=2\left(t+\dfrac{1}{2}\right)^2+\dfrac{5}{2}>0$이므로 $t=1$
따라서 $P(1, 1)$이고 l의 최솟값은 $\sqrt{(1-3)^2+1^2}=\sqrt5$

 실수 전체의 집합에서 정의된 함수 $f(x)$가 $x=a$에서 최댓값 (또는 최솟값)
을 가지면 함수 $f(x)$는 $x=a$에서 극댓값 (또는 극솟값)을 갖는다.
① 함수 $f(x)$가 $x=a$에서 최댓값을 가지면 모든 실수 x에 대하여
$f(x)\le f(a)$이므로 함수 $f(x)$는 $x=a$에서 극댓값 $f(a)$를 갖는다.
② 함수 $f(x)$가 $x=a$에서 최솟값을 가지면 모든 실수 x에 대하여
$f(x)\ge f(a)$이므로 함수 $f(x)$는 $x=a$에서 극솟값 $f(a)$를 갖는다.

0848

정답 ⑤

STEP Ⓐ 점 P와 원의 중심 사이의 거리를 구하기

선분 PQ의 길이는 원 $(x-3)^2+y^2=1$의 중심과 점 P 사이의 거리가 최소일 때, 최소이다.

원의 중심을 $C(3, 0)$, 점 P의 좌표를 (t, t^2) (단, t는 실수)라 하면

두 점 P, C 사이의 거리는 $\overline{PC}=\sqrt{(t-3)^2+(t^2-0)^2}=\sqrt{t^4+t^2-6t+9}$

STEP Ⓑ 선분 PQ의 길이의 최솟값 구하기

$f(t)=t^4+t^2-6t+9$로 놓으면

$f'(t)=4t^3+2t-6=2(t-1)(2t^2+2t+3)$

$f'(t)=0$에서 $t=1$ ← $t^2+2t+3=2\left(t+\frac{1}{2}\right)^2+2>0$

함수 $f(t)$의 증가와 감소를 표로 나타내면 다음과 같다.

t	$\cdots$	1	$\cdots$
$f'(t)$	$-$	0	$+$
$f(t)$	$\searrow$	극소	$\nearrow$

함수 $f(t)$는 $t=1$일 때, 극소이면서 최소이므로 최솟값은 $f(1)=5$이다.
$\overline{PC}$의 길이의 최솟값은 $\sqrt{5}$이다.

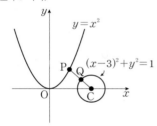

따라서 구하는 $\overline{PQ}$의 길이의 최솟값은 $\sqrt{f(1)}-(\text{원의 반지름의 길이})=\sqrt{5}-1$

내/신/연/계 출제문항 364

곡선 $y=x^2$ 위를 움직이는 점 P, 원 $(x-18)^2+y=17$ 위를 움직이는 점을 Q라 하자. 선분 PQ의 길이의 최솟값은?

① $\sqrt{17}$ ② $2\sqrt{17}$ ③ $3\sqrt{17}$
④ $4\sqrt{17}$ ⑤ $5\sqrt{17}$

STEP Ⓐ 점 P와 원의 중심 사이의 거리를 구하기

선분 PQ의 길이는 원 $(x-18)^2+y=17$의 중심과 점 P 사이의 거리가 최소일 때, 최소이다.

원의 중심 점 $(18, 0)$과 점 $P(t, t^2)$ (단, t는 실수) 사이의 거리는

$\sqrt{(t-18)^2+(t^2)^2}=\sqrt{t^4+t^2-36t+324}$

STEP Ⓑ 선분 PQ의 길이의 최솟값 구하기

$f(t)=t^4+t^2-36t+324$로 놓으면

$f'(t)=4t^3+2t-36=2(t-2)(2t^2+4t+9)$

$f'(t)=0$에서 $t=2$

함수 $f(t)$의 증가와 감소를 표로 나타내면 다음과 같다.

t	$\cdots$	2	$\cdots$
$f'(t)$	$-$	0	$+$
$f(t)$	$\searrow$	극소	$\nearrow$

따라서 함수 $f(t)$의 최솟값은 $f(2)=16+4-72+324=272$이므로
선분 PQ의 길이의 최솟값은

$\sqrt{f(2)}-(\text{원의 반지름의 길이})=\sqrt{272}-\sqrt{17}=4\sqrt{17}-\sqrt{17}=3\sqrt{17}$ 정답 ③

0849

정답 ④

STEP Ⓐ P의 좌표를 임의로 두고 $\overline{AP}^2+\overline{AQ}^2$을 식으로 표현하기

점 $A(t, t^2+1)$로 놓으면 두 점 $P(2, 0)$, $Q(8, 0)$에 대하여

$\overline{AP}^2+\overline{AQ}^2=(t-2)^2+(t-8)^2+2(t^2+1)^2$
$\qquad\qquad\quad =2t^4+6t^2-20t+70$

STEP Ⓑ $f(t)$의 증가와 감소를 표로 나타내기

$f(t)=2t^4+6t^2-20t+70$으로 놓으면

$f'(t)=8t^3+12t-20=4(t-1)(2t^2+2t+5)$

$f'(t)=0$에서 $t=1$ ← $x^2+2x+5=2\left(x+\frac{1}{2}\right)^2+\frac{9}{2}>0$

함수 $f(t)$의 증가와 감소를 나타내면 다음 표와 같다.

t	$\cdots$	1	$\cdots$
$f'(t)$	$-$	0	$+$
$f(t)$	$\searrow$	극소	$\nearrow$

STEP Ⓒ $\overline{AP}^2+\overline{AQ}^2$의 최솟값 구하기

따라서 $f(t)$는 $t=1$일 때, 극소이면서 최소이므로 최솟값은 $f(1)=58$

0850

정답 ②

STEP Ⓐ 꼭짓점 D의 좌표를 임의로 두고 넓이를 식으로 표현하기

직사각형 ABCD에서 $\overline{AB}=\overline{CD}$, $\overline{AD}=\overline{BC}$

$D(a, 12-a^2)$이라 하면

$a>0$, $12-a^2>0$이므로 $0<a<2\sqrt{3}$

이때 $A(-a, 12-a^2)$, $B(-a, 0)$, $C(a, 0)$이므로

직사각형 ABCD의 넓이를 $S(a)$라 하면

$S(a)=\overline{AB}\times\overline{BC}=(12-a^2)\times 2a=-2a^3+24a$

STEP Ⓑ 함수 $S(a)$의 증가와 감소를 표로 나타내기

$S'(a)=-6a^2+24=-6(a+2)(a-2)$이므로

$S'(a)=0$에서 $a=-2$ 또는 $a=2$

열린구간 $(0, 2\sqrt{3})$에서 함수 $S(a)$의 증가와 감소를 표로 나타내면 다음과 같다.

a	(0)	$\cdots$	2	$\cdots$	$(2\sqrt{3})$
$S'(a)$		$+$	0	$-$	
$S(a)$		$\nearrow$	극대	$\searrow$	

STEP Ⓒ 직사각형의 넓이의 최댓값 구하기

따라서 함수 $S(a)$는 $a=2$에서 극대이면서 최대이므로 구하는 넓이의 최댓값은 $S(2)=-2\times 2^3+24\times 2=32$

0851

STEP A 꼭짓점 D의 좌표를 임의로 두고 넓이를 식으로 표현하기

점 D의 좌표를 $(a, -a^2+6)$이라 하고

$a>0$, $-a^2+6>0$이므로 $0<a<\sqrt{6}$

사각형 ABCD의 넓이를 $S(a)$라고 하면

$S(a)=2a(-a^2+6)=-2a^3+12a$ (단, $0<a<\sqrt{6}$)

STEP B 함수 $S(a)$의 증가와 감소를 표로 나타내기

$S'(a)=-6a^2+12=-6(a+\sqrt{2})(a-\sqrt{2})$

$0<a<\sqrt{6}$일 때, $S'(a)=0$에서 $a=\sqrt{2}$

함수 $S(a)$의 증가와 감소를 나타내면 다음 표와 같다.

a	(0)	$\cdots$	$\sqrt{2}$	$\cdots$	$(\sqrt{6})$
$S'(a)$		$+$	0	$-$	
$S(a)$		↗	$8\sqrt{2}$	↘	

STEP C 직사각형의 넓이의 최댓값 구하기

따라서 $S(a)$는 $a=\sqrt{2}$에서 극대이면서 최대이므로
구하는 넓이의 최댓값은 $S(\sqrt{2})=8\sqrt{2}$

내/신/연/계 출제문항 365

오른쪽 그림과 같이 직사각형 ABCD의
두 꼭짓점 A, D가 곡선 $y=-x^2+9$ 위
에 있고 한 변 BC가 x축 위에 있을 때,
직사각형 ABCD의 넓이의 최댓값은?
(단, 점 D는 제1사분면 위의 점이다.)

① $8\sqrt{2}$ ② $10\sqrt{3}$

③ $12\sqrt{3}$ ④ $12\sqrt{2}$

⑤ $16\sqrt{2}$

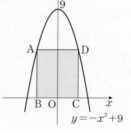

STEP A 꼭짓점 C의 좌표를 임의로 두고 넓이를 식으로 표현하기

오른쪽 그림과 같이 직사각형 ABCD의
한 꼭짓점 C의 x좌표를 $a(0<a<3)$로
놓으면

$D(a, -a^2+9)$, $A(-a, -a^2+9)$

직사각형 ABCD의 넓이를
$S(a)$라고 하면

$S(a)=2a(-a^2+9)$ (단, $0<a<3$)

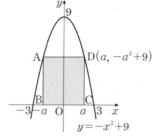

STEP B 함수 $S(a)$의 증가와 감소를 표로 나타내기

$S'(a)=-6a^2+18=-6(a+\sqrt{3})(a-\sqrt{3})$이므로

$S'(a)=0$에서 $a=-\sqrt{3}$ 또는 $a=\sqrt{3}$

이때 $0<a<3$에서 함수 $S(a)$의 증가와 감소를 나타내면 다음 표와 같다.

a	(0)	$\cdots$	$\sqrt{3}$	$\cdots$	(3)
$S'(a)$		$+$	0	$-$	
$S(a)$		↗	$12\sqrt{3}$	↘	

STEP C 넓이의 최댓값 구하기

넓이 $S(a)$는 $a=\sqrt{3}$일 때, 극대이면서 최대이다.

따라서 직사각형 ABCD의 넓이의 최댓값은 $S(\sqrt{3})=12\sqrt{3}$

0852

STEP A 꼭짓점 P의 좌표를 임의로 두고 넓이를 식으로 표현하기

오른쪽 그림과 같이 사다리꼴의 꼭짓점
P의 좌표를 $P(a, 9-a^2)(-3<a<3)$
이라 하고 내접하는 사다리꼴의 넓이를
$S(a)$라고 하면

$S(a)=\dfrac{1}{2}(2a+6)(9-a^2)$

$=(a+3)(9-a^2)$

$=-a^3-3a^2+9a+27$

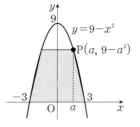

STEP B 함수 $S(a)$의 증가와 감소를 표로 나타내기

$S'(a)=-3(a-1)(a+3)=0$

$S'(a)=0$에서 $a=-3$ 또는 $a=1$

함수 $S(a)$의 증가와 감소를 나타내면 다음 표와 같다.

a	(-3)	$\cdots$	1	$\cdots$	(3)
$S'(a)$		$+$	0	$-$	
$S(a)$	0	↗	32	↘	0

STEP C 사다리꼴 넓이의 최댓값 구하기

따라서 넓이 $S(a)$는 $a=1$일 때, 최대이고 최댓값은 $S(1)=32$

+α 다음 그림과 같이 곡선 $y=6x-x^2$과 x축으로 둘러싸인 부분에 내접하는
사다리꼴의 넓이의 최댓값은 곡선 $y=9-x^2$과 x축으로 둘러싸인 부분에
내접하는 사다리꼴의 넓이의 최댓값과 같다.

즉 x축으로 -3만큼 평행이동하면 곡선 $y=9-x^2$이다.

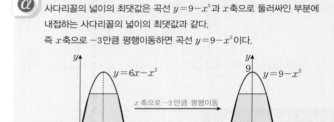

내/신/연/계 출제문항 366

오른쪽 그림과 같이 곡선 $y=4-x^2$과
x축으로 둘러싸인 도형에 내접하는
사다리꼴의 넓이의 최댓값은?

① $\dfrac{16}{3}$ ② $\dfrac{256}{27}$

③ $\dfrac{225}{16}$ ④ $\dfrac{256}{5}$

⑤ $\dfrac{169}{8}$

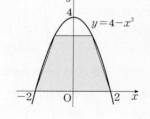

STEP A 꼭짓점 A의 좌표를 임의로 두고 넓이를 식으로 표현하기

사다리꼴의 제1사분면에 있는 꼭짓점을
$A(a, 4-a^2)(0<a<2)$

넓이를 $S(a)$라 하면 사다리꼴의 윗변의
길이는 $2a$, 아랫변의 길이는 4이고

높이는 $(4-a^2)$이므로

$S(a)=\dfrac{1}{2}(2a+4)(4-a^2)$

$=-a^3-2a^2+4a+8$

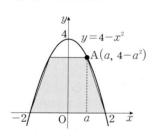

STEP B 함수 $S(a)$의 증가와 감소를 표로 나타내기

$S'(a)=-3a^2-4a+4=-(a+2)(3a-2)$

$S'(a)=0$에서 $0<a<2$이므로 $a=\dfrac{2}{3}$

함수 $S(a)$의 증가와 감소를 나타내면 다음 표와 같다.

a	0	$\cdots$	$\dfrac{2}{3}$	$\cdots$
$S'(a)$		$+$	0	$-$
$S(a)$		↗	$\dfrac{256}{27}$	↘

STEP C 사다리꼴 넓이의 최댓값 구하기

따라서 $S(a)$는 $a=\dfrac{2}{3}$에서 극대이며 최대이므로

최댓값은 $S\left(\dfrac{2}{3}\right)=-\dfrac{8}{27}-\dfrac{8}{9}+\dfrac{8}{3}+8=\dfrac{256}{27}$ 정답 ②

0853
정답 ②

STEP A 꼭짓점 A의 좌표를 임의로 두고 넓이를 식으로 표현하기

$6x-x^2=0$에서 $x(x-6)=0$이므로

$x=0$ 또는 $x=6$

A(6, 0)

오른쪽 그림과 같이 점 C의 좌표를

C$(3-a, -a^2+9)$ $(0<a<3)$로 놓고

사다리꼴의 넓이를 $S(a)$라고 하면

$S(a)=\dfrac{1}{2}(2a+6)(-a^2+9)$

$\quad =-a^3-3a^2+9a+27$

STEP B 함수 $S(a)$의 증가와 감소를 표로 나타내기

$S'(a)=-3a^2-6a+9=-3(a+3)(a-1)$

$S'(a)=0$에서 $a=1$ $(0<a<3)$

함수 $S(a)$의 증가와 감소를 나타내면 다음 표와 같다.

a	0	$\cdots$	1	$\cdots$	3
$S'(a)$		$+$	0	$-$	
$S(a)$	0	↗	극대	↘	0

STEP C 사다리꼴 넓이의 최댓값 구하기

$a=1$에서 극대이면서 최댓값을 가진다.

따라서 넓이의 최댓값은 $S(1)=32$

다른풀이 점 C의 좌표를 C$(a, 6a-a^2)$로 놓고 풀이하기

$6x-x^2=0$에서 $x(x-6)=0$이므로

$x=0$ 또는 $x=6$

A(6, 0)

x축과 평행한 직선이 곡선 $y=6x-x^2$과

만나는 두 점은 이차함수 $y=6x-x^2$의

그래프의 축인 직선 $x=3$에 대하여

대칭이므로

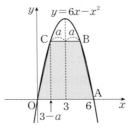

C$(a, 6a-a^2)$, B$(6-a, 6a-a^2)$

$(0<a<3)$이라 하고

사다리꼴OABC의 넓이를 $S(a)$라고 하면

$S(a)=\dfrac{1}{2}\{6+(6-2a)\}(6a-a^2)$

$\quad =a(a-6)^2=a^3-12a^2+36a$

$S'(a)=3a^2-24a+36=3(a-2)(a-6)$

$S'(a)=0$에서 $a=2$ $(0<a<3)$

함수 $S(a)$의 증가와 감소를 나타내면 다음 표와 같다.

a	0	$\cdots$	2	$\cdots$	3
$S'(a)$		$+$	0	$-$	
$S(a)$	0	↗	극대	↘	0

따라서 $S(a)$는 $a=2$일 때, 극대이면서 최대이므로 $S(a)$의 최댓값은

$S(2)=32$

0854
정답 ③

STEP A 직사각형의 각 꼭짓점의 좌표 구하기

오른쪽 그림과 같이 직사각형 PQRS의
꼭짓점 P의 x좌표를
$a(0<a<2)$라 하면

$Q\left(-a, -\dfrac{1}{2}a^2+2\right)$, $P\left(a, -\dfrac{1}{2}a^2+2\right)$,

$R\left(-a, \dfrac{1}{2}a^2-2\right)$, $S\left(a, \dfrac{1}{2}a^2-2\right)$

이므로

$\overline{PQ}=2a$, $\overline{PS}=-\dfrac{1}{2}a^2+2-\left(\dfrac{1}{2}a^2-2\right)=-a^2+4$

STEP B 직사각형의 넓이를 a에 대한 함수 $S(a)$로 나타내기

직사각형 PQRS의 넓이를 $S(a)$라고 하면

$S(a)=2a(-a^2+4)=-2a^3+8a$

STEP C 직사각형 PQRS의 넓이의 최댓값 구하기

$S'(a)=-6a^2+8=-6\left(a-\dfrac{2\sqrt{3}}{3}\right)\left(a+\dfrac{2\sqrt{3}}{3}\right)$

$S'(a)=0$에서 $a=\dfrac{2\sqrt{3}}{3}$ 또는 $a=-\dfrac{2\sqrt{3}}{3}$

그런데 $0<a<2$이므로 $a=\dfrac{2\sqrt{3}}{3}$

$0<a<2$에서 함수 $S(a)$의 증가와 감소를 표로 나타내면 다음과 같다.

a	(0)	$\cdots$	$\dfrac{2\sqrt{3}}{3}$	$\cdots$	(2)
$S'(a)$		$+$	0	$-$	
$S(a)$		↗	극대	↘	

넓이 $S(a)$는 $a=\dfrac{2\sqrt{3}}{3}$일 때, 극대이면서 최대이므로 최댓값은

$S\left(\dfrac{2\sqrt{3}}{3}\right)=-2\left(\dfrac{2\sqrt{3}}{3}\right)^3+8\cdot\left(\dfrac{2\sqrt{3}}{3}\right)=\dfrac{32\sqrt{3}}{9}$

따라서 $a=32$, $b=9$이므로 $a+b=41$

내/신/연/계/ 출제문항 367

두 곡선 $y=x^2-3$과 $y=3-x^2$으로
둘러싸인 부분에 내접하고 한 변이 x축에
평행한 직사각형의 넓이의 최댓값은?

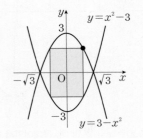

① 6 　　② 8
③ 10 　　④ 12
⑤ 14

STEP A 꼭짓점 P의 x좌표를 임의로 두고 넓이를 식으로 표현하기

다음 그림과 같이 제 1사분면에 놓인 직사각형의 한 꼭짓점 P의 x좌표를 a로
놓으면 P$(a, 3-a^2)$, $(0<a<\sqrt{3})$이므로 직사각형의 넓이를 $S(a)$라 하면

$S(a)=2a\cdot\{2(3-a^2)\}=4a(3-a^2)$

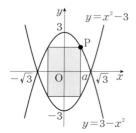

STEP B 주어진 범위에서 $S(a)$의 증가와 감소를 표로 나타내기

$S'(a)=12-12a^2=-12(a+1)(a-1)$

$S'(a)=0$에서 $a=1\,(\because 0<a<\sqrt{3})$

$0<a<\sqrt{3}$에서 함수 $S(a)$의 증가와 감소를 나타내면 다음 표와 같다.

a	(0)	$\cdots$	1	$\cdots$	$(\sqrt{3})$
$S'(a)$		$+$	0	$-$	
$S(a)$		$\nearrow$	극대	$\searrow$	

STEP C 직사각형의 넓이의 최댓값 구하기

따라서 넓이 $S(a)$는 $a=1$일 때, 극대이면서 최대이므로 직사각형의 넓이의 최댓값은 $S(1)=8$

정답 ②

0855

정답 ⑤

STEP A 점 P의 좌표를 $(x, -x^2+5x)$라 하면 겹쳐지는 부분의 넓이 구하기

점 P의 좌표를 $(x, -x^2+5x)$라 하면
두 정사각형 OABC, PQRS가 겹칠 때,
$0<x<5$
두 정사각형이 겹치는 부분의 넓이를
$S(x)$라 하면
$S(x)=x(-x^2+5x)=-x^3+5x^2$

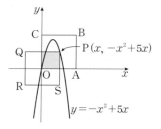

STEP B 두 정사각형이 겹치는 부분의 넓이 $S(x)$를 미분하여 최댓값 구하기

$S'(x)=-3x^2+10x=-3x\left(x-\dfrac{10}{3}\right)$

$S'(x)=0$에서 $x=0$ 또는 $x=\dfrac{10}{3}$

함수 $S(x)$의 증가와 감소를 표로 나타내면 다음과 같다.

x	(0)	$\cdots$	$\dfrac{10}{3}$	$\cdots$	(5)
$S'(x)$		$+$	0	$-$	
$S(x)$		$\nearrow$	극대	$\searrow$	

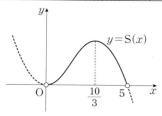

$S(x)$는 $x=\dfrac{10}{3}$일 때, 극대이면서 최대이므로 구하는 최댓값은

$S\left(\dfrac{10}{3}\right)=-\dfrac{1000}{27}+5\cdot\dfrac{100}{9}=\dfrac{500}{27}$

따라서 $p=27$, $q=500$이므로 $p+q=27+500=527$

0856

정답 ③

STEP A 상자의 부피를 x로 표현하기

만들어진 상자의 부피를
$V(x)\mathrm{cm}^3$라고 하면
$V(x)=x(12-2x)^2$
$\qquad=4x^3-48x^2+144x\,(0<x<6)$

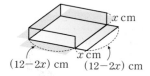

STEP B 함수 V의 증가와 감소를 표로 나타내기

$V'(x)=12x^2-96x+144=12(x-2)(x-6)$

$V'(x)=0$에서 $x=2$ 또는 $x=6$

열린구간 $(0,\,6)$에서 $V(x)$의 증가와 감소를 나타내면 다음 표와 같다.

x	(0)	$\cdots$	2	$\cdots$	(6)
$V'(x)$		$+$	0	$-$	
$V(x)$		$\nearrow$	128	$\searrow$	

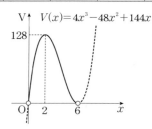

STEP C 상자의 부피의 최댓값 구하기

따라서 잘라내는 정사각형의 한 변의 길이가 $2\mathrm{cm}$일 때, 상자의 부피의 최댓값은 $V(2)=128\mathrm{cm}^3$

0857

정답 ④

STEP A 상자의 부피를 x로 표현하기

잘라내는 정사각형의 한 변의 길이를 $x\mathrm{cm}\,(0<x<5)$로 놓으면
상자의 밑면의 가로의 길이는 $(16-2x)\mathrm{cm}$,
세로의 길이는 $(10-2x)\mathrm{cm}$
상자의 부피를 $V(x)\mathrm{cm}^3$라 하면
$V(x)=x(16-2x)(10-2x)=4x^3-52x^2+160x\,(0<x<5)$

STEP B 함수 V의 증가와 감소를 표로 나타내기

$V'(x)=12x^2-104x+160=4(x-2)(3x-20)$

$0<x<5$이므로 $V'(x)=0$에서 $x=2$

구간 $(0,\,5)$에서 $V(x)$의 증가와 감소를 표로 나타내면 다음과 같다.

x	(0)	$\cdots$	2	$\cdots$	(5)
$V'(x)$		$+$	0	$-$	
$V(x)$		$\nearrow$	144	$\searrow$	

STEP C 상자의 부피가 최대가 되는 x의 값 구하기

따라서 $V(x)$는 $x=2$일 때, 극대이면서 최대이므로 잘라내는 정사각형 한 변의 길이가 $2\mathrm{cm}$일 때, 상자의 부피는 최대이고 최댓값은 $V(2)=144\mathrm{cm}^3$

0858

STEP Ⓐ 밑면의 넓이와 높이를 구하여 상자의 부피를 x로 표현하기

상자의 밑면인 $\triangle A'B'C'$의 넓이는

$\dfrac{1}{2}(20-2x)(20-2x)\sin 60°$

$=\dfrac{\sqrt{3}}{4}(20-2x)^2$

상자의 높이는 $x\tan 30° = \dfrac{x}{\sqrt{3}}$이므로

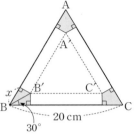

상자의 부피를 $V(x)$라 하면

$V(x)=\dfrac{\sqrt{3}}{4}(20-2x)^2 \times \dfrac{x}{\sqrt{3}}$

$\qquad =\dfrac{1}{4}(4x^3-80x^2+400x)$ (단, $0<x<10$)

STEP Ⓑ 함수 $V(x)$의 증가와 감소를 표로 나타내기

$V'(x)=\dfrac{1}{4}(12x^2-160x+400)=\dfrac{1}{4}(2x-20)(6x-20)$

$V(x)=0$에서 $x=\dfrac{10}{3}$

$V(x)$의 증가와 감소를 나타내면 다음 표와 같다.

x	(0)	$\cdots$	$\dfrac{10}{3}$	$\cdots$	(10)
$V'(x)$		$+$	0	$-$	
$V(x)$		↗	극대	↘	

STEP Ⓒ 상자의 부피가 최대가 되는 x의 값 구하기

따라서 부피가 최대가 되는 x의 값은 $\dfrac{10}{3}$

> **참고**
>
> 최댓값은 $V\left(\dfrac{10}{3}\right)=\dfrac{20^3}{54}$

내/신/연/계 출제문항 368

한 변의 길이가 12cm인 정삼각형 모양의 종이가 있다.
오른쪽 그림과 같이 세 꼭짓점 주위에서 합동인 사각형을 잘라내고 남은 부분을 접어서 뚜껑이 없는 삼각기둥 모양의 상자를 만들려고 할 때, 상자의 부피가 최대가 되도록 하는 x의 값은?

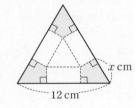

① 2   ② 3   ③ 4
④ 5   ⑤ 6

STEP Ⓐ 밑면의 넓이와 높이를 구하여 상자의 부피를 x로 표현하기

상자의 밑면은 한 변의 길이가
$(12-2x)$cm인 정삼각형이므로

그 넓이는 $\dfrac{\sqrt{3}}{4}(12-2x)^2$(cm)

또, 상자의 높이는 오른쪽 그림에서

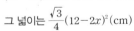

$x\tan 30° = \dfrac{\sqrt{3}}{3}x$(cm)

상자의 부피를 $V(x)$cm³라 하면

$V(x)=\dfrac{\sqrt{3}}{4}(12-2x)^2 \times \dfrac{\sqrt{3}}{3}x=x^3-12x^2+36x\,(0<x<6)$

STEP Ⓑ 함수 $V(x)$의 증가와 감소를 표로 나타내기

$V'(x)=3x^2-24x+36=3(x-2)(x-6)$

$0<x<6$이므로 $V'(x)=0$에서 $x=2$

구간 $(0, 6)$에서 $V(x)$의 증가와 감소를 표로 나타내면 다음과 같다.

---

x	(0)	$\cdots$	2	$\cdots$	(6)
$V'(x)$		$+$	0	$-$	
$V(x)$		↗	32	↘	

따라서 $x=2$일 때, 상자의 부피가 최대가 된다.

0859

STEP Ⓐ 밑면의 둘레의 길이와 높이를 구하여 상자의 부피를 r로 표현하기

원기둥의 밑면의 반지름의 길이와 높이를
각각 $r$cm, $h$cm라고 하면

$h+2\pi r=216,\ h=216-2\pi r$ …… ㉠

이때 $r>0$, $h>0$이므로 $0<r<\dfrac{108}{\pi}$

원기둥의 부피를 $V(r)$cm³라 하면

$V(r)=\pi r^2(216-2\pi r)=-2\pi^2 r^3+216\pi r^2$

STEP Ⓑ 함수 $V(r)$의 증가와 감소를 표로 나타내기

$V'(r)=-6\pi^2 r^2+432\pi r=-6\pi r(\pi r-72)$

$0<r<\dfrac{108}{\pi}$일 때, $V'(r)=0$에서 $r=\dfrac{72}{\pi}$

구간 $0<r<\dfrac{108}{\pi}$에서 $V(x)$의 증가와 감소를 표로 나타내면 다음과 같다.

r	(0)	$\cdots$	$\dfrac{72}{\pi}$	$\cdots$	$\left(\dfrac{108}{\pi}\right)$
$V'(r)$		$+$	0	$-$	
$V(r)$		↗	극대	↘	

STEP Ⓒ 원기둥의 높이 구하기

$0<r<\dfrac{108}{\pi}$에서 $V(r)$는 $r=\dfrac{72}{\pi}$에서 극대이면서 최대이다.

따라서 구하는 높이는 ㉠에서 $216-2\pi \cdot \dfrac{72}{\pi}=72$cm

0860

STEP Ⓐ 비례식을 이용하여 원기둥의 부피를 r로 표현하기

원뿔에 내접하는 원기둥의 밑면의
반지름을 r,
높이를 h라고 하면 $0<r<10$이고
$20:10=(20-h):r$이므로
$10(20-h)=20r,\ h=20-2r$

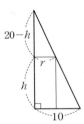

원기둥의 부피를 $V(r)$이라고 하면

$V(r)=\pi r^2 h=\pi r^2(20-2r)=20\pi r^2-2\pi r^3$

STEP Ⓑ 함수 $V(r)$의 증가와 감소를 표로 나타내기

$V'(r)=40\pi r-6\pi r^2=2\pi r(20-3r)$

$V'(r)=0$에서 $r=0$ 또는 $r=\dfrac{20}{3}$

V의 증가와 감소를 나타내면 다음 표와 같다.

r	0	$\cdots$	$\dfrac{20}{3}$	$\cdots$	(10)
$V'(r)$		$+$	0	$-$	
$V(r)$		↗	$\dfrac{8000}{27}\pi$	↘	

STEP Ⓒ 원기둥의 부피가 최대일 때, 반지름의 길이 구하기

따라서 위의 표에 의하여 $V(r)$는 $r=\dfrac{20}{3}$일 때, 극대이면서 최대이므로

원기둥의 부피가 최대일 때의 반지름의 길이는 $\dfrac{20}{3}$cm

그림과 같이 밑면의 반지름의 길이가 5cm이고 높이가 10cm인 원뿔에 내접하는 원기둥 중에서 부피가 최대인 원기둥의 밑면의 반지름의 길이를 구하는 과정을 다음 단계로 서술하여라.

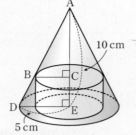

[1단계] $\overline{BC}=x\text{cm}(0<x<5)$라고 할 때, $\overline{AC}$와 원기둥의 높이 $\overline{CE}$ 길이를 x의 식으로 나타낸다.
[2단계] 원기둥의 부피를 $V(x)$라 할 때, $V(x)$를 x에 대한 함수로 나타낸다.
[3단계] 원기둥의 부피가 최대인 원기둥의 밑면의 반지름의 길이를 구한다.
[4단계] 원기둥의 부피의 최댓값을 구한다.

| 1단계 | $\overline{BC}=x\text{cm}(0<x<5)$라고 할 때, $\overline{AC}$와 원기둥의 높이 $\overline{CE}$ 길이를 x의 식으로 나타낸다. | ◀ 20% |

오른쪽 그림에서 $\triangle ABC \backsim \triangle ADE$이므로

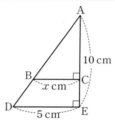

$$\overline{BC}:\overline{AC}=\overline{DE}:\overline{AE}$$
$$x:\overline{AC}=5:10$$
$$\overline{AC}=2x$$

원기둥의 높이 $\overline{CE}=10-\overline{AC}=10-2x$

| 2단계 | 원기둥의 부피를 $V(x)$라 할 때, $V(x)$를 x에 대한 함수로 나타낸다. | ◀ 20% |

$$V(x)=\pi x^2(10-2x)=2\pi(5x^2-x^3)$$

| 3단계 | 원기둥의 부피가 최대인 원기둥의 밑면의 반지름의 길이를 구한다. | ◀ 40% |

$$V'(x)=2\pi(10x-3x^2)=2\pi x(10-3x)$$
$V'(x)=0$에서 $x=\dfrac{10}{3}$ $(\because 0<x<5)$

$V(x)$의 증가와 감소를 표로 나타내면 다음과 같다.

x	(0)	$\cdots$	$\dfrac{10}{3}$	$\cdots$	(5)
$V'(x)$		$+$	0	$-$	
$V(x)$		$\nearrow$	극대	$\searrow$	

즉 $V(x)$는 $x=\dfrac{10}{3}$일 때, 극대이면서 최대이다.

| 4단계 | 원기둥의 부피의 최댓값을 구한다. | ◀ 20% |

원기둥의 부피의 최댓값은 $V\left(\dfrac{10}{3}\right)=\pi\times\dfrac{100}{9}\times\left(10-2\times\dfrac{10}{3}\right)=\dfrac{1000}{27}\pi$

> 정답 해설참조

0861

> 정답 ④

STEP A 닮음을 이용하여 직육면체의 부피를 x로 표현하기

오른쪽 그림과 같이 직육면체의 밑면의 한 변의 길이를 $x(0<x<6)$, 높이를 h로 놓으면 $\overline{AB}=x$, $\overline{BC}=6-x$

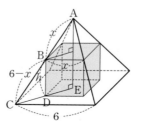

이때 $\triangle BCD \backsim \triangle ACE$이므로
$\overline{BC}:\overline{AC}=\overline{BD}:\overline{AE}$에서
$(6-x):6=h:3\sqrt{2}$

← 밑면의 한 변의 길이가 a, 옆면의 한 모서리의 길이가 b인 정사각뿔의 높이 $\sqrt{b^2-\dfrac{a^2}{2}}$

$\therefore h=\dfrac{\sqrt{2}}{2}(6-x)$

직육면체의 부피를 $V(x)$라고 하면
$$V(x)=x^2h=x^2\cdot\dfrac{\sqrt{2}}{2}(6-x)=\dfrac{\sqrt{2}}{2}(6x^2-x^3)$$

STEP B 함수 $V(x)$의 증가와 감소를 표로 나타내기

$$V'(x)=\dfrac{\sqrt{2}}{2}(12x-3x^2)=\dfrac{3\sqrt{2}}{2}x(4-x)$$

$V'(x)=0$에서 $x=0$ 또는 $x=4$

구간 $(0,6)$에서 $V(x)$의 증가와 감소를 나타내면 다음 표와 같다.

x	0	$\cdots$	4	$\cdots$	6
$V'(x)$		$+$	0	$-$	
$V(x)$		$\nearrow$	$16\sqrt{2}$	$\searrow$	

STEP C 직육면체의 부피의 최댓값 구하기

따라서 $V(x)$는 $x=4$일 때, 극대이면서 최대이므로 직육면체의 부피의 최댓값은 $V(4)=\dfrac{\sqrt{2}}{2}(96-64)=16\sqrt{2}$

오른쪽 그림과 같이 모든 모서리의 길이가 3인 정사각뿔에 내접하는 직육면체의 부피의 최댓값은?

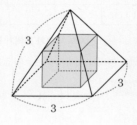

① $2\sqrt{2}$ ② $3\sqrt{2}$
③ $4\sqrt{2}$ ④ $5\sqrt{2}$
⑤ $6\sqrt{2}$

STEP A 닮음을 이용하여 직육면체의 부피를 x로 표현하기

오른쪽 그림과 같이 직육면체의 밑면의 한 변의 길이를 $x(0<x<3)$, 높이를 h로 놓으면 $\overline{AB}=x$, $\overline{BC}=3-x$

이때 $\triangle BCD \backsim \triangle ACE$이므로
$\overline{BC}:\overline{AC}=\overline{BD}:\overline{AE}$에서
$(3-x):3=h:\dfrac{3\sqrt{2}}{2}$ $\therefore h=\dfrac{\sqrt{2}}{2}(3-x)$

직육면체의 부피를 $V(x)$라고 하면
$$V(x)=x^2h=x^2\cdot\dfrac{\sqrt{2}}{2}(3-x)=\dfrac{\sqrt{2}}{2}(3x^2-x^3)$$

STEP B 함수 $V(x)$의 증가와 감소를 표로 나타내기

$$V'(x)=\dfrac{\sqrt{2}}{2}(6x-3x^2)=\dfrac{3\sqrt{2}}{2}x(2-x)$$

$V'(x)=0$에서 $x=0$ 또는 $x=2$

구간 $(0,3)$에서 $V(x)$의 증가와 감소를 나타내면 다음 표와 같다.

x	(0)	$\cdots$	2	$\cdots$	(3)
$V'(x)$		$+$	0	$-$	
$V(x)$		$\nearrow$	$2\sqrt{2}$	$\searrow$	

STEP C 직육면체의 부피의 최댓값 구하기

따라서 $V(x)$는 $x=2$일 때, 극대이면서 최대이므로 직육면체의 부피의 최댓값은 $V(2)=\dfrac{\sqrt{2}}{2}(12-8)=2\sqrt{2}$

> 정답 ①

0862

정답 ②

STEP A 원뿔의 높이를 h라고 할 때, 원뿔의 부피를 h에 대한 식으로 나타내기 (단, $10 < h < 20$)

구에 내접한 원뿔의 밑면의 반지름의 길이를 r, 높이를 $h(10 < h < 20)$라고 하면 $(h-10)^2+r^2=10^2$
$r^2=20h-h^2 \, (10 < h < 20)$
원뿔의 부피를 $V(h)$라고 하면

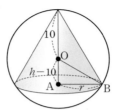

$V(h)=\frac{1}{3}\pi r^2 h = \frac{1}{3}\pi(20h^2-h^3)$

STEP B 함수 $V(h)$의 증가와 감소를 표로 나타내기

$V'(h)=\frac{1}{3}\pi h(40-3h)$이고 $V'(h)=0$에서 $h=\frac{40}{3}$

구간 $(10, 20)$에서 $V(h)$의 증가와 감소를 나타내면 다음 표와 같다.

h	(10)	$\cdots$	$\frac{40}{3}$	$\cdots$	(20)
$V'(h)$		$+$	0	$-$	
$V(h)$		↗	극대	↘	

STEP C 원뿔의 부피가 최대가 되는 원뿔의 높이 구하기

따라서 $V(h)$는 $h=\frac{40}{3}$에서 극대이고 최대이므로 원뿔의 부피가 최대가 되는 높이는 $\frac{40}{3}$ cm

---

내/신/연/계/ 출제문항 371

오른쪽 그림과 같이 반지름의 길이가 8인 구에 내접하는 원뿔이 있다. 이 원뿔의 부피가 최대일 때, 원뿔의 높이는?

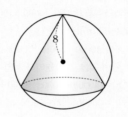

① $\frac{8}{3}$ ② $\frac{16}{3}$

③ $\frac{32}{3}$ ④ $\frac{48}{3}$

⑤ $\frac{64}{3}$

STEP A 원뿔의 높이를 h라고 할 때, 원뿔의 부피를 h에 대한 식으로 나타내기 (단, $8 < h < 16$)

구에 내접한 원뿔의 밑면의 반지름의 길이를 r라고 하면 직각삼각형 OAB에서 $(h-8)^2+r^2=8^2$, $r^2=-h^2+16h$
원뿔의 부피를 $V(h)$라고 하면

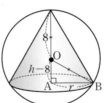

$V(h)=\frac{1}{3}\pi r^2 h = -\frac{1}{3}\pi h^3 + \frac{16}{3}\pi h^2$

STEP B 함수 $V(h)$의 증가와 감소를 표로 나타내기

$V'(h)=-\pi h^2 + \frac{32}{3}\pi h = -\pi h\left(h-\frac{32}{3}\right)$

$8 < h < 16$일 때, $V'(h)=0$에서 $h=\frac{32}{3}$

$V(h)$의 증가와 감소를 표로 나타내면 다음과 같다.

h	(8)	$\cdots$	$\frac{32}{3}$	$\cdots$	(16)
$V'(h)$		$+$	0	$-$	
$V(h)$		↗	극대	↘	

STEP C 원뿔의 부피가 최대가 되는 원뿔의 높이 구하기

따라서 $V(h)$는 $h=\frac{32}{3}$에서 최대이므로 원뿔의 부피가 최대일 때, 원뿔의 높이는 $\frac{32}{3}$

정답 ③

0863

정답 ③

STEP A 원기둥의 높이를 h라고 할 때, 원기둥의 부피를 h에 대한 식으로 나타내기 ($0 < h < 12$)

오른쪽 그림과 같이 원기둥의 밑면의 반지름의 길이를 $r$cm, 높이를 $h$cm 라고 하면
$(2r)^2+h^2=12^2$, $r^2=\frac{1}{4}(144-h^2)$
원기둥의 부피를 $V(h)$cm^{3}라고 하면

$V(h)=\pi r^2 h = \pi \cdot \frac{1}{4}(144-h^2) \cdot h$

$= \frac{\pi}{4}(-h^3+144h) \, (0 < h < 12)$

STEP B 함수 $V(h)$의 증가와 감소를 표로 나타내기

$V'(h)=\frac{\pi}{4}(-3h^2+144)=-\frac{3\pi}{4}(h^2-48)$

$0 < h < 12$일 때, $V'(h)=0$에서 $h=4\sqrt{3}$

$V(h)$의 증가와 감소를 표로 나타내면 다음과 같다.

h	(0)	$\cdots$	$4\sqrt{3}$	$\cdots$	(12)
$V'(h)$		$+$	0	$-$	
$V(h)$		↗	극대	↘	

STEP C 원기둥의 부피가 최대가 되는 높이 구하기

따라서 $0 < h < 12$에서 $V(h)$는 $h=4\sqrt{3}$일 때, 극대이면서 최대이므로 구하는 높이는 $4\sqrt{3}$ cm

---

0864

정답 ④

STEP A 피타고라스의 정리를 이용하여 원기둥의 부피를 h로 표현하기

직원기둥의 반지름을 r, 높이를 h라 하면 삼각형 OAB에서
$36=r^2+h^2$, $r^2=36-h^2$
직원기둥의 부피를 $V(h)$라고 하면
$V(h)=\pi r^2 h$
$= \pi(36-h^2)h$
$= -\pi h^3 + 36\pi h$ (단, $0 < h < 6$)

STEP B 함수 $V(h)$의 증가와 감소를 표로 나타내기

$V'(h)=-3\pi h^2 + 36\pi$

$V'(h)=0$에서 $h=2\sqrt{3}$ 또는 $h=-2\sqrt{3}$

구간 $(0, 6)$에서 $V(h)$의 증가와 감소를 나타내면 다음 표와 같다.

h	(0)	$\cdots$	$2\sqrt{3}$	$\cdots$	(6)
$V'(h)$		$+$	0	$-$	
$V(h)$		↗	극대	↘	

STEP C 원기둥 부피의 최댓값 구하기

$h=2\sqrt{3}$일 때, $V(h)$는 극대이면서 최대이므로 최댓값은
$V(2\sqrt{3})=-\pi \cdot 24\sqrt{3}+36\pi \cdot 2\sqrt{3}=48\sqrt{3}\pi$

0865

STEP A 원뿔의 높이를 h라고 할 때, 원뿔의 부피를 h에 대한 식으로 나타내기

원뿔 모양의 그릇의 윗면의 반지름의
길이를 $r$cm, 높이를 $h$cm라고 하면
$0 < h < 8$
오른쪽 그림의 직각삼각형에서
$r^2 + h^2 = 8^2$
$r^2 = 64 - h^2$ ...... ㉠

한편 그릇의 부피를 $V(h)$라고 하면
㉠에 의하여

$V(h) = \dfrac{1}{3}\pi r^2 h = \dfrac{1}{3}\pi(64-h^2)h = \dfrac{\pi}{3}(64h - h^3)\,(0 < h < 8)$

STEP B 원뿔의 부피가 최대일 때, 원뿔의 높이 구하기

$V'(h) = \dfrac{\pi}{3}(64 - 3h^2)$

$= -\pi\left(h^2 - \dfrac{64}{3}\right)$

$= -\pi\left(h + \dfrac{8\sqrt{3}}{3}\right)\left(h - \dfrac{8\sqrt{3}}{3}\right)$

$0 < h < 8$일 때, $V'(h) = 0$에서 $h = \dfrac{8\sqrt{3}}{3}$

$V(h)$의 증가와 감소를 표로 나타내면 다음과 같다.

h	(0)	$\cdots$	$\dfrac{8\sqrt{3}}{3}$	$\cdots$	(8)
$V'(h)$		$+$	0	$-$	
$V(h)$		↗	극대	↘	

따라서 $V(h)$는 $h = \dfrac{8\sqrt{3}}{3}$에서 최대이므로 원뿔의 높이는 $\dfrac{8\sqrt{3}}{3}$

0866

STEP A (이익금)=(총판매금액)-(총생산비용)임을 이용하여 제품 P의 이익을 x로 나타내기

제품 P를 $x$kg생산할 때,
얻을 수 있는 이익은 $1200x - f(x)$(원)
$g(x) = 1200x - f(x)\,(x > 0)$로 놓으면
$g(x) = 1200x - (x^3 - 60x^2 + 1200x + 4500)$
$= -x^3 + 60x^2 - 4500$

STEP B 함수 $g(x)$의 증가와 감소를 표로 나타내기

$g'(x) = -3x^2 + 120x = -3x(x - 40)$
$g'(x) = 0$에서 $x = 40\,(\because x > 0)$
함수 $g(x)$의 증가와 감소를 나타내면 다음 표와 같다.

x	(0)	$\cdots$	40	$\cdots$
$g'(x)$		$+$	0	$-$
$g(x)$		↗	극대	↘

따라서 함수 $g(x)$는 $x = 40$에서 최대이므로 이익을 최대로 하기 위해서는
제품 P를 하루에 40kg 생산해야 한다.

0867

STEP A (이익금)=(총판매금액)-(총생산비용)임을 이용하여 제품 P의 이익을 x로 나타내기

제품 P를 $x$kg생산할 때 얻을 수 있는 이익은
$5000x - f(x)$(원)
$g(x) = 5000x - f(x)\,(x > 0)$로 놓으면
$g(x) = 5000x - (2x^3 - 90x^2 + 5000x + 2000)$
$= -2x^3 + 90x^2 - 2000$

STEP B 함수 $g(x)$의 증가와 감소를 표로 나타내기

$g'(x) = -6x^2 + 180x = -6x(x - 30)$
$g'(x) = 0$에서 $x = 30\,(\because x > 0)$
함수 $g(x)$의 증가와 감소를 나타내면 다음 표와 같다.

x	(0)	$\cdots$	30	$\cdots$
$g'(x)$		$+$	0	$-$
$g(x)$		↗	극대	↘

따라서 함수 $g(x)$는 $x = 30$에서 극대이고 최대이므로 이익의 최댓값은
$g(30) = -2 \cdot 27000 + 81000 - 2000 = 25000$

0868

STEP A 한 달 수익을 x에 관한 식으로 나타내기

판매가격을 1kg당 $(40000 - 1000x^2)$원으로 내리면 한 달 판매량은
$(140 + 20x)$kg
$x > 0$, $40000 - 1000x^2 > 0$에서 $0 < x < 2\sqrt{10}$
한 달 수익을 $f(x)$원이라 하면
$f(x) = (40000 - 1000x^2)(140 + 20x) - 3000000$ ◀ (판매가격)×(한달판매량)-(전체비용)
$= 20000(-x^3 - 7x^2 + 40x + 130)$

STEP B 한 달 수익이 최대가 되게 하는 1kg당 판매가격 구하기

이때 $g(x) = -x^3 - 7x^2 + 40x + 130$로 놓으면
$g'(x) = -3x^2 - 14x + 40 = -(x - 2)(3x + 20)$
$g'(x) = 0$에서 $x = 2$ 또는 $x = -\dfrac{20}{3}$
열린구간 $(0, 2\sqrt{10})$에서 함수 $g(x)$의 증가와 감소를 표로 나타내면
다음과 같다.

x	(0)	$\cdots$	2	$\cdots$	$(2\sqrt{10})$
$g'(x)$		$+$	0	$-$	
$g(x)$		↗	극대	↘	

따라서 함수 $g(x)$는 $x = 2$에서 극대이면서 최대이고 $g(x)$가 최대일 때,
$f(x)$도 최대이므로 한 달 수익이 최대가 되게 하는 1kg당 판매가격은
$40000 - 1000 \times 2^2 = 36000$(원)

0869

(1) $f(x)=x^3-3x^2+2ax+k$의 그래프가 실수 k의 값에 관계없이
x축과 한 점에서 만나므로 함수 $f(x)$는 극값을 갖지 않는다.
$f(x)=x^3-3x^2+2ax+k$에서 $f'(x)=3x^2-6x+2a$
함수 $f(x)$가 극값을 갖지 않으려면
이차방정식 $f'(x)=0$이 중근 또는 허근을 가져야 한다.
이차방정식 $f'(x)=0$의 판별식을 D라고 하면
$\dfrac{D}{4}=9-6a\le 0$ $\therefore a\ge \dfrac{3}{2}$

(2) 함수 $f(x)=x^3-ax^2-ax+2$가 역함수가 존재하려면 일대일대응이어야
하므로 $f(x)$의 최고차항의 계수가 양수이므로 $f'(x)\ge 0$이어야 한다.
즉 $f'(x)=3x^2-2ax-a\ge 0$이어야 하므로
이차방정식 $3x^2-2ax-a=0$의 판별식을 D라고 하면
$\dfrac{D}{4}=(-a)^2+3a\le 0$, $a(a+3)\le 0$
$\therefore -3\le a\le 0$
따라서 실수 a의 최댓값 $M=0$, 최솟값 $m=-3$이므로 구하는
$M+m=0+(-3)=-3$

0870

| 1단계 | 함수 $f(x)$의 증가와 감소를 표로 나타낸다. | ◀ 40% |

$f(x)=2x^3-9x^2+12x+2$
$f'(x)=6x^2-18x+12=6(x-1)(x-2)$
$f'(x)=0$에서 $x=1$ 또는 $x=2$
함수 $f(x)$의 증가와 감소를 표로 나타내면 다음과 같다.

x	$\cdots$	1	$\cdots$	2	$\cdots$
$f'(x)$	$+$	0	$-$	0	$+$
$f(x)$	↗	7	↘	6	↗

| 2단계 | 극값을 구하고 y축과의 교점을 구한다. | ◀ 30% |

함수 $f(x)$는 $x=1$에서 극대이고 극댓값은 $f(1)=7$,
$x=2$에서 극소이고 극솟값은 $f(2)=6$
또한, $f(0)=2$이므로 함수 $y=f(x)$의 그래프는 y축과 점 $(0, 2)$에서 만난다.

| 3단계 | 함수 $f(x)$의 그래프의 개형을 그린다. | ◀ 30% |

따라서 함수 $y=f(x)$의 그래프의
개형을 그리면 오른쪽 그림과 같다.

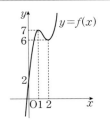

함수 $f(x)=-2x^3+9x^2-12x+7$의 그래프의 개형을 그리는 과정을 다음
단계로 서술하여라.
[1단계] 함수 $f(x)$의 증가와 감소를 표로 나타낸다.
[2단계] 극값을 구하고 y축과의 교점을 구한다.
[3단계] 함수 $f(x)$의 그래프의 개형을 그린다.

| 1단계 | 함수 $f(x)$의 증가와 감소를 표로 나타낸다. | ◀ 40% |

$f(x)=-2x^3+9x^2-12x+7$
$f'(x)=-6x^2+18x-12=-6(x-1)(x-2)$
$f'(x)=0$에서 $x=1$ 또는 $x=2$
함수 $f(x)$의 증가와 감소를 나타내면 다음 표와 같다.

x	$\cdots$	1	$\cdots$	2	$\cdots$
$f'(x)$	$-$	0	$+$	0	$-$
$f(x)$	↘	극소	↗	극대	↘

| 2단계 | 극값을 구하고 y축과의 교점을 구한다. | ◀ 30% |

함수 $f(x)$는 $x=1$에서 극소이고 극솟값은 $f(1)=-2+9-12+7=2$
$x=2$에서 극대이고 극댓값은 $f(2)=-16+36-24+7=3$
또한, $f(0)=7$이므로 함수 $y=f(x)$의 그래프는 y축과 점 $(0, 7)$에서 만난다.

| 3단계 | 함수 $f(x)$의 그래프의 개형을 그린다. | ◀ 30% |

따라서 함수 $y=f(x)$의 그래프의
개형을 그리면 오른쪽 그림과 같다.

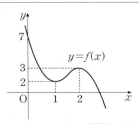

0871

| 1단계 | 함수 $f(x)$가 $x=-1$에서 극솟값 -2를 가짐을 이용하여 상수 a, b의 값을 구한다. | ◀ 40% |

$f'(x)=3ax^2+6x+b$
$f(x)$가 $x=-1$에서 극솟값 -2를 가지므로 $f'(-1)=0$, $f(-1)=-2$
$f'(-1)=3a-6+b=0$에서 $3a+b=6$ $\cdots\cdots$ ㉠
$f(-1)=-a+3-b+5=-2$에서 $a+b=10$ $\cdots\cdots$ ㉡
㉠, ㉡를 연립하여 풀면 $a=-2$, $b=12$

| 2단계 | 함수 $f(x)$의 증가와 감소를 나타내는 표를 구한다. | ◀ 40% |

$f(x)=-2x^3+3x^2+12x+5$이므로
$f'(x)=-6x^2+6x+12=-6(x+1)(x-2)$
$f'(x)=0$에서 $x=-1$ 또는 $x=2$
$f(x)$의 증가와 감소를 표로 나타내면 다음과 같다.

x	$\cdots$	-1	$\cdots$	2	$\cdots$
$f'(x)$	$-$	0	$+$	0	$-$
$f(x)$	↘	극소	↗	극대	↘

| 3단계 | 함수 $f(x)$의 극댓값을 구한다. | ◀ 20% |

따라서 $f(x)$는 $x=2$에서 극대이고
극댓값은 $f(2)=-16+12+24+5=25$를 갖는다.

함수 $f(x)=x^3+ax^2+bx+1$가 $x=-1$에서 극댓값 3을 갖는다고 할 때, 함수 $f(x)$의 극솟값을 구하는 과정을 다음 단계로 서술하여라.

[1단계] 함수 $f(x)$가 $x=-1$에서 극댓값 3을 가짐을 이용하여 상수 a, b의 값을 구한다.
[2단계] 함수 $f(x)$의 증가와 감소를 나타내는 표를 구한다.
[3단계] 함수 $f(x)$의 극솟값을 구한다.

| 1단계 | 함수 $f(x)$가 $x=-1$에서 극댓값 3을 가짐을 이용하여 상수 a, b의 값을 구한다. | ◀ 40% |

$f(x)=x^3+ax^2+bx+1$에서 $f'(x)=3x^2+2ax+b$
$f(x)$가 $x=-1$에서 극댓값 3을 가지므로
$f'(-1)=0$, $f(-1)=3$
$f'(-1)=3-2a+b=0$에서 $-2a+b=-3$ ······ ㉠
$f(-1)=-1+a-b+1=3$에서 $a-b=3$ ······ ㉡
㉠, ㉡을 연립하여 풀면 $a=0$, $b=-3$

| 2단계 | 함수 $f(x)$의 증가와 감소를 나타내는 표를 구한다. | ◀ 40% |

$f(x)=x^3-3x+1$이므로 $f'(x)=3x^2-3=3(x+1)(x-1)$
$f'(x)=0$에서 $x=-1$ 또는 $x=1$
$f(x)$의 증가와 감소를 표로 나타내면 다음과 같다.

x	$\cdots$	-1	$\cdots$	1	$\cdots$
$f'(x)$	$+$	0	$-$	0	$+$
$f(x)$	↗	극대	↘	극소	↗

| 3단계 | 함수 $f(x)$의 극솟값을 구한다. | ◀ 20% |

따라서 $f(x)$는 $x=1$에서 극소이고
극솟값 $f(1)=1-3+1=-1$을 갖는다.

> **정답** 해설참조

0872

> **정답** 해설참조

| 1단계 | 함수 $f(x)$가 $x=0$에서 극대, $x=4$에서 극소임을 이용하여 상수 a, b의 값을 구한다. | ◀ 50% |

$f(x)=x^3+ax^2+bx+c$에서 $f'(x)=3x^2+2ax+b$
함수 $f(x)$가 $x=0$에서 극댓값을 가지므로
$f'(0)=0$에서 $b=0$ ······ ㉠
또, 함수 $f(x)$가 $x=4$에서 극솟값을 가지므로
$f'(4)=0$에서 $48+8a+b=0$ ······ ㉡
㉠, ㉡을 연립하여 풀면 $a=-6$, $b=0$

> **참고**
> 이차방정식 $f'(x)=3x^2+2ax+b=0$의 두 근이 0, 4이므로
> 근과 계수의 관계에 의하여 $0+4=-\dfrac{2a}{3}$, $0\cdot4=\dfrac{b}{3}$
> $\therefore a=-6$, $b=0$

| 2단계 | 함수 $f(x)$가 $x=4$에서 극솟값 -25를 가질 때, 상수 c의 값을 구한다. | ◀ 30% |

$f(x)=x^3-6x^2+c$이고 함수 $f(x)$가 $x=4$에서 극솟값 -25를 가지므로
$f(4)=-25$에서 $64-96+c=-25$
$\therefore c=7$

| 3단계 | 함수 $f(x)$의 극댓값을 구한다. | ◀ 20% |

따라서 $f(x)=x^3-6x^2+7$이므로 함수 $f(x)$가 $x=0$에서 극대이고
극댓값은 $f(0)=7$

0873

> **정답** 해설참조

| 1단계 | 함수 $f(x)$가 $x=-1$, $x=3$에서 극값을 가짐을 이용하여 상수 a, b의 값을 구한다. | ◀ 30% |

$f(x)=x^3+ax^2+bx+c$에서 $f'(x)=3x^2+2ax+b$
함수 $f(x)$가 $x=-1$, $x=3$에서 극값을 가지므로
$f'(-1)=0$에서 $3-2a+b=0$
$\therefore 2a-b=3$ ······ ㉠
$f'(3)=0$에서 $27+6a+b=0$
$\therefore 6a+b=-27$ ······ ㉡
㉠, ㉡을 연립하여 풀면 $a=-3$, $b=-9$

> **참고**
> $f'(x)=3x^2+2ax+b$에서 $f'(-1)=0$, $f'(3)=0$이므로
> $f'(x)=3(x+1)(x-3)=3x^2-6x-9$
> $2a=-6$에서 $a=-3$이고 $b=-9$이므로 $f(x)=x^3-3x^2-9x+c$

| 2단계 | 극댓값과 극솟값의 절댓값이 같고 그 부호가 서로 다름을 이용하여 상수 c의 값을 구한다. | ◀ 30% |

$f(x)=x^3-3x^2-9x+c$에서 극댓값과 극솟값의 절댓값이 같고
그 부호가 서로 다르므로 $f(-1)=-f(3)$에서
$-1-3+9+c=-(27-27-27+c)$
$\therefore c=11$

| 3단계 | $a+b+c$의 값을 구한다. | ◀ 20% |

$a+b+c=(-3)+(-9)+11=-1$

| 4단계 | 극댓값과 극솟값을 구한다. | ◀ 20% |

따라서 $f(x)=x^3-3x^2-9x+11$이므로
$x=-1$에서 극대이고 극댓값은 $f(-1)=16$
$x=3$에서 극소이고 극솟값은 $f(3)=-16$

0874

> **정답** 해설참조

| 1단계 | $f'(1)=0$, $f'(3)=0$임을 이용하여 a, b의 값을 구한다. | ◀ 40% |

$f(x)=x^3+ax^2+bx+c$에서 $f'(x)=3x^2+2ax+b$
$f(x)$가 $x=1$, $x=3$에서 극값을 가지므로
$f'(1)=3+2a+b=0$ ······ ㉠
$f'(3)=27+6a+b=0$ ······ ㉡
㉠, ㉡을 연립하여 풀면 $a=-6$, $b=9$

| 2단계 | $f(1)=3f(3)$임을 이용하여 c의 값을 구한다. | ◀ 30% |

즉 $f(x)=x^3-6x^2+9x+c$에서 극댓값이 극솟값의 3배이므로
$f(1)=3f(3)$에서 $4+c=3c$, 즉 $c=2$

| 3단계 | $f(x)$의 극댓값을 구한다. | ◀ 30% |

따라서 $f(x)=x^3-6x^2+9x+2$이므로 구하는 극댓값은
$f(1)=1-6+9+2=6$

0875

정답 해설참조

1단계 곡선 $y=f(x)$ 위의 한 점 $\mathrm{P}(t,\ f(t))$에서의 접선의 방정식을 구한다. ◀ 30%

$f(x)=x^3-3x^2+2x$에서 $f'(x)=3x^2-6x+2$이므로

점 $\mathrm{P}(t,\ f(t))$에서의 접선의 방정식은

$y-(t^3-3t^2+2t)=(3t^2-6t+2)(x-t)$

$\therefore y=(3t^2-6t+2)x-2t^3+3t^2$

2단계 접선의 y절편 $g(t)$의 증가와 감소를 나타내는 표를 구한다. ◀ 40%

이때 접선의 y절편이 $g(t)=-2t^3+3t^2$이므로

$g'(t)=-6t^2+6t=-6t(t-1)$

$g'(t)=0$에서 $t=0$ 또는 $t=1$

함수 $g(t)$의 증가와 감소를 표로 나타내면 다음과 같다.

t	$\cdots$	0	$\cdots$	1	$\cdots$
$g'(t)$	$-$	0	$+$	0	$-$
$g(t)$	$\searrow$	극소	$\nearrow$	극대	$\searrow$

3단계 함수 $g(t)$의 극댓값과 극솟값의 합을 구한다. ◀ 30%

함수 $g(t)$는 $t=0$에서 극소이고 극솟값 $g(0)=0$

$t=1$에서 극대이고 극댓값 $g(1)=1$을 가지므로

극댓값과 극솟값의 합은 $1+0=1$

0876

정답 해설참조

1단계 $f(x)=2x^3+ax^2+bx+c$ ($a,\ b,\ c$는 상수)로 놓고 $f(0)$의 값을 이용하여 상수 c의 값을 구한다. ◀ 30%

$f(x)=2x^3+ax^2+bx+c$에서 $f'(x)=6x^2+2ax+b$

$\displaystyle\lim_{x\to0}\frac{f(x)}{x}=-12$에서

$x\to0$일 때, (분모)$\to0$이고 극한값이 존재하므로 (분자)$\to0$이다.

즉 $\displaystyle\lim_{x\to0}f(x)=0$이므로 $f(0)=0$

$f(0)=c$이므로 $c=0$

2단계 $f'(0)$의 값을 이용하여 상수 b의 값을 구한다. ◀ 30%

또, $\displaystyle\lim_{x\to0}\frac{f(x)-f(0)}{x-0}=f'(0)$이므로 $f'(0)=-12$

즉 $f'(0)=b$ ◀ $f'(x)=6x^2+2ax+b$

$\therefore b=-12$

3단계 $f'(1)$의 값을 이용하여 상수 a의 값을 구하고 삼차함수 $f(x)$를 구한다. ◀ 30%

삼차함수 $f(x)$가 $x=1$에서 극솟값을 가지므로 $f'(1)=0$

$f'(x)=6x^2+2ax-12$이므로 $f'(1)=6+2a-12=0$

$\therefore a=3$

즉 삼차함수는 $f(x)=2x^3+3x^2-12x$

4단계 $f(2)$의 값을 구한다. ◀ 10%

따라서 $f(2)=16+12-24=4$

0877

정답 해설참조

1단계 $f(x)$의 증가와 감소를 표로 나타내어 $a,\ b,\ c$의 값을 구한다. ◀ 40%

$y=f'(x)$의 그래프가 x축과 만나는 점의 x좌표가 0, 4이므로

$f'(x)=0$에서 $x=0$ 또는 $x=4$

함수 $f(x)$의 증가와 감소를 표로 나타내면 다음과 같다.

x	$\cdots$	0	$\cdots$	4	$\cdots$
$f'(x)$	$+$	0	$-$	0	$+$
$f(x)$	$\nearrow$	극대	$\searrow$	극소	$\nearrow$

$f(x)=x^3+ax^2+bx+c$에서 $f'(x)=3x^2+2ax+b$

$f'(0)=0$에서 $b=0$

$f'(4)=0$에서 $48+8a+b=0$ $\therefore a=-6$

함수 $f(x)$는 $x=0$에서 극대이고 극댓값이 5이므로

$f(0)=5$에서 $c=5$

$\therefore f(x)=x^3-6x^2+5$

2단계 함수 $f(x)$의 극솟값을 구한다. ◀ 30%

함수 $f(x)=x^3-6x^2+5$는 $x=4$에서 극소이므로 극솟값은

$f(4)=64-96+5=-27$

3단계 구간 $[-1,\ 6]$에서 함수 $f(x)$의 최솟값을 구한다. ◀ 30%

구간 $[-1,\ 6]$에서 $f(x)$의 증가와 감소를 표로 나타내면 다음과 같다.

x	-1	$\cdots$	0	$\cdots$	4	$\cdots$	6
$f'(x)$		$+$	0	$-$	0	$+$	
$f(x)$	-2	$\nearrow$	5	$\searrow$	-27	$\nearrow$	5

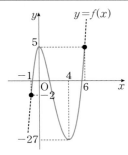

따라서 $f(-1)=-2$이고 $f(6)=5$이므로 구간 $[-1,\ 6]$에서 최솟값은 -27

0878

정답 해설참조

1단계 $f'(3)$의 값을 구한다. ◀ 20%

함수 $f(x)$는 $x=3$에서 극솟값을 가지므로 $f'(3)=0$

2단계 $f'(1-x)=f'(1+x)$를 이용하여 $f'(-1)$의 값을 구한다. ◀ 20%

$f'(1-x)=f'(1+x)$의 양변에 $x=2$를 대입하면

$f'(-1)=f'(3)$

이때 $f'(3)=0$이므로 $f'(-1)=0$

3단계 $f(x)=x^3+ax^2+bx+c$ ($a,\ b,\ c$는 상수)로 놓고 $a,\ b$의 값을 구한다. ◀ 30%

$f(x)=x^3+ax^2+bx+c$에서 $f'(x)=3x^2+2ax+b$

이때 이차방정식 $f'(x)=0$이 $x=-1$, $x=3$을 근으로 가지므로

$f'(x)=3x^2+2ax+b=3(x+1)(x-3)$

즉 $3x^2+2ax+b=3x^2-6x-9$에서 $2a=-6$, $b=-9$

$\therefore a=-3$, $b=-9$

4단계 극댓값과 극솟값의 차를 구한다. ◀ 30%

$f(x)=x^3-3x^2-9x+c$에서 $x=-1$일 때, 극댓값,

$x=3$일 때, 극솟값을 가지므로 함수 $f(x)$의 극댓값과 극솟값의 차는

$f(-1)-f(3)=(5+c)-(-27+c)=32$

0879

정답 해설참조

| 1단계 | $f'(-1)=-3$, $f'(1)=9$를 이용하여 a, b의 값을 구한다. | ◀ 30% |

$f(x)=x^3+ax^2+bx+c$에서 $f'(x)=3x^2+2ax+b$

$f'(-1)=3-2a+b=-3$

$\therefore -2a+b=-6$ ...... ㉠

$f'(1)=3+2a+b=9$

$\therefore 2a+b=6$ ...... ㉡

㉠, ㉡을 연립하면 $a=3$, $b=0$

| 2단계 | 닫힌구간 $[0, 2]$ 주어진 구간에서 $f(x)$의 증가와 감소를 표로 나타낸다. | ◀ 30% |

$f(x)=x^3+3x^2+c$에서 $f'(x)=3x^2+6x=3x(x+2)$

$f'(x)=0$에서 $x=-2$ 또는 $x=0$

구간 $[0, 2]$에서 함수의 증가와 감소를 나타내면 다음 표와 같다.

x	0	...	2
$f'(x)$	0	+	+
$f(x)$	c	↗	$20+c$

| 3단계 | 최댓값이 24임을 이용하여 c의 값을 구한다. | ◀ 20% |

$x=2$에서 최대이므로 최댓값은 $f(2)=20+c=24$

$\therefore c=4$

| 4단계 | $a+b+c$의 값을 구한다. | ◀ 20% |

따라서 $a=3$, $b=0$, $c=4$이므로 $a+b+c=3+0+4=7$

0880

정답 해설참조

| 1단계 | 점 C의 x좌표를 t라 하고 선분 CD의 길이를 t에 대한 식으로 나타낸다. | ◀ 20% |

사다리꼴의 제 1사분면에 있는 꼭짓점을

C$(t, 4-t^2)$이라 하면

$t>0$, $4-t^2>0$이므로 $0<t<2$

선분 CD의 길이는 $2t$

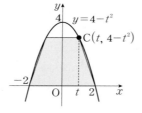

| 2단계 | 사다리꼴 ABCD의 넓이 $S(t)$를 구한다. | ◀ 30% |

넓이를 $S(t)$라 하면 사다리꼴의 윗변의 길이는 $2t$,

아랫변의 길이는 4이고 높이는 $(4-t^2)$이므로

$S(t)=\frac{1}{2}(2t+4)(4-t^2)=-t^3-2t^2+4t+8$

$S(t)=-t^3-2t^2+4t+8$ $(0<t<2)$

| 3단계 | 사다리꼴 ABCD의 넓이의 최댓값을 구한다. | ◀ 50% |

$S'(t)=-3t^2-4t+4=-(t+2)(3t-2)$

$S'(t)=0$에서 $0<t<2$이므로 $t=\frac{2}{3}$

함수 $S(t)$의 증가와 감소를 나타내면 다음 표와 같다.

t	(0)	...	$\frac{2}{3}$	...	(2)
$S'(t)$		+	0	−	
$S(t)$		↗	극대	↘	

$S(t)$는 $t=\frac{2}{3}$에서 극대이며 최대이므로

최댓값은 $S\left(\frac{2}{3}\right)=-\frac{8}{27}-\frac{8}{9}+\frac{8}{3}+8=\frac{256}{27}$

0881

정답 해설참조

| 1단계 | 밑면의 반지름의 길이를 r, 높이를 h라 하고 원기둥의 부피를 r에 관한 식으로 나타낸다. | ◀ 30% |

$r+h=60$, 즉 $h=60-r$이므로

원기둥의 부피 V는

$V(x)=\pi r^2(60-r)=\pi(-r^3+60r^2)$ $(0<r<60)$

| 2단계 | 원기둥의 부피가 최대가 되는 밑면의 반지름과 높이의 값을 구한다. | ◀ 50% |

$V'(r)=\pi(-3r^2+120r)=-\pi r(3r-120)$

$0<r<60$이므로 $V'(r)=0$에서 $r=40$

이것을 $r+h=60$에 대입하면 $h=20$

구간 $(0, 60)$에서 $V(r)$의 증가와 감소를 표로 나타내면 다음과 같다.

r	(0)	...	40	...	(60)
$V'(r)$		+	0	−	
$V(r)$		↗	극대	↘	

$V(r)$는 $r=40$일 때, 극대이면서 최대이므로 밑면의 반지름의 길이가 $r=40$이고 높이가 $h=20$일 때, 원기둥의 부피는 최대가 된다.

| 3단계 | 원기둥의 부피의 최댓값을 구한다. | ◀ 20% |

따라서 $V(r)$는 $r=40$일 때, 최댓값은 $V(40)=32000\pi$

0882

정답 해설참조

| 1단계 | 잘라낸 정사각형의 한 변의 길이를 $x$cm, 뚜껑이 없는 상자의 부피를 Vcm³라고 할 때, 뚜껑이 없는 상자의 밑면의 넓이를 x에 대한 식으로 나타낸다. | ◀ 20% |

잘라낸 정사각형의 한 변의

길이가 $x\left(0<x<\frac{9}{2}\right)$이므로

밑면의 한 변의 길이는 $9-2x$

상자의 밑면인 정사각형의

넓이는 $(9-2x)^2$

$(9-2x)$ cm $(9-2x)$ cm

| 2단계 | 뚜껑이 없는 상자의 부피 V를 x에 대한 식으로 나타낸다. | ◀ 20% |

상자의 부피는 $V=x(9-2x)^2=4x^3-36x^2+81x$

| 3단계 | 뚜껑이 없는 상자의 부피가 최대일 때, 잘라낸 정사각형의 한 변의 길이와 상자의 부피를 구한다. | ◀ 60% |

$V'(x)=12x^2-72x+81=3(4x^2-24x+27)$

$\qquad\qquad =3(2x-3)(2x-9)$

$V'(x)=0$에서 $x=\frac{3}{2}$ 또는 $x=\frac{9}{2}$

열린구간 $\left(0, \frac{9}{2}\right)$에서 $V(x)$의 증가와 감소를 나타내면 다음 표와 같다.

x	0	...	$\frac{3}{2}$	...	$\frac{9}{2}$
$V'(x)$		+	0	−	
$V(x)$		↗	극대	↘	

따라서 $V(x)$는 $x=\frac{3}{2}$일 때, 극대이면서 최대이므로 잘라내는 정사각형의 한 변의 길이가 $\frac{3}{2}$cm일 때, 상자의 부피의 최댓값은 $V\left(\frac{3}{2}\right)=54$cm³

0883

해설참조

> **1단계** 원기둥의 밑면의 반지름의 길이를 $x(0 < x < 6)$, 높이를 $h(0 < h < 12)$로 놓고 h를 x에 대한 함수로 나타낸다. ◀ 20%

오른쪽 그림에서 $\triangle ABD \backsim \triangle ACE$

이므로 $\overline{BD} : \overline{AB} = \overline{CE} : \overline{AC}$

$x : (12-h) = 6 : 12$

$12-h = 2x$

$\therefore h = 12-2x$

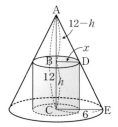

> **2단계** 원기둥의 부피를 $V(x)$라 할 때, $V(x)$를 x에 대한 함수로 나타낸다. ◀ 20%

$V(x) = \pi x^2 h = \pi x^2 (12-2x) = 2\pi(6x^2 - x^3)$

> **3단계** 원기둥의 부피가 최대일 때, 원기둥의 밑면의 반지름의 길이를 구한다. ◀ 30%

$V'(x) = 2\pi(12x - 3x^2) = 6\pi x(4-x)$

$V'(x) = 0$에서 $x = 4 (\because 0 < x < 6)$

$V(x)$의 증가와 감소를 나타내면 다음 표와 같다.

x	(0)	$\cdots$	4	$\cdots$	(6)
$V'(x)$		+	0	−	
$V(x)$		↗	극대	↘	

$V(x)$는 $x = 4$일 때, 극대이면서 최대이므로

원기둥의 부피가 최대일 때, 원기둥의 밑면의 반지름의 길이는 4cm

> **4단계** 원기둥의 부피의 최댓값을 구한다. ◀ 30%

따라서 $V(x)$는 $x = 4$일 때, 극대이면서 최대이므로

원기둥의 부피의 최댓값은 $V(4) = 2\pi(96-64) = 64\pi$

0884

해설참조

> **1단계** 원기둥의 밑면의 반지름의 길이를 r, 높이를 h로 놓고 $r+h=45$를 만족하는 원기둥의 부피를 r에 관한 식으로 나타낸다. ◀ 30%

오른쪽 그림과 같이 원기둥의 밑면의

반지름의 길이를 r, 높이를 h라 하면

$r+h = 45$이므로

$h = 45-r$

$r > 0$, $45-r > 0$이므로 $0 < r < 45$

원기둥의 부피 $V(r)$라 하면

$V(r) = \pi r^2 h = \pi r^2(45-r) = \pi(45r^2 - r^3)$

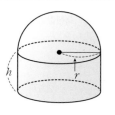

> **2단계** 원기둥의 부피가 최대가 되는 실내 농구장의 r과 h의 값을 구한다. ◀ 40%

$V'(r) = \pi(90r - 3r^2) = -3\pi r(r-30)$이므로

$V'(r) = 0$에서 $r = 0$ 또는 $r = 30$

열린구간 $(0, 45)$에서 함수 $V(r)$의 증가와 감소를 표로 나타내면 다음과 같다.

r	(0)	$\cdots$	30	$\cdots$	(45)
$V'(r)$		+	0	−	
$V(r)$		↗	극대	↘	

함수 $V(r)$는 $r = 30$에서 극대이면서 최대이다.

이때 $h = 45-30 = 15$

즉 밑면의 반지름 30, 높이는 15

> **3단계** 실내 농구장의 부피의 최댓값을 구한다. ◀ 30%

따라서 구하는 실내 농구장의 부피는

$\pi r^2 h + \dfrac{1}{2} \cdot \dfrac{4}{3}\pi r^3 = \pi \cdot 30^2 \cdot 15 + \dfrac{1}{2} \cdot \dfrac{4}{3}\pi \cdot 30^3 = 31500\pi$

0885

해설참조

> **1단계** 호두 파이의 가격을 1g당 x원 올렸을 때의 하루 이익을 식으로 나타낼 때, 빈칸에 알맞은 식을 넣어라. ◀ 50%

호두 파이 1g당 가격 : $\boxed{18+x}$ 원

하루 판매량 : $\boxed{(48000-100x^2) \text{g}}$

전체 비용 : $\boxed{650000 + 20000 = 670000}$ (원)

또한, 하루 이익을 나타내는 식을 빈칸에 알맞은 식을 넣어라.

= (호두 파이의 1g당 가격) × (하루 판매량) − (전체비용)

$= \boxed{(18+x)(48000-100x^2) - 670000}$

$= \boxed{-100x^3 - 1800x^2 + 48000x + 194000}$ (원)

> **2단계** 하루 이익이 최대가 되게 하는 호두 파이의 1g당 가격을 구한다. ◀ 50%

$x > 0$, $48000 - 100x^2 > 0$에서 $0 < x < 4\sqrt{30}$

$f(x) = -100x^3 - 1800x^2 + 48000x + 194000$로 놓으면

$f'(x) = -300x^2 - 3600x + 48000 = -300(x+20)(x-8)$

$f'(x) = 0$에서 $x = -20$ 또는 $x = 8$

열린구간 $(0, 4\sqrt{30})$에서 함수 $f(x)$의 증가와 감소를 표로 나타내면 다음과 같다.

x	(0)	$\cdots$	8	$\cdots$	$(4\sqrt{30})$
$f'(x)$		+	0	−	
$f(x)$		↗	극소	↘	

따라서 함수 $f(x)$는 $x = 8$에서 극대이면서 최대이므로 하루 이익이 최대가

되게 하는 호두 파이의 1g당 가격은 $18+8 = 26$(원)

정답과 해설 **287**

0886

 정답 3

STEP A 극한값이 존재할 조건과 미분계수 식을 이용하여 c, d의 값 구하기

$f(x)=ax^3+bx^2+cx+d(a\neq0,\ b,\ c,\ d$는 상수)로 놓으면

$f'(x)=3ax^2+2bx+c$

$\lim\limits_{x\to0}\dfrac{f(x)-5}{x}=12$에서

$x\to0$일 때, (분모)$\to0$이고 극한값을 가지므로 (분자)$\to0$이어야 한다.

즉 $\lim\limits_{x\to0}\{f(x)-5\}=0$이므로 $f(0)-5=0$ ∴ $f(0)=5$

또한, $\lim\limits_{x\to0}\dfrac{f(x)-5}{x}=\lim\limits_{x\to0}\dfrac{f(x)-f(0)}{x-0}=f'(0)=12$

∴ $f(0)=d=5$, $f'(0)=c=12$

STEP B 극한값이 존재할 조건과 미분계수 식을 이용하여 a, b의 값 구하기

$\lim\limits_{x\to-2}\dfrac{f(x)-9}{x+2}=-24$에서

$x\to-2$일 때, (분모)$\to0$이고 극한값을 가지므로 (분자)$\to0$이어야 한다.

즉 $\lim\limits_{x\to-2}\{f(x)-9\}=0$이므로 $f(-2)-9=0$ ∴ $f(-2)=9$

또한, $\lim\limits_{x\to-2}\dfrac{f(x)-9}{x+2}=\lim\limits_{x\to-2}\dfrac{f(x)-f(-2)}{x-(-2)}=f'(-2)=-24$

$f(-2)=-8a+4b-24+5=9$ ······ ㉠

$f'(-2)=12a-4b+12=-24$ ······ ㉡

㉠, ㉡을 연립하면 $a=-2$, $b=3$

∴ $f(x)=-2x^3+3x^2+12x+5$

STEP C $f(x)$가 극댓값, 극솟값을 가지는 x의 값 구하기

$f'(x)=-6x^2+6x+12=-6(x+1)(x-2)$

$f'(x)=0$에서 $x=-1$ 또는 $x=2$

함수 $f(x)$의 증가와 감소를 나타내면 다음 표와 같다.

x	$\cdots$	-1	$\cdots$	2	$\cdots$
$f'(x)$	$-$	0	$+$	0	$-$
$f(x)$	$\searrow$	극소	$\nearrow$	극대	$\searrow$

따라서 함수 $f(x)$는 $x=2$에서 극댓값을 $x=-1$에서 극솟값을 갖는다.

∴ $\alpha-\beta=2-(-1)=3$

0887

 정답 32

STEP A 점 P의 좌표를 임의로 두고 넓이를 식으로 표현하기

점 $\mathrm{P}(a,\ 12-a^2)$로 놓으면 $0<a<2\sqrt{3}$이고

마름모의 성질에 의하여 점 $\mathrm{R}(0,\ 2(12-a^2))$

마름모 OPRQ넓이를 $S(a)$라고 하면

$S(a)=2\cdot\dfrac{1}{2}\cdot2(12-a^2)\cdot a=-2a^3+24a$

STEP B 함수 $S(a)$의 증가와 감소를 표로 나타내기

$S'(a)=-6a^2+24=-6(a+2)(a-2)$

$S'(a)=0$에서 $a=2(0<a<2\sqrt{3})$

함수 $S(a)$의 증가와 감소를 나타내면 다음 표와 같다.

a	(0)	$\cdots$	2	$\cdots$	$(2\sqrt{3})$
$S'(a)$		$+$	0	$-$	
$S(a)$	0	$\nearrow$	극대	$\searrow$	0

STEP C 마름모 넓이의 최댓값 구하기

$a=2$에서 극대이면서 최댓값을 가진다.

따라서 넓이의 최댓값은 $S(2)=-16+48=32$

0888

 정답 13

STEP A a의 값의 부호에 따라 함수 $f(x)$의 극대, 극소 구하기

$f(x)=\begin{cases}a(3x-x^3) & (x<0)\\x^3-ax & (x\geq0)\end{cases}$에서 $f'(x)=\begin{cases}3a(1-x^2) & (x<0)\\3x^2-a & (x>0)\end{cases}$이므로

a의 값의 부호에 따라 $f'(x)$의 부호가 바뀌어 극대, 극소가 달라지므로 a의 값의 범위를 나누어서 생각한다.

(ⅰ) $a>0$인 경우

$f(x)=\begin{cases}a(3x-x^3) & (x<0)\\x^3-ax & (x\geq0)\end{cases}=\begin{cases}-ax(x+\sqrt{3})(x-\sqrt{3}) & (x<0)\\x(x-\sqrt{a})(x+\sqrt{a}) & (x\geq0)\end{cases}$

이므로 두 삼차함수 $y=a(3x-x^2)$, $y=x^3-ax$의 그래프의 개형에서 $y=f(x)$의 그래프는 다음과 같다.

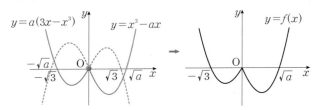

함수 $f(x)$는 $x=0$에서 극대이고 극댓값은 $f(0)=0$이므로 극댓값은 5가 아니다.

(ⅱ) $a=0$인 경우

$f(x)=\begin{cases}a(3x-x^2) & (x<0)\\x^3-ax & (x\geq0)\end{cases}=\begin{cases}0 & (x<0)\\x^3 & (x\geq0)\end{cases}$

이므로 함수 $y=f(x)$의 그래프의 개형은 다음과 같다.

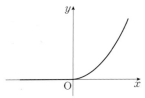

즉 $f(x)$의 극댓값은 존재하지 않는다.

(ⅲ) $a<0$인 경우

$f(x)=\begin{cases}a(3x-x^3) & (x<0)\\x^3-ax & (x\geq0)\end{cases}=\begin{cases}-ax(x-\sqrt{3})(x+\sqrt{3}) & (x<0)\\x(x^2-a) & (x\geq0)\end{cases}$

이므로 두 삼차함수 $y=a(3x-x^2)$, $y=x^3-ax$의 그래프의 개형에서 $y=f(x)$의 그래프는 다음과 같다.

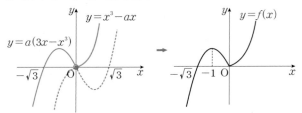

즉 함수 $f(x)$가 $x<0$인 부분에서 극댓값을 가지므로

$f(x)=a(3x-x^3)(x<0)$에서 $f'(x)=a(3-3x^2)=3a(1-x)(1+x)$

$f'(x)=0$에서 $x=-1(\because x<0)$

$x<0$에서 함수 $f(x)$의 증가와 감소를 표로 나타내면 다음과 같다.

x	$\cdots$	-1	$\cdots$	(0)
$f'(x)$	$+$	0	$-$	
$f(x)$	$\nearrow$	극대	$\searrow$	

STEP B 함수 $f(x)$의 극댓값이 5임을 이용하여 a의 값 구하기

함수 $f(x)$는 $x=-1$에서 극대이고 극댓값이 5이므로

즉 $f(-1)=5$이어야 하므로 $a\{3\cdot(-1)-(-1)^3\}=5$

$a(-3+1)=5$

$\therefore a=-\dfrac{5}{2}$

(i)~(iii)에서 $a=-\dfrac{5}{2}$이므로 $f(x)=\begin{cases}-\dfrac{5}{2}(3x-x^3) & (x<0) \\ x^3+\dfrac{5}{2}x & (x\geq0)\end{cases}$

따라서 $f(2)=2^3+\dfrac{5}{2}\cdot2=8+5=13$

0889   정답 16

STEP A 함수 $f(x)$의 증가와 감소를 표로 나타내기

$f'(x)=x^2-2x-3=(x+1)(x-3)$

$f'(x)=0$에서 $x=-1$ 또는 $x=3$

함수 $f(x)$의 증가와 감소를 표로 나타내면 다음과 같다.

x	$\cdots$	-1	$\cdots$	3	$\cdots$
$f'(x)$	$+$	0	$-$	0	$+$
$f(x)$	$\nearrow$	극대	$\searrow$	극소	$\nearrow$

STEP B 표를 이용하여 a, b의 값 구하기

$x=3$에서 극솟값 $f(3)=-9$를 가지므로

$a=3$, $b=-9$

STEP C 접선 l의 방정식을 구하여 점과 직선 사이의 거리 d 구하기

점 $(2, f(2))$에서의 접선 l의 방정식은

$y=f'(2)(x-2)+f(2)=-3(x-2)+\dfrac{8}{3}-10=-3x-\dfrac{4}{3}$

따라서 점 $(3, -9)$와 직선 $9x+3y+4=0$ 사이의 거리 d는

$d=\dfrac{|9\cdot3+3\cdot(-9)+4|}{\sqrt{9^2+3^2}}=\dfrac{4}{\sqrt{90}}$이므로 $90d^2=16$

0890   정답 16

STEP A 조건 (가)에 $x=y=0$을 대입하여 $f(0)$ 구하기

$f(x-y)=f(x)-f(y)+xy(x-y)$에 $x=0$, $y=0$을 대입하면

$f(0)=f(0)-f(0)$

$\therefore f(0)=0$ $\cdots\cdots$ ㉠

STEP B $f'(0)=8$을 이용하여 도함수 $f'(x)$ 구하기

$f'(0)=8$이므로

$f'(0)=\displaystyle\lim_{h\to0}\dfrac{f(h)-f(0)}{h}$

$=\displaystyle\lim_{h\to0}\dfrac{f(h)}{h}(\because$ ㉠$)=8$ $\cdots\cdots$ ㉡

$f'(x)=\displaystyle\lim_{h\to0}\dfrac{f(x+h)-f(x)}{h}$

$=\displaystyle\lim_{h\to0}\dfrac{f(x)-f(-h)+x\cdot(-h)(x+h)-f(x)}{h}$

$=\displaystyle\lim_{h\to0}\left\{\dfrac{f(-h)}{-h}-x^2-xh\right\}$

$=8-x^2(\because$ ㉡$)$

$=(2\sqrt2+x)(2\sqrt2-x)$

STEP C $f(x)$의 극대, 극소가 되는 a, b 구하기

$f'(x)=0$에서 $x=2\sqrt2$ 또는 $x=-2\sqrt2$

함수 $f(x)$의 증가와 감소를 표로 나타내면 다음과 같다.

x	$\cdots$	$-2\sqrt2$	$\cdots$	$2\sqrt2$	$\cdots$
$f'(x)$	$-$	0	$+$	0	$-$
$f(x)$	$\searrow$	극소	$\nearrow$	극대	$\searrow$

함수 $f(x)$가 $x=a$에서 극댓값을 갖고 $x=b$에서 극솟값을 가지므로

$a=2\sqrt2$, $b=-2\sqrt2$

따라서 $a^2+b^2=8+8=16$

0891   정답 30

STEP A $x=0$, $x=6$에서 불연속임을 이용하여 $g(x)$의 그래프 그리기

조건 (가)에서 함수 $g(x)$가 $x=0$, $x=6$에서 불연속이므로 함수 $f(x)$의 극솟값은 0, 극댓값은 6이고 함수 $g(x)$의 그래프는 다음과 같다.

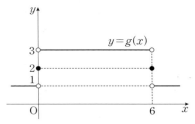

STEP B $f(x)g(x)$가 모든 실수에서 연속임을 이용하여 $f(0)$, $f(6)$의 값 구하기

조건 (나)에서 함수 $f(x)g(x)$는

$f(x)g(x)=\begin{cases}f(x) & (x<0, x>6) \\ 2f(x) & (x=0, x=6) \\ 3f(x) & (0<x<6)\end{cases}$

함수 $f(x)g(x)$는 모든 실수에서 연속이므로

$\displaystyle\lim_{x\to0}f(x)g(x)=f(0)g(0)$, $\displaystyle\lim_{x\to6}f(x)g(x)=f(6)g(6)$

그러므로 $f(0)=0$, $f(6)=0$

STEP C $f(x)$의 그래프의 개형을 찾고 $x=4$에서 극댓값을 가짐을 이용하여 $f(x)$의 함수식 구하기

따라서 함수 $f(x)$의 그래프의 개형은 [그림1] 또는 [그림2] 중 하나이다.

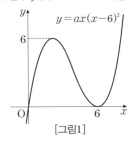 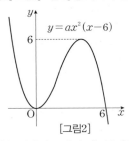

[그림1]   [그림2]

이때 조건 (다)에서 $f(5)f(7)<0$이므로 함수 $f(x)$의 그래프는 [그림2]와 같다.

$\therefore f(x)=ax^2(x-6)$

$f'(x)=3ax(x-4)=0$에서 $x=0$ 또는 $x=4$이므로

함수 $f(x)$는 $x=4$에서 극댓값을 갖는다.

$f(4)=-32a=6$ $\therefore a=-\dfrac{3}{16}$

$\therefore f(x)=-\dfrac{3}{16}x^2(x-6)$

따라서 $f(-4)=-\dfrac{3}{16}\cdot(-4)^2\cdot(-4-6)=30$

최고차항의 계수가 1이고 $f(0)=-20$인 삼차함수 $f(x)$가 있다. 실수 t에 대하여 직선 $y=t$와 함수 $y=f(x)$의 그래프가 만나는 점의 개수 $g(t)$는

$$g(t)=\begin{cases} 1 & (t<-4 \text{ 또는 } t>0) \\ 2 & (t=-4 \text{ 또는 } t=0) \\ 3 & (-4<t<0) \end{cases}$$

이다. $f(9)$의 값은?

① 122   ② 136   ③ 144
④ 196   ⑤ 225

STEP A **주어진 조건을 만족하는 $f(x)$의 함수식 세우기**

주어진 조건에 의하여 함수 $f(x)$의 극댓값은 0, 극솟값은 -4
함수 $y=f(x)$의 그래프가 x축과 만나는 점의 x좌표를 a, b라 하면
$f(x)=(x-a)^2(x-b)$

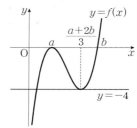

STEP B **$f\left(\dfrac{a+2b}{3}\right)=-4$임을 이용하여 a, b 사이의 관계식 구하기**

$f'(x)=2(x-a)(x-b)+(x-a)^2=(x-a)(3x-a-2b)$
$f'(x)=0$에서 $x=a$ 또는 $x=\dfrac{a+2b}{3}$
이때 극솟값이 -4이므로
$f\left(\dfrac{a+2b}{3}\right)=\dfrac{4}{27}(a-b)^3=-4$
$(a-b)^3=27$ ∴ $a-b=3$ ...... ㉠
이므로 $b=a+3$

STEP C **$f(0)=-20$임을 이용하여 a, b의 값 구하기**

$f(0)=-a^2b=-a^2(a+3)=-20$
$a^3+3a^2-20=0$
$(a-2)(a^2+5a+10)=0$ ∴ $a=2$
㉠에서 $b=5$
따라서 $f(x)=(x-2)^2(x-5)$이므로 $f(9)=196$

다른풀이 **주어진 함수를 x축의 방향으로 평행이동하여 기준선을 바꾸어 식을 세우기**

최고차항의 계수가 1인 삼차함수 $f(x)$가 $x=a$에서 극댓값 0을 갖는다고 하고
함수 $f(x)$를 x축의 음의 방향으로 a만큼 평행 이동하여 얻은 함수를
$h(x)=f(x+a)$라 하고 함수 $y=h(x)$의 그래프와 x축의 교점의 x좌표를
α $(\alpha\neq0)$라 하자.
$h(x)=x^2(x-\alpha)$
$h'(x)=2x(x-\alpha)+x^2=x(3x-2\alpha)=0$
함수 $y=h(x)$는 $x=\dfrac{2\alpha}{3}$에서 극솟값 -4를 가지므로
$\left(\dfrac{2\alpha}{3}\right)^2\left(\dfrac{2\alpha}{3}-\alpha\right)=-\dfrac{4\alpha^3}{27}=-4$
$\alpha=3$이고 $f(x+a)=x^2(x-3)$
$f(x)=(x-a)^2(x-a-3)$
$f(0)=-20$이므로 $a^2(a+3)=20=2^2\cdot5$
$a=2$이므로 $f(x)=(x-2)^2(x-5)$
따라서 $f(9)=196$

정답 ④

0892

STEP A **$f(x)=x^3$이면 함수 $g(t)$는 상수함수임을 판단하기**

곡선 $y=f(x)$와 직선 $y=-x+t$의 교점의 개수는
방정식 $f(x)=-x+t$의 서로 다른 실근의 개수와 같다.

ㄱ. 곡선 $f(x)=x^3$과 직선 $y=-x+t$는 한 점에서 만나므로 $g(t)=1$
   즉 함수 $g(t)$는 상수함수이다. [참]

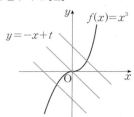

참고 $f(x)=x^3$이면 $x^3=-x+t$
$x^2+x-k=0$ ...... ㉠
$h(x)=x^2+x-k$라 하면 $h'(x)=3x^2+1>0$이므로
$h(x)$는 증가함수이다.
즉 모든 실수 t에 대하여 방정식 ㉠의 실근의 개수는 1이다.
$g(t)=1$이고 함수 $g(t)$는 상수함수이다. [참]

STEP B **$g(1)=2$이면 $g(t)=3$인 t가 존재함을 판단하기**

ㄴ. 삼차함수 $y=f(x)$의 그래프와 직선 $y=-x+1$의 교점의 개수가 2개인
   경우는 다음 그림과 같은 경우이다.

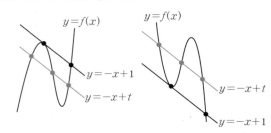

즉 삼차함수 $y=f(x)$의 그래프와 직선 $y=-x+t$가 세 점에서
만나도록 하는 실수 t가 존재한다. [참]

STEP C **$g(t)$가 상수함수이면 $f(x)$가 극값을 가짐을 보이기**

ㄷ. **반례** 삼차함수 $f(x)=x^3-x$라 하면
$f'(x)=3x^2-1=-1$ ∴ $x=0$
즉 $x=0$에서 곡선의 접선의 방정식이 $y=-x$이므로
$g(t)$가 상수함수이다.
한편 $f'(x)=3x^2-1=0$
$x=-\dfrac{\sqrt{3}}{3}$ 또는 $x=\dfrac{\sqrt{3}}{3}$에서 $f(x)$는 극값을 가진다. [거짓]

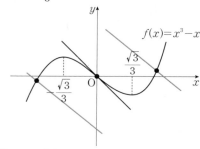

따라서 옳은 것은 ㄱ, ㄴ이다.

참고

$f(x)=x^3+x^2$일 때, $x^3+x^2=-x+t$

$x^3+x^2+x-t=0$

$h(x)=x^3+x^2+x-t$라 하면 $h'(x)=3x^2+2x+1>0$이므로

$h(x)$는 증가함수이고 $h(x)=0$의 실근의 개수는 1이다.

즉 모든 실수 t에 대하여 $g(t)=1$이고 $g(t)$는 상수함수이다.

한편 $f'(x)=3x^2+2x=0$

$x=0$ 또는 $x=-\dfrac{2}{3}$에서 $f(x)$는 극값을 가진다.

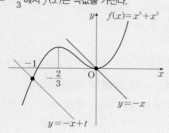

다른풀이 $x \geq -1$인 모든 실수 x에 대하여 $g(x) \geq 0$임을 이용하여 풀이하기

$x \geq -1$인 모든 실수 x에 대하여 $g(x) \geq 0$이므로 $g(-1) \geq 0$이어야 한다.

$g(-1)=-1+a-3 \geq 0$, $a-4 \geq 0$ $\therefore a \geq 4$

$f(x)=x^3+ax^2+2ax+2a$

따라서 $f(2)=8+4a+4a+2a=10a+8 \geq 48$

$g(x)=f(x)-f'(x)$라 하면 $g(x)=x^3+(a-3)x^2+(b-2a)x$

이때 $y=g(x)$는 원점을 지나므로 $x=0$ 근처에서 생각해 보면 다음과 같은 세 가지의 경우를 생각해 볼 수 있다.

(i)   (ii)

(iii)

그런데 $x \geq -1$인 모든 실수 x에 대하여 $g(x) \geq 0$이므로 세 번째 경우만이 가능하고 $g(x)$는 $x=0$에서 x축에 접하므로 $g(x)$는 x^2을 인수로 가진다.

0893

정답 48

STEP A   조건 (가), (나), (다)를 이용하여 삼차함수 $f(x)$의 식 구하기

조건 (가)에 의하여 최고차항의 계수가 1인 삼차함수이므로

$f(x)=x^3+ax^2+bx+c$ $(a, b, c$는 상수$)$로 놓으면

$f'(x)=3x^2+2ax+b$이므로

조건 (나)에서 $f(0)=f'(0)$에서 $c=b$

$\therefore f(x)=x^3+ax^2+bx+b$

조건 (다)에 의해 $x \geq -1$인 모든 실수 x에 대하여 $f(x) \geq f'(x)$이므로

$f(x)-f'(x) \geq 0$이 항상 성립한다.

$g(x)=f(x)-f'(x) \geq 0$이라 하면

$g(x)=(x^3+ax^2+bx+b)-(3x^2+2ax+b) \geq 0$

$\qquad =x^3+(a-3)x^2+(b-2a)x \geq 0$

$\qquad =x\{x^2+(a-3)x+(b-2a)\} \geq 0$

STEP B   조건 (나)에서 $f(0)-f'(0)=0$이고 조건 (다)에서 $x \geq -1$인 모든 실수 x에 대하여 $f(x)-f'(x) \geq 0$을 이용하여 $f(2)$의 최솟값 구하기

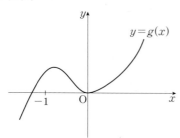

$g(0)=0$이고 조건 (다)에 의해 $x \geq -1$인 모든 실수 x에 대하여

$g(x) \geq 0$이므로 함수 $g(x)$는 $x=0$에서 극솟값 0을 갖는다.

즉 $g'(0)=0$이므로 $g'(x)=3x^2+2(a-3)x+b-2a$에서

$g'(0)=b-2a=0$ $\therefore b=2a$

$g(x)=x^3+(a-3)x^2=x^2(x+a-3)$이므로

$g(x)=0$에서 $x=0$ 또는 $x=3-a$이고

$x \geq -1$에서 $g(x) \geq 0$이므로 $3-a \leq -1$이어야 한다.

$\therefore a \geq 4$ $\qquad\qquad\qquad$ ……… ㉠

$f(x)=x^3+ax^2+2ax+2a$이므로

$f(2)=8+4a+4a+2a=10a+8 \geq 10 \times 4+8=48$ ($\because$ ㉠)

따라서 $f(2)$의 최솟값은 48

0894

정답 ③

STEP A   조건을 만족시키는 사차함수의 그래프와 도함수의 그래프를 그리기

두 조건 (가), (나)를 만족시키는 도함수 $y=f'(x)$와 함수 $y=f(x)$의 그래프는 다음과 같다.

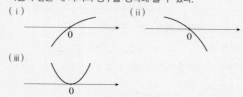

STEP B   [보기]의 참, 거짓 판별하기

ㄱ. 함수 $y=f(x)$의 그래프에서 함수 $y=f'(x)$의 그래프와 x축은 열린구간 $(k, 2)$에서 한 점에서 만난다.

즉 방정식 $f'(x)=0$은 열린구간 $(0, 2)$에서 한 개의 실근을 갖는다. [참]

ㄴ. 함수 $y=f(x)$의 그래프에서 함수 $f(x)$는 극솟값을 갖지만 극댓값은 갖지 않는다. [거짓]

ㄷ. $f(0)=0$이면 양수 a에 대하여 $f(x)=x^3(x-a)$로 놓을 수 있다.

$f(x)=x^4-ax^3$에서 $f'(x)=4x^3-3ax^2$이고

$f'(2)=32-12a=16$에서

$a=\dfrac{4}{3}$이므로 $f(x)=x^3\left(x-\dfrac{4}{3}\right)$

함수 $f(x)$는 $x=1$에서 극솟값

$-\dfrac{1}{3}$을 가지므로 $y=f(x)$의

그래프는 오른쪽 그림과 같다.

모든 실수 x에 대하여 $f(x) \geq -\dfrac{1}{3}$이다. [참]

참고 $f'(x)=4x^2(x-1)=4x^3-4x^2$이므로

← 사차함수의 최고차항의 계수가 1이므로 $f'(x)$의 최고차항의 계수는 4이다.

$f(x)=\displaystyle\int(4x^3-4x^2)dx=x^4-\dfrac{4}{3}x^3+C$ (단, C는 적분상수)

$f(0)=0$이므로 $f(0)=C=0$

$\therefore f(x)=x^4-\dfrac{4}{3}x^3=x^3\left(x-\dfrac{4}{3}\right)$

함수 $f(x)$는 $x=1$에서

극솟값 $-\dfrac{1}{3}$을 가지므로 $y=f(x)$의

그래프는 오른쪽 그림과 같다.

그러므로 모든 실수 x에 대하여 $f(x) \geq -\dfrac{1}{3}$이다. [참]

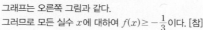

따라서 옳은 것은 ㄱ, ㄷ이다.

참고

$f(0)=0$이면 양수 a에 대하여 $f(x)=x^3(x-a)$로 놓을 수 있다.

$f(x)=x^4-ax^3$에서 $f'(x)=4x^3-3ax^2$이고

$f'(2)=32-12a=16$에서 $a=\dfrac{4}{3}$

즉 $f(x)=x^3\left(x-\dfrac{4}{3}\right)$

0895

STEP A 두 점 A, B 사이의 거리 $f(t)$ 구하기

두 점 A, B의 좌표는 $A(t,\ t^4-4t^3+10t-30)$, $B(t,\ 2t+2)$

$f(t)=\overline{AB}$는 두 함수의 함숫값의 차와 같으므로

$f(t)=|t^4-4t^3+8t-32|$

STEP B $f(t)$의 그래프의 개형을 그리기

$g(t)=t^4-4t^3+8t-32$라 하면

$g'(t)=4t^3-12t^2+8=4(t-1)(t^2-2t-2)$

$g'(t)=0$에서 $t=1$ 또는 $t=1-\sqrt{3}$ 또는 $t=1+\sqrt{3}$

함수 $g(t)$의 증가와 감소를 표로 나타내면 다음과 같다.

t	$\cdots$	$1-\sqrt{3}$	$\cdots$	1	$\cdots$	$1+\sqrt{3}$	$\cdots$
$g'(t)$	$-$	0	$+$	0	$-$	0	$+$
$g(t)$	$\searrow$	극소	$\nearrow$	극대	$\searrow$	극소	$\nearrow$

사차함수 $g(t)$는 $t=1$에서 극댓값 -27을 갖고

$t=1-\sqrt{3}$, $t=1+\sqrt{3}$에서 극솟값을 갖는다.

또한, $g(t)=t^4-4t^3+8t-32=(t+2)(t-4)(t^2-2t+4)$

이므로 $g(t)=0$에서 $t=-2$ 또는 $t=4$

함수 $g(t)$의 그래프의 개형은 다음과 같다.

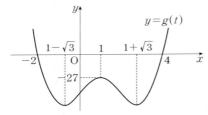

즉 함수 $f(t)$의 그래프의 개형은 다음과 같다.

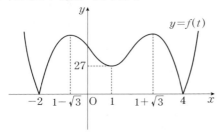

STEP C 주어진 조건을 만족하는 실수 t의 값의 합 구하기

$\displaystyle\lim_{h\to0+}\dfrac{f(t+h)-f(t)}{h}\times\lim_{h\to0-}\dfrac{f(t+h)-f(t)}{h}\leq0$을 만족하려면

$x=t$에서 좌미분계수와 우미분계수의 부호가 서로 다르거나 ← 미분불가능

$f'(t)=0$이어야 한다.

이때 좌미분계수와 우미분계수의 부호가 다른 t는 $t=-2$ 또는 $t=4$이고

$f'(t)=0$인 t는 $t=1-\sqrt{3}$ 또는 $t=1+\sqrt{3}$

따라서 조건을 만족시키는 t의 값의 합은 $-2+(1-\sqrt{3})+1+(1+\sqrt{3})+4=5$

0896

STEP A $y=f(x)$ 위의 점 $(t,\ f(t))$에서의 접선의 방정식을 구하고 점 P의 좌표를 구하기

$f(x)=x^3+ax^2+bx$에서 $f'(x)=3x^2+2ax+b$

곡선 $y=f(x)$ 위의 점 $(t,\ f(t))$에서의 접선의 방정식은

$y-(t^3+at^2+bt)=(3t^2+2at+b)(x-t)$

$y=(3t^2+2at+b)x-3t^3-2at^2-bt+(t^3+at^2+bt)$

$\therefore\ y=(3t^2+2at+b)x-2t^3-at^2$

접선이 y축과 만나는 점 P의 좌표는 $P(0,\ -2t^3-at^2)$

STEP B 함수 $g(t)$의 그래프의 개형을 그리기

이때 $g(t)$는 원점에서 점 P까지의 거리이므로

$g(t)=|-2t^3-at^2|=|2t^3+at^2|=|t^2(2t+a)|$

이때 $g(t)$의 그래프는 $t=0$ 또는 $t=-\dfrac{a}{2}$에서 t축과 만나고

함수 $g(t)$의 그래프는 $y=t^2(2t+a)$의 그래프에서 t축 아래에 있는 부분을 위로 꺾어 올려 그린 그래프이므로 다음과 같다.

(ⅰ) $a>0$　　　　(ⅱ) $a<0$　　　　(ⅲ) $a=0$

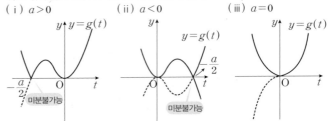

STEP C 함수 $g(t)$는 실수 전체의 집합에서 미분가능할 조건을 구하여 a, b의 값을 구한 후 $f(3)$ 구하기

이때 위의 그림과 같이 $a>0$ 또는 $a<0$이면

함수 $g(t)$는 $t=-\dfrac{a}{2}$에서 좌미분계수와 우미분계수의 값이 서로 다르므로 미분불가능하다.

그런데 조건 (나)에 의하여

함수 $g(t)$는 실수 전체의 집합에서 미분가능해야 하므로

$-\dfrac{a}{2}=0$이어야 하므로 $a=0$

$\therefore\ f(x)=x^3+bx$

조건 (가)에서 $f(1)=2$이므로 $f(1)=1+b=2$　$\therefore\ b=1$

따라서 $f(x)=x^3+x$이므로 $f(3)=3^3+3=30$

미분가능한 함수 $h(t)$에 대하여

$g(t)=|h(t)|$가 모든 실수에서 미분가능하려면

$\Rightarrow h(t)=0$인 t에 대하여 $h'(t)=0$이다.

$\Rightarrow$ 꺾어 올린 그래프가 뾰족점 없이 이어져야 한다.

0897

STEP Ⓐ $f'(x)=0$인 x**의 값과 증감표 구하기**

$f(x)=x^3+ax^2-a^2x+2$에서 $f'(x)=3x^2+2ax-a^2=(x+a)(3x-a)$

$f'(x)=0$에서 $x=-a$ 또는 $x=\dfrac{a}{3}$

$f(x)$의 증가와 감소를 표로 나타내면 다음과 같다.

x	$\cdots$	$-a$	$\cdots$	$\dfrac{a}{3}$	$\cdots$
$f'(x)$	$+$	0	$-$	0	$+$
$f(x)$	↗	극대	↘	극소	↗

즉 구간 $[-a,\ a]$에서 함수 $f(x)$는 $x=-a$에서 극대이고 $x=\dfrac{a}{3}$에서 극소이다.

STEP Ⓑ 최솟값을 이용하여 a**의 값 구하기**

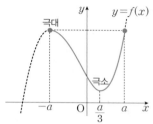

함수 $f(x)$는 $x=\dfrac{a}{3}$에서 극소이면서 최소이므로 최솟값은 $f\left(\dfrac{a}{3}\right)=\dfrac{14}{27}$를 갖는다.

$f\left(\dfrac{a}{3}\right)=\left(\dfrac{a}{3}\right)^3+a\cdot\left(\dfrac{a}{3}\right)^2-a^2\cdot\left(\dfrac{a}{3}\right)+2=-\dfrac{5}{27}a^3+2$

$-\dfrac{5}{27}a^3+2=\dfrac{14}{27}$에서 $a^3-8=(a-2)(a^2+2a+4)=0$ ∴ $a=2$

∴ $f(x)=x^3+2x^2-4x+2$

STEP Ⓒ 최댓값 M **구하기**

최댓값을 구하기 위해 구간의 양 끝 값을 구해보면

$f(2)=2^3+2\cdot2^2-4\cdot2+2=10$

$f(-2)=(-2)^3+2\cdot(-2)^2-4\cdot(-2)+2=10$이므로 최댓값은 $M=10$

따라서 $a+M=2+10=12$

0898

STEP Ⓐ $f(0)<0$**일 때, 함수** $y=f(x)$**의 그래프의 개형 그리기**

도함수 $y=f'(x)$의 그래프에서 함수 $y=f(x)$는
$x=0$에서 극대, $x=2$에서 극소를 가진다.

ㄱ. $f(0)<0$이면 함수 $y=f(x)$의 그래프의 개형과 함수 $y=|f(x)|$의 그래프의 개형은 다음과 같다.

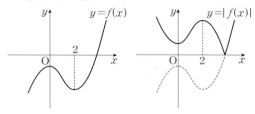

즉 $f(2)<f(0)<0$이므로 $|f(2)|>|f(0)|$ [참]

STEP Ⓑ $f(0)f(2)\geq0$**일 때, 함수** $y=|f(x)|$**의 그래프의 개형 그리기**

ㄴ. $f(0)f(2)\geq0$일 때, $f(0)>f(2)$이므로 함수 $y=|f(x)|$의 그래프의 개형을 각 경우에 따라 그리면 다음과 같다.

(i) $f(0)>f(2)>0$일 때, 함수 $y=f(x)$의 그래프의 개형과 함수 $y=|f(x)|$의 그래프의 개형은 다음과 같다.

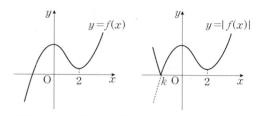

즉 $|f(k)|=0(k\neq2)$라 하면 극소인 a의 값은 k와 2로 개수는 2

(ii) $f(0)>f(2)$이고 $f(2)=0$일 때, 함수 $y=f(x)$의 그래프의 개형과 함수 $y=|f(x)|$의 그래프의 개형은 다음과 같다.

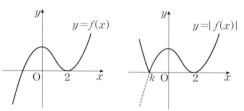

즉 $|f(k)|=0(k\neq2)$라 하면 극소인 a의 값은 k와 2로 개수는 2

(iii) $f(0)=0$이고 $f(2)<0$일 때, 함수 $y=f(x)$의 그래프의 개형과 함수 $y=|f(x)|$의 그래프의 개형은 다음과 같다.

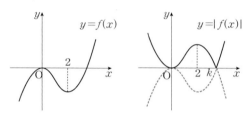

즉 $|f(k)|=0(k\neq2)$라라 하면 극소인 a의 값은 0과 k로 개수는 2

(iv) $f(2)<f(0)<0$일 때,
함수 $y=f(x)$의 그래프의 개형과 함수 $y=|f(x)|$의 그래프의 개형은 다음과 같다.

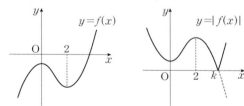

즉 $|f(k)|=0$이라 하면 극소인 a의 값은 0과 k로 개수는 2

(i)~(iv)에서 극소인 a의 값의 개수는 2이다. [참]

STEP Ⓒ $f(0)=-f(2)$**를 만족하는 함수** $y=f(x),y=|f(x)|$**의 그래프 그리기**

ㄷ. $f(0)+f(2)=0$이므로 $f(2)=-f(0)$
함수 $y=f(x)$의 그래프의 개형과 함수 $y=|f(x)|$의 그래프의 개형은 다음과 같다.

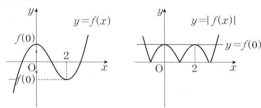

이때 방정식 $|f(x)|=f(0)$의 서로 다른 실근의 개수는 함수 $y=|f(x)|$와 직선 $y=f(0)$의 서로 다른 교점의 개수와 같다.

위의 그림에서 함수 $y=|f(x)|$의 그래프와 직선 $y=f(0)$의 서로 다른 교점의 개수는 4이므로 서로 다른 실근의 개수도 4이다. [참]

따라서 옳은 것은 ㄱ, ㄴ, ㄷ이다.

0899

STEP Ⓐ $f(x)$의 증가와 감소를 표로 나타내기

$f(x)=x^3-x^2-8x$

$f'(x)=3x^2-2x-8=(3x+4)(x-2)$

$f'(x)=0$에서 $x=-\dfrac{4}{3}$ 또는 $x=2$

함수 $f(x)$의 증가나 감소를 표로 나타내면 다음과 같다.

x	$\cdots$	$-\dfrac{4}{3}$	$\cdots$	2	$\cdots$
$f'(x)$	$+$	0	$-$	0	$+$
$f(x)$	↗	극대	↘	극소	↗

이므로 함수 $y=f(x)$의 그래프의 개형은 다음과 같다.

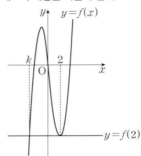

STEP Ⓑ $x\geq t$에서 $f(x)$의 최솟값 $g(t)$의 식 작성하기

이때 함수 $y=f(x)$의 그래프가 직선 $y=f(2)$와 만나는 점 중 x좌표가 2가 아닌 점의 x좌표를 $k(k\neq 2)$라 하면

(i) $t<k$일 때,

　$x\geq t$에서 함수 $f(x)$의 최솟값은 $f(t)$이므로 $g(t)=f(t)$

(ii) $k\leq t\leq 2$일 때,

　$x\geq t$에서 함수 $f(x)$의 최솟값은 $f(2)$이므로 $g(t)=f(2)$

(iii) $t>2$일 때,

　$x\geq t$에서 함수 $f(x)$의 최솟값은 $f(t)$이므로 $g(t)=f(t)$

(i)~(iii)에 의하여 $g(t)=\begin{cases}f(t) & (t<k \text{ 또는 } t>2)\\ f(2) & (k\leq t\leq 2)\end{cases}$이므로

함수 $y=g(t)$의 그래프는 다음과 같다.

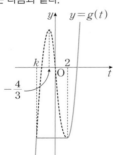

STEP Ⓒ 함수 $g(t)$가 실수 $t=a$에서만 미분가능하지 않을 때, 실수 a의 값 구하기

이때 $\displaystyle\lim_{t\to 2+}\dfrac{g(t)-g(2)}{t-2}=\lim_{t\to 2-}\dfrac{g(t)-g(2)}{t-2}=0$이므로

함수 $g(t)$는 $t=2$에서 미분가능하고

$\displaystyle\lim_{t\to k+}\dfrac{g(t)-g(k)}{t-k}=0$, $\displaystyle\lim_{t\to k-}\dfrac{g(t)-g(k)}{t-k}=f'(k)\neq 0$이므로

함수 $g(t)$는 $t=k$일 때만 미분가능하지 않다.

$f(k)=f(2)$이므로 　　　　　……… ㉠

$k^3-k^2-8k=-12$에서 $k^3-k^2-8k+12=(k-2)^2(k+3)=0$

$\therefore k=-3$

따라서 $a=-3$

참고 ㉠에서 k의 값을 다음과 같이 구할 수 있다.
함수 $y=f(x)$의 그래프와 직선 $y=f(2)$가 $x=2$에서 접하므로
방정식 $f(x)=f(2)$, 즉 $x^3-x^2-8x-f(2)=0$은
중근 $x=2$와 또 다른 한 실근 $x=k$를 가지므로
삼차방정식의 근과 계수의 관계에 의하여 $2+2+k=1$에서 $k=-3$

0900

STEP Ⓐ 함수 $f(x)$를 미분하여 극값 구하기

$f(x)=-3x^4+4(a-1)x^3+6ax^2(a>0)$에서

$f'(x)=-12x^3+12(a-1)x^2+12ax$

$\qquad =-12x\{x^2-(a-1)x-a\}$

$\qquad =-12x(x+1)(x-a)$

$f'(x)=0$에서 $x=-1$ 또는 $x=0$ 또는 $x=a$

함수 $f(x)$의 증가와 감소를 표로 나타내면 다음과 같다.

x	$\cdots$	-1	$\cdots$	0	$\cdots$	a	$\cdots$
$f'(x)$	$+$	0	$-$	0	$+$	0	1
$f(x)$	↗	극대	↘	극소	↗	극대	↘

즉 $f(x)$는 사차함수이고 최고차항 계수가 음수이므로 $x=-1$, $x=a$에서 극댓값 $f(-1)=2a+1$, $f(a)=a^4+2a^3$을 갖고 $x=0$에서 극솟값을 갖는다.

STEP Ⓑ $f(-1)\geq f(a)$일 때와 $f(-1)<f(a)$일 때로 나누어 $y=f(x)$의 그래프의 개형 그리기

(i) $f(-1)\geq f(a)$일 때, $y=f(x)$의 그래프의 개형은 다음과 같다.

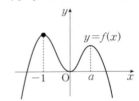

$t<-1$이면 $g(t)=f(t)=-3t^4+4(a-1)t^3+6at^2$

$t\geq -1$이면 $g(t)=f(-1)=2a+1$

이때 $f(t)$, $f(-1)$은 다항함수이고 $t=-1$에서 미분가능을 확인하면

$g'(t)=\begin{cases}-12t^3+12(a-1)t^2+12at & (t<-1)\\ 0 & (t>-1)\end{cases}$이고

$\displaystyle\lim_{t\to -1-}g'(t)=\lim_{t\to -1+}g'(t)=0$이므로 $g(t)$는 $t=-1$에서 미분가능하다.

즉 $g(t)$는 실수 전체에서 미분가능하다.

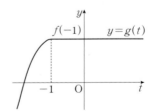

(ii) $f(-1)<f(a)$일 때, $y=f(x)$의 그래프의 개형은 다음과 같다.

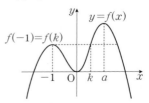

$f(-1)=f(k)(0<k\leq a)$라 하자.

$t<-1$이면 $g(t)=f(t)=-3t^4+4(a-1)t^3+6at^2$

$-1 \le t < k$이면 $g(t)=f(-1)=2a+1$

$k \le t < a$이면 $g(t)=f(t)=-3t^4+4(a-1)t^3+6at^2$

$t \ge a$이면 $g(t)=f(a)=a^4+2a^3$

이때 $g'(t)=\begin{cases} -12t^3+12(a-1)t^2+12at & (t<-1) \\ 0 & (-1<t<k) \\ -12t^3+12(a-1)t^2+12at & (k<t<a) \\ 0 & (t>a) \end{cases}$

먼저 $t=-1$에서 미분가능을 조사하면

$\lim_{t \to -1-} g'(t)=\lim_{t \to -1+} g'(t)=0$이므로 $g(t)$는 $t=-1$에서 미분가능하다.

또한, $t=k$에서 미분가능을 조사하면

$\lim_{t \to k-} g'(t)=0 \ne \lim_{t \to k+} g'(t)$이므로 $t=k$에서 미분가능하지 않다.

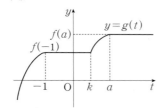

($\because$ $k \le t < a$이면 $g(t)=f(t)=-3t^4+4(a-1)t^3+6at^2$이므로

$t=k$에서 극값을 가지지 않으므로 $\lim_{t \to k+} g'(t) \ne 0$이다.)

STEP C $g(t)$가 실수 전체의 집합에서 미분가능한 조건을 구하고 a의 최댓값 구하기

(i), (ii)에서 모든 실수에서 미분가능할 조건은 $f(-1) \ge f(a)$일 때,

$-3-4(a-1)+6a \ge -3a^4+4(a-1)a^3+6a^3$

$a^4+2a^3-2a-1 \le 0$

$(a+1)^3(a-1) \le 0$

이때 $a>0$이므로 $a-1 \le 0$ $\therefore 0 < a \le 1$

따라서 a의 최댓값은 1

0901
정답 ⑤

STEP A $g(x)$가 실수전체에서 미분가능을 이용하여 삼차함수 $f(x)$의 식 작성하기

최고차항의 계수가 1인 삼차함수 $f(x)$을

$f(x)=x^3+ax^2+bx+c$ (a, b, c는 상수)라 하면

$f'(x)=3x^2+2ax+b$

이때 함수 $g(x)=\begin{cases} \dfrac{1}{2} & (x<0) \\ f(x) & (x \ge 0) \end{cases}$이 실수 전체의 집합에서 미분가능하므로

$x=0$에서 연속이다.

$\lim_{x \to 0-} g(x)=\dfrac{1}{2}$, $\lim_{x \to 0+} g(x)=\lim_{x \to 0+}(x^3+ax^2+bx+c)=c$

$g(0)=\dfrac{1}{2}$이므로 $c=\dfrac{1}{2}$

또한, $x=0$에서 미분가능하므로 ← $f(0)=\frac{1}{2}$, $f'(0)=0$이므로 $c=\frac{1}{2}$, $b=0$

$\lim_{h \to 0+} \dfrac{f(0+h)-f(0)}{h}=\lim_{h \to 0+}\dfrac{h^3+ah^2+bh}{h}=\lim_{h \to 0+}(h^2+ah+b)=b$

$\lim_{h \to 0-} \dfrac{f(0+h)-f(0)}{h}=\lim_{h \to 0+}\dfrac{\frac{1}{2}-\frac{1}{2}}{h}=0$

$\therefore b=0$

즉 $f(x)=x^3+ax^2+\dfrac{1}{2}$

STEP B 주어진 명제의 참, 거짓 판단하기

ㄱ. $g(0)+g'(0)=f(0)+f'(0)=\dfrac{1}{2}+0=\dfrac{1}{2}$ [참]

ㄴ. $f'(x)=3x^2+2ax=x(3x+2a)=0$

$f'(x)=0$에서 $x=0$ 또는 $x=-\dfrac{2a}{3}$

(i) $-\dfrac{2a}{3}<0$이면 함수 $g(x)$의 최솟값이 $\dfrac{1}{2}$이므로 조건을 만족시키지 않는다.

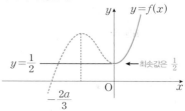

(ii) $-\dfrac{2a}{3}>0$이면 함수 $g(x)$의 최솟값이 $\dfrac{1}{2}$보다 작으므로 조건을 만족한다.

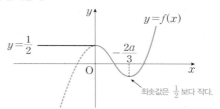

(i), (ii)에서 $-\dfrac{2a}{3}>0$이므로 $a<0$이다.

이때 $g(1)=f(1)=1+a+\dfrac{1}{2}=\dfrac{3}{2}+a$이므로 $g(1)<\dfrac{3}{2}$ ($\because a<0$) [참]

← $f\left(-\dfrac{2}{3}a\right)$에서 최솟값을 가지므로

$f\left(-\dfrac{2a}{3}\right)=-\dfrac{8}{27}a^3+\dfrac{4}{9}a^3+\dfrac{1}{2}=\dfrac{4}{27}a^3+\dfrac{1}{2}<\dfrac{1}{2}$이므로 $a<0$

ㄷ. 함수 $g(x)$는 $x=-\dfrac{2}{3}a$에서 최소이고 최솟값은

$g\left(-\dfrac{2a}{3}\right)=f\left(-\dfrac{2a}{3}\right)=-\dfrac{8}{27}a^3+\dfrac{4}{9}a^3+\dfrac{1}{2}=\dfrac{4}{27}a^3+\dfrac{1}{2}$

함수 $g(x)$의 최솟값이 0이므로 $\dfrac{4}{27}a^3+\dfrac{1}{2}=0$

$a^3=-\dfrac{27}{8}$ $\therefore a=-\dfrac{3}{2}$

즉 $f(x)=x^3-\dfrac{3}{2}x^2+\dfrac{1}{2}$이므로 $g(2)=f(2)=8-6+\dfrac{1}{2}=\dfrac{5}{2}$ [참]

따라서 옳은 것은 ㄱ, ㄴ, ㄷ이다.

0902

STEP A 조건을 만족시키는 유리함수와 삼차함수 구하기

$x < 1$일 때, 함수 $g(x)$는 $y = \dfrac{ax-9}{x-1} = \dfrac{a(x-1)+a-9}{x-1} = \dfrac{a-9}{x-1} + a$

이 그래프는 함수 $y = \dfrac{a-9}{x}$의 그래프를 x축의 방향으로 1만큼,

y축의 방향으로 a만큼 평행이동시킨 것이다.

그러므로 $a-9$의 부호에 따라 나누면 다음과 같다.

(i) $a-9>0$, 즉 $a>9$일 때,

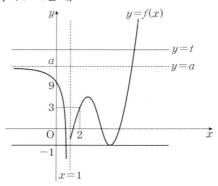

이 경우 $t>a$에서 $y=g(x)$의 그래프와 $y=t$가 두 점에서 만나지 않으므로 조건을 만족시키지 못한다.

(ii) $a-9=0$, 즉 $a=9$일 때,

$y = \dfrac{a-9}{x-1} + a = 9$이므로 $x < 1$에서 $g(x) = 9$이므로 $y = g(x)$의 그래프는 다음과 같다.

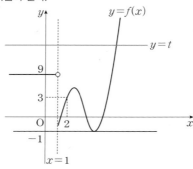

이 경우 $t>9$에서 $y=g(x)$의 그래프와 $y=t$가 두 점에서 만나지 않으므로 조건을 만족시키지 못한다.

(ii) $a-9<0$, 즉 $a<9$일 때,

$y=g(x)$의 그래프는 다음과 같을 때, 주어진 조건을 만족시킨다.

그러므로 조건을 만족시키려면 유리함수 $y = \dfrac{a-9}{x-1} + a$의 <u>그래프의 점근선은 $y=3$이어야 한다.</u> ← $3 < a < 9$, $a < 3$일 때에도 조건을 만족하지 않는다.

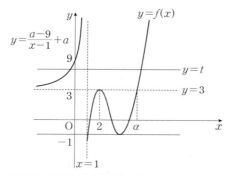

이때 삼차함수 $f(x)$의 최고차항이 1이므로

$f(x) = (x-2)^2(x-\alpha)+3\,(\alpha>2)$로 놓으면

$f'(x) = 2(x-2)(x-\alpha)+(x-2)^2 = (x-2)(3x-2\alpha-2)$

$\qquad\qquad = 3(x-2)\left(x - \dfrac{2\alpha+2}{3}\right)$

이때 $f'(x)=0$에서 $x=2$ 또는 $x = \dfrac{2\alpha+2}{3}$

이때 함수 $f(x)$는 $x = \dfrac{2\alpha+2}{3}$에서 극솟값 -1을 가져야 하므로

$f\left(\dfrac{2\alpha+2}{3}\right) = \left(\dfrac{2\alpha+2}{3}-2\right)^2\left(\dfrac{2\alpha+2}{3}-\alpha\right)+3 = -\dfrac{4}{27}(\alpha-2)^3+3 = -1$

$(\alpha-2)^3 = 27$에서 $\alpha=5$

STEP B $f(x)$를 구하여 $(g \circ g)(-1)$의 값 구하기

이때 $f(x) = (x-2)^2(x-5)+3$이므로

$g(x) = \begin{cases} \dfrac{3x-9}{x-1} & (x<1) \\ (x-2)^2(x-5)+3 & (x \geq 1) \end{cases}$

따라서 $(g \circ g)(-1) = g(g(-1)) = g(6) = 19$

0903

STEP A 선분 OP의 수직이등분선의 방정식을 구한 후 점 B의 좌표 구하기

다음 그림에서 직선 OP의 기울기는 $\dfrac{2}{t}$, 선분 OP의 중점의 좌표는

$\left(\dfrac{t}{2}, 1\right)$이므로 선분 OP수직이등분선의 방정식을 구하면

$y-1 = -\dfrac{t}{2}\left(x - \dfrac{t}{2}\right)$ $\therefore y = -\dfrac{t}{2}x + \dfrac{t^2}{4} + 1$

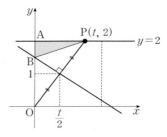

즉 점 B의 좌표를 구하면 $\left(0, \dfrac{t^2}{4}+1\right)$

STEP B 삼각형 ABP의 넓이를 $f(t)$라 할 때, $f(t)$의 최댓값 구하기

삼각형 ABP의 넓이를 $f(t)$라 하면

$f(t) = \dfrac{1}{2} \cdot \overline{AB} \cdot \overline{AP} = \dfrac{1}{2} \cdot t \cdot \left\{2 - \left(\dfrac{t^2}{4}+1\right)\right\} = -\dfrac{t^3}{8} + \dfrac{t}{2}$

$f'(t) = -\dfrac{3}{8}t^2 + \dfrac{1}{2}$

$f'(t)=0$에서 $t = -\dfrac{2\sqrt{3}}{3}$ 또는 $t = \dfrac{2\sqrt{3}}{3}$

$0 < t < 2$에서 함수 $f(t)$의 증가와 감소를 표로 나타내면 다음과 같다.

t	(0)	$\cdots$	$\dfrac{2\sqrt{3}}{3}$	$\cdots$	(2)
$f'(t)$		$+$	0	$-$	
$f(t)$		↗	극대	↘	

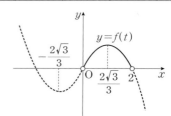

$t = \dfrac{2\sqrt{3}}{3}$에서 극대이면서 최대이므로 최댓값은

$f\left(\dfrac{2\sqrt{3}}{3}\right) = -\dfrac{1}{8}\left(\dfrac{2\sqrt{3}}{3}\right)^3 + \dfrac{1}{2} \cdot \dfrac{2\sqrt{3}}{3} = -\dfrac{\sqrt{3}}{9} + \dfrac{\sqrt{3}}{3} = \dfrac{2\sqrt{3}}{9}$

따라서 $a=9$, $b=2$이므로 $a+b=11$

0904

STEP A **방정식 $x^3-3x^2-9x+24=0$의 실근의 개수 구하기**

$f(x)=x^3-3x^2-9x+24$로 놓으면

$f'(x)=3x^2-6x-9=3(x-3)(x+1)$

$f'(x)=0$에서 $x=-1$ 또는 $x=3$

함수 $f(x)$의 증가와 감소를 나타내면 다음 표와 같다.

x	$\cdots$	-1	$\cdots$	3	$\cdots$
$f'(x)$	$+$	0	$-$	0	$+$
$f(x)$	↗	극대	↘	극소	↗

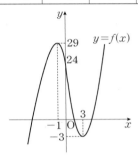

$x=-1$에서 극대이고 극댓값 $f(-1)=29$

$x=3$에서 극소이고 극솟값 $f(3)=-3$

함수 $y=f(x)$의 그래프는 서로 다른 세 점에서 만나므로 주어진 방정식은 서로 다른 세 실근을 갖는다.

즉 $a=3$

STEP B **방정식 $x^4-8x^2+1=0$의 실근의 개수 구하기**

$f(x)=x^4-8x^2+1$로 놓으면

$f'(x)=4x^3-16x=4x(x-2)(x+2)$

$f'(x)=0$에서 $x=-2$ 또는 $x=0$ 또는 $x=2$

함수 $f(x)$의 증가와 감소를 나타내면 다음 표와 같다.

x	$\cdots$	-2	$\cdots$	0	$\cdots$	2	$\cdots$
$f'(x)$	$-$	0	$+$	0	$-$	0	$+$
$f(x)$	↘	극소	↗	극대	↘	극소	↗

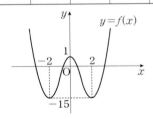

$x=-2$에서 극소이고 극솟값 $f(-2)=-15$

$x=0$에서 극대이고 극댓값 $f(0)=1$

$x=2$에서 극소이고 극솟값은 $f(2)=-15$

함수 $y=f(x)$의 그래프는 서로 다른 네 점에서 만나므로 주어진 방정식은 서로 다른 네 실근을 갖는다.

즉 $b=4$

STEP C **$a+b$의 값 구하기**

따라서 $a=3$, $b=4$이므로 $a+b=7$

0905

STEP A **방정식 $x^3=3x+3$의 실근의 개수 구하기**

$x^3=3x+3$에서 $x^3-3x-3=0$

$f(x)=x^3-3x-3$으로 놓으면

$f'(x)=3x^2-3=3(x+1)(x-1)$

$f'(x)=0$에서 $x=-1$ 또는 $x=1$

함수 $f(x)$의 증가와 감소를 나타내면 다음 표와 같다.

x	$\cdots$	-1	$\cdots$	1	$\cdots$
$f'(x)$	$+$	0	$-$	0	$+$
$f(x)$	↗	-1	↘	-5	↗

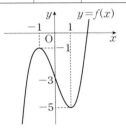

$x=-1$에서 극대이고 극댓값 $f(-1)=-1$

$x=1$에서 극소이고 극솟값 $f(1)=-5$

함수 $f(x)$의 그래프는 x축과 한 점에서 만나므로 주어진 방정식의 실근의 개수는 1이다.

즉 $a=1$

STEP B **방정식 $3x^4-4x^3-1=0$의 실근의 개수 구하기**

$f(x)=3x^4-4x^3-1$로 놓으면

$f'(x)=12x^3-12x^2=12x^2(x-1)$

$f'(x)=0$에서 $x=0$ 또는 $x=1$

함수 $f(x)$의 증가와 감소를 나타내면 다음 표와 같다.

x	$\cdots$	0	$\cdots$	1	$\cdots$
$f'(x)$	$-$	0	$-$	0	$+$
$f(x)$	↘	-1	↘	극소	↗

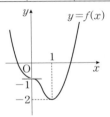

$x=1$에서 극소이고 극솟값 $f(1)=-2$

함수 $y=f(x)$의 그래프는 서로 다른 두 점 에서 만나므로 주어진 방정식은 서로 다른 두 실근을 갖는다.

즉 $b=2$

STEP C **$a+b$의 값 구하기**

따라서 $a=1$, $b=2$이므로 $a+b=3$

내/신/연/계 출제문항 375

다음 조건을 만족하는 상수 a, b에 대하여 $a+b$값은?

(가) 방정식 $2x^3+1=3x^2$의 서로 다른 실근의 개수는 a이다.

(나) 방정식 $2x^4-4x^3+3=-x^4+4$의 서로 다른 실근의 개수는 b이다.

① 3   ② 4   ③ 5

④ 6   ⑤ 7

STEP Ⓐ 방정식 $2x^3+1=3x^2$의 실근의 개수 구하기

$2x^3+1=3x^2$에서 $2x^3-3x^2+1=0$

$f(x)=2x^3-3x^2+1$으로 놓으면

$f'(x)=6x^2-6x=6x(x-1)$

$f'(x)=0$에서 $x=0$ 또는 $x=1$

함수 $f(x)$의 증가와 감소를 나타내면 다음 표와 같다.

x	$\cdots$	0	$\cdots$	1	$\cdots$
$f'(x)$	+	0	-	0	+
$f(x)$	↗	1	↘	0	↗

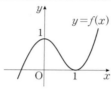

$x=0$에서 극대이고 극댓값 $f(0)=1$

$x=1$에서 극소이고 극솟값 $f(1)=0$

함수 $f(x)$의 그래프는 x축과 서로 다른 두 점에서 만나므로 주어진 방정식의 서로 다른 실근의 개수는 2이다.

즉 $a=2$

STEP Ⓑ 방정식 $2x^4-4x^3+3=-x^4+4$의 실근의 개수 구하기

$2x^4-4x^3+3=-x^4+4$에서 $3x^4-4x^3-1=0$

$f(x)=3x^4-4x^3-1$로 놓으면

$f'(x)=12x^3-12x^2=12x^2(x-1)$

$f'(x)=0$에서 $x=0$ 또는 $x=1$

함수 $f(x)$의 증가와 감소를 나타내면 다음 표와 같다.

x	$\cdots$	0	$\cdots$	1	$\cdots$
$f'(x)$	-	0	-	0	+
$f(x)$	↘	-1	↘	극소	↗

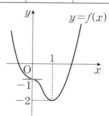

$x=1$에서 극소이고 극솟값 $f(1)=-2$

함수 $y=f(x)$의 그래프는 서로 다른 두 점에서 만나므로 주어진 방정식은 서로 다른 두 실근을 갖는다.

즉 $b=2$

STEP Ⓒ $a+b$의 값 구하기

따라서 $a=2$, $b=2$이므로 $a+b=4$

정답 ②

0906

정답 ⑤

STEP Ⓐ 함수 $f(x)$의 증가와 감소를 조사하고 그래프 그리기

$f(x)=3x^3-9x^2+5$에서 $f'(x)=9x^2-18x=9x(x-2)$

$f'(x)=0$에서 $x=0$ 또는 $x=2$

$f(x)$의 증가 감소를 표로 나타내면 다음과 같다.

x	$\cdots$	0	$\cdots$	2	$\cdots$
$f'(x)$	+	0	-	0	+
$f(x)$	↗	5	↘	-7	↗

$x=0$에서 극대이고 극댓값 $f(0)=5$

$x=2$에서 극소이고 극솟값 $f(2)=-7$

STEP Ⓑ 방정식 $|f(x)|=k$가 서로 다른 네 실근을 갖도록 하는 상수 k의 값의 범위 구하기

함수 $y=|f(x)|$의 그래프는 오른쪽 그림과 같다.

서로 다른 네 실근을 갖도록 하는 상수 k의 값의 범위는 $5<k<7$

따라서 $\alpha=5$, $\beta=7$이므로 $\alpha+\beta=12$

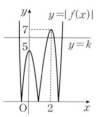

내/신/연/계 출제문항 376

함수 $f(x)=x^3-12x-6$에 대하여 방정식 $|f(x)|=k$의 서로 다른 실근의 개수가 3일 때, 양수 k의 값은?

① 10   ② 13   ③ 16

④ 19   ⑤ 22

STEP Ⓐ 함수 $f(x)$의 증가와 감소를 조사하고 그래프 그리기

$f(x)=x^3-12x-6$

$f'(x)=3x^2-12=3(x+2)(x-2)$

$f'(x)=0$에서 $x=-2$ 또는 $x=2$

$f(x)$의 증가와 감소를 표로 나타내면 다음과 같다.

x	$\cdots$	-2	$\cdots$	2	$\cdots$
$f'(x)$	+	0	-	0	+
$f(x)$	↗	10	↘	-22	↗

$x=-2$에서 극대이고 극댓값 $f(-2)=10$

$x=2$에서 극소이고 극솟값 $f(2)=-22$

STEP Ⓑ 방정식 $|f(x)|=k$가 서로 다른 세 실근을 갖도록 하는 상수 k의 값의 범위 구하기

이때 함수 $y=|f(x)|$의 그래프는 다음과 같다.

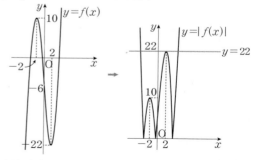

따라서 방정식 $|f(x)|=k$가 서로 다른 세 실근을 갖도록 하는 양수 k의 값은 22이다.

정답 ⑤

0907

STEP A 방정식을 두 곡선으로 분리하여 $f'(x)=0$인 x의 값 구하기

$2x^3-9x^2+12x-a=0$에서 $2x^3-9x^2+12x=a$이므로
주어진 방정식의 실근의 개수는 함수 $y=2x^3-9x^2+12x$의 그래프와
직선 $y=a$의 교점의 개수와 같다.

$f(x)=2x^3-9x^2+12x$로 놓으면

$f'(x)=6x^2-18x+12=6(x-1)(x-2)$

$f'(x)=0$에서 $x=1$ 또는 $x=2$

STEP B 함수 $f(x)$의 증가와 감소를 조사하고 그래프 그리기

함수 $f(x)$의 증가와 감소를 표로 나타내고 그 그래프를 그리면 다음과 같다.

x	$\cdots$	1	$\cdots$	2	$\cdots$
$f'(x)$	+	0	−	0	+
$f(x)$	↗	5	↘	4	↗

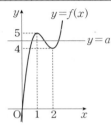

함수 $f(x)$는

$x=1$일 때, 극댓값 $f(1)=5$,

$x=2$일 때, 극솟값 $f(2)=4$를 갖는다.

STEP C 곡선 $y=f(x)$와 직선 $y=a$의 교점이 3개가 되도록 하는 a의 값의 범위 구하기

따라서 주어진 방정식이 서로 다른 세 실근을 갖도록 하는 a의 값의 범위는

$4<a<5$

다른풀이 (극댓값)×(극솟값)<0을 이용하여 풀이하기

$f(x)=2x^3-9x^2+12x-a$라고 하면

$f'(x)=6x^2-18x+12=6(x-1)(x-2)$

$f'(x)=0$에서 $x=1$ 또는 $x=2$

$f'(x)$의 부호를 조사하여 함수 $f(x)$의 증가와 감소를 표로 나타내면
다음과 같다.

x	$\cdots$	1	$\cdots$	2	$\cdots$
$f'(x)$	+	0	−	0	+
$f(x)$	↗	$5-a$	↘	$4-a$	↗

삼차방정식 $f(x)=0$이 서로 다른 세 실근을 가지려면
(극댓값)×(극솟값)<0이므로 $f(1)f(2)<0$
$(5-a)(4-a)<0$, $(a-5)(a-4)<0$
$\therefore 4<a<5$

0908

STEP A 방정식을 두 곡선으로 분리하여 $f'(x)=0$인 x의 값 구하기

방정식 $x^3-3x-a=0$에서 $x^3-3x=a$이므로 이 방정식의 서로 다른 실근의
개수는 함수 $y=x^3-3x$의 그래프와 직선 $y=a$의 교점의 개수와 같다.

함수 $f(x)=x^3-3x$로 놓으면

$f'(x)=3x^2-3=3(x+1)(x-1)$

$f'(x)=0$에서 $x=-1$ 또는 $x=1$

STEP B 함수 $f(x)$의 증가와 감소를 조사하고 그래프 그리기

함수 $f(x)$의 증가와 감소를 표로 나타내면 다음과 같다.

x	$\cdots$	-1	$\cdots$	1	$\cdots$
$f'(x)$	+	0	−	0	+
$f(x)$	↗	2	↘	-2	↗

STEP C 곡선 $y=f(x)$와 직선 $y=a$의 교점이 3개가 되도록 하는 a의 값의 범위 구하기

한편 함수 $g(x)=a$의 그래프는 x축
에 평행한 직선이므로 이 직선이 함수
$y=f(x)$의 그래프와 서로 다른 세 점
에서 만나기 위한 실수 a의 값의 범위
는 오른쪽 그림으로부터 다음과 같음
을 알 수 있다.

$-2<a<2$

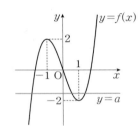

내신연계 출제문항 377

방정식 $2x^3-3x^2+a=0$이 서로 다른 세 개의 실근을 갖도록 하는 상수
a의 값의 범위는?

① $0<a<1$ ② $0<a<2$ ③ $-2<a<0$
④ $-1<a<0$ ⑤ $1<a<2$

STEP A 함수 $f(x)$의 증가와 감소를 표로 나타내기

방정식 $2x^3-3x^2+a=0$에서 $-2x^3+3x^2=a$이므로
이 방정식의 서로 다른 실근의 개수는 함수 $y=-2x^3+3x^2$의 그래프와
직선 $y=a$의 교점의 개수와 같다.

$f(x)=-2x^3+3x^2$으로 놓으면

$f'(x)=-6x^2+6x=-6x(x-1)$

$f'(x)=0$에서 $x=0$ 또는 $x=1$

함수 $f(x)$의 증가와 감소를 표로 나타내면 다음과 같다.

x	$\cdots$	0	$\cdots$	1	$\cdots$
$f'(x)$	−	0	+	0	−
$f(x)$	↘	0	↗	1	↘

STEP B $f(x)$의 그래프를 그려 주어진 조건을 만족하는 a의 범위 구하기

이때 함수 $y=f(x)$의 그래프는 오른쪽
그림과 같고 주어진 방정식이 서로 다른
세 실근을 가지려면 함수 $y=f(x)$의
그래프와 직선 $y=a$가 서로 다른 세 점
에서 만나야 하므로 $0<a<1$

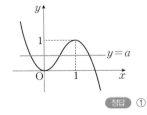

0909

 정답 ①

STEP Ⓐ 방정식을 두 곡선으로 분리하여 $f'(x)=0$인 x값 구하기

$x^3-3x^2-a=0$에서 $x^3-3x^2=a$이므로 이 방정식의 서로 다른 실근의 개수는 함수 $y=x^3-3x^2$의 그래프와 직선 $y=a$의 교점의 개수와 같다.

$f(x)=x^3-3x^2$로 놓으면

$f'(x)=3x^2-6x=3x(x-2)$

$f'(x)=0$에서 $x=0$ 또는 $x=2$

$f(x)$의 증가와 감소를 표로 나타내면 다음과 같다.

x	$\cdots$	0	$\cdots$	2	$\cdots$
$f'(x)$	+	0	−	0	+
$f(x)$	↗	0	↘	−4	↗

STEP Ⓑ $f(x)$의 그래프를 그려 주어진 조건을 만족하는 a의 범위 구하기

이때 함수 $y=f(x)$의 그래프는 오른쪽 그림과 같고 주어진 방정식이 서로 다른 두 실근을 가지려면 함수 $y=f(x)$의 그래프와 직선 $y=a$가 서로 다른 두 점에서 만나야 하므로

$a=0$ 또는 $a=-4$

따라서 모든 실근 a의 값의 합은 -4

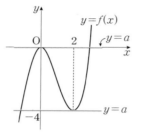

내/신/연/계 출제문항 **378**

방정식 $x^3-2x^2+x+k=0$이 서로 다른 두 실근을 갖도록 하는 모든 실수 k의 값의 합은?

① $-\dfrac{1}{27}$ ② $-\dfrac{2}{27}$ ③ $-\dfrac{1}{9}$

④ $-\dfrac{4}{27}$ ⑤ $-\dfrac{5}{27}$

STEP Ⓐ 방정식을 두 곡선으로 분리하여 $f'(x)=0$인 x값 구하기

방정식 $x^3-2x^2+x+k=0$에서 $x^3-2x^2+x=-k$

이때 $f(x)=x^3-2x^2+x$라 하면 함수 $y=f(x)$의 그래프와 직선 $y=-k$는 서로 다른 두 점에서 만나야 한다.

$f'(x)=3x^2-4x+1=(3x-1)(x-1)$

$f'(x)=0$에서 $x=\dfrac{1}{3}$ 또는 $x=1$

함수 $f(x)$의 증가와 감소를 표로 나타내면 다음과 같다.

x	$\cdots$	$\dfrac{1}{3}$	$\cdots$	1	$\cdots$
$f'(x)$	+	0	−	0	+
$f(x)$	↗	극대	↘	극소	↗

STEP Ⓑ $f(x)$의 그래프를 그려 주어진 조건을 만족하는 k의 범위 구하기

$f\left(\dfrac{1}{3}\right)=\dfrac{1}{27}-\dfrac{2}{9}+\dfrac{1}{3}=\dfrac{4}{27}$,

$f(1)=1-2+1=0$이므로 $y=f(x)$의 그래프는 오른쪽 그림과 같다.

오른쪽 그림에서 조건을 만족시키는 실수 k의 값은

$-k=\dfrac{4}{27}$ 또는 $-k=0$에서

$k=-\dfrac{4}{27}$ 또는 $k=0$

따라서 구하는 모든 실수 k의 값의 합은 $-\dfrac{4}{27}$

 정답 ④

0910

 정답 ③

STEP Ⓐ 주어진 방정식 두 곡선으로 분리하여 $f'(x)=0$의 x 구하기

$2x^3+3x^2-12x+k=0$에서 $2x^3+3x^2-12x=-k$이므로 이 방정식의 서로 다른 실근의 개수는 함수 $y=2x^3+3x^2-12x$의 그래프와 직선 $y=-k$의 교점의 개수와 같다.

$f(x)=2x^3+3x^2-12x$로 놓으면

$f'(x)=6x^2+6x-12=6(x^2+x-2)=6(x+2)(x-1)$

$f'(x)=0$에서 $x=-2$ 또는 $x=1$

함수 $f(x)$의 증가와 감소를 나타내면 다음 표와 같다.

x	$\cdots$	-2	$\cdots$	1	$\cdots$
$f'(x)$	+	0	−	0	+
$f(x)$	↗	20	↘	−7	↗

STEP Ⓑ $f(x)$의 그래프를 그려 주어진 조건을 만족하는 k의 범위 구하기

이때 함수 $y=f(x)$의 그래프는 오른쪽 그림과 같고 주어진 방정식이 서로 다른 두 실근을 가지려면 함수 $y=f(x)$의 그래프와 직선 $y=-k$가 서로 다른 두 점에서 만나야 하므로

$-k=20$ 또는 $-k=-7$

따라서 모든 실근 k의 값의 합은

$7+(-20)=-13$

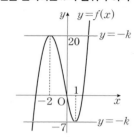

다른풀이 (극댓값)×(극솟값)=0을 이용하여 풀이하기

$f(x)=2x^3+3x^2-12x+k$로 놓으면

$f'(x)=6x^2+6x-12=6(x^2+x-2)=6(x+2)(x-1)$

$f'(x)=0$에서 $x=-2$ 또는 $x=1$

함수 $f(x)$의 증가와 감소를 나타내면 다음 표와 같다.

x	$\cdots$	-2	$\cdots$	1	$\cdots$
$f'(x)$	+	0	−	0	+
$f(x)$	↗	$20+k$	↘	$-7+k$	↗

극댓값은 $f(-2)=20+k$이고 극솟값은 $f(1)=-7+k$

방정식 $f(x)=0$이 중근과 다른 한 실근을 가지려면

$(20+k)(-7+k)=0$을 만족해야 한다.

$\therefore k=7$ 또는 $k=-20$

따라서 k의 합은 $7+(-20)=-13$

0911

STEP A 방정식을 두 곡선으로 분리하여 $f'(x)=0$이 되는 x 구하기

$x^3-3x+1-a=0$에서 $x^3-3x+1=a$이므로 이 방정식의 서로 다른 실근의 개수는 함수 $y=x^3-3x+1$의 그래프와 직선 $y=a$의 교점의 개수와 같다.

$f(x)=x^3-3x+1$로 놓으면

$f'(x)=3x^2-3=3(x-1)(x+1)$

$f'(x)=0$에서 $x=-1$ 또는 $x=1$

함수 $f(x)$의 증가와 감소를 표로 나타내면 다음과 같다.

x	$\cdots$	-1	$\cdots$	1	$\cdots$
$f'(x)$	$+$	0	$-$	0	$+$
$f(x)$	↗	3	↘	-1	↗

STEP B a값 변화에 따라 $g(-1)$, $\lim\limits_{a\to 3-}g(a)$ 값 구하기

이때 함수 $y=f(x)$의 그래프는 오른쪽 그림과 같고 실근의 개수가 $g(a)$이므로

$g(-1)=2$, $a\to 3-$일 때, $g(a)\to 3$

이므로 $\lim\limits_{a\to 3-}g(a)=3$

따라서 $g(-1)+\lim\limits_{a\to 3-}g(a)=2+3=5$

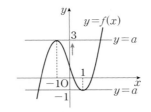

내/신/연/계/ 출제문항 379

방정식 $x^3-3x^2-9x-1-a=0$의 서로 다른 실근의 개수를 $g(a)$라 할 때, $g(-2)+\lim\limits_{a\to-28-}g(a)+\lim\limits_{a\to 4-}g(a)$의 값은?

① 3   ② 4   ③ 5
④ 6   ⑤ 7

STEP A 주어진 방정식을 변형하기

주어진 방정식을 $x^3-3x^2-9x-1=a$로 놓으면 이 방정식의 실근의 개수는 두 함수 $y=x^3-3x^2-9x-1$, $y=a$의 그래프의 교점의 개수와 같다.

STEP B $f(x)=x^3-3x^2-9x-1$라 두고 $f(x)$의 증가와 감소를 표로 나타내기

$f(x)=x^3-3x^2-9x-1$로 놓으면

$f'(x)=3x^2-6x-9=3(x+1)(x-3)$

$f'(x)=0$에서 $x=-1$ 또는 $x=3$

함수 $f(x)$의 증가와 감소를 나타내면 다음 표와 같다.

x	$\cdots$	-1	$\cdots$	3	$\cdots$
$f'(x)$	$+$	0	$-$	0	$+$
$f(x)$	↗	4	↘	-28	↗

STEP C $g(-2)+\lim\limits_{a\to-28-}g(a)+\lim\limits_{a\to 4-}g(a)$의 값 구하기

이때 함수 $y=f(x)$의 그래프는 오른쪽 그림과 같고 실근의 개수가 $g(a)$이므로

$g(-2)=3$

$a\to-28-$일 때, $g(a)\to 1$이므로

$\lim\limits_{a\to-28-}g(a)=1$

$a\to 4-$일 때, $g(a)\to 3$이므로

$\lim\limits_{a\to 4-}g(a)=3$

따라서 $g(-2)+\lim\limits_{a\to-28-}g(a)+\lim\limits_{a\to 4-}g(a)=3+1+3=7$

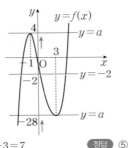

0912

STEP A y축의 방향으로 a만큼 평행이동한 $g(x)$ 구하기

함수 $y=x^3+6x^2+9x$의 그래프를 y축의 방향으로 a만큼 평행이동시키면 함수 $y=g(x)$의 그래프가 되므로 $g(x)=f(x)+a$

$\therefore g(x)=x^3+6x^2+9x+a$

방정식 $x^3+6x^2+9x+a=0$의 실근의 개수는 두 함수 $f(x)=x^3+6x^2+9x$, $y=-a$의 그래프의 교점의 개수와 같다.

STEP B 함수 $y=f(x)$의 증가와 감소를 표로 나타내기

$f'(x)=3x^2+12x+9=3(x+1)(x+3)$

$f'(x)=0$에서 $x=-3$ 또는 $x=-1$

함수 $f(x)$의 증가와 감소를 나타내면 다음 표와 같다.

x	$\cdots$	-3	$\cdots$	-1	$\cdots$
$f'(x)$	$+$	0	$-$	0	$+$
$f(x)$	↗	극대	↘	극소	↗

STEP C 함수 $y=f(x)$의 그래프와 직선 $y=-a$의 교점이 3개가 되도록 하는 a의 개수 구하기

$x=-3$일 때, 극댓값 $f(-3)=0$

$x=-1$일 때, 극솟값 $f(-1)=-4$

$y=f(x)$의 그래프를 그리면 오른쪽 그림과 같다.

주어진 방정식이 서로 다른 세 실근을 가지려면 두 함수 $y=f(x)$와 $y=-a$의 그래프가 서로 다른 세 점에서 만나야 하므로 $-4<-a<0$

$\therefore 0<a<4$

따라서 정수 a는 1, 2, 3이므로 합은 $1+2+3=6$

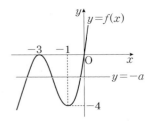

0913

STEP A y축의 방향으로 a만큼 평행이동한 $g(x)$ 구하기

함수 $y=2x^3-3x^2-12x-10$의 그래프를 y축의 방향으로 a만큼 평행이동시키면 $g(x)=2x^3-3x^2-12x-10+a$

방정식 $2x^3-3x^2-12x-10+a=0$에서 $-2x^3+3x^2+12x+10=a$이므로 주어진 실근의 개수는 곡선 $y=-2x^3+3x^2+12x+10$과 직선 $y=a$의 교점의 개수와 같다.

STEP B 함수 $y=f(x)$의 증가와 감소를 조사하고 그래프 그리기

$f(x)=-2x^3+3x^2+12x+10$으로 놓으면

$f'(x)=-6x^2+6x+12=-6(x+1)(x-2)$

$f'(x)=0$에서 $x=-1$ 또는 $x=2$

함수 $f(x)$의 증가와 감소를 표로 나타내면 다음과 같다.

x	$\cdots$	-1	$\cdots$	2	$\cdots$
$f'(x)$	$-$	0	$+$	0	$-$
$f(x)$	↘	극소	↗	극대	↘

$x=-1$에서 극솟값 3이고 $x=2$에서 극댓값이 30이므로 $f(x)=-2x^3+3x^2+12x+10$의 그래프는 오른쪽 그림과 같다.

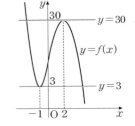

STEP **C** 곡선 $y=f(x)$와 직선 $y=a$가 한 점을 지나고 접할 때, a의 값의 구하기

곡선 $y=f(x)$와 직선 $y=a$가 한 점을 지나고 접할 때, a의 값은
$a=3$ 또는 $a=30$
따라서 모든 a의 값의 합은 $3+30=33$

다른풀이 (극댓값)$\times$(극솟값)$=0$을 이용하여 풀이하기

삼차방정식이 서로 다른 두 실근만을 가지는 경우는 다음 그림과 같이 중근과 다른 한 근 실근을 가지는 경우이므로 극댓값 또는 극솟값이 0이어야 한다.

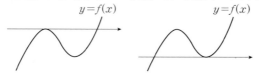

$g'(x)=6x^2-6x-12=6(x+1)(x-2)$
$g'(x)=0$에서 $x=-1$ 또는 $x=2$
함수 $g(x)$의 증가와 감소를 표로 나타내면 다음과 같다.

x	$\cdots$	-1	$\cdots$	2	$\cdots$
$g'(x)$	$+$	0	$-$	0	$+$
$g(x)$	↗	$-3+a$	↘	$-30+a$	↗

$g(x)=0$이 서로 다른 두 실근만을 갖기 위해서 극댓값 또는 극솟값이 0이어야 한다.
$g(2)=16-12-24-10+a=-30+a=0$, $a=30$
$g(-1)=-2-3+12-10+a=-3+a=0$, $a=3$
따라서 모든 a의 값의 합은 33

내/신/연/계 출제문항 **380**

함수 $y=2x^3-9x^2+12x-5$를 y축의 방향으로 $-a$만큼 평행이동한 곡선이 x축과 오직 한 점에서 만나도록 하는 자연수 a의 최솟값은?

① 1   ② 2   ③ 3
④ 4   ⑤ 7

STEP **A** 함수 $f(x)$의 증가와 감소를 표로 나타내기

함수 $y=2x^3-9x^2+12x-5$를 y축의 방향으로 $-a$만큼 평행이동 하면
$y=2x^3-9x^2+12x-5-a$
즉 $2x^3-9x^2+12x-5=a$이므로 $f(x)=2x^3-9x^2+12x-5$로 놓으면
$f'(x)=6x^2-18x+12=6(x-1)(x-2)$
$f'(x)=0$에서 $x=1$ 또는 $x=2$
함수 $f(x)$의 증가와 감소를 나타내면 다음 표와 같다.

x	$\cdots$	1	$\cdots$	2	$\cdots$
$f'(x)$	$+$	0	$-$	0	$+$
$f(x)$	↗	0	↘	-1	↗

STEP **B** $f(x)$의 그래프를 그려 주어진 조건을 만족하는 a의 범위 구하기

이때 함수 $y=f(x)$의 그래프는 오른쪽 그림과 같고 주어진 방정식이 한 개의 실근을 가지려면 함수 $y=f(x)$의 그래프와 직선 $y=a$가 한 점에서 만나야 하므로
$a>0$ 또는 $a<-1$
따라서 자연수 a의 최솟값은 1

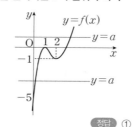

정답 ①

STEP **A** $f(x)$의 증가와 감소를 표로 나타내기

주어진 도함수 $y=f'(x)$의 그래프를 이용하여
함수 $f(x)$의 증가와 감소를 나타내면 다음 표와 같다.

x	$\cdots$	0	$\cdots$	3	$\cdots$
$f'(x)$	$-$	0	$+$	0	$-$
$f(x)$	↘	극소	↗	극대	↘

STEP **B** $f(x)=k$가 서로 다른 두 실근을 갖도록 하는 k 구하기

$x=0$에서 극소이고 극솟값은 $f(0)=1$
$x=3$에서 극대이고 극댓값은 $f(3)=3$
이므로 삼차함수 $y=f(x)$의 그래프는 오른쪽 그림과 같다.
방정식 $f(x)=k$가 서로 다른 두 실근을 가지려면 $k=1$ 또는 $k=3$이어야 한다.
따라서 k의 합은 $1+3=4$

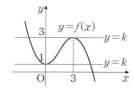

내/신/연/계 출제문항 **381**

오른쪽 그림은 삼차함수 $f(x)$의 도함수 $y=f'(x)$의 그래프이다.
$f(-1)=6$, $f(2)=2$일 때, 방정식 $f(x)=k$이 서로 다른 세 실근을 갖도록 하는 실수 k의 값의 범위는 $a<k<b$일 때, $b-a$의 값은?

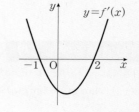

① 2   ② 3
③ 4   ④ 5
⑤ 6

STEP **A** $f(x)$의 증가와 감소를 표로 나타내기

주어진 도함수 $y=f'(x)$의 그래프를 이용하여
함수 $f(x)$의 증가와 감소를 나타내면 다음 표와 같다.

x	$\cdots$	-1	$\cdots$	2	$\cdots$
$f'(x)$	$+$	0	$-$	0	$+$
$f(x)$	↗	극대	↘	극소	↗

STEP **B** $f(x)$의 극댓값, 극솟값을 구하여 실근의 개수 구하기

$x=-1$에서 극소이고 극솟값은 $f(-1)=6$
$x=2$에서 극대이고 극댓값은 $f(2)=2$
이므로 삼차함수 $y=f(x)$의 그래프는 오른쪽 그림과 같다.
방정식 $f(x)=k$가 서로 다른 세 실근을 가지려면 $2<k<6$이어야 한다.
따라서 $a=2$, $b=6$이므로 $b-a=4$

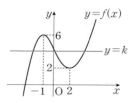

정답 ③

0915

도함수의 그래프를 이용하여 $y=f(x)$의 그래프 그리기

함수 $y=f'(x)$의 그래프에서 $f'(x)=0$이 되는 x의 값은 -1, 1, 3이므로 함수 $f(x)$의 증가와 감소를 나타내면 다음 표와 같다.

x	$\cdots$	-1	$\cdots$	1	$\cdots$	3	$\cdots$
$f'(x)$	$-$	0	$+$	0	$-$	0	$+$
$f(x)$	↘	극소	↗	극대	↘	극소	↗

$f(-1)=3$, $f(1)=5$, $f(3)=3$이므로 $y=f(x)$의 그래프를 그리면 다음 그림과 같다.

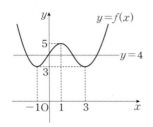

함수의 그래프를 이용하여 [보기]의 참, 거짓 판별하기

ㄱ. $f(0)>0$ [참]

ㄴ. 함수 $f(x)$의 극댓값은 5이다. [참]

ㄷ. 방정식 $f(x)-4=0$은 서로 다른 네 실근을 가진다. [참]

따라서 옳은 것은 ㄱ, ㄴ, ㄷ이다.

내/신/연/계 출제문항 382

사차함수 $f(x)$의 도함수 $y=f'(x)$의 그래프가 그림과 같다.
$f(-1)=3$, $f(1)=4$, $f(4)<f(-1)$
일 때, [보기]에서 옳은 것만을 있는 대로 고른 것은?

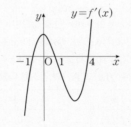

> ㄱ. $f(0)\geq 0$
> ㄴ. 함수 $f(x)$의 극댓값은 4이다.
> ㄷ. 방정식 $f(x)-3=0$은 서로 다른 네 실근을 갖는다.

① ㄴ   ② ㄱ, ㄴ   ③ ㄱ, ㄷ
④ ㄴ, ㄷ   ⑤ ㄱ, ㄴ, ㄷ

도함수의 그래프를 이용하여 $y=f(x)$의 그래프 그리기

함수 $y=f'(x)$의 그래프에서 $f'(x)=0$이 되는 x의 값은 -1, 1, 4이므로 함수 $f(x)$의 증가와 감소를 나타내면 다음 표와 같다.

x	$\cdots$	-1	$\cdots$	1	$\cdots$	4	$\cdots$
$f'(x)$	$-$	0	$+$	0	$-$	0	$+$
$f(x)$	↘	극소	↗	극대	↘	극소	↗

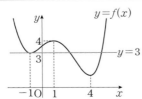

함수의 그래프를 이용하여 [보기]의 참, 거짓 판별하기

ㄱ. $f(-1)<f(0)<f(1)$이므로 $f(0)\geq 0$ [참]

ㄴ. 함수 $f(x)$는 $x=1$에서 극대이므로 극댓값은 $f(1)=4$이다. [참]

ㄷ. 함수 $y=f(x)$의 그래프와 직선 $y=3$이 서로 다른 세 점에서 만나므로 방정식 $f(x)-3=0$은 서로 다른 세 실근을 갖는다. [거짓]

따라서 옳은 것은 ㄱ, ㄴ이다.

0916

$f'(x)$의 그래프에서 삼차함수 $f(x)$의 식 작성하기

$f(x)=ax^3+bx^2+cx+d$ (a, b, c, d는 상수)라고 하면

$f(0)=0$이므로 $d=0$

$f'(x)=3ax^2+2bx+c$

주어진 그래프에서 $f'(-3)=0$, $f'(-1)=0$이므로

$f'(x)=3a(x+3)(x+1)$ ($a<0$)

또, $f'(0)=-3$이므로 $9a=-3$, $a=-\dfrac{1}{3}$

$f'(x)=-(x+3)(x+1)=-x^2-4x-3$이므로

$b=-2$, $c=-3$

$f(x)$의 증가와 감소를 표로 나타내기

$f(x)=-\dfrac{1}{3}x^3-2x^2-3x$

$f(x)$의 증가와 감소를 표로 나타내면 다음과 같다.

x	$\cdots$	-3	$\cdots$	-1	$\cdots$
$f'(x)$	$-$	0	$+$	0	$-$
$f(x)$	↘	0	↗	$\dfrac{4}{3}$	↘

서로 다른 두 실근을 갖도록 하는 k의 값 구하기

함수 $y=f(x)$의 그래프는 오른쪽 그림과 같으므로 방정식 $f(x)=k$가 서로 다른 두 실근을 갖도록 하는 k의 값은 $k=0$ 또는 $k=\dfrac{4}{3}$

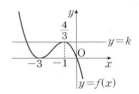

따라서 k의 합은 $\dfrac{4}{3}$

0917

STEP Ⓐ 함수 $f(x)$의 증가와 감소를 표로 나타내기

$2x^3-3x^2-12x-a=0$에서 $2x^3-3x^2-12x=a$이므로

이 방정식의 서로 다른 실근의 개수는 함수 $y=2x^3-3x^2-12x$의 그래프와

직선 $y=a$의 교점의 개수와 같다.

$f(x)=2x^3-3x^2-12x$로 놓으면

$f'(x)=6x^2-6x-12=6(x+1)(x-2)$

$f'(x)=0$에서 $x=-1$ 또는 $x=2$

함수 $f(x)$의 증가와 감소를 나타내면 다음 표와 같다.

x	$\cdots$	-1	$\cdots$	2	$\cdots$
$f'(x)$	$+$	0	$-$	0	$+$
$f(x)$	$\nearrow$	7	$\searrow$	-20	$\nearrow$

STEP Ⓑ $y=f(x)$의 그래프를 그려 주어진 조건을 만족하는 a의 범위 구하기

함수 $y=f(x)$의 그래프는 오른쪽 그림

과 같으므로 함수 $y=f(x)$의 그래프와

직선 $y=a$의 교점의 x좌표가 오직 양수

1개가 되는 실수 a의 값의 범위는 $a>7$

따라서 조건을 만족시키는 정수 a의

최솟값은 8

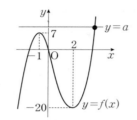

내/신/연/계/ 출제문항 **383**

방정식
$$2x^3-3x^2-12x+a=0$$
이 서로 다른 두 개의 음근과 한 개의 양근을 가지도록 정수 a의 개수는?

① 5   ② 6   ③ 7

④ 8   ⑤ 9

STEP Ⓐ 함수 $f(x)$의 증가와 감소를 표로 나타내기

$2x^3-3x^2-12x+a=0$에서 $2x^3-3x^2-12x=-a$

$f(x)=2x^3-3x^2-12x$로 놓으면

$f'(x)=6x^2-6x-12=6(x^2-x-2)=6(x+1)(x-2)$

$f'(x)=0$에서 $x=-1$ 또는 $x=2$

함수 $f(x)$의 증가와 감소를 나타내면 다음 표와 같다.

x	$\cdots$	-1	$\cdots$	2	$\cdots$
$f'(x)$	$+$	0	$-$	0	$+$
$f(x)$	$\nearrow$	7	$\searrow$	-20	$\nearrow$

STEP Ⓑ $y=f(x)$의 그래프를 그려 주어진 조건을 만족하는 a의 범위 구하기

따라서 함수 $y=f(x)$의 그래프와

직선 $y=-a$의 교점의 x좌표가

두 개는 음수, 한 개는 양수가

되도록 그림으로 나타내면 오른쪽

그림과 같다.

실수 a의 값의 범위는 $0<-a<7$

$\therefore -7<a<0$

따라서 정수 a는

$-6, -5, -4, -3, -2, -1$이므로 개수는 6개이다.

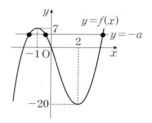

0918

STEP Ⓐ 함수 $f(x)$의 증가와 감소를 표로 나타내기

$4x^3-12x+k=0$에서 $k=-4x^3+12x$

$f(x)=-4x^3+12x$라 하면

$f'(x)=-12x^2+12=-12(x+1)(x-1)$

$f'(x)=0$에서 $x=-1$ 또는 $x=1$

함수 $f(x)$의 증가와 감소를 나타내면 다음 표와 같다.

x	$\cdots$	-1	$\cdots$	1	$\cdots$
$f'(x)$	$-$	0	$+$	0	$-$
$f(x)$	$\searrow$	-8	$\nearrow$	8	$\searrow$

STEP Ⓑ $y=f(x)$의 그래프를 그려 주어진 조건을 만족하는 k의 범위 구하기

이때 함수 $y=f(x)$의 그래프는 오른쪽

그림과 같으므로 함수 $y=f(x)$의

그래프와 직선 $y=k$의 교점의 x좌표가

한 개는 양수이고, 다른 두 개는 음수가

되는 실수 k의 값의 범위는 $-8<k<0$

따라서 정수 k는

$-7, -6, -5, -4, -3, -2, -1$의

7개이다.

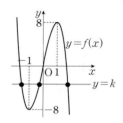

0919

STEP Ⓐ 함수 $f(x)$의 증가와 감소를 표로 나타내기

$2x^3-1=6x+k$에서 $2x^3-6x-1=k$

$f(x)=2x^3-6x-1$로 놓으면

$f'(x)=6x^2-6=6(x+1)(x-1)$

$f'(x)=0$에서 $x=-1$ 또는 $x=1$

함수 $f(x)$의 증가와 감소를 나타내면 다음 표와 같다.

x	$\cdots$	-1	$\cdots$	1	$\cdots$
$f'(x)$	$+$	0	$-$	0	$+$
$f(x)$	$\nearrow$	3	$\searrow$	-5	$\nearrow$

STEP Ⓑ $y=f(x)$의 그래프를 그려 주어진 조건을 만족하는 k의 범위 구하기

또, $f(0)=-1$이므로 함수 $y=f(x)$의

그래프는 오른쪽 그림과 같다.

따라서 직선 $y=k$와의 교점의 좌표가

한 개는 음수이고 다른 두 개는 양수가

되는 실수 k의 값의 범위는

$-5<k<-1$

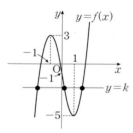

방정식 $5x^3-2=2x^3+9x+k$가 서로 다른 두 개의 양의 근과 한 개의 음의 근을 갖도록 하는 상수 k의 값의 범위가 $\alpha<x<\beta$일 때, $\beta-\alpha$의 값은?

① 5   ② 6   ③ 7
④ 8   ⑤ 9

STEP Ⓐ 함수 $f(x)$의 증가와 감소를 표로 나타내기

$5x^3-2=2x^3+9x+k$에서 $3x^3-9x-2=k$

$f(x)=3x^3-9x-2$라고 하면

$f'(x)=9x^2-9=9(x+1)(x-1)$

$f'(x)=0$에서 $x=-1$ 또는 $x=1$

$f(x)$의 증가와 감소를 표로 나타내면 다음과 같다.

x	$\cdots$	-1	$\cdots$	1	$\cdots$
$f'(x)$	$+$	0	$-$	0	$+$
$f(x)$	↗	4	↘	-8	↗

STEP Ⓑ $y=f(x)$의 그래프를 그려 주어진 조건을 만족하는 k의 범위 구하기

또, $f(0)=-2$이므로 함수 $y=f(x)$의 그래프는 오른쪽 그림과 같다.
따라서 서로 다른 두 개의 양의 근과 한 개의 음의 근을 갖도록 하는 상수 k의 값의 범위는 $-8<k<-2$이므로
$\beta-\alpha=-2-(-8)=6$

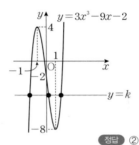

정답 ②

0920

정답 ①

STEP Ⓐ 주어진 방정식을 두 개의 함수로 분리하기

방정식 $f(x)=g(x)$에서 $3x^3-x^2-3x=x^3-4x^2+9x+a$

$2x^3+3x^2-12x=a$

STEP Ⓑ $h(x)=2x^3+3x^2-12x$라 두고 $h(x)$의 증가와 감소를 표로 나타내기

이때 $h(x)=2x^3+3x^2-12x$로 놓으면 함수 $y=h(x)$의 그래프와 직선 $y=a$의 교점의 x좌표가 서로 다른 양의 실수 2개, 음의 실수 1개이어야 한다.
한편 $h'(x)=6x^2+6x-12=6(x+2)(x-1)$이므로
$h'(x)=0$에서 $x=-2$ 또는 $x=1$
함수 $h(x)$의 증가와 감소를 나타내면 다음 표와 같다.

x	$\cdots$	-2	$\cdots$	1	$\cdots$
$h'(x)$	$+$	0	$-$	0	$+$
$h(x)$	↗	20	↘	-7	↗

STEP Ⓒ $y=h(x)$의 그래프를 그려 주어진 조건을 만족하는 a의 범위 구하기

함수 $y=h(x)$의 그래프가 원점을 지나므로 함수 $y=h(x)$의 그래프와 조건을 만족시키는 직선 $y=a$는 오른쪽 그림과 같다.
따라서 $-7<a<0$이어야 하므로 정수 a는 $-6,-5,-4,-3,-2,-1$로 정수 a의 개수는 6개이다.

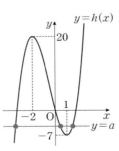

방정식 $2x^3-2x^2-3x=x^2+9x-a$가 서로 다른 두 개의 음의 근과 한 개의 양의 근을 가지도록 하는 실수 a의 값의 범위는?

① $-7<a<0$ ② $-5<a<1$ ③ $-3<a<2$
④ $0<a<7$ ⑤ $-3<a<2$

STEP Ⓐ $f(x)$의 증가와 감소를 표로 나타내기

$-2x^3+3x^2+12x=a$에서 $f(x)=-2x^3+3x^2+12x$로 놓으면

$f'(x)=-6x^2+6x+12=-6(x+1)(x-2)$

$f'(x)=0$에서 $x=-1$ 또는 $x=2$

함수 $f(x)$의 증가와 감소를 나타내면 다음 표와 같다.

x	$\cdots$	-1	$\cdots$	2	$\cdots$
$f'(x)$	$-$	0	$+$	0	$-$
$f(x)$	↘	-7	↗	20	↘

STEP Ⓑ $y=f(x)$의 그래프를 그려 주어진 조건을 만족하는 a의 범위 구하기

따라서 $y=f(x)$의 그래프는 오른쪽 그림과 같고 직선 $y=a$와의 교점의 x좌표가 방정식의 근이므로 실수 a의 값의 범위는 $-7<a<0$

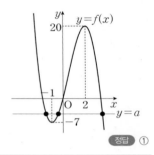

정답 ①

0921

정답 ②

STEP Ⓐ 주어진 방정식을 두 개의 함수로 분리하기

방정식 $x^4-2x^2-k=0$에서 $x^4-2x^2=k$이므로 주어진 방정식의 실근은 두 함수 $y=x^4-2x^2$, $y=k$의 그래프의 교점의 x좌표와 같다.

STEP Ⓑ 함수 $f(x)$의 증가와 감소를 표로 나타내기

$f(x)=x^4-2x^2$으로 놓으면

$f'(x)=4x^3-4x=4x(x+1)(x-1)$

$f'(x)=0$에서 $x=-1$ 또는 $x=0$ 또는 $x=1$

함수 $f(x)$의 증가와 감소를 나타내면 다음 표와 같다.

x	$\cdots$	-1	$\cdots$	0	$\cdots$	1	$\cdots$
$f'(x)$	$-$	0	$+$	0	$-$	0	$+$
$f(x)$	↘	-1	↗	0	↘	-1	↗

STEP Ⓒ $y=f(x)$의 그래프와 $y=k$의 교점의 개수가 4가 되도록 하는 k의 범위 구하기

따라서 주어진 방정식이 서로 다른 네 실근을 가질 때의 k값의 범위는 $-1<k<0$

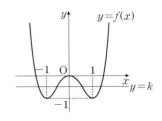

0922

STEP Ⓐ 주어진 방정식을 두 개의 함수로 분리하기

$3x^4-4x^3-12x^2+15-k=0$에서 $3x^4-4x^3-12x^2+15=k$

$f(x)=3x^4-4x^3-12x^2+15$로 놓으면

$f'(x)=12x^3-12x^2-24x=12x(x+1)(x-2)$

$f'(x)=0$에서 $x=-1$ 또는 $x=0$ 또는 $x=2$

함수 $f(x)$의 증가와 감소를 나타내면 다음 표와 같다.

x	$\cdots$	-1	$\cdots$	0	$\cdots$	2	$\cdots$
$f'(x)$	$-$	0	$+$	0	$-$	0	$+$
$f(x)$	$\searrow$	10	$\nearrow$	15	$\searrow$	-17	$\nearrow$

STEP Ⓑ $y=f(x)$의 그래프와 $y=k$의 교점의 개수가 3가 되도록 하는 실수 k의 값 구하기

위의 표를 이용하여 함수 $y=f(x)$의
그래프를 그리면 오른쪽 그림과 같다.
주어진 방정식이 서로 다른 세 실근을
가지려면 두 함수 $y=f(x)$와 $y=k$의
그래프가 서로 다른 세 점에서
만나야 하므로 $k=10$ 또는 $k=15$
따라서 조건을 만족시키는 모든 실수
k의 값의 합은 25

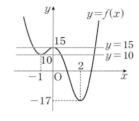

사차방정식 $3x^4+4x^3-12x^2+k=0$이 서로 다른 세 실근을 갖도록 하는 모든 정수 k의 값의 합은?

① 4 ② 5 ③ 6
④ 7 ⑤ 8

STEP Ⓐ $f(x)$의 증가와 감소를 표로 나타내기

$f(x)=3x^4+4x^3-12x^2$로 놓으면

$f'(x)=12x^3+12x^2-24x=12x(x+2)(x-1)$

$f'(x)=0$에서 $x=-2$ 또는 $x=0$ 또는 $x=1$

함수 $f(x)$의 증가와 감소를 나타내면 다음 표와 같다.

x	$\cdots$	-2	$\cdots$	0	$\cdots$	1	$\cdots$
$f'(x)$	$-$	0	$+$	0	$-$	0	$+$
$f(x)$	$\searrow$	-32	$\nearrow$	0	$\searrow$	-5	$\nearrow$

STEP Ⓑ $y=f(x)$의 그래프와 $y=k$의 교점의 개수가 3가 되도록 하는 실수 k의 값 구하기

함수 $y=f(x)$의 그래프는 오른쪽
그림과 같다.
주어진 방정식이 서로 다른 세 실근을
가지려면 두 함수 $y=f(x)$, $y=-k$의
그래프가 서로 다른 세 점에서 만나야
하므로 $-k=0$ 또는 $-k=-5$
즉 $k=0$ 또는 $k=5$이므로
모든 정수 k의 값의 합은 $0+5=5$

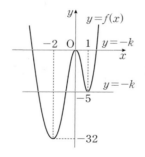

0923

STEP Ⓐ $f(x)$의 증가와 감소를 표로 나타내기

$3x^4-8x^3-6x^2+24x-k=0$에서 $3x^4-8x^3-6x^2+24x=k$

$f(x)=3x^4-8x^3-6x^2+24x$라고 하면

$f'(x)=12x^3-24x^2-12x+24=12(x+1)(x-1)(x-2)$

$f'(x)=0$에서 $x=-1$ 또는 $x=1$ 또는 $x=2$

함수 $f(x)$의 증가와 감소를 나타내면 다음 표와 같다.

x	$\cdots$	-1	$\cdots$	1	$\cdots$	2	$\cdots$
$f'(x)$	$-$	0	$+$	0	$-$	0	$+$
$f(x)$	$\searrow$	-19	$\nearrow$	13	$\searrow$	8	$\nearrow$

STEP Ⓑ $y=f(x)$의 그래프를 그려 주어진 조건을 만족하는 k의 범위 구하기

함수 $y=f(x)$의 그래프는 오른쪽 그림과
같으므로 직선 $y=k$와의 교점의 x좌표가
한 개는 음수이고, 다른 세 개는 양수가
되는 실수 k의 값의 범위는 $8<k<13$
따라서 정수 k의 개수는 9, 10, 11, 12
이므로 개수는 4개이다.

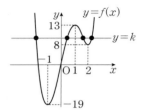

0924

STEP Ⓐ $f(x)$의 증가와 감소를 표로 나타내기

$x^3+x^2-1=4x^2+a$에서 $x^3-3x^2-1=a$

$f(x)=x^3-3x^2-1$로 놓으면

$f'(x)=3x^2-6x=3x(x-2)$

$f'(x)=0$에서 $x=0$ 또는 $x=2$

함수 $f(x)$의 증가와 감소를 표로 나타내면 다음과 같다.

x	$\cdots$	0	$\cdots$	2	$\cdots$
$f'(x)$	$+$	0	$-$	0	$+$
$f(x)$	$\nearrow$	-1	$\searrow$	-5	$\nearrow$

STEP Ⓑ $y=f(x)$의 그래프를 그려 주어진 조건을 만족하는 k의 값 구하기

함수 $y=f(x)$의 그래프는 오른쪽 그림과
같으므로 $y=f(x)$의 그래프와 직선
$y=a$가 서로 다른 세 점에서 만나야
하므로 구하는 a의 값의 범위는
$-5<a<-1$

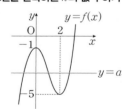

다른풀이 (극댓값)×(극솟값)< 0을 이용하여 풀이하기

$f(x)=x^3-3x^2-1-a$로 놓으면

$f'(x)=3x^2-6x=3x(x-2)$

$f'(x)=0$에서 $x=0$ 또는 $x=2$

$x=0$일 때, 극대이고 극댓값은 $f(0)=-1-a$

$x=2$일 때, 극소이고 극솟값은 $f(2)=-5-a$

삼차방정식 $f(x)=0$이 서로 다른 세 실근을 가지므로

(극댓값)×(극솟값)< 0이어야 하므로

$f(0)f(2)=(-1-a)(-5-a)<0$

따라서 $(a+1)(a+5)<0$이므로 $-5<a<-1$

0925

정답 ③

STEP A **삼차함수와 직선이 두 점에서 만날 조건 이해하기**

곡선 $y=2x^3-3x^2-8x$와 직선 $y=4x+k$가 서로 다른 두 점에서 만나려면
방정식 $2x^3-3x^2-8x=4x+k$이 한 실근과 중근을 가져야 한다.
즉 $2x^3-3x^2-12x=k$에서 $f(x)=2x^3-3x^2-12x$라 하면
이 방정식의 실근의 개수는 함수 $y=f(x)$의 그래프와 직선 $y=k$의 교점의
개수와 같다.

STEP B $f'(x)=0$을 만족하는 x값 구하기

$f(x)=2x^3-3x^2-12x$에서
$f'(x)=6x^2-6x-12=6(x-2)(x+1)$
$f'(x)=0$에서 $x=-1$ 또는 $x=2$
함수 $f(x)$의 증가와 감소를 표로 나타내면 다음과 같다.

x	$\cdots$	-1	$\cdots$	2	$\cdots$
$f'(x)$	$+$	0	$-$	0	$+$
$f(x)$	↗	7	↘	-20	↗

$x=-1$에서 극댓값은 7, $x=2$에서 극솟값이 -20이므로
$y=f(x)$는 그래프는 다음 그림과 같다.

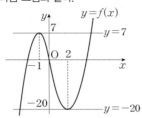

STEP C **곡선 $y=f(x)$와 직선 $y=k$의 교점이 2개가 되도록 하는 k의 값의 범위 구하기**

따라서 방정식 $f(x)=k$가 서로 다른 두 실근을 가지려면 $k=7$ 또는 $k=-20$
이어야 하므로 모든 실수 k의 값의 곱은 $7\times(-20)=-140$

다른풀이 (극댓값)×(극솟값)=0을 이용하여 풀이하기

$f(x)=2x^3-3x^2-12x-k$로 놓으면
$f'(x)=6x^2-6x-12=3(x-2)(x+1)$
$f'(x)=0$에서 $x=-1$ 또는 $x=2$
함수 $f(x)$의 증가와 감소를 표로 나타내면 다음과 같다.

x	$\cdots$	-1	$\cdots$	2	$\cdots$
$f'(x)$	$+$	0	$-$	0	$+$
$f(x)$	↗	$7-k$	↘	$-20-k$	↗

$x=-1$일 때, 극대이고 극댓값은 $f(-1)=7-k$
$x=2$일 때, 극소이고 극솟값은 $f(2)=-20-k$
삼차방정식 $f(x)=0$이 한 실근과 중근을 가지려면
(극댓값)×(극솟값)=0이어야 하므로
$f(-1)f(2)=(7-k)(-20-k)=0$
따라서 $k=7$ 또는 $k=-20$이므로 곱은 $7\times(-20)=-140$

내/신/연/계/ 출제문항 **387**

곡선 $y=x^3+3x^2$과 직선 $y=9x+k$가 한 점에서 접하고 다른 한 점에서
만날 때, 상수 k의 값의 합은?

① 22   ② 25   ③ 27
④ 30   ⑤ 36

STEP A **곡선과 직선이 한 점에서 접하고 다른 한 점에서 만날 조건 이해하기**

$y=x^3+3x^2, y=9x+k$가 서로 다른 두 점에서 만나려면
방정식 $x^3+3x^2=9x+k$이 한 실근과 중근을 가져야 한다.
즉 $x^3+3x^2-9x=k$에서 $f(x)=x^3+3x^2-9x$라 하면
이 방정식의 실근의 개수는 함수 $y=f(x)$의 그래프와 직선 $y=k$의 교점의
개수와 같다.

STEP B $f'(x)=0$을 만족하는 x값 구하기

$f(x)=x^3+3x^2-9x$에서
$f'(x)=3x^2+6x-9=3(x-1)(x+3)$
$f'(x)=0$에서 $x=-3$ 또는 $x=1$
함수 $f(x)$의 증가와 감소를 표로 나타내면 다음과 같다.

x	$\cdots$	-3	$\cdots$	1	$\cdots$
$f'(x)$	$+$	0	$-$	0	$+$
$f(x)$	↗	27	↘	-5	↗

$x=-3$에서 극댓값은 27, $x=1$에서 극솟값이 -5이므로
$y=f(x)$는 그래프는 다음 그림과 같다.

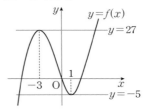

STEP C **곡선 $y=f(x)$와 직선 $y=k$의 교점이 2개가 되도록 하는 k의 값의 범위 구하기**

따라서 방정식 $f(x)=k$가 서로 다른 두 실근을 가지려면 $k=27$ 또는 $k=-5$
이므로 합은 $-5+27=22$

다른풀이 (극댓값)×(극솟값)=0을 이용하여 풀이하기

STEP A **곡선과 직선이 한 점에서 접하고 다른 한 점에서 만날 조건 이해하기**

$f(x)=x^3+3x^2-9x-k$로 놓으면 방정식 $f(x)=0$이 한 실근과 중근을
가져야 한다.

STEP B $f'(x)=0$을 만족하는 x값 구하기

$f'(x)=3x^2+6x-9=3(x-1)(x+3)$
$f'(x)=0$에서 $x=1$ 또는 $x=-3$

STEP C **(극댓값)×(극솟값)=0임을 이용하여 k의 값 구하기**

함수 $f(x)$에 대하여 (극댓값)×(극솟값)=0이어야 하므로
$f(1)f(-3)=(-k-5)(-k+27)=0$
따라서 $k=-5$ 또는 $k=27$이므로 합은 $-5+27=22$

정답 ①

0926

정답 ②

STEP Ⓐ 곡선과 직선이 한 점에서 접하고 다른 한 점에서 만날 조건
이해하기

$y=x^3-4x^2+4x$, $y=2x^2-5x+k$가 서로 다른 두 점에서 만나려면
방정식 $x^3-4x^2+4x=2x^2-5x+k$이 한 실근과 중근을 가져야 한다.
즉 $x^3-6x^2+9x=k$에서 $f(x)=x^3-6x^2+9x$라 하면 이 방정식의 실근의
개수는 함수 $y=f(x)$의 그래프와 직선 $y=k$의 교점의 개수와 같다.

STEP Ⓑ $f'(x)=0$을 만족하는 x값 구하기

$f(x)=x^3-6x^2+9x$에서
$f'(x)=3x^2-12x+9=3(x-1)(x-3)$
$f'(x)=0$에서 $x=1$ 또는 $x=3$
함수 $f(x)$의 증가와 감소를 표로 나타내면 다음과 같다.

x	$\cdots$	1	$\cdots$	3	$\cdots$
$f'(x)$	+	0	−	0	+
$f(x)$	↗	4	↘	0	↗

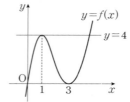

$x=1$에서 극댓값은 4, $x=3$에서
극솟값이 0이므로 $y=f(x)$는 그래프는
오른쪽 그림과 같다.

STEP Ⓒ 곡선 $y=f(x)$와 직선 $y=k$의 교점이 2개가 되도록 하는 k의 값
의 범위 구하기

따라서 방정식 $f(x)=k$가 서로 다른 두 실근을 가지려면 $k=0$ 또는 $k=4$
이어야 하므로 양수 k는 4

다른풀이 (극댓값)×(극솟값)=0을 이용하여 풀이하기

$f(x)=x^3-6x^2+9x-k$로 놓으면
$f'(x)=3x^2-12x+9=3(x-1)(x-3)$
$f'(x)=0$에서 $x=1$ 또는 $x=3$
함수 $f(x)$의 증가와 감소를 표로 나타내면 다음과 같다.

x	$\cdots$	1	$\cdots$	3	$\cdots$
$f'(x)$	+	0	−	0	+
$f(x)$	↗	$4-k$	↘	$0-k$	↗

$x=1$일 때, 극대이고 극댓값은 $f(1)=4-k$
$x=3$일 때, 극소이고 극솟값은 $f(3)=-k$
삼차방정식 $f(x)=0$이 한 실근과 중근을 가지려면
(극댓값)×(극솟값)=0이어야 하므로 $f(1)f(3)=(4-k)(-k)=0$
따라서 양수 k는 4

내/신/연/계 출제문항 388

두 곡선 $y=x^3-4x^2+6x$, $y=2x^2-3x+a$가 서로 다른 두 점에서 만나도
록 하는 양수 a의 값은?

① 2   ② 4   ③ 6
④ 8   ⑤ 10

STEP Ⓐ 두 곡선의 방정식에서 y를 소거하여 얻은 방정식을 다시 a와
$f(x)$로 분리하여 $f'(x)=0$이 되는 x의 값 구하기

두 곡선 $y=x^3-4x^2+6x$, $y=2x^2-3x+a$가 서로 다른 두 점에서 만나려면
방정식 $x^3-4x^2+6x=2x^2-3x+a$
즉 $x^3-6x^2+9x-a=0$이 서로 다른 두 실근을 가져야 한다.
$f(x)=x^3-6x^2+9x$로 놓으면
$f'(x)=3x^2-12x+9=3(x^2-4x+3)=3(x-1)(x-3)$
$f'(x)=0$에서 $x=1$ 또는 $x=3$

STEP Ⓑ 함수 $f(x)$의 증가와 감소를 조사하고 그래프를 그리기

$f'(x)$의 부호를 조사하여 함수 $f(x)$의 증가와 감소를 표로 나타내면
다음과 같다.

x	$\cdots$	1	$\cdots$	3	$\cdots$
$f'(x)$	+	0	−	0	+
$f(x)$	↗	4	↘	0	↗

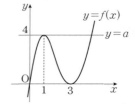

함수 $f(x)$는 $x=1$일 때, 극댓값 $f(1)=4$,
$x=3$일 때, 극솟값 $f(3)=0$을 갖는다.

STEP Ⓒ 곡선 $y=f(x)$와 직선 $y=a$의 교점이 2개가 되도록 하는 a의 값
의 범위 구하기

곡선 $y=f(x)$와 직선 $y=a$가 서로 다른 두 점에서 만나도록 하는 a의 값은
$a=4$ 또는 $a=0$
따라서 양수 a는 4이다.

정답 ②

0927

정답 ③

STEP Ⓐ 곡선과 직선이 오직 한 점에서 만날 조건 이해하기

$y=2x^3-3x^2$, $y=12x+k$가 오직 한 점에서 만나려면
방정식 $2x^3-3x^2=12x+k$이 한 실근을 가져야 한다.
즉 $2x^3-3x^2-12x=k$에서 $f(x)=2x^3-3x^2-12x$라 하면
이 방정식의 실근의 개수는 함수 $y=f(x)$의 그래프와 직선 $y=k$의 교점의
개수와 같다.

STEP Ⓑ 함수 $f(x)$의 증가와 감소를 조사하고 그래프를 그리기

$f(x)=2x^3-3x^2-12x$에서 $f'(x)=6x^2-6x-12=6(x+1)(x-2)$
$f'(x)=0$에서 $x=-1$ 또는 $x=2$
함수 $f(x)$의 증가와 감소를 표로 나타내면 다음과 같다.

x	$\cdots$	−1	$\cdots$	2	$\cdots$
$f'(x)$	+	0	−	0	+
$f(x)$	↗	7	↘	−20	↗

STEP Ⓒ $y=f(x)$의 그래프를 그려 주어진 조건을 만족하는 k의 범위
구하기

따라서 $y=f(x)$의 그래프는 오른쪽
그림과 같고 직선 $y=k$와의 교점의
x좌표가 방정식의 근이므로 실수 k의
값의 범위는 $k>7$ 또는 $k<-20$
따라서 자연수 k의 최솟값은 8

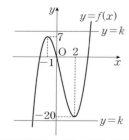

다른풀이 (극댓값)×(극솟값)>0을 이용하여 풀이하기

STEP Ⓐ $f(x)=2x^3-3x^2-12x-k$라 두고 $f(x)$가 극댓값, 극솟값을
갖는 x의 값 구하기

$f(x)=2x^3-3x^2-12x-k$라고 하면
$f'(x)=6x^2-6x-12=6(x^2-x-2)=6(x-2)(x+1)$
따라서 $f(x)$는 $x=-1$일 때 극댓값, $x=2$일 때 극솟값을 가진다.

STEP Ⓑ (극댓값)×(극솟값)>0임을 이용하여 k의 범위 구하기

삼차방정식 $f(x)=0$이 근이 오직 한 개 존재해야 하므로
(극댓값)×(극솟값)>0, 즉 $f(-1)\cdot f(2)>0$, $(7-k)(-20-k)>0$
∴ $k<-20$ 또는 $k>7$
따라서 자연수 k의 최솟값은 8

0928

정답 ③

STEP A $x=t$ 에서 접선의 방정식을 구하고 $(2, a)$ 를 대입하기

곡선 $y=x^3$ 위의 접점의 좌표를 (t, t^3) 이라고 하면

$y'=3x^2$ 이므로 접선의 기울기는 $3t^2$

따라서 접선의 방정식은 $y-t^3=3t^2(x-t)$, 즉 $y=3t^2x-2t^3$

이 접선이 점 $(2, a)$ 를 지나므로

$a=6t^2-2t^3$ $\qquad\qquad$ ...... ㉠

STEP B 세 개의 접선이 존재하기 위한 조건 이해하기

서로 다른 세 접선이 존재하려면

㉠이 서로 다른 세 실근을 가져야 한다.

STEP C 함수 $f(t)$ 와 증가와 감소 조사하여 그래프 그리기

$f(t)=-2t^3+6t^2$ 로 놓으면 $f'(t)=-6t^2+12t=-6t(t-2)$

$f'(t)=0$ 에서 $t=0$ 또는 $t=2$

함수 $f(t)$ 의 증가와 감소를 나타내면 다음 표와 같다.

t	$\cdots$	0	$\cdots$	2	$\cdots$
$f'(t)$	$-$	0	$+$	0	$-$
$f(t)$	$\searrow$	0	$\nearrow$	8	$\searrow$

점 $(2, a)$ 에서 곡선에 세 개의 접선을 그을 수 있는 a 의 범위는 $0<a<8$

따라서 정수 a 는 1, 2, 3, 4, 5, 6, 7이므로 7개이다.

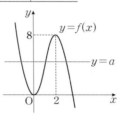

다른풀이 (극댓값)×(극솟값)< 0을 이용하여 풀이하기

$f(t)=2t^3-6t^2+a$ 로 놓으면 $f'(t)=6t^2-12t=6t(t-2)$

$f'(t)=0$ 에서 $t=0$ 또는 $t=2$

이므로 극댓값은 $f(0)=a$, 극솟값은 $f(2)=-8+a$

방정식 $f(t)=0$ 이 서로 다른 세 실근을 가지려면

(극댓값)×(극솟값)< 0이어야 한다.

즉 $f(0)f(2)=a(-8+a)<0$ 에서 $0<a<8$

따라서 정수 a 는 1, 2, 3, 4, 5, 6, 7이므로 7개이다.

0929

정답 ③

STEP A $x=t$ 에서 접선의 방정식을 구하고 $(0, a)$ 를 대입하기

$f(x)=x^3-6x^2+2$ 로 놓으면 $f'(x)=3x^2-12x$

접점의 좌표를 (t, t^3-6t^2+2) 라 하면

이 점에서의 접선의 기울기는 $f'(t)=3t^2-12t$ 이므로 접선의 방정식은

$y-(t^3-6t^2+2)=(3t^2-12t)(x-t)$

$\therefore y=(3t^2-12t)x-2t^3+6t^2+2$

이 직선이 점 $(0, a)$ 를 지나므로 $a=-2t^3+6t^2+2$

STEP B $g(t)=-2t^3+6t^2+2$ 라 두고 $g(t)$ 의 증가와 감소를 표로 나타내기

$g(t)=-2t^3+6t^2+2$ 로 놓으면 $g'(t)=-6t^2+12t=-6t(t-2)$

$g'(t)=0$ 에서 $t=0$ 또는 $t=2$

함수 $g(t)$ 의 증가와 감소를 나타내면 다음 표와 같다.

t	$\cdots$	0	$\cdots$	2	$\cdots$
$g'(t)$	$-$	0	$+$	0	$-$
$g(t)$	$\searrow$	2	$\nearrow$	10	$\searrow$

STEP C 주어진 조건을 만족하는 a 의 범위 구하기

점 $A(0, a)$ 에서 그을 수 있는 접선의

개수는 a 의 값에 따라 다음과 같다.

$a<2$ 또는 $a>10$ 일 때, 1개

$a=2$ 또는 $a=10$ 일 때, 2개

$2<a<10$ 일 때, 3개

따라서 3개의 접선을 그을 수 있도록

하는 정수 a 는 3, 4, 5, 6, 7, 8, 9이므로

개수는 7개이다.

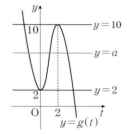

0930

정답 ③

STEP A $x=t$ 에서 접선의 방정식을 구하고 $(0, a)$ 를 대입하기

$f(x)=x^3+3x^2$ 로 놓으면 $f'(x)=3x^2+6x$

접점의 좌표를 (t, t^3+3t^2) 이라 하면 이 점에서의 접선의 기울기는

$f'(t)=3t^2+6t$ 이므로 접선의 방정식은

$y-(t^3+3t^2)=(3t^2+6t)(x-t)$

$y=(3t^2+6t)x-2t^3-3t^2$ $\qquad$ ...... ㉠

㉠에 점 $(0, a)$ 를 대입하면 $a=-2t^3-3t^2$

$\therefore 2t^3+3t^2+a=0$ ← 이 삼차방정식이 서로 다른 세 실근을 가져야 한다.

STEP B $g(t)=2t^3+3t^2$ 라 두고 $g(t)$ 의 증가와 감소를 표로 나타내기

$g(t)=2t^3+3t^2$ 으로 놓으면 $g'(t)=6t^2+6t=6t(t+1)$

$g'(t)=0$ 에서 $t=-1$ 또는 $t=0$

함수 $g(t)$ 의 증가와 감소를 나타내면 다음 표와 같다.

t	$\cdots$	-1	$\cdots$	0	$\cdots$
$g'(t)$	$+$	0	$-$	0	$+$
$g(t)$	$\nearrow$	1	$\searrow$	0	$\nearrow$

STEP C 주어진 조건을 만족하는 a 의 범위 구하기

따라서 함수 $y=g(t)$ 의 그래프는 오른쪽

그림과 같고 함수 $y=g(t)$ 의 그래프와

직선 $y=-a$ 의 교점의 개수가 3이어야

하므로 $0<-a<1$

$\therefore -1<a<0$

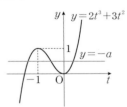

내/신/연/계 출제문항 389

점 $(0, a)$ 에서 곡선 $y=x^3-3x^2+2x$ 에 서로 다른 세 개의 접선을 그을 수 있을 때, 상수 a 의 값의 범위는?

① $-2<a<0$ $\qquad$ ② $-1<a<0$ $\qquad$ ③ $0<a<1$

④ $1<a<2$ $\qquad$ ⑤ $2<a<3$

STEP A $x=t$ 에서 접선의 방정식을 구하고 $(0, a)$ 를 대입하기

$f(x)=x^3-3x^2+2x$ 로 놓으면 $f'(x)=3x^2-6x+2$

접점의 좌표를 (t, t^3-3t^2+2t) 이라 하면

이 점에서의 접선의 기울기는 $f'(t)=3t^2-6t+2$ 이므로 접선의 방정식은

$y-(t^3-3t^2+2t)=(3t^2-6t+2)(x-t)$

$y=(3t^2-6t+2)x-2t^3+3t^2$ $\qquad$ ...... ㉠

㉠에 점 $(0, a)$ 를 대입하면 $a=-2t^3+3t^2$

$\therefore 2t^3-3t^2+a=0$

STEP ⓑ $g(t)=2t^3-3t^2$라 두고 $g(t)$의 증가와 감소를 표로 나타내기

이 삼차방정식이 서로 다른 세 실근을 가져야 한다.

$g(t)=2t^3-3t^2$으로 놓으면 $g'(t)=6t^2-6t=6t(t-1)$

$g'(t)=0$에서 $t=0$ 또는 $t=1$

함수 $g(t)$의 증가와 감소를 나타내면 다음 표와 같다.

t	$\cdots$	0	$\cdots$	1	$\cdots$
$g'(t)$	$+$	0	$-$	0	$+$
$g(t)$	$\nearrow$	0	$\searrow$	-1	$\nearrow$

따라서 함수 $y=g(t)$의 그래프는 오른쪽
그림과 같고 함수 $y=g(t)$의 그래프와
직선 $y=-a$의 교점의 개수가 3이어야
하므로 $-1<-a<0$
$\therefore 0<a<1$

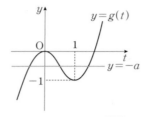

정답 ③

0931

정답 ③

STEP Ⓐ $x=t$에서 접선의 방정식을 구하고 $(0, a)$를 대입하기

$f(x)=x^3+3x^2+2x$라 하면 $f'(x)=3x^2+6x+2$

접점의 좌표를 (t, t^3+3t^2+2t)라 하면

접선의 기울기는 $f'(t)=3t^2+6t+2$이므로 접선의 방정식은

$y-(t^3+3t^2+2t)=(3t^2+6t+2)(x-t)$

이 직선이 점 $(0, a)$를 지나므로 $a-(t^3+3t^2+2t)=-3t^3-6t^2-2t$

즉 $a=-2t^3-3t^2$ $\qquad\cdots\cdots$ ㉠

STEP Ⓑ $g(t)=-2t^3-3t^2$라 두고 $g(t)$의 증가와 감소를 표로 나타내기

점 $(0, a)$에서 곡선 $y=x^3+3x^2+2x$에 서로 다른 세 접선을 그을 수 있으려면
방정식 ㉠이 서로 다른 세 실근을 가져야 한다.

즉 직선 $y=a$와 곡선 $y=-2t^3-3t^2$이 서로 다른 세 점에서 만나야 한다.

$g(t)=-2t^3-3t^2$로 놓으면 $g'(t)=-6t^2-6t=-6t(t+1)$

$g'(t)=0$에서 $t=-1$ 또는 $t=0$

함수 $g(t)$의 증가와 감소를 표로 나타내면 다음과 같다.

x	$\cdots$	-1	$\cdots$	0	$\cdots$
$f'(x)$	$-$	0	$+$	0	$-$
$f(x)$	$\searrow$	-1	$\nearrow$	0	$\searrow$

STEP Ⓒ 주어진 조건을 만족하는 a의 범위 구하기

이때 직선 $y=a$와 직선 $y=-2t^3-3t^2$
이 서로 다른 세 점에서 만나게 하는
a의 값의 범위는 $-1<a<0$

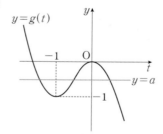

점 $\mathrm{P}(1, a)$에서 곡선 $y=x^3-3x$에
세 개의 접선을 그을 수 있도록
하는 a값의 범위는?

① $-3<a<-1$
② $-3<a<-2$
③ $-2<a<-1$
④ $-2<a<3$
⑤ $2<a<3$

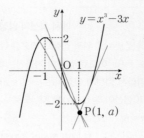

STEP Ⓐ 접점의 좌표를 (t, t^3-3t)라 하고 접선의 방정식 구하기

$f(x)=x^3-3x$라 하면 $f'(x)=3x^2-3$

접점의 좌표를 (t, t^3-3t)라고 하면 접선의 방정식은

$y-(t^3-3t)=(3t^2-3)(x-t)$

$y=(3t^2-3)x-2t^3$

STEP Ⓑ 구한 접선이 점 $\mathrm{P}(1, a)$를 지남을 이용하여 t와 a 사이의 관계식 구하기

이 접선이 $(1, a)$를 지나므로 $a=(3t^2-3)-2t^3$

$a=-2t^3+3t^2-3$ $\qquad\cdots\cdots$ ㉠

접점이 3개가 존재하려면 ㉠이 서로 다른 세 실근을 가져야 한다.

$g(t)=-2t^3+3t^2-3$이라 하면

$g'(t)=-6t^2+6t=-6t(t-1)$

$g'(t)=0$에서 $t=0$ 또는 $t=1$

$g'(t)$의 부호를 조사하여 함수 $g(t)$의 증가와 감소를 표로 나타내면
다음과 같다.

t	$\cdots$	0	$\cdots$	1	$\cdots$
$g'(t)$	$-$	0	$+$	0	$-$
$g(t)$	$\searrow$	-3	$\nearrow$	-2	$\searrow$

$t=0$일 때, 극소이고 극솟값 $g(0)=-3$,
$t=1$일 때, 극대이고 극댓값 $g(1)=-2$

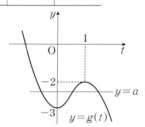

STEP Ⓒ 접선의 개수가 3이 되도록 하는 실수 a의 값의 범위 구하기

따라서 이 함수 $g(t)$와 직선 $y=a$의 교점의 개수가 3개이기 위한 a의 범위는
$-3<a<-2$

다른풀이	방정식 $2t^3-3t^2+3+a=0$이 서로 다른 세 실근을 가지려면 (극댓값)$\times$(극솟값)<0을 이용하여 풀이하기

$h(t)=2t^3-3t^2+3+a$라 하면 $h'(t)=6t^2-6t=6t(t-1)$

$h'(t)=0$에서 $t=0$ 또는 $t=1$

$h'(t)$의 부호를 조사하여 함수 $h(t)$의 증가와 감소를 표로 나타내면
다음과 같다.

t	$\cdots$	0	$\cdots$	1	$\cdots$
$h'(t)$	$+$	0	$-$	0	$+$
$h(t)$	$\nearrow$	극대	$\searrow$	극소	$\nearrow$

$t=0$일 때, 극대이고 극댓값 $h(0)=a+3$

$t=1$일 때, 극소이고 극솟값 $h(1)=a+2$

따라서 방정식 $h(x)=0$이 서로 다른 세 실근을 가지려면
(극댓값)$\times$(극솟값)<0이어야 하므로 $h(0)h(1)<0$에서 $(a+3)(a+2)<0$

$\therefore -3<a<-2$

정답 ②

0932

STEP A $f(x)=x^3-6x^2+4k$라 두고 $f(x)$의 증가와 감소를 표로 나타내기

$f(x)=x^3-6x^2+4k$로 놓으면 $f'(x)=3x^2-12x=3x(x-4)$

$f'(x)=0$에서 $x>0$이므로 $x=4$

함수 $f(x)$의 증가와 감소를 나타내면 다음 표와 같다.

x	0	$\cdots$	4	$\cdots$
$f'(x)$		$-$	0	$+$
$f(x)$		$\searrow$	$-32+4k$	$\nearrow$

STEP B $f(x)$의 (최솟값)≥ 0임을 이용하여 k의 범위 구하기

$x>0$에서 함수 $f(x)$는 $x=4$일 때,
극소이면서 최소이므로 $-32+4k\geq 0$
따라서 $k\geq 8$

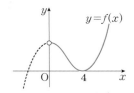

0933

정답 ③

STEP A $f(x)=x^3-3x-a$라 두고 $f(x)$의 증가와 감소를 표로 나타내기

$f(x)=x^3-3x-a$로 놓으면 $f'(x)=3x^2-3=3(x-1)(x+1)$

$f'(x)=0$에서 $x>0$이므로 $x=1$

함수 $f(x)$의 증가와 감소를 나타내면 다음 표와 같다.

x	0	$\cdots$	1	$\cdots$
$f'(x)$		$-$	0	$+$
$f(x)$		$\searrow$	$-2-a$	$\nearrow$

STEP B $f(x)$의 (최솟값)≥ 0임을 이용하여 a의 범위 구하기

$x\geq 0$에서 함수 $f(x)$는 $x=1$일 때,
극소이면서 최소이므로 $-2-a\geq 0$
따라서 $a\leq -2$이므로 a의 최댓값은 -2

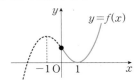

0934

정답 ⑤

STEP A $f(x)=2x^3-5x^2-4x+a$라 두고 $f(x)$의 증가와 감소를 표로 나타내기

$f(x)=2x^3-5x^2-4x+a$로 놓으면
$f'(x)=6x^2-10x-4=2(3x+1)(x-2)$

$f'(x)=0$에서 $x=-\dfrac{1}{3}$ 또는 $x=2$

$x\geq 0$에서 함수 $f(x)$의 증가와 감소를 나타내면 다음 표와 같다.

x	0	$\cdots$	2	$\cdots$
$f'(x)$		$-$	0	$+$
$f(x)$		$\searrow$	$a-12$	$\nearrow$

STEP B $f(x)$의 (최솟값)≥ 0임을 이용하여 a의 범위 구하기

$x=2$에서 극소이며 최소이다.
$x\geq 0$인 모든 실수 x에 대하여
$f(x)\geq 0$이 항상 성립하려면
$f(2)=a-12\geq 0$
따라서 $a\geq 12$이므로 최솟값은 12

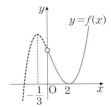

$x\geq 0$일 때, 부등식 $x^3-5x^2+3x+k>0$이 성립하게 하는 정수 k의 최솟값은?

① 4   ② 6   ③ 8
④ 10   ⑤ 12

STEP A $f(x)$의 증가와 감소를 표로 나타내기

$f(x)=x^3-5x^2+3x+k$로 놓으면

$f'(x)=3x^2-10x+3=(3x-1)(x-3)$

$f'(x)=0$에서 $x=\dfrac{1}{3}$ 또는 $x=3$

$x>0$에서 함수 $f(x)$의 증가와 감소를 나타내면 다음 표와 같다.

x	0	$\cdots$	$\dfrac{1}{3}$	$\cdots$	3	$\cdots$
$f'(x)$		$+$	0	$-$	0	$+$
$f(x)$		$\nearrow$	극대	$\searrow$	극소	$\nearrow$

STEP B $f(x)$의 (최솟값)> 0임을 이용하여 a의 범위 구하기

$x=3$에서 극소이며 최소이다.
$x\geq 0$인 모든 실수 x에 대하여
$f(x)>0$이 항상 성립하려면
$f(3)=k-9>0$
따라서 $k>9$이므로 최솟값은 10

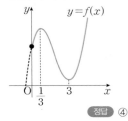

정답 ④

0935

정답 ②

STEP A $f(x)$의 증가와 감소를 표로 나타내기

$f(x)=x^3-2x^2-4x-p$라 하면
$f'(x)=3x^2-4x-4=(3x+2)(x-2)$

$f'(x)=0$에서 $x=-\dfrac{2}{3}$ 또는 $x=2$

$x>0$에서 함수 $f(x)$의 증가와 감소를 표로 나타내면 다음과 같다.

x	0	$\cdots$	2	$\cdots$
$f'(x)$		$-$	0	$+$
$f(x)$	$-p$	$\searrow$	$-p-8$	$\nearrow$

STEP B $f(x)$의 (최솟값)≥ 0임을 이용하여 p의 범위 구하기

함수 $f(x)$는
$x=2$에서 극소이면서 최소이다.
$x\geq 0$에서 $f(x)\geq 0$이어야 하므로
$f(2)=-p-8\geq 0$
따라서 $p\leq -8$이므로 p의 최댓값은
-8

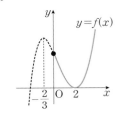

$x \geq 0$인 모든 실수 x에 대하여 부등식 $x^3-4x \geq 2x^2+a$가 성립하도록
하는 실수 a의 최댓값은?

① -4 ② -6 ③ -8
④ -10 ⑤ -12

STEP Ⓐ $f(x)=x^3-2x^2-4x$라 두고 $f(x)$의 증가와 감소를 표로 나타
내기

$x^3-4x \geq 2x^2+a$에서 $x^3-2x^2-4x \geq a$

$f(x)=x^3-2x^2-4x$로 놓으면

$f'(x)=3x^2-4x-4=(x-2)(3x+2)$

$x \geq 0$이므로 $f'(x)=0$에서 $x=2$

함수 $f(x)$의 증가와 감소를 나타내면 다음 표와 같다.

x	0	$\cdots$	2	$\cdots$
$f'(x)$	0	$-$	0	$+$
$f(x)$	0	$\searrow$	-8	$\nearrow$

STEP Ⓑ $f(x)$의 최솟값이 a 이상임을 이용하여 a의 최댓값 구하기

$x \geq 0$에서 $f(x)$의 최솟값은 $f(2)=-8$

즉 $x \geq 0$일 때, $x^3-2x^2-4x \geq -8$이므로 $a \leq -8$

따라서 a의 최댓값은 -8 정답 ③

0936   정답 ②

STEP Ⓐ $f(x)$의 증가와 감소를 표로 나타내기

$f(x)=2x^3-3kx^2+1$로 놓으면

$f'(x)=6x^2-6kx=6x(x-k)$

$f'(x)=0$에서 $x=0$ 또는 $x=k$

$x \geq 0$에서 함수 $f(x)$의 증가와 감소를 나타내면 다음 표와 같다.

x	0	$\cdots$	k	$\cdots$
$f'(x)$	0	$-$	0	$+$
$f(x)$	1	$\searrow$	$1-k^3$	$\nearrow$

STEP Ⓑ $f(x)$의 (최솟값)>0임을 이용하여 k의 범위 구하기

함수 $f(x)$는

$x=k$에서 극소이며 최소이다.

$x \geq 0$인 모든 실수 x에 대하여

$f(x)>0$이 항상 성립하려면

$f(k)=1-k^3>0$

$k^3-1<0$, $(k-1)(k^2+k+1)<0$

$\therefore k<1 (\because k^2+k+1>0)$

따라서 $k>0$이므로 $0<k<1$

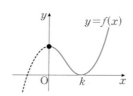

0937   정답 ②

STEP Ⓐ $f(x)$의 증가와 감소를 표로 나타내기

$x^3+3x^2+1>k$에서 $x^3+3x^2+1-k>0$

$f(x)=x^3+3x^2+1-k$로 놓으면

$f'(x)=3x^2+6x=3x(x+2)$

$f'(x)=0$에서 $x=-2$ 또는 $x=0$

$-1<x<1$에서 함수 $f(x)$의 증가와 감소를 표로 나타내면 다음과 같다.

x	(-1)	$\cdots$	0	$\cdots$	(1)
$f'(x)$		$-$	0	$+$	
$f(x)$	$3-k$	$\searrow$	$1-k$	$\nearrow$	$5-k$

STEP Ⓑ $f(x)$의 (최솟값)>0임을 이용하여 k의 범위 구하기

함수 $f(x)$는

$x=0$에서 극소이고 최소이다.

$-1<x<1$인 모든 실수 x에 대하여

$f(x)>0$이 항상 성립하려면

$f(0)=1-k>0$ $\therefore k<1$

따라서 정수 k의 최댓값은 0이다.

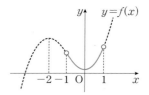

0938   정답 ⑤

STEP Ⓐ 이 회사가 손해를 보지 않기 위한 부등식 작성하기

손해를 보지 않기 위해서는 부등식 $2x^3+3x^2+a \geq 180x+4425$가
성립해야 한다.

즉 $f(x)=2x^3+3x^2-180x+a-4425$라고 하면

$x \geq 0$일 때, $f(x) \geq 0$이어야 한다.

STEP Ⓑ $x \geq 0$에서 $f(x)$의 (최솟값)≥ 0임을 이용하여 a의 범위 구하기

$f'(x)=6x^2+6x-180=6(x+6)(x-5)$

$f'(x)=0$에서 $x=-6$ 또는 $x=5$

$x \geq 0$에서 함수 $f(x)$의 증가와 감소를 나타내면 다음 표와 같다.

x	0	$\cdots$	5	$\cdots$
$f'(x)$		$-$	0	$+$
$f(x)$		$\searrow$	극소	$\nearrow$

$x \geq 0$일 때, $f(x)$는 $x=5$에서 극소이고 최소이므로

최솟값은 $f(5)=250+75-900+a-4425=a-5000$이므로

이 회사가 손해를 보지 않기 위해서는

$f(5)=a-5000 \geq 0$이므로 $a \geq 5000$

따라서 a의 최솟값은 5000

0939   정답 ①

STEP Ⓐ $f(x)$의 증가와 감소를 표로 나타내기

$f(x)=3x^4-4x^3+1$이라 하면

$f'(x)=12x^3-12x^2=12x^2(x-1)$

$f'(x)=0$에서 $x=0$ 또는 $x=1$

함수 $f(x)$의 증가와 감소를 나타내면 다음 표와 같다.

x	$\cdots$	0	$\cdots$	1	$\cdots$
$f'(x)$	$-$	0	$-$	0	$+$
$f(x)$	$\searrow$		$\searrow$	극소	$\nearrow$

STEP Ⓑ $x \geq 0$에서 $f(x)$의 (최솟값)≥ 0임을 보이기

따라서 함수 $f(x)$는 최솟값

$f(1)=3-4+1=\boxed{0}$을 가진다.

그러므로 모든 실수 x에 대하여

$f(x) \geq 0$

즉 $3x^4-4x^3+1 \geq 0$이므로

$3x^4 \geq 4x^3-1$

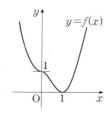

0940

STEP Ⓐ $f(x)$의 증가와 감소를 표로 나타내기

부등식 $3x^4-4x^3 \geq k$에서 $3x^4-4x^3-k \geq 0$

$f(x)=3x^4-4x^3-k$로 놓으면

$f'(x)=12x^3-12x^2=12x^2(x-1)$

$f'(x)=0$에서 $x=0$ 또는 $x=1$

함수 $f(x)$의 증가와 감소를 나타내면 다음 표와 같다.

x	$\cdots$	0	$\cdots$	1	$\cdots$
$f'(x)$	$-$	0	$-$	0	$+$
$f(x)$	$\searrow$	$-k$	$\searrow$	극소	$\nearrow$

STEP Ⓑ $f(x)$의 (최솟값) ≥ 0임을 이용하여 k의 범위 구하기

$f(x)$가 모든 실수 x에 대하여

$f(x) \geq 0$이어야 하므로 $x=1$에서

극소이며 최소이다.

최솟값은 $f(1)=3-4-k \geq 0$이어야 한다.

$\therefore k \leq -1$

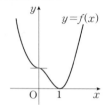

내/신/연/계 출제문항 393

모든 실수 x에 대하여 부등식 $2x^4-4x^2 \geq k$가 성립하도록 하는 실수 k의 값의 범위는?

① $k \leq -3$ ② $k \leq -2$ ③ $k \leq -1$
④ $0 \leq k \leq 1$ ⑤ $-1 \leq k \leq 1$

STEP Ⓐ $f(x)$의 증가와 감소를 표로 나타내기

부등식 $2x^4-4x^2 \geq k$에서 $2x^4-4x^2-k \geq 0$

$f(x)=2x^4-4x^2-k$로 놓으면

$f'(x)=8x^3-8x=8x(x+1)(x-1)$

$f'(x)=0$에서 $x=-1$ 또는 $x=0$ 또는 $x=1$

함수 $f(x)$의 증가와 감소를 나타내면 다음 표와 같다.

x	$\cdots$	-1	$\cdots$	0	$\cdots$	1	$\cdots$
$f'(x)$	$-$	0	$+$	0	$-$	0	$+$
$f(x)$	$\searrow$	$-2-k$	$\nearrow$	$-k$	$\searrow$	$-2-k$	$\nearrow$

STEP Ⓑ $f(x)$의 (최솟값) ≥ 0임을 이용하여 k의 범위 구하기

$f(x)$가 모든 실수 x에 대하여

$f(x) \geq 0$이어야 하므로

$x=-1$과 $x=1$에서 극소이며 최소이다.

최솟값은 $f(1)=-2-k \geq 0$이어야 한다.

$\therefore k \leq -2$

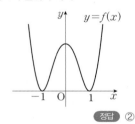

정답 ②

0941

정답 ②

STEP Ⓐ $f(x)$의 증가와 감소를 표로 나타내기

$f(x)=x^4-4x-a^2+4a$로 놓으면

$f'(x)=4x^3-4=4(x-1)(x^2+x+1)$

$f'(x)=0$에서 $x^2+x+1>0$이므로 $x=1$

함수 $f(x)$의 증가와 감소를 나타내면 다음 표와 같다.

x	$\cdots$	1	$\cdots$
$f'(x)$	$-$	0	$+$
$f(x)$	$\searrow$	극소	$\nearrow$

STEP Ⓑ $f(x)$의 (최솟값) >0임을 이용하여 a의 범위 구하기

함수 $y=f(x)$는 $x=1$에서 극소이면서

최소이므로 최솟값은 $f(1)=-3-a^2+4a$

모든 실수 x에 대하여 $f(x)>0$이려면

$-3-a^2+4a>0$이어야 하므로

$a^2-4a+3<0$, $(a-1)(a-3)<0$

따라서 $1<a<3$

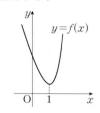

0942

정답 ②

STEP Ⓐ $f(x)$의 증가와 감소를 표로 나타내기

$f(x)=3x^4-4x^3-12x^2$이라고 하면

$f'(x)=12x^3-12x^2-24x=12x(x+1)(x-2)$

$f'(x)=0$에서 $x=-1$ 또는 $x=0$ 또는 $x=2$

함수 $f(x)$의 증가와 감소를 나타내면 다음 표와 같다.

x	$\cdots$	-1	$\cdots$	0	$\cdots$	2	$\cdots$
$f'(x)$	$-$	0	$+$	0	$-$	0	$+$
$f(x)$	$\searrow$	-5	$\nearrow$	0	$\searrow$	-32	$\nearrow$

STEP Ⓑ $f(x)$의 (최솟값) $\geq a$임을 이용하여 a의 범위 구하기

함수 $f(x)$의 최솟값은 -32이므로

모든 실수 x에 대하여 $f(x) \geq a$이려면

$a \leq -32$

따라서 상수 a의 최댓값은 -32

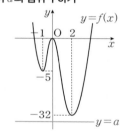

0943

정답 ②

STEP Ⓐ $f(x)$의 증가와 감소를 표로 나타내기

$f(x)=x^4-4k^3x+12$라 하면

$f'(x)=4x^3-4k^3=4(x-k)(x^2+kx+k^2)$

$f'(x)=0$에서 $x=k$ $(\because x^2+kx+k^2>0)$

함수 $f(x)$의 증가와 감소를 나타내면 다음 표와 같다.

x	$\cdots$	k	$\cdots$
$f'(x)$	$-$	0	$+$
$f(x)$	$\searrow$	극소	$\nearrow$

STEP Ⓑ $f(x)$의 (최솟값) ≥ 0임을 이용하여 k의 범위 구하기

함수 $f(x)$는 $x=k$일 때,

극소이면서 최소이므로 최솟값은

$f(k)=-3k^4+12$

모든 실수 x에 대하여 $f(x) \geq 0$이려면

$f(k) \geq 0$이어야 하므로

$-3k^4+12 \geq 0$이다.

즉 $k^4-4 \leq 0$, $(k+\sqrt{2})(k-\sqrt{2})(k^2+2) \leq 0$ $\leftarrow k^4-4=(k^2-2)(k^2+2)$

따라서 $k^2+2>0$이므로 $(k+\sqrt{2})(k-\sqrt{2}) \leq 0$

$\therefore -\sqrt{2} \leq k \leq \sqrt{2}$

모든 실수 x에 대하여 부등식
$$x^4-4k^3x+27>0$$
이 성립하기 위한 실수 k의 값의 범위는?

① $-1<k<1$ ② $-\sqrt{2}<k<\sqrt{2}$ ③ $-\sqrt{3}<k<\sqrt{3}$
④ $-2<k<2$ ⑤ $-3<k<3$

STEP Ⓐ $f(x)$의 증가와 감소를 표로 나타내기

$f(x)=x^4-4k^3x+27$라 하면
$f'(x)=4x^3-4k^3=4(x-k)(x^2+kx+k^2)$
$f'(x)=0$에서 $x=k\,(\because x^2+kx+k^2>0)$
함수 $f(x)$의 증가와 감소를 나타내면 다음 표와 같다.

x	$\cdots$	k	$\cdots$
$f'(x)$	$-$	0	$+$
$f(x)$	$\searrow$	극소	$\nearrow$

STEP Ⓑ $f(x)$의 (최솟값)>0임을 이용하여 k의 범위 구하기

함수 $f(x)$는 $x=k$일 때,
극소이면서 최소이므로 최솟값은
$f(k)=-3k^4+27$
모든 실수 x에 대하여 $f(x)>0$이려면
$f(k)\geq 0$이어야 하므로
$-3k^4+27>0$이다.
즉 $k^4-9<0$, $(k+\sqrt{3})(k-\sqrt{3})(k^2+3)<0$ ← $k^4-9=(k^2-3)(k^2+3)$
따라서 $k^2+3>0$이므로 $(k+\sqrt{3})(k-\sqrt{3})<0$
$\therefore -\sqrt{3}<k<\sqrt{3}$

정답 ③

0944

정답 ④

STEP Ⓐ $f(x)$의 증가와 감소를 표로 나타내기

$f(x)=x^4-4x-a^2+4a$에서
$f'(x)=4x^3-4=4(x-1)(x^2+x+1)$
$f'(x)=0$에서 $x=1\,(\because x^2+x+1>0)$
함수 $f(x)$의 증가와 감소를 나타내면 다음 표와 같다.

x	$\cdots$	1	$\cdots$
$f'(x)$	$-$	0	$+$
$f(x)$	$\searrow$	극소	$\nearrow$

STEP Ⓑ $f(x)$의 최솟값이 0보다 클 때, a의 값의 범위 구하기

함수 $f(x)$는 $x=1$에서
극소이자 최소이므로 최솟값은
$f(1)=1-4-a^2+4a=-a^2+4a-3$
모든 실수 x에 대하여 $f(x)>0$이
성립하려면 $f(1)>0$이여야 한다.
$f(1)=1-4-a^2+4a>0$
$a^2-4a+3<0$, $(a-1)(a-3)<0$
따라서 $1<a<3$

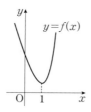

함수 $f(x)=x^4+4x-a^2+4a+8$일 때, 모든 실수 x에 대하여
부등식 $f(x)>0$이 항상 성립하기 위한 정수 a의 개수는?

① 1 ② 2 ③ 3
④ 4 ⑤ 5

STEP Ⓐ $f(x)$의 증가와 감소를 표로 나타내기

$f(x)=x^4+4x-a^2+4a+8$에서
$f'(x)=4x^3+4=4(x+1)(x^2-x+1)$
$f'(x)=0$에서 $x=-1$
함수 $f(x)$의 증가와 감소를 나타내면 다음 표와 같다.

x	$\cdots$	-1	$\cdots$
$f'(x)$	$-$	0	$+$
$f(x)$	$\searrow$	$-a^2+4a+5$	$\nearrow$

STEP Ⓑ $f(x)$의 (최솟값)>0임을 이용하여 a의 범위 구하기

함수 $f(x)$는 $x=-1$일 때,
극소이면서 최소이므로 부등식 $f(x)>0$이
항상 성립하려면 $f(-1)>0$이어야 한다.
즉 $f(-1)=-a^2+4a+5>0$에서
$(a+1)(a-5)<0$
$\therefore -1<a<5$
따라서 정수 a는 0, 1, 2, 3, 4이므로
개수는 5개이다.

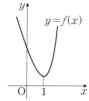

정답 ⑤

0945

정답 ④

STEP Ⓐ $h(x)$의 증가와 감소를 표로 나타내기

$2x^3+k>x^3+3x^2$에서 $x^3-3x^2+k>0$
$h(x)=x^3-3x^2+k$로 놓으면
$h'(x)=3x^2-6x=3x(x-2)$
$h'(x)=0$에서 $x=0$ 또는 $x=2$
$x>0$에서 함수 $h(x)$의 증가와 감소를 나타내면 다음 표와 같다.

x	0	$\cdots$	2	$\cdots$
$h'(x)$		$-$	0	$+$
$h(x)$		$\searrow$	$k-4$	$\nearrow$

STEP Ⓑ $h(x)$의 최솟값>0임을 이용하여 k의 범위 구하기

함수 $h(x)$는 $x=2$에서 극소이며
최소이다.
$x>0$인 모든 실수 x에 대하여
$h(x)>0$이 항상 성립하려면
$h(2)=k-4>0$
$\therefore k>4$

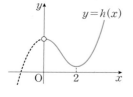

0946

STEP Ⓐ $h(x)=g(x)-f(x)$라 두고 $h(x)$의 증가와 감소를 표로 나타내기

구간 $(0, 3)$에서 부등식 $f(x)\le g(x)$가 성립하려면
$g(x)-f(x)\ge 0$이어야 한다.
$h(x)=g(x)-f(x)$라고 하면
$h(x)=5x^3-15x^2+k-2$에서 $h'(x)=15x^2-30x=15x(x-2)$
$h'(x)=0$에서 $0<x<3$이므로 $x=2$
열린구간 $(0, 3)$에서 함수 $h(x)$의 증가와 감소를 나타내면 다음 표와 같다.

x	0	$\cdots$	2	$\cdots$	3
$h'(x)$		$-$	0	$+$	
$h(x)$	$k-2$	$\searrow$	$k-22$	$\nearrow$	$k-2$

STEP Ⓑ $h(x)$의 (최솟값)≥ 0임을 이용하여 k의 범위 구하기

위의 표에 의하여 함수 $h(x)$는
$x=2$일 때,
극소이며 최소이므로 $h(x)\ge 0$이
성립하려면 $h(2)\ge 0$이어야 한다.
따라서 $h(2)=k-22\ge 0$에서
$k\ge 22$이므로 k의 최솟값은 22

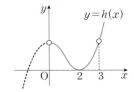

내/신/연/계/ 출제문항 396

두 함수 $f(x)=4x^3-8x^2+k$, $g(x)=4x^2+5$에 대하여 열린구간 $(0, 3)$에서 부등식 $f(x)\ge g(x)$이 항상 성립하도록 하는 실수 k의 최솟값은?

① 20   ② 21   ③ 22
④ 24   ⑤ 25

STEP Ⓐ $h(x)=f(x)-g(x)$라 두고 $h(x)$의 증가와 감소를 표로 나타내기

구간 $(0, 3)$에서 부등식 $f(x)\ge g(x)$가 성립하려면
$f(x)-g(x)\ge 0$이어야 한다.
$h(x)=f(x)-g(x)$라고 하면
$h(x)=4x^3-12x^2+k-5$에서 $h'(x)=12x^2-24x=12x(x-2)$
$h'(x)=0$에서 $0<x<3$이므로 $x=2$
열린구간 $(0, 3)$에서 함수 $h(x)$의 증가와 감소를 나타내면 다음 표와 같다.

x	0	$\cdots$	2	$\cdots$	3
$h'(x)$		$-$	0	$+$	
$h(x)$		$\searrow$	$k-21$	$\nearrow$	

STEP Ⓑ $h(x)$의 (최솟값)≥ 0임을 이용하여 k의 범위 구하기

함수 $h(x)$는 $x=2$일 때,
극소이면서 최소이므로 $h(x)\ge 0$이
성립하려면 $h(2)\ge 0$이어야 한다.
따라서 $h(2)=k-21\ge 0$에서
$k\ge 21$이므로 k의 최솟값은 21

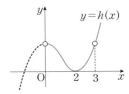

0947

STEP Ⓐ $h(x)=f(x)-g(x)$라 두고 $h(x)$의 증가와 감소를 표로 나타내기

$h(x)=f(x)-g(x)$라 하면
$h(x)=(x^3-x^2-x+1)-(-x^2+2x+a)$
$\quad\quad =x^3-3x+1-a$
$h'(x)=3x^2-3=3(x+1)(x-1)$
$h'(x)=0$에서 $x=-1$ 또는 $x=1$
닫힌구간 $[0, 2]$에서 함수 $h(x)$의 증가와 감소를 나타내면 다음 표와 같다.

x	0	$\cdots$	1	$\cdots$	2
$h'(x)$		$-$	0	$+$	
$h(x)$	$1-a$	$\searrow$	$-1-a$	$\nearrow$	$3-a$

STEP Ⓑ $h(x)$의 (최솟값)≥ 0임을 이용하여 a의 범위 구하기

구간 $[0, 2]$에서 함수 $h(x)$는
$x=1$일 때, 극소이면서 최소이므로
주어진 부등식이 항상 성립하려면
$h(1)=-1-a\ge 0$이어야 한다.
따라서 $a\le -1$이므로 구하는 실수
a의 최댓값은 -1

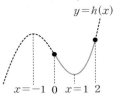

내/신/연/계/ 출제문항 397

두 함수
$$f(x)=x^3+x^2+x, \quad g(x)=4x^2+x+k$$
에 대하여 닫힌구간 $[1, 3]$에서 부등식
$$f(x)\ge g(x)$$
가 항상 성립하도록 하는 실수 k의 최댓값은?

① -5 ② -4 ③ -3
④ -2 ⑤ -1

STEP Ⓐ $h(x)=f(x)-g(x)$라 두고 $h(x)$의 증가와 감소를 표로 나타내기

$h(x)=f(x)-g(x)$라고 하면
$h(x)=(x^3+x^2+x)-(4x^2+x+k)=x^3-3x^2-k$
$h'(x)=3x^2-6x=3x(x-2)$
$h'(x)=0$에서 $x=0$ 또는 $x=2$
닫힌구간 $[1, 3]$에서 함수 $h(x)$의 증가와 감소를 나타내면 다음 표와 같다.

x	1	$\cdots$	2	$\cdots$	3
$h'(x)$		$-$	0	$+$	
$h(x)$	$-2-k$	$\searrow$	$-4-k$	$\nearrow$	$-k$

STEP Ⓑ $h(x)$의 (최솟값)≥ 0임을 이용하여 k의 범위 구하기

닫힌구간 $[1, 3]$에서 함수 $h(x)$는
$x=2$일 때, 극소이면서 최소이므로
주어진 부등식이 항상 성립하려면
$h(2)=-4-k\ge 0$이어야 한다.
따라서 $k\le -4$이므로 구하는 실수
k의 최댓값은 -4

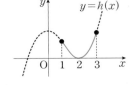

0948

정답 ②

STEP A $h(x)=f(x)-3g(x)$로 놓고 닫힌구간 $[-1, 4]$에서 극솟값 구하기

$h(x)=f(x)-3g(x)$라 하면

$h(x)=x^3+3x^2-k-3(2x^2+3x-10)$
$\quad\ =x^3-3x^2-9x+30-k$

이고 닫힌구간 $[-1, 4]$에서 $f(x)\geq 3g(x)$이므로 $h(x)\geq 0$이어야 한다.

이때 $h'(x)=3x^2-6x-9=3(x+1)(x-3)$

$h'(x)=0$에서 $x=-1$ 또는 $x=3$

닫힌구간 $[-1, 4]$에서 함수 $h(x)$의 증가와 감소를 조사하면 다음과 같다.

x	-1	$\cdots$	3	$\cdots$	4
$h'(x)$	0	$-$	0	$+$	
$h(x)$	극대	$\searrow$	극소	$\nearrow$	

$h(x)$는 $x=3$에서 극소이면서 최소이므로 함수 $h(x)$의 최솟값은
$h(3)=27-27-27+30-k=3-k$

STEP B 닫힌구간 $[-1, 4]$에서 최솟값 구하기

닫힌구간 $[-1, 4]$에서

$h(x)\geq 0$이려면 $3-k\geq 0$

따라서 $k\leq 3$이므로 k의 최댓값은 3

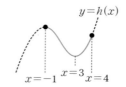

0949

정답 ①

STEP A 부등식을 $h(x)>0$으로 정리하여 $h(x)$의 증가와 감소를 표로 나타내기

$h(x)=f(x)-g(x)$라고 하면

$h(x)=x^4+x^3-2x^2-5x-(x^3+4x^2+3x+a)$
$\quad\ =x^4-6x^2-8x-a$

$h'(x)=4x^3-12x-8$
$\quad\quad\ =4(x^3-3x-2)$
$\quad\quad\ =4(x+1)^2(x-2)$

$h'(x)=0$에서 $x=-1$ 또는 $x=2$

함수 $h(x)$의 증가와 감소를 표로 나타내면 다음과 같다.

x	$\cdots$	-1	$\cdots$	2	$\cdots$
$h'(x)$	$-$	0	$-$	0	$+$
$h(x)$	$\searrow$	$-a+3$	$\searrow$	$-a-24$	$\nearrow$

STEP B $h(x)$의 (최솟값)>0임을 이용하여 a의 범위 구하기

함수 $h(x)$는 $x=2$에서 극소이면서
최소이므로 최솟값은 $h(2)=-a-24$
모든 실수 x에 대하여 주어진 부등식이
성립하려면 $-a-24>0$
$\therefore a<-24$
따라서 정수 a의 최댓값은 -25

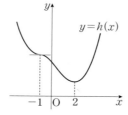

[다른 표현 같은 문제]

두 함수 $f(x)=x^4+x^3-2x^2-5x$, $g(x)=x^3+4x^2+3x+a$에 대하여 모든 실수 x에 대하여 부등식 $f(x)>g(x)$가 성립하는 실수 a의 값의 범위를 구하여라.

내/신/연/계/ 출제문항 398

두 함수 $f(x)=x^4+3x^3-2x^2-9x$, $g(x)=3x^3+4x^2-x-a$에 대하여 함수 $y=f(x)$의 그래프가 함수 $y=g(x)$의 그래프보다 항상 위쪽에 있을 때, 상수 a의 값의 범위는?

① $a>24$ ② $a>12$ ③ $a\geq 10$
④ $a>8$ ⑤ $a>6$

STEP A $h(x)=f(x)-g(x)$라 두고 $h(x)$의 증가와 감소를 표로 나타내기

함수 $y=f(x)$의 그래프가 함수 $y=g(x)$의 그래프보다 항상 위쪽에 있으려면 모든 실수 x에 대하여 $f(x)>g(x)$이어야 한다.

$h(x)=f(x)-g(x)$로 놓으면 $h(x)=x^4-6x^2-8x+a$

$h'(x)=4x^3-12x-8=4(x+1)^2(x-2)$

$h'(x)=0$에서 $x=-1$ 또는 $x=2$

함수 $h(x)$의 증가와 감소를 나타내면 다음 표와 같다.

x	$\cdots$	-1	$\cdots$	2	$\cdots$
$h'(x)$	$-$	0	$-$	0	$+$
$h(x)$	$\searrow$	$a+3$	$\searrow$	$a-24$	$\nearrow$

STEP B $h(x)$의 (최솟값)>0임을 이용하여 a의 범위 구하기

함수 $h(x)$는 $x=2$에서 극소이면서
최소이므로 모든 실수 x에 대하여
$h(x)>0$이려면 $a-24>0$
따라서 $a>24$

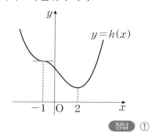

정답 ①

0950

정답 ①

STEP A 부등식을 $h(x)>0$으로 정리하여 $h(x)$의 증가와 감소를 표로 나타내기

$h(x)=f(x)-g(x)$로 놓으면

$h(x)=3x^4-8x^3+10-k$

$h'(x)=12x^3-24x^2=12x^2(x-2)$

$h'(x)=0$에서 $x=0$또는 $x=2$

$h(x)$의 증가와 감소를 표로 나타내면 다음과 같다.

x	$\cdots$	0	$\cdots$	2	$\cdots$
$h'(x)$	$-$	0	$-$	0	$+$
$h(x)$	$\searrow$	$10-k$	$\searrow$	$-6-k$	$\nearrow$

STEP B $h(x)$의 (최솟값)>0임을 이용하여 k의 범위 구하기

함수 $h(x)$는 $x=2$에서 극소이면
최소이므로 최솟값은 $f(2)=-6-k$
모든 실수 x에 대하여 부등식 $h(x)>0$
따라서 $f(x)>g(x)$를 만족시키려면
$-6-k>0$ $\therefore k<-6$

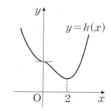

0951

STEP A $f(x)$의 최솟값과 $g(x)$의 최댓값 구하기

임의의 실수 x_1, x_2에 대하여 $f(x_1) > g(x_2)$가 성립하려면
$f(x)$의 최솟값이 $g(x)$의 최댓값보다 커야 한다.

$f(x) = 3x^4 - 4x^3$에서

$f'(x) = 12x^3 - 12x^2 = 12x^2(x-1)$

$f'(x) = 0$에서 $x = 0$ 또는 $x = 1$

$h(x)$의 증가와 감소를 표로 나타내면 다음과 같다.

x	$\cdots$	0	$\cdots$	1	$\cdots$
$h'(x)$	$-$	0	$-$	0	$+$
$h(x)$	$\searrow$	0	$\searrow$	-1	$\nearrow$

함수 $f(x)$는 $x = 1$에서 최소이므로 최솟값은

$f(1) = -1$ $\quad\cdots\cdots$ ㉠

STEP B $g(x)$의 최댓값 구하기

또, $g(x) = -2x^2 + 12x + k = -2(x-3)^2 + 18 + k$이므로

함수 $g(x)$는 $x = 3$일 때, 최대이고 최댓값은

$g(3) = 18 + k$ $\quad\cdots\cdots$ ㉡

STEP C ($f(x)$의 최솟값)>($g(x)$의 최댓값)임을 이용하여 k의 범위 구하기

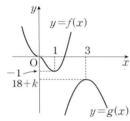

따라서 ㉠, ㉡에서 ($f(x)$의 최솟값)>($g(x)$의 최댓값)이려면 $-1 > 18 + k$

$\therefore k < -19$

내/신/연/계 출제문항 399

두 함수 $f(x) = x^4 - x^2 - 2x$, $g(x) = -x^2 - 4x + k$일 때, 임의의 두 실수 x_1, x_2에 대하여 $f(x_1) \geq g(x_2)$가 성립할 때 상수 k의 최댓값은?

① -8 ② -7 ③ -6
④ -4 ⑤ -3

STEP A $f(x)$의 최솟값 구하기

임의의 두 실수 x_1, x_2에 대하여 $f(x_1) \geq g(x_2)$이려면
함수 $f(x)$의 최솟값이 함수 $g(x)$의 최댓값보다 커야 한다.

$f(x) = x^4 - x^2 - 2x$이므로

$f'(x) = 4x^3 - 2x - 2 = 2(x-1)(2x^2 + 2x + 1)$

$f'(x) = 0$에서 $x = 1$ $\left(\because 2x^2 + 2x + 1 = 2\left(x + \dfrac{1}{2}\right)^2 + \dfrac{1}{2} > 0 \right)$

$f'(x)$의 부호를 조사하여 함수 $f(x)$의 증가와 감소를 표로 나타내면 다음과 같다.

x	$\cdots$	1	$\cdots$
$f'(x)$	$-$	0	$+$
$f(x)$	$\searrow$	극소	$\nearrow$

$f(x)$는 $x = 1$에서 극소이고 최소이므로 $f(x)$의 최솟값은

$f(1) = -2$ $\quad\cdots\cdots$ ㉠

STEP B $g(x)$의 최댓값 구하기

$g(x) = -x^2 - 4x + k = -(x+2)^2 + k + 4$

에서 함수 $g(x)$는 $x = -2$일 때,

최댓값은 $g(-2) = k + 4$ $\quad\cdots\cdots$ ㉡

㉠, ㉡에서

($f(x)$의 최솟값)$\geq$($g(x)$의 최댓값)

이려면 $-2 \geq k + 4$ $\therefore k \leq -6$

따라서 상수 k의 최댓값은 -6

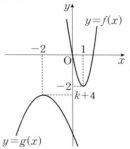

0952

STEP A $t = 0$에서 $t = 5$까지의 평균속도 구하기

$x = t^3 - 2t^2 + 2t$이므로 평균속도를 v라고 하면

$v = \dfrac{x(5) - x(0)}{5 - 0} = \dfrac{125 - 50 + 10}{5 - 0} = 17$

STEP B $x'(c) = 17$임을 이용하여 c의 값 구하기

한편 $x' = 3t^2 - 4t + 2$이므로 주어진 조건에 의하여

$3c^2 - 4c + 2 = 17$, $3c^2 - 4c - 15 = 0$, $(3c + 5)(c - 3) = 0$

따라서 $c > 0$이므로 $c = 3$

0953

STEP A 점 P가 출발한 후 다시 원점에 도착했을 때, 시각 구하기

다시 원점에 도착했을 때,

$x = 0$이므로 $-t^3 + 16t = 0$, $t(t+4)(t-4) = 0$

이때 $t > 0$이므로 $t = 4$

STEP B 속도와 가속도 구하기

점 P의 시각 t에서의 속도를 v, 가속도를 a라고 하면

$v = \dfrac{dx}{dt} = -3t^2 + 16$, $a = \dfrac{dv}{dt} = -6t$ $\quad\cdots\cdots$ ㉠

$t = 4$일 때,

㉠에서 구하는 속도는 $v = -32$, 가속도는 $a = -24$

따라서 $v + a = -32 + (-24) = -56$

0954

STEP A 점 P가 출발한 후 다시 원점에 도착했을 때, 시각 구하기

점 P가 다시 원점에 돌아온 순간의 위치는 0이므로

$x = 0$에서 $t^3 - 4t^2 + 4t = 0$, $t(t-2)^2 = 0$

그런데 $t > 0$이므로 $t = 2$

STEP B 속도와 가속도 구하기

시각 t에서 점 P의 속도를 $v(t)$, 가속도를 $a(t)$라고 하면

$v(t) = \dfrac{dx}{dt} = 3t^2 - 8t + 4$, $a(t) = \dfrac{dv}{dt} = 6t - 8$ $\quad\cdots\cdots$ ㉠

$t = 2$일 때,

㉠에서 $v(2) = 12 - 16 + 4 = 0$, $a(2) = 12 - 8 = 4$

따라서 $v(2) + a(2) = 0 + 4 = 4$

원점을 출발하여 수직선 위를 움직이는 점 P의 시각 t에서의 좌표가
$$x=-2t^3+8t$$
일 때, 출발할 때를 제외하고 점 P가 처음으로 원점을 지나는 순간의 속도와 가속도의 합은?

① -40 ② -35 ③ -30
④ -25 ⑤ -20

STEP🅐 $x(t)=0$을 만족하는 0이 아닌 t의 값 구하기

점 P가 다시 원점에 돌아온 순간의 위치는 0이므로
$x(t)=-2t^3+8t=-2t(t^2-4)=-2t(t-2)(t+2)$
그런데 $t>0$이므로 $x(t)=0$에서 $t=2$일 때, 처음으로 원점을 지난다.

STEP🅑 **속도와 가속도 구하기**

시각 t에서 점 P의 속도를 $v(t)$, 가속도를 $a(t)$라고 하면
$v(t)=\dfrac{dx}{dt}=-6t^2+8$, $a(t)=\dfrac{dv}{dt}=-12t$
따라서 $v(2)=-24+8=-16$이고 $a(2)=-24$이므로 합은
$-16+(-24)=-40$ 정답 ①

0955   정답 ②

STEP🅐 $v'(t)=10$을 만족하는 t의 값 구하기

점 P의 시각 t에서의 속도 $v(t)$는 $v(t)=\dfrac{dx}{dt}=3t^2-18t+34$
이때 시각 t에서의 점 P의 속도가 10이 되는 순간은 $3t^2-18t+34=10$
$t^2-6t+8=0$, $(t-2)(t-4)=0$
$\therefore\ t=2$ 또는 $t=4$

STEP🅑 $x(2)$의 값 구하기

따라서 $t=2$일 때, 점 P의 속도가 처음으로 10이 되므로 점 P의 위치는
$x(2)=2^3-9\cdot2^2+34\cdot2=40$

수직선 위를 움직이는 점 P의 시각 $t(t>0)$에서의 위치 x가
$$x=t^3-2t+3$$
이다. 시각 $t=k$에서의 점 P의 가속도가 12일 때, 시각 $t=k+2$에서의 점 P의 속도는?

① 24   ② 36   ③ 42
④ 46   ⑤ 52

STEP🅐 **점 P의 속도와 가속도 구하기**

점 P의 시각 t에서의 속도를 v, 가속도를 a라 하면
$v=\dfrac{dx}{dt}=3t^2-2$, $a=\dfrac{dv}{dt}=6t$
시각 $t=k$에서의 점 P의 가속도가 12이므로 $6k=12$에서 $k=2$

STEP🅑 **시각 $t=k+2$에서의 점 P의 속도 구하기**

따라서 시각 $t=k+2=4$에서의 점 P의 속도는 $3\cdot16-2=46$ 정답 ④

0956   정답 ①

STEP🅐 $v(t)=8$을 만족하는 t의 값 구하기

점 P의 시각 t에서의 속도 $v(t)$와 가속도 $a(t)$는
$v(t)=\dfrac{dx}{dx}=3t^2-4t+4$, $a(t)=\dfrac{dv}{dt}=6t-4$
$v(t)=8$일 때, $3t^2-4t+4=8$
$3t^2-4t-4=0$, $(3t+2)(t-2)=0$
이때 $t>0$이므로 $t=2$

STEP🅑 $a(2)$의 값 구하기

따라서 $t=2$에서 가속도는 $a(2)=12-4=8$

원점을 출발하여 수직선 위를 움직이는 점 P의 시각 t에서의 위치 x가
$$x=t^3-9t^2+27t$$
일 때, 점 P의 속도가 처음으로 3이 되는 순간의 점 P의 가속도는?

① -8 ② -6 ③ -4
④ 6   ⑤ 8

STEP🅐 $v(t)=3$을 만족하는 t의 값 구하기

점 P의 시각 t에서의 속도 $v(t)$와 가속도 $a(t)$는
$v(t)=\dfrac{dx}{dx}=3t^2-18t+27$, $a(t)=\dfrac{dv}{dt}=6t-18$
$v(t)=3$일 때, $3t^2-18t+27=3$
$3t^2-18t+24=0$, $3(t-2)(t-4)=0$
이때 $t>0$이므로 $t=2$ 또는 $t=4$

STEP🅑 $a(2)$의 값 구하기

따라서 $t=2$일 때, 점 P의 속도가 처음으로 3이 되므로 점 P의 가속도는
$a(2)=12-18=-6$ 정답 ②

0957   정답 ①

STEP🅐 $x(t)=0$을 만족하는 t의 값 구하기

점 P가 원점을 지날 때의 위치는 $x=0$이므로
$k(t^3-4t^2+3t)=0$, $kt(t-1)(t-3)=0$
$k\ne0$, $t>0$이므로 $t=1$ 또는 $t=3$

STEP🅑 $v_1+v_2=12$를 만족하는 k의 값 구하기

점 P의 시각 t에서의 속도 v는 $v=\dfrac{dx}{dt}=k(3t^2-8t+3)$이므로
시각 $t=1$에서의 속도는 $v=k(3-8+3)=-2k$이고
시각 $t=3$에서의 속도는 $v=k(27-24+3)=6k$
$v_1+v_2=12$에서 $-2k+6k=12$
따라서 $k=3$

0958

STEP A 점 P의 가속도가 0이 되는 시각 구하기

점 P의 시각 t에서의 속도를 v라 하면

$$v = \frac{dx}{dt} = -t^2 + 6t$$

점 P의 시각 t에서의 가속도를 a라 하면

$$a = \frac{dv}{dt} = -2t + 6$$

점 P의 가속도가 0이므로 $-2t + 6 = 0$에서 $t = 3$

STEP B 점 P의 위치가 40일 때, k의 값 구하기

$t = 3$일 때, 점 P의 위치가 40이므로

$$x(3) = -\frac{1}{3} \cdot 3^3 + 3 \cdot 3^2 + k = 40$$

따라서 $k = 22$

내/신/연/계/ 출제문항 403

수직선 위를 움직이는 점 P의 시각 $t\,(t \geq 0)$에서의 위치 x가

$$x = t^3 - 2t^2 - 4t + k$$

이다. $t > 0$에서 점 P의 속도가 0이 되는 순간 점 P의 위치가 0일 때, 상수 k의 값은?

① 4　　　　② 6　　　　③ 8
④ 10　　　⑤ 12

STEP A 점 P의 속도가 0이 되는 시각 구하기

점 P의 시각 t에서의 속도를 v라 하면

$$v = \frac{dx}{dt} = 3t^2 - 4t - 4 = (3t + 2)(t - 2)$$

점 P의 속도가 0이므로

$(3t + 2)(t - 2) = 0$에서 $t = -\frac{2}{3}$ 또는 $t = 2$

이때 $t > 0$이므로 $t = 2$

STEP B 점 P의 위치가 0일 때, k의 값 구하기

따라서 점 P의 속도가 0이 되는 순간 점 P의 위치는

$x(2) = 8 - 8 - 8 + k = k - 8$이므로

$k - 8 = 0$에서 $k = 8$

정답 ③

0959

정답 ⑤

STEP A 점 P가 운동방향을 바꿀 때의 시각 구하기

점 P의 시각 t에서의 속도를 v, 가속도를 a라고 하면

$$v(t) = \frac{dx}{dt} = 3t^2 - 12, \quad a(t) = \frac{dv}{dt} = 6t$$

$t > 0$에서 점 P가 움직이는 방향을 바꿀 때는 $v = 0$이므로

$v = 3(t + 2)(t - 2) = 0$에서 $t = 2$

$0 < t < 2$일 때, $v < 0$이고 $t > 2$일 때, $v > 0$이므로
점 P가 움직이는 방향을 바꿀 때의 시각은 $t = 2$

STEP B 가속도 구하기

따라서 $t = 2$일 때, 가속도는 $a(2) = 12$

0960

정답 ④

STEP A 위치를 미분하여 속도 $v(t)$, 가속도 $a(t)$의 함수식 구하기

t초 후의 속도를 $v(t)$, 가속도를 $a(t)$라고 하면

$$v(t) = \frac{dx}{dt} = 3t^2 - 9t + 6$$

$$a(t) = \frac{dv}{dt} = 6t - 9$$

STEP B $v(t) = 0$을 만족하는 t의 값 구하기

운동 방향이 바뀌는 순간의 속도는 0이므로

$$v(t) = \frac{dx}{dt} = 3t^2 - 9t + 6 = 3(t - 1)(t - 2) = 0$$

$\therefore t = 1$ 또는 $t = 2$

STEP C $a(2)$의 값 구하기

따라서 점 P의 운동 방향이 두 번째로 바뀌는 시각은 $t = 2$이므로
그때의 가속도는 $a(2) = 6 \cdot 2 - 9 = 3$

내/신/연/계/ 출제문항 404

수직선 위를 움직이는 점 P의 시각 t에서의 위치 x가

$$x = t^3 + pt^2 + qt \quad (p, q\text{는 상수})$$

이다. 점 P는 시각 $t = 2$에서 운동 방향을 바꾸고, 이때의 점 P의 가속도는 2이다. 점 P가 처음으로 운동 방향을 바꿀 때 가속도는?

① -4　　　② -2　　　③ 0
④ 2　　　　⑤ 4

STEP A 시각 $t = 2$에서 점 P가 운동방향을 바꾸고 그때의 가속도가 2일 때, p, q의 값 구하기

점 P의 시각 t에서의 속도 v는

$$v = \frac{dx}{dt} = 3t^2 + 2pt + q$$

점 P는 시각 $t = 2$에서 운동 방향을 바꾸므로 $t = 2$에서의 속도는 0이다.
즉, $v = 12 + 4p + q = 0$　　…… ㉠

점 P의 시각 t에서의 가속도 a는

$$a = \frac{dv}{dt} = 6t + 2p$$

점 P의 시각 $t = 2$에서의 가속도가 2이므로 $12 + 2p = 2$에서 $p = -5$

㉠에서 $q = 8$

STEP B 점 P가 처음으로 운동 방향을 바꿀 때 가속도 구하기

$v = 3t^2 - 10t + 8 = (t - 2)(3t - 4)$이므로

$v = 0$에서 $t = \frac{4}{3}$ 또는 $t = 2$

따라서 점 P는 시각 $t = \frac{4}{3}$에서 운동 방향을 바꾸므로

점 P의 시각 $t = \frac{4}{3}$에서의 가속도는 $6 \times \frac{4}{3} - 10 = -2$

 정답 ②

0961

 정답 ②

STEP A $t=3$일 때, 속도가 0임을 이용하여 a, b 사이의 관계식 구하기

$v=\dfrac{dx}{dt}=3t^2+2at+b$에서 $t=3$일 때,

속도가 0이므로 $27+6a+b=0$

$\therefore 6a+b=-27$ ...... ㉠

STEP B $t=3$일 때, 위치가 -5임을 이용하여 a, b의 값 구하기

$t=3$일 때, 위치가 -5이므로 $27+9a+3b+4=-5$

$\therefore 3a+b=-12$ ...... ㉡

㉠, ㉡을 연립하여 풀면 $a=-5$, $b=3$

STEP C $v=0$을 만족하는 t의 값 구하기

$v=\dfrac{dx}{dt}=3t^2-10t+3=(3t-1)(t-3)$이므로

$v=0$에서 $t=\dfrac{1}{3}$ 또는 $t=3$

따라서 $t=3$ 이외에 운동 방향을 바꾸는 시각은 $t=\dfrac{1}{3}$

내/신/연/계 출제문항 405

수직선 위를 움직이는 점 P의 시각 $t(t\geq 0)$에서의 위치 x가

$$x=t^3+at^2+bt\,(a,\ b\text{는 상수})$$

이다. 시각 $t=1$에서 점 P가 운동 방향을 바꾸고, 시각 $t=2$에서 점 P의 가속도는 0이다. $a+b$의 값은?

① 3   ② 4   ③ 5
④ 6   ⑤ 7

STEP A 점 P의 속도와 가속도 구하기

점 P의 위치가 $x=t^3+at^2+bt$이므로

시각 t에서의 속도와 가속도를 각각 $v(t)$, $a(t)$라 하면

$v(t)=\dfrac{dx}{dt}=3t^2+2at+b$

$a(t)=\dfrac{dv}{dt}=6t+2a$

STEP B $t=2$에서 점 P의 가속도가 0임을 이용하여 a 구하기

$t=2$에서 점 P의 가속도가 0이므로 $a(2)=12+2a=0$

$\therefore a=-6$

STEP C $t=1$에서 점 P가 운동 방향을 바꿈을 이용하여 b 구하기

$t=1$에서 점 P가 운동방향을 바꾸므로 점 P의 속도가 부호가 바뀌어야 한다.

즉 속도는 0이어야 하므로 $v(1)=3+2a+b=3-12+b=0$

$\therefore b=9$

따라서 $a=-6$, $b=9$이므로 $a+b=3$ 정답 ①

0962

정답 ①

STEP A 점 P가 움직이는 방향이 바뀌지 않도록 하는 조건 구하기

점 P의 시각 t에서의 속도를 $v(t)$라 하면

$v(t)=\dfrac{dx}{dt}=3t^2-10t+a$

점 P가 움직이는 방향이 바뀌지 않으려면 실수 $t(t\geq 0)$에 대하여

항상 $v(t)\geq 0$이거나 $v(t)\leq 0$이어야 한다.

이때 $v(t)=3\left(t-\dfrac{5}{3}\right)^2+a-\dfrac{25}{3}$이므로 실수 $t(t\geq 0)$에 대하여

항상 $v(t)\leq 0$라 할 수 없다.

즉 실수 $t(t\geq 0)$에 대하여 항상 $v(t)\geq 0$이어야 한다.

STEP B 판별식 D가 $D\leq 0$임을 이용하여 a의 범위 구하기

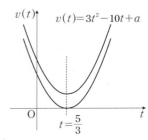

이차방정식 $3t^2-10t+a=0$의 판별식을 D라 하면 $D\leq 0$

$\dfrac{D}{4}=5^2-3a\leq 0$에서 $a\geq\dfrac{25}{3}$

따라서 자연수 a의 최솟값은 9

 $v(t)=3\left(t-\dfrac{5}{3}\right)^2+a-\dfrac{25}{3}$이므로 실수 $t(t\geq 0)$에 대하여

항상 $v(t)\geq 0$이어야 하므로 $a-\dfrac{25}{3}\geq 0$

따라서 $a\geq\dfrac{25}{3}$이므로 조건을 만족시키는 자연수 a의 최솟값은 9이다.

0963

정답 ③

STEP A 좌표를 미분하여 속도 $v(t)$의 함수식 구하기

점 P의 시각 t에서의 속도를 $v(t)$라 하면

$v(t)=f'(t)=4t^3-12t-a$

STEP B 주어진 조건을 만족하기 위한 함수 $v(t)$의 조건 구하기

점 P의 운동 방향이 2번만 바뀌어야 하므로 방정식 $v(t)=0$은 중근이 아닌 2개의 양의 실근을 가져야 한다.

STEP C $g(t)=4t^3-12t$라 두고 그래프를 그려 주어진 조건을 만족하는 a의 범위 구하기

$g(t)=4t^3-12t$로 놓으면 $g'(t)=12t^2-12=12(t+1)(t-1)$

또, $g(1)=-8$, $g(0)=0$

다음 그림에서 $-8<a<0$일 때, 직선 $y=a$는 $y=g(t)$의 그래프와 두 점에서 만나므로 방정식 $g(t)=a$는 서로 다른 두 양의 실근을 갖게 된다.

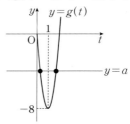

따라서 정수 a는 -7, -6, -5, $\cdots$, -2, -1이므로 개수는 7개이다.

수직선 위를 움직이는 두 점 P, Q의 시각 t에서의 위치를 각각

$$\frac{1}{2}t^4+36t^2, \quad 8t^3+kt$$

라 하자. 두 점 P, Q의 속도가 같아지는 순간이 두 번 있을 때,
실수 k의 값의 합은?

① 60   ② 62   ③ 64
④ 66   ⑤ 68

STEP Ⓐ P, Q의 속도 v_P, v_Q의 함수식을 구하고 주어진 조건을 만족하기
위한 v_P, v_Q의 조건 이해하기

$x_P=\frac{1}{2}t^4+36t^2$, $x_Q=8t^3+kt$ 라 하면 $v_P=2t^3+72t$, $v_Q=24t^2+k$

두 점 P, Q의 속도가 같게 되는 때가 두 번 있으려면 $v_P=v_Q$를 만족시키는
시각 t의 값이 2개 존재하여야 하므로 t에 대한 방정식 $2t^3+72t=24t^2+k$가
음이 아닌 서로 다른 두 실근을 가져야 한다.

STEP Ⓑ $f(t)$의 증가와 감소를 표로 나타내기

즉 $2t^3+72t-24t^2=k$에서 곡선 $y=2t^3-24t^2+72t$와 $y=k$가
음이 아닌 서로 다른 두 점에서 만나야 하므로
$f(t)=2t^3-24t^2+72t$로 놓으면
$f'(t)=6t^2-48t+72=6(t-2)(t-6)$
$f'(t)=0$에서 $t=2$ 또는 $t=6$
함수 $f(t)$의 증가와 감소를 나타내면 다음 표와 같다.

x	0	...	2	...	6	...
$f'(x)$		+	0	−	0	+
$f(x)$		↗	64	↘	0	↗

STEP Ⓒ 그래프를 그려 주어진 조건을 만족하는 k의 값 구하기

따라서 $t \geq 0$일 때, $y=f(t)$의
그래프는 오른쪽 그림과 같으므로
곡선 $y=f(t)$와 직선 $y=k$가
음이 아닌 서로 다른 두 점에서
만나려면 $k=0$, $k=64$
따라서 k의 합은 64

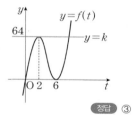

정답 ③

0964

정답 ③

STEP Ⓐ 속도 $v(t)$, 가속도 $a(t)$ 구하기

점 P의 시각 t에서의 속도 $v(t)$와 가속도 $a(t)$는

$$v(t)=\frac{dx}{dt}=t^2-10t+16, \quad a(t)=\frac{dv}{dt}=2t-10$$

STEP Ⓑ [보기]의 참, 거짓 판별하기

ㄱ. 5초에서의 가속도는 $a(5)=2 \cdot 5-10=0$이다. [참]

ㄴ. 점 P가 운동방향을 바꾸는 순간은 속도가 0이므로 $v(t)=0$에서
$v(t)=t^2-10t+16=(t-2)(t-8)=0$
$t=2$ 또는 $t=8$
즉 점 P는 출발 후 운동 방향이
두 번 바뀐다. [참]

ㄷ. $v(t)=t^2-10t+16=(t-5)^2-9$
$t=5$에서 $v(5)=-9$이고
$t=2$에서 $v(2)=0$
$t=9$일 때, $v(9)=7$
즉 점 P의 최대 속도는 7이다. [거짓]

따라서 옳은 것은 ㄱ, ㄴ이다.

수직선 위를 움직이는 점 P의 t초 후의 위치 x가

$$x=2t^3-9t^2+12t$$

일 때, 다음 [보기]에서 옳은 것만을 있는 대로 고른 것은?

> ㄱ. $t=3$초에서의 가속도는 18이다.
> ㄴ. 점 P는 움직이는 동안 운동방향을 두 번 바꾼다.
> ㄷ. 출발 후 다시 원점에 도착하는 시각은 $t=1$이다.

① ㄱ   ② ㄷ   ③ ㄱ, ㄴ
④ ㄴ, ㄷ   ⑤ ㄱ, ㄴ, ㄷ

STEP Ⓐ 속도 $v(t)$, 가속도 $a(t)$ 구하기

점 P의 시각 t에서의 속도 $v(t)$와 가속도 $a(t)$는

$$v(t)=\frac{dx}{dt}=6t^2-18t+12, \quad a(t)=\frac{dv}{dt}=12t-18$$

STEP Ⓑ [보기]의 참, 거짓 판별하기

ㄱ. 3초에서의 가속도는 $a(3)=12 \cdot 3-18=18$이다. [참]

ㄴ. 점 P가 운동방향을 바꾸는 순간은 속도가 0이므로 $v(t)=0$에서
$v(t)=6t^2-18t+12=6(t-1)(t-2)=0$
$t=1$ 또는 $t=2$
즉 점 P는 출발 후 운동 방향이 두 번 바뀐다. [참]

ㄷ. 점 P가 원점을 지나는 순간은 $x=0$일 때이므로
$2t^3-9t^2+12t=0$에서 $t(2t^2-9t+12)=0$
이때 이차방정식 $2t^2-9t+12=0$의 판별식을 D라 하면
$D=81-96=-15<0$이고 $t>0$이어야 하므로 방정식을 만족하는
t의 값이 존재하지 않는다.
즉 점 P는 다시 원점으로 돌아오지 않는다. [거짓]

따라서 옳은 것은 ㄱ, ㄴ이다.

 정답 ③

0965

 정답 ②

STEP Ⓐ 속도 $v(t)$, 가속도 $a(t)$ 구하기

점 P의 시각 t에서의 속도 $v(t)$와 가속도 $a(t)$는

$$v(t)=\frac{dx}{dt}=t^2-8t+7, \quad a(t)=\frac{dv}{dt}=2t-8$$

STEP Ⓑ [보기]의 참, 거짓 판별하기

ㄱ. 1초 후의 위치는 $x(1)=\frac{1}{3}-4+7=\frac{10}{3}$
3초 후의 위치는 $x(3)=9-36+21=-6$이므로
1초 후와 3초 후의 위치는 같지 않다. [거짓]

ㄴ. $t=0$에서의 속도는 $v(0)=7$ [참]

ㄷ. $t=4$에서의 가속도는 $a(4)=0$ [참]

ㄹ. 운동 방향이 바뀔 때 속도는 0이므로 $t^2-8t+7=0$에서
$(t-1)(t-7)=0$
$\therefore t=1$ 또는 $t=7$
즉 운동방향은 $t=1$, $t=7$에서 두 번 바뀐다. [거짓]

따라서 옳은 것은 ㄴ, ㄷ이다.

0966

STEP Ⓐ 위치를 미분하여 속도 $v(t)$ 구하기

두 점 P, Q의 속도를 각각 $v_P(t)$, $v_Q(t)$라고 하면
$v_P(t)=t^2+9$, $v_Q(t)=6t$

STEP Ⓑ $v_P(t)=v_Q(t)$를 만족하는 t의 값 구하기

이때 두 점 P, Q의 속도가 같아지려면 $v_P(t)=v_Q(t)$이어야 한다.
즉 $t^2+9=6t$에서 $t^2-6t+9=0$
$(t-3)^2=0$ ∴ $t=3$

STEP Ⓒ 두 점 P, Q 사이의 거리 구하기

따라서 $t=3$일 때, 두 점 P, Q의 좌표는 각각 $x_P(3)=30$, $x_Q(3)=20$이므로
두 점 P, Q 사이의 거리는 $30-20=10$

0967 정답 ③

STEP Ⓐ 위치를 미분하여 속도 $v(t)$의 함수식 구하기

두 점 P, Q의 속도를 $v_P(t)$, $v_Q(t)$라고 하면
$v_P(t)=t^2+4$, $v_Q(t)=4t$

STEP Ⓑ $v_P(t)=v_Q(t)$를 만족하는 t의 값 구하기

이때 두 점 P, Q의 속도가 같아지려면 $v_P(t)=v_Q(t)$이어야 한다.
즉 $t^2+4t=4t$에서 $t^2-4t+4=0$
$(t-2)^2=0$ ∴ $t=2$

STEP Ⓒ 두 점 P, Q 사이의 거리 구하기

따라서 $t=2$일 때, 두 점 P, Q의 좌표는 각각 $x_P(2)=10$, $x_Q(2)=-2$이므로
두 점 P, Q 사이의 거리는 $10-(-2)=12$

내/신/연/계 출제문항 408

수직선 위를 움직이는 두 점 P, Q의 시각 t에서의 위치는 각각
$$f(t)=\frac{1}{3}t^3+4t-\frac{2}{3},\ g(t)=2t^2-10$$
이다. 두 점 P, Q의 속도가 같아지는 시각을 a, 그 순간 두 점 P, Q 사이의
거리를 b라 할 때, $a+b$의 값은?

① 10   ② 11   ③ 12
④ 13   ⑤ 14

STEP Ⓐ 위치를 미분하여 속도 $v(t)$ 구하기

시각 t에서의 두 점 P, Q의 속도를 각각 v_P, v_Q라 하면
$v_P=\dfrac{d}{dt}f(t)=t^2+4$, $v_Q=\dfrac{d}{dt}g(t)=4t$

STEP Ⓑ $v_P(t)=v_Q(t)$를 만족하는 t의 값 구하기

시각 a에서 두 점 P, Q의 속도가 같아지므로
$a^2+4=4a$, $a^2-4a+4=0$
$(a-2)^2=0$, 즉 $a=2$

STEP Ⓒ 두 점 P, Q 사이의 거리 구하기

$t=2$일 때, 두 점 P, Q의 좌표는 각각 $x_P(2)=10$, $x_Q(2)=-2$
이므로 두 점 P, Q 사이의 거리는 $b=|10-(-2)|=12$
따라서 $a+b=2+12=14$ 정답 ⑤

0968

STEP Ⓐ 속도 $v(t)$ 구하기

t초 후 점 P의 속도는
$$v(t)=\frac{dx}{dt}=3t^2-12t+9=3(t-1)(t-3)$$
운동 방향을 바꾸는 순간의 속도는 0이므로 $v(t)=0$에서
$t=1$ 또는 $t=3$

STEP Ⓑ 두 점 A, B 사이의 거리 구하기

즉 점 P가 첫 번째로 운동방향을 바꾸는 시각은 $t=1$일 때이고
두 번째로 운동방향을 바꾸는 시각은 $t=3$일 때이다.
$t=1$에서의 점 P의 위치 A는 $1-6+9=4$
$t=3$에서의 점 P의 위치 B는 $27-54+27=0$
따라서 두 점 A, B 사이의 거리는 $4-0=4$

0969 정답 ②

STEP Ⓐ $t=1$에서 두 점 P, Q가 만나고 속도가 같음을 이용하여 a, b의 값 구하기

$h(t)=f(t)-g(t)=t^3-6t^2+at+b$로 놓으면
$h'(t)=3t^2-12t+a$
시각 $t=1$에서 두 점 P, Q가 만나므로
$h(1)=1-6+a+b=0$
∴ $a+b=5$ ······ ㉠
또, 시각 $t=1$에서 두 점 P, Q의 속도가 같으므로
$h'(1)=3-12+a=0$, 즉 $a=9$
$a=9$를 ㉠에 대입하면 $b=-4$

STEP Ⓑ 다시 속도가 같아지는 시각에서의 두 점 사이의 거리 구하기

$h(t)=t^3-6t^2+9t-4$이므로 $h'(t)=3t^2-12t+9=3(t-1)(t-3)$
$h'(t)=0$에서 $t=1$ 또는 $t=3$
따라서 두 점 P, Q가 다시 속도가 같아지는 시각은 $t=3$이고
이때 $h(3)=27-54+27-4=-4$이므로 두 점 P, Q 사이의 거리는 4이다.

0970 정답 ⑤

STEP Ⓐ 위치를 미분하여 속도 $v(t)$와 가속도 $a(t)$의 함수식 구하기

점 P의 시각 t에서의 속도를 v_1, 가속도를 a_1이라 하면
$v_1=\dfrac{dx_1}{dt}=3t^2-4t+3$
$a_1=\dfrac{dv_1}{dt}=6t-4$
점 Q의 시각 t에서의 속도를 v_2, 가속도를 a_2라 하면
$v_2=\dfrac{dx_2}{dt}=2t+3$
$a_2=\dfrac{dv_2}{dt}=2$

STEP Ⓑ $v_P(t)=v_Q(t)$를 만족하는 t의 값 구하기

두 점 P, Q의 속도가 서로 같아지는 순간의 시각 t는
방정식 $v_1=v_2$의 실근이므로 $3t^2-4t+3=2t+3$에서 $3t(t-2)=0$
∴ $t=0$ 또는 $t=2$
이때 $t>0$이므로 $t=2$

STEP Ⓒ 두 점 P, Q 의 가속도 구하기

따라서 $t=2$일 때, 두 점 P, Q의 가속도는 각각 8, 2이므로 그 합은 $8+2=10$

0971

STEP Ⓐ 위치를 미분하여 속도 $v(t)$ 구하기

두 점 P, Q의 속도를 각각 $v_P(t)$, $v_Q(t)$라고 하면

$v_P(t)=P'(t)=2t-2$, $v_Q(t)=Q'(t)=-4t$

STEP Ⓑ $P'(t)$와 $Q'(t)$의 부호가 같음을 이용하여 t의 범위 구하기

두 점 P와 Q가 방향이 서로 같으면 $P'(t)$와 $Q'(t)$의 부호가 같으므로

$P'(t)Q'(t)=(2t-2)\cdot(-4t)>0$, $t(t-1)<0$

따라서 $0<t<1$

0972
정답 ①

STEP Ⓐ 위치를 미분하여 속도 $v(t)$ 구하기

두 점 P, Q의 시각 t일 때의 위치가 각각 $f(t)=2t^2-2t$, $g(t)=t^2-8t$이므로

시각 t일 때, 두 점 P, Q의 속도는 각각 $f'(t)=4t-2$, $g'(t)=2t-8$

STEP Ⓑ $f'(t)$와 $g'(t)$의 부호가 반대임을 이용하여 t의 범위 구하기

두 점 P와 Q가 서로 반대 방향으로 움직이면 $f'(t)$와 $g'(t)$의 부호가 반대가 되므로 $f'(t)g'(t)=(4t-2)(2t-8)<0$, $4(2t-1)(t-4)<0$

따라서 $\dfrac{1}{2}<t<4$

내/신/연/계 출제문항 409

수직선 위를 움직이는 두 점 P, Q의 시각 t에서의 위치가 각각

$$x_P(t)=t^3-9t^2,\ x_Q(t)=t^3-6t^2$$

일 때, 두 점 P, Q가 서로 반대방향으로 움직이는 t의 값의 범위는?

① $1<t<2$ ② $2<t<4$ ③ $2<t<5$
④ $2<t<6$ ⑤ $4<t<6$

STEP Ⓐ 위치를 미분하여 속도 $v(t)$ 구하기

t초 후 점 P의 속도를 $v_P(t)$, 점 Q의 속도를 $v_Q(t)$라 하면

$v_P(t)=3t^2-18t=3t(t-6)$

$v_Q(t)=3t^2-12t=3t(t-4)$

STEP Ⓑ $v_P(t)$, $v_Q(t)$의 부호가 반대임을 이용하여 t의 범위 구하기

두 점 P, Q가 서로 반대 방향으로 움직이려면 $v_P(t)$, $v_Q(t)$의 부호가 반대이어야 하므로 $v_P(t)v_Q(t)=9t^2(t-4)(t-6)<0$

따라서 구하는 t의 값의 범위는 $4<t<6$

정답 ⑤

0973
정답 ⑤

STEP Ⓐ 위치를 미분하여 속도 $v(t)$ 구하기

물체의 t초 후의 속도를 vm/s라 하면

$v=\dfrac{dx}{dt}=-10t+30$

STEP Ⓑ [보기]의 진위판단하기

ㄱ. 최고 지점에 도달했을 때, 물체의 속도는 $v=0$이므로
  $v=30-10t=0$ ∴ $t=3$ [참]
  즉 물체가 최고 높이에 도달할 때까지 걸린 시간은 3초이다.

ㄴ. 물체의 최고 높이는 $t=3$일 때의 높이이므로
  $x(3)=-45+90+40=85$(m) [참]

ㄷ. 물체가 땅에 떨어질 때까지 움직인 거리는 $(85-40)+85=130$(m) [참]

따라서 옳은 것은 ㄱ, ㄴ, ㄷ이다.

0974
정답 ⑤

STEP Ⓐ 위치를 미분하여 속도 $v(t)$ 구하기

물체의 t초 후의 속도를 vm/s라 하면

$v=\dfrac{dh}{dt}=20-10t$

STEP Ⓑ [보기]의 진위판단하기

ㄱ. 최고 지점에 도달했을 때, 물체의 속도는 $v=0$이므로
  $v=20-10t=0$ ∴ $t=2$
  즉 돌이 최고 높이에 도달할 때까지 걸린 시간은 2초이다. [참]

ㄴ. 물체의 최고 높이는 $t=2$일 때의 높이이므로
  $h(2)=25+40-20=45$(m) [참]

ㄷ. 물체가 땅에 떨어질 때까지 움직인 거리는 $(45-25)+45=65$(m) [참]

ㄹ. 물체가 지면에 떨어질 때의 높이는 0이므로 $h=0$에서
  $-5t^2+20t+25=0$, $t^2-4t-5=0$
  $(t+1)(t-5)=0$ ∴ $t=5(∵\,t>0)$
  즉 5초 후 물체가 자면에 떨어지므로 순간의 속도는
  $v=20-10\cdot5=-30$(m/s) [참]

따라서 옳은 것은 ㄱ, ㄴ, ㄷ, ㄹ이다.

내/신/연/계 출제문항 410

지면으로부터 45m의 높이에서 40m/s의 속도로 똑바로 위로 쏘아 올린 물체의 t초 후의 지면으로부터 높이를 $h(t)$라고 하면

$$h(t)=45+40t-5t^2$$

인 관계가 성립한다. 다음 [보기] 중 옳은 것을 있는 대로 고르면

> ㄱ. 물체가 최고높이에 도달하는 데 걸리는 시간은 4초이다.
> ㄴ. 물체의 최고높이는 125m이다.
> ㄷ. 물체가 땅에 떨어질 때까지 움직인 거리는 205m이다.
> ㄹ. 물체가 지면에 떨어지는 순간의 속도는 −50(m/s)이다.

① ㄱ   ② ㄱ, ㄷ   ③ ㄴ, ㄹ
④ ㄴ, ㄷ, ㄹ   ⑤ ㄱ, ㄴ, ㄷ, ㄹ

STEP Ⓐ 위치를 미분하여 속도 $v(t)$ 구하기

물체의 t초 후의 속도를 vm/s라 하면

$v(t)=\dfrac{dh}{dt}=40-10t$

STEP Ⓑ [보기]의 진위판단하기

ㄱ. 최고 지점에 도달했을 때, 물체의 속도는 $v=0$이므로
  $v(t)=40-10t=0$ ∴ $t=4$
  즉 돌이 최고 높이에 도달할 때까지 걸린 시간은 4초이다. [참]

ㄴ. 물체의 최고 높이는 $t=4$일 때의 높이이므로
  $h(4)=45+40\cdot4-5\cdot4^2=125$(m) [참]

ㄷ. 물체가 땅에 떨어질 때까지 움직인 거리는 $(125-45)+125=205$(m) [참]

ㄹ. 물체가 지면에 떨어질 때의 높이는 0이므로 $h=0$에서
  $-5t^2+40t+45=0$, $t^2-8t-9=0$
  $(t+1)(t-9)=0$ ∴ $t=9(∵\,t>0)$
  즉 9초 후 물체가 자면에 떨어지므로 순간의 속도는
  $v=40-10\cdot9=-50$(m/s) [참]

따라서 옳은 것은 ㄱ, ㄴ, ㄷ, ㄹ이다.

정답 ⑤

0975

정답 ①

STEP A $x=0$을 만족하는 t의 값 구하기

선수가 수면에 닿는 순간의 높이는 0m이므로
$-5t^2+5t+10=0$에서 $t^2-t-2=0$, $(t+1)(t-2)=0$
이때 $t>0$이므로 $t=2$

STEP B $v(2)$의 값 구하기

한편 t초 후 선수의 순간의 속도는 $v(t)=\dfrac{dx}{dt}=-10t+5$이므로
$t=2$일 때, 선수의 순간의 속도는 $v(2)=-10\cdot2+5=-15(\text{m/s})$
따라서 구하는 v의 값은 -15

0976

정답 ①

STEP A $x=0$을 만족하는 t의 값 구하기

물 로켓이 지면에 닿는 순간의 높이는 0m이므로
$-5t^2+30t+80=0$에서 $t^2-6t-16=0$, $(t+2)(t-8)=0$
$\therefore t=8$

STEP B $v(8)$의 값 구하기

$x=-5t^2+30t+80$에서 t초 후 로켓의 순간의 속도는
$v(t)=\dfrac{dx}{dt}=-10t+30$

따라서 $v(8)=-10\cdot8+30=-50$

0977

정답 ①

STEP A 공이 경사면에 충돌하는 순간, 공이 경사면에 접하게 됨을 이용하여 충돌하는 순간의 시각 t 구하기

공이 경사면과 처음으로 충돌하는 순간은
오른쪽 그림과 같이 공의 중심과 경사면
사이의 거리가 0.5m가 될 때이다.
이때 바닥으로부터 공의 중심까지의
높이를 am라 하면
$\sin30°=\dfrac{0.5}{a}$

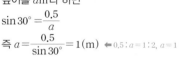

즉 $a=\dfrac{0.5}{\sin30°}=1(\text{m})$ ◀ $0.5:a=1:2$, $a=1$

공이 경사면과 처음으로 충돌하는 순간 공의 중심의 높이가 1m이므로
이때 시각은 $21-5t^2=1$에서 $5t^2=20$, $t^2-4=0$
$t>0$이므로 $t=2$

STEP B $t=2$일 때의 공의 속도 구하기

t초 후의 공의 중심의 속도를 v라 하면
$v=\dfrac{dh}{dt}=-10t$
$t=2$일 때, 공의 속도는 $v=-20$
따라서 공이 경사면과 처음으로 충돌하는 순간 공의 속도는
$-10\times2=-20(\text{m/초})$

오른쪽 그림과 같이 평평한 바닥에 60°
기울어진 경사면과 반지름의 길이가
0.2m인 공이 있다.
이 공의 중심은 경사면과 바닥이 만나는
지점에서 수직으로 높이가 20m인 위치
에 있다. 이 공이 자유 낙하할 때, t초
후 바닥으로 부터 공의 중심까지의 높이
를 hm라 하면
$$h=20-4.9t^2$$
이라 한다. 공이 경사면과 처음으로 충돌하는 순간 공의 속도는?
(단, 단위는 m/s)
(단, 경사면의 두께와 공기의 저항은 무시한다.)

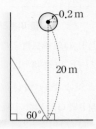

① -19.6 ② -18.5 ③ -15.5
④ -12.5 ⑤ -10.5

STEP A 공이 경사면에 충돌하는 순간, 공이 경사면에 접하게 됨을 이용하여 충돌하는 순간의 시각 t 구하기

공이 경사면과 처음으로 충돌하는 순간은
오른쪽 그림과 같이 공의 중심과 경사면
사이의 거리가 0.2m가 될 때이다.
이때 바닥으로부터 공의 중심까지의
높이를 am라 하면
$\sin30°=\dfrac{0.2}{a}$

즉 $a=\dfrac{0.2}{\sin30°}=0.4(\text{m})$
공이 경사면과 처음으로 충돌하는 순간 공의 중심의 높이가 0.4m이므로
이때 시각은 $20-4.9t^2=0.4$에서
$4.9t^2-19.6=0$, $t^2-4=0$, $(t+2)(t-2)=0$
$\therefore t=-2$ 또는 $t=2$
$t>0$이므로 $t=2$

STEP B $t=2$일 때의 공의 속도 구하기

공의 t초 후의 속도를 v라 하면
$v=\dfrac{dh}{dt}=-9.8t$
따라서 공이 경사면과 처음으로 충돌하는 순간 공의 속도는
$-9.8\times2=-19.6(\text{m/s})$

정답 ①

0978

정답 ③

STEP A 빗면과 충돌할 때의 그림을 그려 중심의 높이 구하기

공이 경사면과 처음으로 충돌하는 순간
의 공의 중심의 높이를 $a(\text{m})$라고 하면
$\sin60°=\dfrac{\sqrt3}{a}$에서 $a=2$

STEP B $h(t)=2$를 만족하는 t의 값 구하기

이때 $h(t)=46.1-4.9t^2=2$에서 $4.9t^2=44.1$
즉 $t^2=9$
$t>0$이므로 $t=3$

STEP C 공이 경사면과 충돌하는 순간 공의 속도 구하기

또한, 공의 t초 후 속도를 $v(\text{m/s})$라고 하면 $v=\dfrac{dh}{dt}=-9.8t$이므로
$t=3$일 때, 공의 속도는 $-9.8\times3=-29.4(\text{m/s})$

0979

정답 ③

STEP A 자동차의 속도 v가 0이 되는 t의 값 구하기

자동차가 제동을 건 지 t초 후의 속도를 vm/s라 하면

$$v = \frac{dx}{dt} = -3t^2 + 12$$

자동차가 정지할 때의 속도는 $v=0$이므로 $-3t^2 + 12 = -3(t+2)(t-2) = 0$

$0 \le t \le 2$이므로 $t=2$

즉 제동을 건 후 자동차가 멈추는 것은 2초 후이다.

STEP B 자동차에 제동을 건 후 정지할 때까지 움직인 거리 구하기

따라서 2초 동안 자동차에 제동을 건 후 정지할 때까지 움직인 거리는

$$x(2) = 12 \cdot 2 - 8 = 16 \text{(m)}$$

내/신/연/계 출제문항 412

어떤 열차가 브레이크를 밟기 시작한 후 t초 동안 미끄러지는 거리 s가

$$s = 60t - 5t^2 \text{(m)}$$

일 때, 이 열차가 브레이크를 밟기 시작한 후부터 정지할 때까지 움직인 거리는?

① 60m ② 100m ③ 120m
④ 150m ⑤ 180m

STEP A 열차의 속도 v가 0이 되는 t의 값 구하기

브레이크를 밟기 시작한 후 t초 후의 열차의 속도 v는

$$v = \frac{ds}{dt} = 60 - 10t$$

열차가 정지할 때는 $v=0$일 때이므로 $60 - 10t = 0$에서 $t=6$

STEP B 열차가 브레이크를 밟기 시작한 후부터 정지할 때까지 움직인 거리 구하기

따라서 6초 동안 열차가 움직인 거리는 $60 \cdot 6 - 5 \cdot 6^2 = 180 \text{(m)}$

정답 ⑤

0980

정답 ⑤

STEP A 자동차의 속도 v가 0이 되는 t의 값 구하기

자동차가 제동을 건 지 t초 후의 속도를 v(m/s)라 하면

$$v = \frac{dx}{dt} = a - 2t$$

이때 자동차가 제동을 건 지 9초 후에 정지하므로 $t=9$일 때의 속도는 $v=0$

따라서 $a - 18 = 0$에서 $a = 18$

0981

정답 ②

STEP A 자동차의 속도 v가 0이 되는 t의 값 구하기

자동차가 제동을 건 지 t초 후의 속도를 v(m/s)라 하면

$$v = \frac{dx}{dt} = 30 - 6t$$

자동차가 정지할 때의 속도는 $v=0$이므로 $30 - 6t = 0$에서 $t=5$

STEP B 자동차에 제동을 건 후 정지할 때까지 움직인 거리 구하기

즉 제동을 건 후 자동차가 멈추는 것은 5초 후이다.

이때 열차가 5초 동안 움직인 거리는 $x = 30 \cdot 5 - 3 \cdot 25 = 75 \text{(m)}$

따라서 목적지로부터 전방 75m지점에서 제동을 걸어야 하므로 $a = 75$

내/신/연/계 출제문항 413

직선도로를 달리는 어떤 자동차의 운전자가 100m앞의 정지신호를 발견하고 브레이크를 밟았다. 브레이크를 밟은 후 t초 동안 달린 거리 xm가

$$x = 20t - ct^2$$

이라고 한다. 이때 정지선을 넘지 않고 멈추기 위한 양수 c의 최솟값은?

① 1 ② 2 ③ 3
④ 4 ⑤ 5

STEP A 자동차의 속도 v가 0이 되는 t의 값 구하기

브레이크를 밟기 시작한 후 t초 후의 자동차의 속도 v는

$$v = \frac{ds}{dt} = 20 - 2ct$$

자동차가 정지할 때는 $v=0$일 때이므로 $20 - 2ct = 0$에서 $t = \dfrac{10}{c}$

STEP B $\dfrac{10}{c}$초 동안 움직인 거리 구하기

따라서 브레이크를 밟기 시작한 후 $t = \dfrac{10}{c}$초 만에 자동차가 정지하므로

그때까지 움직인 거리는 100m 이하이어야 한다.

$$20 \cdot \frac{10}{c} - c \cdot \frac{100}{c^2} \le 100$$

$$\frac{100}{c} \le 100 \quad \therefore c \ge 1$$

따라서 c의 최솟값은 1

정답 ①

0982

정답 ①

STEP A 수직선 위를 움직이는 점 P의 시각 t에서의 위치가 $x(t)$이면 속도는 $v(t)$, 운동방향은 $v(t)$의 부호를 보고 진위판단하기

ㄱ. $x(a) = 0$, $x(b) = 0$이므로 점 P는 $0 < t < c$에서 원점을 두 번 지난다. [참]

ㄴ. $a < t < b$에서 $x'(t)$의 부호가 음에서 양으로 바뀌므로 점 P의 운동 방향이 음의 방향에서 양의 방향으로 바뀐다. [거짓]

ㄷ. $0 < t < c$에서 $x'(t)$의 부호가 한 번 바뀌므로 점 P의 운동 방향은 한 번 바뀐다. [거짓]

따라서 옳은 것은 ㄱ뿐이다.

0983

정답 ⑤

STEP A 수직선 위를 움직이는 점 P의 시각 t에서의 위치가 $x(t)$이면 속도는 $v(t)$, 운동방향은 $v(t)$의 부호를, 가속도는 $v'(x)$보고 진위판단하기

ㄱ. $x = f(t)$가 t축과 두 점에서 만나므로 점 P는 출발 후 원점으로 두 번 돌아온다. [참]

ㄴ. 점 P는 $v(t) = 0$인 $t=2$, $t=7$에서 운동방향을 두 번 바꾼다. [참]

ㄷ. $v(t) = k(t-2)(t-7)(k<0)$라 하면

$a(t) = \dfrac{dv}{dt} = k(2t-9)$이므로 점 P가 출발 후 첫 번째 운동방향을 바꿀 때,

즉 $t=2$일 때, 가속도는 $a(2) = k(2 \cdot 2 - 9) = -5k > 0$이므로 양수이다.

[참]

따라서 옳은 것은 ㄱ, ㄴ, ㄷ이다.

내신연계 출제문항 414

다음 그림은 원점을 출발하여 수직선 위를 움직이는 점 P의 시각 t에서의 위치 $x(t)$를 나타낸 그래프이다. 다음 중 옳지 <u>않은</u> 것은?
(단, $0 < t < 7$에서 $x(t)$는 미분가능하다.)

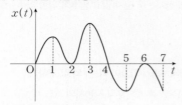

① 출발한 후에 원점을 3번 지나간다.
② 출발한 지 3초 후의 속도는 최대가 된다.
③ 출발 후 7초 동안 운동 방향이 5번 바뀐다.
④ 출발 후 3초부터 5초까지는 처음 운동 방향의 반대방향으로 움직인다.
⑤ 출발한 지 3초 후의 속력은 출발한지 4초 후의 속력보다 작다.

STEP A 그래프를 보고 [보기]의 참, 거짓 판별하기

① 출발한 후에 원점을 $t = 2$, 4, 6초일 때, 3번 지나간다. [참]
② 출발한 지 3초 후의 속도는 $v = 0$이다. [거짓]
③ 출발 후 7초 동안 운동 방향이 $t = 1$, 2, 3, 5, 6일 때, 5번 바뀐다. [참]
④ 출발 후 3초부터 5초까지는 처음 운동 방향의 반대방향으로 움직인다. [참]
⑤ $t = 3$에서의 속도가 0이므로 속력은 0이고 $t = 4$에서의 속도가 음수이므로 속력은 양수이다.
즉 $t = 3$에서의 속력은 출발한지 $t = 4$에서의 속력보다 작다. [참]
따라서 옳지 않은 것은 ②이다.

정답 ②

0984

정답 ④

STEP A 속도에 대한 함수 $v = g(t)$의 그래프 그리기

점 P의 시각 $t\,(0 < t < 8)$에서의 속도 $v(t)$를 $v = g(t)$라 할 때,
그 그래프의 개형은 다음과 같다.

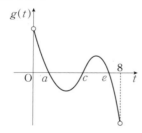

STEP B 그래프를 보고 [보기]의 참, 거짓 판별하기

ㄱ. $t = a$, $t = c$, $t = e$에서 $g(t) = 0$이고 좌우에서 부호가 바뀌므로 운동 방향을 세 번 바꾼다. [거짓]
ㄴ. 출발 후 원점을 두 번째로 지나는 순간은 $t = d$일 때이므로 $v = g(d) > 0$ [참]
ㄷ. 운동 방향을 처음 바꾸는 순간은 $t = a$일 때이고 $v = g(t)$의 그래프에서 $t = a$에서의 접선의 기울기는 음수이므로 가속도는 음수이다. [참]
따라서 옳은 것은 ㄴ, ㄷ이다.

0985

정답 ③

STEP A 수직선 위를 움직이는 점 P의 시각 t에서의 위치가 $x(t)$이면 속도는 $x'(t)$, 운동방향은 $x'(t)$의 부호를 보고 진위판단하기

점 P의 시각 t에서의 속도를 $v(t)$라 하자.

ㄱ. $t = c$일 때, 점 P의 속도는 $v(t) < 0$이고 $t = e$일 때, 점 P의 속도는 $v(t) > 0$이므로 점 P의 운동 방향은 반대이다. [참]
ㄴ. $0 < t < e$에서 $t = a$, $t = b$, $t = d$에서 $v(a) = v(b) = v(d) = 0$이고 그 좌우에서 $v(t)$의 부호가 바뀌므로 점 P는 $t = a$, $t = b$, $t = d$일 때, 운동방향이 세 번 바뀐다. [거짓]
ㄷ. $0 < t < e$에서 $t = a$, $t = b$, $t = d$에서 $v(a) = v(b) = v(d) = 0$이므로 점 P의 속도가 0이 되는 것은 세 번이다. [거짓]
ㄹ. $0 < t < e$에서 $t = d$일 때, $|x(t)|$의 값이 가장 크므로 점 P는 $t = d$일 때, 원점으로부터 가장 멀리 떨어져 있다. [참]
따라서 옳은 것은 ㄱ, ㄹ이다.

내신연계 출제문항 415

수직선 위를 움직이는 점 P의 시각 t에서의 위치 $x(t)$의 그래프가 그림과 같을 때, 다음 [보기] 중 옳은 것의 개수는?

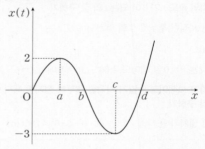

ㄱ. $t = b$일 때, 점 P의 속도는 0이다.
ㄴ. $t = c$일 때, 점 P는 운동방향을 바꾼다.
ㄷ. 출발할 때의 운동방향과 $a < t < b$에서의 운동방향은 서로 반대이다.
ㄹ. $0 < t < b$에서 점 P의 속도는 $t = a$일 때 최대이다.
ㅁ. $0 < t < d$에서 점 P는 $t = c$일 때, 원점으로부터 가장 멀리 떨어져 있다.

① 1   ② 2   ③ 3
④ 4   ⑤ 5

STEP A 수직선 위를 움직이는 점 P의 시각 t에서의 위치가 $x(t)$이면 속도는 $x'(t)$, 운동방향은 $x'(t)$의 부호를 보고 진위판단하기

점 P의 시각 t에서의 속도를 $v(t)$라 하자.

ㄱ. $t = b$일 때, $v(b) = x'(b) < 0$이므로 점 P의 속도는 음의 값이다. [거짓]
ㄴ. $t = c$일 때, $v(c) = x'(c) = 0$이고 그 좌우에서 $v(t)$의 부호가 바뀌므로 점 P는 $t = c$일 때, 운동방향을 바꾼다. [참]
ㄷ. $0 < t < a$에서 함수 $x(t)$가 증가하므로 출발 할 때는 x축의 양의 방향으로 움직이고 $a < t < b$에서 함수 $x(t)$가 감소하므로 x축의 음의 방향으로 움직인다.
즉 운동방향은 서로 반대이다. [참]
ㄹ. $0 < k < a$이면 $v(k) = x'(k) > 0$, $v(a) = x'(a) = 0$이므로 $v(k) > v(a)$
즉 $0 < t < b$에서 점 P의 속도는 $t = a$일 때, 최대가 아니다. [거짓]
ㅁ. $0 < t < d$에서 $t = c$일 때, $|x(t)|$의 값이 가장 크므로 점 P는 $t = c$일 때, 원점으로부터 가장 멀리 떨어져 있다. [참]
따라서 옳은 것의 개수는 3개이다.

정답 ③

0986

STEP Ⓐ **수직선 위를 움직이는 점 P의 시각 t에서의 속도가 $v(t)$이면 운동방향은 $v(t)$의 부호, 가속도는 $v'(t)$를 보고 진위판단하기**

ㄱ. $t=a$일 때, 점 P의 가속도는 0이다. [참]

ㄴ. $a<t<c$일 때, $a=\dfrac{dv}{dt}>0$이므로 점 P의 가속도는 양의 값이다. [참]

ㄷ. $t=b$일 때와 $t=d$일 때, $v=0$에서의 부호가 바뀌므로 점 P의 운동 방향이 바뀐다. [참]

따라서 옳은 것은 ㄱ, ㄴ, ㄷ이다.

0987

STEP Ⓐ **수직선 위를 움직이는 점 P의 사각 t에서의 속도가 $v(t)$이면 운동방향은 $v(t)$의 부호, 가속도는 $v'(t)$를 보고 진위판단하기**

ㄱ. $v(a)>0$, $v(c)<0$이므로 $t=a$일 때와 $t=c$일 때, 점 P의 운동 방향은 서로 반대이다. [참]

ㄴ. $t=b$의 좌우에서 $v(t)$의 부호가 바뀌므로 $t=b$일 때, P의 운동 방향이 바뀐다. [참]

ㄷ. $b<t<c$일 때, 점 P의 속력은 증가하지만 속도는 감소한다. [거짓]

ㄹ. $t=d$일 때, 점 P의 가속도는 $v'(d)$의 값과 같고 $v'(d)>0$이므로 가속도는 양의 값이다. [참]

ㅁ. 출발할 때, $v(t)>0$이므로 점 P는 양의 방향으로 움직이고 $t>d$일 때, $v(t)>0$이므로 점 P는 양의 방향으로 운동한다. [거짓]

따라서 옳은 것은 ㄱ, ㄴ, ㄹ이므로 3개이다.

내/신/연/계/ 출제문항 416

원점을 출발하여 수직선 위를 움직이는 점 P의 시각 t에서의 속도 $v(t)$의 그래프가 오른쪽 그림과 같을 때, [보기] 중 옳은 것만을 있는 대로 고른 것은?

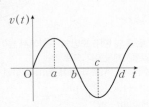

> ㄱ. $t=a$일 때, 점 P의 가속도는 0이다.
> ㄴ. $b<t<c$일 때, 점 P의 속력은 감소한다.
> ㄷ. $a<t<b$일 때와 $b<t<c$일 때의 점 P의 운동 방향은 서로 반대이다.

① ㄴ   ② ㄷ   ③ ㄱ, ㄴ
④ ㄱ, ㄷ   ⑤ ㄴ, ㄷ

STEP Ⓐ **수직선 위를 움직이는 점 P의 사각 t에서의 속도가 $v(t)$이면 운동방향은 $v(t)$의 부호, 가속도는 $v'(t)$를 보고 진위판단하기**

ㄱ. $t=a$에서의 접선의 기울기가 0이므로 가속도는 0이다. [참]

ㄴ. $b<t<c$에서 $|v(t)|$가 증가하므로 속력이 증가한다. [거짓]

ㄷ. $a<t<b$에서 $v(t)>0$이므로 양의 방향으로 운동하고 $b<t<c$에서 $v(t)<0$이므로 음의 방향으로 운동한다. [참]

따라서 옳은 것은 ㄱ, ㄷ이다.

0988

STEP Ⓐ **길이 l을 미분하여 $t=3$에서 물체의 길이의 변화율 구하기**

$\dfrac{dl}{dt}=3t^2+4t+3$이므로 $t=3$에서의 물체의 길이의 변화율은

$27+12+3=42$

0989

STEP Ⓐ **그림자 끝과 가로등 사이의 거리를 xm라 두고 비례식을 이용하여 x, t 사이의 관계식 구하기**

사람이 1.2m/s의 속도로 걸어가므로
t초 동안 움직이는 거리는 $1.2t$m
그림자 끝이 t초 동안 움직이는 거리를
xm라 하면 오른쪽 그림에서
$\triangle ABC \backsim \triangle DEC$이므로
$\overline{AB}:\overline{DE}=\overline{BC}:\overline{EC}$
$4.5:1.8=x:(x-1.2t)$, $4.5x-4.5 \times 1.2t=1.8x$
$2.7x=4.5 \times 1.2t$
$\therefore x=\dfrac{5}{3} \times 1.2t=2t$

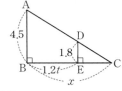

STEP Ⓑ **그림자의 길이를 t로 표현하여 그림자의 길이가 늘어나는 속도 구하기**

t초 후의 그림자의 길이를 lm라 하면
$l=\overline{BC}-\overline{BE}=x-1.2t=2t-1.2t=0.8t$

따라서 그림자의 길이의 변화율은 $\dfrac{dl}{dt}=0.8$(m/s)

내/신/연/계/ 출제문항 417

다음 그림과 같이 키가 1.8m인 학생이 높이가 3m인 가로등 밑에서 출발하여 매초 0.8m의 속도로 일직선으로 걸어가고 있을 때, 그림자의 길이가 늘어나는 속도는? (단위는 m/s)

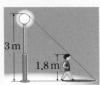

① 0.8   ② 1.0   ③ 1.2
④ 1.4   ⑤ 1.6

STEP Ⓐ **그림자 끝과 가로등 사이의 거리를 xm라 두고 비례식을 이용하여 x, t 사이의 관계식 구하기**

학생의 그림자 끝과 가로등 사이의 거리를
xm라고 하면
t초 후 학생과 가로등 사이의 거리는
$0.8t$m이므로
$3:1.8=x:(x-0.8t)$
$\therefore x=2t$

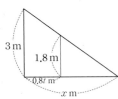

STEP Ⓑ **그림자의 길이를 t로 표현하여 그림자의 길이가 늘어나는 속도 구하기**

이때 t초 후 학생의 그림자의 길이를 lm라고 하면
$l=x-0.8t=2t-0.8t=1.2t$

따라서 $\dfrac{dl}{dt}=1.2$이므로 구하는 속도는 1.2 m/s

0990

STEP ⓐ 그림자 끝과 가로등 사이의 거리를 xm라 두고 비례식을 이용하여 x, t 사이의 관계식 구하기

학생의 그림자 끝과 가로등 사이의
거리를 xm라고 하면
t초 후 학생과 가로등 사이의 거리는
$1.4t$m이므로 $3:1.8=x:(x-1.4t)$
$1.8x=3(x-1.4t)$
$1.2x=4.2t$
$\therefore x=3.5t$

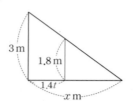

STEP ⓑ 그림자의 길이를 t로 표현하여 그림자의 앞 끝이 움직이는 속도 구하기

따라서 이 학생의 그림자의 앞 끝이 움직이는 속도는 $\dfrac{dx}{dt}=3.5$이므로 구하는

속도는 $3.5\,\text{m/s}$

0991

STEP ⓐ t초 후의 두 점 A, B의 좌표 구하기

t초 후의 두 점 A, B의 좌표는 각각 A$(6t, 0)$, B$(0, 8t)$이므로
선분 AB의 중점 C의 좌표는 $(3t, 4t)$
$\overline{OC}=l$이라 하면
$l=\sqrt{(3t)^2+(4t)^2}=5t\,(\because t>0)$

STEP ⓑ $\overline{OC}$의 길이의 변화율 구하기

따라서 $\overline{OC}$의 길이의 변화율은 $\dfrac{dl}{dt}=5$

0992

STEP ⓐ t초 후에 원의 넓이를 식으로 표현하기

t초 후의 원의 반지름의 길이는 $3t$cm이므로
원의 넓이를 Scm^{2}라고 하면
$S=\pi(3t)^2=9\pi t^2$
$\therefore \dfrac{dS}{dt}=18\pi t$

STEP ⓑ $t=3$일 때, 원의 넓이의 변화율 구하기

따라서 $t=3$일 때의 원의 넓이의 변화율은 $18\pi \cdot 3=54\pi\,(\text{cm}^2/\text{초})$

0993

STEP ⓐ 피타고라스의 정리를 이용하여 t초 후에 수면의 반지름의 길이를 t로 표현하기

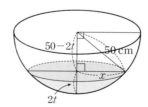

t초 후의 반구 모양의 수면에서 높이는 매초 2cm의 속도로 수면의 높이가 일정하게 높아지므로 $2t$
수면의 반지름의 길이가 $x$cm라 하면 피타고라스 정리에 의하여
$x^2+(50-2t)^2=50^2$
$x^2=200t-4t^2$

STEP ⓑ 수면의 넓이를 t로 표현하여 $t=20$일 때, 수면의 넓이의 변화율 구하기

t초가 되는 순간의 수면의 넓이(cm^2)를 $S(t)$라 하면
$S(t)=\pi x^2=(200t-4t^2)\pi$
$S'(t)=(200-8t)\pi$
따라서 20초가 되는 순간 수면의 넓이의 변화율은 $S'(20)=40\pi\,(\text{cm}^2/\text{초})$

내/신/연/계/ 출제문항 418

반지름의 길이가 10cm인 반구 모양의 빈 그릇이 있다. 이 그릇에 물의 높이가 매초 2cm씩 늘어나도록 물을 넣을 때, 수면의 높이가 6cm가 되는 순간의 수면의 넓이의 변화율을 다음 단계로 서술하여라.

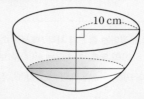

[1단계] 물을 넣기 시작한지 t초가 되는 순간, 수면의 넓이 $S(t)$를 t에 대한 식으로 나타낸다. (단, 단위는 cm^2)
[2단계] 물을 넣기 시작한 후 수면의 높이가 6cm이 되는 순간, 수면의 넓이의 변화율을 구한다. (단, 단위는 cm^2/초)

| 1단계 | 물을 넣기 시작한지 t초가 되는 순간, 수면의 넓이 $S(t)$를 t에 대한 식으로 나타낸다. (단, 단위는 cm^2) | ◀ 50% |

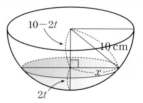

t초 후의 반구 모양의 수면에서 높이는 매초 2cm의 속도로 수면의 높이가 일정하게 높아지므로 $2t$
수면의 반지름의 길이가 $x$cm라 하면 피타고라스 정리에 의하여
$x^2+(10-2t)^2=10^2$
$x^2=40t-4t^2$
t초가 되는 순간의 수면의 넓이 $S(t)(\text{cm}^2)$는
$S(t)=\pi x^2=\pi(40t-4t^2)$

| 2단계 | 물을 넣기 시작한 후 수면의 높이가 6cm이 되는 순간, 수면의 넓이의 변화율을 구한다. (단, 단위는 cm^2/초) | ◀ 50% |

물을 넣기 시작한 후 수면의 높이가 6cm이 되는 순간, 즉 $2t=6$일 때,
$t=3$이므로 3초가 되는 순간의 수면의 넓이의 변화율은
$S'(3)=(40-24)\pi=16\pi\,(\text{cm}^2/\text{초})$

> **참고**
> 수면의 넓이를 $S(t)$라 하면
> $S(t)=\pi(\sqrt{40t-4t^2})^2=(40t-4t^2)\pi$
> $\therefore S'(t)=(40-8t)\pi$
> 따라서 $2t=6$cm가 되는 순간 $t=3$이므로 수면의 넓이의 변화율은
> $S'(3)=(40-24)\pi=16\pi\,(\text{cm}^2/\text{초})$

0994

STEP Ⓐ 닮음을 이용하여 t초 후에 수면의 반지름의 길이를 t로 표현하기

액체 원료를 넣기 시작한 지 t초 후의
수면의 높이는 $1 \cdot t$cm,
수면의 반지름의 길이를 $r$cm라고 하면
$3:10=r:t$
$10r=3t$
$\therefore r=\dfrac{3}{10}t$

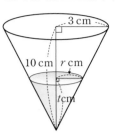

STEP Ⓑ 수면의 넓이를 t로 표현하여 $t=4$일 때, 수면의 넓이의 변화율 구하기

이때 수면의 넓이 $S(t)$cm²는 $S(t)=\pi r^2=\pi \dfrac{9}{100}t^2$

따라서 수면의 넓이 S의 시간에 대한 변화율은 $S'(t)=\dfrac{9}{50}\pi t$이므로

$t=4$일 때, 수면의 넓이의 변화율은 $\dfrac{9}{50}\pi \cdot 4=\dfrac{18}{25}\pi(\text{cm}^2/\text{초})$

0995

STEP Ⓐ t초 후에 정사각형의 넓이를 t로 표현하기

t초 후의 정사각형의 한 변의 길이는
$(1+4t)$cm이므로
t초 후에 정사각형의 넓이는
$S(t)=(1+4t)^2$

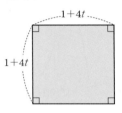

STEP Ⓑ $S'(4)$의 값 구하기

$S'(t)=8(1+4t)$
따라서 한 변의 길이가 17cm가 되는 때는 $1+4t=17$에서 $t=4$이므로
$S'(4)=8(1+16)=136(\text{cm}^2/\text{s})$

0996

STEP Ⓐ t초 후에 직사각형의 넓이를 t로 표현하기

t초 후의 직사각형의 가로 세로의 길이는 $(9+0.2t)$cm, $(4+0.3t)$cm
t초 후의 넓이는 $S(t)=(9+0.2t)(4+0.3t)$

STEP Ⓑ $S'(50)$의 값 구하기

$S'(t)=0.2(4+0.3t)+0.3 \cdot (9+0.2t)=3.5+0.12t$
이때 정사각형이 되는 순간은 $9+0.2t=4+0.3t$
$\therefore t=50$
따라서 넓이의 변화율은 $S'(50)=3.5+6=9.5(\text{cm}^2/\text{초})$

0997

STEP Ⓐ t초 후에 풍선의 부피를 t로 표현하기

t초 후 풍선의 반지름의 길이는 $2+t$이므로 풍선의 반지름의 길이가 6cm가
되는 때는 4초 후이다.
t초 후 풍선의 부피를 $V(t)$라 하면
$V(t)=\dfrac{4}{3}\pi(2+t)^3=\dfrac{4}{3}\pi(t^3+6t^2+12t+8)$

STEP Ⓑ $V'(4)$의 값 구하기

$V'(t)=\dfrac{4}{3}\pi(3t^2+12t+12)=4\pi(t+2)^2$
또, 4초 후 풍선의 반지름의 길이가 6cm이므로 풍선의 반지름의 길이가
6cm가 되는 순간의 부피의 변화율은 $4\pi(4+2)^2=144\pi(\text{cm}^3/\text{초})$

0998

STEP Ⓐ 닮음을 이용하여 r을 t로 표현하고 부피의 식 작성하기

t초 후의 수면의 높이는 $1 \cdot t=t(\text{cm})$
t초 후의 수면의 반지름의 길이를
$r$cm라고 하면 $r:12=t:9$에서
$r=\dfrac{4}{3}t$

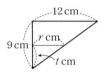

물의 부피를 Vcm³라고 하면
$V=\dfrac{1}{3}\pi r^2 t=\dfrac{16}{27}\pi t^3$

STEP Ⓑ 6초 후에 그릇에 담긴 물의 부피의 변화율 구하기

물을 넣기 시작한 지 t초 후의 V의 변화율은 $\dfrac{dV}{dt}=\dfrac{16}{9}\pi t^2$

따라서 $t=6$일 때, 물의 부피의 변화율은 $\dfrac{16}{9}\pi \cdot 6^2=64\pi(\text{cm}^3/\text{s})$

내신연계 출제문항 419

오른쪽 그림과 같이 밑면의 반지름의 길이가 10cm이고 높이가 10cm인
원뿔 모양의 그릇이 있다. 비어 있는 이 그릇에 매초 2cm의 속도로 수면의
높이가 상승하도록 물을 부을 때, 2초 후 그릇에 담긴 물의 부피의 변화율
은? (단, 그릇의 두께는 무시하고 단위는 cm³/초)

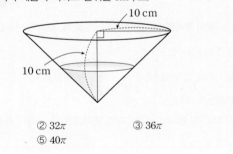

① 30π ② 32π ③ 36π
④ 38π ⑤ 40π

STEP Ⓐ t초 후의 부피를 t로 표현하기

t초 후 수면의 높이는 $2t$cm이므로 t초 후 수면의 반지름의 길이를
$r$cm라고 하면 $r:10=2t:10$, $r=2t$
t초 후 그릇에 담긴 물의 부피를 $V(t)$cm³라고 하면
$V(t)=\dfrac{1}{3}\pi r^2 \times 2t=\dfrac{8}{3}\pi t^3$
$V'(t)=8\pi t^2$

STEP Ⓑ 2초 후에 그릇에 담긴 물의 부피의 변화율 구하기

따라서 $t=2$일 때, 그릇에 담긴 물의 부피의 변화율은
$V'(2)=8\pi \times 2^2=32\pi(\text{cm}^3/\text{s})$

정답 ①

STEP Ⓐ 닮음을 이용하여 t초 후에 수면의 반지름의 길이를 t로 표현하기

매초 1cm의 속도로 수면의 높이가 상승하므로
t초 후의 수면의 높이는 $t$cm이다.
t초 후의 수면의 반지름의 길이를 r이라 하면
$r:3=t:9$
$\therefore r=\dfrac{1}{3}t$

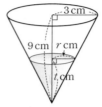

STEP Ⓑ 물의 부피를 t로 표현하여 $t=3$일 때, 부피의 변화율 구하기

그릇에 담긴 물의 부피를 $V(t)$라고 하면
$V(t)=\dfrac{1}{3}\pi\left(\dfrac{1}{3}t\right)^2\cdot t=\dfrac{1}{27}\pi t^3$
$V'(t)=\dfrac{1}{9}\pi t^2$

따라서 $t=3$일 때, 부피의 변화율은 $V'(3)=\dfrac{1}{9}\pi\cdot 3^2=\pi(\mathrm{cm}^3/\mathrm{s})$

내/신/연/계 출제문항 420

오른쪽 그림과 같이 밑면의 반지름의 길이가
4cm이고 높이가 10cm인 직원뿔에 수면의
높이가 1cm/s의 속도로 상승하도록 물을 넣
을 때, 수면의 높이가 5cm가 되는 순간의 시
각에 대한 부피의 변화율은?

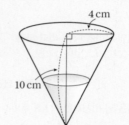

① $\pi\mathrm{cm}^3/$초　　② $2\pi\mathrm{cm}^3/$초
③ $4\pi\mathrm{cm}^3/$초　　④ $5\pi\mathrm{cm}^3/$초
⑤ $9\pi\mathrm{cm}^3/$초

STEP Ⓐ 닮음을 이용하여 t초 후에 수면의 반지름의 길이를 t로 표현하기

물을 넣기 시작한 지 t초 후의 수면의
높이를 $h$cm라고 하면 $h=t$이고
수면의 반지름의 길이를 $r$cm라고 하면
$h:10=r:4$
$10r=4h$
$\therefore r=\dfrac{2}{5}h=\dfrac{2}{5}t$

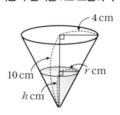

STEP Ⓑ 물의 부피를 t로 표현하여 $t=5$일 때, 부피의 변화율 구하기

이때 물의 부피 $V\mathrm{cm}^3$는 $V=\dfrac{1}{3}\pi r^2 h=\dfrac{4}{75}\pi t^3$

부피 V의 시각에 대한 변화율은 $\dfrac{dV}{dt}=\dfrac{4}{25}\pi t^2$이므로

수면의 높이가 5cm이면 $h=t=5$
따라서 $t=5$일 때, 부피의 시각에 대한 변화율은 $\dfrac{4}{25}\pi\cdot 5^2=4\pi(\mathrm{cm}^3/\mathrm{s})$

정답 ③

1000

정답 해설참고

| 1단계 | 함수 $y=f(x)$의 그래프를 그린다. | ◀ 40% |

$f(x)=x^3-3x-1$에서 $f'(x)=3x^2-3=3(x+1)(x-1)$
$f'(x)=0$에서 $x=-1$ 또는 $x=1$
함수 $f(x)$의 증가와 감소를 표로 나타내면 다음과 같다.

x	$\cdots$	-1	$\cdots$	1	$\cdots$
$f'(x)$	$+$	0	$-$	0	$+$
$f(x)$	↗	1	↘	-3	↗

$x=-1$에서 극대이고 극댓값은 $f(-1)=1$,
$x=1$에서 극소이고 극솟값은 $f(1)=-3$
이므로 $y=f(x)$의 그래프는 아래 [그림1]과 같다.

| 2단계 | 함수 $y=|f(x)|$의 그래프를 그린다. | ◀ 30% |

$y=f(x)$의 그래프를 x축 아래 부분을 접어 올리면 되므로
$y=|f(x)|$의 그래프를 그리면 아래 [그림2]와 같다.

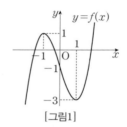 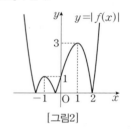

[그림1]　　　　　　[그림2]

| 3단계 | 함수 $y=|f(x)|$의 그래프와 직선 $y=a$가 서로 다른 세 점에서만 만날 때의 양수 a의 값을 구한다. | ◀ 30% |

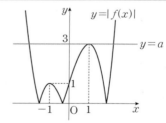

$y=|f(x)|$의 그래프와 직선 $y=a\,(a>0)$가
서로 다른 세 점에서 만나야 하므로 $a=3$

1001

정답 해설참고

| 1단계 | 도함수 $f'(x)$의 그래프와 $f(0)=0$을 이용하여 삼차함수 $f(x)$의 식을 구한다. | ◀ 40% |

$f(x)=ax^3+bx^2+cx+d$ (단, a, b, c, d인 상수)로 놓으면
$f(0)=0$이므로 $d=0$
$f'(x)=3ax^2+2bx+c$
$f'(x)=3a(x+2)(x-2)$이고 $f'(0)=3$이므로
$f'(0)=-12a=3$
$\therefore a=-\dfrac{1}{4}$
$f'(x)=-\dfrac{3}{4}(x+2)(x-2)=-\dfrac{3}{4}x^2+3$이므로
$b=0$, $c=3$
$\therefore f(x)=-\dfrac{1}{4}x^3+3x$

| 2단계 | 함수 $f(x)$의 극댓값과 극솟값을 구한다. | ◀ 30% |

함수 $f(x)$의 증가와 감소를 나타내면 다음 표와 같다.

x	$\cdots$	-2	$\cdots$	2	$\cdots$
$f'(x)$	$-$	0	$+$	0	$-$
$f(x)$	$\searrow$	-4	$\nearrow$	4	$\searrow$

함수 $f(x)$는 $x=-2$에서 극소이고 극솟값은 $f(-2)=-4$

$x=2$에서 극대이고 극댓값은 $f(2)=4$이다.

| 3단계 | $f(x)=k$가 서로 다른 세 실근을 갖기 위한 k의 값의 범위를 구한다. | ◀ 30% |

따라서 함수 $y=f(x)$의 그래프는 오른쪽 그림과 같으므로 방정식 $f(x)=k$가 서로 다른 세 실근을 갖기 위한 k의 값의 범위는 $-4<k<4$

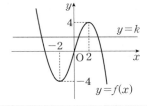

다른풀이 $f'(x)$의 함수식을 구하고 적분을 이용하여 $f(x)$ 구하기

$f(x)$가 삼차함수이므로 $f'(x)$는 이차함수이고

$f'(-2)=f'(2)=0$, $f'(0)=3$이므로

$f'(x)=-\dfrac{3}{4}(x+2)(x-2)=-\dfrac{3}{4}x^2+3$

$\therefore f(x)=\displaystyle\int\left(-\dfrac{3}{4}x^2+3\right)dx=-\dfrac{1}{4}x^3+3x+C$

이때 $f(0)=0$이므로 $C=0$

$\therefore f(x)=-\dfrac{1}{4}x^3+3x$

따라서 함수 $y=f(x)$의 그래프는 오른쪽 그림과 같으므로 $y=f(x)$의 그래프와 직선 $y=k$가 서로 다른 세 점에서 만나기 위한 상수 k의 값의 범위는 $-4<k<4$

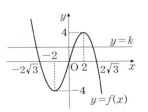

1002

| 1단계 | 주어진 식을 $f(x)=k$의 꼴로 변형한다. | ◀ 10% |

$2x^3-3x^2=12x+k$에서 $2x^3-3x^2-12x=k$

| 2단계 | $f(x)$의 극댓값과 극솟값을 구한다. | ◀ 50% |

$f(x)=2x^3-3x^2-12x$로 놓으면

$f'(x)=6x^2-6x-12=6(x-2)(x+1)$에서

$f'(x)=0$에서 $x=-1$ 또는 $x=2$

함수 $f(x)$의 증가와 감소를 표로 나타내면 다음과 같다.

x	$\cdots$	-1	$\cdots$	2	$\cdots$
$f'(x)$	$+$	0	$-$	0	$+$
$f(x)$	$\nearrow$	7	$\searrow$	-20	$\nearrow$

$x=-1$에서 극대이고 극댓값은 $f(-1)=7$

$x=2$에서 극소이고 극솟값은 $f(2)=-20$

| 3단계 | 서로 다른 세 실근을 가지도록 하는 k의 값의 범위를 구한다. | ◀ 40% |

이때 방정식 $f(x)=k$가 서로 다른 세 실근을 가지려면 곡선 $y=f(x)$와 직선 $y=k$가 세 점에서 만나도록 하는 실수 k의 값의 범위는 $-20<k<7$

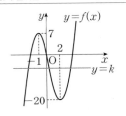

1003

| 1단계 | $f(x)=g(x)$를 $h(x)=a$의 꼴로 정리한다. | ◀ 10% |

$f(x)=g(x)$에서 $4x^3+x^2-3x=2x^3+4x^2+9x+a$

이므로 이 식을 정리하면 $2x^3-3x^2-12x=a$

| 2단계 | 함수 $h(x)$의 증가와 감소를 표로 나타내고 그 그래프를 그린다. | ◀ 50% |

이때 $h(x)=2x^3-3x^2-12x$로 놓으면

$h'(x)=6x^2-6x-12=6(x+1)(x-2)$

$h'(x)=0$에서 $x=-1$ 또는 $x=2$

그러므로 함수 $h(x)$의 증가와 감소를 표로 나타내면 다음과 같다.

x	$\cdots$	-1	$\cdots$	2	$\cdots$
$h'(x)$	$+$	0	$-$	0	$+$
$h(x)$	$\nearrow$	7	$\searrow$	-20	$\nearrow$

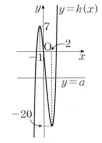

$h'(x)=0$이므로 함수 $y=h(x)$의 그래프는 오른쪽 그림과 같다.

| 3단계 | 그래프를 이용하여 주어진 조건을 만족시키는 정수 a의 개수를 구한다. | ◀ 40% |

함수 $y=h(x)$의 그래프와 직선 $y=a$의 교점의 x좌표가 한 개는 음수이고 다른 두 개는 양수가 되는 실수 a의 값의 범위는 $-20<a<0$ 따라서 구하는 정수 a의 개수는 19개이다.

1004

| 1단계 | 곡선 위의 점 (t, t^3)에서의 접선의 방정식을 구한다. | ◀ 30% |

$f(x)=x^3$이라 하면 $f'(x)=3x^2$

접점의 좌표를 (t, t^3)이라 하면

접선의 방정식은 $y-t^3=3t^2(x-t)$

$\therefore y=3t^2x-2t^3$

| 2단계 | [1단계]에서 구한 접선이 점 $\mathrm{A}(1, a)$를 지남을 이용하여 a와 t 사이의 관계식을 구한다. | ◀ 20% |

이 접선이 점 $\mathrm{A}(1, a)$를 지나므로

$a=3t^2-2t^3$ ……㉠

| 3단계 | 접선의 개수가 3이 되도록 하는 실수 a의 값의 범위를 구한다. | ◀ 50% |

접선이 3개가 존재하려면 ㉠이 서로 다른 세 실근을 가져야 한다.

$g(t)=3t^2-2t^3$라고 하면

$g'(t)=6t-6t^2=6t(1-t)$

$g'(t)=0$에서 $t=0$ 또는 $t=1$

함수 $g(t)$의 증가와 감소를 표로 나타내면 다음과 같다.

t	$\cdots$	0	$\cdots$	1	$\cdots$
$g'(t)$	$-$	0	$+$	0	$-$
$g(t)$	$\searrow$	0	$\nearrow$	1	$\searrow$

함수 $g(t)$는

$t=1$일 때, 극대이고 극댓값은 $g(1)=1$

$t=0$일 때, 극소이고 극솟값은 $g(0)=0$

따라서 함수 $y=g(t)$의 그래프가 오른쪽 그림과 같으므로 직선 $y=a$의 교점의 개수가 3개이기 위한 a의 값의 범위는 $0<a<1$

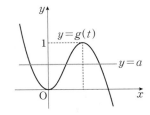

점 $A(1, k)$에서 곡선 $y=-x^3+6x^2-11x+6$에 서로 다른 세 접선을 그을 수 있을 때, 실수 k의 값의 범위를 다음 단계로 서술하여라.

[1단계] 곡선 위의 접점의 좌표를 $(a, -a^3+6a^2-11a+6)$라 하여 접선의 방정식을 구한다.

[2단계] [1단계]에서 구한 접선이 점 $A(1, k)$를 지남을 이용하여 k와 a 사이의 관계식을 구한다.

[3단계] 접선의 개수가 3이 되도록 하는 실수 k의 값의 범위를 구한다.

| 1단계 | 곡선 위의 접점의 좌표를 $(a, -a^3+6a^2-11a+6)$라 하여 접선의 방정식을 구한다. ◀ 30% |

$f(x)=-x^3+6x^2-11x+6$이라 하면

$f'(x)=-3x^2+12x-11$

접점의 좌표를 $(a, -a^3+6a^2-11a+6)$이라 하면

접선의 방정식은

$y-(-a^3+6a^2-11a+6)=(-3a^2+12a-11)(x-a)$

$\therefore y=(-3a^2+12a-11)x+2a^3-6a^2+6$

| 2단계 | [1단계]에서 구한 접선이 점 $A(1, k)$를 지남을 이용하여 k와 a 사이의 관계식을 구한다. ◀ 20% |

이 접선이 점 $(1, k)$를 지나므로

$2a^3-9a^2+12a-5=k$ ⋯⋯ ㉠

| 3단계 | 접선의 개수가 3이 되도록 하는 실수 k의 값의 범위를 구한다. ◀ 50% |

접선이 3개가 존재하려면 ㉠이 서로 다른 세 실근을 가져야 한다.

$g(a)=2a^3-9a^2+12a-5$라고 하면

$g'(a)=6a^2-18a+12=6(a-1)(a-2)$

$g'(a)=0$에서 $a=1$ 또는 $a=2$

함수 $g(a)$의 증가와 감소를 표로 나타내면 다음과 같다.

a	$\cdots$	1	$\cdots$	2	$\cdots$
$g'(a)$	+	0	−	0	+
$g(a)$	↗	0	↘	−1	↗

함수 $g(a)$는 $x=1$일 때, 극대이고

극댓값은 $g(1)=0$

$x=2$일 때, 극소이고 극솟값은

$g(2)=-1$

따라서 함수 $y=g(a)$의 그래프가

오른쪽 그림과 같으므로

직선 $y=k$의 교점의 개수가 3개이기

위한 k의 값의 범위는 $-1 < k < 0$

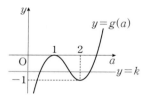

정답 해설참고

1005

정답 해설참고

| 1단계 | 모든 실수 x에 대하여 $f(x) \geq g(x)$가 성립하도록 하는 상수 a의 값의 범위를 구한다. ◀ 50% |

$h(x)=f(x)-g(x)$로 놓으면

$h(x)=x^4+3x^2+10x-a$

$h'(x)=4x^3+6x+10$

$\qquad =2(x+1)(2x^2-2x+5)$

$h'(x)=0$에서

$x=-1 (\because 2x^2-2x+5>0)$

함수 $h(x)$의 증가와 감소를 표로

나타내면 다음과 같다.

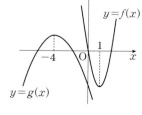

x	$\cdots$	-1	$\cdots$
$h'(x)$	−	0	+
$h(x)$	↘	극소	↗

$h(x)$는 $x=-1$에서 극소이고 최소이므로

$h(-1) \geq 0$이어야 한다.

$h(-1)=-6-a \geq 0$

$\therefore a \leq -6$

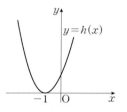

| 2단계 | 임의의 두 실수 x_1, x_2에 대하여 $f(x_1) \geq g(x_2)$가 성립하도록 하는 상수 a의 값의 범위를 구한다. ◀ 50% |

임의의 두 실수 x_1, x_2에 대하여 $f(x_1) \geq g(x_2)$가 성립하려면

($f(x)$의 최솟값)≥($g(x)$의 최댓값)이어야 한다.

$f(x)=x^4+x^2-6x$에서

$f'(x)=4x^3+2x-6=2(x-1)(2x^2+2x+3)$

$f'(x)=0$에서 $x=1 (\because 2x^2+2x+3>0)$

함수 $f(x)$의 증가와 감소를 표로 나타내면 다음과 같다.

x	$\cdots$	1	$\cdots$
$f'(x)$	−	0	+
$f(x)$	↘	극소	↗

$f(x)$는 $x=1$에서 극소이고 최소이므로

$f(x)$의 최솟값은

$f(1)=-4$ ⋯⋯ ㉠

$g(x)=-2x^2-16x+a$에서

$g(x)=-2(x+4)^2+32+a$

$g(x)$는 $x=-4$에서 최댓값은

$g(-4)=32+a$ ⋯⋯ ㉡

㉠, ㉡에서 $-4 \geq 32+a$

따라서 $a \leq -36$

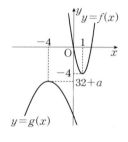

1006

정답 해설참고

| 1단계 | $t=2$일 때, 점 P의 속도와 가속도를 구한다. ◀ 30% |

점 P의 시각 t에서의 속도를 $v(t)$, 가속도를 $a(t)$라 하면

$v(t)=\dfrac{dx}{dt}=3t^2-12t+9$, $a(t)=\dfrac{dv}{dt}=6t-12$

이때 $t=2$에서의 속도와 가속도는

$v(2)=12-24+9=-3$

$a(2)=12-12=0$

| 2단계 | 점 P가 운동방향을 처음으로 바꾸는 시각과 그때의 위치를 구한다. ◀ 40% |

점 P가 운동 방향을 바꾸는 순간의 속도는 0이므로

$v=3(t^2-4t+3)=3(t-1)(t-3)=0$에서 $t=1$ 또는 $t=3$

이므로 처음으로 운동방향이 바뀌는 시각은 $t=1$

그때의 위치는 $x(1)=1-6+9=4$

| 3단계 | P가 출발 후 다시 원점을 지나는 순간의 속도를 구한다. ◀ 30% |

출발 후 점 P가 원점에 다시 오는 경우 위치가 0이므로

$x=t(t^2-6t+9)=t(t-3)^2=0$

$\therefore t=3 (\because t>0)$

그때의 속도는 $v(3)=27-36+9=0$

1007

정답 해설참고

1단계 $t=2$에서의 야구공의 속도를 구한다. ◀ 30%

시각 t에서의 속도를 v라고 하면

$$v=\frac{dx}{dt}=-4.9(2t-2)$$

즉 $t=2$에서의 속도는 $v=-9.8(\text{m/s})$

2단계 야구공이 최고 높이에 도달할 때의 시각과 그때의 높이를 구한다. ◀ 40%

최고 높이에서 야구공의 속도는 0이므로 $-4.9(2t-2)=0$, 즉 $t=1$

$0<t<1$일 때 $v>0$, $t>1$일 때 $v<0$이므로

시각 $t=1$일 때, 야구공이 최고 높이에 도달한다.

따라서 야구공이 최고 높이에 도달할 때의 시각은 $t=1$이고

그때의 높이는 $x=-4.9(1^2-2\times1-3)=19.6(\text{m})$

3단계 야구공이 지면에 도달하는 순간의 속도를 구한다. ◀ 30%

지면의 높이는 0m이므로

$$-4.9(t^2-2t-3)=0, \quad -4.9(t+1)(t-3)=0$$

그런데 $t>0$이므로 $t=3$

따라서 야구공이 지면에 도달하는 순간의 속도는

$$v=-4.9(2\times3-2)=-19.6(\text{m/s})$$

1008

정답 해설참고

1단계 제동을 건지 t초 후의 열차의 속도와 가속도를 구한다. ◀ 30%

제동을 건 지 t초 후의 속도를 v, 가속도를 a라 하면

$$v=\frac{dx}{dt}=-0.9t+18(\text{m/s}), \quad a=\frac{dv}{dt}=-0.9(\text{m/s}^2)$$

2단계 제동을 건 후 열차가 정지할 때까지 걸린 시간을 구한다. ◀ 40%

열차가 정지할 때 속도는 $v=0$이므로 $-0.9t+18=0$에서 $t=20$

즉 열차가 정지할 때까지 걸린 시간은 20초이다.

3단계 열차가 제동을 건 후부터 정지할 때까지 움직인 거리를 구한다. ◀ 30%

이때 열차가 움직인 거리는 $-0.45\times20^2+18\times20=180(\text{m})$

1009

정답 해설참고

1단계 수지가 출발한 지 t초 후의 그림자의 길이를 xm라 할 때, x를 t에 대한 식으로 나타낸다. ◀ 30%

그림처럼 가로등 A의 바로 밑의 지점을 B라 하고 t초 후에 사람이 떨어진 지점 E에 도달했을 때, 그림자의 끝 C와 점 B 사이의 거리를 $f(t)$, 그림자의 길이를 x라 하자.

가로등 바로 아래에서 출발하여 일직선으로 1.5(m/초)의 속도로 걸어가므로 t초 동안 걸은 거리는 $1.5t$이다.

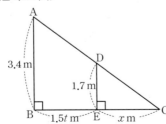

$\overline{\text{BE}}=1.5t$이고 그림에서 $\triangle\text{ABC}\varpropto\triangle\text{DEC}$이므로 $3.4:1.7=(1.5t+x):x$

$3.4x=1.7(1.5t+x)$, $2x=1.5t+x$

$\therefore x=1.5t(\text{m})$

2단계 가로등 바로 밑에서 그림자 끝까지의 거리를 $f(t)$m라 할 때, $f(t)$를 구한다. ◀ 20%

$$f(t)=\overline{\text{BE}}+\overline{\text{EC}}=1.5t+1.5t=3t$$

3단계 수지의 그림자의 끝이 움직이는 속도를 구한다. ◀ 30%

수지의 그림자의 끝까지의 길이가 $f(t)=3t$이므로

사람의 그림자의 끝이 움직이는 속도는 $\dfrac{df(t)}{dt}=3(\text{m/s})$

4단계 수지의 그림자의 길이의 변화율을 구한다. ◀ 20%

t초 후의 그림자의 길이가 $x=1.5t(\text{m})$이므로

그림자의 길이의 변화율은 $\dfrac{dx}{dt}=1.5(\text{m/s})$

1010

정답 해설참고

1단계 동시에 출발한 지점을 원점, 자동차 A가 가는 길을 y축, 자동차 B가 가는 길을 x축으로 생각하여 t초 후의 두 자동차의 위치를 좌표로 나타낸다. ◀ 40%

A는 북쪽으로 20m/s, B는 동쪽으로 10m/s의 속도로 이동하므로

t초 후의 두 자동차의 위치는 A$(0, 20t)$, B$(10t, 0)$

2단계 $\overline{\text{OM}}$의 길이를 t의 식으로 나타낸다. ◀ 30%

두 점 A$(0, 20t)$, B$(10t, 0)$의 중점의 좌표는 M$(5t, 10t)$이므로

$$\overline{\text{OM}}=\sqrt{(5t)^2+(10t)^2}=\sqrt{125t^2}=5\sqrt{5}\,t$$

3단계 $\overline{\text{OM}}$의 길이의 변화율을 구한다. ◀ 30%

$\overline{\text{OM}}$의 길이의 변화율은 $\dfrac{d\overline{\text{OM}}}{dt}=5\sqrt{5}$

1011

정답 해설참고

1단계 t초 후의 물의 표면의 반지름 구한다. ◀ 20%

오른쪽 그림과 같이 종이컵의 아랫부분으로 물이 빠져 나가기 시작하여 t초 후의 수면의 반지름의 길이를 $r(t)$cm, 수면의 높이를 $h(t)$cm라 하면

$$h(t):r(t)=10:5$$
$$\therefore r(t)=\frac{1}{2}h(t) \quad\cdots\cdots\text{㉠}$$

이때 수면의 높이가 매초 1cm씩 낮아지므로

$$h(t)=10-t$$

㉠에서 $r(t)=\dfrac{1}{2}h(t)=\dfrac{1}{2}(10-t)$

2단계 t초 후의 물의 부피를 구한다. ◀ 40%

t초 후의 물의 부피를 $V(t)$라고 하면

$$V(t)=\frac{1}{3}\pi(r(t))^2h(t)$$
$$=\frac{1}{3}\pi\cdot\frac{1}{4}(10-t)^2(10-t)$$
$$=\frac{1}{12}\pi(10-t)^3$$

3단계 2초 후의 물의 부피의 순간변화율 구한다. ◀ 40%

t초 후의 물의 부피의 순간변화율은 $V'(t)$이므로

$$V'(t)=\frac{1}{12}\pi\cdot3(10-t)^2\cdot(-1)=-\frac{1}{4}\pi(10-t)^2$$

따라서 $t=2$일 때, 물의 부피의 순간변화율은

$$V'(2)=-\frac{1}{4}\pi(10-2)^2=-16\pi(\text{cm}^3/\text{s})$$

다음 그림과 같이 밑면의 반지름의 길이가 80cm, 높이가 240cm인 원뿔을 뒤집어 놓은 모양의 물탱크에 물을 가득 채웠다. 이 물탱크의 아랫부분으로 물을 빼내고 매초 10cm씩 수면의 높이가 낮아진다고 할 때, 수면의 높이가 30cm가 되는 순간 남아 있는 물의 부피의 순간변화율을 구하는 과정을 다음 단계로 서술하여라.

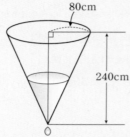

[1단계] t초 후의 물의 수면의 반지름의 길이와 높이를 t에 대한 식으로 나타낸다.
[2단계] t초 후의 물의 부피를 t에 대한 식으로 나타낸다.
[3단계] 수면의 높이가 30cm가 되는 순간 물의 부피의 순간변화율을 구한다.

| 1단계 | t초 후의 물의 수면의 반지름의 길이와 높이를 t에 대한 식으로 나타낸다. | ◀ 30% |

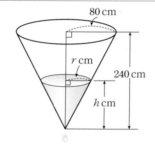

위의 그림과 같이 물탱크의 물이 빠져 나가기 시작하여 t초 후의 수면의 반지름의 길이가 $r$cm, 수면의 높이를 $h$cm라 하면

$r : h = 80 : 240$

$r = \dfrac{1}{3}h$ ······ ㉠

이때 수면의 높이가 매초 10cm씩 낮아지므로

$h = 240 - 10t$ ······ ㉡

| 2단계 | t초 후의 물의 부피를 t에 대한 식으로 나타낸다. | ◀ 30% |

t초 후 물탱크에 남아 있는 물의 부피를 Vcm^{3}라 하면

$V = \dfrac{1}{3}\pi r^2 h = \dfrac{1}{3}\pi\left(\dfrac{1}{3}h\right)^2 h = \dfrac{1}{27}\pi h^3$

$= \dfrac{1}{27}\pi(240-10t)^3$

| 3단계 | 수면의 높이가 30cm가 되는 순간 물의 부피의 순간변화율을 구한다. | ◀ 40% |

$V'(t) = \dfrac{1}{27}\pi \cdot 3(240-10t)^2 \cdot (-10)$

$= -\dfrac{10}{9}\pi(240-10t)^2$

수면의 높이가 30cm가 될 때의 시각은 $240-10t=30$에서 $t=21$
따라서 $t=21$일 때, 남아 있는 물의 부피의 변화율은

$V'(21) = -\dfrac{10}{9}\pi(240-10\cdot21)^2 = -1000\pi(\text{cm}^3/\text{s})$

정답 해설참고

1012

 정답 -1

STEP A 도함수 $f'(x)$의 그래프를 이용하여 $f(x)$식 작성하기

삼차함수 $y=f(x)$가 $f(0)=1$이므로
$f(x)=ax^3+bx^2+cx+1$ (단, $a\neq0$, b, c는 상수)로 놓으면
$f'(x)=3ax^2+2bx+c$
$f'(0)=-2$이므로 $c=-2$
$f'(x)=3ax^2+2bx-2$
$\quad = 3a(x+\sqrt{3})(x-\sqrt{3})$
$\quad = 3ax^2-9a$
$b=0$, $-9a=-2$에서 $a=\dfrac{2}{9}$

$\therefore f(x)=\dfrac{2}{9}x^3-2x+1$

STEP B $f(x)=kx+1$이 서로 다른 세 실근을 갖기 위한 k의 범위 구하기

직선 $y=kx+1$이 곡선 $f(x)=\dfrac{2}{9}x^3-2x+1$에 접하려면 접점의 좌표를 $\left(t,\ \dfrac{2}{9}t^3-2t+1\right)$이라 하면

$f(x)=\dfrac{2}{9}x^3-2x+1$에서 $f'(x)=\dfrac{2}{3}x^2-2$이므로

곡선 $f(x)=\dfrac{2}{9}x^3-2x+1$ 위의 점 $\left(t,\ \dfrac{2}{9}t^3-2t+1\right)$에서의

접선의 기울기는 $f'(t)=\dfrac{2}{3}t^2-2$이고 접선의 방정식은

$y-\left(\dfrac{2}{9}t^3-2t+1\right)=\left(\dfrac{2}{3}t^2-2\right)(x-t)$

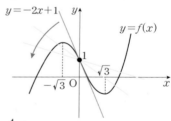

즉 $y=\left(\dfrac{2}{3}t^2-2\right)x-\dfrac{4}{9}t^3+1$

이 직선이 $y=kx+1$와 같으므로 $k=\dfrac{2}{3}t^2-2$이고 $-\dfrac{4}{9}t^3+1=1$

$t=0$이므로 $k=-2$
$f(x)=kx+1$이 서로 다른 세 실근을 갖기 위한 k의 범위는 $k>-2$
따라서 정수 k의 최솟값은 -1

1013

 정답 2

STEP A 부등식 $f(x)\geq k(x-1)+1$에서 곡선 $y=f(x)$와
직선 $y=k(x-1)+1$의 위치 관계 구하기

모든 실수 x에 대하여 $f(x)\geq k(x-1)+1$이 성립하려면 함수 $y=f(x)$의 그래프가 직선 $y=k(x-1)+1$보다 항상 위쪽에 위치해야 한다.
이때 직선 $y=k(x-1)+1$이 k의 값에 관계없이 점 $(1, 1)$을 지난다.

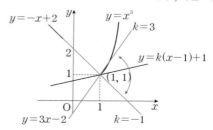

(i) $x \leq 1$일 때,

직선 $y = k(x-1)+1$이 직선 $y = -x+2$의 그래프보다 아래쪽에
위치하거나 같아야 하므로 직선 $y = k(x-1)+1$의 기울기는 -1보다
크거나 같아야 한다.

∴ $k \geq -1$

(ii) $x > 1$일 때,

$y = x^3$에서 $y' = 3x^2$이므로 점 $(1, 1)$에서의 접선의 기울기가 3이므로
직선 $y = k(x-1)+1$의 기울기는 3보다 작거나 같아야 한다.

∴ $k \leq 3$

(i), (ii)에서 $-1 \leq k \leq 3$

따라서 k의 최댓값과 최솟값의 합은 $3 + (-1) = 2$

1014

 정답 13

STEP A **주어진 방정식을 변형하기**

$x^3 - 12x + 22 - 4k = 0$에서 $x^3 - 12x + 22 = 4k$이므로
$y = x^3 - 12x + 22$와 $y = 4k$의 양의 교점의 개수이다.

STEP B $g(x) = x^3 - 12x + 22$라 두고 $g(x)$의 증가와 감소를 표로
나타내기

$g(x) = x^3 - 12x + 22$로 놓으면

$g'(x) = 3(x-2)(x+2)$

$g'(x) = 0$에서 $x = -2$ 또는 $x = 2$

함수 $g(x)$의 증가와 감소를 나타내면 다음 표와 같다.

x	$\cdots$	-2	$\cdots$	2	$\cdots$
$g'(x)$		$+$	0	$-$	0	$+$
$g(x)$		$\nearrow$	38	$\searrow$	6	$\nearrow$

STEP C $g(x)$의 그래프를 그리고 k값에 따른 $f(k)$의 값 구하기

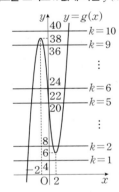

삼차방정식의 양의 실근의 개수 $f(k)$는 $y = g(x)$의 그래프와
직선 $y = 4k$가 제 1사분면에서 만나는 교점의 개수와 같다.

(i) $k = 1$일 때, $f(k) = 0$

(ii) $k = 2, 3, 4, 5$일 때, $f(k) = 2$

(iii) $k = 6, 7, \cdots, 10$일 때, $f(k) = 1$

따라서 $\displaystyle\sum_{k=1}^{10} f(k) = 0 \cdot 1 + 2 \cdot 4 + 1 \cdot 5 = 13$

주의 양의 실근의 개수이므로 26으로 답을 하면 안 된다.

1015

 정답 $-\dfrac{4}{9}$

STEP A **그래프를 이용하여 두 함수의 위치 관계 파악하기**

함수 $f(x) = 6x^3 - x$의 그래프는 원점 대칭인 함수이고

$f(x) = 0$에서 $x(\sqrt{6}x + 1)(\sqrt{6}x - 1) = 0$

∴ $x = 0$ 또는 $x = \pm\dfrac{1}{\sqrt{6}}$

또한, $g(x) = \begin{cases} x - a & (x > a) \\ -x + a & (x \leq a) \end{cases}$

두 함수 $y = f(x)$, $y = g(x)$의 그래프가 서로 다른 두 점에서 만나는 경우는
두 그래프가 접하는 경우이므로 다음 두 가지 그림과 같다.

STEP B **접점에서 기울기를 이용하여 경우를 나누고 실수 a의 값 구하기**

$f(x) = 6x^3 - x$에서 $f'(x) = 18x^2 - 1$

(i) 직선 $g(x) = x - a$가 곡선 $f(x) = 6x^3 - x$ 위의 점 P에서 접하므로

$f'(x) = 1$에서 $18x^2 - 1 = 1$, $x^2 = \dfrac{1}{9}$ ∴ $x = -\dfrac{1}{3}$ $(\because x < 0)$

이때 접점 P의 좌표는 $\left(-\dfrac{1}{3}, \dfrac{1}{9}\right)$이므로

$g(x) = x - a$에 대입하면 $\dfrac{1}{9} = -\dfrac{1}{3} - a$ ∴ $a = -\dfrac{4}{9}$

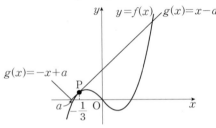

(ii) 직선 $g(x) = -x + a$가 곡선 $f(x) = 6x^3 - x$ 위의 점 Q에서 접하므로

$f'(x) = -1$에서 $18x^2 - 1 = -1$, $18x^2 = 0$ ∴ $x = 0$

이때 접점 Q의 좌표는 $(0, 0)$이므로 $g(x) = -x + a$에 대입하면

$0 = 0 + a$ ∴ $a = 0$

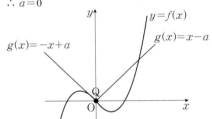

(i), (ii)에서 구하는 모든 실수 a의 값의 합은 $-\dfrac{4}{9} + 0 = -\dfrac{4}{9}$

다른풀이 $h(x) = f(x) - g(x)$의 식을 작성하여 풀이하기

(i) $x \geq a$일 때, $g(x) = x - a$

$h(x) = 6x^3 - x - (x - a) = 6x^3 - 2x + a$라 하면

$h'(x) = 18x^2 - 2 = 2(3x+1)(3x-1)$

$h'(x) = 0$에서 $x = -\dfrac{1}{3}$ 또는 $x = \dfrac{1}{3}$

$h(x) = 0$이 서로 다른 두 실근을 가지려면

$h\left(-\dfrac{1}{3}\right)h\left(\dfrac{1}{3}\right) = 0$이어야 하므로

$\left(-\dfrac{6}{27} + \dfrac{2}{3} + a\right)\left(\dfrac{6}{27} - \dfrac{2}{3} + a\right) = 0$, $\left(a + \dfrac{4}{9}\right)\left(a - \dfrac{4}{9}\right) = 0$

∴ $a = -\dfrac{4}{9}$ 또는 $a = \dfrac{4}{9}$

(ii) $x < a$일 때, $g(x) = -x + a$

$h(x) = 6x^3 - x - (-x + a) = 6x^3 - a$라 하면 $h'(x) = 18x^2$

$h'(x) = 0$에서 $x = 0$

$h(x) = 0$은 오직 한 개의 근만 갖는다.

(i), (ii)에서 $h(x) = 0$이 서로 다른 두 실근을 갖도록 하는 실수 a의 값은
$-\dfrac{4}{9}$이다.

1016

STEP **A** 직선 $y=5x+k$와 함수 $y=f(x)$의 그래프와 서로 다른 두 점에서 만나기 위한 조건 이해하기

직선 $y=5x+k$가 함수 $y=f(x)$의 그래프와 서로 다른 두 점에서 만나려면 직선 $y=5x+k$가 함수 $y=f(x)$의 그래프와 접해야 한다.

STEP **B** $y=f(x)$의 그래프에 접하고 기울기가 5인 접선을 이용하여 양수 k 구하기

$f(x)=x(x+1)(x-4)=x^3-3x^2-4x$에서

$f'(x)=3x^2-6x-4$

접선 $y=5x+k$의 기울기가 5이므로 $f'(x)=5$

$3x^2-6x-4=5$, $3x^2-6x-9=0$

$x^2-2x-3=0$, $(x+1)(x-3)=0$

$\therefore x=-1$ 또는 $x=3$

(i) $x=-1$일 때, 접점은 $(-1, 0)$이므로 접선의 기울기 $f'(-1)=5$

접선의 방정식은 $y-0=5(x+1)$

$\therefore y=5x+5$

즉 $k=5$

(ii) $x=3$일 때, 접점은 $(3, -12)$이므로 접선의 기울기 $f'(3)=5$

접선의 방정식은 $y+12=5(x-3)$

$\therefore y=5x-27$

이때 $k=-27$이므로 양수인 k의 값은 없다.

(i), (ii)에 의하여 $k=5$

다른풀이 직선과 함수 $f(x)$를 연립하여 풀이하기

직선 $y=5x+k$와 함수 $f(x)=x(x+1)(x-4)$의 그래프의 교점의 개수를 구하기 위해 연립하면

$x(x+1)(x-4)=5x+k$에서 $x^3-3x^2-9x-k=0$이 중근과 한 실근을 가져야 한다.

이때 $x^3-3x^2-9x=k$이므로 $g(x)=x^3-3x^2-9x$라 하면

$y=g(x)$와 $y=k$의 교점이 두 개이어야 한다.

$g'(x)=3x^2-6x-9=3(x-3)(x+1)$

$g'(x)=0$에서 $x=-1$ 또는 $x=3$

함수 $g(x)$의 증가와 감소를 표로 나타내면 다음과 같다.

x	$\cdots$	-1	$\cdots$	3	$\cdots$
$g'(x)$	$+$	0	$-$	0	$+$
$g(x)$	↗	극대	↘	극소	↗

STEP **C** $y=g(x)$의 그래프를 그려 주어진 조건을 만족하는 k의 범위 구하기

$g(x)$의
극솟값은 $g(3)=-27$,
극댓값은 $g(-1)=5$이므로
함수 $y=k$의 그래프는 x축에 평행한
직선이므로 이 직선이 함수 $y=g(x)$의
그래프와 서로 다른 두 점에서 만나려면
$k=-27$ 또는 $k=5$이어야 한다.
따라서 k는 양수이므로 $k=5$

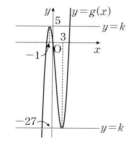

1017

STEP **A** 조건을 만족하는 삼차함수 $f(x)$ 구하기

삼차함수 $f(x)$에 대하여
조건 (가)에서 $f(x)$는 최고차항의 계수가 1인 삼차함수이고 $f(n)=0$이므로
$f(x)=(x-n)(x^2+ax+b)$ (단, a, b는 상수)라 하면
조건 (나)에서 모든 실수 x에 대하여 $(x+n)f(x)\geq 0$이어야 하므로
$(x+n)f(x)=(x+n)(x-n)(x^2+ax+b)\geq 0$
이때 부등식 $(x+n)f(x)\geq 0$이 모든 실수 x에 대하여 성립하는 것은 아니고
x^2+ax+b는 이차함수이므로 $(x+n)f(x)\geq 0$이 성립하려면
$(x+n)f(x)=(x+n)^2(x-n)^2$이어야 한다.
$\therefore f(x)=(x+n)(x-n)^2$

STEP **B** $f(x)$의 극댓값 a_n 구하기

$f(x)=(x+n)(x-n)^2$에서
$f'(x)=(x-n)^2+2(x+n)(x-n)$
$\qquad =(x-n)(2x+2n+x-n)$
$\qquad =(x-n)(3x+n)$
$f'(x)=0$에서 $x=-\dfrac{n}{3}$ 또는 $x=n$

함수 $f(x)$의 증가와 감소를 표로 나타내면 다음과 같다.

x	$\cdots$	$-\dfrac{n}{3}$	$\cdots$	n	$\cdots$
$f'(x)$	$+$	0	$-$	0	$+$
$f(x)$	↗	극대	↘	극소	↗

함수 $f(x)$는 $x=-\dfrac{n}{3}$에서 극대이고 극댓값은

$a_n=f\left(-\dfrac{n}{3}\right)=\left(-\dfrac{n}{3}+n\right)\left(-\dfrac{n}{3}-n\right)^2=\dfrac{2}{3}n\cdot\dfrac{16}{9}n^2=\dfrac{32}{27}n^3$

따라서 $a_n=\dfrac{32}{27}n^3$이 자연수가 되려면 n^3은 27의 배수가 되어야 하므로
자연수 n의 최솟값은 3

+α

(1) 조건 (나)에 의하여
$x<-n$일 때 $f(x)\leq 0$, $x>-n$일 때 $f(x)\geq 0$, $f(n)=0$을
만족시키는 삼차함수 $y=f(x)$의 그래프는 다음과 같다.

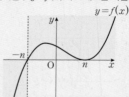

(2) 주어진 조건을 다음과 같이 생각해 볼 수도 있다.
$g(x)=(x+n)f(x)$라 하면 함수 $g(x)$는 최고차항의 계수가 1인
사차함수이다.
$g(-n)=g(n)=0 (\because f(n)=0)$이고
모든 실수 x에 대하여 $g(x)\geq 0$이므로 함수 $y=g(x)$의 그래프는
다음과 같이 두 점 $(n, 0)$, $(-n, 0)$에서 x축에 접해야 한다.

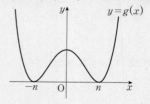

$\therefore g(x)=(x+n)^2(x-n)^2$

1018

12

STEP A 두 함수 $y=\dfrac{16}{x}$, $y=-x^2+a$를 연립하여 삼차방정식 유도하기

$\dfrac{16}{x}=-x^2+a$에서 양변에 x를 곱하면 $16=-x^3+ax$

$x^3-ax+16=0$

STEP B 삼차방정식 $x^3-ax+16=0$이 서로 다른 두 실근을 가질 a 구하기

$f(x)=x^3-ax+16$로 놓으면 $f'(x)=3x^2-a$

$f'(x)=0$에서 $x=-\sqrt{\dfrac{a}{3}}$ 또는 $x=\sqrt{\dfrac{a}{3}}$

함수 $f(x)$의 증가와 감소를 표로 나타내면 다음과 같다.

x	$\cdots$	$-\sqrt{\dfrac{a}{3}}$	$\cdots$	$\sqrt{\dfrac{a}{3}}$	$\cdots$
$f'(x)$	$+$	0	$-$	0	$+$
$f(x)$	↗	극대	↘	극소	↗

$f(x)=0$은 서로 다른 두 실근을 가지므로 그래프의 개형은 다음 그림과 같다.

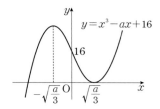

$x=\sqrt{\dfrac{a}{3}}$에서 극소이고 극솟값을 갖고 그 값이 0이므로

$f\left(\sqrt{\dfrac{a}{3}}\right)=\left(\sqrt{\dfrac{a}{3}}\right)^3-a\sqrt{\dfrac{a}{3}}+16=0$

$\dfrac{a\sqrt{a}}{3\sqrt{3}}-\dfrac{a\sqrt{a}}{\sqrt{3}}+16=0$

$a\sqrt{a}-3a\sqrt{a}+48\sqrt{3}=0$, $a\sqrt{a}=24\sqrt{3}$

양변을 제곱하면 $a^3=(24\sqrt{3})^2=12^3$

따라서 $a=12$

다음 그림과 같이 유리함수와 이차함수가 두 점에서 만나려면 제3사분면에서 반드시 한 점에서 만나고 제1사분면에서 교점이 1개 있기 위해서는 유리함수와 이차함수가 접해야 한다.

즉 삼차방정식 $f(x)=0$이 한 실근과 중근을 가져야 한다.

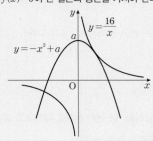

1019

30

STEP A 점 P의 시각 t에서 속도와 가속도 구하기

점 P의 시각 t에서의 속도를 v, 가속도를 a라 하면

$v=\dfrac{dx}{dt}=3pt^2+3qt+r$, $a=\dfrac{dv}{dt}=6pt+3q$

STEP B 점 P의 운동 방향이 바뀔 때의 속도가 0임을 이용하기

점 P의 운동 방향이 바뀌는 $t=1$과 $t=2$에서 점 P의 속도는 0이다.

$3pt^2+3qt+r=3p(t-1)(t-2)=3pt^2-9pt+6p$

$\therefore q=-3p$, $r=6p$ $\qquad\cdots\cdots$ ㉠

$t=3$에서 점 P의 가속도가 3이므로

$18p+3q=3$

$q=-3p$을 대입하면 $18p+3\cdot(-3p)=3$, $9p=3$

$\therefore p=\dfrac{1}{3}$

㉠에서 $q=-1$, $r=2$이므로 위치는 $x=\dfrac{1}{3}t^3-\dfrac{3}{2}t^2+2t$

STEP C $t=6$일 때, 점 P의 위치 구하기

따라서 $t=6$일 때, 점 P의 위치는 $x(6)=72-54+12=30$

1020

1

STEP A P, Q의 속도 v_P, v_Q가 만족하는 조건 이해하기

시각 t에서의 두 점 P, Q의 속도를 각각 v_P, v_Q라 하면

$v_P=4t^3-18t^2+24t$, $v_Q=m$

두 점 P, Q의 속도가 같게 되는 때가 세 번 있으려면 $v_P=v_Q$를 만족시키는 시각 t의 값이 3개 존재해야 하므로 t에 대한 방정식 $4t^3-18t^2+24t=m$이 음이 아닌 서로 다른 세 실근을 가져야 한다.

STEP B $f(t)=4t^3-18t^2+24t$라 두고 $f(t)$의 증가와 감소를 표로 나타내기

곡선 $y=4t^3-18t^2+24t$와 직선 $y=m$이 음이 아닌 서로 다른 세 점에서 만나야 하므로 $f(t)=4t^3-18t^2+24t$로 놓으면

$f'(t)=12t^2-36t+24=12(t-1)(t-2)$

$f'(t)=0$에서 $t=1$ 또는 $t=2$

함수 $f(t)$의 증가와 감소를 나타내면 다음 표와 같다.

t	0	$\cdots$	1	$\cdots$	2	$\cdots$
$f'(t)$		$+$	0	$-$	0	$+$
$f(t)$		↗	10	↘	8	↗

STEP C $y=f(t)$의 그래프를 그려 주어진 조건을 만족하는 m의 값 구하기

따라서 $t\geq0$일 때, $y=f(t)$의 그래프는 오른쪽 그림과 같으므로 곡선 $y=f(t)$와 직선 $y=m$이 음이 아닌 서로 다른 세 점에서 만나려면 $8<m<10$

따라서 정수 m은 9이므로 1개이다.

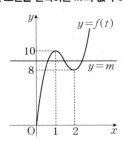

수직선 위를 움직이는 두 점 P, Q의 시각 t에서의 위치가 각각
$$x_P(t)=t^4-8t^3+18t^2, \quad x_Q(t)=at$$
라고 할 때, 두 점 P, Q의 속도가 같게 되는 때가 3회 있기 위한 정수 a의 개수를 구하여라.

시각 t에서의 두 점 P, Q의 속도를 각각 v_P, v_Q라 하면
$$v_P=4t^3-24t^2+36t, \quad v_Q=a$$
두 점 P, Q의 속도가 같게 되는 때가 세 번 있으려면 $v_P=v_Q$를 만족시키는
시각 t의 값이 3개 존재하야 하므로 t에 대한 방정식 $4t^3-24t^2+36t=a$가
음이 아닌 서로 다른 세 실근을 가져야 한다.
즉 곡선 $y=4t^3-24t^2+36t$와 직선 $y=a$가 음이 아닌 서로 다른 세 점에서
만나야 하므로 $f(t)=4t^3-24t^2+36t$로 놓으면
$$f'(t)=12t^2-48t+36=12(t-1)(t-3)$$
$f'(t)=0$에서 $t=1$ 또는 $t=3$
함수 $f(t)$의 증가와 감소를 나타내면 다음 표와 같다.

t	0	$\cdots$	1	$\cdots$	3	$\cdots$
$f'(t)$		+	0	−	0	+
$f(t)$		$\nearrow$	16	$\searrow$	0	$\nearrow$

따라서 $t \geq 0$일 때, $y=f(t)$의
그래프는 오른쪽 그림과 같으므로
곡선 $y=f(t)$와 직선 $y=a$가
음이 아닌 서로 다른 세 점에서
만나려면 $0 < a < 16$
따라서 정수 a의 개수는 15개이다.

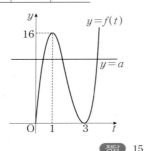

정답 **15**

1021

정답 **3**

STEP A 점 P가 원점을 출발한 후 4분 동안 $(0 < t < 4)$ 움직이는 방향을 바꾼 횟수 a 구하기

점 P가 운동방향을 바꾸는 순간의 속도가
0이므로
$$v_p=\frac{dx_p}{dt}=6t^2-18t=6t(t-3)=0$$
이므로 출발 후 점 P는 $t=3$일 때,
운동방향이 바뀐다.
$$\therefore a=1$$

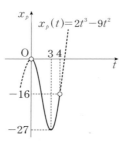

STEP B 점 Q가 원점을 출발한 후 4분 동안 움직이는 방향을 바꾼 횟수 b를 구하기

점 Q가 운동방향을 바꾸는 순간의 속도가
0이므로
$$v_q=\frac{dx_q}{dt}=2t+8=2(t+4)=0$$
$0 < t < 4$에서 위의 식을 만족하는
t는 존재하지 않는다.
$$\therefore b=0$$

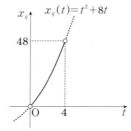

STEP C 점 M가 원점을 출발한 후 4분 동안 움직이는 방향을 바꾼 횟수 c를 구하기

두 점 P, Q의 위치가
$x_p=2t^3-9t^2$, $x_q=t^2+8t$ 이므로
중점 M의 t분 후의 좌표를 x_m라 하면
$$x_m=\frac{x_p+x_q}{2}$$
$$=\frac{(2t^3-9t^2)+t^2+8t}{2}$$
$$=t^3-4t^2+4t$$
점 M이 운동방향을 바꾸는 순간의
속도가 0이므로
$$v_m=\frac{dx_m}{dt}=3t^2-8t+4=(3t-2)(t-2)=0$$이므로
점 P는 $t=2$ 또는 $t=\frac{2}{3}$일 때, 운동방향이 바뀐다.
$$\therefore c=2$$

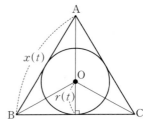

STEP D $a+b+c$의 값 구하기

따라서 $a+b+c=3$

1022

정답 **36**

STEP A 정삼각형의 넓이를 이용하여 $r(t)$ 구하기

t초 후의 정삼각형의 한 변의 길이를 $x(t)$라 하면
이 정삼각형 ABC의 내접원의 중심을 O라 하자.

내접하는 원의 반지름의 길이를 $r(t)$라 하면 정삼각형의 넓이로부터
$$\triangle ABC=\triangle ABO+\triangle BCO+\triangle CAO$$
$$\frac{\sqrt{3}}{4}\{x(t)\}^2=\frac{1}{2}\times x(t)\times r(t)\times 3$$
$$r(t)=\frac{\sqrt{3}}{6}x(t) \qquad \cdots\cdots \text{㉠}$$
이때 처음 정삼각형의 한 변의 길이가 $12\sqrt{3}$이고 매초 $3\sqrt{3}$씩 늘어나므로
$$x(t)=12\sqrt{3}+3\sqrt{3}\,t \qquad \cdots\cdots \text{㉡}$$
㉡을 ㉠에 대입하면
$$r(t)=\frac{\sqrt{3}}{6}(12\sqrt{3}+3\sqrt{3}\,t)=6+\frac{3}{2}t$$

STEP B 내접원의 넓이를 t에 관한 식으로 나타내고 넓이의 변화율 구하기

t초 후 정삼각형에 내접하는 원의 넓이는
$$S(t)=\pi\left(6+\frac{3}{2}t\right)^2=9\pi\left(\frac{1}{4}t^2+2t+4\right)$$
$$\therefore S'(t)=9\pi\left(\frac{1}{2}t+2\right)$$
한편 $x(t)=24\sqrt{3}$일 때의 시간 t는 $12\sqrt{3}+3\sqrt{3}\,t=24\sqrt{3}$
$3\sqrt{3}\,t=12\sqrt{3}$
$$\therefore t=4$$
따라서 구하는 넓이의 변화율은 $S'(4)=9\pi\left(\frac{1}{2}\cdot 4+2\right)=36\pi$ $\therefore a=36$

1023

정답 ②

STEP A 조건을 만족하는 삼차함수 $f(x)$의 그래프의 개형 그리기

삼차함수 $f(x)$의 최고차항의 계수를 a라 하면
함수 $f(x)$의 도함수 $f'(x)$는 최고차항의 계수가 $3a$인 이차함수이다.
조건 (나)에서 방정식 $f'(x)=0$이 두 실근 -1, 2를 가지므로
$f'(x)=3a(x+1)(x-2)$로 놓을 수 있다.
이때 조건 (가)에서 방정식 $f(x)=0$이 서로 다른 두 양의 실근을 가지므로
함수 $y=f(x)$의 그래프의 개형은 다음과 같이 두 가지 경우가 있다.
(i) $a>0$일 때,　　　　　(ii) $a<0$일 때,

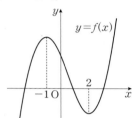 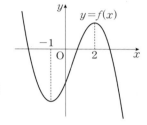

STEP B [보기]의 참, 거짓 판단하기

ㄱ. (ii)에서 $a<0$일 때, $f(0)<0$이다. [거짓]

ㄴ. (i), (ii)에서 $f(-1)f(2)<0$이다. [참]

ㄷ. $f'(1)=3a(1+1)(1-2)=-6a>0$

　　즉 $a<0$이므로 함수 $y=f(x)$의 그래프는 (ii)와 같다.

　　$f(x)=-x^3+\dfrac{3}{2}x^2+6x-9$로 놓으면

　　$f'(x)=-3x^2+3x+6=-3(x+1)(x-2)$가 되어 문제의 조건을
　　모두 만족시킨다.

　　이때 $f'(1)=6>0$이지만 $f(1)=-1+\dfrac{3}{2}+6-9=-\dfrac{5}{2}<0$ [거짓]

따라서 옳은 것은 ㄴ이다.

111

M A P L ; S Y N E R G Y

적분

01 부정적분
STEP1 내신정복기출유형

1024
 정답 ②

STEP Ⓐ **양변을 x에 대하여 미분하기**

$\int (3x^2+2x+a)dx = bx^3+cx^2-5x+C$의 양변을 x에 대하여 미분하면

$3x^2+2x+a = 3bx^2+2cx-5$

STEP Ⓑ **항등식의 성질을 이용하여 a, b, c의 값 구하기**

이때 위의 식은 x에 대한 항등식이므로 $3=3b$, $2=2c$, $a=-5$

따라서 $a=-5$, $b=1$, $c=1$이므로 $a+b+c=-5+1+1=-3$

1025
 정답 ⑤

STEP Ⓐ **양변을 x에 대하여 미분하기**

$\int f(x)dx = \frac{1}{3}x^3 - \frac{1}{2}x^2 + C$의 양변을 x에 대하여 미분하면

$f(x) = x^2 - x$

STEP Ⓑ **$f(-2)$의 값 구하기**

따라서 $f(x) = x^2-x$이므로 $f(-2) = 4+2 = 6$

1026
 정답 ③

STEP Ⓐ **양변을 x에 대하여 미분하기**

$\int (x+1)f(x)dx = \frac{2}{3}x^3 + \frac{1}{2}x^2 - x + C$의 양변을 x에 대하여 미분하면

$(x+1)f(x) = 2x^2+x-1 = (x+1)(2x-1)$

STEP Ⓑ **$f(2)$의 값 구하기**

따라서 $f(x) = 2x-1$이므로 $f(2) = 4-1 = 3$

내|신|연|계 출제문항 **424**

함수 $f(x)$가

$$\int (x-1)f(x)dx = 2x^3+3x^2-12x+1$$

을 만족시킬 때, $f(-1)$의 값은?

① 1　　　　② 3　　　　③ 5
④ 6　　　　⑤ 7

STEP Ⓐ **양변을 x에 대하여 미분하기**

$\int (x-1)f(x)dx = 2x^3+3x^2-12x+1$의 양변을 x에 대하여 미분하면

$(x-1)f(x) = 6x^2+6x-12$

STEP Ⓑ **$f(-1)$의 값 구하기**

양변에 $x=-1$을 대입하면 $-2f(-1)=-12$ ∴ $f(-1)=6$　　　 정답 ④

1027
 정답 ③

STEP Ⓐ **양변을 x에 대하여 미분하여 $g(x)$ 구하기**

$\int g(x)dx = x^5f(x)+a$의 양변을 x에 대하여 미분하면

$g(x) = 5x^4f(x)+x^5f'(x)$

STEP Ⓑ **$g(1)$의 값 구하기**

따라서 $g(1) = 5f(1)+f'(1) = 5\cdot(-2)+6 = -4$

1028
 정답 ④

STEP Ⓐ **$F(x)-G(x)=k$ (k는 상수)를 만족하는 상수 k의 값 구하기**

함수 $f(x)$의 부정적분이 $F(x)$, $G(x)$이므로

$F(x)-G(x)=k$ (k는 상수)로 놓을 수 있다.

$F(0)=G(0)+2$에서 $k=F(0)-G(0)=2$

STEP Ⓑ **$F(3)-G(3)$의 값 구하기**

따라서 $F(x)-G(x)=2$이므로 $F(3)-G(3)=2$

1029
 정답 ①

STEP Ⓐ **함수 $f(x)$의 두 부정적분의 관계 이해하기**

함수 $f(x)$의 한 부정적분이 $F(x)$이고, 또 다른 한 부정적분이 $G(x)$이면

$G(x) = \int f(x)dx = F(x)+C$ (C는 적분상수)

이므로 $G(x)-F(x)=C$

STEP Ⓑ **$F(2)-G(2)$의 값 구하기**

두 함수 $F(x)$, $G(x)$가 함수 $f(x)$의 부정적분이므로

$F(x)-G(x)=k$ (k는 상수)이다.

$F(1)-G(1)=5-2=3$이므로 $k=3$

따라서 $F(x)-G(x)=3$이므로 $F(2)-G(2)=3$

내|신|연|계 출제문항 **425**

함수 $f(x)$의 한 부정적분 $F(x)$와 또 다른 부정적분 $G(x)$에 대하여

$$F(x)=x^3+2x^2-3x-4, \quad G(0)=1$$

일 때, $G(1)$의 값은?

① -5　　　　② -2　　　　③ 1
④ 2　　　　⑤ 5

STEP Ⓐ **$F(x)-G(x)=k$ (k는 상수)를 만족하는 상수 k의 값 구하기**

함수 $f(x)$의 부정적분이 $F(x)$, $G(x)$이므로

$F(x)-G(x)=k$ (k는 상수)로 놓을 수 있다.

$F(x)=x^3+2x^2-3x-4$, $G(0)=1$에서

$k=F(0)-G(0)=-4-1=-5$

STEP Ⓑ **$G(1)$의 값 구하기**

$G(x) = F(x)-k = x^3+2x^2-3x-4-(-5)$

$\qquad = x^3+2x^2-3x+1$

이므로 $G(1)=1$　　　　정답 ③

1030

STEP Ⓐ 양변을 x에 대하여 미분하여 $f'(1)$의 값 구하기

$f(x)=\int(4x^3-x^2+5)dx$의 양변을 x에 대하여 미분하면

$f'(x)=4x^3-x^2+5$이므로 $f'(1)=4-1+5=8$

STEP Ⓑ 미분계수 식을 이용하여 극한값 구하기

따라서 $\lim\limits_{x \to 1}\dfrac{f(x)-f(1)}{x^2-1}=\lim\limits_{x \to 1}\dfrac{f(x)-f(1)}{x-1}\cdot\dfrac{1}{x+1}=\dfrac{f'(1)}{2}=\dfrac{8}{2}=4$

내/신/연/계/ 출제문항 426

함수 $f(x)=\int(2x^3-x^2+1)dx$에 대하여 $\lim\limits_{x \to 1}\dfrac{f(x^2)-f(1)}{x-1}$의 값은?

① 2   ② 3   ③ 4
④ 5   ⑤ 6

STEP Ⓐ 미분계수의 정의를 이용하여 식 정리하기

$$\lim\limits_{x \to 1}\dfrac{f(x^2)-f(1)}{x-1}=\lim\limits_{x \to 1}\dfrac{f(x^2)-f(1)}{x^2-1}\cdot(x+1)$$

$$=\lim\limits_{x \to 1}\dfrac{f(x^2)-f(1)}{x^2-1}\cdot\lim\limits_{x \to 1}(x+1)$$

$$=2f'(1)$$

STEP Ⓑ 양변을 x에 대하여 미분하여 $2f'(1)$의 값 구하기

$f(x)=\int(2x^3-x^2+1)dx$의 양변을 x에 대하여 미분하면

$f'(x)=2x^3-x^2+1$이므로 $f'(1)=2$

따라서 구하는 값은 $2f'(1)=2\cdot2=4$

정답 ③

1031

정답 ⑤

STEP Ⓐ 미분계수의 정의를 이용하여 식 정리하기

$\lim\limits_{h \to 0}\dfrac{f(2+3h)-f(2)}{h}=3\lim\limits_{h \to 0}\dfrac{f(2+3h)-f(2)}{3h}=3f'(2)$

STEP Ⓑ 양변을 x에 대하여 미분하여 $f'(2)$의 값 구하기

$f'(x)=x^2+4x+3$이므로 $f'(2)=15$

따라서 $\lim\limits_{h \to 0}\dfrac{f(2+3h)-f(2)}{h}=3f'(2)=3\cdot15=45$

내/신/연/계/ 출제문항 427

함수 $f(x)=\int(3x^2-4x+a)dx$에 대하여

$$\lim\limits_{h \to 0}\dfrac{f(2+3h)-f(2)}{h}=6, \ f(0)=3$$

일 때, $f(1)$의 값은? (단, a는 상수이다.)

① 0   ② 2   ③ 4
④ 6   ⑤ 8

STEP Ⓐ 적분과 미분계수를 이용하여 함수 $f(x)$ 구하기

$f(x)=\int(3x^2-4x+a)dx=x^3-2x^2+ax+C$ (C는 적분상수)

한편 $\lim\limits_{h \to 0}\dfrac{f(2+3h)-f(2)}{h}=3f'(2)=6$이므로 $f'(2)=2$

$f'(x)=3x^2-4x+a$에 $x=2$를 대입하면 $f'(2)=4+a=2$

$\therefore a=-2$

이때 $f(0)=3$이므로 $C=3$

STEP Ⓑ $f(1)$의 값 구하기

따라서 $f(x)=x^3-2x^2-2x+3$이므로 $f(1)=0$

정답 ①

1032

정답 ④

STEP Ⓐ 양변을 x에 대하여 미분하여 $f'(x)$의 함수식 구하기

$f(x)=\int(x+3)(x^2-3x+7)dx$의 양변을 x에 대하여 미분하면

$f'(x)=(x+3)(x^2-3x+7)$

STEP Ⓑ 미분계수의 정의를 이용하여 식 정리하기

$$\lim\limits_{h \to 0}\dfrac{f(1+2h)-f(1-3h)}{h}$$

$$=\lim\limits_{h \to 0}\dfrac{f(1+2h)-f(1)-f(1-3h)+f(1)}{h}$$

$$=\lim\limits_{h \to 0}\dfrac{f(1+2h)-f(1)}{2h}\cdot2+\lim\limits_{h \to 0}\dfrac{f(1-3h)-f(1)}{-3h}\cdot3$$

$$=2f'(1)+3f'(1)$$

$$=5f'(1)$$

STEP Ⓒ $f'(1)$의 값 구하기

$f'(x)=(x+3)(x^2-3x+7)$이므로 $f'(1)=20$

따라서 $5f'(1)=5\cdot20=100$

1033

정답 ④

STEP Ⓐ 도함수의 정의를 이용하여 $f'(x)$ 구하기

$$\lim\limits_{h \to 0}\dfrac{f(x+h)-f(x-h)}{h}$$

$$=\lim\limits_{h \to 0}\dfrac{f(x+h)-f(x)}{h}+\lim\limits_{h \to 0}\dfrac{f(x-h)-f(x)}{-h}$$

$$=f'(x)+f'(x)$$

$$=2f'(x)$$

이므로 $2f'(x)=8x^3-6x^2+2$

$\therefore f'(x)=4x^3-3x^2+1$

STEP Ⓑ $f'(x)$를 적분하기

$$f(x)=\int f'(x)dx$$

$$=\int(4x^3-3x^2+1)dx$$

$$=x^4-x^3+x+C \ (C는 적분상수)$$

STEP Ⓒ $f(0)=3$을 만족하는 적분상수 C를 구하여 $f(2)$의 값 구하기

이때 $f(0)=3$이므로 $f(0)=C=3$

따라서 $f(x)=x^4-x^3+x+3$이므로 $f(2)=16-8+2+3=13$

다항함수 $f(x)$가

$$\lim_{h \to 0} \frac{f(x+2h)-f(x-h)}{h} = 9x^2 - 6x + 3$$

이고 $f(1)=3$일 때, $f(2)$의 값은?

① 8   ② 10   ③ 12
④ 14   ⑤ 16

STEP **A** **도함수의 정의를 이용하여 $f'(x)$ 구하기**

$$\lim_{h \to 0} \frac{f(x+2h)-f(x-h)}{h}$$
$$= 9x^2 - 6x + 3$$
$$= \lim_{h \to 0} \frac{f(x+2h)-f(x)}{2h} \times 2 + \lim_{h \to 0} \frac{f(x-h)-f(x)}{-h}$$
$$= 2f'(x) + f'(x)$$
$$= 3f'(x)$$

즉 $3f'(x) = 9x^2 - 6x + 3$
$$\therefore f'(x) = 3x^2 - 2x + 1$$

STEP **B** **$f'(x)$를 적분하기**

$$f(x) = \int f'(x)dx$$
$$= \int (3x^2 - 2x + 1)dx$$
$$= x^3 - x^2 + x + C \ (C\text{는 적분상수})$$

STEP **C** **$f(1)=3$을 만족하는 적분상수 C를 구하여 $f(2)$의 값 구하기**

이때 $f(1)=3$이므로 $f(1) = 1 - 1 + 1 + C = 3$
$$\therefore C = 2$$
따라서 $f(x) = x^3 - x^2 + x + 2$이므로 $f(2) = 8 - 4 + 2 + 2 = 8$ 정답 ①

1034   정답 ⑤

STEP **A** **양변을 x에 대하여 미분하여 $f(x)$의 함수식 구하기**

$$\int \{2 - f(x)\}dx = -\frac{1}{4}x^4 + 2x^3 - \frac{9}{2}x^2 + x + C$$
의 양변을 x에 대하여 미분하면
$2 - f(x) = -x^3 + 6x^2 - 9x + 1$
$$\therefore f(x) = x^3 - 6x^2 + 9x + 1$$

STEP **B** **$f(x)$의 증가와 감소를 표로 나타내기**

$f'(x) = 3x^2 - 12x + 9 = 3(x-1)(x-3)$
$f'(x) = 0$에서 $x = 1$ 또는 $x = 3$
$f(x)$의 증가와 감소를 나타내면 다음 표와 같다.

x	$\cdots$	1	$\cdots$	3	$\cdots$
$f'(x)$	$+$	0	$-$	0	$+$
$f(x)$	↗	극대	↘	극소	↗

STEP **C** **$f(x)$의 극댓값 구하기**

따라서 $f(x)$는 $x=1$에서 극댓값은 $f(1) = 1 - 6 + 9 + 1 = 5$

다항함수 $f(x)$에 대하여

$$\int \{1 - f(x)\}dx = \frac{1}{4}x^2(6 - x^2) + C$$

가 성립한다. $f(x)$의 극댓값을 M, 극솟값을 m이라고 할 때, $M + m$의 값은? (단, C는 적분상수)

① 1   ② 2   ③ 3
④ 4   ⑤ 5

STEP **A** **양변을 x에 대하여 미분하여 $f(x)$의 함수식 구하기**

$\int \{1 - f(x)\}dx = \frac{1}{4}x^2(6 - x^2) + C$의 양변을 x에 대하여 미분하면
$1 - f(x) = 3x - x^3$
$$\therefore f(x) = x^3 - 3x + 1$$

STEP **B** **$f(x)$의 증가와 감소를 표로 나타내기**

$f'(x) = 3x^2 - 3 = 3(x+1)(x-1)$
$f'(x) = 0$에서 $x = -1$ 또는 $x = 1$
$f(x)$의 증가와 감소를 나타내면 다음 표와 같다.

x	$\cdots$	-1	$\cdots$	1	$\cdots$
$f'(x)$	$+$	0	$-$	0	$+$
$f(x)$	↗	극대	↘	극소	↗

STEP **C** **$f(x)$의 극댓값, 극솟값 구하기**

따라서 $f(x)$는 $x=-1$에서 극댓값 $M = f(-1) = 3$
$x=1$에서 극솟값 $m = f(1) = -1$
$$\therefore M + m = 3 - 1 = 2$$ 정답 ②

1035   정답 ②

STEP **A** **부정적분의 성질을 이용하여 진위판단하기**

ㄱ. $\int \left\{ \frac{d}{dx}f(x) \right\}dx = f(x) + C \ (C\text{는 적분상수})$

$\frac{d}{dx}\int f(x)dx = f(x)$이므로

$$\int \left\{ \frac{d}{dx}f(x)dx \right\} \neq \frac{d}{dx}\int f(x)dx \ [\text{거짓}]$$

ㄴ. $\int f(x)dx = \int g(x)dx$의 양변을 x에 대하여 미분하면

$\frac{d}{dx}\int f(x)dx = \frac{d}{dx}\int g(x)dx$에서 $f(x) = g(x)$이다. [참]

ㄷ. $f(x) = g(x)$에서 $f(x) - g(x) = 0$이므로

$$\int \{f(x) - g(x)\}dx = \int 0dx = C$$

즉 $\int f(x)dx - \int g(x)dx = C$이므로

$$\int f(x)dx = \int g(x)dx + C \ [\text{거짓}]$$

ㄹ. $\int f(x)dx$는 x에 대한 식이고 $\int f(y)dy$는 y에 대한 식이므로

$$\int f(x)dx \neq \int f(y)dy \text{이다. } [\text{거짓}]$$

따라서 옳은 것은 ㄴ이다.

⊕α 부정적분의 성질

(1) $\int f(x)dx \neq \int f(y)dy$ ← 적분변수에 주의

해설 $\int 2xdx = x^2 + C$, $\int 2ydy = y^2 + C$이므로 변수가 다르다.

(2) $\int 0dx = C$ (단, C는 적분상수) [참]

해설 $\int 0dx = 0x + C$

(3) $\int \{f(x) - g(x)\}dx = C$ (C는 상수)이면 $f(x) = g(x)$ [참]

해설 $\int \{f(x) - g(x)\}dx = C$에서 $\dfrac{d}{dx}\int \{f(x) - g(x)\}dx = \dfrac{d}{dx}(C)$
$f(x) - g(x) = 0$이므로 $f(x) = g(x)$

(4) $\int f(x)dx = \int g(x)dx$이면 $f(x) = g(x)$이다. [참]

해설 $\int f(x)dx = \int g(x)dx$에서 $\int \{f(x) - g(x)\}dx = 0$이므로
$f(x) - g(x) = 0$ ∴ $f(x) = g(x)$

(5) $f(x) = g(x)$이면 $\int f(x)dx = \int g(x)dx$이다. [거짓]
$f(x) = g(x)$이면 $\int f(x)dx = \int g(x)dx + C$이다. [참]

해설 $f(x) = g(x)$에서 $f(x) - g(x) = 0$이므로 $\int \{f(x) - g(x)\}dx = \int 0dx = C$
즉 $\int f(x)dx - \int g(x)dx = C$이므로 $\int f(x)dx = \int g(x)dx + C$

(6) $f'(x) = g'(x)$이면 $\int f'(x)dx = \int g'(x)dx + C$ [참]
$f'(x) = g'(x)$이면 $\int f'(x)dx = \int g'(x)dx$ [거짓]

해설 $f'(x) = g'(x)$에서 $f'(x) - g'(x) = 0$이므로
$\int \{f'(x) - g'(x)\}dx = \int 0dx = C$
즉 $\int f'(x)dx - \int g'(x)dx = C$이므로 $\int f'(x)dx = \int g'(x)dx + C$

1036
정답 ③

STEP Ⓐ $\dfrac{d}{dx}\int f(x)dx = f(x)$임을 이용하기

$\dfrac{d}{dx}\int (ax^3 + 2x^2 + bx - 3)dx = ax^3 + 2x^2 + bx - 3$

$ax^3 + 2x^2 + bx - 3 = 2x^3 + cx^2 - 5x - d$에서
$a = 2$, $b = -5$, $c = 2$, $d = 3$
따라서 $a + b + c + d = 2 + (-5) + 2 + 3 = 2$

1037
정답 ②

STEP Ⓐ $\dfrac{d}{dx}\int f(x)dx = f(x)$임을 이용하기

$\dfrac{d}{dx}\int xf(x)dx = 3x^2 + x$이므로 $xf(x) = 3x^2 + x$
따라서 $f(x) = 3x + 1$이므로 $f(2) = 7$

1038
정답 ⑤

STEP Ⓐ $\int \left\{\dfrac{d}{dx}f(x)\right\}dx = f(x) + C$임을 이용하기

$f(x) = \int \left\{\dfrac{d}{dx}(2x^3 - 4x)\right\}dx$
$\quad = 2x^3 - 4x + C$ (단, C는 적분상수)
이므로 $f(0) = 1$에서 $C = 1$
따라서 $f(x) = 2x^3 - 4x + 1$이므로 $f(2) = 9$

1039
정답 ④

STEP Ⓐ $\int \left\{\dfrac{d}{dx}f(x)\right\}dx = f(x) + C$임을 이용하기

$f(x) = \int \left\{\dfrac{d}{dx}(3x^3 - ax^2)\right\}dx$
$\quad = 3x^3 - ax^2 + C$ (단, C는 적분상수) …… ㉠
$f(1) = 6$이므로 $3 - a + C = 6$
∴ $a - C = -3$ …… ㉡

STEP Ⓑ 미분계수의 정의를 이용하여 a, C의 값 구하기
또, $\lim\limits_{x \to 1}\dfrac{f(x) - f(1)}{x - 1} \cdot \dfrac{1}{x + 1} = \dfrac{1}{2}f'(1) = -\dfrac{3}{2}$이므로 $f'(1) = -3$
㉠의 양변을 x에 대하여 미분하면 $f'(x) = 9x^2 - 2ax$
이때 $f'(1) = -3$이므로 $9 - 2a = -3$ ∴ $a = 6$
$a = 6$를 ㉡에 대입하면 $C = 9$

STEP Ⓒ $f(2)$의 값 구하기
따라서 $f(x) = 3x^3 - 6x^2 + 9$이므로 $f(2) = 24 - 24 + 9 = 9$

내/신/연/계/ 출제문항 430

함수 $f(x)$에 대하여
$$f(x) = \int (3x^2 - 2x + a)dx \text{이고} \lim_{x \to 1}\dfrac{f(x) - f(1)}{x - 1} = 2$$
을 만족한다. $f(0) = 3$일 때, $f(2)$의 값은?

① 6 　　② 7 　　③ 8
④ 9 　　⑤ 10

STEP Ⓐ $f(x) = \int (3x^2 - 2x + a)dx$의 양변을 x에 대하여 미분하기

$f(x) = \int (3x^2 - 2x + a)dx$
$\quad = x^3 - x^2 + ax + C$ (C는 적분상수)
양변을 x에 대하여 미분하면 $f'(x) = 3x^2 - 2x + a$

STEP Ⓑ 미분계수의 정의를 이용하여 a, C의 값 구하기
$\lim\limits_{x \to 1}\dfrac{f(x) - f(1)}{x - 1} = f'(1) = 2$에서 $f'(1) = 2$이므로
$f'(1) = 1 + a = 2$ ∴ $a = 1$
$f(0) = 3$이므로 $f(0) = C = 3$
따라서 $f(x) = x^3 - x^2 + x + 3$이므로 $f(2) = 8 - 4 + 2 + 3 = 9$ 정답 ④

1040
정답 ④

STEP A $\int\left\{\dfrac{d}{dx}f(x)\right\}dx=f(x)+C$임을 이용하기

$f(x)=\int\left\{\dfrac{d}{dx}(x^2-6x)\right\}dx$

$\qquad=x^2-6x+C$ (단, C는 적분상수)

$\qquad=(x-3)^2+C-9$

STEP B $f(1)$의 값 구하기

$f(x)$의 최솟값이 8이므로 $f(3)=-9+C=8$

$\therefore C=17$

따라서 $f(x)=x^2-6x+17$이므로 $f(1)=12$

1041
정답 ④

STEP A 주어진 식을 정리하여 $F(x)$의 함수식 구하기

$F(x)=\int\dfrac{d}{dx}\left[\dfrac{d}{dx}\left\{\int f(x)dx\right\}\right]dx$

$\qquad=\int\left\{\dfrac{d}{dx}f(x)\right\}dx=f(x)+C$ (단, C는 적분상수)

이므로 $F(x)=x^{10}+x^9+x^8+\cdots+x+1+C$

STEP B $F(0)=1$임을 이용하여 C의 값 구하기

$F(0)=1$이므로 $C=0$

$\therefore F(x)=x^{10}+x^9+x^8+\cdots+x+1$

STEP C 등비수열의 합을 이용하여 $F(2)$의 값 구하기

따라서 $F(x)$에 $x=2$를 대입하면

$F(2)=2^{10}+2^9+2^8+\cdots+2^2+2+1=\dfrac{2^{11}-1}{2-1}=2047$

내/신/연/계/ 출제문항 431

함수 $f(x)=10x^{10}+9x^9+\cdots+2x^2+x$에 대하여

$$F(x)=\int\dfrac{d}{dx}\int\left\{\dfrac{d}{dx}f(x)\right\}dx\Big]dx$$

이고 $F(0)=2$일 때, $F(1)$의 값은?

① 45　　　② 47　　　③ 55

④ 57　　　⑤ 65

STEP A 주어진 식을 정리하여 $F(x)$의 함수식 구하기

$F(x)=\int\dfrac{d}{dx}\int\left\{\dfrac{d}{dx}f(x)\right\}dx\Big]dx$

$\qquad=\int\dfrac{d}{dx}\{f(x)+C_1\}dx$

$\qquad=f(x)+C_2$

이므로 $F(x)=10x^{10}+9x^9+\cdots+2x^2+x+C_2$

STEP B $F(0)=2$임을 이용하여 C_2의 값 구하기

$F(0)=2$이므로 $C_2=2$

$F(x)=10x^{10}+9x^9+\cdots+2x^2+x+2$

STEP C 등차수열의 합을 이용하여 $F(1)$의 값 구하기

따라서 $F(x)$에 $x=1$를 대입하면

$F(1)=10+9+8+\cdots+1+2$

$\qquad=\dfrac{10\cdot11}{2}+2$

$\qquad=57$

정답 ④

1042
정답 ④

STEP A 부정적분과 미분의 관계를 이용하여 $f(x)$ 구하기

$\dfrac{d}{dx}\int\{f(x)-x^2+4\}dx=f(x)-x^2+4$

$\int\dfrac{d}{dx}\{2f(x)-3x+1\}dx=2f(x)-3x+C$ (단, C는 적분상수)

STEP B $f(1)=3$을 이용하여 적분상수 C를 구하여 $f(0)$ 구하기

즉 $f(x)-x^2+4=2f(x)-3x+C$에서 $f(x)=-x^2+3x+4-C$

$f(1)=-1+3+4-C=3$에서 $C=3$

따라서 $f(x)=-x^2+3x+1$이므로 $f(0)=1$

내/신/연/계/ 출제문항 432

함수 $f(x)=x^2-2x+3$에 대하여 두 함수 $F(x)$, $G(x)$를

$$F(x)=\dfrac{d}{dx}\left\{\int xf(x)dx\right\},\ G(x)=\int\left\{\dfrac{d}{dx}xf(x)\right\}dx$$

로 정의 한다. $G(1)=3$일 때, $F(-1)+G(-1)$의 값은?

① -12　　　② -11　　　③ -10

④ -9　　　⑤ -8

STEP A 부정적분과 미분의 관계를 이용하여 $F(x)$, $G(x)$ 구하기

$F(x)=\dfrac{d}{dx}\left\{\int xf(x)dx\right\}=xf(x)=x^3-2x^2+3x$

$G(x)=\int\left\{\dfrac{d}{dx}xf(x)\right\}dx=xf(x)+C=x^3-2x^2+3x+C$

$G(1)=3$이므로 $1-2+3+C=3$　$\therefore C=1$

STEP B $F(-1)+G(-1)$의 값 구하기

따라서 $F(x)=x^3-2x^2+3x$, $G(x)=x^3-2x^2+3x+1$이므로

$F(-1)+G(-1)=(-1-2-3)+(-1-2-3+1)=-11$

정답 ②

1043
정답 ⑤

STEP A 조건을 만족하는 함수 $g(x)$의 차수와 최고차항의 계수 구하기

$f(x)=\int xg(x)dx$에서 양변을 x에 대하여 미분하면

$f'(x)=xg(x)$ 　　　　　…… ㉠

$\dfrac{d}{dx}\{f(x)-g(x)\}=4x^3+2x$에서

$f'(x)-g'(x)=4x^3+2x$ 　　　…… ㉡

㉠을 ㉡에 대입하면

$xg(x)-g'(x)=4x^3+2x$ 　　　…… ㉢

이때 ㉢의 양변을 비교하면 함수 $g(x)$는 최고차항의 계수가 4인 이차함수이므로 $g(x)=4x^2+ax+b$ (a, b는 상수)이라 하자.

STEP B $xg(x)-g'(x)=4x^3+2x$에 대입하여 계수 비교하여 $g(x)$ 구하기

$g(x)=4x^2+ax+b$에서 $g'(x)=8x+a$

㉢에 대입하면

$xg(x)-g'(x)=x(4x^2+ax+b)-(8x+a)$

$\qquad\qquad\quad=4x^3+ax^2+(b-8)x-a$

$\qquad\qquad\quad=4x^3+2x$

계수를 비교하면

$a=0$, $b-8=2$에서 $b=10$

따라서 $g(x)=4x^2+10$이므로 $g(1)=4+10=14$

1044

정답 ②

STEP A 조건을 만족하는 함수 $f(x)$의 식 구하기

이차함수 $f(x)$에 대하여 $g(x)=\displaystyle\int\{x^2+f(x)\}dx$이므로

$g(x)$는 다항함수이고 $f(x)g(x)$가 사차함수이므로 $g(x)$는 이차함수이다.

이때 $g(x)=\displaystyle\int\{x^2+f(x)\}dx$에서 $g'(x)=x^2+f(x)$

$g'(x)$가 일차함수이므로 $x^2+f(x)$는 일차함수이다.

즉 $f(x)=-x^2+ax+b\,(a,\ b$는 상수 $a\neq0)$의 꼴이다.

← $a=0$이면 $x^2+f(x)$가 일차함수가 될 수 없다.

STEP B $f(x)g(x)=-2x^4+8x^3$에 대입하여 계수 비교하여 $g(x)$ 구하기

$g(x)=\displaystyle\int\{x^2+f(x)\}dx$

$\quad=\displaystyle\int(x^2-x^2+ax+b)dx$

$\quad=\displaystyle\int(ax+b)dx\,(\because\ ㉠)$

$\quad=\dfrac{a}{2}x^2+bx+C$ (단, C는 적분상수)

$f(x)g(x)=(-x^2+ax+b)\left(\dfrac{a}{2}x^2+bx+C\right)=-2x^4+8x^3$

즉 $-\dfrac{a}{2}x^4+\left(\dfrac{a^2}{2}-b\right)x^3+\left(-C+\dfrac{3}{2}ab\right)x^2+(aC+b^2)x+bC=-2x^4+8x^3$

이므로 양변의 계수를 비교하면

x^4의 계수비교하면 $-\dfrac{a}{2}=-2$ $\therefore\ a=4$

x^3의 계수비교하면 $-b+\dfrac{a^2}{2}=8$ $\therefore\ b=0$

x^2의 계수비교하면 $-C+\dfrac{3}{2}ab=0$ $\therefore\ C=0$ ← $ab=0$

따라서 $g(x)=\dfrac{4}{2}x^2+0\cdot x+0=2x^2$이고 $g(1)=2$

다른풀이 계수를 비교하여 풀이하기

함수 $f(x)$가 이차함수이므로 $f(x)=ax^2+bx+c\,(a\neq0)$라 하자.

$g(x)=\displaystyle\int\{x^2+f(x)\}dx$

$\quad=\displaystyle\int\{x^2+ax^2+bx+c\}dx$

$\quad=\displaystyle\int\{(1+a)x^2+bx+c\}dx$

$\quad=\dfrac{1}{3}(1+a)x^3+\dfrac{b}{2}x^2+cx+C$ (C는 적분상수) …… ㉠

한편 $f(x)g(x)=(ax^2+bx+c)g(x)=-2x^4+8x^3$ …… ㉡

이므로 $g(x)$는 ㉠에서 이차함수이므로 $a=-1$

㉠, ㉡에서 $(-x^2+bx+c)\left(\dfrac{b}{2}x^2+cx+C\right)=-2x^4+8x^3$

$-\dfrac{b}{2}x^4+\left(\dfrac{b^2}{2}-c\right)x^3+\left(-C+bc+\dfrac{bc}{2}\right)x^2+(bC+c^2)x+cC=-2x^4+8x^3$

에서 양변의 동차항의 계수를 비교하면

x^4의 계수비교하면 $-\dfrac{b}{2}=-2$ $\therefore\ b=4$

x^3의 계수비교하면 $\dfrac{b^2}{2}-c=8$ $\therefore\ c=0$

x^2의 계수비교하면 $-C+bc+\dfrac{bc}{2}=0$ $\therefore\ C=0$

따라서 $g(x)=2x^2$이고 $g(1)=2$

다른풀이 직관적으로 풀이하기

$g(x)=\displaystyle\int\{x^2+f(x)\}dx$의 양변을 미분하면 $g'(x)=x^2+f(x)$

$\therefore\ f(x)=g'(x)-x^2$

$\therefore\ f(x)g(x)=\{g'(x)-x^2\}g(x)=-2x^4+8x^3$

$\qquad\qquad\qquad=2x^2(-x^2+4x)$ …… ㉠

이때 $g(x)=2x^2$이면 $g'(x)=4x$이므로 ㉠을 만족시킨다.

따라서 $g(1)=2$

1045

정답 ⑤

STEP A 적분하여 $f(x)+g(x)$의 함수식 구하기

$\dfrac{d}{dx}\{f(x)+g(x)\}=4$에서

$\displaystyle\int\left[\dfrac{d}{dx}\{f(x)+g(x)\}\right]dx=\int4dx$

$f(x)+g(x)=4x+C_1$이므로 $x=0$을 대입하면

$f(0)+g(0)=2+(-1)=1=C_1$

$\therefore\ f(x)+g(x)=4x+1$ …… ㉠

STEP B 적분하여 $f(x)g(x)$의 함수식 구하기

$\dfrac{d}{dx}\{f(x)g(x)\}=6x-1$에서

$\displaystyle\int\left[\dfrac{d}{dx}\{f(x)g(x)\}\right]dx=\int(6x-1)dx$

$f(x)g(x)=3x^2-x+C_2$이므로 $x=0$을 대입하면

$f(0)g(0)=2\cdot(-1)=-2=C_2$이므로

$f(x)g(x)=3x^2-x-2=(x-1)(3x+2)$ …… ㉡

STEP C $f(1)-g(1)$의 값 구하기

㉠, ㉡에서 $f(0)=2,\ g(0)=-1$을 만족해야 하므로

$f(x)=3x+2,\ g(x)=x-1$

따라서 $f(1)-g(1)=5-0=5$

1046

정답 ②

STEP A 적분하여 $f(x)+g(x)$의 함수식 구하기

(가)에서 $\dfrac{d}{dx}\{f(x)+g(x)\}=2x+2$에서

$\displaystyle\int\left[\dfrac{d}{dx}\{f(x)+g(x)\}\right]dx=\int(2x+2)dx$

$f(x)+g(x)=x^2+2x+C_1$이므로 양변에 $x=0$을 대입하면

$f(0)+g(0)=C_1$에서 $C_1=1$

$\therefore\ f(x)+g(x)=x^2+2x+1$ …… ㉠

STEP B 적분하여 $f(x)g(x)$의 함수식 구하기

(나)에서 $\dfrac{d}{dx}\{f(x)g(x)\}=3x^2+6x+1$에서

$\displaystyle\int\left[\dfrac{d}{dx}\{f(x)g(x)\}\right]dx=\int(3x^2+6x+1)dx$

$f(x)g(x)=x^3+3x^2+x+C_2$이므로 양변에 $x=0$을 대입하면

$f(0)g(0)=C_2$에서 $C_2=-2$

$f(x)g(x)=x^3+3x^2+x-2$

$\qquad\qquad=(x+2)(x^2+x-1)$ …… ㉡

STEP C $f(1)-g(1)$의 값 구하기

㉠, ㉡에서 $\begin{cases}f(x)=x+2\\g(x)=x^2+x-1\end{cases}$ 또는 $\begin{cases}f(x)=x^2+x-1\\g(x)=x+2\end{cases}$

그런데 $f(0)=2,\ g(0)=-1$을 만족해야 하므로

$f(x)=x+2,\ g(x)=x^2+x-1$

따라서 $f(1)-g(1)=3-1=2$

상수함수가 아닌 두 다항함수 $f(x)$, $g(x)$에 대하여 다음 조건을 만족할 때, $f(-1)-g(-1)$의 값은?

> (가) $\dfrac{d}{dx}\{f(x)+g(x)\}=2x+3$
>
> (나) $\dfrac{d}{dx}\{f(x)g(x)\}=3x^2+2x+1$
>
> (다) $f(0)=3$, $g(0)=-1$

① 1   ② 2   ③ 3
④ 4   ⑤ 5

STEP Ⓐ 적분하여 $f(x)+g(x)$의 함수식 구하기

조건 (가)에서 $\dfrac{d}{dx}\{f(x)+g(x)\}=2x+3$에서

$\displaystyle\int\left[\dfrac{d}{dx}\{f(x)+g(x)\}\right]dx=\int(2x+3)dx$

$f(x)+g(x)=x^2+3x+C_1$이므로 양변에 $x=0$을 대입하면

$f(0)+g(0)=C_1$에서 $C_1=2$

$\therefore\ f(x)+g(x)=x^2+3x+2$ …… ㉠

STEP Ⓑ 적분하여 $f(x)g(x)$의 함수식 구하기

조건 (나)에서 $\dfrac{d}{dx}\{f(x)g(x)\}=3x^2+2x+1$에서

$\displaystyle\int\left[\dfrac{d}{dx}\{f(x)g(x)\}\right]dx=\int(3x^2+2x+1)dx$

$f(x)g(x)=x^3+x^2+x+C_2$이므로 양변에 $x=0$을 대입하면

$f(0)g(0)=C_2$에서 $C_2=-3$

$f(x)g(x)=x^3+x^2+x-3=(x-1)(x^2+2x+3)$ …… ㉡

STEP Ⓒ $f(-1)-g(-1)$의 값 구하기

㉠, ㉡에서 $\begin{cases}f(x)=x-1\\g(x)=x^2+2x+3\end{cases}$ 또는 $\begin{cases}f(x)=x^2+2x+3\\g(x)=x-1\end{cases}$

그런데 $f(0)=3$, $g(0)=-1$을 만족해야 하므로

$f(x)=x^2+2x+3$, $g(x)=x-1$

따라서 $f(-1)-g(-1)=(1-2+3)-(-1-1)=2+2=4$ 정답 ④

1047

정답 ④

STEP Ⓐ 적분하여 $f(x)+g(x)$의 함수식 구하기

$\{f(x)+g(x)\}'=f'(x)+g'(x)=2x+1$이므로

$f(x)+g(x)=\displaystyle\int(2x+1)dx=x^2+x+C_1$

이때 $f(0)+g(0)=1$이므로 $C_1=1$

$\therefore\ f(x)+g(x)=x^2+x+1$ …… ㉠

STEP Ⓑ 적분하여 $f(x)g(x)$의 함수식 구하기

한편 $\{f(x)g(x)\}'=f'(x)g(x)+f(x)g'(x)=3x^2-2x+2$이므로

$f(x)g(x)=\displaystyle\int(3x^2-2x+2)dx=x^3-x^2+2x+C_2$

이때 $f(0)g(0)=-2$이므로 $C_2=-2$

$\therefore\ f(x)g(x)=x^3-x^2+2x-2=(x-1)(x^2+2)$ …… ㉡

STEP Ⓒ $f(0)=2$, $g(0)=-1$임을 이용하여 $f(x)$, $g(x)$의 함수식 구하기

㉠, ㉡에서 $\begin{cases}f(x)=x-1\\g(x)=x^2+2\end{cases}$ 또는 $\begin{cases}f(x)=x^2+2\\g(x)=x-1\end{cases}$

그런데 $f(0)=2$, $g(0)=-1$을 만족해야 하므로

$f(x)=x^2+2$, $g(x)=x-1$

따라서 $f(2)-g(2)=6-1=5$

1048

정답 ③

STEP Ⓐ 적분하여 $f(x)+g(x)$의 함수식 구하기

$\dfrac{d}{dx}\{f(x)+g(x)\}=6x^2+2x+6$에서

$\displaystyle\int\left[\dfrac{d}{dx}\{f(x)+g(x)\}\right]dx=\int(6x^2+2x+6)dx$

$f(x)+g(x)=2x^3+x^2+6x+C_1$이므로 양변에 $x=0$을 대입하면

$f(0)+g(0)=C_1$에서 $C_1=3$

$\therefore\ f(x)+g(x)=2x^3+x^2+6x+3$ …… ㉠

STEP Ⓑ 적분하여 $f(x)-g(x)$의 함수식 구하기

$\dfrac{d}{dx}\{f(x)-g(x)\}=6x+4$에서

$\displaystyle\int\left[\dfrac{d}{dx}\{f(x)-g(x)\}\right]dx=\int(6x+4)dx$

$f(x)-g(x)=3x^2+4x+C_2$이므로 양변에 $x=0$을 대입하면

$f(0)-g(0)=C_2$에서 $C_2=-1$

$\therefore\ f(x)-g(x)=3x^2+4x-1$ …… ㉡

STEP Ⓒ $f(1)-g(-1)$의 값 구하기

㉠+㉡에서 $f(x)=x^3+2x^2+5x+1$

㉠-㉡에서 $g(x)=x^3-x^2+x+2$

따라서 $f(1)-g(-1)=9-(-1)=10$

1049

정답 ③

STEP Ⓐ 적분하여 $f(x)+g(x)$의 식 구하기

조건 (나)에서 $f'(x)+g'(x)=2x$이므로

$f(x)+g(x)=\displaystyle\int 2x\,dx=x^2+C_1$

조건 (가)에서 $f(0)+g(0)=2$이므로 $C_1=2$

$\therefore\ f(x)+g(x)=x^2+2$ …… ㉠

STEP Ⓑ 적분하여 $f(x)g(x)$의 식 구하기

조건 (다)에서 $\{f(x)g(x)\}'=f'(x)g(x)+f(x)g'(x)=9x^2-16x$이므로

$f(x)g(x)=\displaystyle\int(9x^2-16x)dx=3x^3-8x^2+C_2$

조건 (가)에서 $f(0)g(0)=1$이므로 $C_2=1$

$\therefore\ f(x)g(x)=3x^3-8x^2+1$ …… ㉡

STEP Ⓒ $\{f(1)\}^2+\{g(1)\}^2$의 값 구하기

㉠, ㉡에서

$\begin{aligned}\{f(x)\}^2+\{g(x)\}^2&=\{f(x)+g(x)\}^2-2f(x)g(x)\\&=(x^2+2)^2-2(3x^3-8x^2+1)\\&=x^4-6x^3+20x^2+2\end{aligned}$

따라서 $\{f(1)\}^2+\{g(1)\}^2=1-6+20+2=17$

다항함수 $f(x)$, $g(x)$가 다음 세 조건을 만족한다.

> (가) $f(0)=1$, $g(0)=2$
> (나) $\dfrac{d}{dx}\{f(x)+g(x)\}=3$
> (다) $\dfrac{d}{dx}\{f(x)g(x)\}=4x+4$

이때 함수 $h(x)=\displaystyle\int \dfrac{f(x)g(x)}{f(x)+g(x)}dx$에 대하여 $h(0)=0$일 때,

$h(3)$의 값은?

① 1   ② 2   ③ 3
④ 4   ⑤ 5

STEP A 적분하여 $f(x)+g(x)$의 식 구하기

$\dfrac{d}{dx}\{f(x)+g(x)\}=3$에서

$f(x)+g(x)=\displaystyle\int 3dx=3x+C_1$ (단, C_1는 적분상수)

이때 $f(0)=1$, $g(0)=2$이므로 $f(0)+g(0)=C_1=3$

$\therefore\ f(x)+g(x)=3(x+1)$

STEP B 적분하여 $f(x)g(x)$의 식 구하기

$\dfrac{d}{dx}\{f(x)g(x)\}=4x+4$에서

$f(x)g(x)=\displaystyle\int(4x+4)dx=2x^2+4x+C_2$ (단, C_2는 적분상수)

이때 $f(0)=1$, $g(0)=2$이므로 $f(0)g(0)=C_2=2$

$\therefore\ f(x)g(x)=2(x+1)^2$

STEP C $h(x)$의 식 구하기

$h(x)=\displaystyle\int\dfrac{f(x)g(x)}{f(x)+g(x)}dx=\int\dfrac{2(x+1)^2}{3(x+1)}dx$

$\qquad =\displaystyle\int\dfrac{2(x+1)}{3}dx$

$\qquad =\dfrac{1}{3}x^2+\dfrac{2}{3}x+C$ (단, C는 적분상수)

$h(0)=0$이므로 $C=0$

따라서 $h(x)=\dfrac{1}{3}x^2+\dfrac{2}{3}x$이므로 $h(3)=3+2=5$ 정답 ⑤

1050
정답 ⑤

STEP A 적분하여 $f(x)g(x)$의 식 구하기

조건 (가)에서

$f(x)g(x)=\displaystyle\int(3x^2-3)dx=x^3-3x+C$ (단, C는 적분상수)

위의 식에 조건 (나) $g(x)=(x-2)f(x)$를 대입하면

$(x-2)\{f(x)\}^2=x^3-3x+C$

위 식의 양변에 $x=2$를 대입하면 $0=8-6+C$

$\therefore\ C=-2$

$\therefore\ (x-2)\{f(x)\}^2=x^3-3x-2$

STEP B $f(x)$의 식 구하기

$(x-2)\{f(x)\}^2=(x+1)^2(x-2)$

즉 $\{f(x)\}^2=(x+1)^2$이므로 $f(x)=x+1$ 또는 $f(x)=-x-1$

이때 $f(0)<0$이므로 $f(x)=-x-1$

조건 (나)에서 $g(x)=(x-2)f(x)$이므로

$g(x)=(x-2)(-x-1)=-x^2+x+2$

따라서 $g(-2)=-4-2+2=-4$

1051
정답 ③

STEP A 부정적분의 기본성질 이해하기

① 함수 $F(x)$의 도함수가 $f(x)$일 때, 함수 $F(x)$를 $f(x)$의 부정적분이라 한다. [참]

② $\dfrac{d}{dx}\displaystyle\int f(x)dx=f(x)$ [참]

③ $\displaystyle\int\{f(x)g(x)\}dx\ne\int f(x)dx\int g(x)dx$ [거짓]

④ $\displaystyle\int\{f(x)\pm g(x)\}dx=\int f(x)dx\pm\int g(x)dx$ [참]

⑤ $\displaystyle\int dx=x+C$ (단, C는 적분상수) [참]

따라서 옳지 않은 것은 ③이다.

1052
정답 ④

STEP A 부정적분의 기본성질을 이용하기

$f(x)=100\displaystyle\int x^{99}dx+3\int x^2dx+\int dx$

$\qquad =x^{100}+x^3+x+C$ (단, C는 적분상수)

$f(0)=0$이므로 $C=0$

STEP B $f(0)=0$임을 이용하여 C의 값을 구하고 $f(1)$의 값 구하기

따라서 $f(x)=x^{100}+x^3+x$이므로 $f(1)=1+1+1=3$

1053
정답 ②

STEP A 부정적분의 기본성질을 이용하여 $f(x)$의 함수식 구하기

$f(x)=\displaystyle\int(x+1)^2dx-\int(x-1)^2dx$

$\qquad =\displaystyle\int\{(x+1)^2-(x-1)^2\}dx$

$\qquad =\displaystyle\int 4xdx$

$\qquad =2x^2+C$ (단, C는 적분상수)

STEP B $f(0)=1$임을 이용하여 C의 값을 구하고 $f(1)$의 값 구하기

이때 $f(0)=1$이므로 $C=1$

따라서 $f(x)=2x^2+1$이므로 $f(1)=3$

두 함수

$$f(x)=\int(x^3+2x+1)dx,\ g(x)=\int(2x^3-x+1)dx$$

에 대하여 $f(0)=g(0)$일 때, $f(2)-g(2)$의 값은?

① 0   ② 2   ③ 4
④ 8   ⑤ 10

STEP A 부정적분의 기본성질을 이용하여 $h(x)$의 함수식 구하기

$h(x)=f(x)-g(x)$라 하면

$h(x)=\displaystyle\int(x^3+2x+1)dx-\int(2x^3-x+1)dx$

$\qquad =\displaystyle\int\{(x^3+2x+1)-(2x^3-x+1)\}dx$

$\qquad =\displaystyle\int(-x^3+3x)dx$

$\qquad =-\dfrac{1}{4}x^4+\dfrac{3}{2}x^2+C$ (단, C는 적분상수)

$f(0)=g(0)$임을 이용하여 C의 값을 구하고 $f(2)-g(2)$의 값 구하기

$h(0)=f(0)-g(0)=0$에서 $C=0$이므로 $h(x)=-\dfrac{1}{4}x^4+\dfrac{3}{2}x^2$

따라서 $f(2)-g(2)=h(2)=-4+6=2$ 정답 ②

1054   정답 ②

STEP A 부정적분의 기본성질을 이용하여 $f(x)$의 함수식 구하기

$f(x)=\displaystyle\int(x+2)(x^2-2x+4)dx-\int(x-2)(x^2+2x+4)dx$

$\quad=\displaystyle\int(x^3+8)dx-\int(x^3-8)dx$

$\quad=\displaystyle\int\{(x^3+8)-(x^3-8)\}dx$

$\quad=\displaystyle\int16dx$

$\quad=16x+C$ (단, C는 적분상수)

STEP B $f(0)=-8$임을 이용하여 C의 값을 구하고 $f(1)$의 값 구하기

이때 $f(0)=-8$이므로 $C=-8$

따라서 $f(x)=16x-8$이므로 $f(1)=16-8=8$

내/신/연/계/ 출제문항 **436**

함수 $f(x)$가

$$f(x)=\int(x+3)(x^2-3x+9)dx-\int(x-3)(x^2+3x+9)dx$$

이고 $f(0)=-54$일 때, $f(2)$의 값은?

① -108 ② -54 ③ 27
④ 54 ⑤ 108

STEP A 부정적분의 기본성질을 이용하여 $f(x)$의 함수식 구하기

$f(x)=\displaystyle\int(x+3)(x^2-3x+9)dx-\int(x-3)(x^2+3x+9)dx$

$\quad=\displaystyle\int(x^3+27)dx-\int(x^3-27)dx$

$\quad=\displaystyle\int54dx$

$\quad=54x+C$

이때 $f(0)=-54$이므로 $C=-54$

따라서 $f(x)=54x-54$이므로 $f(2)=108-54=54$ 정답 ④

1055   정답 ②

STEP A 부정적분의 성질을 이용하여 $f(x)$ 구하기

$f(x)=\displaystyle\int\frac{x^3}{x^2+x+1}dx-\int\frac{1}{x^2+x+1}dx$

$\quad=\displaystyle\int\frac{x^3-1}{x^2+x+1}dx$

$\quad=\displaystyle\int\frac{(x-1)(x^2+x+1)}{x^2+x+1}dx$

$\quad=\displaystyle\int(x-1)dx=\frac{1}{2}x^2-x+C$

$f(2)=1$에서 $f(2)=2-2+C=1$에서 $C=1$

STEP B $f(1)$의 값 구하기

따라서 $f(x)=\dfrac{1}{2}x^2-x+1$이므로 $f(1)=\dfrac{1}{2}$

1056   정답 ③

STEP A 부정적분의 기본성질과 $f(0)=3$임을 이용하여 $f(x)$의 함수식 구하기

$f(x)=\displaystyle\int(1+2x+3x^2+4x^3+5x^4+6x^5+\cdots+9x^8)dx$

$\quad=x+x^2+x^3+\cdots+x^9+C$

이때 $f(0)=3$이므로 $C=3$

$\therefore f(x)=x+x^2+x^3+\cdots+x^9+3$ ······ ㉠

STEP B $f(1)+f'(1)$의 값 구하기

㉠의 양변을 미분하면 $f'(x)=1+2x+3x^2+\cdots9x^8$

$f'(1)=1+2+3+\cdots+9=\dfrac{9\cdot10}{2}=45$

따라서 $f(1)+f'(1)=12+45=57$

내/신/연/계/ 출제문항 **437**

함수 $f(x)$가

$$f'(x)=1+2x+3x^2+\cdots+10x^9$$

을 만족시키고 $f(1)=10$일 때, $f(-1)$의 값은?

① -2 ② -1 ③ 0
④ 1 ⑤ 2

STEP A 부정적분의 기본성질과 $f(1)=10$임을 이용하여 $f(x)$의 함수식 구하기

$f(x)=\displaystyle\int(1+2x+3x^2+\cdots+10x^9)dx$

$\quad=x+x^2+x^3+\cdots+x^{10}+C$ (단, C는 적분상수)

$f(1)=10+C=10$이므로 $C=0$

STEP B $f(-1)$의 값 구하기

따라서 $f(x)=x+x^2+x^3+\cdots+x^{10}$이므로

$f(-1)=-1+1-1+1-\cdots-1+1=0$ 정답 ③

1057   정답 ④

STEP A 부정적분의 기본성질과 $f_n(0)=0$임을 이용하여 $f_n(x)$의 함수식 구하기

$f_n(x)=\displaystyle\int\frac{1}{n}x^n dx=\frac{1}{n(n+1)}x^{n+1}+C$ (단, C는 적분상수)

$f_n(0)=0$이므로 $C=0$

$\therefore f_n(x)=\dfrac{1}{n(n+1)}x^{n+1}$

STEP B 부분분수를 이용하여 $\displaystyle\sum_{k=1}^{10}f_k(1)$의 값 구하기

따라서 $\displaystyle\sum_{k=1}^{10}f_k(1)=\sum_{k=1}^{10}\frac{1}{k(k+1)}$

$\quad=\displaystyle\sum_{k=1}^{10}\left(\frac{1}{k}-\frac{1}{k+1}\right)$

$\quad=\left(\dfrac{1}{1}-\dfrac{1}{2}\right)+\left(\dfrac{1}{2}-\dfrac{1}{3}\right)+\cdots+\left(\dfrac{1}{10}-\dfrac{1}{11}\right)$

$\quad=\dfrac{1}{1}-\dfrac{1}{11}$

$\quad=\dfrac{10}{11}$

1058

정답 ⑤

STEP Ⓐ $f'(x)$를 적분하고 $f(0)=1$임을 이용하여 $f(x)$의 함수식 구하기

$f(x)=\int (3x^2-4x+2)dx=x^3-2x^2+2x+C$ (단, C는 적분상수)

이때 $f(0)=1$이므로 $f(0)=C=1$

$\therefore f(x)=x^3-2x^2+2x+1$

STEP Ⓑ $f(2)$의 값 구하기

따라서 $f(2)=8-8+4+1=5$

1059

정답 ③

STEP Ⓐ $f'(x)$를 적분하여 $f(x)$ 구하기

$f(x)=\int (3x^2-ax)dx=x^3-\frac{1}{2}ax^2+C$ (단, C는 적분상수)

이때 $f(0)=4$에서 $C=4$

즉 $f(x)=x^3-\frac{1}{2}ax^2+4$이므로 $f(-1)=2$에서 $-1-\frac{1}{2}a+4=2$

$\therefore a=2$

STEP Ⓑ $a+f(1)$의 값 구하기

따라서 $f(x)=x^3-x^2+4$이므로 $f(1)=1-1+4=4$

$\therefore a+f(1)=2+4=6$

 내/신/연/계 출제문항 **438**

함수 $f(x)$에 대하여

$$f'(x)=4x^3-6x^2+k, \quad f(0)=f(1)=2$$

일 때, $k+f(-1)$의 값은? (단, k는 상수)

① 1 ② 2 ③ 3
④ 4 ⑤ 5

STEP Ⓐ $f'(x)$를 적분하여 $f(x)$ 구하기

$f(x)=\int (4x^3-6x^2+k)dx=x^4-2x^3+kx+C$ (단, C는 적분상수)

이때 $f(0)=2$에서 $C=2$

$f(1)=1-2+k+C=2$에서 $k=1$

STEP Ⓑ $k+f(-1)$의 값 구하기

따라서 $f(x)=x^4-2x^3+x+2$이므로 $f(-1)=1+2-1+2=4$

$\therefore k+f(-1)=1+4=5$

정답 ⑤

1060

정답 ②

STEP Ⓐ 부정적분을 이용하여 $f(x)$ 구하기

$f'(x)=12x^2+6x-2$이므로

$f(x)=\int (12x^2+6x-2)dx=4x^3+3x^2-2x+C_1$ (단, C_1은 적분상수)

$f(1)=4+3-2+C_1=6$이므로 $C_1=1$

$\therefore f(x)=4x^3+3x^2-2x+1$

STEP Ⓑ $F(1)$의 값 구하기

$F(x)=\int f(x)dx=\int (4x^3+3x^2-2x+1)dx$

$\qquad =x^4+x^3-x^2+x+C$ (단, C는 적분상수)

이때 $F(0)=2$이므로 $C=2$

따라서 $F(x)=x^4+x^3-x^2+x+2$이므로 $F(1)=1+1-1+1+2=4$

1061

정답 ③

STEP Ⓐ $f'(x)=\lim\limits_{\Delta x \to 0}\dfrac{\Delta y}{\Delta x}$임을 이용하여 $f'(x)$ 구하기

$\Delta y=(3x^2+2x)\Delta x-5(\Delta x)^2$의 양변을 Δx로 나누면

$\dfrac{\Delta y}{\Delta x}=(3x^2+2x)-5\Delta x$이므로

$\lim\limits_{\Delta x \to 0}\dfrac{\Delta y}{\Delta x}=\lim\limits_{\Delta x \to 0}(3x^2+2x-5\Delta x)=3x^2+2x$

STEP Ⓑ 부정적분을 이용하여 $f(x)$ 구하기

즉 $f'(x)=3x^2+2x$이므로

$f(x)=\int f'(x)dx=x^3+x^2+C$ (단, C는 적분상수)

이때 $f(0)=1$이므로 $C=1$

따라서 $f(x)=x^3+x^2+1$이므로 $f(2)=8+4+1=13$

 내/신/연/계 출제문항 **439**

실수 전체의 집합에서 미분가능한 함수 $y=f(x)$에 대하여 x의 증분 Δx에 대한 y의 증분을 Δy라 할 때,

$$\Delta y=(4x+a)\Delta x-2x^2(\Delta x)^2$$

이 성립한다. $f(0)=1$, $f(2)=-1$일 때, $f(1)$의 값은?
(단, $\Delta x \neq 0$이고 a는 상수)

① -1 ② -2 ③ -3
④ -4 ⑤ -5

STEP Ⓐ $f'(x)=\lim\limits_{\Delta x \to 0}\dfrac{\Delta y}{\Delta x}$임을 이용하여 $f'(x)$ 구하기

$\Delta y=(4x+a)\Delta x-2x^2(\Delta x)^2$의 양변을 Δx로 나누면

$\dfrac{\Delta y}{\Delta x}=(4x+a)-2x^2\Delta x$이므로

$\lim\limits_{\Delta x \to 0}\dfrac{\Delta y}{\Delta x}=\lim\limits_{\Delta x \to 0}(4x+a-2x^2\Delta x)=4x+a$

STEP Ⓑ 부정적분을 이용하여 $f(x)$ 구하기

즉 $f'(x)=4x+a$이므로

$f(x)=\int f'(x)dx=2x^2+ax+C$ (C는 적분상수)

이때 $f(0)=1$이므로 $C=1$

$f(2)=8+2a+1=-1$에서 $a=-5$

따라서 $f(x)=2x^2-5x+1$이므로 $f(1)=2-5+1=-2$

정답 ②

1062

STEP **A** $f'(x)$를 적분하여 $f(x)$ 구하기

$f'(x)=3x^2+2x+a$에서

$f(x)=\displaystyle\int(3x^2+2x+a)dx=x^3+x^2+ax+C$ (단, C는 적분상수)

STEP **B** $f(1)=0$, $f(2)=0$임을 이용하여 a, C의 값 구하기

다항식 $f(x)$가 $x^2-4x+3=(x-1)(x-3)$으로 나누어떨어지므로

$f(1)=0$, $f(3)=0$

$f(1)=1+1+a+C=0$

$\therefore a+C=-2$　　……㉠

$f(3)=27+9+3a+C=0$

$\therefore 3a+C=-36$　　……㉡

㉠, ㉡을 연립하여 풀면 $a=-17$, $C=15$

STEP **C** $f(-1)$의 값 구하기

따라서 $f(x)=x^3+x^2-17x+15$이므로 $f(-1)=32$

다항식 $f(x)$가 x^2-4x+3으로 나누어떨어지므로

$x^3+x^2+ax+C=(x^2-4x+3)(x+k)$($k$는 상수)로 놓을 수 있다.

즉 $x^3+x^2+ax+C=(x-1)(x-3)(x+k)$

$x=1$, $x=3$을 위의 등식의 양변에 대입하여 각각 풀면

$a+C=-2$, $3a+C=-36$

위의 두 식을 연립하여 풀면 $a=-17$, $C=15$

따라서 $f(x)=x^3+x^2-17x+15$이므로 $f(-1)=32$

내/신/연/계/ 출제문항 440

함수 $f(x)$의 도함수가 $f'(x)=4x^3-15x^2+ax+5$이고

$f(x)$가 x^2-5x+6으로 나누어떨어질 때, $f(1)$의 값은? (단, a는 상수)

① -4　　　② -2　　　③ 0

④ 2　　　⑤ 4

STEP **A** $f'(x)$를 적분하여 $f(x)$ 구하기

$f'(x)=4x^3-15x^2+ax+5$이므로

$f(x)=\displaystyle\int(4x^3-15x^2+ax+5)dx$

$\qquad =x^4-5x^3+\dfrac{1}{2}ax^2+5x+C$ (단, C는 적분상수)

STEP **B** $f(2)=0$, $f(3)=0$임을 이용하여 a, C의 값 구하기

$f(x)$가 $x^2-5x+6=(x-2)(x-3)$으로 나누어떨어지므로

$f(2)=0$, $f(3)=0$

$f(2)=16-40+2a+10+C=0$

$\therefore 2a+C=14$　　……㉠

$f(3)=81-135+\dfrac{9}{2}a+15+C=0$

$\therefore \dfrac{9}{2}a+C=39$　　……㉡

㉠, ㉡을 연립하여 풀면 $a=10$, $C=-6$

STEP **C** $f(1)$의 값 구하기

따라서 $f(x)=x^4-5x^3+5x^2+5x-6$이므로 $f(1)=1-5+5+5-6=0$

1063

STEP **A** 조건 (가)에서 부정적분을 이용하여 함수 $f(x)$ 구하기

$\dfrac{d}{dx}\{xf(x)\}=f(x)+xf'(x)$이므로

조건 (가)에서 $\dfrac{d}{dx}\{xf(x)\}=3x^2+2x+1$

양변을 x에 대하여 적분하면

$xf(x)=x^3+x^2+x+C$ (단, C는 적분상수)

STEP **B** 조건 (나)에서 적분상수 C를 구하여 $f(3)$의 값 구하기

$x=1$을 대입하면 $f(1)=1^3+1^2+1+C=3+C$

조건 (나)에서 $f(1)=3$이므로 $C=0$

$xf(x)=x^3+x^2+x$에서

$f(x)$가 다항함수이므로 $f(x)=x^2+x+1$

따라서 $f(3)=3^2+3+1=13$

내/신/연/계/ 출제문항 441

두 다항함수 $f(x)$, $g(x)$가 다음 조건을 만족시킨다.

> (가) $f(0)=g(0)$
> (나) 모든 실수 x에 대하여 $f(x)+xf'(x)=4x^3+9x^2-8x+3$이다.
> (다) 모든 실수 x에 대하여 $f'(x)+g'(x)=8x+2$이다.

$g(2)$의 값은?

① 9　　　② 10　　　③ 11

④ 12　　　⑤ 13

STEP **A** 주어진 식의 양변을 적분하여 $f(x)$ 구하기

$\{xf(x)\}'=f(x)+xf'(x)$이므로

조건 (나)에서 $\{xf(x)\}'=4x^3+9x^2-8x+3$

$xf(x)=\displaystyle\int(4x^3+9x^2-8x+3)dx$

$\qquad =x^4+3x^3-4x^2+3x+C_1$ (C_1은 적분상수)

위 등식의 양변에 $x=0$을 대입하면 $0=C_1$

$\therefore xf(x)=x^4+3x^3-4x^2+3x$

$f(x)$는 다항함수이므로 $f(x)=x^3+3x^2-4x+3$

STEP **B** 조건 (다)에서 $g(x)$ 구하기

$f'(x)=3x^2+6x-4$이므로

조건 (다)에서 $3x^2+6x-4+g'(x)=8x+2$

$g'(x)=-3x^2+2x+6$

$g(x)=\displaystyle\int(-3x^2+2x+6)dx$

$\qquad =-x^3+x^2+6x+C_2$ (C_2는 적분상수)

조건 (가)에 의하여 $g(0)=f(0)=3$이므로 $C_2=3$

따라서 $g(x)=-x^3+x^2+6x+3$이므로 $g(2)=-8+4+12+3=11$

1064

STEP Ⓐ 양변을 미분하여 $f'(x)$ 구하기

$\int (x-2)f'(x)dx = \frac{2}{3}x^3 - \frac{1}{2}x^2 - 6x + C$ 에서 양변을 x로 미분하면

$(x-2)f'(x) = 2x^2 - x - 6 = (x-2)(2x+3)$

$\therefore f'(x) = 2x+3$

STEP Ⓑ 부정적분을 이용하여 $f(-2)$의 값 구하기

$f(x) = \int f'(x)dx = x^2 + 3x + C_1$ (C_1은 적분상수)

이때 $f(0)=5$이므로 $C_1=5$

따라서 $f(x) = x^2 + 3x + 5$이므로 $f(-2) = 4 - 6 + 5 = 3$

1065 정답 ③

STEP Ⓐ $f'(x)$를 적분하고 $f(-1)=2$임을 이용하여 $f(x)$의 함수식 구하기

$f(x) = \int (4x^3 - 4x + 1)dx = x^4 - 2x^2 + x + C$ (단, C는 적분상수)

이때 $f(-1) = 1 - 2 - 1 + C = 2$이므로 $C=4$

$\therefore f(x) = x^4 - 2x^2 + x + 4$

STEP Ⓑ $f(1)$, $f'(1)$의 값을 구하여 접선의 방정식 구하기

$f(1)=4$이고 점 $(1, 4)$에서 접선의 기울기는 $f'(1)=1$이므로

접선의 방정식은 $y - 4 = 1 \cdot (x-1)$

$\therefore y = x + 3$

따라서 $a=1$, $b=3$이므로 $a+b=4$

내/신/연/계 출제문항 442

함수 $f(x)$가 $f'(x) = -3x^2 + 2x - 1$이고 $y=f(x)$의 그래프가 제 4사분면에서 직선 $2x+y-1=0$에 접할 때, $f(2)$의 값은?

① -6 ② -8 ③ -10
④ -12 ⑤ -14

STEP Ⓐ 부정적분을 이용하여 함수 $f(x)$ 구하기

$f(x) = \int (-3x^2 + 2x - 1)dx = -x^3 + x^2 - x + C$ (단, C는 적분상수)

함수 $y=f(x)$와 직선 $2x+y-1=0$

즉 $y = -2x + 1$의 접점을 $(a, f(a))$라고 하면

$f'(a) = -2$

$-3a^2 + 2a - 1 = -2$, $(3a+1)(a-1) = 0$

이때 점 $(a, f(a))$는 제 4사분면의 점이므로 $a>0$이어야 한다.

$\therefore a = 1$

점 $(1, f(1))$을 $y = -2x + 1$에 대입하면 $f(1) = -2 \cdot 1 + 1 = -1$

$-1^3 + 1^2 - 1 + C = -1$

$\therefore C = 0$

STEP Ⓑ $f(2)$의 값 구하기

따라서 $f(x) = -x^3 + x^2 - x$이므로 $f(2) = -8 + 4 - 2 = -6$ 정답 ①

1066 정답 ①

STEP Ⓐ 함수 $f(x)$의 증가와 감소를 표로 나타내기

$f'(x) = 3x^2 - 6x = 3x(x-2)$

$f'(x) = 0$에서 $x=0$ 또는 $x=2$

함수 $f(x)$의 증가와 감소를 나타내면 다음 표와 같다.

x	$\cdots$	0	$\cdots$	2	$\cdots$
$f'(x)$	$+$	0	$-$	0	$+$
$f(x)$	↗	극대	↘	극소	↗

함수 $f(x)$는 $x=0$에서 극대이고 극댓값 5를 가지므로 $f(0)=5$

$f(x) = \int (3x^2 - 6x)dx = x^3 - 3x^2 + C$ (단, C는 적분상수)

이므로 $f(0) = C = 5$

$\therefore f(x) = x^3 - 3x^2 + 5$

STEP Ⓑ 함수 $f(x)$의 극솟값 구하기

따라서 함수 $f(x)$는 $x=2$에서 극소이고 극솟값은 $f(2) = 8 - 12 + 5 = 1$

1067 정답 ①

STEP Ⓐ $f(x)$의 증가와 감소를 나타내는 표를 구하기

$f'(x) = 3(x-1)(x-2)$

$f'(x) = 0$에서 $x=1$ 또는 $x=2$

함수 $f(x)$의 증가와 감소를 표로 나타내면 다음과 같다.

x	$\cdots$	1	$\cdots$	2	$\cdots$
$f'(x)$	$+$	0	$-$	0	$+$
$f(x)$	↗	극대	↘	극소	↗

즉 $f(x)$는 $x=2$에서 극소이고 극솟값 0을 가지므로 $f(2)=0$

$f(x) = \int 3(x-1)(x-2)dx$

$= \int (3x^2 - 9x + 6)dx$

$= x^3 - \frac{9}{2}x^2 + 6x + C$ (단, C는 적분상수)

이므로 $f(2) = 8 - 18 + 12 + C = 0$ $\therefore C = -2$

$\therefore f(x) = x^3 - \frac{9}{2}x^2 + 6x - 2$

STEP Ⓑ 함수 $f(x)$의 극댓값 구하기

따라서 함수 $f(x)$는 $x=1$에서 극대이고 극댓값은 $f(1) = 1 - \frac{9}{2} + 6 - 2 = \frac{1}{2}$

1068

정답 ①

STEP ⓐ $f'(0)=f'(2)=0$임을 이용하여 $f'(x)$의 함수식 구하기

삼차함수 $f(x)$의 최고차항이 x^3이므로 $f'(x)$의 최고차항은 $3x^2$이다.

이때 $f'(0)=f'(2)=0$이므로 $f'(x)=3x(x-2)=3x^2-6x$

> **참고**
> $f(x)=x^3+ax^2+bx+c$ (단, a, b, c는 상수)로 놓으면
> $f'(x)=3x^2+2ax+b$이므로 $f'(0)=b=0$, $f'(2)=12+4a+b=0$
> 두 식을 연립하면 $a=-3$, $b=0$
> $\therefore f'(x)=3x^2-6x=3x(x-2)$

STEP ⓑ 함수 $f(x)$의 증가와 감소를 표로 나타내기

$f'(x)=0$에서 $x=0$ 또는 $x=2$

함수 $f(x)$의 증가와 감소를 나타내면 다음 표와 같다.

x	$\cdots$	0	$\cdots$	2	$\cdots$
$f'(x)$	$+$	0	$-$	0	$+$
$f(x)$	↗	극대	↘	극소	↗

$x=0$에서 극대이고 극댓값 0을 가지므로 $f(0)=0$

이때 $f(x)=\int(3x^2-6x)dx=x^3-3x^2+C$ (단, C는 적분상수)

이므로 $f(0)=C=0$

$\therefore f(x)=x^3-3x^2$

STEP ⓒ 함수 $f(x)$의 극솟값 구하기

따라서 함수 $f(x)$는 $x=2$에서 극소이고 극솟값은 $f(2)=8-12=-4$

> **내/신/연/계 출제문항 443**
>
> 최고차항의 계수가 2인 삼차함수 $f(x)$가
> $$f'(-1)=f'(3)=0$$
> 을 만족한다. 함수 $f(x)$의 극댓값이 20일 때, 극솟값은?
>
> ① -44 ② -40 ③ -36
> ④ -32 ⑤ -28

STEP ⓐ 함수 $f(x)$의 증가와 감소를 표로 나타내기

$f(x)$의 최고차항이 $2x^3$이므로 $f'(x)$의 최고차항은 $6x^2$이다.

이때 $f'(-1)=f'(3)=0$이므로 $f'(x)=6(x+1)(x-3)$

$f'(x)=0$에서 $x=-1$ 또는 $x=3$

함수 $f(x)$의 증가와 감소를 나타내면 다음 표와 같다.

x	$\cdots$	-1	$\cdots$	3	$\cdots$
$f'(x)$	$+$	0	$-$	0	$+$
$f(x)$	↗	극대	↘	극소	↗

함수 $f(x)$는 $x=-1$에서 극대이고 극댓값 20을 가지므로 $f(-1)=20$

이때 $f(x)=\int 6(x+1)(x-3)dx$

$\qquad =\int(6x^2-12x-18)dx$

$\qquad =2x^3-6x^2-18x+C$ (단, C는 적분상수)

이므로 $f(-1)=-2-6+18+C=20$ $\therefore C=10$

$\therefore f(x)=2x^3-6x^2-18x+10$

STEP ⓑ $f(x)$의 극솟값 구하기

따라서 $x=3$에서 극소이고 극솟값은 $f(3)=54-54-54+10=-44$

정답 ①

1069

정답 ②

STEP ⓐ 함수 $f(x)$의 증가와 감소를 표로 나타내기

$f(x)=\int(-x^2+x)dx=-\dfrac{1}{3}x^3+\dfrac{1}{2}x^2+C$ (단, C는 적분상수)

양변을 x로 미분하면

$f'(x)=-x^2+x=-x(x-1)$

$f'(x)=0$에서 $x=0$ 또는 $x=1$

함수 $f(x)$의 증가와 감소를 표로 나타내면 다음과 같다.

x	$\cdots$	0	$\cdots$	1	$\cdots$
$f'(x)$	$-$	0	$+$	0	$-$
$f(x)$	↘	극소	↗	극대	↘

STEP ⓑ 함수 $f(x)$의 극댓값이 3임을 이용하여 적분상수 구하기

함수 $f(x)$는 $x=1$에서 극대이고 극댓값이 3이므로

$f(1)=3$에서 $-\dfrac{1}{3}+\dfrac{1}{2}+C=3$ $\therefore C=\dfrac{17}{6}$

STEP ⓒ 함수 $f(x)$의 극솟값 구하기

따라서 함수 $f(x)$는 $x=0$에서 극소이므로 극솟값은 $f(0)=C=\dfrac{17}{6}$

1070

정답 ②

STEP ⓐ $f'(3)=0$, $f(3)=-27$을 이용하여 k, C의 값 구하기

$f'(x)=3x^2-6x+k$에서

$f(x)=\int(3x^2-6x+k)dx=x^3-3x^2+kx+C$ (단, C는 적분상수)

함수 $f(x)$가 $x=3$에서 극솟값이 -27이므로

$f'(3)=0$, $f(3)=-27$

$f'(3)=0$에서 $f'(3)=27-18+k=0$ $\therefore k=-9$

$f(x)=x^3-3x^2-9x+C$이므로

$f(3)=-27$에서 $f(3)=27-27-27+C=-27$ $\therefore C=0$

$\therefore f(x)=x^3-3x^2-9x$

STEP ⓑ 함수 $f(x)$의 증가와 감소를 표로 나타내기

$f'(x)=3x^2-6x-9=3(x+1)(x-3)$

$f'(x)=0$에서 $x=-1$ 또는 $x=3$

함수 $f(x)$의 증가와 감소를 나타내면 다음 표와 같다.

x	$\cdots$	-1	$\cdots$	3	$\cdots$
$f'(x)$	$+$	0	$-$	0	$+$
$f(x)$	↗	극대	↘	극소	↗

$x=-1$에서 극대이고 극댓값은 $f(-1)=-1-3+9=5$

STEP ⓒ $a+k+M$의 값 구하기

따라서 $a=-1$, $M=5$, $k=-9$이므로 $a+k+M=-5$

1071

STEP Ⓐ $f'(x)$를 적분하여 $f(x)$의 함수식 구하기

$f'(x)=(3x+1)(x-2)$이므로

$f(x)=\int(3x+1)(x-2)dx$

$\quad=\int(3x^2-5x-2)dx$

$\quad=x^3-\dfrac{5}{2}x^2-2x+C$

STEP Ⓑ 함수 $f(x)$의 증가와 감소를 표로 나타내기

$f'(x)=0$에서 $x=-\dfrac{1}{3}$ 또는 $x=2$

함수 $f(x)$의 증가와 감소를 나타내면 다음 표와 같다.

x	$\cdots$	$-\dfrac{1}{3}$	$\cdots$	2	$\cdots$
$f'(x)$	$+$	0	$-$	0	$+$
$f(x)$	↗	극대	↘	극소	↗

함수 $y=f(x)$의 그래프가 x축에 접하고 극댓값이 양수이므로 $f(x)$의 극솟값이 0이다.

즉 $f(2)=0$이므로 $f(2)=8-10-4+C=0$ $\therefore C=6$

$\therefore f(x)=x^3-\dfrac{5}{2}x^2-2x+6$

따라서 $f(4)=64-40-8+6=22$

내/신/연/계/ 출제문항 444

미분가능한 함수 $y=f(x)$의 그래프가 x축의 양의 방향에서 x축과 접하고
$$f'(x)=(3x+1)(x-1)$$
일 때, $f(2)$의 값은?

① 1   ② 2   ③ 3
④ 4   ⑤ 5

STEP Ⓐ $f'(x)$를 적분하여 $f(x)$의 함수식 구하기

$f'(x)=(3x+1)(x-1)$이므로

$f(x)=\int(3x+1)(x-1)dx$

$\quad=\int(3x^2-2x-1)dx$

$\quad=x^3-x^2-x+C$

STEP Ⓑ 함수 $f(x)$의 증가와 감소를 표로 나타내기

$f'(x)=0$에서 $x=-\dfrac{1}{3}$ 또는 $x=1$

함수 $f(x)$의 증가와 감소를 나타내면 다음 표와 같다.

x	$\cdots$	$-\dfrac{1}{3}$	$\cdots$	1	$\cdots$
$f'(x)$	$+$	0	$-$	0	$+$
$f(x)$	↗	극대	↘	극소	↗

함수 $y=f(x)$의 그래프가 x축의 양의 방향에서 x축에 접하므로 $f(x)$의 극솟값이 0이다.

즉 $f(1)=0$이므로 $f(1)=1-1-1+C=0$ $\therefore C=1$

STEP Ⓒ $f(2)$의 값 구하기

따라서 $f(x)=x^3-x^2-x+1$이므로 $f(2)=8-4-2+1=3$

1072

STEP Ⓐ $f'(x)$를 적분하여 $f(x)$의 함수식 구하기

$f'(x)=6x(x-2)$에서

$f(x)=\int 6x(x-2)dx$

$\quad=\int(6x^2-12x)dx$

$\quad=2x^3-6x^2+C$ (C는 적분상수) $\cdots\cdots$ ㉠

STEP Ⓑ 함수 $f(x)$의 증가와 감소를 표로 나타내기

$f'(x)=0$에서 $x=0$ 또는 $x=2$

함수 $f(x)$의 증가와 감소를 나타내면 다음 표와 같다.

x	$\cdots$	0	$\cdots$	2	$\cdots$
$f'(x)$	$+$	0	$-$	0	$+$
$f(x)$	↗	극대	↘	극소	↗

STEP Ⓒ 곡선 $y=f(x)$가 x축에 접하도록 하는 함수 $f(x)$ 구하기

곡선 $y=f(x)$가 x축에 접하므로 극댓값 또는 극솟값이 0이어야 한다.

(ⅰ) $x=0$에서 x축에 접하는 경우

극댓값이 0일 때, $f(0)=0$이므로
㉠에 대입하면 $C=0$
즉 $f(x)=2x^3-6x^2$이므로
$f(1)=-4$

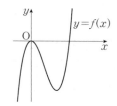

(ⅱ) $x=2$에서 x축에 접하는 경우

극솟값이 0일 때, $f(2)=0$이므로
㉠에 대입하면 $-8+C=0$
$\therefore C=8$
즉 $f(x)=2x^3-6x^2+8$이므로
$f(1)=4$

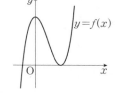

(ⅰ), (ⅱ)에서 $f(1)=4$ ($\because f(1)>0$)

내/신/연/계/ 출제문항 445

도함수 $y=f'(x)$가
$$f'(x)=3x^2-6x$$
인 함수 $y=f(x)$의 그래프가 x축에 접할 때, $f(1)$의 값은?
(단, $f(1)>0$)

① 1   ② 2   ③ 3
④ 4   ⑤ 5

STEP Ⓐ $f'(x)$를 적분하여 $f(x)$의 함수식 구하기

$f'(x)=3x^2-6x=3x(x-2)$에서

$f(x)=\int f'(x)dx=x^3-3x^2+C$ (C는 적분상수) $\cdots\cdots$ ㉠

STEP Ⓑ 함수 $f(x)$의 증가와 감소를 표로 나타내기

$f'(x)=0$에서 $x=0$ 또는 $x=2$

함수 $f(x)$의 증가와 감소를 표로 나타내면 다음과 같다.

x	$\cdots$	0	$\cdots$	2	$\cdots$
$f'(x)$	$+$	0	$-$	0	$+$
$f(x)$	↗	극대	↘	극소	↗

STEP C 곡선 $y=f(x)$가 x축에 접하도록 하는 적분상수 C 구하기

따라서 함수 $y=f(x)$의 그래프가 x축에 접하는 경우는 다음과 같다.

(i) $x=0$에서 x축에 접하는 경우

$f(0)=0$이어야 하므로

㉠에 대입하면 $C=0$

$f(x)=x^3-3x^2$이므로 $f(1)=-2$

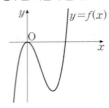

(ii) $x=2$에서 x축에 접하는 경우

$f(2)=0$이어야 하므로 ㉠에 대입하면

$-4+C=0$

$\therefore C=4$

$f(x)=x^3-3x^2+4$이므로 $f(1)=2$

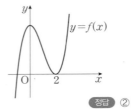

(i), (ii)에서 $f(1)=2\,(\because f(1)>0)$
정답 ②

1073
정답 ①

STEP A 부정적분을 이용하여 함수 $f(x)$의 식 작성하기

$y=f'(x)$의 그래프가 $x=0$, $x=2$에서 x축과 만나고 아래로 볼록하므로

$f'(x)=ax(x-2)\,(a>0)$로 놓으면

$f(x)=\int ax(x-2)dx$

$\quad=\int(ax^2-2ax)dx$

$\quad=\dfrac{a}{3}x^3-ax^2+C$ $\qquad$ ……㉠

STEP B 함수 $f(x)$의 증가와 감소를 표로 나타내기

$f'(x)=0$에서 $x=0$ 또는 $x=2$

함수 $f(x)$의 증가와 감소를 나타내면 다음 표와 같다.

x	$\cdots$	0	$\cdots$	2	$\cdots$
$f'(x)$	$+$	0	$-$	0	$+$
$f(x)$	$\nearrow$	극대	$\searrow$	극소	$\nearrow$

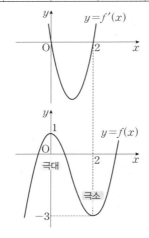

함수 $f(x)$는

$x=0$에서 극대이고 극댓값이 1,

$x=2$에서 극소이고 극솟값이 -3이므로

㉠에서 $f(0)=C=1$, $f(2)=\dfrac{8}{3}a-4a+C=-3$

두 식을 연립하여 풀면 $C=1$, $a=3$

STEP C $f(3)$의 값 구하기

따라서 $f(x)=x^3-3x^2+1$이므로 $f(3)=27-27+1=1$

내/신/연/계 출제문항 446

오른쪽 그림은 삼차함수 $f(x)$의 도함수 $f'(x)$의 그래프이다. 함수 $f(x)$의 극댓값이 32, 극솟값이 0일 때, $f(1)$의 값은?

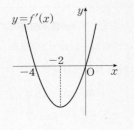

① 4 $\qquad$ ② 5

③ 6 $\qquad$ ④ 7

⑤ 8

STEP A 부정적분을 이용하여 함수 $f(x)$의 식 작성하기

$y=f'(x)$의 그래프가 $x=-4$, $x=0$에서 x축과 만나고 아래로 볼록하므로

$f'(x)=ax(x+4)\,(a>0)$로 놓으면

$f(x)=\int ax(x+4)dx$

$\quad=\int(ax^2+4ax)dx$

$\quad=\dfrac{a}{3}x^3+2ax^2+C$ $\qquad$ ……㉠

STEP B 함수 $f(x)$의 증가와 감소를 표로 나타내기

$f'(x)=0$에서 $x=-4$ 또는 $x=0$

함수 $f(x)$의 증가와 감소를 나타내면 다음 표와 같다.

x	$\cdots$	-4	$\cdots$	0	$\cdots$
$f'(x)$	$+$	0	$-$	0	$+$
$f(x)$	$\nearrow$	극대	$\searrow$	극소	$\nearrow$

함수 $f(x)$는

$x=0$에서 극소이고 극솟값 0,

$x=-4$에서 극대이고 극댓값은 32이므로

㉠에서 $f(0)=C=0$, $f(-4)=-\dfrac{64}{3}a+32a+C=32$

$\therefore a=3$

STEP C $f(1)$의 값 구하기

따라서 $f(x)=x^3+6x^2$이므로 $f(1)=1+6=7$
정답 ④

1074

정답 ⑤

STEP Ⓐ **부정적분을 이용하여 함수 $f(x)$의 식 작성하기**

$y=f'(x)$의 그래프가 $x=0$, $x=4$에서 x축과 만나고 위로 볼록하므로
$f'(x)=ax(x-4)(a<0)$로 놓으면

$$f(x)=\int ax(x-4)dx=\int (ax^2-4ax)dx$$
$$=\frac{a}{3}x^3-2ax^2+C \cdots\cdots \textcircled{\scriptsize ㄱ}$$

STEP Ⓑ **함수 $f(x)$의 증가와 감소를 표로 나타내기**

$f'(x)=0$에서 $x=0$ 또는 $x=4$
함수 $f(x)$의 증가와 감소를 나타내면 다음 표와 같다.

x	$\cdots$	0	$\cdots$	4	$\cdots$
$f'(x)$	$-$	0	$+$	0	$-$
$f(x)$	$\searrow$	극소	$\nearrow$	극대	$\searrow$

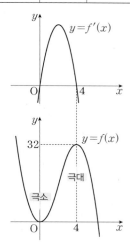

함수 $f(x)$는 $x=0$에서 극소이고 극솟값이 0,
$x=4$에서 극대이고 극댓값이 32이므로
$\textcircled{\scriptsize ㄱ}$에서 $f(0)=C=0$, $f(4)=\frac{64}{3}a-32a=32$
두 식을 연립하여 풀면 $C=0$, $a=-3$

STEP Ⓒ **$f(2)$의 값 구하기**

따라서 $f(x)=-x^3+6x^2$이므로 $f(2)=-8+24=16$

1075

정답 ②

STEP Ⓐ **부정적분을 이용하여 함수 $f(x)$의 식 작성하기**

$y=f'(x)$의 그래프가 $x=0$, $x=2$에서 x축과 만나고 위로 볼록하므로
$f'(x)=ax(x-2)(a<0)$로 놓으면 이 그래프가 점 $(1, 3)$을 지나므로
$f'(1)=-a=3$, 즉 $a=-3$
$f'(x)=-3x(x-2)=-3x^2+6x$
$f(x)=\int(-3x^2+6x)dx=-x^3+3x^2+C$

STEP Ⓑ **함수 $f(x)$의 증가와 감소를 표로 나타내기**

$f'(x)=0$에서 $x=0$ 또는 $x=2$
함수 $f(x)$의 증가와 감소를 나타내면 다음 표와 같다.

x	$\cdots$	0	$\cdots$	2	$\cdots$
$f'(x)$	$-$	0	$+$	0	$-$
$f(x)$	$\searrow$	극소	$\nearrow$	극대	$\searrow$

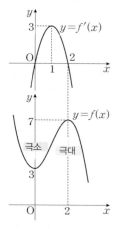

함수 $f(x)$는 $x=0$에서 극솟값 3을 갖는다.
즉 $f(0)=C=3$

STEP Ⓒ **$f(1)$의 값 구하기**

따라서 $f(x)=-x^3+3x^2+3$이므로 $f(1)=-1+3+3=5$

1076

정답 ⑤

STEP Ⓐ **부정적분을 이용하여 함수 $f(x)$의 식 작성하기**

$y=f'(x)$의 그래프가 $x=-1$, $x=1$에서 x축과 만나고 아래로 볼록하므로
$f'(x)=a(x-1)(x+1)(a>0)$로 놓으면
이 그래프가 점 $(0, -3)$을 지나므로
$f(0)=-a=-3$, 즉 $a=3$
$$f(x)=\int 3(x-1)(x+1)dx$$
$$=x^3-3x+C \text{ (단, } C\text{는 적분상수)}$$

STEP Ⓑ **함수 $f(x)$의 증가와 감소를 표로 나타내기**

$f'(x)=0$에서 $x=-1$ 또는 $x=1$
함수 $f(x)$의 증가와 감소를 나타내면 다음 표와 같다.

x	$\cdots$	-1	$\cdots$	1	$\cdots$
$f'(x)$	$+$	0	$-$	0	$+$
$f(x)$	$\nearrow$	극대	$\searrow$	극소	$\nearrow$

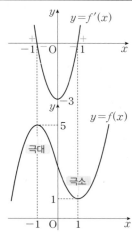

함수 $f(x)$의 극솟값이 1이므로 $f(1)=1-3+C=1$ $\therefore C=3$
$\therefore f(x)=x^3-3x+3$

STEP Ⓒ **함수 $f(x)$의 극댓값 구하기**

따라서 $x=-1$에서 극대이고 극댓값은 $f(-1)=-1+3+3=5$

오른쪽 그림은 삼차함수 $f(x)$의
도함수 $f'(x)$의 그래프이다.
함수 $f(x)$의 극솟값이 -3일 때,
극댓값은?

① $\dfrac{2}{3}$ ② $\dfrac{5}{3}$

③ $\dfrac{7}{3}$ ④ 3

⑤ $\dfrac{11}{3}$

STEP A 부정적분을 이용하여 함수 $f(x)$의 식 작성하기

$y=f'(x)$의 그래프가 $x=-2$, $x=2$에서 x축과 만나고 아래로 볼록하므로
$f'(x)=a(x+2)(x-2)\,(a>0)$로 놓으면

이 그래프가 점 $(0,-2)$를 지나므로 $f'(0)=-4a=-2$, 즉 $a=\dfrac{1}{2}$

$$f(x)=\int \frac{1}{2}(x+2)(x-2)dx=\int\left(\frac{1}{2}x^2-2\right)dx$$
$$=\frac{1}{6}x^3-2x+C \quad (\text{단, } C\text{는 적분상수})$$

STEP B 함수 $f(x)$의 증가와 감소를 표로 나타내기

$f'(x)=0$에서 $x=-2$ 또는 $x=2$
함수 $f(x)$의 증가와 감소를 나타내면 다음 표와 같다.

x	$\cdots$	-1	$\cdots$	1	$\cdots$
$f'(x)$	$+$	0	$-$	0	$+$
$f(x)$	↗	극대	↘	극소	↗

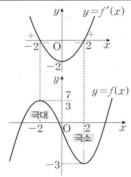

함수 $f(x)$는 $x=2$에서 극소이고 극솟값이 -3이므로 $f(2)=\dfrac{4}{3}-4+C=-3$

$\therefore C=-\dfrac{1}{3}$ $\therefore f(x)=\dfrac{1}{6}x^3-2x-\dfrac{1}{3}$

STEP C 함수 $f(x)$의 극댓값 구하기

따라서 $x=-2$에서 극대이고 극댓값은 $f(-2)=-\dfrac{4}{3}+4-\dfrac{1}{3}=\dfrac{7}{3}$ 정답 ③

1077

정답 ①

STEP A 부정적분을 이용하여 함수 $f(x)$의 식 작성하기

$y=f'(x)$의 그래프가 $x=-2$, $x=2$에서 x축과 만나고 위로 볼록하므로
$f'(x)=a(x+2)(x-2)\,(a<0)$로 놓으면

이 그래프가 점 $(0,3)$을 지나므로 $f'(0)=-4a=3$, 즉 $a=-\dfrac{3}{4}$

$f'(x)=-\dfrac{3}{4}(x+2)(x-2)=-\dfrac{3}{4}(x^2-4)=-\dfrac{3}{4}x^2+3$

$f(x)=\int\left(-\dfrac{3}{4}x^2+3\right)dx=-\dfrac{1}{4}x^3+3x+C$ (C는 적분상수)

이때 $f(0)=0$이므로 $C=0$ $\therefore f(x)=-\dfrac{1}{4}x^3+3x$

STEP B 함수 $f(x)$의 증가와 감소를 표로 나타내기

$f'(x)=0$에서 $x=-2$ 또는 $x=2$
함수 $f(x)$의 증가와 감소를 나타내면 다음 표와 같다.

x	$\cdots$	-2	$\cdots$	2	$\cdots$
$f'(x)$	$-$	0	$+$	0	$-$
$f(x)$	↘	극소	↗	극대	↘

함수 $f(x)$는 $x=-2$에서 극소이고
극솟값은 $f(-2)=-4$,
$x=2$에서 극대이고 극댓값은
$f(2)=4$이므로 그래프는 오른쪽
그림과 같다.

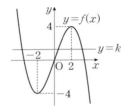

따라서 방정식 $f(x)=k$가 서로 다른 세 실근을 가지려면 $-4<k<4$

1078

정답 ④

STEP A 부정적분을 이용하여 함수 $f(x)$의 식 작성하기

$f'(x)=ax(x-2)\,(a>0)$로 놓으면
$f'(1)=-3$이므로 $a=3$
$f'(x)=3x(x-2)=3x^2-6x$이므로
$f(x)=\int(3x^2-6x)dx=x^3-3x^2+C$

STEP B 함수 $f(x)$의 증가와 감소를 표로 나타내기

$f'(x)=0$에서 $x=0$ 또는 $x=2$
함수 $f(x)$의 증가와 감소를 나타내면 다음 표와 같다.

x	$\cdots$	0	$\cdots$	2	$\cdots$
$f'(x)$	$+$	0	$-$	0	$+$
$f(x)$	↗	극대	↘	극소	↗

STEP C $f(2)<k<f(0)$임을 이용하여 a, b의 값 구하기

함수 $f(x)$는
$x=0$에서 극대이고 극댓값은 $f(0)=C$
$x=2$에서 극소이고 극솟값은
$f(2)=8-12+C=-4+C$
이므로 그래프는 오른쪽 그림과 같다.
곡선 $y=f(x)$와 직선 $y=k$의 교점이
3개가 되려면
$-4+C<k<C$이어야 한다.
따라서 $b-a=C-(-4+C)=4$

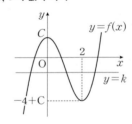

1079

정답 ①

STEP A 양변을 x에 대하여 미분하여 $f'(x)$의 함수식 구하기

$F'(x)=f(x)$이므로 주어진 식의 양변을 x에 대하여 미분하면
$f(x)=f(x)+xf'(x)-24x^3+12x^2$
즉 $f'(x)=24x^2-12x$

STEP B 양변을 적분하고 $f(1)=-1$임을 이용하여 함수 $f(x)$ 구하기

$f(x)=\int(24x^2-12x)dx=8x^3-6x^2+C$ (단, C는 적분상수)
$f(1)=8-6+C=-1$에서 $C=-3$
따라서 $f(x)=8x^3-6x^2-3$이므로 $f(-1)=-17$

1080

STEP Ⓐ **양변을 x에 대하여 미분하여 $f'(x)$의 함수식 구하기**

$F(x)=xf(x)-4x^3-x^2+1$의 양변을 x에 대하여 미분하면

$f(x)=f(x)+xf'(x)-12x^2-2x$

즉 $f'(x)=12x+2$

STEP Ⓑ **양변을 적분하고 $f(0)=3$임을 이용하여 함수 $f(x)$ 구하기**

$f(x)=\int(12x+2)dx=6x^2+2x+C$ (단, C는 적분상수)

이때 $f(0)=3$이므로 $C=3$

따라서 $f(x)=6x^2+2x+3$이므로 $f(1)=6+2+3=11$

내/신/연/계/ 출제문항 448

다항함수 $f(x)$의 한 부정적분을 $F(x)$라고 하면

$$F(x)=xf(x)-5x^3+4x^2$$

이 성립하고 $f(2)=8$일 때, 함수 $f(-1)$의 값은?

① $\dfrac{9}{2}$ ② $\dfrac{13}{2}$ ③ $\dfrac{15}{2}$

④ $\dfrac{17}{2}$ ⑤ $\dfrac{19}{2}$

STEP Ⓐ **양변을 x에 대하여 미분하여 $f'(x)$의 함수식 구하기**

$F(x)=xf(x)-5x^3+4x^2$의 양변을 x에 대하여 미분하면

$f(x)=f(x)+xf'(x)-15x^2+8x$, 즉 $f'(x)=15x-8$

STEP Ⓑ **양변을 적분하고 $f(2)=8$임을 이용하여 함수 $f(x)$ 구하기**

$f(x)=\int(15x-8)dx=\dfrac{15}{2}x^2-8x+C$ (단, C는 적분상수)

이때 $f(2)=8$이므로 $f(2)=30-16+C=8$ ∴ $C=-6$

따라서 $f(x)=\dfrac{15}{2}x^2-8x-6$이므로 $f(-1)=\dfrac{15}{2}+8-6=\dfrac{19}{2}$ **정답 ⑤**

1081

STEP Ⓐ **양변을 x에 대하여 미분하여 $f'(x)$의 함수식 구하기**

$(x-1)f(x)-F(x)=2x^3-3x^2$의 양변을 각각 x에 대하여 미분하면

$f(x)+(x-1)f'(x)-f(x)=6x^2-6x$

$(x-1)f'(x)=6x(x-1)$ ∴ $f'(x)=6x$

STEP Ⓑ **양변을 적분하고 $f(-1)=5$임을 이용하여 함수 $f(x)$ 구하기**

$f(x)=\int 6xdx=3x^2+C$이므로 $f(-1)=3+C=5$에서 $C=2$

따라서 $f(x)=3x^2+2$이므로 $f(2)=12+2=14$

1082

STEP Ⓐ **양변을 x에 대하여 미분하여 $f'(x)$의 함수식 구하기**

조건(가)의 등식의 양변을 각각 x에 대하여 미분하면

$f(x)=f(x)+xf'(x)+12x^2-2x$

$xf'(x)=-12x^2+2x$ ∴ $f'(x)=-12x+2$

STEP Ⓑ **양변을 적분하고 $f(1)=-3$임을 이용하여 함수 $f(x)$의 함수식 구하기**

$f(x)=\int(-12x+2)dx=-6x^2+2x+C$이므로

$f(1)=-6+2+C=-3$에서 $C=1$

따라서 $f(x)=-6x^2+2x+1$이므로 $f(2)=-24+4+1=-19$

내/신/연/계/ 출제문항 449

다항함수 $f(x)$에 대하여

$$\int f(x)dx=xf(x)-2x^3+x^2, \ f(0)=2$$

이 성립할 때, $f(1)$의 값은?

① 1 ② 2 ③ 3

④ 4 ⑤ 5

STEP Ⓐ **양변을 x에 대하여 미분하여 $f'(x)$의 함수식 구하기**

주어진 등식의 양변을 각각 x에 대하여 미분하면

$f(x)=f(x)+xf'(x)-6x^2+2x$

$xf'(x)=6x^2-2x$

∴ $f'(x)=6x-2$

STEP Ⓑ **양변을 적분하고 $f(0)=2$임을 이용하여 $f(x)$의 함수식 구하기**

$f(x)=\int(6x-2)dx=3x^2-2x+C$

이때 $f(0)=C=2$

따라서 $f(x)=3x^2-2x+2$이므로 $f(1)=3-2+2=3$ **정답 ③**

1083

STEP Ⓐ **부정적분을 이용하여 함수 $f(x)$ 구하기**

곡선 $y=f(x)$ 위의 임의의 점에서 접선의 기울기가 $f'(x)=3x^2-6x-2$

이므로 $f(x)=\int(3x^2-6x-2)dx=x^3-3x^2-2x+C$

이때 곡선 $y=f(x)$가 점 $(0, -2)$를 지나므로 $f(0)=-2=C$

∴ $f(x)=x^3-3x^2-2x-2$

STEP Ⓑ **$f(2)$의 값 구하기**

따라서 $f(x)=x^3-3x^2-2x-2$이므로 $f(2)=8-12-4-2=-10$

1084

STEP Ⓐ **$f'(x)$를 적분하고 $f(0)=-3$임을 이용하여 $f(x)$의 함수식 구하기**

점 (x, y)에서 접선의 기울기가 $f'(x)=3x^2-2x+1$이므로

$f(x)=\int(3x^2-2x+1)dx=x^3-x^2+x+C$ (단, C는 적분상수)

이때 점 $(0, -3)$을 지나므로 $f(0)=C=-3$

∴ $f(x)=x^3-x^2+x-3$

STEP Ⓑ **$(2, k)$를 대입하여 k의 값 구하기**

따라서 함수 $f(x)$는 점 $(2, k)$를 지나므로 $f(2)=8-4+2-3=3$

∴ $k=3$

1085

STEP Ⓐ $f'(x)$를 적분하고 $f(1)=0$임을 이용하여 $f(x)$의 함수식 구하기

점 (x, y)에서 접선의 기울기가 $f'(x)=3x^2-4x$이므로

$$f(x)=\int(3x^2-4x)dx=x^3-2x^2+C \text{ (단, } C\text{는 적분상수)}$$

이때 점 $(1, 0)$을 지나므로 $f(1)=-1+C=0$에서 $C=1$이므로

$$f(x)=x^3-2x^2+1$$

STEP Ⓑ 함수 $f(x)$의 증가와 감소를 표로 나타내기

$$f'(x)=3x^2-4x=x(3x-4)$$

$f'(x)=0$에서 $x=0$ 또는 $x=\dfrac{4}{3}$

함수 $f(x)$의 증가와 감소를 나타내면 다음 표와 같다.

x	$\cdots$	0	$\cdots$	$\dfrac{4}{3}$	$\cdots$
$f'(x)$	$+$	0	$-$	0	$+$
$f(x)$	↗	극대	↘	극소	↗

STEP Ⓒ 함수 $f(x)$의 극댓값 구하기

따라서 $x=0$에서 극대이고 극댓값은 $f(0)=1$

내/신/연/계 출제문항 450

곡선 $y=f(x)$ 위의 임의의 점 (x, y)에서의 접선의 기울기가 $3x^2-12$이고 함수 $f(x)$의 극솟값이 3일 때, 함수 $f(x)$의 극댓값은?

① 25   ② 30   ③ 35
④ 40   ⑤ 45

STEP Ⓐ $f'(x)$를 적분하여 $f(x)$의 함수식 세우기

곡선 $y=f(x)$ 위의 임의의 점 (x, y)에서의 접선의 기울기가 $3x^2-12$이므로 $f'(x)=3x^2-12$

$$\therefore f(x)=\int(3x^2-12)dx=x^3-12x+C \text{ (단, } C\text{는 적분상수)}$$

STEP Ⓑ 함수 $f(x)$의 증가와 감소를 표로 나타내기

$$f'(x)=3x^2-12=3(x+2)(x-2)$$

$f'(x)=0$에서 $x=-2$ 또는 $x=2$

함수 $f(x)$의 증가와 감소를 나타내면 다음 표와 같다.

x	$\cdots$	-2	$\cdots$	2	$\cdots$
$f'(x)$	$-$	0	$-$	0	$+$
$f(x)$	↗	극대	↘	극소	↗

STEP Ⓒ $f(2)=3$임을 이용하여 C를 구하고 $f(x)$의 극댓값 구하기

함수 $f(x)$는 $x=2$에서 극소이고 극솟값이 3이므로

$$f(2)=8-24+C=3 \quad \therefore C=19$$

$$\therefore f(x)=x^3-12x+19$$

따라서 $x=-2$에서 극대이고 극댓값은 $f(-2)=-8+24+19=35$ **정답** ③

1086

STEP Ⓐ 접점의 좌표를 구하기

곡선 $y=f(x)$ 위의 임의의 점에서 접선의 기울기가 $f'(x)=6x^2-12x+4$이고 직선 $y=22x+10$와 곡선 $y=f(x)$의 접점의 좌표를 (a, b)라 하면

$f'(a)=22$이므로 $6a^2-12a+4=22$, $6a^2-12a-18=0$

$6(a-3)(a+1)=0 \quad \therefore a=-1(a<0)$ ← 제 3사분면에 접하므로

또, $b=22a+10=-22+10=-12$

STEP Ⓑ 부정적분을 이용하여 함수 $f(x)$ 구하기

$$f(x)=\int(6x^2-12x+4)dx=2x^3-6x^2+4x+C \text{ (단, } C\text{는 적분상수)}$$

이때 곡선 $y=f(x)$가 점 $(-1, -12)$를 지나므로

$f(-1)=-2-6-4+C=-12$이므로 $C=0$

STEP Ⓒ $f(2)$의 값 구하기

따라서 $f(x)=2x^3-6x^2+4x$이므로 $f(2)=16-24+8=0$

내/신/연/계 출제문항 451

곡선 $y=f(x)$ 위의 임의의 점 $(x, f(x))$에서의 접선의 기울기가 $6x^2-4x+3$이고, 곡선 $y=f(x)$가 제 1사분면에서 직선 $y=5x+2$에 접한다고 할 때, $f(2)$의 값은?

① 14   ② 16   ③ 18
④ 20   ⑤ 22

STEP Ⓐ 접점의 좌표를 구하기

곡선 $y=f(x)$ 위의 임의의 점에서 접선의 기울기가 $f'(x)=6x^2-4x+3$이고 직선 $y=5x+2$와 곡선 $y=f(x)$의 접점의 좌표를 (a, b)라 하면

$f'(a)=5$이므로 $6a^2-4a+3=5$, $6a^2-4a-2=0$

$2(3a+1)(a-1)=0 \quad \therefore a=1(a>0)$

또, $b=5a+2=5+2=7$

STEP Ⓑ 부정적분을 이용하여 함수 $f(x)$ 구하기

$$f(x)=\int f'(x)dx=2x^3-2x^2+3x+C \text{ (단, } C\text{는 적분상수)}$$

이때 곡선 $y=f(x)$가 점 $(1, 7)$를 지나므로

$f(1)=3+C=7$이므로 $C=4$

STEP Ⓒ $f(2)$의 값 구하기

따라서 $f(x)=2x^3-2x^2+3x+4$이므로 $f(2)=16-8+6+4=18$

다른풀이 접선의 방정식을 구하여 풀이하기

곡선 $y=f(x)$위의 임의의 점에서 접선의 기울기가 $f'(x)=6x^2-4x+3$이므로

$$f(x)=\int f'(x)dx=2x^3-2x^2+3x+C \text{ (}C\text{는 적분상수)}$$

함수 $y=f(x)$가 제 1사분면에서 직선 $y=5x+2$에 접할 때의 접점의 좌표를 $(t, 2t^3-2t^2+3t+C)(t>0)$라 하면 접선의 방정식은 $y-(2t^3-2t^2+3t+C)=(6t^2-4t+3)(x-t)$

즉 $y=(6t^2-4t+3)x-4t^3+2t^2+C$이다.

이 직선이 직선 $y=5x+2$와 같으므로

$6t^2-4t+3=5$ $\cdots\cdots$ ㉠

$-4t^3+2t^2+C=2$ $\cdots\cdots$ ㉡

㉠에서 $3t^2-2t-1=(3t+1)(t-1)=0 \quad \therefore t=1(\because t>0)$

㉡에서 $-2+C=2 \quad \therefore C=4$

따라서 $f(x)=2x^3-2x^2+3x+4$이므로 $f(2)=16-8+6+4=18$ **정답** ③

1087

STEP Ⓐ $x=0$, $y=0$을 대입하여 $f(0)$의 값 구하기

$f(x+y)=f(x)+f(y)+2$의 양변에 $x=0$, $y=0$을 대입하면

$f(0)=f(0)+f(0)+2$

$\therefore f(0)=-2$ $\qquad$ …… ㉠

STEP Ⓑ $f'(0)=2$임을 이용하여 $f'(x)$ 구하기

또한, $f'(0)=2$이므로

$f'(0)=\lim\limits_{h\to 0}\dfrac{f(0+h)-f(0)}{h}$

$\qquad =\lim\limits_{h\to 0}\dfrac{f(h)+2}{h}=2$ $\qquad$ …… ㉡

$f'(x)=\lim\limits_{h\to 0}\dfrac{f(x+h)-f(x)}{h}$

$\qquad =\lim\limits_{h\to 0}\dfrac{f(x)+f(h)+2-f(x)}{h}$

$\qquad =\lim\limits_{h\to 0}\dfrac{f(h)+2}{h}=2 \,(\because ㉡)$

STEP Ⓒ 부정적분을 이용하여 함수 $f(x)$ 구하기

$f(x)=\displaystyle\int f'(x)dx=\int 2dx=2x+C$

이때 ㉠에서 $f(0)=-2$이므로 $f(0)=C=-2$

$\therefore f(x)=2x-2$

따라서 함수 $y=f(x)$의 그래프의 개형은 ②이다.

1088

STEP Ⓐ $x=0$, $y=0$을 대입하여 $f(0)$의 값 구하기

$x=y=0$을 주어진 식에 대입하면

$f(0)=f(0)+f(0)$이므로 $f(0)=0$

STEP Ⓑ $f'(0)=3$임을 이용하여 $f'(x)$ 구하기

$f'(x)=\lim\limits_{h\to 0}\dfrac{f(x+h)-f(x)}{h}$

$\qquad =\lim\limits_{h\to 0}\dfrac{f(x)+f(h)-f(x)}{h}$

$\qquad =\lim\limits_{h\to 0}\dfrac{f(h)-f(0)}{h}$ $\leftarrow f(0)=0$

$\qquad =f'(0)=3$

STEP Ⓒ 부정적분을 이용하여 $f(5)$의 값 구하기

$f(x)=\displaystyle\int 3dx=3x+C$ (단, C는 적분상수)

$f(0)=C=0$이므로 $f(x)=3x$

따라서 $f(5)=15$

미분가능한 함수 $f(x)$가 모든 실수 x, y에 대하여

$$f(x+y)=f(x)+f(y)$$

를 만족시키고 $f'(0)=9$일 때, $f(1)$의 값은?

① 8 $\qquad$ ② 9 $\qquad$ ③ 10
④ 11 $\qquad$ ⑤ 12

STEP Ⓐ $x=0$, $y=0$을 대입하여 $f(0)$의 값 구하기

$f(x+y)=f(x)+f(y)$에 $x=0$, $y=0$을 대입하면

$f(0)=f(0)+f(0)$이므로 $f(0)=0$

STEP Ⓑ $f'(0)=9$임을 이용하여 $f'(x)$ 구하기

$f'(x)=\lim\limits_{h\to 0}\dfrac{f(x+h)-f(x)}{h}$

$\qquad =\lim\limits_{h\to 0}\dfrac{f(x)+f(h)-f(x)}{h}$

$\qquad =\lim\limits_{h\to 0}\dfrac{f(h)}{h}=\lim\limits_{h\to 0}\dfrac{f(0+h)-f(0)}{h}$ $\leftarrow f(0)=0$

$\qquad =f'(0)$

STEP Ⓒ 부정적분을 이용하여 $f(1)$의 값 구하기

즉 $f'(x)=9$이므로 $f(x)=\displaystyle\int 9dx=9x+C$

$f(0)=0$에서 $C=0$이므로 $f(x)=9x$

따라서 $f(1)=9$

1089

STEP Ⓐ $x=0$, $y=0$을 대입하여 $f(0)$의 값 구하기

$f(x+y)=f(x)+f(y)-4xy$에 $x=0$, $y=0$을 대입하면

$f(0)=f(0)+f(0)-0$이므로

$f(0)=0$ $\qquad$ …… ㉠

STEP Ⓑ $f'(0)=1$임을 이용하여 $f'(x)$ 구하기

$f'(x)=\lim\limits_{h\to 0}\dfrac{f(x+h)-f(x)}{h}$

$\qquad =\lim\limits_{h\to 0}\dfrac{f(x)+f(h)-4xh-f(x)}{h}$

$\qquad =\lim\limits_{h\to 0}\dfrac{f(h)-4xh}{h}$

$\qquad =\lim\limits_{h\to 0}\left\{\dfrac{f(h)-f(0)}{h}-4x\right\}$ $\leftarrow f(0)=0$

$\qquad =f'(0)-4x$

$\qquad =1-4x$

STEP Ⓒ 부정적분을 이용하여 $f(2)$의 값 구하기

$f(x)=\displaystyle\int(1-4x)dx=-2x^2+x+C$

이때 ㉠에서 $f(0)=C=0$이므로 $f(x)=-2x^2+x$

따라서 $f(2)=-8+2=-6$

내신연계 출제문항 453

모든 실수 x, y에 대하여

$$f(x+y)=f(x)+f(y)+2xy+1$$

를 만족하는 미분가능한 함수 $f(x)$가 있다. $f'(0)=5$일 때, $f(2)$의 값은?

① 11　　　　② 12　　　　③ 13
④ 14　　　　⑤ 15

STEP Ⓐ　$x=0$, $y=0$을 대입하여 $f(0)$의 값 구하기

$f(x+y)=f(x)+f(y)+2xy$에 $x=0$, $y=0$을 대입하면

$f(0)=f(0)+f(0)+1$　∴　$f(0)=-1$

STEP Ⓑ　$f'(0)=5$임을 이용하여 $f'(x)$ 구하기

$$f'(0)=\lim_{h\to0}\frac{f(0+h)-f(0)}{h}$$
$$=\lim_{h\to0}\frac{f(h)+1}{h}=5 \quad\cdots\cdots\ \textcircled{\scriptsize ㄱ}$$
$$f'(x)=\lim_{h\to0}\frac{f(x+h)-f(x)}{h}$$
$$=\lim_{h\to0}\frac{f(x)+f(h)+2xh+1-f(x)}{h}$$
$$=\lim_{h\to0}\left\{\frac{f(h)+1}{h}+2x\right\}$$
$$=2x+5$$

STEP Ⓒ　부정적분을 이용하여 $f(2)$의 값 구하기

$f(x)=\displaystyle\int(2x+5)dx=x^2+5x+C$ (단, C는 적분상수)

$\textcircled{\scriptsize ㄱ}$에서 $f(0)=-1$이므로 $C=-1$

따라서 $f(x)=x^2+5x-1$이므로 $f(2)=4+10-1=13$　　　정답 ③

내신연계 출제문항 454

미분가능한 함수 $f(x)$가 임의의 실수 x, y에 대하여

$$f(x+y)=f(x)+f(y)-4xy-2,\ \lim_{h\to0}\frac{f(h)-2}{h}=1$$

을 만족시킬 때, $f(-1)$의 값은?

① -1　　　② -2　　　③ -3
④ -4　　　⑤ -5

STEP Ⓐ　$x=0$, $y=0$을 대입하여 $f(0)$의 값 구하기

$f(x+y)=f(x)+f(y)-4xy-2$에 $x=0$, $y=0$을 대입하면

$f(0+0)=f(0)+f(0)-2$이므로 $f(0)=2$

STEP Ⓑ　$f'(x)$ 구하기

$$f'(x)=\lim_{h\to0}\frac{f(x+h)-f(x)}{h}$$
$$=\lim_{h\to0}\frac{f(x)+f(h)-4xh-2-f(x)}{h}$$
$$=\lim_{h\to0}\frac{f(h)-2}{h}-4x$$
$$=1-4x$$

STEP Ⓒ　부정적분을 이용하여 $f(-1)$의 값 구하기

$f(x)=\displaystyle\int(1-4x)dx=x-2x^2+C$

$f(0)=2$이므로 $C=2$

따라서 $f(x)=-2x^2+x+2$이므로 $f(-1)=-2-1+2=-1$　　　정답 ①

1090　　　정답 ④

STEP Ⓐ　$x=0$, $y=0$을 대입하여 $f(0)$의 값 구하기

$f(x+y)=f(x)+f(y)+2xy-2$에 $x=0$, $y=0$을 대입하면

$f(0)=f(0)+f(0)-2$

∴　$f(0)=2$　　　$\cdots\cdots\ \textcircled{\scriptsize ㄱ}$

STEP Ⓑ　$f'(0)=3$임을 이용하여 $f'(x)$ 구하기

$$f'(x)=\lim_{h\to0}\frac{f(x+h)-f(x)}{h}$$
$$=\lim_{h\to0}\frac{f(x)+f(h)+2xh-2-f(x)}{h}$$
$$=\lim_{h\to0}\left\{\frac{f(h)-2}{h}+2x\right\} \ \ \leftarrow\lim_{h\to0}\frac{f(h)-2}{h}=3$$
$$=3+2x$$

STEP Ⓒ　부정적분을 이용하여 $f(1)$의 값 구하기

$f(x)=\displaystyle\int f'(x)dx=x^2+3x+C$ (C는 적분상수)

$\textcircled{\scriptsize ㄱ}$에서 $f(0)=C=2$

따라서 $f(x)=x^2+3x+2$이므로 $f(1)=6$

1091　　　정답 ②

STEP Ⓐ　$x=0$, $y=0$을 대입하여 $f(0)$의 값 구하기

$f(x+y)=f(x)+f(y)+5xy(x+y)+8$의 양변에 $x=0$, $y=0$을 대입하면

$f(0)=f(0)+f(0)+8$

∴　$f(0)=-8$　　　$\cdots\cdots\ \textcircled{\scriptsize ㄱ}$

STEP Ⓑ　$f'(0)=3$임을 이용하여 $f'(x)$ 구하기

또한, $f'(0)=3$이므로

$$f'(0)=\lim_{h\to0}\frac{f(0+h)-f(0)}{h}$$
$$=\lim_{h\to0}\frac{f(h)+8}{h}=3 \quad\cdots\cdots\ \textcircled{\scriptsize ㄴ}$$
$$f'(x)=\lim_{h\to0}\frac{f(x+h)-f(x)}{h}$$
$$=\lim_{h\to0}\frac{f(x)+f(h)+5xh(x+h)+8-f(x)}{h}$$
$$=\lim_{h\to0}\frac{f(h)+8+5xh(x+h)}{h}$$
$$=\lim_{h\to0}\frac{f(h)+8}{h}+5x^2$$
$$=5x^2+3\,(\because\ \textcircled{\scriptsize ㄴ})$$

STEP Ⓒ　부정적분을 이용하여 $f(-3)$의 값 구하기

$f(x)=\displaystyle\int f'(x)dx=\int(5x^2+3)dx=\frac{5}{3}x^3+3x+C$

$\textcircled{\scriptsize ㄱ}$에서 $f(0)=-8$이므로 $C=-8$

따라서 $f(x)=\dfrac{5}{3}x^3+3x-8$이므로 $f(-3)=5(-9)+3(-3)-8=-62$

1092

STEP A $x=0$, $y=0$을 대입하여 $f(0)$의 값 구하기

$f(x+y)=f(x)+f(y)+xy(x+y)-2$에 $x=0$, $y=0$을 대입하면

$f(0)=f(0)+f(0)-2$

$\therefore f(0)=2$ ...... ㉠

STEP B $f'(1)=2$임을 이용하여 $f'(x)$ 구하기

$f'(1)=\lim_{h \to 0}\dfrac{f(1+h)-f(1)}{h}$

$=\lim_{h \to 0}\dfrac{f(1)+f(h)+h(1+h)-2-f(1)}{h}$

$=\lim_{h \to 0}\dfrac{f(h)-2}{h}+1$

$=2$

$\therefore \lim_{h \to 0}\dfrac{f(h)-2}{h}=1$

$f'(x)=\lim_{h \to 0}\dfrac{f(x+h)-f(x)}{h}$

$=\lim_{h \to 0}\dfrac{f(x)+f(h)+xh(x+h)-2-f(x)}{h}$

$=\lim_{h \to 0}\left\{\dfrac{f(h)-2}{h}+x(x+h)\right\}$

$=x^2+1$

STEP C 부정적분을 이용하여 $f(3)$의 값 구하기

$f(x)=\displaystyle\int(x^2+1)dx=\dfrac{1}{3}x^3+x+C$

㉠에서 $f(0)=C=2$이므로 $f(x)=\dfrac{1}{3}x^3+x+2$

따라서 $f(3)=9+3+2=14$

1093

STEP A 구간별로 $f'(x)$의 부정적분을 구하고 함수 $f(x)$가 $x=1$에서 연속임을 이용하여 적분상수 구하기

$f'(x)=\begin{cases} 6x^2 & (x \geq 1) \\ 2x+4 & (x < 1) \end{cases}$이므로

$f(x)=\begin{cases} 2x^3+C_1 & (x \geq 1) \\ x^2+4x+C_2 & (x < 1) \end{cases}$ (단, C_1, C_2는 적분상수)

$f(2)=9$이므로 $16+C_1=9$ $\therefore C_1=-7$

함수 $f(x)$가 미분가능하므로 $x=1$에서 연속이다.

$\lim_{x \to 1+}f(x)=\lim_{x \to 1-}f(x)=f(1)$에서 $2-7=1+4+C_2$ $\therefore C_2=-10$

STEP B $f(-3)$의 값을 구하기

따라서 $f(x)=\begin{cases} 2x^3-7 & (x \geq 1) \\ x^2+4x-10 & (x < 1) \end{cases}$이므로 $f(-3)=9-12-10=-13$

1094

STEP A 구간별로 $f'(x)$의 부정적분을 구하고 함수 $f(x)$가 $x=1$에서 연속임을 이용하여 적분상수 구하기

$f'(x)=\begin{cases} 2x-1 & (x < 1) \\ 3x^2-2 & (x \geq 1) \end{cases}$이므로

$f(x)=\begin{cases} x^2-x+C_1 & (x < 1) \\ x^3-2x+C_2 & (x \geq 1) \end{cases}$ (단, C_1, C_2는 적분상수)

이때 $f(2)=3$이므로 $f(2)=8-4+C_2=3$ $\therefore C_2=-1$

또, 함수 $f(x)$가 모든 실수에서 연속이면 $x=1$에서도 연속이므로

$\lim_{x \to 1-}(x^2-x+C_1)=\lim_{x \to 1+}(x^3-2x+C_2)$

$1-1+C_1=1-2-1$ $\therefore C_1=-2$

STEP B $f(-1)$의 값을 구하기

따라서 $f(x)=\begin{cases} x^2-x-2 & (x < 1) \\ x^3-2x-1 & (x \geq 1) \end{cases}$이므로 $f(-1)=(-1)^2-(-1)-2=0$

1095

STEP A 구간별로 $f'(x)$의 부정적분을 구하고 함수 $f(x)$가 $x=1$에서 연속임을 이용하여 적분상수 구하기

$f'(x)=3x|x-1|+x+2$에서

$f'(x)=\begin{cases} 3x^2-2x+2 & (x \geq 1) \\ -3x^2+4x+2 & (x < 1) \end{cases}$이므로

$f(x)=\begin{cases} x^3-x^2+2x+C_1 & (x \geq 1) \\ -x^3+2x^2+2x+C_2 & (x < 1) \end{cases}$ (단, C_1, C_2는 적분상수)

이때 $f(0)=4$이므로 $f(0)=C_2=4$

또, 함수 $f(x)$는 $x=1$에서 연속이므로

$\lim_{x \to 1+}(x^3-x^2+2x+C_1)=\lim_{x \to 1-}(-x^3+2x^2+2x+4)$

$1-1+2+C_1=-1+2+2+4$

$\therefore C_1=5$

STEP B $f(-2)+f(2)$의 값을 구하기

따라서 $f(x)=\begin{cases} x^3-x^2+2x+5 & (x \geq 1) \\ -x^3+2x^2+2x+4 & (x < 1) \end{cases}$이므로

$f(-2)=8+8-4+4=16$, $f(2)=8-4+4+5=13$

$\therefore f(-2)+f(2)=16+13=29$

내/신/연/계 출제문항 455

모든 실수 x에 대하여 연속인 함수 $f(x)$에 대하여

$$f(0)=0, \quad f'(x)=x+|x-1|$$

일 때, $f(-1)+f(3)$의 값은?

① 2   ② 3   ③ 4

④ 5   ⑤ 6

STEP A 구간별로 $f'(x)$의 부정적분을 구하고 함수 $f(x)$가 $x=1$에서 연속임을 이용하여 적분상수 구하기

$f'(x)=x+|x-1|$에서

$f'(x)=\begin{cases} 2x-1 & (x \geq 1) \\ 1 & (x < 1) \end{cases}$이므로

$f(x)=\begin{cases} x^2-x+C_1 & (x \geq 1) \\ x+C_2 & (x < 1) \end{cases}$ (단, C_1, C_2는 적분상수)

이때 $f(0)=0$이므로 $C_2=0$

$f(x)$가 $x=1$에서 연속이므로 $\lim_{x \to 1+}(x^2-x+C_1)=\lim_{x \to 1-}(x+C_2)$

$C_1=1+C_2$ $\therefore C_1=1$

STEP B $f(-1)+f(3)$의 값을 구하기

따라서 $f(x)=\begin{cases} x^2-x+1 & (x \geq 1) \\ x & (x < 1) \end{cases}$이므로 $f(-1)+f(3)=-1+7=6$

1096

STEP A $x=2$에서 좌미분계수와 우미분계수가 같음을 이용하여 k의 값 구하기

함수 $f(x)$가 $x=2$에서 미분가능하므로 $\lim\limits_{x \to 2+}f'(x)=\lim\limits_{x \to 2-}f'(x)$

즉 $2+2=k$이므로 $k=4$

STEP B $f'(x)$를 적분하여 $f(x)$의 함수식 세우기

$f'(x)=\begin{cases} 4 & (x \geq 2) \\ x+2 & (x<2) \end{cases}$이므로

$f(x)=\displaystyle\int f'(x)dx=\begin{cases} 4x+C_1 & (x>2) \\ -1 & (x=2) \\ \dfrac{1}{2}x^2+2x+C_2 & (x<2) \end{cases}$ (C_1, C_2는 적분상수)

STEP C $x=2$에서 연속임을 이용하여 C_1, C_2의 값 구하기

함수 $f(x)$가 $x=2$에서 미분가능하면 $x=2$에서 연속이므로

$\lim\limits_{x \to 2+}f(x)=\lim\limits_{x \to 2-}f(x)=f(2)$

즉 $8+C_1=2+4+C_2=-1$이므로 $C_1=-9$, $C_2=-7$

따라서 $f(x)=\begin{cases} 4x-9 & (x \geq 2) \\ \dfrac{1}{2}x^2+2x-7 & (x<2) \end{cases}$이므로 $f(5)=4 \cdot 5-9=11$

내/신/연/계/ 출제문항 456

모든 실수 x에 대하여 미분가능한 함수 $f(x)$의 도함수가

$$f'(x)=\begin{cases} 2x-3 & (x<1) \\ k & (x>1) \end{cases}$$ (단, k는 상수)

이고 $f(1)=0$일 때, $f(3)$의 값은?

① -4 ② -2 ③ -1

④ 0 ⑤ 2

STEP A $x=0$에서 미분가능임을 이용하여 k의 값 구하기

$x=1$에서 미분가능이므로

$\lim\limits_{x \to 1-}f'(x)=\lim\limits_{x \to 1-}(2x-3)=-1$, $\lim\limits_{x \to 1+}f'(x)=k$

$\therefore k=-1$

STEP B 구간별로 $f'(x)$의 부정적분을 구하고 함수 $f(x)$가 $x=1$에서 연속임을 이용하여 적분상수 구하기

$f'(x)=\begin{cases} 2x-3 & (x<1) \\ -1 & (x>1) \end{cases}$이므로

$f(x)=\begin{cases} x^2-3x+C_1 & (x<1) \\ 0 & (x=1) \\ -x+C_2 & (x>1) \end{cases}$

함수 $f(x)$가 $x=1$에서 미분가능하면 함수 $f(x)$가 $x=1$에서 연속이므로

$\lim\limits_{x \to 1-}f(x)=f(1)$이므로 $-2+C_1=0$ $\therefore C_1=2$

$\lim\limits_{x \to 1+}f(x)=f(1)$이므로 $-1+C_2=0$ $\therefore C_2=1$

STEP C $f(3)$의 값 구하기

따라서 $f(x)=\begin{cases} x^2-3x+2 & (x<1) \\ -x+1 & (x \geq 1) \end{cases}$이므로 $f(3)=-3+1=-2$

 정답 ②

1097

STEP A 구간별로 $f'(x)$의 부정적분을 구하고 함수 $f(x)$의 식 작성하기

$f'(x)=\begin{cases} 1 & (x \geq 1) \\ x & (-1<x \leq 1) \\ 1 & (x<-1) \end{cases}$이므로

$f(x)=\begin{cases} x+C_1 & (x \geq 1) \\ \dfrac{1}{2}x^2+C_2 & (-1 \leq x \leq 1) \\ x+C_3 & (x \leq -1) \end{cases}$

$f(0)=0$이므로 $\dfrac{1}{2} \cdot 0+C_2=C_2=0$

STEP B 연속임을 이용하여 적분상수를 구하기

함수 $f(x)$는 $x=1$, $x=-1$에서 연속이므로

$\lim\limits_{x \to 1+}f(x)=\lim\limits_{x \to 1-}f(x)=f(1)$이므로

$1+C_1=\dfrac{1}{2}+C_2$ $\therefore C_1=-\dfrac{1}{2}(\because C_2=0)$

$\lim\limits_{x \to -1+}f(x)=\lim\limits_{x \to -1-}f(x)=f(-1)$이므로

$\dfrac{1}{2}+C_2=-1+C_3$ $\therefore C_3=\dfrac{3}{2}(\because C_2=0)$

STEP C $f(3)$의 값 구하기

$f(x)=\begin{cases} x-\dfrac{1}{2} & (x \geq 1) \\ \dfrac{1}{2}x^2 & (-1 \leq x \leq 1) \\ x+\dfrac{3}{2} & (x \leq -1) \end{cases}$이므로

$f(a)=\dfrac{5}{2}$를 만족시키는 a는 1보다 커야하므로 $f(a)=a-\dfrac{1}{2}=\dfrac{5}{2}$

$\therefore a=3$

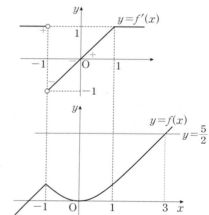

1098

STEP A 구간별로 $f'(x)$의 부정적분을 구하고 함수 $f(x)$의 식 작성하기

$$f'(x)=\begin{cases} 1 & (x<-1) \\ 2x & (-1<x\le0) \\ -2x & (0\le x<1) \\ 1 & (x>1) \end{cases}$$ 이므로

$$f(x)=\begin{cases} x+C_1 & (x<-1) \\ x^2+C_2 & (-1<x\le0) \\ -x^2+C_3 & (0\le x<1) \\ x+C_4 & (x>1) \end{cases}$$

$f(0)=0$이므로 $C_2=0$, $C_3=0$

STEP B 연속임을 이용하여 적분상수를 구하기

함수 $f(x)$는 $x=-1$, $x=1$에서 연속이므로

$\lim\limits_{x\to-1^+}f(x)=\lim\limits_{x\to-1^-}f(x)=f(-1)$이므로

$-1+C_1=1$ $\therefore C_1=2$

$\lim\limits_{x\to1^+}f(x)=\lim\limits_{x\to1^-}f(x)=f(1)$이므로

$-1=1+C_4$ $\therefore C_4=-2$

또한, 함수 $f(x)$가 원점을 지나므로 $f(0)=0$

즉 $C_2=0$, $C_3=0$

STEP C 함수 $y=f(x)$의 그래프 개형 그리기

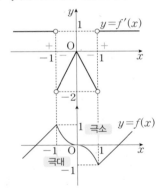

따라서 $f(x)=\begin{cases} x+2 & (x<-1) \\ x^2 & (-1<x\le0) \\ -x^2 & (0\le x<1) \\ x-2 & (x>1) \end{cases}$ 이므로

함수 $y=f(x)$의 그래프의 개형으로 옳은 것은 ⑤이다.

연속함수 $f(x)$의 도함수 $y=f'(x)$의
그래프가 오른쪽 그림과 같을 때,
원점을 지나는 함수 $y=f(x)$의 그래프로
옳은 것은?

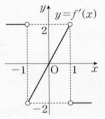

① 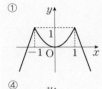 ② 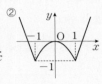 ③

④ 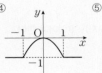 ⑤

STEP A 부정적분을 이용하여 함수 $y=f(x)$의 식 작성하기

주어진 그래프에서 $f'(x)=\begin{cases} 2 & (x<-1) \\ 2x & (-1<x<1) \\ -2 & (x>1) \end{cases}$ 이므로

$$f(x)=\int f'(x)dx=\begin{cases} 2x+C_1 & (x<-1) \\ x^2+C_2 & (-1\le x<1) \\ -2x+C_3 & (x\ge1) \end{cases}$$ (단, C_1, C_2, C_3은 적분상수)

곡선 $y=f(x)$가 원점을 지나므로 $f(0)=0$

$\therefore C_2=0$

STEP B 연속임을 이용하여 적분상수를 구하여 함수 $y=f(x)$의 그래프 개형 그리기

$f(x)$는 $x=-1$에서 연속이므로 $-2+C_1=1$ $\therefore C_1=3$

$f(x)$는 $x=1$에서 연속이므로 $1=-2+C_3$ $\therefore C_3=3$

따라서 $f(x)=\begin{cases} 2x+3 & (x<-1) \\ x^2 & (-1\le x<1) \\ -2x+3 & (x\ge1) \end{cases}$ 이므로 그래프는 다음 그림과 같다.

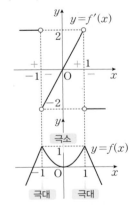

1099

정답 해설참조

| 1단계 | $\lim\limits_{x \to \infty}\dfrac{f'(x)}{x}=3$에서 도함수 $f'(x)$의 차수를 결정한다. | ◀ 20% |

$\lim\limits_{x \to \infty}\dfrac{f'(x)}{x}=3$에서 $f'(x)$는 일차항의 계수가 3인 일차함수이므로
$f'(x)=3x+k$ (k는 상수)로 놓을 수 있다.

| 2단계 | $\lim\limits_{x \to 1}\dfrac{f(x)}{x-1}=2$에서 $f(1)$, $f'(1)$을 구하여 도함수 $f'(x)$를 구한다. | ◀ 30% |

$\lim\limits_{x \to 1}\dfrac{f(x)}{x-1}=2$에서

$x \to 1$일 때, (분모)→ 0이고 극한값이 존재하므로 (분자)→ 0이어야 한다.

즉 $\lim\limits_{x \to 1}f(x)=0$이므로 $f(1)=0$

또한, $\lim\limits_{x \to 1}\dfrac{f(x)}{x-1}=\lim\limits_{x \to 1}\dfrac{f(x)-f(1)}{x-1}=f'(1)=2$이므로

$f'(1)=3+k=2$에서 $k=-1$ ∴ $f'(x)=3x-1$

| 3단계 | 1, 2단계에서 함수 $f(x)$를 구한다. | ◀ 30% |

$f(x)=\displaystyle\int f'(x)dx=\int (3x-1)dx=\dfrac{3}{2}x^2-x+C$ (C는 적분상수)

이때 $f(1)=0$에서 $f(1)=\dfrac{3}{2}-1+C=0$ ∴ $C=-\dfrac{1}{2}$

즉 $f(x)=\dfrac{3}{2}x^2-x-\dfrac{1}{2}$

| 4단계 | 방정식 $f(x)=0$의 해를 구한다. | ◀ 20% |

방정식 $f(x)=\dfrac{3}{2}x^2-x-\dfrac{1}{2}=0$

$3x^2-2x-1=0$에서 $(3x+1)(x-1)=0$

따라서 $x=-\dfrac{1}{3}$ 또는 $x=1$

내/신/연/계 출제문항 458

다항함수 $f(x)$와 그 도함수 $f'(x)$에 대하여

$$\lim_{x \to \infty}\dfrac{f'(x)}{x}=2, \ \lim_{x \to 3}\dfrac{f(x)}{x-3}=2$$

가 성립할 때, 방정식 $f(x)=0$의 모든 근의 합은?

① 2 　　　② 3 　　　③ 4
④ 5 　　　⑤ 6

STEP Ⓐ 도함수 $f'(x)$의 식 작성하기

$\lim\limits_{x \to \infty}\dfrac{f'(x)}{x}=2$에서 $f'(x)$는 일차항의 계수가 2인 일차함수이므로
$f'(x)=2x+k$ (k는 상수)로 놓을 수 있다.

$\lim\limits_{x \to 3}\dfrac{f(x)}{x-3}=2$에서

$x \to 3$일 때, (분모)→ 0이고 극한값이 존재하므로 (분자)→ 0이어야 한다.

즉 $\lim\limits_{x \to 3}f(x)=0$이므로 $f(3)=0$

또한, $\lim\limits_{x \to 3}\dfrac{f(x)}{x-3}=\lim\limits_{x \to 3}\dfrac{f(x)-f(3)}{x-3}=f'(3)=2$이므로

$f'(3)=6+k=2$에서 $k=-4$ ∴ $f'(x)=2x-4$

STEP Ⓑ $f'(x)$의 부정적분을 구하고 함수 $f(x)$의 식 작성하기

$f(x)=\displaystyle\int f'(x)dx=\int (2x-4)dx=x^2-4x+C$ (C는 적분상수)

이때 $f(3)=0$에서 $f(3)=9-12+C=0$ ∴ $C=3$

∴ $f(x)=x^2-4x+3$

STEP Ⓒ 모든 근의 합 구하기

방정식 $f(x)=(x-1)(x-3)=0$

따라서 $x=1$ 또는 $x=3$이므로 두 근의 합은 4이다.

정답 ③

1100

정답 해설참조

| 1단계 | 함수 $f(x)$가 $x=-1$에서 극소임을 이용하여 a를 구한다. | ◀ 30% |

$f(x)$가 $x=-1$에서 극솟값 1을 가지므로 $f'(-1)=0$, $f(-1)=1$

$f(x)=\displaystyle\int (3x^2+ax+9)dx$에서 양변을 x로 미분하면

$f'(x)=3x^2+ax+9$이므로 $f'(-1)=3-a+9=0$

∴ $a=12$

| 2단계 | 함수 $f(x)$의 부정적분과 함수 $f(x)$의 극솟값이 1임을 이용하여 삼차함수 $f(x)$을 구한다. | ◀ 30% |

$f(x)=\displaystyle\int (3x^2+12x+9)dx=x^3+6x^2+9x+C$ (단, C는 적분상수)

이므로 $f(-1)=-1+6-9+C=1$ ∴ $C=5$

즉 $f(x)=x^3+6x^2+9x+5$

| 3단계 | 함수 $f(x)$의 증가와 감소를 표로 나타내어 극댓값을 구한다. | ◀ 40% |

이때 $f'(x)=3x^2+12x+9=3(x+1)(x+3)$이므로

$f'(x)=0$에서 $x=-3$ 또는 $x=-1$

함수 $f(x)$의 증가와 감소를 표로 나타내면 다음과 같다.

x	$\cdots$	-3	$\cdots$	-1	$\cdots$
$f'(x)$	$+$	0	$-$	0	$+$
$f(x)$	↗	극대	↘	극소	↗

따라서 $f(x)$는 $x=-3$에서 극대이고 극댓값은
$f(-3)=-27+54-27+5=5$

1101

정답 해설참조

| 1단계 | 부정적분을 이용하여 이차함수 $f(x)$를 구한다. | ◀ 30% |

$f(x)=\displaystyle\int f'(x)dx=x^2-ax+C$ (단, C는 적분상수)

$f(0)=\dfrac{a^2}{4}$이므로 $C=\dfrac{a^2}{4}$ ∴ $f(x)=x^2-ax+\dfrac{a^2}{4}$

| 2단계 | $y=xf(x)$의 증가와 감소를 표로 나타낸다. | ◀ 40% |

$y=xf(x)=x^3-ax^2+\dfrac{a^2}{4}x$

$y'=3x^2-2ax+\dfrac{a^2}{4}=0$에서 $12x^2-8ax+a^2=0$, $(6x-a)(2x-a)=0$

$y'=0$에서 $x=\dfrac{a}{6}$ 또는 $x=\dfrac{a}{2}$

$y=xf(x)$의 증가와 감소를 표로 나타내면 다음과 같다.

x	$\cdots$	$\dfrac{a}{6}$	$\cdots$	$\dfrac{a}{2}$	$\cdots$
y'	$+$	0	$-$	0	$+$
y	↗	극대	↘	극소	↗

| 3단계 | $y=xf(x)$의 극댓값은 4일 때, 양수 a의 값을 구한다. | ◀ 30% |

함수 $y=xf(x)$는 $x=\dfrac{a}{6}$에서 극대이고 극댓값은 4이므로

$\left(\dfrac{a}{6}\right)^3-a\left(\dfrac{a}{6}\right)^2+\dfrac{a^2}{4}\left(\dfrac{a}{6}\right)=4$

$a^3-6a^3+9a^3=864$, $a^3=216$

따라서 $a=6$

양의 실수 a에 대하여 함수 $f(x)$의 도함수 $f'(x)=2x-a$의 부정적분 중에서 완전제곱식이 되는 것을 $f(x)$라고 하자.
함수 $y=xf(x)$의 극댓값이 4일 때, a의 값은?

① 2 ② 3 ③ 4
④ 5 ⑤ 6

STEP Ⓐ $f'(x)$를 적분하고 판별식 $D=0$임을 이용하여 $f(x)$의 함수식 세우기

$f(x)=\displaystyle\int(2x-a)dx=x^2-ax+C$ 가 완전제곱식이 되려면

이차방정식 $x^2-ax+C=0$의 판별식을 D라고 할 때,

$D=0$이어야 하므로 $D=a^2-4C=0$

$\therefore C=\dfrac{a^2}{4}$

즉 $y=xf(x)=x^3-ax^2+\dfrac{a^2}{4}x$

STEP Ⓑ 함수 $f(x)$의 증가와 감소를 표로 나타내기

$y'=3x^2-2ax+\dfrac{a^2}{4}=\dfrac{1}{4}(6x-a)(2x-a)$

$y'=0$에서 $x=\dfrac{a}{6}$ 또는 $x=\dfrac{a}{2}$

함수 $f(x)$의 증가와 감소를 나타내면 다음 표와 같다.

x	$\cdots$	$\dfrac{a}{6}$	$\cdots$	$\dfrac{a}{2}$	$\cdots$
y'	$+$	0	$-$	0	$+$
y	↗	극대	↘	극소	↗

STEP Ⓒ $xf(x)$의 극댓값이 4임을 이용하여 a의 값 구하기

$xf(x)$는 $x=\dfrac{a}{6}$에서 극댓값 4를 가지므로

$\left(\dfrac{a}{6}\right)^3-a\left(\dfrac{a}{6}\right)^2+\dfrac{a^2}{4}\left(\dfrac{a}{6}\right)=4$, $4a^3=864$

따라서 $a^3=216$이므로 $a=6$

정답 ⑤

1102

정답 해설참조

1단계 $f(x)+g(x)$의 값을 구한다. ◀ 40%

$\dfrac{d}{dx}\{f(x)+g(x)\}=2x+3$이므로 $f(x)+g(x)=x^2+3x+C_1$

양변에 $x=0$을 대입하면

$f(0)+g(0)=C_1$ $\therefore C_1=-3$

즉 $f(x)+g(x)=x^2+3x-3$ $\qquad\cdots\cdots$ ㉠

2단계 $f(x)g(x)$의 값을 구한다. ◀ 40%

$\dfrac{d}{dx}\{f(x)g(x)\}=3x^2+8x-1$이므로 $f(x)g(x)=x^3+4x^2-x+C_2$

양변에 $x=0$을 대입하면

$f(0)g(0)=C_2$ $\therefore C_2=-10$

즉 $f(x)g(x)=x^3+4x^2-x-10$

$\qquad\qquad=(x+2)(x^2+2x-5)$ $\qquad\cdots\cdots$ ㉡

3단계 $f(0)=2$, $g(0)=-5$를 만족하는 두 함수 $f(x)$, $g(x)$를 구한다. ◀ 20%

㉠, ㉡에서 두 다항함수는

$\begin{cases} f(x)=x+2 \\ g(x)=x^2+2x-5 \end{cases}$ 또는 $\begin{cases} f(x)=x^2+2x-5 \\ g(x)=x+2 \end{cases}$

따라서 $f(0)=2$, $g(0)=-5$이므로 $f(x)=x+2$, $g(x)=x^2+2x-5$

1103

정답 해설참조

1단계 그래프에서 도함수 $f'(x)$의 식을 이용하여 부정적분 $f(x)$의 식을 작성한다. ◀ 30%

$f'(x)=ax(x-2)\,(a>0)$로 놓으면

$f(x)=\displaystyle\int f'(x)dx=\int ax(x-2)dx$

$\qquad=\displaystyle\int(ax^2-2ax)dx$

$\qquad=\dfrac{a}{3}x^3-ax^2+C$ (단, C는 적분상수)

2단계 함수 $f(x)$의 극댓값이 4, 극솟값이 0임을 이용하여 최고차항의 계수와 적분상수를 구한다. ◀ 50%

$f'(x)=0$에서 $x=0$ 또는 $x=2$

함수 $f(x)$의 증가와 감소를 표로 나타내면 다음과 같다.

x	$\cdots$	0	$\cdots$	2	$\cdots$
$f'(x)$	$+$	0	$-$	0	$+$
$f(x)$	↗	극대	↘	극소	↗

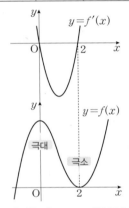

함수 $f(x)$는 $x=0$에서 극댓값을 갖고 $x=2$에서 극솟값을 가지므로

$f(0)=4$, $f(2)=0$

$f(0)=4$에서 $C=4$

$f(2)=0$에서 $-\dfrac{4}{3}a+4=0$, $a=3$

3단계 삼차함수 $f(x)$를 구한다. ◀ 20%

따라서 $a=3$, $C=4$이므로 $f(x)=x^3-3x^2+4$

1104

정답 해설참조

1단계 양변을 x에 대하여 미분하여 $f'(x)$의 함수식을 구한다. ◀ 40%

$F(x)=xf(x)-2x^3+x^2$의 양변을 x에 대하여 미분하면

$f(x)=f(x)+xf'(x)-6x^2+2x$

$\therefore f'(x)=6x-2$

2단계 $f(0)=1$임을 이용하여 함수 $f(x)$의 적분상수를 구한다. ◀ 40%

$f(x)=\displaystyle\int(6x-2)dx=3x^2-2x+C$ (단, C는 적분상수)

이므로 $f(0)=1$에서 $C=1$

3단계 함수 $f(x)$를 구하여 $f(1)$의 값을 구한다. ◀ 20%

따라서 $f(x)=3x^2-2x+1$이므로 $f(1)=3-2+1=2$

1105

 정답 7

STEP Ⓐ **주어진 등식의 양변을 x에 대하여 미분하기**

주어진 등식의 양변을 x에 대하여 미분하면

$\dfrac{d}{dx}\left\{3\int f(x)dx\right\}=\dfrac{d}{dx}\{2f(x)+xf(x)-4x-1\}$

$3f(x)=2f'(x)+f(x)+xf'(x)-4$

$2f(x)=(2+x)f'(x)-4$ …… ㉠

STEP Ⓑ **$f(x)$를 임의로 두고 식에 대입하여 항등식의 성질 이용하기**

이때 $f(x)$는 이차함수이므로

$f(x)=ax^2+bx+c$ (단, a, b, c는 상수 $a\neq0$)

로 놓으면 $f(0)=2$이므로 $c=2$

$f'(x)=2ax+b$

이것을 ㉠에 대입하면 $2(ax^2+bx+2)=(2+x)(2ax+b)-4$

$2ax^2+2bx+4=2ax^2+(4a+b)x+2b-4$

항등식의 계수 비교를 비교하면 $4a+b=2b$, $2b-4=4$

$\therefore a=1$, $b=4$

STEP Ⓒ **$f(1)$의 값 구하기**

따라서 $f(x)=x^2+4x+2$이므로 $f(1)=1+4+2=7$

1106

정답 6

STEP Ⓐ **조건 (가)에서 다항함수 $f(x)$의 결정하기**

조건 (가)에서 다항함수 $f(x)$가 $\lim\limits_{x\to\infty}\dfrac{f(x)}{x^2+2x-1}=2$를 만족하는

$f(x)$는 이차항의 계수가 2인 이차함수이다.

즉 $f(x)=2x^2+ax+b$ (a, b는 상수)라 하자.   …… ㉠

조건 (나) $\lim\limits_{x\to0}\dfrac{f(x)-5}{x}=3$에서

$x\to0$일 때, (분모)$\to0$이고 극한값이 존재하므로 (분자)$\to0$이다.

즉 $\lim\limits_{x\to0}\{f(x)-5\}=f(0)-5=0$이므로 $f(0)=5$

$\therefore \lim\limits_{x\to0}\dfrac{f(x)-5}{x}=\lim\limits_{x\to0}\dfrac{f(x)-f(0)}{x}=f'(0)=3$

㉠에서 $f'(x)=4x+a$이므로 $f(0)=b=5$, $f'(0)=a=3$

$\therefore f(x)=2x^2+3x+5$

STEP Ⓑ **부정적분의 성질을 이용하기**

조건 (다)에서 $f'(x)=g'(x)$이므로

$g(x)=\int g'(x)dx=\int f'(x)dx$ ← $f'(x)=4x+3$

           $=2x^2+3x+C$ (C는 적분상수)

이때 $g(1)=2$이므로 $5+C=2$ $\therefore C=-3$

STEP Ⓒ **$g(-3)$의 값 구하기**

따라서 $g(x)=2x^2+3x-3$이므로 $g(-3)=18-9-3=6$

> **참고** 함수 $h(x)=f(x)-g(x)$라 하면 모든 실수 x에 대하여
> $h'(x)=f'(x)-g'(x)=0$이므로 $h(x)$는 상수함수이다.
> 즉 $f(x)-g(x)=k$ (k는 상수)
> $f(1)-g(1)=10-2=8$이므로 $k=8$
> 따라서 $g(x)=f(x)-k=2x^2+3x-3$이므로 $g(-3)=18-9-3=6$임을
> 알아낼 수도 있다.

1107

정답 $-\dfrac{3}{2}$

STEP Ⓐ **$f(x)$의 함수식을 구하고 $x=0$, 1, 2를 대입하기**

$f(x)=\int\left\{\dfrac{d}{dx}(x^3+2x)\right\}dx=x^3+2x+C$ (단, C는 적분상수)

$f(0)=C$, $f(1)=3+C$, $f(2)=12+C$

STEP Ⓑ **등비중항을 이용하여 C의 값 구하기**

이때 $f(0)$, $f(1)$, $f(2)$가 이 순서대로 등비수열을 이루므로

$(3+C)^2=(12+C)C$ $\therefore C=\dfrac{3}{2}$

STEP Ⓒ **$f(x)$의 최솟값 구하기**

이때 $f(x)=x^3+2x+\dfrac{3}{2}$이고 $f'(x)=3x^2+2>0$이므로 구간 $[-1,\ 1]$에서

$f(x)$는 증가한다.

따라서 최솟값은 $f(-1)=-\dfrac{3}{2}$

1108

정답 28

STEP Ⓐ **$x=y=0$을 대입하여 $f(0)$의 값 구하기**

$f(x+y)=f(x)+f(y)+2xy-1$에서 $x=0$, $y=0$을 대입하면

$f(0)=f(0)+f(0)-1$ $\therefore f(0)=1$

STEP Ⓑ **미분계수의 정의와 적분을 이용하여 $f(x)$의 함수식 세우기**

$f'(x)=\lim\limits_{h\to0}\dfrac{f(x+h)-f(x)}{h}=\lim\limits_{h\to0}\dfrac{f(h)+2xh-1}{h}$

$=\lim\limits_{h\to0}\left\{\dfrac{f(h)-f(0)}{h}+2x\right\}$ ← $f(0)=1$

$=2x+f'(0)$

$\therefore f(x)=\int\{2x+f'(0)\}dx$

$f(x)=x^2+f'(0)x+C=x^2+f'(0)x+1$ ($\because f(0)=1$)

STEP Ⓒ **$f(x)$의 함수식을 극한에 대입하여 $f'(0)$의 값 구하기**

$\lim\limits_{x\to1}\dfrac{f(x)-f'(x)}{x^2-1}=\lim\limits_{x\to1}\dfrac{\{x^2+f'(0)x+1\}-\{2x+f'(0)\}}{x^2-1}$

$=\lim\limits_{x\to1}\dfrac{(x-1)^2+f'(0)(x-1)}{x^2-1}$

$=0+\dfrac{f'(0)}{2}=14$

따라서 $f'(0)=28$

1109

정답 6

STEP Ⓐ **함수 $f(x)$의 증가와 감소를 표로 나타내기**

$f'(x)=3x^2+6x$이므로

$f(x)=\int(3x^2+6x)dx=x^3+3x^2+C$ (C는 적분상수)

$f'(x)=3x(x+2)=0$

$f'(x)=0$에서 $x=-2$ 또는 $x=0$

함수 $f(x)$의 증가와 감소를 표로 나타내면 다음과 같다.

x	$\cdots$	-2	$\cdots$	0	$\cdots$
$f'(x)$	$+$	0	$-$	0	$+$
$f(x)$	↗	극대	↘	극소	↗

함수 $f(x)$는 $x=-2$에서 극대, $x=0$에서 극소이므로

함수 $y=f(x)$의 그래프의 개형은 다음 그림과 같다.

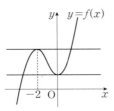

직선 $y=6$이 두 점에서 만날 때, $\alpha\beta<0$를 만족하는 적분상수 C 구하기

이때 직선 $y=6$이 곡선 $y=f(x)$와 두 점 $(\alpha, 6)$, $(\beta, 6)$에서만 만나려면
$f(-2)=6$ 또는 $f(0)=6$이어야 한다.

$\alpha<\beta$라 할 때, $f(-2)=6$이면 $\alpha=-2$, $\beta>0$이므로 $\alpha\beta<0$
$f(0)=6$이면 $\alpha<0$, $\beta=0$이므로 $\alpha\beta=0$ ← $\alpha\beta<0$이므로 모순
따라서 $f(-2)=6$이므로 $f(-2)=-8+12+C=6$에서 $C=2$

STEP C **$f(1)$의 값을 구하기**

따라서 $f(x)=x^3+3x^2+2$이므로 $f(1)=1+3+2=6$

1110

정답 7

STEP A **곱의 미분법을 이용하여 $(x^2-1)f(x)$의 식 구하기**

$g(x)=(x^2-1)f(x)$라 하면 곱의 미분법에 의하여
$g'(x)=2xf(x)+(x^2-1)f'(x)$

$\int\{2xf(x)+(x^2-1)f'(x)\}dx=\int g'(x)dx$
$\qquad\qquad\qquad\qquad =g(x)+C$
$\qquad\qquad\qquad\qquad =(x^2-1)f(x)+C$ (단, C는 적분상수)

이므로 $(x^2-1)f(x)+C=x^4-x^3+x+1$
$x=1$을 대입하면 $C=2$

STEP B **조립제법을 이용하여 인수분해하여 이차함수 $f(x)$ 구하기**

이때 조립제법을 이용하여 인수분해하면
$(x^2-1)f(x)=x^4-x^3+x-1=(x^2-1)(x^2-x+1)$
$f(x)=x^2-x+1=\left(x-\dfrac{1}{2}\right)^2+\dfrac{3}{4}$
따라서 이차함수 $f(x)$의 최솟값은 $\dfrac{3}{4}$이므로 $p+q=3+4=7$

1111

정답 12

STEP A **주어진 조건을 만족하는 다항함수 $f(x)$의 차수 구하기**

$\dfrac{d}{dx}\left\{f(x)+\int xf(x)dx\right\}=x^3+2x^2-x+2$에서
$f'(x)+xf(x)=x^3+2x^2-x+2$ ······ ㉠
다항함수 $f(x)$의 차수를 n이라 하면
좌변의 차수는 $n+1$, 우변의 차수는 3이므로 $n+1=3$ $\therefore n=2$
즉 $f(x)$는 이차함수이므로
$f(x)=ax^2+bx+c$ (a, b, c는 상수, $a\ne0$)로 놓을 수 있다.

STEP B **계수비교를 하여 이차함수 $f(x)$ 구하기**

$f(x)=ax^2+bx+c$에서 $f'(x)=2ax+b$이므로
㉠에 대입하면
$(2ax+b)+x(ax^2+bx+c)=x^3+2x^2-x+2$
$ax^3+bx^2+(2a+c)x+b=x^3+2x^2-x+2$ ······ ㉡
㉡은 x에 대한 항등식이므로 $a=1$, $b=2$, $2a+c=-1$
즉 $a=1$, $b=2$, $c=-3$
따라서 $f(x)=x^2+2x-3$이므로 $f(3)=9+6-3=12$

1112

정답 4

STEP A **(가), (나) 조건을 이용하여 $f(x)$의 함수식 세우기**

조건 (나)에 의하여 $f(x)$는 y축에 대하여 대칭인 이차함수이므로
$f(x)=ax^2+b$ ($a\ne0$, b는 상수)로 놓으면
조건 (가)에서 $f(0)=-2$이므로 $b=-2$
$\therefore f(x)=ax^2-2$

STEP B **$f(x)$의 함수식을 조건 (다)에 대입하여 $f(x)$ 구하기**

$f(x)=ax^2-2$, $f'(x)=2ax$를
조건 (다)에서 $f(f'(x))=f'(f(x))$에 대입하면
$f(f'(x))=f(2ax)=a(2ax)^2-2=4a^3x^2-2$
$f'(f(x))=f'(ax^2-2)=2a(ax^2-2)=2a^2x^2-4a$
이므로 x에 대한 항등식 $4a^3x^2-2=2a^2x^2-4a$에서
$4a^3=2a^2$, $4a=2$ $\therefore a=\dfrac{1}{2}$ ($\because a\ne0$)
$\therefore f(x)=\dfrac{1}{2}x^2-2$

STEP C **$F(x)$가 감소하는 구간의 길이 구하기**

$F(x)=\int f(x)dx$에서 $F'(x)=f(x)$이므로
$f(x)<0$을 만족시키는 x의 값의 범위에서 함수 $F(x)$가 감소한다.
$\dfrac{1}{2}x^2-2<0$에서 $\dfrac{1}{2}(x-2)(x+2)<0$ $\therefore -2<x<2$
따라서 함수 $F(x)$가 감소하는 구간의 길이는 4이다.

1113

정답 64

STEP A **주어진 그래프를 통해 삼차함수 $f(x)$ 구하기**

최고차항의 계수가 1인 삼차함수 $f(x)$에 대하여
방정식 $f(x)=0$의 실근은 $x=0$, $x=\alpha$ (중근)
이므로 $f(x)=x(x-\alpha)^2$ ······ ㉠

STEP B **곱의 미분법 $\{xf(x)\}'=f(x)+xf'(x)$를 이용하여 $g(x)$ 구하기**

조건 (가)에서 $g'(x)=f(x)+xf'(x)=\{xf(x)\}'$이므로
$g(x)=\int\{xf(x)\}'dx$
$\qquad =xf(x)+C$ (단, C는 적분상수) ······ ㉡
㉠을 ㉡에 대입하면 $g(x)=x^2(x-\alpha)^2+C$

STEP C **조건 (나)를 이용하여 α 구하기**

$g'(x)=2x(x-\alpha)^2+2x^2(x-\alpha)=2x(x-\alpha)(2x-\alpha)$
$g'(x)=0$에서 $x=0$ 또는 $x=\dfrac{\alpha}{2}$ 또는 $x=\alpha$일 때,
함수 $g(x)$의 증가와 감소를 표로 나타내면 다음과 같다.

x	$\cdots$	0	$\cdots$	$\dfrac{\alpha}{2}$	$\cdots$	α	$\cdots$
$g'(x)$	$-$	0	$+$	0	$-$	0	$+$
$g(x)$	$\searrow$	극소	$\nearrow$	극대	$\searrow$	극소	$\nearrow$

조건 (나)에서 함수 $g(x)$는
$x=0$, $x=\alpha$에서 극솟값이 0이므로
$g(0)=g(\alpha)=0$
$\therefore g(0)=g(\alpha)=C=0$

$x=\dfrac{\alpha}{2}$에서 극댓값이 81이므로 $g\left(\dfrac{\alpha}{2}\right)=81$
$g\left(\dfrac{\alpha}{2}\right)=\left(\dfrac{\alpha}{2}\right)^2\left(\dfrac{\alpha}{2}-\alpha\right)^2=81$, $\dfrac{1}{16}\alpha^4=81$
$\therefore \alpha=6$ ($\because \alpha>0$)
따라서 $g(x)=x^2(x-6)^2$이므로 $g\left(\dfrac{\alpha}{3}\right)=g(2)=4\cdot16=64$

1114

STEP Ⓐ **함수 $f'(x)$의 그래프와 주어진 조건을 만족하는 $f(x)$ 구하기**

함수 $f'(x)$는 삼차함수이고 $f'(0)=f'(\sqrt{2})=f'(-\sqrt{2})=0$이므로

$$f'(x)=kx(x+\sqrt{2})(x-\sqrt{2})$$
$$=kx(x^2-2)$$
$$=kx^3-2kx \ \text{(단, k는 상수)}$$

로 놓을 수 있다.

$$f(x)=\int f'(x)dx$$
$$=\int (kx^3-2kx)dx$$
$$=\frac{k}{4}x^4-kx^2+C \ \text{(단, C는 적분상수)}$$

이때 $f(0)=1$이므로 $f(0)=C=1$

또, $f(\sqrt{2})=-3$이므로 $f(\sqrt{2})=k-2k+C=-k+1=-3$ $\therefore k=4$

$\therefore f(x)=x^4-4x^2+1$

STEP Ⓑ **함수 $y=f(x)$의 그래프 그리기**

$f'(x)=0$에서 $x=-\sqrt{2}$ 또는 $x=0$ 또는 $x=\sqrt{2}$

함수 $f(x)$의 증가와 감소를 표로 나타내면 다음과 같다.

x	$\cdots$	$-\sqrt{2}$	$\cdots$	0	$\cdots$	$\sqrt{2}$	$\cdots$
$f'(x)$	$-$	0	$+$	0	$-$	0	$+$
$f(x)$	$\searrow$	극소	$\nearrow$	극대	$\searrow$	극소	$\nearrow$

함수 $f(x)$는

$x=-\sqrt{2}$, $x=\sqrt{2}$에서 극소이고 극솟값 $f(-\sqrt{2})=f(\sqrt{2})=-3$

$x=0$에서 극대이고 극댓값 $f(0)=1$

즉 함수 $y=f(x)$의 그래프는 다음 그림과 같다.

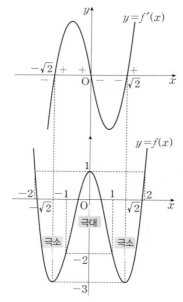

STEP Ⓒ **$f(m)f(m+1)<0$를 만족하는 정수 m 구하기**

$f(-2)=f(2)=1>0$, $f(-1)=f(1)=-2<0$

$f(0)=1>0$이므로

$f(-2)f(-1)=1\times(-2)=-2<0$

$f(-1)f(0)=(-2)\times 1=-2<0$

$f(0)f(1)=1\times(-2)=-2<0$

$f(1)f(2)=(-2)\times 1=-2<0$

따라서 $f(m)f(m+1)<0$을 만족시키는 정수는 -2, -1, 0, 1이므로

모든 정수 m의 값의 합은 $-2-1+0+1=-2$

1115

STEP Ⓐ **$f'(x)$의 부호를 조사하여 $y=f(x)$의 그래프 개형 그리기**

주어진 식에서 $f'(x)=\begin{cases} -1 & (x<-1) \\ x^2 & (-1<x<1) \\ -1 & (x>1) \end{cases}$

함수 $y=f(x)$가 모든 실수에서 연속이므로

$$f(x)=\int f'(x)dx=\begin{cases} -x+C_1 & (x<-1) \\ \frac{1}{3}x^3+C_2 & (-1\le x<1) \ \text{(단, C_1, C_2, C_3은 적분상수)} \\ -x+C_3 & (x\ge 1) \end{cases}$$

즉 도함수 $y=f'(x)$의 그래프와 $f(0)=0$일 때의 연속함수 $y=f(x)$의 그래프의 개형은 다음 그림과 같다.

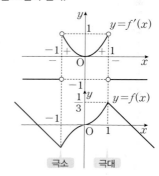

STEP Ⓑ **함수 $y=f(x)$의 그래프의 개형을 이용하여 [보기]의 참, 거짓 판단하기**

ㄱ. $f(x)$는 $x=-1$의 좌우에서 $f'(x)$의 부호가 음에서 양으로 변하므로 함수 $y=f(x)$는 $x=-1$에서 극솟값을 갖는다. [참]

ㄴ. 함수 $f(x)$의 그래프의 개형이 y축에 대하여 대칭이 아니므로 $f(x)=f(-x)$가 성립하지 않는다. [거짓]

ㄷ. $f(0)=C_2=0$이면 $-1\le x<1$에서 $f(x)=\frac{1}{3}x^3$

함수 $y=f(x)$가 $x=1$에서 연속이므로 $\lim\limits_{x\to 1-}f(x)=\lim\limits_{x\to 1+}f(x)=f(1)$

$\therefore f(1)=\lim\limits_{x\to 1}f(x)=\frac{1}{3}>0$

즉 $f(0)=0$이면 $f(1)>0$이다. [참]

따라서 옳은 것은 ㄱ, ㄷ이다.

02 정적분

1116

정답 ③

STEP A 정적분의 성질을 이용하여 구하기

$\int_1^2 \left\{3f(x)+\frac{1}{2}g(x)\right\}dx = 3\int_1^2 f(x)dx + \frac{1}{2}\int_1^2 g(x)dx$

$= 3\times 8 + \frac{1}{2}\times(-6) = 21$

1117

정답 ②

STEP A 정적분의 기본 정리를 이용하여 적분 계산하기

$\int_0^1 (4x^3+ax^2+2)dx = \left[x^4+\frac{a}{3}x^3+2x\right]_0^1 = 3+\frac{a}{3}$

따라서 $3+\dfrac{a}{3}=0$에서 $a=-9$

1118

정답 ②

STEP A 정적분 계산하기

$\int_0^2 (3x^2-2nx+1)dx = \left[x^3-nx^2+x\right]_0^2 = 10-4n$

이므로 $10-4n>-2$ $\therefore n<3$

따라서 자연수 n은 1, 2이므로 개수는 2개이다.

1119

정답 ⑤

STEP A 곱셈공식을 이용하여 식을 정리하고 정적분 계산하기

$\int_0^1 (x+1)(x^2-x+1)dx = \int_0^1 (x^3+1)dx$

$= \left[\frac{1}{4}x^4+x\right]_0^1$

$= \left(\frac{1}{4}+1\right)-(0+0)$

$= \frac{5}{4}$

내/신/연/계/ 출제문항 460

정적분 $\int_1^2 \dfrac{x^3+8}{x+2}dx$의 값은?

① $\dfrac{4}{3}$ ② $\dfrac{8}{3}$ ③ 3

④ $\dfrac{10}{3}$ ⑤ $\dfrac{11}{3}$

STEP A 곱셈공식을 이용하여 식을 정리하고 정적분 계산하기

$\int_1^2 \dfrac{x^3+8}{x+2}dx = \int_1^2 \dfrac{(x+2)(x^2-2x+4)}{x+2}dx$

$= \int_1^2 (x^2-2x+4)dx$

$= \left[\frac{1}{3}x^3-x^2+4x\right]_1^2$

$= \left(\frac{8}{3}-4+8\right)-\left(\frac{1}{3}-1+4\right)$

$= \frac{10}{3}$

정답 ④

1120

정답 ①

STEP A $\int_0^1 f(x)dx=0$에서 a의 값 구하기

$\int_0^1 f(x)dx=0$에서 $\int_0^1 (ax+1)dx = \left[\frac{1}{2}ax^2+x\right]_0^1 = \frac{1}{2}a+1$

$\dfrac{1}{2}a+1=0$이므로 $a=-2$

$\therefore f(x)=-2x+1$

STEP B 주어진 값 구하기

따라서 $\int_0^1 \{f(x)\}^2 dx = \int_0^1 (-2x+1)^2 dx$

$= \int_0^1 (4x^2-4x+1)dx$

$= \left[\frac{4}{3}x^3-2x^2+x\right]_0^1$

$= \frac{4}{3}-2+1$

$= \frac{1}{3}$

1121

정답 ④

STEP A $f'(x)$를 적분하여 $f(x)$의 함수식 구하기

$f(x) = \int f'(x)dx = \int(12x+4)dx = 6x^2+4x+C$

STEP B 정적분의 기본 정리를 이용하여 적분 계산하기

$\int_0^1 f(x)dx = \int_0^1 (6x^2+4x+C)dx$

$= \left[2x^3+2x^2+Cx\right]_0^1$

$= 2+2+C = 3$

$4+C=3$이므로 $C=-1$

따라서 $f(x)=6x^2+4x-1$이므로 $f(-2)=24-8-1=15$

내/신/연/계/ 출제문항 461

함수 $f(x)$가

$f'(x)=6x+2,\ \int_0^1 f(x)dx=4$

를 만족시킬 때, $\int_{-3}^3 f(x)dx$의 값은?

① 12   ② 22   ③ 33

④ 44   ⑤ 66

STEP A $f'(x)$를 적분하여 $f(x)$의 함수식 구하기

$f'(x)=6x+2$에서 $f(x)=3x^2+2x+C$

STEP B 정적분의 기본 정리를 이용하여 정적분 계산하기

$\int_0^1 f(x)dx = \int_0^1 (3x^2+2x+C)dx$

$= \left[x^3+x^2+Cx\right]_0^1$

$= 2+C = 4$

$\therefore C=2$

따라서 $f(x)=3x^2+2x+2$이므로

$\int_{-3}^3 f(x)dx = \int_{-3}^3 (3x^2+2x+2)dx = \left[x^3+x^2+2x\right]_{-3}^3 = 66$

정답 ⑤

1122 정답 ③

STEP Ⓐ **정적분의 기본 정리를 이용하여 정적분 계산하기**

$$\int_0^1 (2x+1)^2 dx = \int_0^1 (4x^2+4x+1)dx$$
$$= \left[\frac{4}{3}x^3+2x^2+x\right]_0^1 = \frac{13}{3} \quad \cdots\cdots \text{㉠}$$

$$\int_0^1 (2x+1)dx = \left[x^2+x\right]_0^1 = 2 \quad \cdots\cdots \text{㉡}$$

㉠, ㉡을 등식 $\int_0^1 \{f(x)\}^2 dx = a\left\{\int_0^1 f(x)dx\right\}^2$ 에 대입하면 $\frac{13}{3}=4a$

따라서 $a=\frac{13}{12}$

1123 정답 ⑤

STEP Ⓐ **정적분의 기본 정리를 이용하여 적분 계산하기**

$$\int_0^1 (9a^2x^2-12ax+5)dx = \left[3a^2x^3-6ax^2+5x\right]_0^1$$
$$= 3a^2-6a+5$$
$$= 3(a-1)^2+2$$

STEP Ⓑ **이차함수의 최소가 되는 m값과 그때의 최솟값 n을 구하기**

주어진 정적분은 $a=1$일 때, 최솟값 2를 가지므로 $m=1$, $n=2$
따라서 $m+n=1+2=3$

내 신 연 계 출제문항 462

정적분 $\int_0^1 (3a^2x^2+4ax-1)dx$의 값이 최소가 되도록 하는 실수 a의 값을 m, 그때의 정적분의 값을 n이라 할 때, $m+n$의 값은?

① -3　　　　② -2　　　　③ -1
④ 0　　　　⑤ 1

STEP Ⓐ **정적분의 기본 정리를 이용하여 적분 계산하기**

$$\int_0^1 (3a^2x^2+4ax-1)dx = \left[a^2x^3+2ax^2-x\right]_0^1$$
$$= a^2+2a-1=(a+1)^2-2$$

STEP Ⓑ **이차함수의 최소가 되는 m값과 그때의 최솟값 n을 구하기**

주어진 정적분은 $a=-1$일 때, 최솟값 -2를 가지므로 $m=-1$, $n=-2$
따라서 $m+n=-1+(-2)=-3$ 정답 ①

1124 정답 ②

STEP Ⓐ **평행이동하여 함수 $f(x)$의 식 구하기**

함수 $y=4x^3-12x^2$의 그래프를 y축의 방향으로 k만큼 평행이동하면
$y-k=4x^3-12x^2$, $y=4x^3-12x^2+k$
$\therefore f(x)=4x^3-12x^2+k$

STEP Ⓑ $\int_0^3 f(x)dx=0$을 **만족하는 k의 값 구하기**

$$\int_0^3 f(x)dx = \int_0^3 (4x^3-12x^2+k)dx$$
$$= \left[x^4-4x^3+kx\right]_0^3$$
$$= 81-108+3k$$
$$= -27+3k$$

따라서 $-27+3k=0$이므로 $k=9$

1125 정답 ⑤

STEP Ⓐ **접선의 기울기를 구하여 $\tan\theta(x)$의 함수식 구하기**

포물선 위의 한 점 P(x, y)에서의 접선의 기울기는 $\frac{dy}{dx}=2x$이고
접선이 x축의 양의 방향과 이루는 각의 크기가 $\theta(x)$이므로
접선의 기울기는 $\tan\theta(x)$
$\therefore \tan\theta(x)=2x$

STEP Ⓑ **정적분의 기본 정리를 이용하여 적분 계산하기**

따라서 $\int_0^1 \tan\theta(x)dx = \int_0^1 2x dx = \left[x^2\right]_0^1 = 1$

1126 정답 ④

STEP Ⓐ **부정적분을 이용하여 $f(x)$ 구하기**

점 (x, y)에서의 접선의 기울기가 $3x^2+8x-2$이므로
$f'(x)=3x^2+8x-2$
$f(x)=\int(3x^2+8x-2)dx=x^3+4x^2-2x+C$

STEP Ⓑ $\int_0^2 f(x)dx=\frac{2}{3}$ **임을 이용하여 C의 값 구하기**

$$\int_0^2 f(x)dx = \int_0^2 (x^3+4x^2-2x+C)dx$$
$$= \left[\frac{1}{4}x^4+\frac{4}{3}x^3-x^2+Cx\right]_0^2$$
$$= \frac{32}{3}+2C$$

이므로 $\frac{32}{3}+2C=\frac{2}{3}$ $\therefore C=-5$

STEP Ⓒ $f(1)$**의 값 구하기**

따라서 $f(x)=x^3+4x^2-2x-5$이므로 $f(1)=1+4-2-5=-2$

내 신 연 계 출제문항 463

함수 $y=f(x)$의 그래프 위의 임의의 점 (x, y)에서의 접선의 기울기가 $6x^2-2x+5$이고 $\int_0^1 f(x)dx=\frac{2}{3}$일 때, $f(2)$의 값은?

① 10　　　　② 15　　　　③ 20
④ 25　　　　⑤ 30

STEP Ⓐ **부정적분을 이용하여 $f(x)$ 구하기**

점 (x, y)에서의 접선의 기울기가 $6x^2-2x+5$이므로
$f'(x)=6x^2-2x+5$
$f(x)=\int(6x^2-2x+5)dx=2x^3-x^2+5x+C$ (C는 적분상수)

STEP Ⓑ $\int_0^1 f(x)dx=\frac{2}{3}$ **임을 이용하여 C의 값 구하기**

이때 $\int_0^1 f(x)dx=\frac{2}{3}$ 이므로

$$\int_0^1 f(x)dx = \int_0^1 (2x^3-x^2+5x+C)dx$$
$$= \left[\frac{1}{2}x^4-\frac{1}{3}x^3+\frac{5}{2}x^2+Cx\right]_0^1$$
$$= C+\frac{8}{3}=\frac{2}{3}$$

$\therefore C=-2$

STEP Ⓒ $f(2)$**의 값 구하기**

따라서 $f(x)=2x^3-x^2+5x-2$이므로 $f(2)=16-4+10-2=20$ 정답 ③

1127

STEP Ⓐ $f(0)=f(2)=f(4)=5$를 만족하는 삼차함수 $f(x)$ 구하기

$f(0)=f(2)=f(4)=5$이고 $f(x)$는 최고차항의 계수가 1인 삼차함수이므로

$f(x)-5=x(x-2)(x-4)=x^3-6x^2+8x$

$\therefore f(x)=x^3-6x^2+8x+5$

STEP Ⓑ 정적분의 기본 정리를 이용하여 적분 계산하기

$$\int_0^2 f(x)dx = \int_0^2 (x^3-6x^2+8x+5)dx = \left[\frac{1}{4}x^4-2x^3+4x^2+5x\right]_0^2$$

$$=4-16+16+10=14$$

내/신/연/계/ 출제문항 464

삼차함수 $f(x)$가

$$f(1)=f(2)=f(3)=6,\ f(0)=0$$

일 때, $\int_1^4 f'(x)dx$의 값은?

① 6 ② 8 ③ 10

④ 12 ⑤ 14

STEP Ⓐ $f(1)=f(2)=f(3)=6$를 만족하는 삼차함수 $f(x)$ 구하기

삼차함수 $f(x)$가 $f(1)=f(2)=f(3)=6$을 만족시키므로

$f(x)-6=a(x-1)(x-2)(x-3)\,(a\neq0)$으로 놓을 수 있다.

$f(x)=a(x-1)(x-2)(x-3)+6$

이때 $f(0)=0$이므로 $-6a+6=0$ $\therefore a=1$

$f(x)=(x-1)(x-2)(x-3)+6$

STEP Ⓑ 정적분의 기본 정리를 이용하여 적분 계산하기

$$\int_1^4 f'(x)dx = \Big[f(x)\Big]_1^4 = f(4)-f(1) = (4-1)(4-2)(4-3)+6-6 = 6$$

정답 ①

1128

정답 ③

STEP Ⓐ 그래프에서 $f(x)-g(x)$의 식 작성하기

두 이차함수 $y=f(x)$, $y=g(x)$의 그래프가

$x=-1$ 또는 $x=3$에서 만나므로

$f(x)-g(x)=a(x+1)(x-3)\,(a\neq0$인 상수)

이때 $f(0)=-2$, $g(0)=4$이므로 $f(0)-g(0)=-3a=-6$ $\therefore a=2$

$f(x)-g(x)=2(x+1)(x-3)=2x^2-4x-6$

STEP Ⓑ 정적분의 기본 정리를 이용하여 적분 계산하기

$$\int_{-1}^2 \{f(x)-g(x)\}dx = \int_{-1}^2 (2x^2-4x-6)dx = \left[\frac{2}{3}x^3-2x^2-6x\right]_{-1}^2 = -18$$

내/신/연/계/ 출제문항 465

이차함수 $y=f(x)$의 그래프와 직선
$y=g(x)$가 오른쪽 그림과 같이 서로
다른 두 점에서 만날 때,
$\int_{-3}^3 f(x)dx - \int_{-3}^3 g(x)dx$의 값은?

① 0 ② 1

③ 2 ④ 3

⑤ 5

STEP Ⓐ 그래프에서 두 함수의 교점을 이용하여 $f(x)-g(x)$식 작성하기

두 그래프 $y=f(x)$, $y=g(x)$의 교점의 x좌표가 -1, 3이므로

$f(x)-g(x)=a(x+1)(x-3)\,(a\neq0)$

그래프에서 $f(0)=0$, $g(0)=2$이므로 $f(0)-g(0)=-3a=-2$

$\therefore a=\frac{2}{3}$

이때 $f(x)-g(x)=\frac{2}{3}(x+1)(x-3)=\frac{2}{3}x^2-\frac{4}{3}x-2$

STEP Ⓑ $\displaystyle\int_a^b f(x)dx \pm \int_a^b g(x)dx = \int_a^b \{f(x)\pm g(x)\}dx$를 이용하여 주어진 값 구하기

$$\int_{-3}^3 f(x)dx - \int_{-3}^3 g(x)dx$$

$$=\int_{-3}^3 \{f(x)-g(x)\}dx$$

$$=\int_{-3}^3 \left(\frac{2}{3}x^2-\frac{4}{3}x-2\right)dx$$

$$=\left[\frac{2}{9}x^3-\frac{2}{3}x^2-2x\right]_{-3}^3$$

$$=\left\{\frac{2}{9}\cdot3^3-\frac{2}{3}\cdot3^2-2\cdot3\right\}-\left\{\frac{2}{9}\cdot(-3)^3-\frac{2}{3}\cdot(-3)^2-2\cdot(-3)\right\}$$

$$=6-6-6-(-6+6+6)$$

$$=0$$

정답 ①

> **참고** $\displaystyle\int_{-3}^3 \left(\frac{2}{3}x^2-\frac{4}{3}x-2\right)dx = 2\int_0^3 \left(\frac{2}{3}x^2-2\right)dx$을 이용하여 계산한다.

1129

정답 ②

STEP Ⓐ 정적분의 기본 정리를 이용하여 적분 계산하기

$f(x)=ax^3+bx+c$에서

조건 (가)에서 $\displaystyle\int_0^2 f(x)dx = \int_0^2 (ax^3+bx+c)dx$

$$=\left[\frac{1}{4}ax^4+\frac{1}{2}bx^2+cx\right]_0^2$$

$$=4a+2b+2c=-1 \qquad \cdots\cdots\ \bigcirc$$

STEP Ⓑ 극한값이 존재할 조건을 이용하여 $f(2)$의 값 구하기

조건 (나)에서 $\displaystyle\lim_{x\to2}\frac{f(x)}{x-2}=1$이므로

$x\to2$일 때, (분모)$\to0$이고 극한값이 존재하므로 (분자)$\to0$이어야 한다.

즉 $\displaystyle\lim_{x\to2}f(x)=0$이므로 $f(2)=0$

$f(2)=8a+2b+c=0 \qquad \cdots\cdots\ \bigcirc\!\!\!\bigcirc$

STEP Ⓒ 미분계수의 정의를 이용하여 $f'(2)$의 값 구하기

미분계수의 정의에 의하여

$$\lim_{x\to2}\frac{f(x)}{x-2}=\lim_{x\to2}\frac{f(x)-f(2)}{x-2}=f'(2)=1$$

이때 $f'(x)=3ax^2+b$이므로 $f'(2)=12a+b=1 \qquad \cdots\cdots\ \bigcirc\!\!\!\bigcirc\!\!\!\bigcirc$

$\bigcirc$, $\bigcirc\!\!\!\bigcirc$, $\bigcirc\!\!\!\bigcirc\!\!\!\bigcirc$을 연립하여 풀면 $a=\frac{1}{12}$, $b=0$, $c=-\frac{2}{3}$

따라서 $a+b+c=\frac{1}{12}+0+\left(-\frac{2}{3}\right)=-\frac{7}{12}$

1130

STEP A 조건을 만족하는 이차함수 $f(x)$의 그래프 그리기

이차함수 $y=f(x)$의 그래프가 x축과 만나는 두 점의 x좌표는

$\alpha<0$, $\beta>0$이고 축의 방정식이 $x=\dfrac{\alpha+\beta}{2}<0\,(\because \alpha+\beta<0)$

STEP B 정적분의 의미를 이해하여 대소관계 구하기

두 조건 (가), (나)에 의하여
함수 $y=f(x)$의 그래프는 오른쪽
그림과 같다.
따라서 $A>B$이고 $C=A+B$이므로
$C>A>B$

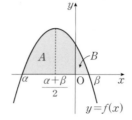

내/신/연/계 출제문항 466

이차함수 $f(x)=(x-\alpha)(x-\beta)$에서 두 상수 α, β가 다음 조건을 만족시킨다.

> (가) $\alpha<0<\beta$
> (나) $\alpha+\beta>0$

이때 세 정적분

$$A=\int_\alpha^0 f(x)dx,\ B=\int_0^\beta f(x)dx,\ C=\int_\alpha^\beta f(x)dx$$

의 값의 대소 관계를 바르게 나타낸 것은?

① $A<B<C$ 　② $A<C<B$ 　③ $B<A<C$
④ $C<A<B$ 　⑤ $C<B<A$

STEP A 두 조건 (가), (나)를 만족하는 이차함수 $f(x)$의 그래프 그리기

이차함수 $f(x)=(x-\alpha)(x-\beta)$의 대칭축은 $x=\dfrac{\alpha+\beta}{2}>0\,(\because \alpha+\beta>0)$

조건 (가)에 의해 $\alpha<0<\beta$이고
조건 (나)인 $\alpha+\beta>0$에 의해 $|\alpha|<|\beta|$이므로 그래프는 다음 그림과 같다.

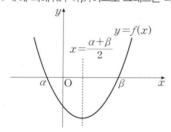

STEP B 정적분의 값 구하기

$\alpha<x<\beta$에서 $f(x)<0$이므로 이용하여 A, B, C의 정적분의 값은 음수이다.

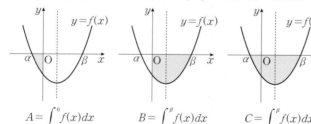

$$A=\int_\alpha^0 f(x)dx \qquad B=\int_0^\beta f(x)dx \qquad C=\int_\alpha^\beta f(x)dx$$

따라서 $C<B<A$

참고

넓이로 정의하면 $\int_\alpha^0 |f(x)|dx<\int_0^\beta |f(x)|dx<\int_\alpha^\beta |f(x)|dx$

1131

STEP A 정적분의 기본 정리를 이용하여 정적분 계산하기

$$\int_0^1 (1+2x+3x^2+\cdots+nx^{n-1})dx=\left[x+x^2+x^3+\cdots+x^n\right]_0^1$$
$$=1+1+1+\cdots+1$$
$$=n$$

따라서 $n=2020$

1132

STEP A 정적분의 기본 정리를 이용하여 적분 계산하기

$$\int_0^1 (1+4x+9x^2+\cdots+n^2x^{n-1})dx=\left[x+2x^2+3x^3+\cdots+nx^n\right]_0^1$$
$$=1+2+3+\cdots+n$$
$$=\frac{n(n+1)}{2}$$

STEP B 자연수 n의 값 구하기

따라서 $\dfrac{n(n+1)}{2}=210$이므로 $n(n+1)=420=20\cdot 21$ $\therefore n=20$

1133

STEP A 정적분의 기본 정리를 이용하여 적분 계산하기

$$\sum_{k=1}^n a_k=\int_0^n (3x^2+2)dx=\left[x^3+2x\right]_0^n=n^3+2n$$

STEP B $a_n=S_n-S_{n-1}$임을 이용하여 일반항 구하기

$S_n=n^3+2n$이므로 ← $S_n=\sum_{k=1}^n a_k$

$$a_n=S_n-S_{n-1}=(n^3+2n)-\{(n-1)^3+2(n-1)\}$$
$$=(n^3+2n)-(n^3-3n^2+5n-3)$$
$$=3n^2-3n+3(n\geq 2)$$

이때 $a_1=S_1=3$

$\therefore a_n=3n^2-3n+3(n\geq 1)$

STEP C $a_{10}-a_1$의 값 구하기

따라서 $a_{10}-a_1=273-3=270$

내/신/연/계 출제문항 467

부등식

$$\int_0^{\frac{1}{2}}\left(\sum_{k=1}^n kx^{k-1}\right)dx\geq \frac{99}{100}$$

을 만족시키는 최소의 자연수 n의 값은?

① 6 　　② 7 　　③ 8
④ 9 　　⑤ 10

STEP A 정적분의 기본 정리를 이용하여 적분 계산하기

$$\int_0^{\frac{1}{2}}\left(\sum_{k=1}^n kx^{k-1}\right)dx=\sum_{k=1}^n \left[x^k\right]_0^{\frac{1}{2}}=\sum_{k=1}^n \left(\frac{1}{2}\right)^k$$
$$=\frac{\frac{1}{2}\left\{1-\left(\frac{1}{2}\right)^n\right\}}{1-\frac{1}{2}}=1-\left(\frac{1}{2}\right)^n$$

STEP B 자연수 n의 최솟값 구하기

즉 $1-\left(\dfrac{1}{2}\right)^n\geq \dfrac{99}{100}$이므로 $\left(\dfrac{1}{2}\right)^n\leq \dfrac{1}{100}$, $2^n\geq 100$

따라서 자연수 n의 최솟값은 7

1134

정답 ③

STEP A 적분구간이 같은 경우 정적분 계산하기

$\displaystyle\int_1^2 (x^4-x^2+2x)dx + \int_1^2 (-t^4+t^2+2t)dt$

$= \displaystyle\int_1^2 (x^4-x^2+2x)dx + \int_1^2 (-x^4+x^2+2x)dx$

$= \displaystyle\int_1^2 \{(x^4-x^2+2x)+(-x^4+x^2+2x)\}dx$

$= \displaystyle\int_1^2 4x\,dx$

$= \Big[2x^2\Big]_1^2$

$= 6$

내/신/연/계/ 출제문항 468

정적분 $\displaystyle\int_0^2 (x+a)^2 dx - \int_0^2 (x-a)^2 dx = 24$을 만족하는 상수 a의 값은?

① 3   ② 4   ③ 5
④ 6   ⑤ 7

STEP A 적분구간이 같은 경우 정적분 계산하기

$\displaystyle\int_0^2 (x+a)^2 dx - \int_0^2 (x-a)^2 dx = \int_0^2 \{(x^2+2ax+a^2)-(x^2-2ax+a^2)\}dx$

$\qquad\qquad\qquad\qquad\qquad\qquad\quad = \displaystyle\int_0^2 4ax\,dx$

$\qquad\qquad\qquad\qquad\qquad\qquad\quad = \Big[2ax^2\Big]_0^2 = 8a$

따라서 $8a=24$이므로 $a=3$

정답 ①

1135

정답 ③

STEP A 적분구간이 같은 경우 정적분 계산하기

$\displaystyle\int_0^1 \frac{x^3}{x-1}dx + \int_1^0 \frac{1}{t-1}dt = \int_0^1 \frac{x^3}{x-1}dx - \int_0^1 \frac{1}{t-1}dt$

$\qquad\qquad\qquad\qquad\qquad = \displaystyle\int_0^1 \frac{x^3}{x-1}dx - \int_0^1 \frac{1}{x-1}dx$

$\qquad\qquad\qquad\qquad\qquad = \displaystyle\int_0^1 \frac{x^3-1}{x-1}dx$

$\qquad\qquad\qquad\qquad\qquad = \displaystyle\int_0^1 \frac{(x-1)(x^2+x+1)}{x-1}dx$

$\qquad\qquad\qquad\qquad\qquad = \displaystyle\int_0^1 (x^2+x+1)dx$

$\qquad\qquad\qquad\qquad\qquad = \Big[\frac{1}{3}x^3 + \frac{1}{2}x^2 + x\Big]_0^1$

$\qquad\qquad\qquad\qquad\qquad = \dfrac{11}{6}$

내/신/연/계/ 출제문항 469

정적분 $\displaystyle\int_1^2 \frac{x^2}{x+1}dx + \int_2^1 \frac{1}{t+1}dt$의 값은?

① $\dfrac{2}{3}$ ② $\dfrac{3}{4}$ ③ $\dfrac{1}{2}$
④ $\dfrac{7}{2}$ ⑤ 3

STEP A 적분구간이 같은 경우 정적분 계산하기

$\displaystyle\int_1^2 \frac{x^2}{x+1}dx + \int_2^1 \frac{1}{t+1}dt = \int_1^2 \frac{x^2}{x+1}dx - \int_1^2 \frac{1}{t+1}dt$

$\qquad\qquad\qquad\qquad\qquad\qquad = \displaystyle\int_1^2 \frac{x^2}{x+1}dx - \int_1^2 \frac{1}{x+1}dx$

$\qquad\qquad\qquad\qquad\qquad\qquad = \displaystyle\int_1^2 \frac{x^2-1}{x+1}dx$

$\qquad\qquad\qquad\qquad\qquad\qquad = \displaystyle\int_1^2 (x-1)dx$

$\qquad\qquad\qquad\qquad\qquad\qquad = \Big[\frac{1}{2}x^2 - x\Big]_1^2 = \dfrac{1}{2}$

정답 ③

1136

정답 ④

STEP A 적분구간이 같은 경우 정적분 계산하기

$\displaystyle\int_{-2}^2 f(x)dx = \frac{1}{2}\Big[\int_{-2}^2 \{f(x)-g(x)\}dx + \int_{-2}^2 \{f(x)+g(x)\}dx\Big]$

$\qquad\qquad\quad = \dfrac{1}{2}(15+5)=10$

$\displaystyle\int_{-2}^2 g(x)dx = -\frac{1}{2}\Big[\int_{-2}^2 \{f(x)-g(x)\}dx - \int_{-2}^2 \{f(x)+g(x)\}dx\Big]$

$\qquad\qquad\quad = -\dfrac{1}{2}(15-5)=-5$

따라서 $\displaystyle\int_{-2}^2 \{3f(x)-2g(x)\}dx = 3\int_{-2}^2 f(x)dx - 2\int_{-2}^2 g(x)dx$

$\qquad\qquad\qquad\qquad\qquad = 3\cdot 10 - 2\cdot(-5)$

$\qquad\qquad\qquad\qquad\qquad = 40$

내/신/연/계/ 출제문항 470

임의의 실수 x에 대하여 연속인 두 함수 $f(x)$, $g(x)$가

$$\int_0^1 \{f(x)+g(x)\}dx=3, \quad \int_0^1 \{f(x)-g(x)\}dx=1$$

을 만족할 때, $\displaystyle\int_0^1 \{3f(x)+2g(x)\}dx$의 값은?

① 6   ② 8   ③ 10
④ 12   ⑤ 14

STEP A 적분구간이 같은 경우 정적분 계산하기

$\displaystyle\int_0^1 f(x)dx=a$, $\displaystyle\int_0^1 g(x)dx=b$로 놓으면

$\displaystyle\int_0^1 \{f(x)+g(x)\}dx = \int_0^1 f(x)dx + \int_0^1 g(x)dx$

$\qquad\qquad\qquad\qquad = a+b=3 \qquad\qquad \cdots\cdots ㉠$

$\displaystyle\int_0^1 \{f(x)-g(x)\}dx = \int_0^1 f(x)dx - \int_0^1 g(x)dx$

$\qquad\qquad\qquad\qquad = a-b=1 \qquad\qquad \cdots\cdots ㉡$

㉠, ㉡을 연립하면 $a=2$, $b=1$

따라서 $\displaystyle\int_0^1 \{3f(x)+2g(x)\}dx = 3\int_0^1 f(x)dx + 2\int_0^1 g(x)dx$

$\qquad\qquad\qquad\qquad = 3\cdot 2 + 2\cdot 1 = 8$

정답 ②

1137

STEP A 지나는 점을 대입하여 식 세우기

조건 (가)에서 $f(1)=4$, $f(2)=8$

조건 (나)에서 $g(1)=1$, $g(2)=4$

STEP B 적분구간이 같은 경우 정적분 계산하기

$$\int_1^2 f'(x)g(x)dx+\int_1^2 f(x)g'(x)dx=\int_1^2 \{f'(x)g(x)+f(x)g'(x)\}dx$$
$$=\int_1^2 \{f(x)g(x)\}'dx$$
$$=\Big[f(x)g(x)\Big]_1^2$$
$$=f(2)g(2)-f(1)g(1)$$
$$=8\cdot4-4\cdot1=28$$

1138

정답 ④

STEP A 정적분의 성질 이해하기

ㄱ. $\int_a^a f(x)dx=0$ [참]

ㄴ. $\int_a^b f(x)dx=-\int_b^a f(x)dx$ [참]

ㄷ. $\int_a^c f(x)dx-\int_c^b f(x)dx=\int_a^c f(x)dx+\int_c^b f(x)dx=\int_a^b f(x)dx$ [참]

ㄹ. 두 정적분에서 피적분함수 $f(x)$, $2f(x)$가 다르므로 성립하지 않는다.

$$\int_a^c f(x)dx+\int_c^b 2f(x)dx\neq\int_a^b 3f(x)dx \text{ [거짓]}$$

따라서 옳은 것은 ㄱ, ㄴ, ㄷ이다.

내/신/연/계/ 출제문항 471

모든 다항함수 $f(x)$에 대하여 옳은 것만을 [보기]에서 있는 대로 고른 것은?

> ㄱ. $\int_0^3 f(x)dx=3\int_0^1 f(x)dx$
>
> ㄴ. $\int_0^1 f(x)dx=\int_0^2 f(x)dx+\int_2^1 f(x)dx$
>
> ㄷ. $\int_0^1 \{f(x)\}^2 dx=\left\{\int_0^1 f(x)dx\right\}^2$

① ㄴ   ② ㄷ   ③ ㄱ, ㄴ
④ ㄱ, ㄷ   ⑤ ㄴ, ㄷ

STEP A 정적분의 성질을 이용하여 [보기]의 참, 거짓의 진위판단하기

ㄱ. **반례** $f(x)=x$라 하면

$$\int_0^3 f(x)dx=\int_0^3 xdx=\Big[\frac{1}{2}x^2\Big]_0^3=\frac{9}{2}$$
$$3\int_0^1 f(x)dx=3\int_0^1 xdx=3\Big[\frac{1}{2}x^2\Big]_0^1=\frac{3}{2}$$
$$\therefore \int_0^3 f(x)dx\neq3\int_0^1 f(x)dx \text{ [거짓]}$$

ㄴ. 함수 $f(x)$의 부정적분을 $F(x)$라 하면

$$\int_0^1 f(x)dx=F(1)-F(0)$$
$$\int_0^2 f(x)dx+\int_2^1 f(x)dx=F(2)-F(0)+F(1)-F(2)=F(1)-F(0)$$

즉 $\int_0^1 f(x)dx=\int_0^2 f(x)dx+\int_2^1 f(x)dx$ [참]

> **참고** $\int_0^2 f(x)dx=\int_0^1 f(x)dx+\int_1^2 f(x)dx$이므로
>
> $\int_0^1 f(x)dx=\int_0^2 f(x)dx-\int_1^2 f(x)dx=\int_0^2 f(x)dx+\int_2^1 f(x)dx$ [참]

ㄷ. **반례** $f(x)=x$로 놓으면

$$\int_0^1 \{f(x)\}^2 dx=\int_0^1 x^2 dx=\Big[\frac{1}{3}x^3\Big]_0^1=\frac{1}{3}$$
$$\left\{\int_0^1 f(x)dx\right\}^2=\left\{\int_0^1 xdx\right\}^2=\left(\Big[\frac{1}{2}x^2\Big]_0^1\right)^2=\frac{1}{4}$$
$$\therefore \int_0^1 \{f(x)\}^2 dx\neq\left\{\int_0^1 f(x)dx\right\}^2 \text{ [거짓]}$$

따라서 옳은 것은 ㄴ이다.

정답 ①

1139

정답 ③

STEP A 피적분함수가 같은 경우 정적분 계산하기

$$\int_{-4}^2 (x^3-3x^2+2x)dx-\int_{-4}^{-1}(x^3-3x^2+2x)dx$$
$$=\int_{-4}^2 (x^3-3x^2+2x)dx+\int_{-1}^{-4}(x^3-3x^2+2x)dx$$
$$=\int_{-1}^2 (x^3-3x^2+2x)dx$$
$$=\Big[\frac{1}{4}x^4-x^3+x^2\Big]_{-1}^2$$
$$=-\frac{9}{4}$$

1140

정답 ②

STEP A 피적분함수가 같은 경우 정적분 계산하기

$$\int_1^2 f(x)dx+\int_{-2}^1 f(x)dx-\int_4^2 f(x)dx$$
$$=\int_{-2}^1 f(x)dx+\int_1^2 f(x)dx+\int_2^4 f(x)dx$$
$$=\int_{-2}^4 f(x)dx$$
$$=\int_{-2}^4 (-3x^2+5x)dx$$
$$=\Big[-x^3+\frac{5}{2}x^2\Big]_{-2}^4$$
$$=-42$$

내/신/연/계/ 출제문항 472

함수 $f(x)=-3x^2+8x$에서

$$\int_1^2 f(x)dx+\int_{-2}^1 f(x)dx-\int_3^2 f(x)dx$$

의 값은?

① -35 ② -25 ③ -15
④ 5 ⑤ 15

STEP A 피적분함수가 같은 경우 정적분 계산하기

$$\int_1^2 f(x)dx+\int_{-2}^1 f(x)dx-\int_3^2 f(x)dx$$
$$=\int_1^2 f(x)dx+\int_{-2}^1 f(x)dx+\int_2^3 f(x)dx$$
$$=\int_{-2}^3 f(x)dx$$
$$=\int_{-2}^3 (-3x^2+8x)dx$$
$$=\Big[-x^3+4x^2\Big]_{-2}^3$$
$$=-15$$

정답 ③

1141

STEP Ⓐ 적분구간이 같은 경우 정적분 계산하기

조건 (가)에서

$$\int_{-2}^{1}(3x^3+x^2)dx+\int_{-2}^{1}(x^3-x^2)dx=\int_{-2}^{1}(3x^3+x^2+x^3-x^2)dx$$
$$=\int_{-2}^{1}4x^3dx$$
$$=\left[x^4\right]_{-2}^{1}$$
$$=-15$$

$\therefore a=-15$

STEP Ⓑ 피적분함수가 같은 경우 정적분 계산하기

조건 (나)에서

$$\int_{-1}^{0}(2x^3-3x^2+x-1)dx+\int_{0}^{1}(2x^3-3x^2+x-1)dx$$
$$=\int_{-1}^{1}(2x^3-3x^2+x-1)dx$$
$$=\left[\frac{1}{2}x^4-x^3+\frac{1}{2}x^2-x\right]_{-1}^{1}$$
$$=-4$$

$\therefore b=-4$

따라서 $ab=-15\cdot(-4)=60$

내/신/연/계/ 출제문항 473

다음 조건을 만족하는 정적분의 값 a, b에 대하여 $a+b$의 값은?

> (가) $a=\int_{2}^{4}(2x^2+3)dx+2\int_{2}^{4}(x-x^2)dx$
>
> (나) $b=\int_{0}^{1}(x^2-2x+3)dx+\int_{1}^{3}(x^2-2x+3)dx$

① 25　　　② 26　　　③ 27
④ 28　　　⑤ 29

STEP Ⓐ 적분구간이 같은 경우 정적분 계산하기

조건 (가)에서

$$a=\int_{2}^{4}(2x^2+3)dx+2\int_{2}^{4}(x-x^2)dx$$
$$=\int_{2}^{4}(2x^2+3+2x-2x^2)dx$$
$$=\int_{2}^{4}(2x+3)dx$$
$$=\left[x^2+3x\right]_{2}^{4}=18$$

STEP Ⓑ 피적분함수가 같은 경우 정적분 계산하기

조건 (나)에서

$$b=\int_{0}^{1}(x^2-2x+3)dx+\int_{1}^{3}(x^2-2x+3)dx$$
$$=\int_{0}^{3}(x^2-2x+3)dx$$
$$=\left[\frac{1}{3}x^3-x^2+3x\right]_{0}^{3}=9$$

따라서 $a+b=18+9=27$

1142

STEP Ⓐ 적분구간이 같은 경우 정적분 계산하기

조건 (가)에서

$$a=\int_{-2}^{1}(x-1)^2dx+\int_{-2}^{1}(2x-1)dx$$
$$=\int_{-2}^{1}\{(x-1)^2+(2x-1)\}dx$$
$$=\int_{-2}^{1}x^2dx$$
$$=\left[\frac{1}{3}x^3\right]_{-2}^{1}$$
$$=\left(\frac{1}{3}\right)-\left(-\frac{8}{3}\right)=3$$

STEP Ⓑ 피적분함수가 같은 경우 정적분 계산하기

조건 (나)에서

$$b=\int_{0}^{2}(3x^2-1)dx+\int_{2}^{3}(3x^2-1)dx$$
$$=\int_{0}^{3}(3x^2-1)dx$$
$$=\left[x^3-x\right]_{0}^{3}$$
$$=27-3=24$$

따라서 $a+b=3+24=27$

1143

STEP Ⓐ 피적분함수가 같은 경우 정적분 계산하기

$\int_{k}^{k+1}f(x)dx=(k+1)^2$에서

$$\int_{0}^{10}f(x)dx=\int_{0}^{1}f(x)dx+\int_{1}^{2}f(x)dx+\cdots+\int_{9}^{10}f(x)dx$$
$$=1^2+2^2+\cdots+10^2=\sum_{k=1}^{10}k^2$$
$$=\frac{10\cdot11\cdot21}{6}=385$$

내/신/연/계/ 출제문항 474

다항함수 $f(x)$가 $k\geq0$인 임의의 정수 k에 대하여

$$\int_{k}^{k+1}f(x)dx=2k+1$$

을 만족할 때, $\int_{0}^{10}f(x)dx$의 값은?

① 55　　　② 100　　　③ 285
④ 385　　　⑤ 710

STEP Ⓐ 피적분함수가 같은 경우 정적분 계산하기

$$\int_{0}^{10}f(x)dx=\int_{0}^{1}f(x)dx+\int_{1}^{2}f(x)dx+\cdots+\int_{9}^{10}f(x)dx$$
$$=1+3+5+\cdots+19=\sum_{k=1}^{10}(2k-1)$$
$$=2\cdot\frac{10\cdot11}{2}-10$$
$$=2\cdot55-10=100$$

1144

STEP A 피적분함수가 같은 경우 정적분 계산하기

$$\int_0^3 (x+1)^2 dx - \int_{-1}^3 (x-1)^2 dx + \int_{-1}^0 (x-1)^2 dx$$

$$= \int_0^3 (x+1)^2 dx - \left\{ \int_{-1}^3 (x-1)^2 dx + \int_0^{-1} (x-1)^2 dx \right\}$$

$$= \int_0^3 (x+1)^2 dx - \int_0^3 (x-1)^2 dx$$

$$= \int_0^3 \{(x+1)^2 - (x-1)^2\} dx$$

$$= \int_0^3 4x\, dx$$

$$= \left[2x^2 \right]_0^3 = 18$$

1145

STEP A 정적분의 성질을 이용하여 주어진 식을 변형하여 계산하기

$$\int_{-1}^0 f(x) dx = \int_{-1}^1 f(x) dx + \int_1^5 f(x) dx + \int_5^0 f(x) dx$$
$$= 3 + 7 - 5 = 5$$

STEP B $\int_{-1}^0 \{f(x) - 3x^2\} dx$의 값 구하기

따라서 $\int_{-1}^0 \{f(x) - 3x^2\} dx = \int_{-1}^0 f(x) dx - \int_{-1}^0 3x^2 dx$

$$= 5 - \left[x^3 \right]_{-1}^0$$

$$= 5 - 1 = 4$$

내/신/연/계 출제문항 475

다항함수 $f(x)$가

$$\int_{-3}^1 f(x) dx = 5, \quad \int_0^5 f(x) dx = 6, \quad \int_1^5 f(x) dx = 8$$

을 만족시킬 때, 정적분 $\int_{-3}^0 \{f(x) - 4x\} dx$의 값은?

① 10   ② 15   ③ 20
④ 25   ⑤ 30

STEP A 피적분함수가 같은 경우 정적분 $\int_{-3}^0 f(x) dx$의 값 구하기

$$\int_{-3}^0 f(x) dx = \int_{-3}^1 f(x) dx + \int_1^5 f(x) dx + \int_5^0 f(x) dx$$

$$= \int_{-3}^1 f(x) dx + \int_1^5 f(x) dx - \int_0^5 f(x) dx$$

$$= 5 + 8 - 6 = 7$$

STEP B $\int_{-3}^0 \{f(x) - 4x\} dx$의 값 구하기

따라서 $\int_{-3}^0 \{f(x) - 4x\} dx = \int_{-3}^0 f(x) dx - \int_{-3}^0 4x\, dx$

$$= 7 - \left[2x^2 \right]_{-3}^0 = 25$$

1146

STEP A 조건 (가)에 의하여 최고차항의 계수가 1인 이차함수 $f(x)$식 작성하기

조건 (가)에 의하여 최고차항의 계수가 1인 이차함수 $f(x)$는
$$f(x) = (x-6)(x-a) = x^2 - (a+6)x + 6a$$

STEP B $\int_a^b f(x) dx = \int_a^c f(x) dx + \int_c^b f(x) dx$임을 이용하여 구하기

이때 조건 (나)에서

$$\int_6^{10} f(x) dx - \int_6^{10} f(x) dx = 0$$

$$\int_6^{10} f(x) dx + \int_{10}^6 f(x) dx = 0$$

$$\therefore \int_0^6 f(x) dx = 0$$

즉 $\int_0^6 f(x) dx = \int_0^6 \{x^2 - (a+6)x + 6a\} dx$

$$= \left[\frac{1}{3} x^3 - \frac{a+6}{2} x^2 + 6ax \right]_0^6$$

$$= 18a - 36 = 0$$

따라서 $a = 2$

1147

STEP A 이차함수 $f(x)$에 대하여 $f(0) = -1$임을 이용하여 식 작성하기

$f(x) = ax^2 + bx + c$ ($a \neq 0$, a, b, c는 상수)로 놓으면

$f(0) = -1$이므로 $c = -1$

$\therefore f(x) = ax^2 + bx - 1$

STEP B $\int_a^b f(x) dx = \int_a^c f(x) dx + \int_c^b f(x) dx$임을 이용하여 식을 변형하여 이차함수 $f(x)$ 구하기

(i) $\int_{-1}^1 f(x) dx = \int_0^1 f(x) dx$에서 정적분의 성질에 의해

$$\int_{-1}^0 f(x) dx + \int_0^1 f(x) dx = \int_0^1 f(x) dx$$

$$\therefore \int_{-1}^0 f(x) dx = 0$$

즉 $\int_{-1}^0 f(x) dx = \int_{-1}^0 (ax^2 + bx - 1) dx$

$$= \left[\frac{a}{3} x^3 + \frac{b}{2} x^2 - x \right]_{-1}^0$$

$$= \frac{a}{3} - \frac{b}{2} - 1 = 0 \qquad \cdots\cdots \ \ \text{㉠}$$

(ii) $\int_{-1}^1 f(x) dx = \int_{-1}^0 f(x) dx$에서 정적분의 성질에 의해

$$\int_{-1}^0 f(x) dx + \int_0^1 f(x) dx = \int_{-1}^0 f(x) dx$$

$$\therefore \int_0^1 f(x) dx = 0$$

즉 $\int_0^1 f(x) dx = \int_0^1 (ax^2 + bx - 1) dx$

$$= \left[\frac{a}{3} x^3 + \frac{b}{2} x^2 - x \right]_0^1$$

$$= \frac{a}{3} + \frac{b}{2} - 1 = 0 \qquad \cdots\cdots \ \ \text{㉡}$$

㉠, ㉡에서 연립하여 풀면 $a = 3$, $b = 0$

따라서 $f(x) = 3x^2 - 1$이므로 $f(2) = 12 - 1 = 11$

다른풀이 정적분의 성질을 이용하여 풀이하기

STEP A 정적분 $\int_{-1}^{1} f(x)dx$의 값 구하기

$\int_{-1}^{1} f(x)dx = \int_{-1}^{0} f(x)dx + \int_{0}^{1} f(x)dx$이므로

$\int_{-1}^{1} f(x)dx = \int_{-1}^{1} f(x)dx + \int_{-1}^{1} f(x)dx$에서

$\int_{-1}^{1} f(x)dx = 0$ ← $\int_{-1}^{1} f(x)dx = \int_{0}^{1} f(x)dx = \int_{-1}^{0} f(x)dx$

STEP B $f(2)$의 값 구하기

이차함수 $f(x)$를 $f(x) = ax^2 + bx + c\,(a \ne 0)$로 놓으면

$f(0) = -1$에서 $c = -1$

이때 $\int_{-1}^{1} f(x)dx = 0$이므로

$\int_{-1}^{1} (ax^2 + bx - 1)dx = 2\int_{0}^{1} (ax^2 - 1)dx = 2\left[\frac{1}{3}ax^3 - x\right]_{0}^{1} = 2\left(\frac{1}{3}a - 1\right) = 0$

$\therefore a = 3$

또한, $\int_{-1}^{1} f(x)dx = \int_{0}^{1} f(x)dx = 0$이므로

$\int_{0}^{1} (3x^2 + bx - 1)dx = \left[x^3 + \frac{1}{2}bx^2 - x\right]_{0}^{1} = 1 + \frac{1}{2}b - 1 = 0$

$\therefore b = 0$

따라서 $f(x) = 3x^2 - 1$이므로 $f(2) = 11$

내/신/연/계 출제문항 **476**

이차함수 $f(x)$가

$$\int_{-3}^{3} f(x)dx = \int_{0}^{3} f(x)dx = \int_{-3}^{0} f(x)dx$$

를 만족시키고 $f(0) = -3$일 때, $f(5)$의 값은?

① 12   ② 16   ③ 18
④ 20   ⑤ 22

STEP A 이차함수 $f(x)$에 대하여 $f(0) = -3$임을 이용하여 식 작성하기

$f(x) = ax^2 + bx + c\,(a \ne 0,\ a,\ b,\ c$는 상수)로 놓으면

$f(0) = -3$에서 $c = -3$이므로 $f(x) = ax^2 + bx - 3$

STEP B $\int_{a}^{b} f(x)dx = \int_{a}^{c} f(x)dx + \int_{c}^{b} f(x)dx$임을 이용하여 식을

         변형하여 이차함수 $f(x)$ 구하기

$\int_{-3}^{3} f(x)dx = \int_{0}^{3} f(x)dx$에서

$\int_{-3}^{0} f(x)dx + \int_{0}^{3} f(x)dx = \int_{0}^{3} f(x)dx$

$\therefore \int_{-3}^{0} f(x)dx = 0$

$\int_{-3}^{0} f(x)dx = \int_{-3}^{0} (ax^2 + bx - 3)dx = \left[\frac{1}{3}ax^3 + \frac{1}{2}bx^2 - 3x\right]_{-3}^{0} = 0$

즉 $9a - \frac{9}{2}b - 9 = 0$ …… ㉠

$\int_{0}^{3} f(x)dx = \int_{-3}^{0} f(x)dx = 0$이므로

$\int_{0}^{3} (ax^2 + bx - 3)dx = \left[\frac{1}{3}ax^3 + \frac{1}{2}bx^2 - 3x\right]_{0}^{3} = 0$

즉 $9a + \frac{9}{2}b - 9 = 0$ …… ㉡

㉠, ㉡을 연립하여 풀면 $a = 1$, $b = 0$

따라서 $f(x) = x^2 - 3$이므로 $f(5) = 22$ **정답** ⑤

1148

정답 ②

STEP A 구간을 나누어 정적분 계산하기

$\int_{0}^{2} f(x)dx = \int_{0}^{1} f(x)dx + \int_{1}^{2} f(x)dx$

$= \int_{0}^{1} (x^2 - 1)dx + \int_{1}^{2} (x - 1)dx$

$= \left[\frac{1}{3}x^3 - x\right]_{0}^{1} + \left[\frac{1}{2}x^2 - x\right]_{1}^{2}$

$= -\frac{2}{3} + \frac{1}{2} = -\frac{1}{6}$

1149

정답 ②

STEP A 구간을 나누어 정적분 계산하기

함수 $y = f(x)$의 그래프에서 $f(x) = \begin{cases} 4 & (x \le 0) \\ -2x + 4 & (x \ge 0) \end{cases}$이므로

$\int_{-3}^{2} f(x)dx = \int_{-3}^{0} 4dx + \int_{0}^{2} (-2x + 4)dx$

$= \left[4x\right]_{-3}^{0} + \left[-x^2 + 4x\right]_{0}^{2}$

$= 12 + 4 = 16$

1150

정답 ①

STEP A 구간을 나누어 정적분 계산하기

함수 $y = f(x)$의 그래프에서 $f(x) = \begin{cases} -x + 1 & (x \le 1) \\ x - 1 & (x > 1) \end{cases}$이므로

$\int_{-1}^{2} (x-1)f(x)dx = \int_{-1}^{1} (x-1)(-x+1)dx + \int_{1}^{2} (x-1)(x-1)dx$

$= \int_{-1}^{1} (-x^2 + 2x - 1)dx + \int_{1}^{2} (x^2 - 2x + 1)dx$

$= \left[-\frac{1}{3}x^3 + x^2 - x\right]_{-1}^{1} + \left[\frac{1}{3}x^3 - x^2 + x\right]_{1}^{2}$

$= -\frac{8}{3} + \frac{1}{3} = -\frac{7}{3}$

내/신/연/계 출제문항 **477**

함수 $y = f(x)$의 그래프가 오른쪽 그림과 같을 때, 정적분 $\int_{-1}^{3} (x+2)f(x)dx$의 값은?

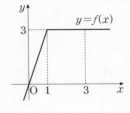

① 23   ② 24
③ 25   ④ 26
⑤ 27

STEP A 구간을 나누어 정적분 계산하기

함수 $y = f(x)$의 그래프에서 $f(x) = \begin{cases} 3x & (x \le 1) \\ 3 & (x > 1) \end{cases}$이므로

$\int_{-1}^{3} (x+2)f(x)dx = \int_{-1}^{1} 3x(x+2)dx + \int_{1}^{3} 3(x+2)$

$= \int_{-1}^{1} (3x^2 + 6x)dx + \int_{1}^{3} (3x + 6)dx$

$= \left[x^3 + 3x^2\right]_{-1}^{1} + \left[\frac{3}{2}x^2 + 6x\right]_{1}^{3}$

$= 2 + 24 = 26$ **정답** ④

정답 ⑤

STEP A 함수 $f(x)$가 $x=1$에서 연속임을 이용하여 $f(x)$ 구하기

$f'(x)=\begin{cases} -2x+3 & (x<1) \\ 1 & (x\geq 1) \end{cases}$ 에서

$f(x)=\begin{cases} -x^2+3x+C_1 & (x<1) \\ x+C_2 & (x\geq 1) \end{cases}$ (단, C_1, C_2는 적분상수)

$f(0)=0$이므로 $C_1=0$

함수 $f(x)$가 연속함수이므로 $x=1$에서 연속이다.

즉 $\lim\limits_{x\to 1^-}f(x)=2$, $\lim\limits_{x\to 1^+}f(x)=1+C_2$이므로 $C_2=1$

$\therefore f(x)=\begin{cases} -x^2+3x & (x<1) \\ x+1 & (x\geq 1) \end{cases}$

STEP B 구간에 따라 다르게 정의된 함수의 정적분의 계산하기

따라서 $\int_0^2 f(x)dx=\int_0^1(-x^2+3x)dx+\int_1^2(x+1)dx$

$=\left[-\dfrac{1}{3}x^3+\dfrac{3}{2}x^2\right]_0^1+\left[\dfrac{1}{2}x^2+x\right]_1^2$

$=\dfrac{11}{3}$

1152

정답 ②

STEP A 함수 $f(x)$가 $x=1$에서 연속임을 이용하여 a의 값 구하기

함수 $f(x)$가 $x=1$에서 연속이므로 $\lim\limits_{x\to 1^-}f(x)=\lim\limits_{x\to 1^+}f(x)=f(1)$

$\lim\limits_{x\to 1^-}ax=\lim\limits_{x\to 1^+}(x^2-2ax+5)=6-2a$

$a=6-2a$에서 $a=2$

즉 $f(x)=\begin{cases} 2x & (x<1) \\ x^2-4x+5 & (x\geq 1) \end{cases}$

STEP B 구간에 따라 다르게 정의된 함수의 정적분의 계산하기

따라서 $\int_0^2 f(x)dx=\int_0^1 2x\,dx+\int_1^2(x^2-4x+5)dx$

$=\left[x^2\right]_0^1+\left[\dfrac{1}{3}x^3-2x^2+5x\right]_1^2=1+\dfrac{4}{3}=\dfrac{7}{3}$

내/신/연/계 출제문항 478

모든 실수 x에서 연속인 함수

$f(x)=\begin{cases} 3x^2-4x+a & (x\leq 1) \\ 2x+3 & (x>1) \end{cases}$

에 대하여 $\int_{-1}^3 f(x)dx=b$일 때, 상수 a, b에 대하여 $b-a$의 값은?

① -10　　　② -1　　　③ 1
④ 6　　　⑤ 22

STEP A $x=1$에서 연속임을 이용하여 a의 값 구하기

함수 $f(x)$가 $x=1$에서 연속이므로 $\lim\limits_{x\to 1^+}f(x)=\lim\limits_{x\to 1^-}f(x)=f(1)$

$\lim\limits_{x\to 1^+}(2x+3)=\lim\limits_{x\to 1^-}(3x^2-4x+a)=-1+a$

$5=-1+a$　$\therefore a=6$

즉 $f(x)=\begin{cases} 3x^2-4x+6 & (x\leq 1) \\ 2x+3 & (x>1) \end{cases}$

STEP B 구간을 나누어 정적분 계산하기

$\int_{-1}^3 f(x)dx=\int_{-1}^1(3x^2-4x+6)dx+\int_1^3(2x+3)dx$

$=\left[x^3-2x^2+6x\right]_{-1}^1+\left[x^2+3x\right]_1^3=28$

따라서 $a=6$, $b=28$이므로 $b-a=22$

정답 ⑤

정답 ②

STEP A $x=-1$에서 연속임을 이용하여 a, b 사이의 관계식 구하기

모든 실수에서 미분가능하므로 함수 $f(x)$가 $x=-1$에서 미분가능해야 한다.

즉 $x=-1$에서 연속이다.

$\lim\limits_{x\to -1^+}f(x)=\lim\limits_{x\to -1^-}f(x)=f(-1)$이므로

$\lim\limits_{x\to -1^+}(ax^3+2x^2-3)=\lim\limits_{x\to -1^-}(x^2+bx)$에서 $-a+2-3=1-b$

$\therefore a-b=-2$ $\quad$ ……㉠

STEP B $x=-1$에서 미분가능임을 이용하여 a, b의 값 구하기

또한, $f'(x)=\begin{cases} 3ax^2+4x & (x>-1) \\ 2x+b & (x<-1) \end{cases}$ 이고

함수 $f(x)$는 $x=-1$에서 미분가능하므로 $3a-4=-2+b$

$\therefore 3a-b=2$ $\quad$ ……㉡

㉠, ㉡을 연립하여 풀면 $a=2$, $b=4$

$\therefore f(x)=\begin{cases} 2x^3+2x^2-3 & (x\geq -1) \\ x^2+4x & (x<-1) \end{cases}$

STEP C 구간을 나누어 정적분 계산하기

$\int_{-2}^2 f(x)dx=\int_{-2}^{-1}(x^2+4x)dx+\int_{-1}^2(2x^3+2x^2-3)dx$

$=\left[\dfrac{1}{3}x^3+2x^2\right]_{-2}^{-1}+\left[\dfrac{1}{2}x^4+\dfrac{2}{3}x^3-3x\right]_{-1}^2$

$=\left(-\dfrac{1}{3}+2\right)-\left(-\dfrac{8}{3}+8\right)+\left(8+\dfrac{16}{3}-6\right)-\left(\dfrac{1}{2}-\dfrac{2}{3}+3\right)=\dfrac{5}{6}$

따라서 $a=2$, $b=4$, $c=\dfrac{5}{6}$이므로 $abc=\dfrac{20}{3}$

내/신/연/계 출제문항 479

실수 전체의 집합에서 미분가능한 함수

$f(x)=\begin{cases} x^2+ax & (x\leq -1) \\ 2x^3+bx^2-3 & (x>-1) \end{cases}$

에 대하여 $\int_{-2}^2 f(x)dx$의 값은? (단, a, b는 상수이다.)

① $-\dfrac{11}{3}$　　　② -3　　　③ -2
④ $\dfrac{5}{6}$　　　⑤ $\dfrac{9}{2}$

STEP A $x=-1$에서 연속임을 이용하여 a, b 사이의 관계식 구하기

$f(x)=\begin{cases} x^2+ax & (x\leq -1) \\ 2x^3+bx^2-3 & (x>-1) \end{cases}$ 에서

함수 $f(x)$는 $x=-1$에서 연속이어야 하므로

$\lim\limits_{x\to -1^+}f(x)=\lim\limits_{x\to -1^-}f(x)=f(-1)$에서 $b-5=-a+1$

$\therefore a+b=6$ $\quad$ ……㉠

STEP B $x=-1$에서 미분가능임을 이용하여 a, b의 값 구하기

또한, $f'(x)=\begin{cases} 2x+a & (x<-1) \\ 6x^2+2bx & (x>-1) \end{cases}$

함수 $f(x)$는 $x=-1$에서 미분가능하므로 $a-2=-2b+6$

$\therefore a+2b=8$ $\quad$ ……㉡

㉠, ㉡을 연립하여 풀면 $a=4$, $b=2$이므로 $f(x)=\begin{cases} x^2+4x & (x\leq -1) \\ 2x^3+2x^2-3 & (x>-1) \end{cases}$

STEP C 구간을 나누어 정적분 계산하기

$\int_{-2}^2 f(x)dx=\int_{-2}^{-1}(x^2+4x)dx+\int_{-1}^2(2x^3+2x^2-3)dx$

$=\left[\dfrac{1}{3}x^3+2x^2\right]_{-2}^{-1}+\left[\dfrac{1}{2}x^4+\dfrac{2}{3}x^3-3x\right]_{-1}^2$

$=\left(-\dfrac{11}{3}\right)+\dfrac{9}{2}=\dfrac{5}{6}$

정답 ④

1154

정답 ①

STEP Ⓐ x값의 범위에 따라 절댓값 풀기

$f(x)=|x^2-x|$라 하면

닫힌구간 $[0, 2]$에서

$f(x)=|x^2-x|=\begin{cases} -x^2+x & (0\le x\le 1) \\ x^2-x & (1<x\le 2) \end{cases}$

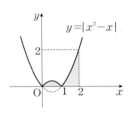

STEP Ⓑ 구간을 나누어 정적분 계산하기

$\displaystyle\int_0^2 |x^2-x|dx = \int_0^1 (-x^2+x)dx + \int_1^2 (x^2-x)dx$

$= \left[-\frac{1}{3}x^3+\frac{1}{2}x^2\right]_0^1 + \left[\frac{1}{3}x^3-\frac{1}{2}x^2\right]_1^2$

$= -\frac{1}{3}+\frac{1}{2}+\left(\frac{8}{3}-2\right)-\left(\frac{1}{3}-\frac{1}{2}\right)$

$= 1$

내/신/연/계 출제문항 480

정적분 $\displaystyle\int_0^2 |-x^2+1|dx$의 값은?

① 2　　　　　② 4　　　　　③ $\frac{14}{3}$

④ 6　　　　　⑤ $\frac{22}{3}$

STEP Ⓐ x값의 범위에 따라 절댓값 풀기

$f(x)=|-x^2+1|$라 하면

닫힌구간 $[0, 2]$에서

$f(x)=|-x^2+1|=\begin{cases} -x^2+1 & (0\le x\le 1) \\ x^2-1 & (1<x\le 2) \end{cases}$

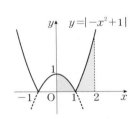

STEP Ⓑ 구간을 나누어 정적분 계산하기

$\displaystyle\int_0^2 |-x^2+1|dx = \int_0^1 (-x^2+1)dx + \int_1^2 (x^2-1)dx$

$= \left[-\frac{1}{3}x^3+x\right]_0^1 + \left[\frac{1}{3}x^3-x\right]_1^2$

$= -\frac{1}{3}+1+\left(\frac{8}{3}-2\right)-\left(\frac{1}{3}-1\right)$

$= 2$

정답 ①

1155

정답 ③

STEP Ⓐ 절댓값 기호를 포함한 정적분 계산하기

$\displaystyle\int_{-3}^2 (2|x|+1)dx = \int_{-3}^0 (-2x+1)dx + \int_0^2 (2x+1)dx$

$= \left[-x^2+x\right]_{-3}^0 + \left[x^2+x\right]_0^2$

$= 18$

내/신/연/계 출제문항 481

정적분 $\displaystyle\int_{-1}^1 |x|(x-1)dx$의 값은?

① -5　　　　② -4　　　　③ -3

④ -2　　　　⑤ -1

STEP Ⓐ 절댓값 기호를 포함한 정적분 계산하기

$\displaystyle\int_{-1}^1 |x|(x-1)dx = \int_{-1}^0 (-x^2+x)dx + \int_0^1 (x^2-x)dx$

$= \left[-\frac{1}{3}x^3+\frac{1}{2}x^2\right]_{-1}^0 + \left[\frac{1}{3}x^3-\frac{1}{2}x^2\right]_0^1$

$= -\frac{5}{6}-\frac{1}{6}=-1$

정답 ⑤

1156

정답 ①

STEP Ⓐ 절댓값 기호 안을 0이 되게 하는 값을 기준으로 구간을 나누어 절댓값 기호를 없애고 정적분을 계산하기

구간 $[0, 2]$에서 $x=1$을 기준으로 적분구간을 나누면

$|x^2(x-1)|=x^2|x-1|=\begin{cases} -x^3+x^2 & (0\le x<1) \\ x^3-x^2 & (1\le x\le 2) \end{cases}$

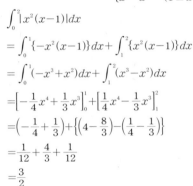
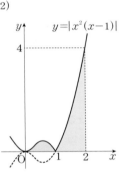

$\displaystyle\int_0^2 |x^2(x-1)|dx$

$= \int_0^1 \{-x^2(x-1)\}dx + \int_1^2 \{x^2(x-1)\}dx$

$= \int_0^1 (-x^3+x^2)dx + \int_1^2 (x^3-x^2)dx$

$= \left[-\frac{1}{4}x^4+\frac{1}{3}x^3\right]_0^1 + \left[\frac{1}{4}x^4-\frac{1}{3}x^3\right]_1^2$

$= \left(-\frac{1}{4}+\frac{1}{3}\right)+\left\{\left(4-\frac{8}{3}\right)-\left(\frac{1}{4}-\frac{1}{3}\right)\right\}$

$= \frac{1}{12}+\frac{4}{3}+\frac{1}{12}$

$= \frac{3}{2}$

1157

정답 ①

STEP Ⓐ x값의 범위에 따라 절댓값 풀기

$|3x^2-6x|=\begin{cases} 3x^2-6x & (x\le 0 \text{ 또는 } x\ge 2) \\ -3x^2+6x & (0<x<2) \end{cases}$

STEP Ⓑ 구간을 나누어 정적분 계산하기

$a>2$이므로

$\displaystyle\int_0^a |3x^2-6x|dx$

$= \int_0^2 (-3x^2+6x)dx + \int_2^a (3x^2-6x)dx$

$= \left[-x^3+3x^2\right]_0^2 + \left[x^3-3x^2\right]_2^a$

$= (-8+12)+(a^3-3a^2)-(8-12)$

$= a^3-3a^2+8$

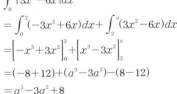
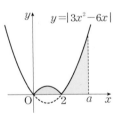

STEP Ⓒ $a^3-3a^2+8=8$을 만족하는 a의 값 구하기

이때 $a^3-3a^2+8=8$에서 $a^2(a-3)=0$

따라서 $a>2$이므로 $a=3$

$\int_0^a |2x^2-4x|dx=16$을 만족시키는 실수 a의 값은? (단, $a>2$)

① 3 ② 4 ③ 5
④ 6 ⑤ 7

STEP Ⓐ x값의 범위에 따라 절댓값 풀기

$|2x^2-4x|=\begin{cases}2x^2-4x & (x\le 0 \text{ 또는 } x\ge 2)\\ -2x^2+4x & (0<x<2)\end{cases}$

STEP Ⓑ 구간을 나누어 정적분 계산하기

$a>2$이므로

$\int_0^a |2x^2-4x|dx$

$=\int_0^2 (-2x^2+4x)dx+\int_2^a (2x^2-4x)dx$

$=\left[-\frac{2}{3}x^3+2x^2\right]_0^2+\left[\frac{2}{3}x^3-2x^2\right]_2^a$

$=\frac{2}{3}a^3-2a^2+\frac{16}{3}$

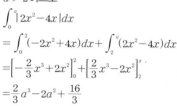

STEP Ⓒ a의 값 구하기

이때 $\int_0^a |2x^2-4x|dx=16$이므로

$\frac{2}{3}a^3-2a^2+\frac{16}{3}=16$, $a^3-3a^2-16=0$에서 $(a-4)(a^2+a+4)=0$

따라서 $a>2$이므로 $a=4$ 〔정답〕②

1158 〔정답〕②

STEP Ⓐ x값의 범위에 따라 $f(x)$의 부호 구하기

$f(x)=|3x^2-2x-1|$라 하면

닫힌구간 $[0,\,a]$에서

$f(x)=|3x^2-2x-1|$

$\quad =\begin{cases}-3x^2+2x+1 & (0\le x\le 1)\\ 3x^2-2x-1 & (1<x\le a)\end{cases}$

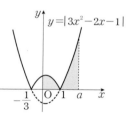

STEP Ⓑ 구간을 나누어 정적분 계산하기

$\int_0^a |f(x)|dx=\int_0^1 (-3x^2+2x+1)dx+\int_1^a (3x^2-2x-1)dx$

$\qquad =\left[-x^3+x^2+x\right]_0^1+\left[x^3-x^2-x\right]_1^a$

$\qquad =a^3-a^2-a+2$

$a^3-a^2-a+2=4$에서 $a^3-a^2-a-2=0$

따라서 $(a-2)(a^2+a+1)=0$이므로 $a=2$

정적분 $\int_0^2 |3x^2-2x-1|dx$의 값은?

① 1 ② 2 ③ 3
④ 4 ⑤ 5

STEP Ⓐ x값의 범위에 따라 절댓값 풀기

$f(x)=|3x^2-2x-1|$라 하면

닫힌구간 $[0,\,2]$에서

$f(x)=|3x^2-2x-1|$

$\quad =\begin{cases}-3x^2+2x+1 & (0\le x\le 1)\\ 3x^2-2x-1 & (1<x\le 2)\end{cases}$

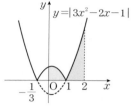

STEP Ⓑ 구간을 나누어 정적분 계산하기

$\int_0^2 |3x^2-2x-1|dx=\int_0^1 (-3x^2+2x+1)dx+\int_1^2 (3x^2-2x-1)dx$

$\qquad =\left[-x^3+x^2+x\right]_0^1+\left[x^3-x^2-x\right]_1^2$

$\qquad =1+3=4$ 〔정답〕④

1159 〔정답〕②

STEP Ⓐ 그래프에서 이차함수 $f(x)$의 식 작성하기

이차함수 $y=f(x)$의 그래프가 두 점 $(-1,\,0)$, $(3,\,0)$을 지나고
아래로 볼록하므로

$f(x)=a(x+1)(x-3)=a(x^2-2x-3)(a>0)$으로 놓을 수 있다.

STEP Ⓑ 구간을 나누어 정적분 계산하기

$\int_{-2}^0 |f(x)|dx=\int_{-2}^{-1} f(x)dx-\int_{-1}^0 f(x)dx$

$\qquad =a\int_{-2}^{-1}(x^2-2x-3)dx-a\int_{-1}^0(x^2-2x-3)dx$

$\qquad =a\left[\frac{1}{3}x^3-x^2-3x\right]_{-2}^{-1}-a\left[\frac{1}{3}x^3-x^2-3x\right]_{-1}^0$

$\qquad =a\left\{\frac{5}{3}-\left(-\frac{2}{3}\right)\right\}-a\left(0-\frac{5}{3}\right)$

$\qquad =4a$

$4a=8$에서 $a=2$

STEP Ⓒ $f(5)$의 값 구하기

따라서 $f(x)=2(x+1)(x-3)$이므로 $f(5)=2\cdot 6\cdot 2=24$

1160 〔정답〕④

STEP Ⓐ 구간을 나누어 정적분 계산하기

$0\le a\le 3$에서 $|x-a|=\begin{cases}-x+a & (0\le x\le a)\\ x-a & (a<x<3)\end{cases}$이므로

$f(a)=\int_0^a (a-x)dx+\int_a^3 (x-a)dx$

$\quad =\left[ax-\frac{1}{2}x^2\right]_0^a+\left[\frac{1}{2}x^2-ax\right]_a^3$

$\quad =a^2-3a+\frac{9}{2}$

$\therefore f(a)=\left(a-\frac{3}{2}\right)^2+\frac{9}{4}$

STEP Ⓑ $f(x)$의 최솟값 구하기

따라서 $0\le a\le 3$에서 $f(a)$가 최솟값을 가지도록 하는 a의 값은 $\frac{3}{2}$

1161

STEP Ⓐ **구간을 나누어 정적분 계산하기**

닫힌구간 $[1, 3]$에서 $f(a)=\begin{cases}-x+a & (1\le x\le a)\\ x-a & (a\le x\le 3)\end{cases}$이므로

$$f(a)=\int_1^3 |x-a|dx=\int_1^a (-x+a)dx+\int_a^3 (x-a)dx$$

$$=\left[-\frac{1}{2}x^2+ax\right]_1^a+\left[\frac{1}{2}x^2-ax\right]_a^3$$

$$=a^2-4a+5=(a-2)^2+1\,(1\le a\le 3)$$

STEP Ⓑ $f(x)$의 최댓값과 최솟값을 구하기

따라서 함수 $y=f(a)$의 그래프는
오른쪽 그림과 같고 $1\le a\le 3$에서
최댓값 2, 최솟값 1을 갖는다.

즉 $M=2$, $m=1$이므로 $M-m=1$

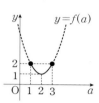

1162

STEP Ⓐ **조건 (가), (나)를 만족하는 미분가능한 함수 $f(x)$의 개형 그리기**

조건 (가)에 의하여 모든 실수 x에
대하여 $f'(x)>0$이므로
함수 $f(x)$는 증가함수이다.

또, $f(2)=0$이므로 $x<2$일 때,
$f(x)<0$이고 $x>2$일 때, $f(x)>0$

STEP Ⓑ $\int_0^4 f(x)dx$의 정적분 값 구하기

$\int_0^2 |f(x)|dx=3$에서 $-\int_0^2 f(x)dx=3$ $\therefore \int_0^2 f(x)dx=-3$

$\int_2^4 |f(x)|dx=13$에서 $\int_2^4 f(x)dx=13$

따라서 $\int_0^4 f(x)dx=\int_0^2 f(x)dx+\int_2^4 f(x)dx=-3+13=10$

내/신/연/계 출제문항 484

미분가능한 함수 $f(x)$가 다음 조건을 만족시킨다.

> (가) $f(1)=0$
> (나) 모든 실수 x에 대하여 $f'(x)<0$이다.
> (다) $\int_{-2}^3 f(x)dx=3$, $\int_{-2}^3 |f(x)|dx=7$

$\int_{-2}^1 f(x)dx$의 값은?

① 1 ② 2 ③ 3
④ 4 ⑤ 5

STEP Ⓐ **조건 (가)를 만족하는 미분가능한 함수 $f(x)$의 개형 그리기**

조건 (나)에 의하여 함수 $f(x)$는
실수 전체의 집합에서 감소한다.
따라서 조건 (가)에 의하여
$x<1$일 때, $f(x)>0$이고
$x>1$일 때, $f(x)<0$이므로

$|f(x)|=\begin{cases}f(x) & (x\le 1)\\ -f(x) & (x>1)\end{cases}$

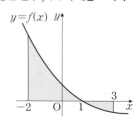

STEP Ⓑ $\int_{-2}^1 f(x)dx$의 정적분 값 구하기

$\int_{-2}^1 f(x)dx=a$, $\int_1^3 f(x)dx=b$라 하면

조건 (다)에서

$$\int_{-2}^3 f(x)dx=\int_{-2}^1 f(x)dx+\int_1^3 f(x)dx$$

$$=a+b=3 \qquad\qquad \cdots\cdots ㉠$$

$$\int_{-2}^3 |f(x)|dx=\int_{-2}^1 f(x)dx+\int_1^3 \{-f(x)\}dx$$

$$=\int_{-2}^1 f(x)dx-\int_1^3 f(x)dx$$

$$=a-b=7 \qquad\qquad \cdots\cdots ㉡$$

㉠, ㉡을 연립하여 풀면 $a=5$, $b=-2$

따라서 $\int_{-2}^1 f(x)dx=a=5$

1163

STEP Ⓐ **정적분의 의미를 이해하여 이차함수 $f(x)$의 식 구하기**

$f(0)=0$이므로 $f(x)=ax^2+bx\,(a, b$는 상수, $a\ne 0)$이라 하면
조건 (가)에 의하여 닫힌구간 $[0, 2]$에서 $f(x)\le 0$이고
조건 (나)에 의하여 닫힌구간 $[2, 3]$에서 $f(x)\ge 0$이므로 $f(2)=0$
이때 $f(2)=4a+2b=0$이므로 $b=-2a$

$\therefore f(x)=ax^2-2ax$

STEP Ⓑ 조건 (가)를 이용하여 $f(x)$의 값 구하기

조건 (가)에서

$$\int_0^2 f(x)dx=\int_0^2 (ax^2-2ax)dx=\left[\frac{a}{3}x^3-ax^2\right]_0^2=\frac{8}{3}a-4a=-\frac{4}{3}a$$

즉 $-\frac{4}{3}a=-4$이므로 $a=3$

$\therefore f(x)=3x^2-6x$

따라서 $f(5)=3\cdot5^2-6\cdot5=75-30=45$

다른풀이 정적분의 성질을 이용하여 풀이하기

STEP Ⓐ **조건을 만족하는 이차함수 $f(x)$의 식 구하기**

조건 (가)에 의하여

$\int_0^2 |f(x)|dx=\int_0^2 \{-f(x)\}dx=4$

이므로 구간 $0\le x\le 2$에서 $f(x)\le 0$
또한, 조건 (나)에 의하여

$\int_2^3 |f(x)|dx=\int_2^3 f(x)dx$이므로
구간 $2\le x\le 3$에서
$f(x)\ge 0$, $f(0)=0$, $f(2)=0$이므로
이차함수 $y=f(x)$의 그래프 개형은
오른쪽 그림과 같다.
즉 양수 a에 대하여 $f(x)=ax(x-2)=ax^2-2ax$라 하자.

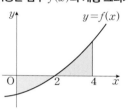

STEP Ⓑ 조건 (가)를 이용하여 $f(5)$의 값 구하기

조건 (가)에서

$$\int_0^2 f(x)dx=\int_0^2 (ax^2-2ax)dx=\left[\frac{a}{3}x^3-ax^2\right]_0^2=\frac{8}{3}a-4a=-\frac{4}{3}a$$

즉 $-\frac{4}{3}a=-4$이므로 $a=3$

따라서 $f(x)=3x^2-6x$이므로 $f(5)=3\cdot5^2-6\cdot5=75-30=45$

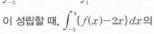

오른쪽 그림과 같이 곡선 $y=f(x)$에 대하여

$$\int_{-3}^{1}|f(x)|dx=3, \int_{1}^{4}|f(x)|dx=2$$

이 성립할 때, $\int_{-3}^{4}\{f(x)-2x\}dx$의 값은?

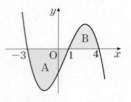

① -10 ② -8 ③ -6
④ -4 ⑤ -2

STEP A   정적분의 기본 정리를 이용하여 적분 계산하기

$$\int_{-3}^{4}\{f(x)-2x\}dx=\int_{-3}^{4}f(x)dx-\int_{-3}^{4}2xdx$$
$$=\int_{-3}^{1}f(x)dx+\int_{1}^{4}f(x)dx-\left[x^2\right]_{-3}^{4}$$
$$=-3+2-7$$
$$=-8$$

정답 ②

1164

정답 ②

STEP A   함수 $f(x)$의 증가와 감소를 표로 나타내기

$f(x)=2x^3-6x-2$에서 $f'(x)=6x^2-6=6(x+1)(x-1)$

$f'(x)=0$에서 $x=-1$ 또는 $x=1$

$f(x)$의 증가와 감소를 표로 나타내면 다음과 같다.

x	$\cdots$	-1	$\cdots$	1	$\cdots$
$f'(x)$	$+$	0	$-$	0	$+$
$f(x)$	↗	2	↘	-6	↗

함수 $y=|f(x)|$의 그래프는 다음 그림과 같다.

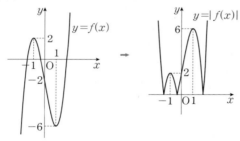

STEP B $-1\le x\le t$에서 $|f(x)|$의 최댓값 $g(t)$ 구하기

$-1\le t\le 0$일 때, $g(t)=f(-1)=2$이고

$0\le t\le 1$일 때, $g(t)=|f(t)|=-2t^3+6t+2$이므로

닫힌구간 $[-1, 1]$에서 다음과 같이 나타낼 수 있다.

$$g(t)=\begin{cases} 2 & (-1\le t\le 0) \\ -2t^3+6t+2 & (0\le t\le 1) \end{cases}$$

STEP C $\int_{-1}^{1}g(t)dt$의 값 구하기

$$\int_{-1}^{1}g(t)dt=\int_{-1}^{0}2dt+\int_{0}^{1}(-2t^3+6t+2)dt$$
$$=\left[2t\right]_{-1}^{0}+\left[-\frac{1}{2}t^4+3t^2+2t\right]_{0}^{1}$$
$$=\frac{13}{2}$$

함수

$$f(x)=x^3-12x-8 \quad (-2\le x\le 2)$$

에 대하여 $-2\le x\le t$에서 $|f(x)|$의 최댓값을 $g(t)$라 할 때,

정적분 $\int_{-2}^{2}g(t)dt$의 값은?

① -52 ② -26 ③ 0
④ 26 ⑤ 52

STEP A   함수 $f(x)$의 증가와 감소를 표로 나타내기

$f'(x)=3x^2-12=3(x+2)(x-2)$

$f'(x)=0$에서 $x=-2$ 또는 $x=2$

$f(x)$의 증가와 감소를 표로 나타내면 다음과 같다.

x	$\cdots$	-2	$\cdots$	2	$\cdots$
$f'(x)$	$+$	0	$-$	0	$+$
$f(x)$	↗	8	↘	-24	↗

즉 함수 $y=f(x)$의 그래프와 함수 $y=|f(x)|$의 그래프는 각각 다음 그림과 같다.

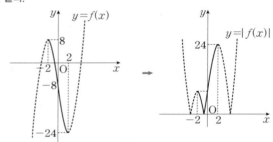

STEP B $-2\le x\le t$에서 $|f(x)|$의 최댓값 $g(t)$ 구하기

$-2\le t\le 0$일 때, $g(t)=f(-2)=8$이고

$0\le t\le 2$일 때, $g(t)=|f(t)|=-t^3+12t+8$이므로

닫힌구간 $[-2, 2]$에서 다음과 같이 나타낼 수 있다.

$$g(t)=\begin{cases} 8 & (-2\le t\le 0) \\ -t^3+12t+8 & (0\le t\le 2) \end{cases}$$

STEP C $\int_{-2}^{2}g(t)dt$의 값 구하기

$$\therefore \int_{-2}^{2}g(t)dt=\int_{-2}^{0}8dt+\int_{0}^{2}(-t^3+12t+8)dt$$
$$=\left[8t\right]_{-2}^{0}+\left[-\frac{1}{4}t^4+6t^2+8t\right]_{0}^{2}$$
$$=16+36=52$$

정답 ⑤

1165

정답 ①

STEP A   함수 $f(x)$의 식 작성하기

주어진 그래프에서 꼭짓점의 좌표는 $(2, 1)$이고 y절편이 3이므로

$$f(x)=\frac{1}{2}(x-2)^2+1=\frac{1}{2}x^2-2x+3$$

STEP B   구간을 나누어 정적분 계산하기

따라서 $f'(x)=x-2$이므로

$$\int_{0}^{4}|f'(x)|dx=\int_{0}^{2}(2-x)dx+\int_{2}^{4}(x-2)dx$$
$$=\left[2x-\frac{1}{2}x^2\right]_{0}^{2}+\left[\frac{1}{2}x^2-2x\right]_{2}^{4}$$
$$=4$$

1166

STEP Ⓐ **함수 $y=f'(x)$의 그래프를 그려 x값의 범위에 따라 $f'(x)$의 부호 구하기**

함수 $f(x)$가 $x=1$에서 극대, $x=3$에서 극소이므로 도함수 $y=f'(x)$의 그래프는 다음 그림과 같다.

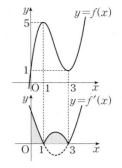

$|f'(x)|=\begin{cases} f'(x) & (0 \le x \le 1) \\ -f'(x) & (1 < x \le 3) \end{cases}$ 이므로

STEP Ⓑ **구간을 나누어 정적분 계산하기**

$$\int_0^3 |f'(x)|dx = \int_0^1 f'(x)dx + \int_1^3 \{-f'(x)\}dx$$
$$= \Big[f(x)\Big]_0^1 + \Big[-f(x)\Big]_1^3$$
$$= \{f(1)-f(0)\} + \{f(1)-f(3)\}$$
$$= (1+3)+(1+3)=8$$

다른풀이 직접 삼차함수 $f(x)$를 구하여 풀이하기

$f'(x)=a(x-1)(x-3)\,(a>0)$라 놓으면

$f'(x)=ax^2-4ax+3a$

$f(x)=\int f'(x)dx$

$\quad = \int (ax^2-4ax+3a)dx$

$\quad = \dfrac{a}{3}x^3-2ax^2+3ax+C$ (단, C는 적분상수)

$f(0)=-3$에서 $C=-3$ ······ ㉠

$f(1)=1$에서 $\dfrac{a}{3}-2a+3a+C=1$

$\therefore \dfrac{4}{3}a+C=1$ ······ ㉡

㉠, ㉡을 연립하여 풀면 $a=3$, $C=-3$

$\therefore f'(x)=3(x-1)(x-3)$

$\displaystyle\int_0^3 |f'(x)|dx = \int_0^3 3|(x-1)(x-3)|dx$

$\quad = 3\int_0^1 (x-1)(x-3)dx - 3\int_1^3 (x-1)(x-3)dx$

$\quad = 3\int_0^1 (x^2-4x+3)dx - 3\int_1^3 (x^2-4x+3)dx$

$\quad = 3\Big[\dfrac{1}{3}x^3-2x^2+3x\Big]_0^1 - 3\Big[\dfrac{1}{3}x^3-2x^2+3x\Big]_1^3$

$\quad = 3\Big(\dfrac{1}{3}-2+3\Big) - 3\Big\{(9-18+9)-\Big(\dfrac{1}{3}-2+3\Big)\Big\}$

$\quad = 8$

오른쪽 그림과 같이 삼차함수 $y=f(x)$가 극댓값 $f(1)=5$와 극솟값 $f(3)=1$을 가지며 $f(0)=1$일 때, $\displaystyle\int_0^3 |f'(x)|dx$의 값은?

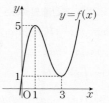

① 8   ② 9
③ 10   ④ 11
⑤ 12

STEP Ⓐ **x의 값의 범위에 따른 $f'(x)$의 부호를 확인하기**

함수 $f(x)$가 $x=1$에서 극대, $x=3$에서 극소이므로 도함수 $y=f'(x)$의 그래프는 오른쪽 그림과 같다.

즉 $|f'(x)|=\begin{cases} f'(x) & (0 \le x \le 1) \\ -f'(x) & (1 \le x \le 3) \end{cases}$

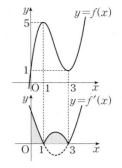

STEP Ⓑ **구간을 나누어 정적분 계산하기**

$$\int_0^3 |f'(x)|dx = \int_0^1 f'(x)dx + \int_1^3 \{-f'(x)\}dx$$
$$= \Big[f(x)\Big]_0^1 - \Big[f(x)\Big]_1^3$$
$$= f(1)-f(0) - \{f(3)-f(1)\}$$
$$= 5-1-(1-5)=8$$

1167

STEP Ⓐ **x의 값의 범위에 따른 $f'(x)$의 부호를 확인하기**

함수 $f(x)$가 $x=1$, $x=2$에서 각각 극댓값, 극솟값을 가지므로 도함수 $y=f'(x)$의 그래프는 다음 그림과 같다.

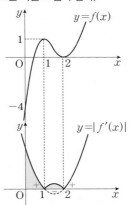

즉 $|f'(x)|=\begin{cases} f'(x) & (0 \le x \le 1) \\ -f'(x) & (1 \le x \le 2) \end{cases}$

STEP Ⓑ **구간을 나누어 정적분 계산하기**

$$\int_0^2 |f'(x)|dx = \int_0^1 f'(x)dx + \int_1^2 \{-f'(x)\}dx$$
$$= \Big[f(x)\Big]_0^1 - \Big[f(x)\Big]_1^2$$
$$= \{f(1)-f(0)\} - \{f(2)-f(1)\}$$
$$= 1-(-4)-(0-1)=6$$

다른풀이 직접 삼차함수 $f(x)$를 구하여 풀이하기

STEP A 조건을 만족하는 이차함수 $f'(x)$ 구하기

$f'(x)=a(x-1)(x-2)(a>0)$라 놓으면

$f'(x)=ax^2-3ax+2a$

$f(x)=\int f'(x)dx$

$\quad=\int(ax^2-3ax+2a)dx$

$\quad=\dfrac{1}{3}ax^3-\dfrac{3}{2}ax^2+2ax+C$ (단, C는 적분상수)

$f(0)=-4$에서 $C=-4$ ...... ㉠

$f(1)=1$에서 $\dfrac{1}{3}a-\dfrac{3}{2}a+2a+C=1$

$\therefore \dfrac{5}{6}a+C=1$ ...... ㉡

㉠, ㉡을 연립하여 풀면 $a=6$, $C=-4$

$\therefore f'(x)=6(x-1)(x-2)$

STEP B $\displaystyle\int_0^2 |f'(x)|dx$의 값 구하기

$\displaystyle\int_0^2 |f'(x)|dx=\int_0^2 6|(x-1)(x-2)|dx$

$\quad=6\int_0^1(x-1)(x-2)dx-6\int_1^2(x-1)(x-2)dx$

$\quad=6\int_0^1(x^2-3x+2)dx-6\int_1^2(x^2-3x+2)dx$

$\quad=6\left[\dfrac{1}{3}x^3-\dfrac{3}{2}x^2+2x\right]_0^1-6\left[\dfrac{1}{3}x^3-\dfrac{3}{2}x^2+2x\right]_1^2$

$\quad=6\left(\dfrac{1}{3}-\dfrac{3}{2}+2\right)-6\left\{\left(\dfrac{8}{3}-6+4\right)-\left(\dfrac{1}{3}-\dfrac{3}{2}+2\right)\right\}$

$\quad=6$

1168

정답 ④

STEP A 그래프에서 $f'(x)$의 함수식을 작성하기

함수 $f(x)$가 $x=-1$, $x=1$에서 극값을 가지므로

$f'(-1)=0$, $f'(1)=0$

$f'(x)=a(x+1)(x-1)(a<0$는 상수)로 놓을 수 있다.

STEP B 극값과 $f(0)=-1$을 이용하여 함수 $f(x)$를 구하기

$f(x)=\int a(x+1)(x-1)dx=a\left(\dfrac{1}{3}x^3-x\right)+C$ (단, C는 적분상수)

$f(0)=-1$에서 $C=-1$

$f(-1)=-3$에서 $\dfrac{2}{3}a-1=-3$ $\therefore a=-3$

$\therefore f(x)=-x^3+3x-1$

STEP C $\displaystyle\int_{-1}^1 f(x)dx$의 값 구하기

$\displaystyle\int_{-1}^1 f(x)dx=\int_{-1}^1(-x^3+3x-1)dx=\left[-\dfrac{1}{4}x^4+\dfrac{3}{2}x^2-x\right]_{-1}^1=-2$

참고 $\displaystyle\int_{-1}^1 f'(x)dx=\left[f(x)\right]_{-1}^1=f(1)-f(-1)=1-(-3)=4$

1169

정답 ⑤

STEP A 정적분의 기본 성질을 이용하여 [보기]의 참, 거짓 판별하기

ㄱ. $\displaystyle\int_0^2 f(x)dx=-\int_2^0 f(x)dx$ [참]

ㄴ. $\displaystyle\int_{-3}^2 f(x)dx=\int_{-3}^0 f(x)dx+\int_0^2 f(x)dx$ [참]

ㄷ. $f(-x)=-f(x)$이면 $\displaystyle\int_{-1}^1 f(x)dx=0$이다. [참]

따라서 옳은 것은 ㄱ, ㄴ, ㄷ이다.

내/신/연/계/ 출제문항 488

모든 실수 x에서 연속인 함수 $f(x)$에 대하여 항상 옳은 것만을 [보기]에서 있는 대로 고른 것은?

> ㄱ. $\displaystyle\int_3^2 f(x)dx+\int_2^3 f(x)dx=0$
>
> ㄴ. $\displaystyle\int_3^5 f(x)dx+\int_7^5 f(x)dx=\int_3^7 f(x)dx$
>
> ㄷ. $\displaystyle\int_{-1}^1(2x^3+x^2)dx=2\int_0^1 x^2 dx$

① ㄱ   ② ㄴ   ③ ㄱ, ㄷ

④ ㄴ, ㄷ   ⑤ ㄱ, ㄴ, ㄷ

STEP A 정적분의 기본 성질을 이용하여 [보기]의 참, 거짓 판별하기

ㄱ. $\displaystyle\int_3^2 f(x)dx+\int_2^3 f(x)dx=\int_3^3 f(x)dx=0$ [참]

ㄴ. $\displaystyle\int_3^5 f(x)dx+\int_7^5 f(x)dx=\int_3^5 f(x)dx-\int_5^7 f(x)dx$

$\displaystyle\int_3^7 f(x)dx=\int_3^5 f(x)dx+\int_5^7 f(x)dx$

즉 $\displaystyle\int_3^5 f(x)dx+\int_7^5 f(x)dx\neq\int_3^7 f(x)dx$ [거짓]

ㄷ. $\displaystyle\int_{-1}^1(2x^3+x^2)dx=2\int_0^1 x^2 dx$ [참]

따라서 옳은 것은 ㄱ, ㄷ이다. 정답 ③

1170

정답 ②

STEP A 우함수, 기함수의 성질을 이용하여 정적분 계산하기

$\displaystyle\int_{-1}^1 f(x)dx=\int_{-1}^1(1+2x+3x^2+\cdots+2020x^{2019})dx$

$\quad=2\int_0^1(1+3x^2+5x^4+\cdots+2019x^{2018})dx$

$\quad=2\left[x+x^3+x^5+\cdots+x^{2019}\right]_0^1$

$\quad=2\cdot1010=2020$

1171

정답 ③

STEP A 피적분함수가 같은 경우 정적분 계산하기

$\displaystyle\int_{-3}^1(x^3+x+1)dx+\int_1^3(x^3+x+1)dx=\int_{-3}^3(x^3+x+1)dx$

$\quad=2\int_0^3 1dx$

$\quad=2\left[x\right]_0^3$

$\quad=6$

1172

STEP A 우함수, 기함수의 성질을 이용하여 정적분 계산하기

$$\int_{-a}^{0}(3x^2+2x)dx+\int_{0}^{a}(3x^2+2x)dx=\int_{-a}^{a}(3x^2+2x)dx$$
$$=2\int_{0}^{a}3x^2dx=2\Big[x^3\Big]_{0}^{a}$$
$$=2a^3=\frac{1}{4}$$

따라서 $a^3=\frac{1}{8}$이므로 $a=\frac{1}{2}$ $\therefore 50a=25$

내/신/연/계 출제문항 489

실수 a에 대하여

$$\int_{-a}^{2}(3x^3+x^2-2x)dx+\int_{2}^{a}(3x^3+x^2-2x)dx=18$$

일 때, a의 값은?

① 2   ② 3   ③ 4
④ 5   ⑤ 6

STEP A 우함수, 기함수의 성질을 이용하여 정적분 계산하기

$$\int_{-a}^{2}(3x^3+x^2-2x)dx+\int_{2}^{a}(3x^3+x^2-2x)dx=18$$
$$\int_{-a}^{a}(3x^3+x^2-2x)dx=2\int_{0}^{a}x^2dx=2\Big[\frac{1}{3}x^3\Big]_{0}^{a}=\frac{2}{3}a^3$$

따라서 $\frac{2}{3}a^3=18$이므로 $a^3=27$ $\therefore a=3$

1173

STEP A 정적분의 성질과 우함수, 기함수의 성질을 이용하여 정적분 계산하기

$$\int_{-2}^{3}(5x^3-3x^2+2)dx+\int_{3}^{1}(5x^3-3x^2+2)dx+\int_{-1}^{-2}(5x^3-3x^2+2)dx$$
$$=\int_{-1}^{1}(5x^3-3x^2+2)dx=2\int_{0}^{1}(-3x^2+2)dx$$
$$=2\Big[-x^3+2x\Big]_{0}^{1}$$
$$=2$$

내/신/연/계 출제문항 490

함수

$$f(x)=4x^3+6x^2+x-1$$

에 대하여 정적분 $\int_{3}^{5}f(x)dx-\int_{1}^{5}f(x)dx-\int_{3}^{-1}f(x)dx$의 값은?

① 1   ② 2   ③ 3
④ 4   ⑤ 5

STEP A 정적분의 성질과 우함수, 기함수의 성질을 이용하여 정적분 계산하기

$$\int_{3}^{5}f(x)dx-\int_{1}^{5}f(x)dx-\int_{3}^{-1}f(x)dx$$
$$=\int_{3}^{5}f(x)dx+\int_{5}^{1}f(x)dx+\int_{-1}^{3}f(x)dx$$
$$=\int_{-1}^{1}f(x)dx=\int_{-1}^{1}(4x^3+6x^2+x-1)dx$$
$$=2\int_{0}^{1}(6x^2-1)dx=2\Big[2x^3-x\Big]_{0}^{1}$$
$$=2$$

1174

STEP A 정적분의 성질과 우함수, 기함수의 성질을 이용하여 정적분 계산하기

$$\int_{-1}^{3}f(x)dx-\int_{0}^{3}f(x)dx+\int_{0}^{1}f(x)dx$$
$$=\int_{-1}^{3}f(x)dx+\int_{3}^{0}f(x)dx+\int_{0}^{1}f(x)dx$$
$$=\int_{-1}^{1}f(x)dx$$
$$=\int_{-1}^{1}(5x^4+x^3+x^2+x+a)dx$$
$$=2\int_{0}^{1}(5x^4+x^2+a)dx$$
$$=2\Big[x^5+\frac{1}{3}x^3+ax\Big]_{0}^{1}$$
$$=2\Big(1+\frac{1}{3}+a\Big)$$

따라서 $2\Big(1+\frac{1}{3}+a\Big)=\frac{2}{3}$이므로 $a=-1$

1175

STEP A 구간을 나누어 정적분 계산하기

$$\int_{-2}^{2}(5x^3+3x^2+2|x|+1)dx$$
$$=\int_{-2}^{0}(5x^3+3x^2-2x+1)dx+\int_{0}^{2}(5x^3+3x^2+2x+1)dx$$
$$=\Big[\frac{5}{4}x^4+x^3-x^2+x\Big]_{-2}^{0}+\Big[\frac{5}{4}x^4+x^3+x^2+x\Big]_{0}^{2}$$
$$=-6+34$$
$$=28$$

다른풀이 우함수, 기함수의 성질을 이용하여 식을 정리하고 정적분 계산하기

$f(-x)=-f(x)$이면 $\int_{-a}^{a}f(x)dx=0$이고

$f(-x)=f(x)$이면 $\int_{-a}^{a}f(x)dx=2\int_{0}^{a}f(x)dx$이므로

$$\int_{-2}^{2}(5x^3+3x^2+2|x|+1)dx=2\int_{0}^{2}(3x^2+2|x|+1)dx$$
$$=2\int_{0}^{2}(3x^2+2x+1)dx$$
$$=2\Big[x^3+x^2+x\Big]_{0}^{2}$$
$$=28$$

1176

STEP A 정적분의 성질과 우함수, 기함수의 성질을 이용하여 정적분 계산하기

$f(x)=ax+b$ ($a\neq 0$, a, b는 상수)라고 하자.

$$\int_{-1}^{1}xf(x)dx=\int_{-1}^{1}(ax^2+bx)dx=\Big[\frac{1}{3}ax^3+\frac{1}{2}bx^2\Big]_{-1}^{1}=\frac{2}{3}a$$

즉 $\frac{2}{3}a=6$이므로 $a=9$

$$\int_{-1}^{1}f(x)dx=\int_{-1}^{1}(ax+b)dx=\Big[\frac{1}{2}ax^2+bx\Big]_{-1}^{1}=2b$$

즉 $2b=-8$이므로 $b=-4$

따라서 $f(x)=9x-4$이므로 $f(3)=23$

일차함수 $f(x)=ax+b$에 대하여

$$\int_{-1}^{1}xf(x)dx=2, \quad \int_{-1}^{1}x^2f(x)dx=6$$

이 성립할 때, $f(1)$의 값은? (단, a, b는 상수이다.)

① 10   ② 12   ③ 14
④ 16   ⑤ 18

STEP Ⓐ 정적분의 성질과 우함수, 기함수의 성질을 이용하여 정적분 계산하기

$$\int_{-1}^{1}xf(x)dx=\int_{-1}^{1}(ax^2+bx)dx=2\int_{0}^{1}ax^2dx=2\left[\frac{a}{3}x^3\right]_0^1=\frac{2}{3}a$$

즉 $\frac{2}{3}a=2$이므로 $a=3$

$$\int_{-1}^{1}x^2f(x)dx=\int_{-1}^{1}(ax^3+bx^2)dx=2\int_{0}^{1}bx^2dx=2\left[\frac{b}{3}x^3\right]_0^1=\frac{2}{3}b$$

즉 $\frac{2}{3}b=6$이므로 $b=9$

따라서 $f(x)=3x+9$이므로 $f(1)=12$ 정답 ②

1177

 정답 ①

STEP Ⓐ 정적분의 성질과 우함수, 기함수의 성질을 이용하여 정적분 계산하기

$$\int_{-1}^{1}f(x)dx=\int_{-1}^{1}(x^2+ax+b)dx=\left[\frac{1}{3}x^3+\frac{1}{2}ax^2+bx\right]_{-1}^{1}=\frac{2}{3}+2b=1$$

이므로 $b=\frac{1}{6}$

$$\int_{-1}^{1}xf(x)dx=\int_{-1}^{1}(x^3+ax^2+bx)dx=\left[\frac{1}{4}x^4+\frac{1}{3}ax^3+\frac{1}{2}bx^2\right]_{-1}^{1}=\frac{2}{3}a=2$$

이므로 $a=3$

따라서 $ab=3\times\frac{1}{6}=\frac{1}{2}$

함수 $f(x)=x^2+ax+b$가

$$\int_{0}^{3}f(x)dx=3, \quad \int_{-1}^{1}f(x)dx=\frac{8}{3}$$

을 만족시킬 때, 상수 a, b에 대하여 $a+b$의 값은?

① -8 ② -6 ③ -4
④ -3 ⑤ -1

STEP Ⓐ 정적분의 성질과 우함수, 기함수의 성질을 이용하여 정적분 계산하기

$$\int_{0}^{3}f(x)dx=\int_{0}^{3}(x^2+ax+b)dx=\left[\frac{1}{3}x^3+\frac{1}{2}ax^2+bx\right]_0^3=9+\frac{9}{2}a+3b$$

$9+\frac{9}{2}a+3b=3$에서 $3a+2b=-4$ ⋯⋯ ㉠

$$\int_{-1}^{1}f(x)dx=\int_{-1}^{1}(x^2+ax+b)dx=\left[\frac{1}{3}x^3+\frac{1}{2}ax^2+bx\right]_{-1}^{1}=\frac{2}{3}+2b$$

$\frac{2}{3}+2b=\frac{8}{3}$이므로 $b=1$

$b=1$을 ㉠에 대입하여 풀면 $a=-2$

따라서 $a=-2$, $b=1$이므로 $a+b=-2+1=-1$ 정답 ⑤

1178

 정답 ④

STEP Ⓐ 아래끝과 위끝의 절댓값이 같고 부호가 다를 때, 우함수, 기함수의 정적분의 성질을 이용하여 정적분 계산하기

$$\int_{-1}^{1}\{f(x)\}^2dx=\int_{-1}^{1}(x+1)^2dx$$

$$=\int_{-1}^{1}(x^2+2x+1)dx$$

$$=2\int_{0}^{1}(x^2+1)dx+\int_{-1}^{1}2xdx$$

$$=2\left[\frac{1}{3}x^3+x\right]_0^1$$

$$=2\left(\frac{1}{3}+1\right)=\frac{8}{3} \qquad \cdots\cdots ㉠$$

$$\int_{-1}^{1}f(x)dx=\int_{-1}^{1}(x+1)dx$$

$$=2\int_{0}^{1}1dx$$

$$=2\left[x\right]_0^1=2 \qquad \cdots\cdots ㉡$$

STEP Ⓑ k의 값 구하기

㉠, ㉡에서 $\int_{-1}^{1}\{f(x)\}^2dx=k\left\{\int_{-1}^{1}f(x)dx\right\}^2$이므로 $\frac{8}{3}=4k$

따라서 $k=\frac{2}{3}$

함수 $f(x)=2x-1$에 대하여

$$\int_{-3}^{3}\{f(x)\}^2dx=a\left\{\int_{-1}^{1}f(x)dx\right\}^2$$

을 만족시킬 때, 상수 a의 값은?

① $\frac{13}{2}$ ② $\frac{27}{2}$ ③ 15
④ $\frac{35}{2}$ ⑤ $\frac{39}{2}$

STEP Ⓐ 정적분의 기본 정리를 이용하여 적분 계산하기

$\int_{-3}^{3}\{f(x)\}^2dx=a\left\{\int_{-1}^{1}f(x)dx\right\}^2$에서

$$\int_{-3}^{3}\{f(x)\}^2dx=\int_{-3}^{3}(2x-1)^2dx$$

$$=\int_{-3}^{3}(4x^2-4x+1)dx$$

$$=2\int_{0}^{3}(4x^2+1)dx$$

$$=2\left[\frac{4}{3}x^3+x\right]_0^3$$

$$=78 \qquad \cdots\cdots ㉠$$

$$\int_{-1}^{1}f(x)dx=\int_{-1}^{1}(2x-1)dx$$

$$=2\int_{0}^{1}(-1)dx$$

$$=2\left[-x\right]_0^1=-2 \qquad \cdots\cdots ㉡$$

STEP Ⓑ a의 값 구하기

㉠, ㉡을 주어진 식에 대입하면 $78=4a$

따라서 $a=\frac{39}{2}$ 정답 ⑤

1179

STEP A **기함수이고 최고차항의 계수가 1인 삼차함수 $f(x)$의 식 작성하기**

최고차항의 계수가 1인 삼차함수 $f(x)$가 모든 실수 x에 대하여
$f(-x)=-f(x)$를 만족시키므로 $f(x)=x^3+ax$ (a는 상수)로 놓을 수 있다.

STEP B **우함수, 기함수의 성질을 이용하여 정적분 계산하기**

$$\int_{-1}^{1}xf(x)dx=\int_{-1}^{1}(x^4+ax^2)dx$$
$$=2\int_{0}^{1}(x^4+ax^2)dx$$
$$=2\left[\frac{1}{5}x^5+\frac{a}{3}x^3\right]_{0}^{1}$$
$$=2\left(\frac{1}{5}+\frac{a}{3}\right)$$

$2\left(\frac{1}{5}+\frac{a}{3}\right)=\frac{12}{5}$에서 $a=3$

STEP C **$\int_{0}^{2}f(x)dx$의 값 구하기**

따라서 $f(x)=x^3+3x$이므로 $\int_{0}^{2}(x^3+3x)dx=\left[\frac{1}{4}x^4+\frac{3}{2}x^2\right]_{0}^{2}=6+4=10$

내/신/연/계/ 출제문항 494

삼차함수 $f(x)$가 모든 실수 x에 대하여 $f(-x)=-f(x)$를 만족시킨다.
$$\int_{-2}^{2}(x+2)f'(x)dx=-12$$
일 때, $f(-2)$의 값은?

① -3 ② -2 ③ -1
④ 1 ⑤ 3

STEP A **기함수이고 최고차항의 계수가 1인 삼차함수 $f(x)$의 식 작성하기**

삼차함수 $f(x)$가 모든 실수 x에 대하여 $f(-x)=-f(x)$를 만족시키므로
$f(x)=ax^3+bx$ ($a\neq0$, b는 상수)로 놓으면

STEP B **우함수, 기함수의 성질을 이용하여 정적분 계산하기**

$f'(x)=3ax^2+b$이고 $xf'(x)=3ax^3+bx$이므로
$$\int_{-2}^{2}(x+2)f'(x)dx=\int_{-2}^{2}xf'(x)dx+\int_{-2}^{2}2f'(x)dx$$
$$=\int_{-2}^{2}(3ax^3+bx)dx+\int_{-2}^{2}2f'(x)dx$$
$$=0+4\int_{0}^{2}f'(x)dx$$
$$=4\Big[f(x)\Big]_{0}^{2}=4\{f(2)-f(0)\} \leftarrow \text{기함수인 삼차함수는 원점을}$$
$$\qquad\qquad\qquad\qquad\qquad\qquad \text{지나므로 } f(0)=0$$
$$=4f(2)$$

STEP C **$f(-x)=-f(x)$을 이용하여 $f(-2)$의 값 구하기**

$4f(2)=-12$에서 $f(2)=-3$
따라서 $f(-2)=-f(2)=3$

1180

STEP A **$x^3f(x)$, $xf(x)$가 우함수, 기함수인지 판별하기**

$f(-x)=f(x)$에서 $f(x)$는 y축에 대하여 대칭이므로
$x^3f(x)$, $xf(x)$는 원점에 대하여 대칭(기함수)이다.

STEP B **우함수, 기함수의 성질을 이용하여 정적분 계산하기**

$$\int_{-1}^{1}(5x^3+x+2)f(x)dx=\int_{-1}^{1}5x^3f(x)dx+\int_{-1}^{1}xf(x)dx+\int_{-1}^{1}2f(x)dx$$
$$=2\int_{-1}^{1}f(x)dx$$
$$=4\int_{0}^{1}f(x)dx$$
$$=4\cdot8=32$$

1181

STEP A **$x^2f(x)$, $xf(x)$가 우함수, 기함수인지 판별하기**

$f(-x)=-f(x)$에서 $f(x)$는 원점에 대하여 대칭이므로
$x^2f(x)$는 원점에 대하여 대칭(기함수)이고
$xf(x)$는 y축에 대하여 대칭(우함수)이다.

STEP B **우함수, 기함수의 성질을 이용하여 정적분 계산하기**

$$\int_{-1}^{1}(2x^2+5x-3)f(x)dx=2\int_{-1}^{1}x^2f(x)dx+5\int_{-1}^{1}xf(x)dx-3\int_{-1}^{1}f(x)dx$$
$$=5\int_{-1}^{1}xf(x)dx$$
$$=5\cdot2\int_{0}^{1}xf(x)dx$$
$$=5\cdot2\cdot2=20$$

내/신/연/계/ 출제문항 495

다항함수 $f(x)$가 모든 실수 x에 대하여
$$f(-x)=-f(x), \int_{0}^{2}xf(x)dx=5$$
를 만족시킬 때, 정적분 $\int_{-2}^{2}(2x^4+3x-5)f(x)dx$를 구하면?

① 10 ② 15 ③ 20
④ 25 ⑤ 30

STEP A **$x^4f(x)$, $xf(x)$가 우함수, 기함수인지 판별하기**

$f(-x)=-f(x)$에서 $f(x)$는 원점에 대하여 대칭이므로
$x^4f(x)$는 원점에 대하여 대칭(기함수)이고
$xf(x)$는 y축에 대하여 대칭(우함수)이다.

STEP B **우함수, 기함수의 성질을 이용하여 정적분 계산하기**

$$\int_{-2}^{2}(2x^4+3x-5)f(x)dx=\int_{-2}^{2}2x^4f(x)dx+\int_{-2}^{2}3xf(x)dx-\int_{-2}^{2}5f(x)dx$$
$$=3\int_{-2}^{2}xf(x)dx$$
$$=6\int_{0}^{2}xf(x)dx$$
$$=6\cdot5=30$$

1182

STEP Ⓐ 정적분의 성질을 이용하여 주어진 식 변형하기

$$\int_{-2}^{2}(x-3)f(x)dx = \int_{-2}^{2}xf(x)dx - 3\int_{-2}^{2}f(x)dx$$

STEP Ⓑ 우함수의 성질을 이용하여 정적분 계산하기

조건 (가), (나)에서

함수 $y=f(x)$의 그래프는 y축에 대하여 대칭(우함수)이므로

$$\int_{-2}^{2}f(x)dx = 2\int_{0}^{2}f(x)dx = -8$$

STEP Ⓒ 기함수의 성질을 이용하여 정적분 계산하기

한편 $g(x)=xf(x)$로 놓으면

$g(-x)=-xf(-x)=-xf(x)=-g(x)$

이므로 $xf(x)$는 원점에 대하여 대칭(기함수)이다.

$$\therefore \int_{-2}^{2}xf(x)dx = \int_{-2}^{2}g(x)dx = 0$$

따라서 $\int_{-2}^{2}(x-3)f(x) = 0 - 3\cdot(-8) = 24$

내/신/연/계 출제문항 496

모든 실수에서 연속인 함수 $f(x)$가 다음 조건을 모두 만족시킬 때, 정적분

$$\int_{-2}^{2}(x-2)f(x)dx$$

의 값은?

(가) 모든 실수 x에 대하여 $f(-x)=f(x)$이다.

(나) $\int_{0}^{2}f(x)dx = 5$

① -35 ② -30 ③ -25
④ -20 ⑤ -15

STEP Ⓐ 정적분의 성질을 이용하여 주어진 식 변형하기

$$\int_{-2}^{2}(x-2)f(x)dx = \int_{-2}^{2}xf(x)dx - 2\int_{-2}^{2}f(x)dx$$

STEP Ⓑ 우함수의 성질을 이용하여 정적분 계산하기

조건 (가), (나)에서

함수 $y=f(x)$의 그래프는 y축에 대하여 대칭(우함수)이므로

$$\int_{-2}^{2}f(x)dx = 2\int_{0}^{2}f(x)dx = 10$$

STEP Ⓒ 기함수의 성질을 이용하여 정적분 계산하기

$h(x)=xf(x)$라고 하면

$h(-x)=-xf(-x)=-xf(x)=-h(x)$이므로

$xf(x)$는 원점에 대하여 대칭(기함수)이다.

$$\therefore \int_{-2}^{2}h(x)dx = \int_{-2}^{2}xf(x)dx = 0$$

따라서 $\int_{-2}^{2}(x-2)f(x)dx = 0 - 2\int_{-2}^{2}f(x)dx = -2\cdot 10 = -20$

1183

STEP Ⓐ $f(x)$가 우함수임을 이용하여 $\int_{0}^{6}f(x)dx$의 값 구하기

조건 (가)에서 함수 $f(x)$는 y축에 대하여 대칭(우함수)이고

조건 (나)에서 $\int_{-6}^{3}f(x)dx = 16$, $\int_{3}^{6}f(x)dx = 4$이므로

$$\int_{-6}^{6}f(x)dx = \int_{-6}^{3}f(x)dx + \int_{3}^{6}f(x)dx = 16+4 = 20$$

즉 $2\int_{0}^{6}f(x)dx = 20$이므로 $\int_{0}^{6}f(x)dx = 10$

STEP Ⓑ $\int_{0}^{3}f(x)dx$의 값 구하기

$$\int_{0}^{6}f(x)dx = \int_{0}^{3}f(x)dx + \int_{3}^{6}f(x)dx = 10$$

따라서 $\int_{3}^{6}f(x)dx = 4$이므로 $\int_{0}^{3}f(x)dx = 6$

내/신/연/계 출제문항 497

함수 $f(x)$가 다음 두 조건을 모두 만족할 때, $\int_{0}^{4}f(x)dx$의 값은?

(가) 모든 실수 x에 대하여 $f(-x)=-f(x)$이다.
(나) $\int_{-2}^{4}f(x)dx = 4$, $\int_{0}^{2}f(x)dx = -6$

① -4 ② -2 ③ 1
④ 2 ⑤ 4

STEP Ⓐ 우함수, 기함수의 성질을 이용하여 주어진 식 변형하기

조건 (가)에서 함수 $f(x)$는 원점에 대하여 대칭(기함수)이므로

$$\int_{-2}^{2}f(x)dx = 0$$

조건 (나)에서 $\int_{-2}^{4}f(x)dx = \int_{-2}^{2}f(x)dx + \int_{2}^{4}f(x)dx = 4$이므로

$$\int_{2}^{4}f(x)dx = 4$$

STEP Ⓑ $\int_{0}^{4}f(x)dx$의 값 구하기

조건 (나)에서 $\int_{0}^{2}f(x)dx = -6$이므로

$$\int_{0}^{4}f(x)dx = \int_{0}^{2}f(x)dx + \int_{2}^{4}f(x)dx = -6+4 = -2$$

1184

STEP Ⓐ 우함수, 기함수의 성질을 이용하여 주어진 식 변형하기

함수 $y=f(x)$의 그래프가 y축에 대하여 대칭이므로 $f(-x)=f(x)$

$x^2f(x)$는 y축에 대하여 대칭(우함수)이고

$xf(x)$는 원점에 대하여 대칭(기함수)이다.

$$\int_{-2}^{2}(4x^2+x)f(x)dx = \int_{-2}^{2}4x^2f(x)dx + \int_{-2}^{2}xf(x)dx = 8\int_{0}^{2}x^2f(x)dx + 0$$

STEP Ⓑ 구간을 나누어 정적분 계산하기

따라서 $0 \le x < 1$에서 $f(x)=3x$, $1 \le x \le 2$에서 $f(x)=3$이므로

$$8\int_{0}^{2}x^2f(x)dx = 8\left(\int_{0}^{1}3x^3dx + \int_{1}^{2}3x^2dx\right) = 8\left(\left[\frac{3}{4}x^4\right]_{0}^{1} + \left[x^3\right]_{1}^{2}\right)$$

$$= 8\left(\frac{3}{4}+7\right) = 62$$

1185

STEP A 조건 (가)에서 $f(x)$가 우함수임을 이용하기

조건 (가)에 의하여 $\underbrace{\int_{-a}^{a} f(x)dx=2\int_{0}^{a} f(x)dx}_{\text{우함수를 정적분할 때, 성질}}$이므로

$f(x)=x^4+ax^3+bx^2+cx+10$의 그래프는 y축에 대하여 대칭이다.

$a=c=0$이고 $f(x)=x^4+bx^2+10$

$\therefore f'(x)=4x^3+2bx$

STEP B 조건 (나)에서 b의 값 구하기

$f'(1)=4+2b$이므로

조건 (나)에서 $-6<4+2b<-2$, $-10<2b<-6$

$\therefore -5<b<-3$

이때 b는 정수이므로 $b=-4$

$\therefore f(x)=x^4-4x^2+10$

STEP C $f(x)$의 극솟값 구하기

$f'(x)=4x^3-8x=4x(x+\sqrt{2})(x-\sqrt{2})$

$f'(x)=0$에서 $x=-\sqrt{2}$ 또는 $x=\sqrt{2}$ 또는 $x=0$

함수 $f(x)$의 증가와 감소를 표로 나타내면 다음과 같다.

x	$\cdots$	$-\sqrt{2}$	$\cdots$	0	$\cdots$	$\sqrt{2}$	$\cdots$
$f'(x)$	$-$	0	$+$	0	$-$	0	$+$
$f(x)$	$\searrow$	극소	$\nearrow$	극대	$\searrow$	극소	$\nearrow$

따라서 $x=-\sqrt{2}$, $x=\sqrt{2}$에서 극소이고 극솟값은

$f(-\sqrt{2})=f(\sqrt{2})=4-8+10=6$

> 다항함수에서 기함수를 미분하면 우함수가 되고 우함수를 미분하면 기함수가 된다.
> ① 다항함수 $f(x)$가 y축에 대하여 대칭일 때,
> $\quad f(-x)=f(x)$이면 $f'(-x)=-f'(x)$이고 $f'(0)=0$
> **설명** $f(-x)=f(x)$의 양변을 x에 대하여 미분하면
> $\quad -f'(-x)=f'(x)$, 즉 $f'(-x)=-f'(x)$
> ② 다항함수 $f(x)$가 원점에 대하여 대칭일 때,
> $\quad f(-x)=-f(x)$이면 $f'(-x)=f'(x)$(역은 성립하지 않는다.)
> **설명** $f(-x)=-f(x)$의 양변을 x에 대하여 미분하면
> $\quad -f'(-x)=-f'(x)$, 즉 $f'(-x)=f'(x)$

내/신/연/계/ 출제문항 498

사차함수 $f(x)$가 모든 실수 x에 대하여 $f(-x)=f(x)$를 만족시키고

$$f'(-1)=0,\ f(0)=3,\ \int_{-1}^{1} f(x)dx=-8$$

일 때, 함수 $f(x)$의 극댓값은?

① 2 　　　　② 3 　　　　③ 4
④ 5 　　　　⑤ 6

STEP A $f(x)$가 우함수임을 이용하여 $f(x)$의 식 세우기

사차함수 $f(x)$가 모든 실수 x에 대하여 $f(-x)=f(x)$를 만족시키므로

$f(x)=ax^4+bx^2+c$ ($a\neq0$, b, c 정수)로 놓을 수 있다.

STEP B 조건을 이용하여 사차함수 $f(x)$ 구하기

이때 $f(0)=3$이므로 $c=3$

$f'(x)=4ax^3+2bx$이므로 $f'(-1)=0$

$-4a-2b=0$ $\therefore b=-2a$

즉 $f(x)=ax^4-2ax^2+3$ ($a\neq0$)이므로

$$\int_{-1}^{1} f(x)dx=2\int_{0}^{1}(ax^4-2ax^2+3)dx$$
$$=2\left[\frac{a}{5}x^5-\frac{2a}{3}x^3+3x\right]_{0}^{1}$$
$$=2\left(\frac{a}{5}-\frac{2a}{3}+3\right)=-\frac{14}{15}a+6$$

이때 $\int_{-1}^{1} f(x)dx=-8$이므로 $-\frac{14}{15}a+6=-8$ $\therefore a=15$

$\therefore f(x)=15x^4-30x^2+3$

STEP C 함수 $f(x)$의 증가와 감소를 표로 나타내어 극댓값 구하기

$f'(x)=60x^3-60x=60x(x^2-1)=60x(x-1)(x+1)$

$f'(x)=0$에서 $x=-1$ 또는 $x=0$ 또는 $x=1$

함수 $f(x)$의 증가와 감소를 나타내면 다음 표와 같다.

x	$\cdots$	-1	$\cdots$	0	$\cdots$	1	$\cdots$
$f'(x)$	$-$	0	$+$	0	$-$	0	$+$
$f(x)$	$\searrow$	극소	$\nearrow$	극대	$\searrow$	극소	$\nearrow$

따라서 $x=0$에서 극대이고 극댓값은 $f(0)=3$

1186

STEP A 주어진 조건을 이용하여 다항함수 $h(x)$, $h'(x)$의 꼴 추정하기

$h(x)=f(x)g(x)$에서 $f(-x)=-f(x)$, $g(-x)=g(x)$이므로

$h(-x)=f(-x)g(-x)=-f(x)g(x)=-h(x)$ ← $h(x)$는 기함수

즉 다항함수 $h(x)$의 그래프는 원점에 대하여 대칭이고 $h(0)=0$

$h(x)=a_{2n+1}x^{2n+1}+a_{2n-1}x^{2n-1}+\cdots+a_1 x$로 놓으면

$h'(x)=(2n+1)a_{2n+1}x^{2n}+(2n-1)a_{2n-1}x^{2n-2}+\cdots+a_1$이므로

$h'(-x)=h'(x)$를 만족시킨다. ← $h'(x)$는 우함수

즉 $h'(x)$는 y축에 대하여 대칭이다.

STEP B 적분구간이 원점에 대하여 대칭인 정적분의 값을 이용하여 $h(3)$ 구하기

이때 $xh'(x)$는 원점에 대하여 대칭이므로 $\int_{-3}^{3}xh'(x)dx=0$

즉 $\int_{-3}^{3}(x+5)h'(x)dx=\int_{-3}^{3}xh'(x)dx+\int_{-3}^{3}5h'(x)dx$
$$=0+2\int_{0}^{3}5h'(x)dx$$
$$=10\Big[h(x)\Big]_{0}^{3}$$
$$=10(h(3)-h(0))$$

따라서 $10(h(3)-h(0))=10$에서 $h(3)=h(0)+1=0+1=1$

내/신/연/계/ 출제문항 499

다항함수 $f(x)$가 모든 실수 x에 대하여 $f(-x)=-f(x)$를 만족시킨다.

$$\int_{-2}^{2}(x+3)f'(x)dx=18$$일 때, $f(2)$의 값은?

① 1 　　　　② 2 　　　　③ 3
④ 4 　　　　⑤ 5

STEP A $f(-x)=-f(x)$이면 $f'(-x)=f'(x)$임을 이해하기

다항함수 $y=f(x)$의 그래프는 원점에 대하여 대칭이고 $f(0)=0$이다.

자연수 n에 대하여

$f(x)=a_{2n-1}x^{2n-1}+a_{2n-3}x^{2n-3}+\cdots+a_3x^3+a_1x$라 하면

$f'(x)=(2n-1)a_{2n-1}x^{2n-2}+(2n-3)a_{2n-3}x^{2n-4}+\cdots+3a_3x^2+a_1$

이므로 함수 $f'(x)$는 모든 실수 x에 대하여 $f'(-x)=f'(x)$를 만족시킨다.

STEP ⓑ 조건을 만족하는 식에서 $f(2)$의 값 구하기

이때 $xh'(x)$는 원점에 대하여 대칭이므로 $\int_{-2}^{2} xf'(x)dx=0$

즉 $\int_{-2}^{2}(x+3)f'(x)dx=\int_{-2}^{2}\{xf'(x)+3f'(x)\}dx$

$$=0+2\int_{0}^{2}3f'(x)dx$$

$$=6\left[f(x)\right]_{0}^{2}=6f(2)$$

따라서 $6f(2)=18$이므로 $f(2)=3$　　　　정답 ③

 내/신/연/계 출제문항 500

두 연속함수 $f(x)$, $g(x)$가 다음 조건을 만족시킨다.

(가) 모든 실수 x에 대하여 $f(-x)=f(x)$, $g(-x)=-g(x)$이다.

(나) $\int_{-2}^{0}f(x)dx=-2$, $\int_{0}^{-2}g(x)dx=5$

$\int_{0}^{2}\{f(x)+2g(x)\}dx$의 값은?

① 6　　　　② 8　　　　③ 10
④ 12　　　　⑤ 14

STEP ⓐ 우함수의 성질을 이용하여 정적분 계산하기

조건 (가)에서 모든 실수 x에 대하여 $f(-x)=f(x)$이므로
함수 $y=f(x)$의 그래프는 y축에 대하여 대칭이다.

$\therefore \int_{0}^{2}f(x)dx=\int_{-2}^{0}f(x)dx=-2$ (∵ 조건 (나))

STEP ⓑ 기함수의 성질을 이용하여 정적분 계산하기

조건 (가)에서 모든 실수 x에 대하여 $g(-x)=-g(x)$이므로
함수 $y=g(x)$의 그래프는 원점에 대하여 대칭이다.

$\therefore \int_{0}^{2}g(x)dx=-\int_{-2}^{0}g(x)dx=\int_{0}^{-2}g(x)dx=5$ (∵ 조건 (나))

STEP ⓒ 구하는 정적분 계산하기

$\int_{0}^{2}\{f(x)+2g(x)\}dx=\int_{0}^{2}f(x)dx+2\int_{0}^{2}g(x)dx$

$$=(-2)+2\times5=8$$　　　　정답 ②

1187　　　　정답 ⑤

STEP ⓐ 우함수, 기함수의 성질을 이용하여 주어진 식 변형하기

ㄱ. $f(x)=f(-x)$이면 $f(x)$는 y축에 대하여 대칭이므로

$\int_{-a}^{a}f(x)dx=2\int_{0}^{a}f(x)dx$ [참]

ㄴ. $f(x)=-f(-x)$이면 $f(x)$는 원점에 대하여 대칭이므로

$\int_{-a}^{a}f(x)dx=0$

또한, $\int_{a}^{-a}f(x)dx=-\int_{-a}^{a}f(x)dx=0$이므로

$\int_{-a}^{a}f(x)dx=\int_{a}^{-a}f(x)dx$ [참]

STEP ⓑ 주기함수의 성질을 이용하여 주어진 식 변형하기

ㄷ. $f(x)=f(x+a)$이면 $\int_{-a}^{0}f(x)dx=\int_{0}^{a}f(x)dx$

$\therefore \int_{0}^{a}f(x)dx+\int_{-a}^{0}f(x)dx=2\int_{0}^{a}f(x)dx$ [참]

따라서 옳은 것은 ㄱ, ㄴ, ㄷ이다.

1188　　　　

STEP ⓐ 주기함수의 성질을 이용하여 주어진 식 변형하기

함수 $f(x)$가 모든 실수 x에 대하여 $f(x+4)=f(x)$이므로

$\int_{-1}^{3}f(x)dx=\int_{3}^{7}f(x)dx=\int_{7}^{11}f(x)dx=2$

STEP ⓑ 주어진 값 구하기

$\int_{-1}^{11}f(x)dx=\int_{-1}^{3}f(x)dx+\int_{3}^{7}f(x)dx+\int_{7}^{11}f(x)dx$

$$=3\int_{-1}^{3}f(x)dx$$

$$=3\cdot2=6$$

1189　　　　

STEP ⓐ 우함수, 주기함수의 성질을 이용하여 $\int_{-4}^{0}f(x)dx$의 값 구하기

조건 (가)에서 $f(-x)=f(x)$이므로 함수 $f(x)$는 y축에 대하여 대칭이다.

$\int_{0}^{2}f(x)dx=\int_{-2}^{0}f(x)dx=8$ …… ㉠

조건 (나)에서 $f(x)=f(x+4)$이므로

$\int_{0}^{2}f(x)dx=\int_{-4}^{-2}f(x)dx=8$ …… ㉡

㉠, ㉡에서 $\int_{-4}^{0}f(x)dx=\int_{-4}^{-2}f(x)dx+\int_{-2}^{0}f(x)dx=8+8=16$

STEP ⓑ 우함수, 주기함수의 성질을 이용하여 주어진 정적분을 변형하고 계산하기

$\therefore \int_{-4}^{8}f(x)dx=\int_{-4}^{0}f(x)dx+\int_{0}^{4}f(x)dx+\int_{4}^{8}f(x)dx$ ← $f(x+4)=f(x)$

$$=3\int_{-4}^{0}f(x)dx=3\cdot16=48$$

참고 | 조건을 만족하는 함수 $y=f(x)$의 그래프는 다음과 같다.

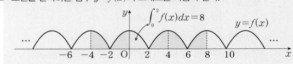

1190　　　　정답 ④

STEP ⓐ 주기함수의 성질을 이용하여 식 변형하기

모든 실수 x에 대하여 $f(x)=f(x+2)$이므로

$\int_{-1}^{1}f(x)dx=\int_{1}^{3}f(x)dx=\int_{3}^{5}f(x)dx$

STEP ⓑ 우함수의 성질을 이용하여 정적분 계산하기

조건 (나)에서

$\int_{-1}^{1}(x^2+1)dx=2\int_{0}^{1}(x^2+1)dx=2\left[\frac{1}{3}x^3+x\right]_{0}^{1}=2\left(\frac{1}{3}+1\right)=\frac{8}{3}$

따라서 $\int_{-1}^{5}f(x)dx=3\int_{-1}^{1}f(x)dx=3\cdot\frac{8}{3}=8$

참고 | 조건을 만족하는 함수 $y=f(x)$의 그래프는 다음과 같다.

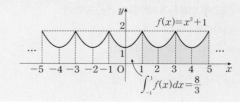

연속함수 $f(x)$가 다음 조건을 만족시킬 때, 정적분 $\int_{-5}^{7} f(x)dx$의 값은?

> (가) $-1 \leq x \leq 1$일 때, $f(x)=-x^2+1$이다.
> (나) 모든 실수 x에 대하여 $f(x+2)=f(x)$이다.

① 4   ② 5   ③ 6
④ 7   ⑤ 8

STEP Ⓐ 주기함수의 성질을 이용하여 식 변형하기

조건 (가)에 의하여

$$\int_{-1}^{1} f(x)dx = 2\int_{0}^{1}(-x^2+1)dx = 2\left[-\frac{1}{3}x^3+x\right]_{0}^{1} = \frac{4}{3}$$

조건 (나)에 $f(x+2)=f(x)$의하여 정수 n에 대하여

$$\int_{-1+2n}^{1+2n} f(x)dx = \int_{-1}^{1} f(x)dx = \frac{4}{3}$$

STEP Ⓑ 우함수의 성질을 이용하여 정적분 계산하기

$$\int_{-5}^{7} f(x)dx = \int_{-5}^{-3} f(x)dx + \int_{-3}^{-1} f(x)dx + \int_{-1}^{1} f(x)dx$$
$$+ \int_{1}^{3} f(x)dx + \int_{3}^{5} f(x)dx + \int_{5}^{7} f(x)dx$$
$$= 6\int_{-1}^{1} f(x)dx$$
$$= 6 \times \frac{4}{3} = 8$$

정답 ⑤

참고

조건을 만족하는 함수 $y=f(x)$의 그래프는 다음과 같다.

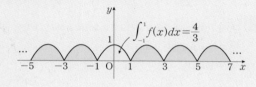

1191

정답 ③

STEP Ⓐ $xf(x)$가 우함수, 기함수인지 판별하기

조건 (가)에서 함수 $f(x)$는 y축에 대하여 대칭인 함수이므로
$xf(x)$는 원점에 대하여 대칭인 함수이다.

STEP Ⓑ 우함수, 기함수의 성질을 이용하여 정적분 계산하기

조건 (다)에서

$$\int_{-1}^{1}(x+4)f(x)dx = \int_{-1}^{1} xf(x)dx + \int_{-1}^{1} 4f(x)dx = 0 + 4\int_{-1}^{1} f(x)dx = 16$$
$$\therefore \int_{-1}^{1} f(x)dx = 4$$

STEP Ⓒ 주기함수의 성질을 이용하여 정적분을 변형하고 계산하기

조건 (나)에서 함수 $f(x)$가 모든 실수 x에 대하여 $f(x+2)=f(x)$이므로

$$\int_{-1}^{1} f(x)dx = \int_{0}^{2} f(x)dx = 4$$
$$\therefore \int_{-8}^{12} f(x)dx = \int_{0}^{20} f(x)dx = 10\int_{0}^{2} f(x)dx = 10 \times 4 = 40$$

참고

조건을 만족하는 함수 $y=f(x)$의 그래프는 다음과 같다.

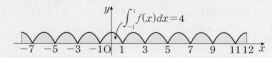

연속함수 $f(x)$가 모든 실수 x에 대하여 다음 조건을 만족시킨다.

> (가) $f(x)=f(-x)$
> (나) $f(x+2)=f(x)$
> (다) $\int_{-2}^{2}(x^3-x+2)f(x)dx=8$

$\int_{-6}^{12} f(x)dx$의 값을 구한 것은?

① 18   ② 19   ③ 20
④ 21   ⑤ 22

STEP Ⓐ $x^3 f(x)$, $xf(x)$가 우함수, 기함수인지 판별하기

조건 (가)에서 함수 $f(x)$는 y축에 대하여 대칭인 함수이므로
$x^3 f(x)$, $xf(x)$은 원점에 대하여 대칭인 함수이다.

STEP Ⓑ 우함수, 기함수의 성질을 이용하여 정적분 계산하기

조건 (다)에서

$$\int_{-2}^{2}(x^3-x+2)f(x)dx = 2\int_{0}^{2} 2f(x)dx + \int_{-2}^{2}(x^3-x)f(x)dx$$
$$= 4\int_{0}^{2} f(x)dx + 0 = 8$$
$$\therefore \int_{0}^{2} f(x)dx = 2$$

STEP Ⓒ 주기함수의 성질을 이용하여 정적분을 변형하고 계산하기

조건 (나)에서 함수 $f(x)$가 모든 실수 x에 대하여 $f(x+2)=f(x)$이므로

정수 n에 대하여 $\int_{n}^{n+2} f(x)dx = \int_{0}^{2} f(x)dx = 2$

따라서 $\int_{-6}^{12} f(x)dx = \int_{-6}^{-4} f(x)dx + \int_{-4}^{-2} f(x)dx + \cdots + \int_{10}^{12} f(x)dx$
$$= 9\int_{0}^{2} f(x)dx = 9 \cdot 2 = 18$$

정답 ①

참고

조건을 만족하는 함수 $y=f(x)$의 그래프는 다음과 같다.

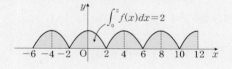

1192

정답 ④

STEP **A** **함수 $y=f(x)$가 연속임을 이용하여 a의 값 구하기**

함수 $f(x)$가 실수 전체에서 연속이므로 $x=1$에서도 연속이다.

이때 $\lim_{x \to 1+} f(x) = \lim_{x \to 1-} f(x) = f(1)$이어야 하므로

$\lim_{x \to 1+}(-x+a) = \lim_{x \to 1-}(-x^2+2x) = -1+a$

즉 $-1+a=1$이므로 $a=2$

STEP **B** **$f(x+2)=f(x)$임을 이용하여 $\int_0^{13} f(x)dx$ 구하기**

$f(x) = \begin{cases} -x^2+2x & (0 \le x < 1) \\ -x+2 & (1 \le x < 2) \end{cases}$

함수 $f(x)$가 모든 실수 x에 대하여 $f(x+2)=f(x)$이므로

$0 \le x \le 13$에서 $0 \le x \le 1$의 모양은 7번, $0 \le x \le 2$의 모양은 6번 나온다.

따라서 $\int_0^{13} f(x)dx = 7\int_0^1(-x^2+2x)dx + 6\int_1^2(-x+2)dx$

$= 7\left[-\frac{1}{3}x^3+x^2\right]_0^1 + 6\left[-\frac{1}{2}x^2+2x\right]_1^2$

$= 7\left(-\frac{1}{3}+1\right) + 6\left\{(-2+4)-\left(-\frac{1}{2}+2\right)\right\}$

$= \frac{23}{3}$

> **참고** 조건을 만족하는 함수 $y=f(x)$의 그래프는 다음과 같다.
>
>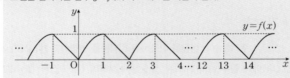

실수 전체의 집합에서 정의된 함수 $f(x)$가 다음 두 조건을 만족시킨다.

> (가) $f(x) = \begin{cases} x^3 & (0 \le x < 1) \\ -x^2+2x & (1 \le x < 2) \end{cases}$
> (나) 모든 실수 x에 대하여 $f(x+2)=f(x)$이다.

이때 $\int_0^1 f(x)dx + \int_2^3 f(x)dx$의 값은?

① $\frac{1}{4}$ ② $\frac{1}{2}$ ③ $\frac{3}{4}$

④ 1 ⑤ $\frac{5}{4}$

STEP **A** **주어진 조건을 만족하는 함수 $f(x)$의 성질 파악하기**

함수 $f(x)$가 모든 실수 x에 대하여 $f(x+2)=f(x)$이므로

$y=f(x)$의 그래프는 다음과 같다.

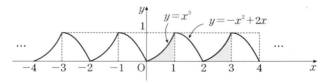

STEP **B** **함수 $f(x)$의 그래프가 같은 모양이 반복됨을 이용하여 주어진 정적분 구하기**

이때 $\int_2^3 f(x)dx = \int_0^1 f(x)dx$이므로

$\int_0^1 f(x)dx + \int_2^3 f(x)dx = 2\int_0^1 f(x)dx = 2\int_0^1 x^3 dx = 2\left[\frac{1}{4}x^4\right]_0^1 = \frac{1}{2}$

정답 ②

1193

정답 ①

STEP **A** **$y=f(x)$의 그래프가 y축에 대하여 대칭임을 이용하여 $\int_0^a f(x)dx$의 값 구하기**

$y=f(x)$의 그래프가 y축에 대하여 대칭이므로

$\int_{-a}^a f(x)dx = 2\int_0^a f(x)dx = 13$ ∴ $\int_0^a f(x)dx = \frac{13}{2}$

STEP **B** **$\int_0^a f(x)dx = \frac{13}{2}$을 만족하는 a의 값 구하기**

$y=f(x)$의 그래프에서 $\int_0^3 f(x)dx = \frac{1}{2} \cdot (3+1) \cdot 1 = 2$ ← 사다리꼴의 넓이

이고 함수 $f(x)$는 모든 실수 x에 대하여 $f(x+3)=f(x)$이므로

$\int_0^3 f(x)dx = \int_3^6 f(x)dx = \int_6^9 f(x)dx = 2$

∴ $\int_0^9 f(x)dx = \int_0^3 f(x)dx + \int_3^6 f(x)dx + \int_6^9 f(x)dx = 2+2+2 = 6$

이때 $\int_0^a f(x)dx = \int_0^9 f(x)dx + \int_9^a f(x)dx = \frac{13}{2}$이므로

$6 + \int_9^a f(x)dx = \frac{13}{2}$ ∴ $\int_9^a f(x)dx = \frac{1}{2}$

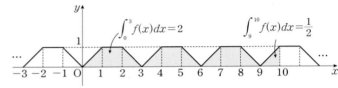

따라서 $\int_9^{10} f(x)dx = \int_0^1 f(x)dx = \frac{1}{2}$이므로 $a=10$

> **참고** 닫힌구간 $[0, x]$에 주어진 그래프와 x축으로 둘러싸인 부분의 넓이가
> $\frac{13}{2}$이 되는 x의 값은 10이다.
> 즉 $a=10$이면
> $\int_0^{10} f(x)dx = \int_0^3 f(x)dx + \int_3^6 f(x)dx + \int_6^9 f(x)dx + \int_9^{10} f(x)dx$
> $= 3\int_0^3 f(x)dx + \int_0^1 f(x)dx (\because f(x+3)=f(x))$
> $= 3 \cdot 2 + \frac{1}{2} = \frac{13}{2}$
> 이 되어 주어진 조건을 만족시킨다.

1194

정답 ④

STEP **A** **조건 (가)를 만족하는 그래프 개형을 그리기**

곡선 $y=f(x)$는 $x=4$에 대하여 대칭이므로 그래프의 개형은 다음과 같다.

$\int_{-2}^2 f(x)dx = \int_6^{10} f(x)dx$이고 $\int_2^4 f(x)dx = \int_4^6 f(x)dx$이다.

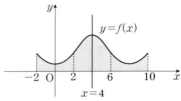

STEP **B** **$x=4$에 대하여 대칭임을 이용하여 $\int_4^6 f(x)dx$의 값 구하기**

또, $\int_{-2}^2 f(x)dx = 3$이므로 $\int_6^{10} f(x)dx = 3$이고

$\int_2^{10} f(x)dx = 13$이므로 $\int_2^4 f(x)dx + \int_4^6 f(x)dx + \int_6^{10} f(x)dx = 13$

따라서 $\int_4^6 f(x)dx + \int_4^6 f(x)dx + 3 = 13$이므로 $2\int_4^6 f(x)dx = 10$

∴ $\int_4^6 f(x)dx = 5$

1195

STEP A 조건 (가)를 만족하는 그래프 개형을 그리기

조건 (가)에서 $f(3+x)=f(3-x)$이므로 함수 $f(x)$의 그래프는 직선 $x=3$에 대하여 대칭이므로 그래프의 개형은 다음과 같다.

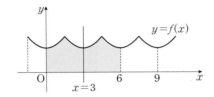

$$\int_0^6 f(x)dx = 2\int_3^6 f(x)dx = 2\left\{\int_3^9 f(x)dx + \int_9^6 f(x)dx\right\}$$
$$= 2\left\{\int_3^9 f(x)dx - \int_6^9 f(x)dx\right\}$$
$$= 2(6-2)=8$$

내/신/연/계/ 출제문항 504

연속함수 $f(x)$가 임의의 실수 x에 대하여 다음 두 조건을 모두 만족할 때, $\displaystyle\int_4^5 f(x)dx$의 값은?

(가) $f(3+x)=f(3-x)$
(나) $\displaystyle\int_0^2 f(x)dx=10$, $\displaystyle\int_5^6 f(x)dx=4$

① 1   ② 2   ③ 3
④ 6   ⑤ 12

STEP A 조건 (가)를 만족하는 그래프 개형을 그리기

조건 (가)에서 $f(3+x)=f(3-x)$이므로
함수 $y=f(x)$의 그래프는 직선 $x=3$에 대하여 대칭이므로 그래프의 개형은 다음과 같다.

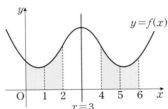

STEP B $x=3$에 대하여 대칭임을 이용하여 $\displaystyle\int_4^5 f(x)dx$의 값 구하기

임의의 실수 a에 대하여 $\displaystyle\int_{3-a}^3 f(x)dx=\int_3^{3+a} f(x)dx$이 성립한다.

따라서 $\displaystyle\int_0^2 f(x)dx = \int_4^6 f(x)dx=10$이므로

$$\int_4^5 f(x)dx = \int_4^6 f(x)dx - \int_5^6 f(x)dx = 10-4=6$$

1196

STEP A $f(x)$가 $x=2$에서 대칭임을 이용하여 주어진 정적분 계산하기

조건 (가)에서 $f(2+x)=f(2-x)$이므로 $y=f(x)$의 그래프는 직선 $x=2$에 대하여 대칭이므로 그래프의 개형은 다음과 같다.

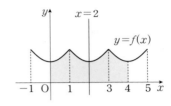

조건 (나)에서

$$\int_0^3 f(x)dx=6, \int_1^3 f(x)dx=4$$이므로 $$\int_0^1 f(x)dx=2$$

$$\therefore \int_3^4 f(x)dx = \int_0^1 f(x)dx=2$$

따라서 $\displaystyle\int_0^4 f(x)dx = \int_0^3 f(x)dx + \int_3^4 f(x)dx=8$이므로

$$\int_0^2 f(x)dx = \frac{1}{2}\int_0^4 f(x)dx = \frac{1}{2}\cdot 8 = 4$$

1197

STEP A $y=f(x)$의 주기성, 대칭성 이해하기

함수 $y=f(x)$는 조건 (가)에서 $f(x+2)=f(x)$이고
조건 (나)에서 $f(3+x)=f(3-x)$이므로 $x=3$에 대하여 대칭인 함수이다.
조건 (다)에서 $\displaystyle\int_2^3 f(x)dx=2$이므로 그래프의 개형은 다음과 같다.

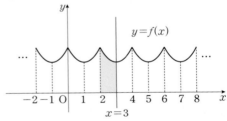

STEP B 주기성, 대칭성을 이용하여 $y=f(x)$의 그래프를 그리고 주어진 정적분 계산하기

$$\int_{-1}^0 f(x)dx = \int_0^1 f(x)dx = \int_1^2 f(x)dx = \int_2^3 f(x)dx$$
$$= \int_3^4 f(x)dx = \int_4^5 f(x)dx = \int_5^6 f(x)dx$$
$$= 2$$

따라서 $\displaystyle\int_{-1}^6 f(x)dx = 7\int_2^3 f(x)dx = 7\cdot 2 = 14$

연속함수 $f(x)$가 임의의 실수 x에 대하여 다음 세 조건을 모두 만족할 때, $\int_{-3}^{12} f(x)dx$의 값은?

(가) $f(x)=f(x+3)$
(나) $f(3-x)=f(x)$
(다) $\int_{0}^{3} f(x)dx=4$

① 12   ② 16   ③ 20
④ 32   ⑤ 64

STEP Ⓐ **$y=f(x)$의 주기성, 대칭성 이해하기**

함수 $y=f(x)$는 조건 (가)에서 $f(x+3)=f(x)$이고

조건 (나)에서 $f(3-x)=f(x)$이므로 $x=\dfrac{3}{2}$에 대하여 대칭인 함수이므로 그래프의 개형은 다음과 같다.

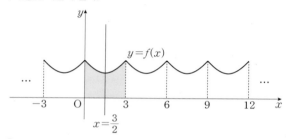

STEP Ⓑ **주기성, 대칭성을 이용하여 $y=f(x)$의 그래프를 그리고 주어진 정적분 계산하기**

$$\int_{-3}^{0} f(x)dx=\int_{0}^{3} f(x)dx=\int_{3}^{6} f(x)dx=\int_{6}^{9} f(x)dx=\int_{9}^{12} f(x)dx$$

따라서 $\int_{-3}^{12} f(x)dx=5\int_{0}^{3} f(x)dx=5\cdot 4=20$ 정답 ③

1198

정답 ②

STEP Ⓐ **주어진 조건을 이용하여 함수 $f(x)$의 그래프의 개형 그리기**

두 조건 (나), (다)에서 함수 $y=f(x)$의 그래프는 y축에 대하여 대칭이고 직선 $x=1$에 대하여 대칭이므로 함수 $y=f(x)$의 그래프는 다음 그림과 같이 2를 주기로 같은 모양이 반복된다.

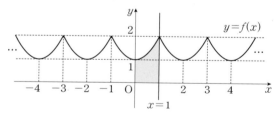

STEP Ⓑ **y축에 대하여 대칭과 $x=1$에 대하여 대칭인 함수의 그래프를 이용하여 $\int_{-n}^{n} f(x)dx$를 n에 대한 식으로 나타내기**

$$\int_{-n}^{n} f(x)dx=n\int_{-1}^{1}(x^2+1)dx=2n\int_{0}^{1}(x^2+1)dx$$
$$=2n\left[\frac{x^3}{3}+x\right]_{0}^{1}=2n\left(\frac{1}{3}+1\right)=\frac{8}{3}n$$

따라서 $\dfrac{8}{3}n=16$이므로 $n=6$

1199

정답 ①

STEP Ⓐ **주어진 함수를 x축의 방향으로 평행이동하여 정적분 계산하기**

$\int_{-7}^{1} f(x+5)dx$를 x축의 방향으로 5만큼 평행이동하면

$$\int_{-7}^{1} f(x+5)dx=\int_{-2}^{6} f(x-5+5)dx=\int_{-2}^{6} f(x)dx=10$$

다른풀이 $f(x)$의 부정적분을 임의로 두고 정적분 계산하기

$F'(x)=f(x)$라고 하면

$$\int_{-2}^{6} f(x)dx=\Big[F(x)\Big]_{-2}^{6}=F(6)-F(-2)=10$$

따라서 $\int_{-7}^{1} f(x+5)dx=\Big[F(x+5)\Big]_{-7}^{1}=F(6)-F(-2)=10$

연속함수 $f(x)$에 대하여 $\int_{-1}^{4} f(x)dx=5$일 때, 정적분 $\int_{2}^{7} f(x-3)dx$의 값은?

① 3   ② 4   ③ 5
④ 6   ⑤ 7

STEP Ⓐ **주어진 함수를 x축의 방향으로 평행이동하여 정적분 계산하기**

함수 $y=f(x-3)$의 그래프를 x축의 방향으로 -3만큼 평행이동하면 함수 $y=f(x)$의 그래프와 일치하므로

$$\int_{2}^{7} f(x-3)dx=\int_{2-3}^{7-3} f(x+3-3)dx=\int_{-1}^{4} f(x)dx=5$$ 정답 ③

1200

정답 ③

STEP Ⓐ **우함수의 성질을 이용하여 주어진 식을 정리하기**

주어진 식을 정리하면

$$\int_{-2}^{2}\{f(x)+g(x-2)\}dx=\int_{-2}^{2} f(x)dx+\int_{-2}^{2} g(x-2)dx$$

조건 (가)에서 $f(-x)=f(x)$, 즉 $f(x)$는 우함수이므로

$$\int_{-2}^{2} f(x)dx=2\int_{0}^{2} f(x)dx=2\cdot 5=10 \quad \leftarrow \int_{0}^{2} f(x)dx=5$$

STEP Ⓑ **$g(x-2)$를 x축의 방향으로 평행이동하기**

또, $g(x-2)$는 $g(x)$를 x축의 방향으로 2만큼 평행이동한 것이므로

$$\int_{-2}^{2} g(x-2)dx=\int_{-4}^{0} g(x)dx$$

STEP Ⓒ **기함수의 성질을 이용하여 정적분 계산하기**

조건 (가)에서 $g(-x)=-g(x)$, 즉 $g(x)$는 기함수이므로

$$\int_{-4}^{0} g(x)dx=-\int_{0}^{4} g(x)dx=-7 \quad \leftarrow \int_{0}^{4} g(x)dx=7$$

따라서 $\int_{-2}^{2}\{f(x)+g(x-2)\}dx=10-7=3$

1201

정답 ①

STEP Ⓐ 주어진 조건에서 $g(x)$의 함수식 구하기

$f(x)=x^2$의 그래프를 x축의 방향으로 a만큼, y축의 방향으로 b만큼 평행이동하면 $g(x)=(x-a)^2+b$

이때 $g(0)=0$이므로 $a^2+b=0$ ∴ $b=-a^2$ ······ ㉠

즉 $g(x)=(x-a)^2-a^2$

STEP Ⓑ 정적분의 성질을 이용하여 계산하기

한편 $y=(x-a)^2+b$의 그래프는 $y=x^2+b$의 그래프를 x축의 방향으로 a만큼 평행이동한 것이므로

$$\int_a^{2a} g(x)dx = \int_a^{2a}\{(x-a)^2+b\}dx$$
$$= \int_0^a (x^2+b)dx \quad \leftarrow \int_a^b g(x)dx=\int_{a-a}^{2a-a} g(x+a)dx$$

$\int_0^a f(x)dx - \int_a^{2a} g(x)dx=8$에서

$$\int_0^a x^2 dx - \int_0^a (x^2+b)dx = \int_0^a \{x^2-(x^2+b)\}$$
$$= \int_0^a (-b)dx$$
$$= \Big[-bx\Big]_0^a = -ab = 8 \quad ······ ㉡$$

따라서 ㉠, ㉡에서 $-ab=a^3=8$이므로 실수 $a=2$

다른풀이 | 정적분을 이용하여 넓이로 풀이하기

$g(0)=0$, $g(2a)=0$이므로 $f(x)$, $g(x)$의 그래프는 다음 그림과 같다.

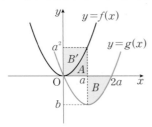

이때 정적분의 값을 $\int_0^a f(x)dx=A$, $\int_a^{2a} g(x)dx=B$라 하면

$$\int_0^a f(x)dx - \int_a^{2a} g(x)dx = \int_0^a f(x)dx + \left(-\int_a^{2a} g(x)dx\right) \quad \leftarrow 넓이$$
$$= A+(-B)=A+B'$$
$$= a \cdot a^2 = a^3 = 8 \quad \leftarrow 직사각형의 넓이$$

∴ $a=2$ (∵ a는 실수)

내/신/연/계/ 출제문항 507

함수 $f(x)=x^3$의 그래프를 x축 방향으로 a만큼, y축 방향으로 b만큼 평행이동 시켰더니 함수 $y=g(x)$의 그래프가 되었다.

$$g(0)=0이고 \int_a^{3a} g(x)dx - \int_0^{2a} f(x)dx = 32$$

일 때, a^4의 값은?

① 12   ② 14   ③ 16
④ 18   ⑤ 20

STEP Ⓐ 평행이동시킨 함수 $g(x)$ 구하기

함수 $y=g(x)$의 그래프는 $f(x)=x^3$의 그래프를 x축 방향으로 a만큼, y축 방향으로 b만큼 평행이동한 것이므로 $g(x)=(x-a)^3+b$

$g(0)=-a^3+b=0$이므로 $b=a^3$ ······ ㉠

STEP Ⓑ 정적분과 또 다른 식을 이용하여 a^4 구하기

$$\int_a^{3a} g(x)dx - \int_0^{2a} f(x)dx = \int_a^{3a}\{(x-a)^3+b\}dx - \int_0^{2a} x^3 dx$$
$$= \left[\frac{(x-a)^4}{4}+bx\right]_a^{3a} - \left[\frac{x^4}{4}\right]_0^{2a}$$
$$= \frac{16a^4}{4}+3ab-ab-\frac{16a^4}{4}$$
$$= 2ab$$

$2ab=32$이므로 $ab=16$ ······ ㉡

따라서 ㉠, ㉡에서 $a^4 = a \cdot a^3 = ab = 16$

다른풀이 | $\int_a^b g(x)dx = \int_{a-c}^{b-c} g(x+c)dx$가 성립함을 이용하여 풀이하기

그래프의 평행이동에 의해

$$\int_a^{3a} g(x)dx = \int_a^{3a}\{(x-a)^3+b\}dx = \int_0^{2a}(x^3+b)dx$$

$$\int_a^{3a} g(x)dx - \int_0^{2a} f(x)dx = \int_0^{2a}(x^3+b)dx - \int_0^{2a} x^3 dx$$
$$= \int_0^{2a}\{(x^3+b)-x^3\}dx$$
$$= \int_0^{2a} b\,dx$$
$$= \Big[bx\Big]_0^{2a}$$
$$= 2ab = 32 \quad ······ ㉡$$

따라서 ㉠, ㉡에서 $2ab=2a^4=32$이므로 $a^4=16$

다른풀이 | 그래프의 평행이동을 이용하여 풀이하기

함수 $y=g(x)$의 그래프는 $f(x)=x^3$의 그래프를 x축 방향으로 a만큼, y축 방향으로 b만큼 평행이동한 것이므로

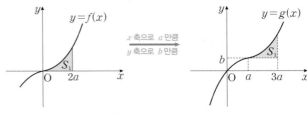

즉 그림에서 $\int_0^{2a} f(x)dx = \int_a^{3a} g(x)dx - 2ab$가 성립하므로

$$\int_a^{3a} g(x)dx - \int_0^{2a} f(x)dx = 2ab$$

즉 $2ab=32$이므로 $ab=16$

$g(0)=0$에서 $0=-a^3+b$

따라서 $b=a^3$이므로 $a^4 = a \cdot a^3 = ab = 16$

정답 ③

1202

STEP Ⓐ $f(x)$**의 그래프를 그리고** A, B**의 값 구하기**

$f(x)=-x(x+a)(x-a)$의 개형은 다음과 같다.

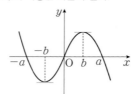

$$A=\int_{-b}^{a}f(x)dx=\int_{-b}^{0}f(x)dx+\int_{0}^{a}f(x)dx$$

또한, $y=f(x-b)$의 그래프는 함수 $y=f(x)$의 그래프를 x축의 방향으로 b만큼 평행이동한 것이므로

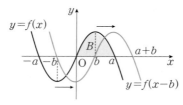

$B=\int_{b}^{a+b}f(x-b)dx=\int_{0}^{a}f(x)dx$이므로 $\int_{-b}^{0}f(x)dx=A-B$

STEP Ⓑ $\int_{-b}^{a}|f(x)|dx$**의 값 구하기**

이때 함수 $y=|f(x)|$의 그래프는 다음과 같고 $\int_{-b}^{a}|f(x)|dx$는 어두운 부분의 넓이와 같다.

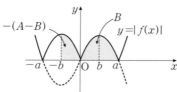

따라서 $\displaystyle\int_{-b}^{a}|f(x)|dx=-\int_{-b}^{0}f(x)dx+\int_{0}^{a}f(x)dx$
$$=-(A-B)+B=-A+2B$$

1203

STEP Ⓐ **주어진 조건을 만족하는 함수** $f(x)$**의 그래프 개형 그리기**

$f(x+2)=f(x)$에서 함수 $y=f(x)$의 그래프는 x가 2씩 커질 때마다 그 모양이 반복된다.
$-1\leq x\leq 1$일 때, $f(x)=1-x^2$이므로 함수 $y=f(x)$의 그래프는 [그림1]과 같다.

[그림1]

함수 $y=f(x-1)$의 그래프는 곡선 $y=f(x)$의 그래프를 x축의 양의 방향으로 1만큼 평행이동시킨 것이므로 [그림 2]와 같다.

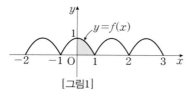

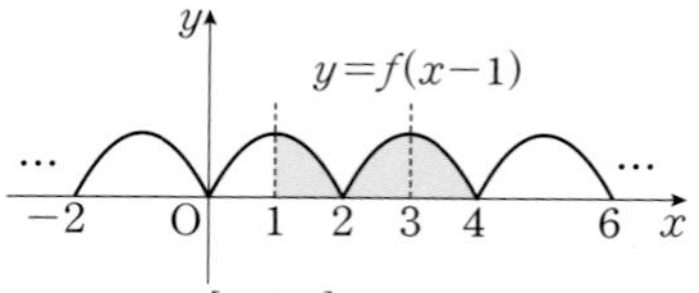

[그림2]

STEP Ⓑ $\int_{1}^{4}f(x-1)dx$**의 값 구하기**

$\int_{1}^{4}f(x-1)dx$는 [그림 2]의 어두운 부분의 넓이와 같고 이것은 [그림1]의 어두운 부분의 넓이의 3배가 된다.

$$\therefore \int_{1}^{4}f(x-1)dx=3\int_{0}^{1}f(x)dx=3\int_{0}^{1}(1-x^2)dx$$
$$=3\left[x-\frac{x^3}{3}\right]_{0}^{1}$$
$$=3\left(1-\frac{1}{3}\right)=2$$

> **참고** $\int_{a}^{b}f(x-m)dx=\int_{a-m}^{b-m}f(x)dx$가 성립하므로
> $\int_{1}^{4}f(x-1)dx=\int_{0}^{3}f(x)dx$로 바꾸어 계산해도 된다.

1204

STEP Ⓐ **조건 (가), (다)를 만족하는 함수** $f(x)$**의 그래프 개형 그리기**

조건 (가)에서 함수 $y=f(x)$의 그래프는 원점에 대하여 대칭이므로
$$\int_{-1}^{1}f(x)dx=0$$

조건 (다)에 의하여
$$\int_{-1}^{1}f(x)dx=\int_{1}^{3}f(x)dx=\int_{3}^{5}f(x)dx=\cdots=0 \quad \cdots\cdots ㉠$$

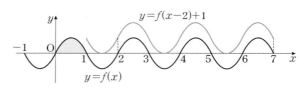

STEP Ⓑ **평행이동을 이용하여 정적분 구하기**

한편 $g(x)=f(x-2)+1$이므로
$$\int_{2}^{7}g(x)dx=\int_{2}^{7}\{f(x-2)+1\}dx$$
$$=\int_{2}^{7}f(x-2)dx+\int_{2}^{7}1dx$$
$$=\int_{2}^{7}f(x-2)dx+5 \quad \cdots\cdots ㉡$$

이때 $f(x-2)=f(x)$이므로 조건 (나)와 ㉠에 의하여
$$\int_{2}^{7}f(x-2)dx=\int_{2}^{7}f(x)dx$$
$$=\int_{2}^{3}f(x)dx+\int_{3}^{5}f(x)dx+\int_{5}^{7}f(x)dx$$
$$=\int_{0}^{1}f(x)dx+0+0=\frac{1}{4} \quad \leftarrow \int_{2}^{3}f(x)dx=\int_{0}^{1}f(x)dx$$

따라서 ㉡에서 $\int_{2}^{7}g(x)dx=\frac{1}{4}+5=\frac{21}{4}$

1205

정답 ④

STEP A **증가하는 함수 $f(x)$의 그래프의 개형 그리기**

함수 $f(x)$가 실수 전체의 집합에서 증가하고
$\int_0^3 f(x)dx=1$, $\int_0^3 |f(x)|dx=5$이므로

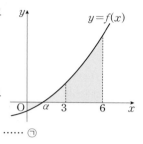

$y=f(x)$가 $0<x<3$에서 x축과의
교점이 존재하므로 α라 하면 $f(\alpha)=0$

함수 $f(x)$가 실수 전체의 집합에서 증가하고
$f(3)>0$이므로

$\int_3^6 |f(x)|dx=\int_3^6 f(x)dx$ ...... ㉠

STEP B **평행이동을 이용하여 정적분 구하기**

$f(x)=f(x-3)+4$이므로 $\int_3^6 f(x)dx=\int_3^6 \{f(x-3)+4\}dx$

함수 $y=f(x-3)$의 그래프는 함수 $y=f(x)$의 그래프를 x축의 방향으로 3만큼 평행이동시킨 것이므로 함수 $y=f(x-3)$을 $x=3$에서 $x=6$까지 적분한 값은 함수 $y=f(x)$를 $x=0$에서 $x=3$까지 적분한 값과 같다.

$\int_3^6 f(x-3)dx=\int_0^3 f(x)dx$이므로

$\int_3^6 f(x)dx=\int_3^6 \{f(x-3)+4\}dx=\int_3^6 f(x-3)dx+\int_3^6 4dx$

$=\int_0^3 f(x)dx+\left[4x\right]_3^6$

$=1+(24-12)=13$

STEP C **구하는 넓이 구하기**

따라서 구하는 넓이는 ㉠에서

$\int_0^6 |f(x)|dx=\int_0^3 |f(x)|dx+\int_3^6 |f(x)|dx=5+13=18$

내/신/연/계/ 출제문항 508

실수 전체의 집합에서 증가하는 연속함수 $f(x)$가 다음 조건을 만족시킨다.

(가) 모든 실수 x에 대하여 $f(x)=f(x-3)+4$이다.

(나) $\int_0^6 f(x)dx=0$

함수 $y=f(x)$의 그래프와 x축 및 두 직선 $x=6$, $x=9$로 둘러싸인 부분의 넓이는?

① 9   ② 12   ③ 15
④ 18   ⑤ 21

STEP A **평행이동을 이용하여 정적분 이해하기**

함수 $y=f(x-3)$의 그래프는 함수 $y=f(x)$의 그래프를 x축의 방향으로 3만큼 평행이동한 것이므로 $\int_a^b f(x)dx=\int_{a+3}^{b+3} f(x-3)dx$

STEP B **정적분의 평행이동을 이용하여 $\int_0^3 f(x)dx$의 정적분의 값 구하기**

따라서 조건 (가)에 의하여

$\int_3^6 f(x)dx=\int_3^6 \{f(x-3)+4\}dx=\int_3^6 f(x-3)dx+\int_3^6 4dx$

$=\int_0^3 f(x)dx+\left[4x\right]_3^6=\int_0^3 f(x)dx+12$

이므로 조건 (나)에서

$\int_0^6 f(x)dx=\int_0^3 f(x)dx+\int_3^6 f(x)dx$

$=\int_0^3 f(x)dx+\int_0^3 f(x)dx+12=0$

$\therefore \int_0^3 f(x)dx=-6$

STEP C **함수 $y=f(x)$의 그래프와 x축 및 두 직선 $x=6$, $x=9$로 둘러싸인 부분의 넓이 구하기**

한편 함수 $f(x)$는 실수 전체의 집합에서 증가하는 연속함수이고 조건 (나)에 의하여 $f(0)\le 0$, $f(6)\ge 0$이므로 $x\ge 6$인 모든 실수 x에 대하여 $f(x)\ge 0$이다.

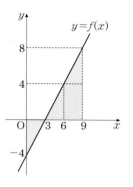

따라서 함수 $y=f(x)$의 그래프와 x축 및 두 직선 $x=6$, $x=9$로 둘러싸인 부분의 넓이는

$\int_6^9 |f(x)|dx=\int_6^9 f(x)dx$

$=\int_6^9 \{f(x-3)+4\}dx$

$=\int_6^9 f(x-3)dx+\left[4x\right]_6^9$

$=\int_3^6 f(x)dx+12$

$=\int_0^3 f(x)dx+12+12$

$=-6+12+12=18$

정답 ④

1206

정답 ④

STEP A **$\int_0^2 f(t)dt$의 값이 상수임을 이용하여 $f(x)$의 식 정하기**

$\int_0^2 f(t)dt=k$ (k는 상수) ...... ㉠

로 놓으면

$f(x)=3x^2+x+k$ ...... ㉡

STEP B **$f(x)$를 적분하여 k의 값과 $f(x)$의 값 구하기**

㉡을 ㉠에 대입하면

$\int_0^2 f(t)dt=\int_0^2 (3t^2+t+k)dt=\left[t^3+\frac{1}{2}t^2+kt\right]_0^2=8+2+2k$

즉 $8+2+2k=k$에서 $k=-10$

STEP C **$f(2)$의 값 구하기**

따라서 $f(x)=3x^2+x-10$이므로 $f(2)=12+2-10=4$

임의의 실수 x에 대하여

$$f(x)=3x^2+2x+2\int_0^1 f(x)dx$$

를 만족시키는 함수 $f(x)$에 대하여 $f(1)$의 값은?

① 1　　　　② 2　　　　③ 3
④ 4　　　　⑤ 5

STEP A $\int_0^1 f(x)dx$**의 값이 상수임을 이용하여** $f(x)$**의 식 정하기**

$$\int_0^1 f(x)dx=k \ (k\text{는 상수}) \qquad \cdots\cdots \ \text{㉠}$$

로 놓으면 $f(x)=3x^2+2x+2k$　　　　$\cdots\cdots$ ㉡

STEP B $f(t)$**를 적분하여** k**의 값과** $f(x)$**의 값 구하기**

㉡을 ㉠에 대입하면

$$\int_0^1 (3x^2+2x+2k)dx=k\text{이므로}$$

$$\Big[x^3+x^2+2kx\Big]_0^1=k, \ (1+1+2k)-0=k$$

즉 $k=-2$

STEP C $f(1)$**의 값 구하기**

따라서 $f(x)=3x^2+2x-4$이므로 $f(1)=3+2-4=1$　　　정답 ①

1207

정답 ③

STEP A $\int_0^1 f(t)dt=k$**라 두고** $f(x)$**의 식을 대입하여** k**값 구하기**

$$\int_0^1 f(t)dt=k \ (k\text{는 상수}) \qquad \cdots\cdots \ \text{㉠}$$

로 놓으면

$f(x)=x^2-1+x\int_0^1 f(t)dt$에서

$$f(x)=x^2+kx-1 \qquad \cdots\cdots \ \text{㉡}$$

㉡을 ㉠에 대입하면

$$k=\int_0^1 (t^2+kt-1)dt=\Big[\frac{1}{3}t^3+\frac{k}{2}t^2-t\Big]_0^1=\frac{k}{2}-\frac{2}{3}\text{이므로}$$

$\dfrac{k}{2}-\dfrac{2}{3}=k$에서 $k=-\dfrac{4}{3}$

STEP B $f(3)$**의 값 구하기**

따라서 $f(x)=x^2-\dfrac{4}{3}x-1$이므로 $f(3)=9-4-1=4$

1208

정답 ①

STEP A $\int_0^1 xf'(x)dx=k$**라 두고** $f'(x)$**의 식을 대입하여** k**값 구하기**

$$\int_0^1 xf'(x)dx=k \ (k\text{는 상수}) \qquad \cdots\cdots \ \text{㉠}$$

로 놓으면 $f(x)=3x^2-x+k$이므로

$$f'(x)=6x-1 \qquad \cdots\cdots \ \text{㉡}$$

㉡을 ㉠에 대입하면

$$\int_0^1 xf'(x)dx=\int_0^1 (6x^2-x)dx=\Big[2x^3-\frac{1}{2}x^2\Big]_0^1=\frac{3}{2}=k$$

$\therefore f(x)=3x^2-x+\dfrac{3}{2}$

STEP B **주어진 정적분의 값 구하기**

따라서 $\int_0^1 f(x)dx=\int_0^1 \Big(3x^2-x+\dfrac{3}{2}\Big)dx=\Big[x^3-\dfrac{1}{2}x^2+\dfrac{3}{2}x\Big]_0^1=2$

1209

정답 ②

STEP A $\int_0^1 f(x)dx$**의 값이 상수임을 이용하여** $f(x)$**의 식 정하기**

$f(x)=\dfrac{3}{4}x^2+\Big\{\int_0^1 f(x)dx\Big\}^2$에서 $\int_0^1 f(x)dx$는 상수이므로

$$\int_0^1 f(x)dx=k \ (k\text{는 상수}) \qquad \cdots\cdots \ \text{㉠}$$

로 놓으면 $f(x)=\dfrac{3}{4}x^2+k^2$　　　　$\cdots\cdots$ ㉡

㉡을 ㉠에 대입하면

$$\int_0^1 \Big(\frac{3}{4}x^2+k^2\Big)dx=\Big[\frac{1}{4}x^3+k^2x\Big]_0^1=k^2+\frac{1}{4}=k$$

$$k^2-k+\frac{1}{4}=0, \ \Big(k-\frac{1}{2}\Big)^2=0$$

$\therefore k=\dfrac{1}{2}$

STEP B $\int_0^2 f(x)dx$**의 값 구하기**

따라서 $f(x)=\dfrac{3}{4}x^2+\dfrac{1}{4}$이므로

$$\int_0^2 f(x)dx=\int_0^2 \Big(\frac{3}{4}x^2+\frac{1}{4}\Big)dx=\Big[\frac{1}{4}x^3+\frac{1}{4}x\Big]_0^2=\Big(2+\frac{1}{2}\Big)-0=\frac{5}{2}$$

이차함수 $f(x)$가

$$f(x)=\frac{12}{7}x^2-2x\int_1^2 f(t)dt+\Big\{\int_1^2 f(t)dt\Big\}^2$$

일 때, $10\int_1^2 f(x)dx$의 값은?

① 10　　　　② 15　　　　③ 20
④ 25　　　　⑤ 30

STEP A $\int_1^2 f(t)dt=k$ **(**k**는 상수)로 놓고** $f(x)$**의 식 구하기**

$$\int_1^2 f(t)dt=k \ (k\text{는 상수}) \qquad \cdots\cdots \ \text{㉠}$$

로 놓으면 $f(x)=\dfrac{12}{7}x^2-2kx+k^2$　　　　$\cdots\cdots$ ㉡

STEP B $f(t)$**를 적분하여** k**의 값과** $f(x)$ **구하기**

㉡을 ㉠에 대입하면

$$k=\int_1^2 f(t)dt=\int_1^2 \Big(\frac{12}{7}t^2-2kt+k^2\Big)dt$$

$$=\Big[\frac{4}{7}t^3-kt^2+k^2t\Big]_1^2$$

$$=k^2-3k+4$$

즉 $k^2-3k+4=k$에서 $(k-2)^2=0$ $\therefore k=2$

따라서 $\int_1^2 f(t)dt=\int_1^2 f(x)dx=2$이므로 $10\int_1^2 f(x)dx=10\cdot 2=20$

정답 ③

1210

정답 ②

STEP A $\int_0^1 f(x)dx=k$라 두고 $f(x)$의 식을 대입하여 k값 구하기

$\int_0^1 f(x)dx=k$ (k는 상수) ······ ㉠

로 놓으면 $f(x)=|4x-2|+2k$ ······ ㉡

㉡을 ㉠에 대입하면

$\int_0^1 f(x)dx=\int_0^1 \{|4x-2|+2k\}dx$

$=\int_0^{\frac{1}{2}}\{-(4x-2)+2k\}dx+\int_{\frac{1}{2}}^1\{(4x-2)+2k\}dx$

$=\left[-2x^2+2x+2kx\right]_0^{\frac{1}{2}}+\left[2x^2-2x+2kx\right]_{\frac{1}{2}}^1$

$=-\frac{1}{2}+1+k+(2-2+2k)-\left(\frac{1}{2}-1+k\right)$

$=2k+1$

이때 $2k+1=k$이므로 $k=-1$

STEP B $f(2)$의 값 구하기

따라서 $f(x)=|4x-2|-2$이므로 $f(2)=6-2=4$

1211

정답 ③

STEP A $\int_0^1 f(t)dt=k$라 두고 $f(x)$의 식을 대입하여 k값 구하기

$\int_0^1 f(t)dt=k$ (k는 상수) ······ ㉠

로 놓으면 $f(x)+x\int_0^1 f(t)dt+x^3=0$에서

$f(x)+kx+x^3=0$이므로 $f(x)=-x^3-kx$ ······ ㉡

㉡을 ㉠에 대입하면

$k=\int_0^1 f(t)dt=\int_0^1(-t^3-kt)dt=\left[-\frac{1}{4}t^4-\frac{k}{2}t^2\right]_0^1=-\frac{1}{4}-\frac{k}{2}$

$\frac{3}{2}k=-\frac{1}{4}$에서 $k=-\frac{1}{6}$

STEP B $f(-2)$의 값 구하기

따라서 $f(x)=-x^3+\frac{1}{6}x$이므로 $f(-2)=8-\frac{1}{3}=\frac{23}{3}$

1212

정답 ②

STEP A 정적분의 성질을 이용하여 주어진 식을 정리하기

$f(x)=6x^2+\int_0^1(2x+1)f(t)dt=6x^2+(2x+1)\int_0^1 f(t)dt$

STEP B $\int_0^1 f(t)dt=k$라 두고 $f(x)$의 식을 대입하여 k값 구하기

$\int_0^1 f(t)dt=k$ (k는 상수) ······ ㉠

로 놓으면 $f(x)=6x^2+(2x+1)k$ ······ ㉡

㉡을 ㉠에 대입하면

$k=\int_0^1 f(t)dt=\int_0^1(6t^2+2kt+k)dt=\left[2t^3+kt^2+kt\right]_0^1=2+2k$

즉 $k=2+2k$에서 $k=-2$

따라서 $\int_0^1 f(t)dt=\int_0^1 f(x)dx=-2$

다항함수 $f(x)$가 임의의 실수 x에 대하여

$$f(x)=3x^2+\int_0^1(2x-3)f(t)dt$$

를 만족할 때, 정적분 $\int_0^1 f(x)dx$의 값은?

① $-\frac{4}{3}$ ② $-\frac{1}{3}$ ③ 0

④ $\frac{1}{3}$ ⑤ $\frac{4}{3}$

STEP A 정적분의 성질을 이용하여 주어진 식을 정리하기

$f(x)=3x^2+\int_0^1(2x-3)f(t)dt=3x^2+2x\int_0^1 f(t)dt-3\int_0^1 f(t)dt$

STEP B $\int_0^1 f(t)dt=k$라 두고 $f(x)$의 식을 대입하여 k값 구하기

이때 $\int_0^1 f(t)dt=k$ (k는 상수) ······ ㉠

로 놓으면 $f(x)=3x^2+2xk-3k$

$f(t)=3t^2+2tk-3k$를 ㉠에 대입하면

$k=\int_0^1(3t^2+2kt-3k)dx=\left[t^3+kt^2-3kt\right]_0^1=1+k-3k$

$k=1-2k$

$\therefore k=\frac{1}{3}$

따라서 $\int_0^1 f(t)dt=\int_0^1 f(x)dx=\frac{1}{3}$

정답 ④

1213

정답 ①

STEP A 정적분과 미분의 관계를 이용하기

$f(x)=\frac{d}{dx}\int_0^x\{2f(x)-x^3+2x\}dx=2f(x)-x^3+2x$

이므로 $f(x)=x^3-2x$

따라서 $f(3)=27-6=21$

1214

정답 ③

STEP A 주어진 식의 양변을 x에 대하여 미분하여 $f'(2)$의 값 구하기

$f(x)=\int_1^x(t^2-2t+3)dt$의 양변을 x에 대하여 미분하면

$f'(x)=x^2-2x+3$이므로 $f'(2)=4-4+3=3$

STEP B 미분계수의 정의를 이용하여 극한값 구하기

따라서 $\lim_{h\to 0}\frac{f(2+3h)-f(2)}{h}=\lim_{h\to 0}\frac{f(2+3h)-f(2)}{3h}\cdot 3$

$=3f'(2)$

$=3\cdot 3=9$

내/신/연/계/ 출제문항 512

함수 $f(x)$가 모든 실수 x에 대하여 $f(x)=\int_0^x (t^2+3)dt$일 때,

$\lim\limits_{h \to 0}\dfrac{f(1+2h)-f(1-h)}{h}$의 값은?

① 2   ② 5   ③ 9
④ 10   ⑤ 12

STEP Ⓐ   **주어진 식의 양변을 x에 대하여 미분하여 $f'(x)$의 식 구하기**

$f(x)=\int_0^x(t^2+3)dt$의 양변을 x에 대하여 미분하면

$f'(x)=x^2+3$이므로 $f'(1)=4$

STEP Ⓑ   **미분계수의 정의를 이용하여 극한값 구하기**

따라서 $\lim\limits_{h \to 0}\dfrac{f(1+2h)-f(1-h)}{h}$

$=\lim\limits_{h \to 0}\left\{\dfrac{f(1+2h)-f(1)}{2h}\cdot 2\right\}+\lim\limits_{h \to 0}\left\{\dfrac{f(1-h)-f(1)}{-h}\right\}$

$=2f'(1)+f'(1)$

$=3f'(1)$

$=3\cdot 4=12$

정답 ⑤

1215 정답 ①

STEP Ⓐ   **주어진 식의 양변을 x에 대하여 미분하여 $f'(x)$의 식 구하기**

$f(x)=\int_a^{x+1}t(t+2)dt$의 양변을 x에 대하여 미분하면

$f'(x)=(x+1)(x+3)=x^2+4x+3$

STEP Ⓑ   **부정적분을 이용하여 적분상수를 구하여 $f(-3)$의 값 구하기**

$f(x)=\int(x^2+4x+3)dx=\dfrac{1}{3}x^3+2x^2+3x+C$ (단, C는 적분상수)

$f(-1)=-\dfrac{1}{3}+2-3+C=-\dfrac{1}{3}$

$\therefore C=1$

따라서 $f(x)=\dfrac{1}{3}x^3+2x^2+3x+1$이므로 $f(-3)=-9+18-9+1=1$

내/신/연/계/ 출제문항 513

다항함수 $f(x)$에 대하여

$$f(x)=\int_x^{x+2}(t^3-t)dt$$

가 성립한다. $f(-2)$의 값은?

① -2 ② -1 ③ 0
④ 1   ⑤ 2

STEP Ⓐ   **주어진 식의 양변을 x에 대하여 미분하여 $f'(x)$의 식 구하기**

$f(x)=\int_x^{x+2}(t^3-t)dt$의 양변을 x에 대하여 미분하면

$f'(x)=\{(x+2)^3-(x+2)\}-(x^3-x)=6x^2+12x+6$

STEP Ⓑ   **부정적분을 이용하여 적분상수를 구하여 $f(-2)$의 값 구하기**

$f(x)=\int(6x^2+12x+6)dx=2x^3+6x^2+6x+C$ (단, C는 적분상수)

이때 $f(-1)=\int_{-1}^1(t^3-t)dt=0$이므로

$f(-1)=-2+6-6+C=0$ $\therefore C=2$

따라서 $f(x)=2x^3+6x^2+6x+2$이므로 $f(-2)=-16+24-12+2=-2$

정답 ①

1216

STEP Ⓐ   **정적분과 미분의 관계를 이용하기**

$\int_1^x\left\{\dfrac{d}{dt}f(t)\right\}dt=\int_1^x f'(t)dt=\left[f(t)\right]_1^x=f(x)-f(1)$ ······ ㉠

$\dfrac{d}{dx}\int_2^x f(t)dt=f(x)$ ······ ㉡

STEP Ⓑ   **a의 값 구하기**

㉠, ㉡에서 $f(x)-f(1)=f(x)$이므로 $f(1)=0$

$f(1)=1+a+2=a+3=0$

따라서 $a=-3$

내/신/연/계/ 출제문항 514

이차함수 $f(x)=x^2+ax+b$가 다음 두 조건을 만족시킬 때, 상수 a, b에 대하여 a^2+b^2의 값은?

> (가) $\dfrac{d}{dx}\int_0^x f(t)dt=\int_1^x\dfrac{d}{dx}f(x)dx$
> (나) $\int_0^y\dfrac{d}{dy}f(y)dy=\dfrac{d}{dy}\int_{-1}^y f(t)dt$

① 1   ② 2   ③ 3
④ 4   ⑤ 5

STEP Ⓐ   **조건 (가)에서 양변을 정리하여 $f(1)$의 값 구하기**

조건 (가)에서

$\dfrac{d}{dx}\int_0^x f(t)dt=f(x)$, $\int_1^x\dfrac{d}{dx}f(x)dx=\left[f(x)\right]_1^x=f(x)-f(1)$

즉 $f(x)=f(x)-f(1)$ $\therefore f(1)=0$ ······ ㉠

STEP Ⓑ   **조건 (나)에서 양변을 정리하여 $f(0)$의 값 구하기**

조건 (나)에서

$\int_0^y\dfrac{d}{dy}f(y)dy=\left[f(y)\right]_0^y=f(y)-f(0)$, $\dfrac{d}{dy}\int_{-1}^y f(t)dt=f(y)$

즉 $f(y)-f(0)=f(y)$ $\therefore f(0)=0$ ······ ㉡

STEP Ⓒ   **a^2+b^2의 값 구하기**

㉠, ㉡에서 $f(1)=1+a+b=0$, $f(0)=b=0$ $\therefore a=-1$, $b=0$

따라서 $a^2+b^2=1+0=1$

정답 ①

1217 정답 ③

STEP Ⓐ   **주어진 식의 양변을 x에 대하여 미분하여 $f(x)$의 식 구하기**

$\int_0^x f(t)dt=x^3+4x$의 양변을 x에 대하여 미분하면 $f(x)=3x^2+4$

STEP Ⓑ   **$f(10)$의 값 구하기**

따라서 $f(10)=3\cdot 10^2+4=304$

1218 정답 ⑤

STEP Ⓐ   **주어진 식의 양변을 x에 대하여 미분하여 $f(x)$의 식 구하기**

$\int_0^x f(t)dt=x^2+2x$의 양변을 x에 대하여 미분하면 $f(x)=2x+2$

STEP Ⓑ   **주어진 정적분 계산하기**

따라서 $\int_0^3 f(x^2)dx=\int_0^3(2x^2+2)dx=\left[\dfrac{2}{3}x^3+2x\right]_0^3=18+6=24$

함수 $f(x)$가 모든 실수 x에 대하여

$$\int_0^x f(t)dt = 2x^2 - x$$

를 만족시킬 때, 정적분 $\int_0^1 f(3x^2)dx$의 값은?

① 2　　　　② 3　　　　③ 4
④ 5　　　　⑤ 6

STEP Ⓐ **주어진 식의 양변을 x에 대하여 미분하여 $f(x)$의 식 구하기**

$\int_0^x f(t)dt = 2x^2 - x$의 양변을 x에 대하여 미분하면

$f(x) = 4x - 1$

STEP Ⓑ **주어진 정적분 계산하기**

따라서 $\int_0^1 f(3x^2)dx = \int_0^1 (4 \cdot 3x^2 - 1)dx = \Big[4x^3 - x\Big]_0^1 = 4 - 1 = 3$　정답 ②

1219
정답 ⑤

STEP Ⓐ **등식의 양변을 미분하여 함수 $f(x)$ 구하기**

$\int_a^x f(t)dt = x^2 + 2x + 1$의 양변을 x에 대하여 미분하면

$f(x) = 2x + 2$

STEP Ⓑ **a의 값 구하기**

또, 주어진 등식의 양변에 $x = a$를 대입하면

$\int_a^a f(t)dt = a^2 + 2a + 1 = (a+1)^2 = 0$

즉 $a = -1$

STEP Ⓒ **$a + f(1)$의 값 구하기**

따라서 $a + f(1) = -1 + 4 = 3$

임의의 실수 x에 대하여

$$\int_a^x f(t)dt = x^2 - 4x - 5$$

를 만족시킬 때, $a + f(2)$의 값은? (단, $a > 0$)

① 2　　　　② 3　　　　③ 4
④ 5　　　　⑤ 6

STEP Ⓐ **등식의 양변을 미분하여 함수 $f(x)$ 구하기**

$\int_a^x f(t)dt = x^2 - 4x - 5$의 양변을 x에 대하여 미분하면

$f(x) = 2x - 4$

STEP Ⓑ **a의 값 구하기**

또, 주어진 등식의 양변에 $x = a$를 대입하면

$\int_a^a f(t)dt = a^2 - 4a - 5 = (a+1)(a-5) = 0$

즉 $a > 0$이므로 $a = 5$

STEP Ⓒ **$a + f(2)$의 값 구하기**

따라서 $a + f(2) = 5 + (4-4) = 5$　정답 ④

1220
정답 ②

STEP Ⓐ **$\int_{-1}^{-1} f(t)dt = 0$을 이용하여 a의 값 구하기**

$\int_{-1}^x f(t)dt = x^3 + ax + 3$의 양변에 $x = -1$를 대입하면

$0 = -1 - a + 3$　∴ $a = 2$

STEP Ⓑ **주어진 식의 양변을 x에 대하여 미분하여 $f(a)$의 식 구하기**

$\int_{-1}^x f(t)dt = x^3 + 2x + 3$의 양변을 x에 대하여 미분하면

$f(x) = 3x^2 + 2$

따라서 $f(a) = f(2) = 12 + 2 = 14$

다항함수 $f(x)$가 모든 실수 x에 대하여

$$\int_1^x f(t)dt = x^2 + ax - 5$$

를 만족시킬 때, $f(a)$의 값은? (단, a는 상수이다.)

① 6　　　　② 8　　　　③ 10
④ 12　　　　⑤ 14

STEP Ⓐ **상수 a 구하기**

$\int_1^x f(t)dt = x^2 + ax - 5$　……… ㉠

㉠의 양변에 $x = 1$을 대입하면

$0 = 1 + a - 5$　∴ $a = 4$

STEP Ⓑ **$f(x)$를 구하여 $f(a)$의 값 구하기**

㉠의 양변을 x에 대하여 미분하면

$f(x) = 2x + a = 2x + 4$

따라서 $f(a) = f(4) = 8 + 4 = 12$　정답 ④

1221
정답 ②

STEP Ⓐ **$\int_a^a f(t)dt = 0$을 이용하여 a의 값 구하기**

$\int_a^x f(t)dt = 3x^2 + ax - 4$의 양변에 $x = a$를 대입하면

$3a^2 + a^2 - 4 = 0,\ 4a^2 = 4$

∴ $a = -1$ 또는 $a = 1$

그런데 $a > 0$이므로 $a = 1$

STEP Ⓑ **주어진 식의 양변을 x에 대하여 미분하여 $f(x)$의 식 구하기**

$\int_a^x f(t)dt = 3x^2 + x - 4$의 양변을 x에 대하여 미분하면

$f(x) = 6x + 1$

따라서 $a + f(1) = 1 + (6+1) = 8$

다항함수 $f(x)$가 모든 실수 x에 대하여

$$\int_a^x f(t)dt = x^2 + 5x - 6$$

이 성립할 때, $a + f(a)$의 값은? (단, $a > 0$)

① 6　　　　② 7　　　　③ 8
④ 9　　　　⑤ 10

$\int_a^x f(t)dt = x^2+5x-6$ $\qquad$ ······ ㉠

㉠의 양변에 $x=a$를 대입하면 $\int_a^a f(t)dt = a^2+5a-6=0$이므로

$(a-1)(a+6)=0$ $\quad \therefore a=1(\because a>0)$

STEP Ⓑ 양변을 x에 대하여 미분하여 $f(x)$의 식 구하기

㉠의 양변을 x에 대하여 미분하면 $f(x)=2x+5$

따라서 $a+f(a)=1+f(1)=1+7=8$ 정답 ③

1222 정답 ④

STEP Ⓐ 양변에 $x=1$을 대입하여 a의 값 구하기

$\int_1^x f(t)dt = x^3-2ax^2+ax$ $\qquad$ ······ ㉠

㉠의 양변에 $x=1$을 대입하면 $\int_1^1 f(t)dt=0$이므로

$1-2a+a=0$ $\quad \therefore a=1$

STEP Ⓑ 양변을 x에 대하여 미분하여 $f(x)$의 식 구하기

$\int_1^x f(t)dt = x^3-2x^2+x$의 양변을 x에 대하여 미분하면

$f(x)=3x^2-4x+1$

따라서 $f(3)=27-12+1=16$

1223 정답 ②

STEP Ⓐ 양변에 $x=a$을 대입하여 a의 값 구하기

$\int_a^x f(t)dt = x^2-2x-3$의 양변에 $x=a$를 대입하면

$\int_a^a f(t)dt = a^2-2a-3=0$에서 $(a-3)(a+1)=0$

$\therefore a=-1(\because a<0)$ $\qquad$ ······ ㉠

STEP Ⓑ 양변을 미분하여 $f(x)$ 구하기

$\int_{-1}^x f(t)dt = x^2-2x-3$의 양변을 x에 대하여 미분하면

$\therefore f(x)=2x-2$ $\qquad$ ······ ㉡

STEP Ⓒ $f'(a)f(a)$의 값 구하기

따라서 ㉠, ㉡에서 $f'(x)=2$이므로

$f'(a)f(a)=f'(-1)f(-1)=2 \cdot (-4)=-8$

내신연계 출제문항 519

다항함수 $f(x)$가 모든 실수 x에 대하여

$$\int_1^x f(t)dt = x^3+ax^2-3x+1$$

을 만족시킬 때, $f(a)$의 값은? (단, a는 상수이다.)

① -2 $\qquad$ ② -1 $\qquad$ ③ 0
④ 1 $\qquad$ ⑤ 2

STEP Ⓐ 양변에 $x=1$을 대입하여 a의 값 구하기

$\int_1^x f(t)dt = x^3+ax^2-3x+1$ $\qquad$ ······ ㉠

㉠의 양변에 $x=1$을 대입하면

$\int_1^1 f(t)dt = 1+a-3+1$에서 $0=a-1$

$\therefore a=1$

STEP Ⓑ 양변을 미분하여 $f(x)$ 구하기

$\int_1^x f(t)dt = x^3+x^2-3x+1$의 양변을 x에 대하여 미분하면

$f(x)=3x^2+2x-3$

따라서 $f(a)=f(1)=3+2-3=2$ 정답 ⑤

1224 정답 ③

STEP Ⓐ 양변에 $x=a$를 대입하여 a의 값 구하기

$\int_a^x f(t+1)dt = x^3-x^2-x-a$ $\qquad$ ······ ㉠

㉠의 양변에 $x=a$를 대입하면

$\int_a^a f(t+1)dt = a^3-a^2-a-a=0$이므로

$a(a^2-a-2)=a(a+1)(a-2)=0$

$\therefore a=2(\because a>0)$

STEP Ⓑ 양변을 x에 대하여 미분하여 $f(x+1)$의 식 구하기

㉠의 양변을 x에 대하여 미분하면

$f(x+1)=3x^2-2x-1$

STEP Ⓒ $x=2$를 대입하여 $f(3)$의 값 구하기

이때 $f(3)$의 값은 $x+1=3$이므로 $x=2$일 때, $f(3)=12-4-1=7$

따라서 $af(3)=2 \cdot 7=14$

1225 정답 ②

STEP Ⓐ 양변에 $x=1$을 대입하여 a의 값 구하기

$\int_1^x f(t)dt = 2x^3+ax^2-2x-3$ $\qquad$ ······ ㉠

㉠의 양변에 $x=1$을 대입하면

$\int_1^1 f(t)dt = 2+a-2-3=0$

$\therefore a=3$

STEP Ⓑ 양변을 x에 대하여 미분하여 $f(x)$의 식 구하기

㉠의 양변을 x에 대하여 미분하면 $f(x)=6x^2+2ax-2$

$\therefore f(x)=6x^2+6x-2$

STEP Ⓒ $\dfrac{1}{t}=h$로 치환하고 미분계수의 정의를 이용하여 극한값 구하기

이때 $\dfrac{1}{t}=h$라 하면 $t \to \infty$이면 $h \to 0$이므로

$\lim\limits_{t \to \infty} t\left\{f\left(3+\dfrac{1}{t}\right)-f(3)\right\} = \lim\limits_{h \to 0} \dfrac{f(3+h)-f(3)}{h} = f'(3)$

$f(x)=6x^2+6x-2$에서 $f'(x)=12x+6$

따라서 $f'(3)=42$

1226 정답 ⑤

STEP Ⓐ $\int_1^1 f(x)dx=0$을 이용하여 a의 값 구하기

$\int_1^x \left\{\dfrac{d}{dt}f(t)\right\}dt = x^3+ax^2-2$ $\qquad$ ······ ㉠

㉠의 양변에 $x=1$을 대입하면

$0=1+a-2$에서 $a=1$

STEP Ⓑ 정적분을 이용하여 구하기

한편 $\dfrac{d}{dt}f(t)=f'(t)$이므로

$$\int_{1}^{x}\left\{\frac{d}{dt}f(t)\right\}dt=\int_{1}^{x}f'(t)dt=\left[f(t)\right]_{1}^{x}=f(x)-f(1)$$

이때 $\int_{1}^{x}\left\{\frac{d}{dt}f(t)\right\}dt=x^3+x^2-2$에서 $f(x)-f(1)=x^3+x^2-2$

STEP ⓒ **양변을 미분하여 $f'(x)$ 구하기**

$f(x)-f(1)=x^3+x^2-2$의 양변을 x에 관하여 미분하면

$f'(x)=3x^2+2x$

따라서 $f'(a)=f'(1)=3+2=5$

 $\int_{1}^{x}\left\{\frac{d}{dt}f(t)\right\}dt=x^3+x^2-2$의 양변을 x에 관하여 미분하면

$f'(x)=3x^2+2x$

따라서 $f'(a)=f'(1)=3+2=5$

내/신/연/계/ 출제문항 520

다항함수 $f(x)$가 모든 실수 x에 대하여

$$\int_{a}^{x}\left\{\frac{d}{dt}f(t)\right\}dt=x^3-8$$

을 만족시킬 때, $f'(a)$의 값은? (단, a는 실수이다.)

① 10   ② 12   ③ 14
④ 16   ⑤ 18

STEP Ⓐ **$\int_{a}^{a}f(x)dx=0$을 이용하여 a의 값 구하기**

$\int_{a}^{x}\left\{\frac{d}{dt}f(t)\right\}dt=x^3-8$ …… ㉠

㉠의 양변에 $x=a$을 대입하면 $0=a^3-8$

$(a-2)(a^2+2a+4)=0$이므로 $a=2$

STEP Ⓑ **양변을 미분하여 $f'(x)$ 구하기**

㉠의 양변의 양변을 x에 대하여 미분하면 $f'(x)=3x^2$

따라서 $f'(a)=f'(2)=3\cdot2^2=12$ 정답 ②

1227   정답 ③

STEP Ⓐ **$\int_{0}^{1}f(t)dt=k$ (k는 상수)로 놓고 상수 k 구하기**

$\int_{0}^{1}f(t)dt=k$ (k는 상수)로 놓으면

$\int_{0}^{x}f(t)dt=x^3-2x^2-2kx$ …… ㉠

㉠에 양변에 $x=1$을 대입하면 $\int_{0}^{1}f(t)dt=1-2-2k=k$

$\therefore k=-\frac{1}{3}$

STEP Ⓑ **주어진 식의 양변을 x에 대하여 미분하여 $f(x)$ 구하기**

㉠의 양변을 x에 대하여 미분하면 $f(x)=3x^2-4x-2k$

$k=-\frac{1}{3}$을 대입하면 $f(x)=3x^2-4x+\frac{2}{3}$

따라서 $f(0)=a=\frac{2}{3}$이므로 $60a=60\cdot\frac{2}{3}=40$

다른풀이 $\int_{0}^{1}f(t)dt=k$에 대입하여 풀이하기

$\int_{0}^{1}f(t)dt=k$ (k는 상수)로 놓으면

$\int_{0}^{x}f(t)dt=x^3-2x^2-2kx$

양변을 x에 대하여 미분하면

$f(x)=3x^2-4x-2k$을 $\int_{0}^{1}f(t)dt=k$에 대입하면

$\int_{0}^{1}(3t^2-4t-2k)dt=k$

$\left[t^3-2t^2-2kt\right]_{0}^{1}=-2k-1=k$ $\therefore k=-\frac{1}{3}$

$\therefore f(x)=3x^2-4x+\frac{2}{3}$

따라서 $f(0)=a=\frac{2}{3}$이므로 $60a=60\cdot\frac{2}{3}=40$

1228   정답 ③

STEP Ⓐ **양변에 $x=2$를 대입하여 $\int_{0}^{1}f(x)dx$의 값 구하기**

$\int_{2}^{x}f(t)dt=-x^3+x^2+x\int_{0}^{1}f(t)dt$ …… ㉠

㉠의 양변에 $x=2$를 대입하면 $\int_{2}^{2}f(t)dt=0$이므로

$0=-8+4+2\int_{0}^{1}f(t)dt$

$\therefore \int_{0}^{1}f(t)dt=2$

STEP Ⓑ **양변을 미분하여 $f(x)$ 구하기**

$\int_{2}^{x}f(t)dt=-x^3+x^2+2x$의 양변을 x에 관하여 미분하면

$f(x)=-3x^2+2x+2$

따라서 $f(2)=-12+4+2=-6$

내/신/연/계/ 출제문항 521

다항함수 $f(x)$가

$$\int_{0}^{x}f(t)dt=x^3-3x^2+x\int_{0}^{2}f(t)dt$$

를 만족시킬 때, $f(2)$의 값은?

① 2   ② 4   ③ 6
④ 8   ⑤ 10

STEP Ⓐ **양변에 $x=2$를 대입하여 $\int_{0}^{2}f(x)dx$의 값 구하기**

$\int_{0}^{x}f(t)dt=x^3-3x^2+x\int_{0}^{2}f(t)dt$ 의 양변에 $x=2$를 대입하면

$\int_{0}^{2}f(t)dt=-4+2\int_{0}^{2}f(t)dt$

$\therefore \int_{0}^{2}f(t)dt=4$

STEP Ⓑ **양변을 미분하여 $f(x)$ 구하기**

$\int_{0}^{x}f(t)dt=x^3-3x^2+4x$의 양변을 x에 대하여 미분하면

$f(x)=3x^2-6x+4$

따라서 $f(2)=12-12+4=4$

다른풀이   정적분 계산을 이용하여 풀이하기

$\int_{0}^{2}f(t)dt=k$ (k는 상수)로 놓으면

$\int_{0}^{x}f(t)dt=x^3-3x^2+kx$

위 등식의 양변을 x에 대하여 미분하면 $f(x)=3x^2-6x+k$이므로

$\int_{0}^{2}(3t^2-6t+k)dt=k$에서 $\left[t^3-3t^2+kt\right]_{0}^{2}=k$

$2k-4=k$ $\therefore k=4$

따라서 $f(x)=3x^2-6x+4$이므로 $f(2)=12-12+4=4$ 정답 ②

1229

STEP A $f(2)$의 값 구하기

$f(x)=\displaystyle\int_1^x(3t^2-4t+3)dt$ ...... ㉠

㉠의 양변에 $x=2$를 대입하면

$f(2)=\displaystyle\int_1^2(3t^2-4t+3)dt$

$\quad=\Big[t^3-2t^2+3t\Big]_1^2$

$\quad=(8-8+6)-(1-2+3)$

$\quad=4$

STEP B $f'(2)$의 값 구하기

$f(x)=\displaystyle\int_1^x(3t^2-4t+3)dt$ 의 양변을 x에 대하여 미분하면

$f'(x)=3x^2-4x+3$

곡선 $y=f(x)$ 위의 점 $(2, 4)$에서의 접선의 기울기는

$f'(2)=12-8+3=7$

STEP C 접선의 방정식 구하기

점 $(2, 4)$에서 접선의 방정식은 $y-4=7(x-2)$

$\therefore y=7x-10$

따라서 $a=7$, $b=-10$이므로 $ab=-70$

내/신/연/계/ 출제문항 522

함수 $F(x)=\displaystyle\int_0^x f(t)dt$ 에 대하여 곡선 $y=f(x)$의 그래프가 오른쪽 그림과 같을 때, $y=F(x)$의 그래프 위의 점 $(2, F(2))$에서의 접선의 기울기는?

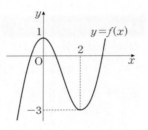

① -5 ② -3
③ -1 ④ 1
⑤ 3

STEP A $x=2$에서 함수 $y=F(x)$의 접선의 기울기 구하기

함수 $y=F(x)$의 그래프 위의 점 $(2, F(2))$에서의 접선의 기울기는

$F'(2)$이므로 $F'(x)=\dfrac{d}{dx}\displaystyle\int_0^x f(t)dt=f(x)$에서 $F'(2)=f(2)$

따라서 주어진 그래프에서 $f(2)=-3$이므로 구하는 기울기는 -3 정답 ②

1230

STEP A 주어진 식을 $F(x)$라 두고 $F(-2)$, $F'(-2)$의 값 구하기

$F(x)=f(x)+x^2+\displaystyle\int_{-2}^x f(t)dt$로 놓으면 ...... ㉠

$F(x)$가 $(x+2)^2$으로 나누어떨어지므로

$F(-2)=F'(-2)=0$

STEP B $F(-2)=0$에서 $f(-2)$의 값 구하기

$F(-2)=f(-2)+4+\displaystyle\int_{-2}^{-2}f(t)dt=0$

$\therefore f(-2)=-4$

STEP C $F'(-2)=0$에서 $f'(-2)$의 값 구하기

㉠의 양변을 x에 대하여 미분하면

$F'(x)=f'(x)+2x+f(x)$이므로 $F'(-2)=f'(-2)-4+f(-2)=0$

$\therefore f'(-2)=8$

따라서 다항함수 $f'(x)$를 $x+2$로 나눈 나머지는 $f'(-2)=8$

> **참고** 다항식 $f(x)$가 이차식 $(x-m)^2$으로 나눠떨어지면 $f(m)=0$, $f'(m)=0$이 성립한다.

내/신/연/계/ 출제문항 523

$g(x)$는 다항함수이고 함수 $f(x)$가

$$f(x)=x^2-ax+\int_1^x g(t)dt$$

로 정의된다. 함수 $f(x)$가 $(x-1)^2$으로 나누어떨어질 때, $g(x)$를 $x-1$로 나눈 나머지는?

① -5 ② -4 ③ -3
④ -2 ⑤ -1

STEP A $f(x)$의 식을 표현하고 $x=1$을 대입하여 a의 값 구하기

$f(x)=x^2-ax+\displaystyle\int_1^x g(t)dt$ ...... ㉠

가 $(x-1)^2$으로 나누어 떨어지므로 $f(1)=0$, $f'(1)=0$

㉠의 양변에 $x=1$을 대입하면 $f(1)=1-a=0$

$\therefore a=1$

STEP B 양변을 x에 대하여 미분하여 $f'(x)$의 식 구하기

㉠의 양변을 x에 대하여 미분하면 $f'(x)=2x-1+g(x)$이므로

$x=1$을 대입하면 $f'(1)=2-1+g(1)=0$

$\therefore g(1)=-1$

STEP C $x=1$을 대입하여 $g(1)$의 값 구하기

따라서 $g(x)$를 $x-1$로 나눈 나머지는 $g(1)=-1$ 정답 ⑤

1231

정답 ⑤

STEP A　**(가), (나)의 양변에 $x=1$을 대입하여 a, b의 값 구하기**

조건 (가), (나)의 주어진 식의 양변에 $x=1$을 각각 대입하면

$\int_1^1 \{2f(t)-g(t)\}dt=3\cdot 1^2-3\cdot 1+a,\ 0=3-3+a$

$\therefore a=0$

$\int_1^1 \{f(t)+2g(t)\}dt=5\cdot 1^3-1^2+1+b,\ 0=5-1+1+b$

$\therefore b=-5$

STEP B　**(가), (나)의 양변을 x에 대하여 미분하여 $f(x)$, $g(x)$의 식 구하기**

주어진 식의 양변을 x에 대하여 미분하면

$2f(x)-g(x)=6x-3$　　$\cdots\cdots$ ㉠

$f(x)+2g(x)=15x^2-2x+1$　　$\cdots\cdots$ ㉡

㉠, ㉡을 연립하여 풀면 $f(x)=3x^2+2x-1$, $g(x)=6x^2-2x+1$

STEP C　**$f(1)+g(1)+a+b$의 값 구하기**

따라서 $f(1)+g(1)+a+b=4+5+0-5=4$

1232

정답 ②

STEP A　**양변을 x에 대하여 미분하여 $f'(x)$, $f(x)$의 식 구하기**

$xf(x)=4x^2+\int_1^x f(t)dt$　　$\cdots\cdots$ ㉠

㉠의 양변을 x에 대하여 미분하면 $f(x)+xf'(x)=8x+f(x)$

$\therefore f'(x)=8$

$f(x)=\int 8dx=8x+C$ (C는 적분상수)

STEP B　**주어진 식의 양변에 $x=1$을 대입하여 $f(1)$의 값 구하기**

㉠의 양변에 $x=1$을 대입하면 $f(1)=4+\int_1^1 f(t)dt$

$\therefore f(1)=4$

STEP C　**$f(1)=4$에서 C의 값을 구하고 $f(2)$의 값 구하기**

$f(1)=8+C=4$에서 $C=-4$

따라서 $f(x)=8x-4$이므로 $f(2)=16-4=12$

1233

정답 ②

STEP A　**양변을 x에 대하여 미분하여 $f'(x)$, $f(x)$의 식 구하기**

$2x^3-3x^2+xf(x)=\int_1^x f(t)dt$　　$\cdots\cdots$ ㉠

㉠의 양변을 x에 대하여 미분하면 $6x^2-6x+f(x)+xf'(x)=f(x)$

$xf'(x)=6x-6x^2=6x(1-x)$

$\therefore f'(x)=6(1-x)$

$f(x)=\int f'(x)dx=\int (6-6x)dx=-3x^2+6x+C$ (단, C는 적분상수)

STEP B　**주어진 식의 양변에 $x=1$을 대입하여 $f(1)$의 값 구하기**

㉠의 양변에 $x=1$을 대입하면 $2-3+f(1)=0$

$\therefore f(1)=1$

STEP C　**$f(1)=1$에서 C의 값을 구하고 $f(0)$의 값 구하기**

$f(1)=-3+6+C=3+C=1$ $\therefore C=-2$

따라서 $f(x)=-3x^2+6x-2$이므로 $f(0)=-2$

모든 실수 x에서 미분가능한 함수 $f(x)$가 등식

$$xf(x)=3x^4-6x^3+3x^2+\int_1^x f(t)dt$$

를 만족시킬 때, $f(2)$의 값은?

① 6　　　　　② 7　　　　　③ 8

④ 9　　　　　⑤ 10

STEP A　**양변을 x에 대하여 미분하여 $f'(x)$, $f(x)$의 식 구하기**

$xf(x)=3x^4-6x^3+3x^2+\int_1^x f(t)dt$　　$\cdots\cdots$ ㉠

㉠의 양변을 x에 대하여 미분하면

$f(x)+xf'(x)=12x^3-18x^2+6x+f(x)$이므로

$f'(x)=12x^2-18x+6$

양변을 x에 대하여 적분하면

$f(x)=\int f'(x)dx$

$=\int (12x^2-18x+6)dx$

$=4x^3-9x^2+6x+C$ (단, C는 적분상수)

STEP B　**$x=1$을 대입하여 C를 구하여 $f(1)$의 값 구하기**

㉠의 양변에 $x=1$을 대입하면

$f(1)=3-6+3+\int_1^1 f(t)dt=0$이므로

$f(1)=4-9+6+C=0$에서 $C=-1$

STEP C　**$f(2)$의 값 구하기**

따라서 $f(x)=4x^3-9x^2+6x-1$이므로 $f(2)=7$

정답 ②

1234

정답 ④

STEP A　**양변을 x에 대하여 미분하여 $f'(x)$, $f(x)$의 식 구하기**

$xf(x)=x^3-3x^2+\int_2^x f(t)dt$　　$\cdots\cdots$ ㉠

㉠의 양변을 x에 대하여 미분하면

$f(x)+xf'(x)=3x^2-6x+f(x)$

$xf'(x)=3x^2-6x$ $\therefore f'(x)=3x-6$

$\therefore f(x)=\int (3x-6)dx=\frac{3}{2}x^2-6x+C$ (단, C는 적분상수)

STEP B　**주어진 식의 양변에 $x=2$를 대입하여 $f(2)$의 값 구하기**

㉠의 양변에 $x=2$을 대입하면

$2f(2)=2^3-3\cdot 2^2+\int_2^2 f(t)dt$

$2f(2)=8-12=-4$ $\therefore f(2)=-2$

STEP C　**$f(2)=-2$에서 C의 값을 구하고 우함수의 성질을 이용하여 정적분 계산하기**

$f(2)=6-12+C=-2$에서 $C=4$

$\therefore f(x)=\frac{3}{2}x^2-6x+4$

따라서 $\int_{-2}^2 f(x)dx=2\int_0^2 \left(\frac{3}{2}x^2+4\right)dx=2\left[\frac{1}{2}x^3+4x\right]_0^2=24$

1235

정답 ①

STEP **A** 양변을 x에 대하여 미분하여 $f'(x)$, $f(x)$의 식 구하기

$(x+1)f(x)=(x+1)^2+\int_1^x f(t)dt$ ...... ㉠

㉠의 양변을 x에 대하여 미분하면 $f(x)+(x+1)f'(x)=2(x+1)+f(x)$

$\therefore f'(x)=2$

$f(x)=\int 2dx=2x+C$ (단, C는 적분상수)

STEP **B** 주어진 식의 양변에 $x=1$을 대입하여 $f(1)$의 값 구하기

㉠의 양변에 $x=1$을 대입하면 $2f(1)=4+\int_1^1 f(t)dt=4+0=4$

$\therefore f(1)=2$

STEP **C** $f(2)=-2$에서 C의 값을 구하고 기함수의 성질을 이용하여 정적분 계산하기

$f(1)=2+C=2$에서 $C=0$

$\therefore f(x)=2x$

따라서 $\int_{-2}^2 f(x)dx=\int_{-2}^2 2xdx=\left[x^2\right]_{-2}^2=0$

1236

정답 ④

STEP **A** 양변을 x에 대하여 미분하여 $f'(x)$, $f(x)$의 식 구하기

$\int_1^x f(t)dt=xf(x)-2x^3+3x^2$ ...... ㉠

㉠의 양변에 $x=1$을 대입하면 $0=f(1)-2+3$

$\therefore f(1)=-1$

㉠의 양변을 x에 대하여 미분하면 $f(x)=f(x)+xf'(x)-6x^2+6x$

$xf'(x)=6x^2-6x=6x(x-1)$

$\therefore f'(x)=6(x-1)$

$f(x)=\int f'(x)dx=\int(6x-6)dx=3x^2-6x+C$ (단, C는 적분상수)

$f(1)=3-6+C=-1$ $\therefore C=2$

즉 $f(x)=3x^2-6x+2$

STEP **B** [보기]의 참, 거짓 판단하기

ㄱ. $f(x)=3x^2-6x+2$이므로 $f(0)=2$ [참]

ㄴ. $f(x)=3x^2-6x+2=3(x-1)^2-1$이므로
$x=1$에서 함수 $f(x)$의 최솟값은 -1이다 [거짓]

ㄷ. $xf(x)=3x^3-6x^2+2x$에서 $\{xf(x)\}'=9x^2-12x+2$이므로
함수 $xf(x)$는 극댓값과 극솟값을 가지려면
이차방정식 $9x^2-12x+2=0$이 서로 다른 두 실근을 가져야 하므로
$\dfrac{D}{4}=36-9\cdot2=18>0$이다. [참]

따라서 옳은 것은 ㄱ, ㄷ이다.

1237

정답 ②

STEP **A** 양변을 x에 대하여 미분하여 $f'(x)$, $f(x)$의 식 구하기

$2\int_2^x tf(t)dt=x^2f(x)-3x^5+4x^4$ ...... ㉠

㉠의 양변을 x에 대하여 미분하면

$2xf(x)=2xf(x)+x^2f'(x)-15x^4+16x^3$

$\therefore f'(x)=15x^2-16x$

$f(x)=\int(15x^2-16x)dx=5x^3-8x^2+C$ (단, C는 적분상수)

STEP **B** 주어진 식의 양변에 $x=2$를 대입하여 $f(2)$의 값 구하기

㉠의 양변에 $x=2$를 대입하면 $0=4f(2)-96+64$

$\therefore f(2)=8$ ...... ㉡

STEP **C** $f(2)=8$에서 C의 값을 구하고 $f(1)$의 값 구하기

㉡에서 $f(2)=40-32+C=8$ $\therefore C=0$

따라서 $f(x)=5x^3-8x^2$이므로 $f(1)=-3$

1238

정답 ③

STEP **A** $\int_0^1 f'(t)dt=k$로 치환하고 주어진 식의 양변을 x에 대하여 미분하여 $f'(x)$의 식 구하기

$\int_0^1 f'(t)dt=k$ (단, k는 상수)로 놓으면

$xf(x)=2x^3-kx^2+\int_1^x f(t)dt$ ...... ㉠

㉠의 양변을 x에 대하여 미분하면 $f(x)+xf'(x)=6x^2-2kx+f(x)$

$\therefore f'(x)=6x-2k$

STEP **B** $f'(x)$의 식을 대입하여 k의 값 구하기

$\int_0^1 f'(t)dt=\int_0^1(6t-2k)dt=\left[3t^2-2kt\right]_0^1=3-2k=k$

$\therefore k=1$

STEP **C** $f(2)$의 값 구하기

$f'(x)=6x-2$이므로

$f(x)=\int f'(x)dx=3x^2-2x+C$ (C는 적분상수) ...... ㉡

㉠, ㉡에 $x=1$을 대입하면 $f(1)=2-1=3-2+C$이므로 $C=0$

$\therefore f(x)=3x^2-2x$

따라서 $f(2)=12-4=8$

내/신/연/계 출제문항 525

다항함수 $f(x)$가 모든 실수 x에 대하여

$$\int_0^x tf(t)dt=\frac{1}{3}x^3-x^2\int_0^2 f(t)dt$$

를 만족시킬 때, $f(1)$의 값은?

① $-\dfrac{4}{5}$　　② $-\dfrac{2}{5}$　　③ $\dfrac{1}{5}$

④ $\dfrac{2}{5}$　　⑤ $\dfrac{8}{5}$

STEP **A** $\int_0^2 f(t)dt=k$로 치환하고 주어진 식의 양변을 x에 대하여 미분하여 $f(x)$의 식 구하기

$\int_0^2 f(t)dt=k$ (단, k는 상수)로 놓으면

$\int_0^x tf(t)dt=\frac{1}{3}x^3-kx^2$ ...... ㉠

㉠의 양변을 x에 대하여 미분하면 $xf(x)=x^2-2kx$

$\therefore f(x)=x-2k$

STEP **B** $f(x)$의 식을 대입하여 k의 값 구하기

$\int_0^2 f(t)dt=\int_0^2(t-2k)dt=\left[\frac{1}{2}t^2-2kt\right]_0^2=2-4k=k$

$\therefore k=\dfrac{2}{5}$

STEP **C** $f(1)$의 값 구하기

따라서 $f(x)=x-\dfrac{4}{5}$이므로 $f(1)=\dfrac{1}{5}$

정답 ③

1239

정답 ④

STEP Ⓐ **식을 정리하고 양변을 x에 대하여 미분하기**

$$\int_2^x (x-t)f(t)dt = \int_2^x \{xf(t)-tf(t)\}dt = x\int_2^x f(t)dt - \int_2^x tf(t)dt$$

$$x\int_2^x f(t)dt - \int_2^x tf(t)dt = x^3 - 6x^2 + 12x - 8 \qquad \cdots\cdots ㉠$$

㉠의 양변을 x에 대하여 미분하면

$$\int_2^x f(t)dt + xf(x) - xf(x) = 3x^2 - 12x + 12$$

STEP Ⓑ **양변을 x에 대하여 미분하여 $f(x)$의 식 구하기**

$$\int_2^x f(t)dt = 3x^2 - 12x + 12 \qquad \cdots\cdots ㉡$$

㉡의 양변을 x에 대하여 미분하면 $f(x) = 6x - 12$

따라서 $f(3) = 18 - 12 = 6$

1240

정답 ⑤

STEP Ⓐ **주어진 식의 양변에 $x = -1$를 대입하여 a의 값 구하기**

$$\int_{-1}^x (x-t)f(t)dt = x^3 + ax - 2 \qquad \cdots\cdots ㉠$$

㉠의 양변에 $x = -1$을 대입하면 $0 = -1 - a - 2$ ∴ $a = -3$

STEP Ⓑ **식을 정리하고 양변을 x에 대하여 미분하기**

$$\int_{-1}^x (x-t)f(t)dt = x^3 - 3x - 2$$이므로

$$x\int_{-1}^x f(t)dt - \int_{-1}^x tf(t)dt = x^3 - 3x - 2 \qquad \cdots\cdots ㉡$$

㉡의 양변을 x에 대하여 미분하면

$$\int_{-1}^x f(t)dt + xf(x) - xf(x) = 3x^2 - 3$$

$$\int_{-1}^x f(t)dt = 3x^2 - 3 \qquad \cdots\cdots ㉢$$

STEP Ⓒ **양변을 x에 대하여 미분하여 $f(x)$의 식 구하기**

㉢의 양변을 다시 x에 대하여 미분하면 $f(x) = 6x$

따라서 $a + f(1) = -3 + 6 = 3$

 출제문항 526

미분가능한 함수 $f(x)$가

$$\int_1^x (x-t)f(t)dt = 2x^3 + ax^2 - 4x + 3$$

을 만족시킬 때, $a + f(2)$의 값은? (단, a는 상수)

① 18   ② 19   ③ 20
④ 21   ⑤ 22

STEP Ⓐ **주어진 식의 양변에 $x = 1$를 대입하여 a의 값 구하기**

$$\int_1^x (x-t)f(t)dt = 2x^3 + ax^2 - 4x + 3 \qquad \cdots\cdots ㉠$$

㉠의 양변에 $x = 1$을 대입하면 $0 = 2 + a - 4 + 3$ ∴ $a = -1$

STEP Ⓑ **식을 정리하고 양변을 x에 대하여 미분하기**

$$\int_1^x (x-t)f(t)dt = 2x^3 - x^2 - 4x + 3$$에서

$$x\int_1^x f(t)dt - \int_1^x tf(t)dt = 2x^3 - x^2 - 4x + 3 \qquad \cdots\cdots ㉡$$

㉡의 양변을 x에 대하여 미분하면

$$\int_1^x f(t)dt + xf(x) - xf(x) = 6x^2 - 2x - 4$$

$$\int_1^x f(t)dt = 6x^2 - 2x - 4 \qquad \cdots\cdots ㉢$$

STEP Ⓒ **양변을 x에 대하여 미분하여 $f(x)$의 식 구하기**

㉢의 양변을 다시 x에 대하여 미분하면 $f(x) = 12x - 2$

따라서 $a + f(2) = -1 + (24 - 2) = 21$

정답 ④

1241

정답 ①

STEP Ⓐ **주어진 식의 양변에 $x = 1$을 대입하여 a의 값 구하기**

$$\int_1^x (x-t)f(t)dt = 2x^3 - 3x^2 + a \qquad \cdots\cdots ㉠$$

㉠의 양변에 $x = 1$을 대입하여 정리하면

$$\int_1^1 (1-t)f(t)dt = 2 - 3 + a = 0$$이므로 $a = 1$

STEP Ⓑ **식을 정리하고 양변을 x에 대하여 미분하기**

주어진 식을 정리하면

$$x\int_1^x f(t)dt - \int_1^x tf(t)dt = 2x^3 - 3x^2 + 1$$

이때 양변을 x에 대하여 미분하면

$$\int_1^x f(t)dt + xf(x) - xf(x) = 6x^2 - 6x$$

$$\therefore \int_1^x f(t)dt = 6x^2 - 6x$$

STEP Ⓒ **양변을 x에 대하여 미분하여 $f(x)$의 식 구하기**

또한, 양변을 x에 대하여 미분하면 $f(x) = 12x - 6$

따라서 $f(a) = f(1) = 12 - 6 = 6$

 출제문항 527

미분가능한 함수 $f(x)$에 대하여

$$\int_2^x (x-t)f(t)dt = x^3 + ax^2 + 4$$

일 때, $f(a)$의 값은? (단, a는 상수)

① -36   ② -30   ③ -24
④ -18   ⑤ -12

STEP Ⓐ **주어진 식의 양변에 $x = 2$를 대입하여 a의 값 구하기**

$$\int_2^x (x-t)f(t)dt = x^3 + ax^2 + 4 \qquad \cdots\cdots ㉠$$

㉠의 양변에 $x = 2$를 대입하면 $0 = 8 + 4a + 4$

∴ $a = -3$

STEP Ⓑ **식을 정리하고 양변을 x에 대하여 미분하기**

$$\int_2^x (x-t)f(t)dt = x^3 - 3x^2 + 4$$에서

$$x\int_2^x f(t)dt - \int_2^x tf(t)dt = x^3 - 3x^2 + 4$$

위의 식의 양변을 x에 대하여 미분하면

$$\int_2^x f(t)dt + xf(x) - xf(x) = 3x^2 - 6x$$

$$\therefore \int_2^x f(t)dt = 3x^2 - 6x \qquad \cdots\cdots ㉡$$

STEP Ⓒ **양변을 x에 대하여 미분하여 $f(x)$의 식 구하기**

㉡의 양변을 x에 대하여 미분하면 $f(x) = 6x - 6$

따라서 $f(a) = f(-3) = -18 - 6 = -24$

정답 ③

1242

STEP A 주어진 식의 양변에 $x=1$을 대입하여 a, b 사이의 관계식 구하기

$$\int_1^x (x-t)f(t)dt = ax^2 + 2x + b \qquad \cdots\cdots \text{㉠}$$

㉠의 양변에 $x=1$을 대입하면 $0=a+2+b$

$\therefore a+b=-2 \qquad \cdots\cdots \text{㉡}$

STEP B 식을 정리하고 양변을 x에 대하여 미분하기

$\int_1^x (x-t)f(t)dt = ax^2+2x+b$에서

$$x\int_1^x f(t)dt - \int_1^x tf(t)dt = ax^2+2x+b$$

위의 식의 양변을 x에 대하여 미분하면

$$\int_1^x f(t)dt + xf(x) - xf(x) = 2ax+2$$

$\therefore \int_1^x f(t)dt = 2ax+2 \qquad \cdots\cdots \text{㉢}$

STEP C 양변에 $x=1$을 대입하여 a, b의 값 구하기

㉢의 양변에 $x=1$을 대입하면 $2a+2=0$ $\therefore a=-1$

이 값을 ㉡에 대입하면 $b=-1$

$\therefore ab=1$

STEP D 양변을 x에 대하여 미분하여 $f(x)$의 식 구하기

또한, $\int_1^x f(t)dt = 2ax+2$의 양변을 x에 대하여 미분하면 $f(x)=2a=-2$

따라서 $ab+f(1)=1-2=-1$

내/신/연/계 출제문항 528

미분가능한 함수 $f(x)$에 대하여

$$\int_1^x (x-t)f(t)dt = x^3+ax+b$$

가 성립할 때, 상수 a, b에 대하여 $b-a+f(1)$의 값은?

① 9   ② 11   ③ 13
④ 15   ⑤ 17

STEP A 주어진 식의 양변에 $x=1$을 대입하여 a, b 사이의 관계식 구하기

$$\int_1^x (x-t)f(t)dt = x^3+ax+b \qquad \cdots\cdots \text{㉠}$$

㉠의 양변에 $x=1$을 대입하여 정리하면

$0=1+a+b$이므로 $a+b=-1 \qquad \cdots\cdots \text{㉡}$

STEP B 식을 정리하고 양변을 x에 대하여 미분하기

주어진 식은 정리하면

$$x\int_1^x f(t)dt - \int_1^x tf(t)dt = x^3+ax+b$$

위의 식의 양변을 x에 관하여 미분하면

$$\int_1^x f(t)dt + xf(x) - xf(x) = 3x^2+a$$

$\therefore \int_1^x f(t)dt = 3x^2+a \qquad \cdots\cdots \text{㉢}$

STEP C $b-a+f(1)$의 값 구하기

㉢의 양변에 $x=1$을 대입하면 $0=3+a$

$\therefore a=-3$

이 값을 ㉡에 대입하면 $b=2$

또한, ㉢의 양변을 x에 관하여 미분하면 $f(x)=6x$

따라서 $b-a+f(1)=2-(-3)+6=11$

1243

STEP A 주어진 식의 양변에 $x=0$을 대입하여 $f(0)$ 구하기

$$f(x)=3x^2-6x+\int_0^x (x-t)f'(t)dt \qquad \cdots\cdots \text{㉠}$$

㉠의 양변에 $x=0$을 대입하면 $f(0)=0$

STEP B 식을 정리하고 양변을 x에 대하여 미분하기

$$f(x)=3x^2-6x+x\int_0^x f'(t)dt - \int_0^x tf'(t)dt$$

위의 식의 양변을 x에 대하여 미분하면

$$\begin{aligned} f'(x)&=6x-6+\int_0^x f'(t)dt + xf'(x) - xf'(x) \\ &=6x-6+\Big[f(x)\Big]_0^x \\ &=6x-6+f(x)-f(0) \end{aligned}$$

STEP C $f(0)=0$에서 $f'(x)-f(x)$의 식 구하기

$f(0)=0$이므로 $f'(x)-f(x)=6x-6$

따라서 $f'(2)-f(2)=12-6=6$

1244

STEP A 함수 $f'(x)$ 구하기

$\int_0^x (2t-x)f(t)dt = \int_0^x 2tf(t)dt - x\int_0^x f(t)dt$ 이므로

$$\int_0^x 2tf(t)dt - x\int_0^x f(t)dt = \frac{3}{4}x^5 - \frac{1}{3}x^4 + ax^3 \qquad \cdots\cdots \text{㉠}$$

㉠의 양변을 x에 대하여 미분하면

$$2xf(x) - \int_0^x f(t)dt - xf(x) = \frac{15}{4}x^4 - \frac{4}{3}x^3 + 3ax^2$$

$$xf(x) - \int_0^x f(t)dt = \frac{15}{4}x^4 - \frac{4}{3}x^3 + 3ax^2 \qquad \cdots\cdots \text{㉡}$$

㉡의 양변을 x에 대하여 미분하면

$$f(x) + xf'(x) - f(x) = 15x^3 - 4x^2 + 6ax$$

$$xf'(x) = 15x^3 - 4x^2 + 6ax$$

즉 $f(x)$는 다항함수이므로 $f'(x)=15x^2-4x+6a$

STEP B 함수 $f(x)$ 구하기

$$f(x)=\int(15x^2-4x+6a)dx = 5x^3 - 2x^2 + 6ax + C \text{ (C는 적분상수)}$$

$f(0)=0$이므로 $C=0$이고

$f(1)=1$이므로 $5-2+6a=1$에서 $a=-\frac{1}{3}$

따라서 $f(x)=5x^3-2x^2-2x$이므로 $f(2)=5\cdot 2^3 - 2\cdot 2^2 - 2\cdot 2 = 28$

다항함수 $f(x)$가 모든 실수 x에 대하여

$$x^2 f(x) = x^3 + \int_0^x (x^2 + t) f'(t) dt$$

를 만족시킨다. $f(0) = 2$일 때, $f(2)$의 값은?

① 3   ② 4   ③ 5
④ 6   ⑤ 7

STEP A 식을 정리하여 $\int_0^x t f'(t) dt$ 의식을 정리하기

$$x^2 f(x) = x^3 + \int_0^x (x^2 + t) f'(t) dt$$
$$= x^3 + x^2 \int_0^x f'(t) dt + \int_0^x t f'(t) dt$$

이때 $\int_0^x f'(t) dt = \Big[f(t) \Big]_0^x = f(x) - f(0) = f(x) - 2$이므로

$$x^2 f(x) = x^3 + x^2 \{ f(x) - 2 \} + \int_0^x t f'(t) dt$$
$$\int_0^x t f'(t) dt = -x^3 + 2x^2 \quad \cdots\cdots \ \text{㉠}$$

STEP B 양변을 x에 대하여 미분하여 $f'(x)$의 식 구하기

㉠의 양변을 x에 대하여 미분하면

$$x f'(x) = -3x^2 + 4x = x(-3x + 4)$$
$$\therefore f'(x) = -3x + 4$$

STEP C 적분상수를 구하여 $f(x)$ 구하기

$$f(x) = \int f'(x) dx = \int (-3x + 4) dx = -\frac{3}{2} x^2 + 4x + C \ (\text{단, } C \text{는 적분상수})$$
$$f(0) = C = 2$$

따라서 $f(x) = -\frac{3}{2} x^2 + 4x + 2$이므로 $f(2) = -6 + 8 + 2 = 4$ 정답 ②

1245
정답 ②

STEP A 함수 $f(x)$의 증가와 감소를 표로 나타내기

$f(x) = \int_0^x (t^2 - 2t - 3) dt$의 양변을 x에 대하여 미분하면

$$f'(x) = x^2 - 2x - 3 = (x + 1)(x - 3)$$

$f'(x) = 0$에서 $x = -1$ 또는 $x = 3$

함수 $f(x)$의 증가와 감소를 나타내면 다음 표와 같다.

x	$\cdots$	-1	$\cdots$	3	$\cdots$
$f'(x)$	$+$	0	$-$	0	$+$
$f(x)$	$\nearrow$	극대	$\searrow$	극소	$\nearrow$

STEP B 함수 $f(x)$의 극댓값, 극솟값 구하기

함수 $f(x)$는 $x = -1$일 때, 극댓값 a를 가지므로

$$a = f(-1) = \int_0^{-1} (t^2 - 2t - 3) dt = \Big[\frac{1}{3} t^3 - t^2 - 3t \Big]_0^{-1} = -\frac{1}{3} - 1 + 3 = \frac{5}{3}$$

또, $x = 3$일 때, 극솟값 b를 가지므로

$$b = f(3) = \int_0^3 (t^2 - 2t - 3) dt = \Big[\frac{1}{3} t^3 - t^2 - 3t \Big]_0^3 = 9 - 9 - 9 = -9$$

따라서 $3a - b = 5 + 9 = 14$

함수 $f(x) = 3x^2 - 6x - 9$에 대하여 함수 $g(x)$를 $g(x) = \int_1^x f(t) dt$로

정의할 때, $g(x)$의 극댓값은?

① 8   ② 10   ③ 12
④ 16   ⑤ 18

STEP A 함수 $g(x)$의 증가와 감소를 표로 나타내기

$$g'(x) = f(x) = 3x^2 - 6x - 9 = 3(x + 1)(x - 3)$$

$g'(x) = 0$에서 $x = -1$ 또는 $x = 3$

함수 $g(x)$의 증가와 감소를 나타내면 다음 표와 같다.

x	$\cdots$	-1	$\cdots$	3	$\cdots$
$g'(x)$	$+$	0	$-$	0	$+$
$g(x)$	$\nearrow$	극대	$\searrow$	극소	$\nearrow$

STEP B 함수 $g(x)$의 극댓값 구하기

따라서 $g(x)$는 $x = -1$에서 극대이므로 극댓값은

$$g(-1) = \int_1^{-1} f(t) dt = \int_1^{-1} (3t^2 - 6t - 9) dt = \Big[t^3 - 3t^2 - 9t \Big]_1^{-1} = 16 \quad \text{정답} \ ④$$

1246
정답 ①

STEP A 함수 $f(x)$의 증가와 감소를 표로 나타내기

$f(x) = \int_2^x (t^2 - 4t + 3) dt$의 양변을 x에 대하여 미분하면

$$f'(x) = x^2 - 4x + 3 = (x - 1)(x - 3)$$

$f'(x) = 0$에서 $x = 1$ 또는 $x = 3$

함수 $f(x)$의 증가와 감소를 표로 나타내면 다음과 같다.

x	$\cdots$	1	$\cdots$	3	$\cdots$
$f'(x)$	$+$	0	$-$	0	$+$
$f(x)$	$\nearrow$	극대	$\searrow$	극소	$\nearrow$

STEP B 함수 $f(x)$의 극댓값 구하기

함수 $f(x)$는 $x = 1$에서 극대이고 극댓값 $f(1)$을 갖는다.

$$f(1) = \int_2^1 (t^2 - 4t + 3) dt = \Big[\frac{1}{3} t^3 - 2t^2 + 3t \Big]_2^1$$
$$= \Big(\frac{1}{3} - 2 + 3 \Big) - \Big(\frac{8}{3} - 8 + 6 \Big)$$
$$= \frac{2}{3}$$

따라서 $a = 1$, $b = \frac{2}{3}$이므로 $a + b = 1 + \frac{2}{3} = \frac{5}{3}$

1247

STEP Ⓐ **함수 $f(x)$가 $x=-1$에서 극댓값 5를 가짐을 이용하여 a, b의 값 구하기**

$f(x)=\int_0^x (3t^2+at+b)dt$ 의 양변을 x에 대하여 미분하면

$f'(x)=3x^2+ax+b$

함수 $f(x)$가 $x=-1$에서 극댓값 5를 가지므로

$f'(-1)=0$, $f(-1)=5$

$f'(-1)=0$에서 $3-a+b=0$

$\therefore a-b=3$ …… ㉠

$f(-1)=5$에서

$f(-1)=\int_0^{-1}(3t^2+at+b)dt=\left[t^3+\frac{1}{2}at^2+bt\right]_0^{-1}$

$\qquad\qquad =-1+\frac{1}{2}a-b=5$

$\therefore a-2b=12$ …… ㉡

㉠, ㉡을 연립하여 풀면 $a=-6$, $b=-9$

STEP Ⓑ **함수 $f(x)$의 증가와 감소를 표로 나타내기**

$f'(x)=3x^2-6x-9=3(x+1)(x-3)$

$f'(x)=0$에서 $x=-1$ 또는 $x=3$

함수 $f(x)$의 증가와 감소를 나타내면 다음 표와 같다.

x	…	-1	…	3	…
$f'(x)$	+	0	−	0	+
$f(x)$	↗	극대	↘	극소	↗

STEP Ⓒ **함수 $f(x)$의 극솟값 구하기**

따라서 함수 $f(x)$는 $x=3$에서 극소이므로 극솟값은

$f(3)=\int_0^3(3t^2-6t-9)dt=\left[t^3-3t^2-9t\right]_0^3=-27$

내/신/연/계/ 출제문항 531

미분가능한 함수
$$f(x)=\int_1^x (-3t^2+at+b)dt$$
가 $x=0$에서 극솟값 0을 가질 때, 상수 a, b에 대하여 $a+b$의 값은?

① -2 ② -1 ③ 0

④ 1 ⑤ 2

STEP Ⓐ **함수 $f(x)$가 $x=0$에서 극솟값 0를 가짐을 이용하여 a, b의 값 구하기**

$f(x)=\int_1^x (-3t^2+at+b)dt$ 의 양변을 x에 대하여 미분하면

$f'(x)=-3x^2+ax+b$

함수 $f(x)$는 $x=0$에서 극솟값 0을 가지므로

$f'(0)=0$, $f(0)=0$

$f'(0)=0$에서 $b=0$

$f(0)=0$에서 $f(0)=\int_1^0(-3t^2+at)dt=\left[-t^3+\frac{a}{2}t^2\right]_1^0$

$\qquad\qquad =0-\left(-1+\frac{a}{2}\right)=-\frac{a}{2}+1=0$

$\therefore a=2$

STEP Ⓑ **$a+b$의 값 구하기**

따라서 $a+b=0+2=2$

1248

STEP Ⓐ **주어진 식의 양변을 x에 대하여 미분하여 $f'(x)$의 식 구하기**

조건 (가)에서

$\int_0^x t^2 f'(t)dt=\frac{3}{2}x^4+kx^3$ 의 양변을 x에 대하여 미분하면

$x^2 f'(x)=6x^3+3kx^2$

$\therefore f'(x)=6x+3k$ …… ㉠

STEP Ⓑ **$f'(1)=0$에서 k의 값 구하기**

조건 (나)에서

다항함수 $f(x)$가 $x=1$에서 극솟값 7을 가지므로

$f'(1)=0$, $f(1)=7$

$f'(1)=6+3k=0$ $\therefore k=-2$

STEP Ⓒ **양변을 적분하고 $f(1)=7$에서 C의 값 구하기**

㉠에서 $f'(x)=6x-6$의 양변을 적분하면

$f(x)=\int(6x-6)dx=3x^2-6x+C$ (단, C는 적분상수)

이때 $f(1)=3-6+C=7$이므로 $C=10$

따라서 $f(x)=3x^2-6x+10$에서 $f(2)=12-12+10=10$

1249

STEP Ⓐ **그래프에서 $f(x)$의 함수식 구하기**

그래프에서 $f(x)=ax(x-4)$ $(a>0)$로 놓으면

$f(2)=-4$이므로 $-4a=-4$, $a=1$

$\therefore f(x)=x(x-4)$

STEP Ⓑ **함수 $g(x)$의 증가와 감소를 표로 나타내기**

$g(x)=\int_1^{x+2}f(t)dt$ 에서 양변을 x에 대하여 미분하면

$g'(x)=f(x+2)=(x+2)(x-2)$

$g'(x)=0$에서 $x=-2$ 또는 $x=2$

함수 $g(x)$의 증가와 감소를 나타내면 다음 표와 같다.

x	…	-2	…	2	…
$g'(x)$	+	0	−	0	+
$g(x)$	↗	극대	↘	극소	↗

함수 $g(x)$는 $x=-2$에서 극댓값, $x=2$에서 극솟값을 가진다.

STEP Ⓒ **함수 $g(x)$의 극댓값과 극솟값의 합 구하기**

따라서 극댓값과 극솟값의 합은

$g(-2)+g(2)=\int_1^0 f(t)dt+\int_1^4 f(t)dt$

$\qquad =\int_1^0(t^2-4t)dt+\int_1^4(t^2-4t)dt$

$\qquad =\left[\frac{1}{3}t^3-2t^2\right]_1^0+\left[\frac{1}{3}t^3-2t^2\right]_1^4$

$\qquad =\frac{5}{3}+(-9)$

$\qquad =-\frac{22}{3}$

이차함수 $y=f(x)$의 그래프가 오른쪽 그림과 같다. 함수 $g(x)$에 대하여

$$g(x)=\int_1^{x+2}f(t)dt$$ 가 성립할 때,

함수 $g(x)$의 극댓값과 극솟값의 합은?

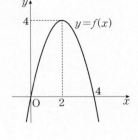

① $\frac{11}{2}$ ② $\frac{22}{3}$

③ 10 ④ 11

⑤ 12

STEP A 그래프에서 $f(x)$의 함수식 구하기

$f(x)=ax(x-4)$ $(a<0)$로 놓으면

$f(2)=4$이므로 $f(2)=-4a=4$, $a=-1$

$\therefore f(x)=-x(x-4)=-x^2+4x$

STEP B 함수 $g(x)$의 증가와 감소를 표로 나타내기

$$g(x)=\int_1^{x+2}f(t)dt=\int_1^{x+2}(-t^2+4t)dt$$

$$=\left[-\frac{1}{3}t^3+2t^2\right]_1^{x+2}=-\frac{1}{3}x^3+4x+\frac{11}{3}$$

$g'(x)=-x^2+4=-(x+2)(x-2)$

$g'(x)=0$에서 $x=-2$ 또는 $x=2$

함수 $g(x)$의 증가와 감소를 표로 나타내면 다음과 같다.

x	$\cdots$	-2	$\cdots$	2	$\cdots$
$g'(x)$	$-$	0	$+$	0	$+$
$g(x)$	↘	극소	↗	극대	↘

STEP C 함수 $g(x)$의 극댓값과 극솟값의 합 구하기

함수 $g(x)$는 $x=-2$에서 극소이고 극솟값은 $g(-2)=-\frac{5}{3}$

$x=2$에서 극대이고 극댓값은 $g(2)=9$를 갖는다.

따라서 함수 $g(x)$의 극댓값과 극솟값의 합은 $9+\left(-\frac{5}{3}\right)=\frac{22}{3}$ ②

1250   ⑤

STEP A 함수 $g(x)$의 증가와 감소를 표로 나타내기

$g(x)=\int_2^x f(t)dt$의 양변을 x로 미분하면

$g'(x)=f(x)=x(x+2)(x+4)$

$g'(x)=0$에서 $x=-4$ 또는 $x=-2$ 또는 $x=0$

함수 $g(x)$의 증가와 감소를 나타내면 다음 표와 같다.

x		-4		-2	$\cdots$	0	$\cdots$
$g'(x)$	$-$	0	$+$	0	$-$	0	$+$
$g(x)$	↘	극소	↗	극대	↘	극소	↗

STEP B $g(x)$가 극댓값을 갖는 x의 값 구하기

$x=-2$에서 $g(x)$는 극댓값이므로 $\alpha=-2$

STEP C $g(-2)$의 값 구하기

따라서 $g(\alpha)=g(-2)=\int_2^{-2}f(t)dt=\int_2^{-2}(t^3+6t^2+8t)dt$

$$=-2\int_0^2 6t^2 dt$$

$$=-2\left[2t^3\right]_0^2=-32$$

최고차항의 계수가 1인 삼차함수 $y=f(x)$의 그래프가 다음 그림과 같을 때,

$$F(x)=\int_0^x f(t)dt$$

를 만족시키는 함수 $F(x)$의 극댓값은?

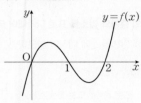

① $\frac{1}{6}$ ② $\frac{1}{5}$ ③ $\frac{1}{4}$

④ $\frac{1}{3}$ ⑤ $\frac{1}{2}$

STEP A 함수 $f(x)$의 증가와 감소를 표로 나타내기

최고차항의 계수가 1인 삼차함수 $f(x)=x(x-1)(x-2)$이므로

$F(x)=\int_0^x f(t)dt=\int_0^x t(t-1)(t-2)dt$의 양변을 x에 대하여 미분하면

$F'(x)=x(x-1)(x-2)$

$F'(x)=0$에서 $x=0$ 또는 $x=1$ 또는 $x=2$

함수 $F(x)$의 증가와 감소를 표로 나타내면 다음과 같다.

x		0		1	$\cdots$	2	$\cdots$
$F'(x)$	$-$	0	$+$	0	$-$	0	$+$
$F(x)$	↘	극소	↗	극대	↘	극소	↗

따라서 함수 $F(x)$는 $x=1$에서 극대이고 극댓값은

$$F(1)=\int_0^1 t(t-1)(t-2)dt=\int_0^1(t^3-3t^2+2t)dt=\left[\frac{1}{4}t^4-t^3+t^2\right]_0^1=\frac{1}{4}$$

 ③

참고 함수 $F(x)$는 $x=0$, $x=2$에서 극소이고 극솟값은 $F(0)=F(2)=0$이고 $y=F(x)$의 그래프는 다음과 같다.

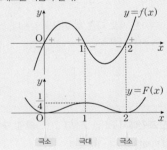

1251

정답 ⑤

STEP Ⓐ 정적분의 성질을 이용하여 $F(a)$의 부호 조사하기

ㄱ. $F(a)=\displaystyle\int_b^a f(t)dt=-\int_a^b f(t)dt$

이때 $\displaystyle\int_a^b f(t)dt<0$이므로 $F(a)>0$ [참]

STEP Ⓑ 함수 $f(x)$의 증가와 감소를 표로 나타내어 극대, 극소점 구하기

ㄴ. $F(x)=\displaystyle\int_b^x f(t)dt$의 양변을 x에 대하여 미분하면

$F'(x)=\dfrac{d}{dx}\displaystyle\int_b^x f(t)dt=f(x)$

$f(x)=0$에서 $x=a$ 또는 $x=b$ 또는 $x=c$

함수 $F(x)$의 증가와 감소를 나타내면 다음 표와 같다.

x	$\cdots$	a	$\cdots$	b	$\cdots$	c	$\cdots$
$F'(x)$	$+$	0	$-$	0	$+$	0	$-$
$F(x)$	↗	극대	↘	극소	↗	극대	↘

함수 $F(x)$는 $x=a$, c에서 극대, $x=b$에서 극소이다. [참]

STEP Ⓒ $y=F(x)$의 그래프를 그려 $F(x)=0$의 실근의 개수 구하기

ㄷ. $F(b)=\displaystyle\int_b^b f(t)dt=0$이고 $F'(x)=f(x)$이므로 $y=f(x)$의 그래프를

이용하여 $y=F(x)$의 그래프의 개형은 다음과 같다.

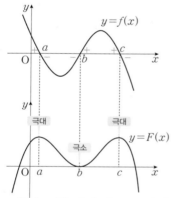

즉 방정식 $F(x)=0$은 서로 다른 세 실근을 갖는다. [참]
따라서 옳은 것은 ㄱ, ㄴ, ㄷ이다.

1252

정답 ②

STEP Ⓐ 주어진 조건에서 $F(a)$, $F(b)$, $F(c)$의 값 구하기

함수 $f(x)$의 한 부정적분이 $F(x)$이므로

$\displaystyle\int_a^b f(x)dx=\Big[F(x)\Big]_a^b=F(b)-F(a)=4$ ……㉠

$\displaystyle\int_b^c f(x)dx=\Big[F(x)\Big]_b^c=F(c)-F(b)=-2$ ……㉡

이때 $F(a)=\dfrac{1}{2}$이므로 ㉠, ㉡에서 $F(b)=\dfrac{9}{2}$, $F(c)=\dfrac{5}{2}$

STEP Ⓑ $y=F(x)$의 그래프를 그려 조건을 만족하는 k의 범위 구하기

또, $F'(x)=f(x)=0$인 점 $x=a$, b, c에서 사차함수 $y=F(x)$의 그래프는

$x=a$에서 극솟값 $F(a)=\dfrac{1}{2}$

$x=b$에서 극댓값 $F(b)=\dfrac{9}{2}$

$x=c$에서 극솟값 $F(c)=\dfrac{5}{2}$

$F(x)=k$가 서로 다른 네 실근을 갖도록 정할 때를 만족하는
$y=F(x)$와 $y=k$의 그래프의 개형은 다음과 같다.

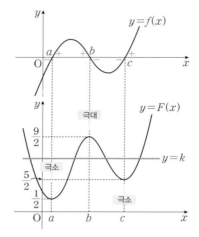

따라서 $\dfrac{5}{2}<k<\dfrac{9}{2}$이므로 정수 k의 합은 $3+4=7$

내/신/연/계/ 출제문항 534

삼차함수 $y=f(x)$의 그래프가 오른쪽 그림과 같다.
$f(x)$는 $f(a)=f(b)=f(c)=0$이고
$\displaystyle\int_a^b f(x)dx=5$, $\displaystyle\int_a^c f(x)dx=0$을
만족한다. $f(x)$의 부정적분 $F(x)$를
방정식 $F(x)=0$이 서로 다른 네 실근을 갖도록 정할 때, 정수 $F(a)$의 값의 합은? (단, $a<b<c$)

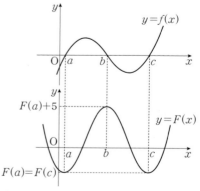

① -5 ② -10 ③ -15
④ -20 ⑤ -25

STEP Ⓐ $f(x)$의 부정적분 $F(x)$의 극값 구하기

$\displaystyle\int_a^b f(x)dx=\Big[F(x)\Big]_a^b=F(b)-F(a)=5$ ∴ $F(b)=F(a)+5$

$\displaystyle\int_a^c f(x)dx=\Big[F(x)\Big]_a^c=F(c)-F(a)=0$ ∴ $F(c)=F(a)$

또, $F'(x)=f(x)=0$인 점 $x=a$, b, c에서 사차함수 $y=F(x)$의 그래프는

$x=a$에서 극솟값 $F(a)$

$x=b$에서 극댓값 $F(b)=F(a)+5$

$x=c$에서 극솟값 $F(c)=F(a)$

STEP Ⓑ $y=F(x)$의 그래프의 개형 그리기

$F(x)=0$가 서로 다른 네 실근을 갖도록 $y=F(x)$의 그래프의 개형을 그리면 다음과 같다.

극댓값 $F(b)=F(a)+5>0$, 극솟값 $F(a)<0$이므로 $-5<F(a)<0$
따라서 정수 $F(a)$는 -4, -3, -2, -1이므로 합은
$-4+(-3)+(-2)+(-1)=-10$

정답 ②

1253

정답 ①

STEP Ⓐ 양변을 x에 대하여 미분하여 이차함수 $f(x)$ 구하기

$F(x)=\displaystyle\int_0^x f(t)dt$의 양변을 x에 대하여 미분하면

$F'(x)=f(x)$

함수 $F(x)$가 극값을 갖지 않으려면 $F'(x)=f(x)$의 부호가 바뀌지 않아야 한다.

STEP Ⓑ k의 범위 구하기

이차함수 $f(x)=x^2+2x+k$의 그래프가
x축과 접하거나 만나지 않아야 하므로
이차방정식 $x^2+2x+k=0$의 판별식을
D라 하면 $\dfrac{D}{4}=1-k\le 0$ $\therefore k\ge 1$

따라서 k의 최솟값은 1

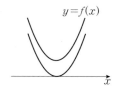

1254

정답 ②

STEP Ⓐ 양변을 x에 대하여 미분하여 삼차함수 $f(x)$ 구하기

$F(x)=\displaystyle\int_0^x f(t)dt$의 양변을 x에 대하여 미분하면

$F'(x)=f(x)=x^3-3x+a$

STEP Ⓑ 사차함수 $F(x)$가 오직 하나의 극값을 갖기 위한 조건 구하기

방정식 $F'(x)=f(x)=x^3-3x+a$가 한 실근과 두 허근 또는 한 실근과 중근을 가져야 한다.

즉 $x^3-3x+a=0$에서 $x^3-3x=-a$이므로 방정식의 실근의 개수는
$y=x^3-3x$의 그래프와 직선 $y=-a$의 교점의 개수가 한 개이거나 접하면 된다.

$g(x)=x^3-3x$라 하면 $g'(x)=3x^2-3=3(x-1)(x+1)$

$g'(x)=0$에서 $x=-1$ 또는 $x=1$

함수 $g(x)$의 증가와 감소를 표로 나타내면 다음과 같다.

x	$\cdots$	-1	$\cdots$	1	$\cdots$
$g'(x)$	$+$	0	$-$	0	$+$
$g(x)$	↗	극대	↘	극소	↗

$x=-1$일 때, 극대이고 극댓값은 $g(-1)=2$

$x=1$일 때, 극소이고 극솟값은 $g(1)=-2$

$y=g(x)$의 그래프는 그림과 같고 방정식 $f(x)=0$이 한 실근과 두 허근 또는 한 실근과 중근을 가질 조건은 $-a\ge 2$ 또는 $-a\le -2$

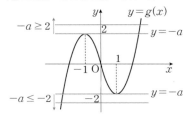

즉 $a>0$이므로 $a\ge 2$
따라서 양수 a의 최솟값은 2

다른풀이 삼차방정식의 도함수를 이용한 실근의 개수 구하기

사차함수 $F(x)$가 오직 하나의 극값을 갖기 위해서는 $F'(x)=f(x)$의 부호가 오직 한 번 변해야 한다.

즉 삼차함수 $f(x)$가 x축과 오직 한 번 만나거나 x축과 접해야 하므로 삼차함수 $f(x)$의 극댓값과 극솟값의 곱이 0보다 크거나 같아야 한다.

$f(x)=x^3-3x+a$에서 $f'(x)=3x^2-3=3(x-1)(x+1)$

$f'(x)=0$에서 $x=-1$ 또는 $x=1$

함수 $f(x)$의 증가와 감소를 표로 나타내면 다음과 같다.

x	$\cdots$	-1	$\cdots$	1	$\cdots$
$f'(x)$	$+$	0	$-$	0	$+$
$f(x)$	↗	극대	↘	극소	↗

$x=-1$일 때, 극대이고 극댓값은 $f(-1)=2+a$

$x=1$일 때, 극소이고 극솟값은 $f(1)=-2+a$

즉 $f(1)f(-1)\ge 0$이므로 $(-2+a)(2+a)\ge 0$, $(a-2)(a+2)\ge 0$

$\therefore a\le -2$ 또는 $a\ge 2$

따라서 양수 a의 최솟값은 2

참고

① $F(0)=0$이고 $f(0)=a>0$

함수 $F(x)$가 오직 하나의 극값을 가지려면 $y=F(x)$의 그래프의 개형이 다음과 같아야 한다.

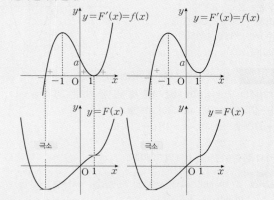

② $F(0)=0$이고 $f(0)=a<0$

함수 $F(x)$가 오직 하나의 극값을 가지려면 $y=F(x)$의 그래프의 개형이 다음과 같아야 한다.

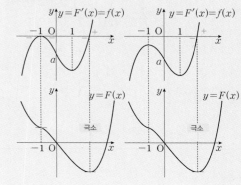

내/신/연/계 출제문항 535

삼차함수 $f(x)=x^3-3x+a$에 대하여 함수

$$F(x)=\int_0^x f(t)dt$$

가 극댓값을 갖도록 하는 정수 a의 개수는?

① 1 ② 2 ③ 3
④ 4 ⑤ 5

STEP Ⓐ 양변을 x에 대하여 미분하여 삼차함수 $f(x)$ 구하기

$F(x)=\displaystyle\int_0^x f(t)dt$의 양변을 x에 대하여 미분하면 $F'(x)=f(x)$

$f(x)=x^3-3x+a$

사차함수 $F(x)$가 극댓값을 가지므로

방정식 $f(x)=x^3-3x+a=0$이 서로 다른 세 실근을 가져야 한다.

STEP Ⓑ 삼차방정식이 서로 다른 세 실근을 가질 조건 구하기

$x^3-3x+a=0$에서 $x^3-3x^2=-a$이므로 방정식의 실근의 개수는
$y=x^3-3x$의 그래프와 직선 $y=-a$의 교점의 개수와 같다.

$g(x)=x^3-3x$라 하면
$g'(x)=3x^2-3=3(x+1)(x-1)$
$g'(x)=0$에서 $x=-1$ 또는 $x=1$
함수 $g(x)$의 증가와 감소를 표로 나타내면 다음과 같다.

x	$\cdots$	-1	$\cdots$	1	$\cdots$
$g'(x)$	$+$	0	$-$	0	$+$
$g(x)$	↗	2	↘	-2	↗

따라서 함수 $y=g(x)$의 그래프는
오른쪽 그림과 같고 방정식
$x^3-3x+a=0$이 서로 다른
세 실근을 갖도록 하는 a의 값의
범위는 $-2<-a<2$
따라서 $-2<a<2$이므로
정수 a는 -1, 0, 1이므로
3개이다.

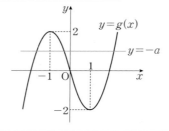

다른풀이 삼차방정식의 도함수를 이용한 실근의 개수 구하기

삼차방정식 $f(x)=0$이 서로 다른 세 실근을 가지는 경우는
(극댓값)×(극솟값)<0이어야 하므로
$(2+a)(-2+a)<0$, $(a+2)(a-2)<0$
$\therefore -2<a<2$
따라서 정수 a는 -1, 0, 1의 3개이다.

정답 ③

참고

$F(0)=0$이고 사차함수 $F(x)$가 극댓값을 가지려면 $y=F(x)$의 그래프의
개형이 다음 그림과 같다.

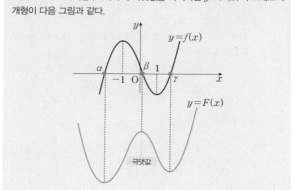

1255

정답 ⑤

STEP Ⓐ 주어진 식의 양변을 x에 대하여 미분하기

$F(x)=\int_0^x f(t)dt$의 양변을 x에 대하여 미분하면 $F'(x)=f(x)$
$f(x)=x^3-27x+a$
사차함수 $F(x)$가 극댓값과 극솟값을 가지므로
방정식 $f(x)=x^3-27x+a$이 서로 다른 세 실근을 가져야 한다.

STEP Ⓑ 삼차방정식이 서로 다른 세 실근을 가질 조건 구하기

$f(x)=x^3-27x+a$에서 $f'(x)=3x^2-27=3(x-3)(x+3)$
$f'(x)=0$에서 $x=3$ 또는 $x=-3$
함수 $f(x)$의 증가와 감소를 나타내면 다음 표와 같다.

x	$\cdots$	-3	$\cdots$	3	$\cdots$
$f'(x)$	$+$	0	$-$	0	$+$
$f(x)$	↗	극대	↘	극소	↗

$x=-3$일 때, 극대이고 극댓값은 $f(-3)=54+a$
$x=3$일 때, 극소이고 극솟값은 $f(3)=-54+a$

삼차방정식 $f(x)=0$이 서로 다른 세 실근을 가지는 경우는
(극댓값)×(극솟값)<0이어야 하므로
즉 $f(3)f(-3)<0$이므로 $(54+a)(-54+a)<0$
$\therefore -54<a<54$

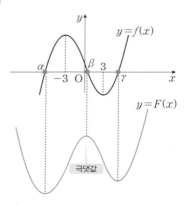

따라서 정수 a의 개수는 $54-(-54)-1=107$

내/신/연/계 출제문항 536

삼차함수 $f(x)=x^3+6x^2+9x-a$에 대하여 함수
$$F(x)=\int_1^x f(t)dt$$
가 세 개의 극값을 갖도록 하는 정수 a의 합은?

① -8 ② -6 ③ -4
④ -2 ⑤ 0

STEP Ⓐ 양변을 x에 대하여 미분하여 삼차함수 $f(x)$ 구하기

$F(x)=\int_1^x f(t)dt$의 양변을 x에 대하여 미분하면 $F'(x)=f(x)$
$F(x)$가 세 개의 극값을 가지므로 $F'(x)=f(x)=0$인 x의 값 좌우에서
$f(x)$의 부호가 세 번 바뀌어야 한다.
즉 방정식 $x^3+6x^2+9x-a=0$이 서로 다른 세 실근을 가져야 한다.

STEP Ⓑ 삼차방정식이 서로 다른 세 실근을 가질 조건 구하기

$x^3+6x^2+9x-a=0$에서 $x^3+6x^2+9x=a$이므로 방정식의 실근의 개수는
$y=x^3+6x^2+9x$의 그래프와 직선 $y=a$의 교점의 개수와 같다.
$g(x)=x^3+6x^2+9x$라 하면
$g'(x)=3x^2+12x+9=3(x^2+4x+3)=3(x+3)(x+1)$
$g'(x)=0$에서 $x=-3$ 또는 $x=-1$
함수 $g(x)$의 증가와 감소를 표로 나타내면 다음과 같다.

x	$\cdots$	-3	$\cdots$	-1	$\cdots$
$g'(x)$	$+$	0	$-$	0	$+$
$g(x)$	↗	0	↘	-4	↗

따라서 함수 $y=g(x)$의 그래프는
오른쪽 그림과 같고 방정식
$x^3+6x^2+9x-a=0$이
서로 다른 세 실근을 갖도록 하는 a의
값의 범위는 $-4<a<0$이므로
$F(x)$가 세 개의 극값을 갖도록 하는
정수 a의 값은 -3, -2, -1이므로
합은 $-3+(-2)+(-1)=-6$

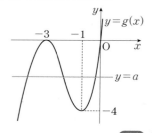

정답 ②

1256

정답 ③

STEP A **주어진 구간에서 함수 $f(x)$의 증가와 감소를 표로 나타내기**

$g(x)=\int_0^x f(t)dt$의 양변을 x에 대하여 미분하면 $g'(x)=f(x)$

$f(x)=0$에서 $x=0$ 또는 $x=2$

구간 $[-2, 2)$에서 함수 $f(x)$의 증가와 감소를 나타내면 다음 표와 같다.

x	-2	$\cdots$	0	$\cdots$	2
$f(x)$		$+$	0	$-$	0
$g(x)$		↗	극대	↘	

STEP B **함수 $g(x)$의 최댓값 구하기**

함수 $g(x)$는 $x=0$에서 극대이면서 최대이다.

따라서 최댓값은 $g(0)$

내/신/연/계 출제문항 537

닫힌구간 $[0, 3]$에서 정의된 이차함수 $y=f(x)$의 그래프가 오른쪽 그림과 같다. 함수 $g(x)=\int_0^x f(t)dt$에 대하여 $g(x)$의 최솟값은?

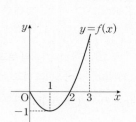

① $-\dfrac{4}{3}$ ② $-\dfrac{1}{4}$

③ $\dfrac{3}{4}$ ④ 1

⑤ $\dfrac{5}{4}$

STEP A **주어진 그래프에서 이차함수 $f(x)$의 식 작성하기**

x축과의 교점이 $x=0$과 $x=2$이므로 $f(x)=ax(x-2)(a>0)$라 놓으면

$f(1)=-1$이므로 $f(1)=-a=-1$ ∴ $a=1$

∴ $f(x)=x(x-2)=x^2-2x$

STEP B **닫힌구간 $[0, 3]$에서 $g(x)$의 최솟값 구하기**

$g(x)=\int_0^x f(t)dt$의 양변을 x에 대하여 미분하면

$g'(x)=f(x)=x(x-2)$

$f(x)=0$에서 $x=0$ 또는 $x=2$

닫힌구간 $[0, 3]$에서 함수 $g(x)$의 증가와 감소를 표로 나타내면 다음과 같다.

x	0	$\cdots$	2	$\cdots$	3
$f(x)$	0	$-$	0	$+$	
$g(x)$	0	↘	극소	↗	0

함수 $g(x)$는 $x=2$에서 극소이다.

$g(2)=\int_0^2 f(t)dt=\int_0^2 (t^2-2t)dt$

$\quad =\left[\dfrac{1}{3}t^3-t^2\right]_0^2=-\dfrac{4}{3}$

$g(3)=\int_0^3 f(t)dt=\int_0^3 (t^2-2t)dt$

$\quad =\left[\dfrac{1}{3}t^3-t^2\right]_0^3=0$

따라서 $g(x)$의 최솟값은 $-\dfrac{4}{3}$

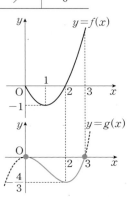

정답 ①

1257

정답 ③

STEP A **주어진 식을 변형하고 양변을 x에 대하여 미분하기**

$g(x)=\int_x^{x+1} f(t)dt=\int_0^{x+1} f(t)dt-\int_0^x f(t)dt$이므로

양변을 x로 미분하면 $g'(x)=f(x+1)-f(x)$

STEP B **$f(x)$를 임의로 두고 $g'(x)=0$을 만족하는 x의 값 구하기**

이때 $f(x)=k(x+2)(x-3)(k>0)$로 놓으면

$g'(x)=k(x^2+x-6)-k(x^2-x-6)=2kx$

$g'(x)=0$에서 $x=0$

이때 함수 $g(x)$는 이차함수이므로 $x=0$에서 극소가 되고 최솟값을 가진다.

따라서 $k=0$

다른풀이 $y=f(x)$의 대칭선을 중심으로 하여 적분하였을 때 최소가 됨을 이용하기

$g(x)=\int_x^{x+1} f(t)dt$는 함수 $f(t)$를 x부터 $x+1$까지 적분한 값이다.

함수 $y=f(x)$의 그래프가 직선 $x=\dfrac{1}{2}$에 대하여 대칭이고 닫힌구간 $[-2, 3]$에서 함수 $f(x)$의 정적분의 값이 음수이므로 $\int_{\frac{1}{2}-a}^{\frac{1}{2}+a} f(t)dt$에서 함수 $g(x)$가 최솟값을 가진다.

적분구간이 1이어야 하므로 $\left(\dfrac{1}{2}+a\right)-\left(\dfrac{1}{2}-a\right)=1$ ∴ $a=\dfrac{1}{2}$

즉 함수 $g(x)$의 최솟값은 $g(0)=\int_{\frac{1}{2}-a}^{\frac{1}{2}+a} f(t)dt=\int_0^1 f(t)dt$

따라서 $x=0$일 때, 최솟값을 가진다.

내/신/연/계 출제문항 538

이차함수 $y=f(x)$의 그래프가 그림과 같을 때, 함수 $g(x)=\int_x^{x+1} f(t)dt$는 $x=a$에서 최솟값을 갖는다. 실수 a의 값은?

① $-\dfrac{1}{2}$ ② 0

③ $\dfrac{1}{2}$ ④ 1

⑤ $\dfrac{3}{2}$

STEP A **주어진 식을 변형하고 양변을 x에 대하여 미분하기**

$f(x)=k(x+1)(x-3)=k(x^2-2x-3)(k>0$인 상수$)$라 하면

$g(x)=\int_x^{x+1} f(t)dt=\int_x^{x+1} k(t^2-2t-3)dt$

$\quad =k\left[\dfrac{1}{3}t^3-t^2-3t\right]_x^{x+1}=k\left(x^2-x-\dfrac{11}{3}\right)$

$g'(x)=2k\left(x-\dfrac{1}{2}\right)$

$g'(x)=0$에서 $x=\dfrac{1}{2}$

함수 $g(x)$의 증가와 감소를 표로 나타내면 다음과 같다.

x	$\cdots$	$\dfrac{1}{2}$	$\cdots$
$g'(x)$	$-$	0	$+$
$g(x)$	↘	극소	↗

따라서 함수 $g(x)$는 $x=\dfrac{1}{2}$일 때, 극소이며 최소이다. ∴ $a=\dfrac{1}{2}$

정답 ③

1258

STEP Ⓐ **함수 $S(x)$의 증가와 감소를 표로 나타내기**

닫힌구간 $[0, 3]$일 때, $S'(x)=\dfrac{d}{dx}\displaystyle\int f(t)dt=f(x)$

$S'(x)=f(x)=0$에서 $x=1$ 또는 $x=3$

함수 $S(x)$의 증가와 감소를 표로 나타내면 다음과 같다.

x	0	$\cdots$	1	$\cdots$	3
$S'(x)$		$+$	0	$-$	
$S(x)$	$S(0)$	↗	극대	↘	S(3)

닫힌구간 $[0, 3]$에서 함수 $S(x)$의 최댓값은 $S(1)=\displaystyle\int_0^1 f(t)dt=2$

또, $S(0)=0$이고

$S(3)=\displaystyle\int_0^3 f(t)dt=\int_0^1 f(t)dt+\int_1^3 f(t)dt=-1$

이므로 함수 $S(x)$의 최솟값은 -1이다.

STEP Ⓑ **$S(x)$의 최댓값과 최솟값의 합 구하기**

따라서 함수 $S(x)$의 최댓값과 최솟값의 합은 $2+(-1)=1$

1259

STEP Ⓐ **$S'(t)=f(t)$임을 이해하기**

주어진 그래프에서 $S(t)=\displaystyle\int_2^t f(x)dx$이므로

양변을 t에 대하여 미분하면 $S'(t)=f(t)$

STEP Ⓑ **미분계수의 정의를 이용하여 극한값 구하기**

따라서 $\displaystyle\lim_{h\to 0}\frac{S(2+h)-S(2)}{h}=S'(2)=f(2)=3$

그림과 같이 $x\geq 2$에서 연속이고 $f(x)\geq 0$인 연속함수 $f(x)$에 대하여

색칠한 부분의 넓이를 $S(x)$라 하고 $f(2)=4$일 때, $\displaystyle\lim_{x\to 2}\frac{S(x)}{x-2}$의 값은?

(단, $x\geq 2$)

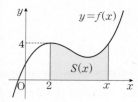

① 2   ② 3   ③ 4
④ 6   ⑤ 8

STEP Ⓐ **$S'(x)=f(x)$임을 이해하기**

주어진 그래프에서 $S(x)=\displaystyle\int_2^x f(x)dx$, $S(2)=0$이므로

$S(x)=\displaystyle\int_2^x f(x)dx$의 양변을 x에 대하여 미분하면 $S'(x)=f(x)$

STEP Ⓑ **미분계수 식을 이용하여 극한값 구하기**

따라서 $\displaystyle\lim_{x\to 2}\frac{S(x)}{x-2}=\lim_{x\to 2}\frac{S(x)-S(2)}{x-2}=S'(2)=f(2)=4$

1260

STEP Ⓐ **$F'(x)=f(x)$라 두고 미분계수의 정의를 이용하여 극한값 구하기**

$f(x)=(x-2)(x+1)$이라 하고 $f(x)$의 한 부정적분을 $F(x)$라고 하면

$\displaystyle\lim_{h\to 0}\frac{1}{h}\int_{1-h}^{1+h}f(t)dt=\lim_{h\to 0}\frac{F(1+h)-F(1-h)}{h}$

$=\displaystyle\lim_{h\to 0}\frac{F(1+h)-F(1)-F(1-h)+F(1)}{h}$

$=\displaystyle\lim_{h\to 0}\frac{F(1+h)-F(1)}{h}+\lim_{h\to 0}\frac{F(1-h)-F(1)}{-h}$

$=F'(1)+F'(1)=2F'(1)$

$=2f(1)=2\cdot(-1)\cdot 2=-4$

$\displaystyle\lim_{h\to 0}\frac{1}{h}\int_{1-h}^{1+2h}(6t^2-4t+3)dt$의 값은?

① 10   ② 15   ③ 20
④ 25   ⑤ 30

STEP Ⓐ **$F'(x)=f(x)$라 두고 미분계수의 정의를 이용하여 극한값 구하기**

$f(x)=6x^2-4x+3$이라 하고 $f(x)$의 한 부정적분을 $F(x)$라고 하면

$\displaystyle\lim_{h\to 0}\frac{1}{h}\int_{1-h}^{1+2h}f(t)dt=\lim_{h\to 0}\frac{F(1+2h)-F(1-h)}{h}$

$=\displaystyle\lim_{h\to 0}\frac{F(1+2h)-F(1)-F(1-h)+F(1)}{h}$

$=\displaystyle\lim_{h\to 0}\frac{F(1+2h)-F(1)}{2h}\cdot 2+\lim_{h\to 0}\frac{F(1-h)-F(1)}{-h}$

$=2F'(1)+F'(1)=3F'(1)$

$=3f(1)=3\cdot 5=15$

1261

STEP Ⓐ **$F'(x)=f(x)$라 두고 미분계수의 정의를 이용하여 극한값 구하기**

$f(x)=ax^3+x-3$이라 하고 $f(x)$의 한 부정적분을 $F(x)$라고 하면

$\displaystyle\lim_{h\to 0}\frac{1}{h}\int_{1-h}^{1+2h}f(t)dt=\lim_{h\to 0}\frac{F(1+2h)-F(1-h)}{h}$

$=\displaystyle\lim_{h\to 0}\frac{F(1+2h)-F(1)-F(1-h)+F(1)}{h}$

$=\displaystyle\lim_{h\to 0}2\cdot\frac{F(1+2h)-F(1)}{2h}+\lim_{h\to 0}\frac{F(1-h)-F(1)}{-h}$

$=2F'(1)+F'(1)=3F'(1)$

$=3f(1)=3a-6$

따라서 $3a-6=12$이므로 $a=6$

1262

정답 ③

STEP A $F'(x)=f(x)$라 두고 미분계수의 정의를 이용하여 극한값 구하기

$F'(x)=f(x)$라 하면

$\int_{1-h}^{1+3h} f(t)dt = \Big[F(x)\Big]_{1-h}^{1+3h} = F(1+3h)-F(1-h)$이므로

$\lim_{h\to 0} \frac{1}{h^2-2h} \int_{1-h}^{1+3h} f(t)dt$

$= \lim_{h\to 0} \frac{F(1+3h)-F(1-h)}{h^2-2h}$

$= \lim_{h\to 0} \left[\left\{ \frac{F(1+3h)-F(1)}{3h}\cdot 3 + \frac{F(1-h)-F(1)}{-h} \right\}\cdot \frac{1}{h-2} \right]$

$= \{3-(-1)\}F'(1)\cdot \frac{1}{-2} = -2f(1)$

$= -2\int_{-1}^{1}(8t^3+6t^2-1)dt$

$= -4\int_{0}^{1}(6t^2-1)dt$

$= -4\Big[2t^3-t\Big]_{0}^{1} = -4$

1263

정답 ①

STEP A $F'(x)=f(x)$라 두고 미분계수의 정의를 이용하여 극한값 구하기

$f(x)=x^3-2x^2-3$의 한 부정적분을 $F(x)$라고 하면

$\lim_{x\to 1} \frac{1}{x^3-1} \int_{1}^{x} f(t)dt = \lim_{x\to 1} \frac{F(x)-F(1)}{x^3-1} = \lim_{x\to 1} \left\{ \frac{F(x)-F(1)}{x-1}\cdot \frac{1}{x^2+x+1} \right\}$

$= \frac{1}{3}F'(1) = \frac{1}{3}f(1) = -\frac{4}{3}$

1264

정답 ④

STEP A $F'(x)=f(x)$라 두고 미분계수 식을 이용하여 극한값 구하기

$f(x)=x^3-3x+a$의 한 부정적분을 $F(x)$라고 하면

$\lim_{x\to 1} \frac{1}{x-1} \int_{1}^{x^3} f(t)dt = \lim_{x\to 1} \frac{F(x^3)-F(1)}{x-1}$

$= \lim_{x\to 1} \frac{F(x^3)-F(1)}{x^3-1}\cdot (x^2+x+1)$

$= 3F'(1) = 3f(1) = 6$

$\therefore f(1)=2$

따라서 $f(1)=1-3+a=2$이므로 $a=4$

1265

정답 ②

STEP A 부정적분을 이용하여 함수 $f(x)$ 구하기

$f(x)=\int f'(x)dx = \int(3x^2-2x)dx = x^3-x^2+C$ (단, C는 적분상수)

$f(1)=C=2$이므로 $f(x)=x^3-x^2+2$

STEP B 미분계수의 정의를 이용하여 극한값 구하기

함수 $g(t)=(t+1)f(t)$라 하고 $g(t)$의 부정적분 중 하나를 $G(t)$라고 하면

$\lim_{x\to 2} \frac{1}{x-2} \int_{2}^{x} (t+1)f(t)dt = \lim_{x\to 2} \frac{1}{x-2} \int_{2}^{x} g(t)dt$

$= \lim_{x\to 2} \frac{G(x)-G(2)}{x-2}$

$= G'(2) = g(2)$

$= 3f(2) = 3\cdot(8-4+2) = 18$

1266

정답 ④

STEP A $F'(t)=\{1+f(t)\}^2 f'(t)$로 놓고 미분계수 구하기

$F'(t)=\{1+f(t)\}^2 f'(t)$로 놓으면

$\lim_{x\to 1} \frac{1}{x-1} \int_{1}^{x} F'(t)dt = F'(1) = \{1+f(1)\}^2 f'(1) = 4\cdot 2 = 8$ ← $f(1)=1,\ f'(1)=2$

STEP B 미분계수의 변형을 이용하여 극한값 구하기

$\lim_{x\to 1} \frac{1}{x^3-1} \int_{1}^{x} F'(t)dt = \lim_{x\to 1} \frac{F(x)-F(1)}{x^3-1}$

$= \lim_{x\to 1} \left\{ \frac{F(x)-F(1)}{x-1}\cdot \frac{1}{x^2+x+1} \right\}$

$= \frac{1}{3}F'(1) = \frac{8}{3}$

내/신/연/계 출제문항 541

다항함수 $f(x)$에 대하여 $f(2)=1$, $f'(2)=3$일 때,

$$\lim_{x\to 2} \frac{1}{x^3-8} \int_{2}^{x} \{1+f(t)\}^3 f'(t)dt$$

의 값은?

① 2   ② 3   ③ 4
④ 5   ⑤ 6

STEP A $F'(t)=\{1+f(t)\}^3 f'(t)$로 놓고 정적분하기

$F'(x)=\{1+f(x)\}^3 f'(x)$로 놓으면

$\int_{2}^{x} \{1+f(t)\}^3 f'(t)dt = \int_{2}^{x} F'(x)dx = F(x)-F(2)$

STEP B 미분계수의 변형을 이용하여 극한값 구하기

$\lim_{x\to 2} \frac{1}{x^3-8} \int_{2}^{x} \{1+f(t)\}^3 f'(t)dt = \lim_{x\to 2} \frac{F(x)-F(2)}{x^3-8}$

$= \lim_{x\to 2} \left\{ \frac{F(x)-F(2)}{x-2}\cdot \frac{1}{x^2+2x+4} \right\}$

$= F'(2)\cdot \frac{1}{12}$

$= \frac{\{1+f(2)\}^3 f'(2)}{12}$ ← $f(2)=1,\ f'(2)=3$

$= \frac{8\cdot 3}{12} = 2$

정답 ①

1267

정답 ③

STEP A 조건 (가)에서 a, b의 관계식 구하기

함수 $f(x)$의 한 부정적분을 $F(x)$라 하면

조건 (가)에서

$\lim_{x\to 1} \frac{\int_{1}^{x} f(t)dt}{x-1} = \lim_{x\to 1} \frac{F(x)-F(1)}{x-1} = F'(1) = f(1) = 1$

$1+a+b=1$ $\therefore a+b=0$ ...... ㉠

STEP B 조건 (나)에서 a, b의 관계식 구하기

조건 (나)에서

$\int_{0}^{1} f(x)dx = \left[\frac{1}{3}x^3 + \frac{a}{2}x^2 + bx\right]_{0}^{1} = \frac{1}{3} + \frac{a}{2} + b = 0$

$\therefore 3a+6b=-2$ ...... ㉡

STEP C a, b의 값 구하기

㉠, ㉡에서 연립하여 풀면 $a=\frac{2}{3}$, $b=-\frac{2}{3}$

따라서 $ab=-\frac{4}{9}$

함수 $f(x)=x^2+ax+b$가 다음 조건을 만족시킬 때, 두 상수 a, b에 대하여 $a+b$의 값은?

> (가) $\lim\limits_{x\to-1}\dfrac{\displaystyle\int_{-1}^{x}f(t)dt}{x+1}=-4$
>
> (나) $\displaystyle\int_{0}^{1}f(x)dx=\dfrac{4}{3}$

① 2   ② 3   ③ 4
④ 5   ⑤ 6

STEP Ⓐ 조건 (가)에서 a, b의 관계식 구하기

$F'(x)=f(x)$라 하면

조건 (가)에서

$$\lim_{x\to-1}\frac{\displaystyle\int_{-1}^{x}f(t)dt}{x+1}=\lim_{x\to-1}\frac{F(x)-F(-1)}{x-(-1)}=F'(-1)=f(-1)$$
$$=1-a+b=-4$$

$\therefore a-b=5$ ······ ㉠

STEP Ⓑ 조건 (나)에서 a, b의 관계식 구하기

조건 (나)에서

$$\int_{0}^{1}f(x)dx=\int_{0}^{1}(x^2+ax+b)dx=\left[\frac{1}{3}x^3+\frac{1}{2}ax^2+bx\right]_{0}^{1}$$
$$=\frac{1}{3}+\frac{1}{2}a+b=\frac{4}{3}$$

$\therefore a+2b=2$ ······ ㉡

STEP Ⓒ a, b의 값 구하기

㉠, ㉡을 연립하여 풀면 $a=4$, $b=-1$

따라서 $a+b=3$ 〔정답〕 ②

1268   〔정답〕 ①

STEP Ⓐ (분모)→ 0이므로 (분자)→ 0임을 이용하여 $f(1)$ 구하기

$$\lim_{x\to1}\frac{\displaystyle\int_{1}^{x}f(t)dt-f(x)}{x^2-1}=3$$ 에서

$x\to1$일 때, (분모)→ 0이고 극한값이 존재하므로 (분자)→ 0이어야 한다.

즉 $\lim\limits_{x\to1}\left\{\displaystyle\int_{1}^{x}f(t)dt-f(x)\right\}=0$이므로 $\displaystyle\int_{1}^{1}f(t)dt-f(1)=0$에서 $f(1)=0$

STEP Ⓑ 정적분의 성질과 미분계수의 정의를 이용하여 구하기

$$\lim_{x\to1}\frac{\displaystyle\int_{1}^{x}f(t)dt-f(x)}{x^2-1}$$
$$=\lim_{x\to1}\frac{\displaystyle\int_{1}^{x}f(t)dt-\{f(x)-f(1)\}}{x^2-1}$$
$$=\lim_{x\to1}\left\{\frac{\displaystyle\int_{1}^{x}f(t)dt}{x-1}\cdot\frac{1}{x+1}\right\}-\lim_{x\to1}\left\{\frac{f(x)-f(1)}{x-1}\cdot\frac{1}{x+1}\right\}$$
$$=f(1)\cdot\frac{1}{2}-f'(1)\cdot\frac{1}{2}=0-\frac{f'(1)}{2}$$

따라서 $-\dfrac{f'(1)}{2}=3$이므로 $f'(1)=-6$

참고

$f(t)$의 부정적분을 $F(t)$라 하면

$$\lim_{x\to1}\left\{\frac{\displaystyle\int_{1}^{x}f(t)dt}{x-1}\cdot\frac{1}{x+1}\right\}=\lim_{x\to1}\left\{\frac{F(x)-F(1)}{x-1}\cdot\frac{1}{x+1}\right\}$$
$$=F'(1)\cdot\frac{1}{2}=f(1)\cdot\frac{1}{2}$$

다항함수 $f(x)$가 $\lim\limits_{x\to2}\dfrac{\displaystyle\int_{2}^{x}f(t)dt-f(x)}{x^2-4}=5$를 만족할 때, $f'(2)$의 값은?

① -22 ② -20 ③ -18
④ -16 ⑤ -14

STEP Ⓐ (분모)→ 0이므로 (분자)→ 0임을 이용하여 $f(2)$ 구하기

$$\lim_{x\to2}\frac{\displaystyle\int_{2}^{x}f(t)dt-f(x)}{x^2-4}=3$$ 에서

$x\to2$일 때, (분모)→ 0이고 극한값이 존재하므로 (분자)→ 0이어야 한다.

즉 $\lim\limits_{x\to2}\left\{\displaystyle\int_{2}^{x}f(t)dt-f(x)\right\}=0$이므로

$$\int_{2}^{2}f(t)dt-f(2)=0$$

$\therefore f(2)=0$

STEP Ⓑ 정적분의 성질과 미분계수의 정의를 이용하여 구하기

$$\lim_{x\to2}\frac{\displaystyle\int_{2}^{x}f(t)dt-f(x)}{x^2-4}$$
$$=\lim_{x\to2}\frac{\displaystyle\int_{2}^{x}f(t)dt}{x^2-4}-\lim_{x\to2}\frac{f(x)-f(2)}{x^2-4}$$
$$=\lim_{x\to2}\frac{\displaystyle\int_{2}^{x}f(t)dt}{x-2}\cdot\frac{1}{x+2}-\lim_{x\to2}\frac{f(x)-f(2)}{x-2}\cdot\frac{1}{x+2}$$
$$=\frac{f(2)}{4}-\frac{f'(2)}{4}$$
$$=0-\frac{f'(2)}{4}$$

따라서 $-\dfrac{f'(2)}{4}=5$이므로 $f'(2)=-20$ 〔정답〕 ②

1269   〔정답〕 ⑤

STEP Ⓐ 주어진 식의 양변을 x에 대하여 미분하여 $f'(x)$, $f(x)$의 식 구하기

$f(x)$의 부정적분이 $F(x)$이므로 $xf(x)=F(x)-x^3+2x^2+5$의

양변을 x에 대하여 미분하면 $f(x)+xf'(x)=f(x)-3x^2+4x$

즉 $f'(x)=-3x+4$이므로

$$f(x)=\int(-3x+4)dx=-\frac{3}{2}x^2+4x+C \text{ (단, } C\text{는 적분상수)}$$

STEP Ⓑ $f(0)=1$에서 C의 값 구하기

$f(0)=1$이므로 $C=1$

$\therefore f(x)=-\dfrac{3}{2}x^2+4x+1$

STEP Ⓒ 미분계수의 정의를 이용하여 극한값 구하기

따라서 $\lim\limits_{x\to2}\dfrac{1}{x-2}\displaystyle\int_{4}^{x^2}f(t)dt=\lim\limits_{x\to2}\dfrac{F(x^2)-F(4)}{x-2}$

$$=\lim_{x\to2}\left\{\frac{F(x^2)-F(4)}{x^2-4}\cdot(x+2)\right\}$$
$$=4F'(4)=4f(4)$$
$$=4(-24+16+1)$$
$$=4\cdot(-7)=-28$$

1270

정답 해설참조

1단계 $f'(x)$의 부정적분 $f(x)$의 식을 작성한다. ◀ 20%

$f'(x)=\begin{cases} 1 & (x<1) \\ 2x-1 & (x\geq1) \end{cases}$ 이므로

$f(x)=\begin{cases} x+C_1 & (x<1) \\ x^2-x+C_2 & (x\geq1) \end{cases}$ (단, C_1, C_2는 적분상수)

2단계 $f(0)=1$과 모든 실수에서 연속함수임을 이용하여 $f(x)$ 구한다. ◀ 30%

$x<1$에서 $f(x)=\int 1dx=x+C_1$ (단, C_1은 적분상수)

$f(0)=1$이므로 $C_1=1$

$x\geq1$에서 $f(x)=\int (2x-1)dx=x^2-x+C_2$ (단, C_2는 적분상수)

함수 $f(x)$가 모든 실수에서 연속이므로 $x=1$에서 연속이어야 한다.

$\lim_{x\to1^-}f(x)=\lim_{x\to1^+}f(x)=f(1)$

$C_2=1+C_1=2$이므로 $f(x)=\begin{cases} x+1 & (x<1) \\ x^2-x+2 & (x\geq1) \end{cases}$

3단계 정적분 $\int_0^2 f(x)dx$의 값을 구한다. ◀ 50%

따라서 $\int_0^2 f(x)dx=\int_0^1 (x+1)dx+\int_1^2 (x^2-x+2)dx$

$=\left[\dfrac{1}{2}x^2+x\right]_0^1+\left[\dfrac{1}{3}x^3-\dfrac{1}{2}x^2+2x\right]_1^2$

$=\dfrac{13}{3}$

1271

정답 해설참조

1단계 $\int_{-1}^1 f(x)dx=\int_{-1}^0 f(x)dx+\int_0^1 f(x)dx$을 이용하여 $\int_{-1}^1 f(x)dx=\int_{-1}^0 f(x)dx=\int_0^1 f(x)dx$의 값을 구한다. ◀ 30%

$\int_{-1}^1 f(x)dx=\int_{-1}^0 f(x)dx=\int_0^1 f(x)dx=k$ (k는 상수)라고 하면

$\int_{-1}^1 f(x)dx=\int_{-1}^0 f(x)dx+\int_0^1 f(x)dx$

이므로 $k=k+k$ ∴ $k=0$

즉 $\int_{-1}^1 f(x)dx=\int_{-1}^0 f(x)dx=\int_0^1 f(x)dx=0$

2단계 1단계를 이용하여 상수 a, b의 값을 구한다. ◀ 50%

$\int_{-1}^0 f(x)dx=0$에서

$\left[\dfrac{1}{3}x^3+\dfrac{a}{2}x^2+bx\right]_{-1}^0=\dfrac{1}{3}-\dfrac{a}{2}+b=0$

$2-3a+6b=0$ ┄┄┄ ㉠

$\int_0^1 f(x)dx=0$에서

$\left[\dfrac{1}{3}x^3+\dfrac{a}{2}x^2+bx\right]_0^1=\dfrac{1}{3}+\dfrac{a}{2}+b=0$

$2+3a+6b=0$ ┄┄┄ ㉡

㉠, ㉡을 연립하여 풀면 $a=0$, $b=-\dfrac{1}{3}$

3단계 함수 $f(x)$을 정하여 $f(1)$의 값을 구한다. ◀ 20%

따라서 $f(x)=x^2-\dfrac{1}{3}$이므로 $f(1)=1-\dfrac{1}{3}=\dfrac{2}{3}$

1272

정답 해설참조

피적분함수가 같은 경우의 정적분의 계산

$\displaystyle\int_{-2}^1 f(x)dx-\int_2^1 f(x)dx=\int_{-2}^1 f(x)dx+\int_1^2 f(x)dx$

$=\int_{-2}^{\boxed{2}} (8x^3+x-5)dx$

$=\boxed{2}\int_0^{\boxed{2}} (-5)dx$

$=2\left[-5x\right]_0^2$

$=\boxed{-20}$

1273

정답 해설참조

1단계 그래프에서 $f'(x)$의 함수식을 작성한다. ◀ 20%

함수 $f(x)$가 $x=-1$, $x=1$에서 극값을 가지므로

$f'(-1)=0$, $f'(1)=0$

$f'(x)=a(x+1)(x-1)$ (a는 상수)로 놓을 수 있다.

2단계 극값과 $f(0)=1$을 이용하여 함수 $f(x)$를 구한다. ◀ 50%

$f(x)=\int a(x+1)(x-1)dx=a\left(\dfrac{1}{3}x^3-x\right)+C$ (단, C_2는 적분상수)

$f(0)=1$에서 $C=1$

$f(-1)=3$에서 $\dfrac{2}{3}a+1=3$ ∴ $a=3$

즉 $f(x)=x^3-3x+1$

3단계 $\int_{-2}^2 f(x)dx$의 값을 구한다. ◀ 30%

따라서 $\int_{-2}^2 f(x)dx=\int_{-2}^2 (x^3-3x+1)dx=2\int_0^2 1dx=2\left[x\right]_0^2=4$

1274

정답 해설참조

1단계 $f(-x)=f(x)$를 만족시키는 함수 $f(x)$의 대칭성을 말한다. ◀ 20%

조건 (가)에서 모든 실수 x에 대하여 $f(-x)=f(x)$이므로

$f(x)$는 y축에 대하여 대칭인 함수 (우함수)이다.

2단계 조건 (나)에서 $\int_{-a}^0 f(x)dx=\int_0^a f(x)dx$임을 이용한다. ◀ 30%

$y=f(x)$의 그래프는 y축에 대하여 대칭이므로

조건 (나)에서 $\int_0^1 f(x)dx=\int_{-1}^0 f(x)dx=3$

3단계 조건 (다)에서 $\int_{-a}^a f(x)dx=2\int_0^a f(x)dx$임을 이용한다. ◀ 30%

조건 (다)에서

$\int_{-3}^3 f(x)dx=2\int_0^3 f(x)dx=8$이므로 $\int_0^3 f(x)dx=4$

4단계 2, 3단계를 이용하여 $\int_{-1}^3 f(x)dx$의 값을 구한다. ◀ 20%

따라서 $\int_{-1}^3 f(x)dx=\int_{-1}^0 f(x)dx+\int_0^3 f(x)dx=3+4=7$

1275

정답 해설참조

| 1단계 | $\int_0^1 f(t)dt = k$ (k는 상수)로 놓고 $f(x)$를 k를 포함한 식으로 나타낸다. | ◀ 30% |

$$f(x) = x^2 + \int_0^1 xf(t)dt + 2 = x^2 + x\int_0^1 f(t)dt + 2$$

이때 $\int_0^1 f(t)dt = k$ (k는 상수) $\cdots\cdots$ ㉠

로 놓으면 $f(x) = x^2 + kx + 2$

| 2단계 | k의 값을 구한다. | ◀ 40% |

$f(t) = t^2 + kt + 2$를 ㉠에 대입하면

$$\int_0^1 (t^2 + kt + 2)dt = k$$

$$\left[\frac{1}{3}t^3 + \frac{1}{2}kt^2 + 2t\right]_0^1 = k$$

$\dfrac{1}{3} + \dfrac{1}{2}k + 2 = k$ $\therefore k = \dfrac{14}{3}$

| 3단계 | $f(3)$의 값을 구한다. | ◀ 30% |

따라서 $f(x) = x^2 + \dfrac{14}{3}x + 2$이므로 $f(3) = 9 + 14 + 2 = 25$

1276

정답 해설참조

| 1단계 | 조건 (가)를 만족하는 삼차함수 $f(x)$의 식을 작성한다. | ◀ 30% |

$$\int_0^x f(t)dt = \int_0^{-x} f(t)dt = -\int_{-x}^0 f(t)dt$$

$$\int_{-x}^0 f(t)dt + \int_0^x f(t)dt = 0$$

$$\int_{-x}^x f(t)dt = 0$$

이므로 삼차함수 $y = f(x)$의 그래프는 원점에 대하여 대칭이다.
즉 $f(0) = 0$이고 모든 실수 x에 대하여 $f(-x) = -f(x)$이므로
$f(x) = ax^3 + bx$ (a, b는 상수, $a \neq 0$)으로 놓을 수 있다.

| 2단계 | 조건 (나)를 만족하는 삼차함수 $f(x)$를 구한다. | ◀ 40% |

$f'(x) = 3ax^2 + b$이므로 조건 (나)에 의하여 $f'(0) = b = 1$
$f'(1) = 3a + 1 = 7$, $a = 2$ $\therefore f(x) = 2x^3 + x$

| 3단계 | $\int_0^2 f(x)dx$의 값 구한다. | ◀ 30% |

따라서 $\int_0^2 f(x)dx = \int_0^2 (2x^3 + x)dx = \left[\dfrac{1}{2}x^4 + \dfrac{1}{2}x^2\right]_0^2 = 8 + 2 = 10$

1277

정답 해설참조

| 1단계 | 상수 a의 값을 구한다. | ◀ 30% |

$\int_2^x f(t)dt = x^4 + ax$에 $x = 2$를 대입하면

$$\int_2^2 f(t)dt = 2^4 + 2a, \ 0 = 16 + 2a$$

$\therefore a = -8$

| 2단계 | 함수 $f(x)$를 구한다. | ◀ 30% |

$\int_2^x f(t)dt = x^4 - 8x$에서 양변을 x에 대하여 미분하면

$$f(x) = 4x^3 - 8$$

| 3단계 | 정적분 $\int_{-3}^3 f(x)dx$의 값을 구한다. | ◀ 40% |

따라서 $\int_{-3}^3 f(x)dx = \int_{-3}^3 (4x^3 - 8)dx = 2\int_0^3 (-8)dx = 2\left[-8x\right]_0^3 = -48$

1278

정답 해설참조

| 1단계 | $f'(x)$를 구한다. | ◀ 30% |

$\int_1^x f(t)dt = xf(x) - 3x^4 + x^2 + 1$의 양변을 x에 대하여 미분하면

$$f(x) = f(x) + xf'(x) - 12x^3 + 2x$$

$xf'(x) = 12x^3 - 2x$이므로 $f'(x) = 12x^2 - 2$

| 2단계 | $f(1)$을 구하여 적분상수를 구한다. | ◀ 50% |

$\int_1^x f(t)dt = xf(x) - 3x^4 + x^2 + 1$의 양변에 $x = 1$을 대입하면

$0 = f(1) - 3 + 1 + 1$ $\therefore f(1) = 1$

$f'(x) = 12x^2 - 2$에서 $f(x) = 4x^3 - 2x + C$ (단, C는 적분상수)

$f(1) = 4 - 2 + C = 1$에서 $C = -1$

| 3단계 | $f(x)$를 구하여 $f(2)$의 값을 구한다. | ◀ 20% |

따라서 $f(x) = 4x^3 - 2x - 1$이므로 $f(2) = 32 - 4 - 1 = 27$

1279

정답 해설참조

| 1단계 | $x = 1$을 양변에 대입하여 $f(1)$의 값을 구한다. | ◀ 20% |

$$2x^2 f(x) - \int_1^x 4tf(t)dt = x^4 - 2x^3 - 3 \quad \cdots\cdots ㉠$$

㉠의 양변에 $x = 1$을 대입하면

$2f(1) - 0 = 1 - 2 - 3 = -4$

$\therefore f(1) = -2$

| 2단계 | 주어진 식의 양변을 x에 대하여 미분하여 $f'(x)$을 구한다. | ◀ 30% |

㉠의 양변을 x에 대하여 미분하면

$$4xf(x) + 2x^2 f'(x) - 4xf(x) = 4x^3 - 6x^2$$

$$2x^2 f'(x) = 4x^3 - 6x^2$$

$\therefore f'(x) = 2x - 3 \quad \cdots\cdots ㉡$

| 3단계 | 곡선 $y = f(x)$ 위의 점 $(1, f(1))$에서의 접선의 방정식을 구한다. | ◀ 30% |

㉡의 양변에 $x = 1$을 대입하면

$f'(1) = 2 - 3 = -1$

즉 곡선 $y = f(x)$ 위의 점 $(1, -2)$에서의 접선의 기울기는 -1이므로
접선의 방정식은 $y + 2 = -(x - 1)$, 즉 $y = -x - 1$

| 4단계 | 접선이 점 $(a, -3)$을 지날 때, 상수 a을 구한다. | ◀ 20% |

따라서 접선 $y = -x - 1$이 점 $(a, -3)$을 지나므로 $-3 = -a - 1$

$\therefore a = 2$

1280

정답 해설참조

1단계 상수 a의 값을 구한다. ◀ 20%

$\int_1^x (x-t)f(t)dt = 2x^3 + ax^2 + 1$의 양변에 $x=1$을 대입하면

$0 = 2 + a + 1$ ← $\int_1^1 f(x)dx = 0$

$\therefore a = -3$

2단계 함수 $f(x)$를 구한다. ◀ 40%

$\int_1^x (x-t)f(t)dt = 2x^3 - 3x^2 + 1$에서

$x\int_1^x f(t)dt - \int_1^x tf(t)dt = 2x^3 - 3x^2 + 1$이므로 양변을 x에 대하여 미분하면

$\int_1^x f(t)dt + xf(x) - xf(x) = 6x^2 - 6x$

$\int_1^x f(t)dt = 6x^2 - 6x$

또, 양변을 x에 대하여 미분하면 $f(x) = 12x - 6$

3단계 $\int_0^1 |f(x)|dx$의 값을 구한다. ◀ 40%

$\int_0^1 |f(x)|dx$

$= \int_0^{\frac{1}{2}} (-12x+6)dx + \int_{\frac{1}{2}}^1 (12x-6)dx$

$= \left[-6x^2+6x\right]_0^{\frac{1}{2}} + \left[6x^2-6x\right]_{\frac{1}{2}}^1$

$= \frac{3}{2} + \frac{3}{2} = 3$

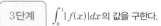

1281

정답 해설참조

1단계 상수 a, b의 값을 구한다. ◀ 50%

$\int_1^x (x-t)f(t)dt = x^3 - ax^2 + bx + 3$의 양변에 $x=1$을 대입하면

$0 = 1 - a + b + 3$ $\therefore a - b = 4$ …… ㉠

$\int_1^x (x-t)f(t)dt = x^3 - ax^2 + bx + 3$에서

$x\int_1^x f(t)dt - \int_1^x tf(t)dt = x^3 - ax^2 + bx + 3$

이므로 양변을 x에 대하여 미분하면

$\int_1^x f(t)dt + xf(x) - xf(x) = 3x^2 - 2ax + b$

$\int_1^x f(t)dt = 3x^2 - 2ax + b$

양변에 $x=1$을 대입하면

$0 = 3 - 2a + b$ $\therefore 2a - b = 3$ …… ㉡

㉠, ㉡을 연립하여 풀면 $a = -1$, $b = -5$

2단계 $f(x)$를 구한다. ◀ 30%

$\int_1^x f(t)dt = 3x^2 + 2x - 5$이므로

양변을 x에 대하여 미분하면 $f(x) = 6x + 2$

3단계 $f(3) + a + b$의 값을 구한다. ◀ 20%

이때 $f(3) = 20$이므로 $f(3) + a + b = 20 + (-1) + (-5) = 14$

S T E P 3 행복한 1등급 문제

1282

정답 65

STEP Ⓐ 정적분의 분할을 이용하여 식 세우기

$\int_0^1 f(x)dx = a$, $\int_1^2 f(x)dx = b$, $\int_2^3 f(x)dx = c$로 놓으면

$\int_0^2 f(x)dx = \int_0^1 f(x)dx + \int_1^2 f(x)dx = a + b$

$\therefore a + b = 16$ …… ㉠

$\int_1^3 f(x)dx = \int_1^2 f(x)dx + \int_2^3 f(x)dx = b + c$

$\therefore b + c = 80$ …… ㉡

STEP Ⓑ 원점에 대하여 대칭임을 이용하여

$\int_0^1 f(x)dx, \int_1^2 f(x)dx, \int_2^3 f(x)dx$의 값 구하기

함수 $f(x)$는 원점에 대하여 대칭이므로

$\int_{-1}^1 |f(x)|dx = 2\int_0^1 f(x)dx = 2$

즉 $a = 1$이므로

㉠, ㉡에서 $b = 15$, $c = 65$

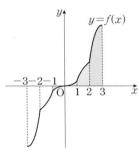

STEP Ⓒ 정적분의 성질을 이용하여 $\int_{-2}^3 f(x)dx$의 값 구하기

$\int_{-2}^3 f(x)dx = \int_{-2}^0 f(x)dx + \int_0^3 f(x)dx$

$= -\int_0^2 f(x)dx + \int_0^3 f(x)dx$

$= -\int_0^2 f(x)dx + \int_0^2 f(x)dx + \int_2^3 f(x)dx$

$= \int_2^3 f(x)dx = c$

따라서 $\int_{-2}^3 f(x)dx = 65$

1283

정답 5

STEP Ⓐ $\int_0^9 f(x)dx$의 값 구하기

조건 (나)에서

$\int_n^{n+3} f(x)dx = \int_n^{n+1} 2xdx = \left[x^2\right]_n^{n+1} = 2n+1$이므로

$\int_0^9 f(x)dx = \int_0^3 f(x)dx + \int_3^6 f(x)dx + \int_6^9 f(x)dx$

$= 1 + 7 + 13 = 21$

STEP Ⓑ $\int_0^8 f(x)dx$의 값 구하기

또, 조건 (가)에서 $\int_0^2 f(x)dx = 0$이므로

$\int_0^8 f(x)dx = \int_0^2 f(x)dx + \int_2^5 f(x)dx + \int_5^8 f(x)dx$

$= 0 + 5 + 11 = 16$

STEP Ⓒ 정적분의 성질을 이용하여 주어진 정적분 계산하기

따라서 $\int_8^9 f(x)dx = \int_0^9 f(x)dx - \int_0^8 f(x)dx = 21 - 16 = 5$

모든 실수 x에 대하여 연속인 함수 $f(x)$가 다음 조건을 모두 만족시킬 때, $\int_5^6 f(x)dx$의 값을 구하여라.

> (가) $\int_0^1 f(x)dx=2$
>
> (나) $\int_n^{n+2} f(x)dx = \int_n^{n+1} 2xdx$ (단, $n=0, 1, 2, \cdots$)

STEP A $\int_0^6 f(x)dx$**의 값 구하기**

조건 (나)에서

$\int_n^{n+2} f(x)dx = \int_n^{n+1} 2xdx = \left[x^2\right]_n^{n+1} = (n+1)^2-n^2 = 2n+1$

이므로

$\int_0^6 f(x)dx = \int_0^2 f(x)dx + \int_2^4 f(x)dx + \int_4^6 f(x)dx$
$\qquad\qquad = 1+5+9 = 15$

STEP B $\int_0^5 f(x)dx$**의 값 구하기**

또, 조건 (가)에서 $\int_0^1 f(x)dx=2$이므로

$\int_0^5 f(x)dx = \int_0^1 f(x)dx + \int_1^3 f(x)dx + \int_3^5 f(x)dx$
$\qquad\qquad = 2+3+7 = 12$

STEP C **정적분의 성질을 이용하여 주어진 정적분 계산하기**

따라서 $\int_5^6 f(x)dx = \int_0^6 f(x)dx - \int_0^5 f(x)dx = 15-12 = 3$ 　　정답 3

1284
　　정답 36

STEP A **조건 (가)에서 $f(x)-g(x)$의 식 작성하기**

최고차항의 계수가 1인 두 사차함수 $y=f(x)$, $y=g(x)$의 그래프가 만나는 세 점의 x좌표가 $-1, 0, 2$이므로

$f(x)-g(x) = a(x+1)x(x-2)\,(a \neq 0)$

STEP B **조건 (나)에서 $\int_0^2 \{f(x)-g(x)\}dx$의 값에서 $f(x)-g(x)$ 구하기**

조건 (나)에 의하여

$\int_0^2 f(x)dx=4$, $\int_0^2 g(x)dx=12$이므로

$\int_0^2 \{f(x)-g(x)\}dx = 4-12 = -8$

$\int_0^2 \{f(x)-g(x)\}dx = \int_0^2 \{a(x+1)x(x-2)\}dx$
$\qquad\qquad = a\int_0^2 (x^3-x^2-2x)dx$
$\qquad\qquad = a\left[\frac{1}{4}x^4 - \frac{1}{3}x^3 - x^2\right]_0^2$
$\qquad\qquad = a\left(4 - \frac{8}{3} - 4\right)$
$\qquad\qquad = -\frac{8}{3}a$

이때 $-\frac{8}{3}a = -8$이므로 $a=3$

따라서 $f(x)-g(x) = 3(x+1)x(x-2)$이므로 $f(3)-g(3)=36$

1285
　　정답 4

STEP A **이차함수 $f(x)$의 식을 작성하기**

이차함수 $f(x)$의 최고차항의 계수가 양수라고 하면 $f(1)=0$이므로 이차함수 $y=f(x)$의 그래프의 개형은 다음과 같은 세 가지 경우가 가능하다.

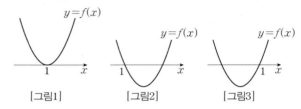

[그림1]　　　　[그림2]　　　　[그림3]

$\int_0^1 f(x)dx = \int_3^4 f(x)dx$를 만족시키려면 이차함수 $y=f(x)$의 그래프는 [그림2]와 같고 $f(3)=0$이어야 한다.

이차함수 $f(x)$의 최고차항의 계수가 음수인 경우도 같은 방법으로 생각하면 $f(3)=0$이어야 하므로 $f(x)=a(x-1)(x-3)$ (a는 상수, $a \neq 0$)으로 놓을 수 있다.

STEP B $\int_0^1 f(x)dx=2$**를 이용하여 이차함수 $f(x)$ 구하기**

$\int_0^1 f(x)dx = \int_0^1 a(x-1)(x-3)dx = a\int_0^1 (x^2-4x+3)dx$
$\qquad\qquad = a\left[\frac{1}{3}x^3 - 2x^2 + 3x\right]_0^1$
$\qquad\qquad = \frac{4}{3}a = 2$

즉 $a=\frac{3}{2}$이므로 $f(x) = \frac{3}{2}x^2 - 6x + \frac{9}{2}$

STEP C $\int_1^4 |f(x)|dx$**의 값 구하기**

$\int_1^4 |f(x)|dx = \int_1^3 \{-f(x)\}dx + \int_3^4 f(x)dx = \int_1^3 \left(-\frac{3}{2}x^2 + 6x - \frac{9}{2}\right)dx + 2$
$\qquad\qquad = \left[-\frac{1}{2}x^3 + 3x^2 - \frac{9}{2}x\right]_1^3 + 2$
$\qquad\qquad = 2+2 = 4$

1286
　　정답 1

STEP A **상수함수가 아닌 다항함수 $f(x)$ 구하기**

$\int_1^x f(t)dt = \{f(x)\}^2$ 　　　　…… ㉠

㉠의 양변에 $x=1$을 대입하면 $0=\{f(1)\}^2$ ∴ $f(1)=0$ …… ㉡

㉠의 양변을 x에 대하여 미분하면

$f(x)=2f(x)f'(x)$에서 $f(x)\{2f'(x)-1\}=0$이므로

$f(x)=0$ 또는 $f'(x)=\frac{1}{2}$

이때 함수 $f(x)$가 상수함수가 아닌 다항함수이므로 $f'(x)=\frac{1}{2}$

STEP B **적분상수 C 구하기**

$f(x)=\int f'(x)dx = \frac{1}{2}x+C$ (C는 적분상수)

㉡에서 $f(1)=\frac{1}{2}+C=0$이므로 $C=-\frac{1}{2}$

STEP C $f(3)$**의 값 구하기**

따라서 $f(x)=\frac{1}{2}x - \frac{1}{2}$이므로 $f(3)=1$

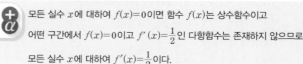

모든 실수 x에 대하여 $f(x)=0$이면 함수 $f(x)$는 상수함수이고 어떤 구간에서 $f(x)=0$이고 $f'(x)=\frac{1}{2}$인 다항함수는 존재하지 않으므로 모든 실수 x에 대하여 $f'(x)=\frac{1}{2}$이다.

1287

STEP A 함수 $f(x)$의 증가와 감소를 표로 나타내기

$f(x)=\displaystyle\int_{x}^{x+1}(t^3-t)dt$ 의 양변을 x에 대하여 미분하면

$f'(x)=(x+1)^3-(x+1)-x^3+x$

$\qquad=3x^2+3x=3x(x+1)$

$f'(x)=0$에서 $x=-1$ 또는 $x=0$

함수 $f(x)$의 증가와 감소를 표로 나타내면 다음과 같다.

x	-1	$\cdots$	0	$\cdots$	1
$f'(x)$	0	$-$	0	$+$	
$f(x)$	극대	$\searrow$	극소	$\nearrow$	

STEP B 닫힌구간 $[-1, 1]$에서 최댓값과 최솟값 구하기

닫힌구간 $[-1, 1]$에서

$f(-1)=\displaystyle\int_{-1}^{0}(t^3-t)dt=\left[\frac{1}{4}t^4-\frac{1}{2}t^2\right]_{-1}^{0}=\frac{1}{4}$

$f(0)=\displaystyle\int_{0}^{1}(t^3-t)dt=\left[\frac{1}{4}t^4-\frac{1}{2}t^2\right]_{0}^{1}=-\frac{1}{4}$

$f(1)=\displaystyle\int_{1}^{2}(t^3-t)dt=\left[\frac{1}{4}t^4-\frac{1}{2}t^2\right]_{1}^{2}=(4-2)-\left(\frac{1}{4}-\frac{1}{2}\right)=\frac{9}{4}$

따라서 최댓값은 $\dfrac{9}{4}$, 최솟값은 $-\dfrac{1}{4}$이므로 합은 $\dfrac{9}{4}+\left(-\dfrac{1}{4}\right)=2$

1288

STEP A $x=3$에서 연속임을 이용하여 a의 값 구하기

실수 전체에서 연속이므로 함수 $f(x)$가 $x=3$에서 연속이다.

$f(3)=\displaystyle\lim_{x\to 3+}(3x^2+a)=\lim_{x\to 3-}(2x+5)$

$27+a=6+5$

$\therefore a=-16$

$f(x)=\begin{cases}2x+5 & (2\le x\le 3)\\3x^2-16 & (3\le x\le 5)\end{cases}$

STEP B $\displaystyle\int_{-1}^{2}f(x)dx=\int_{2}^{5}f(x)dx$ 임을 이해하기

함수 $f(x)$가 $f(2-x)=f(2+x)$를 만족시키므로

$y=f(x)$의 그래프는 직선 $x=2$에 대하여 대칭이므로

$\displaystyle\int_{-1}^{2}f(x)dx=\int_{2}^{5}f(x)dx$

STEP C 정적분의 성질을 이용하여 적분 범위를 나누어 계산하기

$\displaystyle\int_{-1}^{5}f(x)dx=\int_{-1}^{2}f(x)dx+\int_{2}^{5}f(x)dx$

$\qquad=2\displaystyle\int_{2}^{5}f(x)dx$

$\qquad=2\left\{\displaystyle\int_{2}^{3}f(x)dx+\int_{3}^{5}f(x)dx\right\}$

$\qquad=2\left\{\displaystyle\int_{2}^{3}(2x+5)dx+\int_{3}^{5}(3x^2-16)dx\right\}$

$\qquad=2\left[x^2+5x\right]_{2}^{3}+2\left[x^3-16x\right]_{3}^{5}$

$\qquad=2\{(9+15)-(4+10)\}+2\{(125-80)-(27-48)\}$

$\qquad=152$

1289

STEP A 주어진 식의 양변을 미분하여 a, b가 만족하는 조건 구하기

$f(x)=\displaystyle\int_{0}^{x}(t-a)(t-b)dt$ 의 양변을 x에 대하여 미분하면

$f'(x)=(x-a)(x-b)$

$f'(x)=0$에서 $x=a$ 또는 $x=b$이므로

함수 $f(x)$는 $x=a$ 또는 $x=b$일 때, 극값을 가진다.

조건 (가)에서

$f(x)$가 $x=\dfrac{1}{2}$에서 극값을 가지므로 $a=\dfrac{1}{2}$ 또는 $b=\dfrac{1}{2}$

STEP B 정적분을 계산하여 a, b 사이의 관계식 구하기

조건 (나)에서

$f(a)-f(b)=\displaystyle\int_{0}^{a}(t-a)(t-b)dt-\int_{0}^{b}(t-a)(t-b)dt$

$\qquad=\displaystyle\int_{0}^{a}(t-a)(t-b)dt+\int_{b}^{0}(t-a)(t-b)dt$

$\qquad=\displaystyle\int_{b}^{a}(t-a)(t-b)dt$

$\qquad=-\dfrac{(a-b)^3}{6}=\dfrac{1}{6}$ $\leftarrow \displaystyle\int_{\alpha}^{\beta}(x-\alpha)(x-\beta)dx=-\frac{1}{6}(\beta-\alpha)^3$

$(a-b)^3=-1$에서 $b-a=1$

STEP C a, b의 값 구하기

$b=\dfrac{1}{2}$이면 $a=-\dfrac{1}{2}$ $(\because a>0)$이므로 모순이다.

따라서 $a=\dfrac{1}{2}$이고 $b=\dfrac{3}{2}$이므로 $a+b=2$

1290

STEP A 양변에 $x=1$을 대입하여 a, b 사이의 관계식 구하기

$x^2\displaystyle\int_{1}^{x}f(t)dt-\int_{1}^{x}t^2f(t)dt=x^4+ax^3+bx^2$

의 양변에 $x=1$을 대입하면

$0=1+a+b$ $\qquad\qquad\cdots\cdots$ ㉠

STEP B 주어진 식의 양변을 x에 대하여 미분하기

주어진 식의 양변을 x에 대하여 미분하면

$2x\displaystyle\int_{1}^{x}f(t)dt+x^2f(x)-x^2f(x)=4x^3+3ax^2+2bx$

$\therefore 2x\displaystyle\int_{1}^{x}f(t)dt=4x^3+3ax^2+2bx$ $\qquad\cdots\cdots$ ㉡

STEP C 양변에 $x=1$을 대입하여 a, b의 값 구하기

양변에 $x=1$을 대입하면

$0=4+3a+2b$ $\qquad\qquad\cdots\cdots$ ㉢

㉠, ㉢을 연립하여 풀면 $a=-2$, $b=1$

STEP D ㉡의 양변을 x에 대하여 미분하여 $f(5)$의 값 구하기

㉡에서 $2x\displaystyle\int_{1}^{x}f(t)dt=4x^3-6x^2+2x$이므로

$\displaystyle\int_{1}^{x}f(t)dt=2x^2-3x+1$의 양변을 x로 미분하면

$f(x)=4x-3$

따라서 $f(5)=20-3=17$

1291

STEP A 양변을 x에 대하여 미분하여 $f'(x)$의 식 구하기

$xf(x)+x^3=\displaystyle\int_0^x f(t)dt-x^3\int_0^1 f'(t)dt+3x^4$의 양변을 x에 대하여 미분하면

$f(x)+xf'(x)+3x^2=f(x)-3x^2\displaystyle\int_0^1 f'(t)dt+12x^3 \quad \leftarrow \int_0^1 f'(t)dt$는 상수

$xf'(x)=-3x^2-3x^2\displaystyle\int_0^1 f'(t)dt+12x^3$

$f(x)$가 다항함수이므로 $f'(x)=-3x-3x\displaystyle\int_0^1 f'(t)dt+12x^2$

STEP B $\displaystyle\int_0^1 f'(t)dt=k$로 놓고 k의 값 구하기

$\displaystyle\int_0^1 f'(t)dt=k$ (k는 상수)로 놓으면 $f'(x)=-3(1+k)x+12x^2$이므로

$k=\displaystyle\int_0^1 f'(t)dt=\int_0^1 \{-3(1+k)t+12t^2\}dt$

$=\left[-\dfrac{3}{2}(1+k)t^2+4t^3\right]_0^1=-\dfrac{3}{2}(1+k)+4$

$\dfrac{5}{2}k=\dfrac{5}{2}$에서 $k=1$

STEP C $f(2)$의 값 구하기

즉 $f'(x)=-6x+12x^2$이므로

$f(x)=\displaystyle\int f'(x)dx=\int(-6x+12x^2)dx$

$=-3x^2+4x^3+C$ (단, C는 적분상수)

그런데 $f(0)=0$이므로 $C=0$

따라서 $f(x)=-3x^2+4x^3$이므로 $f(2)=-12+32=20$

1292

STEP A 조건을 만족하는 함수 $f(x)$, $g(x)$ 구하기

$f(x)g(x)$가 사차함수이므로 $g(x)$도 이차함수이다.

또, $g(x)=\displaystyle\int_0^x \{t^2-f(t)\}dt$의 양변을 x에 대하여 미분하면

$g'(x)=x^2-f(x)$ ...... ㉠

즉 $x^2-f(x)$는 일차함수이어야 하므로 이차함수 $f(x)$의 x^2의 계수는 1이다.

그런데 $f(x)g(x)=-x^4-2x^3=-x^2(x^2+2x)$이므로

㉠을 만족하는 $f(x)$, $g(x)$는 $f(x)=x^2+2x$, $g(x)=-x^2$

STEP B $f(2)+g(-1)$의 값 구하기

따라서 $f(2)+g(-1)=8+(-1)=7$

1293

STEP A $x<1$일 때와 $x\geq 1$일 때로 나누어 $g(x)$ 구하기

(i) $x<1$일 때,

$g(x)=\displaystyle\int_{-1}^x(t-1)f(t)dt=\int_{-1}^x(t-1)(-1)dt$

$=\left[-\dfrac{t^2}{2}+t\right]_{-1}^x=-\dfrac{1}{2}x^2+x+\dfrac{3}{2}$

(ii) $x\geq 1$일 때,

$g(x)=\displaystyle\int_{-1}^x(t-1)f(t)dt=\int_{-1}^1(t-1)(-1)dt+\int_1^x(t-1)(-t+2)dt$

$=\left[-\dfrac{t^2}{2}+t\right]_{-1}^1+\left[-\dfrac{t^3}{3}+\dfrac{3}{2}t^2-2t\right]_1^x$

$=-\dfrac{1}{3}x^3+\dfrac{3}{2}x^2-2x+\dfrac{17}{6}$

(i), (ii)에서 $g(x)=\begin{cases}-\dfrac{1}{2}x^2+x+\dfrac{3}{2} & (x<1) \\ -\dfrac{1}{3}x^3+\dfrac{3}{2}x^2-2x+\dfrac{17}{6} & (x\geq 1)\end{cases}$

STEP B $g(x)$를 이용하여 [보기]의 참, 거짓의 진위판단하기

ㄱ. 구간 $(1, 2)$에서 $g'(x)=-x^2+3x-2=-(x-1)(x-2)$

즉, $g'(x)>0$이므로 $g(x)$는 증가한다. [참]

ㄴ. $g'(x)=\begin{cases}-x+1 & (x<1) \\ -x^2+3x-2 & (x>1)\end{cases}$이므로

$\displaystyle\lim_{x\to 1-}g'(x)=\lim_{x\to 1+}g'(x)=0$이므로 $x=1$에서 미분가능하다. [참]

ㄷ. $x<1$일 때, $g'(x)=-x+1$

$x>1$일 때, $g'(x)=-(x-1)(x-2)$이므로

방정식 $g(x)=k$가 서로 다른 세 실근을 가지려면

$y=g(x)$와 $y=k$의 그래프가 서로 다른 세 점에서 만나야 한다.

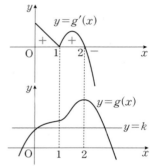

그런데 $g(x)$는 $x=2$에서만 극값을 가지므로 함수 $y=g(x)$의 그래프는 그림과 같고 직선 $y=k$와 서로 다른 세 점에서 만나는 실수 k가 존재하지 않는다. [거짓]

따라서 옳은 것은 ㄱ, ㄴ이다.

1294

STEP A 함수 $f(x)$가 $x=1$에서 연속일 조건과 $g(0)+g(1)=\dfrac{7}{2}$을 만족하는 a, b를 구하여 $f(x)$ 구하기

함수 $f(x)$는 $x=1$에서 연속이므로 $\displaystyle\lim_{x\to 1-}(3x^2+ax+b)=\lim_{x\to 1+}2x$

$a+b=-1$ ...... ㉠

$g(0)+g(1)=\displaystyle\int_0^1(3x^2+ax+b)dx+\int_1^2 2xdx$

$=\left[x^3+\dfrac{1}{2}ax^2+bx\right]_0^1+\left[x^2\right]_1^2$

$=\dfrac{1}{2}a+b+4=\dfrac{7}{2}$

$\therefore a+2b=-1$ ...... ㉡

㉠, ㉡을 연립하여 풀면 $a=-1$, $b=0$이므로 $f(x)=\begin{cases}3x^2-x & (x<1) \\ 2x & (x\geq 1)\end{cases}$

STEP B $t<0$, $0\leq t<1$, $t\geq 1$일 때로 나누어 $g(t)$ 구하기

$g(t)=\displaystyle\int_t^{t+1}f(x)dx$에서

(i) $t<0$일 때,

$g(t)=\displaystyle\int_t^{t+1}(3x^2-x)dx=\left[x^3-\dfrac{1}{2}x^2\right]_t^{t+1}=3t^2+2t+\dfrac{1}{2}$

(ii) $0\leq t<1$일 때,

$g(t)=\displaystyle\int_t^1(3x^2-x)dx+\int_1^{t+1}2xdx=\left[x^3-\dfrac{1}{2}x^2\right]_t^1+\left[x^2\right]_1^{t+1}$

$=-t^3+\dfrac{3}{2}t^2+2t+\dfrac{1}{2}$

(iii) $t\geq 1$일 때,

$g(t)=\displaystyle\int_t^{t+1}2xdx=\left[x^2\right]_t^{t+1}=2t+1$

(i)~(iii)에서 $g(t)=\begin{cases}3t^2+2t+\dfrac{1}{2} & (t<0) \\ -t^3+\dfrac{3}{2}t^2+2t+\dfrac{1}{2} & (0\leq t<1) \\ 2t+1 & (t\geq 1)\end{cases}$

이때 t에 대하여 미분하면

$$g'(t)=\begin{cases}6t+2 & (t<0)\\-3t^2+3t+2 & (0<t<1)\\2 & (t>1)\end{cases}$$

$g'(t)=0$인 t의 값은 $-\dfrac{1}{3}$

함수 $g(t)$의 증가와 감소를 표로 나타내면 다음과 같다.

t	$\cdots$	$-\dfrac{1}{3}$	$\cdots$
$g'(t)$	$-$	0	$+$
$g(t)$	$\searrow$	극소	$\nearrow$

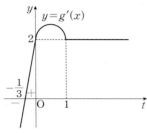

함수 $g(t)$는 $t=-\dfrac{1}{3}$에서 극소이면서 최소이다.

따라서 $g(t)$의 최솟값은 $g\left(-\dfrac{1}{3}\right)=3\cdot\left(-\dfrac{1}{3}\right)^2+2\cdot\left(-\dfrac{1}{3}\right)+\dfrac{1}{2}=\dfrac{1}{6}$

$\therefore 120k=20$

1295

정답 ⑤

STEP ⓐ **주어진 조건을 이용하여 함수** $y=f'(x)$**의 그래프 개형 그리기**

함수 $f(x)$는 최고차항의 계수가 양수인 삼차함수이므로
함수 $f'(x)$는 최고차항의 계수가 양수인 이차함수이다.
조건 (가)에서
함수 $f(x)$는 $x=0$에서 극댓값, $x=k$에서 극솟값을 가지므로
$f'(x)=0$의 두 근이 $x=0$과 $x=k$이며 $k>0$이다.
← 최고차항의 계수가 양수인 삼차함수의 그래프의 개형을 그리면 $k>0$임을 알 수 있다.

즉 $f'(x)=ax(x-k)$ $(a>0,\ k>0)$라 하면 $y=f'(x)$의 그래프는 다음 그림과 같다.

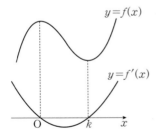

STEP ⓑ **삼차함수의 그래프의 개형을 이해하고, 정적분과 미분의 관계를 이용하여 함수** $y=f'(x)$**의 그래프 개형을 파악하여 [보기]의 참, 거짓 판단하기**

ㄱ. 닫힌구간 $[0,\ k]$에서 $f'(x)\le 0$이므로 $\displaystyle\int_0^k f'(x)dx<0$ [참]

ㄴ. 조건 (나)에서

$\displaystyle\int_0^t |f'(x)|dx=f(t)+f(0)$의 양변을 t에 대하여 미분하면

$|f'(t)|=f'(t)$ $\quad$ ...... ㉠

이때 ㉠은 $t>1$인 모든 실수 t에 대하여 성립하므로 $f'(t)\ge 0$

즉 $0<k\le 1$이다. [참]

← $k>1$이면 $1<t<k$에서 $f'(t)<0$이므로 $t>1$인 모든 실수 t에 대하여 $f'(t)\ge 0$이 성립하지 않는다.

STEP ⓒ **정적분을 이용하여 극솟값을 구하기**

ㄷ. ㄴ에서 $0<k\le 1$이고 조건 (나)에서 $t>1$이므로 $t>k$임을 이용한다.

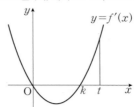

$$\begin{aligned}\int_0^t |f'(x)|dx&=-\int_0^k f'(x)dx+\int_k^t f'(x)dx\\&=-\Big[f(x)\Big]_0^k+\Big[f(x)\Big]_k^t\\&=-\{f(k)-f(0)\}+\{f(t)-f(k)\}\\&=-2f(k)+f(0)+f(t)\end{aligned}$$

즉 $\displaystyle\int_0^t |f'(x)|dx=f(t)+f(0)$이므로

$-2f(k)+f(0)+f(t)=f(t)+f(0)$에서 $-2f(k)=0$

따라서 $f(k)=0$이므로 함수 $f(x)$의 극솟값은 0이다. [참]

다른풀이 직접 정적분을 하여 풀이하기

ㄷ. $f'(x)=ax(x-k)=ax^2-akx$에서

$$\begin{aligned}\int_0^t |f'(x)|dx&=-\int_0^k(ax^2-akx)dx+\int_k^t(ax^2-akx)dx\\&=-\Big[\frac{a}{3}x^3-\frac{ak}{2}x^2\Big]_0^k+\Big[\frac{a}{3}x^3-\frac{ak}{2}x^2\Big]_k^t\\&=-\Big(\frac{ak^3}{3}-\frac{ak^3}{2}\Big)+\Big(\frac{at^3}{3}-\frac{akt^2}{2}-\frac{ak^3}{3}+\frac{ak^3}{2}\Big)\\&=\frac{ak^3}{6}+\Big(\frac{at^3}{3}-\frac{akt^2}{2}+\frac{ak^3}{6}\Big)\\&=\frac{at^3}{3}-\frac{akt^2}{2}+\frac{ak^3}{3}\quad\cdots\cdots\ ⓛ\end{aligned}$$

또한, $f(x)=\displaystyle\int(ax^2-akx)dx=\frac{a}{3}x^3-\frac{ak}{2}x^2+C$ (C는 적분상수)
이므로

$$\begin{aligned}f(t)+f(0)&=\Big(\frac{a}{3}t^3-\frac{ak}{2}t^2+C\Big)+C\\&=\frac{a}{3}t^3-\frac{ak}{2}t^2+2C\quad\cdots\cdots\ ⓒ\end{aligned}$$

조건 (나)에서 ⓛ, ⓒ이 같아야 하므로

$$\frac{at^3}{3}-\frac{akt^2}{2}+\frac{ak^3}{3}=\frac{a}{3}t^3-\frac{ak}{2}t^2+2C$$

$\therefore C=\dfrac{ak^3}{6}$

즉 $f(x)=\dfrac{a}{3}x^3-\dfrac{ak}{2}x^2+\dfrac{ak^3}{6}$이므로

극솟값 $f(k)$는 $f(k)=\dfrac{ak^3}{3}-\dfrac{ak^3}{2}+\dfrac{ak^3}{6}=0$ [참]

따라서 옳은 것은 ㄱ, ㄴ, ㄷ이다.

1296

STEP A $x=4$ **좌우에서** $f'(x)$**의 부호 조사하기**

ㄱ. $x=4$의 좌우에서 $f'(x)$의 부호가 음$(-)$에서 양$(+)$으로 바뀌므로
   $x=4$에서 극솟값을 갖는다. [참]

STEP B **평균값의 정리를 이용하여 주어진 부등식을 변형하기**

ㄴ. 사차함수 $f(x)$는 구간 (a, t)에서 미분가능하고

구간 $[a, t]$에서 연속이므로 평균값 정리에 의하여

$\dfrac{f(t)-f(a)}{t-a}=f'(c)$인 c가 구간 (a, t)에 존재한다.

또한, 사차함수 $f(x)$는 구간 (t, b)에서 미분가능하고

구간 $[t, b]$에서 연속이므로 평균값 정리에 의하여

$\dfrac{f(t)-f(b)}{t-b}=\dfrac{f(b)-f(t)}{b-t}=f'(d)$인 d가 구간 (t, b)에 존재한다.

함수 $f'(x)$가 구간 (a, b)에서 감소하고 $a<c<t<d<b$이므로

$f'(c)>f'(d)$

즉 $\dfrac{f(t)-f(a)}{t-a}=f'(c)>f'(d)=\dfrac{f(b)-f(t)}{b-t}$이다. [참]

STEP C $h(x)=f(x)-f(a)$**라 두고** $h(x)$**의 그래프를 그려** $y=h(x)$**와**
x축이 만나는 점의 개수 구하기

ㄷ. 함수 $h(x)$를 $h(x)=f(x)-f(a)$라 하자.

주어진 조건에 의하여 함수 $y=h(x)$는 $x=0$, b, 4일 때, 극값을 가지므로
$h'(x)=0$인 x가 0, b, 4이고 $h(x)$의 증가와 감소를 나타내면 다음 표와
같다.

x	$\cdots$	0	$\cdots$	b	$\cdots$	4	$\cdots$
$h'(x)$	$-$	0	$+$	0	$-$	0	$+$
$h(x)$	$\searrow$	극소	$\nearrow$	극대	$\searrow$	극소	$\nearrow$

이때 $h(a)=f(a)-f(a)=0$이므로 $h(0)<0$

$\displaystyle\int_a^4 f'(x)dx=\Big[f(x)\Big]_a^4=f(4)-f(a)=0$이므로 $h(4)=0$

즉 함수 $h(x)$의 그래프의 모양은 다음과 같고 곡선 $y=h(x)$와 x축은
서로 다른 세 점에서 만난다.

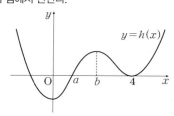

즉 곡선 $y=f(x)$와 직선 $y=f(a)$는 서로 다른 세 점에서 만난다. [참]
따라서 옳은 것은 ㄱ, ㄴ, ㄷ이다.

1297

STEP A **조건 (가), (나)를 만족하는 이차함수 그래프 개형 구하기**

함수 $f(x)$는 이차함수이고

조건 (가)에서 $\displaystyle\int_0^t f(x)dx=\int_{2a-t}^{2a} f(x)dx$이므로

함수 $y=f(x)$의 그래프는 직선 $x=\dfrac{0+2a}{2}=a$에 대하여 대칭이다.

조건 (나)에서 $0<\displaystyle\int_a^2 f(x)dx<\int_a^2 |f(x)|dx$이므로 $a<2$

함수 $y=f(x)$의 그래프는 x축과 두 점 $(k, 0)$, $(2a-k, 0)$에서 만난다.

← $f(k)=0$이므로 x축과 k에서 만나고 $x=a$에서 대칭이므로 $2a-k$에서도 x축에서 만난다.

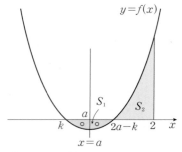

STEP B **정적분** $\displaystyle\int_k^a f(x)dx$, $\displaystyle\int_{2a-k}^2 f(x)dx$**의 값 구하기**

위의 그림에서 곡선 $y=f(x)$와 x축으로 둘러싸인 부분의 넓이를 S_1,
곡선 $y=f(x)$와 x축 및 직선 $x=2$로 둘러싸인 부분의 넓이를 S_2라 하면

$\displaystyle\int_k^a f(x)dx=\int_a^{2a-k} f(x)dx=-\dfrac{S_1}{2}$ ← 정적분의 값

이므로 조건 (나)에서

$\displaystyle\int_a^2 f(x)dx=-\dfrac{S_1}{2}+S_2=2$ $\cdots\cdots$ ㉠

$\displaystyle\int_a^2 |f(x)|dx=\dfrac{S_1}{2}+S_2=\dfrac{22}{9}$ $\cdots\cdots$ ㉡

㉠+㉡을 하면 $2S_2=\dfrac{40}{9}$ $\therefore S_2=\dfrac{20}{9}$

㉠에 대입하면 $S_1=\dfrac{4}{9}$

STEP C $\displaystyle\int_k^2 f(x)dx$**의 값 구하기**

$\displaystyle\int_k^2 f(x)dx=-S_1+S_2=\dfrac{16}{9}$

따라서 $p=9$, $q=16$이므로 $p+q=25$

> **+α** 다항함수 $f(x)$에 대하여
>
> ① $f(a-x)=f(b+x)$을 만족하는 함수의 그래프는 $x=\dfrac{a+b}{2}$에 대하여
> 대칭인 함수이다.
>
> > **예** $f(1-x)=f(1+x)$인 함수 $f(x)$는 $x=1$에 대하여 대칭인
> > 함수이다.
>
> ② $\displaystyle\int_a^t f(x)dx=\int_{b-t}^b f(x)dx$을 만족하는 함수의 그래프는 $x=\dfrac{a+b}{2}$에
> 대하여 대칭인 함수이다.

1298

STEP A 함수 $g(x)$를 이용하여 함수 $h(x)=\displaystyle\int_0^x f(t)dt$의 그래프의 개형 그리기

$h(x)=\displaystyle\int_0^x f(t)dt$라 하면

$g(x)=|h(x)|$이므로 함수 $g(x)$는

삼차함수 $f(x)$에 대하여 사차함수 $h(x)=\displaystyle\int_0^x f(t)dt$의 그래프를 x축 위로

접어 올린 그래프이므로 $h(x)=\displaystyle\int_0^x f(t)dt$의 그래프는 최고차항의 계수가

양수인 경우와 음수인 경우에 따라 다음 두 가지 중 하나이다.

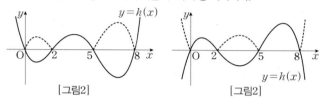

[그림2]　　　　[그림2]

$h'(x)=\dfrac{d}{dx}\displaystyle\int_0^x f(t)dt=f(x)$이고 삼차함수 $h'(0)=f(0)>0$이므로

함수 $y=h(x)$는 $x=0$에서 증가한다.

따라서 함수 $y=h(x)$의 그래프의 개형으로 적당한 것은 [그림 2]이다.

STEP B 그래프의 개형을 이용하여 [보기]의 참, 거짓 판단하기

ㄱ. $f(x)=h'(x)$이고 [그림2]를 이용하여 함수 $y=f(x)$의 그래프를 그리면 다음 그림과 같다.

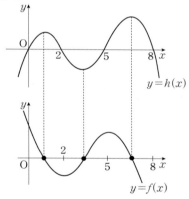

즉 방정식 $f(x)=0$은 서로 다른 3개의 실근을 갖는다. [참]

ㄴ. 함수 $y=f(x)$는 $x=0$에서 감소하므로 $f'(0)<0$ [참]

ㄷ. $f(x)=h'(x)$이므로 $\displaystyle\int_m^{m+2} f(x)dx=h(m+2)-h(m)$

함수 $y=h(x)$의 그래프를 이용하여 $h(m+2)-h(m)$의 부호를 조사하면

$m=1$일 때, $h(3)<0$, $h(1)>0$이므로 $h(3)-h(1)<0$

$m=2$일 때, $h(4)<0$, $h(2)=0$이므로 $h(4)-h(2)<0$

$m=3$일 때, $h(5)=0$, $h(3)<0$이므로 $h(5)-h(3)>0$

$m=4$일 때, $h(6)>0$, $h(4)<0$이므로 $h(6)-h(4)>0$

$m=5$일 때, $h(7)>0$, $h(5)=0$이므로 $h(7)-h(5)>0$

$m=6$일 때, $h(8)=0$, $h(6)>0$이므로 $h(8)-h(6)<0$

$m=7$일 때, $h(9)<0$, $h(7)>0$이므로 $h(9)-h(7)<0$

$\qquad\qquad\vdots$

$m\geq 8$인 m에 대하여 항상 $h(m+2)<h(m)$이므로

$h(m+2)-h(m)<0$

즉 $\displaystyle\int_m^{m+2} f(x)dx>0$을 만족시키는 자연수 m의 개수는 3, 4, 5의 3개이다.

[참]

따라서 옳은 것은 ㄱ, ㄴ, ㄷ 모두 옳다.

다른풀이 $f(x)$의 그래프의 개형을 이용하여 풀이하기

STEP A 함수 $g(x)$를 이용하여 함수 $f(x)$의 그래프 그리기

함수 $g(x)$는 함수 $f(t)$를 $t=0$부터 $t=x$까지 정적분하고 절댓값을 씌운 함수이다.

이때 주어진 함수 $g(x)$의 그래프에서

$g(2)=0$일 때,

$\displaystyle\int_0^2 f(t)dt=0$이고 $f(0)>0$이므로 $f(2)<0$

$g(5)=0$일 때,

$\displaystyle\int_2^5 f(t)dt=0$이고 $f(2)<0$이므로 $f(5)>0$

$\left(\because \displaystyle\int_0^5 f(t)dt=\displaystyle\int_0^2 f(t)dt+\displaystyle\int_2^5 f(t)dt=0+\displaystyle\int_2^5 f(t)dt\right)$

$g(8)=0$일 때,

$\displaystyle\int_5^8 f(t)dt=0$이고 $f(5)>0$이므로 $f(8)<0$

$\left(\because \displaystyle\int_0^8 f(t)dt=\displaystyle\int_0^5 f(t)dt+\displaystyle\int_5^8 f(t)dt=0+\displaystyle\int_5^8 f(t)dt\right)$

즉 함수 $y=f(x)$의 그래프를 그리면 다음 그림과 같다.

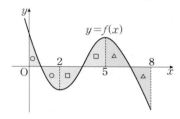

STEP B 그래프의 개형을 이용하여 [보기]의 진위판단하기

ㄱ. 방정식 $f(x)=0$의 해는 구간 $(0, 2)$, $(2, 5)$, $(5, 8)$에서 각각 하나씩 존재한다. [참]

ㄴ. 함수 $f(x)$는 $x=0$에서 감소하므로 $f'(0)<0$ [참]

ㄷ. 그래프에서 $\displaystyle\int_0^2 f(t)dt=\displaystyle\int_2^5 f(t)dt=\displaystyle\int_5^8 f(t)dt=0$이므로

$\displaystyle\int_m^{m+2} f(x)dx>0$을 만족하는 자연수 m은 3, 4, 5로 3개이다. [참]

따라서 옳은 것은 ㄱ, ㄴ, ㄷ이다.

03 넓이

1299

정답 ⑤

STEP Ⓐ 정적분과 넓이의 관계를 이해하기

ㄱ. 닫힌구간 $[b, c]$에서 $f(x) \leq 0$이므로

$$S_2 = \int_b^c \{-f(x)\}dx = \int_c^b f(x)dx \text{ [참]}$$

ㄴ. 닫힌구간 $[a, b]$에서 $f(x) \geq 0$, 닫힌구간 $[b, c]$에서 $f(x) \leq 0$이므로

$$\int_a^c f(x)dx = \int_a^b f(x)dx + \int_b^c f(x)dx = S_1 - S_2 \text{ [참]}$$

ㄷ. $\int_a^c |f(x)|dx = \int_a^b |f(x)|dx + \int_b^c |f(x)|dx = S_1 + S_2$ [참]

따라서 옳은 것은 ㄱ, ㄴ, ㄷ이다.

1300

정답 ④

STEP Ⓐ 정적분의 성질을 이용하여 주어진 식 정리하기

$$\int_{-2}^2 \{f(x)-2\}dx = \int_{-2}^2 f(x)dx - \int_{-2}^2 2dx$$

STEP Ⓑ $\int_{-2}^2 f(x)dx$의 **값을 구하여 정적분의 값 구하기**

이때 $\int_{-2}^2 f(x)dx = \int_{-2}^{-1} f(x)dx + \int_{-1}^2 f(x)dx = -3 + 9 = 6$

따라서 $\int_{-2}^2 \{f(x)-2\}dx = 6 - \left[2x\right]_{-2}^2 = 6 - (4+4) = -2$

1301

정답 ②

STEP Ⓐ $x=-2$**에서** $x=3$**까지의 정적분 구하기**

두 도형 A, B의 넓이가 각각 8, 5이므로

$$\int_{-2}^1 f'(x)dx = 8, \quad \int_1^3 f'(x)dx = -5$$

$$\int_{-2}^3 f'(x)dx = \int_{-2}^1 f'(x)dx + \int_1^3 f'(x)dx = 8 - 5 = 3 \quad \cdots\cdots \text{㉠}$$

STEP Ⓑ $\int_{-2}^3 f'(x)dx$**의 값을** $f(x)$**로 표현하여** $f(3)$**의 값 구하기**

한편 함수 $f'(x)$가 $f(x)$의 도함수이므로

$$\int_{-2}^3 f'(x)dx = \left[f(x)\right]_{-2}^3 = f(3) - f(-2) \quad \cdots\cdots \text{㉡}$$

㉠, ㉡에서 $f(3) - f(-2) = 3$

따라서 $f(-2) = 3$이므로 $f(3) = 6$

1302

정답 ④

STEP Ⓐ S_1, S_2**의 넓이 구하기**

곡선 $y = x^2$과 두 직선 $x=1$, $y=0$으로 둘러싸인 도형의 넓이를 S_2

$$S_2 = \int_0^1 x^2 dx = \left[\frac{1}{3}x^3\right]_0^1 = \frac{1}{3}$$

곡선 $y = x^2$과 두 직선 $x=0$, $y=1$로 둘러싸인 도형의 넓이를 S_1

$$S_1 = 1 - \frac{1}{3} = \frac{2}{3} \quad \text{← 정사각형의 넓이에서 } S_2\text{의 넓이를 뺀다.}$$

따라서 $\dfrac{S_1}{S_2} = \dfrac{\frac{2}{3}}{\frac{1}{3}} = 2$

오른쪽 그림과 같이 곡선 $y = x^2 (x \geq 0)$ 위의 두 점 $P(a, a^2)$, $Q(3, 9)$에서 x축에 내린 수선의 발을 각각 A, B라 하고, 점 P에서 y축에 내린 수선의 발을 C라 하자. 오른쪽 그림에서 색칠한 부분의 넓이의 합이 $\dfrac{35}{3}$일 때, 상수 a의 값은? (단, $0 < a < 3$)

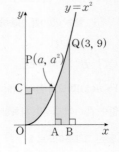

① 2 　　　　② 4
③ 6 　　　　④ 8
⑤ 10

STEP Ⓐ 각 영역의 넓이 구하기

사각형 OAPC의 넓이가 a^3이고

$$\int_0^a x^2 dx = \left[\frac{1}{3}x^3\right]_0^a = \frac{1}{3}a^3, \quad \int_a^3 x^2 dx = \left[\frac{1}{3}x^3\right]_a^3 = 9 - \frac{1}{3}a^3$$

STEP Ⓑ 색칠한 부분의 넓이의 합을 이용한 a**의 값 구하기**

색칠한 부분의 넓이의 합이 $\dfrac{35}{3}$이므로

$$a^3 - \int_0^a x^2 dx + \int_a^3 x^2 dx = \frac{35}{3}$$

$$a^3 - \frac{1}{3}a^3 + 9 - \frac{1}{3}a^3 = \frac{35}{3}$$

따라서 $a^3 - 8 = 0$이므로 $a = 2 \, (\because 0 < a < 3)$

정답 ①

1303

정답 ⑤

STEP Ⓐ 곡선과 x**축과의 교점 구하기**

곡선 $f(x) = x^3 - 9x$와 x축과의 교점의 x좌표는

$x^3 - 9x = 0$에서 $x(x-3)(x+3) = 0$

즉 $x=-3$ 또는 $x=0$ 또는 $x=3$이므로

함수 $y = f(x)$의 그래프는 다음 그림과 같다.

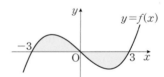

STEP Ⓑ 구간을 나누어 도형의 넓이 구하기

따라서 닫힌구간 $[-3, 0]$에서 $y \geq 0$이고 닫힌구간 $[0, 3]$에서 $y \leq 0$이므로 구하는 넓이는

$$\int_{-3}^3 |f(x)|dx = 2\int_{-3}^0 f(x)dx \quad \text{← } f(x) = x^3 - 9x\text{은 원점에 대하여 대칭인 함수}$$

$$= 2\int_{-3}^0 (x^3 - 9x)dx$$

$$= 2\left[\frac{1}{4}x^4 - \frac{9}{2}x^2\right]_{-3}^0$$

$$= \frac{81}{2}$$

1304

정답 ③

STEP Ⓐ 주어진 곡선과 x축과의 교점을 구하여 그래프 그리기

곡선 $y=x^2-2x$과 x축의 교점의
x좌표는 $x^2-2x=0$에서 $x(x-2)=0$
즉 $x=0$ 또는 $x=2$이므로
함수 $y=f(x)$의 그래프는
오른쪽 그림과 같다.

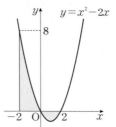

STEP Ⓑ 구간을 나누어 도형의 넓이 구하기

따라서 닫힌구간 $[-2,\,0]$에서 $y\geq0$, 닫힌구간 $[0,\,2]$에서 $y\leq0$이므로
구하는 넓이를 S라 하면

$$S=\int_{-2}^{2}|x^2-2x|dx=\int_{-2}^{0}(x^2-2x)dx+\int_{0}^{2}(-x^2+2x)dx$$
$$=\left[\frac{1}{3}x^3-x^2\right]_{-2}^{0}+\left[-\frac{1}{3}x^3+x^2\right]_{0}^{2}$$
$$=\frac{20}{3}+\frac{4}{3}=8$$

내/신/연/계 출제문항 546

곡선 $y=x^2-4x$와 x축 및 두 직선 $x=-1$, $x=3$으로 둘러싸인 도형의
넓이는?

① $\dfrac{7}{3}$　　　② $\dfrac{8}{3}$　　　③ $\dfrac{10}{3}$

④ $\dfrac{25}{4}$　　　⑤ $\dfrac{34}{3}$

STEP Ⓐ 주어진 곡선과 x축과의 교점을 구하여 그래프 그리기

곡선 $y=x^2-4x$과 x축의 교점의
x좌표는
$x^2-4x=0$에서 $x(x-4)=0$
∴ $x=0$ 또는 $x=4$이므로
함수 $y=f(x)$의 그래프는 오른쪽
그림과 같다.

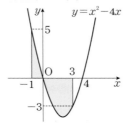

STEP Ⓑ 구간을 나누어 도형의 넓이 구하기

따라서 구간 $[-1,\,0]$에서 $x^2-4x\geq0$, 구간 $[0,\,3]$에서 $x^2-4x\leq0$이므로
구하는 넓이를 S라 하면

$$S=\int_{-1}^{3}|x^2-4x|dx=\int_{-1}^{0}(x^2-4x)dx+\int_{0}^{3}(-x^2+4x)dx$$
$$=\left[\frac{x^3}{3}-2x^2\right]_{-1}^{0}+\left[-\frac{x^3}{3}+2x^2\right]_{0}^{3}$$
$$=\frac{7}{3}+9=\frac{34}{3}$$

정답 ⑤

1305

정답 ③

STEP Ⓐ 주어진 곡선과 x축의 교점을 구하여 그래프 그리기

$y=x^2-|x|-2=\begin{cases}x^2+x-2 & (x<0)\\ x^2-x-2 & (x\geq0)\end{cases}$

$=\begin{cases}(x-1)(x+2) & (x<0)\\ (x+1)(x-2) & (x\geq0)\end{cases}$

주어진 곡선과 x축의 교점의 x좌표는
$x=-2$ 또는 $x=2$이므로
함수 $y=f(x)$의 그래프는 오른쪽
그림과 같다.

STEP Ⓑ 구간을 나누어 넓이 구하기

따라서 구하는 넓이를 S라 하면

$$S=\int_{-2}^{0}(-x^2-x+2)dx+\int_{0}^{2}(-x^2+x+2)dx$$
$$=\left[-\frac{1}{3}x^3-\frac{1}{2}x^2+2x\right]_{-2}^{0}+\left[-\frac{1}{3}x^3+\frac{1}{2}x^2+2x\right]_{0}^{2}$$
$$=\frac{20}{3}$$

1306

정답 ⑤

STEP Ⓐ 조건 (가)의 도형의 넓이 구하기

조건 (나)에서 곡선 $y=x^2+3x$와
x축의 교점의 x좌표는
$x^2+3x=0$에서 $x(x+3)=0$
즉 $x=-3$ 또는 $x=0$
이므로 함수 $y=f(x)$의 그래프는
오른쪽 그림과 같으므로 구하는 넓이는

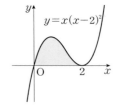

$$\int_{-1}^{1}|x^2+3x|dx$$
$$=\int_{-1}^{0}(-x^2-3x)dx+\int_{0}^{1}(x^2+3x)dx$$
$$=\left[-\frac{1}{3}x^3-\frac{3}{2}x^2\right]_{-1}^{0}+\left[\frac{1}{3}x^3+\frac{3}{2}x^2\right]_{0}^{1}=3$$
∴ $a=3$

STEP Ⓑ 조건 (나)의 도형의 넓이 구하기

조건 (나)에서 곡선 $y=x(x-2)^2$은
오른쪽 그림과 같으므로 구하는 넓이는

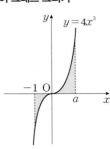

$$\int_{0}^{2}x(x-2)^2dx=\int_{0}^{2}(x^3-4x^2+4x)dx$$
$$=\left[\frac{1}{4}x^4-\frac{4}{3}x^3+2x^2\right]_{0}^{2}$$
$$=\frac{4}{3}$$

∴ $b=\frac{4}{3}$

따라서 $a+b=3+\dfrac{4}{3}=\dfrac{13}{3}$

1307

정답 ②

STEP Ⓐ 주어진 곡선과 x축과의 교점을 구하여 그래프 그리기

곡선 $y=4x^3$과 x축 및 두 직선
$x=-1$, $x=a\,(a>0)$로 둘러싸인
도형의 넓이는

$$\int_{-1}^{a}|4x^3|dx=-\int_{-1}^{0}4x^3dx+\int_{0}^{a}4x^3dx$$
$$=-\left[x^4\right]_{-1}^{0}+\left[x^4\right]_{0}^{a}$$
$$=1+a^4$$

STEP Ⓑ 넓이가 82일 때, 양수 a의 값 구하기

이때 $1+a^4=82$이므로 $a^4=81$
따라서 $a>0$에서 $a=3$

곡선 $y=2x^3$과 x축 및 두 직선 $x=-2$, $x=a$로 둘러싸인 도형의 넓이가 $\dfrac{17}{2}$일 때, 양수 a의 값은?

① $\dfrac{1}{3}$ 　　② $\dfrac{1}{2}$ 　　③ $\dfrac{\sqrt{2}}{2}$

④ 1 　　⑤ $\sqrt{2}$

STEP A 주어진 곡선과 x축과의 교점을 구하여 그래프 그리기

곡선 $y=2x^3$과 x축 및 두 직선
$x=-2$, $x=a$로 둘러싸인 도형의 넓이는

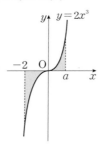

$$\int_{-2}^{0}|2x^3|\,dx$$

$$=\int_{-2}^{0}(-2x^3)\,dx+\int_{0}^{a}2x^3\,dx$$

$$=\left[-\frac{1}{2}x^4\right]_{-2}^{0}+\left[\frac{1}{2}x^4\right]_{0}^{a}$$

$$=8+\frac{1}{2}a^4$$

STEP B 넓이가 $\dfrac{17}{2}$일 때, 양수 a의 값 구하기

이때 $8+\dfrac{1}{2}a^4=\dfrac{17}{2}$이므로 $a^4=1$

따라서 $a>0$이므로 $a=1$ 정답 ④

1308   정답 ②

STEP A 주어진 곡선과 x축과의 교점을 구하여 그래프 그리기

곡선 $y=3x|x|=\begin{cases}3x^2 & (x\geq 0)\\ -3x^2 & (x<0)\end{cases}$와

x축 및 직선 $x=-1$, $x=a$로 둘러싸인
도형의 넓이는

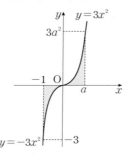

$$-\int_{-1}^{0}(-3x^2)\,dx+\int_{0}^{a}3x^2\,dx$$

$$=\int_{-1}^{0}3x^2\,dx+\int_{0}^{a}3x^2\,dx$$

$$=\left[x^3\right]_{-1}^{0}+\left[x^3\right]_{0}^{a}$$

$$=a^3+1$$

STEP B 넓이가 28일 때, 양수 a의 값 구하기

따라서 $a^3+1=28$이므로 $a^3=27$ $\therefore a=3$

1309   정답 ②

STEP A 구간을 나누어 구하고자 하는 넓이를 a로 표현하기

$y=x^2-2x$와 x축 및 직선 $x=a$로 둘러싸인 도형의 넓이는

$$\int_{0}^{2}(-x^2+2x)\,dx+\int_{2}^{a}(x^2-2x)\,dx=\left[-\frac{1}{3}x^3+x^2\right]_{0}^{2}+\left[\frac{1}{3}x^3-x^2\right]_{2}^{a}$$

$$=\frac{1}{3}a^3-a^2+\frac{8}{3}$$

STEP B 넓이가 $\dfrac{8}{3}$임을 이용하여 a의 값 구하기

도형의 넓이가 $\dfrac{8}{3}$이므로 $\dfrac{1}{3}a^3-a^2+\dfrac{8}{3}=\dfrac{8}{3}$

$\dfrac{1}{3}a^3-a^2=0$, $a^2(a-3)=0$

따라서 $a>2$이므로 $a=3$

1310   정답 ②

STEP A 이차함수의 그래프 식 구하기

텐트의 출입구의 단면을 오른쪽 그림과
같이 좌표평면 위에 옮겨 놓으면
텐트의 출입구의 곡선의 식은
$y=a(x+1)(x-1)\,(a<0)$
으로 놓을 수 있다.
이때 이 곡선이 점 $(0,\,1)$을 지나므로
$1=-a$, 즉 $a=-1$
즉 텐트의 출입구의 곡선의 식은
$y=-(x+1)(x-1)=-x^2+1$

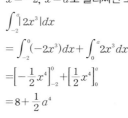

STEP B 텐트의 출입구의 넓이 구하기

따라서 닫힌구간 $[-1,\,1]$에서 $-x^2+1\geq 0$이므로 구하는 넓이는

$$\int_{-1}^{1}(-x^2+1)\,dx=2\int_{0}^{1}(-x^2+1)\,dx=2\left[-\frac{1}{3}x^3+x\right]_{0}^{1}=\frac{4}{3}(\text{m}^2)$$

다음 그림과 같이 입구 단면의 곡선 부분이 이차함수의 그래프의 일부와
같은 터널이 있다. 이 터널 입구의 바닥부분의 폭은 12m, 높이는 8m일 때,
터널 입구의 단면의 넓이는? (단위는 m^2)

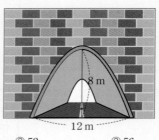

① 48 　　② 52 　　③ 56

④ 60 　　⑤ 64

STEP A 이차함수의 그래프 식 구하기

터널 입구 단면을 오른쪽 그림과 같이
좌표평면 위에 옮겨 놓으면 터널 입구
단면의 곡선의 식은
$y=a(x+6)(x-6)\,(a<0)$
으로 놓을 수 있다.
이때 이 곡선이 점 $(0,\,8)$을 지나므로
$8=-36a$, 즉 $a=-\dfrac{2}{9}$
즉 터널 입구 단면의 곡선의 식은
$y=-\dfrac{2}{9}(x+6)(x-6)=-\dfrac{2}{9}x^2+8$

STEP B 터널 입구의 단면의 넓이 구하기

따라서 닫힌구간 $[-6,\,6]$에서 $-\dfrac{2}{9}x^2+8\geq 0$이므로 구하는 넓이는

$$\int_{-6}^{6}\left(-\frac{2}{9}x^2+8\right)dx=2\int_{0}^{6}\left(-\frac{2}{9}x^2+8\right)dx$$

$$=2\left[-\frac{2}{27}x^3+8x\right]_{0}^{6}$$

$$=64(\text{m}^2)$$ 정답 ⑤

1311

STEP A 부정적분과 $f(0)=0$을 이용하여 함수 $f(x)$ 구하기

$f(x)=\int(x^2-1)dx=\dfrac{1}{3}x^3-x+C$ (단, C는 적분상수)

이때 $f(0)=0$이므로 $C=0$

즉 $f(x)=\dfrac{1}{3}x^3-x=\dfrac{1}{3}x(x-\sqrt{3})(x+\sqrt{3})$

이므로 $y=f(x)$는 원점에 대하여 대칭이다.

STEP B $y=f(x)$의 그래프와 x축으로 둘러싸인 부분의 넓이 구하기

따라서 곡선 $y=f(x)$의 그래프와 x축으로 둘러싸인 부분의 넓이는

$\displaystyle\int_{-\sqrt{3}}^{\sqrt{3}}\left|\dfrac{1}{3}x^3-x\right|dx$

$=2\displaystyle\int_{0}^{\sqrt{3}}\left(-\dfrac{1}{3}x^3+x\right)dx$

$=2\left[-\dfrac{1}{12}x^4+\dfrac{1}{2}x^2\right]_0^{\sqrt{3}}$

$=2\left(-\dfrac{9}{12}+\dfrac{3}{2}\right)$

$=-\dfrac{3}{2}+3=\dfrac{3}{2}$

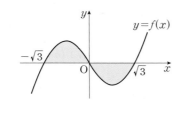

내/신/연/계/ 출제문항 549

삼차함수 $f(x)$의 도함수 $f'(x)$의 그래프가 오른쪽 그림과 같다. $f(0)=0$일 때, 곡선 $y=f(x)$와 x축으로 둘러싸인 도형의 넓이는?

① $\dfrac{5}{4}$ ② $\dfrac{3}{2}$

③ $\dfrac{7}{4}$ ④ 2

⑤ $\dfrac{9}{4}$

STEP A 부정적분과 $f(0)=0$을 이용하여 함수 $f(x)$ 구하기

$f'(x)=a(x+1)(x-1)=a(x^2-1)\,(a>0)$라 하면

$f'(0)=-1$이므로 $-a=-1$ $\therefore a=1$

$\therefore f'(x)=x^2-1$

$f(x)=\displaystyle\int(x^2-1)dx=\dfrac{1}{3}x^3-x+C$ (단, C는 적분상수)

이때 $f(0)=0$이므로 $C=0$

STEP B 도형의 넓이 구하기

$f(x)=\dfrac{1}{3}x^3-x$이고 곡선 $y=f(x)$와 x축과의 교점의 x좌표는

$x=-\sqrt{3}$ 또는 $x=0$ 또는 $x=\sqrt{3}$

함수 $f(x)$가 원점에 대하여 대칭이므로 $\displaystyle\int_{-\sqrt{3}}^{0}f(x)dx=\int_{0}^{\sqrt{3}}\{-f(x)\}dx$

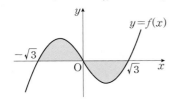

따라서 구하는 넓이는

$2\displaystyle\int_{-\sqrt{3}}^{0}f(x)dx=2\int_{-\sqrt{3}}^{0}\left(\dfrac{1}{3}x^3-x\right)dx=2\left[\dfrac{1}{12}x^4-\dfrac{1}{2}x^2\right]_{-\sqrt{3}}^{0}=\dfrac{3}{2}$ 정답 ②

1312

STEP A 부정적분과 $f(2)=0$을 이용하여 함수 $f(x)$ 구하기

조건 (가)에서 $f'(x)=3x^2-4x-4$이므로

$f(x)=\displaystyle\int(3x^2-4x-4)dx=x^3-2x^2-4x+C$ (단, C는 적분상수)

이때 조건 (나)에서 함수 $y=f(x)$의 그래프가 점 $(2,\,0)$을 지나므로

$f(2)=-8+C=0$ $\therefore C=8$

$f(x)=x^3-2x^2-4x+8$

$\quad\;\;=(x+2)(x-2)^2$

$y=f(x)$의 교점의 x좌표는

$(x+2)(x-2)^2=0$에서

$x=-2$ 또는 $x=2$

함수 $y=f(x)$의 그래프는 오른쪽 그림과 같다.

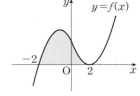

STEP B 정적분을 이용하여 넓이 구하기

따라서 함수 $y=f(x)$의 그래프와 x축으로 둘러싸인 부분의 넓이는

$\displaystyle\int_{-2}^{2}(x^3-2x^2-4x+8)dx=2\int_{0}^{2}(-2x^2+8)dx=2\left[-\dfrac{2}{3}x^3+8x\right]_0^2=\dfrac{64}{3}$

다른풀이 공식을 이용하여 풀이하기

삼차함수와 접선으로 둘러싸인 넓이공식 $S=\dfrac{|a|}{12}(\beta-\alpha)^4$을 이용하면

$\displaystyle\int_{-2}^{2}(x^3-2x^2-4x+8)dx=\dfrac{|1|}{12}\{2-(-2)\}^4=\dfrac{64}{3}$

1313

STEP A 부정적분을 이용하여 함수 $f(x)$ 구하기

이차함수 $y=f'(x)$의 그래프가 두 점 $(-3,\,0)$, $(3,\,0)$을 지나므로

$f'(x)=a(x+3)(x-3)=a(x^2-9)\,(a<0)$으로 놓을 수 있다.

$f(x)=\displaystyle\int f'(x)dx=a\int(x^2-9)dx$

$\qquad\quad=a\left(\dfrac{1}{3}x^3-9x\right)+C$ (단, C는 적분상수)   …… ㉠

STEP B 함수 $f(x)$의 증가와 감소를 표로 나타내어 삼차함수 $f(x)$ 구하기

$f'(x)=0$에서 $x=-3$ 또는 $x=3$

함수 $f(x)$의 증가와 감소를 나타내면 다음 표와 같다.

x	$\cdots$	-3	$\cdots$	3	$\cdots$
$f'(x)$	$-$	0	$+$	0	$-$
$f(x)$	$\searrow$	극소	$\nearrow$	극대	$\searrow$

함수 $f(x)$가 $x=3$에서 극대이고 극댓값 5, $x=-3$에서 극소이고 극솟값 1

㉠에서 $f(3)=-18a+C=5$, $f(-3)=18a+C=1$이므로

두 식을 연립하여 풀면 $a=-\dfrac{1}{9}$, $C=3$ $\therefore f(x)=-\dfrac{1}{27}x^3+x+3$

STEP C 도형의 넓이 구하기

함수 $y=f(x)$의 그래프는 오른쪽 그림과 같다.
따라서 구하는 넓이를 S라 하면

$S=\displaystyle\int_{-3}^{3}\left(-\dfrac{1}{27}x^3+x+3\right)dx$

$\quad=2\displaystyle\int_{0}^{3}3dx$

$\quad=2\left[3x\right]_0^3$

$\quad=18$

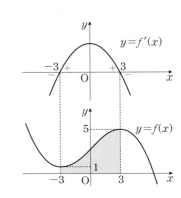

정답과 해설   **431**

1314

STEP A 곡선의 대칭축이 B부분의 넓이를 이등분함을 이해하기

곡선 $y=x^2-4x+p=(x-2)^2+p-4$가 직선 $x=2$에 대하여 대칭이고
$A:B=1:2$에서 $B=2A$이므로 B부분은 직선 $x=2$에 의해 이등분된다.

STEP B $\int_0^2(x^2-4x+p)dx=0$임을 이용하여 p의 값 구하기

A부분과 빗금 친부분의 두 도형의
넓이가 같다.

즉 $\int_0^2(x^2-4x+p)dx=0$이므로

$\left[\dfrac{1}{3}x^3-2x^2+px\right]_0^2=2p-\dfrac{16}{3}=0$

$\therefore p=\dfrac{8}{3}$

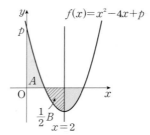

1315

STEP A 곡선의 대칭축이 Q를 이등분함을 이해하기

$y=-x^2+8x+a=-(x-4)^2+a+16$가 직선 $x=4$에 대하여 대칭이고
$P:Q=1:2$에서 $Q=2P$이므로 Q부분은 직선 $x=4$에 의해 이등분된다.

STEP B $\int_0^4(-x^2+8x+a)dx=0$임을 이용하여 a의 값 구하기

P부분과 빗금 친부분의 두 도형의
넓이가 같다.

즉 $\int_0^4(-x^2+8x+a)dx=0$

$\left[-\dfrac{x^3}{3}+4x^2+ax\right]_0^4=0$, $\dfrac{32}{3}+a=0$

$\therefore a=-\dfrac{32}{3}$

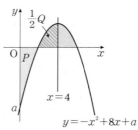

 내/신/연/계/ 출제문항 550

오른쪽 그림과 같이 곡선
$y=-x^2+2x+p$와 x축 및 y축으로
둘러싸인 두 도형의 넓이를 각각 A, B
라고 할 때, $A:B=1:2$이다.
이때 상수 p의 값은? (단, $-1<p<0$)

① $-\dfrac{3}{4}$ ② $-\dfrac{2}{3}$

③ $-\dfrac{1}{6}$ ④ $-\dfrac{1}{3}$

⑤ $-\dfrac{1}{2}$

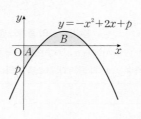

STEP A 곡선의 대칭축이 B를 이등분함을 이해하기

$y=-x^2+2x+p=-(x-1)^2+p+1$가 직선 $x=1$에 대하여 대칭이고
$A:B=1:2$에서 $B=2A$이므로 B부분은 직선 $x=1$에 의해 이등분된다.

STEP B $\int_0^1(-x^2+2x+p)dx=0$임을 이용하여 p의 값 구하기

직선 $x=1$에 대하여 대칭이므로 오른쪽
그림에서 빗금 친 두 도형은 넓이가 같다.

즉 $\int_0^1(-x^2+2x+p)dx=0$이므로

$\left[-\dfrac{1}{3}x^3+x^2+px\right]_0^1=0$, $\dfrac{2}{3}+p=0$

$\therefore p=-\dfrac{2}{3}$

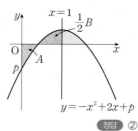

1316

STEP A 곡선의 대칭축이 A를 이등분함을 이해하기

$A=\int_{-2}^2(-x^2+4)dx=2\int_0^2(-x^2+4)dx$,

$B=\int_2^a(x^2-4)dx$이고 $A=2B$이므로

$\int_0^2(-x^2+4)dx=\int_2^a(x^2-4)dx$

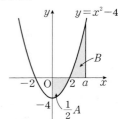

STEP B $\int_0^a(x^2-4)dx=0$임을 이용하여 a의 값 구하기

즉 $\int_0^a(x^2-4)dx=0$이므로 $\left[\dfrac{1}{3}x^3-4x\right]_0^a=0$

$\dfrac{1}{3}a^3-4a=0$, $\dfrac{1}{3}a(a-2\sqrt{3})(a+2\sqrt{3})=0$

따라서 $a>2$이므로 $a=2\sqrt{3}$

1317

STEP A S_1, S_2, S_3 사이의 관계식 구하기

S_1, S_2, S_3이 등차수열을 이루므로 $2S_2=S_1+S_3$

STEP B $\int_0^c f(x)dx$의 값 구하기

$\int_0^c f(x)dx=-S_1+S_2-S_3=-2S_2+S_2=-S_2$ ← 정적분

이때 $S_2=\int_a^b f(x)dx=8$

따라서 $\int_0^c f(x)dx=-8$

1318

STEP A 등차중항을 이용하여 관계식 구하기

S_1, S_2, S_3이 이 순서대로 등차수열을 이루므로 $2S_2=S_1+S_3$

$\int_0^k f(x)dx=S_1-S_2+S_3=2S_2-S_2=S_2$

이때 곡선 $f(x)=x^2-5x+4$와 x축의 교점의 x좌표는 $x^2-5x+4=0$에서
$(x-1)(x-4)=0$ $\therefore x=1$ 또는 $x=4$

STEP B $y=f(x)$와 x축으로 둘러싸인 부분의 넓이를 구하여 S_2 구하기

곡선 $y=f(x)$의 그래프와 x축으로 둘러싸인 부분의 넓이가 S_2

따라서 $\int_0^k f(x)dx=S_2=-\int_1^4(x^2-5x+4)dx$

$=-\left[\dfrac{1}{3}x^3-\dfrac{5}{2}x^2+4x\right]_1^4$

$=-\left\{\left(\dfrac{64}{3}-40+16\right)-\left(\dfrac{1}{3}-\dfrac{5}{2}+4\right)\right\}$

$=\dfrac{9}{2}$

다른풀이 공식을 이용하여 풀이하기

함수 $f(x)=a(x-\alpha)(x-\beta)(\alpha<\beta)$에
대해 $f(x)$의 그래프와 x축으로
둘러싸인 부분의 넓이

$\int_\alpha^\beta |f(x)|dx=\dfrac{|a|}{6}(\beta-\alpha)^3$을 이용하면

$S_2=\dfrac{1}{6}(4-1)^3=\dfrac{1}{6}\cdot 27=\dfrac{9}{2}$

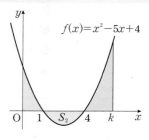

1319

정답 ②

STEP Ⓐ 정적분으로 나타내어진 함수의 극한과 도함수의 정의를 이용하기

$f(x)$의 한 부정적분을 $F(x)$라 하면

$h>0$일 때, $2-h<2+h$이므로

$$S(h)=\int_{2-h}^{2+h} f(x)dx=\Big[F(x)\Big]_{2-h}^{2+h}=F(2+h)-F(2-h)$$

$$\lim_{h\to 0+}\frac{S(h)}{h}=\lim_{h\to 0+}\frac{F(2+h)-F(2-h)}{h}$$
$$=\lim_{h\to 0+}\frac{F(2+h)-F(2)+F(2)-F(2-h)}{h}$$
$$=\lim_{h\to 0+}\frac{F(2+h)-F(2)}{h}+\lim_{h\to 0+}\frac{F(2-h)-F(2)}{-h}$$
$$=F'(2)+F'(2)$$
$$=2F'(2)=2f(2)$$

STEP Ⓑ $\displaystyle\lim_{h\to 0+}\frac{S(h)}{h}$의 값 구하기

또한, $f(x)=3x^2+1$에서 $f(2)=13$이므로

$$\lim_{h\to 0+}\frac{S(h)}{h}=2f(2)=2\cdot 13=26$$

다른풀이 | 넓이 S(h)를 직접 구하여 풀이하기

STEP Ⓐ 곡선과 x축 및 두 직선 $x=2-h$, $x=2+h$로 둘러싸인 부분의 넓이 $S(h)$ 구하기

곡선 $f(x)=3x^2+1$과 x축 및 두 직선 $x=2+h$, $x=2-h\ (h>0)$이므로

$$S(h)=\int_{2-h}^{2+h}(3x^2+1)dx$$
$$=\Big[x^3+x\Big]_{2-h}^{2+h}$$
$$=\{(2+h)^3+(2+h)\}-\{(2-h)^3+(2-h)\}$$
$$=2h^3+26h$$

STEP Ⓑ $\displaystyle\lim_{h\to 0+}\frac{S(h)}{h}$의 값 구하기

따라서 $\displaystyle\lim_{h\to 0+}\frac{S(h)}{h}=\lim_{h\to 0+}\frac{2h^3+26h}{h}=\lim_{h\to 0+}(2h^2+26)=26$

1320

정답 ⑤

STEP Ⓐ 정적분으로 나타내어진 함수의 극한과 도함수의 정의를 이용하기

$f(x)$의 한 부정적분을 $F(x)$라 하면

$$S(h)=\int_{1-h}^{1+h} f(x)dx=\Big[F(x)\Big]_{1-h}^{1+h}=F(1+h)-F(1-h)$$

$$\lim_{h\to 0+}\frac{S(h)}{h}=\lim_{h\to 0+}\frac{F(1+h)-F(1-h)}{h}$$
$$=\lim_{h\to 0+}\frac{F(1+h)-F(1)+F(1)-F(1-h)}{h}$$
$$=\lim_{h\to 0+}\frac{F(1+h)-F(1)}{h}+\lim_{h\to 0+}\frac{F(1-h)-F(1)}{-h}$$
$$=2F'(1)=2f(1)$$

STEP Ⓑ $\displaystyle\lim_{h\to 0+}\frac{S(h)}{h}$의 값 구하기

이때 $f(x)=6x^2+1$에서 $f(1)=7$이므로 $\displaystyle\lim_{h\to 0+}\frac{S(h)}{h}=2f(1)=2\cdot 7=14$

내/신/연/계 출제문항 551

곡선 $f(x)=x^4-2x^2+2$와 x축 및 두 직선 $x=2-h$와 $x=2+h\,(h>0)$

으로 둘러싸인 부분의 넓이를 $S(h)$라 할 때, $\displaystyle\lim_{h\to 0+}\frac{S(h)}{h}$의 값은?

① 10   ② 20   ③ 30
④ 40   ⑤ 50

STEP Ⓐ 정적분으로 나타내어진 함수의 극한과 도함수의 정의를 이용하기

$f(x)$의 한 부정적분을 $F(x)$라 하면

$h>0$일 때, $2-h<2+h$이므로

$$S(h)=\int_{2-h}^{2+h} f(x)dx=\Big[F(x)\Big]_{2-h}^{2+h}=F(2+h)-F(2-h)$$

$$\lim_{h\to 0+}\frac{S(h)}{h}=\lim_{h\to 0+}\frac{F(2+h)-F(2-h)}{h}$$
$$=\lim_{h\to 0+}\frac{F(2+h)-F(2)+F(2)-F(2-h)}{h}$$
$$=\lim_{h\to 0+}\frac{F(2+h)-F(2)}{h}+\lim_{h\to 0+}\frac{F(2-h)-F(2)}{-h}$$
$$=F'(2)+F'(2)=2F'(2)=2f(2)$$

STEP Ⓑ $\displaystyle\lim_{h\to 0+}\frac{S(h)}{h}$의 값 구하기

$f(x)=x^4-2x^2+2$에서 $f(2)=16-8+2=10$

따라서 $\displaystyle\lim_{h\to 0+}\frac{S(h)}{h}=2f(2)=2\cdot 10=20$

정답 ②

1321

정답 ④

STEP Ⓐ $\displaystyle\int_0^2 f(t)dt=k$라 두고 $f(x)$의 함수식을 대입하여 k의 값 구하기

$$\int_0^2 f(t)dt=k \quad (k\text{는 상수}) \qquad\cdots\cdots\ \bigcirc$$

로 놓으면 $f(x)=x^3-3x+k$

㉠에 대입하면

$$\int_0^2(t^3-3t+k)dt=\Big[\frac{1}{4}t^4-\frac{3}{2}t^2+kt\Big]_0^2=4-6+2k$$

이때 $-2+2a=k$이므로 $k=2$

$\therefore f(x)=x^3-3x+2=(x-1)^2(x+2)$

STEP Ⓑ $y=f(x)$의 그래프와 x축으로 둘러싸인 부분의 넓이 구하기

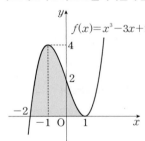

따라서 구하는 넓이는

$$S=\int_{-2}^{1}|x^3-3x+2|dx=\Big[\frac{1}{4}x^4-\frac{3}{2}x^2+2x\Big]_{-2}^{1}$$
$$=\Big(\frac{1}{4}-\frac{3}{2}+2\Big)-(4-6-4)$$
$$=\frac{27}{4}$$

1322

STEP A 양변에 $x=2$를 대입하여 a의 값 구하기

$\int_2^x f(t)dt = x^3 - ax^2$의 양변에 $x=2$를 대입하면

$\int_2^2 f(t)dt = 8 - 4a = 0$ $\quad \therefore a=2$

STEP B 미분을 이용하여 $f(x)$의 식을 구하고 x축과의 교점의 좌표 구하기

또한, $\int_2^x f(t)dt = x^3 - 2x^2$의

양변을 x에 대하여 미분하면

$f(x) = 3x^2 - 4x$

곡선 $f(x) = 3x^2 - 4x$와

x축의 교점의 좌표는

$3x^2 - 4x = 0$에서 $x(3x-4)=0$

$\therefore x=0$ 또는 $x=\dfrac{4}{3}$

STEP C $y=f(x)$의 그래프와 x축으로 둘러싸인 부분의 넓이 구하기

즉 구하는 넓이는

$\int_0^{\frac{4}{3}} |3x^2 - 4x| dx = \int_0^{\frac{4}{3}} (4x - 3x^2)dx = \left[2x^2 - x^3\right]_0^{\frac{4}{3}} = \dfrac{32}{27}$

따라서 $p=32$, $q=27$이므로 $p+q=59$

1323

STEP A 정적분의 식을 변형하기

$\int_0^{2013} f(x)dx = \int_3^{2013} f(x)dx$에서

$\int_0^{2013} f(x)dx - \int_3^{2013} f(x)dx = \left\{\int_0^3 f(x)dx + \int_3^{2013} f(x)dx\right\} - \int_3^{2013} f(x)dx$

$= \int_0^3 f(x)dx = 0$ $\quad \cdots\cdots$ ㉠

STEP B 정적분을 이용하여 이차함수 $f(x)$의 식 구하기

$f(x)$가 최고차항의 계수가 1이고 $f(3)=0$인 이차함수이므로

$f(x) = (x-3)(x-a) = x^2 - (a+3)x + 3a$ (a는 상수)라 하고

㉠에 대입하면

$\int_0^3 f(x)dx = \int_0^3 \{x^2 - (a+3)x + 3a\}dx$

$= \left[\dfrac{1}{3}x^3 - \dfrac{a+3}{2}x^2 + 3ax\right]_0^3$

$= 9 - \dfrac{9}{2}a - \dfrac{27}{2} + 9a$

$= \dfrac{9}{2}a - \dfrac{9}{2} = 0$

즉 $a=1$이므로 $f(x) = x^2 - 4x + 3$

STEP C 정적분을 이용하여 넓이 구하기

$f(x) = x^2 - 4x + 3$이므로 x축으로 둘러싸인 부분의 넓이 S는

$S = \int_1^3 |x^2 - 4x + 3|dx$

$= \int_1^3 (-x^2 + 4x - 3)dx$

$= \left[-\dfrac{1}{3}x^3 + 2x^2 - 3x\right]_1^3$

$= (-9 + 18 - 9) - \left(-\dfrac{1}{3} + 2 - 3\right)$

$= \dfrac{4}{3}$

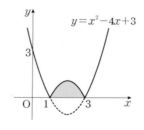

따라서 $30S = 30 \cdot \dfrac{4}{3} = 40$

속해법 이차함수와 x축으로 둘러싸인 도형의 넓이

$S = \int_1^3 |x^2 - 4x + 3|dx = -\int_1^3 (x-1)(x-3)dx = \dfrac{1}{6}(3-1)^3 = \dfrac{8}{6} = \dfrac{4}{3}$

다른풀이 이차함수를 $f(x) = x^2 + ax + b$로 놓고 풀이하기

최고차항의 계수가 1인 이차함수 $f(x)$를 $f(x) = x^2 + ax + b$라 하면

$\int_0^3 f(x)dx = 0$에서

$\int_0^3 (x^2 + ax + b)dx = \left[\dfrac{1}{3}x^3 + \dfrac{1}{2}ax^2 + bx\right]_0^3 = 9 + \dfrac{9}{2}a + 3b = 0$

$\therefore 3a + 2b = -6$ $\quad \cdots\cdots$ ㉠

또, $f(3)=0$이므로 $f(3) = 9 + 3a + b = 0$

$\therefore 3a + b = -9$ $\quad \cdots\cdots$ ㉡

㉠, ㉡을 연립하여 풀면 $a=-4$, $b=3$

$\therefore f(x) = x^2 - 4x + 3 = (x-1)(x-3)$

따라서 곡선 $y=f(x)$와 x축으로 둘러싸인 부분의 넓이 S는

$S = \int_1^3 |x^2 - 4x + 3|dx = -\int_1^3 (x-1)(x-3)dx = \dfrac{1}{6}(3-1)^3 = \dfrac{8}{6} = \dfrac{4}{3}$

내/신/연/계 출제문항 552

최고차항의 계수가 1인 이차함수 $f(x)$는 다음 조건을 만족한다.

> (가) $f(2+x) = f(2-x)$
> (나) $\int_0^{2020} f(x)dx = \int_3^{2020} f(x)dx$

이때 곡선 $y=f(x)$와 x축으로 둘러싸인 부분의 넓이가 S일 때, $15S$의 값은?

① 10 ② 20 ③ 30
④ 40 ⑤ 50

STEP A $\int_0^{2020} f(x)dx - \int_3^{2020} f(x)dx = \int_0^3 f(x)dx$임을 이용하기

조건 (나)에서

$\int_0^{2020} f(x)dx = \int_3^{2020} f(x)dx$

$\int_0^{2020} f(x)dx = \int_0^3 f(x)dx + \int_3^{2020} f(x)dx$이므로

$\int_0^3 f(x)dx = 0$ $\quad \cdots\cdots$ ㉠

STEP B 조건을 만족하는 이차함수의 식 작성하기

이때 이차함수 $f(x)$의 최고차항의 계수가 1이고 조건 (가)에서 $x=2$에서 대칭이므로 $f(x) = (x-2)^2 + b = x^2 - 4x + 4 + b$라 하고 ㉠에 대입하면

$\int_0^3 (x^2 - 4x + 4 + b)dx = \left[\dfrac{1}{3}x^3 - 2x^2 + 4x + bx\right]_0^3$

$= 9 - 18 + 12 + 3b$

$= 3 + 3b = 0$

$\therefore b = -1$

STEP C 곡선 $y=f(x)$와 x축으로 둘러싸인 부분의 넓이 구하기

즉 $f(x) = x^2 - 4x + 3 = (x-1)(x-3)$

이므로 곡선 $y=f(x)$와 x축으로 둘러싸인 부분의 넓이 S는

$S = \int_1^3 |x^2 - 4x + 3|dx$

$= \int_1^3 (-x^2 + 4x - 3)dx$

$= \left[-\dfrac{1}{3}x^3 + 2x^2 - 3x\right]_1^3 = \dfrac{4}{3}$

$\therefore 15S = 20$

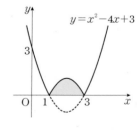

속해법 이차함수와 x축으로 둘러싸인 도형의 넓이

$S = \int_1^3 |x^2 - 4x + 3|dx = -\int_1^3 (x-1)(x-3)dx = \dfrac{1}{6}(3-1)^3 = \dfrac{8}{6} = \dfrac{4}{3}$

1324

STEP A 주어진 조건에서 $\int_0^3 f(x)dx$의 값 구하기

$\int_0^{10} f(x)dx = \int_3^{10} f(x)dx$이므로

$\int_0^{10} f(x)dx = \int_0^3 f(x)dx + \int_3^{10} f(x)dx$에서 $\int_0^3 f(x)dx = 0$

STEP B $\int_0^3 f(x)dx = 0$임을 이용하여 $f(x)$의 함수식 구하기

이때 이차함수 $f(x)$의 최고차항의 계수가 1이고 $f(3)=0$이므로
$f(x)=(x-3)(x-a)$ (a는 상수)라고 하면

$\int_0^3 f(x)dx = \int_0^3 (x-3)(x-a)dx = \int_0^3 \{x^2-(a+3)x+3a\}dx$

$\qquad = \left[\frac{1}{3}x^3 - \frac{a+3}{2}x^2 + 3ax\right]_0^3$

$\qquad = \frac{9}{2}a - \frac{9}{2} = 0$

즉 $a=1$이므로 $f(x)=(x-1)(x-3)$

STEP C 곡선 $y=f(x)$와 x축으로 둘러싸인 부분의 넓이 구하기

$f(x)=0$을 만족시키는 x의 값은 $x=1$ 또는 $x=3$이므로
곡선 $y=f(x)$와 x축으로 둘러싸인 부분의 넓이 S는

$S = \int_1^3 |(x-1)(x-3)|dx$

$\quad = \int_1^3 (-x^2+4x-3)dx$

$\quad = \left[-\frac{1}{3}x^3 + 2x^2 - 3x\right]_1^3$

$\quad = \frac{4}{3}$

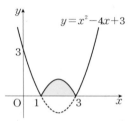

따라서 $9S = 9 \cdot \frac{4}{3} = 12$

1325

STEP A 구간 $[-5, 7]$에서 정적분 구하기

세 도형 A, B, C의 넓이가 각각 10, 8, 6이므로 구간 $[-5, 7]$까지 정적분은

$\int_{-5}^7 \{f(x)-g(x)\}dx$

$= \int_{-5}^0 \{f(x)-g(x)\}dx + \int_0^5 \{f(x)-g(x)\}dx + \int_5^7 \{f(x)-g(x)\}dx$

$= -A+B-C$

$= -10+8-6 = -8$

1326

STEP A 곡선과 직선의 교점의 x좌표 구하기

곡선 $y=2x^3+2$와 직선 $y=4$의 교점의
x좌표는 $2x^3+2=4$
$2x^3-2=0$, $2(x-1)(x^2+x+1)=0$
$\therefore x=1$

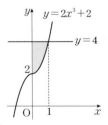

STEP B 곡선과 직선으로 둘러싸인 넓이 구하기

따라서 구하는 넓이를 S라 하면

$S = 1 \times 4 - \int_0^1 (2x^3+2)dx = 4 - \left[\frac{1}{2}x^4 + 2x\right]_0^1 = 4-\left(\frac{1}{2}+2\right) = \frac{3}{2}$

1327

STEP A 주어진 곡선과 직선을 연립하여 교점 구하기

직선과 곡선의 교점의 x좌표는 $x^2-6x+7=x+1$
즉 $x^2-7x+6=0$, $(x-1)(x-6)=0$ $\therefore x=1$ 또는 $x=6$

STEP B 곡선과 직선으로 둘러싸인 부분의 넓이 구하기

따라서 구하는 넓이는

$\int_1^6 \{x^2-6x+7-(x+1)\}dx$

$= \int_1^6 (x^2-7x+6)dx$

$= \left[\frac{1}{3}x^3 - \frac{7}{2}x^2 + 6x\right]_1^6$

$= \frac{1}{3} - \frac{7}{2} + 6 = \frac{17}{6}$

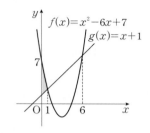

내/신/연/계 출제문항 553

오른쪽 그림에서 두 곡선
$y=x^2$, $y=-x+2$와 x으로 둘러싸인
색칠한 부분의 넓이는?

① $\frac{5}{6}$ ② 1

③ $\frac{3}{2}$ ④ 2

⑤ $\frac{5}{2}$

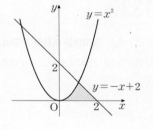

STEP A 두 곡선의 교점의 x좌표 구하기

$x > 0$일 때, 곡선 $y=x^2$과 직선 $y=-x+2$의 교점의 x좌표는
$x^2=-x+2$, $(x+2)(x-1)=0$ $\therefore x=1$ ($\because x>0$)

STEP B 삼각형에서 곡선과 직선으로 둘러싸인 부분의 넓이를 빼기

따라서 구하는 넓이를 S라 하면

$S = \frac{1}{2} \cdot 2 \cdot 2 - \int_0^1 \{(-x+2)-x^2\}dx$

$\quad = 2 - \int_0^1 (-x^2-x+2)dx$

$\quad = 2 - \left[-\frac{1}{3}x^3 - \frac{1}{2}x^2 + 2x\right]_0^1$

$\quad = \frac{5}{6}$

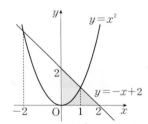

1328

STEP A A의 넓이를 이용하여 $\int_0^1 f(x)dx$의 값 구하기

$\int_0^1 \{f(x)-2\}dx = 5$에서 $\int_0^1 f(x)dx - \left[2x\right]_0^1 = 5$, $\int_0^1 f(x)dx - 2 = 5$

$\therefore \int_0^1 f(x)dx = 7$

STEP B B의 넓이를 이용하여 $\int_1^3 f(x)dx$의 값 구하기

$\int_1^3 \{2-f(x)\}dx = 32$에서 $\left[2x\right]_1^3 - \int_1^3 f(x)dx = 32$, $4 - \int_1^3 f(x)dx = 32$

$\therefore \int_1^3 f(x)dx = -28$

STEP C 정적분의 성질을 이용하여 $\int_0^3 f(x)dx$의 값 구하기

따라서 $\int_0^3 f(x)dx = \int_0^1 f(x)dx + \int_1^3 f(x)dx = 7+(-28) = -21$

1329

정답 ②

STEP A 두 곡선의 교점의 x좌표 구하기

두 곡선의 교점의 x좌표는
$x^2+2=2x^2$
$x^2-2=0$에서 $(x+\sqrt{2})(x-\sqrt{2})=0$
즉 $x=-\sqrt{2}$ 또는 $x=\sqrt{2}$이므로
함수 $y=f(x)$의 그래프는 오른쪽
그림과 같다.

STEP B 도형의 넓이 구하기

닫힌구간 $[0, 1]$에서 $x^2+2 \geq 2x^2$이므로 구하는 도형의 넓이를 S라 하면

$$S=\int_0^1\{(x^2+2)-2x^2\}dx=\int_0^1(-x^2+2)dx$$
$$=\left[-\frac{1}{3}x^3+2x\right]_0^1=\frac{5}{3}$$

1330

정답 ④

STEP A 정적분을 이용하여 구하고자 하는 넓이 $S(a)$ 구하기

닫힌구간 $[0, 3]$에서 $a^2x^2 \geq -x^2$이므로

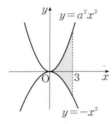

$$S(a)=\int_0^3\{a^2x^2-(-x^2)\}dx$$
$$=(a^2+1)\int_0^3 x^2 dx$$
$$=(a^2+1)\cdot\left[\frac{1}{3}x^3\right]_0^3$$
$$=9(a^2+1)$$

STEP B 산술평균과 기하평균을 이용하여 최솟값 구하기

이때 $a>0$이므로
$$\frac{S(a)}{a}=9\left(a+\frac{1}{a}\right)\geq 9\cdot 2\sqrt{a\cdot\frac{1}{a}}=18 \text{ (단, 등호는 } a=1\text{일 때 성립)}$$
따라서 구하는 최솟값은 18

내/신/연/계/ 출제문항 554

양수 a에 대하여 두 곡선 $y=ax^3$, $y=-\dfrac{1}{a}x^3$과 직선 $x=2$로 둘러싸인 도형의 넓이의 최솟값은?

① 8   ② 10   ③ 12
④ 14   ⑤ 16

STEP A 정적분을 이용하여 넓이 구하기

구간 $[0, 2]$에서 $ax^3 \geq -\dfrac{1}{a}x^3$이므로
구하는 넓이는

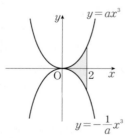

$$\int_0^2\left(ax^3+\frac{1}{a}x^3\right)dx=\left(a+\frac{1}{a}\right)\int_0^2 x^3 dx$$
$$=\left(a+\frac{1}{a}\right)\left[\frac{1}{4}x^4\right]_0^2$$
$$=4\left(a+\frac{1}{a}\right)$$

STEP B 산술평균과 기하평균을 이용하여 넓이의 최솟값 구하기

이때 $a>0$이므로 산술평균과 기하평균의 관계에 의하여
$4\left(a+\dfrac{1}{a}\right)\geq 4\cdot 2\sqrt{a\cdot\dfrac{1}{a}}=8$ (단, 등호는 $a=1$일 때 성립)
따라서 구하는 넓이의 최솟값은 8

정답 ①

1331

정답 ①

STEP A 두 곡선의 교점의 x좌표 구하기

두 곡선의 교점의 x좌표를 구하면
$x^2=-x^2+2x$에서 $2x^2-2x=0$이므로
$x(x-1)=0$
$\therefore x=0$ 또는 $x=1$
함수 $y=f(x)$의 그래프는 오른쪽
그림과 같다.

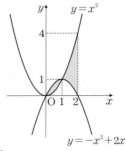

STEP B 구간을 나누어 도형의 넓이 구하기

닫힌구간 $[0, 1]$에서 $x^2 \leq -x^2+2x$
닫힌구간 $[1, 2]$에서 $x^2 \geq -x^2+2x$이므로 구하는 넓이 S는

$$S=\int_0^1\{(-x^2+2x)-x^2\}dx+\int_1^2\{x^2-(-x^2+2x)\}dx$$
$$=\int_0^1(-2x^2+2x)dx+\int_1^2(2x^2-2x)dx$$
$$=\left[-\frac{2}{3}x^3+x^2\right]_0^1+\left[\frac{2}{3}x^3-x^2\right]_1^2$$
$$=\frac{1}{3}+\frac{5}{3}=2$$

1332

정답 ④

STEP A 두 곡선의 교점의 x좌표 구하기

두 곡선의 교점의 x좌표는
$x^3-x^2-x=-x^2+3x$
$x^3-4x=0$
$x(x+2)(x-2)=0$
즉 $x=-2$ 또는 $x=0$ 또는 $x=2$
이므로 그래프는 오른쪽 그림과 같다.

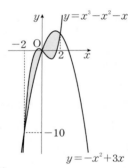

STEP B 구간을 나누어 도형의 넓이 구하기

닫힌구간 $[-2, 0]$에서 $x^3-x^2-x \geq -x^2+3x$
닫힌구간 $[0, 2]$에서 $x^3-x^2-x \leq -x^2+3x$
이므로 구하는 넓이 S는
$$S=\int_{-2}^0\{(x^3-x^2-x)-(-x^2+3x)\}dx+\int_0^2\{(-x^2+3x)-(x^3-x^2-x)\}dx$$
$$=\int_{-2}^0(x^3-4x)dx+\int_0^2(-x^3+4x)dx$$
$$=\left[\frac{1}{4}x^4-2x^2\right]_{-2}^0+\left[-\frac{1}{4}x^4+2x^2\right]_0^2$$
$$=4+4=8$$

두 곡선 $y=x^3-2x+1$과 $y=-x^2+1$로 둘러싸인 도형의 넓이는?

① $\dfrac{37}{12}$ ② $\dfrac{25}{8}$ ③ $\dfrac{25}{6}$

④ $\dfrac{37}{8}$ ⑤ $\dfrac{37}{6}$

STEP Ⓐ **두 곡선의 교점의 x좌표 구하기**

주어진 두 곡선의 교점의 x좌표는
$x^3-2x+1=-x^2+1$에서
$x^3+x^2-2x=0,\ x(x+2)(x-1)=0$
즉 $x=-2$ 또는 $x=0$ 또는 $x=1$
이므로 그래프는 오른쪽 그림과 같다.

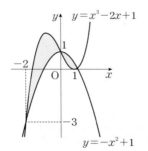

STEP Ⓑ **구간을 나누어 도형의 넓이 구하기**

닫힌구간 $[-2,\ 0]$에서 $x^3-2x+1 \geq -x^2+1$
닫힌구간 $[0,\ 1]$에서 $x^3-2x+1 \leq -x^2+1$
이므로 구하는 넓이를 S라 하면

$S=\displaystyle\int_{-2}^{1} |(x^3-2x+1)-(-x^2+1)|\,dx$

$=\displaystyle\int_{-2}^{0} \{(x^3-2x+1)-(-x^2+1)\}\,dx+\int_{0}^{1} \{(-x^2+1)-(x^3-2x+1)\}\,dx$

$=\displaystyle\int_{-2}^{0} (x^3+x^2-2x)\,dx+\int_{0}^{1} (-x^3-x^2+2x)\,dx$

$=\left[\dfrac{x^4}{4}+\dfrac{x^3}{3}-x^2\right]_{-2}^{0}+\left[-\dfrac{x^4}{4}-\dfrac{x^3}{3}+x^2\right]_{0}^{1}$

$=\dfrac{37}{12}$

 정답 ①

1333

정답 ④

STEP Ⓐ **두 곡선의 교점의 x좌표 구하기**

두 곡선의 교점의 x좌표는
$x^2-x=x^3-4x^2+3x$
$x(x-1)(x-4)=0$
$\therefore\ x=0$ 또는 $x=1$ 또는 $x=4$
그래프는 오른쪽 그림과 같다.

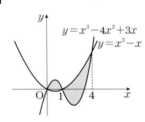

STEP Ⓑ **두 곡선으로 둘러싸인 부분의 넓이 구하기**

구간 $[0,\ 1]$에서 $x^2-x \leq x^3-4x^2+3x$
구간 $[1,\ 4]$에서 $x^2-x \geq x^3-4x^2+3x$
이므로 구하는 넓이를 S라 하면

$S=\displaystyle\int_{0}^{1} \{(x^3-4x^2+3x)-(x^2-x)\}\,dx+\int_{1}^{4} \{(x^2-x)-(x^3-4x^2+3x)\}\,dx$

$=\displaystyle\int_{0}^{1} (x^3-5x^2+4x)\,dx+\int_{1}^{4} (-x^3+5x^2-4x)\,dx$

$=\left[\dfrac{1}{4}x^4-\dfrac{5}{3}x^3+2x^2\right]_{0}^{1}+\left[-\dfrac{1}{4}x^4+\dfrac{5}{3}x^3-2x^2\right]_{1}^{4}$

$=\dfrac{7}{12}+\dfrac{45}{4}=\dfrac{71}{6}$

1334

 정답 ④

STEP Ⓐ **두 곡선의 교점의 x좌표 구하기**

두 곡선의 교점의 x좌표는
$x^4-4x^2=-4x^2+8x$에서
$x^4-8x=0,\ x(x^3-8)=0$
$x(x-2)(x^2+2x+4)=0$
$\therefore\ x=0$ 또는 $x=2$
이므로 함수 $y=f(x)$의 그래프는
오른쪽 그림과 같다.

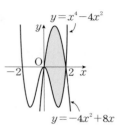

STEP Ⓑ **도형의 넓이 구하기**

닫힌구간 $[0,\ 2]$에서 $-4x^2+8x \geq x^4-4x^2$이므로 구하는 넓이는

$\displaystyle\int_{0}^{2} \{-4x^2+8x-(x^4-4x^2)\}\,dx=\int_{0}^{2} (8x-x^4)\,dx$

$=\left[4x^2-\dfrac{1}{5}x^5\right]_{0}^{2}$

$=\dfrac{48}{5}$

두 곡선 $y=x^4-x^2,\ y=-x^2+x$로 둘러싸인 도형의 넓이는?

① $\dfrac{2}{5}$ ② $\dfrac{3}{10}$ ③ $\dfrac{3}{5}$

④ $\dfrac{7}{10}$ ⑤ $\dfrac{4}{5}$

STEP Ⓐ **두 곡선의 교점의 x좌표 구하기**

두 곡선의 교점의 x좌표는
$x^4-x^2=-x^2+x,$
$x(x-1)(x^2+x+1)=0$
$\therefore\ x=0$ 또는 $x=1$

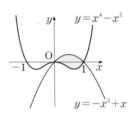

STEP Ⓑ **두 곡선으로 둘러싸인 부분의 넓이 구하기**

구간 $[0,\ 1]$에서 $x^4-x^2 \leq -x^2+x$이므로 구하는 넓이는

$\displaystyle\int_{0}^{1} \{(-x^2+x)-(x^4-x^2)\}\,dx=\int_{0}^{1} (x-x^4)\,dx$

$=\left[\dfrac{1}{2}x^2-\dfrac{1}{5}x^5\right]_{0}^{1}$

$=\dfrac{3}{10}$

 정답 ②

1335

 정답 ①

STEP Ⓐ **함수 $f(x)$의 증가와 감소를 표로 나타내어 직선 AB의 방정식 구하기**

$f'(x)=4x^3-4x=4x(x+1)(x-1)$
$f'(x)=0$에서 $x=-1$ 또는 $x=0$ 또는 $x=1$
함수 $f(x)$의 증가와 감소를 표로 나타내면 다음과 같다.

x	$\cdots$	-1	$\cdots$	0	$\cdots$	1	$\cdots$
$f'(x)$	$-$	0	$+$	0	$-$	0	$+$
$f(x)$	$\searrow$	극소	$\nearrow$	극대	$\searrow$	극소	$\nearrow$

함수 $f(x)$는 $x=-1$, $x=1$에서 극소이고
극솟값은 $f(-1)=f(1)=4$이므로 직선 AB의 방정식은 $y=4$이다.

따라서 구하는 넓이를 S라 하면

$$S = \int_{-1}^{1} \{(x^4 - 2x^2 + 5) - 4\} dx$$

$$= \int_{-1}^{1} (x^4 - 2x^2 + 1) dx$$

$$= 2 \int_{0}^{1} (x^4 - 2x^2 + 1) dx$$

$$= 2 \left[\frac{1}{5} x^5 - \frac{2}{3} x^3 + x \right]_{0}^{1}$$

$$= \frac{16}{15}$$

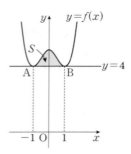

1336

정답 ④

STEP Ⓐ S_1의 넓이 구하기

곡선 $y = x^2 - 3x$와 직선 $y = -x$의 교점의 x좌표는

$x^2 - 3x = -x$, $x^2 - 2x = 0$, $x(x-2) = 0$

즉 $x = 0$ 또는 $x = 2$

닫힌구간 $[0, 2]$에서 $-x \geq x^2 - 3x$이므로

$$S_1 = \int_{0}^{2} \{-x - (x^2 - 3x)\} dx$$

$$= \int_{0}^{2} (-x^2 + 2x) dx$$

$$= \left[-\frac{1}{3} x^3 + x^2 \right]_{0}^{2}$$

$$= \frac{4}{3}$$

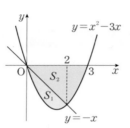

STEP Ⓑ S_2의 넓이 구하기

곡선 $y = x^2 - 3x$와 x축의 교점의 x좌표는 $x = 0$ 또는 $x = 3$

구간 $[0, 3]$에서 $x^2 - 3x \leq 0$이므로

$$S_2 = \int_{0}^{3} (-x^2 + 3x) dx - S_1 \quad \leftarrow S_1 + S_2 = \frac{9}{2}$$

$$= \left[-\frac{1}{3} x^3 + \frac{3}{2} x^2 \right]_{0}^{3} - \frac{4}{3}$$

$$= \frac{9}{2} - \frac{4}{3} = \frac{19}{6}$$

STEP Ⓒ $\dfrac{S_2}{S_1}$의 값 구하기

따라서 $\dfrac{S_2}{S_1} = \dfrac{\frac{19}{6}}{\frac{4}{3}} = \dfrac{19}{8}$

1337

정답 ③

STEP Ⓐ S_1의 넓이 구하기

곡선 $y = -2x^2 + 6x$와 직선 $y = 2x$의

교점의 x좌표는 $-2x^2 + 6x = 2x$,

$2x^2 - 4x = 0$, $2x(x-2) = 0$

즉 $x = 0$ 또는 $x = 2$

닫힌구간 $[0, 2]$에서 $-2x^2 + 6x \geq 2x$

이므로

$$S_1 = \int_{0}^{2} \{-2x^2 + 6x - 2x\} dx$$

$$= \int_{0}^{2} (-2x^2 + 4x) dx$$

$$= \left[-\frac{2}{3} x^3 + 2x^2 \right]_{0}^{2}$$

$$= \frac{8}{3}$$

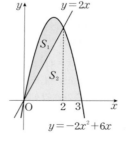

STEP Ⓑ S_2의 넓이 구하기

곡선 $y = -2x^2 + 6x$와 x축의 교점의 x좌표는 $x = 0$ 또는 $x = 3$

닫힌구간 $[0, 3]$에서 $-2x^2 + 6x \geq 0$이므로

$$S_2 = \int_{0}^{3} (-2x^2 + 6x) dx - S_1 \quad \leftarrow S_1 + S_2 = 9$$

$$= \left[-\frac{2}{3} x^3 + 3x^2 \right]_{0}^{3} - \frac{8}{3}$$

$$= 9 - \frac{8}{3} = \frac{19}{3}$$

STEP Ⓒ $\dfrac{S_2}{S_1}$의 값 구하기

따라서 $\dfrac{S_2}{S_1} = \dfrac{\frac{19}{3}}{\frac{8}{3}} = \dfrac{19}{8}$

내/신/연/계/ 출제문항 557

오른쪽 그림과 같이 곡선
$y = -x^2 + 3x$와 직선 $y = x$로
둘러싸인 도형의 넓이를 S_1,
곡선 $y = -x^2 + 3x$와 x축 및 직선
$y = x$로 둘러싸인 도형의 넓이를
S_2라 할 때, $\dfrac{S_1}{S_2}$의 값은?

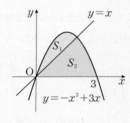

① $\dfrac{8}{19}$ ② $\dfrac{4}{3}$ ③ $\dfrac{19}{6}$

④ $\dfrac{19}{8}$ ⑤ $\dfrac{9}{2}$

STEP Ⓐ S_1의 넓이 구하기

곡선 $y = -x^2 + 3x$와 직선 $y = x$의 교점의 x좌표는

$-x^2 + 3x = x$, $x^2 - 2x = 0$, $x(x-2) = 0$

즉 $x = 0$ 또는 $x = 2$

닫힌구간 $[0, 2]$에서 $-x^2 + 3x \geq x$이므로

$$S_1 = \int_{0}^{2} \{(-x^2 + 3x) - x\} dx$$

$$= \int_{0}^{2} (-x^2 + 2x) dx$$

$$= \left[-\frac{1}{3} x^3 + x^2 \right]_{0}^{2}$$

$$= \frac{4}{3}$$

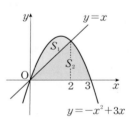

STEP Ⓑ S_2의 넓이 구하기

곡선 $y = -x^2 + 3x$와 x축의 교점의 x좌표는 $x = 0$ 또는 $x = 3$

구간 $[0, 3]$에서 $-x^2 + 3x \geq 0$이므로

$$S_2 = \int_{0}^{3} (-x^2 + 3x) dx - S_1 \quad \leftarrow S_1 + S_2 = \frac{9}{2}$$

$$= \left[-\frac{1}{3} x^3 + \frac{3}{2} x^2 \right]_{0}^{3} - \frac{4}{3}$$

$$= \frac{9}{2} - \frac{4}{3} = \frac{19}{6}$$

STEP Ⓒ $\dfrac{S_1}{S_2}$의 값 구하기

따라서 $\dfrac{S_1}{S_2} = \dfrac{\frac{4}{3}}{\frac{19}{6}} = \dfrac{8}{19}$

정답 ①

1338

STEP A 주어진 곡선과 직선을 연립하여 교점 구하기

곡선 $y=x^3-2x^2+k$와 직선 $y=k$의 교점의 x좌표를 구하면
$x^3-2x^2+k=k$에서 $x^3-2x^2=x^2(x-2)=0$
$\therefore x=0$ 또는 $x=2$

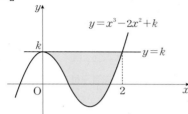

STEP B 곡선과 직선으로 둘러싸인 부분의 넓이 구하기

따라서 구하는 도형의 넓이는
$$\int_0^2 (k-x^3+2x^2-k)dx=\left[-\frac{1}{4}x^4+\frac{2}{3}x^3\right]_0^2=\frac{4}{3}$$

내/신/연/계/ 출제문항 558

곡선 $y=x^3-2x^2$을 y축의 방향으로 k만큼 평행이동한 곡선을 $y=f(x)$라
고 할 때, 곡선 $y=f(x)$와 직선 $y=k$로 둘러싸인 도형의 넓이는?
(단, k는 상수이다.)

① $\frac{1}{3}$ ② $\frac{2}{3}$ ③ 1

④ $\frac{4}{3}$ ⑤ $\frac{5}{3}$

STEP A 주어진 곡선과 직선을 연립하여 교점 구하기

곡선 $y=x^3-2x^2$을 y축의 방향으로 k만큼 평행이동한 곡선은
$y=f(x)$이므로 $f(x)=x^3-2x^2+k$
곡선 $y=x^3-2x^2+k$와 직선 $y=k$의 교점의 x좌표를 구하면
$x^3-2x^2+k=k$에서 $x^3-2x^2=x^2(x-2)=0$
$\therefore x=0$ 또는 $x=2$

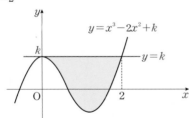

STEP B 곡선과 직선으로 둘러싸인 부분의 넓이 구하기

따라서 곡선 $y=f(x)$와 직선 $y=k$로 둘러싸인 도형의 넓이는
$$\int_0^2 (k-x^3+2x^2-k)dx=\left[-\frac{1}{4}x^4+\frac{2}{3}x^3\right]_0^2=\frac{4}{3}$$

1339

STEP A 두 곡선의 교점의 x좌표 구하기

함수 $y=f(x)$의 그래프가 원점에 대하여 대칭이므로
곡선 $y=f(x)$와 직선 $y=mx$가 만나는 점의 x좌표는 -1, 0, 1이다.

STEP B 도형의 넓이 구하기

구하는 넓이를 S라 하면

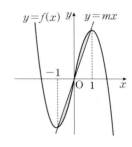

$$\frac{1}{2}S=\int_0^1 \{f(x)-mx\}dx$$
$$=\int_0^1 \{-x(x+1)(x-1)\}dx$$
$$=\int_0^1 (-x^3+x)dx$$
$$=\left[-\frac{1}{4}x^4+\frac{1}{2}x^2\right]_0^1$$
$$=-\frac{1}{4}+\frac{1}{2}=\frac{1}{4}$$

따라서 $S=2\times\frac{1}{4}=\frac{1}{2}$

1340

STEP A 함수 $y=f(x)$의 그래프 그리기

조건 (가), (나)를 만족하는 함수 $y=f(x)$의 그래프는 다음 그림과 같다.

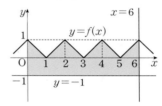

STEP B 넓이 구하기

$$\int_0^6 \{f(x)-(-1)\}dx=6\int_0^1 |f(x)+1|dx$$
$$=6\int_0^1 (2-x)dx$$
$$=6\left[2x-\frac{1}{2}x^2\right]_0^1=9$$

1341

STEP A S_1의 넓이 구하기

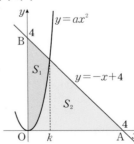

$S_1+S_2=\frac{1}{2}\cdot 4\cdot 4=8$이고 $S_1:S_2=5:11$이므로
$$S_1=8\cdot\frac{5}{16}=\frac{5}{2} \qquad \cdots\cdots \text{㉠}$$
두 점 $A(4, 0)$, $B(0, 4)$을 지나는 직선 $y=-x+4$와 곡선 $y=ax^2$의
교점의 x좌표를 $k(0<k<4)$라 하면
$$-k+4=ak^2 \qquad \cdots\cdots \text{㉡}$$

STEP Ⓑ 곡선과 직선으로 둘러싸인 부분의 넓이 구하기

닫힌구간 $[0, k]$에서 $-x+4 \geq ax^2$이므로

$S_1 = \int_0^k \{(-x+4) - ax^2\} dx = \int_0^k (-ax^2 - x + 4) dx$

$= \left[-\frac{1}{3}ax^3 - \frac{1}{2}x^2 + 4x \right]_0^k$

$= -\frac{1}{3}ak^3 - \frac{1}{2}k^2 + 4k$

$= -\frac{1}{3}k(-k+4) - \frac{1}{2}k^2 + 4k \, (\because ㉡)$

$= -\frac{1}{6}k^2 + \frac{8}{3}k$ ...... ㉢

㉠, ㉢에서 $S_1 = -\frac{1}{6}k^2 + \frac{8}{3}k = \frac{5}{2}$

$k^2 - 16k + 15 = 0$, $(k-1)(k-15) = 0$

$\therefore k = 1 \, (\because 0 < k < 4)$

따라서 $k = 1$을 ㉡에 대입하면 $a = 3$

내/신/연/계 출제문항 559

오른쪽 그림과 같이 좌표평면 위의 두 점 $A(2, 0)$, $B(0, 3)$을 지나는 직선과 곡선 $y = ax^2 \, (a > 0)$ 및 y축으로 둘러싸인 부분 중에서 제 1사분면에 있는 부분의 넓이를 S_1이라 하자.

또, 직선 AB와 곡선 $y = ax^2$ 및 x축으로 둘러싸인 부분의 넓이를 S_2라 하자. $S_1 : S_2 = 13 : 3$일 때, 상수 a의 값은?

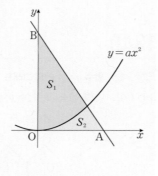

① $\frac{2}{9}$ ② $\frac{1}{3}$

③ $\frac{4}{9}$ ④ $\frac{5}{9}$

⑤ $\frac{2}{3}$

STEP Ⓐ 두 그래프의 교점의 x좌표를 p로 놓고 정적분을 이용하여 넓이 S_1을 구하기

두 점 $A(2, 0)$, $B(0, 3)$을 지나는 직선의 방정식 $\frac{x}{2} + \frac{y}{3} = 1$

$\therefore y = -\frac{3}{2}x + 3$

이 직선과 함수 $y = ax^2$의 그래프의 교점의 x좌표를 p라 하면

$-\frac{3}{2}p + 3 = ap^2$ ...... ㉠

$S_1 = \int_0^p \left\{ \left(-\frac{3}{2}x + 3 \right) - ax^2 \right\} dx$

$= \left[-\frac{3}{4}x^2 + 3x - \frac{1}{3}ax^3 \right]_0^p$

$= -\frac{3}{4}p^2 + 3p - \frac{1}{3}ap^3$

$= -\frac{3}{4}p^2 + 3p - \frac{1}{3} \cdot p \cdot ap^2$

$= -\frac{3}{4}p^2 + 3p - \frac{1}{3}p \left(-\frac{3}{2}p + 3 \right) (\because ㉠)$

$= -\frac{1}{4}p^2 + 2p$ ...... ㉡

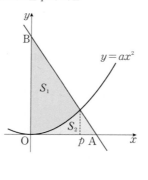

STEP Ⓑ S_1, S_2 사이의 비례식과 삼각형 OAB의 넓이를 이용하여 S_1의 값을 구하여 a 구하기

$S_1 : S_2 = 13 : 3$에서 $13S_2 = 3S_1$이므로 $S_2 = \frac{3}{13}S_1$

또한, 삼각형 OAB의 넓이는 $\frac{1}{2} \cdot 2 \cdot 3 = 3$이므로 $S_1 + S_2 = 3$

$S_1 + \frac{3}{13}S_1 = 3$, $\frac{16}{13}S_1 = 3$

$\therefore S_1 = 3 \cdot \frac{13}{16} = \frac{39}{16}$ ...... ㉢

㉡, ㉢에서 $-\frac{1}{4}p^2 + 2p = \frac{39}{16}$

$4p^2 - 32p + 39 = 0$, $(2p-3)(2p-13) = 0$

$\therefore p = \frac{3}{2} \, (\because 0 < p < 2)$

따라서 ㉠에 대입하면 $-\frac{9}{4} + 3 = \frac{9}{4}a$이므로 $a = \frac{1}{3}$ 정답 ②

1342   정답 ④

STEP Ⓐ 주어진 곡선과 x축과의 교점 구하기

곡선 $y = -x^2 + 2x + 3$와 x축의 교점의 x좌표는 $x = -1$ 또는 $x = 3$

STEP Ⓑ 이차함수와 x축으로 둘러싸인 넓이 구하기

따라서 닫힌구간 $[-1, 3]$에서 $y \geq 0$이므로 구하는 넓이 S는

$S = \int_{-1}^3 (-x^2 + 2x + 3) dx = \left[-\frac{1}{3}x^3 + x^2 + 3x \right]_{-1}^3 = \frac{32}{3}$

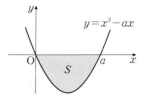
속해법 $S = \frac{|a|(\beta-\alpha)^3}{6} = \frac{|-1|}{6}\{3-(-1)\}^3 = \frac{32}{3}$

1343   정답 ③

STEP Ⓐ 주어진 곡선과 x축과의 교점 구하기

곡선 $y = x^2 - ax$와 x축의 교점의 x좌표는 $x^2 - ax = 0$, $x(x-a) = 0$

$\therefore x = 0$ 또는 $x = a$

[그래프: $y = x^2 - ax$, 넓이 S]

STEP Ⓑ 정적분을 이용하여 곡선과 x축으로 둘러싸인 부분의 넓이 구하기

곡선과 x축으로 둘러싸인 도형의 넓이는

$S = \int_0^a (x^2 - ax) dx = -\left[\frac{1}{3}x^3 - \frac{a}{2}x^2 \right]_0^a = -\frac{1}{3}a^3 + \frac{1}{2}a^3 = \frac{1}{6}a^3$

따라서 $\frac{1}{6}a^3 = \frac{9}{2}$이므로 $a^3 = 27$ $\therefore a = 3$

속해법 $S = -\int_0^a (x^2 - ax) dx = \frac{1}{6}(a-0)^3 = \frac{a^3}{6}$ ← $S = \frac{|a|}{6}(\beta-\alpha)^3$

1344   정답 ⑤

STEP Ⓐ 주어진 곡선과 x축과의 교점 구하기

곡선 $y = -2x^2 + ax$와 x축의 교점의 x좌표는 $-x(2x-a) = 0$

$\therefore x = 0$ 또는 $x = \frac{a}{2}$

[그래프: $y = -2x^2 + ax$, 넓이 S]

STEP Ⓑ 정적분을 이용하여 곡선과 x축으로 둘러싸인 부분의 넓이 구하기

곡선과 x축으로 둘러싸인 도형의 넓이는

$S = \int_0^{\frac{a}{2}} (-2x^2 + ax) dx = \left[-\frac{2}{3}x^3 + \frac{a}{2}x^2 \right]_0^{\frac{a}{2}} = \frac{1}{24}a^3$

따라서 $\frac{1}{24}a^3 = 9$이므로 $a^3 = 216$ $\therefore a = 6$

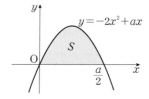
속해법 $S = \int_0^{\frac{a}{2}} (-2x^2 + ax) = \frac{|-2|}{6}\left(\frac{a}{2} - 0 \right)^3 = \frac{a^3}{24}$ ← $S = \frac{|a|}{6}(\beta-\alpha)^3$

1345

STEP Ⓐ 주어진 곡선과 x축과의 교점 구하기

$y=x^2+(1-a)x-a=(x+1)(x-a)$
이므로 곡선과 x축과의 교점의
x좌표는 $x=-1$ 또는 $x=a$

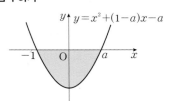

STEP Ⓑ 정적분을 이용하여 곡선과 x축으로 둘러싸인 부분의 넓이 구하기

구간 $[-1,\ a]$에서 $x^2+(1-a)x-a\le 0$이므로
곡선과 x축으로 둘러싸인 도형의 넓이는
$-\displaystyle\int_{-1}^{a}\{x^2+(1-a)x-a\}dx=-\Big[\dfrac{1}{3}x^3+\dfrac{1-a}{2}x^2-ax\Big]_{-1}^{a}=\dfrac{(a+1)^3}{6}=\dfrac{4}{3}$

따라서 $a+1=2$에서 $a=1$

속해법 $S=-\displaystyle\int_{-1}^{a}\{x^2+(1-a)x-a\}dx=\dfrac{1}{6}(a+1)^3$ ◀ $S=\dfrac{|a|}{6}(\beta-\alpha)^3$

1346

정답 ⑤

STEP Ⓐ 곡선 $y=|x^2-x|$과 직선 $y=2$의 그래프 그리기

$y=|x^2-x|=\begin{cases}x^2-x & (x\le 0 \text{ 또는 } x\ge 1)\\ -x^2+x & (0<x<1)\end{cases}$

곡선 $y=|x^2-x|$과 직선 $y=2$으로
둘러싸인 도형의 넓이는
곡선 $y=x^2-x$과 직선 $y=2$으로
둘러싸인 도형의 넓이에서
곡선 $y=-x^2+x$과 x축으로 둘러싸인
도형의 넓이의 2배를 뺀 것과 같다.

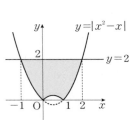

STEP Ⓑ 정적분을 이용하여 곡선과 x축으로 둘러싸인 부분의 넓이 구하기

곡선 $y=|x^2-x|$와 직선 $y=2$의 교점의 x좌표는
$x^2-x=2$에서 $x^2-x-2=0$, $(x+1)(x-2)=0$
$\therefore x=-1$ 또는 $x=2$
따라서 구하는 넓이는 $\displaystyle\int_{-1}^{2}\{2-(x^2-x)\}dx-2\int_{0}^{1}(-x^2+x)dx$

$=\Big[-\dfrac{1}{3}x^3+\dfrac{1}{2}x^2+2x\Big]_{-1}^{2}-2\Big[-\dfrac{1}{3}x^3+\dfrac{1}{2}x^2\Big]_{0}^{1}$

$=\Big(\dfrac{10}{3}+\dfrac{7}{6}\Big)-2\cdot\dfrac{1}{6}=\dfrac{25}{6}$

내/신/연/계/ 출제문항 560

곡선 $y=|x^2-1|$과 직선 $y=3$으로 둘러싸인 도형의 넓이는?

① $\dfrac{20}{3}$ ② 7 ③ $\dfrac{22}{3}$

④ $\dfrac{23}{3}$ ⑤ 8

STEP Ⓐ 곡선 $y=|x^2-1|$과 직선 $y=3$의 그래프 그리기

$|x^2-1|=\begin{cases}x^2-1 & (x\le -1 \text{ 또는 } x\ge 1)\\ 1-x^2 & (-1<x<1)\end{cases}$

곡선 $y=|x^2-1|$과 직선 $y=3$으로
둘러싸인 도형의 넓이는
곡선 $y=x^2-1$과 직선 $y=3$으로
둘러싸인 도형의 넓이에서
곡선 $y=1-x^2$과 x축으로 둘러싸인
도형의 넓이의 2배를 뺀 것과 같다.

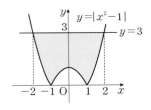

STEP Ⓑ 그래프를 그려 곡선과 직선으로 둘러싸인 도형의 넓이 구하기

곡선 $y=|x^2-1|$과 직선 $y=3$의 교점의 x좌표는
$x^2-1=3$에서 $x^2-4=(x-2)(x+2)=0$
x는 실수이므로 $x^2=4$
$\therefore x=-2$ 또는 $x=2$
따라서 구하는 넓이는 $\displaystyle\int_{-2}^{2}\{3-(x^2-1)\}dx-2\int_{-1}^{1}(1-x^2)dx$

$=\displaystyle\int_{-2}^{2}(4-x^2)dx-2\int_{-1}^{1}(1-x^2)dx$

$=2\displaystyle\int_{0}^{2}(4-x^2)dx-4\int_{0}^{1}(1-x^2)dx$

$=2\Big[4x-\dfrac{1}{3}x^3\Big]_{0}^{2}-4\Big[x-\dfrac{1}{3}x^3\Big]_{0}^{1}$

$=2\cdot\dfrac{16}{3}-4\cdot\dfrac{2}{3}$

$=8$

정답 ⑤

1347

정답 ③

STEP Ⓐ 곡선과 직선이 서로 다른 세 점에서 만나기 위한 a의 값 구하기

함수 $f(x)=|x^2-2x-1|$의 그래프와 직선 $y=a$가 서로 다른 세 점에서
만나기 위해서는 $f(1)=a$이어야 한다.
$f(1)=|-2|=2$이므로 $a=2$

STEP Ⓑ 두 곡선의 교점의 x좌표 구하기

$|x^2-2x-1|=2$에서 $x^2-2x-1=2$일 때, $(x-3)(x+1)=0$
$\therefore x=-1$ 또는 $x=3$
$x^2-2x-1=-2$일 때, $(x-1)^2=0$
$\therefore x=1$

STEP Ⓒ 함수 $y=f(x)$의 그래프와 직선 $y=a$로 둘러싸인 부분의 넓이 구하기

따라서 구하는 넓이를 S라 하면
$S=2\displaystyle\int_{1}^{3}\{2-f(x)\}dx$

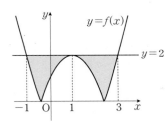

1348

정답 ②

STEP Ⓐ 곡선과 직선의 교점의 x좌표 구하기

곡선 $y=-2x^2+3x$와 직선 $y=x$의
교점의 x좌표는
$-2x^2+3x=x$, $2x^2-2x=0$,
$2x(x-1)=0$
$\therefore x=0$ 또는 $x=1$

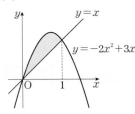

STEP Ⓑ 도형의 넓이 구하기

곡선 $y=-2x^2+3x$와 직선 $y=x$로 둘러싸인 부분의 넓이는
$\displaystyle\int_{0}^{1}\{(-2x^2+3x)-x\}dx=\int_{0}^{1}(-2x^2+2x)dx=\Big[-\dfrac{2}{3}x^3+x^2\Big]_{0}^{1}=-\dfrac{2}{3}+1=\dfrac{1}{3}$

따라서 $p=3$, $q=1$이므로 $p+q=3+1=4$

속해법 $S=\dfrac{|a|}{6}(\beta-\alpha)^3=\dfrac{|-2|}{6}(1-0)^3=\dfrac{1}{3}$

1349

정답 ⑤

STEP A 두 곡선의 교점의 x좌표 구하기

주어진 곡선과 직선의 교점의 x좌표는
$x^2-2x-1=x-1$, $x(x-3)=0$
즉 $x=0$ 또는 $x=3$
이므로 함수 $y=f(x)$의 그래프는
오른쪽 그림과 같다.

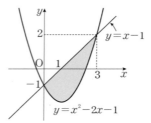

STEP B 도형의 넓이 구하기

따라서 닫힌구간 $[0, 3]$에서 $x-1 \geq x^2-2x-1$이므로 구하는 넓이 S는
$$S=\int_0^3 \{(x-1)-(x^2-2x-1)\}dx$$
$$=\int_0^3 (-x^2+3x)dx$$
$$=\left[-\frac{1}{3}x^3+\frac{3}{2}x^2\right]_0^3=\frac{9}{2}$$

속해법 $S=\dfrac{|a|}{6}(\beta-\alpha)^3=\dfrac{|-1|}{6}(3-0)^3=\dfrac{9}{2}$

1350

정답 ⑤

STEP A 두 곡선의 교점의 x좌표 구하기

곡선 $y=3x-x^2$과 직선 $y=mx$의
교점의 x좌표는
$3x-x^2=mx$에서 $x\{x+(m-3)\}=0$
$\therefore x=0$ 또는 $x=3-m$

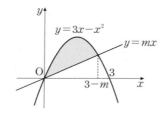

STEP B 도형의 넓이 구하기

$0<m<3$이므로 $0<3-m<3$이고
닫힌구간 $[0, 3-m]$에서 $3x-x^2 \geq mx$이므로
곡선 $y=3x-x^2$과 직선 $y=mx$로 둘러싸인 도형의 넓이는
$$\int_0^{3-m}(3x-x^2-mx)dx=\int_0^{3-m}\{-x^2+(3-m)x\}dx$$
$$=\left[-\frac{1}{3}x^3+\frac{1}{2}(3-m)x^2\right]_0^{3-m}$$
$$=\frac{1}{6}(3-m)^3$$

따라서 $\dfrac{1}{6}(3-m)^3=\dfrac{1}{6}$이므로 $(3-m)^3=1$ $\therefore m=2$

속해법 이차함수와 직선으로 둘러싸인 도형의 넓이
$$S=\frac{|a|}{6}(\beta-\alpha)^3=\frac{|-1|}{6}(3-m-0)^3=\frac{(3-m)^3}{6}$$

내신연계 출제문항 **561**

곡선 $y=-x^2+5x$와 직선 $y=ax$로
둘러싸인 도형의 넓이가 $\dfrac{32}{3}$일 때,
상수 a의 값은? (단, $0<a<5$)

① $\dfrac{1}{3}$ ② $\dfrac{1}{2}$

③ 1 ④ $\dfrac{3}{2}$

⑤ 2

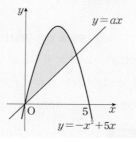

STEP A 주어진 곡선과 직선의 교점 구하기

곡선 $y=-x^2+5x$와 직선 $y=ax$의 교점의 x좌표는
$-x^2+5x=ax$에서 $x\{x-(5-a)\}=0$
$\therefore x=0$ 또는 $x=5-a$

STEP B 넓이 공식을 이용하여 $\beta-\alpha$의 값 구하기

$0<a<5$이므로 닫힌구간 $[0, 5-a]$에서 $-x^2+5x \geq ax$이므로 구하는 도형의 넓이는
$$\int_0^{5-a}\{(-x^2+5x)-ax\}dx=\left[-\frac{1}{3}x^3+\frac{5}{2}x^2-\frac{a}{2}x^2\right]_0^{5-a}$$
$$=\frac{1}{6}(5-a)^3$$

따라서 $\dfrac{1}{6}(5-a)^3=\dfrac{32}{3}$이므로 $a=1$

속해법 이차함수와 직선으로 둘러싸인 도형의 넓이
$$S=\frac{|a|}{6}(\beta-\alpha)^3=\frac{|-1|}{6}(5-a-0)^3=\frac{(5-a)^3}{6}$$

정답 ③

1351

정답 ①

STEP A 주어진 곡선과 직선의 교점을 임의로 두고 근과 계수의 관계 이용하기

곡선 $y=x^2-5x$와 직선 $y=x+a$의 교점의 x좌표를 α, β $(\beta>\alpha)$라고 하면
$(x^2-5x)-(x+a)=0$
즉 $x^2-6x-a=0$의 두 근이 α, β이므로 근과 계수의 관계에 의하여
$\alpha+\beta=6$, $\alpha\beta=-a$ $\qquad\qquad$ ...... ㉠

STEP B 넓이 공식을 이용하여 $\beta-\alpha$의 값 구하기

또한, 두 곡선으로 둘러싸인 도형의
넓이가 $\dfrac{4}{3}$이므로
$$\int_\alpha^\beta \{(x+a)-(x^2-5x)\}dx$$
$$=\frac{1}{6}(\beta-\alpha)^3$$
$$=\frac{4}{3}$$
$\therefore \beta-\alpha=2$ $\qquad\qquad$ ...... ㉡

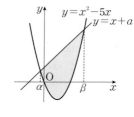

STEP C 곱셈공식을 이용하여 a의 값 구하기

㉠, ㉡에서
$$\alpha\beta=\frac{1}{4}\{(\beta+\alpha)^2-(\beta-\alpha)^2\}=\frac{1}{4}\{6^2-2^2\}=8$$
따라서 $a=-\alpha\beta=-8$

내신연계 출제문항 **562**

곡선 $y=x^2-3x+1$과 $y=-x+k$로 둘러싸인 도형의 넓이가 36일 때,
상수 k의 값은?

① 5 ② 6 ③ 7
④ 8 ⑤ 9

STEP A 주어진 곡선과 직선의 교점을 임의로 두고 근과 계수의 관계 이용하기

곡선 $y=x^2-3x+1$과 $y=-x+k$의 교점의 x좌표를 α, β $(\beta>\alpha)$라고 하면
$(x^2-3x+1)-(-x+k)=0$
즉 $x^2-2x+1-k=0$의 두 근이 α, β이므로 근과 계수의 관계에 의하여
$\alpha+\beta=2$, $\alpha\beta=1-k$ $\qquad\qquad$ ...... ㉠

또한, 두 곡선으로 둘러싸인 도형의
넓이가 36이므로

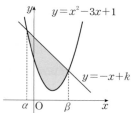

$$\int_\alpha^\beta \{(-x+k)-(x^2-3x+1)\}dx$$
$$=\frac{1}{6}(\beta-\alpha)^3=36$$
$$\therefore \beta-\alpha=6 \qquad \cdots\cdots \text{ⓛ}$$

STEP C **곱셈공식을 이용하여 k의 값 구하기**

㉠, ㉡에서 $\alpha\beta=\frac{1}{4}\{(\beta+\alpha)^2-(\beta-\alpha)^2\}=\frac{1}{4}(2^2-6^2)=-8$

따라서 $k=1-\alpha\beta=1-(-8)=9$ (정답) ⑤

1352 (정답) ④

STEP A **곡선 $y=|x^2-ax|$과 직선 $y=ax$의 그래프 그리기**

$$y=|x^2-ax|=\begin{cases} x^2-ax & (x\le 0 \text{ 또는 } x\ge a) \\ -x^2+ax & (0\le x\le a) \end{cases}$$

곡선 $y=|x^2-ax|$와 직선 $y=ax$의
교점의 x좌표는 $x\le 0$ 또는 $x\ge a$일 때,
$x^2-ax=ax$에서 $x^2-2ax=0$
$x(x-2a)=0$
$\therefore x=0$ 또는 $x=2a$
$0\le x\le a$일 때,
$-x^2+ax=ax$에서 $x^2=0$
$\therefore x=0$

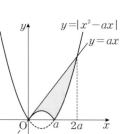

STEP B **두 곡선으로 둘러싸인 도형의 넓이 구하기**

곡선과 직선으로 둘러싸인 도형의 넓이는

$$\int_0^a \{ax-(-x^2+ax)\}dx+\int_a^{2a}\{ax-(x^2-ax)\}dx$$
$$=\int_0^a x^2 dx+\int_a^{2a}(-x^2+2ax)dx$$
$$=\left[\frac{1}{3}x^3\right]_0^a+\left[-\frac{1}{3}x^3+ax^2\right]_a^{2a}=\frac{1}{3}a^3+\frac{2}{3}a^3=a^3$$

따라서 $a^3=27$이므로 $a=3$ ($\because a$는 실수)

1353 (정답) ④

STEP A **곡선 $y=x^2+4$ 위의 점 $(6, 40)$에서의 접선의 방정식 구하기**

$f(x)=x^2+4$라 하면 $f'(x)=2x$
$P(6, 40)$에서의 접선의 기울기는 $f'(6)=12$이므로 접선의 방정식
$y-40=12(x-6)$ $\therefore y=12x-32$

STEP B **곡선과 직선의 교점의 x좌표 구하기**

접선 $y=12x-32$와 곡선 $y=x^2$의 교점의 x좌표는
$12x-32=x^2$에서 $x^2-12x+32=0$이므로 $(x-4)(x-8)=0$
$\therefore x=4$ 또는 $x=8$

STEP C **이차함수와 직선으로 둘러싸인 넓이 구하기**

닫힌구간 $[4, 8]$에서 $12x-32\ge x^2$
이므로 구하는 넓이를 S라 하면
$$S=\int_4^8 (12x-32-x^2)dx$$
$$=\left[-\frac{1}{3}x^3+6x^2-32x\right]_4^8$$
$$=\frac{|-1|}{6}(8-4)^3=\frac{32}{3}$$

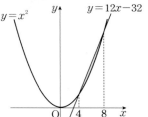

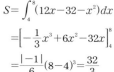 $S=\int_4^8 (12x-32-x^2)dx=\frac{|-1|}{6}(8-4)^3=\frac{32}{3}$

1354 (정답) ③

STEP A **선분 PQ와 곡선 $y=x^2$으로 둘러싸인 넓이를 이용하여 a, b의 관계식 구하기**

두 점 $P(a, a^2)$, $Q(b, b^2)$을 지나는 직선의 방정식은
$$y-a^2=\frac{b^2-a^2}{b-a}(x-a), \ y=(a+b)x-ab$$
이 직선과 곡선 $y=x^2$으로 둘러싸인 부분의 넓이가 36이므로

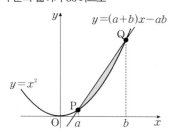

$$\int_a^b \{(a+b)x-ab-x^2\}dx$$
$$=\left[\frac{a+b}{2}x^2-abx-\frac{x^3}{3}\right]_a^b$$
$$=\frac{1}{6}(b-a)^3$$
$$=36$$
$$\therefore b-a=6 \ (\because b>a)$$

STEP B **$\lim\limits_{a\to\infty}\dfrac{\overline{PQ}}{a}$ 구하기**

$$\lim_{a\to\infty}\frac{\overline{PQ}}{a}=\lim_{a\to\infty}\frac{\sqrt{(b-a)^2+(b^2-a^2)^2}}{a}=\lim_{a\to\infty}\frac{\sqrt{(b-a)^2+(b-a)^2(b+a)^2}}{a}$$
$$=\lim_{a\to\infty}\frac{\sqrt{6^2+6^2(2a+6)^2}}{a}$$
$$=\lim_{a\to\infty}\sqrt{\frac{36}{a^2}+36\left(2+\frac{6}{a}\right)^2}$$
$$=12$$

> **참고** 공식을 이용하여 풀이하기
> 직선 $y=(a+b)x-ab$와 곡선 $y=x^2$으로 둘러싸인 부분의 넓이가
> 36이므로 $\frac{1}{6}(b-a)^3=36$ $\therefore b-a=6 (\because b>0)$

1355 (정답) ⑤

STEP A **두 곡선의 교점의 x좌표를 구하여 그래프 그리기**

두 곡선의 교점의 x좌표는
$x^2-1=-x^2+2x+3$
$x^2-x-2=0, (x+1)(x-2)=0$
즉 $x=-1$ 또는 $x=2$이므로
그래프는 오른쪽 그림과 같다.

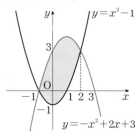

STEP B **도형의 넓이 구하기**

따라서 닫힌구간 $[-1, 2]$에서 $-x^2+2x+3\ge x^2-1$이므로 구하는 넓이를
S라 하면
$$S=\int_{-1}^2 \{(-x^2+2x+3)-(x^2-1)\}dx$$
$$=\int_{-1}^2 (-2x^2+2x+4)dx$$
$$=\left[-\frac{2}{3}x^3+x^2+4x\right]_{-1}^2=9$$

속해법 두 이차함수와 직선으로 둘러싸인 도형의 넓이
$$S=\frac{|a-a'|}{6}(\beta-\alpha)^3=\frac{|-2|}{6}\{2-(-1)\}^3=9$$

1356

STEP A 두 곡선의 교점을 임의로 두고 근과 계수의 관계 이용하기

주어진 두 곡선의 교점의 x좌표를 α, $\beta(\alpha<\beta)$라 하면
$x^2-4x=-x^2+2a$에서 $2x^2-4x-2a=0$의 두 근이 α, β이므로
근과 계수의 관계에 의하여 $\alpha+\beta=2$, $\alpha\beta=-a$

STEP B 넓이 공식을 이용하여 $\beta-\alpha$의 값 구하기

따라서 구하는 넓이를 S라 하고 공식을 이용하면
$$S=\int_\alpha^\beta\{(-x^2+2a)-(x^2-4x)\}dx$$
$$=\int_\alpha^\beta(-2x^2+4x+2a)dx$$
$$=\frac{|-2|(\beta-\alpha)^3}{6}$$

이때 $\frac{1}{3}(\beta-\alpha)^3=9$에서 $\beta-\alpha=3(\beta>\alpha)$

STEP C α, β의 값을 구하여 a의 값 구하기

따라서 $\alpha+\beta=2$, $\beta-\alpha=3$을 연립하여 풀면 $\alpha=-\frac{1}{2}$, $\beta=\frac{5}{2}$이므로
$$a=-\alpha\beta=-\left(-\frac{1}{2}\right)\cdot\left(\frac{5}{2}\right)=\frac{5}{4}$$

내/신/연/계/ 출제문항 563

두 곡선
$$y=x^2-ax,\ y=ax-x^2$$
으로 둘러싸인 부분의 넓이가 $\frac{8}{3}$일 때, 양수 a의 값은?

① 1 ② 2 ③ 3
④ 4 ⑤ 5

STEP A 두 곡선의 교점의 x좌표를 구하여 그래프 그리기

두 곡선 $y=x^2-ax$, $y=ax-x^2$의 교점의 x좌표는
$x^2-ax=ax-x^2$에서 $x(x-a)=0$
$\therefore x=0$ 또는 $x=a$

STEP B 도형의 넓이 구하기

구하는 넓이를 S라 하면
$$S=\int_0^a\{(ax-x^2)-(x^2-ax)\}dx$$
$$=\int_0^a(-2x^2+2ax)dx$$
$$=\frac{|-2|}{6}a^3=\frac{8}{3}$$

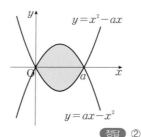

따라서 $a^3=8$이므로 $a=2\ (\because a>0)$

1357

STEP A 곡선과 직선으로 둘러싸인 부분의 넓이 구하기

(가)에서 곡선 $y=x^2-2x$와 직선
$y=2x+5$의 교점의 x좌표를 구하면
$x^2-2x=2x+5$, $x^2-4x-5=0$에서
$(x+1)(x-5)=0$
$\therefore x=5$ 또는 $x=-1$
닫힌구간 $[-1,5]$에서 $2x+5\geq x^2-2x$
이므로 구하는 넓이 a는

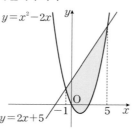

$$a=\int_{-1}^5\{(2x+5)-(x^2-2x)\}dx$$
$$=\int_{-1}^5(-x^2+4x+5)dx$$
$$=\left[-\frac{1}{3}x^3+2x^2+5x\right]_{-1}^5=36$$

STEP B 두 곡선으로 둘러싸인 부분의 넓이 구하기

(나)에서 두 곡선의 교점은
$x^2-2x=-x^2+4$, $2x^2-2x-4=0$에서
$2(x+1)(x-2)=0$
$\therefore x=-1$ 또는 $x=2$
닫힌구간 $[-1,2]$에서 $-x^2+4\geq x^2-2x$
이므로 구하는 넓이 b는
$$b=\int_{-1}^2\{(-x^2+4)-(x^2-2x)\}dx$$
$$=\int_{-1}^2(-2x^2+2x+4)dx$$
$$=\left[-\frac{2}{3}x^3+x^2+4x\right]_{-1}^2=9$$

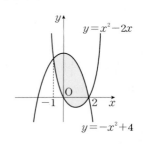

STEP C $a+b$의 값 구하기

따라서 $a+b=36+9=45$

1358

STEP A 곡선 $y=g(x)$를 구하고 두 곡선 $y=x^2$, $y=g(x)$의 교점의 x좌표 구하기

곡선 $y=x^2$를 x축에 대하여 대칭이동한 곡선은 $y=-x^2$
곡선 $y=-x^2$을 x축의 방향으로 -1만큼, y축의 방향으로 5만큼 평행이동한
곡선은 $y-5=-(x+1)^2$
즉 $g(x)=-(x+1)^2+5=-x^2-2x+4$
두 곡선 $y=x^2$, $y=g(x)$의 교점의 x좌표는
$x^2=-x^2-2x+4$, $2x^2+2x-4=0$
$2(x+2)(x-1)=0$에서 $x=-2$ 또는 $x=1$

STEP B 두 곡선으로 둘러싸인 부분의 넓이 구하기

따라서 닫힌구간 $[-2,1]$에서 $-x^2-2x+4\geq x^2$이므로 구하는 넓이를
S라 하면
$$S=\int_{-2}^1(-x^2-2x+4-x^2)dx$$
$$=\int_{-2}^1(-2x^2-2x+4)dx$$
$$=\left[-\frac{2}{3}x^3-x^2+4x\right]_{-2}^1$$
$$=9$$

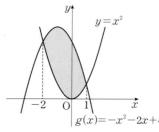

속해법 두 이차함수로 둘러싸인 도형의 넓이
$$S=\int_{-2}^1(-2x^2-2x+4)dx=\frac{|-2|}{6}(1-(-2))^3=9$$

내/신/연/계/ 출제문항 564

함수 $f(x)=-x^2+4$에 대하여 곡선 $y=f(x)$를 x축에 대하여 대칭이동한
후 x축의 방향으로 2만큼, y축의 방향으로 4만큼 평행이동한 곡선을
$y=g(x)$라고 하자. 두 곡선 $y=f(x)$, $y=g(x)$로 둘러싸인 도형의 넓이
는?

① $\frac{5}{3}$ ② $\frac{7}{3}$ ③ $\frac{8}{3}$
④ $\frac{9}{2}$ ⑤ 4

STEP Ⓐ **곡선 $y=g(x)$를 구하고 두 곡선 $y=-x^2+4$, $y=g(x)$의 교점의 x좌표 구하기**

곡선 $y=-x^2+4$를 x축에 대하여 대칭이동한 곡선은 $y=x^2-4$

곡선 $y=x^2-4$을 x축의 방향으로 2만큼, y축의 방향으로 4만큼 평행이동한 곡선은 $y-4=(x-2)^2-4$

즉 $g(x)=(x-2)^2$

두 곡선 $y=f(x)$, $y=g(x)$의 교점의 x좌표를 구하면

$-x^2+4=(x-2)^2$, $2x^2-4x=0$

$2x(x-2)=0$에서 $x=0$ 또는 $x=2$

STEP Ⓑ **두 곡선으로 둘러싸인 부분의 넓이 구하기**

따라서 닫힌구간 $[0, 2]$에서 $-x^2+4 \geq (x-2)^2$이므로 구하는 넓이를 S라 하면

$$S=\int_0^2 \{f(x)-g(x)\}dx$$
$$=\int_0^2 (-x^2+4-x^2+4x-4)dx$$
$$=\int_0^2 (-2x^2+4x)dx$$
$$=\left[-\frac{2}{3}x^3+2x^2\right]_0^2=\frac{8}{3}$$

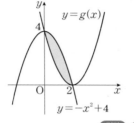

정답 ③

1359

정답 ①

STEP Ⓐ **우함수의 성질을 이용하여 A의 값 구하기**

$$A=\int_{-2}^2 (-x^2+4)dx$$
$$=2\int_0^2 (-x^2+4)dx$$
$$=2\left[-\frac{x^3}{3}+4x\right]_0^2$$
$$=\frac{32}{3}$$

STEP Ⓑ **두 곡선의 교점을 구하여 B의 값 구하기**

$-x^2+4=x^2+2a$에서 $x=\pm\sqrt{2-a}$이므로

$$B=\int_{-\sqrt{2-a}}^{\sqrt{2-a}} (-x^2+4-x^2-2a)dx$$
$$=2\int_0^{\sqrt{2-a}} (-2x^2-2a+4)dx$$
$$=2\left[-\frac{2}{3}x^3+(4-2a)x\right]_0^{\sqrt{2-a}}$$
$$=2\left\{-\frac{2}{3}(2-a)\sqrt{2-a}+(4-2a)\sqrt{2-a}\right\}$$
$$=\frac{8}{3}(\sqrt{2-a})^3$$

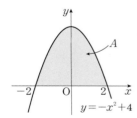
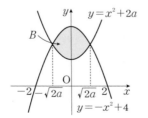

STEP Ⓒ **$A=4B$에서 a의 값 구하기**

따라서 $A=4B$이므로 $\dfrac{32}{3}=4\cdot\dfrac{8}{3}(\sqrt{2-a})^3$에서 $(\sqrt{2-a})^3=1$

$\therefore a=1$

내/신/연/계/ 출제문항 565

다음 그림과 같이 곡선 $y=-x^2+4$와 곡선 $y=x^2+a$만으로 둘러싸인 넓이를 S라 하고 곡선 $y=-x^2+4$와 x축 및 곡선 $y=x^2+a$로 둘러싸인 넓이를 T라 하자. $S:T=1:3$일 때, 양수 a의 값을 구하면?

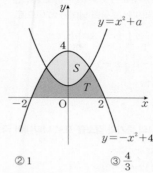

① $\dfrac{1}{3}$　　　② 1　　　③ $\dfrac{4}{3}$

④ 2　　　⑤ $\dfrac{11}{7}$

STEP Ⓐ **우함수의 성질을 이용하여 $S+T$의 값 구하기**

$$S+T=\int_{-2}^2 (-x^2+4)dx=2\int_0^2 (-x^2+4)dx$$
$$=2\left[-\frac{1}{3}x^3+4x\right]_0^2$$
$$=\frac{32}{3} \qquad \cdots\cdots ㉠$$

STEP Ⓑ **두 곡선의 교점을 구하여 S를 a로 표현하기**

$-x^2+4=x^2+a$에서 $x=\pm\sqrt{2-\dfrac{a}{2}}$이므로

$$S=\int_{-\sqrt{2-\frac{a}{2}}}^{\sqrt{2-\frac{a}{2}}} (-x^2+4-x^2-a)dx=2\int_0^{\sqrt{2-\frac{a}{2}}} (-2x^2-a+4)dx$$
$$=2\left[-\frac{2}{3}x^3+(4-a)x\right]_0^{\sqrt{2-\frac{a}{2}}}$$
$$=2\left\{-\frac{2}{3}\left(\sqrt{2-\frac{a}{2}}\right)^3+(4-a)\sqrt{2-\frac{a}{2}}\right\}$$
$$=\frac{8}{3}\left(\sqrt{2-\frac{a}{2}}\right)^3 \qquad \cdots\cdots ㉡$$

STEP Ⓒ **$4S=\dfrac{32}{3}$임을 이용하여 a의 값 구하기**

이때 $S:T=1:3$이므로 $T=3S$

㉠에서 $S+3S=4S=\dfrac{32}{3}$ $\therefore S=\dfrac{8}{3}$

㉡에서 $\dfrac{8}{3}\left(\sqrt{2-\dfrac{a}{2}}\right)^3=\dfrac{8}{3}$이므로 $\left(\sqrt{2-\dfrac{a}{2}}\right)^3=1$

따라서 $a=2$

정답 ④

1360

정답 ③

STEP Ⓐ **주어진 곡선과 x축의 교점 구하기**

곡선 $y=x^2(2-x)$와 x축의 교점의 x좌표는 $x^2(2-x)=0$에서 $x=0$ 또는 $x=2$

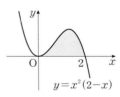

STEP Ⓑ **정적분을 이용하여 곡선과 x축으로 둘러싸인 부분의 넓이 구하기**

따라서 $\displaystyle\int_0^2 x^2(2-x)dx=\int_0^2(-x^3+2x^2)dx=\left[-\dfrac{1}{4}x^4+\dfrac{2}{3}x^3\right]_0^2=\dfrac{4}{3}$

속해법 삼차함수와 접선으로 둘러싸인 넓이 공식을 이용하면

$$S=\frac{|a|}{12}(\beta-\alpha)^4=\frac{|-1|}{12}(2-0)^4=\frac{4}{3}$$

1361

STEP A 정적분을 이용하여 곡선과 x축으로 둘러싸인 부분의 넓이를 이용하여 최고차항의 계수 구하기

삼차함수 $f(x)$를 $f(x)=ax^2(x-3)\,(a>0)$로 놓으면

이 곡선과 x축으로 둘러싸인 도형의 넓이가 27이므로

$$-\int_0^3 ax^2(x-3)dx=-a\int_0^3(x^3-3x^2)dx$$
$$=-a\left[\frac{1}{4}x^4-x^3\right]_0^3$$
$$=\frac{27}{4}a=27$$

$\therefore a=4$

STEP B 함수 $f(x)$의 증가와 감소를 표로 나타내어 극솟값 구하기

$a=4$이므로 $f(x)=4x^3-12x^2$

$f'(x)=12x^2-24x=12x(x-2)$

$f'(x)=0$에서 $x=0$ 또는 $x=2$

함수 $f(x)$의 증가와 감소를 나타내면 다음 표와 같다.

x	$\cdots$	0	$\cdots$	2	$\cdots$
$f'(x)$	+	0	−	0	+
$f(x)$	↗	극대	↘	극소	↗

따라서 $x=2$에서 극소이고 극솟값 $f(2)=32-48=-16$

속해법 삼차함수와 접선으로 둘러싸인 넓이 공식을 이용하면

$$S=\frac{|a|}{12}(\beta-\alpha)^4=\frac{a}{12}\{3-0\}^4=\frac{27}{4}a$$

내신연계 출제문항 566

오른쪽 그림은 삼차함수 $y=f(x)$의 그래프이다. 곡선 $y=f(x)$와 x축으로 둘러싸인 도형의 넓이가 $\dfrac{27}{2}$일 때, 함수 $f(x)$의 극솟값은?

① -12 ② -10
③ -8 ④ -6
⑤ -4

STEP A 곡선과 x축으로 둘러싸인 부분의 넓이를 이용하여 최고차항의 계수 구하기

삼차함수 $f(x)$를 $f(x)=ax(x-3)^2\,(a<0)$로 놓으면

이 곡선과 x축으로 둘러싸인 도형의 넓이가 $\dfrac{27}{2}$이므로

$$-\int_0^3 ax(x-3)^2dx=-a\int_0^3(x^3-6x^2+9x)dx$$
$$=-a\left[\frac{1}{4}x^4-2x^3+\frac{9}{2}x^2\right]_0^3$$
$$=-\frac{27}{4}a=\frac{27}{2}$$

$\therefore a=-2$

STEP B 함수 $f(x)$의 증가와 감소를 표로 나타내어 극솟값 구하기

$a=-2$이므로 $f(x)=-2x^3+12x^2-18x$

$f'(x)=-6x^2+24x-18=-6(x-1)(x-3)$

$f'(x)=0$에서 $x=1$ 또는 $x=3$

함수 $f(x)$의 증가와 감소를 나타내면 다음 표와 같다.

x	$\cdots$	1	$\cdots$	3	$\cdots$
$f'(x)$	−	0	+	0	−
$f(x)$	↘	극소	↗	극대	↘

따라서 $x=1$에서 극소이고 극솟값 $f(1)=-2+12-18=-8$

속해법 삼차함수와 접선으로 둘러싸인 넓이 공식을 이용하면

$$S=\frac{|a|}{12}(\beta-\alpha)^4=\frac{a}{12}(3-0)^4=\frac{27}{4}a$$

1362

STEP A $x=1$에서 극댓값 0임을 이용하여 상수 a, b의 값 구하기

함수 $f(x)=x^3+ax^2+bx-3$에서 $f'(x)=3x^2+2ax+b$

함수 $f(x)$가 $x=1$에서 극댓값 0이므로 $f'(1)=0$, $f(1)=0$

$f'(1)=3+2a+b=0$ ...... ㉠

$f(1)=1+a+b-3=0$ ...... ㉡

㉠, ㉡을 연립하여 풀면 $a=-5$, $b=7$

STEP B 정적분을 이용하여 도형의 넓이 구하기

$f(x)=x^3-5x^2+7x-3$의 교점의 x좌표는

$x^3-5x^2+7x-3=0$,

$(x-1)^2(x-3)=0$이므로

$x=1$ 또는 $x=3$

따라서 구하는 넓이를 S라 하고 공식을 이용하면

$$S=-\int_1^3(x^3-5x^2+7x-3)dx$$
$$=-\left[\frac{1}{4}x^4-\frac{5}{3}x^3+\frac{7}{2}x^2-3x\right]_1^3=\frac{4}{3}$$

속해법 삼차함수와 접선으로 둘러싸인 넓이 공식을 이용하면

$$S=\frac{|a|}{12}(\beta-\alpha)^4=\frac{1}{12}\{3-1\}^4=\frac{4}{3}$$

1363

STEP A 주어진 곡선과 x축과의 교점 구하기

곡선 $y=x(x-3)(x-k)$와

x축의 교점의 x좌표는

$x(x-3)(x-k)=0$이므로

$x=0$ 또는 $x=3$ 또는 $x=k$

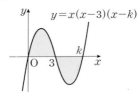

STEP B $x=0$에서 $x=k$까지의 적분값이 0임을 이용하여 k의 값 구하기

구간 $[0, 3]$에서 $x(x-3)(x-k)\geq 0$

구간 $[3, k]$에서 $x(x-3)(x-k)\leq 0$이므로

$$\int_0^3 x(x-3)(x-k)dx=-\int_3^k x(x-3)(x-k)dx$$

즉 $\displaystyle\int_0^k x(x-3)(x-k)dx=0$

$$\int_0^k\{x^3-(3+k)x^2+3kx\}dx=0$$

$$\left[\frac{1}{4}x^4-\frac{3+k}{3}x^3+\frac{3k}{2}x^2\right]_0^k=\frac{k^4}{4}-\frac{3k^3+k^4}{3}+\frac{3k^3}{2}=0$$

$k^4-6k^3=0$, $k^3(k-6)=0$

따라서 $k>3$이므로 $k=6$

$0 < a < 3$인 실수 a에 대하여 함수 $f(x) = x^3 - (a+3)x^2 + 3ax$의 그래프와 x축으로 둘러싸인 두 부분의 넓이가 같아지도록 하는 실수 a의 값은?

① $\dfrac{3}{4}$ 　　② 1 　　③ $\dfrac{5}{4}$

④ $\dfrac{3}{2}$ 　　⑤ $\dfrac{7}{4}$

STEP Ⓐ 주어진 곡선과 x축과의 교점 구하기

$$f(x) = x^3 - (a+3)x^2 + 3ax$$
$$= x(x-a)(x-3)$$

이므로 함수 $y = f(x)$의 그래프는
오른쪽 그림과 같다.

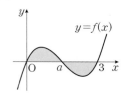

STEP Ⓑ $\displaystyle\int_0^3 f(x)dx = 0$임을 이용하여 a의 값 구하기

함수 $y = f(x)$의 그래프와 x축으로 둘러싸인 두 부분의 넓이가 같으므로
$\displaystyle\int_0^3 f(x)dx = 0$이 성립한다.

$$\int_0^3 \{x^3 - (a+3)x^2 + 3ax\}dx = \left[\frac{1}{4}x^4 - \frac{1}{3}(a+3)x^3 + \frac{3}{2}ax^2\right]_0^3$$
$$= \frac{9}{2}a - \frac{27}{4}$$

따라서 $\dfrac{9}{2}a - \dfrac{27}{4} = 0$이므로 $a = \dfrac{3}{2}$　　정답 ④

오른쪽 그림과 같이 두 곡선
$y = kx^2(x-2)$, $y = -x(x-2)$로
둘러싸인 두 도형의 넓이가 같을 때,
상수 k의 값은? (단, $k < -\dfrac{1}{2}$)

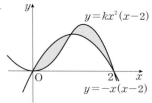

① -3 　　② $-\dfrac{5}{2}$

③ -2 　　④ $-\dfrac{3}{2}$

⑤ -1

STEP Ⓐ 곡선과 직선의 교점 구하기

두 곡선 $y = kx^2(x-2)$, $y = -x(x-2)$와 x축의 교점의 x좌표는
$x = 0$ 또는 $x = 2$

STEP Ⓑ 두 곡선 사이의 넓이가 서로 같을 조건을 이용하여 k 구하기

따라서 색칠한 두 도형의 넓이가 같으므로

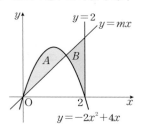

$$\int_0^2 [kx^2(x-2) - \{-x(x-2)\}]dx = 0$$
$$\int_0^2 \{kx^3 - (2k-1)x^2 - 2x\}dx = 0$$
$$\left[\frac{k}{4}x^4 - \frac{2k-1}{3}x^3 - x^2\right]_0^2 = 0$$
$$4k - \frac{8}{3}(2k-1) - 4 = 0$$
$$\frac{4}{3}k = -\frac{4}{3} \quad \therefore k = -1$$

정답 ⑤

1364

정답 ④

STEP Ⓐ 곡선과 직선의 교점 구하기

$y = \dfrac{1}{2}x^2$과 $y = kx$가 만나는 점의 x좌표는

$\dfrac{1}{2}x^2 = kx$에서 $x\left(\dfrac{1}{2}x - k\right) = 0$

$\therefore x = 0$ 또는 $x = 2k$

STEP Ⓑ 두 곡선 사이의 넓이가 서로 같을 조건을 이용하여 k 구하기

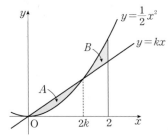

$$A = \int_0^{2k}\left(kx - \frac{1}{2}x^2\right)dx, \quad B = \int_{2k}^2\left(\frac{1}{2}x^2 - kx\right)dx$$

$A = B$이므로

$$\int_0^{2k}\left(kx - \frac{1}{2}x^2\right)dx = \int_{2k}^2\left(\frac{1}{2}x^2 - kx\right)dx = -\int_{2k}^2\left(kx - \frac{1}{2}x^2\right)dx$$
$$\int_0^{2k}\left(kx - \frac{1}{2}x^2\right)dx + \int_{2k}^2\left(kx - \frac{1}{2}x^2\right)dx = 0$$
$$\therefore \int_0^2\left(kx - \frac{1}{2}x^2\right)dx = 0$$

즉 $\displaystyle\int_0^2\left(kx - \frac{1}{2}x^2\right)dx = \left[\frac{k}{2}x^2 - \frac{1}{6}x^3\right]_0^2 = 2k - \frac{4}{3} = 0$

따라서 $k = \dfrac{2}{3}$이고 $30k = 20$

1365

정답 ③

STEP Ⓐ 도형의 넓이가 서로 같을 조건을 이용하여 상수 m의 값 구하기

A와 B의 넓이가 같으므로

$$\int_0^2 (-2x^2 + 4x - mx)dx = 0$$
$$\int_0^2 \{-2x^2 + (4-m)x\}dx$$
$$= \left[-\frac{2}{3}x^3 + \frac{4-m}{2}x^2\right]_0^2$$
$$= -\frac{16}{3} + 2(4-m)$$
$$= \frac{8}{3} - 2m$$

따라서 $\dfrac{8}{3} - 2m = 0$ $\therefore m = \dfrac{4}{3}$

그림과 같이 곡선 $y=-x^2+2x$와
두 직선 $y=ax$, $x=2$로 둘러싸인
두 부분의 넓이를 각각 S_1, S_2라 하자.
$S_1=S_2$일 때, 양수 a의 값은?

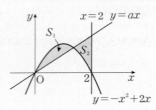

① $\frac{1}{3}$ ② $\frac{2}{3}$

③ 1 ④ $\frac{4}{3}$

⑤ $\frac{5}{3}$

STEP A **곡선과 직선의 교점의 x좌표 구하기**

곡선 $y=-x^2+2x$와 직선 $y=ax$의
교점의 x좌표는
$-x^2+2x=ax$에서 $x(x+a-2)=0$
$\therefore x=0$ 또는 $x=2-a$

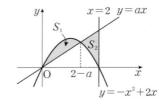

STEP B **두 곡선 사이의 넓이가 서로 같을 조건을 이용하여 상수 a 구하기**

$S_1=S_2$이므로

$$\int_0^{2-a}\{(-x^2+2x)-ax\}dx=\int_{2-a}^2\{ax-(-x^2+2x)\}dx$$에서

$$\int_0^2\{(-x^2+2x)-ax\}dx=0$$

$$\left[-\frac{1}{3}x^3+\frac{2-a}{2}x^2\right]_0^2=-\frac{8}{3}+2(2-a)=-2a+\frac{4}{3}=0$$

$\therefore a=\frac{2}{3}$

정답 ②

1366

정답 ②

STEP A **$f'(x)$의 그래프에서 $f'(x)$의 함수식 구하기**

[그림 1]에서 $f'(x)=a(x-1)(x+1)$이라 하면
$f'(x)=a(x^2-1)$
점 $(0, -3)$을 지나므로 $-3=-a$
$\therefore a=3$
$f'(x)=3x^2-3$

STEP B **$\int_0^4(x^3-3x+C)dx=0$을 이용하여 C의 값 구하기**

이때 $f(x)=\int(3x^2-3)dx=x^3-3x+C$ (단, C는 적분상수)
[그림 2]에서 색칠된 두 영역의 넓이가 같으므로

$$\int_0^4(x^3-3x+C)dx=0$$

$$\left[\frac{1}{4}x^4-\frac{3}{2}x^2+Cx\right]_0^4=64-24+4C=0$$

$\therefore C=-10$

STEP C **$f(1)$의 값 구하기**

따라서 $f(x)=x^3-3x-10$이므로 $f(1)=-12$

1367

정답 ⑤

STEP A **점 A의 좌표 구하기**

함수 $f(x)=-(x+1)^3+8$의 그래프가 x축과 만나는 점이 A이므로
$-(x+1)^3+8=0$에서 $x=1$이고 점 A의 좌표는 A$(1, 0)$
즉 직선 l의 방정식은 $x=1$

STEP B **$S_1=S_2$이면 $\int_0^1\{f(x)-k\}dx=0$임을 이용하여 상수 k 구하기**

$y=f(x)$의 그래프와 직선 $y=k$의
교점의 x좌표를 a라 하면

$$S_1=\int_0^a\{f(x)-k\}dx$$

$$S_2=-\int_a^1\{f(x)-k\}dx$$

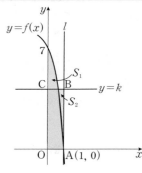

한편 $S_1=S_2$이므로

$$\int_0^a\{f(x)-k\}dx=-\int_a^1\{f(x)-k\}dx$$

$$\int_0^a\{f(x)-k\}dx+\int_a^1\{f(x)-k\}dx=0$$

$$\therefore \int_0^1\{f(x)-k\}dx=0$$

$$\int_0^1\{f(x)-k\}dx=\int_0^1\{-(x+1)^3+8-k\}dx$$

$$=\left[-\frac{1}{4}(x+1)^4+(8-k)x\right]_0^1 \quad \leftarrow \int(ax+b)^n dx=\frac{1}{a}\cdot\frac{1}{n+1}(ax+b)^{n+1}+C$$

$$=(-4+8-k)-\left(-\frac{1}{4}\right)=-k+\frac{17}{4}$$

즉 $-k+\frac{17}{4}=0$에서 $k=\frac{17}{4}$

따라서 $4k=4\cdot\frac{17}{4}=17$

다른풀이 **$y=f(x)$와 x축, y축으로 둘러싸인 넓이와 사각형 OABC의 넓이가 같음을 이용하여 풀이하기**

오른쪽 그림에서 $S_1=S_2$이므로
$y=f(x)$와 x축, y축으로 둘러싸인
넓이와 사각형 OABC의 넓이가 같다.

즉 $\int_0^1 f(x)dx=1\cdot k$이므로

$$\int_0^1\{-(x+1)^3+8\}dx=k$$

$$\left[-\frac{1}{4}(x+1)^4+8x\right]_0^1=k$$

$$(-4+8)-\left(-\frac{1}{4}\right)=\frac{17}{4}=k$$

따라서 $4k=4\cdot\frac{17}{4}=17$

1368

정답 ②

STEP A **곡선과 x축과의 교점의 x좌표 구하기**

$y=-x^2+ax+9-3a$와 x축의 교점의 x좌표는
$-x^2+ax+9-3a=0$에서 $x^2-ax+3(a-3)=0$
$(x-3)(x-a+3)=0$ $\therefore x=a-3$ 또는 $x=3$

STEP B **두 도형의 넓이가 서로 같을 조건을 이용하여 a의 값 구하기**

주어진 곡선과 x축 및 y축으로 둘러싸인
두 도형의 넓이가 같고 정적분의 값의
부호는 반대이므로

$$\int_0^3(-x^2+ax+9-3a)dx=0$$

$$\left[-\frac{1}{3}x^3+\frac{a}{2}x^2+9x-3ax\right]_0^3=0$$

$$-\frac{9}{2}a+18=0$$

따라서 $a=4$ $\leftarrow$ 공식을 이용하면 $3=3(a-3)$인 관계를 만족하므로 $a=4$

오른쪽 그림과 같이 곡선
$f(x)=-x^2+kx+4-2k$와 x축 및
y축으로 둘러싸인 두 도형의 넓이가
같을 때, 상수 k의 값을 구하여라.
(단, $k<4$)

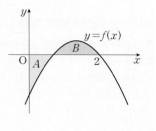

① $\dfrac{2}{3}$ ② $\dfrac{4}{3}$

③ 2 ④ $\dfrac{8}{3}$

⑤ 3

STEP A 곡선과 x축의 교점의 x좌표 구하기

곡선 $f(x)=-x^2+kx+4-2k$와 x축의 교점의 x좌표는
$-x^2+kx+4-2k=0$에서
$x^2-kx-2(2-k)=(x-2)(x+2-k)=0$이므로
$x=-2+k$ 또는 $x=2$

STEP B 두 도형의 넓이가 서로 같을 조건을 이용하여 k의 값 구하기

오른쪽 그림에서 곡선
$f(x)=-x^2+kx+4-2k$와
x축으로 둘러싸인 두 도형 A, B의
넓이가 같으므로

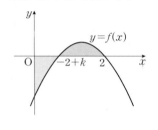

$-\displaystyle\int_0^{-2+k}f(x)dx=\int_{-2+k}^2 f(x)dx$

즉 $\displaystyle\int_0^{-2+k}f(x)dx+\int_{-2+k}^2 f(x)dx$

$=\displaystyle\int_0^2 f(x)dx=0$

$\displaystyle\int_0^2(-x^2+kx+4-2k)dx=\left[-\frac{1}{3}x^3+\frac{k}{2}x^2+4x-2kx\right]_0^2$

$=-\dfrac{8}{3}+2k+8-4k=\dfrac{16}{3}-2k$

따라서 $16-6k=0$이므로 $k=\dfrac{8}{3}$

← 공식을 이용하면 $2=3(-2+k)$인 관계를 만족하므로 $k=\dfrac{8}{3}$ 정답 ④

1369   정답 ①

STEP A 두 도형의 넓이가 서로 같을 조건을 이용하여 a의 값 구하기

두 도형 A, B의 넓이가 같으므로

$\displaystyle\int_0^a(x^2-2x)dx=\left[\frac{1}{3}x^3-x^2\right]_0^a=\frac{1}{3}a^3-a^2=0$

$a^2(a-3)=0$

$\therefore a=0$ 또는 $a=3$

따라서 $a>2$이므로 $a=3$ ← 공식을 이용하면 $a=3$

오른쪽 그림과 같이 곡선 $y=x^2-5x$와
x축으로 둘러싸인 도형 A의 넓이가
이 곡선과 x축 및 직선 $x=a(a>5)$로
둘러싸인 도형 B의 넓이와 같을 때,
상수 a의 값은?

① $\dfrac{11}{2}$ ② $\dfrac{13}{2}$

③ 4 ④ $\dfrac{15}{2}$

⑤ 6

STEP A 두 부분의 넓이가 서로 같을 조건을 이용하여 a의 값 구하기

두 도형 A와 B의 넓이가 같으므로

$\displaystyle\int_0^a(x^2-5x)dx=\left[\frac{1}{3}x^3-\frac{5}{2}x^2\right]_0^a=\frac{1}{3}a^3-\frac{5}{2}a^2=0$

따라서 $a>5$이므로 $\dfrac{1}{3}a^2\left(a-\dfrac{15}{2}\right)=0$에서 $a=\dfrac{15}{2}$

← 공식을 이용하면 $a=3\cdot\dfrac{5}{2}=\dfrac{15}{2}$ 정답 ④

1370   정답 ②

STEP A 두 도형의 넓이가 서로 같을 조건을 이용하여 a의 값 구하기

두 부분 A, B의 넓이가 서로 같으므로 $\displaystyle\int_1^a f(x)dx=0$이 성립한다.

$\displaystyle\int_1^a f(x)dx=\int_1^a(x^2-4x+3)dx$

$=\left[\dfrac{1}{3}x^3-2x^2+3x\right]_1^a$

$=\dfrac{1}{3}a^3-2a^2+3a-\dfrac{4}{3}$

$\dfrac{1}{3}a^3-2a^2+3a-\dfrac{4}{3}=0$이므로 $a^3-6a^2+9a-4=0$

$(a-1)^2(a-4)=0$

$\therefore a=1$ 또는 $a=4$

따라서 $a>3$이므로 $a=4$ ← 공식을 이용하면 $a=4$

1371   정답 ②

STEP A 두 도형의 넓이가 서로 같을 조건을 이용하여 k의 값 구하기

곡선 $y=3x^2-x+k$와 x축의 교점의
x좌표를 a, $b(b>a>0)$라 하면
$3b^2-b+k=0$

$\therefore k=b-3b^2$ …… ㉠

이때 $A=B$이면

$\displaystyle\int_0^b(3x^2-x+k)dx=0$이므로

$\left[x^3-\dfrac{1}{2}x^2+kx\right]_0^b=0$, $b^3-\dfrac{1}{2}b^2+kb=0$

$b^3-\dfrac{1}{2}b^2+b(b-3b^2)=0$ ($\because$ ㉠)

$4b^3-b^2=0$, $b^2(4b-1)=0$

$\therefore b=\dfrac{1}{4}$ ($\because b>0$)

따라서 $b=\dfrac{1}{4}$을 ㉠에 대입하면 $k=\dfrac{1}{4}-\dfrac{3}{16}=\dfrac{1}{16}$

다른풀이 넓이가 서로 같을 때 성질을 이용하여 풀이하기

두 부분 A, B의 넓이가 같으므로 곡선 $y=3x^2-x+k$와 x축의 교점의
x좌표를 a, $b(b>a>0)$라 하면 $b=3a$가 성립한다.

이때 이차방정식 $3x^2-x+k=0$의 두 근이 a, $3a$이므로

근과 계수의 관계에 의하여 $a+3a=\dfrac{1}{3}$에서 $a=\dfrac{1}{12}$

따라서 $a\cdot 3a=\dfrac{k}{3}$에서 $k=9a^2$이므로 $k=9\cdot\left(\dfrac{1}{12}\right)^2=\dfrac{1}{16}$

1372

STEP Ⓐ $g(x)$의 그래프 개형 그리기

$g(x)=\displaystyle\int_0^x f(t)dt$의 양변을 x에 대하여 미분하면 $g'(x)=f(x)$

방정식 $f(x)=0$의 두 실근을 α, $\beta\,(\alpha<\beta)$라 하면

함수 $g(x)$의 도함수가 $f(x)$이므로

$g'(x)=0$에서 $x=\alpha$ 또는 $x=\beta$

함수 $g(x)$의 증가와 감소를 표로 나타내면 다음과 같다.

x	$\cdots$	α	$\cdots$	β	$\cdots$
$g'(x)$	$+$	0	$-$	0	$+$
$g(x)$	↗	극대	↘	극소	↗

이때 $g(0)=\displaystyle\int_0^0 f(t)dt=0$이고 곡선 $y=f(x)$와 x축 및 y축으로 둘러싸인

부분의 넓이와 곡선 $y=f(x)$와 x축으로 둘러싸인 부분의 넓이가 서로

같으므로 $g(\beta)=\displaystyle\int_0^\beta f(t)dt=0$

함수 $y=g(x)$의 그래프는 다음 그림과 같다.

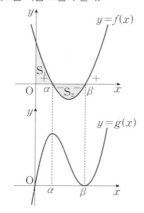

STEP Ⓑ 삼차함수 $g(x)$의 식 작성하기

함수 $f(x)$가 이차함수이므로 함수 $g(x)$는 삼차함수이다.

$g(x)=kx(x-\beta)^2\,(k>0)$이라 하면

$g(x)=kx(x^2-2\beta x+\beta^2)$에서

$g'(x)=k(x^2-2\beta x+\beta^2)+kx(2x-2\beta)$

$\qquad=k(x-\beta)^2+2kx(x-\beta)$

$\qquad=k(x-\beta)(3x-\beta)$

$g'(x)=0$에서 $x=\beta$ 또는 $x=\dfrac{\beta}{3}$이므로 $\alpha=\dfrac{\beta}{3}$

← 두 부분 S_1, S_2의 넓이가 같으므로 곡선 $y=f(x)$와 x축의 교점의 x좌표를 α, β이므로 $\beta=3\alpha$가 성립한다.

이차방정식 $ax^2-4ax+b=0$에서 근과 계수의 관계에 의하여

$\alpha+\beta=4$, $\dfrac{\beta}{3}+\beta=4$이므로 $\beta=3$

$\therefore g(x)=kx(x-3)^2$

STEP Ⓒ $\dfrac{g(6)}{g'(6)}$의 값 구하기

따라서 $g(x)=kx(x-3)^2$에서 $g'(x)=k(x-3)(3x-3)$이므로

$\dfrac{g(6)}{g'(6)}=\dfrac{k\cdot 6(6-3)^2}{k(6-3)(3\cdot 6-3)}=\dfrac{6}{5}$

1373

STEP Ⓐ 곡선과 직선의 교점의 x좌표 구하기

곡선 $y=-x^2+3x$와 직선 $y=mx$의

교점의 x좌표는 $-x^2+3x=mx$에서

$x^2+(m-3)x=0$, $x(x+m-3)=0$

$\therefore x=0$ 또는 $x=3-m$

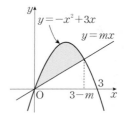

STEP Ⓑ 공식과 정적분을 이용하여 각 부분의 넓이 구하기

곡선 $y=-x^2+3x$와 직선 $y=mx$로 둘러싸인 도형의 넓이 S_1은

$S_1=\displaystyle\int_0^{3-m}\{(-x^2+3x)-mx\}dx$

$\quad=\left[-\dfrac{1}{3}x^3+\dfrac{3}{2}x^2-\dfrac{m}{2}x^2\right]_0^{3-m}$

$\quad=\dfrac{1}{6}(3-m)^3$

한편 곡선 $y=-x^2+3x$와 x축으로 둘러싸인 도형의 넓이 S_2는

$S_2=\displaystyle\int_0^3(-x^2+3x)dx=\left[-\dfrac{1}{3}x^3+\dfrac{3}{2}x^2\right]_0^3=\dfrac{9}{2}$

STEP Ⓒ $S_1=\dfrac{1}{2}S_2$에서 $(3-m)^3$의 값 구하기

이때 직선 $y=mx$에 의하여 S_2가 이등분되므로 $S_1=\dfrac{1}{2}S_2$이 성립한다.

따라서 $\dfrac{1}{6}(3-m)^3=\dfrac{1}{2}\cdot\dfrac{9}{2}$이므로 $(3-m)^3=\dfrac{27}{2}$

1374

STEP Ⓐ 곡선과 직선의 교점의 x좌표 구하기

곡선 $y=x^2-x$와 직선 $y=ax$의

교점의 x좌표는 $x^2-x=ax$에서

$x^2-(a+1)x=0$, $x\{x-(a+1)\}=0$

$\therefore x=0$ 또는 $x=a+1$

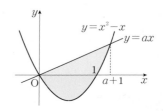

STEP Ⓑ 공식과 정적분을 이용하여 각 부분의 넓이 구하기

곡선 $y=x^2-x$와 직선 $y=ax$로 둘러싸인 도형의 넓이를 S_1은

$S_1=\displaystyle\int_0^{a+1}\{ax-(x^2-x)\}dx=\dfrac{(a+1)^3}{6}$

한편 곡선 $y=x^2-x$와 x축으로 둘러싸인 도형의 넓이를 S_2는

$S_2=-\displaystyle\int_0^1(x^2-x)dx=-\left[\dfrac{x^3}{3}-\dfrac{x^2}{2}\right]_0^1=\dfrac{1}{6}$

STEP Ⓒ $(a+1)^3$의 값 구하기

이때 직선 x축에 의하여 S_1이 이등분되므로 $S_1=2S_2$이 성립한다.

따라서 $\dfrac{(a+1)^3}{6}=2\cdot\dfrac{1}{6}$이므로 $(a+1)^3=2$

곡선 $y=x^2-3x$와 x축으로 둘러싸인 도형의 넓이가 직선 $y=mx$에 의하여 이등분될 때, $(m+3)^3$의 값은? (단, m은 상수이다.)

① $\dfrac{7}{2}$ ② $\dfrac{9}{2}$ ③ 6

④ $\dfrac{28}{3}$ ⑤ $\dfrac{27}{2}$

STEP Ⓐ 곡선과 직선의 교점의 x좌표 구하기

곡선 $y=x^2-3x$와 직선 $y=mx$의
교점의 x좌표는 $x^2-3x=mx$에서
$x^2-(m+3)x=0$, $x(x-m-3)=0$
$\therefore x=0$ 또는 $x=m+3$

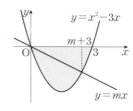

STEP Ⓑ 도형의 넓이 구하기

곡선 $y=x^2-3x$와 직선 $y=mx$로 둘러싸인 도형의 넓이를 S_1이라 하면

$$S_1=-\int_0^{m+3}\{mx-(x^2-3x)\}dx=\frac{(m+3)^3}{6}$$

곡선 $y=x^2-3x$와 x축으로 둘러싸인 도형의 넓이를 S_2라 하면 $S_2=\dfrac{3^3}{6}=\dfrac{9}{2}$

이때 $S_1=\dfrac{1}{2}S_2$이므로 $\dfrac{(m+3)^3}{6}=\dfrac{9}{4}$

따라서 $(m+3)^3=\dfrac{27}{2}$

정답 ⑤

> **참고** 곡선 $y=x^2-3x$와 x축으로 둘러싸인 도형의 넓이가 직선 $y=mx$에 의하여 이등분되기 위해서는 $-3<m<0$이어야 한다.

1375

정답 ①

STEP Ⓐ 두 곡선의 교점의 x좌표 구하기

곡선 $y=-x^2+2x$와 x축의 교점의
x좌표는 $-x^2+2x=0$에서 $x(x-2)=0$
$\therefore x=0$ 또는 $x=2$
또한, 두 곡선의 교점의 x좌표를 구하면
$-x^2+2x=ax^2$에서 $(a+1)x^2-2x=0$
$x\{(a+1)x-2\}=0$
$\therefore x=0$ 또는 $\dfrac{2}{a+1}$

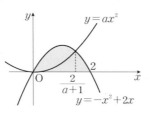

STEP Ⓑ 곡선 $y=-x^2+2x$와 x축으로 둘러싸인 도형의 넓이 구하기

곡선 $y=-x^2+2x$와 x축으로 둘러싸인 부분의 넓이는

$$\int_0^2(-x^2+2x)dx=\left[-\frac{1}{3}x^3+x^2\right]_0^2=-\frac{8}{3}+4=\frac{4}{3}$$

STEP Ⓒ 두 곡선 $y=-x^2+2x$, $y=ax^2$으로 둘러싸인 부분의 넓이 구하기

두 곡선 $y=-x^2+2x$, $y=ax^2$으로 둘러싸인 부분의 넓이가 $\dfrac{1}{2}\cdot\dfrac{4}{3}=\dfrac{2}{3}$이므로

$$\frac{2}{3}=\int_0^{\frac{2}{a+1}}\{(-x^2+2x)-ax^2\}dx=\int_0^{\frac{2}{a+1}}\{-(a+1)x^2+2x\}dx$$

$$=\left[-\frac{1}{3}(a+1)x^3+x^2\right]_0^{\frac{2}{a+1}}$$

$$=-\frac{1}{3}(a+1)\left(\frac{2}{a+1}\right)^3+\left(\frac{2}{a+1}\right)^2$$

$$=\frac{4}{3(a+1)^2}$$

따라서 $\dfrac{2}{3}=\dfrac{4}{3(a+1)^2}$에서 $(a+1)^2=2$ $\therefore a=\sqrt{2}-1\,(\because a>0)$

1376

정답 ②

STEP Ⓐ 정적분을 이용하여 곡선 $y=x^2$과 y축, $y=1$로 둘러싸인 도형의 넓이 구하기

$y=x^2\,(x\geq0)$에서 $y=1$일 때,
$x=1$이므로
곡선 $y=x^2\,(x\geq0)$과 y축 및
직선 $y=1$로 둘러싸인 도형의 넓이는
$$\int_0^1(1-x^2)dx=\left[x-\frac{1}{3}x^3\right]_0^1=\frac{2}{3}$$

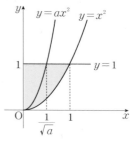

STEP Ⓑ 정적분을 이용하여 곡선 $y=ax^2$과 y축, $y=1$로 둘러싸인 도형의 넓이 구하기

$y=ax^2\,(x\geq0)$에서 $y=1$일 때, $x=\dfrac{1}{\sqrt{a}}$이므로

곡선 $y=ax^2\,(x\geq0)$과 y축 및 직선 $y=1$로 둘러싸인 도형의 넓이는

$$\int_0^{\frac{1}{\sqrt{a}}}(1-ax^2)dx=\left[x-\frac{1}{3}ax^3\right]_0^{\frac{1}{\sqrt{a}}}=\frac{2}{3\sqrt{a}}$$

STEP Ⓒ 넓이가 이등분됨을 이용하여 a의 값 구하기

따라서 $\dfrac{1}{2}\cdot\dfrac{2}{3}=\dfrac{2}{3\sqrt{a}}$이므로 $\sqrt{a}=2$ $\therefore a=4$

1377

정답 ①

STEP Ⓐ 곡선 $y=\dfrac{1}{2}x^3-x+2$와 x축 및 y축으로 둘러싸인 부분의 넓이 구하기

곡선 $y=\dfrac{1}{2}x^3-x+2$와 x축 및 y축으로 둘러싸인 부분의 넓이는

$$\int_{-2}^0\left(\frac{1}{2}x^3-x+2\right)dx=\left[\frac{1}{8}x^4-\frac{1}{2}x^2+2x\right]_{-2}^0$$

$$=0-\left\{\frac{(-2)^4}{8}-\frac{(-2)^2}{2}+2\times(-2)\right\}$$

$$=4$$

STEP Ⓑ 곡선 $y=ax(x+2)$와 x축으로 둘러싸인 부분의 넓이 구하기

곡선 $y=ax(x+2)$와 x축으로 둘러싸인 부분의 넓이는

$$\int_{-2}^0 a(x^2+2x)dx=a\left[\frac{1}{3}x^3+x^2\right]_{-2}^0$$

$$=a\left[0-\left\{\frac{(-2)^3}{3}+(-2)^2\right\}\right]$$

$$=-\frac{4}{3}a$$

STEP Ⓒ a의 값 구하기

곡선 $y=ax(x+2)$가 곡선 $y=\dfrac{1}{2}x^3-x+2$와 x축 및 y축으로 둘러싸인

부분의 넓이를 이등분하므로 $-\dfrac{4}{3}a=4\cdot\dfrac{1}{2}$

따라서 $a=-\dfrac{3}{2}$

두 곡선 $y=2x^2$과 $y=-x^2+6x$로 둘러싸인 부분의 넓이를 직선 $x=a$가 이등분할 때, 상수 a의 값은?

① $\dfrac{1}{3}$ ② $\dfrac{2}{3}$ ③ 1

④ $\dfrac{4}{3}$ ⑤ $\dfrac{5}{3}$

STEP A 곡선과 직선의 교점의 x좌표 구하기

두 곡선 $y=2x^2$과 $y=-x^2+6x$의
교점의 x좌표는

$2x^2=-x^2+6x$에서 $3x(x-2)=0$

$\therefore x=0$ 또는 $x=2$

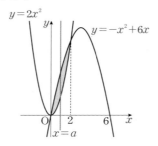

STEP B 도형의 넓이 구하기

두 곡선 $y=2x^2$과 $y=-x^2+6x$로 둘러싸인 부분의 넓이를 S_1이라 하면

$$S_1=\int_0^2\{(-x^2+6x)-2x^2\}dx=\frac{|-3|\times 2^3}{6}=4$$

두 곡선 $y=2x^2$, $y=-x^2+6x$와 직선 $x=a$로 둘러싸인 부분의 넓이 중 하나를 S_2라 하면

$$S_2=\int_0^a\{(-x^2+6x)-2x^2\}dx=\left[-x^3+3x^2\right]_0^a=-a^3+3a^2$$

STEP C a의 값 구하기

$S_1=2S_2$이므로 $4=2(-a^3+3a^2)$

$a^3-3a^2+2=0,\ (a-1)(a^2-2a-2)=0$

$\therefore a=1$ 또는 $a=1\pm\sqrt{3}$

따라서 $a=1\ (\because\ 0<a<2)$ 정답 ③

1378   정답 ④

STEP A 두 곡선 $y=x^4-x^3$, $y=-x^4+x$로 둘러싸인 도형의 넓이 구하기

두 곡선 $y=x^4-x^3$, $y=-x^4+x$로
둘러싸인 도형의 넓이를 S라 하면

$$S=\int_0^1\{-x^4+x-(x^4-x^3)\}dx$$

$$=\int_0^1(-2x^4+x^3+x)dx$$

$$=\left[-\frac{2}{5}x^5+\frac{1}{4}x^4+\frac{1}{2}x^2\right]_0^1$$

$$=-\frac{2}{5}+\frac{1}{4}+\frac{1}{2}=\frac{7}{20}$$

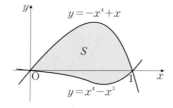

STEP B 곡선 $y=ax(1-x)$가 넓이 S를 이등분함을 이용하여 a의 값 구하기

두 곡선 $y=x^4-x^3$, $y=ax(1-x)$로
둘러싸인 도형의 넓이를 S'이라 하면

$$S'=\int_0^1\{ax(1-x)-(x^4-x^3)\}dx$$

$$=\int_0^1(-x^4+x^3-ax^2+ax)dx$$

$$=\left[-\frac{1}{5}x^5+\frac{1}{4}x^4-\frac{a}{3}x^3+\frac{a}{2}x^2\right]_0^1$$

$$=-\frac{1}{5}+\frac{1}{4}-\frac{a}{3}+\frac{a}{2}$$

$$=\frac{1}{20}+\frac{a}{6}$$

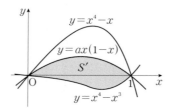

이때 $S=2S'$이므로 $\dfrac{7}{20}=2\left(\dfrac{1}{20}+\dfrac{a}{6}\right)$

$\dfrac{7}{20}=\dfrac{2}{20}+\dfrac{a}{3},\ \dfrac{a}{3}=\dfrac{1}{4}$

따라서 $a=\dfrac{3}{4}$

> **다른풀이** $y=-x^4+x$, $y=ax(1-x)$로 둘러싸인 도형의 넓이와 $y=ax(1-x)$, $y=x^4-x^3$으로 둘러싸인 도형의 넓이가 같음을 이용하여 풀이하기

$f(x)=-x^4+x$, $g(x)=x^4-x^3$, $h(x)=ax(1-x)$라 하면

두 곡선 $f(x)$와 $g(x)$로 둘러싸인 도형의 넓이가 곡선 $y=h(x)$에 의하여 이등분되므로 두 곡선 $f(x)$, $h(x)$로 둘러싸인 도형의 넓이와 두 곡선 $g(x)$, $h(x)$로 둘러싸인 도형의 넓이는 같다.

따라서 $\displaystyle\int_0^1\{f(x)-h(x)\}dx=\int_0^1\{h(x)-g(x)\}dx$

$\displaystyle\int_0^1\{(-x^4+x)-ax(1-x)\}dx=\int_0^1\{ax(1-x)-(x^4-x^3)\}dx$

$\displaystyle\int_0^1\{(-x^4+x)+(x^4-x^3)-2ax(1-x)\}dx=0$

$\displaystyle\int_0^1\{(-x^3+x)-2ax+2ax^2\}dx=0$

$\left[-\dfrac{1}{4}x^4+\dfrac{1}{2}x^2-ax^2+\dfrac{2}{3}ax^3\right]_0^1=0$

$-\dfrac{1}{4}+\dfrac{1}{2}-a+\dfrac{2}{3}a=0,\ \dfrac{a}{3}=\dfrac{1}{4}$

따라서 $a=\dfrac{3}{4}$

1379   정답 ②

STEP A 주어진 곡선과 직선의 교점을 임의로 두고 공식을 이용하여 넓이 구하기

곡선 $y=x^2-2x-3$과 직선 $y=mx$의 교점의 x좌표는 $x^2-2x-3=mx$

즉 $x^2-(m+2)x-3=0$의 두 실근이므로

두 근을 α, $\beta\ (\alpha<\beta)$라 하면 근과 계수의 관계에 의하여

$\alpha+\beta=m+2,\ \alpha\beta=-3$

$(\beta-\alpha)^2=(\beta+\alpha)^2-4\alpha\beta=(m+2)^2-4\cdot(-3)=m^2+4m+16$

$\therefore \beta-\alpha=\sqrt{m^2+4m+16}$

STEP B 넓이 공식을 이용하여 넓이를 m로 표현하고 최솟값 구하기

구하는 넓이는

$$\int_\alpha^\beta\{mx-(x^2-2x-3)\}dx=\frac{1}{6}(\beta-\alpha)^3$$

$$=\frac{1}{6}\left(\sqrt{m^2+4m+16}\right)^3$$

$$=\frac{1}{6}\{\sqrt{(m+2)^2+12}\}^3$$

따라서 $m=-2$일 때, 넓이의 최솟값은 $\dfrac{1}{6}\cdot(\sqrt{12})^3=4\sqrt{3}$

> **속해법** 곡선 $y=x^2-2x-3$과 직선 $y=mx$의 교점의 x좌표는 $x^2-(m+2)x-3=0$의 두 근이다.
> 넓이의 최솟값은 $\dfrac{4}{3}\cdot(\sqrt{3})^3=4\sqrt{3}$ ← $S=\dfrac{4}{3}(\sqrt{|c-n|})^3$

1380

STEP A 주어진 곡선과 직선의 교점을 임의로 두고 근과 계수의 관계 이용하기

곡선 $y=x^2$과 직선 $y=ax+1$의 교점의 x좌표는 $x^2=ax+1$

즉 $x^2-ax-1=0$의 두 실근이므로 α, $\beta\,(\alpha<\beta)$라 하면

근과 계수의 관계에 의하여

$\alpha+\beta=a$, $\alpha\beta=-1$

$(\beta-\alpha)^2=(\beta+\alpha)^2-4\alpha\beta=a^2+4$

$\therefore \beta-\alpha=\sqrt{a^2+4}$

STEP B 넓이 공식을 이용하여 넓이를 a로 표현하고 최솟값 구하기

$S=\displaystyle\int_{\alpha}^{\beta}(ax+1-x^2)dx=\frac{1}{6}(\beta-\alpha)^3=\frac{1}{6}(\sqrt{a^2+4})^3$

따라서 $a=0$일 때, 넓이의 최솟값은 $\dfrac{2^3}{6}=\dfrac{4}{3}$

> **속해법** 곡선 $y=x^2$과 직선 $y=ax+1$의 교점의 x좌표는 $x^2-ax-1=0$의 두 근이다.
>
> 넓이의 최솟값은 $\dfrac{4}{3}\cdot(\sqrt{1})^3=\dfrac{4}{3}$ ◀ $S=\dfrac{4}{3}(\sqrt{c-n})^3$

내/신/연/계/ 출제문항 574

실수 m에 대하여 곡선 $y=x^2$과 직선 $y=mx+2$로 둘러싸인 도형의 넓이의 최솟값은?

① $\dfrac{2\sqrt{2}}{3}$ ② $\dfrac{3\sqrt{2}}{3}$ ③ $\dfrac{4\sqrt{2}}{3}$

④ $3\sqrt{2}$ ⑤ $\dfrac{8\sqrt{2}}{3}$

STEP A 이차곡선과 직선으로 둘러싸인 부분을 넓이 공식을 이용하여 구하기

곡선 $y=x^2$과 직선 $y=mx+2$의 교점의 x좌표를 α, $\beta\,(\alpha<\beta)$라 하고 곡선과 직선으로 둘러싸인 도형의 넓이를 $S(m)$이라고 하면

$S(m)=\displaystyle\int_{\alpha}^{\beta}|x^2-(mx+2)|dx$

$\quad=\displaystyle\int_{\alpha}^{\beta}\{(mx+2)-x^2\}dx$

$\quad=\displaystyle\int_{\alpha}^{\beta}\{-(x-\alpha)(x-\beta)\}dx$

$\quad=\dfrac{1}{6}(\beta-\alpha)^3$

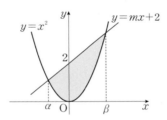

STEP B 도형의 넓이의 최솟값 구하기

이때 α, β는 방정식 $x^2=mx+2$, 즉 $x^2-mx-2=0$의 두 근이므로 근과 계수의 관계에서 $\alpha+\beta=m$, $\alpha\beta=-2$

$\therefore (\beta-\alpha)^2=(\alpha+\beta)^2-4\alpha\beta=m^2+8$

$\beta-\alpha=\sqrt{m^2+8}$이므로 $\dfrac{1}{6}(\beta-\alpha)^3=\dfrac{1}{6}(\sqrt{m^2+8})^3$

따라서 $m=0$일 때, 넓이의 최솟값은 $\dfrac{1}{6}\cdot(\sqrt{8})^3=\dfrac{8\sqrt{2}}{3}$ 정답 ⑤

1381

STEP A 곡선 위의 점에서 접선의 방정식 구하기

$f(x)=-x^2+4$라 하면 $f'(x)=-2x$

곡선 $y=f(x)$ 위의 임의의 점 $(a,\,-a^2+4)$에서의 접선의 기울기는 $f'(a)=-2a$이므로 접선의 방정식은 $y-(-a^2+4)=-2a(x-a)$

$\therefore y=-2ax+a^2+4$

STEP B 곡선과 직선 사이의 넓이를 a에 관한 식으로 나타내기

곡선 $y=-x^2+4$과 접선 $y=-2ax+a^2+4$ 및 두 직선 $x=0$, $x=2$로 둘러싸인 도형의 넓이를 $S(a)$라 하면

$S(a)=\displaystyle\int_{0}^{2}\{(-2ax+a^2+4)-(-x^2+4)\}dx$

$\quad=\displaystyle\int_{0}^{2}(x^2-2ax+a^2)dx$

$\quad=\left[\dfrac{1}{3}x^3-ax^2+a^2x\right]_{0}^{2}$

$\quad=2a^2-4a+\dfrac{8}{3}$

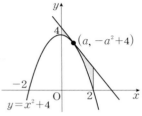

STEP C 도형의 넓이의 최솟값 구하기

$S(a)=2a^2-4a+\dfrac{8}{3}=2(a-1)^2+\dfrac{2}{3}$

따라서 $0<a<2$이므로 구하는 도형의 넓이의 최솟값은 $S(1)=\dfrac{2}{3}$

1382

STEP A 점 $(a,\,a^2-1)$에서의 접선의 방정식 구하기

$y=x^2-1$에서 $y'=2x$이므로 점 $(a,\,a^2-1)$에서의 접선의 방정식은

$y-(a^2-1)=2a(x-a)$

$y=2ax-a^2-1$

STEP B 곡선과 직선 사이의 넓이를 a에 관한 식으로 나타내기

구간 $[0,\,1]$에서 $x^2-1\geq 2ax-a^2-1$이므로 도형의 넓이 S는

$S=\displaystyle\int_{0}^{1}\{(x^2-1)-(2ax-a^2-1)\}dx$

$\quad=\displaystyle\int_{0}^{1}(x^2-2ax+a^2)dx$

$\quad=\left[\dfrac{1}{3}x^3-ax^2+a^2x\right]_{0}^{1}$

$\quad=a^2-a+\dfrac{1}{3}$

$\quad=\left(a-\dfrac{1}{2}\right)^2+\dfrac{1}{12}$

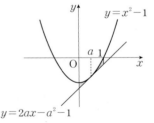

STEP C 넓이의 최솟값 구하기

따라서 $0<a<1$에서 넓이 S는 $a=\dfrac{1}{2}$일 때, 최솟값 $\dfrac{1}{12}$

$0 \leq a \leq 1$일 때, 곡선 $y = x^2$ 위의 임의의 점 (a, a^2)에서의 접선을 l이라 하자. 곡선 $y = x^2$과 접선 l및 두 직선 $x = 0$, $x = 1$로 둘러싸인 도형의 넓이의 최솟값은?

① $\dfrac{1}{24}$ ② $\dfrac{1}{12}$ ③ $\dfrac{1}{6}$

④ $\dfrac{1}{4}$ ⑤ $\dfrac{1}{3}$

STEP Ⓐ **곡선 위의 점에서 접선의 방정식 구하기**

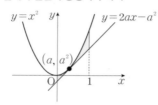

$f(x) = x^2$로 놓으면 $f'(x) = 2x$

곡선 $y = f(x)$ 위의 임의의 점 (a, a^2)에서의 접선의 기울기는

$f'(a) = 2a$이므로 접선의 방정식은 $y - a^2 = 2a(x - a)$

$\therefore y = 2ax - a^2$

STEP Ⓑ **곡선과 직선 사이의 넓이를 a에 관한 식으로 나타내기**

곡선 $y = x^2$과 접선 $y = 2ax - a^2$ 및 두 직선 $x = 0$, $x = 1$로 둘러싸인 도형의 넓이를 $S(a)$라 하면

$$S(a) = \int_0^1 \{x^2 - (2ax - a^2)\} dx$$
$$= \left[\frac{1}{3}x^3 - ax^2 + a^2 x \right]_0^1$$
$$= a^2 - a + \frac{1}{3}$$

STEP Ⓒ **도형의 넓이의 최솟값 구하기**

$S(a) = a^2 - a + \dfrac{1}{3} = \left(a - \dfrac{1}{2} \right)^2 + \dfrac{1}{12}$

따라서 $0 \leq a \leq 1$에서 구하는 도형의 넓이는 $a = \dfrac{1}{2}$ 일 때, 최솟값은 $\dfrac{1}{12}$

정답 ②

1383

정답 ②

STEP Ⓐ **점 $(1, 3)$에서의 접선의 방정식 구하기**

$y = x^2 + 2$에서 $y' = 2x$이므로

곡선 위의 점 $(1, 3)$에서의 접선의 기울기는 2이므로 접선의 방정식은

$y - 3 = 2(x - 1)$ $\therefore y = 2x + 1$

STEP Ⓑ **곡선과 접선으로 둘러싸인 도형의 넓이 구하기**

닫힌구간 $[0, 1]$에서 $x^2 + 2 \geq 2x + 1$이므로 구하는 넓이는

$$\int_0^1 \{(x^2 + 2) - (2x + 1)\} dx$$
$$= \int_0^1 (x^2 - 2x + 1) dx$$
$$= \left[\frac{1}{3}x^3 - x^2 + x \right]_0^1$$
$$= \frac{1}{3}$$

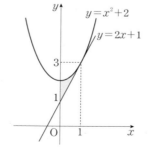

1384

정답 ①

STEP Ⓐ **점 $(1, -1)$에서의 접선의 방정식 구하기**

$y = x^2 - 2$에서 $y' = 2x$이므로

곡선 위의 점 $(1, -1)$에서의 접선의 기울기는 2이므로 접선의 방정식은

$y + 1 = 2(x - 1)$ $\therefore y = 2x - 3$

STEP Ⓑ **곡선과 접선으로 둘러싸인 도형의 넓이 구하기**

따라서 닫힌구간 $[0, 1]$에서 $x^2 - 2 \geq 2x - 3$이므로 구하는 넓이는

$$\int_0^1 \{(x^2 - 2) - (2x - 3)\} dx$$
$$= \int_0^1 (x^2 - 2x + 1) dx$$
$$= \left[\frac{1}{3}x^3 - x^2 + x \right]_0^1$$
$$= \frac{1}{3}$$

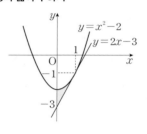

곡선 $y = -x^2 - 1$과 이 곡선 위의 점 $(1, -2)$에서의 접선 및 y축으로 둘러싸인 도형의 넓이는?

① $\dfrac{1}{3}$ ② $\dfrac{2}{3}$ ③ $\dfrac{1}{2}$

④ $\dfrac{3}{2}$ ⑤ $\dfrac{7}{2}$

STEP Ⓐ **점 $(1, -2)$에서의 접선의 방정식 구하기**

$y = -x^2 - 1$에서 $y' = -2x$이므로

곡선 위의 점 $(1, -2)$에서의 접선의 기울기는 -2이므로 접선의 방정식은

$y - (-2) = -2(x - 1)$ $\therefore y = -2x$

STEP Ⓑ **곡선과 접선으로 둘러싸인 도형의 넓이 구하기**

따라서 닫힌구간 $[0, 1]$에서 $-2x \geq x^2 - 1$이므로 구하는 넓이는

$$\int_0^1 \{-2x - (-x^2 - 1)\} dx$$
$$= \int_0^1 (x^2 - 2x + 1) dx$$
$$= \left[\frac{1}{3}x^3 - x^2 + x \right]_0^1$$
$$= \frac{1}{3}$$

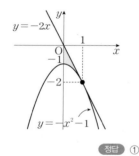

정답 ①

1385

정답 ②

STEP Ⓐ **점 $(1, 1)$에서의 접선의 방정식 구하기**

$y = x^3$에서 $y' = 3x^2$이므로

곡선 위의 점 $(1, 1)$에서의 접선의 기울기는 3이므로 접선의 방정식은

$y - 1 = 3(x - 1)$ $\therefore y = 3x - 2$

STEP Ⓑ **곡선과 접선의 교점의 x좌표 구하기**

곡선 $y = x^3$과 접선 $y = 3x - 2$의 교점의 x좌표는 $x^3 = 3x - 2$

$x^3 - 3x + 2 = 0$, $(x - 1)^2(x + 2) = 0$

$\therefore x = -2$ 또는 $x = 1$ ← $x = 1$에서 접하므로 $(x-1)^2$의 인수를 가진다.

STEP C 곡선과 접선으로 둘러싸인 도형의 넓이 구하기

따라서 닫힌구간 $[-2, 1]$에서

$x^3 \geq 3x-2$이므로 구하는 넓이는

$$\int_{-2}^{1}\{x^3-(3x-2)\}dx$$
$$=\int_{-2}^{1}(x^3-3x+2)dx$$
$$=\left[\frac{1}{4}x^4-\frac{3}{2}x^2+2x\right]_{-2}^{1}$$
$$=\frac{27}{4}$$

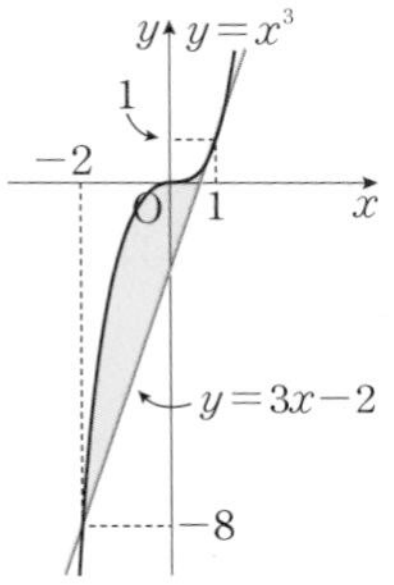

속해법 삼차함수와 접선으로 둘러싸인 도형의 넓이 공식은

$$S=\frac{|a|}{12}(\beta-\alpha)^4=\frac{1}{12}\{1-(-2)\}^4=\frac{27}{4}$$

1386

정답 ②

STEP A 점 $(1, 2)$에서의 접선의 방정식 구하기

$y=x^3+x$에서 $y'=3x^2+1$이므로

곡선 위의 점 $(1, 2)$에서의 접선의 기울기는 4이므로 접선의 방정식은

$y-2=4(x-1)$ $\quad\therefore y=4x-2$

STEP B 곡선과 접선의 교점의 x좌표 구하기

곡선 $y=x^3+x$와 접선 $y=4x-2$의 교점의 x좌표는

$x^3+x=4x-2$

$x^3-3x+2=0$, $(x-1)^2(x+2)=0$

$\therefore x=1$ 또는 $x=-2$ ⬅ $x=1$에서 접하므로 $(x-1)^2$의 인수를 가진다.

STEP C 곡선과 접선으로 둘러싸인 도형의 넓이 구하기

따라서 닫힌구간 $[-2, 1]$에서

$x^3+x \geq 4x-2$이므로 구하는

넓이는

$$\int_{-2}^{1}\{(x^3+x)-(4x-2)\}dx$$
$$=\int_{-2}^{1}(x^3-3x+2)dx$$
$$=\left[\frac{1}{4}x^4-\frac{3}{2}x^2+2x\right]_{-2}^{1}$$
$$=\frac{27}{4}$$

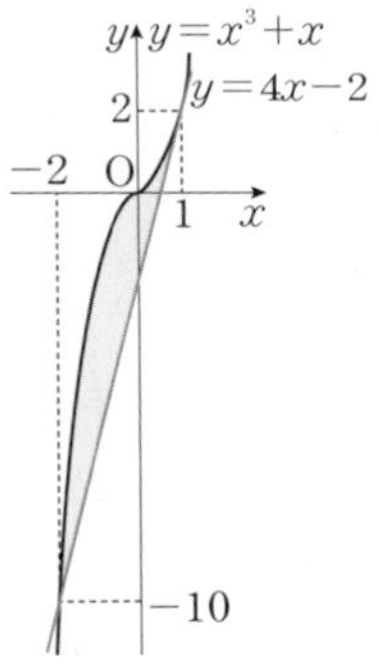

속해법 삼차함수와 접선으로 둘러싸인 도형의 넓이 공식은

$$S=\frac{|a|}{12}(\beta-\alpha)^4=\frac{1}{12}\{1-(-2)\}^4=\frac{27}{4}$$

1387

정답 ⑤

STEP A $(0, 0)$에서의 접선의 방정식을 구하기

$y=x^3-4x^2+4x$에서 $y'=3x^2-8x+4$이므로

곡선 위의 점 $(0, 0)$에서의 접선의 기울기는 4이므로 접선의 방정식은

$y=4x$

STEP B 곡선과 접선의 교점의 x좌표 구하기

곡선 $y=x^3-4x^2+4x$와 직선 $y=4x$의 교점의 x좌표는

$x^3-4x^2+4x=4x$에서 $x^2(x-4)=0$

$\therefore x=0$ 또는 $x=4$

STEP C 곡선과 접선으로 둘러싸인 도형의 넓이 구하기

따라서 닫힌구간 $[0, 4]$에서

$4x \geq x^3-4x^2+4x$이므로 구하는

넓이는

$$\int_{0}^{4}\{4x-(x^3-4x^2+4x)\}dx$$
$$=\int_{0}^{4}(-x^3+4x^2)dx$$
$$=\left[-\frac{1}{4}x^4+\frac{4}{3}x^3\right]_{0}^{4}$$
$$=\frac{64}{3}$$

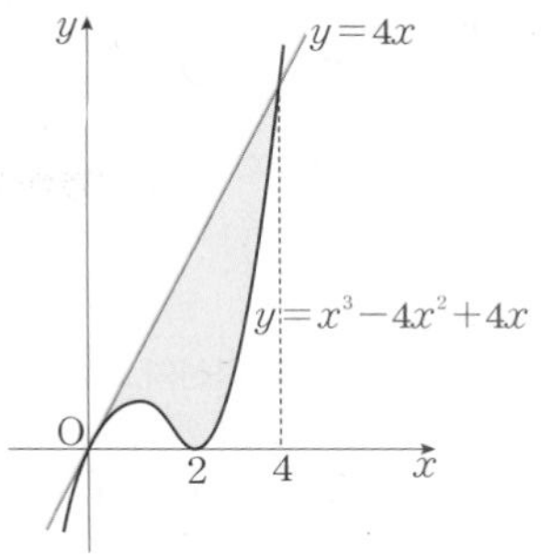

속해법 삼차함수와 접선으로 둘러싸인 도형의 넓이 공식은

$$S=\frac{|a|}{12}(\beta-\alpha)^4=\frac{1}{12}\{4-0\}^4=\frac{64}{3}$$

내/신/연/계/ 출제문항 577

곡선 $y=x^3+x^2-2x$ 위의 점 $P(-1, 2)$에서의 접선과 이 곡선으로 둘러싸인 도형의 넓이는?

① $\frac{4}{3}$ ② 2 ③ $\frac{8}{3}$

④ $\frac{9}{2}$ ⑤ $\frac{13}{2}$

STEP A 점 $P(-1, 2)$에서의 접선의 방정식을 구하기

$y=x^3+x^2-2x$에서 $y'=3x^2+2x-2$이므로

곡선 위의 점 $P(-1, 2)$에서의 접선의 기울기는 -1이므로 접선의 방정식은

$y-2=-(x+1)$ $\quad\therefore y=-x+1$

STEP B 곡선과 접선의 교점의 x좌표 구하기

곡선 $y=x^3+x^2-2x$와 직선 $y=-x+1$의 교점의 x좌표는

$x^3+x^2-2x=-x+1$에서 $x^3+x^2-x-1=0$

$(x+1)^2(x-1)=0$

$\therefore x=-1$ 또는 $x=1$ ⬅ $x=-1$에서 접하므로 $(x+1)^2$의 인수를 가진다.

STEP C 곡선과 접선으로 둘러싸인 도형의 넓이 구하기

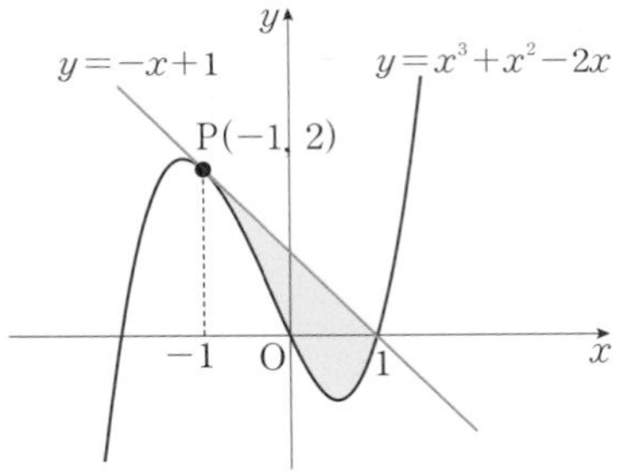

따라서 닫힌구간 $[-1, 1]$에서 $-x+1 \geq x^3+x^2-2x$이므로 구하는 넓이는

$$\int_{-1}^{1}\{-x+1-(x^3+x^2-2x)\}dx=\int_{-1}^{1}(-x^3-x^2+x+1)dx$$
$$=2\int_{0}^{1}(-x^2+1)dx$$
$$=2\left[-\frac{1}{3}x^3+x\right]_{0}^{1}=\frac{4}{3}$$

속해법 삼차함수와 접선으로 둘러싸인 도형의 넓이 공식은

$$S=\frac{|a|}{12}(\beta-\alpha)^4=\frac{1}{12}\{1-(-1)\}^4=\frac{4}{3}$$

정답 ①

1388

STEP A 곡선 위의 점 $(1, f(1))$에서의 접선의 방정식을 구하기

$f(x)=x^3-2x+3$에서 $f'(x)=3x^2-2$

즉 $f'(1)=1$이고 $f(1)=2$이므로 접선의 방정식은 $y-2=1\cdot(x-1)$

$\therefore y=x+1$

STEP B 접선과 곡선의 교점의 x좌표를 구하기

곡선과 접선의 교점의 x좌표를 구하면

$x^3-2x+3=x+1$에서 $x^3-3x+2=0$

$(x-1)^2(x+2)=0$ ← $x=1$에서 접하므로 $(x-1)^2$의 인수를 가진다.

$\therefore x=-2$ 또는 $x=1$(중근)

STEP C 곡선과 접선으로 둘러싸인 도형의 넓이를 구하기

닫힌구간 $[-2, 1]$에서 $x^3-2x+3 \geq x+1$이므로 구하는 넓이는

$\int_{-2}^{1}\{(x^2-2x+3)-(x+1)\}dx=\int_{-2}^{1}(x^3-3x+2)dx$

$=\left[\dfrac{1}{4}x^4-\dfrac{3}{2}x^2+2x\right]_{-2}^{1}$

$=\left(\dfrac{1}{4}-\dfrac{3}{2}+2\right)-(4-6-4)$

$=\dfrac{27}{4}$

속해법 삼차함수와 접선으로 둘러싸인 도형의 넓이 공식은

$S=\dfrac{|a|}{12}(\beta-\alpha)^4=\dfrac{1}{12}\{1-(-2)\}^4=\dfrac{27}{4}$

1389

STEP A 접점의 x좌표 구하기

$y=x^2+1$에서 $y'=2x$이므로

접점의 좌표를 (a, a^2+1)이라 하면 접선의 방정식은

$y=2a(x-a)+a^2+1$, $y=2ax-a^2+1$ …… ㉠

이 접선이 원점을 지나므로 $0=-a^2+1$, $(a-1)(a+1)=0$

$\therefore a=-1$ 또는 $a=1$

STEP B 접선의 방정식 구하기

접점의 좌표는 $(-1, 2)$, $(1, 2)$이고
이것을 ㉠에 대입하면 구하는
접선의 방정식은
$y=2x$ 또는 $y=-2x$

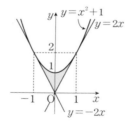

STEP C 곡선과 두 접선으로 둘러싸인 도형의 넓이 구하기

따라서 구하는 도형이 y축에 대하여 대칭이므로 구하는 넓이를 S라 하면

$S=2\int_{0}^{1}\{(x^2+1)-2x\}dx=2\left[\dfrac{1}{3}x^3-x^2+x\right]_{0}^{1}=\dfrac{2}{3}$

속해법 x축으로 -1만큼 평행이동하면 곡선 $y=x^2$과 두 접선 $y=2x-1$, $y=-2x-1$
으로 둘러싸인 도형은 다음 그림의 색칠한 부분과 같다.

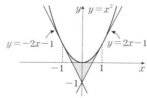

접선으로 둘러싸인 도형의 넓이는 $a=1$, $t=1$이므로 $S=\dfrac{2}{3}at^3=\dfrac{2}{3}\cdot1\cdot1^3=\dfrac{2}{3}$

1390

STEP A 점 $(2, 2)$에서의 접선의 방정식 구하기

곡선 $y=\dfrac{1}{2}x^2$에서 $y'=x$이므로

점 $(2, 2)$에서의 접선의 방정식은

$y-2=2(x-2)$

$\therefore y=2x-2$

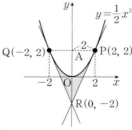

STEP B 곡선과 두 접선으로 둘러싸인 도형의 넓이 구하기

따라서 구하는 넓이 S는

$S=2\int_{0}^{2}\left\{\dfrac{1}{2}x^2-(2x-2)\right\}dx=2\left[\dfrac{1}{6}x^3-x^2+2x\right]_{0}^{2}=2\left(\dfrac{4}{3}-4+4\right)=\dfrac{8}{3}$

속해법 곡선 $y=\dfrac{1}{2}x^2$과 이 곡선 위의 점 $P(2, 2)$, $Q(-2, 2)$에서의 접선으로 둘러싸인

도형의 넓이는 $a=\dfrac{1}{2}$, $t=2$이므로 $S=\dfrac{2}{3}\cdot\dfrac{1}{2}\cdot2^3=\dfrac{8}{3}$

1391

STEP A 점 $(0, 3)$, $(4, 3)$에서의 접선의 방정식 구하기

$y'=2x-4$이므로 점 $(0, 3)$에서
곡선 $y=x^2-4x+3$과 접하는
기울기는 -4
접선의 방정식은 $y=-4x+3$ …… ㉠
또, 점 $(4, 3)$에서 곡선과 접하는
접선의 방정식의 기울기가 4이므로
접선의 방정식은 $y-3=4(x-4)$
$\therefore y=4x-13$ …… ㉡

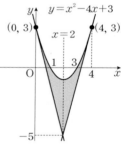

STEP B 두 접선을 연립하여 교점 구하기

이때 ㉠과 ㉡의 교점의 좌표를 구하면 $-4x+3=4x-13$

$\therefore x=2$, $y=-5$

STEP C 곡선과 두 접선으로 둘러싸인 도형의 넓이 구하기

따라서 구하는 넓이 S는

$S=\int_{0}^{2}\{(x^2-4x+3)-(-4x+3)\}dx+\int_{2}^{4}\{(x^2-4x+3)-(4x-13)\}dx$

$=\int_{0}^{2}x^2dx+\int_{2}^{4}(x^2-8x+16)dx$

$=\left[\dfrac{1}{3}x^3\right]_{0}^{2}+\left[\dfrac{1}{3}x^3-4x^2+16x\right]_{2}^{4}$

$=\dfrac{16}{3}$

속해법 $y=x^2-4x+3$과 이 곡선 위의 두 점 $(0, 3)$, $(4, 3)$에서의 접선으로 둘러싸인

도형의 넓이는 $a=1$, $t=2$이므로 $S=\dfrac{2}{3}\cdot1\cdot2^3=\dfrac{16}{3}$

오른쪽 그림과 같이 곡선
$y=-x^2+4x-3$과 이 곡선 위의
두 점 $(0, -3)$, $(4, -3)$에서의 접선
으로 둘러싸인 도형의 넓이는?

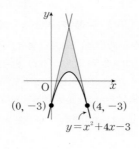

① $\dfrac{11}{3}$　　② $\dfrac{13}{3}$

③ $\dfrac{16}{3}$　　④ $\dfrac{15}{2}$

⑤ $\dfrac{27}{4}$

STEP A 점 $(0, -3)$, $(4, -3)$에서의 접선의 방정식을 구하고 교점의 좌표 구하기

$y=-x^2+4x-3$ 에서

$y'=-2x+4$이므로

점 $(0, -3)$에서의 접선의 방정식은

$y=4x-3$

$(4, -3)$에서의 접선의 방정식은

$y=-4x+13$

이때 두 접선의 교점은 $(2, 5)$

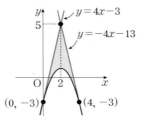

STEP B 곡선과 두 접선으로 둘러싸인 도형의 넓이 구하기

따라서 직선 $x=2$에 대하여 대칭이므로 구하는 도형의 넓이는

$2\displaystyle\int_0^2\{(4x-3)-(-x^2+4x-3)\}dx=2\int_0^2 x^2 dx=2\left[\frac{1}{3}x^3\right]_0^2=\frac{16}{3}$　　정답 ③

속해법 $y=-x^2+4x-3$과 이 곡선 위의 두 점 $(0, -3)$, $(4, -3)$에서의 접선으로
둘러싸인 도형의 넓이는 $a=|-1|=1$, $t=2$이므로 $S=\frac{2}{3}\cdot 1\cdot 2^3=\frac{16}{3}$

1392
정답 ③

STEP A 주어진 그림을 좌표평면 위에 나타내기

4개의 포물선으로 둘러싸인 도형을 두 대각선 AC, BD의 교점을 원점 O로
하는 좌표평면 위에 나타내면 다음 그림과 같다.

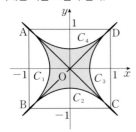

STEP B 접선의 방정식과 지나는 점을 이용하여 포물선의 방정식 구하기

이때 포물선 C_4는 y축에 대하여 대칭이므로 포물선의 방정식을
$f(x)=ax^2+b$ (a, b는 상수)라고 하자.

직선 OD의 방정식은 $y=x$이고 포물선 C_4 위의 점 $(1, 1)$에서의 접선이므로

$f(1)=1$, $f'(1)=1$

즉 $a+b=1$, $2a=1$이므로 $a=\frac{1}{2}$, $b=\frac{1}{2}$

포물선 C_4의 방정식은 $y=\frac{1}{2}x^2+\frac{1}{2}$

STEP C 정적분을 이용하여 구하고자 하는 부분의 넓이 구하기

따라서 구하는 도형의 넓이는 포물선 C_4와 직선 $y=x$ 및 y축으로 둘러싸인
도형의 넓이의 8배이므로

$8\displaystyle\int_0^1\left\{\left(\frac{1}{2}x^2+\frac{1}{2}\right)-x\right\}dx=8\left[\frac{1}{6}x^3-\frac{1}{2}x^2+\frac{1}{2}x\right]_0^1=\frac{4}{3}$

1393
정답 ③

STEP A 주어진 그림을 좌표평면 위에 나타내기

한 변의 길이가 6인 정삼각형 ABC의 무게중심 O를 원점으로 하는
좌표평면 위에 나타내면 다음 그림과 같다.

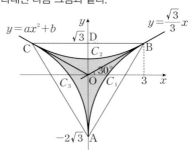

STEP B 접선의 방정식과 지나는 점을 이용하여 포물선의 방정식 구하기

이때 한 변의 길이가 6인 정삼각형의 높이가 $3\sqrt{3}$이므로
무게중심 O에 대하여 $\overline{OD}=\sqrt{3}$, $\overline{OA}=2\sqrt{3}$

두 선분 OB, OC에 접하는 포물선 C_2를 $y=ax^2+b$ (a, b는 상수)라 하면

점 $B(3, \sqrt{3})$이고 직선 OB의 방정식은 $y=\frac{\sqrt{3}}{3}x$

포물선 C_2를 $y=ax^2+b$ 위의 점 $B(3, \sqrt{3})$에서 접선이 $y=\frac{\sqrt{3}}{3}x$이므로

$\sqrt{3}=9a+b$, $6a=\frac{\sqrt{3}}{3}$

즉 $a=\frac{\sqrt{3}}{18}$, $b=\frac{\sqrt{3}}{2}$이므로 포물선 C_2의 방정식은

$y=\frac{\sqrt{3}}{18}x^2+\frac{\sqrt{3}}{2}$

STEP C 정적분을 이용하여 도형의 넓이 구하기

따라서 구하는 도형의 넓이는 포물선 C_2와 직선 $y=\frac{\sqrt{3}}{3}x$ 및 y축으로
둘러싸인 도형의 넓이의 6배이므로

$6\displaystyle\int_0^3\left\{\left(\frac{\sqrt{3}}{18}x^2+\frac{\sqrt{3}}{2}\right)-\frac{\sqrt{3}}{3}x\right\}dx=6\left[\frac{\sqrt{3}}{54}x^3+\frac{\sqrt{3}}{2}x-\frac{\sqrt{3}}{6}x^2\right]_0^3$

$=3\sqrt{3}$

다음 그림과 같이 중심이 O이고 반지름의 길이가 2인 원의 둘레를 6등분하
는 점을 각각 A, B, C, D, E, F라 하자.

두 점 A, B에서 두 직선 OA, OB에 접하는 포물선 C_1을 그리고 두 점
B, C에서 두 직선 OB, OC에 접하는 포물선 C_2를 그린다.

이와 같은 방법으로 포물선 C_3, C_4, C_5, C_6을 그릴 때, 6개의 포물선으로
둘러싸인 부분의 넓이를 구하여라.

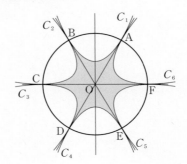

STEP **A** 포물선 C_1의 방정식을 구하기

직선 CF를 x축, 점 O를 원점으로 좌표평면 위에 나타내면 다음 그림과 같다.

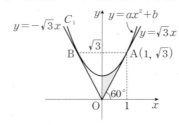

포물선 C_1의 방정식을 $y=ax^2+b$ (a, b는 상수)로 놓으면

곡선 $y=ax^2+b$가 점 $(1,\sqrt{3})$을 지나므로

$\sqrt{3}=a+b$ ...... ㉠

또, 점 $(1,\sqrt{3})$의 점에서 접선의 기울기가 $\sqrt{3}$이므로

$2a=\sqrt{3}$ ...... ㉡

㉠, ㉡에서 $a=b=\dfrac{\sqrt{3}}{2}$이므로 $y=\dfrac{\sqrt{3}}{2}x^2+\dfrac{\sqrt{3}}{2}$

STEP **B** 대칭인 점과 정적분을 이용하여 넓이 구하기

포물선 C_1과 접선 $y=\sqrt{3}x$, $y=-\sqrt{3}x$로 둘러싸인 부분은 $x=0$에 대하여 대칭이다.

또한, 다른 포물선들로 둘러싸인 부분의 넓이가 서로 같으므로 구하는 영역의 넓이는 색칠한 부분의 넓이의 12배이다.

따라서 구하는 넓이를 S라 하면

$S=12\displaystyle\int_0^1\left(\dfrac{\sqrt{3}}{2}x^2+\dfrac{\sqrt{3}}{2}-\sqrt{3}x\right)dx=12\left[\dfrac{\sqrt{3}}{6}x^3+\dfrac{\sqrt{3}}{2}x-\dfrac{\sqrt{3}}{2}x^2\right]_0^1=2\sqrt{3}$

정답 $2\sqrt{3}$

1394

정답 ①

STEP **A** 두 함수가 직선 $y=x$에 대하여 대칭임을 이해하기

다음 그림과 같이 두 곡선 $y=f(x)$, $y=g(x)$는 곡선 $y=x$에 대한 대칭이므로 두 곡선 $y=f(x)$, $y=g(x)$로 둘러싸인 도형의 넓이는 직선 $y=x$와 곡선 $y=f(x)$로 둘러싸인 도형의 넓이의 2배이다.

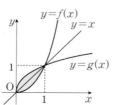

STEP **B** 두 곡선 $y=f(x)$, $y=g(x)$로 둘러싸인 도형의 넓이 구하기

따라서 구하는 넓이는 $2\displaystyle\int_0^1(x-x^2)dx=2\left[\dfrac{1}{2}x^2-\dfrac{1}{3}x^3\right]_0^1=\dfrac{1}{3}$

1395

정답 ③

STEP **A** 두 함수가 직선 $y=x$에 대하여 대칭임을 이해하기

함수 $y=f(x)$의 그래프와 함수 $y=g(x)$의 그래프는 직선 $y=x$에 대하여 대칭이므로 두 곡선 $y=f(x)$, $y=g(x)$가 만나는 점의 x좌표는 곡선 $y=f(x)$와 직선 $y=x$가 만나는 점의 x좌표와 같다.

두 곡선 $y=f(x)$, $y=g(x)$가 만나는 점의 x좌표는 $ax^2=x$에서

$x(ax-1)=0$이므로 $x=0$ 또는 $x=\dfrac{1}{a}$

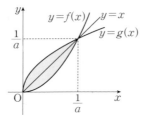

STEP **B** 두 곡선 $y=f(x)$, $y=g(x)$로 둘러싸인 도형의 넓이 구하기

두 곡선 $y=f(x)$, $y=g(x)$로 둘러싸인 부분의 넓이는 곡선 $y=f(x)$와 직선 $y=x$로 둘러싸인 부분의 넓이의 두 배이므로

$\dfrac{2}{3}=\displaystyle\int_0^{\frac{1}{a}}(x-ax^2)dx=\left[\dfrac{1}{2}x^2-\dfrac{a}{3}x^3\right]_0^{\frac{1}{a}}=\dfrac{1}{2a^2}-\dfrac{1}{3a^2}=\dfrac{1}{6a^2}$

$6a^2=\dfrac{3}{2}$에서 $a^2=\dfrac{1}{4}$ $\therefore$ $a=-\dfrac{1}{2}$ 또는 $a=\dfrac{1}{2}$

따라서 $a>0$이므로 $a=\dfrac{1}{2}$

내/신/연/계/ 출제문항 580

함수 $f(x)=\sqrt{ax}$의 그래프와 그 역함수 $y=f^{-1}(x)$의 그래프로 둘러싸인 부분의 넓이가 $\dfrac{16}{3}$일 때, 양수 a의 값은?

① 1 　　② 2 　　③ 3
④ 4 　　⑤ 5

STEP **A** 역함수의 성질 이해하기

함수 $f(x)=\sqrt{ax}$의 그래프와 그 역함수 $y=f^{-1}(x)$의 그래프로 둘러싸인 부분의 넓이는 역함수의 성질에 의하여 역함수 $y=f^{-1}(x)$의 그래프와 직선 $y=x$로 둘러싸인 부분의 넓이의 2배이다.

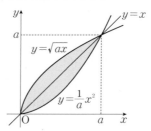

STEP **B** $y=\dfrac{1}{a}x^2$과 $y=x$를 연립하여 교점 구하기

이때 함수 $f(x)=\sqrt{ax}$의 역함수는 $f^{-1}(x)=\dfrac{1}{a}x^2\,(x\geq0)$이고

곡선 $y=\dfrac{1}{a}x^2$과 직선 $y=x$의 교점의 x좌표는 $\dfrac{1}{a}x^2=x$에서 $x=0$ 또는 $x=a$

STEP **C** 도형의 넓이 구하기

두 곡선 $y=f(x)$, $y=f^{-1}(x)$로 둘러싸인 부분의 넓이는

$2\displaystyle\int_0^a\left(x-\dfrac{1}{a}x^2\right)dx=2\left[\dfrac{1}{2}x^2-\dfrac{1}{3a}x^3\right]_0^a=2\left(\dfrac{1}{2}a^2-\dfrac{1}{3}a^2\right)=\dfrac{1}{3}a^2=\dfrac{16}{3}$

따라서 $a^2=16$이므로 $a=4\,(\because a>0)$

정답 ④

458

1396

STEP A 교점의 x좌표 구하기

두 곡선 $y=f(x)$와 $y=g(x)$는
직선 $y=x$에 대하여 대칭이므로
두 곡선 $y=f(x)$와 $y=g(x)$의
교점의 x좌표는 곡선 $y=f(x)$와
직선 $y=x$의 교점의 x좌표와 같다.

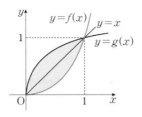

$x^3=x$에서 $x(x^2-1)=0$
$\therefore x=0$ 또는 $x=1\,(\because x>0)$

STEP B 두 곡선 $y=f(x)$, $y=g(x)$으로 둘러싸인 도형의 넓이 구하기

두 곡선 $y=f(x)$와 $y=g(x)$로 둘러싸인 도형의 넓이는 곡선 $y=x^3$과
직선 $y=x$로 둘러싸인 부분의 넓이의 두 배이다.

따라서 구하는 넓이를 S라 하면 $S=2\int_0^1(x-x^3)dx=2\left[\frac{1}{2}x^2-\frac{1}{4}x^4\right]_0^1=\frac{1}{2}$

1397

STEP A 두 곡선의 교점의 x좌표 구하기

$f(x)=x^3-x^2+x$에서 $f'(x)=3x^2-2x+1=3\left(x-\frac{1}{3}\right)^2+\frac{2}{3}>0$

이므로 함수 $f(x)$는 증가하는 함수이고 역함수를 갖는다.
$y=f(x)$와 $y=x$의 교점의 x좌표를 구하면
$x^3-x^2+x=x$에서 $x^2(x-1)=0$이므로 $x=0$ 또는 $x=1$

STEP B $y=f(x)$와 $y=x$로 둘러싸인 부분의 넓이 구하기

두 곡선 $y=f(x)$, $y=g(x)$는
직선 $y=x$에 대하여 대칭이므로
$y=f(x)$와 $y=g(x)$로 둘러싸인
부분의 넓이는 $y=f(x)$와 $y=x$로
둘러싸인 부분의 넓이의 2배이므로
닫힌구간 $[0,1]$에서 $x \geq x^3-x^2+x$
이므로 구하는 넓이를 S라 하면

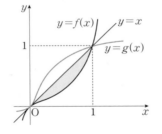

$S=2\int_0^1\{x-(x^3-x^2+x)\}$
$=2\int_0^1(-x^3+x^2)dx$
$=2\left[-\frac{1}{4}x^4+\frac{1}{3}x^3\right]_0^1=\frac{1}{6}$

함수 $f(x)=x^3-2x^2+2x$의 역함수를 $g(x)$라 할 때,
두 곡선 $y=f(x)$, $y=g(x)$로 둘러싸인 도형의 넓이는?

① $\frac{1}{6}$ ② $\frac{1}{5}$ ③ $\frac{1}{4}$

④ $\frac{2}{3}$ ⑤ $\frac{7}{2}$

STEP A 두 함수가 직선 $y=x$에 대하여 대칭이므로 교점의 x좌표 구하기

$f(x)=x^3-2x^2+2x$에서 $f'(x)=3x^2-4x+2$이므로
함수 $f(x)$는 증가하는 함수이고 역함수를 갖는다.
두 곡선 $y=f(x)$, $y=g(x)$는 직선 $y=x$에 대하여 대칭이므로 구하는 도형의
넓이는 곡선 $y=f(x)$와 직선 $y=x$로 둘러싸인 도형의 넓이의 2배이다.
곡선 $y=x^3-2x^2+2x$와 직선 $y=x$의 교점의 x좌표는
$x^3-2x^2+2x=x$에서 $x(x-1)^2=0$
$\therefore x=0$ 또는 $x=1$

STEP B 도형의 넓이 구하기

따라서 닫힌구간 $[0,1]$에서 $x^3-2x^2+2x \geq x$이므로 구하는 넓이는

$2\int_0^1\{(x^3-2x^2+2x)-x\}dx$

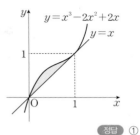

$=2\int_0^1(x^3-2x^2+x)dx$
$=2\left[\frac{1}{4}x^4-\frac{2}{3}x^3+\frac{1}{2}x^2\right]_0^1$
$=2\cdot\frac{1}{12}=\frac{1}{6}$

1398

STEP A 두 곡선의 교점의 x좌표 구하기

$f(x)=x^3-6$에서 $f'(x)=3x^2 \geq 0$이므로
함수 $f(x)$는 증가하는 함수이고 역함수를 갖는다.
두 곡선 $y=f(x)$, $y=g(x)$는 직선 $y=x$에 대하여 대칭이므로
두 곡선 $y=f(x)$, $y=g(x)$로 둘러싸인 부분의 넓이는 곡선
$y=f(x)$와 직선 $y=x$로 둘러싸인 부분의 넓이의 2배이다.

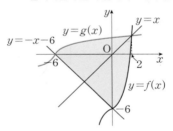

함수 $f(x)$의 역함수가 $g(x)$이므로 두 곡선 $y=f(x)$와 $y=g(x)$가 만나는
점은 곡선 $y=f(x)$와 직선 $y=x$가 만나는 점과 같다.
곡선 $y=x^3-6$과 직선 $y=x$가 만나는 점의 x좌표는
$x^3-6=x$에서 $x^3-x-6=0$
$(x-2)(x^2+2x+3)=0$이므로 $x=2$

STEP B 대칭성을 이용하여 도형의 넓이 구하기

곡선 $y=f(x)$와 직선 $y=x$ 및 y축으로 둘러싸인 부분의 넓이를 S라 하면
$S=\int_0^2\{x-(x^3-6)\}dx=\left[\frac{1}{2}x^2-\frac{1}{4}x^4+6x\right]_0^2=10$
또, 세 점 $(0,0)$, $(-6,0)$, $(0,-6)$을 꼭짓점으로 하는 직각삼각형의 넓이는
$\frac{1}{2}\cdot6\cdot6=18$
한편 함수 $f(x)$의 역함수가 $g(x)$이므로 곡선 $y=g(x)$와 직선 $y=x$ 및
x축으로 둘러싸인 부분의 넓이도 S이다.
따라서 구하는 넓이는 $2S+18=2\times10+18=38$

함수 $f(x)=x^3+2x^2+4x+2$의 역함수를 $g(x)$라고 할 때, 두 곡선 $y=f(x)$, $y=g(x)$와 직선 $y=-x+2$로 둘러싸인 도형의 넓이는?

① $\dfrac{13}{6}$ 　　② $\dfrac{23}{6}$ 　　③ $\dfrac{25}{6}$

④ $\dfrac{27}{4}$ 　　⑤ $\dfrac{47}{6}$

STEP Ⓐ 주어진 함수들의 그래프를 그리기

$y=f(x)$, $y=g(x)$, $y=-x+2$의 그래프는 다음 그림과 같다.

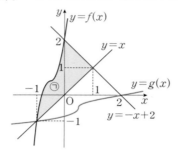

STEP Ⓑ 대칭성을 이용하여 도형의 넓이 구하기

$y=f(x)$, $y=g(x)$는 $y=x$에 대하여 대칭이므로 구하는 넓이는 ㉠의 넓이의 2배이므로 ㉠의 넓이는

$$\int_{-1}^{0}(x^3+2x^2+4x+2-x)dx+\int_{0}^{1}(-x+2-x)dx$$
$$=\left[\frac{1}{4}x^4+\frac{2}{3}x^3+\frac{3}{2}x^2+2x\right]_{-1}^{0}+\left[-x^2+2x\right]_{0}^{1}=\frac{23}{12}$$

따라서 구하는 넓이는 $\dfrac{23}{6}$

정답 ②

1399

정답 ④

STEP Ⓐ 함수 $y=f(x)$와 역함수 $y=g(x)$의 교점의 x좌표를 이용하여 a, b의 값을 구하여 $f(x)$ 구하기

$y=f(x)$, $y=g(x)$는 서로 역함수 관계에 있으므로 직선 $y=x$에 대하여 대칭이다.

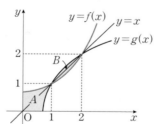

즉 $y=f(x)$, $y=g(x)$의 교점은 $(1, 1)$, $(2, 2)$이므로 $f(x)=ax^2+b$ $(x\geq 0)$의 그래프는 $(1, 1)$, $(2, 2)$를 지난다.

$f(1)=a+b=1$, $f(2)=4a+b=2$을 연립하여 풀면 $a=\dfrac{1}{3}$, $b=\dfrac{2}{3}$

$\therefore f(x)=\dfrac{1}{3}x^2+\dfrac{2}{3}$ (단, $x\geq 0$)

STEP Ⓑ 함수 $y=f(x)$의 그래프와 직선 $y=x$로 둘러싸인 영역의 넓이를 이용하여 $A-B$의 값 구하기

(i) $A=2\displaystyle\int_{0}^{1}|f(x)-x|dx=2\int_{0}^{1}\left(\frac{1}{3}x^2+\frac{2}{3}-x\right)dx$
$=2\left[\dfrac{1}{9}x^3+\dfrac{2}{3}x-\dfrac{1}{2}x^2\right]_{0}^{1}$
$=2\cdot\dfrac{5}{18}=\dfrac{5}{9}$

(ii) $B=2\displaystyle\int_{1}^{2}|f(x)-x|dx=2\int_{1}^{2}\left(x-\frac{1}{3}x^2-\frac{2}{3}\right)dx$
$=2\left[\dfrac{1}{2}x^2-\dfrac{1}{9}x^3-\dfrac{2}{3}x\right]_{1}^{2}$
$=2\cdot\dfrac{1}{18}=\dfrac{1}{9}$

따라서 $A-B=\dfrac{5}{9}-\dfrac{1}{9}=\dfrac{4}{9}$

$x\geq 0$일 때, 오른쪽 그림과 같이 함수 $f(x)=ax^2+b$ (단, $a>0$, $b>0$)의 그래프와 그 역함수 $y=g(x)$의 그래프가 만나는 두 교점의 x좌표는 1과 3이다. $0\leq x\leq 1$에서 두 곡선 $y=f(x)$, $y=g(x)$ 및 x축, y축으로 둘러싸인 도형의 넓이를 A라 하고 $1\leq x\leq 3$에서 두 곡선 $y=f(x)$, $y=g(x)$로 둘러싸인 도형의 넓이를 B라고 하자. $A+B$의 값은?

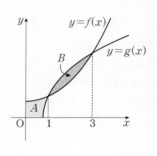

① $\dfrac{1}{3}$ 　　② $\dfrac{2}{3}$ 　　③ $\dfrac{4}{3}$

④ $\dfrac{8}{3}$ 　　⑤ $\dfrac{5}{9}$

STEP Ⓐ 함수 $y=f(x)$와 역함수 $y=g(x)$의 교점의 x좌표를 이용하여 a, b의 값을 구하여 $f(x)$ 구하기

$y=f(x)$, $y=g(x)$는 서로 역함수 관계에 있으므로 직선 $y=x$에 대하여 대칭이다.

즉 $y=f(x)$, $y=g(x)$의 교점은 $(1, 1)$, $(3, 3)$이므로 $f(x)=ax^2+b$ $(x\geq 0)$의 그래프는 $(1, 1)$, $(3, 3)$를 지난다.

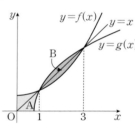

$f(1)=a+b=1$, $f(3)=9a+b=3$을 연립하여 풀면 $a=\dfrac{1}{4}$, $b=\dfrac{3}{4}$

$\therefore f(x)=\dfrac{1}{4}x^2+\dfrac{3}{4}$ (단, $x\geq 0$)

STEP Ⓑ 함수 $y=f(x)$의 그래프와 직선 $y=x$로 둘러싸인 영역의 넓이를 이용하여 $A+B$의 값 구하기

(i) $A=2\displaystyle\int_{0}^{1}|f(x)-x|dx=2\int_{0}^{1}\left(\frac{1}{4}x^2+\frac{3}{4}-x\right)dx$
$=2\left[\dfrac{1}{12}x^3+\dfrac{3}{4}x-\dfrac{1}{2}x^2\right]_{0}^{1}$
$=2\cdot\dfrac{4}{12}=\dfrac{2}{3}$

(ii) $B=2\displaystyle\int_{1}^{3}|f(x)-x|dx=2\int_{1}^{3}\left(x-\frac{1}{4}x^2-\frac{3}{4}\right)dx$
$=2\left[\dfrac{1}{2}x^2-\dfrac{1}{12}x^3-\dfrac{3}{4}x\right]_{1}^{3}$
$=2\cdot\dfrac{1}{3}=\dfrac{2}{3}$

따라서 $A+B=\dfrac{2}{3}+\dfrac{2}{3}=\dfrac{4}{3}$

정답 ③

1400

정답 ③

STEP A $y=f(x)$와 $y=g(x)$의 그래프를 그리고 대칭성을 이용하여 정적분의 값 구하기

함수 $f(x)$의 그래프를 오른쪽 그림과 같이 생각하면 $f(x)$의 역함수 $g(x)$에 대하여

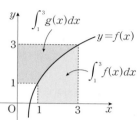

$$\int_1^3 g(x)dx + \int_1^3 f(x)dx = 9-1 = 8$$

이므로

$$\int_1^3 g(x)dx = 8 - \int_1^3 f(x)dx = 8-5 = 3$$

1401

정답 ④

STEP A $y=f(x)$와 $y=g(x)$의 그래프 그리기

두 곡선 $y=f(x)$, $y=g(x)$는 직선 $y=x$에 대하여 대칭이다.

STEP B 직선 $y=x$에 대하여 대칭임을 이용하여 정적분의 값 구하기

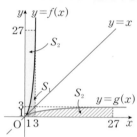

따라서 $S_1 = \int_1^3 f(x)dx$, $S_2 = \int_1^{27} g(x)dx$라고 하면

$$\int_1^3 f(x)dx + \int_1^{27} g(x)dx = S_1 + S_2 = 3\cdot27 - 1\cdot1 = 80$$

1402

정답 ④

STEP A 역함수의 관계를 이용하여 교점의 x좌표 구하기

$f(x)=x^3+x-1$에서 $f'(x)=3x^2+1>0$이므로
함수 $f(x)$는 증가하는 함수이고 역함수를 갖는다.
함수 $f(x)=x^3+x-1$와 직선 $y=x$의 교점의 x좌표는
$x^3+x-1=x$에서 $x^3-1=0$, $(x-1)(x^2+x+1)=0$
$\therefore x=1$
또한, $y=9$일 때, x좌표는 $x^3+x-1=9$
$x^3+x-10=0$, $(x-2)(x^2+2x+5)=0$
$\therefore x=2$

STEP B 직선 $y=x$에 대하여 대칭임을 이용하여 정적분의 값 구하기

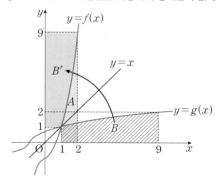

두 함수 $y=f(x)$, $y=g(x)$의 그래프는 직선 $y=x$에 대칭이다.

그림과 같이 $\int_1^9 g(x)dx$의 값은 색칠된 부분 B의 넓이이고 역함수의 성질에 의하여 직선 $y=x$에 대하여 대칭이동 시킨 부분 B'의 넓이와 같다.

따라서 위의 그림에서 (B의 넓이)=(B'의 넓이)이므로

$$\int_1^2 f(x)dx + \int_1^9 g(x)dx = (A의 넓이) + (B'의 넓이) = 2\cdot9 - 1\cdot1 = 17$$

내/신/연/계 출제문항 584

함수 $f(x)=x^3+x-1$의 역함수를 $g(x)$라 할 때, $\int_1^9 g(x)dx$의 값은?

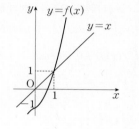

① $\dfrac{47}{4}$ ② $\dfrac{49}{4}$

③ $\dfrac{51}{4}$ ④ $\dfrac{53}{4}$

⑤ $\dfrac{55}{4}$

STEP A 역함수의 관계를 이용하여 교점의 x좌표 구하기

$f(x)=x^3+x-1$에서 $f'(x)=3x^2+1>0$이므로
함수 $f(x)$는 증가하는 함수이고 역함수를 갖는다.
함수 $f(x)=x^3+x-1$와 직선 $y=x$의 교점의 x좌표는
$x^3+x-1=x$에서 $x^3-1=0$, $(x-1)(x^2+x+1)=0$
$\therefore x=1$
또한, $y=9$일 때, x좌표는 $x^3+x-1=9$
$x^3+x-10=0$, $(x-2)(x^2+2x+5)=0$
$\therefore x=2$

STEP B 직선 $y=x$에 대하여 대칭임을 이용하여 정적분의 값 구하기

두 함수 $y=f(x)$, $y=g(x)$의 그래프는 직선 $y=x$에 대칭이다.

그림과 같이 $\int_1^9 g(x)dx$의 값은 색칠된 부분 B의 넓이이고 역함수의 성질에 의하여 직선 $y=x$에 대하여 대칭이동 시킨 부분 B'의 넓이와 같다.

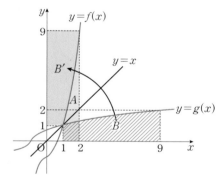

즉 $\int_1^2 f(x)dx$의 값은 색칠된 부분 A의 넓이이므로

$$\int_1^2 f(x)dx + \int_1^9 g(x)dx = A+B' = (2\cdot9)-(1\cdot1) = 17$$

따라서 $\int_1^9 g(x)dx = 17 - \int_1^2 f(x)dx$

$$= 17 - \int_1^2 (x^3+x-1)dx$$

$$= 17 - \left[\frac{1}{4}x^4 + \frac{1}{2}x^2 - x\right]_1^2$$

$$= 17 - \frac{17}{4} = \frac{51}{4}$$

정답 ③

1403

STEP A $y=f(x)$와 $y=g(x)$의 그래프 그리기

$f(x)=x^3-2x^2+2x$에서 $y'=3x^2-4x+2=3\left(x-\dfrac{2}{3}\right)^2+\dfrac{2}{3}$

$x>1$일 때, $f'(x)>0$이므로 함수 $f(x)$는 증가하고 역함수가 존재한다.

STEP B 대칭성을 이용하여 정적분의 값 구하기

곡선 $y=g(x)$는 직선 $y=x$에 대하여
곡선 $y=f(x)$와 대칭이므로
그래프의 개형은 오른쪽 그림과 같다.

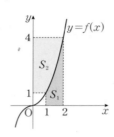

$S_1=\displaystyle\int_1^2 f(x)dx$, $S_2=\displaystyle\int_1^4 g(y)dy$라 하면

$\displaystyle\int_1^2 f(x)dx+\int_1^4 g(x)dx$

$=\displaystyle\int_1^2 f(x)dx+\int_1^4 g(y)dy$

$=S_1+S_2$

$=2\cdot4-1=7$

내/신/연/계 출제문항 585

함수 $f(x)=\sqrt{x-3}$의 역함수를 $g(x)$라고 할 때,

$$\int_3^{12} f(x)dx+\int_0^3 g(x)dx$$

의 값은?

① 27   ② 30   ③ 33

④ 36   ⑤ 39

STEP A $y=f(x)$와 $y=g(x)$의 그래프 그리기

두 곡선 $y=f(x), y=g(x)$는 직선 $y=x$에 대하여 대칭이다.

STEP B 직선 $y=x$에 대하여 대칭임을 이용하여 정적분의 값 구하기

$S_1=\displaystyle\int_3^{12} f(x)dx$, $S_2=\displaystyle\int_0^3 g(x)dx$
라고 하면

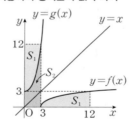

$\displaystyle\int_3^{12} f(x)dx+\int_0^3 g(x)dx$

$=S_1+S_2=3\cdot12=36$

정답 ④

1404

STEP A 역함수의 성질을 이용하여 a의 값 구하기

함수 $y=g(x)$는 함수 $y=f(x)$의 역함수이므로 $g(10)=a$라고 하면
$f(a)=10$이므로 $a^3+a=10$, $(a-2)(a^2+2a+5)=0$
$a^2+2a+5>0$이므로 $a=2$

STEP B 직선 $y=x$에 대하여 대칭임을 이용하여 정적분의 값 구하기

두 곡선 $y=f(x)$, $y=g(x)$는
직선 $y=x$에 대하여 대칭이므로
오른쪽 그림에서 색칠한 두 부분의
넓이가 같다.
따라서 구하는 넓이는

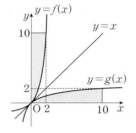

$2\cdot10-\displaystyle\int_0^2 (x^3+x)dx$

$=20-\left[\dfrac{1}{4}x^4+\dfrac{1}{2}x^2\right]_0^2$

$=20-6=14$

내/신/연/계 출제문항 586

함수 $f(x)=x^3+2x$의 역함수를 $g(x)$라 할 때, 곡선 $y=g(x)$와 x축 및 $x=12$로 둘러싸인 도형의 넓이는?

① 14   ② 16   ③ 18

④ 20   ⑤ 22

STEP A 역함수의 성질을 이용하여 a의 값 구하기

$f(x)$의 역함수 $g(x)$이므로 $g(12)=a$라고 하면
$f(a)=12$이므로 $a^3+2a=12$, $(a-2)(a^2+2a+6)=0$
$a^2+2a+6>0$이므로 $a=2$

STEP B $y=f(x)$와 $y=g(x)$의 그래프를 그리고 대칭성을 이용하여 넓이 구하기

두 곡선 $y=f(x)$, $y=g(x)$는 직선
$y=x$에 대하여 대칭이므로
오른쪽 그림에서 색칠한 두 부분의
넓이가 같다.
따라서 구하는 넓이는

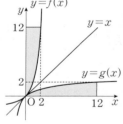

$2\cdot12-\displaystyle\int_0^2 (x^3+2x)dx$

$=24-\left[\dfrac{1}{4}x^4+x^2\right]_0^2$

$=24-(4+4)=16$

정답 ②

1405

정답 ④

STEP A $y=f(x)$와 $y=g(x)$의 그래프를 그리고 대칭성을 이해하기

함수 $y=g(x)$는 함수 $y=f(x)$의 역함수이므로 함수 $y=f(x)$의 그래프와 함수 $y=g(x)$의 그래프는 직선 $y=x$에 대하여 대칭이다.

STEP B 직선 $y=x$에 대하여 대칭임을 이용하여 정적분의 값 구하기

따라서 오른쪽 그림에서
(A의 넓이)$=$(B의 넓이)이므로

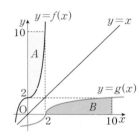

$$\int_2^{10} g(x)dx = 2 \cdot 10 - \int_0^2 f(x)dx$$
$$= 20 - \int_0^2 (x^3+2)dx$$
$$= 20 - \left[\frac{1}{4}x^4 + 2x\right]_0^2 = 12$$

1406

정답 ②

STEP A $y=g(x)$는 $y=f(x)$의 역함수 관계임을 이해하기

$f(x)=x^2+x$에서 $f'(x)=2x+1$

$x \geq 0$에서 $f'(x)>0$이므로 함수 $f(x)$는 증가한다.

함수 $f(x)=x^2+x$의 역함수가 $g(x)$이므로

$y=f(x)$의 그래프와 $y=g(x)$의 그래프는 직선 $y=x$에 대하여 대칭이다.

STEP B $y=f(x)$, $y=g(x)$의 그래프는 직선 $y=x$에 대하여 대칭임을 이용하기

이때 $\int_{f(a)}^{f(a+1)} g(x)dx$의 값은 색칠된 A부분의 넓이이고 역함수의 성질에 의하여 직선 $y=x$에 대하여 대칭이동한 B부분의 넓이와 같다.

두 곡선 $y=f(x)$와 $y=g(x)$는 직선 $y=x$에 대하여 대칭이다.

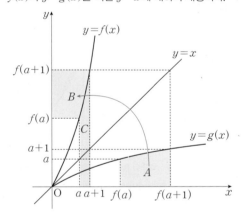

$$\int_a^{a+1} f(x)dx + \int_{f(a)}^{f(a+1)} g(x)dx$$
$=$(C부분의 넓이)$+$(B부분의 넓이)
$=(a+1)f(a+1)-af(a)$
$=(a+1)\{(a+1)^2+(a+1)\}-a(a^2+a)$
$=3a^2+5a+2$

STEP C $\int_a^{a+1} f(x)dx + \int_{f(a)}^{f(a+1)} g(x)dx=24$임을 만족하는 a의 값 구하기

$3a^2+5a+2=24$이므로 $3a^2+5a-22=0$, $(a-2)(3a+11)=0$

따라서 $a>0$이므로 $a=2$

S T E P 2 　　　　　　서술형 기출유형

1407

정답 해설참조

| 1단계 | 곡선 $y=x^2-2x$와 직선 $y=ax$의 교점의 x좌표를 구한다. | ◀ 30% |

곡선 $y=x^2-2x$와 직선 $y=ax$의 교점의 x좌표는

$x^2-2x=ax$에서 $x(x-a-2)=0$

즉 $x=0$ 또는 $x=a+2$

| 2단계 | 곡선 $y=x^2-2x$와 직선 $y=ax$로 둘러싸인 도형의 넓이를 a로 나타낸다. | ◀ 50% |

닫힌구간 $[0, a+2]$에서 $ax \geq x^2-2x$
이므로 곡선 $y=x^2-2x$와
직선 $y=ax$로 둘러싸인 도형의 넓이는

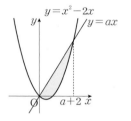

$$\int_0^{a+2} \{ax-(x^2-2x)\}dx$$
$$= \int_0^{a+2} \{-x^2+(a+2)x\}dx$$
$$= \left[-\frac{1}{3}x^3 + \frac{1}{2}(a+2)x^2\right]_0^{a+2} = \frac{(a+2)^3}{6}$$

| 3단계 | 도형의 넓이가 36일 때, 양수 a의 값을 구한다. | ◀ 20% |

따라서 $\dfrac{(a+2)^3}{6}=36$이므로 $(a+2)^3=6^3$, $a+2=6$ ∴ $a=4$

1408

정답 해설참조

| 1단계 | $y=|x(x-1)|$을 절댓값 기호안의 식이 0이 되는 x의 값을 기준으로 구간을 나누어 나타낸다. | ◀ 20% |

절댓값 기호안의 식이 0이 되는 x의 값은 $x=0$ 또는 $x=1$이므로

$$y = \begin{cases} x^2-x & (x \leq 0 \text{ 또는 } x \geq 1) \\ -x^2+x & (0 < x < 1) \end{cases}$$

| 2단계 | 곡선 $y=|x(x-1)|$과 직선 $y=x+3$을 좌표평면 위에 나타내고 교점의 x좌표를 모두 구한다. | ◀ 40% |

$y=x^2-x$과 직선 $y=x+3$의 교점의 x좌표는 $x^2-x=x+3$

즉 $x^2-2x-3=0$에서 $(x-3)(x+1)=0$이므로

$x=-1$ 또는 $x=3$

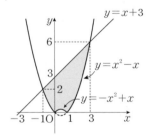

| 3단계 | 정적분을 이용하여 도형의 넓이를 구한다. | ◀ 40% |

닫힌구간 $[-1, 3]$에서 $x+3 \geq x^2-x$이므로 구하는 넓이를 S라 하면

$$S = \int_{-1}^3 \{(x+3)-(x^2-x)\}dx - 2\int_0^1 (-x^2+x)dx$$
$$= \int_{-1}^3 (-x^2+2x+3)dx - 2\int_0^1 (-x^2+x)dx$$
$$= \left[-\frac{1}{3}x^3+x^2+3x\right]_{-1}^3 - 2\left[-\frac{1}{3}x^3+\frac{1}{2}x^2\right]_0^1$$
$$= \frac{32}{3} - \frac{1}{3} = \frac{31}{3}$$

1409

1단계 두 곡선이 점 $(1, 4)$를 지날 때, 상수 a, b의 값을 구한다. ◀ 30%

곡선 $y=-x^2-x+a$가 점 $(1, 4)$를 지나므로

$4=-1-1+a$ $\therefore a=6$

곡선 $y=x^2+bx$가 점 $(1, 4)$를 지나므로

$4=1+b$ $\therefore b=3$

2단계 두 곡선의 교점의 x좌표를 구한다. ◀ 30%

두 곡선 $y=-x^2-x+6$, $y=x^2+3x$의 교점의 x좌표는

$-x^2-x+6=x^2+3x$에서 $x^2+2x-3=0$

$(x+3)(x-1)=0$

$\therefore x=-3$ 또는 $x=1$

3단계 두 곡선으로 둘러싸인 도형의 넓이를 구한다. ◀ 40%

닫힌구간 $[-3, 1]$에서

$-x^2-x+6 \geq x^2+3x$이므로

구하는 넓이는

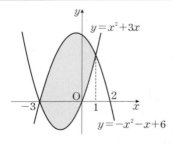

$\int_{-3}^{1} \{-x^2-x+6-(x^2+3x)\}dx$

$=2\int_{-3}^{1}(-x^2-2x+3)dx$

$=2\left[-\dfrac{1}{3}x^3-x^2+3x\right]_{-3}^{1}=\dfrac{64}{3}$

1410

1단계 $\int_{0}^{2}f(t)dt=k$로 놓고 k의 값을 구한다. ◀ 40%

$f(x)=x^3-3x+\int_{0}^{2}f(t)dt$에서

$\int_{0}^{2}f(t)dt=k$ (k는 상수) ······ ㉠

로 놓으면

$f(x)=x^3-3x+k$ ······ ㉡

㉡을 ㉠에 대입하면

$k=\int_{0}^{2}(x^3-3x+k)dx=\left[\dfrac{1}{4}x^4-\dfrac{3}{2}x^2+kx\right]_{0}^{2}=-2+2k$이므로 $k=2$

$\therefore f(x)=x^3-3x+2$

2단계 곡선 $y=f(x)$와 $y=2$의 교점의 x좌표를 구한다. ◀ 20%

곡선 $y=x^3-3x+2$와 직선 $y=2$의 교점의 x좌표는

$x^3-3x+2=2$에서 $x(x^2-3)=0$

$\therefore x=0$ 또는 $x=-\sqrt{3}$ 또는 $x=\sqrt{3}$

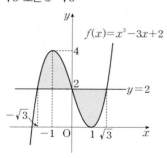

3단계 곡선 $y=f(x)$와 직선 $y=2$로 둘러싸인 도형의 넓이를 구한다. ◀ 40%

따라서 구하는 넓이는

$\int_{-\sqrt{3}}^{\sqrt{3}}|x^3-3x|dx=\int_{-\sqrt{3}}^{0}(x^3-3x)dx+\int_{0}^{\sqrt{3}}(-x^3+3x)dx$

$=\left[\dfrac{1}{4}x^4-\dfrac{3}{2}x^2\right]_{-\sqrt{3}}^{0}+\left[-\dfrac{1}{4}x^4+\dfrac{3}{2}x^2\right]_{0}^{\sqrt{3}}=\dfrac{9}{2}$

1411

1단계 넓이 S_1을 정적분으로 표시한다. ◀ 30%

곡선 $y=f(x)$는 x축과 $x=0$, $x=\alpha$, $x=\beta$에서 만나고 최고차항의 계수가 1이므로 $f(x)=x(x-\alpha)(x-\beta)$

$S_1=\int_{0}^{\alpha}f(x)dx=\int_{0}^{\alpha}x(x-\alpha)(x-\beta)dx$

2단계 넓이 S_2를 정적분으로 표시한다. ◀ 30%

$y=g(x)$는 직선 $y=h(x)$와 $x=0$, $x=\alpha$, $x=\beta$에서 만나고 최고차항의 계수가 3이므로

$g(x)-h(x)=3x(x-\alpha)(x-\beta)$

$S_2=\int_{0}^{\alpha}\{g(x)-h(x)\}dx=3\int_{0}^{\alpha}x(x-\alpha)(x-\beta)dx$

3단계 S_1, S_2의 관계식 구한다. ◀ 20%

$S_1=\int_{0}^{\alpha}x(x-\alpha)(x-\beta)dx$, $S_2=3\int_{0}^{\alpha}x(x-\alpha)(x-\beta)dx$

이므로 $S_2=3S_1$

4단계 $S_1+S_2=120$임을 이용하여 각각 S_1, S_2를 구한다. ◀ 20%

$S_2=3S_1$이고 $S_1+S_2=120$이므로 $S_1+S_2=4S_1=120$

$\therefore S_1=30$

$S_2=120-S_1=90$

따라서 $S_1=30$, $S_2=90$

1412

1단계 곡선과 직선의 교점의 x좌표를 구한다. ◀ 20%

곡선 $y=x^2+2x$와 직선 $y=ax$의 교점의 x좌표는 $x^2+2x=ax$에서

$x=0$ 또는 $x=a-2$

2단계 곡선과 직선으로 둘러싸인 도형의 넓이를 구한다. ◀ 30%

오른쪽 그림의 색칠한 부분의 넓이는

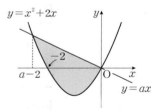

$\int_{a-2}^{0}\{ax-(x^2+2x)\}dx$

$=\int_{a-2}^{0}\{-x^2+(a-2)x\}dx$

$=\left[-\dfrac{1}{3}x^3+\dfrac{a-2}{2}x^2\right]_{a-2}^{0}$

$=-\dfrac{1}{6}(a-2)^3$

3단계 곡선 $y=x^2+2x$와 x축으로 둘러싸인 도형의 넓이를 구한다. ◀ 30%

곡선 $y=x^2+2x$와 x축으로 둘러싸인 도형의 넓이는

$\int_{-2}^{0}(-x^2-2x)dx=\left[-\dfrac{1}{3}x^3-x^2\right]_{-2}^{0}=\dfrac{4}{3}$

4단계 곡선 $y=x^2+2x$와 직선 $y=ax$로 둘러싸인 도형의 넓이가 x축에 의하여 이등분될 때, $(a-2)^3$의 값을 구한다. ◀ 20%

따라서 $-\dfrac{1}{6}(a-2)^3=2\times\dfrac{4}{3}$이므로 $(a-2)^3=-16$

1413

정답 해설참조

1단계 곡선 위의 점 $(t, -t^2+4)$에서의 접선의 방정식을 구한다. ◀ 30%

$y=-x^2+4$에서 $y'=-2x$이므로 곡선 위의 점 $(t, -t^2+4)$에서의
접선의 방정식은 $y-(-t^2+4)=-2t(x-t)$

$\therefore y=-2tx+t^2+4$

2단계 접선과 곡선 $y=-x^2+4$및 y축, 직선 $x=2$로 둘러싸인 도형의 넓이를 t에 대한 식으로 나타낸다. ◀ 40%

곡선 $y=-x^2+4$과 접선 $y=-2tx+t^2+4$ 및 두 직선 $x=0$, $x=2$로
둘러싸인 도형의 넓이를 $S(t)$라 하면

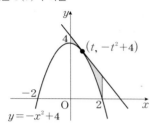

$$S(t)=\int_0^2 \{(-2tx+t^2+4)-(-x^2+4)\}dx$$

$$=\int_0^2 (x^2-2tx+t^2)dx$$

$$=\left[\frac{1}{3}x^3-tx^2+t^2x\right]_0^2$$

$$=2t^2-4t+\frac{8}{3}$$

3단계 도형의 넓이의 최솟값을 구한다. ◀ 30%

$S(t)=2t^2-4t+\frac{8}{3}=2(t-1)^2+\frac{2}{3}$

따라서 $0<t<2$이므로 구하는 도형의 넓이의 최솟값은 $S(1)=\frac{2}{3}$

1414

정답 해설참조

1단계 접점의 x좌표를 구한다. ◀ 30%

점 $(0, -1)$에서 곡선 $y=x^2$에 그은 접선의 접점의 좌표를 (t, t^2)이라 하면
$y'=2x$이므로 접선의 방정식은

$y=2t(x-t)+t^2$ ...... ㉠

이 직선이 점 $(0, -1)$을 지나므로 $-1=-2t^2+t^2$, $t^2-1=0$

$(t+1)(t-1)=0$

$\therefore t=-1$ 또는 $t=1$

2단계 접선의 방정식을 구한다. ◀ 20%

이것을 ㉠에 대입하면 구하는 접선의 방정식은
$y=-2x-1$ 또는 $y=2x-1$

3단계 곡선과 두 접선으로 둘러싸인 도형의 넓이를 구한다. ◀ 50%

곡선과 두 접선으로 둘러싸인 도형은 다음 그림의 색칠한 부분과 같다.

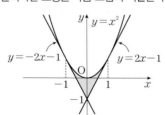

이때 구하는 도형이 y축에 대하여 대칭이므로 구하는 넓이를 S라 하면

$$S=2\int_0^1 \{x^2-(2x-1)\}dx=2\left[\frac{x^3}{3}-x^2+x\right]_0^1=\frac{2}{3}$$

1415

정답 해설참조

1단계 넓이 $S(k)$를 구한다. ◀ 40%

곡선 $y=x^2-k^2$과 x축 및 두 직선 $x=0$, $x=2$로 둘러싸인 부분의
넓이를 S라 하면

$$S(k)=\int_0^k (-x^2+k^2)dx+\int_k^2 (x^2-k^2)dx$$

$$=\left[-\frac{1}{3}x^3+k^2x\right]_0^k+\left[\frac{1}{3}x^3-k^2x\right]_k^2$$

$$=-\frac{1}{3}k^3+k^3+\left(\frac{8}{3}-2k^2\right)-\left(\frac{1}{3}k^3-k^3\right)$$

$$=\frac{4}{3}k^3-2k^2+\frac{8}{3}$$

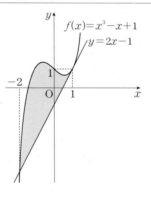

2단계 넓이 $S(k)$의 증가와 감소를 표로 나타낸다. ◀ 30%

$S'(k)=4k^2-4k=4k(k-1)$이므로
$S'(k)=0$에서 $k=0$ 또는 $k=1$
구간 $0<k<2$에서 함수 $S(k)$의 증가와 감소를 나타내면 다음 표와 같다.

x	(0)	$\cdots$	1	$\cdots$	(2)
$S'(x)$	0	$-$	0	$+$	
$S(x)$		$\searrow$	극소	$\nearrow$	

3단계 넓이 $S(k)$가 최소가 되게 하는 k의 값과 이때의 넓이를 구한다. ◀ 20%

$k=1$일 때, 극소이자 최소이므로 최솟값은 $S(1)=\frac{4}{3}-2+\frac{8}{3}=2$

4단계 $a+b$의 값을 구한다. ◀ 10%

따라서 $a=1$, $b=2$이므로 $a+b=3$

1416

정답 해설참조

1단계 함수 $f(x)$를 구한다. ◀ 30%

$f'(x)=3x^2-1$이므로
$f(x)=\int (3x^2-1)dx=x^3-x+C$ (단, C는 적분상수)
이때 곡선 $y=f(x)$이 점 $(1, 1)$을 지나므로 $f(1)=1$
즉 $f(1)=1-1+C=1$ $\therefore C=1$
$\therefore f(x)=x^3-x+1$

2단계 $x=1$에서 접선의 방정식을 구한다. ◀ 30%

이때 $x=1$에서 접선의 기울기 $f'(1)=3-1=2$이므로
접점 $(1, 1)$에서 접선의 방정식은 $y-1=2(x-1)$
$\therefore y=2x-1$

3단계 곡선과 접선으로 둘러싸인 부분의 넓이를 구한다. ◀ 40%

곡선 $f(x)=x^3-x+1$와 직선
$y=2x-1$의 교점의 x좌표는
$x^3-x+1=2x-1$에서
$x^3-3x+2=0$, $(x-1)^2(x+2)=0$
$\therefore x=-2$ 또는 $x=1$
따라서 접선과 이 곡선으로 둘러싸인
부분의 넓이는

$$\int_{-2}^1 \{x^3-x+1-(2x-1)\}dx$$

$$=\int_{-2}^1 (x^3-3x+2)dx$$

$$=\left[\frac{1}{4}x^4-\frac{3}{2}x^2+2x\right]_{-2}^1$$

$$=\left(\frac{1}{4}-\frac{3}{2}+2\right)-(4-6-4)$$

$$=\frac{27}{4}$$

1417

1단계 역함수 $g(x)$를 구한다. ◀ 30%

함수 $y=\sqrt{2x-1}$의 역함수는 $2x-1=y^2$에서 $x=\dfrac{1}{2}(y^2+1)$

$\therefore g(x)=\dfrac{1}{2}(x^2+1) \ (x \geq 0)$

2단계 두 함수 $f(x)$, $g(x)$의 교점 x좌표를 구한다. ◀ 20%

두 곡선 $y=f(x)$, $y=g(x)$의 교점은 곡선 $y=g(x)$와 직선 $y=x$의 교점과 같다.

곡선 $y=g(x)$와 직선 $y=x$의 교점의 x좌표는

$\dfrac{1}{2}(x^2+1)=x$에서 $x^2-2x+1=0$

$(x-1)^2=0$ $\therefore x=1$

3단계 넓이 S를 구한다. ◀ 50%

두 곡선 $y=f(x)$, $y=g(x)$는 직선 $y=x$에 대하여 대칭이므로
다음 그림에서 $A=B$이고 구하는 넓이 S는 $S=2B$이다.

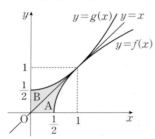

따라서 $0 \leq x \leq 1$에서 $\dfrac{1}{2}(x^2+1) \geq x$이므로 넓이 S는

$S=2B=2\displaystyle\int_0^1 \left\{ \dfrac{1}{2}(x^2+1)-x \right\} dx$

$\quad = \displaystyle\int_0^1 (x^2-2x+1)dx$

$\quad = \left[\dfrac{1}{3}x^3-x^2+x \right]_0^1 = \dfrac{1}{3}$

1418

STEP ❹ 곡선의 그래프와 x축 및 직선 $x=1$로 둘러싸인 도형의 넓이를 k에 관한 식으로 나타내기

함수 $y=x^2-kx$의 그래프와 x축 및 직선 $x=1$로 둘러싸인 도형의 넓이는

$-\displaystyle\int_0^k (x^2-kx)dx + \displaystyle\int_k^1 (x^2-kx)dx$

$=-\left[\dfrac{1}{3}x^3-\dfrac{k}{2}x^2 \right]_0^k + \left[\dfrac{1}{3}x^3-\dfrac{k}{2}x^2 \right]_k^1$

$=\dfrac{k^3}{3}-\dfrac{k}{2}+\dfrac{1}{3}$

STEP ❺ 넓이의 증가와 감소를 표로 나타내기

$S(k)=\dfrac{k^3}{3}-\dfrac{k}{2}+\dfrac{1}{3}$로 놓으면

$S'(k)=k^2-\dfrac{1}{2}=\left(k-\dfrac{\sqrt{2}}{2} \right)\left(k+\dfrac{\sqrt{2}}{2} \right)$

$S'(k)=0$에서 $0<k<1$이므로 $k=\dfrac{\sqrt{2}}{2}$

$0<k<1$에서 함수 $S(k)$의 증가와 감소를 표로 나타내면 다음과 같다.

k	(0)	$\cdots$	$\dfrac{\sqrt{2}}{2}$	$\cdots$	(1)
$S'(k)$		$-$	0	$+$	
$S(k)$		$\searrow$	극소	$\nearrow$	

따라서 $S(k)$는 $k=\dfrac{\sqrt{2}}{2}$일 때, 극소이면서 최소가 된다.

1419

STEP ❹ $S_1=\dfrac{1}{6}$임을 이용하여 a의 값 구하기

점 $S_1=\dfrac{1}{6} \times (\square \text{OABC의 넓이})=\dfrac{1}{6}$

이므로 $\displaystyle\int_0^1 ax^3 dx=\dfrac{1}{6}$에서 $\dfrac{a}{4}=\dfrac{1}{6}$

$\therefore a=\dfrac{2}{3}$

STEP ❺ $y=bx^3$와 $y=1$의 교점을 임의로 두고 $S_3=\dfrac{1}{2}$에서 b의 값 구하기

한편 $S_3=\dfrac{1}{2} \times (\square \text{OABC의 넓이})=\dfrac{1}{2}$

이므로 곡선 $y=bx^3$과 직선 $y=1$의
교점의 x좌표를 k로 놓으면

$bk^3=1$ ...... ㉠

$S_3=k \cdot 1 - \displaystyle\int_0^k bx^3 dx=\dfrac{1}{2}$

$k-\dfrac{1}{4}bk^4=\dfrac{1}{2}$ ...... ㉡

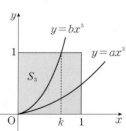

㉠을 ㉡에 대입하면

$k-\dfrac{1}{4}k=\dfrac{1}{2}$ $\therefore k=\dfrac{2}{3}$

또, ㉠에서 $b=\dfrac{1}{k^3}=\dfrac{27}{8}$

따라서 $a=\dfrac{2}{3}$, $b=\dfrac{27}{8}$이므로 $3a+8b=29$

1420

정답 $\dfrac{10}{3}$

STEP A 직선 l과 포물선의 교점을 α, β라 두고 공식을 이용하여 넓이 구하기

직선 l의 기울기를 m이라 하면
점 $A(2, 1)$을 지나는 직선의 방정식은 $y-1=m(x-2)$
즉 $y=mx-2m+1$
이차함수와 직선 l의 교점의 x좌표는
$x^2-2x=mx-2m+1$, $x^2-(m+2)x+2m-1=0$ 두 근이다.
두 근을 α, β $(\alpha<\beta)$라 하면
α, β가 주어진 곡선과 직선의 교점의 x좌표이므로 구하는 넓이는

$$\int_{\alpha}^{\beta}\{-x^2+(m+2)x-2m+1\}dx=\frac{(\beta-\alpha)^3}{6}$$

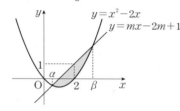

STEP B 근과 계수의 관계와 곱셈공식을 이용하여 넓이를 m으로 표현하기

한편 이차방정식 $x^2-(m+2)x+2m-1=0$의 근과 계수의 관계에 의하여
$\alpha+\beta=m+2$, $\alpha\beta=2m-1$
$\therefore (\beta-\alpha)^2=(\beta+\alpha)^2-4\alpha\beta=(m+2)^2-4(2m-1)=(m-2)^2+4$
$\beta-\alpha=\sqrt{(m-2)^2+4}$ 이므로 $\dfrac{(\beta-\alpha)^3}{6}=\dfrac{1}{6}\{\sqrt{(m-2)^2+4}\}^3$

STEP C 넓이의 최솟값과 그때의 기울기 구하기

$m=2$일 때, 넓이의 최솟값은 $\dfrac{4}{3}$

따라서 $a=\dfrac{4}{3}$, $b=2$이므로 $a+b=\dfrac{10}{3}$

1421

정답 $\dfrac{4}{3}$

STEP A 주어진 곡선과 직선의 교점 구하기

곡선 $y=ax^2-a^2x$와 직선 $y=x$의
교점의 x좌표는 $ax^2-a^2x=x$
$x(ax-a^2-1)=0$
$\therefore x=0$ 또는 $x=a+\dfrac{1}{a}$

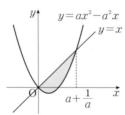

STEP B 정적분을 이용하여 넓이를 구하여 $\dfrac{S(a)}{a}$의 값 구하기

그런데 구간 $\left[0, a+\dfrac{1}{a}\right]$에서
$ax^2-a^2x-x=ax\left(x-a-\dfrac{1}{a}\right)\leq 0$이므로 $ax^2-a^2x\leq x$
즉 $S(a)=\displaystyle\int_0^{a+\frac{1}{a}}\{x-(ax^2-a^2x)\}dx=\dfrac{a}{6}\left(a+\dfrac{1}{a}\right)^3$에서
$\dfrac{S(a)}{a}=\dfrac{1}{6}\left(a+\dfrac{1}{a}\right)^3$

STEP C 산술평균과 기하평균을 이용하여 최솟값 구하기

그런데 $a>0$이므로 $a+\dfrac{1}{a}\geq 2\sqrt{a\cdot\dfrac{1}{a}}=2$ (단, 등호는 $a=1$일 때 성립)

즉 $\dfrac{S(a)}{a}\geq\dfrac{1}{6}\cdot 2^3=\dfrac{4}{3}$

따라서 $\dfrac{S(a)}{a}$는 $a=1$일 때, 최솟값 $\dfrac{4}{3}$

1422

정답 $y=5\,(0\leq x\leq 4)$

STEP A B영역의 넓이 구하기

전체 영역의 넓이가 $4\times 9=36$이고
B영역 넓이는

$$\int_0^4(-x^3+6x^2-10x+9)dx$$
$$=\left[-\frac{1}{4}x^4+2x^3-5x^2+9x\right]_0^4$$
$$=20$$

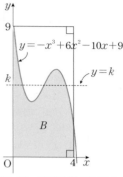

STEP B 두 영역 A, B의 넓이가 변하지 않도록 하는 새로운 경계선 구하기

직사각형의 가로의 길이가 4이고 새로운 영역의 경계를 직선 $y=k$라 하면
$4k=20$ $\therefore k=5$
따라서 새로운 영역의 경계는 직선 $y=5$의 일부이다. (단, $0\leq x\leq 4$)

1423

정답 16

STEP A 접선의 방정식 구하기

곡선 $y=x^3-x+1$ 위의 점 (a, a^3-a+1)에 접하는 직선의 방정식은
$y=(3a^2-1)(x-a)+a^3-a+1$
$\quad=(3a^2-1)x-2a^3+1$

STEP B 접선과 곡선의 교점의 x좌표 구하기

곡선과 접선의 교점의 x좌표는
$x^3-x+1=(3a^2-1)x-2a^3+1$에서 $(x-a)^2(x+2a)=0$이므로
$x=a$ 또는 $x=-2a$ ◀ $x=a$에서 접하므로 $(x-a)^2$의 인수를 가진다.

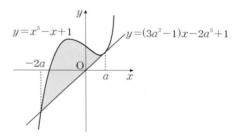

STEP C 접선과 이 곡선으로 둘러싸인 영역의 넓이가 108임을 이용하여 a^4 구하기

$\therefore \displaystyle\int_{-2a}^{a}[(x^3-x+1)-\{(3a^2-1)x-2a^3+1\}]dx$
$=\displaystyle\int_{-2a}^{a}(x^3-3a^2x+2a^3)dx$
$=\dfrac{27}{4}a^4=108$
따라서 $a^4=16$

속해법 삼차함수와 접선으로 둘러싸인 도형의 넓이 공식은
$$S=\frac{|a|}{12}(\beta-\alpha)^4=\frac{1}{12}\{a-(-2a)\}^4=\frac{27}{4}a^4$$

1424

정답 $\dfrac{4}{3}$

STEP A 함수 $f(x)-g(x)$의 식 구하기

함수 $f(x)$는 최고차항의 계수가 1인 삼차함수이고
x축과 $x=-1$, $x=0$, $x=1$에서 만나므로
$$f(x)=x(x+1)(x-1)=x^3-x$$
함수 $g(x)$는 이차함수이고 x축과 $x=-1$, $x=1$에서 만나므로
$$g(x)=a(x+1)(x-1)$$
즉 $g(x)=ax^2-a\,(a>0)$로 놓을 수 있다.
이때 함수 $y=f(x)$의 그래프와 함수 $y=g(x)$의 그래프가 $x=1$인 점에서
만나고 그 점에서의 접선의 기울기가 같으므로
$f'(x)=3x^2-1$, $g'(x)=2ax$에서 $f'(1)=g'(1)$
$2=2a$ ∴ $a=1$
∴ $g(x)=x^2-1$
즉 $f(x)-g(x)=(x^3-x)-(x^2-1)=x^3-x^2-x+1$

STEP B 두 곡선 $y=f(x)$, $y=g(x)$로 둘러싸인 도형의 넓이 구하기

이때 $f(x)-g(x)=(x+1)(x-1)^2$이고 구간 $[-1,1]$에서
$f(x)\geq g(x)$이므로 구하는 도형의 넓이는
$$\begin{aligned}
\int_{-1}^{1}|f(x)-g(x)|dx &=\int_{-1}^{1}(x^3-x^2-x+1)dx\\
&=2\int_{0}^{1}(-x^2+1)dx\\
&=2\left[-\frac{1}{3}x^3+x\right]_0^1\\
&=2\left(-\frac{1}{3}+1\right)\\
&=\frac{4}{3}
\end{aligned}$$

내/신/연/계 출제문항 587

다음 그림과 같이 삼차항의 계수가 -1인 삼차함수 $y=f(x)$의 그래프와
이차함수 $y=g(x)$의 그래프가 $x=-2$, $x=2$인 점에서 만나고 $x=-2$인
점에서의 접선의 기울기가 같다.
이때 두 곡선 $y=f(x)$, $y=g(x)$로 둘러싸인 도형의 넓이를 구하여라.

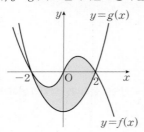

STEP A 함수 $f(x)-g(x)$의 식 구하기

함수 $f(x)$는 최고차항의 계수가 -1인 삼차함수이고
x축과 $x=-2$, $x=0$, $x=2$에서 만나므로 $f(x)=-(x+2)x(x-2)$
∴ $f(x)=-x^3+4x$
함수 $g(x)$는 이차함수이고 x축과 $x=-2$, $x=2$에서 만나므로
$$g(x)=a(x+2)(x-2)$$
즉 $g(x)=ax^2-4a\,(a>0)$로 놓을 수 있다.
이때 함수 $y=f(x)$의 그래프와 함수 $y=g(x)$의 그래프가
$x=-2$인 점에서 만나고 그 점에서의 접선의 기울기가 같으므로
$f'(x)=-3x^2+4$, $g'(x)=2ax$에서 $f'(-2)=g'(-2)$
$-8=-4a$ ∴ $a=2$
∴ $g(x)=2x^2-8$
즉 $f(x)-g(x)=(-x^3+4x)-(2x^2-8)=-x^3-2x^2+4x+8$

STEP B 두 곡선 $y=f(x)$, $y=g(x)$로 둘러싸인 도형의 넓이 구하기

$$\begin{aligned}
\int_{-2}^{2}|f(x)-g(x)|dx &=\int_{-2}^{2}(-x^3-2x^2+4x+8)dx\\
&=2\int_{0}^{2}(-2x^2+8)dx\\
&=2\left[-\frac{2}{3}x^3+8x\right]_0^2\\
&=2\cdot\frac{32}{3}=\frac{64}{3}
\end{aligned}$$

정답 $\dfrac{64}{3}$

1425

정답 $\dfrac{9}{4}$

STEP A 곡선 밖의 점에서 접선의 방정식 구하기

$y=x^2+x+\dfrac{1}{4}$에서 $y'=2x+1$이므로 접점의 좌표를 $\left(t,\ t^2+t+\dfrac{1}{4}\right)$라 하면
점 $\left(t,\ t^2+t+\dfrac{1}{4}\right)$에서의 접선의 방정식은 $y=(2t+1)(x-t)+t^2+t+\dfrac{1}{4}$
이 직선이 점 $(0,-2)$를 지나므로 $-2=(2t+1)\cdot(-t)+t^2+t+\dfrac{1}{4}$
$t^2-\dfrac{9}{4}=0$
∴ $t=\dfrac{3}{2}$ 또는 $-\dfrac{3}{2}$
즉 두 접점이 $\left(\dfrac{3}{2},\ 4\right)$, $\left(-\dfrac{3}{2},\ 1\right)$이므로 두 접선의 방정식은
$y=4x-2$, $y=-2x-2$

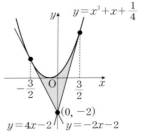

STEP B 정적분을 이용하여 두 접선과 곡선으로 둘러싸인 부분의 넓이 구하기

두 접선과 곡선 $y=x^2+x+\dfrac{1}{4}$로 둘러싸인 부분의 넓이 S는
$$\begin{aligned}
S &=\int_{-\frac{3}{2}}^{0}\left\{x^2+x+\frac{1}{4}-(-2x-2)\right\}dx+\int_{0}^{\frac{3}{2}}\left\{x^2+x+\frac{1}{4}-(4x-2)\right\}dx\\
&=\left[\frac{1}{3}x^3+\frac{3}{2}x^2+\frac{9}{4}x\right]_{-\frac{3}{2}}^{0}+\left[\frac{1}{3}x^3-\frac{3}{2}x^2+\frac{9}{4}x\right]_{0}^{\frac{3}{2}}\\
&=\left\{0-\left(-\frac{9}{8}+\frac{27}{8}-\frac{27}{8}\right)\right\}+\left\{\left(\frac{9}{8}-\frac{27}{8}+\frac{27}{8}\right)-0\right\}\\
&=\frac{9}{4}
\end{aligned}$$

오른쪽 그림과 같이 좌표평면 위의
점 $P\left(\dfrac{1}{2}, -2\right)$에서 곡선 $y=x^2$에
그은 두 접선을 l, m이라 할 때,
두 접선 l, m과 곡선 $y=x^2$으로
둘러싸인 부분의 넓이를 구하여라.

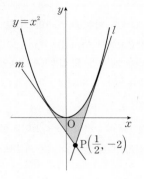

STEP A **두 접선 l, m의 방정식과 접점의 좌표 구하기**

$f(x)=x^2$라 하면 $f'(x)=2x$

곡선 $y=f(x)$ 위의 점의 좌표를 (t, t^2)이라 하면

점 (t, t^2)에서의 접선의 기울기 $f'(t)=2t$이므로 접선의 방정식은

$y-t^2=2t(x-t)$, 즉 $y=2t(x-t)+t^2$ ······ ㉠

㉠이 점 $P\left(\dfrac{1}{2}, -2\right)$를 지나므로 $-2=2t\left(\dfrac{1}{2}-t\right)+t^2$

$t^2-t-2=0$, $(t-2)(t+1)=0$

$\therefore t=2$ 또는 -1

이때 접점을 B, C라 하면 B(2, 4), C(-1, 1)이고

두 접선은 $l:y=4x-4$, $m:y=-2x-1$

STEP B **곡선과 접선으로 둘러싸인 도형의 넓이 구하기**

닫힌구간 $\left[-1, \dfrac{1}{2}\right]$에서 $x^2 \geq -2x-1$

닫힌구간 $\left[\dfrac{1}{2}, 2\right]$에서 $x^2 \geq 4x-4$

오른쪽 그림과 같이 두 접선 l, m과
곡선 $y=x^2$으로 둘러싸인 부분의
넓이 S는

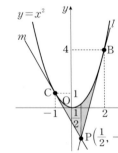

$S=\displaystyle\int_{-1}^{\frac{1}{2}}\{x^2-(-2x-1)\}dx+\int_{\frac{1}{2}}^{2}\{x^2-(4x-4)\}dx$

$=\left[\dfrac{1}{3}x^3+x^2+x\right]_{-1}^{\frac{1}{2}}+\left[\dfrac{1}{3}x^3-2x^2+4x\right]_{\frac{1}{2}}^{2}$

$=\left\{\left(\dfrac{1}{24}+\dfrac{1}{4}+\dfrac{1}{2}\right)-\left(-\dfrac{1}{3}+1-1\right)\right\}+\left\{\left(\dfrac{8}{3}-8+8\right)-\left(\dfrac{1}{24}-\dfrac{1}{2}+2\right)\right\}$

$=\dfrac{9}{4}$

다른풀이 **공식을 이용하여 풀이하기**

세 점 $P\left(\dfrac{1}{2}, -2\right)$, B(2, 4), C(-1, 1)인

삼각형 PBC의 넓이는 $\dfrac{27}{4}$

또한, 선분 BC와 곡선 $y=x^2$으로
둘러싸인 부분의 넓이는

$\dfrac{(2-(-1))^3}{6}=\dfrac{27}{6}=\dfrac{9}{2}$

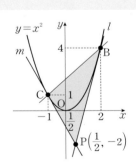

따라서 접선과 곡선으로 둘러싸인 부분의 넓이는 $\dfrac{27}{4}-\dfrac{9}{2}=\dfrac{9}{4}$ **정답** $\dfrac{9}{4}$

1426

정답 $\dfrac{1}{16}$

STEP A **두 함수가 직선 $y=x$에 대하여 대칭이므로 교점의 x좌표 구하기**

$f(x)=x^3+\dfrac{3}{4}x$에서 $f'(x)=3x^2+\dfrac{3}{4}\geq 0$

함수 $f(x)$는 증가하는 함수이므로 역함수를 갖는다.

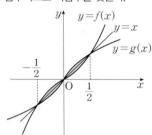

두 곡선 $y=f(x)$, $y=g(x)$는 직선 $y=x$에 대하여 대칭이므로

두 곡선 $y=f(x)$, $y=g(x)$로 둘러싸인 부분의 넓이는 곡선 $y=f(x)$와

직선 $y=x$로 둘러싸인 부분의 넓이의 2배이다.

곡선 $y=f(x)$와 직선 $y=x$의 교점의 x좌표는

$x^3+\dfrac{3}{4}x=x$, $x^3-\dfrac{1}{4}x=0$, $x\left(x-\dfrac{1}{2}\right)\left(x+\dfrac{1}{2}\right)=0$

$x=-\dfrac{1}{2}$ 또는 $x=0$ 또는 $x=\dfrac{1}{2}$

STEP B **도형의 넓이 구하기**

따라서 구하는 넓이를 S라 하면

$S=2\displaystyle\int_{-\frac{1}{2}}^{0}\left\{\left(x^3+\dfrac{3}{4}x\right)-x\right\}dx+2\int_{0}^{\frac{1}{2}}\left\{x-\left(x^3+\dfrac{3}{4}x\right)\right\}dx$

$=2\displaystyle\int_{-\frac{1}{2}}^{0}\left(x^3-\dfrac{1}{4}x\right)dx+2\int_{0}^{\frac{1}{2}}\left(\dfrac{1}{4}x-x^3\right)dx$

$=2\left[\dfrac{1}{4}x^4-\dfrac{1}{8}x^2\right]_{-\frac{1}{2}}^{0}+2\left[\dfrac{1}{8}x^2-\dfrac{1}{4}x^4\right]_{0}^{\frac{1}{2}}$

$=2\left\{0-\left(\dfrac{1}{64}-\dfrac{1}{32}\right)\right\}+2\left\{\left(\dfrac{1}{32}-\dfrac{1}{64}\right)-0\right\}$

$=\dfrac{1}{16}$

1427

STEP Ⓐ 곡선 $y=f(x)$와 x축으로 둘러싸인 부분의 넓이가 사다리꼴의 넓이와 같음을 이용하여 n, m의 관계식 구하기

직선 l의 방정식을 $y=mx+n$ (m, n은 상수)이라 하자.

사다리꼴 OABC의 넓이를 S_1이라 하면

$$S_1=-\int_0^6 (mx+n)dx$$

곡선 $y=f(x)$와 x축으로 둘러싸인
부분의 넓이를 S_2라 하면

$$S_2=-\int_0^6 (x^3-6x^2)dx$$

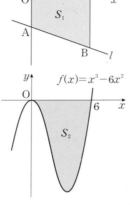

사다리꼴 OABC의 넓이가
곡선 $f(x)=x^3-6x^2$과 x축으로
둘러싸인 부분의 넓이와 같으므로
$S_1=S_2$에서

$$-\int_0^6 (mx+n)dx=-\int_0^6 (x^3-6x^2)dx$$

$$\int_0^6 \{(x^3-6x^2)-(mx+n)\}dx=0$$

$$\int_0^6 (x^3-6x^2-mx-n)dx=\left[\frac{1}{4}x^4-2x^3-\frac{m}{2}x^2-nx\right]_0^6$$
$$=-108-18m-6n=0$$

$$\therefore n=-3m-18$$

STEP Ⓑ m의 값에 관계없이 식을 만족시키는 x, y의 값을 구하여 삼각형 ODC의 넓이 구하기

직선 l의 방정식은 $y=mx-3m-18$

이 식을 정리하면 방정식 $m(x-3)-(y+18)=0$은 $x=3$, $y=-18$일 때, m의 값에 관계없이 항상 성립하므로 점 D의 좌표는 D$(3, -18)$

따라서 ($\triangle$ODC의 넓이)$=\frac{1}{2}\cdot 6\cdot 18=54$

다른풀이 점 D는 $\overline{A'B'}$의 중점임을 이용하여 풀이하기

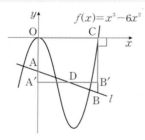

$f(x)$와 x축으로 둘러싸인 넓이는

$$\int_0^6 |x^3-6x^2|dx=\frac{(6-0)^4}{12}=108$$

이때 $\overline{OC}$를 한 변으로 하고 넓이가 108이 되도록 두 점 A′, B′을 잡으면 점 A′$(0, -18)$

$\overline{A'B'}$의 중점을 지나는 직선과 두 직선 $x=0$, $x=6$과 만나는 점을 A, B라 하면 사각형 OABC의 넓이는 사각형 OA′B′C의 넓이와 같으므로 점 D는 $\overline{A'B'}$의 중점이다.

따라서 $\triangle$ODC의 넓이는 $\frac{1}{2}\cdot 6\cdot 18=54$

1428

STEP Ⓐ 함수 $y=f(x)$의 그래프 그리기

조건 (나)에서 $f(x+2)=f(x)+2$이고
$f(x)$는 실수 전체의 집합에서 연속이므로 양변에 $x=0$을 대입하면
$f(2)=f(0)+2$, $4a=2$

$$\therefore a=\frac{1}{2}$$

이때 $f(x)=\frac{1}{2}x^2$ ($0\leq x<2$)이고 실수 전체의 집합에서 $f(x+2)=f(x)+2$
이 성립하므로 함수 $y=f(x)$의 그래프의 개형은 다음과 같다.

← $x+2=t$로 놓으면 $x=t-2$, 즉 $f(t)=f(t-2)+2$을 만족하므로
함수 $f(t)=\frac{1}{2}t^2$ ($0\leq t<2$)는 함수 $y=f(t)$을 x축으로 2만큼,
y축으로 2만큼 평행이동한 그래프와 일치하는 연속인 함수를 의미한다.

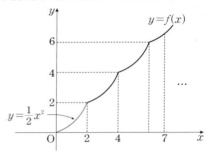

STEP Ⓑ 함수 $y=f(x)$의 그래프를 이용하여 $\int_1^7 f(x)dx$의 값 구하기

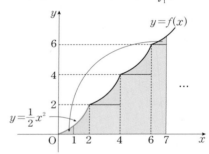

이때 $\int_0^1 f(x)dx=\int_6^7 \{f(x)-6\}dx$이므로

$\int_1^7 f(x)dx$의 값은

$= \int_0^6 f(x)dx+$(가로의 길이가 1이고 세로의 길이가 6인 직사각형의 넓이)

$$=3\int_0^2 \frac{1}{2}x^2dx+2\cdot 2+2\cdot 4+1\cdot 6$$

$$=3\left[\frac{1}{6}x^3\right]_0^2+4+8+6$$

$$=4+18$$

$$=22$$

1429

정답 12

STEP ④ $\displaystyle\int_{-1}^{1}f(x)dx=0$임을 이해하기

조건 (가)에서
$-1\le x\le 1$일 때, $f(-x)=-f(x)$이므로
$$\int_{-1}^{1}f(x)dx=0$$

STEP ⑤ 조건을 이용하여 $\displaystyle\int_{1}^{2}f(x)dx$, $\displaystyle\int_{-1}^{0}f(x)dx$의 값 구하기

$\displaystyle\int_{-1}^{2}f(x)dx=\frac{5}{3}$이므로 $\displaystyle\int_{-1}^{2}f(x)dx=\int_{-1}^{1}f(x)dx+\int_{1}^{2}f(x)dx=\frac{5}{3}$

$\therefore \displaystyle\int_{1}^{2}f(x)dx=\frac{5}{3}$

조건 (나) $f(x+2)=f(x)+2$에서
$f(x)=f(x-2)+2$이므로
$$\int_{1}^{2}f(x)dx=\int_{1}^{2}\{f(x-2)+2\}dx=\int_{1}^{2}f(x-2)dx+\Big[2x\Big]_{1}^{2}=\frac{5}{3}$$

즉 $\displaystyle\int_{1}^{2}f(x-2)dx=-\frac{1}{3}$이므로 x축으로 -2만큼 평행이동하면

$$\int_{-1}^{0}f(x)dx=-\frac{1}{3}$$

STEP ⑥ $f(x+2)=f(x)+2$임을 이용하여 $\displaystyle\int_{1}^{5}f(x)dx$의 값 구하기

$\displaystyle\int_{0}^{1}f(x)dx=\frac{1}{3}\left(\because \int_{-1}^{1}f(x)dx=0\right)$

$\displaystyle\int_{1}^{3}f(x)dx=\int_{1}^{3}f(x-2)dx+\int_{1}^{3}2dx$ ← $f(x)=f(x-2)+2$

$\qquad\qquad =\displaystyle\int_{1}^{3}f(x-2)dx+\Big[2x\Big]_{1}^{3}$

$\qquad\qquad =\displaystyle\int_{-1}^{1}f(x)dx+4=4$ ← x축으로 -2만큼 평행이동하면

$\displaystyle\int_{3}^{5}f(x)dx=\int_{3}^{5}f(x-2)dx+\int_{3}^{5}2dx$ ← $f(x)=f(x-2)+2$

$\qquad\qquad =\displaystyle\int_{3}^{5}f(x-2)dx+\Big[2x\Big]_{3}^{5}$

$\qquad\qquad =\displaystyle\int_{1}^{3}f(x)dx+4=4+4=8$ ← x축으로 -2만큼 평행이동하면

따라서 $\displaystyle\int_{1}^{5}f(x)dx=\int_{1}^{3}f(x)dx+\int_{3}^{5}f(x)dx=4+8=12$

+α
$f(-x)=-f(x)(-1\le x\le 1)$이고 실수 전체의 집합에서
$f(x+2)=f(x)+2$이 성립하므로 $x+2=t$로 놓으면 $x=t-2$
즉 $f(t)=f(t-2)+2$을 만족하므로 함수 $y=f(t)$을 x축으로 2만큼,
y축으로 2만큼 평행이동한 그래프와 일치하는 연속인 함수를 의미한다.
함수 $y=f(x)$의 그래프의 개형은 다음과 같다.

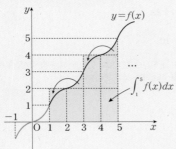

따라서 $\displaystyle\int_{1}^{5}f(x)dx=2\cdot 4+2\cdot 2=12$

mapl YOUR MASTER PLAN
M E M O

04 속도와 거리

1430

정답 ③

STEP Ⓐ 시각 $t=2$에서 점 P의 위치 구하기

시각 $t=2$일 때, 점 P의 위치는

$$x=2+\int_0^2(4t-3t^2)dt=2+\left[2t^2-t^3\right]_0^2=2+0=2$$

1431

정답 ④

STEP Ⓐ $t=0$에서 위치를 임의로 두고 $t=4$일 때, 점 P의 위치 구하기

$t=0$에서의 점 P의 좌표를 x_0이라 하면

$t=4$에서의 점 P의 위치는

$$x_0+\int_0^4(5-2t)dt=x_0+\left[5t-t^2\right]_0^4=x_0+4$$

STEP Ⓑ $t=0$에서의 점 P의 위치 구하기

따라서 $x_0+4=12$에서 $x_0=8$이므로 $t=0$에서의 점 P의 위치는 8

1432

정답 ①

STEP Ⓐ 속도 $v(t)$의 정적분을 이용하여 점 P의 위치 구하기

$$v(t)=\begin{cases}2t & (0\le t<1)\\2 & (1\le t<3)\\-2t+8 & (3\le t\le4)\end{cases}$$이므로

점 P의 시각 t에서의 위치를 $x(t)$라 하면

$$x(4)=0+\int_0^4 v(t)dt$$

$$=0+\int_0^1 v(t)dt+\int_1^3 v(t)dt+\int_3^4 v(t)dt$$

$$=\int_0^1 2tdt+\int_1^3 2dt+\int_3^4(-2t+8)dt$$

$$=\left[t^2\right]_0^1+\left[2t\right]_1^3+\left[-t^2+8t\right]_3^4$$

$$=1+4+1=6$$

다른풀이 도형의 넓이를 이용하여 풀이하기

점 P의 시각 $t=0$에서의 위치가 원점이고 $v(t)\ge0$이므로

점 P의 시각 $t=4$에서의 위치는 $0\le t\le4$에서 속도 $v(t)$의 그래프와 t축으로 둘러싸인 부분의 넓이와 같다.

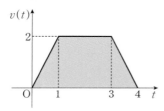

따라서 구하는 위치는 $\dfrac{1}{2}(2+4)\cdot2=6$

1433

정답 ③

STEP Ⓐ 정적분을 이용하여 시각 $t=5$에서 점 P의 위치 구하기

조건 (가)에서 시각 $t=5$에서 점 P의 위치는

$$0+\int_0^5 v(t)dt=-\frac{1}{2}(5+2)\cdot2=-7$$

STEP Ⓑ 넓이를 이용하여 시각 $t=2$에서 $t=6$까지 점 P가 움직인 거리 구하기

조건 (나)에서 시각 $t=2$에서 $t=6$까지 점 P가 움직인 거리는

$$\int_2^6|v(t)|dt=\frac{1}{2}(3+2)\cdot2+\frac{1}{2}\cdot1\cdot2=5+1=6$$

← $v(t)$의 그래프와 t축 및 직선 $t=2$에서 $t=6$로 둘러싸인 도형의 넓이와 같다.

따라서 $a=-7$, $b=6$이므로 $a+b=-7+6=-1$

1434

정답 ②

STEP Ⓐ 속도 $v(t)$의 정적분을 이용하여 점 P의 시각 $t=3$에서의 위치가 7임을 이용하여 상수 a의 값 구하기

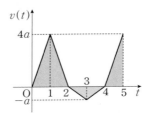

$t=3$일 때의 점 P의 위치가 7이므로

$$7=\int_0^3 v(t)dt$$

$$=\int_0^1 v(t)dt+\int_1^2 v(t)dt+\int_2^3 v(t)dt$$

$$=\frac{1}{2}\cdot1\cdot4a+\frac{1}{2}\cdot1\cdot4a-\frac{1}{2}\cdot1\cdot a$$

$$=2a+2a-\frac{1}{2}a=\frac{7}{2}a$$

즉 $\dfrac{7}{2}a=7$이므로 $a=2$

STEP Ⓑ $t=5$일 때의 점 P의 위치 구하기

따라서 $t=5$일 때의 점 P의 위치를 구하면

$$\int_0^5 v(t)dt=\int_0^2 v(t)dt+\int_2^4 v(t)dt+\int_4^5 v(t)dt$$

$$=\frac{1}{2}\cdot2\cdot4a-\frac{1}{2}\cdot2\cdot a+\frac{1}{2}\cdot1\cdot4a$$

$$=4a-a+2a$$

$$=5a$$

$$=2\cdot5=10$$

🦔 속도의 그래프가 직선으로만 되어 있을 때에는 정적분을 구하는 것보다 도형의 넓이를 이용하는 것이 편리하다.

원점을 출발하여 수직선 위를 움직이는 점 P의 t초 후의 속도 $v(t)$의 그래프가 다음 그림과 같다.
$t=3$에서의 점 P의 위치가 6일 때, $t=5$에서 점 P의 위치는?
(단, $0 \leq t \leq 5$)

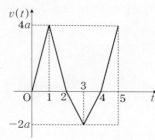

① 4   ② 6   ③ 8
④ 10   ⑤ 12

STEP A 속도 $v(t)$의 정적분을 이용하여 점 P의 시각 $t=3$에서의 위치가 6임을 이용하여 상수 a의 값 구하기

$t=3$일 때의 점 P의 위치가 6이므로

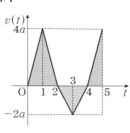

$6 = \int_0^3 v(t)dt$

$= \int_0^1 v(t)dt + \int_1^2 v(t)dt + \int_2^3 v(t)dt$

$= \frac{1}{2} \cdot 1 \cdot 4a + \frac{1}{2} \cdot 1 \cdot 4a - \frac{1}{2} \cdot 1 \cdot 2a$

$= 2a + 2a - a$

$= 3a$

즉 $3a=6$이므로 $a=2$

STEP B $t=5$일 때의 점 P의 위치 구하기

따라서 $t=5$일 때의 점 P의 위치를 구하면

$\int_0^5 v(t)dt = \int_0^1 v(t)dt + \int_1^2 v(t)dt + \int_2^3 v(t)dt + \int_3^4 v(t)dt + \int_4^5 v(t)dt$

$= \frac{1}{2} \cdot 1 \cdot 8 + \frac{1}{2} \cdot 1 \cdot 8 - \frac{1}{2} \cdot 1 \cdot 4 - \frac{1}{2} \cdot 1 \cdot 4 + \frac{1}{2} \cdot 1 \cdot 8$

$= 4 + 4 - 2 - 2 + 4$

$= 8$

정답 ③

1435

정답 ①

STEP A 속도의 그래프를 그리기

$v(t) = t^2 - 3t + 2 = (t-1)(t-2)$이므로
구간 $[1, 2]$에서 $v(t) \leq 0$이고
구간 $[2, 3]$에서 $v(t) \geq 0$이다.

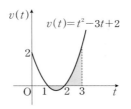

STEP B 시각 $t=1$에서 $t=3$까지 점 P가 움직인 거리 구하기

따라서 시각 $t=1$에서 $t=3$까지 점 P가 움직인 거리 s는

$s = \int_1^3 |t^2 - 3t + 2| dt$

$= \int_1^2 (-t^2 + 3t - 2)dt + \int_2^3 (t^2 - 3t + 2)dt$

$= \left[-\frac{1}{3}t^3 + \frac{3}{2}t^2 - 2t \right]_1^2 + \left[\frac{1}{3}t^3 - \frac{3}{2}t^2 + 2t \right]_2^3$

$= \frac{1}{6} + \frac{5}{6} = 1$

수직선 위를 움직이는 점 P의 시각 t에서 속도가

$$v(t) = 3t - t^2$$

일 때, $t=2$에서 $t=4$까지 점 P가 움직인 거리는?

① 2   ② 3   ③ 4
④ 5   ⑤ 6

STEP A 속도의 그래프를 그리기

$v(t) = 3t - t^2 = (3-t)t$이므로
$2 \leq t \leq 3$에서 $v(t) \geq 0$이고
$3 \leq t \leq 4$에서 $v(t) \leq 0$이다.

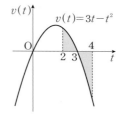

STEP B 시각 $t=2$에서 $t=4$까지 점 P가 움직인 거리 구하기

따라서 점 P가 움직인 거리는

$s = \int_2^4 |3t - t^2| dt$

$= \int_2^3 (3t - t^2)dt + \int_3^4 (-3t + t^2)dt$

$= \left[\frac{3}{2}t^2 - \frac{1}{3}t^3 \right]_2^3 + \left[-\frac{3}{2}t^2 + \frac{1}{3}t^3 \right]_3^4 = 3$

정답 ②

1436

정답 ②

STEP A 시각 $t=0$에서 $t=2a$까지 점 P가 움직인 거리 구하기

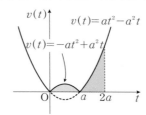

$v(t) = at(t-a) = 0$에서 $t=0$ 또는 $t=a$
$0 \leq t \leq a$에서 $v(t) \leq 0$, $a \leq t \leq 2a$에서 $v(t) \geq 0$이므로
시각 $t=0$에서 $t=2a$까지 점 P가 움직인 거리 s는

$s = \int_0^a (-at^2 + a^2 t)dt + \int_a^{2a} (at^2 - a^2 t)dt$

$= \left[-\frac{a}{3}t^3 + \frac{a^2}{2}t^2 \right]_0^a + \left[\frac{a}{3}t^3 - \frac{a^2}{2}t^2 \right]_a^{2a}$

$= \frac{1}{6}a^4 + \left(\frac{2}{3}a^4 + \frac{1}{6}a^4 \right)$

$= a^4$

STEP B 움직인 거리가 16일 때, 상수 a의 값 구하기

따라서 $a^4 = 16$이고 $a > 0$이므로 $a=2$

수직선 위를 움직이는 점 P의 시각 $t(t \geq 0)$에서의 속도 $v(t)$가
$$v(t) = 3t^2 + at$$
이다. $t = 0$에서 $t = 4$까지 점 P가 움직인 거리가 80일 때, 상수 a의 값은?
(단, $a > 0$)

① 1   ② 2   ③ 3
④ 4   ⑤ 5

STEP A 시각 $t = 0$에서 $t = 4$까지 점 P가 움직인 거리 구하기

$v(t) = 3t^2 + at = 3t\left(t + \dfrac{a}{3}\right) = 0$에서

$t = -\dfrac{a}{3}$ 또는 $t = 0$

$a > 0$이므로 $v(t)$의 그래프가 오른쪽
그림과 같고 $t \geq 0$에서 $v(t) \geq 0$이므로
$t = 0$에서 $t = 4$까지 점 P가 움직인
거리 s는

$s = \displaystyle\int_0^4 |v(t)| dt$

$= \displaystyle\int_0^4 (3t^2 + at) dt$

$= \left[t^3 + \dfrac{1}{2}at^2\right]_0^4$

$= 64 + 8a$

STEP B 움직인 거리가 80일 때, 상수 a의 값 구하기

따라서 $64 + 8a = 80$에서 $a = 2$

정답 ②

1437

정답 ④

STEP A 시각 $t = 0$에서 $t = 3$까지 점 P의 위치의 변화량이 9임을 이용하여 a의 값 구하기

시각 $t = 0$에서 $t = 3$까지 점 P의 위치의 변화량은

$\displaystyle\int_0^3 v(t) dt = \int_0^3 (t^2 + 2t + a) dt$

$= \left[\dfrac{1}{3}t^3 + t^2 + at\right]_0^3$

$= 18 + 3a$

즉 $18 + 3a = 9$에서 $a = -3$

STEP B 시각 $t = 0$에서 $t = 3$까지 점 P가 움직인 거리 구하기

$v(t) = t^2 + 2t - 3 = (t + 3)(t - 1)$
이므로
$0 \leq t < 1$일 때, $v(t) < 0$
$t \geq 1$일 때, $v(t) \geq 0$
따라서 시각 $t = 0$에서 $t = 3$까지
점 P가 움직인 거리는

$\displaystyle\int_0^3 |v(t)| dt$

$= \displaystyle\int_0^3 |t^2 + 2t - 3| dt$

$= \displaystyle\int_0^1 (-t^2 - 2t + 3) dt + \int_1^3 (t^2 + 2t - 3) dt$

$= \left[-\dfrac{1}{3}t^3 - t^2 + 3t\right]_0^1 + \left[\dfrac{1}{3}t^3 + t^2 - 3t\right]_1^3$

$= \dfrac{5}{3} + \left(9 + \dfrac{5}{3}\right)$

$= \dfrac{37}{3}$

1438

정답 ⑤

STEP A 점 P가 움직인 거리 구하기

$0 \leq t \leq 4$에서 $v(t) \geq 0$, $4 \leq t \leq 6$에서 $v(t) \leq 0$이므로

시각 $t = 0$에서 $t = 6$까지 점 P가 움직인 거리는 $\displaystyle\int_0^6 |v(t)| dt$이다.

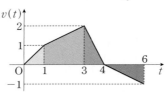

$\displaystyle\int_0^6 |v(t)| dt = \int_0^4 v(t) dt + \int_4^6 \{-v(t)\} dt$

← $v(t)$의 그래프와 t축 및 직선 $t = 6$로 둘러싸인 도형의 넓이와 같다.

$= \dfrac{1}{2} \cdot 1 \cdot 1 + \dfrac{1}{2} \cdot 2 \cdot (1+2) + \dfrac{1}{2} \cdot 1 \cdot 2 + \dfrac{1}{2} \cdot 2 \cdot 1$

$= \dfrac{1}{2} + 3 + 1 + 1$

$= \dfrac{11}{2}$

1439

정답 ③

STEP A $0 \leq t \leq 35$에서 속도 $v(t)$의 그래프와 t축 사이의 정적분을 이용하여 구하기

최초에 지면에 정지해 있었으므로 $t = 35$일 때의 열기구의 높이를
$x(35)$라 하면

$x(35) = 0 + \displaystyle\int_0^{35} v(t) dt$

$= \displaystyle\int_0^{20} t\, dt + \int_{20}^{35} (60 - 2t) dt$

$= \left[\dfrac{1}{2}t^2\right]_0^{20} + \left[60t - t^2\right]_{20}^{35}$

$= \dfrac{1}{2} \cdot 20^2 + (60 \cdot 35 - 35^2) - (60 \cdot 20 - 20^2)$

$= 200 + 875 - 800$

$= 275 \,(\text{m})$

다른풀이 그래프를 이용하여 풀이하기

시간(t)와 속도 $v(t)$에 대한 그래프
를 그리면 오른쪽 그림과 같다.
즉 $t = 35$일 때, 열기구의 높이는
$0 < t < 30$에서의 삼각형의 넓이에서
$30 < t < 35$에서의 삼각형의 넓이를
빼면 된다.
따라서 구하는 높이는

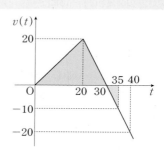

$\dfrac{1}{2} \cdot 30 \cdot 20 - \dfrac{1}{2} \cdot 5 \cdot 10$

$= 300 - 25 = 275 \,(\text{m})$

수직선 위를 움직이는 점 P의 시각 t에서의 속도 $v(t)$가

$$v(t)=\begin{cases} 2t & (0 \le t < 2) \\ -t^2+4t & (t \ge 2) \end{cases}$$

일 때, 시각 $t=0$에서 $t=5$까지 점 P가 움직인 거리는?

① $\dfrac{27}{2}$　　② $\dfrac{31}{3}$　　③ $\dfrac{35}{3}$

④ $\dfrac{41}{3}$　　⑤ $\dfrac{43}{3}$

STEP A $0 \le t \le 5$에서 속도 $v(t)$의 그래프와 t축 사이의 정적분을 이용하여 구하기

시각 $t=0$에서 $t=5$까지 점 P가 움직인 거리를 s라고 하면

$s = \displaystyle\int_0^5 |v(t)|dt$

$= \displaystyle\int_0^2 2tdt + \int_2^4 (-t^2+4t)dt + \int_4^5 (t^2-4t)dt$

$= \left[t^2\right]_0^2 + \left[-\dfrac{1}{3}t^3 + 2t^2\right]_2^4 + \left[\dfrac{1}{3}t^3 - 2t^2\right]_4^5$

$= 4 + \dfrac{16}{3} + \dfrac{7}{3} = \dfrac{35}{3}$

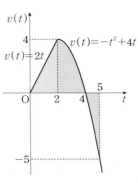

정답 ③

1440

정답 ③

STEP A 열기구가 최고 지점에 도달할 때 시간 구하기

열기구가 최고 지점에 도달할 때, $v(t)=0$이므로
$70-10t=0$ ∴ $t=7$

STEP B 열기구가 최고 지점에 도달할 때의 지면으로부터의 높이 구하기

$t=7$이므로 기구가 최고 지점에 도달할 때의 지면으로부터의 높이는

$\displaystyle\int_0^7 |v(t)|dx = \int_0^5 4tdt + \int_5^7 (70-10t)dt$

$= \left[2t^2\right]_0^5 + \left[70t-5t^2\right]_5^7$

$= 50 + 20 = 70(\text{m})$

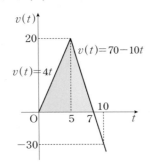

1441

정답 ②

STEP A $0 \le t \le 13$에서 속도 $v(t)$의 그래프와 t축 사이의 정적분을 이용하여 구하기

$$v(t)=\begin{cases} 3t & (0 \le t \le 2) \\ 6 & (2 < t \le 10) \\ -2t+26 & (10 < t \le 13) \end{cases}$$

의 그래프는 오른쪽 그림과 같다. 이 승강기가 1층에서 꼭대기 층까지 움직인 거리는

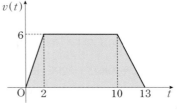

$\displaystyle\int_0^{13} |v(t)|dt = \int_0^2 3tdt + \int_2^{10} 6dt + \int_{10}^{13} (-2t+26)dt$

$= \left[\dfrac{3}{2}t^2\right]_0^2 + \left[6t\right]_2^{10} + \left[-t^2+26t\right]_{10}^{13}$

$= 63(\text{m})$

참고 속도 $v(t)$의 그래프와 x축으로 둘러싸인 영역의 넓이가 움직인 거리이므로 움직인 거리는 $\dfrac{1}{2}(8+13)\cdot 6 = 63\text{m}$

어느 고층 건물에 설치된 엘리베이터가 1층에서 출발하여 멈추지 않고 올라가서 맨 위층에 도착하여 멈추었다고 한다.
이때 t초 후의 엘리베이터의 속도 $v(t)\text{m/s}$는 다음과 같다.

$$v(t)=\begin{cases} 4t & (0 \le t \le 5) \\ 20 & (5 \le t \le 20) \\ -2t+60 & (20 \le t \le a) \end{cases}$$

이 엘리베이터가 출발한 지 a초 후에 멈추었을 때, 출발한 후 멈출 때까지 엘리베이터가 움직인 거리는?

① 260(m)　　② 300(m)　　③ 360(m)

④ 400(m)　　⑤ 450(m)

STEP A 엘리베이터가 멈추었을 시각 구하기

엘리베이터가 멈추었을 때, $v(t)=0$이므로
$-2t+60=0$ ∴ $t=30$

STEP B $t=30$일 때, 엘리베이터가 움직인 거리 구하기

$a=30$일 때, 엘리베이터가 움직인 거리는

$\displaystyle\int_0^{30} |v(t)|dx = \int_0^5 4tdt + \int_5^{20} 20dt + \int_{20}^{30} (-2t+60)dt$

$= \left[2t^2\right]_0^5 + \left[20t\right]_5^{20} + \left[-t^2+60t\right]_{20}^{30}$

$= 50 + 300 + 100 = 450(\text{m})$

정답 ⑤

참고 속도 $v(t)$를 그래프로 나타내면 다음과 같다.

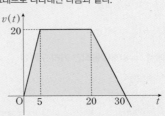

속도 $v(t)$의 그래프와 t축으로 둘러싸인 영역의 넓이가 움직인 거리이므로 움직인 거리는 $\dfrac{1}{2}(15+30)\cdot 20 = 450(\text{m})$

1442

STEP Ⓐ **t초 후 점 A, B가 달린 거리 구하기**

B가 P지점을 지나고 달린 시간을 t초 라 하면
A가 P지점을 지나고 달린 시간은 $(t+2)$초이다.
A가 P지점을 지나고 $(t+2)$초 동안 달린 거리는 $16(t+2)$(m)
또, 점 B가 P지점을 지나고 달린 거리는 $\int_0^t (2t+2)dt = t^2+2t$(m)

STEP Ⓑ **두 자동차가 만나게 되는 t의 값 구하기**

$16(t+2) = t^2+2t$에서 $(t-16)(t+2) = 0$
이때 $t>0$이므로 $t=16$
따라서 16초 후에 두 자동차가 만난다.

내/신/연/계 출제문항 594

두 자동차 A, B가 같은 직선 도로를 따라 같은 방향으로 달리고 있는데,
A의 속도는 20m/s로 일정하다. A가 한 지점 P를 지나고 20초 후에 B도
P지점을 지났으며 P지점을 지난 지 t초 후의 B의 속도는 $\left(\frac{1}{8}t+20\right)$m/s이
었다. 두 자동차가 만나게 되는 것은 B가 P지점을 지난 지 몇 초 후인가?
(단, 두 자동차가 만난 후, B는 A와 만날 때의 속도로 일정하게 달린다.)

① 40   ② 60   ③ 80
④ 100   ⑤ 120

STEP Ⓐ **t초 후 점 A, B가 달린 거리 구하기**

B가 P지점을 지나고 달린 시간을 t초 라고 하면
A가 P지점을 지나고 달린 시간은 $(t+20)$초
A가 P지점을 지나고 $(t+20)$초 동안 달린 거리는 $20(t+20)$(m)
또, B가 P지점을 지나고 t초 동안 달린 거리는

$$\int_0^t \left(\frac{1}{8}t+20\right)dt = \frac{1}{16}t^2+20t \text{(m)}$$

STEP Ⓑ **두 자동차가 만나게 되는 t의 값 구하기**

$20(t+20) = \frac{1}{16}t^2+20t$에서 $t^2 = 6400$
이때 $t>0$이므로 $t=80$
따라서 80초 후에 두 자동차가 만나게 된다.

1443

STEP Ⓐ **물체가 3초 동안 움직인 거리 구하기**

물체가 출발한 후 3초 동안 움직인 거리는

$$\int_0^3 |3t^2+2t|dt = \int_0^3 (3t^2+2t)dt$$
$$= \left[t^3+t^2\right]_0^3 = 36 \text{(m)}$$

STEP Ⓑ **$t=3$에서 $t=8$까지 움직인 거리 구하기**

물체의 $t=3$에서의 속도는
$v(3) = 3\cdot 3^2 + 2\cdot 3 = 33$(m/s)
이므로 이 물체가 $t=3$에서
$t=8$까지 움직인 거리는

$$\int_3^8 |33|dt = \int_3^8 33dt$$
$$= \left[33t\right]_3^8$$
$$= 165 \text{(m)}$$

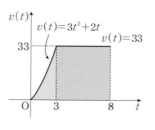

따라서 이 물체가 출발한 후 8초 동안 움직인 거리는 $36+165 = 201$(m)

1444

STEP Ⓐ **고속열차가 3km를 달리는데 걸리는 시간 구하기**

고속열차가 출발하여 3km를 달리는 동안 걸리는 시간을 x분이라 하면
$$\int_0^x v(t)dt = \int_0^x \left(\frac{3}{4}t^2+\frac{1}{2}t\right)dt = \left[\frac{1}{4}t^3+\frac{1}{4}t^2\right]_0^x$$
$$= \frac{x^3}{4}+\frac{1}{4}x^2$$

이때 $\frac{x^3}{4}+\frac{1}{4}x^2 = 3$, $x^3+x^2-12 = 0$
$(x-2)(x^2+3x+6) = 0$
$\therefore x = 2 \left(\because x^2+3x+6 = \left(x+\frac{3}{2}\right)^2 + \frac{15}{4} > 0\right)$

STEP Ⓑ **열차가 달린 거리 구하기**

즉 고속열차가 출발하여 3km를 달리는 동안 걸리는 시간은 2분이고
그때의 속도는 $v(2) = \frac{3}{4}\cdot 4 + \frac{1}{2}\cdot 2 = 4$
즉 출발하고 2분 후로는 4m/분의 일정한 속도로 달린다.
따라서 고속열차가 출발 후 5분 동안 움직인 거리는

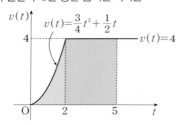

$$\int_0^5 v(t)dt = \int_0^2 \left(\frac{3}{4}t^2+\frac{1}{2}t\right)dt + \int_2^5 4dt = 3 + \left[4t\right]_2^5 = 3+12 = 15 \text{(km)}$$

내/신/연/계 출제문항 595

어느 자동차는 출발 후 위치가 4km 변하는 동안
$$v(t) = 6t^2-6t \text{ (km/m)}$$
의 속도로 움직이고 그 이후로는 일정한 속력으로 움직인다고 한다.
출발 후 5분 동안 이 자동차가 달린 거리는? (단위는 km)

① 34   ② 36   ③ 38
④ 40   ⑤ 42

STEP Ⓐ **정적분을 이용하여 4km를 달리는 데 걸리는 시간 구하기**

어느 자동차는 출발 후 4km를 달리는 데 걸리는 시간을 a분이라 하면
$$\int_0^a v(t)dt = \int_0^a (6t^2-6t)dt = \left[2t^3-3t^2\right]_0^a = 2a^3-3a^2 = 4$$
$2a^3-3a^2-4 = 0$
$(a-2)(2a^2+a+2) = 0$
$\therefore a = 2 (\because 2a^2+a+2 > 0)$

STEP Ⓑ **구간을 나누어 $v(t)$의 그래프를 그리고 5분 동안 자동차가 달린 거리 구하기**

그 이후로는 속력이 일정하므로
$v(2) = 6\cdot 4 - 6\cdot 2 = 12$(km/m)
이므로 이 물체가 $t=2$에서
$t=5$까지 움직인 거리는

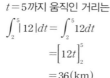
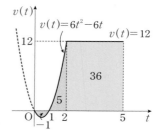

$$\int_2^5 |12|dt = \int_2^5 12dt$$
$$= \left[12t\right]_2^5$$
$$= 36 \text{(km)}$$

따라서 이 물체가 출발한 후 5분 동안 움직인 거리는 $6+36 = 42$(km)

1445

정답 ⑤

STEP Ⓐ t초 후 점 P, Q의 위치 구하기

두 점 P, Q 모두 원점에서 출발했으므로 t초 후의 점의 위치를 x_P, x_Q라 하면

$x_P = \int_0^t (2t-3)dt = t^2 - 3t$

$x_Q = \int_0^t (6-4t)dt = 6t - 2t^2$

STEP Ⓑ $x_P = x_Q$를 만족하는 t의 값 구하기

다시 만나는 시각은 $x_P = x_Q$일 때이므로 $t^2 - 3t = 6t - 2t^2$, $3t(t-3) = 0$
따라서 $t > 0$이므로 $t = 3$

1446

정답 ⑤

STEP Ⓐ 점 P가 운동방향을 바꾸는 시각 구하기

$v_P(t) = 2t - 6 = 0$에서 $t = 3$이므로
점 P는 시각 $t = 3$에서 운동방향을 바꾼다.

STEP Ⓑ 점 P, Q의 위치 구하기

시각 $t = 0$에서의 두 점 P, Q의 위치가 모두 원점이므로
시각 $t = 3$에서의 두 점 P, Q의 위치는 각각

$x_1 = \int_0^3 (2t-6)dt = \left[t^2 - 6t\right]_0^3 = -9$

$x_2 = \int_0^3 (3t^2 - 2t)dt = \left[t^3 - t^2\right]_0^3 = 18$

따라서 $|x_1 - x_2| = |-9-18| = 27$

1447

정답 ③

STEP Ⓐ 두 점 P, Q의 속도가 같아지는 시각 구하기

출발한 후 두 점 P, Q의 속도가 같아지는 순간 $v_1(t) = v_2(t)$이므로
$3t^2 + t = 2t^2 + 3t$
$t^2 - 2t = 0$, $t(t-2) = 0$
즉 $t > 0$에서 $t = 2$

STEP Ⓑ $t = 2$일 때, 두 점 P, Q의 위치 구하기

$t = 2$일 때, 점 P의 위치는

$x_1(t) = 0 + \int_0^2 v_1(t)dt$

$= \int_0^2 (3t^2 + t)dt$

$= \left[t^3 + \frac{1}{2}t^2\right]_0^2 = 10$

$t = 2$일 때, 점 Q의 위치는

$x_2(t) = 0 + \int_0^2 v_2(t)dt$

$= \int_0^2 (2t^2 + 3t)dt$

$= \left[\frac{2}{3}t^3 + \frac{3}{2}t^2\right]_0^2$

$= \frac{16}{3} + 6 = \frac{34}{3}$

STEP Ⓒ 두 점 P, Q 사이의 거리 구하기

따라서 두 점 사이의 거리 a는 $a = \left|\frac{34}{3} - 10\right| = \frac{4}{3}$이므로 $9a = 9 \times \frac{4}{3} = 12$

내/신/연/계/ 출제문항 596

수직선 위를 움직이는 두 점 P, Q의 시각 t $(t \geq 0)$에서의 위치가 각각
$$P(t) = \frac{1}{3}t^3 + 9t - \frac{8}{3}, \quad Q(t) = 2t^2 - 5$$
이다. 두 점 P, Q의 가속도가 같은 순간의 두 점 P, Q 사이의 거리는?

① 12   ② 13   ③ 14
④ 15   ⑤ 16

STEP Ⓐ 두 점 P, Q의 가속도가 같아지는 시각 구하기

두 점 P, Q의 속도를 각각 $v_P(t)$, $v_Q(t)$라 하면
$v_P(t) = t^2 + 9$, $v_Q(t) = 4t$
두 점 P, Q의 가속도를 각각 $a_P(t)$, $a_Q(t)$라 하면
$a_P(t) = 2t$, $a_Q(t) = 4$
출발한 후 두 점 P, Q의 가속도가 같아지는 순간 $a_P(t) = a_Q(t)$이므로
$2t = 4$에서 $t = 2$

STEP Ⓑ $t = 2$일 때, 두 점 P, Q의 위치 구하기

$t = 2$에서 두 점 P, Q의 위치는

$P(2) = \frac{8}{3} + 18 - \frac{8}{3} = 18$, $Q(2) = 8 - 5 = 3$

따라서 두 점 P, Q 사이의 거리는 $18 - 3 = 15$

정답 ④

1448

정답 ②

STEP Ⓐ t초 후 점 P, Q의 위치 구하기

출발한 지 a초 후의 두 점 P, Q의 위치는

$x_P(t) = 0 + \int_0^a v_P(t)dt = 0 + \int_0^a 4t dt = \left[2t^2\right]_0^a = 2a^2$

$x_Q(t) = 6 + \int_0^a v_Q(t)dt = 6 + \int_0^a (2t+1)dt = 6 + \left[t^2 + t\right]_0^a = a^2 + a + 6$

STEP Ⓑ $x_P(t) = x_Q(t)$를 만족하는 t의 값 구하기

두 점 P, Q가 만날 때의 a의 값은 $2a^2 = a^2 + a + 6$에서
$a^2 - a - 6 = 0$, $(a+2)(a-3) = 0$
즉 $a > 0$이므로 $a = 3$

STEP Ⓒ 두 점 P, Q가 만나는 지점까지 점 P가 움직인 거리 구하기

따라서 3초 동안 점 P가 움직인 거리는 $\int_0^3 |v_P(t)|dt = \int_0^3 4t dt = \left[2t^2\right]_0^3 = 18$

수직선 위를 움직이는 두 점 P, Q의 시각 t에서의 속도가 각각

$$v_P(t)=3t^2-2t, \quad v_Q(t)=2t-1$$

이다. 점 P는 원점에서 출발하고 점 Q는 좌표가 2인 점에서 동시에 출발했을 때, 두 점 P, Q가 만나는 지점까지 점 Q가 움직인 거리는?

① $\dfrac{5}{2}$ ② $\dfrac{11}{4}$ ③ 3

④ $\dfrac{13}{4}$ ⑤ $\dfrac{7}{2}$

STEP Ⓐ **t초 후 점 P, Q의 위치 구하기**

점 P의 t초 후의 위치는 $x_P(t)$, 점 Q의 t초 후의 위치는 $x_Q(t)$라 하면

$$x_P(t)=0+\int_0^t (3t^2-2t)dt=\Big[t^3-t^2\Big]_0^t=t^3-t^2$$

$$x_Q(t)=2+\int_0^t (2t-1)dt=2+\Big[t^2-t\Big]_0^t=t^2-t+2$$

STEP Ⓑ **$x_P(t)=x_Q(t)$를 만족하는 t의 값 구하기**

출발 후 다시 만나는데 걸리는 시간은

$t^3-t^2=t^2-t+2$에서 $t^3-2t^2+t-2=0$

$(t-2)(t^2+1)=0$

$\therefore t=2$

STEP Ⓒ **두 점 P, Q가 만나는 지점까지 점 Q가 움직인 거리 구하기**

따라서 2초 동안 점 Q가 움직인 거리는

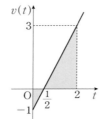

$$\int_0^2 |2t-1|dt=\int_0^{\frac{1}{2}}(-2t+1)dt+\int_{\frac{1}{2}}^2 (2t-1)dt$$

$$=\Big[-t^2+t\Big]_0^{\frac{1}{2}}+\Big[t^2-t\Big]_{\frac{1}{2}}^2$$

$$=\frac{1}{4}+\frac{9}{4}=\frac{5}{2}$$

정답 ①

참고 속도 $v(t)$의 그래프와 t축 및 $t=0$, $t=2$로 둘러싸인 영역의 넓이가 움직인 거리이므로 움직인 거리는
$$\int_0^2 |2t-1|dt=\frac{1}{2}\cdot\frac{1}{2}\cdot 1+\frac{1}{2}\cdot\frac{3}{2}\cdot 3=\frac{5}{2}$$

1449

정답 ①

STEP Ⓐ **t초 후 점 P, Q의 위치 구하기**

시각 t에서의 두 점 P, Q의 위치를 각각 $x_P(t)$, $x_Q(t)$라고 하면

$$x_P(t)=0+\int_0^t (-2t+4)dt=\Big[-t^2+4t\Big]_0^t=-t^2+4t$$

$$x_Q(t)=0+\int_0^t (2t-4)dt=\Big[t^2-4t\Big]_0^t=t^2-4t$$

STEP Ⓑ **$x_P(t)=x_Q(t)$를 만족하는 t의 값 구하기**

출발 후 다시 만나는데 걸리는 시간은

$-t^2+4t=t^2-4t$에서 $2t^2-8t=0$, $2t(t-4)=0$

$t>0$이므로 $t=a=4$

STEP Ⓒ **두 점 사이의 거리가 최대가 되는 t의 값 구하기**

또, 두 점 P, Q 사이의 거리 d는

$d=|(t^2-4t)-(-t^2+4t)|=|2t^2-8t|=|2(t-2)^2-8|$

$0<t<4$에서 거리 d는 $t=2$일 때, 최대이므로 $b=2$

따라서 $a+b=6$

원점을 동시에 출발하여 수직선 위를 움직이는 두 점 P, Q의 시각 t에서의 속도가 각각

$$v_P(t)=-2t+1, \quad v_Q(t)=4t-8$$

이다. 원점을 출발한 후 두 점 P, Q가 만날 때의 시각을 a라 하고, 두 점 사이의 거리가 최대일 때의 시각을 b라 할 때, $a+b$의 값은?

① $\dfrac{5}{2}$ ② 3   ③ $\dfrac{7}{2}$

④ 4   ⑤ $\dfrac{9}{2}$

STEP Ⓐ **t초 후 점 P, Q의 위치 구하기**

시각 t에서의 두 점 P, Q의 위치를 각각 $x_P(t)$, $x_Q(t)$라고 하면

$$x_P(t)=0+\int_0^t (-2t+1)dt=\Big[-t^2+t\Big]_0^t=-t^2+t$$

$$x_Q(t)=0+\int_0^t (4t-8)dt=\Big[2t^2-8t\Big]_0^t=2t^2-8t$$

STEP Ⓑ **$x_P(t)=x_Q(t)$를 만족하는 t의 값 구하기**

두 점 P, Q가 만날 때, 위치가 서로 같으므로 $-t^2+t=2t^2-8t$에서

$3t(t-3)=0$ $\therefore t=0$ 또는 $t=3$

$t>0$이므로 $t=a=3$

STEP Ⓒ **두 점 사이의 거리가 최대가 되는 t의 값 구하기**

$0<t<3$일 때, 두 점 P, Q 사이의 거리는

$$(-t^2+t)-(2t^2-8t)=-3t^2+9t=-3\left(t-\frac{3}{2}\right)^2+\frac{27}{4}$$

따라서 $t=\dfrac{3}{2}$일 때, 두 점 P, Q 사이의 거리가 최대이므로 $b=\dfrac{3}{2}$

$\therefore a+b=3+\dfrac{3}{2}=\dfrac{9}{2}$

정답 ⑤

1450

정답 ④

STEP Ⓐ **시각 t일 때 점 P, Q, M의 위치 구하기**

시각 t일 때의 두 물체 P와 Q의 위치 $x_P(t)$, $x_Q(t)$는 각각

$$x_P(t)=0+\int_0^t (2-6t)dt=\Big[2t-3t^2\Big]_0^t=2t-3t^2$$

$$x_Q(t)=0+\int_0^t (3t^2-2t-2)dt=\Big[t^3-t^2-2t\Big]_0^t=t^3-t^2-2t$$

이 두 점 P, Q의 시각 t에서의 중점 M의 위치를 $x_M(t)$라 하면

$$x_M(t)=\frac{x_P(t)+x_Q(t)}{2}=\frac{2t-3t^2+t^3-t^2-2t}{2}=\frac{1}{2}t^3-2t^2$$

이므로 속도는 $v_M(t)=\dfrac{3}{2}t^2-4t=\dfrac{3}{2}t\left(t-\dfrac{8}{3}\right)$

STEP Ⓑ **점 M이 원점 O로 되돌아갔을 때의 시각 구하기**

출발 후 처음으로 점 M이 원점 O로 되돌아 갈 때, $x_M=0$이므로

$x_M(t)=\dfrac{1}{2}t^3-2t^2=\dfrac{1}{2}t^2(t-4)=0$, 즉 $t>0$이므로 $t=4$

STEP Ⓒ **점 M이 움직인 거리 구하기**

따라서 시각 t에서의 점 M이 원점으로 되돌아 갈 때까지 움직인 거리는

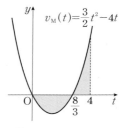

$$\int_0^4 \left|\frac{3}{2}t^2-4t\right|dt$$

$$=\int_0^{\frac{8}{3}}\left(-\frac{3}{2}t^2+4t\right)dt+\int_{\frac{8}{3}}^4 \left(\frac{3}{2}t^2-4t\right)dt$$

$$=\Big[-\frac{1}{2}t^3+2t^2\Big]_0^{\frac{8}{3}}+\Big[\frac{1}{2}t^3-2t^2\Big]_{\frac{8}{3}}^4$$

$$=-\frac{1}{2}\left(\frac{8}{3}\right)^3+2\left(\frac{8}{3}\right)^2+(32-32)-\left\{\frac{1}{2}\left(\frac{8}{3}\right)^3-2\left(\frac{8}{3}\right)^2\right\}=\frac{256}{27}$$

내/신/연/계 출제문항 599

원점을 동시에 출발하여 수직선 위를 움직이는 두 점 P, Q의 시각 t에서의 속도를 각각 $v_1(t)$, $v_2(t)$라 하면

$$v_1(t)=-2t+1, \quad v_2(t)=3t^2-1$$

이다. 선분 PQ의 중점을 R이라 할 때, 점 R이 다시 원점을 지날 때까지 움직인 거리는?

① $\dfrac{4}{27}$ ② $\dfrac{16}{27}$ ③ $\dfrac{64}{27}$

④ $\dfrac{256}{27}$ ⑤ $\dfrac{1024}{27}$

STEP A 정적분을 이용하여 시각 t일 때, 점 P, Q, R의 위치 구하기

시각 t에서의 점 P의 위치를 $x_1(t)$라 하면

$$x_1(t)=0+\int_0^t(-2t+1)dt=\left[-t^2+t\right]_0^t=-t^2+t$$

시각 t에서의 점 Q의 위치를 $x_2(t)$라 하면

$$x_2(t)=0+\int_0^t(3t^2-1)dt=\left[t^3-t\right]_0^t=t^3-t$$

시각 t에서의 점 R의 위치를 $s(t)$라 하면

$$s(t)=\frac{1}{2}\{(t^3-t)+(-t^2+t)\}=\frac{1}{2}t^3-\frac{1}{2}t^2$$

STEP B 점 R이 원점 O로 되돌아갔을 때의 시각 구하기

점 R이 원점을 지날 때, $s(t)=0$이므로

$\dfrac{1}{2}t^3-\dfrac{1}{2}t^2=\dfrac{1}{2}t^2(t-1)=0$에서 $t>0$ 또는 $t=1$

점 R의 시각 t에서의 속도는

$$s'(t)=\frac{3}{2}t^2-t$$

$s'(t)=\dfrac{3}{2}t^2-t=t\left(\dfrac{3}{2}t-1\right)$이므로 구간 $\left[0, \dfrac{2}{3}\right]$에서 $s'(t)\leq 0$이고

구간 $\left[\dfrac{2}{3}, 1\right]$에서 $s'(t)\geq 0$

STEP C 점 R이 움직인 거리 구하기

따라서 점 R가 다시 원점을 지날 때까지 움직인 거리는

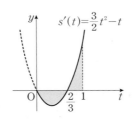

$$\int_0^1\left|\frac{3}{2}t^2-t\right|dt$$
$$=\int_0^{\frac{2}{3}}\left(-\frac{3}{2}t^2+t\right)dt+\int_{\frac{2}{3}}^1\left(\frac{3}{2}t^2-t\right)dt$$
$$=\left[-\frac{1}{2}t^3+\frac{1}{2}t^2\right]_0^{\frac{2}{3}}+\left[\frac{1}{2}t^3-\frac{1}{2}t^2\right]_{\frac{2}{3}}^1$$
$$=\frac{4}{27}$$

정답 ①

1451

정답 ③

STEP A 점 P의 위치의 변화량이 0이 되는 t의 값 구하기

$t=a(a>0)$일 때, 점 P가 원점으로 다시 돌아온다고 하면 $t=0$에서 $t=a$까지 점 P의 위치의 변화량이 0이므로

$$\int_0^a(-3t^2-2t+12)dt=\left[-t^3-t^2+12t\right]_0^a=0$$

$-a^3-a^2+12a=0$, $-a(a+4)(a-3)=0$

$\therefore a=3 \ (\because a>0)$

따라서 점 P가 원점으로 다시 돌아오는 것은 3초 후이다.

1452

정답 ③

STEP A 점 P의 위치의 변화량이 0이 되는 t의 값 구하기

$t=a(a>0)$일 때, 점 P가 원점으로 다시 돌아온다고 하면 $t=0$에서 $t=a$까지 점 P의 위치의 변화량이 0이므로

$$\int_0^a(3-t^2)dt=\left[3t-\frac{1}{3}t^3\right]_0^a=0$$

$3a-\dfrac{1}{3}a^3=0$, $a(a-3)(a+3)=0$

$\therefore a=3 \ (\because a>0)$

따라서 점 P가 원점으로 다시 돌아오는 것은 3초 후이다.

1453

정답 ④

STEP A 위치변화량이 0임을 만족하는 a의 값 구하기

$t=a(a>0)$일 때, 점 P의 위치 x는

$$x=0+\int_0^a(8-2t)dt=8a-a^2$$

점 P가 출발 후, 원점에 올 때의 시각은 $8a-a^2=0$, $a(a-8)=0$

$\therefore a=8 \ (\because a>0)$

STEP B 점 P가 움직인 거리 구하기

따라서 점 P가 움직인 거리 s는

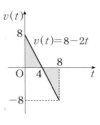

$$s=\int_0^8|8-2t|dt$$
$$=\int_0^4(8-2t)dt+\int_4^8(-8+2t)dt$$
$$=\left[8t-t^2\right]_0^4+\left[-8t+t^2\right]_4^8$$
$$=16+16$$
$$=32\text{(m)}$$

1454

정답 ③

STEP A $x(t)=0$을 만족하는 t의 값 구하기

점 P의 t초 후의 위치를 $x(t)$라 하면

$$x(t)=7+\int_0^t(6-2t)dt=7+\left[6t-t^2\right]_0^t=7+6t-t^2$$

t초 후에 원점에 도착한다면 $-t^2+6t+7=0$이므로

$(t-7)(t+1)=0$

$\therefore t=7 \ (\because t>0)$

STEP B 점 P가 움직인 거리 구하기

따라서 점 P가 움직인 거리 s는

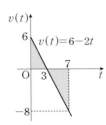

$$s=\int_0^7|6-2t|dt$$
$$=\int_0^3(6-2t)dt+\int_3^7(2t-6)dt$$
$$=\left[6t-t^2\right]_0^3+\left[t^2-6t\right]_3^7$$
$$=25$$

수직선 위에서 좌표가 -12인 점을 출발하여 움직이는 점 P의 시각 t일 때의 속도를 $v(t)$라고 하면

$$v(t)=2t-4$$

이다. 점 P가 출발 후, 원점에 올 때까지 점 P가 움직인 거리는?

① 15   ② 20   ③ 25
④ 30   ⑤ 35

STEP A   시각 t일 때 점 P의 위치 구하기

시각 t일 때의 점 P의 위치 x는 $x=-12+\int_0^t (2t-4)dt=t^2-4t-12$

STEP B $x=0$을 만족하는 t의 값 구하기

점 P가 출발 후, 원점에 올 때의 시각은
$t^2-4t-12=0$에서 $(t+2)(t-6)=0$
즉 $t>0$이므로 $t=6$

STEP C   점 P가 움직인 거리 구하기

따라서 점 P가 움직인 거리 s는

$$s=\int_0^6 |2t-4|d$$

$$=\int_0^2 (-2t+4)dt+\int_2^6 (2t-4)dt$$

$$=\left[-t^2+4t\right]_0^2+\left[t^2-4t\right]_2^6$$

$$=4+16=20$$

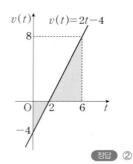

정답 ②

1455

정답 ③

STEP A $v(t)=0$을 만족하는 t의 값 구하기

점 P가 멈추는 시간은 $v(t)=0$일 때이므로 $v(t)=t^4-4t^3+4t^2=0$
$t^2(t-2)^2=0$
$\therefore t=2 (\because t>0)$

STEP B   점 P가 운동한 거리 구하기

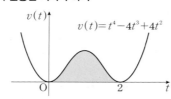

따라서 점 P가 멈출 때까지 운동한 거리는

$$\int_0^2 |t^4-4t^3+4t^2|dt=\int_0^2 (t^4-4t^3+4t^2)dt$$

$$=\left[\frac{1}{5}t^5-t^4+\frac{4}{3}t^3\right]_0^2=\frac{16}{15}$$

1456

정답 ⑤

STEP A $h(t)=0$을 만족하는 t의 값 구하기

t초 후 물체의 높이를 $h(t)(\mathrm{m})$라고 하면

$$h(t)=\int_0^t (30-10t)dt=30t-5t^2$$

t초 후에 다시 바닥에 떨어진다면 $30t-5t^2=0$이므로 $-5t(t-6)=0$
$\therefore t=6 (\because t>0)$

STEP B   물체가 실제로 움직인 거리 구하기

따라서 실제로 움직인 거리 s는

$$s=\int_0^6 |30-10t|dt$$

$$=\int_0^3 (30-10t)dt+\int_3^6 (-30+10t)dt$$

$$=\left[30t-5t^2\right]_0^3+\left[-30t+5t^2\right]_3^6$$

$$=45+45=90(\mathrm{m})$$

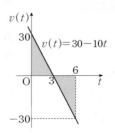

1457

정답 ①

STEP A $v(t)=0$을 만족하는 t의 값 구하기

점 P가 움직이는 방향을 바뀔 때, $v(t)=0$이므로 $t=2$

STEP B   정적분을 이용하여 $t=2$에서의 점 P의 좌표 구하기

따라서 $t=2$에서의 점 P의 위치는 $0+\int_0^2 (4-2t)dt=\left[4t-t^2\right]_0^2=4$

1458

정답 ②

STEP A $v(t)=0$을 만족하는 t의 값 구하기

운동 방향이 바뀌는 순간의 속도는 0이므로 $t^2-5t+4=0$에서
$(t-1)(t-4)=0$ $\therefore t=1$ 또는 $t=4$

STEP B   점 P가 움직인 거리 구하기

따라서 처음으로 운동 방향이 바뀔 때까지 움직인 거리는

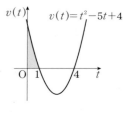

$$\int_0^1 |v(t)|dt=\int_0^1 |t^2-5t+4|dt$$

$$=\int_0^1 (t^2-5t+4)dt$$

$$=\frac{11}{6}$$

원점을 출발하여 수직선 위를 움직이는 점 P의 시각 t에서의 속도가

$$v(t)=t^2-5t+6$$

일 때, 출발 후 두 번째로 운동 방향을 바꿀 때까지 점 P가 움직인 거리는?

① $\dfrac{13}{6}$ ② $\dfrac{23}{6}$ ③ $\dfrac{29}{6}$
④ $\dfrac{28}{3}$ ⑤ $\dfrac{9}{2}$

STEP A $v(t)=0$을 만족하는 t의 값 구하기

운동 방향이 바뀌는 순간의 속도는 0이므로 $t^2-5t+6=0$에서
$(t-2)(t-3)=0$ $\therefore t=2$ 또는 $t=3$

STEP B   점 P가 움직인 거리 구하기

따라서 점 P는 $t=3$일 때, 두 번째로
운동 방향을 바꾸므로 구하는 거리는

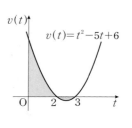

$$\int_0^3 |t^2-5t+6|dt$$

$$=\int_0^2 (t^2-5t+6)dt+\int_2^3 (-t^2+5t-6)dt$$

$$=\left[\frac{1}{3}t^3-\frac{5}{2}t^2+6t\right]_0^2+\left[-\frac{1}{3}t^3+\frac{5}{2}t^2-6t\right]_2^3$$

$$=\frac{29}{6}$$

정답 ③

1459

정답 ②

STEP **A** **이차함수** $y=f'(t)$**의 식 작성하기**

이차함수 $y=f'(t)$의 그래프가
두 점 $(1, 0)$, $(3, 0)$을 지나므로
$f'(t)=a(t-1)(t-3)$ (단, $a>0$)

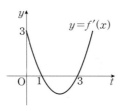

라 하면 이차함수 $y=f'(t)$의
그래프는 점 $(0, 3)$을 지나므로
$f'(0)=a(0-1)(0-3)=3a=3$
$\therefore a=1$
$f'(t)=(t-1)(t-3)$ (단, $t\geq 0$)

STEP **B** **운동방향이 반대방향으로 움직인 시간 구하기**

점 P의 시각 t에서 위치함수 $f(t)$에 대하여 $f'(t)$의 함수는 속도함수이다.
점 P는 $f'(t)>0$일 때 양의 방향, $f'(t)<0$일 때 음의 방향으로 움직인다.
점 P가 출발할 때의 운동방향에 대하여 반대방향으로 움직인 시간은
$v(t)=t^2-4t+3\leq 0$, $(t-1)(t-3)\leq 0$
$\therefore 1\leq t\leq 3$

STEP **C** $a\leq t\leq b$**에서 움직인 거리는** $\int_a^b |f'(t)|dt$ **임을 이용하기**

$1\leq t\leq 3$에서 움직인 거리 d는

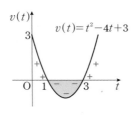

$d=\int_1^3 |f'(t)|dt$

$=\int_1^3 |(t-1)(t-3)|dt$

$=-\int_1^3 (t^2-4t+3)dt$

$=-\left[\frac{1}{3}t^3-2t^2+3t\right]_1^3$

$=\frac{4}{3}$

$\therefore 12d=16$

다른풀이 $f'(t)=a(t-\alpha)(t-\beta)(a\neq 0, \alpha<\beta)$에서
$\int_1^3 |f'(t)|dt=\frac{|a|}{6}(\beta-\alpha)^3$임을 이용하여 풀이하기

$d=\int_1^3 |f'(t)|dt$이므로 $1\leq t\leq 3$에서 움직인 거리 d는 $1\leq t\leq 3$에서
이차함수 $y=f'(t)$의 그래프와 t축으로 둘러싸인 부분의 넓이이다.

$d=\int_1^3 |f'(t)|dt=\int_1^3 |(t-1)(t-3)|dt=\frac{1}{6}(3-1)^3=\frac{4}{3}$
$\therefore 12d=16$

1460

정답 ⑤

STEP **A** **운동방향이 바뀔 때까지 점 P가 움직인 거리 구하기**

점 P가 처음으로 방향을 바뀔 때는 $t=1$일 때이고
두 번째로 방향을 바뀔 때는 $t=5$일 때이다.

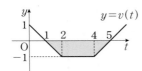

따라서 구하는 거리는 위의 그림의 색칠한 도형의 넓이와 같으므로
$\frac{1}{2}\cdot(4+2)\cdot 1=3$

내/신/연/계/ 출제문항 602

원점을 출발하여 수직선 위를 움직이는 점 P의 시각 t에서의 속도 $v(t)$의
그래프가 다음 그림과 같다.

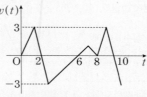

출발 후 두 번째로 방향을 바뀔 때까지 움직인 거리는?

① 7   ② 8   ③ 9
④ 11   ⑤ 13

STEP **A** $v(t)=0$**을 만족하는** t**의 값 구하기**

속도 $v(t)=0$일 때, 방향을 바뀌므로 두 번째 방향을 바뀌는 것은
$t=6$일 때이다.

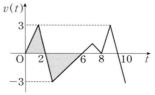

STEP **B** **점 P가 6초 동안 움직인 거리 구하기**

따라서 출발 후 6초 동안 움직인 거리는 위의 그림의 색칠한 도형의 넓이와
같으므로
$\int_0^6 |v(t)|dt=\int_0^2 v(t)dt+\int_2^6 \{-v(t)\}dt=\frac{1}{2}\cdot 2\cdot 3+\frac{1}{2}\cdot 4\cdot 3=9$

정답 ③

1461

정답 ③

STEP **A** **운동방향을 바꿀 때까지 점 P가 움직인 거리 구하기**

그래프에서 $t=4$일 때, $v=0$이 되고
운동방향이 바뀌므로 움직인 거리는
오른쪽 그림의 색칠한 도형의 넓이와
같다.
$a=\frac{1}{2}\cdot 4\cdot 4=8$

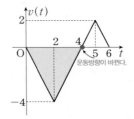

참고 $a=\int_0^4 |v(t)|dt$

$=-\int_0^2 (-2t)dt-\int_2^4 (2t-8)dt$

$=-\left[-t^2\right]_0^2-\left[t^2-8t\right]_2^4$

$=4-(-4)=8$

STEP **B** **점 P가 시각** $t=0$**에서 시각** $t=6$**까지 움직인 거리 구하기**

시각 $t=0$에서 $t=6$까지 점 P가 실제로
움직인 거리는 $\int_0^6 |v(t)|dt$이므로
오른쪽 그림의 색칠한 도형의 넓이와
같다.

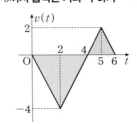

$b=\frac{1}{2}\cdot 4\cdot 4+\frac{1}{2}\cdot 2\cdot 2=8+2=10$

따라서 $a+b=8+10=18$

원점을 출발하여 수직선 위를 움직이는 점 P의 시각 t에서의 속도 $v(t)$의 그래프가 오른쪽 그림과 같다.
다음 조건을 만족하는 상수 a, b에 대하여 $a+b$의 값은?

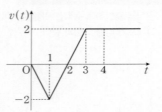

(가) 운동방향을 바뀔 때까지 점 P가 움직인 거리 a
(나) 점 P가 시각 $t=0$에서 시각 $t=4$까지 움직인 거리 b

① 2   ② 5   ③ 7
④ 10   ⑤ 12

STEP A   운동방향을 바꿀 때까지 점 P가 움직인 거리 구하기

그래프에서 $t=2$일 때, $v=0$이 되고 운동방향이 바뀌므로 움직인 거리는 오른쪽 그림의 색칠한 도형의 넓이와 같다.

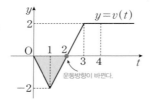

$a=\frac{1}{2}\cdot 2\cdot 2=2$

참고
$$a=\int_0^2 |v(t)|dt$$
$$=-\int_0^1 (-2t)dt-\int_1^2 (2t-4)dt$$
$$=-\left[-t^2\right]_0^1-\left[t^2-4t\right]_1^2=2$$

STEP B   점 P가 시각 $t=0$에서 시각 $t=4$까지 움직인 거리 구하기

시각 $t=0$에서 $t=4$까지 점 P가 실제로 움직인 거리는 $\int_0^4 |v(t)|dt$이므로 오른쪽 그림의 색칠한 도형의 넓이와 같다.

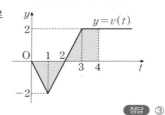

$b=\frac{1}{2}\cdot 2\cdot 2+\frac{1}{2}(1+2)\cdot 2=2+3=5$
따라서 $a+b=2+5=7$

정답 ③

1462

정답 ⑤

STEP A   구간을 나누고 $a(t)$를 이용하여 $v(t)$의 함수식 구하기

엘리베이터가 1층에서 출발하여 꼭대기까지 올라가는데 걸리는 시간을 a초 라 하고 출발한 지 t초 후의 속도를 $v(t)$, 가속도를 $a(t)$라고 하면

(i) $0\leq t\leq 2$일 때,
   $a(t)=3(\mathrm{m/s^2})$이므로 $v(t)=\int_0^t 3dt=3t(\mathrm{m/s})$

(ii) $2<t\leq 10$일 때,
   $t=2$(초)일 때의 속도로 등속도 운동을 하므로
   $v(t)=v(2)=3\cdot 2=6(\mathrm{m/s})$

(iii) $t>10$일 때,
   $v(10)=6$이고 $a(t)=-2(\mathrm{m/s^2})$이므로
   $v(t)=6+\int_{10}^t (-2)dt=-2t+26(\mathrm{m/s})$

(i)~(iii)에서 $v(t)=\begin{cases}3t & (0\leq t\leq 2) \\ 6 & (2\leq t\leq 10) \\ -2t+26 & (10\leq t\leq a)\end{cases}$

STEP B   엘리베이터가 멈추는 시간 구하기

엘리베이터가 멈추는 순간의 속도는 0이므로 $v(t)=0$에서
$-2t+26=0$ ∴ $t=13$

STEP C   엘리베이터가 움직인 거리 구하기

따라서 엘리베이터가 움직인 총 거리는
$$\int_0^{13} |v(t)|dt=\int_0^2 3tdt+\int_2^{10} 6dt+\int_{10}^{13} (-2t+26)dt$$
$$=\left[\frac{3}{2}t^2\right]_0^2+\left[6t\right]_2^{10}+\left[-t^2+26t\right]_{10}^{13}$$
$$=6+48+9=63(\mathrm{m})$$

참고   속도 $v(t)$를 그래프로 나타내면 다음과 같다.

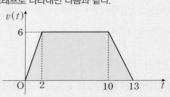

속도 $v(t)$의 그래프와 x축으로 둘러싸인 영역의 넓이가 움직인 거리이므로 움직인 거리는 $\frac{1}{2}(8+13)\cdot 6=63(\mathrm{m})$

다른풀이   연속임을 이용하여 적분상수를 구하여 풀이하기

엘리베이터가 1층에서 출발하여 맨 위층까지 올라가는 데 걸리는 시간을 a초라고 하고 시각 t에서의 속도를 $v(t)$라고 하면
$$v'(t)=\begin{cases}3 & (0\leq t\leq 2) \\ 0 & (2<t\leq 10) \\ -2 & (10<t\leq a)\end{cases}$$이므로 $v(t)=\begin{cases}3t+C_1 & (0\leq t\leq 2) \\ C_2 & (2<t\leq 10) \\ -2t+C_3 & (10<t\leq a)\end{cases}$

이때 $v(0)=0$이고 $v(t)$는 구간 $[0,\,a]$에서 연속이므로
$C_1=0$, $6+C_1=C_2$, $C_2=-20+C_3$
위 식을 연립하여 풀면 $C_1=0$, $C_2=6$, $C_3=26$
$$\therefore v(t)=\begin{cases}3t & (0\leq t\leq 2) \\ 6 & (2<t\leq 10) \\ -2t+26 & (10<t\leq a)\end{cases}$$
한편 $v(a)=0$이므로 $-2a+26=0$
∴ $a=13$
따라서 엘리베이터가 움직인 거리는
$$\int_0^{13} |v(t)|dt=\int_0^2 3tdt+\int_2^{10} 6dt+\int_{10}^{13} (-2t+26)dt$$
$$=\left[\frac{3}{2}t^2\right]_0^2+\left[6t\right]_2^{10}+\left[-t^2+26t\right]_{10}^{13}=63(\mathrm{m})$$

어느 건물에서 멈춰 있던 승강기가 올라가는데, 처음 4초 동안은 $3\mathrm{m/s^2}$의 가속도로, 다음 16초 동안은 일정한 속도로, 또 다음 4초 동안은 $-3\mathrm{m/s^2}$의 가속도로 움직인 후 정지하였다. 승강기가 올라가기 시작한 후 t초 후의 속도를 $v(t)\mathrm{m/s}$라고 할 때, 승강기가 움직인 거리는?

① 120m   ② 160m   ③ 200m
④ 240m   ⑤ 280m

STEP A $v'(t)$, $v(t)$를 각각 구하기

승강기가 출발한 지 t초 후 속도를 $v(t)\mathrm{m/s}$라고 하자.

(i) $0\leq t\leq 4$일 때, 가속도가 $3\mathrm{m/s^2}$이므로
   $v(t)=\int_0^t 3dt=3t$

(ii) $4\leq t\leq 20$일 때, 등속운동을 하고 $v(4)=12$이므로
   $v(t)=12$

(iii) $20\leq t\leq 24$일 때, 가속도가 $-3\mathrm{m/s^2}$이고 $v(20)=12$이므로
   $v(t)=12+\int_{20}^t (-3)dt=-3t+72$

STEP B   이 승강기가 출발하여 멈추는 시간 구하기

승강기가 멈추는 순간의 속도는 0이므로 $v(t)=0$에서
$-3t+72=0$ ∴ $t=24$

STEP **C** 승강기가 움직인 거리 구하기

(i)~(iii)에서 승강기가 움직인 거리는

$$\int_0^4 3t\,dt + \int_4^{20} 12\,dt + \int_{20}^{24} (-3t+72)\,dt = \left[\frac{3}{2}t^2\right]_0^4 + \left[12t\right]_4^{20} + \left[-\frac{3}{2}t^2+72t\right]_{20}^{24}$$
$$= 24 + 192 + 24 = 240\text{m} \quad \boxed{\text{정답 } ④}$$

1463

정답 ④

STEP **A** $v(t)=0$을 만족하는 t의 값 구하기

기차가 완전히 정지할 때, $v(t)=0$이므로

$v(t)=60-3t=0$에서 $t=20$

STEP **B** 기차가 움직인 거리 구하기

따라서 기차가 제동을 건 후 20초 후에
정지하므로 정지할 때까지 이동한 거리는

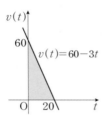

$$\int_0^{20} |60-3t|\,dt = \int_0^{20}(60-3t)\,d$$
$$= \left[60t - \frac{3}{2}t^2\right]_0^{20}$$
$$= 600\text{(m)}$$

1464

정답 ③

STEP **A** $v(t)=0$을 만족하는 t의 값 구하기

열차가 정지할 때의 속도는 0m/s이므로

$v(t)=20-2t=0$에서 $t=10$

STEP **B** 정적분을 이용하여 열차가 움직인 거리 구하기

따라서 열차가 제동을 걸고 10초 후에
정지하므로 정지할 때까지 움직인 거리는

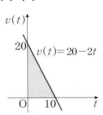

$$\int_0^{10} |20-2t|\,dt = \int_0^{10}(20-2t)\,dt$$
$$= \left[20t - t^2\right]_0^{10}$$
$$= 100\text{(m)}$$

내/신/연/계 출제문항 **605**

직선 철로 위를 초속 30m로 달리고 있는 열차가 제동을 걸었을 때,
t초 후의 속도를 $v(t)$(m/s)라고 하면
$$v(t)=-2t+30\,(0 \le t \le 15)$$
이다. 이 열차가 제동을 건 후부터 정지할 때까지 움직인 거리는?

① 180m ② 195m ③ 210m
④ 225m ⑤ 240m

STEP **A** $v(t)=0$을 만족하는 t의 값 구하기

열차가 정지할 때의 속도는 0m/s이므로

$v(t)=-2t+30=0$에서 $t=15$

STEP **B** 정적분을 이용하여 열차가 움직인 거리 구하기

따라서 열차는 제동을 걸고 15초 뒤에 정지할 때까지 움직인 거리는

$$\int_0^{15}(-2t+30)\,dt = \left[-t^2+30t\right]_0^{15} = -225+450 = 225\text{(m)} \quad \boxed{\text{정답 } ④}$$

1465

정답 ②

STEP **A** $v(t)=0$을 만족하는 t의 값 구하기

열차가 정지할 때의 속도는 0m/s이므로

$v(t)=a-10t=0$에서 $t=\frac{a}{10}$

STEP **B** 열차가 움직인 거리 구하기

열차가 제동을 걸고 $\frac{a}{10}$초 후에 정지하므로 정지할 때까지 움직인 거리가
125m이므로

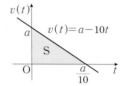

$$\int_0^{\frac{a}{10}} |a-10t|\,dt = \int_0^{\frac{a}{10}}(a-10t)\,dt$$
$$= \left[at-5t^2\right]_0^{\frac{a}{10}}$$
$$= \frac{a^2}{10} - \frac{a^2}{20} = \frac{a^2}{20}$$

따라서 $\frac{a^2}{20}=125$이므로 $a^2=2500$

$\therefore a=50$

내/신/연/계 출제문항 **606**

초속 20m의 일정한 속력으로 직선 도로를 달리던 자동차가 제동장치를
작동한 후 t초 후의 자동차의 속도 $v(t)$는
$$v(t)=20-kt$$
이다. 제동장치를 작동한 후 자동차가 정지할 때까지 움직인 거리가 100m
가 되도록 하는 가속도는? (단, k는 상수이고, 가속도의 단위는 m/s²)

① -3 ② $-\frac{5}{2}$ ③ -2
④ $-\frac{3}{2}$ ⑤ -1

STEP **A** $v(t)=0$을 만족하는 t의 값 구하기

제동장치를 작동한 후 자동차가 정지한 때까지 걸린 시간은

$20-kt=0$에서 $t=\frac{20}{k}$

STEP **B** 자동차가 움직인 거리 구하기

제동장치를 작동한 후 자동차가 정지할 때까지 움직인 거리는

$$\int_0^{\frac{20}{k}} |v(t)|\,dt = \int_0^{\frac{20}{k}}(20-kt)\,dt$$
$$= \left[20t - \frac{1}{2}kt^2\right]_0^{\frac{20}{k}}$$
$$= \frac{400}{k} - \frac{200}{k}$$
$$= \frac{200}{k}$$

$\frac{200}{k}=100$에서 $k=2$

따라서 $v(t)=20-2t$에서 $a=v'(t)=-2$이므로 가속도는 -2

다른풀이 삼각형의 넓이를 이용하여 풀이하기

제동장치를 작동한 후 자동차가
정지한 때까지 움직인 거리는 오른쪽
그림에서 삼각형의 넓이 S와 같으므로
$S=100$을 만족시켜야 한다.

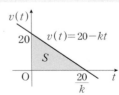

즉 $S = \frac{1}{2} \cdot \frac{20}{k} \cdot 20 = \frac{200}{k} = 100$에서

$k=2$

따라서 $v(t)=20-2t$에서

$a=v'(t)=-2$이므로 가속도는 -2 \quad \boxed{\text{정답 } ③}

1466

STEP Ⓐ $t=10$까지의 위치 구하기

시각 $t=0$에서 $t=3$까지 수직선의 음의 방향으로 9만큼 움직이고
시각 $t=3$에서 $t=10$까지는 양의 방향으로 21만큼 움직인 다음 멈춘다.

STEP Ⓑ $v(t)$의 그래프를 이용하여 [보기]의 참, 거짓 판별하기

주어진 그래프에서 점 P의 속도 $v(t)$는

$$v(t)=\begin{cases} 2t-6 & (0 \le t \le 6) \\ -\dfrac{3}{2}t+15 & (6 < t \le 10) \end{cases}$$

① $\displaystyle\int_0^3 (2t-6)dt = \Big[t^2-6t\Big]_0^3 = (9-18) = -9$

이므로 $t=3$일 때, 점 P의 위치는 -9이다. [거짓]

② 점 P가 움직이는 방향이 바뀌는 시각은 $v(t)=0$일 때이므로
$v(t)=2t-6=0$, 즉 $t=3$일 때이다. [거짓]

③ $t=10$일 때, 점 P의 위치는

$$\int_0^{10} v(t)dt = \int_0^6 (2t-6)dt + \int_6^{10}\left(-\frac{3}{2}t+15\right)dt$$
$$= \Big[t^2-6t\Big]_0^6 + \left[-\frac{3}{4}t^2+15t\right]_6^{10}$$
$$= 0+12 = 12$$

이므로 시각 $t=0$에서 $t=10$까지 점 P의 위치는 12이다. [거짓]

④ ③에서 시각 $t=0$에서 $t=10$까지 점 P의 위치의 변화량은 12이다. [거짓]

⑤ 출발 후 10초 동안 점 P가 움직인 거리는

$$\int_0^{10} |v(t)|dt = \int_0^3 (-2t+6)dt + \int_3^6 (2t-6)dt + \int_6^{10}\left(-\frac{3}{2}t+15\right)dt$$
$$= \frac{1}{2}\cdot3\cdot6 + \frac{1}{2}\cdot3\cdot6 + \frac{1}{2}\cdot4\cdot6$$
$$= 9+9+12$$
$$= 30$$

이므로 출발 후 10초 동안 점 P가 움직인 거리는 30이다. [참]
따라서 옳은 것은 ⑤이다.

1467

STEP Ⓐ $t=c$까지의 위치 구하기

시각 $t=0$에서 $t=a$까지 수직선의 음의 방향으로 3만큼 움직이고
시각 $t=a$에서 $t=b$까지는 양의 방향으로 5만큼 움직이고
시각 $t=b$에서 $t=c$까지는 음의 방향으로 20만큼 움직인 다음 멈춘다.

STEP Ⓑ $v(t)$의 그래프를 이용하여 [보기]의 참, 거짓 판별하기

① $t=a$일 때, 이 물체의 위치는

$2 + \displaystyle\int_0^a v(t)dt = 2+(-3) = -1$이다. [거짓]

② $t=c$일 때, 이 물체의 위치는

$2 + \displaystyle\int_0^c v(t)dt = 2+\{-3+5+(-20)\} = -16$이다. [거짓]

③ $t=0$부터 $t=c$까지 이 물체의 움직인 거리는

$\displaystyle\int_0^c |v(t)|dt = 3+5+20 = 28$이다. [거짓]

④ $t=0$부터 $t=b$까지 이 물체의 위치의 변화량은

$\displaystyle\int_0^b v(t)dt = (-3)+5 = 2$이다. [참]

⑤ $t=0$부터 $t=c$까지 이 물체의 운동방향은 2번 바뀐다. [거짓]
따라서 옳은 것은 ④이다.

1468

STEP Ⓐ 운동방향이 바뀌려면 속도가 0인 순간의 속도의 앞뒤 부호가 달라야 하고 출발점의 위치에 있으려면 위치의 변화량이 0이어야 함을 이용하여 참, 거짓의 진위판단하기

ㄱ. 점 P가 움직이는 방향은 $v(t)=0$
즉 $t=\dfrac{7}{3}$, $t=5$일 때, 바뀐다. [참]

ㄴ. $|v(t)|$의 값이 가장 큰 것은 $t=3$일 때이다. [참]

ㄷ. 반례 $t=8$일 때, 점 P의 위치는 $\displaystyle\int_0^8 v(t)dt = -\dfrac{1}{2}$이고

$t=2$일 때, 점 P의 위치는 $-\dfrac{3}{2}$이므로

$t=2$일 때가 $t=8$일 때보다 원점에서 더 멀리 떨어져 있다. [거짓]
따라서 옳은 것은 ㄱ, ㄴ이다.

내/신/연/계 출제문항 607

원점을 출발하여 수직선 위를 움직이는 점 P의 시각 t에서의 속도 $v(t)$의 그래프가 다음 그림과 같을 때, [보기]에서 옳은 것을 모두 고르면?

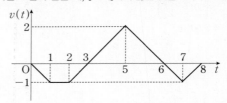

> ㄱ. 점 P가 움직이는 방향은 출발 후 $t=8$일 때까지 두 번 바뀐다.
> ㄴ. $t=5$일 때, 속력이 가장 크다.
> ㄷ. 점 P는 출발하고 나서 8초 후 출발점에 있다.
> ㄹ. $t=6$일 때, 점 P는 원점으로부터 가장 멀리 떨어져 있다.

① ㄱ   ② ㄱ, ㄴ   ③ ㄴ, ㄹ
④ ㄱ, ㄴ, ㄷ   ⑤ ㄱ, ㄴ, ㄷ, ㄹ

STEP Ⓐ 운동방향이 바뀌려면 속도가 0인 순간의 속도의 앞뒤 부호가 달라야 하고 출발점의 위치에 있으려면 위치의 변화량이 0이어야 함을 이용하여 참, 거짓의 진위판단하기

ㄱ. 점 P가 움직이는 방향은 $v(t)=0$
즉 $t=3$ 또는 $t=6$일 때, 두 번 바뀐다. [참]

ㄴ. 속력 $|v(t)|$의 값이 가장 큰 것은 $t=5$일 때이다. [참]

ㄷ. $t=8$일 때, 점 P의 위치는

$$\int_0^8 v(t)dt = \int_0^3 v(t)dt + \int_3^6 v(t)dt + \int_6^8 v(t)dt$$
$$= -\frac{1}{2}(3+1)\cdot1 + \frac{1}{2}\cdot3\cdot2 - \frac{1}{2}\cdot2\cdot1$$
$$= -2+3-1$$
$$= 0$$

이므로 점 P는 출발하고 나서 8초 후 출발점에 있다. [참]

ㄹ. 반례 $t=3$일 때, 점 P의 위치는

$$\int_0^3 v(t)dt = -\frac{1}{2}(3+1)\cdot1 = -2$$

$t=6$일 때, 점 P의 위치는

$$\int_0^6 v(t)dt = \int_0^3 v(t)dt + \int_3^6 v(t)dt$$
$$= -\frac{1}{2}(3+1)\cdot1 + \frac{1}{2}\cdot3\cdot2$$
$$= -2+3 = 1$$

이므로

$t=3$일 때가 $t=6$일 때보다 원점에서 더 멀리 떨어져 있다. [거짓]
따라서 옳은 것은 ㄱ, ㄴ, ㄷ이다.

1469

STEP A $t=5$**까지의 위치 구하기**

시각 $t=0$에서 $t=3$까지 수직선의 양의 방향으로 4만큼 움직이고
시각 $t=3$에서 $t=5$까지는 음의 방향으로 2만큼 움직인 다음 멈춘다.

STEP B $v(t)$**의 그래프를 이용하여 [보기]의 참, 거짓 판별하기**

ㄱ. 운동 방향이 바뀌려면 속도가 0인 순간의 속도의 부호가 달라야 하므로
$t=3$일 때, $v(t)=0$이고 그 좌우에서 부호가 변한다.

즉 구하는 위치는 $1+\int_0^3 v(t)dt=1+\dfrac{1}{2}\cdot(1+3)\cdot 2=5$ [참]

ㄴ. $t=0$에서 $t=5$까지 점 P가 움직인 거리를 s라 하면

$$\int_0^5 |v(t)|dt=\int_0^3 v(t)dt+\int_3^5 \{-v(t)\}dt$$
$$=4+\dfrac{1}{2}\cdot 2\cdot 2=6 \text{ [참]}$$

ㄷ. $t=2$일 때, 점 P의 위치는

$1+\dfrac{1}{2}\cdot 1\cdot 2+1\cdot 2=4$

$t=4$일 때, 점 P의 위치는

$1+\dfrac{1}{2}\cdot 1\cdot 2+1\cdot 2+\dfrac{1}{2}\cdot 1\cdot 2-\dfrac{1}{2}\cdot 1\cdot 2=4$

이므로 $t=2$일 때와 $t=4$일 때의 점 P의 위치는 같다. [참]
따라서 옳은 것은 ㄱ, ㄴ, ㄷ이다.

내/신/연/계 출제문항 608

원점을 출발하여 수직선 위를 8초 동안 움직이는 점 P의 시각 t초에서 속도 $v(t)$의 그래프가 다음 그림과 같을 때, [보기]에서 옳은 것을 모두 고른 것은?

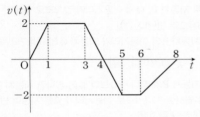

ㄱ. 점 P는 출발하고 나서 8초 동안 운동방향이 2번 바뀐다.
ㄴ. 점 P는 출발한 지 4초 후에 원점으로부터 가장 멀리 떨어져 있다.
ㄷ. 점 P는 출발한 지 8초 후에 다시 출발점에 있다.

① ㄱ   ② ㄴ   ③ ㄱ, ㄴ
④ ㄴ, ㄷ   ⑤ ㄱ, ㄴ, ㄷ

STEP A $t=8$**까지의 위치 구하기**

시각 $t=0$에서 $t=4$까지 수직선의 양의 방향으로 6만큼 움직이고
시각 $t=4$에서 $t=8$까지는 음의 방향으로 5만큼 움직인 다음 멈춘다.

STEP B $v(t)$**의 그래프를 이용하여 [보기]의 참, 거짓 판별하기**

ㄱ. $v(t)$의 부호가 바뀔 때, 점 P의 운동 방향이 바뀌므로 $t=4$에서 한 번 바뀐다. [거짓]
ㄴ. 위치의 변화량이 최대인 시각 $t=4$에서 점 P는 원점으로부터 가장 멀리 떨어져 있다. [참]
ㄷ. $v(t)$의 그래프와 x축 사이의 넓이를 이용하여 정적분의 값을 구하면

$$\int_0^8 v(t)dt=\left\{\dfrac{1}{2}\cdot(4+2)\cdot 2\right\}-\left\{\dfrac{1}{2}\cdot(4+1)\cdot 2\right\}$$
$$=6-5=1 \text{ [거짓]}$$

점 P는 출발한 지 8초 후에 1의 위치에 있다.
따라서 옳은 것은 ㄴ이다.

1470

STEP A $t=7$**까지의 위치 구하기**

시각 $t=0$에서 $t=2$까지 수직선의 양의 방향으로 2만큼 움직이고
시각 $t=2$에서 $t=4$까지는 음의 방향으로 2만큼 움직이며
시각 $t=4$에서 $t=7$까지는 양의 방향으로 4만큼 움직인 다음 멈춘다.

STEP B $v(t)$**의 그래프를 이용하여 [보기]의 참, 거짓 판별하기**

ㄱ. 1초 동안 멈춘다는 것은 $v(t)=0$인 구간의 길이가 1이 되는 t의 구간이 존재한다는 것인데, 주어진 그림에 의하면 $v(t)=0$인 t의 값이 연속적으로 나타나는 경우가 없다. [거짓]
ㄴ. 방향이 바뀐다는 것은 속도 $v(t)$의 값이 양에서 음으로, 혹은 음으로 양으로 바뀐다는 것이다.
주어진 그림을 보면 $v(t)=0$인 t의 값은 $t=2$, $t=4$이고 이 시각에 $v(t)$의 부호가 바뀌므로 점 P는 운동방향을 2번 바꾼 것이다. [거짓]
ㄷ. 출발 후 다시 출발점으로 돌아온다는 것은 위치가 0이라는 것이다.

그런데 $\int_0^4 v(t)dt=0$이므로 $t=4$인 순간의 동점 P의 위치는 출발점이다.
[참]
따라서 옳은 것은 ㄷ이다.

내/신/연/계 출제문항 609

그림은 원점을 출발하여 수직선 위를 움직이는 점 P의 시각 t에서의 속도 $v(t)$의 그래프이다. [보기]에서 옳은 것을 모두 고른 것은? (단, $0 \le t \le 7$)

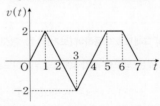

ㄱ. 점 P는 $t=5$에서 점 P의 위치는 1이다.
ㄴ. 점 P는 시각 $t=0$에서 $t=7$까지 점 P가 움직인 거리는 8이다.
ㄷ. 점 P가 다시 원점을 지나는 시각은 4이다.
ㄹ. 점 P는 $t=7$일 때, 위치는 4이다.

① ㄱ   ② ㄷ   ③ ㄱ, ㄴ
④ ㄱ, ㄴ, ㄹ   ⑤ ㄱ, ㄴ, ㄷ, ㄹ

STEP A $t=7$**까지의 위치 구하기**

시각 $t=0$에서 $t=2$까지 수직선의 양의 방향으로 2만큼 움직이고
시각 $t=2$에서 $t=4$까지는 음의 방향으로 2만큼 움직이며
시각 $t=4$에서 $t=7$까지는 양의 방향으로 4만큼 움직인 다음 멈춘다.

STEP B $v(t)$**의 그래프를 이용하여 [보기]의 참, 거짓 판별하기**

ㄱ. 점 P는 $t=5$에서 점 P의 위치는

$$0+\int_0^5 v(t)dt=\dfrac{1}{2}\cdot 2\cdot 2-\dfrac{1}{2}\cdot 2\cdot 2+\dfrac{1}{2}\cdot 1\cdot 2=2-2+1=1$$

이므로 1이다. [참]
ㄴ. 점 P는 시각 $t=0$에서 $t=7$까지 점 P가 움직인 거리는

$$\int_0^7 |v(t)|dt=2+2+4=8$$이다. [참]

ㄷ. 점 P가 다시 원점을 지나는 시각은 4이다. [참]
ㄹ. 점 P는 $t=7$일 때, 위치는

$0+\int_0^7 v(t)dt=2+(-2)+4=4$이므로 4이다. [참]

따라서 옳은 것은 ㄱ, ㄴ, ㄷ, ㄹ이다.

1471

STEP A $t=8$까지의 위치 구하기

시각 $t=0$에서 $t=2$까지 수직선의 음의 방향으로 2만큼 움직이고
시각 $t=2$에서 $t=6$까지는 양의 방향으로 5만큼 움직이며
시각 $t=6$에서 $t=8$까지는 양의 방향으로 2만큼 움직인 다음 멈춘다.

STEP B **그래프와 함수식을 이용하여 [보기]의 참, 거짓 판별하기**

ㄱ. 점 P는 $t=3$에서 점 P의 위치는

$$1+\int_0^3 v(t)dt=1-\frac{1}{2}\cdot 2\cdot 2+\frac{1}{2}\cdot 1\cdot 2=0$$

이므로 원점이다. [참]

ㄴ. 점 P의 시각 $t=1$에서 $t=4$까지의 위치의 변화량은

$$\int_1^4 v(t)dt=-\frac{1}{2}\cdot 1\cdot 2+\frac{1}{2}\cdot 1\cdot 2+1\cdot 2=2$$

이므로 2이다. [거짓]

ㄷ. 점 P는 시각 $t=0$에서 $t=8$까지 점 P가 움직인 거리는

$$\int_0^8 |v(t)|dt=2+5+2=9$$이다. [참]

ㄹ. 속도 $v(t)$가 $t=2$일 때, 음에서 양으로 바뀌었으므로 한 번 운동방향을
바꾸었다. [거짓]

따라서 옳은 것은 ㄱ, ㄷ이다.

1472

STEP A $v(t)$의 그래프를 이용하여 [보기]의 참, 거짓 판별하기

ㄱ. $f(4)=\int_0^4 v(t)dt$는 점 P의 시각 4에서의 위치이므로

$$f(4)=\frac{1}{2}\cdot 2\cdot 1-\frac{1}{2}\cdot 2\cdot 1=1-1=0$$이다. [거짓]

ㄴ. $f(10)=\int_0^{10} v(t)dt$

$$=\int_0^2 v(t)dt+\int_2^{10} v(t)dt$$

$$=\int_0^2 v(t)dt \leftarrow \int_2^{10} v(t)dt=0$$

$$=f(2)$$ [참]

ㄷ. 점 P가 원점을 지나는 것은 $f(t)=\int_0^t v(t)dt=0(t>0)$일 때,

즉 $t=4$ 또는 $t=8$일 때로 출발 후 2번 더 있다. [거짓]

ㄹ. 점 P가 10초 동안 실제로 움직인 거리는 속도 $v(t)$의 그래프와 t축으로
둘러싸인 부분의 넓이이므로 5이다. [참]

따라서 옳은 것은 ㄴ, ㄹ이다.

1473

STEP A $v(t)$의 그래프를 이용하여 [보기]의 참, 거짓 판별하기

ㄱ. $t=3$일 때, 위치의 변화량은

$$\int_0^3 (2t-t^2)dt=\left[t^2-\frac{1}{3}t^3\right]_0^3=9-9=0$$ [참]

ㄴ. $t=5$일 때, 위치의 변화량은

$$\int_0^3 (2t-t^2)dt+\int_3^5 (3t-12)dt=\left[t^2-\frac{1}{3}t^3\right]_0^3+\left[\frac{3}{2}t^2-12t\right]_3^5$$

$$=0$$ [참]

ㄷ. 점 P는 움직이는 동안 총 움직인 거리는

$$\int_0^3 |2t-t^2|dt+\int_3^5 |3t-12|dt$$

$$=\int_0^2 (2t-t^2)dt-\int_2^3 (2t-t^2)dt+\int_3^5 |3t-12|dt$$

$$=\int_0^2 (2t-t^2)dt-\int_2^3 (2t-t^2)dt+\int_3^4 (-3t+12)dt+\int_4^5 (3t-12)dt$$

$$=\left[t^2-\frac{1}{3}t^3\right]_0^2-\left[t^2-\frac{1}{3}t^3\right]_2^3+\left[-\frac{3}{2}t^2+12t\right]_3^4+\left[\frac{3}{2}t^2-12t\right]_4^5$$

$$=\frac{4}{3}+\frac{4}{3}+\frac{3}{2}+\frac{3}{2}$$

$$=\frac{17}{3}$$ [거짓]

ㄹ. 점 P의 운동 방향은 $t=2$, $t=4$일 때, 두 번 바뀐다. [참]

따라서 옳은 것은 ㄱ, ㄴ, ㄹ이다.

1474

STEP A **두 속도 그래프에서 진위판단하기**

ㄱ. $S_1=S_2$이면 두 자동차 P, Q의 이동거리가 같으므로 출발한 지 b분이
되었을 때, 처음으로 만난다. [참]

ㄴ. $S_1>S_2$이면 자동차 P의 이동거리가 자동차 Q의 이동거리보다 크므로

$$\int_0^b f(t)dt>\int_0^b g(t)dt$$이다. [참]

ㄷ. $S_1<S_2$이면 자동차 P가 자동차 Q보다 빨리 가다가 자동차 Q가
자동차 P를 추월하여 지나가므로 이동거리가 같은 지점이 반드시 생긴다.
그 때의 시간을 $t=c$라 하면

$$\int_0^c f(t)dt=\int_0^c g(t)dt$$인 c가 열린 구간 (a, b)안에 존재한다. [참]

따라서 옳은 것은 ㄱ, ㄴ, ㄷ이다.

참고 $S_1<S_2$이면 b분 후에 자동차 Q는 자동차 P를 앞선다.

다음 그림은 두 자동차 P, Q가 직선도로의 같은 지점에서 동시에 같은 방향으로 출발하여 2분 동안 달렸을 때, 각각의 속도 $f(t)$, $g(t)$의 그래프를 나타낸 것이다.

두 곡선 $v=f(t)$, $v=g(t)$로 둘러싸인 두 부분 A, B의 넓이가 각각 S_1, S_2일 때, 옳은 것만을 [보기]에서 있는 대로 고른 것은?

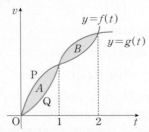

┌───┐
│ ㄱ. 출발한 지 1분이 되었을 때, P자동차가 앞서 있다.
│ ㄴ. $S_1 > S_2$이면 2분 후에 Q자동차는 P자동차를 앞서있다.
│ ㄷ. $S_1 = S_2$이면 출발한 지 2분이 되었을 때 두 자동차는 출발한 후
│   처음으로 만난다.
└───┘

① ㄱ   ② ㄴ   ③ ㄱ, ㄷ
④ ㄴ, ㄷ   ⑤ ㄱ, ㄴ, ㄷ

STEP Ⓐ 두 속도 그래프에서 진위판단하기

ㄱ. 출발한 지 1분이 되었을 때, P자동차가 앞서있다. [참]

ㄴ. $S_1 < S_2$이면 2분 후에 Q자동차는 P자동차를 앞서있다. [거짓]

ㄷ. $S_1 = S_2$이면 출발한 지 2분이 되었을 때 두 자동차는 출발한 후
처음으로 만난다. [참]

따라서 옳은 것은 ㄱ, ㄷ이다.   정답 ③

1475

정답 ⑤

STEP Ⓐ 속도, 가속도의 정의를 이용하여 참임을 판별하기

ㄱ. 자동차 A, C 모두 '가' 지점에서 '나' 지점으로 이동하였으므로
이동거리가 같고 걸린시간도 40으로 같으므로

$$(\text{A의 평균속도})=\frac{(\text{이동거리})}{40}$$

$$(\text{C의 평균속도})=\frac{(\text{이동거리})}{40}$$

즉 자동차 A와 C의 평균속도는 같다. [참]

ㄴ. 시간과 속도의 그래프에서 접선의 기울기는 가속도를 나타내므로
접선의 기울기가 0인 점,
즉 $v'(t)=0$인 점의 개수는 자동차 B는 한 번,
자동차 C는 세 번 존재한다. [참]

**STEP Ⓑ 속도의 그래프와 t축으로 둘러싸인 영역의 넓이는 이동한 총
거리를 나타냄을 이용하여 참임을 판별하기**

ㄷ. A, B, C 각각의 속도의 그래프와 t축으로 둘러싸인 영역의 넓이는

$$\int_0^t |v|\,dt = \int_0^t v\,dt$$ 이므로 이동한 총 거리를 나타낸다.

그런데 A, B, C 자동차 모두 '가' 지점에서 '나' 지점까지 직선 경로를
따라 같은 거리를 이동한 것이므로 세 영역의 넓이는 모두 같다. [참]

따라서 옳은 것은 ㄱ, ㄴ, ㄷ이다.

1476

STEP Ⓐ $v(t)$의 그래프를 이용하여 [보기]의 참, 거짓 판별하기

$0 \le t \le c$에서 물체 A, B의 속도가 모두 양이고 같은 높이의 지면에서 동시에
출발하므로 속도 그래프와 t축 사이의 넓이가 물체의 위치를 의미한다.

즉 $t=x$에서의 두 물체 A, B의 위치는 각각 $\int_0^x f(t)\,dt$, $\int_0^x g(t)\,dt$이다.

ㄱ. $t=a$일 때,

물체 A의 높이는 $\int_0^a f(t)\,dt$이고

물체 B의 높이는 $\int_0^a g(t)\,dt$이다.

이때 오른쪽 그림에서 $0 \le t \le a$일 때, $f(t) \ge g(t)$이므로

$$\int_0^a f(t)\,dt > \int_0^a g(t)\,dt$$

즉 A가 B보다 높은 위치에 있다. [참]

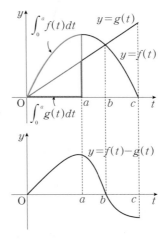

ㄴ. $0 \le t \le b$일 때, $f(t)-g(t) \ge 0$이므로
시각 t에서의 두 물체 A, B의 높이의 차는 점점 커진다.
또, $b < t \le c$일 때, $f(t)-g(t) < 0$이므로
시각 t에서의 두 물체 A, B의 높이의 차는 점점 줄어든다.
즉 $t=b$일 때, 물체 A와 물체 B의 높이의 차가 최대이다. [참]

> **참고**
>
> $0 \le t \le c$에서 물체 A, B의 속도가 모두 양이고 같은 높이의 지면에서
> 동시에 출발하므로 속도 그래프와 t축 사이의 넓이가 물체의 위치를
> 의미한다.
> $t=x$에서의 두 물체 A, B의 높이는 각각 $\int_0^x f(t)\,dt$, $\int_0^x g(t)\,dt$
>
> 또한, $h(x) = \int_0^x f(t)\,dt - \int_0^x g(t)\,dt$라 하고 양변을 미분하면
>
> $h'(x) = f(x)-g(x)$이고 $h'(b) = f(b)-g(b) = 0$
> $h(x)$의 증가와 감소를 표로 나타내면 다음과 같다.
>
> | x | 0 | $\cdots$ | b | $\cdots$ | c |
> |---|---|---|---|---|---|
> | $h'(x)$ | | $+$ | 0 | $-$ | |
> | $h(x)$ | 0 | ↗ | 극대 | ↘ | 0 |
>
> $h(x)$는 $x=b$에서 극댓값을 가지고 최댓값을 가진다.

ㄷ. $t=c$일 때,

물체 A의 높이는 $\int_0^c f(t)\,dt$이고

물체 B의 높이는 $\int_0^c g(t)\,dt$이다.

그런데 $\int_0^c f(t)\,dt = \int_0^c g(t)\,dt$이므로 물체 A와 물체 B는 같은
높이에 있다. [참]

따라서 옳은 것은 ㄱ, ㄴ, ㄷ이다.

1477

④

STEP ❹ $v(t) \geq 0$, $v(t) \leq 0$인 구간을 구분하고 각 구간의 넓이에 대한 식을 S_1, S_2, S_3라 하여 $\int_0^a |v(t)|dt = \int_a^d |v(t)|dt$를 만족하는 식 세우기

아래 그림과 같이

$\int_0^a |v(t)|dt = S_1$, $\int_a^c |v(t)|dt = S_2$, $\int_c^d |v(t)|dt = S_3$이라 하면

$\int_0^a |v(t)|dt = \int_a^d |v(t)|dt$이므로 $S_1 = S_2 + S_3$

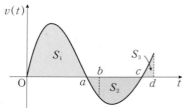

STEP ❺ $v(t)$의 그래프를 이용하여 [보기]의 참, 거짓 판별하기

ㄱ. $0 \leq t \leq a$일 때, 수직선의 양의 방향으로 S_1만큼 움직였다가
$a \leq t \leq c$ 일 때, 음의 방향으로 S_2만큼 움직이고
$c \leq t \leq d$일 때, 양의 방향으로 S_3만큼 움직인다.
이때 $S_1 > S_2 (S_1 - S_2 = S_3 > 0)$이므로 점 P는 $0 < t \leq d$에서 원점을 지나지 않는다.
즉 원점 O를 출발하여 시각 a에서 방향을 바꾸어 돌아오다가 원점까지 되돌아오지 않고 시각 c에서 다시 방향을 바꿔서 움직인다. [거짓]

ㄴ. $\int_0^c v(t)dt = \int_0^a v(t)dt + \int_a^c v(t)dt$
$= S_1 + (-S_2)$
$= S_3 (\because S_1 = S_2 + S_3)$
$= \int_c^d v(t)dt$ [참]

ㄷ. $\int_b^d |v(t)|dt = -\int_b^c v(t)dt + \int_c^d v(t)dt$
$= -\int_b^c v(t)dt + \int_c^d v(t)dt (\because \text{ㄴ})$
$= \int_b^c v(t)dt + \int_c^d v(t)dt$
$= \int_b^d v(t)dt$
$\therefore \int_b^d v(t)dt = \int_b^d |v(t)|dt$ [참]

따라서 옳은 것은 ㄴ, ㄷ이다.

STEP 2 **서술형 기출유형**

1478

해설참조

| 1단계 | 시각 $t = 3$에서의 점 P의 위치를 구한다. | ◀ 30% |

$-12 + \int_0^3 (3t^2 - 13)dt = -12 + \left[t^3 - 13t\right]_0^3 = -12 - 12 = -24$

| 2단계 | 점 P가 원점을 지나는 시각을 구한다. | ◀ 40% |

점 P가 원점을 지나는 시각을 $t = a(a > 0)$라고 하면
$-12 + \int_0^a (3t^2 - 13)dt = 0$에서 $-12 + \left[t^3 - 13t\right]_0^a = 0$
$a^3 - 13a - 12 = 0$, $(a+1)(a+3)(a-4) = 0$
$a > 0$이므로 점 P가 원점을 지나는 시각은 4이다.

| 3단계 | 시각 $t = 0$에서 $t = 4$까지 점 P의 위치의 변화량을 구한다. | ◀ 30% |

시각 $t = 0$에서 $t = 4$까지 점 P의 위치의 변화량은
$\int_0^4 (3t^2 - 13)dt = \left[t^3 - 13t\right]_0^4 = 12$

1479

해설참조

| 1단계 | $t = 6$에서의 점 P의 위치를 구한다. | ◀ 30% |

$0 + \int_0^6 2t\,dt = \left[t^2\right]_0^6 = 36$

| 2단계 | $t = 6$에서의 점 Q의 위치를 a 식으로 나타낸다. | ◀ 30% |

$2 + \int_0^6 (t+a)dt = 2 + \left[\frac{1}{2}t^2 + at\right]_0^6 = 2 + 18 + 6a = 20 + 6a$

| 3단계 | 상수 a의 값을 구한다. | ◀ 40% |

$t = 6$에서의 점 P의 좌표가 점 Q의 좌표보다 4크므로 $36 = (20 + 6a) + 4$
따라서 $6a = 12$이므로 $a = 2$

1480

해설참조

| 1단계 | 물 로켓의 최고 높이에 도달할 때의 시각을 구한다. | ◀ 20% |

물 로켓 최고 높이에 도달할 때의 속도가 0m/s이므로
$v(t) = 30 - 10t = 0$에서 $t = 3$

| 2단계 | 지면으로부터 물 로켓의 최고 높이를 구한다. | ◀ 30% |

$t = 0$일 때의 높이가 $x_0 = 0$이므로, 3초 후 물 로켓의 최고 높이는
$x = 0 + \int_0^3 (30 - 10t)dt = \left[30t - 5t^2\right]_0^3 = 90 - 45 = 45\text{m}$

| 3단계 | 물 로켓이 지면으로 떨어질 때 시각을 구한다. | ◀ 20% |

물 로켓이 지면에 떨어지면 $x = 0$이므로
$\int_0^t (30 - 10t)dt = \left[30t - 5t^2\right]_0^t = 30t - 5t^2 = 0$에서 $5t(t-6) = 0$
$\therefore t = 6 (\because t > 0)$, 즉 물 로켓이 지면에 떨어지는데 걸리는 시간은 6초이다.

| 4단계 | 물 로켓이 지면으로 떨어질 때까지 움직인 거리를 구한다. | ◀ 30% |

$v(t) = 30 - 10t = 10(3-t)(\text{m/s})$이므로
구간 $[0, 3]$에서 $v(t) \geq 0$이고
구간 $[3, 6]$에서 $v(t) \leq 0$
따라서 물 로켓이 움직인 거리 s는

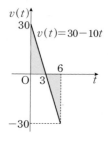

$s = \int_0^6 |30 - 10t|dt$
$= \int_0^3 (30 - 10t)dt + \int_3^6 (-30 + 10t)dt$
$= \left[30t - 5t^2\right]_0^3 + \left[-30t + 5t^2\right]_3^6 = 45 + 45 = 90(\text{m})$

수평인 지면으로부터 5m의 높이에서 20m/s의 속도로 수직으로 위로 던져 올린 물체의 t초 후의 속도가
$$v(t)=20-10t(\text{m/s})$$
일 때, 다음 단계로 서술하여라. (단, $0 \le t \le 4$)

[1단계] 물체를 던져 올린 순간부터 1초 후 물체의 지면으로부터의 높이를 구한다.
[2단계] 이 물체가 최고 높이에 도달했을 때, 지면으로부터의 높이를 구한다.
[3단계] 물체를 던져 올린 후 3초 동안 물체가 움직인 거리를 구한다.

| 1단계 | 물체를 던져 올린 순간부터 1초 후 물체의 지면으로부터의 높이를 구한다. | ◀ 30% |

$t=0$일 때의 높이가 $x_0=5$이므로 1초 후 물체의 높이는
$$x=5+\int_0^1(20-10t)dt=\Big[20t-5t^2\Big]_0^1=5+(20-5)=20\text{m}$$

| 2단계 | 이 물체가 최고 높이에 도달했을 때 지면으로부터의 높이를 구한다. | ◀ 40% |

물 로켓이 최고 높이에 도달할 때의 속도가 0m/s이므로
$v(t)=20-10t=0$에서 $t=2$
$t=0$일 때의 높이가 $x_0=5$이므로 2초 후 물체의 최고 높이는
$$x=5+\int_0^2(20-10t)dt=\Big[20t-5t^2\Big]_0^2=5+(40-20)=25\text{m}$$

| 3단계 | 물체를 던져 올린 후 3초 동안 물체가 움직인 거리를 구한다. | ◀ 30% |

3초 후 물체가 움직인 거리 s는
$$\begin{aligned}s&=\int_0^3|20-10t|dt\\&=\int_0^2(20-10t)dt-\int_2^3(20-10t)dt\\&=\Big[20t-5t^2\Big]_0^2-\Big[20t-5t^2\Big]_2^3\\&=(40-20)-\{(60-45)-(40-20)\}\\&=25\text{m}\end{aligned}$$

정답 해설참조

1481

정답 해설참조

| 1단계 | 점 P가 움직이는 방향이 바뀌는 시각을 구한다. | ◀ 30% |

점 P가 움직이는 방향이 바뀌는 것은 $v(t)=0$일 때이므로
$v(t)=9-3t=0$에서 $t=3$

| 2단계 | 점 P가 원점으로 돌아오는 시각을 구한다. | ◀ 30% |

다시 원점에 돌아오는 시각을 x라고 하면
$$\int_0^x(9-3t)dt=9x-\frac{3}{2}x^2=-\frac{3}{2}x(x-6)=0$$
$$\therefore x=6$$

| 3단계 | 점 P가 움직인 거리를 구한다. | ◀ 40% |

$x=6$이므로 점 P가 움직인 거리는

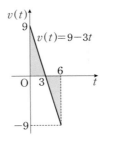

$$\begin{aligned}\int_0^6|v(t)|dt&=\int_0^6|9-3t|dt\\&=\int_0^3(9-3t)dt+\int_3^6(-9+3t)dt\\&=\Big[9t-\frac{3}{2}t^2\Big]_0^3+\Big[-9t+\frac{3}{2}t^2\Big]_3^6\\&=\frac{27}{2}+\frac{27}{2}=27\end{aligned}$$

1482

정답 해설참조

| 1단계 | 점 P가 움직이는 방향이 바뀌는 시각 t를 구한다. | ◀ 20% |

$v(t)=0$일 때, 점 P가 움직이는 방향을 바꾸므로
$$v(t)=t^2-3t+2=(t-1)(t-2)=0$$
$$\therefore t=1 \text{ 또는 } t=2$$

| 2단계 | 점 P가 움직이는 방향이 처음으로 바뀌는 시각에서의 점 P의 위치를 구한다. | ◀ 30% |

점 P가 1에서 출발하였으므로 $t=0$일 때, 점 P의 위치는 1이고
처음으로 운동방향이 바뀌는 시각은 $t=1$이므로 점 P의 위치는
$$x=1+\int_0^1(t^2-3t+2)dt=1+\Big[\frac{1}{3}t^3-\frac{3}{2}t^2+2t\Big]_0^1=\frac{11}{6}$$

| 3단계 | 점 P가 출발할 때의 운동 방향에 대하여 반대 방향으로 움직인 거리를 구한다. | ◀ 20% |

운동 방향에 대하여 반대 방향은
$t=1$에서 $t=2$이므로 움직인 거리는

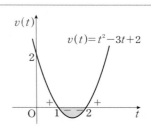

$$\begin{aligned}\int_1^2|v(t)|dt&=\int_1^2|t^2-3t+2|dt\\&=-\int_1^2(t^2-3t+2)dt\\&=-\Big[\frac{1}{3}t^3-\frac{3}{2}t^2+2t\Big]_1^2\\&=-\Big\{\Big(\frac{8}{3}-6+4\Big)-\Big(\frac{1}{3}-\frac{3}{2}+2\Big)\Big\}\\&=\frac{1}{6}\end{aligned}$$

| 4단계 | 시각 $t=2$에서 $t=4$까지 점 P의 위치의 변화량을 구한다. | ◀ 30% |

$t=2$에서 $t=4$까지 점 P의 위치의 변화량은
$$\int_2^4 v(t)dt=\int_2^4(t^2-3t+2)dt=\Big[\frac{1}{3}t^3-\frac{3}{2}t^2+2t\Big]_2^4=\frac{14}{3}$$

1483

정답 해설참조

| 1단계 | 그래프에서 색칠한 두 부분의 넓이가 의미하는 것을 서술한다. | ◀ 50% |

색칠한 부분의 넓이는 두 자전거가 움직인 거리의 차를 말한다.
즉 시각 $t=0$에서 $t=1$까지 색칠한 부분의 넓이는 A, B가 출발한 후 처음 1분 동안 B가 움직인 거리에서 A가 움직인 거리를 뺀 것과 같다.
즉 출발한 후 0분에서 1분까지는 B가 파란색 부분의 넓이만큼 더 움직였다.
시각 $t=1$에서 $t=2$까지 색칠한 부분의 넓이는 1분에서 2분 사이에 A가 움직인 거리에서 B가 움직인 거리를 뺀 것과 같다.
즉 출발한 후 1분에서 2분까지는 A가 주황색 부분의 넓이만큼 더 움직였다.

| 2단계 | 색칠한 두 부분의 넓이가 같을 때, A와 B가 출발한 후 2분 동안의 상황에 대하여 서술한다. | ◀ 50% |

처음 1분 동안은 B가 A와 거리를 점차 벌리며 앞서다가, 그 후 1분 동안은 A, B의 거리의 차가 점차 좁혀지며 출발한 후 2분이 되면 A, B가 만나게 된다.
즉 색칠한 두 부분의 넓이가 같으면 두 자전거가 출발한 후 2분 동안 움직인 총 거리는 같다.

1484

 45

STEP A   점 P의 운동방향이 바뀌는 t의 값 구하기

속도 $v(t)$에 대하여 $v(t)=3t^2-6t=3t(t-2)$이므로
$t=2$에서 점 P의 운동방향이 바뀐다.

STEP B $t=0$에서 $t=2$까지 움직인 거리 구하기

$t=0$에서 $t=2$까지 움직인 거리는
$$\int_0^2 |3t^2-6t|\,dt=-\int_0^2 (3t^2-6t)\,dt=-\left[t^3-3t^2\right]_0^2=4<58$$
이므로 $a>2$

STEP C   거리를 구하여 a의 값 구하기

점 P가 원점을 출발하여 $t=0$에서 $t=a$까지 움직인 거리가 58이므로
$$\int_0^a |3t^2-6t|\,dt=-\int_0^2 (3t^2-6t)\,dt+\int_2^a (3t^2-6t)\,dt$$
$$=-\left[t^3-3t^2\right]_0^2+\left[t^3-3t^2\right]_2^a$$
$$=a^3-3a^2+8$$
이때 $a^3-3a^2+8=58$, $a^3-3a^2-50=0$
$(a-5)(a^2+2a+10)=0$
따라서 $a=5$이므로 $v(5)=45$

1485

정답 48

STEP A   시각 t에서의 두 점 P, Q의 위치 구하기

두 점 P, Q의 시각 $t=a$에서의 위치가 각각 0, 80이고
시각 $t=a$에서 두 점 P, Q의 위치는
$$x_P(t)=0+\int_0^a 2t\,dt=\left[t^2\right]_0^a=a^2$$
$$x_Q(t)=80+\int_0^a (-2)\,dt=80+\left[-2t\right]_0^a=-2a+80$$

STEP B   두 점 P, Q의 위치가 같을 때, 시각 a를 구하기

두 점 P, Q만나는 것은 두 점의 위치가 같을 때,
즉 $x_P(t)=x_Q(t)$일 때이므로
$a^2=-2a+80$, $a^2+2a-80=0$, $(a+10)(a-8)=0$
즉 $a>0$이므로 $a=8$

STEP C $|p-q|$의 값 구하기

시각 $t=0$에서 시각 $t=8$까지 점 P가 움직인 거리는
$$p=x_P(8)=\int_0^8 2t\,dt=\left[t^2\right]_0^8=64$$
시각 $t=0$에서 시각 $t=8$까지 점 Q가 움직인 거리는
$$q=x_Q(8)=\int_0^8 |-2|\,dt=\left[2t\right]_0^8=16$$
따라서 $|p-q|=|64-16|=48$

1486

정답 9

STEP A   시각 t에서의 두 점 P, Q의 위치 구하기

시각 t에서의 두 점 P, Q의 위치를 각각 $x_P(t)$, $x_Q(t)$라 하면
$$x_P(t)=\int_0^t (t^2-2t)\,dt=\frac{1}{3}t^3-t^2$$
$$x_Q(t)=\int_0^t (-t^2+4t)\,dt=-\frac{1}{3}t^3+2t^2$$

STEP B   원점에서 출발한 후 다시 만날 때, 시각 t를 구하기

두 점 P, Q만나는 것은 두 점의 위치가 같을 때,
즉 $x_P(t)=x_Q(t)$일 때이므로
$\frac{1}{3}t^3-t^2=-\frac{1}{3}t^3+2t^2$에서 $\frac{2}{3}t^3-3t^2=0$, $\frac{1}{3}t^2(2t-9)=0$
이때 $t>0$이므로 $t=\frac{9}{2}$

즉 두 점 P, Q가 다시 만나게 되는 시각은 $t=\frac{9}{2}$일 때이다.

STEP C   두 점 P, Q 사이의 거리를 $h(t)$라고 할 때, $h(t)$를 t에 대한 식으로 나타내고 두 점 P, Q 사이의 거리의 최댓값 구하기

두 점 P, Q 사이의 거리는
$$h(t)=|f(t)-g(t)|=\left|\frac{2}{3}t^3-3t^2\right|$$
$0\le t\le\frac{9}{2}$에서 $h(t)=-\frac{2}{3}t^3+3t^2$
이때 $h'(t)=-2t^2+6t=-2t(t-3)$
$h'(t)=0$에서 $t=0$또는 $t=3$
$h(t)$의 증가와 감소를 표로 나타내면 다음과 같다.

t	0	$\cdots$	3	$\cdots$	$\frac{9}{2}$
$h'(t)$	0	+	0	−	0
$h(t)$	0	↗	극대	↘	0

$t=3$일 때, 극대이고 최대이므로 최댓값은 $h(3)=-\frac{2}{3}\cdot27+27=9$

원점을 동시에 출발하여 수직선 위를 움직이는 두 점 P, Q의 시각 $t(0\le t\le6)$에서의 속도가 각각 $\frac{1}{2}t$, $\frac{1}{4}t^3-\frac{3}{8}t^2-2t$이다.
$0\le t\le6$일 때, 두 점 P, Q 사이의 거리의 최댓값을 구하여라.

STEP A   시각 x에서의 두 점 P, Q의 위치를 구하기

두 점 P, Q의 시각 $x(0\le x\le6)$에서의 위치를 각각 $f(x)$, $g(x)$라 하면
$$f(x)=0+\int_0^x \frac{1}{2}t\,dt=\left[\frac{1}{4}t^2\right]_0^x=\frac{1}{4}x^2$$
$$g(x)=0+\int_0^x \left(\frac{1}{4}t^3-\frac{3}{8}t^2-2t\right)dt=\left[\frac{1}{16}t^4-\frac{1}{8}t^3-t^2\right]_0^x$$
$$=\frac{1}{16}x^4-\frac{1}{8}x^3-x^2$$

STEP B   두 점 P, Q 사이의 거리를 $h(x)$라고 할 때, $h(x)$를 x에 대한 식으로 나타내고 두 점 P, Q 사이의 거리의 최댓값 구하기

두 점 P, Q 사이의 거리는
$$|g(x)-f(x)|=\left|\left(\frac{1}{16}x^4-\frac{1}{8}x^3-x^2\right)-\frac{1}{4}x^2\right|=\left|\frac{1}{16}x^4-\frac{1}{8}x^3-\frac{5}{4}x^2\right|$$
$h(x)=\frac{1}{16}x^4-\frac{1}{8}x^3-\frac{5}{4}x^2$이라 하면
$$h'(x)=\frac{1}{4}x^3-\frac{3}{8}x^2-\frac{5}{2}x=\frac{1}{8}x(2x+5)(x-4)$$
$h'(x)=0$에서 $x=-\frac{5}{2}$ 또는 $x=0$또는 $x=4$
$0\le x\le6$에서 함수 $h(x)$의 증가와 감소를 표로 나타내면 다음과 같다.

t	0	$\cdots$	4	$\cdots$	6
$h'(t)$	0	−	0	+	0
$h(t)$	0	↘	극소	↗	9

$h(4)=16-8-20=-12$이고 $h(6)=81-27-45=9$이므로
$0\le x\le6$에서 함수 $y=h(x)$와 함수 $y=|h(x)|$의 그래프는 다음과 같다.

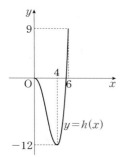 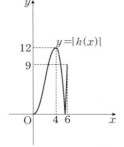

따라서 두 점 P, Q 사이의 거리의 최댓값은 12

정답 12

1487

정답 6

STEP A 시각 t에서 점 P의 위치를 구하기

시각 t에서 점 P의 위치를 x_P라고 하면

$$x_P = 7 + \int_0^t (3t^2 - 2) dt$$
$$= 7 + \left[t^3 - 2t \right]_0^t = t^3 - 2t + 7$$

STEP B 시각 t에서의 점 Q의 위치를 구하기

시각 t에서 점 Q의 위치를 x_Q라고 하면

$$x_Q = k + \int_0^t 1 dt = k + \left[t \right]_0^t = t + k$$

STEP C 두 점 P, Q가 동시에 출발한 후 두 번 만나도록 하는 정수 k의 값을 구하기

두 점 P, Q가 만나는 시각은 $x_P = x_Q$일 때이므로

$$t^3 - 2t + 7 = t + k, \quad t^3 - 3t + 7 = k$$

이 방정식의 서로 다른 실근의 개수는 곡선 $y = t^3 - 3t + 7$과 직선 $y = k$의 교점의 개수와 같다.

$f(t) = t^3 - 3t + 7$로 놓으면

$$f'(t) = 3t^2 - 3 = 3(t+1)(t-1)$$

$t > 0$일 때, $f'(t) = 0$에서 $t = 1$

$t > 0$에서 $f(t)$의 증가와 감소를 표로 나타내면 다음과 같다.

t	0	$\cdots$	1	$\cdots$
$h'(t)$		$-$	0	$+$
$h(t)$	7	$\searrow$	5	$\nearrow$

이때 두 점 P, Q가 두 번 만나려면
$t > 0$에서 방정식 $f(t) = k$가 서로 다른
두 실근을 가져야 하므로 오른쪽 그림에서
곡선 $y = f(t)$와 직선 $y = k$가 두 점에서
만나도록 하는 k의 값의 범위는 $5 < k < 7$
따라서 정수 k의 값은 6

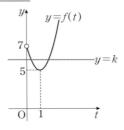

1488

정답 $\dfrac{32}{27}$

STEP A 점 P, Q, M의 t초 후의 위치 구하기

두 점 P, Q가 원점을 출발한 지 t초 후의 위치를 각각

$$x_P = \int_0^t (1 - 4t) dt = t - 2t^2, \quad x_Q = \int_0^t (3t^2 - 1) dt = t^3 - t$$

시각 t에서의 중점 M의 위치를 x_M이라고 하면

$$x_M = \frac{x_P + x_Q}{2} = \frac{t - 2t^2 + t^3 - t}{2} = \frac{1}{2} t^3 - t^2$$

STEP B $x_M = 0$을 만족하는 t의 값 구하기

점 M이 원점 O를 지날 때, $x_M = 0$이므로

$$\frac{1}{2} t^2 (t - 2) = 0 에서 t = 2 (t > 0)$$

STEP C 점 M이 움직인 거리 구하기

$x_M = \dfrac{1}{2} t^3 - t^2$에서 $v_M = \dfrac{3}{2} t^2 - 2t$이므로

시각 t에서의 점 M이 원점으로
되돌아갈 때까지 움직인 거리는

$$\int_0^2 \left| \frac{3}{2} t^2 - 2t \right| dt$$

$$= \int_0^{\frac{4}{3}} \left(2t - \frac{3}{2} t^2 \right) dt + \int_{\frac{4}{3}}^2 \left(\frac{3}{2} t^2 - 2t \right) dt$$

$$= \left[t^2 - \frac{1}{2} t^3 \right]_0^{\frac{4}{3}} + \left[\frac{1}{2} t^3 - t^2 \right]_{\frac{4}{3}}^2$$

$$= \frac{16}{27} + \frac{16}{27}$$

$$= \frac{32}{27}$$

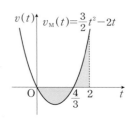

1489

정답 36π

STEP A $v(t) = 0$을 만족하는 t의 값 구하기

물이 멈출 때의 속도 $v(t) = 0$이므로

$$v(t) = -3t^2 + 6t = -3t(t - 2) = 0$$

$$\therefore t = 2 \; (\because t > 0)$$

STEP B 정적분을 이용하여 2초 동안 물이 흐른 길이 구하기

이때 물이 수도관을 따라 나온 길이를 l이라고 하면

$$l = \int_0^2 (-3t^2 + 6t) dt = \left[-t^3 + 3t^2 \right]_0^2 = 4$$

STEP C 단면적을 곱하여 물의 양 구하기

따라서 흘러나온 물의 양은
(수도관의 단면의 넓이)×(물이 흘러나온 길이)$= 9\pi \cdot 4 = 36\pi$

내/신/연/계 출제문항 613

반지름의 길이가 2cm인 수도관을 통하여 흘러나오는 물의 속도를 $v(t)$
라고 하면

$$v(t) = -t^2 + 6t (\text{cm/s})$$

이다. 물이 흐르기 시작하여 멈출 때까지 흘러나온 물의 양은?

① 121π ② 139π ③ 144π

④ 169π ⑤ 212π

STEP A $v(t) = 0$을 만족하는 t의 값 구하기

물이 멈출 때의 속도 $v(t) = 0$이므로

$$v(t) = -t^2 + 6t = -t(t - 6) = 0$$

$$\therefore t = 6 \; (\because t > 0)$$

STEP B 정적분을 이용하여 6초 동안 물이 흐른 길이 구하기

이때 물이 수도관을 따라 나온 길이를 l이라고 하면

$$l = \int_0^6 (-t^2 + 6t) dt = \left[-\frac{1}{3} t^3 + 3t^2 \right]_0^6 = 36 (\text{cm})$$

STEP C 단면적을 곱하여 물의 양 구하기

따라서 흘러나온 물의 양은
(수도관의 단면의 넓이)×(물이 흘러나온 길이)$= 4\pi \times 36 = 144\pi (\text{cm}^3)$

정답 ③

01	⑤	02	①	03	②	04	②	05	③
06	①	07	④	08	③	09	③	10	③
11	①	12	④	13	⑤	14	②	15	③
16	③	17	③	18	②	19	②	20	⑤

서술형			
21	해설참조	22	해설참조
23	해설참조	24	해설참조

01
 정답 ⑤

STEP A 함수의 그래프에서 함숫값, 극한값 구하기

함수 $y=f(x)$의 그래프에서
$\lim_{x \to 1-} f(x)=1$, $\lim_{x \to 1-} f(x)=2$
또, $\lim_{x \to 2+} f(x)=\lim_{x \to 2-} f(x)=1$이므로 $\lim_{x \to 2} f(x)=1$
한편 $f(1)=2$이다.
따라서 $\lim_{x \to 1-} f(x)+\lim_{x \to 1-} f(x)+\lim_{x \to 2} f(x)+f(1)=1+2+1+2=6$

02
정답 ①

STEP A 함수 $f(x)$의 $x=1$에서의 우극한과 좌극한 구하기

$\lim_{x \to 1+} f(x)=\lim_{x \to 1+}(2x+k)=2+k$
$\lim_{x \to 1-} f(x)=\lim_{x \to 1-}(x^2-4x+1)=1-4+1=-2$

STEP B 좌극한과 우극한이 일치함을 이용하여 상수 k의 값 구하기

$\lim_{x \to 1} f(x)$의 값이 존재하려면 $\lim_{x \to 1+} f(x)=\lim_{x \to 1-} f(x)$이어야 하므로
$2+k=-2$
따라서 $k=-4$

03
정답 ②

STEP A $x=1$을 기준으로 구간을 나누어 함수 $f(x)$의 식 구하기

$f(x)=\dfrac{x^2+2x-3}{|x-1|}=\dfrac{(x-1)(x+3)}{|x-1|}=\begin{cases} x+3 & (x>1) \\ -x-3 & (x<1) \end{cases}$

STEP B 좌극한과 우극한 구하기

$\lim_{x \to 1+} f(x)=\lim_{x \to 1+}(x+3)=4$
$\lim_{x \to 1-} f(x)=\lim_{x \to 1-}(-x-3)=-4$
따라서 $a=4$, $b=-4$이므로 $ab=-16$

04
 정답 ②

STEP A 함수의 극한에 대한 성질을 이용하여 구하기

$\lim_{x \to 1} f(x)=3$, $\lim_{x \to 1} g(x)=a$이므로

$\lim_{x \to 1}\dfrac{3f(x)+g(x)}{f(x)-g(x)}=\dfrac{3\lim_{x \to 1} f(x)+\lim_{x \to 1} g(x)}{\lim_{x \to 1} f(x)-\lim_{x \to 1} g(x)}$

$=\dfrac{3 \cdot 3+a}{3-a}=2$

$9+a=6-2a$
따라서 $a=-1$

05
정답 ③

STEP A 주어진 식의 분모, 분자를 x^2으로 나누어 극한값 구하기

$\lim_{x \to \infty}\dfrac{x^2+xf(x)}{x^2-f(x)}$의 분모, 분자를 x^2으로 나누면

$\lim_{x \to \infty}\dfrac{x^2+xf(x)}{x^2-f(x)}=\lim_{x \to \infty}\dfrac{1+\dfrac{f(x)}{x}}{1-\dfrac{f(x)}{x^2}}=\lim_{x \to \infty}\dfrac{1+\dfrac{f(x)}{x}}{1-\dfrac{f(x)}{x} \cdot \dfrac{1}{x}}$

$=\dfrac{1+3}{1-3 \cdot 0}=4$

06
정답 ①

STEP A $x=-t$로 놓고 주어진 식을 변형하여 분모의 최고차항으로 분모, 분자를 각각 나누어 구하기

$x=-t$로 놓으면 $x \to -\infty$일 때, $t \to \infty$이므로

$\lim_{x \to -\infty}\dfrac{\sqrt{x^2+x}-3}{x-2}=\lim_{t \to \infty}\dfrac{\sqrt{t^2-t}-3}{-t-2}=\lim_{t \to \infty}\dfrac{\sqrt{1-\dfrac{1}{t}}-\dfrac{3}{t}}{-1-\dfrac{2}{t}}=-1$

STEP B $x=-t$로 치환하고 유리화하여 극한값 구하기

$x=-t$로 놓으면 $x \to -\infty$일 때, $t \to \infty$이므로
$\lim_{x \to -\infty}(\sqrt{x^2-2x+3}+x)=\lim_{t \to \infty}(\sqrt{t^2+2t+3}-t)$

$=\lim_{t \to \infty}\dfrac{2t+3}{\sqrt{t^2+2t+3}+t}$

$=\lim_{t \to \infty}\dfrac{2+\dfrac{3}{t}}{\sqrt{1+\dfrac{2}{t}+\dfrac{3}{t^2}}+1}=1$

따라서 구하는 값은 $-1+1=0$

07

STEP Ⓐ 여러 가지 함수의 극한값을 구하여 진위판단하기

① $\lim_{x \to 1} \dfrac{x^2+x-2}{x^2-x} = \lim_{x \to 1} \dfrac{(x+2)(x-1)}{x(x-1)} = \lim_{x \to 1} \dfrac{x+2}{x} = 3$

② $\lim_{x \to -1} \dfrac{1}{x+1}\left(\dfrac{x^2}{x-1}+\dfrac{1}{2}\right) = \lim_{x \to -1} \dfrac{(2x-1)(x+1)}{2(x+1)(x-1)}$
$\qquad = \lim_{x \to -1} \dfrac{2x-1}{2(x-1)} = \dfrac{3}{4}$

③ $\lim_{x \to -3} \dfrac{x+3}{\sqrt{x+4}-1} = \lim_{x \to -3} \dfrac{(x+3)(\sqrt{x+4}+1)}{(\sqrt{x+4}-1)(\sqrt{x+4}+1)}$
$\qquad = \lim_{x \to -3} \dfrac{(x+3)(\sqrt{x+4}+1)}{x+3}$
$\qquad = \lim_{x \to -3} (\sqrt{x+4}+1) = 2$

④ $\lim_{x \to -\infty} \dfrac{x+1}{|x|-2} = \lim_{x \to -\infty} \dfrac{x+1}{-x-2} = \lim_{x \to -\infty} \dfrac{1+\dfrac{1}{x}}{-1-\dfrac{2}{x}} = -1$

⑤ $\lim_{x \to \infty} \dfrac{-3x^2+2x-1}{x^2-5} = \lim_{x \to \infty} \dfrac{-3+\dfrac{2}{x}-\dfrac{1}{x^2}}{1-\dfrac{5}{x^2}} = -3$

따라서 옳지 않은 것은 ④이다.

08

STEP Ⓐ 극한값이 존재하는 조건을 이용하여 a, b의 관계식 구하기

$\lim_{x \to 2} \dfrac{2x^2+ax+b}{x-2} = 3$에서

$x \to 2$일 때, (분모) $\to 0$이고 극한값이 존재하므로 (분자) $\to 0$이어야 한다.

즉 $\lim_{x \to 2}(2x^2+ax+b) = 0$이어야 하므로 $8+2a+b = 0$

$\therefore b = -2a-8$ $\qquad$ ……㉠

STEP Ⓑ a, b의 값 구하기

㉠을 $\lim_{x \to 2} \dfrac{2x^2+ax+b}{x-2}$에 대입하면

$\lim_{x \to 2} \dfrac{2x^2+ax-2a-8}{x-2} = \lim_{x \to 2} \dfrac{(x-2)(2x+a+4)}{x-2}$
$\qquad = \lim_{x \to 2}(2x+a+4) = a+8$

즉 $a+8 = 3$이므로 $a = -5$

$a = -5$를 ㉠에 대입하면 $b = 2$

따라서 $a = -5$, $b = 2$이므로 $a+b = -5+2 = -3$

09 정답 ③

STEP Ⓐ 각 변을 x로 나누고 극한을 취하여 함수의 극한의 대소 관계를 이용하기

$x \geq 2$이므로

$\dfrac{x^2}{x+1} \leq f(x) \leq \dfrac{x^3}{x^2+2}$의 각 변을 x로 나누면

$\dfrac{x^2}{x(x+1)} \leq \dfrac{f(x)}{x} \leq \dfrac{x^3}{x(x^2+2)}$

$\lim_{x \to \infty} \dfrac{x^2}{x(x+1)} = 1$, $\lim_{x \to \infty} \dfrac{x^3}{x(x^2+2)} = 1$이므로

함수의 극한의 대소 관계에 의하여 $1 \leq \lim_{x \to \infty} \dfrac{f(x)}{x} \leq 1$

따라서 $\lim_{x \to \infty} \dfrac{f(x)}{x} = 1$

10

STEP Ⓐ 주어진 두 조건을 이용하여 $\lim_{x \to \infty} \dfrac{g(x)}{f(x)}$의 값을 구하기

$\lim_{x \to \infty} f(x) = \infty$, $\lim_{x \to \infty}\{2f(x)-g(x)\} = 5$이므로

$\lim_{x \to \infty} \dfrac{2f(x)-g(x)}{f(x)} = \lim_{x \to \infty}\left\{2-\dfrac{g(x)}{f(x)}\right\} = 2-\lim_{x \to \infty} \dfrac{g(x)}{f(x)} = 0$

즉 $\lim_{x \to \infty} \dfrac{g(x)}{f(x)} = 2$

STEP Ⓑ 주어진 식의 분모, 분자를 $f(x)$로 나누어 극한값 구하기

따라서 $\lim_{x \to \infty} \dfrac{3f(x)+g(x)}{9f(x)-4g(x)} = \lim_{x \to \infty} \dfrac{3+\dfrac{g(x)}{f(x)}}{9-4 \cdot \dfrac{g(x)}{f(x)}} = \dfrac{3+2}{9-4 \cdot 2} = 5$

다른풀이 $2f(x)-g(x) = h(x)$로 놓고 풀이하기

$2f(x)-g(x) = h(x)$라고 하면 $g(x) = 2f(x)-h(x)$

이때 $\lim_{x \to \infty} h(x) = 5$이므로

$\lim_{x \to \infty} \dfrac{3f(x)+g(x)}{9f(x)-4g(x)} = \lim_{x \to \infty} \dfrac{3f(x)+2f(x)-h(x)}{9f(x)-4\{2f(x)-h(x)\}}$
$\qquad = \lim_{x \to \infty} \dfrac{5f(x)-h(x)}{f(x)+4h(x)} = \lim_{x \to \infty} \dfrac{5-\dfrac{h(x)}{f(x)}}{1+4 \cdot \dfrac{h(x)}{f(x)}} = 5$

11 정답 ①

STEP Ⓐ 분모, 분자를 인수분해한 후, 약분하여 극한값 구하기

$\lim_{x \to -1} \dfrac{(x+1)f(x)}{x^2-1} = \lim_{x \to -1} \dfrac{(x+1)f(x)}{(x-1)(x+1)}$
$\qquad = \lim_{x \to -1} \dfrac{f(x)}{x-1}$
$\qquad = \dfrac{f(-1)}{-2}$

따라서 $\dfrac{f(-1)}{-2} = 3$이므로 $f(-1) = -6$

12

STEP Ⓐ 분모, 분자를 x로 나누어 극한값 구하기

$\lim_{x \to \infty} \dfrac{2ax}{\sqrt{x^2+ax}+\sqrt{x^2-ax}} = \lim_{x \to \infty} \dfrac{2a}{\sqrt{1+\dfrac{a}{x}}+\sqrt{1-\dfrac{a}{x}}}$
$\qquad = \dfrac{2a}{2} = a$

따라서 $a = 5$

13

STEP **A** 극한값을 가질 조건을 이용하여 $f(0)$, $f(1)$의 값 구하기

$\lim\limits_{x \to 0} \dfrac{f(x)}{x} = -3$에서

$x \to 0$일 때, (분모)$\to 0$이고 극한값이 존재하므로 (분자)$\to 0$이어야 한다.

즉 $\lim\limits_{x \to 0} f(x) = 0$이므로 $f(0) = 0$

$\lim\limits_{x \to 1} \dfrac{f(x)}{x-1} = 5$에서

$x \to 1$일 때, (분모)$\to 0$이고 극한값이 존재하므로 (분자)$\to 0$이어야 한다.

즉 $\lim\limits_{x \to 1} f(x) = 0$이므로 $f(1) = 0$

STEP **B** $f(x) = x(x-1)(ax+b)$라 두고 주어진 극한에 대입하여 a, b의 값 구하기

삼차함수 $f(x)$는 $x(x-1)$을 인수로 가지므로

$f(x) = x(x-1)(ax+b)$라 하면

$\lim\limits_{x \to 0} \dfrac{f(x)}{x} = \lim\limits_{x \to 0} \dfrac{x(x-1)(ax+b)}{x}$

$\qquad\qquad = \lim\limits_{x \to 0}(x-1)(ax+b) = -b = -3$

$\therefore b = 3 \qquad\qquad\qquad \cdots\cdots \text{㉠}$

$\lim\limits_{x \to 1} \dfrac{f(x)}{x-1} = \lim\limits_{x \to 1} \dfrac{x(x-1)(ax+b)}{x-1}$

$\qquad\qquad = \lim\limits_{x \to 1} x(ax+b) = a+b = 5$

$\therefore a+b = 5 \qquad\qquad \cdots\cdots \text{㉡}$

㉡에 ㉠을 대입하면 $a = 2$

STEP **C** $f(2)$의 값 구하기

따라서 $f(x) = x(x-1)(2x+3)$이므로 $f(2) = 2 \cdot 1 \cdot 7 = 14$

14

STEP **A** 함수의 극한에 대한 성질을 이용하여 [보기]의 참, 거짓 판별하기

ㄱ. 반례 $f(x) = \dfrac{1}{x}$이면 $xf(x) = x \cdot \dfrac{1}{x} = 1$이므로

$\lim\limits_{x \to 0} xf(x) = 1$이지만 $\lim\limits_{x \to 0} f(x)$는 존재하지 않는다. [거짓]

ㄴ. $\lim\limits_{x \to 0} f(x) = a$가 수렴이면 $\lim\limits_{x \to 0}\{f(x)\}^2 = \lim\limits_{x \to 0} f(x) \cdot \lim\limits_{x \to 0} f(x) = a^2$

로 수렴한다. [참]

ㄷ. 반례 $f(x) = x^2$, $g(x) = x$이면 $\lim\limits_{x \to 0} \dfrac{f(x)}{g(x)} = \lim\limits_{x \to 0} \dfrac{x^2}{x} = \lim\limits_{x \to 0} x = 0$이지만

$\lim\limits_{x \to 0} \dfrac{g(x)}{f(x)} = \lim\limits_{x \to 0} \dfrac{x}{x^2}$ 는 존재하지 않는다. [거짓]

따라서 옳은 것은 ㄴ뿐이다.

15

STEP **A** 극한값이 존재하지 않는 점의 개수 구하기

주어진 그래프에서 $\lim\limits_{x \to 1} f(x)$의 값이 존재하지 않으므로 $a = 1$

STEP **B** 불연속점인 점의 개수 구하기

$x = 1$, 2에서 불연속이므로 $b = 2$

따라서 $a+b = -1$

16

STEP **A** 함수가 연속이 되도록 하는 조건을 만족시키는지 확인하기

ㄱ. $f(x) = x^2 + 1$에서

$\lim\limits_{x \to -1} f(x) = \lim\limits_{x \to -1}(x^2+1) = 2$, $f(-1) = 2$이므로 $\lim\limits_{x \to -1} f(x) = f(-1)$

즉 함수 $f(x)$는 $x = -1$에서 연속이다.

ㄴ. $f(x) = \dfrac{1}{x+1}$에서

$\lim\limits_{x \to -1} f(x)$의 값이 존재하지 않으므로 함수 $f(x)$는 $x = -1$에서 불연속이다.

ㄷ. $f(x) = \begin{cases} \dfrac{x^2-2x-3}{x+1} & (x \neq -1) \\ -4 & (x = -1) \end{cases}$에서

$\lim\limits_{x \to -1} f(x) = \lim\limits_{x \to -1} \dfrac{x^2-2x-3}{x+1}$

$\qquad\qquad = \lim\limits_{x \to -1} \dfrac{(x+1)(x-3)}{x+1}$

$\qquad\qquad = \lim\limits_{x \to -1}(x-3) = -4$

$f(-1) = -4$

이므로 함수 $f(x)$는 $x = -1$에서 연속이다.

ㄹ. $f(x) = \begin{cases} \sqrt{x+1} & (x \geq -1) \\ x^2-2 & (x < -1) \end{cases}$에서

$\lim\limits_{x \to -1+} f(x) = \lim\limits_{x \to -1+} \sqrt{x+1} = 0$

$\lim\limits_{x \to -1-} f(x) = \lim\limits_{x \to -1-}(x^2-2) = -1$

$\lim\limits_{x \to -1+} f(x) \neq \lim\limits_{x \to -1-} f(x)$이므로 $\lim\limits_{x \to -1} f(x)$의 값이 존재하지 않으므로

함수 $f(x)$는 $x = -1$에서 불연속이다.

따라서 $x = -1$에서 연속인 함수는 ㄱ, ㄷ이다.

17

STEP **A** 함수의 그래프에서 극한값이 존재하지 않는 점의 개수 구하기

ㄱ. 열린구간 $(-4, 4)$에서 $\lim\limits_{x \to 0+} f(x) = 3$, $\lim\limits_{x \to 0-} f(x) = 1$이므로

$\lim\limits_{x \to 0} f(x)$이 존재하지 않는다.

즉 극한값이 존재하지 않는 점의 개수는 1개이다. [참]

STEP **B** 함수의 그래프에서 불연속인 점의 개수 구하기

ㄴ. 열린구간 $(-4, 4)$에서 $x = -2$, $x = 0$, $x = 2$에서 불연속이므로

불연속인 점의 개수는 3개이다. [거짓]

STEP **C** $f(x) = t$라 두고 $x = 0$에서 좌극한, 우극한, 함숫값이 모두 같은지 확인하기

ㄷ. $f(x) = t$라 하면

$x \to 0+$일 때, $t \to 3-$이므로 $\lim\limits_{x \to 0+} f(f(x)) = \lim\limits_{t \to 3-} f(t) = \dfrac{3}{4}$

$x \to 0-$일 때, $t \to 1+$이므로 $\lim\limits_{x \to 0-} f(f(x)) = \lim\limits_{t \to 1+} f(t) = \dfrac{3}{4}$

그러므로 $\lim\limits_{x \to 0} f(f(x)) = \dfrac{3}{4}$

$f(f(0)) = f(1) = \dfrac{3}{4}$

즉 $\lim\limits_{x \to 0} f(f(x)) = f(f(0))$이므로 $x = 0$에서 연속이다. [참]

따라서 옳은 것은 ㄱ, ㄷ이다.

18

정답 ②

STEP Ⓐ $x=2$에서 $f(x)$가 연속일 조건 이해하기

함수 $f(x)$가 모든 실수 x에서 연속이므로 $x=2$에서도 연속이다.

$\lim_{x\to2}f(x)=f(2)$

STEP Ⓑ 극한값이 존재할 조건을 이용하여 a값 구하기

$\lim_{x\to2}\dfrac{x^2-5x+a}{x-2}=b$ ...... ㉠

$\lim_{x\to2}\dfrac{x^2-5x+a}{x-2}$의 값이 존재하고 $\lim_{x\to2}(x-2)=0$이므로

$\lim_{x\to2}(x^2-5x+a)=0$이어야 한다.

즉 $4-10+a=0$이므로 $a=6$

STEP Ⓒ 극한값을 구하여 b값 구하기

$a=6$을 ㉠에 대입하면

$b=\lim_{x\to2}\dfrac{x^2-5x+6}{x-2}=\lim_{x\to2}\dfrac{(x-2)(x-3)}{x-2}=\lim_{x\to2}(x-3)=-1$

따라서 $a=6$, $b=-1$이므로 $a+b=6+(-1)=5$

19

정답 ②

STEP Ⓐ $x=1$에서 $f(x)g(x)$의 연속일 조건 구하기

함수 $f(x)g(x)$가 $x=1$에서 연속이므로 $\lim_{x\to1}f(x)g(x)=f(1)g(1)$

STEP Ⓑ $x=1$에서 $f(x)g(x)$의 함숫값과 극한값 구하기

$f(1)=1$, $g(1)=1+k$이므로 $f(1)g(1)=1+k$

$\lim_{x\to1^+}f(x)g(x)=\lim_{x\to1^+}(2x-1)(x+k)=1+k$

$\lim_{x\to1^-}f(x)g(x)=\lim_{x\to1^-}(-x+3)(x+k)=2(1+k)$

따라서 $1+k=2(1+k)$이므로 $k=-1$

다른풀이 함수 $f(x)$가 $x=1$에서 불연속이므로 $g(1)=0$임을 이용하여 풀이하기

함수 $f(x)$가 $x=1$에서 불연속이고 $f(x)g(x)$가 $x=1$에서 연속이므로

$g(1)=0$이어야 한다. 즉 $g(1)=1+k=0$ $\therefore k=-1$

20

정답 ⑤

STEP Ⓐ 사잇값 정리를 이용하여 방정식이 범위 내에서 실근을 가질 조건 구하기

ㄱ. $f(x)=x^3-x+3$로 놓으면 함수 $f(x)$는 닫힌구간 $[-2,1]$에서
연속이고 $f(-2)=-3<0$, $f(1)=3>0$이므로 사잇값의 정리에 따라
$f(c)=0$인 c가 열린구간 $(-2,1)$에 적어도 하나 존재한다.
즉 삼차방정식 $x^3-x+3=0$은 열린구간 $(-2,1)$에서 적어도 하나의
실근을 갖는다.

ㄴ. $f(x)=x^4+2x-1$로 놓으면 함수 $f(x)$는 닫힌구간 $[0,1]$에서
연속이고 $f(0)=-1<0$, $f(1)=2>0$이므로 사잇값의 정리에 따라
$f(c)=0$인 c가 열린구간 $(0,1)$에 적어도 하나 존재한다.
즉 사차방정식 $x^4+2x-1=0$은 열린구간 $(0,1)$에서 적어도 하나의
실근을 갖는다.

ㄷ. $f(x)=x^3+2x^2-3x-10$로 놓으면 함수 $f(x)$는 닫힌구간 $[-1,3]$에서
연속이고 $f(-1)=-6<0$, $f(3)=26>0$이므로 사잇값의 정리에 따라
$f(c)=0$인 c가 열린구간 $(-1,3)$에 적어도 하나 존재한다.
즉 삼차방정식 $x^3+2x^2-3x-10=0$은 열린구간 $(-1,3)$에서
적어도 하나의 실근을 갖는다.

따라서 옳은 것은 ㄱ, ㄴ, ㄷ이다.

서 술 형

21

정답 해설참조

| 1단계 | $\lim_{x\to\infty}\dfrac{f(x)}{2x^2+3x-1}=1$을 만족하는 다항함수 $f(x)$의 차수를 구한다. | ◀ 40% |

$\lim_{x\to\infty}\dfrac{f(x)}{2x^2+3x-1}=1$에서 $f(x)$는 이차항의 계수가 2인 이차함수임을 알 수 있다.

| 2단계 | $\lim_{x\to0}\dfrac{f(x)}{x}=2$에서 다항함수 $f(x)$의 식을 구한다. | ◀ 40% |

$\lim_{x\to0}\dfrac{f(x)}{x}=2$에서

$x\to0$일 때, (분모)→ 0이고 극한값이 존재하므로 (분자)→ 0이어야 한다.

즉 $\lim_{x\to0}f(x)=0$이므로 $f(0)=0$

$f(x)=2x^2+ax\,(a$는 상수)라 하면

$\lim_{x\to0}\dfrac{f(x)}{x}=2$에 대입하면

$\lim_{x\to0}\dfrac{f(x)}{x}=\lim_{x\to0}\dfrac{2x^2+ax}{x}=\lim_{x\to0}(2x+a)=a=2$

$\therefore f(x)=2x^2+2x$

| 3단계 | $f(1)$의 값을 구한다. | ◀ 20% |

따라서 $f(1)=2+2=4$

22

정답 해설참조

| 1단계 | 원의 중심에서 직선 사이의 거리를 구한다. | ◀ 30% |

원의 반지름의 길이는 점 $\left(a,\ a+\dfrac{1}{a}\right)$과 직선 $y=x$

즉 $x-y=0$ 사이의 거리와 같으므로 $\dfrac{\left|a-\left(a+\dfrac{1}{a}\right)\right|}{\sqrt{1^2+(-1)^2}}=\dfrac{1}{\sqrt{2}\,a}$

| 2단계 | 원점 O에서 원 위의 점까지의 거리의 최솟값 d를 구한다. | ◀ 30% |

$d=\sqrt{a^2+\left(a+\dfrac{1}{a}\right)^2}-\dfrac{1}{\sqrt{2}\,a}$

$=\sqrt{2a^2+2+\dfrac{1}{a^2}}-\dfrac{1}{\sqrt{2}\,a}$

| 3단계 | $\lim_{a\to\infty}\dfrac{d}{a}$의 값을 구한다. | ◀ 40% |

따라서 $\lim_{a\to\infty}\dfrac{d}{a}=\lim_{a\to\infty}\dfrac{\sqrt{2a^2+2+\dfrac{1}{a^2}}-\dfrac{1}{\sqrt{2}\,a}}{a}$

$=\lim_{a\to\infty}\left(\sqrt{2+\dfrac{2}{a^2}+\dfrac{1}{a^4}}-\dfrac{1}{\sqrt{2}\,a^2}\right)$

$=\sqrt{2}$

23

정답 해설참조

| 1단계 | $x \neq a$일 때, $f(x)$의 값을 구한다. | ◀ 20% |

$x \neq a$일 때, $f(x) = \dfrac{x^2 + 2x + 1}{x - a}$

| 2단계 | $\lim\limits_{x \to a} f(x) = f(a)$임을 이용하여 상수 a의 값을 구한다. | ◀ 50% |

함수 $f(x)$가 모든 실수 x에서 연속이므로 $f(x)$는 $x = a$에서도 연속이다.
즉 $\lim\limits_{x \to a} f(x) = f(a)$이어야 한다.

$\lim\limits_{x \to a} \dfrac{x^2 + 2x + 1}{x - a} = f(a)$

$x \to a$일 때, (분모)$\to 0$이고 극한값이 존재하므로 (분자)$\to 0$이다.

즉 $\lim\limits_{x \to a}(x^2 + 2x + 1) = 0$이므로 $a^2 + 2a + 1 = 0$

$(a + 1)^2 = 0$ ∴ $a = -1$

| 3단계 | $f(a)$의 값을 구한다. | ◀ 30% |

따라서 $f(a) = f(-1) = \lim\limits_{x \to -1} \dfrac{x^2 + 2x + 1}{x + 1} = \lim\limits_{x \to -1}(x + 1) = 0$

24

정답 해설참조

| 1단계 | $x = 1$에서 연속이 되기 위한 조건을 이용하여 a, b의 관계식을 구한다. | ◀ 30% |

함수 $f(x)$가 모든 실수에서 연속이므로 $x = 1$에서 연속이다.
즉 극한값 $\lim\limits_{x \to 1} f(x)$가 존재하므로 $\lim\limits_{x \to 1+} f(x) = \lim\limits_{x \to 1-} f(x)$

$\lim\limits_{x \to 1+}(bx + 1) = \lim\limits_{x \to 1-}(-x^2 + a)$

$b + 1 = -1 + a$ ∴ $b = a - 2$ ...... ㉠

| 2단계 | 조건 $f(x + 2) = f(x)$를 이용하여 a, b의 관계식을 구한다. | ◀ 20% |

이때 $f(x + 2) = f(x)$이므로 $f(2) = f(0)$

$2b + 1 = a$ ...... ㉡

| 3단계 | a, b의 값을 구한다. | ◀ 20% |

㉠을 ㉡에 대입하면 $2(a - 2) + 1 = a$, $a = 3$
따라서 $a = 3$을 ㉠에 대입하면 $b = 1$

| 4단계 | $f(9)$의 값을 구한다. | ◀ 30% |

따라서 $f(x) = \begin{cases} -x^2 + 3 & (0 \le x < 1) \\ x + 1 & (1 \le x \le 2) \end{cases}$ 이므로 $f(9) = f(2 \cdot 4 + 1) = f(1) = 2$

01	④	02	②	03	③	04	④	05	②
06	②	07	②	08	④	09	①	10	②
11	②	12	③	13	③	14	⑤	15	④
16	③	17	②	18	③	19	②	20	④

서술형

21	해설참조	22	해설참조
23	해설참조	24	해설참조

01

정답 ④

STEP Ⓐ 함수의 그래프에서 함숫값, 극한값 구하기

함수 $y = f(x)$의 그래프에서

$x \to 1-$일 때, $f(x) \to 1$이므로 $\lim\limits_{x \to 1-} f(x) = 1$

$x \to 3+$일 때, $f(x) \to 1$이므로 $\lim\limits_{x \to 3+} f(x) = 1$

따라서 $\lim\limits_{x \to 1-} f(x) + 2 \lim\limits_{x \to 3+} f(x) = 1 + 2 \times 1 = 3$

02

정답 ②

STEP Ⓐ 함수의 극한의 성질을 이용하여 극한값 구하기

$\lim\limits_{x \to 1}(x - 1)f(x) = 3$이고 $\lim\limits_{x \to 1}(x + 1) = 2$이므로

$\lim\limits_{x \to 1}(x^2 - 1)f(x) = \lim\limits_{x \to 1}(x + 1)(x - 1)f(x)$

$= \lim\limits_{x \to 1}(x + 1) \times \lim\limits_{x \to 1}(x - 1)f(x)$

$= 2 \times 3 = 6$

03

정답 ③

STEP Ⓐ x의 범위를 고려하여 절댓값을 풀어 극한값 구하기

조건 (가)에서 $\lim\limits_{x \to 2+} \dfrac{|3x - 6|}{x - 2} = \lim\limits_{x \to 2+} \dfrac{3(x - 2)}{x - 2} = 3$

STEP Ⓑ x의 범위를 고려하여 가우스 함수 풀기

조건 (나)에서 $x \to 3-$이면 $2 \le x < 3$이므로 $\lim\limits_{x \to 3-}[x] = 2$

STEP Ⓒ 극한값 계산하기

조건 (다)에서 $\lim\limits_{x \to \infty} \dfrac{5x^2 + 3x + 2}{x^2 + 1} = 5$

따라서 $a = 3$, $b = 2$, $c = 5$이므로 $a + b + c = 10$

04 정답 ④

STEP A $g(x)=t$로 치환하여 극한값 구하기

$g(x)=x-[x]$에서

$g(x)=t$라고 하면 $x \to -1-$일 때, $t \to 1-$이므로

$\lim_{x \to -1-} f(g(x)) = \lim_{t \to 1-} f(t) = 1$

STEP B $f(x)=s$로 치환하여 극한값 구하기

또, $f(x)=s$라고 하면 $x \to 1+$일 때, $s \to -1+$이므로

$\lim_{x \to 1+} g(f(x)) = \lim_{s \to -1+} g(s) = 0$

따라서 $\lim_{x \to -1-} f(g(x)) + \lim_{x \to 1+} g(f(x)) = 1+0 = 1$

> **참고** $g(x)=x-[x]$의 그래프는 다음과 같다.
>
>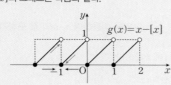

05 정답 ②

STEP A 함수의 극한의 성질을 이용하여 α, β 값 구하기

$\lim_{x \to 1} f(x) = \alpha$, $\lim_{x \to 1} g(x) = \beta$이므로

$\lim_{x \to 1} \{f(x)+g(x)\} = \lim_{x \to 1} f(x) + \lim_{x \to 1} g(x) = \alpha + \beta = 1$

$\lim_{x \to 1} f(x)g(x) = \lim_{x \to 1} f(x) \lim_{x \to 1} g(x) = \alpha\beta = -6$

이때 $\alpha+\beta=1$, $\alpha\beta=-6$이므로 α, β를 두 근으로 하는 이차방정식을

$x^2-x-6=0$라 하면 $(x-3)(x+2)=0$

$\therefore \alpha=3, \beta=-2 (\because \alpha > \beta)$

STEP B α, β를 대입하여 주어진 극한값 구하기

따라서 $\lim_{x \to 1} \dfrac{f(x)+2}{2g(x)-1} = \dfrac{\lim_{x \to 1} f(x)+2}{2\lim_{x \to 1} g(x)-1} = \dfrac{\alpha+2}{2\beta-1} = \dfrac{3+2}{2\times(-2)-1} = -1$

06 정답 ②

STEP A $x-2=t$로 치환하여 주어진 식을 변형하기

$x-2=t$로 놓으면 $x \to 2$일 때, $t \to 0$이므로

$\lim_{x \to 2} \dfrac{f(x-2)}{x-2} = \lim_{t \to 0} \dfrac{f(t)}{t} = 5$

STEP B 주어진 식의 분모, 분자를 x으로 나누어 극한값 구하기

즉 $\lim_{x \to 0} \dfrac{f(x)}{x} = 5$이므로

$\lim_{x \to 0} \dfrac{x^2-6f(x)}{x+f(x)} = \lim_{x \to 0} \dfrac{x-6 \cdot \dfrac{f(x)}{x}}{1+\dfrac{f(x)}{x}} = \dfrac{0-6 \times 5}{1+5} = -5$

07 정답 ②

STEP A 주어진 두 조건을 이용하여 $\lim_{x \to \infty} \dfrac{g(x)}{f(x)}$의 값을 구하기

$\lim_{x \to \infty} f(x) = \infty$, $\lim_{x \to \infty} \{4f(x)-2g(x)\} = 1$이므로

$\lim_{x \to \infty} \dfrac{4f(x)-2g(x)}{f(x)} = \lim_{x \to \infty} \left\{ 4-2\times \dfrac{g(x)}{f(x)} \right\}$

$\qquad\qquad\qquad\qquad = 4 - 2\lim_{x \to \infty} \dfrac{g(x)}{f(x)} = 0$

이므로 $\lim_{x \to \infty} \dfrac{g(x)}{f(x)} = 2$

STEP B 주어진 식의 분모, 분자를 $f(x)$로 나누어 극한값 구하기

따라서 $\lim_{x \to \infty} \dfrac{f(x)+3g(x)}{9f(x)-5g(x)} = \lim_{x \to \infty} \dfrac{1+3\times \dfrac{g(x)}{f(x)}}{9-5\times \dfrac{g(x)}{f(x)}} = \dfrac{1+3\times 2}{9-5\times 2} = -\dfrac{7}{1} = -7$

> **다른풀이** $4f(x)-2g(x)=h(x)$로 놓고 풀이하기
>
> $4f(x)-2g(x)=h(x)$라 하면
>
> $\lim_{x \to \infty} h(x)=1$, $g(x)=2f(x)-\dfrac{1}{2}h(x)$
>
> $\lim_{x \to \infty} f(x)=\infty$이므로 $\lim_{x \to \infty} \dfrac{h(x)}{f(x)}=0$
>
> 따라서 구하는 극한값은
>
> $\lim_{x \to \infty} \dfrac{f(x)+3g(x)}{9f(x)-5g(x)} = \lim_{x \to \infty} \dfrac{f(x)+3\left\{2f(x)-\dfrac{1}{2}h(x)\right\}}{9f(x)-5\left\{2f(x)-\dfrac{1}{2}h(x)\right\}}$
>
> $\qquad = \lim_{x \to \infty} \dfrac{7f(x)-\dfrac{3}{2}h(x)}{-f(x)+\dfrac{5}{2}h(x)}$
>
> $\qquad = \lim_{x \to \infty} \dfrac{7-\dfrac{3}{2}\times \dfrac{h(x)}{f(x)}}{-1+\dfrac{5}{2}\times \dfrac{h(x)}{f(x)}}$
>
> $\qquad = \dfrac{7-0}{-1+0} = -7$

08 정답 ④

STEP A 분모, 분자를 인수분해하고 약분하여 극한값 구하기

$\lim_{x \to 2} \dfrac{x^2-2x}{x^2-x-2} = \lim_{x \to 2} \dfrac{x(x-2)}{(x+1)(x-2)} = \lim_{x \to 2} \dfrac{x}{x+1} = \dfrac{2}{3}$

STEP B 분자를 유리화하여 약분하여 극한값 구하기

$\lim_{x \to 1} \dfrac{\sqrt{3x+1}-\sqrt{x+3}}{x^2-1} = \lim_{x \to 1} \dfrac{(\sqrt{3x+1}-\sqrt{x+3})(\sqrt{3x+1}+\sqrt{x+3})}{(x^2-1)(\sqrt{3x+1}+\sqrt{x+3})}$

$\qquad = \lim_{x \to 1} \dfrac{2(x-1)}{(x-1)(x+1)(\sqrt{3x+1}+\sqrt{x+3})}$

$\qquad = \lim_{x \to 1} \dfrac{2}{(x+1)(\sqrt{3x+1}+\sqrt{x+3})}$

$\qquad = \dfrac{2}{(1+1)(\sqrt{4}+\sqrt{4})} = \dfrac{1}{4}$

따라서 극한값은 $\dfrac{2}{3} + \dfrac{1}{4} = \dfrac{11}{12}$

09 정답 ①

STEP A 분모의 최고차항으로 분자, 분모를 나누어 극한값 구하기

$$a=\lim_{x\to\infty}\frac{\sqrt{x^2-4x+9}-3}{x-4}=\lim_{x\to\infty}\frac{\sqrt{1-\dfrac{4}{x}+\dfrac{9}{x^2}}-\dfrac{3}{x}}{1-\dfrac{4}{x}}=1$$

STEP B 분자를 유리화하여 극한값 구하기

$$b=\lim_{x\to4}\frac{\sqrt{x^2-4x+9}-3}{x-4}$$
$$=\lim_{x\to4}\frac{x^2-4x}{(x-4)(\sqrt{x^2-4x+9}+3)}$$
$$=\lim_{x\to4}\frac{x}{\sqrt{x^2-4x+9}+3}=\frac{2}{3}$$

따라서 $3ab=3\cdot1\cdot\dfrac{2}{3}=2$

10 정답 ②

STEP A b를 a에 대한 식으로 나타내기

$\lim\limits_{x\to1}\dfrac{x^2+ax+b}{x-1}=7$이고 $\lim\limits_{x\to1}(x-1)=0$이므로 $\lim\limits_{x\to1}(x^2+ax+b)=0$

즉 $1+a+b=0$에서 $b=-a-1$ ...... ㉠

STEP B a, b의 값 정하기

㉠을 주어진 식에 대입하면

$$\lim_{x\to1}\frac{x^2+ax+b}{x-1}=\lim_{x\to1}\frac{x^2+ax-a-1}{x-1}$$
$$=\lim_{x\to1}\frac{(x-1)(x+a+1)}{x-1}$$
$$=\lim_{x\to1}(x+a+1)=2+a$$

이므로 $2+a=7$

$\therefore a=5$

$a=5$를 ㉠에 대입하면 $b=-6$

따라서 $ab=5\cdot(-6)=-30$

11 정답 ②

STEP A 극한값이 존재할 조건을 이용하여 a의 값 구하기

$x\to1$일 때, (분모)$\to0$이고 극한값이 존재하므로 (분자)$\to0$이어야 한다.

$\lim\limits_{x\to1}(\sqrt{x+3}+a)=0$이므로 $2+a=0$

$\therefore a=-2$

STEP B 분자를 유리화하고 정리하여 극한값 구하기

$$\therefore b=\lim_{x\to1}\frac{\sqrt{x+3}-2}{x-1}$$
$$=\lim_{x\to1}\frac{x-1}{(x-1)(\sqrt{x+3}+2)}$$
$$=\lim_{x\to1}\frac{1}{\sqrt{x+3}+2}=\frac{1}{4}$$

따라서 $a=-2$, $b=\dfrac{1}{4}$이므로 $\dfrac{a}{b}=-8$

12 정답 ③

STEP A 주어진 조건을 이용하여 $f(x)$의 식 세우기

$\lim\limits_{x\to\infty}\dfrac{f(x)-2x^3}{x^2}=1$이므로 $f(x)-2x^3$은 이차항의 계수가 1인 이차식이다.

즉 $f(x)-2x^3=x^2+ax+b$이므로

$f(x)=2x^3+x^2+ax+b$ (단, a, b는 상수)

STEP B 극한값이 존재할 조건을 이용하여 a, b 사이의 관계식 구하기

이때 $\lim\limits_{x\to1}\dfrac{f(x)}{x-1}=1$에서

$x\to1$일 때, (분모)$\to0$이고 극한값이 존재하므로 (분자)$\to0$이어야 한다.

즉 $\lim\limits_{x\to1}f(x)=0$이므로 $2+1+a+b=0$

$b=-(a+3)$ ...... ㉠

STEP C $\lim\limits_{x\to1}\dfrac{f(x)}{x-1}=1$임을 이용하여 a, b의 값 구하기

㉠을 $\lim\limits_{x\to1}\dfrac{f(x)}{x-1}=1$에 대입하면

$$\lim_{x\to1}\frac{f(x)}{x-1}=\lim_{x\to1}\frac{2x^3+x^2+ax-(a+3)}{x-1}$$
$$=\lim_{x\to1}\frac{(x-1)(2x^2+3x+a+3)}{x-1}$$
$$=\lim_{x\to1}(2x^2+3x+a+3)$$
$$=2+3+a+3=1$$

$\therefore a=-7$

$a=-7$을 ㉠에 대입하면 $b=4$

따라서 $f(x)=2x^3+x^2-7x+4$이므로 $f(2)=16+4-14+4=10$

13 정답 ③

STEP A x의 범위에 따라 가우스 함수의 극한 계산하기

$$\lim_{x\to n+}\frac{[x]^2+x}{[x]}=\frac{n^2+n}{n}=n+1$$
$$\lim_{x\to n-}\frac{[x]^2+x}{[x]}=\frac{(n-1)^2+n}{n-1}=\frac{n^2-n+1}{n-1}$$

STEP B 극한값이 존재할 조건을 이용하여 k의 값 구하기

그런데 $\lim\limits_{x\to n}\dfrac{[x]^2+x}{[x]}=k$이므로 $n+1=\dfrac{n^2-n+1}{n-1}=k$

따라서 $n=2$이므로 $k=3$

14 정답 ⑤

STEP A 각 변을 x로 나누고 극한을 취하여 함수의 극한의 대소 관계를 이용하기

모든 양의 실수 x에 대하여 $x>0$이므로

$\dfrac{3x^2-1}{x+3}\le f(x)\le\dfrac{6x^2}{2x+1}$의 각 변을 x로 나누면

$$\frac{3x^2-1}{x^2+3x}\le\frac{f(x)}{x}\le\frac{6x^2}{2x^2+x}$$

이때 $\lim\limits_{x\to\infty}\dfrac{3x^2-1}{x^2+3x}=3$, $\lim\limits_{x\to\infty}\dfrac{6x^2}{2x^2+x}=3$이므로

함수의 극한의 대소 관계에 의하여 $\lim\limits_{x\to\infty}\dfrac{f(x)}{x}=3$

15 ④

STEP A 점 P를 지나고 직선 $y=x+2$에 수직인 직선의 방정식 구하기

직선 PQ가 직선 $y=x+2$에 수직이므로 직선 PQ의 기울기는 -1이고
점 $P(t, t+2)$를 지나는 직선 PQ의 방정식은 $y-(t+2)=-(x-t)$
$\therefore y=-x+2t+2$

STEP B $\overline{AP}^2$, $\overline{AQ}^2$을 t에 대한 식으로 표현하기

이때 직선 PQ의 y절편이 $2t+2$이므로 $Q(0, 2t+2)$이고 $A(-2, 0)$
$\overline{AP}^2=(t+2)^2+(t+2)^2=2t^2+8t+8$
$\overline{AQ}^2=(-2)^2+(2t+2)^2=4t^2+8t+8$

STEP C $\lim\limits_{t\to\infty}\dfrac{\overline{AP}^2}{\overline{AQ}^2}$의 값 구하기

따라서 $\lim\limits_{t\to\infty}\dfrac{\overline{AQ}^2}{\overline{AP}^2}=\lim\limits_{t\to\infty}\dfrac{4t^2+8t+8}{2t^2+8t+8}=\lim\limits_{t\to\infty}\dfrac{4+\frac{8}{t}+\frac{8}{t^2}}{2+\frac{8}{t}+\frac{8}{t^2}}=2$

16 ③

STEP A 함수가 모든 실수 x에서 연속이 되도록 하는 조건 구하기

함수 $\dfrac{f(x)}{g(x)}$가 모든 실수 x에서 연속이려면 모든 실수 x에 대하여
$g(x)\neq 0$이어야 한다.

STEP B a의 범위 구하기

이차방정식 $x^2-ax+5=0$의 판별식을 D라고 하면
$D=a^2-20<0$에서 $(a+2\sqrt{5})(a-2\sqrt{5})<0$
즉 $-2\sqrt{5}<a<2\sqrt{5}$
따라서 정수 a의 개수는 $-4, -3, -2, -1, 0, 1, 2, 3, 4$이므로 9개이다.

17 ②

STEP A $x=1$에서 $f(x)$가 연속일 조건 이해하기

함수 $f(x)$가 모든 실수 x에서 연속이므로 $x=1$에서도 연속이다.
$\lim\limits_{x\to 1}f(x)=f(1)$

STEP B 극한값이 존재할 조건을 이용하여 a의 값 구하기

$\lim\limits_{x\to 1}\dfrac{x^2-2x+a}{x-1}=b+1$에서 ...... ㉠
$x\to 1$일 때, (분모)$\to 0$이고 극한값이 존재하므로 (분자)$\to 0$이어야 한다.
즉 $\lim\limits_{x\to 1}(x^2-2x+a)=0$이므로 $1-2+a=0$ $\therefore a=1$

STEP C 극한값을 구하여 b값 구하기

$a=1$을 ㉠의 좌변에 대입하면
$\lim\limits_{x\to 1}\dfrac{x^2-2x+1}{x-1}=\lim\limits_{x\to 1}\dfrac{(x-1)^2}{x-1}=\lim\limits_{x\to 1}(x-1)=0$
즉 $0=b+1$이므로 $b=-1$
따라서 $a+b=0$

18 ③

STEP A 함수 $f(x)$가 모든 실수 x에서 연속이 될 조건 이해하기

함수 $f(x)$가 모든 실수 x에서 연속이려면 $x=-1$, $x=1$에서도
연속이어야 한다.

STEP B $x=-1$에서 $f(x)$가 연속임을 이용하여 a, b 사이의 관계식 구하기

$\lim\limits_{x\to -1}f(x)=f(-1)$
$1+b=-a-1$에서 $a+b=-2$ ...... ㉠

STEP C $x=1$에서 $f(x)$가 연속임을 이용하여 a, b의 값 구하기

$\lim\limits_{x\to 1}f(x)=f(1)$
$-1+b=a-1$에서 $a=b$ ...... ㉡
㉠, ㉡을 연립하여 풀면 $a=-1$, $b=-1$
따라서 $ab=1$

19 ②

STEP A $f(x)g(x)$가 $x=1$에서 함숫값과 극한값 구하기

함수 $f(x)=\begin{cases}x & (x\geq 1)\\-x & (x<1)\end{cases}$의
그래프는 오른쪽 그림과 같다.

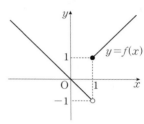

$\lim\limits_{x\to 1+}f(x)g(x)=\lim\limits_{x\to 1+}f(x)\lim\limits_{x\to 1+}g(x)=1\cdot(2-a)=2-a$
$\lim\limits_{x\to 1-}f(x)g(x)=\lim\limits_{x\to 1-}f(x)\lim\limits_{x\to 1-}g(x)=(-1)\cdot(2-a)=a-2$
$x=1$에서 함숫값은 $f(1)g(1)=1\cdot(2-a)=2-a$

STEP B $x=1$에서 연속이 되도록 하는 상수 a의 값 구하기

실수 전체의 집합에서 연속이기 위해서 $x=1$에서 연속이어야 하므로
$\lim\limits_{x\to 1+}f(x)g(x)=\lim\limits_{x\to 1-}f(x)g(x)=f(1)g(1)$이 성립해야 한다.
즉 $2-a=a-2$ $\therefore a=2$

다른풀이 함수 $f(x)$가 $x=1$에서 불연속이므로 $g(1)=0$임을 이용하여 풀이하기
함수 $f(x)$가 $x=1$에서 불연속이고 $f(x)g(x)$가 $x=1$에서 연속이므로
$g(1)=0$이어야 한다.
즉 $g(1)=2-a=0$ $\therefore a=2$

20 ④

STEP A $x=2$에서 좌극한, 우극한, 함숫값이 모두 같음을 이용하기

모든 실수 x에 대하여 연속이므로 함수 $f(x)$가 $x=2$에서 연속이어야 한다.
즉 $\lim\limits_{x\to 2-}f(x)=\lim\limits_{x\to 2+}f(x)=f(2)$
$\lim\limits_{x\to 2-}(x^2+ax+b)=\lim\limits_{x\to 2+}(2x-1)=f(2)$
$4+2a+b=3$ $\therefore 2a+b=-1$ ...... ㉠

STEP B $x=3$에서 좌극한, 우극한, 함숫값이 모두 같음을 이용하기

또, 함수 $f(x)$가 $x=3$에서 연속이므로 $\lim\limits_{x\to 3}f(x)=f(3)$이어야 한다.
이때 $f(x)=f(x+3)$에 $x=0$을 대입하면 $f(3)=f(0)=b$이므로
$\lim\limits_{x\to 3-}(2x-1)=b$에서 $5=b$
$b=5$를 ㉠에 대입하면 $2a+5=-1$에서 $a=-3$

STEP C $f(10)$의 값 구하기

즉 $f(x)=\begin{cases}x^2-3x+5 & (0\leq x<2)\\2x-1 & (2\leq x<3)\end{cases}$
따라서 $f(10)=f(7)=f(4)=f(1)=1-3+5=3$

21

> 1단계 b를 a에 관한 식으로 나타낸다.   ◀ 30%

$\lim\limits_{x \to -1} \dfrac{\sqrt{x+a}-b}{x+1} = \dfrac{1}{2}$ 가 존재하고 $\lim\limits_{x \to -1}(x+1)=0$이므로 ◀ (분모)→0

$\lim\limits_{x \to -1}(\sqrt{x+a}-b)=0$이어야 한다.   ◀ (분자)→0

즉 $\sqrt{-1+a}-b=0$이므로

$b=\sqrt{a-1}$ ...... ㉠

> 2단계   분자를 유리화하여 a의 값을 구한다.   ◀ 50%

㉠을 주어진 등식의 좌변에 대입하면

$\lim\limits_{x \to -1} \dfrac{\sqrt{x+a}-b}{x+1} = \lim\limits_{x \to -1} \dfrac{\sqrt{x+a}-\sqrt{a-1}}{x+1}$

$\qquad = \lim\limits_{x \to -1} \dfrac{x+1}{(x+1)(\sqrt{x+a}+\sqrt{a-1})}$ ◀ $\frac{0}{0}$ 꼴이므로 분자를 유리화

$\qquad = \lim\limits_{x \to -1} \dfrac{1}{\sqrt{x+a}+\sqrt{a-1}} = \dfrac{1}{2\sqrt{a-1}}$

따라서 $\dfrac{1}{2\sqrt{a-1}} = \dfrac{1}{2}$이므로 $a=2$

> 3단계 b를 구하여 $a+b$의 값을 구한다.   ◀ 20%

$a=2$를 ㉠에 대입하면 $b=1$
따라서 $a=2$, $b=1$이므로 $a+b=3$

22

> 1단계   함수 $f(x)$가 $x=1$에서 연속일 조건을 구한다.   ◀ 20%

함수 $f(x)$가 $x=1$에서 연속이므로 $\lim\limits_{x \to 1}f(x)=f(1)$

즉 $\lim\limits_{x \to 1} \dfrac{a\sqrt{x}-b}{x-1} = b^2$

> 2단계   상수 a, b의 값을 구한다.   ◀ 50%

이때 $\lim\limits_{x \to 1}(x-1)=0$이므로 $\lim\limits_{x \to 1}(a\sqrt{x}-b)=0$, $a-b=0$

즉 $a=b$

$a=b$를 $\lim\limits_{x \to 1} \dfrac{a\sqrt{x}-b}{x-1} = b^2$에 대입하면

$b^2 = \lim\limits_{x \to 1} \dfrac{b\sqrt{x}-b}{x-1} = \lim\limits_{x \to 1} \dfrac{b(\sqrt{x}-1)(\sqrt{x}+1)}{(x-1)(\sqrt{x}+1)}$

$\quad = \lim\limits_{x \to 1} \dfrac{b(x-1)}{(x-1)(\sqrt{x}+1)} = \lim\limits_{x \to 1} \dfrac{b}{\sqrt{x}+1} = \dfrac{b}{2}$

$b^2 = \dfrac{b}{2}$에서 $b(2b-1)=0$

즉 $b=0$ 또는 $b=\dfrac{1}{2}$

이때 $b \neq 0$이므로 $b=\dfrac{1}{2}$, $a=\dfrac{1}{2}$

> 3단계 $f(1)+f(4)$의 값을 구한다.   ◀ 30%

따라서 $f(x)= \begin{cases} \dfrac{\frac{1}{2}\sqrt{x}-\frac{1}{2}}{x-1} & (x \neq 1) \\ \dfrac{1}{4} & (x=1) \end{cases}$ 이므로 $f(1)+f(4)=\dfrac{1}{4}+\dfrac{1}{6}=\dfrac{5}{12}$

23

> 1단계   다항함수 $f(x)$를 구한다.   ◀ 40%

$f(x) = \lim\limits_{t \to \infty} \dfrac{t(x^2-x)+1}{\sqrt{t^2+x}}$

$\quad = \lim\limits_{t \to \infty} \dfrac{x^2-x+\dfrac{1}{t}}{\sqrt{1+\dfrac{x}{t^2}}}$ ◀ 분모의 최고차항 t로 분모 분자를 나눈다.

$\quad = x^2-x$

$\quad = \left(x-\dfrac{1}{2}\right)^2 - \dfrac{1}{4}$

> 2단계   함수 $f(x)$의 최댓값 M과 최솟값 m을 구한다.   ◀ 40%

$f(x)=x^2-x=\left(x-\dfrac{1}{2}\right)^2-\dfrac{1}{4}\,(0 \le x \le 2)$

이므로 닫힌구간 $[0, 2]$에서

$x=2$에서 최댓값은 $M=f(2)=2$

$x=\dfrac{1}{2}$에서 최솟값은 $m=f\left(\dfrac{1}{2}\right)=-\dfrac{1}{4}$

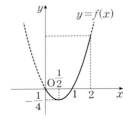

> 3단계 $M+m$의 값을 구한다.   ◀ 20%

따라서 $M+m=2+\left(-\dfrac{1}{4}\right)=\dfrac{7}{4}$

24

> 1단계 $g(x)=x^2+1-xf(x)$로 놓고 $g(0)$, $g(1)$, $g(2)$, $g(3)$의 값의 부호를 구한다.   ◀ 40%

$g(x)=x^2+1-xf(x)$로 놓으면

함수 $g(x)$는 연속함수이고 다음이 성립한다.

$g(0)=1>0$, $g(1)=-1<0$, $g(2)=1>0$, $g(3)=7>0$

> 2단계   함수 $g(x)$에 사잇값의 정리를 적용하여 실근의 위치를 파악한다.   ◀ 40%

사잇값의 정리에 의하여 $g(c)=0$인 점 c가 열린구간 $(0, 1)$과 열린구간 $(1, 2)$에 각각 적어도 하나씩 존재하므로 방정식 $x^2+1-xf(x)=0$은 열린구간 $(0, 1)$과 $(1, 2)$에 각각 적어도 하나씩의 실근을 가진다.

> 3단계   방정식 $x^2+1=xf(x)$이 열린구간 $(0, 3)$에서 적어도 몇 개의 실근을 가지는지 구한다.   ◀ 20%

따라서 방정식 $x^2+1=xf(x)$는 열린구간 $(0, 3)$에서 적어도 서로 다른 2개의 실근을 가진다.

3회 함수 극한 연속 모의평가

01	⑤	02	③	03	④	04	②	05	①
06	②	07	⑤	08	①	09	②	10	②
11	①	12	②	13	①	14	④	15	②
16	③	17	③	18	②	19	⑤	20	②

서술형			
21	해설참조	22	해설참조
23	해설참조	24	해설참조

01

STEP A 함수의 그래프를 보고 극한값 구하기

x의 값이 -1보다 작으면서 -1에 한없이 가까워질 때,
$f(x)$의 값은 1에 한없이 가까워지므로 $\lim_{x \to -1^-} f(x) = 1$

x의 값이 0보다 크면서 0에 한없이 가까워질 때,
$f(x)$의 값은 1에 한없이 가까워지므로 $\lim_{x \to 0^+} f(x) = 1$

따라서 $\lim_{x \to -1^-} f(x) + \lim_{x \to 0^+} f(x) = 1 + 1 = 2$

02

STEP A 함수 $f(x)$의 $x=3$에서의 우극한과 좌극한 구하기

$\lim_{x \to 3^-} f(x) = \lim_{x \to 3^-} (-x+k) = -3+k$

$\lim_{x \to 3^+} f(x) = \lim_{x \to 3^+} (x^2-6x+9) = 9-18+9 = 0$

STEP B 좌극한과 우극한이 일치함을 이용하여 상수 k의 값 구하기

$\lim_{x \to 3} f(x)$의 값이 존재하려면 $\lim_{x \to 3^-} f(x) = \lim_{x \to 3^+} f(x)$이어야 하므로

$-3+k=0$
따라서 $k=3$

03

STEP A $x-2=t$로 치환하여 극한값 구하기

$x-2=t$로 놓으면 $x \to 2$일 때, $t \to 0$이므로

$\lim_{x \to 2} \dfrac{x^2-4-f(x-2)}{x^2-4+f(x-2)} = \lim_{x \to 2} \dfrac{(x-2)(x+2)-f(x-2)}{(x-2)(x+2)+f(x-2)}$

$= \lim_{t \to 0} \dfrac{t(t+4)-f(t)}{t(t+4)+f(t)}$

$= \lim_{t \to 0} \dfrac{t+4-\dfrac{f(t)}{t}}{t+4+\dfrac{f(t)}{t}}$

$= \dfrac{4-2}{4+2} = \dfrac{1}{3}$

04

STEP A 분모, 분자를 인수분해하고 약분하여 극한값 구하기

조건 (가)에서

$\lim_{x \to -3} \dfrac{x^2+x-6}{x+3} = \lim_{x \to -3} \dfrac{(x+3)(x-2)}{x+3} = \lim_{x \to -3}(x-2) = -3-2 = -5$

$\therefore a = -5$

STEP B 분자를 유리화하고 약분하여 극한값 구하기

조건 (나)에서

$\lim_{x \to 3} \dfrac{\sqrt{x+1}-2}{x-3} = \lim_{x \to 3} \dfrac{(\sqrt{x+1}-2)(\sqrt{x+1}+2)}{(x-3)(\sqrt{x+1}+2)}$

$= \lim_{x \to 3} \dfrac{x-3}{(x-3)(\sqrt{x+1}+2)}$

$= \lim_{x \to 3} \dfrac{1}{\sqrt{x+1}+2} = \dfrac{1}{4}$

$\therefore b = \dfrac{1}{4}$

따라서 $a+4b = -5+4 \cdot \dfrac{1}{4} = -4$

05

STEP A 분자를 인수분해하고 약분하여 극한값 구하기

$\lim_{x \to a} \dfrac{x^2-a^2}{x-a} = \lim_{x \to a} \dfrac{(x-a)(x+a)}{x-a} = \lim_{x \to a}(x+a) = 2a$

즉 $2a=8$이므로 $a=4$

STEP B 분자를 유리화하고 분자, 분모를 x로 나누어 극한값 구하기

$\lim_{x \to \infty}(\sqrt{x^2+ax} - \sqrt{x^2+bx})$

$= \lim_{x \to \infty}(\sqrt{x^2+4x} - \sqrt{x^2+bx})$

$= \lim_{x \to \infty} \dfrac{(\sqrt{x^2+4x}-\sqrt{x^2+bx})(\sqrt{x^2+4x}+\sqrt{x^2+bx})}{\sqrt{x^2+4x}+\sqrt{x^2+bx}}$

$= \lim_{x \to \infty} \dfrac{(x^2+4x)-(x^2+bx)}{\sqrt{x^2+4x}+\sqrt{x^2+bx}}$

$= \lim_{x \to \infty} \dfrac{(4-b)x}{\sqrt{x^2+4x}+\sqrt{x^2+bx}}$

$= \lim_{x \to \infty} \dfrac{4-b}{\sqrt{1+\dfrac{4}{x}}+\sqrt{1+\dfrac{b}{x}}}$

$= \dfrac{4-b}{2}$

즉 $\dfrac{4-b}{2} = 3$

$\therefore b = -2$

따라서 $a=4$, $b=-2$이므로 $ab = 4 \cdot (-2) = -8$

06

STEP A 분모, 분자를 인수분해한 후, 약분하여 극한값 구하기

$\lim_{x \to 2} \dfrac{3(x^4-16)}{(x^2-4)f(x)} = \lim_{x \to 2} \dfrac{3(x^2-4)(x^2+4)}{(x^2-4)f(x)}$

$= \lim_{x \to 2} \dfrac{3(x^2+4)}{f(x)}$

$= \dfrac{3 \cdot 8}{f(2)}$

따라서 $\dfrac{3 \cdot 8}{f(2)} = 4$이므로 $f(2) = 6$

07

STEP A 여러 가지 함수의 극한값 구하기

① $\lim\limits_{x \to -1} \dfrac{\sqrt{x^2+3}-2}{x+1} = \lim\limits_{x \to -1} \dfrac{(\sqrt{x^2+3}-2)(\sqrt{x^2+3}+2)}{(x+1)(\sqrt{x^2+3}+2)}$

$= \lim\limits_{x \to -1} \dfrac{(x+1)(x-1)}{(x+1)(\sqrt{x^2+3}+2)}$

$= \lim\limits_{x \to -1} \dfrac{x-1}{\sqrt{x^2+3}+2}$

$= \dfrac{-2}{4} = -\dfrac{1}{2}$

② $\lim\limits_{x \to \infty}(\sqrt{x^2-4x}-x) = \lim\limits_{x \to \infty} \dfrac{(\sqrt{x^2-4x}-x)(\sqrt{x^2-4x}+x)}{\sqrt{x^2-4x}+x}$

$= \lim\limits_{x \to \infty} \dfrac{-4x}{\sqrt{x^2-4x}+x}$

$= \lim\limits_{x \to \infty} \dfrac{-4}{\sqrt{1-\dfrac{4}{x}}+1}$

$= \dfrac{-4}{2} = -2$

③ $x = -t$로 놓으면 $x \to -\infty$일 때, $t \to \infty$이므로

$\lim\limits_{x \to -\infty} \dfrac{\sqrt{x^2-x}+4}{x-1} = \lim\limits_{t \to \infty} \dfrac{\sqrt{t^2+t}+4}{-t-1} = \lim\limits_{t \to \infty} \dfrac{\sqrt{1+\dfrac{1}{t}}+\dfrac{4}{t}}{-1-\dfrac{1}{t}} = -1$

④ $\lim\limits_{x \to 0} \dfrac{x^2+2x}{1-\sqrt{x+1}} = \lim\limits_{x \to 0} \dfrac{(x^2+2x)(1+\sqrt{x+1})}{(1-\sqrt{x+1})(1+\sqrt{x+1})}$

$= \lim\limits_{x \to 0} \dfrac{(x^2+2x)(1+\sqrt{x+1})}{-x}$

$= \lim\limits_{x \to 0}(-x-2)(1+\sqrt{x+1})$

$= -2 \cdot 2 = -4$

⑤ $\lim\limits_{x \to 3} \dfrac{2x^2-3x-9}{x^2-9} = \lim\limits_{x \to 3} \dfrac{(2x+3)(x-3)}{(x+3)(x-3)}$

$= \lim\limits_{x \to 3} \dfrac{2x+3}{x+3}$

$= \dfrac{9}{6} = \dfrac{3}{2}$ [거짓]

따라서 옳지 않은 것은 ⑤이다.

08

STEP A 극한값이 존재할 조건을 이용하여 a, b 사이의 관계식 구하기

$\lim\limits_{x \to -2} \dfrac{x^2+ax+b}{x^2+3x+2} = 5$에서

$x \to -2$일 때, (분모)$\to 0$이고 극한값이 존재하므로 (분자)$\to 0$이어야 한다.

즉 $\lim\limits_{x \to -2}(x^2+ax+b) = 0$이므로 $4-2a+b = 0$

$\therefore b = 2a-4$

STEP B 분자를 인수분해하고 정리하여 극한값 구하기

이를 주어진 식에 대입하면

$\lim\limits_{x \to -2} \dfrac{x^2+ax+b}{x^2+3x+2} = \lim\limits_{x \to -2} \dfrac{x^2+ax+2a-4}{x^2+3x+2}$

$= \lim\limits_{x \to -2} \dfrac{(x+2)(x+a-2)}{(x+1)(x+2)}$

$= \lim\limits_{x \to -2} \dfrac{x+a-2}{x+1}$

$= 4-a$

이때 $4-a = 5$이므로 $a = -1$

㉠에서 $b = -6$

따라서 $a = -1$, $b = -6$이므로 $a+b = -7$

09

STEP A 극한값을 가질 조건을 이용하여 이차함수 $f(x)$의 식 작성하기

$\lim\limits_{x \to -1} \dfrac{f(x)}{x+1} = -2$에서

$x \to -1$일 때, (분모)$\to 0$이고 극한값이 존재하므로 (분자)$\to 0$이어야 한다.

즉 $\lim\limits_{x \to -1}f(x) = 0$이므로 $f(-1) = 0$

이때 최고차항의 계수가 1인 이차함수 $f(x) = (x+1)(x-a)$로 놓는다.
(단, a는 상수)

STEP B $\lim\limits_{x \to -1} \dfrac{f(x)}{x+1} = -2$를 만족하는 $f(x)$ 구하기

$\lim\limits_{x \to -1} \dfrac{f(x)}{x+1} = \lim\limits_{x \to -1} \dfrac{(x+1)(x-a)}{x+1} = \lim\limits_{x \to -1}(x-a) = -1-a$

이때 $-1-a = -2$이므로 $a = 1$

$\therefore f(x) = (x+1)(x-1)$

STEP C $\lim\limits_{x \to 1} \dfrac{f(x)}{x-1}$의 값 구하기

따라서 $\lim\limits_{x \to 1} \dfrac{f(x)}{x-1} = \lim\limits_{x \to 1} \dfrac{(x+1)(x-1)}{x-1} = \lim\limits_{x \to 1}(x+1) = 2$

10

STEP A 주어진 부등식을 변형하여 $\dfrac{\{f(x)\}^2}{2x^2+1}$의 범위 구하기

x가 양수이므로 $(4x+1)^2 < \{f(x)\}^2 < (4x+3)^2$

$x \to \infty$일 때, $2x^2+1 > 0$이므로 각 변을 $2x^2+1$로 나누면

$\dfrac{(4x+1)^2}{2x^2+1} < \dfrac{\{f(x)\}^2}{2x^2+1} < \dfrac{(4x+3)^2}{2x^2+1}$

STEP B 함수의 극한의 대소 관계를 이용하여 구하기

$\lim\limits_{x \to \infty} \dfrac{(4x+1)^2}{2x^2+1} \le \lim\limits_{x \to \infty} \dfrac{\{f(x)\}^2}{2x^2+1} \le \lim\limits_{x \to \infty} \dfrac{(4x+3)^2}{2x^2+1}$

이때 $\lim\limits_{x \to \infty} \dfrac{(4x+1)^2}{2x^2+1} = 8$, $\lim\limits_{x \to \infty} \dfrac{(4x+3)^2}{2x^2+2} = 8$

따라서 $\lim\limits_{x \to \infty} \dfrac{\{f(x)\}^2}{2x^2+1} = 8$

11

STEP A x의 범위에 따라 가우스 함수의 극한 계산하기

$\lim\limits_{x \to 3+}[x] = 3$이므로 $\lim\limits_{x \to 3+}f(x) = 9-3a$

$\lim\limits_{x \to 3-}[x] = 2$이므로 $\lim\limits_{x \to 3-}f(x) = 4-2a$

STEP B 극한값이 존재할 조건을 이용하여 a의 값 구하기

$\lim\limits_{x \to 3}f(x)$의 값이 존재하므로 $\lim\limits_{x \to 3+}f(x) = \lim\limits_{x \to 3-}f(x)$

따라서 $9-3a = 4-2a$이므로 $a = 5$

12

정답 ②

STEP Ⓐ 점 Q의 좌표를 t로 표현하고 두 점 P, Q를 지나는 직선의 방정식 구하기

점 $P(t, \sqrt{t})$에서 $\overline{OP}=\sqrt{t^2+(\sqrt{t})^2}=\sqrt{t^2+t}$ 이므로

점 Q의 좌표는 $Q(0, \sqrt{t^2+t})$

두 점 $P(t, \sqrt{t})$, $Q(0, \sqrt{t^2+t})$를 지나는 직선의 방정식은

$$y-\sqrt{t}=\frac{\sqrt{t^2+t}-\sqrt{t}}{0-t}(x-t)$$

$$y=-\frac{\sqrt{t^2+t}-\sqrt{t}}{t}x+\sqrt{t^2+t}$$

STEP Ⓑ 직선의 방정식에서 x절편 구하기

x절편을 구하면

$$0=-\frac{\sqrt{t^2+t}-\sqrt{t}}{t}x+\sqrt{t^2+t}$$

$$\therefore x=f(t)=\frac{t\sqrt{t^2+t}}{\sqrt{t^2+t}-\sqrt{t}}$$

STEP Ⓒ $\lim\limits_{t\to 0}f(t)$의 값 구하기

따라서 $\lim\limits_{t\to 0}f(t)=\lim\limits_{t\to 0}\dfrac{t\sqrt{t^2+t}}{\sqrt{t^2+t}-\sqrt{t}}$

$=\lim\limits_{t\to 0}\dfrac{t\sqrt{t^2+t}(\sqrt{t^2+t}+\sqrt{t})}{(t^2+t)-t}$

$=\lim\limits_{t\to 0}(t+1+\sqrt{t+1})$

$=2$

13

정답 ①

STEP Ⓐ 연속의 정의를 이용하여 [보기]의 그림에서 찾기

(가)ー (1), (나)ー(2), (다)ー(3), (라)ー(4)

이므로 옳은 것은 ①이다.

14

정답 ④

STEP Ⓐ 연속함수의 성질을 이용하여 실수에서 연속인 함수 구하기

ㄱ. $f(x)+g(x)=(x^2-4)+(x^2+2x+3)=2x^2+2x-1$은
다항함수이므로 모든 실수 x에 대하여 연속이다.

ㄴ. $f(x)g(x)=(x^2-4)(x^2+2x+3)=x^4+2x^3-x^2-8x-12$는
다항함수이므로 모든 실수 x에 대하여 연속이다.

ㄷ. $\dfrac{f(x)}{g(x)}=\dfrac{x^2-4}{x^2+2x+3}$은 모든 실수 x에서 $x^2+2x+3=(x+1)^2+2>0$

이므로 $x^2+2x+3=0$을 만족시키는 실수 x가 존재하지 않는다.
즉 모든 실수 x에 대하여 연속이다.

ㄹ. $\dfrac{1}{f(x)-g(x)}=\dfrac{1}{-2x-7}$은 $x=-\dfrac{7}{2}$에서 정의되지 않으므로

$x=-\dfrac{7}{2}$에서 불연속이다.

따라서 실수 전체의 집합에서 연속인 함수는 ㄱ, ㄴ, ㄷ이다.

15

정답 ②

STEP Ⓐ 유리함수와 직선의 교점의 개수인 함수 $f(t)$ 구하기

$y=\dfrac{2x+1}{x-1}=\dfrac{2(x-1)+3}{x-1}=\dfrac{3}{x-1}+2$

이므로 유리함수

$y=\dfrac{3}{x-1}+2$의 그래프의 점근선 중

x축과 평행한 점근선의 방정식은 $y=2$

즉 유리함수 $y=\dfrac{2x+1}{x-1}$의 그래프와

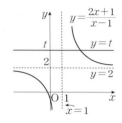

직선 $y=t$의 교점의 개수 $f(t)$는

$f(t)=\begin{cases}1 & (t\neq 2) \\ 0 & (t=2)\end{cases}$ 이다.

STEP Ⓑ 함수 $f(t)g(t)$가 실수 전체의 집합에서 연속이기 위한 상수 a 구하기

함수 $f(t)$는 $t\neq 2$인 모든 실수 t에서 연속이고 일차함수 $g(t)=5t+a$는
모든 실수 t에서 연속이므로 함수 $f(t)g(t)$가 실수 전체의 집합에서
연속이려면 함수 $f(t)g(t)$가 $t=2$에서 연속이어야 한다.

이때 $\lim\limits_{t\to 2}f(t)g(t)=\lim\limits_{t\to 2}\{1\times(5t+a)\}=\lim\limits_{t\to 2}(5t+a)=10+a$

$f(2)g(2)=0\times(10+a)=0$이므로

$\lim\limits_{t\to 2}f(t)g(t)=f(2)g(2)$에서 $10+a=0$

따라서 $a=-10$

16

정답 ③

STEP Ⓐ $\lim\limits_{x\to\infty}g(x)=5$를 이용하여 다항함수 $f(x)$의 차수를 결정하기

$\lim\limits_{x\to\infty}g(x)=\lim\limits_{x\to\infty}\dfrac{f(x)-x^2}{x-1}=5$이므로 다항함수 $f(x)$는 최고차항인

이차항의 계수가 1이고 일차항의 계수가 5인 이차함수이다.

즉 $f(x)=x^2+5x+a$ (a는 상수)

STEP Ⓑ 함수 $g(x)$가 $x=1$에서 연속조건을 이용하여 함수 $f(x)$ 구하기

함수 $g(x)$는 $x=1$에서 연속이므로 $\lim\limits_{x\to 1}g(x)=g(1)$을 만족시켜야 한다.

$\lim\limits_{x\to 1}g(x)=\lim\limits_{x\to 1}\dfrac{f(x)-x^2}{x-1}=k$

$x\to 1$일 때, (분모)$\to 0$이고 극한값이 존재하므로 (분자)$\to 0$이어야 한다.

$\lim\limits_{x\to 1}\{f(x)-x^2\}=f(1)-1=0$, $f(1)=1$이므로 $1+5+a=1$, $a=-5$

$\therefore f(x)=x^2+5x-5$

STEP Ⓒ $k+f(2)$의 값 구하기

따라서 $f(x)=x^2+5x-5$이므로 $k=\lim\limits_{x\to 1}\dfrac{f(x)-x^2}{x-1}=\lim\limits_{x\to 1}\dfrac{5(x-1)}{x-1}=5$

$\therefore k+f(2)=5+(4+10-5)=14$

17

STEP Ⓐ $x=1$에서 $f(x)$가 연속일 조건 이해하기

함수 $f(x)$가 모든 실수 x에서 연속이므로 $x=1$에서도 연속이다.

$\lim\limits_{x \to 1} f(x) = f(1)$

STEP Ⓑ 극한값이 존재할 조건을 이용하여 a값 구하기

$\lim\limits_{x \to 1} \dfrac{x^2+ax-2}{x-1} = b$ ...... ㉠

$x \to 1$일 때, (분모)$\to 0$이고 극한값이 존재하므로 (분자)$\to 0$이어야 한다.

즉 $\lim\limits_{x \to 1}(x^2+ax-2)=0$이므로 $1+a-2=0$

$\therefore a=1$

$a=1$을 ㉠에 대입하면

$b=\lim\limits_{x \to 1}\dfrac{x^2+x-2}{x-1}=\lim\limits_{x \to 1}\dfrac{(x+2)(x-1)}{x-1}=\lim\limits_{x \to 1}(x+2)=3$

따라서 $a^2+b^2=1^2+3^2=10$

18

STEP Ⓐ $x=1$에서 $f(x)g(x)$의 연속일 조건 구하기

함수 $f(x)g(x)$가 $x=1$에서 연속이므로 $\lim\limits_{x \to 1} f(x)g(x)=f(1)g(1)$

STEP Ⓑ $x=1$에서 $f(x)g(x)$의 함숫값과 극한값 구하기

$f(1)g(1)=2(1+a)$

$\lim\limits_{x \to 1-} f(x)g(x)=\lim\limits_{x \to 1-}(-2x)(x^2+ax)=-2(1+a)$

$\lim\limits_{x \to 1+} f(x)g(x)=\lim\limits_{x \to 1+}(x+1)(x^2+ax)=2(1+a)$

따라서 $-2(1+a)=2(1+a)$이므로 $a=-1$

다른풀이 함수 $f(x)$가 $x=1$에서 불연속이므로 $g(1)=0$임을 이용하여 풀이하기

함수 $f(x)$가 $x=1$에서 불연속이고 $f(x)g(x)$가 $x=1$에서 연속이므로

$g(1)=0$이어야 한다.

즉 $g(1)=1+a=0$ $\therefore a=-1$

19

STEP Ⓐ 함수의 극한값과 연속을 이용하여 진위판단하기

ㄱ. $\lim\limits_{x \to -1-} f(x)g(x)=-1 \cdot 1=-1$ [참]

ㄴ. $\lim\limits_{x \to 1-}\dfrac{f(x)}{g(x)}=\dfrac{2}{1}=2$ [참]

ㄷ. 함수 $\dfrac{f(x)}{g(x)}$는 $g(x)=0$인 x의 값에서 불연속이므로

$x=0$, $x=2$에서 불연속이다.

또한, 함수 $f(x)$가 불연속인 $x=-1$과 $x=1$에서의

함수 $\dfrac{f(x)}{g(x)}$의 연속성을 조사하면

(i) $x=-1$

$\lim\limits_{x \to -1-}\dfrac{f(x)}{g(x)}=\dfrac{-1}{1}=-1$, $\lim\limits_{x \to -1+}\dfrac{f(x)}{g(x)}=\dfrac{2}{1}=2$

즉 $\lim\limits_{x \to -1}\dfrac{f(x)}{g(x)}$가 존재하지 않으므로

함수 $\dfrac{f(x)}{g(x)}$는 $x=-1$에서 불연속이다.

(ii) $x=1$

$\lim\limits_{x \to 1-}\dfrac{f(x)}{g(x)}=\dfrac{2}{1}=2$, $\lim\limits_{x \to 1+}\dfrac{f(x)}{g(x)}=\dfrac{0}{1}=0$

즉 $\lim\limits_{x \to 1}\dfrac{f(x)}{g(x)}$가 존재하지 않으므로

함수 $\dfrac{f(x)}{g(x)}$는 $x=1$에서 불연속이다.

(i), (ii)에서 함수 $\dfrac{f(x)}{g(x)}$가 열린구간 $(-2, 3)$에서 불연속이 되는

x의 값은 $x=-1$, $x=0$, $x=1$, $x=2$의 4개이다. [참]

따라서 옳은 것은 ㄱ, ㄴ, ㄷ이다.

20

STEP Ⓐ 사잇값 정리를 이용하여 방정식이 범위 내에서 실근을 가질 조건 구하기

$f(x)=x^4+2x+a$라고 하면 함수 $f(x)$는 다항함수이므로

열린구간 $(-1, 1)$에서 연속이고 $f(-1)=-1+a$, $f(1)=a+3$

이때 $f(-1)f(1)<0$이면 사잇값 정리에 의하여

$f(c)=0$인 c가 -1과 1 사이에 적어도 하나 존재한다.

STEP Ⓑ a의 범위 구하기

$f(-1)f(1)=(a-1)(a+3)<0$이므로 $-3<a<1$

따라서 $\beta=1$, $\alpha=-3$이므로 $\alpha+\beta=-2$

서 술 형

21
정답 해설참조

[방법1]

1단계 $2f(x)+g(x)=h(x)$로 놓으면 $\lim\limits_{x\to2}\dfrac{h(x)}{f(x)}$의 값을 구한다. ◀ 30%

$2f(x)+g(x)=h(x)$로 놓으면 $g(x)=h(x)-2f(x)$이고 $\lim\limits_{x\to2}h(x)=1$

이때 $\lim\limits_{x\to2}f(x)=\infty$이므로 $\lim\limits_{x\to2}\dfrac{h(x)}{f(x)}=0$

2단계 $\lim\limits_{x\to2}\dfrac{4f(x)-40g(x)}{2f(x)-g(x)}$의 값을 구한다. ◀ 70%

$$\lim_{x\to2}\frac{4f(x)-40g(x)}{2f(x)-g(x)}=\lim_{x\to2}\frac{4f(x)-40\{h(x)-2f(x)\}}{2f(x)-\{h(x)-2f(x)\}}$$

$$=\lim_{x\to2}\frac{84f(x)-40h(x)}{4f(x)-h(x)}=\lim_{x\to2}\frac{84-40\dfrac{h(x)}{f(x)}}{4-\dfrac{h(x)}{f(x)}}=21$$

[방법2]

1단계 두 조건을 이용하여 $\lim\limits_{x\to2}\dfrac{g(x)}{f(x)}$의 값을 구한다. ◀ 50%

$\lim\limits_{x\to2}f(x)=\infty$에서 $\lim\limits_{x\to2}\{2f(x)+g(x)\}=1$이므로 $\lim\limits_{x\to2}\dfrac{2f(x)+g(x)}{f(x)}=0$

즉 $\lim\limits_{x\to2}\left\{2+\dfrac{g(x)}{f(x)}\right\}=2+\lim\limits_{x\to2}\dfrac{g(x)}{f(x)}=0$ $\therefore \lim\limits_{x\to2}\dfrac{g(x)}{f(x)}=-2$

2단계 $\lim\limits_{x\to2}\dfrac{4f(x)-40g(x)}{2f(x)-g(x)}$의 분모, 분자를 $f(x)$로 나누어 구한다. ◀ 50%

따라서 $\lim\limits_{x\to2}\dfrac{4f(x)-40g(x)}{2f(x)-g(x)}=\lim\limits_{x\to2}\dfrac{4-40\dfrac{g(x)}{f(x)}}{2-\dfrac{g(x)}{f(x)}}=\dfrac{4-40\cdot(-2)}{2-(-2)}=21$

22
정답 해설참조

1단계 $\lim\limits_{x\to\infty}\dfrac{f(x)-2x^3}{x^2}=2$에서 다항함수 $f(x)$의 차수를 구한다. ◀ 20%

$\lim\limits_{x\to\infty}\dfrac{f(x)-2x^3}{x^2}=2$에서 $f(x)$는 삼차항의 계수가 2, 이차항의 계수가 2인 삼차다항함수이다.

2단계 $\lim\limits_{x\to0}\dfrac{f(x)}{x}=-3$에서 $f(x)$가 x를 인수로 가짐을 보인다. ◀ 30%

또, $\lim\limits_{x\to0}\dfrac{f(x)}{x}=-3$에서

$x\to0$일 때, (분모)$\to0$이고 극한값이 존재하므로 (분자)$\to0$이어야 한다.

즉 $\lim\limits_{x\to0}f(x)=0$이므로 $f(0)=0$

이때 $f(0)=0$이므로 $f(x)$는 x을 인수로 갖는다.

3단계 1, 2단계를 이용하여 함수 $f(x)$를 구하여 $f(2)$의 값을 구한다. ◀ 50%

즉 $f(x)=2x^3+2x^2+ax$ (a는 상수)로 놓을 수 있으므로

$\lim\limits_{x\to0}\dfrac{f(x)}{x}=\lim\limits_{x\to0}\dfrac{x(2x^2+2x+a)}{x}=\lim\limits_{x\to0}(2x^2+2x+a)=a$

$\therefore a=-3$

따라서 $f(x)=2x^3+2x^2-3x$이므로 $f(2)=2\times2^3+2\times2^2-3\times2=18$

23
정답 해설참조

1단계 $x\ne2$일 때, $f(x)$를 구한다. ◀ 20%

$x\ne2$일 때, $f(x)=\dfrac{x^2+2x+a}{(x-2)(x^2+2)}$

2단계 $\lim\limits_{x\to2}f(x)=f(2)$임을 이용하여 상수 a의 값을 구한다. ◀ 40%

함수 $f(x)$가 모든 실수 x에서 연속이므로 $f(x)$는 $x=2$에서도 연속이다.

즉 $\lim\limits_{x\to2}f(x)=f(2)$이어야 한다.

$f(2)=\lim\limits_{x\to2}\dfrac{x^2+2x+a}{(x-2)(x^2+2)}$

$x\to2$일 때, (분모)$\to0$이고 극한값이 존재하므로 (분자)$\to0$이어야 한다.

즉 $\lim\limits_{x\to2}(x^2+2x+a)=0$이므로 $4+4+a=0$

$\therefore a=-8$

3단계 $f(2)$의 값을 구한다. ◀ 40%

따라서 $f(2)=\lim\limits_{x\to2}\dfrac{x^2+2x-8}{(x-2)(x^2+2)}=\lim\limits_{x\to2}\dfrac{(x-2)(x+4)}{(x-2)(x^2+2)}=\lim\limits_{x\to2}\dfrac{x+4}{x^2+2}=1$

24
정답 해설참조

1단계 $x=4$에서 연속이 되기 위한 조건을 이용하여 b의 값을 구한다. ◀ 40%

함수 $f(x)$는 $x=4$에서 연속이므로

$\lim\limits_{x\to4-}f(x)=\lim\limits_{x\to4+}f(x)=f(4)=b$

이때 $\lim\limits_{x\to4-}f(x)=\lim\limits_{x\to4-}(x+2)=6$

$\lim\limits_{x\to4+}f(x)=\lim\limits_{x\to4+}\{a(x-4)^2+b\}=b$이므로 $b=6$

2단계 조건 $f(x+6)=f(x)$를 이용하여 a의 값을 구한다. ◀ 40%

함수 $f(x)$가 모든 실수 x에 대하여 $f(x+6)=f(x)$를 만족시키고

함수 $f(x)$는 $x=6$에서 연속이므로

$\lim\limits_{x\to6-}f(x)=\lim\limits_{x\to6+}f(x)=f(6)$이 성립한다.

$f(6)=4a+6$

$\lim\limits_{x\to6-}f(x)=4a+6$

$\lim\limits_{x\to6+}f(x)=\lim\limits_{x\to0+}f(x)=\lim\limits_{x\to0+}(x+2)=2$ ← $f(x+6)=f(x)$에서 $f(6)=f(0)$

이므로 $4a+6=2$에서 $a=-1$

3단계 $f(17)$의 값을 구한다. ◀ 20%

따라서 $f(x)=\begin{cases}x+2 & (0\le x<4)\\-(x-4)^2+6 & (4\le x\le6)\end{cases}$이므로

$f(17)=f(11)=f(5)=-1+6=5$

1회 미분 모의평가

01	④	02	④	03	②	04	④	05	④
06	③	07	②	08	③	09	②	10	③
11	③	12	⑤	13	①	14	③	15	④
16	③	17	③	18	③	19	⑤	20	⑤

서술형

21	해설참조	22	해설참조
23	해설참조	24	해설참조

01

STEP Ⓐ 함수 $f(x)$의 평균변화율 구하기

x의 값이 0에서 3까지 변할 때의 함수 $f(x)$의 평균변화율은

$$\frac{f(3)-f(0)}{3-0}=\frac{15}{3}=5$$

STEP Ⓑ 미분계수 식을 이용하여 $f'(a)$의 값 구하기

또, $x=a$에서의 미분계수

$$f'(a)=\lim_{h\to 0}\frac{f(a+h)-f(a)}{h}$$
$$=\lim_{h\to 0}\frac{\{(a+h)^2+2(a+h)\}-(a^2+2a)}{h}$$
$$=\lim_{h\to 0}\frac{(2a+2)h+h^2}{h}$$
$$=2a+2$$

따라서 $2a+2=5$에서 $a=\dfrac{3}{2}$

02

STEP Ⓐ 주어진 식에서 $f(0)$의 값 구하기

$f(x+y)=f(x)+f(y)+3xy$에 $x=0$, $y=0$을 대입하면

$f(0)=f(0)+f(0)$

$\therefore f(0)=0$

STEP Ⓑ 미분계수 식을 이용하여 $f'(a)$의 값 구하기

이때 $f'(0)=\lim_{h\to 0}\dfrac{f(0+h)-f(0)}{h}=\lim_{h\to 0}\dfrac{f(h)}{h}=2$

따라서 $f'(2)=\lim_{h\to 0}\dfrac{f(2+h)-f(2)}{h}$

$$=\lim_{h\to 0}\frac{f(2)+f(h)+6h-f(2)}{h}$$
$$=\lim_{h\to 0}\frac{f(h)}{h}+6$$
$$=f'(0)+6$$
$$=2+6=8$$

03

STEP Ⓐ 미분계수를 이용하여 구하기

$f(x)=x^{2020}+x^{80}-2$로 놓으면

$f(1)=1+1-2=0$이므로

$$\lim_{x\to 1}\frac{x^{2020}+x^{80}-2}{x-1}=\lim_{x\to 1}\frac{f(x)-f(1)}{x-1}=f'(1)$$

따라서 $f'(x)=2020x^{2019}+80x^{79}$이므로 $f'(1)=2020+80=2100$

04

STEP Ⓐ $x=2$에서 연속임을 이용하여 a, b의 관계식 구하기

함수 $f(x)$가 $x=2$에서 미분가능하면 연속이므로

$$\lim_{x\to 2^+}f(x)=\lim_{x\to 2^-}f(x)=f(2)$$에서 $8+2a=4b+4$

$\therefore a-2b=-2$ …… ㉠

STEP Ⓑ $x=2$에서 좌미분계수와 우미분계수가 같음을 이용하여 a, b의 관계식 구하기

함수 $f(x)$가 $x=2$에서 미분가능하므로

$$\lim_{h\to 0^+}\frac{f(2+h)-f(2)}{h}=\lim_{h\to 0^-}\frac{f(2+h)-f(2)}{h}$$에서

$12+a=4b$

$\therefore a-4b=-12$ …… ㉡

㉠, ㉡를 연립하여 풀면 $a=8$, $b=5$

따라서 $a=8$, $b=5$이므로 $a+b=13$

05

STEP Ⓐ 주어진 식을 변형하여 미분계수의 정의 이용하기

$$\lim_{h\to 0}\frac{f(1+2h)-f(1-h)}{h}$$
$$=\lim_{h\to 0}\frac{f(1+2h)-f(1)+f(1)-f(1-h)}{h}$$
$$=\lim_{h\to 0}\left\{\frac{f(1+2h)-f(1)}{h}-\frac{f(1-h)-f(1)}{h}\right\}$$
$$=\lim_{h\to 0}\frac{f(1+2h)-f(1)}{2h}\cdot 2-\lim_{h\to 0}\frac{f(1-h)-f(1)}{-h}\cdot(-1)$$
$$=2f'(1)+f'(1)$$
$$=3f'(1)$$

STEP Ⓑ 다항함수의 미분법을 이용하여 $f'(1)$의 값 구하기

따라서 $f'(x)=6x^2-2x+4$에서 $f'(1)=8$이므로 $3f'(1)=24$

06

정답 ③

STEP A 미분계수를 이용하여 구하기

$\lim\limits_{x \to 2} \dfrac{f(x)-3}{x-2}=5$에서 $f(2)=3$, $f'(2)=5$

$\lim\limits_{x \to 2} \dfrac{g(x)-1}{x-2}=10$에서 $g(2)=1$, $g'(2)=10$

STEP B 곱의 미분법을 이용하여 $h'(2)$의 값 구하기

$h(x)=f(x)g(x)$에서 $h'(x)=f'(x)g(x)+f(x)g'(x)$이므로

$x=2$에서의 미분계수

$h'(2)=f'(2)g(2)+f(2)g'(2)=5 \cdot 1+3 \cdot 10=35$

다른풀이 직접 미분계수의 정의를 이용하여 풀이하기

$\lim\limits_{x \to 2} \dfrac{f(x)g(x)-f(2)g(2)}{x-2}$

$=\lim\limits_{x \to 2} \dfrac{f(x)g(x)-f(2)g(x)+f(2)g(x)-f(2)g(2)}{x-2}$

$=\lim\limits_{x \to 2} \dfrac{\{f(x)-f(2)\}g(x)}{x-2}+\lim\limits_{x \to 2} \dfrac{f(2)\{g(x)-g(2)\}}{x-2}$

$=\lim\limits_{x \to 2} \dfrac{f(x)-f(2)}{x-2} \cdot \lim\limits_{x \to 2} g(x)+f(2) \cdot \lim\limits_{x \to 2} \dfrac{g(x)-g(2)}{x-2}$

$=f'(2)g(2)+f(2)g'(2)$

$=5 \cdot 1+3 \cdot 10$

$=35$

07

정답 ②

STEP A 다항식 나눗셈 관계식 작성하기

다항식 $x^{10}+5x^2+1$을 $(x-1)^2$으로 나누었을 때, 몫을 $Q(x)$,

나머지를 $ax+b$ (a, b는 상수)라고 하면

$x^{10}+5x^2+1=(x-1)^2 Q(x)+ax+b$ ...... ㉠

STEP B $x=1$을 대입하여 a, b 사이의 관계식 구하기

㉠의 양변에 $x=1$을 대입하면

$7=a+b$ ...... ㉡

STEP C 양변을 x로 미분한 후 $x=1$을 대입하여 a, b의 값 구하기

㉠의 양변을 x에 대하여 미분하면

$10x^9+10x=(2x-2)Q(x)+(x-1)^2 Q'(x)+a$

양변에 $x=1$을 대입하면 $a=20$

$a=20$을 ㉡에 대입하여 풀면 $b=-13$

따라서 구하는 나머지는 $R(x)=20x-13$이므로

$R\left(\dfrac{1}{2}\right)=20 \cdot \dfrac{1}{2}-13=-3$

08

정답 ③

STEP A 좌미분계수 구하기

$\lim\limits_{h \to 0-} \dfrac{f(a+h)-f(a)}{h}$

$=\lim\limits_{h \to 0-} \dfrac{\{(a+h)^3-a(a+h)^2\}-(a^3-a \times a^2)}{h}$

$=\lim\limits_{h \to 0-} \dfrac{h(a+h)^2}{h}$

$=\lim\limits_{h \to 0-}(a+h)^2$

$=a^2$

STEP B 우미분계수 구하기

$\lim\limits_{h \to 0+} \dfrac{f(a+h)-f(a)}{h}$

$=\lim\limits_{h \to 0+} \dfrac{\{3(a+h)^2-3a(a+h)\}-(3a^3-3ax \times a)}{h}$

$=\lim\limits_{h \to 0+} \dfrac{3(a+h)h}{h}$

$=\lim\limits_{h \to 0+}3(a+h)$

$=3a$

STEP C 양의 상수 a의 값 구하기

$\lim\limits_{h \to 0-} \dfrac{f(a+h)-f(a)}{h}=3 \times \lim\limits_{h \to 0+} \dfrac{f(a+h)-f(a)}{h}$에서

$a^2=3 \times 3a$, $a^2=9a$

따라서 $a>0$이므로 $a=9$

09

정답 ②

STEP A 점 $(2, -3)$을 대입하여 a 구하기

$f(x)=x^2+ax-5$의 그래프가 $(2, -3)$을 지나므로 $f(2)=-3$

즉 $f(2)=4+2a-5=-3$

$\therefore a=-1$

STEP B 미분계수 $f'(2)=m$을 이용하여 m의 값 구하기

$f(x)=x^2-x-5$이므로 $f'(x)=2x-1$

점 $(2, -3)$에서의 접선의 기울기가 m이므로 $f'(2)=4-1=3$

$\therefore m=3$

따라서 $a+m=-1+3=2$

10

정답 ③

STEP A $f'(x)=2$를 만족시키는 x값 구하기

$f(x)=x^3-x$라 하면 $f'(x)=3x^2-1$

접점의 좌표를 (t, t^3-t)이라 하면

직선 $y=2x+5$에 평행하므로 접선의 기울기가 2이다.

즉 $f'(t)=3t^2-1=2$

$3t^2-3=0$, $(t-1)(t+1)=0$

$\therefore t=-1$ 또는 $t=1$

STEP B $x=-1$, 1일 때, 접선의 방정식 구하기

즉 접점의 좌표는 $(-1, 0)$ 또는 $(1, 0)$이므로 접선의 방정식은

$y-0=2(x+1)$에서 $2x-y+2=0$

$y-0=2(x-1)$에서 $2x-y-2=0$

STEP C 두 직선 사이의 거리 구하기

따라서 두 직선 $y=2x+2$, $y=2x-2$ 사이의 거리는

직선 $y=2x+2$ 위의 점 $(0, 2)$와 직선 $2x-y-2=0$

사이의 거리와 같으므로 $\dfrac{|0-2-2|}{\sqrt{2^2+(-1)^2}}=\dfrac{4}{\sqrt{5}}=\dfrac{4\sqrt{5}}{5}$

11

STEP A $f(2)$, $f'(2)$의 값 구하기

$\lim\limits_{x \to 3} \dfrac{f(x-1)-4}{x-3}=1$에서

$x \to 3$일 때 (분모)$\to 0$이고 극한값이 존재하므로 (분자)$\to 0$이어야 한다.

즉 $\lim\limits_{x \to 3}\{f(x-1)-4\}=f(2)-4=0$에서 $f(2)=4$

$x-1=t$로 놓으면

$\lim\limits_{x \to 3} \dfrac{f(x-1)-4}{x-3}=\lim\limits_{t \to 2}\dfrac{f(t)-4}{t-2}=\lim\limits_{t \to 2}\dfrac{f(t)-f(2)}{t-2}=f'(2)$

이므로 $f'(2)=1$

STEP B 곡선 $y=f(x)$ 위의 점 $(2,\ f(2))$에서의 접선의 방정식 구하기

곡선 $y=f(x)$ 위의 점 $(2,\ 4)$에서의 접선의 방정식은

$y-4=1 \cdot (x-2)$, 즉 $y=x+2$

따라서 직선 $y=x+2$가 x축과 만나는 점은 A$(-2,\ 0)$

y축과 만나는 점은 B$(0,\ 2)$이므로 $\overline{\text{AB}}=\sqrt{2^2+2^2}=2\sqrt{2}$

12

STEP A 함수 $f(x)$의 역함수가 존재할 조건 이해하기

함수 $f(x)$의 역함수가 존재하려면 $f(x)$의 최고차항의 계수가 양수이므로
$f(x)$는 실수 전체의 집합에서 증가해야 한다.

즉 모든 실수 x에 대하여 $f'(x) \geq 0$이어야 한다.

STEP B 판별식을 이용하여 a의 범위 구하기

$f(x)=x^3+kx^2+2kx-5$에서

$f'(x)=3x^2+2kx+2k \geq 0$

이차방정식 $f'(x)=0$의 판별식을 D라 하면

$\dfrac{D}{4}=k^2-6k \leq 0$, $k(k-6) \leq 0$

$\therefore 0 \leq k \leq 6$

따라서 조건을 만족시키는 정수 k는 0, 1, 2, 3, 4, 5, 6이므로 개수는 7개이다.

13

STEP A $f(x)$의 증가와 감소를 나타내는 표를 작성하여 극대와 극소 구하기

$f(x)=x^3-6x^2+9x+k$로 놓으면

$f'(x)=3x^2-12x+9$

$f'(x)=0$에서 $x=1$ 또는 $x=3$

함수 $f(x)$의 증가와 감소를 나타내면 다음 표와 같다.

x	$\cdots$	1	$\cdots$	3	$\cdots$
$f'(x)$	+	0	−	0	+
$f(x)$	↗	극대	↘	극소	↗

함수 $f(x)$는 $x=1$에서 극대이고 극댓값은 $f(1)=4+k$

$x=3$에서 극소이고 극솟값은 $f(3)=k$

STEP B $f(x)$의 극값이 0일 조건을 이용하여 k의 값 구하기

함수 $y=f(x)$의 그래프와 x축이 접하므로

$f(1)=4+k=0$에서 $k=-4$

$f(3)=k$에서 $k=0$

따라서 상수 k의 모든 값의 합은 $-4+0=-4$

14

STEP A $h'(x)=0$을 만족시키는 x값을 구하여 $h(x)$의 증가와 감소를 표로 나타내기

$h(x)=f(x)-g(x)$에서 $h'(x)=f'(x)-g'(x)$

$h'(x)=0$에서 $x=\alpha$ 또는 $x=\beta$ 또는 $x=\gamma$

함수 $h(x)$의 증가와 감소를 나타내면 다음 표와 같다.

x	$\cdots$	α	$\cdots$	β	$\cdots$	γ	$\cdots$
$h'(x)$	−	0	+	0	−	0	+
$h(x)$	↘	극소	↗	0 (극대)	↘	극소	↗

STEP B $y=h(x)$의 그래프를 그려 $h(x)=0$의 실근의 개수 구하기

따라서 함수 $y=h(x)$의 그래프의 개형은 다음 중 하나이다.

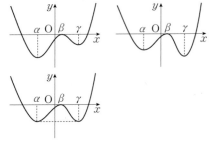

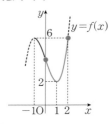

따라서 함수 $y=h(x)$의 그래프와 x축의 교점이 3개이므로 방정식 $h(x)=0$, 즉 $f(x)=g(x)$의 서로 다른 실근의 개수는 3개이다.

15

STEP A 주어진 구간에서 $f(x)$의 증가와 감소를 표로 나타내기

$f(x)=x^3-3x+4$에서 $f'(x)=3x^2-3=3(x+1)(x-1)$

$f'(x)=0$에서 $x=-1$ 또는 $x=1$

구간 $[-1,\ 2]$에서 함수 $f(x)$의 증가와 감소를 나타내면 다음 표와 같다.

x	-1	$\cdots$	1	$\cdots$	2
$f'(x)$	0	−	0	+	
$f(x)$	극대	↘	극소	↗	6

STEP B 주어진 구간에서 $f(x)$의 최댓값, 최솟값 구하기

따라서 구간 $[-1,\ 2]$에서

함수 $f(x)$는

$x=-1$일 때, 최댓값 $f(2)=6$

$x=1$일 때, 최솟값은 $f(1)=2$

$\therefore M+m=6+2=8$

16

정답 ③

STEP A 꼭짓점 D의 좌표를 임의로 두고 넓이를 식으로 표현하기

오른쪽 그림과 같이 내접한 직사각형을
ABCD라 하고 꼭짓점 D의 좌표를
$(a, 3-a^2)(0 < a < \sqrt{3})$이라고 하자.
직사각형 ABCD의 넓이를
$S(a)$라고 하면
$S(a)=2a(3-a^2)=-2a^3+6a$

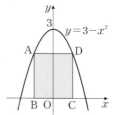

STEP B 함수 $S(a)$의 증가와 감소를 표로 나타내기

$S'(a)=-6a^2+6=-6(a+1)(a-1)$
$0 < a < \sqrt{3}$일 때, $S'(a)=0$에서 $a=1$
열린구간 $(0, \sqrt{3})$에서 함수 $S(a)$의 증가와 감소를 표로 나타내면 다음과 같다.

a	(0)	$\cdots$	1	$\cdots$	$(\sqrt{3})$
$S'(a)$		+	0	−	
$S(a)$		↗	4	↘	

STEP C 직사각형의 넓이의 최댓값 구하기

따라서 열린구간 $(0, \sqrt{3})$에서 함수 $S(a)$는 $a=1$일 때,
극대이면서 최대이므로 구하는 넓이의 최댓값은 4

17

정답 ③

STEP A 주어진 구간에서 $f(x)$의 증가와 감소를 표로 나타내기

방정식 $x^3+2=3x+k$에서 $x^3-3x+2=k$
$f(x)=x^3-3x+2$로 놓으면
$f'(x)=3x^2-3=3(x+1)(x-1)$
$f'(x)=0$에서 $x=-1$ 또는 $x=1$
함수 $f(x)$의 증가와 감소를 표로 나타내면 다음과 같다.

x	$\cdots$	-1	$\cdots$	1	$\cdots$
$f'(x)$	+	0	−	0	+
$f(x)$	↗	4	↘	0	↗

STEP B 조건을 만족하는 실수 k의 값의 범위 구하기

주어진 방정식이 서로 다른 두 개의 양의 근과
한 개의 음의 근을 갖도록 하는 실수 k의 값의
범위는 $0 < k < 2$

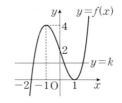

18

정답 ③

STEP A 함수 $f(x)$의 증가와 감소를 표로 나타내어 빈칸추론하기

$f(x)=2x^3-9x^2+27$이라 하면
$f'(x)=6x(x-3)$
$f'(x)=0$에서 $x=0$ 또는 $x=3$
함수 $f(x)$의 증가와 감소를 표로 나타내면 다음과 같다.

x	$\cdots$	0	$\cdots$	3	$\cdots$
$f'(x)$	+	0	−	0	+
$f(x)$	↗	27	↘	0	↗

함수 $f(x)$는 $x=\boxed{3}$에서 극소이면서 최소이다.
이때 함수 $f(x)$의 최솟값은 $\boxed{0}$이므로 $x > 0$인 모든 실수 x에 대하여
$f(x)=2x^3-9x^2+27 \geq \boxed{0}$
즉 $2x^3-9x^2+27 \geq 0$이므로 $2x^3+27 \geq 9x^2$
따라서 (가), (나), (다)에 알맞은 수는 각각 3, 0, 0이므로
$a+b+c=3+0+0=3$

19

정답 ⑤

STEP A $v(t)=4$을 만족하는 t의 값 구하기

점 P의 시각 t에서의 속도 $v(t)$와 가속도 $a(t)$는
$v(t)=\dfrac{dx}{dt}=6t^2-6t-8$, $a(t)=\dfrac{dv}{dt}=12t-6$
$v(t)=4$일 때, $6t^2-6t-8=4$
$6t^2-6t-12=0$, $6(t+1)(t-2)=0$
이때 $t > 0$이므로 $t=2$

STEP B $a(2)$의 값 구하기

따라서 $t=2$에서 가속도는 $a(2)=12 \cdot 2-6=18$

20

정답 ⑤

STEP A 함수 $f(x)$의 증가와 감소를 표로 나타내기

$f(x)=2x^3+x^2-3$이라 하면
$f'(x)=6x^2+2x=2x(3x+1)$
$f'(x)=0$에서 $x=-\dfrac{1}{3}$ 또는 $x=0$
함수 $f(x)$의 증가와 감소를 표로 나타내면 다음과 같다.

x	$\cdots$	$-\dfrac{1}{3}$	$\cdots$	0	$\cdots$
$f'(x)$	+	0	−	0	+
$f(x)$	↗	$-\dfrac{80}{27}$	↘	-3	↗

STEP B 곡선 위의 점에서 접선의 방정식 구하기

한편, 곡선 $y=2x^3+x^2-3$과 직선 $y=ax$가 접한다고 할 때,
곡선 $y=2x^3+x^2-3$ 위의 점 $(t, 2t^3+t^2-3)$에서의 접선의 방정식은
$y-(2t^3+t^2-3)=(6t^2+2t)(x-t)$ $\cdots\cdots$ ㉠
접선 ㉠이 원점을 지나므로 $-(2t^3+t^2-3)=-t(6t^2+2t)$에서
$4t^3+t^2+3=0$, $(t+1)(4t^2-3t+3)=0$
t는 실수이므로 $t=-1$

STEP C 서로 다른 세 점에서 만나도록 하는 자연수 a의 최솟값 구하기

즉 곡선 $y=2x^3+x^2-3$위의 점
$(-1, -4)$에서의 접선의 방정식은
$y=4x$이다.
이때 함수 $y=f(x)$의 그래프와
접선 $y=4x$는 오른쪽 그림과 같다.
따라서 곡선 $y=2x^3+x^2-3$과
직선 $y=ax$가 서로 다른 세 점에서
만나도록 하는 a의 값의 범위는
$a > 4$이므로 자연수 a의 최솟값은 5

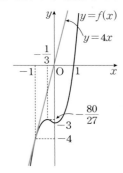

21

정답 해설참조

| 1단계 | 직선 l과 평행하고 곡선 $y=-x^2+x+2$에 접하는 직선의 방정식을 구한다. | ◀ 40% |

직선 l은 두 점 A$(0, 2)$, B$(2, 0)$을 지나므로 직선 l에 평행한

직선의 기울기는 $\dfrac{0-2}{2-0}=-1$

$f(x)=-x^2+x+2$라 하면 $f'(x)=-2x+1$

접점의 좌표를 $(a, -a^2+a+2)$라 하면 접선의 기울기가 -1이므로

$f'(a)=-2a+1=-1$, 즉 $a=1$

따라서 접점의 좌표가 $(1, 2)$이므로 구하는 직선의 방정식은

$y-2=-(x-1)$ ∴ $y=-x+3$

| 2단계 | 제 1사분면에 있는 곡선 $y=-x^2+x+2$ 위의 점과 직선 l 사이의 거리의 최댓값을 구한다. | ◀ 40% |

제 1사분면에서 직선 l과의 거리가
최대가 되는 곡선 $y=-x^2+x+2$
위의 점은 직선 l과 평행한 접선의
접점이다.
따라서 구하는 거리의 최댓값은
점 $(1, 2)$와 직선 l, 즉 $x+y-2=0$
사이의 거리이므로

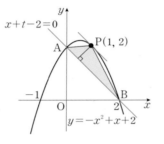

$\dfrac{|1+2-2|}{\sqrt{1+1}}=\dfrac{1}{\sqrt{2}}=\dfrac{\sqrt{2}}{2}$

| 3단계 | 삼각형 ABP의 넓이의 최댓값을 구한다. | ◀ 20% |

선분 AB의 길이는 $\sqrt{(2-0)^2+(0-2)^2}=2\sqrt{2}$이므로

구하는 삼각형 ABP의 넓이의 최댓값은 $\dfrac{1}{2}\cdot 2\sqrt{2}\cdot\dfrac{\sqrt{2}}{2}=1$

22

정답 해설참조

| 1단계 | 함수 $f(x)$가 $x=-1$에서 극댓값 6를 가짐을 이용하여 상수 a, b의 값을 구한다. | ◀ 40% |

$f'(x)=3x^2+2ax+b$이고 함수 $f(x)$가 $x=-1$에서 극대이고
극댓값이 6이므로

$f'(-1)=0$에서 $3-2a+b=0$ ⋯⋯ ㉠

$f(-1)=6$에서 $-1+a-b+1=6$ ⋯⋯ ㉡

㉠, ㉡를 연립하여 풀면 $a=-3$, $b=-9$

| 2단계 | 함수 $f(x)$의 증가와 감소를 나타내는 표를 구한다. | ◀ 40% |

$f(x)=x^3-3x^2-9x+1$이므로

$f'(x)=3x^2-6x-9=3(x+1)(x-3)$

$f'(x)=0$에서 $x=-1$ 또는 $x=3$

$f(x)$의 증가와 감소를 표로 나타내면 다음과 같다.

x	⋯	-1	⋯	3	⋯
$f'(x)$	$+$	0	$-$	0	$+$
$f(x)$	↗	6	↘	-26	↗

| 3단계 | 함수 $f(x)$의 극솟값을 구한다. | ◀ 20% |

따라서 함수 $f(x)$는 $x=3$에서 극소이고 극솟값은 $f(3)=-26$

23

정답 해설참조

| 1단계 | 주어진 식을 $f(x)=k$의 꼴로 변형한다. | ◀ 20% |

방정식 $x^3-x=2x+k$,

즉 $x^3-3x=k$가 서로 다른 세 실근을 가질 조건을 구하면 된다.

| 2단계 | $f(x)$의 극댓값과 극솟값을 구한다. | ◀ 50% |

$f(x)=x^3-3x$라고 하면

$f'(x)=3x^2-3=3(x+1)(x-1)$

$f'(x)=0$에서 $x=-1$ 또는 $x=1$

함수 $f(x)$의 증가와 감소를 표로 나타내면 다음과 같다.

x	⋯	-1	⋯	1	⋯
$f'(x)$	$+$	0	$-$	0	$+$
$f(x)$	↗	2	↘	-2	↗

$x=-1$에서 극대이고 극댓값은 $f(-1)=2$

$x=1$에서 극소이고 극솟값은 $f(1)=-2$

| 3단계 | 서로 다른 세 실근을 가지도록 하는 k의 값의 범위를 구한다. | ◀ 30% |

이때 방정식 $f(x)=k$가 서로 다른
세 실근을 가지려면 $y=f(x)$의
그래프와 직선 $y=k$가 서로 다른
세 점에서 만나야 하므로
구하는 k의 값의 범위는 $-2<k<2$

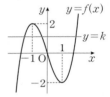

24

정답 해설참조

| 1단계 | l과 x사이의 관계를 비례식으로 나타낸다. | ◀ 40% |

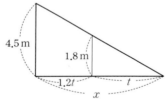

승우가 1.2 m/s의 속도로 걸어가므로 t초 동안 걸은 거리는

$1.2\times t=1.2t$(m)

$4.5:x=1.8:l$ 또는 $x:l=4.5:1.8$

$l=\dfrac{2}{5}x$ 또는 $x=\dfrac{5}{2}l$

| 2단계 | 그림자의 앞 끝이 움직이는 속도를 구한다. | ◀ 30% |

$x=1.2t+l$이므로

$x=1.2t+\dfrac{2}{5}x$에서 $\dfrac{3}{5}x=1.2t$

∴ $x=2t$

즉 그림자의 앞 끝이 움직이는 속도는 $\dfrac{dx}{dt}=2$m/s

| 3단계 | 그림자의 길이가 늘어나는 속도를 구한다. | ◀ 30% |

$l=\dfrac{2}{5}x=\dfrac{2}{5}\cdot 2t=\dfrac{4}{5}t=0.8t$

즉 그림자의 길이가 늘어나는 속도는 $\dfrac{dl}{dt}=0.8$m/s

2회 미분 모의평가

01	③	02	①	03	①	04	①	05	③
06	⑤	07	①	08	⑤	09	①	10	③
11	③	12	②	13	①	14	⑤	15	②
16	⑤	17	④	18	④	19	③	20	⑤

서술형

21	해설참조	22	해설참조
23	해설참조	24	해설참조

01
정답 ③

STEP A 직선 OA, OB의 기울기를 비교하여 부등식 확인하기

두 점 A, B의 좌표를 각각 A$(a, f(a))$, B$(b, f(b))$라 하자.

ㄱ. 직선 OA의 기울기가 직선 OB의
기울기보다 작으므로

$\dfrac{f(a)-f(0)}{a-0} < \dfrac{f(b)-f(0)}{b-0}$ 에서

$\dfrac{f(a)}{a} < \dfrac{f(b)}{b}$ [거짓]

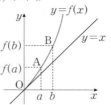

STEP B 직선 AB의 기울기를 이용하여 부등식 확인하기

ㄴ. 직선 AB의 기울기는 1보다 크므로 $\dfrac{f(b)-f(a)}{b-a} > 1$

이때 $b-a > 0$이므로 $f(b)-f(a) > b-a$ [거짓]

STEP C 점 A, B에서 접선의 기울기를 비교하여 부등식 확인하기

ㄷ. 점 A에서의 접선의 기울기가 점 B에서의 접선의 기울기보다 작으므로
$f'(a) < f'(b)$ [참]

따라서 옳은 것은 ㄷ이다.

02
정답 ①

STEP A $x=3$에서 접선의 기울기 구하기

곡선 $y=f(x)$ 위의 점 $(3, f(3))$에서의 접선의 기울기가 12이므로
$f'(3)=12$

STEP B 미분계수의 식을 변형하기

$\displaystyle\lim_{x \to 3} \dfrac{f(x)-f(3)}{x^2-9} = \lim_{x \to 3} \dfrac{f(x)-f(3)}{x-3} \times \dfrac{1}{x+3}$

$\qquad = \displaystyle\lim_{x \to 3} \dfrac{f(x)-f(3)}{x-3} \times \lim_{x \to 3} \dfrac{1}{x+3}$

$\qquad = f'(3) \times \dfrac{1}{6}$

$\qquad = 12 \times \dfrac{1}{6} = 2$

03
정답 ①

STEP A 주어진 식에서 $f(0)$의 값 구하기

$f(x+y)=f(x)+f(y)-1$에 $x=0$, $y=0$을 대입하면
$f(0)=f(0)+f(0)-1$

∴ $f(0)=1$

STEP B 미분계수의 정의를 이용하여 $f'(2)$의 값 구하기

$f'(2) = \displaystyle\lim_{h \to 0} \dfrac{f(2+h)-f(2)}{h} = \lim_{h \to 0} \dfrac{f(2)+f(h)-1-f(2)}{h}$

$\qquad = \displaystyle\lim_{h \to 0} \dfrac{f(h)-1}{h} = 1$

STEP C 미분계수의 정의를 이용하여 $f'(1)$의 값 구하기

$f'(1) = \displaystyle\lim_{h \to 0} \dfrac{f(1+h)-f(1)}{h} = \lim_{h \to 0} \dfrac{f(1)+f(h)-1-f(1)}{h}$

$\qquad = \displaystyle\lim_{h \to 0} \dfrac{f(h)-1}{h} = 1$

따라서 $f(0)=1$, $f'(1)=1$이므로 $f(0)+f'(1)=1+1=2$

04
정답 ①

STEP A 함수 $f(x)$가 $x=0$에서 연속이면 $\displaystyle\lim_{x \to 0} f(x)=f(0)$이어야 하고 미분가능하면 $f'(0)$이 존재해야 함을 보이기

ㄱ. $\displaystyle\lim_{x \to 0} f(x) = \lim_{x \to 0} |x^2+2x| = 0 = f(0)$이므로 $f(x)$는 $x=0$에서 연속이다.

$\displaystyle\lim_{h \to 0+} \dfrac{f(0+h)-f(0)}{h} = \lim_{h \to 0+} \dfrac{f(h)-f(0)}{h}$

$\qquad = \displaystyle\lim_{h \to 0+} \dfrac{|h^2+2h|}{h}$

$\qquad = \displaystyle\lim_{h \to 0+} \dfrac{h^2+2h}{h}$

$\qquad = \displaystyle\lim_{h \to 0+} \dfrac{h(h+2)}{h}$

$\qquad = \displaystyle\lim_{h \to 0+} (h+2) = 2$

$\displaystyle\lim_{h \to 0-} \dfrac{f(0+h)-f(0)}{h} = \lim_{h \to 0-} \dfrac{f(h)-f(0)}{h}$

$\qquad = \displaystyle\lim_{h \to 0-} \dfrac{|h^2+2h|}{h}$

$\qquad = \displaystyle\lim_{h \to 0-} \dfrac{-h^2-2h}{h}$

$\qquad = \displaystyle\lim_{h \to 0-} \dfrac{h(-h-2)}{h}$

$\qquad = \displaystyle\lim_{h \to 0-} (-h-2) = -2$

즉 $f(x)$는 $x=0$에서 연속이지만 미분가능하지 않다.

ㄴ. $\displaystyle\lim_{x \to 0} f(x) = \lim_{x \to 0} x^2|x| = 0 = f(0)$이므로 $f(x)$는 $x=0$에서 연속이다.

$\displaystyle\lim_{h \to 0+} \dfrac{f(0+h)-f(0)}{h} = \lim_{h \to 0+} \dfrac{h^2|h|}{h} = \lim_{h \to 0+} h^2 = 0$

$\displaystyle\lim_{h \to 0-} \dfrac{f(0+h)-f(0)}{h} = \lim_{h \to 0-} \dfrac{h^2|h|}{h} = \lim_{h \to 0-} (-h^2) = 0$

즉 $f(x)$는 $x=0$에서 연속이고 미분가능하다.

ㄷ. $\displaystyle\lim_{x \to 0+} \dfrac{|x|}{x} = \lim_{x \to 0+} \dfrac{x}{x} = 1$, $\displaystyle\lim_{x \to 0-} \dfrac{|x|}{x} = \lim_{x \to 0-} \dfrac{-x}{x} = -1$

즉 $f(x)$는 $x=0$에서 불연속이고 미분가능하지 않다.

따라서 $x=0$에서 연속이지만 미분가능하지 않은 것은 ㄱ이다.

05

STEP Ⓐ 함수의 그래프에서 [보기]의 참, 거짓 판별하기

ㄱ. $f(x)$는 $x=1$, $x=4$에서 불연속이다. [참]

ㄴ. $\lim_{x \to 4-} f(x) = \lim_{x \to 4+} f(x) = 2$이므로 $\lim_{x \to 4} f(x)$의 값은 존재한다. [참]

ㄷ. $f(x)$는 $x=1$, $x=2$, $x=3$, $x=4$에서 미분가능하지 않으므로 4개이다. [참]

ㄹ. $x=0$에서 $f'(x)=0$이므로 x의 값은 1개이다. [거짓]

따라서 옳은 것은 ㄱ, ㄴ, ㄷ이다.

06

정답 ⑤

STEP Ⓐ $x=2$에서 연속임을 이용하여 a, b 사이의 관계식 구하기

함수 $f(x)$가 $x=2$에서 미분가능하므로 연속이다.

즉 $\lim_{x \to 2+} f(x) = \lim_{x \to 2-} f(x) = f(2)$이므로 $-4+2a+2 = 4+b$

$\therefore b = 2a-6$ ...... ㉠

STEP Ⓑ $x=2$에서 미분가능함을 이용하여 a, b의 값 구하기

또한, $f'(x) = \begin{cases} -2x+a & (x>2) \\ 2 & (x<2) \end{cases}$ 이고 함수 $f(x)$는 $x=2$에서

미분가능하므로 $-4+a=2$

$\therefore a=6$ ...... ㉡

㉠, ㉡을 연립하여 풀면 $a=6$, $b=6$

따라서 $ab=36$

07

정답 ①

STEP Ⓐ 다항식 나눗셈 관계식 작성하기

$f(x)$를 $(x-1)^2$으로 나누었을 때의 몫이 $Q(x)$이고 나머지가 $4x+5$이므로

$f(x) = (x-1)^2 Q(x) + 4x + 5$ ...... ㉠

STEP Ⓑ 함수 $y=\{f(x)\}^2$의 도함수를 이용하여 $f'(1)$의 값 구하기

㉠의 양변을 x에 대하여 미분하면

$f'(x) = 2(x-1)Q(x) + (x-1)^2 Q'(x) + 4$이므로

양변에 $x=1$을 대입하면 $f'(1) = 4$

따라서 ㉠의 양변에 $x=1$을 대입하면 $f(1) = 9$이므로

$f(1) + f'(1) = 9 + 4 = 13$

08

정답 ⑤

STEP Ⓐ 미분계수를 이용하여 구하기

$g(x) = (x^3 + x^2 - 27)f(x)$라 하면 $g(3) = 9f(3)$

$\lim_{x \to 3} \dfrac{(x^3+x^2-27)f(x) - 9f(3)}{x^2-9} = \lim_{x \to 3} \dfrac{g(x)-g(3)}{(x-3)(x+3)}$

$= \lim_{x \to 3} \dfrac{g(x)-g(3)}{x-3} \cdot \dfrac{1}{x+3}$

$= \dfrac{1}{6} \cdot g'(3)$

STEP Ⓑ 곱의 미분법을 이용하여 $g'(2)$의 값 구하기

$g(x) = (x^3 + x^2 - 27)f(x)$에서

$g'(x) = (3x^2 + 2x)f(x) + (x^3 + x^2 - 27)f'(x)$이므로

$g'(3) = 33f(3) + 9f'(3) = 33 \cdot (-2) + 9 \cdot 4 = -30$

따라서 $\dfrac{1}{6} \cdot g'(3) = \dfrac{1}{6} \cdot (-30) = -5$

09

정답 ①

STEP Ⓐ $\dfrac{1}{t} = h$로 치환하고 미분계수의 정의를 이용하여 극한값 구하기

$\dfrac{1}{t} = h$로 놓으면 $t \to \infty$일 때, $h \to 0$이므로

$\lim_{t \to \infty} t \left\{ f\left(2 + \dfrac{2}{t}\right) - f\left(2 - \dfrac{2}{t}\right) \right\}$

$= \lim_{h \to 0} \dfrac{f(2+2h) - f(2-2h)}{h}$

$= \lim_{h \to 0} \left\{ \dfrac{f(2+2h) - f(2)}{2h} \cdot 2 + \dfrac{f(2-2h) - f(2)}{-2h} \cdot 2 \right\}$

$= 2f'(2) + 2f'(2)$

$= 4f'(2)$

STEP Ⓑ 다항함수의 미분법을 이용하여 $f'(2)$의 값 구하기

이때 $f'(x) = 3x^2 - 6x - 2$이므로 $f'(2) = 12 - 12 - 2 = -2$

따라서 구하는 극한값은 $4f'(2) = 4 \cdot (-2) = -8$

10

정답 ③

STEP Ⓐ $f(2)$, $f'(2)$을 구하여 a, b의 값 구하기

$f(x) = x^2 + ax + b$라 하면 $f'(x) = 2x + a$

$f(2) = 3$이므로 $4 + 2a + b = 3$ ...... ㉠

$f'(2) = 6$이므로 $4 + a = 6$ $\therefore a = 2$

$a = 2$를 ㉠에 대입하여 풀면 $b = -5$

따라서 $a + b = 2 + (-5) = -3$

11

정답 ③

STEP A 극한값이 존재할 조건을 이용하여 $f(0)$의 값 구하기

$\lim_{x \to 0} \dfrac{f(x)-2}{x}=3$에서

$x \to 0$일 때, (분모)$\to 0$이고 극한값이 존재하므로 (분자)$\to 0$이다.

즉 $\lim_{x \to 0}\{f(x)-2\}=0$이므로 $f(0)-2=0$

$\therefore f(0)=2$

STEP B 미분계수 식을 이용하여 극한값 구하기

이때 $\lim_{x \to 0} \dfrac{f(x)-2}{x}=\lim_{x \to 0} \dfrac{f(x)-f(0)}{x-0}=f'(0)=3$

STEP C 곱의 미분법을 이용하여 $h'(0)$의 값 구하기

$h(x)=(x^2+x+1)f(x)$로 놓으면

$h'(x)=(x^2+x+1)'f(x)+(x^2+x+1)f'(x)$
$\qquad =(2x+1)f(x)+(x^2+x+1)f'(x)$

따라서 $h'(0)=f(0)+f'(0)=2+3=5$

12

정답 ②

STEP A 접선의 기울기를 구하여 접선에 수직인 직선의 기울기 구하기

$f(x)=-x^2+2x-1$이라 하면 $f'(x)=-2x+2$

$x=-1$에서 접선의 기울기는 $f'(-1)=4$

이때 접선에 수직이므로 기울기는 $-\dfrac{1}{4}$

STEP B 기울기와 한 점을 이용하여 직선의 방정식 구하기

따라서 점 $(-1, -4)$를 지나고 기울기가 $-\dfrac{1}{4}$인 직선은

$y+4=-\dfrac{1}{4}(x+1)$

$\therefore y=-\dfrac{1}{4}x-\dfrac{17}{4}$

따라서 $a=-\dfrac{1}{4}$, $b=-\dfrac{17}{4}$이므로 $b-a=-\dfrac{17}{4}-\left(-\dfrac{1}{4}\right)=-4$

13

정답 ①

STEP A 점 $A(1, 4)$에서의 기울기를 구하여 접선의 방정식 구하기

$f(x)=-x^3+4x+1$로 놓으면 $f'(x)=-3x^2+4$이므로

점 $A(1, 4)$에서의 접선의 기울기는 $f'(1)=-3+4=1$

점 $A(1, 4)$에서의 접선의 방정식은 $y-4=(x-1)$

$\therefore y=x+3$

이때 점 $B(0, 3)$

STEP B 직선과 곡선을 연립하여 교점의 좌표 구하기

이때 곡선 $y=-x^3+4x+1$와 접선 $y=x+3$ 가 만나는 점의 x좌표는

$-x^3+4x+1=x+3$, $x^3-3x+2=0$, $(x-1)^2(x+2)=0$

$\therefore x=1$ 또는 $x=-2$

즉 C의 좌표는 $C(-2, 1)$

STEP C 두 점 사이의 거리공식을 이용하여 선분 AB, BC의 길이 구하기

$\overline{AB}=\sqrt{(0-1)^2+(3-4)^2}=\sqrt{2}$

$\overline{BC}=\sqrt{(-2-0)^2+(1-3)^2}=2\sqrt{2}$

따라서 $\overline{AB}:\overline{BC}=\sqrt{2}:2\sqrt{2}=1:2$

14

정답 ⑤

STEP A 롤의 정리를 만족시키는 상수 a의 값 구하기

함수 $f(x)=x^3-x^2-5x-3$는 닫힌구간 $[-1, 3]$에서 연속이고

열린구간 $(-1, 3)$에서 미분가능하다.

또, $f(-1)=f(3)=0$이므로 롤의 정리에 의하여 $f'(a)=0$을 만족시키는

a가 열린구간 $(-1, 3)$에 적어도 하나 존재한다.

이때 a의 값은 $f'(a)=3a^2-2a-5=0$에서 $(3a-5)(a+1)=0$

$\therefore a=\dfrac{5}{3}$

STEP B 평균값의 정리를 만족시키는 상수 b의 값 구하기

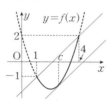

$f(x)=x^2-4x+2$는 닫힌구간 $[1, 4]$에서

연속이고 열린구간 $(1, 4)$에서 미분가능

하므로 평균값 정리에 의하여

$\dfrac{f(4)-f(1)}{4-1}=f'(c)$인 c가 열린구간

$(1, 4)$에 적어도 하나 존재한다.

그런데 $f(1)=-1$, $f(4)=2$, $f'(b)=2b-4$

이므로 $\dfrac{2-(-1)}{4-1}=2b-4$, $1=2b-4$ $\therefore b=\dfrac{5}{2}$

따라서 $a+b=\dfrac{5}{3}+\dfrac{5}{2}=\dfrac{25}{6}$

15

정답 ②

STEP A 역함수가 존재하는 조건 이해하기

함수 $f(x)$는 일대일대응이어야 하고, 실수 전체의 집합에서

감소해야 하므로 $f'(x)=-3x^2+2ax+a \le 0$이어야 한다.

STEP B 판별식 $\dfrac{D}{4} \le 0$임을 이용하여 a의 범위 구하기

방정식 $f'(x)=0$은 중근 또는 허근을 가져야 하므로

판별식을 D라 하면 $\dfrac{D}{4}=a^2+3a \le 0$ $\therefore -3 \le a \le 0$

따라서 정수 a는 $-3, -2, -1, 0$이므로 4개이다.

16

정답 ⑤

STEP A $g(1)=24$임을 이용하여 $f(1)$의 값 구하기

$g(x)$가 $x=1$에서 극솟값 24를 가지므로

$g(1)=24$, $g'(1)=0$

$g(x)=(x^3+2)f(x)$에서 $g(1)=3f(1)=24$

$\therefore f(1)=8$

STEP B $g'(1)=0$임을 이용하여 $f'(1)$의 값 구하기

$g'(x)=3x^2f(x)+(x^3+2)f'(x)$에서

$x=1$을 대입하면 $g'(1)=3f(1)+3f'(1)=0$

$\therefore f'(1)=-f(1)=-8$

따라서 $f(1)-f'(1)=8-(-8)=16$

17

STEP Ⓐ $f(x)$의 증가와 감소를 표로 나타내기

함수 $y=f'(x)$의 그래프에서 $f'(x)=0$이 되는 x의 값은 -1, 2, 4이므로 함수 $f(x)$의 증가와 감소를 나타내면 다음 표와 같다.

x	$\cdots$	-1	$\cdots$	2	$\cdots$	4	$\cdots$
$f'(x)$	$-$	0	$+$	0	$-$	0	$+$
$f(x)$	↘	극소	↗	극대	↘	극소	↗

STEP Ⓑ 표를 보고 [보기]의 참, 거짓 판별하기

① $f(x)$는 구간 $(1, 2)$에서 증가한다. [거짓]

② $f(x)$는 구간 $(3, 4)$에서 감소한다. [거짓]

③ $f(x)$는 $x=1$의 좌우에서 $f'(x)$의 값의 부호가 바뀌지 않으므로 함수 $f(x)$는 $x=1$에서 극값을 갖지 않는다. [거짓]

④ $f(x)$는 $x=4$에서 극솟값을 갖는다. [참]

⑤ $f(x)$는 $x=-1$과 $x=4$에서 극솟값을 갖고 $x=2$에서 극댓값을 갖는다. 즉 극값을 갖는 점의 개수는 3이다. [거짓]

따라서 옳은 것은 ④이다.

18

STEP Ⓐ 닫힌구간 $[0, 2]$에서 함수 $f(x)$의 증가와 감소를 표로 나타내기

$f(x)=2x^3-3x^2+a$

$f'(x)=6x^2-6x=6x(x-1)$

$f'(x)=0$에서 $x=0$ 또는 $x=1$

구간 $[0, 2]$에서 함수 $f(x)$의 증가와 감소를 표로 나타내면 다음과 같다.

x	0	$\cdots$	1	$\cdots$	2
$f'(x)$		$-$	0	$+$	0
$f(x)$	a	↘	$a-1$	↗	$a+4$

STEP Ⓑ 최댓값이 2임을 이용하여 최솟값 구하기

이때 함수 $f(x)$는 $x=2$에서 최댓값은 $a+4$이므로 $a+4=2$

$\therefore a=-2$

따라서 닫힌구간 $[0, 2]$에서의 함수 $f(x)$의 최솟값은 $f(-1)=-2-1=-3$

19

STEP Ⓐ $f(x)$의 증가와 감소를 표로 나타내기

$x^3-3x+a=0$에서 $x^3-3x=-a$

$f(x)=x^3-3x$, $g(x)=-a$라 하면

$f'(x)=3x^2-3=3(x+1)(x-1)$

$f'(x)=0$에서 $x=-1$ 또는 $x=1$

함수 $f(x)$의 증가와 감소를 나타내면 다음 표와 같다.

x	$\cdots$	-1	$\cdots$	1	$\cdots$
$f'(x)$	$+$	0	$-$	0	$+$
$f(x)$	↗	2	↘	-2	↗

STEP Ⓑ $y=f(x)$의 그래프를 그려 주어진 조건을 만족하는 a의 범위 구하기

함수 $y=f(x)$의 그래프와 직선 $y=-a$의 교점의 x좌표가 한 개는 음수, 두 개는 양수가 되도록 나타내면 오른쪽 그림과 같다.

따라서 $-2<-a<0$, 즉 $0<a<2$

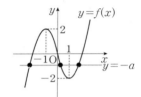

20

STEP Ⓐ 위치를 미분하여 속도 $v(t)$ 구하기

물체의 t초 후의 속도를 vm/s라 하면

$x(t)=5+30t-5t^2$이므로 $v(t)=\dfrac{dx}{dt}=30-10t$

STEP Ⓑ [보기]의 참, 거짓의 진위판단하기

ㄱ. 최고 지점에 도달했을 때, 물체의 속도는 $v=0$이므로 $v=30-10t=0$

$\therefore t=3$ [참]

즉 돌이 최고 높이에 도달할 때까지 걸린 시간은 3초이다.

ㄴ. 물체의 최고 높이는 $t=3$일 때의 높이이므로

$x(3)=5+30\times3-5\times3^2=50(\mathrm{m})$ [참]

ㄷ. 물체가 땅에 떨어질 때까지 움직인 거리는 $(50-5)+50=95(\mathrm{m})$ [참]

따라서 옳은 것은 ㄱ, ㄴ, ㄷ이다.

서술형

21

정답 해설참조

STEP A $f(x)$의 증가와 감소를 표로 나타내기

$f(x)=x^3+3x^2-4$에서

$f'(x)=\boxed{3x^2+6x}=3x(\boxed{x+2})$이므로

$f'(x)=0$에서 $x=\boxed{-2}$ 또는 $x=\boxed{0}$

함수 $f(x)$의 증가와 감소를 표로 나타내면 다음과 같다.

x	$\cdots$	$\boxed{-2}$	$\cdots$	$\boxed{0}$	$\cdots$
$f'(x)$	$+$	0	$-$	0	$+$
$f(x)$	$\nearrow$	$\boxed{0}$	$\searrow$	$\boxed{-4}$	$\nearrow$

STEP B 최댓값이 2임을 이용하여 최솟값 구하기

함수 $y=f(x)$의 그래프와 y축의

교점의 좌표는 $(0,\ \boxed{-4})$

이므로 주어진 함수의 그래프의

개형은 오른쪽 그림과 같다.

(가) $3x^2+6x$

(나) $x+2$

(다) -2

(라) 0

(마) 0

(바) -4

(사) -4

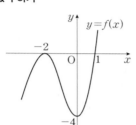

22

정답 해설참조

| 1단계 | 함수 $f(x)$가 $x=-2$에서 극솟값 -10을 가짐을 이용하여 상수 a, b의 값을 구한다. | ◀ 40% |

$f'(x)=-6x^2+2ax+12$이고

함수 $f(x)$가 $x=-2$에서 극소이고 극솟값이 -10이므로

$f'(-2)=0$에서 $-24-4a+12=0$

$\therefore a=-3$

$f(-2)=-10$에서 $16+4a-24+b=-10$, $4a+b=-2$

이므로 $b=10$

$\therefore a=-3,\ b=10$

| 2단계 | 함수 $f(x)$의 증가와 감소를 나타내는 표를 구한다. | ◀ 40% |

$f(x)=-2x^3-3x^2+12x+10$ 이므로

$f'(x)=-6x^2-6x+12=-6(x+2)(x-1)$

$f'(x)=0$에서 $x=-2$ 또는 $x=1$

$f(x)$의 증가와 감소를 표로 나타내면 다음과 같다.

x	$\cdots$	-2	$\cdots$	1	$\cdots$
$f'(x)$	$-$	0	$+$	0	$-$
$f(x)$	$\searrow$	-10	$\nearrow$	17	$\searrow$

| 3단계 | 함수 $f(x)$의 극댓값을 구한다. | ◀ 20% |

따라서 함수 $f(x)$는 $x=1$에서 극대이고 극댓값은 $f(1)=17$

23

정답 해설참조

| 1단계 | 수직 위로 던진 지 1초 후 속도와 가속도를 구한다. | ◀ 30% |

t초 후의 물체의 위치, 속도, 가속도를 각각 $x(t)$, $v(t)$, $a(t)$라 하면

$x(t)=25+20t-5t^2$이므로

$v(t)=\dfrac{dx}{dt}=20-10t$, $a(t)=\dfrac{dv}{dt}=-10$

이때 $t=1$일 때, 속도와 가속도는 각각 $v(1)=20-10=10(\mathrm{m/s})$

$a(1)=-10(\mathrm{m/s^2})$

| 2단계 | 물체가 최고 높이에 도달할 때까지 걸린 시간과 그때 높이를 구한다. | ◀ 40% |

최고 높이에서 물체의 속도는 $0\,\mathrm{m/s}$이므로

$v(t)=20-10t=0$에서 $t=2$

이때 물체가 최고 높이에 도달할 때까지 걸린 시간은 2초이고

그때의 높이는 $x(2)=25+20\times2-5\times2^2=45(\mathrm{m})$

| 3단계 | 물체가 지면에 닿는 순간의 속도를 구한다. | ◀ 30% |

물체가 지면에 닿는 순간의 높이는 $0\,\mathrm{m}$이므로

$x=25+20t-5t^2=0$에서 $-5(t+1)(t-5)=0$

그런데 $t>0$이므로 $t=5$

즉 물체가 지면에 닿는 순간의 속도는 $v=20-10\times5=-30(\mathrm{m/s})$

24

정답 해설참조

| 1단계 | $x+h=10$을 만족하는 원기둥의 부피를 x에 관한 식으로 나타낸다. | ◀ 30% |

$x+h=10$, 즉 $h=10-x$이므로 원기둥의 부피 V는

$V(x)=\pi x^2(10-x)=\pi(-x^3+10x^2)\ (0<x<10)$

| 2단계 | 원기둥의 부피가 최대가 되는 x와 h의 값을 구한다. | ◀ 50% |

$V'(x)=\pi(-3x^2+20x)=-\pi x(3x-20)$

$0<x<10$이므로 $V'(x)=0$에서 $x=\dfrac{20}{3}$

이것을 $x+h=10$에 대입하면 $h=\dfrac{10}{3}$

구간 $(0,\ 10)$에서 $V(x)$의 증가와 감소를 표로 나타내면 다음과 같다.

x	0	$\cdots$	$\dfrac{20}{3}$	$\cdots$	10
$V'(x)$		$+$	0	$-$	
$V(x)$		$\nearrow$	$\dfrac{4000}{27}\pi$	$\searrow$	

$V(x)$는 $x=\dfrac{20}{3}$일 때,

극대이면서 최대이므로 밑면의 반지름의 길이가 $x=\dfrac{20}{3}$이고

높이가 $h=\dfrac{10}{3}$일 때, 원기둥의 부피는 최대가 된다.

| 3단계 | 원기둥의 부피의 최댓값을 구한다. | ◀ 20% |

$V(x)$는 $x=\dfrac{20}{3}$일 때, 최댓값은 $V\left(\dfrac{20}{3}\right)=\dfrac{4000}{27}\pi$

3회 미분 모의평가

01	③	02	④	03	③	04	①	05	③
06	④	07	④	08	③	09	④	10	③
11	②	12	②	13	⑤	14	①	15	④
16	③	17	③	18	③	19	④	20	③

서술형

21	해설참조	22	해설참조
23	해설참조	24	해설참조

01

 정답 ③

STEP Ⓐ **함수 $f(x)$의 평균변화율 구하기**

함수 $f(x)=x^2+2x$에 대하여 닫힌구간 $[a,\ a+2]$에서의 평균변화율은

$$\frac{f(a+2)-f(a)}{(a+2)-a}=\frac{\{(a+2)^2+2(a+2)\}-(a^2+2a)}{2}=2a+4$$

STEP Ⓑ **미분계수 식을 이용하여 $f'(2)$의 값 구하기**

$x=2$에서의 순간변화율은

$$f'(2)=\lim_{h\to0}\frac{f(2+h)-f(2)}{h}$$
$$=\lim_{h\to0}\frac{\{(2+h)^2+2(2+h)\}-(4+4)}{h}$$
$$=\lim_{h\to0}(6+h)=6$$

따라서 $2a+4=6$이므로 $a=1$

> 참고 함수 $f(x)=x^2+2x$에서 $f'(x)=2x+2$
> $x=2$에서의 미분계수는 $f'(2)=6$이므로 $2a+4=6$ ∴ $a=1$

02

정답 ④

STEP Ⓐ **미분계수를 이용한 극한값 계산하기**

$\lim\limits_{x\to1}\dfrac{f(x)-2}{x^2-1}=5$에서 $\lim\limits_{x\to1}(x^2-1)=0$이므로 $\lim\limits_{x\to1}\{f(x)-2\}=0$

즉 $f(1)=2$

$$\lim_{x\to1}\frac{f(x)-2}{x^2-1}=\lim_{x\to1}\left\{\frac{f(x)-f(1)}{x-1}\times\frac{1}{x+1}\right\}=\frac{1}{2}f'(1)$$

$\dfrac{1}{2}f'(1)=5$에서 $f'(1)=10$

따라서 $\dfrac{f'(1)}{f(1)}=\dfrac{10}{2}=5$

03

 정답 ③

STEP Ⓐ **조건 (가)에서 $f(0)$의 값 구하기**

조건 (가)에서 $x=0$, $y=0$을 대입하면 $f(0)=f(0)+f(0)+0$

∴ $f(0)=0$

STEP Ⓑ **미분계수의 정의를 이용하여 $f'(0)$ 구하기**

(나)에서 $f'(0)=1$이므로

$$f'(0)=\lim_{h\to0}\frac{f(0+h)-f(0)}{h}=\lim_{h\to0}\frac{f(h)}{h}=1$$

STEP Ⓒ **7시간 후의 박테리아의 밀도의 순간변화율 구하기**

따라서 $f'(7)=\lim\limits_{h\to0}\dfrac{f(7+h)-f(7)}{h}$

$$=\lim_{h\to0}\frac{f(7)+f(h)+7h-f(7)}{h}$$
$$=\lim_{h\to0}\left\{\frac{f(h)}{h}+7\right\}$$
$$=1+7=8$$

따라서 7시간 후 박테리아의 밀도의 순간변화율은 8

04

 정답 ①

STEP Ⓐ **$g(x)=x^kf(x)$라 두고 $x=0$에서 좌미분계수와 우미분계수 구하기**

$g(x)=x^kf(x)$라 하면 $g(0)=0$

$x=0$에서의 좌미분계수

$\lim\limits_{x\to0-}\dfrac{g(x)-g(0)}{x-0}=\lim\limits_{x\to0-}\dfrac{x^k(1-x)}{x}=\lim\limits_{x\to0-}x^{k-1}(1-x)$이고

$x=0$에서의 우미분계수

$\lim\limits_{x\to0+}\dfrac{g(x)-g(0)}{x-0}=\lim\limits_{x\to0+}\dfrac{x^k(x^2-1)}{x}=\lim\limits_{x\to0+}x^{k-1}(x^2-1)$

STEP Ⓑ **$x=0$에서 미분가능 하도록 하는 k의 최솟값 구하기**

이때 $\lim\limits_{x\to0-}x^{k-1}(1-x)=\lim\limits_{x\to0+}x^{k-1}(x^2-1)$이어야 하므로 $k\geq2$이면

0의 값을 가진다.

따라서 $x^kf(x)$가 $x=0$에서 미분가능하도록 하는 자연수 k의 최솟값은 2

05

 정답 ③

STEP Ⓐ **$x=1$에서 연속임을 이용하여 a, b의 관계식 구하기**

함수 $f(x)$가 $x=1$에서 미분가능하면 $f(x)$는 $x=1$에서 연속이므로

$a+b=3$　　　……㉠

STEP Ⓑ **$f'(1)$이 존재함을 이용하여 a, b의 값 구하기**

함수 $f(x)$가 $x=1$에서 미분가능하면 미분계수가 존재하므로

$$\lim_{x\to1+}\frac{f(x)-f(1)}{x-1}=\lim_{x\to1+}\frac{(ax^2+bx)-(a+b)}{x-1}=\lim_{x\to1+}\frac{ax^2+(3-a)x-3}{x-1}$$
$$=\lim_{x\to1+}(ax+3)=a+3$$

$$\lim_{x\to1-}\frac{f(x)-f(1)}{x-1}=\lim_{x\to1-}\frac{(x^3-x+3)-(a+b)}{x-1}=\lim_{x\to1-}\frac{x^3-x+3-3}{x-1}$$
$$=\lim_{x\to1-}(x^2+x)=2$$

에서 $a+3=2$ ∴ $a=-1$

$a=-1$을 ㉠에 대입하여 풀면 $b=4$

따라서 $b-a=4-(-1)=5$

06

STEP A 곱의 미분법을 이용하여 $g'(1)$의 값 구하기

$g(x)=(x^2+2)f(x)$에서 $g'(x)=2xf(x)+(x^2+2)f'(x)$
이므로 $g'(1)=2f(1)+3f'(1)=2\cdot2+3\cdot3=13$

07

STEP A 극한값이 존재할 조건과 미분계수 식을 이용하여 $f(1)$, $f'(1)$의 구하기

극한값 $\lim_{x\to1}\dfrac{f(x)-2}{x-1}$가 존재하고 $\lim_{x\to1}(x-1)=0$이므로

$\lim_{x\to1}\{f(x)-2\}=0$

즉 $f(1)=2$이므로

$\lim_{x\to1}\dfrac{f(x)-2}{x-1}=\lim_{x\to1}\dfrac{f(x)-f(1)}{x-1}=f'(1)$에서 $f'(1)=3$

STEP B 극한값이 존재할 조건과 미분계수 식을 이용하여 $g(1)$, $g'(1)$의 값 구하기

또, 극한값 $\lim_{x\to1}\dfrac{g(x)-3}{x-1}$이 존재하고 $\lim_{x\to1}(x-1)=0$이므로

$\lim_{x\to1}\{g(x)-3\}=0$

즉 $f(1)=3$이므로

$\lim_{x\to1}\dfrac{g(x)-3}{x-1}=\lim_{x\to1}\dfrac{g(x)-g(1)}{x-1}=g'(1)$에서 $g'(1)=5$

STEP C 곱의 미분법을 이용하여 $x=2$에서의 미분계수 구하기

$y'=f'(x)g(x)+f(x)g'(x)$이므로 함수 $y=f(x)g(x)$의 $x=1$에서의
미분계수는 $f'(1)g(1)+f(1)g'(1)=3\cdot3+2\cdot5=19$

08

STEP A $f(x)=ax^2+bx+c$라 두고 주어진 식에 대입하기

$f(x)=ax^2+bx+c$라 하면

$f(0)=c=1$ ...... ㉠

또, $f'(x)=2ax+b$이므로 $(x+1)(2ax+b)-2(ax^2+bx+c)+5=0$

$(2a-b)x+b-2c+5=0$

STEP B 항등식의 성질을 이용하여 a, b, c의 값 구하기

항등식의 성질에 의하여

$2a-b=0$, $b-2c+5=0$ ...... ㉡

㉠, ㉡에서 $a=-\dfrac{3}{2}$, $b=-3$, $c=1$

STEP C $f(2)$의 값 구하기

따라서 $f(x)=-\dfrac{3}{2}x^2-3x+1$이므로 $f(2)=-6-6+1=-11$

09

STEP A 도함수를 이용하여 함수 $f(x)$의 증가와 감소를 표로 나타내기

$f(x)=\dfrac{1}{3}x^3-\dfrac{1}{2}x^2-2x+a$에서

$f'(x)=x^2-x-2=(x+1)(x-2)$

$f'(x)=0$에서 $x=-1$ 또는 $x=2$

$f(x)$의 증가와 감소를 나타내면 다음 표와 같다.

x	$\cdots$	-1	$\cdots$	2	$\cdots$
$f'(x)$	$+$	0	$-$	0	$+$
$f(x)$	↗	극대	↘	극소	↗

STEP B $f(-1)=\dfrac{1}{2}$임을 이용하여 a의 값 구하기

함수 $f(x)$는 $x=-1$에서 극대이고

극댓값 $f(-1)=-\dfrac{1}{3}-\dfrac{1}{2}+2+a=\dfrac{7}{6}+a$이므로

$\dfrac{7}{6}+a=\dfrac{1}{2}$에서 $a=-\dfrac{2}{3}$

STEP C $f(x)$의 극솟값 구하기

따라서 함수 $f(x)$의 극솟값은 $f(2)=\dfrac{8}{3}-2-4-\dfrac{2}{3}=-4$

10

STEP A $f'(1)=f(1)$임을 이용하여 a의 값 구하기

점 $(1, f(1))$에서의 접선이 원점을 지나므로 접선의 기울기는 점 $(1, f(1))$과
원점을 지나는 직선의 기울기이다.

즉 $f'(1)=\dfrac{f(1)-0}{1-0}=f(1)$

$f(x)=2x^3+ax^2-x$에서 $f'(x)=6x^2+2ax-1$

$f'(1)=5+2a$, $f(1)=1+a$이므로 $5+2a=1+a$

$\therefore a=-4$

STEP B $f(3)$의 값 구하기

따라서 $f(x)=2x^3-4x^2-x$이므로 $f(3)=54-36-3=15$

11

STEP A 접선의 기울기가 최대가 되는 x좌표 구하기

$y=-x^3+3x^2-6$에서

$y'=-3x^2+6x=-3(x-1)^2+3$이므로

접선의 기울기는 $x=1$에서 최대이고 최댓값은 3

STEP B 접점과 기울기를 이용하여 접선의 방정식 구하기

기울기가 최대인 접선의 접점은 $(1, -4)$이고

기울기가 3인 접선의 방정식은 $y-(-4)=3(x-1)$

$\therefore y=3x-7$

이 직선이 점 $(a, 2)$을 지나므로 $2=3a-7$

따라서 $a=3$

12

정답 ②

STEP Ⓐ 직선과 삼차함수 $y=f(x)$의 그래프가 접해야 함을 이해하기

$f(x)=-x^3+x^2-x$로 놓으면

$f'(x)=-3x^2+2x-1$

직선과 곡선의 그래프가 서로 다른 두 점에서 만나는 경우는
다음 그림과 같이 직선과 삼차함수 $y=f(x)$의 그래프가 접해야 한다.

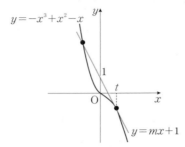

STEP Ⓑ 접점의 좌표를 임의로 두고 접선의 방정식 구하기

$f(x)=-x^3+x^2-x$의 접점을 $(t, -t^3+t^2-t)$라 하면

이 점에서의 접선의 기울기가 $f'(t)=-3t^2+2t-1$이므로
접선의 방정식은

$y-(-t^3+t^2-t)=(-3t^2+2t-1)(x-t)$

$\therefore y=(-3t^2+2t-1)x+2t^3-t^2$ ······ ㉠

이때 ㉠이 $y=mx+1$과 일치해야 하므로

$-3t^2+2t-1=m$ ······ ㉡

$2t^3-t^2=1$ ······ ㉢

㉢에서 $(t-1)(2t^2+t+1)=0$

따라서 $t=1 (\because t$는 실수$)$이므로 ㉡에 대입하면 $m=-2$

> **참고** 직선 $y=mx+1$가 곡선 $y=-x^3+x^2-x$에 접할 때, 상수 m의 값을 구하는 문제와 같다.

13

정답 ⑤

STEP Ⓐ 롤의 정리를 이용하여 a 구하기

함수 $f(x)$는 구간 $[0, 3]$에서 연속이고 구간 $(0, 3)$에서 미분가능하며
$f(0)=f(3)$이므로 $f'(c)=0$인 c가 0과 3 사이에 적어도 하나 존재한다.

$f'(x)=2x-3$이므로 $f'(a)=2a-3=0$

$\therefore a=\dfrac{3}{2}$

STEP Ⓑ 평균값 정리를 이용하여 b 구하기

함수 $f(x)$는 구간 $[1, 3]$에서 연속이고 구간 $(1, 3)$에서 미분가능하므로

$\dfrac{f(3)-f(1)}{3-1}=f'(b)$인 b가 −2와 3 사이에 적어도 하나 존재한다.

$\dfrac{(-9+6)-(-1+2)}{3-1}=-2$이고 $f'(x)=-2x+2$에서

$f'(b)=-2b+2=-2$이므로 $b=2$

따라서 $ab=\dfrac{3}{2} \cdot 2=3$

14

정답 ①

STEP Ⓐ 삼차함수 $f(x)$가 x축과 한 번만 만나는 경우 이해하기

함수 $f(x)=x^3+ax^2+\left(a-\dfrac{2}{3}\right)x+k$의 그래프가 k의 값에 관계없이
실수 x축과 한 번만 만나므로 함수 $f(x)$는 극값을 갖지 않는다.

STEP Ⓑ 삼차함수 $f(x)$가 극값을 갖지 않을 조건 구하기

$f(x)=x^3+ax^2+\left(a-\dfrac{2}{3}\right)x+k$에서

$f'(x)=3x^2+2ax+a-\dfrac{2}{3}$

함수 $f(x)$가 극값을 갖지 않으려면 이차방정식 $f'(x)=0$이 중근 또는 허근을
가져야 한다.

이차방정식 $f'(x)=0$의 판별식을 D라 하면

$\dfrac{D}{4}=a^2-3\left(a-\dfrac{2}{3}\right)\le 0$, $a^2-3a+2\le 0$, $(a-1)(a-2)\le 0$

$\therefore 1\le a\le 2$

15

정답 ④

STEP Ⓐ 주어진 조건을 만족하도록 하는 $f'(x)$의 조건 이해하기

$f(x)=-2x^3+ax^2+4a^2x-3$에서

$f'(x)=-6x^2+2ax+4a^2$

이므로 주어진 조건을 만족하려면
함수 $y=f'(x)$의 그래프가 x축과
$-2<x<2$와 $x>2$인 범위에서
각각 한 점에서 만나야 한다.
이를 만족시키려면 오른쪽 그림에서

$f'(-2)<0$, $f'(2)>0$

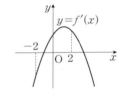

STEP Ⓑ $f'(-2)<0$, $f'(2)>0$에서 a의 범위 구하기

(ⅰ) $f'(-2)=4a^2-4a-24<0$, $4(a+2)(a-3)<0$에서
　　$\therefore -2<a<3$

(ⅱ) $f'(2)=4a^2+4a-24>0$, $4(a+3)(a-2)>0$에서
　　$\therefore a<-3$ 또는 $a>2$

(ⅰ), (ⅱ)에 의하여 구하는 a의 범위는 $2<a<3$

> **다른풀이** 이차방정식을 두 근을 구하여 풀이하기
>
> $f'(x)=-6x^2+2ax+4a^2=0$, $-2(3a+2a)(x-a)=0$
>
> $x=-\dfrac{2a}{3}$ 또는 $x=a$이므로 함수 $f(x)$가 $-2<x<2$에서 극솟값을 갖고
> $x>2$에서 극댓값을 갖는 경우는 다음 두 가지 경우가 있다.
>
> (ⅰ) $-2<\dfrac{-2a}{3}<2$, $a>2$인 경우
> 　　$-3<a<3$, $a>2$이므로 $2<a<3$이다.
>
> (ⅱ) $-2<a<2$, $a<-3$인 경우
> 　　$-2<a<2$, $a<-3$에서 조건을 만족시키는 a의 값은 존재하지 않는다.
>
> (ⅰ), (ⅱ)에서 구하는 a의 값의 범위는 $2<a<3$

16

STEP Ⓐ **점 (a, b)에서의 접선의 방정식 구하기**

$f(x)=x^2-6x+9$로 놓으면 $f'(x)=2x-6$이므로
점 (a, b)에서 접선의 기울기는 $f'(a)=2a-6$
점 (a, b)는 곡선 $y=x^2-6x+9$ 위의 점이므로
점 (a, a^2-6a+9)에서의 접선의 방정식은
$y-(a^2-6a+9)=(2a-6)(x-a)$
$\therefore y=2(a-3)x-a^2+9$

STEP Ⓑ **접선과 x축 및 y축으로 둘러싸인 부분의 넓이 구하기**

오른쪽 그림과 같이 이 직선과 x축,
y축의 교점을 각각 A, B라 하면
$\overline{OA}=\dfrac{a+3}{2}$, $\overline{OB}=-a^2+9$

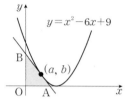

삼각형 OAB의 넓이를 $S(a)$라 하면
$S(a)=\dfrac{1}{4}(a+3)(-a^2+9)$

STEP Ⓒ **넓이가 최대가 되도록 하는 실수 a, b의 값 구하기**

$S'(a)=\dfrac{1}{4}(-3a^2-6a+9)$
$\quad\quad =-\dfrac{3}{4}(a+3)(a-1)$

$S'(a)=0$에서 $a=-3$ 또는 $a=1$
$0<a<3$에서 함수 $S(a)$의 증가와 감소를 표로 나타내면 다음과 같다.

a	(0)	$\cdots$	1	$\cdots$	(3)
$S'(a)$		+	0	−	
$S(a)$		↗	극대	↘	

$S(a)$는 $a=1$에서 극대이면서 최대이므로 $a=1$, $b=1-6+9=4$
따라서 $a+b=1+4=5$

17

STEP Ⓐ **$h(x)$의 증가와 감소를 표로 나타내기**

$h(x)=f(x)-g(x)$에서 $h'(x)=f'(x)-g'(x)$
$h'(x)=0$에서 $x=1$ 또는 $x=3$
함수 $h(x)=f(x)-g(x)$의 증가와 감소를 나타내면 다음 표와 같다.

x	0	$\cdots$	1	$\cdots$	3	$\cdots$
$h'(x)$	+	+	0	−	0	+
$h(x)$	↗	↗	극대	↘	극소	↗

STEP Ⓑ **표와 그래프를 이용하여 [보기]의 참, 거짓 판별하기**

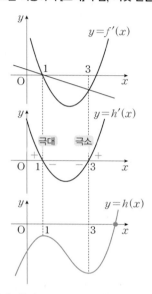

ㄱ. 열린 구간 $(1, 3)$에서 $h'(x)<0$이므로 $h(x)$는 감소한다. [참]

ㄴ. $h(x)$는 $x=3$에서 $h'(x)$의 부호가 음에서 양으로 바뀌므로
$h(x)$는 $x=3$에서 극솟값을 갖는다. [참]

ㄷ. $f(1)=1$, $g(1)=2$에서 극솟값은 $h(1)=f(1)-g(1)<0$이므로
삼차방정식 $h(x)=0$는 한 개의 실근을 가진다. [거짓]

따라서 옳은 것은 ㄱ, ㄴ이다.

18

STEP Ⓐ **주어진 그래프에서 a, b, c의 값 구하기**

$f'(x)=3x^2+2ax+b$이고 주어진 그래프에서 $f'(0)=f'(2)=0$이므로
$f'(x)=3x(x-2)=3x^2-6x$
즉 $f'(x)=3x^2+2ax+b=3x^2-6x$에서 $a=-3$, $b=0$
또한, 주어진 그래프에서 $f(x)$는 $x=0$에서 극대이므로 $f(0)=c=5$
$\therefore f(x)=x^3-3x^2+5$

STEP Ⓑ **구간 $[-2, 3]$에서 최댓값, 최솟값 구하기**

구간 $[-2, 3]$에서 $f(x)$의 증가와 감소를 나타내면 다음 표와 같다.

x	−2	$\cdots$	0		2	$\cdots$	3
$f'(x)$	0		0	−	0	+	
$f(x)$	−15	↗	5	↘	1	↗	5

따라서 구간 $[-2, 3]$에서 함수 $f(x)$는 최댓값은 $M=f(0)=f(3)=5$
최솟값 $m=f(-2)=-15$ $\therefore M+m=5+(-15)=-10$

19

STEP Ⓐ $h(x)=f(x)-g(x)$로 놓고 $h(x)$의 그래프 그리기

$h(x)=f(x)-g(x)$라 하면

$$h(x)=f(x)-g(x)=5x^3-10x^2+k-(5x^2+2)$$
$$=5x^3-15x^2+k-2$$

$$h'(x)=15x^2-30x=15x(x-2)$$

$h'(x)=0$에서 $x=0$ 또는 $x=2$

함수 $h(x)$의 증가와 감소를 표로 나타내면 다음과 같다.

x	$\cdots$	0	$\cdots$	2	$\cdots$
$h'(x)$	$+$	0	$-$	0	$+$
$h(x)$	↗	극대	↘	극소	↗

$h(x)$는 $x=0$일 때, 극댓값 $h(0)=k-2$

$x=2$일 때, 극솟값 $h(2)=k-22$를 갖는다.

STEP Ⓑ $0<x<3$에서 $f(x) \geq g(x)$가 성립할 조건 구하기

$0<x<3$에서 $y=h(x)$의 그래프의 개형은 다음 그림과 같고

$x=2$에서 최솟값 $h(2)=k-22$이므로 $h(x) \geq 0$이려면 $k-22 \geq 0$

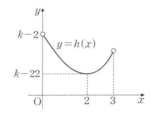

따라서 $k \geq 22$이므로 k의 최솟값은 22

다른풀이 상수함수를 이용하여 k의 최솟값 풀이하기

STEP Ⓐ 부등식 $f(x) \geq g(x)$의 식을 정리하기

$f(x) \geq g(x)$에서 $5x^3-10x^2+k \geq 5x^2+2$이므로

$5x^3-15x^2-2 \geq -k$

이때 $p(x)=5x^3-15x^2-2$라 하면

$0<x<3$에서 $p(x) \geq -k$가 되도록 한다.

$$p'(x)=15x^2-30x=15x(x-2)$$

$p'(x)=0$에서 $x=0$ 또는 $x=2$

x	$\cdots$	0	$\cdots$	2	$\cdots$
$p'(x)$	$+$	0	$-$	0	$+$
$p(x)$	↗	극대	↘	극소	↗

$p(x)$는 $x=0$일 때, 극댓값 $p(0)=-2$,

$x=2$일 때, 극솟값 $p(2)=-22$를 갖는다.

STEP Ⓑ $0<x<3$에서 $p(x) \geq -k$가 성립할 k의 최솟값 구하기

$p(x)$는 $0<x<3$에서 $x=2$일 때,

최솟값 $p(2)$를 가지므로

$p(2)=-22 \geq -k$

$\therefore k \geq 22$

따라서 k의 최솟값은 22

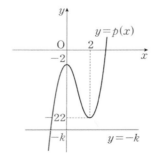

20

STEP Ⓐ 위치를 미분하여 속도 $v(t)$, 가속도 $a(t)$의 함수식 구하기

t초 후의 속도를 $v(t)$, 가속도를 $a(t)$라고 하면

$$v(t)=\frac{dx}{dt}=3t^2+3t-6$$

$$a(t)=\frac{dv}{dt}=6t+3$$

STEP Ⓑ $v(t)=0$을 만족하는 t의 값 구하기

운동 방향이 바뀌는 순간의 속도는 0이므로

$$v(t)=\frac{dx}{dt}=3t^2+3t-6=3(t-1)(t+2)=0$$

$\therefore t=1$

STEP Ⓒ $a(1)$의 값 구하기

따라서 점 P의 운동 방향이 처음으로 바뀌는 시각은 $t=1$이므로

그때의 가속도는 $a(1)=6+3=9$

서 술 형

21

1단계	접선 l의 방정식을 구한다.	◄ 40%

$f(x)=x^3-2x$로 놓으면 $f'(x)=3x^2-2$

이때 점 $P(1, -1)$에서의 접선의 기울기는 $f'(1)=1$이므로

접선 l의 방정식은 $y-(-1)=x-1$

$\therefore y=x-2$

2단계	직선 m의 방정식을 구한다.	◄ 30%

직선 m은 기울기가 -1이고 점 $P(1, -1)$을 지나므로

직선 m의 방정식은 $y-(-1)=-(x-1)$

$\therefore y=-x$

3단계	두 직선 l, m과 y축으로 둘러싸인 도형의 넓이를 구한다.	◄ 30%

오른쪽 그림에서 두 직선 l, m과 y축으로

둘러싸인 도형의 넓이는 $\frac{1}{2} \times 2 \times 1 = 1$

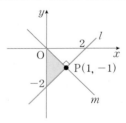

22

정답 해설참조

| 1단계 | 함수 $f(x)$가 $x=0$에서 극댓값을 가질 때, 상수 b의 값을 구한다. | ◀ 30% |

$f(x)=x^3+ax^2+bx+c$에서 $f'(x)=3x^2+2ax+b$

함수 $f(x)$가 $x=0$에서 극댓값을 가지므로 $f'(0)=0$에서 $b=0$

| 2단계 | $x=4$에서 극솟값 -25임을 이용하여 상수 a, c의 값을 구한다. | ◀ 50% |

또, 함수 $f(x)$가 $x=4$에서 극솟값 -25를 가지므로

$f(4)=-25, f'(4)=0$

$f(4)=-25$에서 $64+16a+4b+c=-25$

$16a+c=-89$ ⋯⋯ ㉠

$f'(4)=0$에서 $48+8a+b=0$, $a=-6$

$a=-6$을 ㉠에 대입하면

$-96+c=-89$, $c=7$

| 3단계 | 함수 $f(x)$의 극댓값을 구한다. | ◀ 20% |

따라서 $f(x)=x^3-6x^2+7$이므로 극댓값은 $f(0)=7$

23

정답 해설참조

| 1단계 | 잘라 내는 정사각형 한 변의 길이를 $x(\text{cm})$라 하여 x의 범위를 구한다. | ◀ 20% |

잘라 내는 정사각형의 한 변의 길이를 $x\,\text{cm}$라고 하면

x의 값의 범위는 $x>0$이고

$10-2x>0$, $16-2x>0$이므로 $0<x<5$

| 2단계 | 상자의 부피를 함수 $V(x)$로 나타낸다. | ◀ 20% |

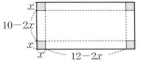 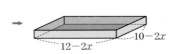

상자의 부피를 $V(x)\text{cm}^3$라고 하면

$V(x)=x(16-2x)(10-2x)=4x^3-52x^2+160x$

| 3단계 | 함수 $V(x)$의 증가와 감소를 표로 나타낸다. | ◀ 30% |

$V'(x)=12x^2-104x+160=4(x-2)(3x-20)$

$0<x<5$일 때, $V'(x)=0$에서 $x=2$

$0<x<5$에서 $V(x)$의 증가와 감소를 표로 나타내면 다음과 같다.

x	(0)	$\cdots$	2	$\cdots$	(3)
$V'(x)$		$+$	0	$-$	
$V(x)$		↗	144	↘	

| 4단계 | 상자의 부피의 최댓값을 구한다. | ◀ 30% |

따라서 잘라 내는 정사각형의 한 변의 길이가 $2\,\text{cm}$일 때,

상자의 부피는 최대이고 최댓값은 $V(2)=2\cdot12\cdot6=144(\text{cm}^3)$

24

정답 해설참조

| 1단계 | 두 점 P, Q의 속도를 구한다. | ◀ 20% |

점 P의 속도를 $v_\text{P}(t)$, 점 Q의 속도를 $v_\text{Q}(t)$라고 하면

$v_\text{P}=t^2-5$, $v_\text{Q}=4t$

| 2단계 | 속도가 같아지는 순간의 시간을 구한다. | ◀ 40% |

$v_\text{P}(t)=v_\text{Q}(t)$에서 $t^2-5=4t$

$t^2-4t-5=0$, $(t+1)(t-5)=0$

$t>0$이므로 $t=5$

즉 $t=5$일 때, 두 점 P, Q의 속도가 같아진다.

| 3단계 | 두 점 사이의 거리를 구한다. | ◀ 40% |

$t=5$일 때, 점 P의 위치는

$x_\text{P}(5)=\frac{1}{3}\cdot5^3-5\cdot5+\frac{1}{3}=17$이고

점 Q의 위치는 $x_\text{Q}(5)=2\cdot5^2-10=40$

따라서 구하는 두 점 P, Q 사이의 거리는 $40-17=23$

1회 적분 모의평가

01	⑤	02	④	03	②	04	④	05	④
06	③	07	③	08	④	09	①	10	③
11	②	12	①	13	①	14	⑤	15	③
16	①	17	③	18	③	19	⑤	20	⑤

서술형

21	해설참조	22	해설참조
23	해설참조	24	해설참조

01

STEP Ⓐ **양변을 x에 대하여 미분하기**

$\int (9x^2+ax-4)dx = bx^3+3x^2+cx+C$ 의 양변을 x에 대하여 미분하면

$9x^2+ax-4 = 3bx^2+6x+c$

STEP Ⓑ **항등식의 성질을 이용하여 a, b, c의 값 구하기**

이때 위의 식은 x에 대한 항등식이므로 $9=3b$, $a=6$, $c=-4$

따라서 $a=6$, $b=3$, $c=-4$이므로 $a+b+c=6+3+(-4)=5$

02

STEP Ⓐ $\dfrac{d}{dx}\int f(x)dx = f(x)$ **임을 이용하기**

$\dfrac{d}{dx}\int_1^x t^2 f(t)dt = x^5+4x^2$ 이므로

$x^2 f(x) = x^5+4x^2$

따라서 $f(x)=x^3+4$ 이므로 $f(2)=8+4=12$

03

STEP Ⓐ **부정적분의 기본성질을 이용하여 $f(x)$의 함수식 구하기**

$f(x) = \int (2x+1)^2 dx - \int (2x-1)^2 dx$

$= \int (4x^2+4x+1)dx - \int (4x^2-4x+1)dx$

$= \int 8x dx$

$= 4x^2+C$ (단, C는 적분상수)

이때 $f(1)=2$이므로 $C=-2$

따라서 $f(x)=4x^2-2$이므로 $f(2)=14$

04

STEP Ⓐ $f'(x)$를 **적분하여 $f(x)$ 구하기**

$f(x) = \int (x+1)(3x-1)dx$

$= \int (3x^2+2x-1)dx$

$= x^3+x^2-x+C$ (단, C는 적분상수)

이때 $f(1)=1+C=5$이므로 $C=4$

$\therefore f(x)=x^3+x^2-x+4$

STEP Ⓑ $f(-2)$의 **값 구하기**

따라서 $f(-2)=-8+4+2+4=2$

05

STEP Ⓐ $f'(x)$를 **적분하여 $f(x)$의 함수식 구하기**

$f'(x)=ax(x-2)$ $(a>0)$ 로 놓으면 이 그래프가 점 $(1,-6)$을 지나므로

$f'(1)=-a=-6$, 즉 $a=6$

$f'(x)=6x(x-2)=6x^2-12x$ 이므로

$f(x) = \int (6x^2-12x)dx = 2x^3-6x^2+C$ (단, C는 적분상수) $\cdots\cdots$ ㉠

STEP Ⓑ $f(2)=0$임을 이용하여 C의 값 구하기

이때 함수 $y=f(x)$의 극댓값이 0보다 크고 함수 $y=f(x)$의 그래프는 x축에 접하므로 함수 $f(x)$는 $x=2$에서 극솟값 0을 가진다.

즉 $f(2)=0$이므로 ㉠에서 $16-24+C=0$, $C=8$

STEP Ⓒ $f(x)$의 극댓값 구하기

따라서 $f(x)=2x^3-6x^2+8$이므로 극댓값은 $f(0)=8$

06

STEP Ⓐ $f(0)=2$임을 이용하여 $f(x)$의 적분상수 구하기

점 (x, y)에서 접선의 기울기가 $f'(x)=x^3-x+1$이므로

$f(x) = \int (x^3-x+1)dx = \dfrac{1}{4}x^4-\dfrac{1}{2}x^2+x+C$ (단, C는 적분상수)

이때 점 $(0, 2)$를 지나므로 $f(0)=2=C$

$\therefore f(x) = \dfrac{1}{4}x^4-\dfrac{1}{2}x^2+x+2$

STEP Ⓑ $f(2)$의 **값 구하기**

따라서 $f(x)=\dfrac{1}{4}x^4-\dfrac{1}{2}x^2+x+2$이므로 $f(2)=4-2+2+2=6$

07 정답 ③

STEP Ⓐ $f'(x)$를 구하여 a의 값 구하기

$f(x)=-12x(x-a)=-12x^2+12ax$에서

$f'(x)=-24x+12a$

$f'(0)+f'(2)=12a+(-48+12a)=0,\ 24a-48=0$

$\therefore a=2$

STEP Ⓑ 정적분을 이용하여 계산하기

따라서 $\displaystyle\int_0^a f(x)dx=\int_0^2(-12x^2+24x)dx$

$\qquad\qquad =\Big[-4x^3+12x^2\Big]_0^2$

$\qquad\qquad =-4\cdot2^3+12\cdot2^2$

$\qquad\qquad =16$

08 정답 ④

STEP Ⓐ 피적분함수가 같은 경우 정적분 계산하기

$f(x)=3x^2-8x$라고 하면 주어진 정적분은

$\displaystyle\int_1^3 f(x)dx+\int_{-2}^1 f(x)dx-\int_4^3 f(x)dx$

$=\displaystyle\int_{-2}^1 f(x)dx+\int_1^3 f(x)dx+\int_3^4 f(x)dx$

$=\displaystyle\int_{-2}^4 f(x)dx$

$=\displaystyle\int_{-2}^4(3x^2-8x)dx$

$=\Big[x^3-4x^2\Big]_{-2}^4$

$=24$

09 정답 ①

STEP Ⓐ 절댓값 기호를 포함한 정적분 계산하기

$f(x)=|x(x-2)|$라 하면 닫힌구간 $[1,\ 3]$에서

$f(x)=\begin{cases}-x(x-2)&(1\le x\le2)\\x(x-2)&(2\le x\le3)\end{cases}$

따라서 구하는 정적분의 값은

$\displaystyle\int_1^3|x(x-2)|dx=\int_1^2(-x^2+2x)dx+\int_2^3(x^2-2x)dx$

$\qquad =\Big[-\frac13x^3+x^2\Big]_1^2+\Big[\frac13x^3-x^2\Big]_2^3$

$\qquad =\Big(-\frac83+4+\frac13-1\Big)+\Big(9-9-\frac83+4\Big)$

$\qquad =2$

10 정답 ③

STEP Ⓐ 정적분의 성질을 이용하여 주어진 식 변형하기

$\displaystyle\int_{-3}^3(x+4)f(x)dx=\int_{-3}^3 xf(x)dx+4\int_{-3}^3 f(x)dx$

STEP Ⓑ 우함수의 성질을 이용하여 정적분 계산하기

이때 모든 실수 x에 대하여 $f(-x)=f(x)$이므로

$\displaystyle\int_{-3}^3 f(x)dx=2\int_0^3 f(x)dx=6$

STEP Ⓒ 기함수의 성질을 이용하여 정적분 계산하기

한편 $g(x)=xf(x)$라고 하면

$g(-x)=-xf(x)=-g(x)$ 이므로 $xf(x)$는 원점에 대하여 대칭이다.

$\therefore \displaystyle\int_{-3}^3 xf(x)dx=\int_{-3}^3 g(x)dx=0$

따라서 $\displaystyle\int_{-3}^3(x+4)f(x)dx=4\int_{-3}^3 f(x)dx=8\int_0^3 f(x)dx=8\cdot3=24$

11 정답 ②

STEP Ⓐ $\displaystyle\int_0^2 f(t)dt=k$라 두고 $f(x)$의 식을 대입하여 k값 구하기

$\displaystyle\int_0^2 f(t)dt=k\ (k\text{는 상수})$ $\qquad$ …… ㉠

로 놓으면 $f(x)=3x^2-2x+k$

위의 식을 ㉠에 대입하면

$\displaystyle\int_0^2(3t^2-2t+k)dt=\Big[t^3-t^2+kt\Big]_0^2=k$

이므로 $4+2k=k$

$\therefore k=-4$

STEP Ⓑ $f(1)$의 값 구하기

따라서 $f(x)=3x^2-2x-4$이므로 $f(1)=3-2-4=-3$

12 정답 ①

STEP Ⓐ 정적분의 기본성질을 이용하여 a의 값 구하기

$\displaystyle\int_2^x f(t)dt=x^4+2ax$에 $x=2$를 대입하면

$\displaystyle\int_2^2 f(t)dt=2^4+2a,\ 0=16+2a$

$\therefore a=-8$

STEP Ⓑ $\displaystyle\int_{-2}^2 f(x)dx$ 값 구하기

$\displaystyle\int_2^x f(t)dt=x^4-8x$에서 $\displaystyle\int_2^{-2} f(t)dt=(-2)^4-8\times(-2)=32$이므로

$\displaystyle\int_{-2}^2 f(x)dx=-\int_2^{-2} f(x)dx=-32$

13

정답 ①

STEP Ⓐ **주어진 식의 양변에 $x=1$을 대입하여 $f(1)$의 값 구하기**

$$\int_1^x f(t)dt = xf(x) - 3x^4 + 2x^2 \qquad \cdots\cdots ㉠$$

㉠의 양변에 $x=1$을 대입하면 $\int_1^1 f(t)dt = f(1) - 3 + 2 = 0$

$\therefore f(1) = 1$

STEP Ⓑ **양변을 x에 대하여 미분하여 $f'(x)$, $f(x)$의 식 구하기**

㉠의 양변을 x에 대하여 미분하면 $f(x) = f(x) + xf'(x) - 12x^3 + 4x$

$xf'(x) = 12x^3 - 4x$

$\therefore f'(x) = 12x^2 - 4$

$f(x) = \int(12x^2 - 4)dx = 4x^3 - 4x + C$ (C는 적분상수)

STEP Ⓒ **$f(1) = 1$에서 C의 값을 구하고 $f(0)$의 값 구하기**

$f(1) = 4 - 4 + C = 1$이므로 $C = 1$

따라서 $f(x) = 4x^3 - 4x + 1$이므로 $f(0) = 1$

14

정답 ⑤

STEP Ⓐ **함수 $f(x)$의 증가와 감소를 표로 나타내기**

$f(x) = \int_0^x (3t^2 - 3t - 18)dt$의 양변을 x에 대하여 미분하면

$f'(x) = 3x^2 - 3x - 18 = 3(x+2)(x-3)$

$f'(x) = 0$에서 $x = -2$ 또는 $x = 3$

함수 $f(x)$의 증가와 감소를 표로 나타내면 다음과 같다.

x	$\cdots$	-2	$\cdots$	3	$\cdots$
$f'(x)$	$+$	0	$-$	0	$+$
$f(x)$	↗	극대	↘	극소	↗

STEP Ⓑ **함수 $f(x)$의 극댓값 구하기**

따라서 함수 $f(x)$는 $x = -2$에서 극대이므로 극댓값은

$$f(-2) = \int_0^{-2} (3t^2 - 3t - 18)dt = \left[t^3 - \frac{3}{2}t^2 - 18t \right]_0^{-2} = 22$$

15

정답 ③

STEP Ⓐ **$y = f(x)$의 증가와 감소를 표로 나타내기**

$F(x) = \int_0^x f(t)dt$에서 $F'(x) = f(x) = x^3 + 3x^2 - 9x + a$

$f'(x) = 3x^2 + 6x - 9 = 3(x+3)(x-1)$

$f'(x) = 0$에서 $x = -3$ 또는 $x = 1$

함수 $f(x)$의 증가와 감소를 나타내면 다음 표와 같다.

x	$\cdots$	-3	$\cdots$	1	$\cdots$
$f'(x)$	$+$	0	$-$	0	$+$
$f(x)$	↗	극대	↘	극소	↗

$x = -3$일 때, 극대이고 극댓값은 $f(-3) = 27 + a$

$x = 1$일 때, 극소이고 극솟값은 $f(1) = -5 + a$

STEP Ⓑ **$F(x)$가 오직 하나의 극값을 가질 조건 이해하기**

사차함수 $F(x)$가 오직 하나의 극값을 갖기 위해서는 $F'(x) = f(x)$의 부호가 오직 한 번 변해야 한다.

즉 삼차함수 $f(x)$가 x축과 오직 한 번 만나거나 x축과 접해야 하므로 삼차함수 $f(x)$의 극댓값과 극솟값의 곱이 0보다 크거나 같아야 한다.

즉 $f(-3)f(1) \geq 0$이므로 $(27+a)(-5+a) \geq 0$

$\therefore a \leq -27$ 또는 $a \geq 5$

따라서 양수 a의 최솟값은 5

16

정답 ①

STEP Ⓐ **$F'(x) = f(x)$라 두고 미분계수의 정의를 이용하여 극한값 구하기**

$f(x) = 3x^2 - 2x + 1$이라 하고

$f(x)$의 한 부정적분을 $F(x)$라고 하면

$$\lim_{h \to 0} \frac{1}{h} \int_1^{1+h} (3x^2 - 2x + 1)dx = \lim_{h \to 0} \frac{F(1+h) - F(1)}{h}$$
$$= F'(1)$$
$$= f(1)$$
$$= 2$$

17

정답 ③

STEP Ⓐ **곡선과 x축과의 교점 구하기**

$x^2 - x = 0$에서 $x(x-1) = 0$이므로

즉 $x = 0$ 또는 $x = 1$이므로

함수 $y = f(x)$의 그래프는 오른쪽 그림과 같다.

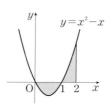

STEP Ⓑ **도형의 넓이 구하기**

닫힌구간 $[0, 1]$에서 $y \leq 0$이고 닫힌구간 $[1, 2]$에서 $y \geq 0$이므로 구하는 넓이는

$$\int_0^2 |f(x)|dx = \int_0^1 (-x^2 + x)dx + \int_1^2 (x^2 - x)dx$$
$$= \left[-\frac{1}{3}x^3 + \frac{1}{2}x^2 \right]_0^1 + \left[\frac{1}{3}x^3 - \frac{1}{2}x^2 \right]_1^2$$
$$= \left(-\frac{1}{3} + \frac{1}{2} \right) + \left(\frac{8}{3} - 2 \right) - \left(\frac{1}{3} - \frac{1}{2} \right)$$
$$= 1$$

18

STEP A 곡선 위의 점 $(1, -1)$에서 접선의 방정식 구하기

$f(x) = x^3 + x - 3$라 하면 $f'(x) = 3x^2 + 1$

점 $(1, -1)$에서 접선의 기울기는 $f'(1) = 3 + 1 = 4$

이므로 접선의 기울기는 $y + 1 = 4(x - 1)$

$\therefore y = 4x - 5$

STEP B 접선과 곡선의 교점의 x좌표 구하기

곡선 $y = x^3 + x - 3$와 직선 $y = 4x - 5$의 교점의 x좌표는

$x^3 + x - 3 = 4x - 5$

$x^3 - 3x + 2 = 0$, $(x-1)^2(x+2) = 0$

$\therefore x = -2$ 또는 $x = 1$

STEP C 곡선과 접선으로 둘러싸인 도형의 넓이 구하기

닫힌구간 $[-2, 1]$에서

$x^3 + x - 3 \geq 4x - 5$이므로

구하는 넓이를 S라 하면

$S = \int_{-2}^{1} \{x^3 + x - 3 - (4x - 5)\} dx$

$= \int_{-2}^{1} (x^3 - 3x + 2) dx$

$= \left[\frac{1}{4}x^4 - \frac{3}{2}x^2 + 2x \right]_{-2}^{1}$

$= \left(\frac{1}{4} - \frac{3}{2} + 2 \right) - (4 - 6 - 4)$

$= \frac{27}{4}$

따라서 $p = 4$, $q = 27$이므로 $p + q = 4 + 27 = 31$

삼차곡선과 접선으로 둘러싸인 부분의 넓이 공식
$S = \frac{|a|}{12}(\beta - \alpha)^4$이므로 $S = \frac{1}{12}\{1 - (-2)\}^4 = \frac{27}{4}$

19

STEP A $v(t) = 0$을 만족하는 t의 값 구하기

열차가 정지할 때의 속도는 $0\,\text{m/s}$이므로

$v(t) = 50 - t = 0$에서 $t = 50$

STEP B 열차가 움직인 거리 구하기

따라서 열차가 제동을 걸고 50초 후에 정지하므로 정지할 때까지 움직인 거리는

$\int_0^{50} |50 - t| dt = \int_0^{50} (50 - t) dt = \left[50t - \frac{1}{2}t^2 \right]_0^{50} = 1250\,(\text{m})$

20

STEP A 속도 $v(t)$의 부호가 바뀔 때, 점 P의 운동 방향이 바뀌고 원점에서 출발한 점 P의 시각 t에서의 위치는 $\int_0^t v(t) dt$임을 이용하여 진위판단하기

ㄱ. 운동 방향이 바뀌려면 속도가 0인 순간의 속도의 부호가 달라야 하므로 $t = 4$일 때, $v(t) = 0$이고 그 좌우에서 부호가 변한다.

즉 구하는 위치는 $\int_0^4 v(t) dt = \frac{1}{2}(4+1) \cdot 2 = 5$ [참]

ㄴ. $t = 0$에서 $t = 6$까지 점 P가 움직인 거리를 s라 하면

$s = \int_0^6 |v(t)| dt$

$= \int_0^4 v(t) dt + \int_4^6 \{-v(t)\} dt$

$= \frac{1}{2}(4+1) \cdot 2 + \frac{1}{2} \cdot 2 \cdot 2 = 5 + 2 = 7$ [참]

← $v(t)$의 그래프와 t축 및 직선 $t = 6$로 둘러싸인 도형의 넓이와 같다.

ㄷ. $0 < t < 4$에서 $v(t) > 0$이므로 점 P는 출발점에서 양의 방향으로 계속 멀어져 가고 $4 < t < 6$에서 $v(t) < 0$이므로 점 P는 $t = 4$에서 운동 방향을 바꾸어 음의 방향으로 움직인다.

즉 $t = 4$일 때, 점 P는 출발점에서 가장 멀리 떨어져 있다. [참]

따라서 옳은 것은 ㄱ, ㄴ, ㄷ이다.

서 술 형

21

1단계 $f(x) + g(x)$의 값을 구한다. ◀ 30%

$\frac{d}{dx}\{f(x) + g(x)\} = 2x$에서

$\int \left[\frac{d}{dx}\{f(x) + g(x)\} \right] dx = \int 2x \, dx$

$f(x) + g(x) = x^2 + C_1$이므로 양변에 $x = 0$을 대입하면

$f(0) + g(0) = C_1$에서 $C_1 = 3$

$\therefore f(x) + g(x) = x^2 + 3$ ...... ㉠

2단계 $f(x)g(x)$의 값을 구한다. ◀ 30%

$\frac{d}{dx}\{f(x)g(x)\} = 3x^2 + 2x - 1$에서

$\int \left[\frac{d}{dx}\{f(x)g(x)\} \right] dx = \int (3x^2 + 2x - 1) dx$

$f(x)g(x) = x^3 + x^2 - x + C_2$이므로 양변에 $x = 0$을 대입하면

$f(0)g(0) = C_2$에서 $C_2 = 2$

$f(x)g(x) = x^3 + x^2 - x + 2 = (x+2)(x^2 - x + 1)$ ...... ㉡

3단계 $f(0) = 2$, $g(0) = 1$을 만족하는 두 함수 $f(x)$, $g(x)$를 구한다. ◀ 20%

㉠, ㉡에서 상수함수가 아닌 두 다항함수 $f(x)$, $g(x)$가 $f(0) = 2$, $g(0) = 1$을 만족해야 하므로

$f(x) = x + 2$, $g(x) = x^2 - x + 1$

4단계 $f(1) - g(1)$의 값을 구한다. ◀ 20%

따라서 $f(1) - g(1) = (1 + 2) - (1 - 1 + 1) = 2$

22

정답 해설참조

1단계 $\int_1^1 f(x)dx=0$임을 이용하여 상수 a의 값을 구한다. ◀ 40%

$$\int_1^x (x-t)f(t)dt=x^4+ax^2-10x+6 \quad \cdots\cdots \text{㉠}$$

㉠의 양변에 $x=1$을 대입하여 정리하면

$$\int_1^1 (1-t)f(t)dt=1+a-10+6=0$$이므로 $a=3$

2단계 주어진 식을 정리하여 함수 $f(x)$을 구한다. ◀ 40%

주어진 식을 정리하면

$$x\int_1^x f(t)dt-\int_1^x tf(t)dt=x^4+3x^2-10x+6$$

이때 양변을 x에 대하여 미분하면

$$\int_1^x f(t)dt+xf(x)-xf(x)=4x^3+6x-10$$

$$\therefore \int_1^x f(t)dt=4x^3+6x-10$$

또한, 양변을 x에 관하여 미분하면 $f(x)=12x^2+6$

3단계 $f(a)$의 값을 구한다. ◀ 20%

따라서 $f(a)=12\cdot9+6=114$

23

정답 해설참조

1단계 S_1의 넓이를 구한다. ◀ 40%

곡선 $y=-x^2+4x$와 직선 $y=x$의 교점의 x좌표는

$-x^2+4x=x$, $x^2-3x=0$, $x(x-3)=0$

즉 $x=0$ 또는 $x=3$

닫힌구간 $[0,\ 3]$에서 $-x^2+4x\geq x$이므로

$$S_1=\int_0^3 \{(-x^2+4x)-x\}dx$$

$$=\int_0^3 (-x^2+3x)dx$$

$$=\left[-\frac{1}{3}x^3+\frac{3}{2}x^2\right]_0^3$$

$$=\frac{9}{2}$$

2단계 S_2의 넓이를 구한다. ◀ 40%

곡선 $y=-x^2+4x$와 x축의 교점의 x좌표는

$x=0$ 또는 $x=4$

구간 $[0,\ 4]$에서 $-x^2+4x\geq0$이므로

$$S_2=\int_0^4 (-x^2+4x)dx-S_1$$

$$=\left[-\frac{1}{3}x^3+2x^2\right]_0^4-\frac{9}{2}$$

$$=\frac{32}{3}-\frac{9}{2}$$

$$=\frac{37}{6}$$

3단계 $\dfrac{S_1}{S_2}$의 값을 구한다. ◀ 20%

따라서 $\dfrac{S_1}{S_2}=\dfrac{\dfrac{9}{2}}{\dfrac{37}{6}}=\dfrac{27}{37}$

24

정답 해설참조

1단계 물체가 최고 높이에 도달할 때까지 걸린 시간을 구한다. ◀ 20%

물체가 최고 높이에 도달하는 순간의 속도는 0이므로 $v(t)=0$에서

$50-10t=0$, $t=5$

즉 물체가 최고 높이에 도달할 때까지 걸린 시간은 5초이다.

2단계 물체가 가장 높이 올라갔을 때의 높이를 구한다. ◀ 20%

물체가 가장 높이 올라갔을 때의 높이는

$$55+\int_0^5 (50-10t)dt=55+\left[50t-5t^2\right]_0^5=55+125=180$$

참고 물체가 최고 높이까지 움직인 거리는
$$\int_0^5 (50-10t)dt=\left[50t-5t^2\right]_0^5=125$$

3단계 물체가 지면에 떨어질 때까지 움직인 거리를 구한다. ◀ 30%

따라서 지상 55m 높이에서 지면과 수직하게 위로 쏘아올린 물체가 지면에 떨어질 때까지 움직인 거리는 $180\times2-55=305$

즉 305m

참고 물체가 지면에 떨어질 때까지 움직인 거리는
$125\times2+55=305(\text{m})$

4단계 물체를 쏘아 올린 후 처음 8초 동안 물체가 움직인 거리를 구한다. ◀ 30%

구간 $[0,\ 5]$에서 $v(t)\geq0$이고

구간 $[5,\ 8]$에서 $v(t)\leq0$이다.

따라서 물 로켓이 8초 동안 움직인 거리는

$$\int_0^8 |50-10t|dt$$

$$=\int_0^5 (50-10t)dt+\int_5^8 (-50+10t)dt$$

$$=\left[50t-5t^2\right]_0^5+\left[-50t+5t^2\right]_5^8$$

$$=170$$

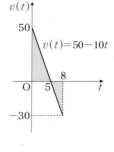

526

MAPL ; SYNERGY

2회 적분 모의평가

01	④	02	③	03	③	04	③	05	①
06	①	07	③	08	②	09	④	10	②
11	③	12	①	13	⑤	14	①	15	③
16	④	17	②	18	④	19	③	20	⑤

서술형			
21	해설참조	22	해설참조
23	해설참조	24	해설참조

01 정답 ④

STEP ⓐ 양변을 x에 대하여 미분하여 $f(x)$ 구하기

$f(x)=\displaystyle\int(x^2-3x+2)dx$의 양변을 x에 대하여 미분하면

$f'(x)=x^2-3x+2$이므로 $f'(3)=9-9+2=2$

STEP ⓑ 미분계수의 정의를 이용하여 $2f'(3)$의 값 구하기

따라서 $\displaystyle\lim_{h\to 0}\frac{f(3+2h)-f(3)}{h}=2f'(3)=2\times 2=4$

02 정답 ③

STEP ⓐ $f(0)=1$임을 이용하여 C의 값을 구하기

$f(x)=\displaystyle\int\left\{\frac{d}{dx}(x^3-x)\right\}dx=x^3-x+C$ (C는 적분상수)

$f(0)=1$이므로 $f(0)=C=1$

STEP ⓑ $f(2)$의 값 구하기

따라서 $f(x)=x^3-x+1$이므로 $f(2)=7$

03 정답 ③

STEP ⓐ 주어진 식의 양변을 적분하기

모든 실수 x에 대하여

$3x^2f(x)+(x^3-1)f'(x)=2x+1$ ...... ㉠

㉠에서 $\dfrac{d}{dx}\{(x^3-1)f(x)\}=2x+1$이므로 양변을 적분하면

$(x^3-1)f(x)=\displaystyle\int(2x+1)dx=x^2+x+C$ (단, C는 적분상수) ...... ㉡

STEP ⓑ $x=1$을 대입하여 C의 값 구하기

㉡에 $x=1$을 대입하면 $0=1+1+C$

$\therefore C=-2$

즉 $(x^3-1)f(x)=x^2+x-2$

STEP ⓒ $x=3$을 대입하여 $f(3)$의 값 구하기

양변에 $x=3$을 대입하면 $26f(3)=9+3-2$

따라서 $f(3)=\dfrac{5}{13}$

04 정답 ③

STEP ⓐ $f(1)=1$임을 이용하여 $f(x)$의 적분상수 구하기

점 (x,y)에서 접선의 기울기가 $f'(x)=3x^2-2x$이므로

$f(x)=\displaystyle\int(3x^2-2x)dx=x^3-x^2+C$ (C는 적분상수)

이때 곡선 $y=f(x)$가 점 $(1,1)$을 지나므로 $f(1)=1$

$1-1+C=1$ $\therefore C=1$

STEP ⓑ $f(2)$의 값 구하기

따라서 $f(x)=x^3-x^2+1$이므로 $f(2)=8-4+1=5$

05 정답 ①

STEP ⓐ $x=0$, $y=0$을 대입하여 $f(0)$의 값 구하기

$f(x+y)=f(x)+f(y)+2xy$에 $x=y=0$을 대입하면

$f(0)=f(0)+f(0)$ $\therefore f(0)=0$

STEP ⓑ $f'(0)=1$임을 이용하여 $f'(x)$ 구하기

$\begin{aligned}f'(x)&=\lim_{h\to 0}\frac{f(x+h)-f(x)}{h}\\&=\lim_{h\to 0}\frac{f(x)+f(h)+2xh-f(x)}{h}\\&=\lim_{h\to 0}\left\{\frac{f(h)}{h}+2x\right\}\ \Leftarrow \lim_{h\to 0}\frac{f(h)}{h}=1\\&=2x+1\end{aligned}$

STEP ⓒ 부정적분을 이용하여 $f(2)$의 값 구하기

$f(x)=\displaystyle\int(2x+1)dx=x^2+x+C$ (C는 적분상수)

이때 $f(0)=0$이므로 $C=0$

따라서 $f(x)=x^2+x$이므로 $f(2)=6$

06 정답 ①

STEP ⓐ 정적분의 기본 정리를 이용하여 적분 계산하기

$\displaystyle\int_0^1(6x^2+2ax)dx=6+2a$에서

$\left[2x^3+ax^2\right]_0^1=2+a$이므로 $2+a=6+2a$

따라서 $a=-4$

07 정답 ③

STEP ⓐ 피적분함수가 같은 경우 정적분 계산하기

$\displaystyle\int_{-1}^0(2t^3-3t^2+t-1)dt+\int_0^1(2x^3-3x^2+x-1)dx$

$=\displaystyle\int_{-1}^0(2x^3-3x^2+x-1)dx+\int_0^1(2x^3-3x^2+x-1)dx$

$=\displaystyle\int_{-1}^1(2x^3-3x^2+x-1)dx$

$=2\displaystyle\int_0^1(-3x^2-1)dx$

$=2\left[-x^3-x\right]_0^1$

$=-4$

08

STEP Ⓐ **이차함수 $f(x)$에 대하여 $f(0)=-3$임을 이용하여 식 작성하기**

$f(x)=ax^2+bx+c$ $(a\neq 0,\ a,\ b,\ c$는 상수$)$로 놓으면

$f(0)=1$에서 $c=1$이므로 $f(x)=ax^2+bx+1$

STEP Ⓑ $\int_a^b f(x)dx=\int_a^c f(x)dx+\int_c^b f(x)dx$**임을 이용하여 식을 변형하여 이차함수 $f(x)$ 구하기**

$\int_{-2}^{2} f(x)dx=\int_{-2}^{0} f(x)dx+\int_{0}^{2} f(x)dx$이므로

$\int_{-2}^{2} f(x)dx=\int_{-2}^{0} f(x)dx$에서 $\int_{0}^{2} f(x)dx=0$

$\int_{0}^{2} f(x)dx=\int_{0}^{2}(ax^2+bx+1)dx=\left[\dfrac{1}{3}ax^3+\dfrac{1}{2}bx^2+x\right]_{0}^{2}=0$

$\dfrac{8}{3}a+2b+2=0$ ...... ㉠

$\int_{0}^{2} f(x)dx=\int_{-2}^{0} f(x)dx=0$이므로

$\int_{-2}^{0} f(x)dx=\int_{-2}^{0}(ax^2+bx+1)dx=\left[\dfrac{1}{3}ax^3+\dfrac{1}{2}bx^2+x\right]_{-2}^{0}=0$

$\dfrac{8}{3}a-2b+2=0$ ...... ㉡

㉠, ㉡을 연립하여 풀면 $a=-\dfrac{3}{4},\ b=0$

따라서 $f(x)=-\dfrac{3}{4}x^2+1$이므로 $f(2)=-3+1=-2$

09

STEP Ⓐ **곡선 $y=\dfrac{1}{2}x^2-2$와 x축으로 둘러싸인 부분의 넓이 구하기**

$y=\left|\dfrac{1}{2}x^2-2\right|$의 그래프와 직선 $y=6$은
오른쪽 그림과 같다.

곡선 $y=\dfrac{1}{2}x^2-2$와 x축으로 둘러싸인
부분의 넓이를 S_1이라 하면

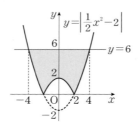

$S_1=\int_{-2}^{2}\left(2-\dfrac{1}{2}x^2\right)dx$

$=2\int_{0}^{2}\left(2-\dfrac{1}{2}x^2\right)dx$

$=2\left[2x-\dfrac{1}{6}x^3\right]_{0}^{2}$

$=2\cdot\dfrac{8}{3}=\dfrac{16}{3}$

STEP Ⓑ **곡선 $y=\dfrac{1}{2}x^2-2$와 $y=6$축으로 둘러싸인 부분의 넓이 구하기**

곡선 $y=\dfrac{1}{2}x^2-2$와 $y=6$축으로 둘러싸인 부분의 넓이를 S_2이라 하면

$S_2=\int_{-4}^{4}\left\{6-\left(\dfrac{1}{2}x^2-2\right)\right\}dx$

$=2\int_{0}^{4}\left(8-\dfrac{1}{2}x^2\right)dx$

$=2\left[8x-\dfrac{1}{6}x^3\right]_{0}^{4}$

$=2\cdot\dfrac{64}{3}=\dfrac{128}{3}$

따라서 함수 $y=\left|\dfrac{1}{2}x^2-2\right|$의 그래프와 직선 $y=6$으로 둘러싸인 부분의

넓이를 S라 하면 $S=S_2-2S_1=\dfrac{128}{3}-2\cdot\dfrac{16}{3}=32$

10

STEP Ⓐ $f(x)$**가 우함수, 기함수인지 판별하기**

모든 실수 x에 대하여 $f(-x)=-f(x)$이므로
함수 $y=f(x)$의 그래프는 원점에 대하여 대칭이다.

STEP Ⓑ $xf(x),\ x^2 f(x)$**가 우함수, 기함수인지 판별하기**

이때 $g(x)=xf(x)$라 하면

$g(-x)=-xf(-x)=xf(x)=g(x)$이므로
함수 $y=xf(x)$의 그래프는 y축에 대하여 대칭이고

$h(x)=x^2 f(x)$라 하면

$h(-x)=(-x)^2 f(-x)=-x^2 f(x)=-h(x)$이므로
함수 $y=x^2 f(x)$의 그래프는 원점에 대하여 대칭이다.

STEP Ⓒ **우함수, 기함수의 성질을 이용하여 정적분 계산하기**

$\therefore \int_{-2}^{2}(x^2-2x+6)f(x)dx=\int_{-2}^{2}\{x^2 f(x)-2xf(x)+6f(x)\}dx$

$=0+2\int_{0}^{2}\{-2xf(x)\}dx+0$

$=2\times(-2)\times 5$

$=-20$

11

STEP Ⓐ **조건을 만족하는 함수 $f(x)$의 그래프 그리기**

조건 (가), (나)를 만족하는 함수 $f(x)$의 그래프는 다음과 같다.

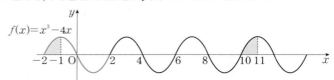

STEP Ⓑ **정적분 계산하기**

$\int_{10}^{11} f(x)dx=\int_{-2}^{-1} f(x)dx=\int_{-2}^{-1}(x^3-4x)dx$

$=\left[\dfrac{1}{4}x^4-2x^2\right]_{-2}^{-1}$

$=\left(\dfrac{1}{4}-2\right)-(4-8)$

$=\dfrac{9}{4}$

12

STEP A   주어진 증감표를 이용하여 $f(x)$의 부호 결정하기

함수 $f(x)$가 $x=1$에서 극댓값 3을 가지므로

$f'(1)=0$, $f(1)=3$

함수 $f(x)$가 $x=3$에서 극솟값 0을 가지므로

$f'(3)=0$, $f(3)=0$

STEP B $\int_0^3 |f'(x)|dx$의 값 구하기

또한, $f(0)=0$이므로 삼차함수 $y=f(x)$의 그래프의 개형은 다음 그림과 같다.

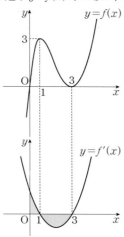

$\int_0^3 |f'(x)|dx = \int_0^1 f'(x)dx - \int_1^3 f'(x)dx$

$= \Big[f(x)\Big]_0^1 - \Big[f(x)\Big]_1^3$

$= \{f(1)-f(0)\} - \{f(3)-f(1)\}$

$= 2f(1)-f(0)-f(3)$

$= 2 \cdot 3 - 0 - 0 = 6$

13

STEP A   주어진 식의 양변에 $x=1$를 대입하여 $f(1)$의 값 구하기

$xf(x) = x^3 - x^2 + \int_1^x f(t)dt$ …… ㉠

$x=1$을 ㉠에 대입하면

$f(1) = 1 - 1 + \int_1^1 f(t)dt = 0$ …… ㉡

STEP B   양변을 x에 대하여 미분하여 $f'(x)$, $f(x)$의 식 구하기

㉠의 양변을 x에 대하여 미분하면

$f(x) + xf'(x) = 3x^2 - 2x + f(x)$

$f'(x) = 3x - 2$

$f(x) = \int (3x-2)dx = \dfrac{3}{2}x^2 - 2x + C$ (단, C는 적분상수)

STEP C $f(1)=0$에서 C의 값을 구하고 $f(2)$의 값 구하기

㉡에 의하여

$f(1) = -\dfrac{1}{2} + C = 0$이므로 $C = \dfrac{1}{2}$

따라서 $f(x) = \dfrac{3}{2}x^2 - 2x + \dfrac{1}{2}$이므로 $f(2) = 6 - 4 + \dfrac{1}{2} = \dfrac{5}{2}$

14

STEP A   주어진 식을 변형하고 양변을 x에 대하여 미분하기

$g(x) = \int_x^{x+2} f(t)dt = \int_0^{x+2} f(t)dt - \int_0^x f(t)dt$이므로

$g'(x) = \dfrac{d}{dx}\int_x^{x+2} f(t)dt = f(x+2) - f(x)$

STEP B $f(x)$의 식을 대입하여 $g'(x)=0$을 만족하는 x의 값 구하기

이차항의 계수가 1인 이차함수 $y=f(x)$의 그래프에서

$f(x) = x(x-2) = x^2 - 2x$이므로

$g'(x) = (x+2)^2 - 2(x+2) - (x^2 - 2x) = 4x$

$g'(x) = 4x = 0$에서 $x = 0$

함수 $g(x)$의 증가와 감소를 표로 나타내면 다음과 같다.

x	$-$	0	$-$
$g'(x)$	$-$	0	$+$
$g(x)$	$\searrow$	극소	$\nearrow$

STEP C $g(x)$의 최솟값 구하기

이때 함수 $g(x)$는 $x=0$에서 극소이면서 최소이므로 최솟값은 $g(0)$

따라서 $g(0) = \int_0^2 f(t)dt = \Big[\dfrac{1}{3}t^3 - t^2\Big]_0^2 = -\dfrac{4}{3}$

다른풀이 $y=f(x)$의 대칭선을 중심으로 하여 적분하였을 때 최소가 됨을 이용하기

$g(x) = \int_x^{x+2} f(t)dt$는 함수 $f(t)$를

x부터 $x+2$까지 적분한 값이다.

함수 $y=f(x)$의 그래프가 직선 $x=1$에

대하여 대칭이고 닫힌 구간 $[0, 2]$에서

함수 $f(x)$의 정적분의 값이 음수이므로

$\int_{1-a}^{1+a} f(t)dt$에서 함수 $g(x)$가 최솟값을 가진다.

적분구간이 2이어야 하므로 $(1+a)-(1-a)=2$ $\therefore a=1$

따라서 함수 $g(x)$의 최솟값은

$g(0) = \int_{1-a}^{1+a} f(t)dt = \int_0^2 f(x)dx = \Big[\dfrac{1}{3}t^3 - t^2\Big]_0^2 = -\dfrac{4}{3}$

15

STEP A $\int_0^{10} f(x)dx$의 값 구하기

조건 (나)에서

$\int_n^{n+2} f(x)dx = \int_n^{n+1} 2x dx = \Big[x^2\Big]_n^{n+1} = (n+1)^2 - n^2 = 2n+1$이므로

$\int_0^{10} f(x)dx = \int_0^2 f(x)dx + \int_2^4 f(x)dx$

$\qquad\qquad + \int_4^6 f(x)dx + \int_6^8 f(x)dx + \int_8^{10} f(x)dx$

$= 1 + 5 + 9 + 13 + 17 = 45$

STEP B $\int_0^9 f(x)dx$의 값 구하기

또, (가)에서 $\int_0^1 f(x)dx = 1$이므로

$\int_0^9 f(x)dx = \int_0^1 f(x)dx + \int_1^3 f(x)dx$

$\qquad\qquad + \int_3^5 f(x)dx + \int_5^7 f(x)dx + \int_7^9 f(x)dx$

$= 1 + 3 + 7 + 11 + 15 = 37$

STEP C   정적분의 성질을 이용하여 주어진 정적분 계산하기

$\int_9^{10} f(x)dx = \int_0^{10} f(x)dx - \int_0^9 f(x)dx = 45 - 37 = 8$

16

 정답 ④

STEP Ⓐ **곡선의 대칭축이 T 부분의 넓이를 이등분함을 이해하기**

곡선 $y=x^2-2x+a=(x-1)^2+a-1$가 직선 $x=1$에 대하여 대칭이고
넓이의 비가 $S:T=1:2$에서 $T=2S$이므로
T 부분은 직선 $x=1$에 의해 이등분된다.

STEP Ⓑ $\int_0^1(x^2-2x+a)dx=0$**임을 이용하여 a의 값 구하기**

하늘색으로 색칠한 부분과 빗금친
부분의 두 도형의 넓이가 같다.
$y=x^2-2x+a$와 x축 및 $x=1$로
둘러싸인 도형의 넓이와 같다.
즉 $\int_0^1(x^2-2x+a)dx=0$이다.

$\left[\frac{1}{3}x^3-x^2+ax\right]_0^1=0$, $-\frac{2}{3}+a=0$

$\therefore a=\frac{2}{3}$

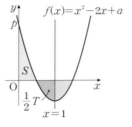

17

 정답 ②

STEP Ⓐ **두 곡선의 교점의 x좌표 구하기**

두 곡선 $y=x^2$, $y=(x-4)^2$의 교점의 x좌표는
$x^2=(x-4)^2$에서 $-8x+16=0$ $\therefore x=2$

STEP Ⓑ S_1+S_2**의 값 구하기**

두 곡선 $y=x^2$, $y=(x-4)^2$은 $x=2$에 대하여 대칭이므로 $S_1=S_2$

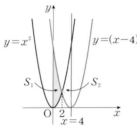

따라서 $S_1+S_2=2\int_0^2\{(x-4)^2-x^2\}dx$

$=2\int_0^2(16-8x)dx$

$=2\left[16x-4x^2\right]_0^2=32$

18

 정답 ④

STEP Ⓐ **두 함수 $y=f(x)$, $y=g(x)$의 그래프 개형 그리기**

함수 $y=f(x)$와 그 역함수 $y=g(x)$의 그래프는 직선 $y=x$에 대하여
대칭이므로 다음 그림과 같다.

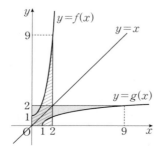

이때 곡선 $y=g(x)$와 두 직선 $y=0$, $y=2$ 및 y축으로 둘러싸인 부분
(색칠한 부분)의 넓이는 곡선 $y=f(x)$와 두 직선 $x=0$, $x=2$ 및 x축으로
둘러싸인 부분(빗금친 부분)의 넓이와 같다.

STEP Ⓑ **구하는 넓이 구하기**

따라서 구하는 넓이는

$\int_0^2 f(x)dx=\int_0^2(x^3+1)dx=\left[\frac{1}{4}x^4+x\right]_0^2=4+2=6$

19

 정답 ③

STEP Ⓐ **속도 $v(t)$의 부호가 바뀔 때 점 P의 운동방향이 바뀌므로**
$v(4)=0$일 때, a의 값 구하기

시각 $t=4$에서 점 P의 운동 방향이 바뀌므로 $v(4)=0$이다.
$v(4)=40-4a=0$에서 $a=10$

STEP Ⓑ **속도 $v(t)$의 절댓값을 정적분하여 점 P가 움직인 거리 구하기**

점 P가 시각 $t=0$에서 $t=6$까지 움직인 거리는

$\int_0^6|v(t)|dt=\int_0^4 v(t)dt+\int_4^6\{-v(t)\}dt$

$=\int_0^4(40-10t)dt+\int_4^6(10t-40)dt$

$=\left[40t-5t^2\right]_0^4+\left[5t^2-40t\right]_4^6$

$=80+20=100$

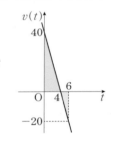

20

정답 ⑤

STEP Ⓐ $v'(t)$, $v(t)$**를 각각 구하기**

승강기가 출발한 지 t초 후 속도를 $v(t)$m/s라고 하자.
(i) $0 \le t \le 3$일 때, 가속도가 4m/s^{2}이므로

$v(t)=\int_0^t 4dt=4t$

(ii) $3 \le t \le 8$일 때, 등속운동을 하고 $v(3)=12$이므로

$v(t)=12$

(iii) $t \ge 8$일 때, 가속도가 -3m/s^{2}이고 $v(8)=12$이므로

$v(t)=12+\int_8^t(-3)dt=-3t+36$

STEP Ⓑ **이 승강기가 출발하여 멈추는 시간 구하기**

승강기가 멈추는 순간의 속도는 0이므로 $v(t)=0$에서
$-3t+36=0$ $\therefore t=12$

STEP Ⓒ **승강기가 움직인 거리 구하기**

(i)~(iii)에서 승강기가 움직인 거리는

$\int_0^3 4tdt+\int_3^8 12dt+\int_8^{12}(-3t+36)dt$

$=\left[2t^2\right]_0^3+\left[12t\right]_3^8+\left[-\frac{3}{2}t^2+36t\right]_8^{12}$

$=102$
즉 102 m

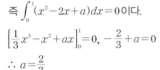

서술형

21
정답 해설참조

| 1단계 | 그래프에서 도함수 $f'(x)$의 식을 이용하여 부정적분 $f(x)$의 식을 작성한다. | ◀ 30% |

$y=f'(x)$의 그래프가 $x=0$, $x=2$에서 x축과 만나고 위로 볼록하므로
$f'(x)=ax(x-4)\ (a<0)$로 놓으면
$$f(x)=\int ax(x-2)dx=\int(ax^2-2ax)dx$$
$$=\frac{a}{3}x^3-ax^2+C \qquad \cdots\cdots \text{㉠}$$

| 2단계 | 함수 $f(x)$의 극댓값이 5, 극솟값이 3임을 이용하여 최고차항의 계수와 적분상수를 구한다. | ◀ 50% |

$f'(x)=0$에서 $x=0$ 또는 $x=2$
함수 $f(x)$의 증가와 감소를 나타내면
다음 표와 같다.

x	$\cdots$	0	$\cdots$	2	$\cdots$
$f'(x)$	$-$	0	$+$	0	$-$
$f(x)$	$\searrow$	극소	$\nearrow$	극대	$\searrow$

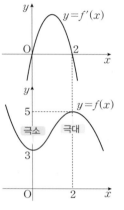

$f(x)$는 $x=0$에서 극소이고 극솟값 3을 갖고
$x=2$에서 극대이고 극댓값 5를 가지므로
㉠에서 $f(0)=C=3$, $f(2)=\frac{8}{3}a-4a+3=5$
$\therefore a=-\frac{3}{2}$, $C=3$

| 3단계 | 삼차함수 $f(x)$에 대하여 $f(1)$값을 구한다. | ◀ 20% |

따라서 $f(x)=-\frac{1}{2}x^3+\frac{3}{2}x^2+3$이므로 $f(1)=-\frac{1}{2}+\frac{3}{2}+3=4$

22
정답 해설참조

| 1단계 | $\int_0^1 g(t)dt=a$, $\int_0^2 f(t)dt=b$ (단, a, b는 상수)로 놓고 a, b의 값을 구한다. | ◀ 50% |

$f(x)=2x+1-\int_0^1 g(t)dt$에서 $\int_0^1 g(t)dt=a$ (단, a는 상수)
로 놓으면 $f(x)=2x+1-a$
$g(x)=4x-3+\int_0^2 f(t)dt$에서 $\int_0^2 f(t)dt=b$ (단, b는 상수)
로 놓으면 $g(x)=4x-3+b$이므로
$$\int_0^1 g(t)dt=\int_0^1(4t-3+b)dt=\Big[2t^2-3t+bt\Big]_0^1=b-1$$
$\therefore b-1=a \qquad \cdots\cdots \text{㉠}$
$$\int_0^2 f(t)dt=\int_0^2(2t+1-a)dt=\Big[t^2+t-at\Big]_0^2=6-2a$$
$\therefore 6-2a=b \qquad \cdots\cdots \text{㉡}$
㉠, ㉡을 연립하여 풀면 $a=\frac{5}{3}$, $b=\frac{8}{3}$

| 2단계 | $f(x)$을 구하여 $f(1)$의 값을 구한다. | ◀ 20% |

$f(x)=2x-1-\frac{5}{3}=2x-\frac{2}{3}$이므로 $f(1)=\frac{4}{3}$

| 3단계 | $g(x)$을 구하여 $g(2)$의 값을 구한다. | ◀ 20% |

$g(x)=4x-3+\frac{8}{3}=4x-\frac{1}{3}$이므로 $g(2)=\frac{23}{3}$

| 4단계 | $f(1)+g(2)$의 값을 구한다. | ◀ 10% |

$f(1)+g(2)=\frac{4}{3}+\frac{23}{3}=\frac{27}{3}=9$

23
정답 해설참조

| 1단계 | $F(x)=f(x)+x^2+\int_2^x f(t)dt$에 대하여 $F(x)$가 $(x-2)^2$으로 나누어떨어지면 $F(2)=0$, $F'(2)=0$이 성립함을 보인다. | ◀ 40% |

$F(x)=f(x)+x^2+\int_2^x f(t)dt$가 $(x-2)^2$으로 나누어 떨어지므로
$F(x)=(x-2)^2 Q(x)$ (단, $Q(x)$는 다항식)로 놓으면 $\cdots\cdots$ ㉠
㉠의 양변에 $x=2$를 대입하면 $F(2)=0$
㉠의 양변을 x에 대하여 미분하면
$F'(x)=f'(x)+2x+f(x)=2(x-2)Q(x)+(x-2)^2 Q'(x)$ $\cdots\cdots$ ㉡
이므로
㉡의 양변에 $x=2$를 대입하면 $F'(2)=0$
즉 $F(2)=0$, $F'(2)=0$

| 2단계 | 다항함수 $f(x)$에 대하여 $f(2)$, $f'(2)$의 값을 구한다. | ◀ 30% |

$F(x)=f(x)+x^2+\int_2^x f(t)dt$의 양변에 $x=2$를 대입하면
$F(2)=f(2)+4+0=0$
$\therefore f(2)=-4$
㉡에서 $F'(2)=0$이므로 $f'(2)+4+f(2)=0$
$\therefore f'(2)=0$

| 3단계 | $f'(x)$를 $(x-2)$로 나눈 나머지를 구한다. | ◀ 30% |

따라서 $f'(x)$를 $(x-2)$로 나눈 나머지는 $f'(2)$이므로 $f'(2)=0$

24
정답 해설참조

| 1단계 | 시각 $t=10$에서의 점 P의 위치를 구한다. | ◀ 40% |

시각 $t=0$에서의 두 점 P, Q의 위치가 모두 원점이므로
시각 $t=10$에서의 점 P의 위치는
$$\int_0^{10} v_P(t)dt=\int_0^2 2t\,dt+\int_2^{10}\Big(-\frac{1}{2}t+5\Big)dt$$
$$=\Big[t^2\Big]_0^2+\Big[-\frac{1}{4}t^2+5t\Big]_2^{10}$$
$$=4+(25-9)=20$$

| 2단계 | 시각 $t=10$에서의 점 Q의 위치를 구한다. | ◀ 40% |

시각 $t=10$에서의 점 Q의 위치는
$$\int_0^{10} v_Q(t)dt=\int_0^{10}\Big(-\frac{3}{50}t^2+at\Big)dt$$
$$=\Big[-\frac{1}{50}t^3+\frac{a}{2}t^2\Big]_0^{10}$$
$$=-20+50a$$

| 3단계 | 원점에서 출발한 후 다시 만날 때, 상수 a의 값을 구한다. | ◀ 20% |

따라서 $20=-20+50a$에서 $a=\frac{4}{5}$

3회 적분 모의평가

01	⑤	02	④	03	③	04	⑤	05	①
06	②	07	④	08	①	09	①	10	③
11	①	12	③	13	④	14	③	15	②
16	④	17	④	18	③	19	③	20	③

서술형

21	해설참조	22	해설참조
23	해설참조	24	해설참조

01

정답 ⑤

STEP Ⓐ 주어진 식의 양변을 적분하여 $f(x)+g(x)$의 함수식 구하기

$\dfrac{d}{dx}\{f(x)+g(x)\}=4x$에서

$\displaystyle\int\left[\dfrac{d}{dx}\{f(x)+g(x)\}\right]dx=\int 4x\,dx$

$f(x)+g(x)=2x^2+C_1$ (C_1은 적분상수)

이므로 양변에 $x=0$을 대입하면

$f(0)+g(0)=C_1,\ 2+1=C_1$ ∴ $C_1=3$

∴ $f(x)+g(x)=2x^2+3$ ······㉠

STEP Ⓑ 주어진 식의 양변을 적분하여 $f(x)g(x)$의 함수식 구하기

$\dfrac{d}{dx}\{f(x)g(x)\}=6x^2+6x-1$에서

$\displaystyle\int\left[\dfrac{d}{dx}\{f(x)g(x)\}\right]dx=\int(6x^2+6x-1)dx$

$f(x)g(x)=2x^3+3x^2-x+C_2$ (C_2는 적분상수)

이므로 양변에 $x=0$을 대입하면

$f(0)g(0)=C_2,\ 2\times1=C_2$ ∴ $C_2=2$

∴ $f(x)g(x)=2x^3+3x^2-x+2=(x+2)(2x^2-x+1)$ ······㉡

STEP Ⓒ $f(0)=2,\ g(0)=1$임을 이용하여 $f(x),\ g(x)$의 함수식

㉠, ㉡에서 $\begin{cases}f(x)=x+2\\g(x)=2x^2-x+1\end{cases}$ 또는 $\begin{cases}f(x)=2x^2-x+1\\g(x)=x+2\end{cases}$

이때 $f(0)=2,\ g(0)=1$을 만족해야 하므로

$f(x)=x+2,\ g(x)=2x^2-x+1$

따라서 $f(1)+g(2)=3+7=10$

02

정답 ④

STEP Ⓐ 함수 $f(x)$를 구하기

$f(x)=\displaystyle\int(x+1)(x^2-x+1)dx$

$=\displaystyle\int(x^3+1)dx$

$=\dfrac{1}{4}x^4+x+C$ (C는 적분상수)

이때 $f(0)=\dfrac{3}{4}$이므로 $C=\dfrac{3}{4}$

∴ $f(x)=\dfrac{1}{4}x^4+x+\dfrac{3}{4},\ f'(x)=x^3+1$

STEP Ⓑ 미분계수를 변형하여 구하기

∴ $\displaystyle\lim_{x\to1}\dfrac{xf(x)-f(1)}{x^2-1}=\lim_{x\to1}\dfrac{xf(x)-xf(1)+xf(1)-f(1)}{(x-1)(x+1)}$

$=\displaystyle\lim_{x\to1}\left\{\dfrac{x\{f(x)-f(1)\}}{(x-1)(x+1)}+\dfrac{(x-1)f(1)}{(x-1)(x+1)}\right\}$

$=\displaystyle\lim_{x\to1}\left\{\dfrac{x}{x+1}f'(1)+\dfrac{f(1)}{x+1}\right\}$

$=\dfrac{f'(1)}{2}+\dfrac{f(1)}{2}=\dfrac{2}{2}+\dfrac{2}{2}=2$

다른풀이 $g(x)=xf(x)$로 치환하여 풀이하기

$f(x)=\displaystyle\int(x+1)(x^2-x+1)dx$

$=\displaystyle\int(x^3+1)dx$

$=\dfrac{1}{4}x^4+x+C$ (C는 적분상수)

이때 $f(0)=\dfrac{3}{4}$이므로 $C=\dfrac{3}{4}$

∴ $f(x)=\dfrac{1}{4}x^4+x+\dfrac{3}{4},\ f'(x)=x^3+1$

한편 $g(x)=xf(x)$라 하면 $g(1)=f(1)$이므로

$\displaystyle\lim_{x\to1}\dfrac{xf(x)-f(1)}{x^2-1}=\lim_{x\to1}\left\{\dfrac{g(x)-g(1)}{x-1}\right\}\times\dfrac{1}{x+1}=\dfrac{1}{2}g'(1)$

또한 $g'(x)=f(x)+xf'(x)$이므로

$\dfrac{1}{2}g'(1)=\dfrac{1}{2}\{f(1)+f'(1)\}=\dfrac{1}{2}(2+2)=2$

03

정답 ③

STEP Ⓐ $f'(x)$를 적분하여 $f(x)$ 구하기

$f'(x)=-6x^2-8x+a$에서

$f(x)=\displaystyle\int(-6x^2-8x+a)dx$

$=-2x^3-4x^2+ax+C$ (단, C는 적분상수)

STEP Ⓑ $f(-1)=0,\ f(-2)=0$임을 이용하여 $a,\ C$의 값 구하기

이때 $f(x)$가 $(x+1)(x+2)$로 나누어떨어지므로 $f(-1)=0,\ f(-2)=0$

$f(-1)=2-4-a+C=0$

∴ $-a+C=2$ ······㉠

$f(-2)=16-16-2a+C=0$

∴ $-2a+C=0$ ······㉡

㉠, ㉡을 연립하여 풀면 $a=2,\ C=4$

STEP Ⓒ $f(1)$의 값 구하기

따라서 $f(x)=-2x^3-4x^2+2x+4$이므로 $f(1)=-2-4+2+4=0$

04

정답 ⑤

STEP Ⓐ 그래프를 이용하여 $f'(x)$를 구하고 이를 적분하기

삼차함수 $f(x)$의 도함수 $f'(x)$는 이차함수이고
함수 $y=f'(x)$의 그래프가 x축과 만나는 점의 x좌표는 0, 4이므로
$f'(x)=ax(x-4)\,(a>0)$로 놓을 수 있다.

$f(x)=\int f'(x)dx=\int (ax^2-4ax)dx=a\left(\dfrac{1}{3}x^3-2x^2\right)+C$

(단, C는 적분상수)

STEP Ⓑ $\dfrac{\infty}{\infty}$ 꼴의 극한의 성질을 이용하여 최고차항의 계수 구하기

$\displaystyle\lim_{x\to\infty}\dfrac{f(x)}{x^3}=\lim_{x\to\infty}\dfrac{a\left(\dfrac{1}{3}x^3-2x^2\right)+C}{x^3}=\dfrac{a}{3}=1$ $\therefore a=3$

STEP Ⓒ 극댓값과 극솟값을 이용하여 $f(x)$ 구하기

$f'(x)=0$에서 $x=0$ 또는 $x=4$
함수 $y=f'(x)$의 그래프를 보고 함수 $f(x)$의 증가와 감소를 표로 나타내면 다음과 같다.

x	$\cdots$	0	$\cdots$	4	$\cdots$
$f'(x)$	+	0	−	0	+
$f(x)$	↗	극대	↘	극소	↗

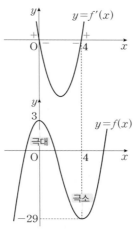

함수 $f(x)$는 $x=0$에서 극대이고
극댓값은 $f(0)=3$이므로
$f(0)=C=3$
$\therefore f(x)=x^3-6x^2+3$
따라서 $x=4$에서 극소이고
극솟값은 $f(4)=64-96+3=-29$

05

정답 ①

STEP Ⓐ 양변을 x에 대하여 미분하여 $f'(x)$의 함수식 구하기

$F'(x)=f(x)$이므로 주어진 식의 양변을 x에 대하여 미분하면
$f(x)=f(x)+xf'(x)-3x^2+4x$
$xf'(x)=x(3x-4)$, 즉 $f'(x)=3x-4$

STEP Ⓑ 양변을 적분하고 $f(0)=1$임을 이용하여 함수 $f(x)$ 구하기

$f(x)=\int (3x-4)dx=\dfrac{3}{2}x^2-4x+C$ (단, C는 적분상수)

이때 $f(0)=1$이므로 $f(0)=C=1$
따라서 $f(x)=\dfrac{3}{2}x^2-4x+1$이므로 $f(2)=6-8+1=-1$

06

정답 ②

STEP Ⓐ 적분구간이 같은 경우 정적분 계산하기

$\displaystyle\int_0^1 (2x^2+5x+1)dx-\int_1^0 (3x-4x^2)dx$

$=\displaystyle\int_0^1 (2x^2+5x+1)dx+\int_0^1 (3x-4x^2)dx$

$=\displaystyle\int_0^1 \{(2x^2+5x+1)+(3x-4x^2)\}dx$

$=\displaystyle\int_0^1 (-2x^2+8x+1)dx$

$=\left[-\dfrac{2}{3}x^3+4x^2+x\right]_0^1=\dfrac{13}{3}$

STEP Ⓑ 피적분함수가 같은 경우 정적분 계산하기

$\displaystyle\int_{-2}^5 (x^3+4x^2+7x-5)dx+\int_5^2 (x^3+4x^2+7x-5)dx$

$=\displaystyle\int_{-2}^2 (x^3+4x^2+7x-5)dx$

$=2\displaystyle\int_0^2 (4x^2-5)dx$

$=2\left[\dfrac{4}{3}x^3-5x\right]_0^2$

$=\dfrac{4}{3}$

따라서 $a=\dfrac{13}{3}$, $b=\dfrac{4}{3}$이므로 $a-b=3$

07

정답 ④

STEP Ⓐ $f(0)=0$과 $x=1$에서 연속임을 이용하여 C_1, C_2의 값 구하기

$f'(x)=\begin{cases}2x-1 & (x\geq 1)\\ 1 & (x<1)\end{cases}$이므로 $f(x)=\begin{cases}x^2-x+C_1 & (x\geq 1)\\ x+C_2 & (x<1)\end{cases}$

$f(0)=0$이므로 $C_2=0$
$f(x)$가 $x=1$에서 연속이므로 $C_1=1$

STEP Ⓑ 구간을 나누어 정적분 계산하기

$f(x)=\begin{cases}x^2-x+1 & (x\geq 1)\\ x & (x<1)\end{cases}$이므로

$\displaystyle\int_0^2 f(x)dx=\int_0^1 xdx+\int_1^2 (x^2-x+1)dx$

$=\left[\dfrac{1}{2}x^2\right]_0^1+\left[\dfrac{1}{3}x^3-\dfrac{1}{2}x^2+x\right]_1^2$

$=\dfrac{7}{3}$

08

정답 ①

STEP Ⓐ 정적분을 계산하여 $f(-3)$의 값 구하기

$\displaystyle\int_{-3}^2 f'(x)dx=3$에서 $\Big[f(x)\Big]_{-3}^2=f(2)-f(-3)=3$

$f(2)=7$이므로 $f(-3)=4$
이때 $f'(x)=0$에서 $x=-3$ 또는 $x=-1$ 또는 $x=2$

STEP Ⓑ $f(x)$의 증가와 감소를 표로 나타내기

$f(x)$의 증가와 감소를 나타내면 다음 표와 같다.

x	$\cdots$	-3	$\cdots$	-1	$\cdots$	2	$\cdots$
$f'(x)$	+	0	−	0	+	0	−
$f(x)$	↗	극대	↘	극소	↗	극대	↘

STEP Ⓒ $y=f(x)$의 그래프를 그려 주어진 조건을 만족하는 k의 범위 구하기

즉 $y=f(x)$의 그래프는 오른쪽 그림과 같다.
이때 방정식 $f(x)-k=0$이 서로 다른 네 실근을 가지려면 함수 $y=f(x)$의 그래프와 직선 $y=k$가 서로 다른 네 점에서 만나야 하므로
$1<k<4$
따라서 모든 정수 k의 값의 합은
$2+3=5$

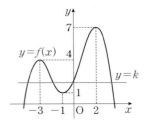

09

정답 ①

STEP A $x^2 f(x)$, $xf(x)$가 우함수, 기함수인지 판별하기

조건 (가)에서 함수 $y=f(x)$의 그래프는 원점에 대하여 대칭이므로
$x^2 f(x)$의 그래프도 원점에 대하여 대칭이고 $xf(x)$는 y축에 대하여 대칭이다.

STEP B 우함수, 기함수의 성질을 이용하여 정적분 계산하기

$$\int_{-1}^{1}(x+1)^2 f(x)dx = \int_{-1}^{1}(x^2+2x+1)f(x)dx$$
$$= \int_{-1}^{1}\{x^2 f(x)+2xf(x)+f(x)\}dx$$
$$= 2\int_{0}^{1}2xf(x)dx$$
$$= 4\int_{0}^{1}xf(x)dx$$
$$= 20$$

10

정답 ③

STEP A $f(x)$가 주기함수임을 이용하여 $y=f(x)$의 그래프 그리기

조건 (나)에서 $f(x-2)=f(x+2)$에서 $x-2=t$라 하면
$f(t)=f(t+4)$을 만족하고
조건 (가)를 만족하는 함수 $y=f(x)$의 그래프는 그림과 같다.

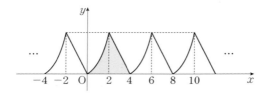

STEP B 함수 $f(x)$의 그래프가 같은 모양이 반복됨을 이용하여 주어진 정적분 구하기

$$\int_{-5}^{7}f(x+1)dx = \int_{-5+1}^{7+1}f(x)dx = \int_{-4}^{8}f(x)dx$$

$$\int_{-4}^{8}f(x)dx = 3\int_{0}^{4}f(x)dx$$
$$= 3\times\left\{\int_{0}^{2}x^2 dx + \int_{2}^{4}(-2x+8)dx\right\}$$
$$= 3\times\left(\left[\frac{1}{3}x^3\right]_{0}^{2} + \left[-x^2+8x\right]_{2}^{4}\right)$$
$$= 3\times\left(\frac{8}{3}+4\right) = 20$$

11

정답 ①

STEP A 정적분의 성질을 이용하여 주어진 식을 정리하기

$f(x)=3x^2+\int_{0}^{2}(2x-1)f(t)dt$에서

$f(x)=3x^2+(2x-1)\int_{0}^{2}f(t)dt$ ← $\int_{0}^{2}(2x-1)f(t)dt$은 상수가 아니다.

STEP B $\int_{0}^{2}f(t)dt=k$라 두고 $f(x)$의 식을 대입하여 k값 구하기

$$\int_{0}^{2}f(t)dt=k \ (k는 상수) \qquad \cdots\cdots \ \text{㉠}$$

로 놓으면

$f(x)=3x^2+(2x-1)\cdot k=3x^2+2kx-k \qquad \cdots\cdots \ \text{㉡}$

㉡을 ㉠에 대입하면
$$k=\int_{0}^{2}f(t)dt$$
$$= \int_{0}^{2}(3t^2+2kt-k)dt$$
$$= \left[t^3+kt^2-kt\right]_{0}^{2}$$
$$= 8+4k-2k$$

즉 $8+4k-2k=k$에서 $k=-8$

따라서 $f(x)=3x^2-8(2x-1)=3x^2-16x+8$이므로 $f(1)=3-16+8=-5$

12

정답 ③

STEP A 주어진 식의 양변에 $x=1$를 대입하여 $f(1)$의 값 구하기

주어진 식에 $x=1$을 대입하면 $f(1)=\frac{1}{2}+\frac{9}{2}+3\int_{1}^{1}t^2 f(t)dt$

$\int_{1}^{1}t^2 f(t)dt=0$이므로 $f(1)=\frac{1}{2}+\frac{9}{2}=5$

STEP B 양변을 x에 대하여 미분하여 $f'(x)$, $f(x)$의 식 구하기

주어진 식의 양변을 x에 대하여 미분하면
$3x^2 f(x)+x^3 f'(x)=2x^3+3x^2 f(x)$
$x^3 f'(x)=2x^3$에서 $f(x)$는 다항함수이므로 $f'(x)=2$
즉 $f(x)=\int f'(x)dx=\int 2dx=2x+C$ (C는 적분상수)
$f(1)=2+C=5$에서 $C=3$이므로 $f(x)=2x+3$

STEP C $\int_{1}^{2}x^2 f(x)dx$의 값 구하기

$$\int_{1}^{2}x^2 f(x)dx = \int_{1}^{2}x^2(2x+3)dx = \int_{1}^{2}(2x^3+3x^2)dx$$
$$= \left[\frac{1}{2}x^4+x^3\right]_{1}^{2}$$
$$= 16-\frac{3}{2}=\frac{29}{2}$$

따라서 $p+q=2+29=31$

13

정답 ④

STEP A 다항식 $F(x)$가 이차식 $(x-2)^2$으로 나누어 떨어질 조건 구하기

다항식 $F(x)$가 이차식 $(x-2)^2$으로 나누어 떨어지므로
$F(x)=(x-2)^2 g(x)$로 놓으면 ($g(x)$는 다항식)
$F'(x)=2(x-2)g(x)+(x-2)^2 g'(x)$
$\quad\quad = (x-2)\{2g(x)+(x-2)g'(x)\}$
에서 $F(2)=0$, $F'(2)=0$

STEP B $x=2$을 대입하여 $f(2)$의 값 구하기

$F(x)=f(x)-4x+3\int_{2}^{x}f(t)dt \qquad \cdots\cdots \ \text{㉠}$

㉠의 양변에 $x=2$를 대입하면 $F(2)=f(2)-8+0$
$\therefore f(2)=8 \ (\because F(2)=0)$

STEP C 양변을 x에 대하여 미분하여 $f'(2)$의 값 구하기

㉠의 양변을 x에 대하여 미분하면 $F'(x)=f'(x)-4+3f(x)$
이 식의 양변에 $x=2$를 대입하면 $F'(2)=f'(2)-4+3f(2)$
$\therefore f'(2)=-20 \ (\because F'(2)=0, \ f(2)=8)$
따라서 $f(2)-f'(2)=8-(-20)=28$

14

정답 ③

STEP A 함수 $f(x)$의 증가와 감소를 표로 나타내기

$$f(x)=\int_0^x (t+3)(t-1)dt=\left[\frac{1}{3}t^3+t^2-3t\right]_0^x=\frac{1}{3}x^3+x^2-3x$$

함수 $f(x)$의 양변을 x에 대하여 미분하면

$$f'(x)=(x+3)(x-1)$$

$f'(x)=0$에서 $x=-3$ 또는 $x=1$

함수 $f(x)$의 증가와 감소를 표로 나타내면 다음과 같다.

x	$\cdots$	-3	$\cdots$	1	$\cdots$
$f'(x)$		$+$	0	$-$	0	$+$
$f(x)$	$\nearrow$	9	$\searrow$	$-\dfrac{5}{3}$	$\nearrow$

STEP B 함수 $f(x)$의 극댓값, 극솟값 구하기

$x=-3$에서 극대이고 극댓값은 $a=f(-3)=9+9-9=9$

$x=1$에서 극소이고 극솟값은 $b=f(1)=\dfrac{1}{3}+1-3=-\dfrac{5}{3}$

따라서 $a=9$, $b=-\dfrac{5}{3}$이므로 $a+3b=4$

15

정답 ②

STEP A $x=0$, $y=0$을 대입하여 $f(0)$의 값 구하기

$f(x-y)=f(x)-f(y)+3xy(x-y)$에 $x=0$, $y=0$을 대입하면

$$f(0)=f(0)-f(0)$$

$$\therefore f(0)=0$$

STEP B 도함수의 정의에 의하여 $f'(x)$ 구하기

$$f'(0)=\lim_{h\to 0}\frac{f(h)-f(0)}{h}=\lim_{h\to 0}\frac{f(h)}{h}$$

$$\begin{aligned}f'(x)&=\lim_{h\to 0}\frac{f(x-h)-f(x)}{-h}\\&=\lim_{h\to 0}\frac{f(x)-f(h)+3xh(x-h)-f(x)}{-h}\\&=\lim_{h\to 0}\left\{\frac{f(h)}{h}-\frac{3xh(x-h)}{h}\right\}\\&=f'(0)-3x^2\end{aligned}$$

STEP C 부정적분을 이용하여 $f(x)$ 구하기

다항함수 $f(x)$가 $x=2$에서 극댓값을 가지므로 $f'(2)=0$

$f'(x)=f'(0)-3x^2$의 양변에 $x=2$를 대입하면

$$f'(2)=f'(0)-12=0 \quad \therefore f'(0)=12$$

즉 $f'(x)=-3x^2+12$이므로

$$f(x)=\int(-3x^2+12x)dx=-x^3+12x+C \ (C는\ 적분상수)$$

$f(0)=0$이므로 $C=0$

따라서 $f(x)=-x^3+12x$이므로 극댓값 $a=f(2)=-8+24=16$

$$\therefore a-b=16-12=4$$

16

정답 ④

STEP A 속도의 그래프를 그리기

$$v(t)=3t^2-4t-4=(3t+2)(t-2)$$

이므로

구간 $[0, 2]$에서 $v(t)\leq 0$이고

구간 $[2, 3]$에서 $v(t)\geq 0$이다.

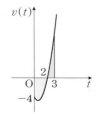

STEP B 시각 $t=0$에서 $t=3$까지 점 P가 움직인 거리 구하기

따라서 시각 $t=0$에서 $t=3$까지 점 P가 움직인 거리 s는

$$\begin{aligned}s&=\int_0^3 |v(t)|dt\\&=\int_0^2 (-3t^2+4t+4)dt+\int_2^3 (3t^2-4t-4)dt\\&=\left[-t^3+2t^2+4t\right]_0^2+\left[t^3-2t^2-4t\right]_2^3\\&=8+5=13\end{aligned}$$

17

정답 ④

STEP A 주어진 곡선과 직선이 만나는 점의 x좌표 구하기

곡선 $y=-x^2+6$과 직선 $y=2x+3$의 교점의 x좌표를 구하면

$$-x^2+6=2x+3,\ x^2+2x-3=0,\ (x+3)(x-1)=0$$

$$\therefore x=-3\ 또는\ x=1$$

STEP B 위쪽에 있는 함수에서 아래쪽에 있는 함수를 빼어 주어진 구간에서 적분하여 넓이 구하기

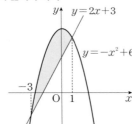

따라서 주어진 곡선과 직선으로 둘러싸인 부분의 넓이는

$$\begin{aligned}\int_{-3}^1 |(-x^2+6)-(2x+3)|dx&=\int_{-3}^1(-x^2-2x+3)dx\\&=\left[-\frac{1}{3}x^3-x^2+3x\right]_{-3}^1\\&=\left(-\frac{1}{3}-1+3\right)-(9-9-9)\\&=\frac{32}{3}\end{aligned}$$

> **참고** 이차함수와 직선으로 둘러싸인 도형의 넓이
> $$S=\frac{|a|}{6}(\beta-\alpha)^3=\frac{|-1|}{6}(1-(-3))^3=\frac{4^3}{6}=\frac{32}{3}$$

18

STEP Ⓐ $S_1=S_2$을 만족하는 상수 a의 값 구하기

함수 $f(x)=\dfrac{1}{2}x^3$의 그래프 위의

점 $P(a,\ b)$에 대하여 $b=\dfrac{1}{2}a^3$이고

$S_1=S_2$이므로

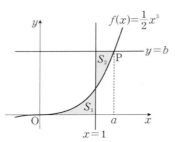

$\displaystyle\int_0^1 \dfrac{1}{2}x^3\,dx=\int_1^a\left(\dfrac{a^3}{2}-\dfrac{1}{2}x^3\right)dx$

$\left[\dfrac{1}{8}x^4\right]_0^1=\left[\dfrac{a^3}{2}x-\dfrac{1}{8}x^4\right]_1^a$

$\dfrac{1}{8}=\dfrac{3}{8}a^4-\dfrac{a^3}{2}+\dfrac{1}{8}$에서

$a^3(3a-4)=0,\ a>1$이므로 $a=\dfrac{4}{3}$

따라서 $30a=30\times\dfrac{4}{3}=40$

19

STEP Ⓐ $y=|x^2-3x+2|$을 절댓값 기호안의 식이 0이 되는 x의 값을 기준으로 구간을 나누어 나타내기

절댓값 기호안의 식이 0이 되는 x의 값은

$x=1$ 또는 $x=2$이므로

$y=|x^2-3x+2|=\begin{cases}-x^2+3x-2 & (1\le x\le 2) \\ x^2-3x+2 & (x<1\ \text{또는}\ x>2)\end{cases}$

STEP Ⓑ 곡선 $y=|x^2-3x+2|$와 직선 $y=x+2$의 교점의 x좌표 구하기

$y=x^2-3x+2$와 직선 $y=x+2$의 교점의 x좌표는 $x^2-3x+2=x+2$

즉 $x^2-4x=0$에서 $x(x-4)=0$ 이므로 $x=0$ 또는 $x=4$

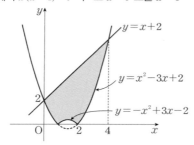

STEP Ⓒ 정적분을 이용하여 도형의 넓이 구하기

닫힌구간 $[0,\ 4]$에서 $x+2\ge x^2-3x+2$이므로 구하는 넓이를 S라 하면

$S=\displaystyle\int_0^4\{(x+2)-(x^2-3x+2)\}dx-2\int_1^2(-x^2+3x-2)dx$

$=\displaystyle\int_0^4(-x^2+4x)dx-2\int_1^2(-x^2+3x-2)dx$

$=\left[-\dfrac{1}{3}x^3+2x^2\right]_0^4-2\left[-\dfrac{1}{3}x^3+\dfrac{3}{2}x^2-2x\right]_1^2$

$=\dfrac{32}{3}-\dfrac{1}{3}=\dfrac{31}{3}$

> **참고** 구하는 넓이를 S라 하면
> $S=\displaystyle\int_0^1\{(x+2)-(x^2-3x+2)\}dx+\int_1^2\{(x+2)-(-x^2+3x-2)\}dx$
> $\qquad+\displaystyle\int_2^4\{(x+2)-(x^2-3x+2)\}dx$
> $=\displaystyle\int_0^1(-x^2+4x)dx+\int_1^2(x^2-2x+4)dx+\int_2^4(-x^2+4x)dx$
> $=\left[-\dfrac{1}{3}x^3+2x^2\right]_0^1+\left[\dfrac{1}{3}x^3-x^2+4x\right]_1^2+\left[-\dfrac{1}{3}x^3+2x^2\right]_2^4$
> $=\dfrac{5}{3}+\dfrac{10}{3}+\dfrac{16}{3}=\dfrac{31}{3}$

20

STEP Ⓐ $y=f(x)$와 역함수 $y=g(x)$의 그래프 이해하기

$f(x)=x^2+x$에서 $f'(x)=2x+1$

$x\ge 0$에서 $f'(x)>0$이므로 함수 $f(x)$는 실수 전체의 집합에서 증가한다.

함수 $f(x)=x^2+x$의 역함수가 $g(x)$이므로

$y=f(x)$의 그래프와 $y=g(x)$의 그래프는 직선 $y=x$에 대하여 대칭이다.

STEP Ⓑ $y=f(x),\ y=g(x)$의 그래프는 직선 $y=x$에 대하여 대칭임을 이용하기

이때 $\displaystyle\int_{f(k)}^{f(k+1)}g(x)dx$의 값은 색칠된 B부분의 넓이이고 역함수의 성질에 의하여

직선 $y=x$에 대하여 대칭이동한 B'부분의 넓이와 같다.

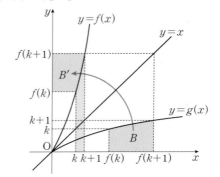

$\displaystyle\int_k^{k+1}f(x)dx+\int_{f(k)}^{f(k+1)}g(x)dx$

$=(A$부분의 넓이$)+(B$부분의 넓이$)$

$=(k+1)f(k+1)-kf(k)$

$=(k+1)\{(k+1)^2+(k+1)\}-k(k^2+k)$

$=3k^2+5k+2$

STEP Ⓒ $\displaystyle\int_k^{k+1}f(x)dx+\int_{f(k)}^{f(k+1)}g(x)dx=44$임을 만족하는 k의 값 구하기

$3k^2+5k+2=44$이므로

$3k^2+5k-42=0,\ (k-3)(3k+14)=0$

따라서 $k>0$이므로 $k=3$

서 술 형

21

정답 해설참조

| 1단계 | 그래프에서 도함수 $f'(x)$의 식을 이용하여 부정적분 $f(x)$의 식을 작성한다. | ◀ 30% |

$f'(x)=a(x+1)(x-1)=ax^2-a\,(a<0)$으로 놓으면

$f(x)=\displaystyle\int(ax^2-a)dx=\dfrac{a}{3}x^3-ax+C$ (C는 적분상수)

| 2단계 | 함수 $f(x)$의 극솟값이 0이고 곡선 $y=f(x)$와 x축으로 둘러싸인 부분의 넓이가 9임을 이용하여 삼차함수 $f(x)$을 구한다. | ◀ 50% |

$f'(x)=0$에서 $x=-1$ 또는 $x=1$이고

$a<0$이므로 함수 $f(x)$는

$x=-1$에서 극소이고

$x=1$에서 극대이다.

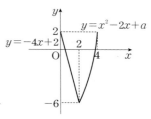

함수 $f(x)$는 $x=-1$에서 극소이고

극솟값이 0이므로

$f(-1)=0$에서 $f(-1)=-\dfrac{a}{3}+a+C=0$

$\therefore C=-\dfrac{2}{3}a$

$f(x)=\dfrac{a}{3}x^3-ax-\dfrac{2}{3}a$

$\quad=\dfrac{a}{3}(x^3-3x-2)$

$\quad=\dfrac{a}{3}(x+1)^2(x-2)$

곡선 $y=f(x)$와 x축으로 둘러싸인 부분의 넓이는

$\displaystyle\int_{-1}^{2}\dfrac{a}{3}(x^3-3x-2)dx=\dfrac{a}{3}\Big[\dfrac{1}{4}x^4-\dfrac{3}{2}x^2-2x\Big]_{-1}^{2}=-\dfrac{9}{4}a$

이므로 $-\dfrac{9}{4}a=9$에서 $a=-4$

$\therefore f(x)=-\dfrac{4}{3}(x^3-3x-2)$

| 3단계 | $f(x)$의 극댓값을 구한다. | ◀ 20% |

함수 $f(x)$는 $x=1$에서 극대이므로 극댓값은

$f(1)=-\dfrac{4}{3}(1-3-2)=\dfrac{16}{3}$

22

정답 해설참조

| 1단계 | 함수 $f(x)$가 실수 전체에서 연속이기 위한 상수 a의 값 구한다. | ◀ 30% |

함수 $y=f(x)$가 실수 전체에서 연속이므로

$x=2$에서도 연속이다.

$\displaystyle\lim_{x\to2^-}f(x)=\lim_{x\to2^-}(-4x+2)$

$\qquad=-8+2=-6$

$\displaystyle\lim_{x\to2^+}f(x)=\lim_{x\to2^+}(x^2-2x+a)$

$\qquad=4-4+a=a$

$f(2)=4-4+a=a$

이때 $\displaystyle\lim_{x\to2^+}f(x)=\lim_{x\to2^-}f(x)=f(2)$

이어야 하므로 $a=-6$

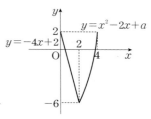

참고

$f(x)=f(x+4)$이므로 $x=0$을 대입하면 $f(0)=f(4)$

즉 $f(0)=-4\cdot0+2=2$이고

$f(4)=4^2-2\cdot4+a=a+8$이므로 $2=a+8$

$\therefore a=-6$

| 2단계 | $f(x)=f(x+4)$임을 이용하여 $\displaystyle\int_9^{11}f(x)dx$을 정리한다. | ◀ 30% |

$f(x)=\begin{cases}-4x+2 & (0\le x<2)\\ x^2-2x-6 & (2\le x\le4)\end{cases}$

함수 $f(x)$가 모든 실수 x에 대하여 $f(x)=f(x+4)$이므로

$\displaystyle\int_9^{11}f(x)dx=\int_5^{7}f(x)dx=\int_1^{3}f(x)dx$

| 3단계 | $\displaystyle\int_9^{11}f(x)dx$의 값을 구한다. | ◀ 40% |

따라서 $\displaystyle\int_1^{3}f(x)dx=\int_1^{2}f(x)dx+\int_2^{3}f(x)dx$

$\qquad=\displaystyle\int_1^{2}(-4x+2)dx+\int_2^{3}(x^2-2x-6)dx$

$\qquad=\Big[-2x^2+2x\Big]_1^{2}+\Big[\dfrac{1}{3}x^3-x^2-6x\Big]_2^{3}$

$\qquad=\{(-8+4)-(-2+2)\}+\Big\{(9-9-18)-\Big(\dfrac{8}{3}-4-12\Big)\Big\}$

$\qquad=-4-\dfrac{14}{3}$

$\qquad=-\dfrac{26}{3}$

참고 조건을 만족하는 함수 $y=f(x)$의 그래프는 다음과 같다.

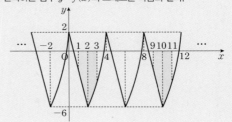

23 정답 해설참조

1단계 정적분의 기본 정의에 의하여 상수 a의 값을 구한다. ◀ 20%

주어진 등식의 양변에 $x=1$을 대입하면

$$0=\frac{1}{4}-a+\frac{9}{2}+5-\frac{31}{4}$$

$$\therefore a=2$$

2단계 함수 $f(x)$를 구한다. ◀ 40%

$$\int_1^x (x-t)f'(t)dt=\frac{1}{4}x^4-2x^3+\frac{9}{2}x^2+5x-\frac{31}{4}$$ 에서

$$x\int_1^x f'(t)dt-\int_1^x tf'(t)dt=\frac{1}{4}x^4-2x^3+\frac{9}{2}x^2+5x-\frac{31}{4}$$

위의 등식의 양변을 x에 대하여 미분하면

$$\int_1^x f'(t)dt+xf'(x)-xf'(x)=x^3-6x^2+9x+5$$

$$\int_1^x f'(x)=x^3-6x^2+9x+5$$

위의 등식의 양변을 다시 x에 대하여 미분하면

$$f'(x)=3x^2-12x+9$$

$$f(x)=\int(3x^2-12x+9)dx=x^3-6x^2+9x+C \text{ (단 } C\text{는 적분상수)}$$

3단계 함수 $f(x)$의 극댓값 M, 극솟값 m을 구하여 $M-m$의 값을 구한다. ◀ 40%

$$f'(x)=3x^2-12x+9=3(x^2-4x+3)=2(x-1)(x-3)$$

$f'(x)=0$에서 $x=1$ 또는 $x=3$

함수 $f(x)$의 증가와 감소를 표로 나타내면 다음과 같다.

x	$\cdots$	1	$\cdots$	3	$\cdots$
$f'(x)$	+	0	−	0	+
$f(x)$	↗	극대	↘	극소	↗

따라서 함수 $f(x)$는

$x=1$에서 극대이고 극댓값 $M=f(1)=1-6+9+C=4+C$

$x=3$에서 극소이고 극솟값 $m=f(3)=27-54+27+C=C$

$$\therefore M-m=4+C-C=4$$

24 정답 해설참조

1단계 시각 t에서의 두 점 P, Q의 위치를 구한다. ◀ 30%

시각 t에서의 두 점 P, Q의 위치를 각각 $x_P(t)$, $x_Q(t)$라 하면

$$x_P(t)=\int_0^t (3t^2-4t+2)dt=t^3-2t^2+2t$$

$$x_Q(t)=\int_0^t (11-4t)dt=11t-2t^2$$

2단계 원점에서 출발한 후 다시 만날 때, 시각 t를 구한다. ◀ 30%

두 점 P, Q가 만나는 것은 두 점의 위치가 같을 때,

즉 $x_P(t)=x_Q(t)$일 때이므로

$t^3-2t^2+2t=11t-2t^2$에서 $t^3-9t=0$, $t(t+3)(t-3)=0$

이때 $t>0$이므로 $t=3$

즉 두 점 P, Q가 다시 만나게 되는 경우는 $a=3$일 때이다.

3단계 두 점 P, Q가 다시 만나게 될 때까지의 시각 중 두 점 P, Q 사이의 거리의 최댓값을 구한다. ◀ 40%

즉 두 점 P, Q 사이의 거리는

$$h(t)=|x_P(t)-x_Q(t)|=|t^3-2t^2+2t-11t+2t^2|=|t^3-9t|$$

$0\le t\le 3$에서 $h(t)=t^3-9t$

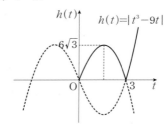

$h'(t)=3t^2-9=3(t+\sqrt{3})(t-\sqrt{3})$이므로

$0<t\le 3$에서 $t=\sqrt{3}$일 때, 최댓값 $6\sqrt{3}$을 가지므로 거리의 최댓값은

$$h(\sqrt{3})=6\sqrt{3}$$

1회 중간고사 모의평가

01	④	02	①	03	①	04	②	05	②
06	①	07	①	08	⑤	09	③	10	⑤
11	⑤	12	⑤	13	④	14	⑤	15	⑤
16	③	17	③	18	②	19	③	20	①

서술형

| 21 | 해설참조 | 22 | 해설참조 |
| 23 | 해설참조 | 24 | 해설참조 |

01

정답 ④

STEP Ⓐ [보기]의 우극한, 좌극한을 구하여 참, 거짓 판별하기

ㄱ. 함수 $y=f(x)$의 그래프에서 $x \to 1-$일 때, $f(x) \to 1$이므로
$\lim_{x \to 1-} f(x)=1$이다. [참]

ㄴ. 함수 $y=f(x)$의 그래프에서 $x \to 1+$일 때, $f(x) \to 2$이므로
$\lim_{x \to 1+} f(x)=2$ ...... ㉠

함수 $y=f(x)$의 그래프에서 $t=x-1$로 놓으면

$x \to 4-$일 때, $t \to 3-$이고 $f(x-1)=f(t) \to -1$이므로
$\lim_{x \to 4-} f(x-1)=\lim_{t \to 3-} f(t)=-1$ ...... ㉡

㉠, ㉡에서 $\lim_{x \to 1+} f(x)+\lim_{x \to 4-} f(x-1)=2-1=1$ [거짓]

ㄷ. $\lim_{x \to a+} f(x)$의 값은 $x=a$에서 함수 $f(x)$의 우극한이고
$\lim_{x \to a-} f(x)$의 값은 $x=a$에서 함수 $f(x)$의 좌극한이므로
부등식 $\lim_{x \to a+} f(x) > \lim_{x \to a-} f(x)$를 만족시키는 실수 a는 $0 < a < 4$에서
$a=1$, $a=3$이므로 2개이다. [참]

따라서 옳은 것은 ㄱ, ㄷ이다.

02

정답 ①

STEP Ⓐ $x-2=t$로 치환하여 식 정리하기

$x-2=t$로 놓으면 $x \to 2$일 때, $t \to 0$
$\lim_{x \to 2} f(x-2)=\lim_{t \to 0} f(t)=3$

STEP Ⓑ 극한값 구하기

$\lim_{x \to 0} \dfrac{1+2f(x)}{2-f(x)}=\dfrac{1+2 \cdot \lim_{x \to 0} f(x)}{2-\lim_{x \to 0} f(x)}=\dfrac{1+2 \cdot 3}{2-3}=-7$

03

정답 ①

STEP Ⓐ 주어진 식을 유리화하여 극한값 구하기

$\lim_{x \to 4} \dfrac{\sqrt{2x+1}-3}{x-4}=\lim_{x \to 4} \dfrac{(\sqrt{2x+1}-3)(\sqrt{2x+1}+3)}{(x-4)(\sqrt{2x+1}+3)}$

$=\lim_{x \to 4} \dfrac{(2x+1)-3^2}{(x-4)(\sqrt{2x+1}+3)}$

$=\lim_{x \to 4} \dfrac{2(x-4)}{(x-4)(\sqrt{2x+1}+3)}$

$=\lim_{x \to 4} \dfrac{2}{\sqrt{2x+1}+3}$

$=\dfrac{2}{\sqrt{9}+3}=\dfrac{1}{3}$

STEP Ⓑ 분모를 1로 보고 분자 유리화하여 극한값 구하기

$\lim_{x \to \infty}(\sqrt{x^2+6x+5}-x)=\lim_{x \to \infty} \dfrac{6x+5}{\sqrt{x^2+6x+5}+x}$

$=\lim_{x \to \infty} \dfrac{6+\dfrac{5}{x}}{\sqrt{1+\dfrac{6}{x}+\dfrac{5}{x^2}}+1}=3$

따라서 구하는 극한값은 $\dfrac{1}{3} \cdot 3=1$

04

정답 ②

STEP Ⓐ 최대 최소의 정리와 사잇값 정리의 진위판단하기

① 최대 최소의 정리에 의하여
함수 $f(x)$가 닫힌구간 $[a, b]$에서 최댓값과 최솟값을 갖는다. [참]

② 반례 $f(x)=x^2-4$이면 $f(-3)f(3)>0$이지만 방정식 $f(x)=0$은
열린구간 $(-3, 3)$에서 실수해 $x=2$ 또는 $x=-2$를 갖는다. [거짓]

③ 롤의 정리에 의하여
함수 $f(x)$가 닫힌구간 $[a, b]$에서 연속이고
열린구간 (a, b)에서 미분가능할 때, $f(a)=f(b)$이면
$f'(c)=0$인 c가 a와 b 사이에 적어도 하나 존재한다. [참]

④ 평균값 정리에 의하여
함수 $f(x)$가 열린구간 (a, b)에서 미분가능할 때,
$\dfrac{f(b)-f(a)}{b-a}=f'(c)$인 c가 a와 b 사이에 적어도하나 존재한다. [참]

⑤ 사잇값의 정리에 의하여
$f(a)f(b)<0$이면 사잇값 정리에 의해 방정식 $f(x)=0$은
닫힌구간 $[a, b]$에서 적어도 하나의 실수해를 갖는다. [참]

따라서 옳지 않은 것은 ②이다.

05

STEP Ⓐ $\dfrac{\{f(x)\}^2}{x^2-1}$ 의 범위 구하기

$3x-1 < f(x) < 3x+2$에서

$x \to \infty$일 때, $3x-1 > 0$, $3x+2 > 0$이므로 각 변을 제곱하면

$(3x-1)^2 < \{f(x)\}^2 < (3x+2)^2$

$x \to \infty$일 때, $x^2-1 > 0$이므로 각 변을 x^2-1로 나누면

$\dfrac{(3x-1)^2}{x^2-1} < \dfrac{\{f(x)\}^2}{x^2-1} < \dfrac{(3x+2)^2}{x^2-1}$

STEP Ⓑ **함수의 극한의 대소 관계에 의하여 극한값 구하기**

이때 $\displaystyle\lim_{x \to \infty} \dfrac{(3x-1)^2}{x^2-1} = \lim_{x \to \infty} \dfrac{9x^2-6x+1}{x^2-1} = \lim_{x \to \infty} \dfrac{9-\dfrac{6}{x}+\dfrac{1}{x^2}}{1-\dfrac{1}{x^2}} = 9$

$\displaystyle\lim_{x \to \infty} \dfrac{(3x+2)^2}{x^2-1} = \lim_{x \to \infty} \dfrac{9x^2+12x+4}{x^2-1} = \lim_{x \to \infty} \dfrac{9+\dfrac{12}{x}+\dfrac{4}{x^2}}{1-\dfrac{1}{x^2}} = 9$

따라서 함수의 극한의 대소 관계에 의하여 $\displaystyle\lim_{x \to \infty} \dfrac{\{f(x)\}^2}{x^2-1} = 9$

06

STEP Ⓐ **극한값이 존재할 조건을 이용하여 a, b의 관계식 구하기**

$\displaystyle\lim_{x \to 1} \dfrac{a\sqrt{x}+b}{x-1}$의 값이 존재하고 $\displaystyle\lim_{x \to 1}(x-1) = 0$이므로 ◀ (분모)→ 0

$\displaystyle\lim_{x \to 1}(a\sqrt{x})+b = 0$이다. ◀ (분자)→ 0

즉 $a+b=0$이므로 $b=-a$ ...... ㉠

STEP Ⓑ **분자를 유리화하여 극한값 구하기**

㉠을 주어진 등식의 좌변에 대입하면

$\displaystyle\lim_{x \to 1} \dfrac{a\sqrt{x}+b}{x-1} = \lim_{x \to 1} \dfrac{a\sqrt{x}-a}{x-1}$

$\qquad\qquad = \displaystyle\lim_{x \to 1} \dfrac{a(\sqrt{x}-1)(\sqrt{x}+1)}{(x-1)(\sqrt{x}+1)}$ ◀ $\dfrac{0}{0}$ 꼴이므로 분자를 유리화

$\qquad\qquad = \displaystyle\lim_{x \to 1} \dfrac{a(x-1)}{(x-1)(\sqrt{x}+1)} = \lim_{x \to 1} \dfrac{a}{\sqrt{x}+1} = \dfrac{a}{2}$

이므로 $\dfrac{a}{2} = 2$ ∴ $a=4$

㉠에서 $b=-a$이므로 $b=-4$

따라서 $a=4$, $b=-4$이므로 $ab=-16$

07

STEP Ⓐ **(분모)→ 0이고 극한값이 존재하므로 (분자)→ 0이어야 함을 이용하여 삼차함수 $f(x)$의 식 작성하기**

$\displaystyle\lim_{x \to -1} \dfrac{f(x)}{x+1} = 6$에서

$x \to -1$일 때, (분모)→ 0이고 극한값이 존재하므로 (분자)→ 0이어야 한다.

∴ $\displaystyle\lim_{x \to -1} f(x) = f(-1) = 0$ ...... ㉠

$\displaystyle\lim_{x \to 2} \dfrac{f(x)}{x-2} = 3$에서

$x \to 2$일 때, (분모)→ 0이고 극한값이 존재하므로 (분자)→ 0이어야 한다.

∴ $\displaystyle\lim_{x \to 2} f(x) = f(2) = 0$ ...... ㉡

㉠, ㉡에서 $f(x)$는 $(x+1)(x-2)$를 인수로 갖는다.

$f(x) = (x+1)(x-2)(ax+b)$ ($a \ne 0$, a, b는 상수)로 놓을 수 있다.

STEP Ⓑ $\dfrac{0}{0}$ **꼴의 극한을 이용하여 삼차함수 $f(x)$ 구하기**

$\displaystyle\lim_{x \to -1} \dfrac{f(x)}{x+1} = \lim_{x \to -1} \dfrac{(x+1)(x-2)(ax+b)}{x+1}$

$\qquad\qquad = \displaystyle\lim_{x \to -1}(x-2)(ax+b)$

$\qquad\qquad = -3(-a+b) = 6$

∴ $a-b=2$ ...... ㉢

$\displaystyle\lim_{x \to 2} \dfrac{f(x)}{x-2} = \lim_{x \to 2} \dfrac{(x+1)(x-2)(ax+b)}{x-2}$

$\qquad\qquad = \displaystyle\lim_{x \to 2}(x+1)(ax+b)$

$\qquad\qquad = 3(2a+b) = 3$

∴ $2a+b=1$ ...... ㉣

㉢, ㉣을 연립하여 풀면 $a=1$, $b=-1$

STEP Ⓒ $\displaystyle\lim_{x \to 3} f(x)$**의 값 구하기**

따라서 $f(x) = (x+1)(x-2)(x-1)$이므로

$\displaystyle\lim_{x \to 1} \dfrac{f(x)}{x-1} = \lim_{x \to 1} \dfrac{(x+1)(x-2)(x-1)}{x-1} = \lim_{x \to 1}(x+1)(x-2) = 2 \cdot (-1) = -2$

08

STEP Ⓐ $x=1$**에서 $f(x)$가 연속일 조건 이해하기**

함수 $f(x)$가 모든 실수 x에서 연속이므로 $x=1$에서도 연속이다.

$\displaystyle\lim_{x \to 1} f(x) = f(1)$

STEP Ⓑ **극한값이 존재할 조건을 이용하여 a값 구하기**

$\displaystyle\lim_{x \to 1} \dfrac{x^2+ax-2}{x-1} = b$에서

$x \to 1$일 때, (분모)→ 0이고 극한값이 존재하므로 (분자)→ 0이어야 한다.

즉 $\displaystyle\lim_{x \to 1}(x^2+ax-2) = 0$이므로 $1+a-2=0$

∴ $a=1$

STEP Ⓒ **극한값을 구하여 b값 구하기**

$b = \displaystyle\lim_{x \to 1} \dfrac{x^2+x-2}{x-1} = \lim_{x \to 1} \dfrac{(x-1)(x+2)}{x-1} = \lim_{x \to 1}(x+2) = 3$

따라서 $a=1$, $b=3$이므로 $a+b=1+3=4$

09

정답 ③

STEP Ⓐ $x=1$에서 연속임을 이용하여 a, b 사이의 관계식 구하기

함수 $f(x)$가 $x=1$에서 연속이므로

$\lim\limits_{x\to 1-}(2x+a)=\lim\limits_{x\to 1+}(x^2+bx+3)$

$2+a=1+b+3$

$\therefore a-b=2$ ...... ㉠

STEP Ⓑ $f(x+5)=f(x)$임을 이용하여 a, b의 값 구하기

$f(x+5)=f(x)$이므로 $f(3)=f(-2)$

$3^2+3b+3=2\cdot(-2)+a$

$\therefore a-3b=16$ ...... ㉡

㉠, ㉡을 연립하여 풀면 $a=-5$, $b=-7$

$\therefore f(x)=\begin{cases} 2x-5 & (-2\le x<1) \\ x^2-7x+3 & (1\le x\le 3) \end{cases}$

STEP Ⓒ $f(2021)$의 값 구하기

따라서 $f(2021)=f(404\cdot5+1)=f(1)=1-7+3=-3$

10

정답 ⑤

STEP Ⓐ $x=1$에서 연속이라는 조건을 이용하여 a의 값 구하기

함수 $(x-a)f(x)$는 $x=1$을 제외한 모든 실수에서 연속이므로
$x=1$일 때만 연속성을 확인 하면 된다.

$g(x)=(x-a)f(x)$라 하면
$x=1$에서 연속이려면
$g(1)=\lim\limits_{x\to 1+}g(x)=\lim\limits_{x\to 1-}g(x)$

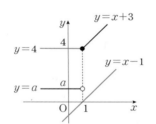

이어야 하므로
$(1-a)\times 4=(1-a)\times 4=(1-a)a$
$4(1-a)=a(1-a)$
$a^2-5a+4=0$, $(a-1)(a-4)=0$
$\therefore a=1$ 또는 $a=4$
따라서 모든 실수 a의 합은 $1+4=5$

11

정답 ⑤

STEP Ⓐ 극한값이 존재할 조건을 이용하여 $f(3)$의 값 구하기

$\lim\limits_{x\to 2}\dfrac{f(x+1)-8}{x^2-4}=5$에서

$x\to 2$일 때, (분모)$\to 0$이고 극한값이 존재하므로 (분자)$\to 0$이다.

즉 $\lim\limits_{x\to 2}\{f(x+1)-8\}=0$이므로 $f(3)-8=0$

$\therefore f(3)=8$

STEP Ⓑ $x+1=h$로 치환하고 미분계수 식을 이용하여 극한값 구하기

한편 $x+1=h$로 놓으면 $x\to 2$일 때, $h\to 3$이므로

$\lim\limits_{h\to 3}\dfrac{f(h)-f(3)}{h^2-2h-3}=\lim\limits_{h\to 3}\dfrac{f(h)-f(3)}{h-3}\cdot\lim\limits_{h\to 3}\dfrac{1}{h+1}=\dfrac{1}{4}f'(3)=5$

$\therefore f'(3)=20$

따라서 $f(3)+f'(3)=8+20=28$

12

정답 ⑤

STEP Ⓐ 함수 $f(x)$가 $x=0$에서 연속이려면 $\lim\limits_{x\to 0}f(x)=f(0)$이어야 하고 미분가능하면 $f'(0)$이 존재해야 함을 보이기

① $f(x)=|x|^2$에서 $f(x)=\begin{cases} x^2 & (x\ge 0) \\ (-x)^2 & (x<0) \end{cases}$

$\lim\limits_{x\to 0}f(x)=0=f(0)$이므로 함수 $f(x)$는 $x=0$에서 연속이고

$\lim\limits_{h\to 0+}\dfrac{f(0+h)-f(0)}{h}=0$, $\lim\limits_{h\to 0-}\dfrac{f(0+h)-f(0)}{h}=0$이므로

함수 $f(x)$는 $x=0$에서 미분가능하다.

② $f(x)=\dfrac{|x|}{x}$에서 $f(x)=\begin{cases} 1 & (x\ge 0) \\ -1 & (x<0) \end{cases}$

$\lim\limits_{x\to 0+}f(x)\ne\lim\limits_{x\to 0-}f(x)$이므로 함수 $f(x)$는 $x=0$에서 불연속이다.

③ $f(x)=[x]$에서 $f(x)=\begin{cases} 0 & (0\le x<1) \\ -1 & (-1\le x<0) \end{cases}$

$\lim\limits_{x\to 0+}[x]=0$, $\lim\limits_{x\to 0-}[x]=-1$이므로 $f(x)$는 $x=0$에서 불연속이다.

④ $f(x)=x|x|$에서 $f(x)=\begin{cases} x^2 & (x\ge 0) \\ -x^2 & (x<0) \end{cases}$

$\lim\limits_{x\to 0}f(x)=0=f(0)$이므로 함수 $f(x)$는 $x=0$에서 연속이고

$\lim\limits_{h\to 0+}\dfrac{f(0+h)-f(0)}{h}=\lim\limits_{h\to 0+}\dfrac{h^2}{h}=0$, $\lim\limits_{h\to 0-}\dfrac{f(0+h)-f(0)}{h}=\lim\limits_{h\to 0-}\dfrac{-h^2}{h}=0$

이므로 $\lim\limits_{h\to 0}\dfrac{f(0+h)-f(0)}{h}$이 존재한다.

⑤ $f(x)=|x|-x$에서 $f(x)=\begin{cases} 0 & (x\ge 0) \\ -2x & (x<0) \end{cases}$

$\lim\limits_{x\to 0}f(x)=0=f(0)$이므로 함수 $f(x)$는 $x=0$에서 연속이고

$\lim\limits_{h\to 0+}\dfrac{f(0+h)-f(0)}{h}=\lim\limits_{h\to 0+}\dfrac{0}{h}=0$, $\lim\limits_{h\to 0-}\dfrac{f(0+h)-f(0)}{h}=\lim\limits_{h\to 0-}\dfrac{-2h}{h}=-2$

이므로 함수 $f(x)$는 $x=0$에서 미분가능하지 않다.

따라서 연속이지만 미분가능하지 않은 함수는 ⑤이다.

13

정답 ④

STEP Ⓐ $x=1$에서 연속임을 이용하여 a, b의 관계식 구하기

함수 $f(x)$가 $x=1$에서 미분가능하므로 $x=1$에서 연속이다.

즉 $\lim\limits_{x\to 1-}f(x)=\lim\limits_{x\to 1+}f(x)=f(1)$에서

$\lim\limits_{x\to 1-}(x^2+2x+a)=\lim\limits_{x\to 1+}(bx^2+6x)=b+6$

$1+2+a=b+6$ $\therefore a=b+3$ ...... ㉠

STEP Ⓑ $f'(1)$이 존재함을 이용하여 a, b의 값 구하기

또, $f'(1)$이 존재하므로

$\lim\limits_{x\to 1-}\dfrac{f(x)-f(1)}{x-1}=\lim\limits_{x\to 1-}\dfrac{(x^2+2x+a)-(1+2+a)}{x-1}$

$=\lim\limits_{x\to 1-}\dfrac{(x-1)(x+3)}{x-1}$

$=\lim\limits_{x\to 1-}(x+3)=4$

$\lim\limits_{x\to 1+}\dfrac{f(x)-f(1)}{x-1}=\lim\limits_{x\to 1+}\dfrac{(bx^2+6x)-(b+6)}{x-1}$

$=\lim\limits_{x\to 1+}\dfrac{(x-1)(bx+b+6)}{x-1}$

$=\lim\limits_{x\to 1+}(bx+b+6)=2b+6$

에서 $4=2b+6$ $\therefore b=-1$

$b=-1$을 ㉠에 대입하면 $a=2$

따라서 $a+b=2+(-1)=1$

14

STEP Ⓐ **극한값과 미분계수의 정의를 이용하여 $f(1)$, $f'(1)$의 값 구하기**

$\lim\limits_{h \to 0} \dfrac{f(1+h)-3}{h}=2$에서

$h \to 0$일 때, (분모)$\to 0$이고 극한값이 존재하므로 (분자)$\to 0$이어야 한다.

즉 $\lim\limits_{h \to 0}\{f(1+h)-3\}=0$ 이므로 $f(1)=3$

또한, $\lim\limits_{h \to 0}\dfrac{f(1+h)-3}{h}=\lim\limits_{h \to 0}\dfrac{f(1+h)-f(1)}{h}=f'(1)=2$

STEP Ⓑ **$g'(1)$의 값 구하기**

$g(x)=(x+2)f(x)$에서 함수의 곱의 미분법에 의하여

$g'(x)=f(x)+(x+2)f'(x)$

$\therefore g'(1)=f(1)+3f'(1)=3+3\cdot2=9$

15

STEP Ⓐ **극한값이 존재조건과 미분계수을 이용하여 구하기**

조건 (가) $\lim\limits_{x \to 0}\dfrac{f(x)-3}{x}=5$에서

$x \to 0$일 때, (분모)$\to 0$이고 극한값이 존재하므로 (분자)$\to 0$이어야 한다.

즉 $\lim\limits_{x \to 0}\{f(x)-3\}=0$이므로 $f(0)=3$

$\lim\limits_{x \to 0}\dfrac{f(x)-3}{x}=\lim\limits_{x \to 0}\dfrac{f(x)-f(0)}{x-0}=f'(0)$이므로 $f'(0)=5$

조건 (나) $\lim\limits_{x \to 0}\dfrac{g(x)}{x^2+2x}=4$에서

$x \to 0$일 때, (분모)$\to 0$이고 극한값이 존재하므로 (분자)$\to 0$이어야 한다.

즉 $\lim\limits_{x \to 0}g(x)=0$이므로 $g(0)=0$

$\lim\limits_{x \to 0}\dfrac{g(x)}{x^2+2x}=\lim\limits_{x \to 0}\left\{\dfrac{1}{x+2} \times \dfrac{g(x)-g(0)}{x-0}\right\}=\dfrac{1}{2} \times g'(0)$

이므로 $\dfrac{1}{2} \times g'(0)=4$, $g'(0)=8$

STEP Ⓑ **다항함수의 곱의 미분법을 이용하여 $h'(0)$의 값 구하기**

$h(x)=f(x)g(x)$에서 $h'(x)=f'(x)g(x)+f(x)g'(x)$이므로

$h'(0)=f'(0)g(0)+f(0)g'(0)=5 \times 0+3 \times 8=24$

16

STEP Ⓐ **미분가능하지 않은 점 구하기**

집합 A는 미분가능한 점들의 x좌표의 모임이다.

함수 $y=f(x)$는 $x=2$에서 불연속이므로 $x=2$에서 미분가능하지 않다.

함수 $y=f(x)$는 $x=3$에서 연속이지만

$\lim\limits_{x \to 3-}\dfrac{f(x)-f(3)}{x-3} \neq \lim\limits_{x \to 3+}\dfrac{f(x)-f(3)}{x-3}$

이므로 $x=3$에서 미분가능하지 않다.

따라서 $A^c=\{2, 3\}$이므로 집합 A^c의 모든 원소의 합은 $2+3=5$

17

STEP Ⓐ **$f(x)=ax^2+bx+c$라 두고 주어진 식에 대입하기**

조건 (가)에서 $f(x)=ax^2+bx+c$ $(a \neq 0$, b, c상수)으로 놓으면

조건 (나)에서 $f(-1)=a-b+c=1$ ⋯⋯ ㉠

또 $f'(x)=2ax+b$이므로 조건 (다)에서

$(2x+1)f'(x)-4f(x)+3=0$에 대입하면

$(2x+1)(2ax+b)-4(ax^2+bx+c)+3=0$

$2(a-b)x+b-4c+3=0$

STEP Ⓑ **항등식의 성질을 이용하여 a, b, c의 값 구하기**

이 등식이 임의의 실수 x에 대하여 성립하므로

$a-b=0$, $b-4c+3=0$ ⋯⋯ ㉡

㉠, ㉡을 연립하여 풀면 $a=1$, $b=1$, $c=1$

STEP Ⓒ **$f(2)$의 값 구하기**

따라서 $f(x)=x^2+x+1$이므로 $f(2)=4+2+1=7$

18

STEP Ⓐ **몫을 임의로 두고 식 세우기**

다항식 $x^{10}+ax+b$를 $(x-1)^2$로 나누었을 때, 몫을 $Q(x)$라고 하면

$x^{10}+ax+b=(x-1)^2Q(x)+7x-8$ ⋯⋯ ㉠

STEP Ⓑ **$x=1$을 대입하여 a, b 사이의 관계식 구하기**

양변에 $x=1$을 대입하면

$1+a+b=-1$ ⋯⋯ ㉡

STEP Ⓒ **양변을 x로 미분한 후 $x=1$을 대입하여 a, b의 값 구하기**

㉠의 양변을 x에 대하여 미분하면

$10x^9+a=(2x-2)Q(x)+(x-1)^2Q'(x)+7$

양변에 $x=1$을 대입하여 풀면 $a=-3$

$a=-3$을 ㉡에 대입하여 풀면 $b=1$

따라서 $a+2b=-1$

19

STEP Ⓐ **점 $(-1, -1)$을 대입하여 a 구하기**

$f(x)=-x^3+ax+3$의 그래프가 $(-1, -1)$을 지나므로 $f(-1)=-1$

즉 $f(-1)=1-a+3=-1$ $\therefore a=5$

STEP Ⓑ **미분계수 $f'(-1)=m$을 이용하여 m의 값 구하기**

$f(x)=-x^3+5x+3$이므로 $f'(x)=-3x^2+5$

점 $(-1, -1)$에서의 접선의 기울기가 m이므로 $f'(-1)=-3+5=2$

$\therefore m=2$

따라서 $a+m=5+2=7$

20

STEP A 곡선 $y=f(x)$ 위의 점 $(2, 4)$에서의 접선의 방정식 구하기

$f(x)=x^3+ax^2+bx+c$라 하면 $f'(x)=3x^2+2ax+b$이고

두 점 $(2, 4)$, $(-1, 1)$을 지나는 직선의 방정식은 $y=x+2$

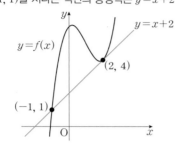

STEP B $f(2)=4$, $f(-1)=1$, $f'(2)=1$을 이용하여 $f'(x)$ 구하기

$f(2)=4$에서 $4a+2b+c=-4$ ······ ㉠

$f(-1)=1$에서 $a-b+c=2$ ······ ㉡

$f'(2)=1$에서 $4a+b=-11$ ······ ㉢

㉠, ㉡, ㉢에서 연립하여 풀면 $a=-3$, $b=1$, $c=6$

따라서 $f'(x)=3x^2-6x+1$이므로 $f'(3)=10$

다른풀이 곡선과 접선의 교점의 x좌표를 이용하여 삼차함수 $f(x)$ 구하기

두 점 $(2, 4)$, $(-1, 1)$을 지나는 직선의 방정식이 $y=x+2$이므로

$f(x)-(x+2)=(x-2)^2(x+1)$

$f(x)=x^3-3x^2+x+6$

$f'(x)=3x^2-6x+1$

따라서 $f'(3)=10$

서 술 형

21

| 1단계 | $\lim\limits_{x\to\infty}\dfrac{f(x)}{x^2+2x}=2$에서 다항함수 $f(x)$의 차수를 구한다. | ◀ 20% |

$\lim\limits_{x\to\infty}\dfrac{f(x)}{x^2+2x}=2$에서 $f(x)$는 이차항의 계수가 2인 이차함수이어야 한다.

즉 $f(x)=2x^2+ax+b$ (a, b는 상수)로 놓을 수 있다.

| 2단계 | $\lim\limits_{x\to-2}\dfrac{f(x)}{x^2-4}=1$에서 $f(x)$가 다항함수 $x+2$를 인수로 가짐을 보인다. | ◀ 30% |

$\lim\limits_{x\to-2}\dfrac{f(x)}{x^2-4}=1$에서

$x\to-2$일 때, (분모)$\to 0$이고 극한값이 존재하므로 (분자)$\to 0$이어야 한다.

즉 $\lim\limits_{x\to-2}f(x)=f(-2)=0$이므로 $f(x)$는 $x+2$를 인수로 갖는다.

즉 $f(-2)=8-2a+b=0$이므로 $b=2a-8$ ······ ㉠

| 3단계 | [1, 2단계]를 이용하여 다항함수 $f(x)$를 구한다. | ◀ 30% |

$\lim\limits_{x\to-2}\dfrac{f(x)}{x^2-4}=\lim\limits_{x\to-2}\dfrac{2x^2+ax+b}{x^2-4}=\lim\limits_{x\to-2}\dfrac{2x^2+ax+2a-8}{x^2-4}$

$=\lim\limits_{x\to-2}\dfrac{(x+2)(2x+a-4)}{(x+2)(x-2)}$

$=\lim\limits_{x\to-2}\dfrac{2x+a-4}{x-2}=\dfrac{-8+a}{-4}=1$

에서 $a=4$이므로 ㉠에서 $b=0$

$\therefore f(x)=2x^2+4x$

| 4단계 | $\lim\limits_{x\to1}\dfrac{f(x)-6}{x-1}$의 값을 구한다. | ◀ 20% |

따라서 $f(x)=2x^2+4x$이므로

$\lim\limits_{x\to1}\dfrac{f(x)-6}{x-1}=\lim\limits_{x\to1}\dfrac{2x^2+4x-6}{x-1}$

$=\lim\limits_{x\to1}\dfrac{2(x-1)(x+3)}{x-1}$

$=2\lim\limits_{x\to1}(x+3)=8$

22

| 1단계 | 함수 $f(x)$가 x의 값이 -1에서 a까지 변할 때의 평균변화율을 구한다. | ◀ 40% |

x의 값이 -1에서 a까지 변할 때의 평균변화율은

$\dfrac{f(a)-f(-1)}{a-(-1)}=\dfrac{(a^2+2a+2)-\{(-1)^2+2\times(-1)+2\}}{a+1}$

$=\dfrac{(a+1)^2}{a+1}$

$=a+1$

| 2단계 | 함수 $f(x)$의 $x=1$에서의 미분계수를 구한다. | ◀ 40% |

$f(x)=x^2+2x+2$에서 $f'(x)=2x+2$

이므로 $f'(1)=2\times1+2=4$

| 3단계 | [1, 2단계]에서 평균변화율과 미분계수가 같을 때, a의 값을 구한다. | ◀ 20% |

따라서 $a+1=4$이므로 $a=3$

23

| 1단계 | 곡선 위의 점 $A(1, 4)$에서 접선의 방정식을 구한다. | ◀ 40% |

$f(x)=-x^3+5x$로 놓으면 $f'(x)=-3x^2+5$

$x=1$에서 접선의 기울기는 $f'(1)=2$이므로

점 $A(1, 4)$에서의 접선의 방정식은 $y-4=2(x-1)$, $y=2x+2$

| 2단계 | 1단계에서 구한 접선과 곡선 $y=-x^3+5x$의 교점의 한 점 B의 좌표를 구한다. | ◀ 40% |

$-x^3+5x=2x+2$에서 $x^3-3x+2=0$

$(x+2)(x-1)^2=0$

$\therefore x=-2$ 또는 $x=1$

따라서 점 B의 좌표는 $B(-2, -2)$

| 3단계 | 선분 AB의 길이를 구한다. | ◀ 20% |

두 점 $A(1, 4)$, $B(-2, -2)$이므로

$\overline{AB}=\sqrt{(-2-1)^2+(-2-4)^2}=3\sqrt{5}$

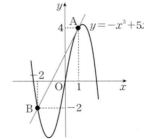

24

정답 해설참조

| 1단계 | 직선 AB의 방정식을 구하여 직선 AB에 평행한 곡선 $f(x)$에 접하는 접점의 x좌표를 구한다. | ◀ 40% |

직선 AB의 방정식이 $y=2x+6$이므로

함수 $f(x)=\dfrac{1}{3}x^3-x^2-x$의 그래프에서 접선의 기울기가 2인 점을 찾는다.

$f'(x)=x^2-2x-1=2$에서 $x^2-2x-3=0$, $(x+1)(x-3)=0$

$\therefore x=-1$ 또는 $x=3$

| 2단계 | 넓이가 최소가 되는 곡선 위의 점 P에서 직선 AB 사이의 거리를 구한다. | ◀ 30% |

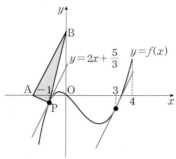

점 P의 좌표가 $\left(-1,\ -\dfrac{1}{3}\right)$일 때, 삼각형의 넓이는 최소이다.

점 $\left(-1,\ -\dfrac{1}{3}\right)$에서 직선 AB의 방정식 $2x-y+6=0$까지의 거리는

$\dfrac{\left|-2+\dfrac{1}{3}+6\right|}{\sqrt{2^2+(-1)^2}}=\dfrac{13\sqrt{5}}{15}$

| 3단계 | 삼각형 ABP의 넓이의 최솟값을 구한다. | ◀ 30% |

삼각형 ABP에서 선분 $\overline{AB}=\sqrt{3^2+6^2}=3\sqrt{5}$를 밑변으로

높이가 $\dfrac{13\sqrt{5}}{15}$이므로 삼각형 ABP의 넓이의 최솟값은

$\dfrac{1}{2}\times3\sqrt{5}\times\dfrac{13\sqrt{5}}{15}=\dfrac{13}{2}$

 함수 $f(x)$의 정의역이 실수 전체의 집합인 경우 점 P의 x좌표를 t라 하면 $t=5$일 때, 밑변이 $\overline{AB}$인 삼각형 ABP의 높이가 $t=-1$일 때의 높이와 같고 $t>5$일 때의 높이는 $t=-1$일 때의 높이보다 작을 수 있다.

M A P L ; S Y N E R G Y

2회 중간고사 모의평가

01	②	02	⑤	03	⑤	04	③	05	③
06	③	07	④	08	③	09	③	10	⑤
11	②	12	⑤	13	④	14	①	15	②
16	②	17	④	18	⑤	19	④	20	②

서술형

| 21 | 해설참조 | 22 | 해설참조 |
| 23 | 해설참조 | 24 | 해설참조 |

01

정답 ②

STEP Ⓐ 그래프에서 좌극한과 우극한값 구하기

함수 $y=f(x)$의 그래프에서

$x\to1+$일 때, $f(x)\to-2$이므로 $\displaystyle\lim_{x\to1+}f(x)=-2$

$x\to-1-$일 때, $f(x)\to2$이므로 $\displaystyle\lim_{x\to-1-}f(x)=2$

$0<x<1$일 때, $f(x)=-1$이므로 $\displaystyle\lim_{x\to0+}f(x)=-1$

따라서 $\displaystyle\lim_{x\to1+}f(x)+\lim_{x\to-1-}f(x)+\lim_{x\to0+}f(x)=-2+2+(-1)=-1$

02

정답 ⑤

STEP Ⓐ 함수 $f(x)$의 $x=3$에서의 우극한과 좌극한 구하기

$\displaystyle\lim_{x\to3+}f(x)=\lim_{x\to3+}(x^2-2)=7$

$\displaystyle\lim_{x\to3-}f(x)=\lim_{x\to3-}(-x+k)=-3+k$

STEP Ⓑ 좌극한과 우극한이 일치함을 이용하여 상수 k의 값 구하기

$\displaystyle\lim_{x\to3}f(x)$의 값이 존재하려면 $\displaystyle\lim_{x\to3+}f(x)=\lim_{x\to3-}f(x)$이어야 하므로

$7=-3+k$

따라서 $k=10$

03

정답 ⑤

STEP Ⓐ 함수의 극한의 성질을 이용하여 구하기

$\displaystyle\lim_{x\to1}\{(x^2+1)f(x)\}=6$이고 $\displaystyle\lim_{x\to1}(x^2+1)=2$이므로

$\displaystyle\lim_{x\to1}f(x)=\lim_{x\to1}\dfrac{(x^2+1)f(x)}{x^2+1}=\dfrac{6}{2}=3$

따라서 $\displaystyle\lim_{x\to1}\{(x+3)f(x)\}=\lim_{x\to1}(x+3)\times\lim_{x\to1}f(x)=4\times3=12$

 $\displaystyle\lim_{x\to1}\{(x^2+1)f(x)\}=6$이므로

$\displaystyle\lim_{x\to1}\{(x+3)f(x)\}=\lim_{x\to1}\left\{(x^2+1)f(x)\times\dfrac{x+3}{x^2+1}\right\}$

$=\lim_{x\to1}\{(x^2+1)f(x)\}\times\lim_{x\to1}\dfrac{x+3}{x^2+1}$

$=6\times\dfrac{4}{2}$

$=12$

04
정답 ③

STEP Ⓐ **극한값이 존재하기 위한 a의 값 구하기**

$$\lim_{x \to \infty}\{x(\sqrt{ax^2+b}-x)\}=\lim_{x \to \infty}\frac{x(\sqrt{ax^2+b}-x)(\sqrt{ax^2+b}+x)}{(\sqrt{ax^2+b}+x)}$$

$$=\lim_{x \to \infty}\frac{x\{(a-1)x^2+b\}}{\sqrt{ax^2+b}+x}$$

$$=\lim_{x \to \infty}\frac{(a-1)x^2+b}{\sqrt{a+\dfrac{b}{x^2}}+1}$$

극한값이 존재하므로 $a=1$

STEP Ⓑ **$a+b$의 값 구하기**

$$\lim_{x \to \infty}\{x(\sqrt{ax^2+b}-x)\}=\lim_{x \to \infty}\{x(\sqrt{x^2+b}-x)\}$$

$$=\lim_{x \to \infty}\frac{x(x^2+b-x^2)}{\sqrt{x^2+b}+x}$$

$$=\lim_{x \to \infty}\frac{bx}{\sqrt{x^2+b}+x}$$

$$=\lim_{x \to \infty}\frac{b}{\sqrt{1+\dfrac{b}{x^2}}+1}=\frac{b}{2}$$

즉 $\dfrac{b}{2}=4$이므로 $b=8$

따라서 $a+b=1+8=9$

05
정답 ③

STEP Ⓐ **$x=3$에서 연속일 조건을 만족하는 a의 값 구하기**

함수 $f(x)$가 $x=3$에서 연속이므로

$\lim\limits_{x \to 3-}f(x)=\lim\limits_{x \to 3+}f(x)=f(3)$이 성립해야 한다.

즉 $a-1=2a+1$에서 $a=-2$

STEP Ⓑ **$f(3)$의 값 구하기**

따라서 $x=3$에서 연속이므로 $f(3)=\lim\limits_{x \to 3-}f(x)=a-1=-3$

06
정답 ③

STEP Ⓐ **두 점 사이의 거리를 이용하여 $f(t)$ 구하기**

두 점 $P(3t, 2)$, $Q(2t, 2\sqrt{t})$에 대하여

$\overline{OQ}^2=(2t)^2+(2\sqrt{t})^2=4t^2+4t$

$\overline{PQ}^2=(3t-2t)^2+(2-2\sqrt{t})^2=t^2+4t-8\sqrt{t}+4$

$f(t)=\overline{OQ}^2-\overline{PQ}^2=3t^2+8\sqrt{t}-4$

STEP Ⓑ **$\lim\limits_{t \to \infty}\dfrac{f(t)}{t^2}$의 값 구하기**

따라서 $\lim\limits_{t \to \infty}\dfrac{f(t)}{t^2}=\lim\limits_{t \to \infty}\dfrac{3t^2+8\sqrt{t}-4}{t^2}$

$$=\lim_{t \to \infty}\left(3+8\sqrt{\frac{1}{t^3}}-\frac{4}{t^2}\right)$$

$$=3+0-0=3$$

07
정답 ④

STEP Ⓐ **함수 $f(x)g(x)$가 $x=-1$에서 연속이면 실수 전체의 집합에서 연속임을 이해하기**

함수 $f(x)$는 $x \ne -1$인 모든 실수 x에서 연속이고 일차함수 $g(x)$는 실수 전체의 집합에서 연속이다.

즉 함수 $f(x)g(x)$가 $x=-1$에서 연속이면 실수 전체의 집합에서 연속이다.

STEP Ⓑ **함수 $f(x)g(x)$가 $x=-1$에서 연속임을 이용하여 상수 a의 값 구하기**

$\lim\limits_{x \to -1-}f(x)g(x)=\lim\limits_{x \to -1-}f(x)\times \lim\limits_{x \to -1-}g(x)=(-1+a)(-1-a)$

← $\lim\limits_{x \to -1-}f(x)=\lim\limits_{x \to -1-}(x+a)=-1+a$

$\lim\limits_{x \to -1+}f(x)g(x)=\lim\limits_{x \to -1+}f(x)\times \lim\limits_{x \to -1+}g(x)=1\times(-1-a)=-(a+1)$

← $\lim\limits_{x \to -1+}f(x)=\lim\limits_{x \to -1+}x^2=(-1)^2=1$

$f(-1)g(-1)=1\times(-1-a)=-(a+1)$

이때 함수 $f(x)g(x)$가 $x=-1$에서 연속이려면

$\lim\limits_{x \to -1-}f(x)g(x)=\lim\limits_{x \to -1+}f(x)g(x)=f(-1)g(-1)$이어야 하므로

$(-1+a)(-1-a)=-(a+1)$

즉 $(a+1)(a-2)=0$

∴ $a=-1$ 또는 $a=2$

따라서 구하는 모든 상수 a의 값의 합은 $-1+2=1$

> **+α** 함수 $f(x)$는 $x \ne -1$인 모든 실수 x에서 연속이고, 일차함수 $g(x)$는 모든 실수 x에서 연속이다.
>
> 이때 $\lim\limits_{x \to -1-}f(x)$, $\lim\limits_{x \to -1+}f(x)$, $f(-1)$의 값이 존재하므로
>
> 함수 $f(x)g(x)$가 $x=-1$에서 연속인 경우는 다음 두 가지가 있다.
>
> (ⅰ) 함수 $f(x)$가 $x=-1$에서 연속일 때,
>
> $\lim\limits_{x \to -1-}f(x)=\lim\limits_{x \to -1+}f(x)=f(-1)$이어야 하므로
>
> $-1+a=1$에서 $a=2$
>
> (ⅱ) $g(-1)=0$일 때,
>
> $g(-1)=-1-a=0$에서 $a=-1$

08
정답 ③

STEP Ⓐ **주어진 구간에서 함숫값 구하기**

$g(x)=f(x)+x$라 하면 함수 $g(x)$는 실수 전체의 집합에서 연속이므로 모든 정수 n에 대하여 닫힌구간 $[n, n+1]$에서도 연속이다.

$g(0)=f(0)+0=1>0$

$g(1)=f(1)+1=4>0$

$g(2)=f(2)+2=1>0$

$g(3)=f(3)+3=-2<0$

$g(4)=f(4)+4=-1<0$

$g(5)=f(5)+5=-2<0$

STEP Ⓑ **사잇값 정리에 의하여 실근이 존재하는 구간 구하기**

$g(2)g(3)<0$이므로 사잇값 정리에 의하여 방정식 $g(x)=0$,

즉 $f(x)+x=0$은 열린구간 $(2, 3)$에서 적어도 하나의 실근을 갖는다.

따라서 방정식 $f(x)+x=0$은 오직 하나의 실근을 가지므로

실근 α가 존재하는 구간은 $(2, 3)$

09

정답 ③

STEP Ⓐ **연속조건을 만족하는 a, b의 값 구하기**

$x \neq 3$일 때, $f(x) = \dfrac{2x^2 + ax - b}{x - 3}$

모든 실수 x에서 함수 $f(x)$가 연속이므로 $x = 3$에서 연속이어야 한다.

즉 $f(3) = \lim\limits_{x \to 3} \dfrac{2x^2 + ax - b}{x - 3}$

$x \to 3$일 때, (분모)$\to 0$이고 극한값이 존재하므로 (분자)$\to 0$이어야 한다.

즉 $\lim\limits_{x \to 3}(2x^2 + ax - b) = 0$이므로

$18 + 3a - b = 0$, $3a - b = -18$ …… ㉠

또한, $f(4) = 9$에서

$f(4) = 32 + 4a - b = 9$, $4a - b = -23$ …… ㉡

㉠, ㉡를 연립하여 풀면 $a = -5$, $b = 3$

$\therefore f(x) = \dfrac{2x^2 - 5x - 3}{x - 3}$

STEP Ⓑ **$f(3)$의 값 구하기**

따라서 $x = 3$에서 연속이므로

$f(3) = \lim\limits_{x \to 3} \dfrac{2x^2 - 5x - 3}{x - 3} = \lim\limits_{x \to 3} \dfrac{(x - 3)(2x + 1)}{x - 3} = \lim\limits_{x \to 3}(2x + 1) = 7$

10

정답 ⑤

STEP Ⓐ **주어진 조건을 이용하여 $f(x)$의 식 세우기**

$\lim\limits_{x \to \infty} \dfrac{f(x)}{x^2} = 1$에서 $f(x)$는 최고차항의 계수가 1인 이차함수이다.

또한, $\lim\limits_{x \to 1} \dfrac{f(x)}{x - 1} = k$에서 $f(1) = 0$이므로

$f(x) = (x - 1)(x - a)$ (a는 상수) 라 하면

$\lim\limits_{x \to 1} \dfrac{f(x)}{x - 1} = \lim\limits_{x \to 1} \dfrac{(x - 1)(x - a)}{x - 1}$

$= \lim\limits_{x \to 1}(x - a) = 1 - a = k$ …… ㉠

STEP Ⓑ **$x = 2$에서 좌극한, 우극한, 함숫값이 모두 같음을 이용하기**

$h(x) = f(x)g(x)$가 $x = 2$에서 연속이므로

$h(2) = \lim\limits_{x \to 2+} h(x) = \lim\limits_{x \to 2-} h(x)$

$h(2) = f(2)g(2) = 3(2 - a)$

$\lim\limits_{x \to 2+} h(x) = \lim\limits_{x \to 2+}(x - 1)(x - a)(2 - x) = 0$

$\lim\limits_{x \to 2-} h(x) = \lim\limits_{x \to 2-}(x - 1)(x - a)(x + 1) = 3(2 - a)$

따라서 $a = 2$이므로 ㉠에서 $k = -1$

 참고 $f(x)$가 $x = a$에서 불연속이고 $f(x)g(x)$가 $x = a$에서 연속이 되기 위한 조건 $\Rightarrow \lim\limits_{x \to a} g(x) = g(a) = 0$

11

정답 ②

STEP Ⓐ **곱의 미분법을 이용하여 상수 a의 값 구하기**

$f'(x) = (x^2 - 4x + 3) + (x - a)(2x - 4)$이므로

$f'(a) = -1$에서 $a^2 - 4a + 3 = -1$

$(a - 2)^2 = 0$ $\therefore a = 2$

따라서 $f'(1) = -1 \times (-2) = 2$

12

정답 ⑤

STEP Ⓐ **접선의 기울기를 이용하여 $f'(2)$의 값 구하기**

곡선 $y = f(x)$ 위의 점 $(2, f(2))$에서 접선의 기울기가 2이므로

$f'(2) = 2$

STEP Ⓑ **미분계수의 정의를 이용하여 극한값 구하기**

따라서 $\lim\limits_{h \to 0} \dfrac{f(2 + 3h) - f(2)}{h} = \lim\limits_{h \to 0} \dfrac{f(2 + 3h) - f(2)}{3h} \cdot 3 = 3f'(2) = 6$

13

정답 ④

STEP Ⓐ **미분계수의 정의를 이용하여 극한값 구하기**

$\lim\limits_{h \to 0} \dfrac{f(k + h) - f(k - h)}{h} = \lim\limits_{h \to 0} \dfrac{f(k + h) - f(k) + f(k) - f(k - h)}{h}$

$= \lim\limits_{h \to 0} \dfrac{f(k + h) - f(k)}{h} + \lim\limits_{h \to 0} \dfrac{f(k - h) - f(k)}{-h}$

$= f'(k) + f'(k) = 2f'(k)$

STEP Ⓑ **다항함수의 미분법을 이용하여 주어진 식 계산하기**

$f(x) = x^2 + ax + 2$에서 $f'(x) = 2x + a$

따라서 $\sum\limits_{k=1}^{10} 2f'(k) = \sum\limits_{k=1}^{10}(4k + 2a) = 4 \cdot \dfrac{10(10 + 1)}{2} + 2a \cdot 10$

$= 220 + 20a = 440$

$\therefore a = 11$

14

정답 ①

STEP Ⓐ **극한값의 존재조건과 미분계수의 정의를 이용하여 $f(1)$, $f'(1)$ 구하기**

$\lim\limits_{x \to 1} \dfrac{f(x) - 3}{x^2 - 1} = 4$에서

$x \to 1$일 때, (분모)$\to 0$이고 극한값이 존재 하므로 (분자)$\to 0$이어야 한다.

즉 $\lim\limits_{x \to 1}\{f(x) - 3\} = 0$에서 $f(1) = 3$

$\lim\limits_{x \to 1} \dfrac{f(x) - 3}{x^2 - 1} = \lim\limits_{x \to 1} \dfrac{f(x) - f(1)}{(x - 1)(x + 1)}$

$= \lim\limits_{x \to 1}\left\{ \dfrac{f(x) - f(1)}{x - 1} \times \dfrac{1}{x + 1} \right\}$

$= f'(1) \times \dfrac{1}{2}$

$f'(1) \times \dfrac{1}{2} = 2$에서 $f'(1) = 4$

STEP Ⓑ **곱의 미분법을 이용하여 $g'(1)$ 구하기**

한편 $g(x) = x^3 f(x)$의 양변을 x에 대하여 미분하면

$g'(x) = 3x^2 f(x) + x^3 f'(x)$이므로

$g'(1) = 3 \cdot 1^2 \cdot f(1) + 1^3 \cdot f'(1) = 3 \cdot 1^2 \cdot 3 + 1^3 \cdot 4 = 13$

15

정답 ②

STEP A $x=0$에서 미분가능 하도록 하는 c의 값 구하기

(i) 함수 $f(x)$가 $x=0$에서 미분가능하므로

$$\lim_{x \to 0^-}\frac{f(x)-f(0)}{x-0}=\lim_{x \to 0^-}\frac{4-4}{x}=0,$$

$$\lim_{x \to 0^+}\frac{f(x)-f(0)}{x-0}=\lim_{x \to 0^+}\frac{(ax^3+bx^2+cx+4)-4}{x}$$

$$=\lim_{x \to 0^+}(ax^2+bx+c)$$

$$=c$$

이므로 $c=0$

STEP B $x=2$에서 미분가능 하도록 하는 a, b의 값 구하기

(ii) 함수 $f(x)$가 $x=2$에서 연속이므로

$$\lim_{x \to 2^-}f(x)=\lim_{x \to 2^+}f(x)=f(2)$$

$$4a+2b+c+2=0$$

$c=0$이므로 $2a+b+1=0$에서 $b=-2a-1$ $\quad$ …… ㉠

또, 함수 $f(x)$가 $x=2$에서 미분가능하므로

$$\lim_{x \to 2^-}\frac{f(x)-f(2)}{x-2}=\lim_{x \to 2^-}\frac{(ax^3+bx^2+cx+4)-0}{x-2}$$

$$=\lim_{x \to 2^-}\frac{ax^3+(-2a-1)x^2+4}{x-2}$$

$$=\lim_{x \to 2^-}\frac{(x-2)(ax^2-x-2)}{x-2}$$

$$=\lim_{x \to 2^-}(ax^2-x-2)$$

$$=4a-4$$

$$\lim_{x \to 2^+}\frac{f(x)-f(2)}{x-2}=\lim_{x \to 2^+}\frac{0-0}{x-2}=0$$

즉 $4a-4=0$ $\quad \therefore a=1$

㉠에 $a=1$을 대입하면 $b=-3$

STEP C $a+b+c$의 값 구하기

(i), (ii)에 의하여 $a=1$, $b=-3$, $c=0$이므로

$$a+b+c=1+(-3)+0=-2$$

16

정답 ②

STEP A 점 $(1, 3)$에서의 접선의 방정식 구하기

$y'=3x^2$이므로

점 $(1, 3)$에서의 접선의 기울기는 3이므로 접선의 방정식은

$y-3=3(x-1)$, 즉 $y=3x$

STEP B 직선과 곡선을 연립하여 교점의 x좌표 구하기

곡선 $y=x^3+2$와 접선 $y=3x$의 점 $(1, 3)$ 이외의 교점의 좌표를 (a, b)라고 하면

$a^3+2=3a$, $a^3-3a+2=0$, $(a-1)^2(a+2)=0$

$\therefore a=-2$

이때 $b=(-2)^3+2=-6$

따라서 $a=-2$, $b=-6$이므로 $ab=12$

17

정답 ④

STEP A 극한값의 존재조건과 미분계수의 정의를 이용하여 $f(-2)$, $f'(-2)$ 구하기

$$\lim_{x \to -2}\frac{f(x)-1}{x+2}=2$$에서

$x \to -2$일 때, (분모)$\to 0$이고 극한값이 존재하므로 (분자)$\to 0$이어야 한다.

즉 $\lim_{x \to -2}\{f(x)-1\}=0$이므로 다항함수 $f(x)$는 연속함수이므로 $f(-2)=1$

또한, $\lim_{x \to -2}\frac{f(x)-1}{x+2}=\lim_{x \to -2}\frac{f(x)-f(-2)}{x-(-2)}=f'(-2)=2$

STEP B 곡선 $y=g(x)$ 위의 점 $(-2, g(-2))$에서 접선의 방정식 구하기

$g(x)=(x^2-1)f(x)$에서 $g(-2)=3f(-2)=3 \times 1=3$

$g'(x)=2xf(x)+(x^2-1)f'(x)$이므로

$g'(-2)=-4f(-2)+3f'(-2)=-4 \times 1+3 \times 2=-4+6=2$

곡선 $y=g(x)$ 위의 점 $(-2, 3)$에서의 접선의 방정식은

$y-3=2(x+2)$, $y=2x+7$

따라서 $a=2$, $b=7$이므로 $ab=2 \cdot 7=14$

18

정답 ⑤

STEP A $y=2x-10$을 평행이동시켜 곡선에 접할 때 접점을 P라 두면 구하는 최단거리는 점 P와 직선 사이의 거리임을 이해하기

곡선 $y=x^2-4x+3$ 위를 움직이는 점 P와 직선 $y=2x-10$ 사이의 거리가 최소일 때는 점 P에서의 접선이 직선 $y=2x-10$과 평행할 때이다.

STEP B $f'(a)=2$를 만족시키는 a값 구하기

즉 점 P에서의 접선의 기울기가 2이므로

점 P의 x좌표를 a라고 하면

$y'=2x-4$에서 $2a-4=2$ $\quad \therefore a=3$

STEP C 점 $(3, 0)$과 직선 $y=2x-10$ 사이의 거리 구하기

따라서 점 P$(3, 0)$과 직선 $2x-y-10=0$ 사이의 거리는

$$\frac{|2 \cdot 3-0-10|}{\sqrt{2^2+(-1)^2}}=\frac{4}{\sqrt{5}}=\frac{4\sqrt{5}}{5}$$

19

정답 ④

STEP A 평균값 정리를 이용하여 상수 c의 값 구하기

$f(x)=x^2-2x-1$에서 $f'(x)=2x-2$이므로

함수 $f(x)=x^2-2x-1$은 닫힌구간 $[0, 3]$에서 연속이고

열린구간 $(0, 3)$에서 미분가능하므로

$$\frac{f(3)-f(0)}{3-0}=f'(c)$$인 c가 열린구간 $(0, 3)$에 적어도 하나 존재한다.

즉 $\frac{2-(-1)}{3}=2c-2$

따라서 $c=\frac{3}{2}$

20

STEP A $f(x)$의 최고차항을 ax^n라 두고 최고차항의 차수를 비교하여 n의 값 구하기

다항함수 $f(x)$의 최고차항을 ax^n이라 하면

$\{f(x)\}^2$의 최고차항은 a^2x^{2n}, $f(x^2)$의 최고차항은 ax^{2n},

$x^3f(x)$의 최고차항은 ax^{x+3}

조건 (가)에서 $n \to \infty$일 때, 극한값이 존재하므로 $a^2x^{2n}-ax^{2n}$의 차수와 ax^{n+3}의 차수가 같아야 한다.

즉 $2n=n+3$ ∴ $n=3$

STEP B 분모, 분자를 x^{n+3}로 나누어 극한값 구하기

이때 분모의 최고차항인 x^{n+3}으로 분모, 분자를 나누어 극한값을 구하면

$$\lim_{n \to \infty} \frac{\{f(x)\}^2-f(x^2)}{x^3f(x)} = \frac{a^2-a}{a} = a-1 = 4$$

∴ $a=5$

STEP C $f(x)$를 임의로 두고 극한에 대입하여 b, c의 값 구하기

함수 $f(x)$는 최고차항의 계수가 5인 삼차함수이므로

$f(x)=5x^3+bx^2+cx+d$ (b, c, d는 상수)로 놓으면

$f'(x)=15x^2+2bx+c$

조건 (나) $\displaystyle\lim_{x \to 0} \frac{f'(x)}{x}=4$에서

$x \to 0$일 때, (분모)$\to 0$이고 극한값이 존재하므로 (분자)$\to 0$이어야 한다.

즉 $\displaystyle\lim_{x \to 0} f'(x)=f'(0)=0$ ∴ $c=0$

$$\lim_{x \to 0} \frac{f'(x)}{x} = \lim_{x \to 0} \frac{15x^2+2bx}{x} = \lim_{x \to 0}(15x+2b)=2b=4$$

∴ $b=2$

따라서 $f'(x)=15x^2+4x$이므로 $f'(1)=19$

서 술 형

21

1단계	$\displaystyle\lim_{x \to \infty} \frac{f(x)-2x}{x^2}=2$에서 다항함수 $f(x)$의 차수를 구한다.	◀ 20%

$\displaystyle\lim_{x \to \infty} \frac{f(x)-2x}{x^2}=2$에서 $f(x)$는 최고차항의 계수가 2인 이차다항식이다.

2단계	$\displaystyle\lim_{x \to -1} \frac{f(x)}{x^2-1}=3$에서 $f(x)$가 $x+1$을 인수로 가짐을 보인다.	◀ 30%

$\displaystyle\lim_{x \to -1} \frac{f(x)}{x^2-1}=3$에서

$x \to -1$일 때, (분모)$\to 0$이고 극한값이 존재하므로 (분자)$\to 0$이어야 한다.

즉 $\displaystyle\lim_{x \to -1} f(x)=f(-1)=0$이므로 $f(x)$는 $x+1$을 인수로 갖는다.

3단계	[1, 2단계]를 이용하여 함수 $f(x)$를 구하여 $f(1)$의 값을 구한다.	◀ 50%

$f(x)=2(x+1)(x+a)$ (a는 상수)라 하면

$$\lim_{x \to -1} \frac{f(x)}{x^2-1} = \lim_{x \to -1} \frac{2(x+1)(x+a)}{(x-1)(x+1)} = \lim_{x \to -1} \frac{2(x+a)}{x-1}$$

$$= \frac{2(-1+a)}{-2} = 1-a$$

즉 $1-a=3$이므로 $a=-2$

따라서 $f(x)=2(x+1)(x-2)$이므로 $f(1)=-4$

22

1단계	극한값이 존재함을 이용하여 $f(1)$의 값을 구한다.	◀ 30%

$\displaystyle\lim_{x \to 1} \frac{f(x)g(x)-6}{x-1}=19$에서

$x \to 1$일 때, (분모)$\to 0$이고 극한값이 존재하므로 (분자)$\to 0$이어야 한다.

즉 $\displaystyle\lim_{x \to 1}\{f(x)g(x)-6\}=0$이므로 $f(1)g(1)=6$

◀ 함수 $f(x)g(x)$가 실수 전체의 집합에서 연속이다.

이때 $g(1)=3$이므로 $f(1)=2$ …… ㉠

2단계	$h(x)=f(x)g(x)$로 놓고 미분계수의 정의를 이용하여 $h'(1)$의 값을 구한다.	◀ 30%

$h(x)=f(x)g(x)$라 하면

$$\lim_{x \to 1} \frac{f(x)g(x)-6}{x-1} = \lim_{x \to 1} \frac{h(x)-h(1)}{x-1} = h'(1)$$

이므로 $h'(1)=19$

3단계	$h(x)=f(x)g(x)$에서 곱의 미분법을 이용하여 $f'(1)$의 값을 구한다.	◀ 30%

$h'(x)=f'(x)g(x)+f(x)g'(x)$이므로

$h'(1)=f'(1)g(1)+f(1)g'(1)$

이때 $g(x)=x^2+3x-1$에서 $g'(x)=2x+3$, $g'(1)=5$이므로

㉠에 의하여

$h'(1)=3f'(1)+2 \times 5 = 19$

$3f'(1)=9$에서 $f'(1)=3$ …… ㉡

4단계	1, 3단계를 이용하여 $f(1)+f'(1)$의 값을 구한다.	◀ 10%

㉠, ㉡에서 $f(1)+f'(1)=2+3=5$

23

1단계	다항식 x^4+ax^3+bx-6을 $(x-2)^2$, $Q(x)$, $-8x-6$를 이용하여 나타낸다	◀ 20%

다항식 x^4+ax^3+bx-6을 $(x-2)^2$으로 나누었을 때의 몫을 $Q(x)$라고 하면

$x^4+ax^3+bx-6=(x-2)^2Q(x)-8x-6$ …… ㉠

2단계	1단계에 $x=2$를 대입하여 a, b의 관계식을 구한다.	◀ 20%

$x=2$를 ㉠의 양변에 대입한 후 정리하면

$4a+b=-16$ …… ㉡

3단계	곱의 미분법을 이용하여 a, b의 관계식을 구한다.	◀ 40%

㉠의 양변을 x에 대하여 미분하면

$4x^3+3ax^2+b=2(x-2)Q(x)+(x-2)^2Q'(x)-8$ …… ㉢

$x=2$를 ㉢의 양변에 대입한 후 정리하면

$12a+b=-40$ …… ㉣

4단계	$a+b$의 값을 구한다.	◀ 20%

㉡, ㉣을 연립하여 풀면 $a=-3$, $b=-4$

따라서 $a+b=-3+(-4)=-7$

24

정답 해설참조

| 1단계 | 점 $(a, 1)$의 $y=x$에 대하여 대칭인 점 $(1, a)$이 곡선 $y=f(x)$ 위의 점임을 이용하여 a의 값을 구한다. | ◀ 20% |

점 $(1, a)$는 곡선 $y=f(x)$ 위의 한 점이므로
$a=f(1)=1+2-4=-1$

| 2단계 | 곡선 $y=f(x)$ 위의 점 $(1, a)$에서 접선의 방정식을 구한다. | ◀ 30% |

$f(x)=x^3+2x-4$에서 $f'(x)=3x^2+2$
$x=1$에서 접선의 기울기는 $f'(1)=5$
점 $(1, -1)$에서 곡선 $y=f(x)$에 그은 접선의 방정식은
$y+1=5(x-1)$ ∴ $y=5x-6$

| 3단계 | 2단계에서 구한 접선을 $y=x$에 대하여 대칭인 직선의 방정식을 구한다. | ◀ 20% |

접선 $y=5x-6$과 직선 $y=x$에 대하여 대칭이동하면
$x=5y-6$ ∴ $y=\dfrac{1}{5}x+\dfrac{6}{5}$

| 4단계 | 3단계의 접선이 점 $(4, b)$을 지남을 이용하여 상수 b의 값을 구한다. | ◀ 20% |

점 $(4, b)$를 접선 $y=\dfrac{1}{5}x+\dfrac{6}{5}$에 대입하면
$b=\dfrac{1}{5}\cdot4+\dfrac{6}{5}=\dfrac{10}{5}=2$

| 5단계 | $a+b$의 값을 구한다. | ◀ 10% |

$a=-1$, $b=2$이므로 $a+b=1$

1회 기말고사 모의평가

01	②	02	②	03	④	04	①	05	①
06	⑤	07	③	08	②	09	②	10	②
11	①	12	③	13	④	14	⑤	15	③
16	①	17	①	18	①	19	③	20	④

서술형			
21	해설참조	22	해설참조
23	해설참조	24	해설참조

01

정답 ②

STEP Ⓐ 삼차함수 $f(x)$가 x축과 한 번만 만나는 경우 이해하기

함수 $f(x)=\dfrac{1}{3}x^3-ax^2+3ax+k$의 그래프가 실수 k의 값에 관계없이 x축과 한 번만 만나므로 함수 $f(x)$는 극값을 갖지 않는다.

STEP Ⓑ 삼차함수 $f(x)$가 극값을 갖지 않을 조건 구하기

$f'(x)=x^2-2ax+3a$에서
함수 $f(x)$가 극값을 갖지 않으려면 이차방정식 $f'(x)=0$이 중근 또는 허근을 가져야 하므로 이차방정식 $f'(x)=0$의 판별식을 D라 하면
$\dfrac{D}{4}=a^2-3a\leq0$, $a(a-3)\leq0$
∴ $0\leq a\leq3$
따라서 실수 a의 최댓값은 3

02

정답 ②

STEP Ⓐ 함수 $y=f(x)$의 그래프가 x축에 접하는 조건 구하기

$f(x)=2x^3-3(a-1)x^2-6ax$에서
$f'(x)=6x^2-6(a-1)x-6a=6(x-a)(x+1)$
$f'(x)=0$에서 $x=-1$ 또는 $x=a$
함수 $y=f(x)$의 그래프가 x축에 접하므로 $f(a)=0$ 또는 $f(-1)=0$이면 된다.

STEP Ⓑ 모든 a의 값의 합 구하기

$f(a)=2a^3-3(a-1)a^2-6a^2=-a^3-3a^2=-a^2(a+3)=0$에서
$a=0$ 또는 $a=-3$
$f(-1)=-2-3(a-1)+6a=3a+1=0$에서 $a=-\dfrac{1}{3}$
따라서 구하는 모든 a의 값의 합은 $0+(-3)+\left(-\dfrac{1}{3}\right)=-\dfrac{10}{3}$

> **다른풀이** 삼차함수 $y=f(x)$의 그래프가 x축에 접하려면 방정식 $f(x)=0$이 중근 또는 삼중근을 가져야 함을 이용하여 풀이하기

방정식 $f(x)=0$에서 $2x^3-3(a-1)x^2-6ax=0$,
$x\{2x^2-3(a-1)x-6a\}=0$이 중근 또는 삼중근을 갖는 경우는 다음과 같다.
(i) 방정식 $2x^2-3(a-1)x-6a=0$의 한 근이 $x=0$인 경우는
   $-6a=0$에서 $a=0$
(ii) 방정식 $2x^2-3(a-1)x-6a=0$이 중근을 갖는 경우
   이 이차방정식의 판별식을 D라 하면 $D=9(a-1)^2+48a=0$에서
   $3a^2+10a+3=0$, $(3a+1)(a+3)=0$
   ∴ $a=-\dfrac{1}{3}$ 또는 $a=-3$
(i), (ii)에 의하여 구하는 모든 a의 값의 합은 $0+(-3)+\left(-\dfrac{1}{3}\right)=-\dfrac{10}{3}$

다항함수 $f(x)$에 대하여

① 방정식 $f(x)=0$이 $x=k$를 짝수 중근으로 가지면 함수 $y=f(x)$의 그래프는 x축과 점 $(k,\,0)$에서 스치듯 접하고 함수 $f(x)$의 부호는 x의 값이 k일 때를 경계로 바뀌지 않는다.

② 방정식 $f(x)=0$이 $x=k$를 홀수 중근으로 가지면 함수 $y=f(x)$의 그래프는 x축과 점 $(k,\,0)$에서 뚫고 지나듯 접하고 함수 $f(x)$의 부호는 x의 값이 k일 때를 경계로 바뀐다.

03 정답 ④

STEP Ⓐ 함수 $f(x)$의 증가와 감소를 조사하여 표로 정리하기

함수 $y=f'(x)$의 그래프에서

$f'(x)=0$에서 $x=-4$ 또는 $x=-2$ 또는 $x=0$ 또는 $x=4$

함수 $f(x)$의 증가와 감소를 조사하면 다음 표와 같다.

x	$\cdots$	-4	$\cdots$	-2	$\cdots$	0	$\cdots$	4	$\cdots$
$f'(x)$	$+$	0	$+$	0	$-$	0	$+$	0	$-$
$f(x)$	↗		↗	극대	↘	극소	↗	극대	↘

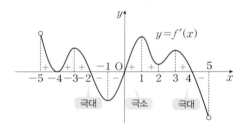

STEP Ⓑ 도함수 $f'(x)$의 부호를 이용하여 참, 거짓의 진위판단하기

ㄱ. $f(x)$는 $x=3$의 좌우에서 $f'(x)$의 부호가 바뀌지 않으므로 극값을 갖지 않는다. [거짓]

ㄴ. 함수 $f(x)$는 $x=0$의 좌우에서 $f'(x)$의 부호가 $(-)$에서 $(+)$로 바뀌므로 극솟값을 갖는다. [참]

ㄷ. 열린구간 $(-5,\,5)$에서 $x=-2$에서 극대, $x=0$에서 극소, $x=4$에서 극대를 가지므로 $f(x)$가 극값을 갖는 x의 값은 3개이다. [참]

ㄹ. $f(x)$는 닫힌구간 $[0,\,4]$에서 $f'(x)\geq 0$이므로 증가한다. [참]

따라서 옳은 것은 ㄴ, ㄷ, ㄹ이다.

04 정답 ①

STEP Ⓐ 증가함수 $f(x)$에 대한 진위판단하기

다항함수 $f(x)$가 임의의 두 실수 $x_1,\,x_2$에 대하여 $x_1<x_2$일 때, $f(x_1)<f(x_2)$를 만족시키므로 함수 $f(x)$는 실수 전체의 집합에서 증가한다.

① 실수 전체의 집합에서 증가하므로 모든 실수 x에 대하여 $f'(x)\geq 0$이다. [참]

② 함수 $f(x)$는 실수 전체의 집합에서 증가한다. [거짓]

③ 함수 $f(x)$는 실수 전체의 집합에서 증가하므로 함수 $f(x)$는 극값을 갖지 않는다. [거짓]

④ **반례** $f(x)=x^3$일 때, $(-\infty,\,\infty)$에서 증가 하지만 $f'(x)=3x^2$에서 $f'(0)=0$이므로 $f'(x)=0$인 x가 존재한다. [거짓]

⑤ **반례** $f(x)=x^3+1$일 때, 모든 실수 x에 대하여 $f'(x)=3x^2\geq 0$이므로 함수 $f(x)$는 실수 전체의 집합에서 증가하지만, 원점에 대하여 대칭이 아니다. [거짓]

따라서 옳은 것은 ①이다.

05 정답 ①

STEP Ⓐ $f'(0)=0$, $f'(2)=0$임을 이용하여 a, b의 값 구하기

$f(x)=x^3+ax^2+bx+c$에서 $f'(x)=3x^2+2ax+b$

그래프에서 $f'(0)=0$, $f'(2)=0$이므로

$f'(0)=b=0$, $f'(2)=12+4a+b=0$

두 식을 연립하여 풀면 $a=-3$, $b=0$

STEP Ⓑ $f(x)$의 증가와 감소를 표로 나타내어 c의 값 구하기

함수 $f(x)$의 증가와 감소를 나타내면 다음 표와 같다.

x	$\cdots$	0	$\cdots$	2	$\cdots$
$f'(x)$	$+$	0	$-$	0	$+$
$f(x)$	↗	극대	↘	극소	↗

$x=2$에서 극소이고 극솟값은 $f(2)=8-12+c=6$ $\therefore c=10$

STEP Ⓒ $f(x)$의 극댓값 구하기

따라서 극댓값은 $f(0)=c=10$

06 정답 ⑤

STEP Ⓐ 조건 (가)에서 $f'(x)$의 차수 구하기

조건 (가)에서 $f(x)$는 최고차항의 계수가 -2인 삼차함수이다.

함수 $f(x)$의 도함수 $f'(x)$는 최고차항의 계수가 -6인 이차함수이다.

STEP Ⓑ 이차함수 $f'(x)$의 식을 작성하기

또, 조건 (나)에서 함수 $f(x)$는 $x=-2$와 $x=1$에서 극값을 가지므로

$f'(-2)=0$, $f'(1)=0$

그러므로 인수정리에 의하여 이차식 $f'(x)$는 $x+2$와 $x-1$을 인수로 갖는다.

$\therefore f'(x)=-6(x+2)(x-1)$

STEP Ⓒ 미분계수의 정의를 이용하여 구하기

$$\lim_{h\to 0}\frac{f(-1+h)-f(-1-h)}{h}$$
$$=\lim_{h\to 0}\frac{\{f(-1+h)-f(-1)\}-\{f(-1-h)-f(-1)\}}{h}$$
$$=\lim_{h\to 0}\frac{f(-1+h)-f(-1)}{h}+\lim_{h\to 0}\frac{f(-1-h)-f(-1)}{-h}$$
$$=2f'(-1)=2\times(-6\cdot 1\cdot -2)=24$$

07 정답 ③

STEP Ⓐ 닫힌구간 $[0,\,4]$에서 함수 $f(x)$의 증가와 감소를 표로 나타내기

$f(x)=ax^3-3ax^2+b$에서 $f'(x)=3ax^2-6ax=3ax(x-2)$

$f'(x)=0$에서 $x=0$ 또는 $x=2$

구간 $[0,\,4]$에서 함수 $f(x)$의 증가와 감소를 표로 나타내면 다음과 같다.

x	0	$\cdots$	2	$\cdots$	$\cdots$
$f'(x)$	0	$-$	0	$+$	$+$
$f(x)$	b	↘	$-4a+b$	↗	$16a+b$

STEP Ⓑ $a+b$의 값 구하기

구간 $[0,\,4]$에서 함수 $f(x)$의 최댓값은 $f(4)=16a+b$, 최솟값은 $f(2)=-4a+b$이므로 $16a+b=11$, $-4a+b=-9$

두 식을 연립하여 풀면 $a=1$, $b=-5$

따라서 $a+b=1+(-5)=-4$

08

정답 ②

STEP Ⓐ **삼차함수와 직선이 서로 다른 두 점에서 만날 조건 이해하기**

주어진 곡선과 직선이 서로 다른 두 점에서 만나려면
$x(x+1)(x-4)=5x+k$에서 두 함수
$g(x)=x^3-3x^2-9x$, $y=k$의 그래프가 서로 다른 두 점에서 만나야 한다.
$g'(x)=3x^2-6x-9=3(x+1)(x-3)$
$g'(x)=0$에서 $x=-1$ 또는 $x=3$
함수 $g(x)$의 증가와 감소를 표로 나타내면 다음과 같다.

x	$\cdots$	-1	$\cdots$	3	$\cdots$
$g'(x)$	$+$	0	$-$	0	$+$
$g(x)$	↗	5	↘	-27	↗

STEP Ⓑ **$y=g(x)$의 그래프를 그려 주어진 조건을 만족하는 k의 범위 구하기**

함수 $y=k$의 그래프는 x축에 평행한
직선이므로 이 직선이 함수 $y=g(x)$의
그래프와 서로 다른 두 점에서 만나려면
$k=-27$ 또는 $k=5$이어야 한다.
따라서 k는 양수이므로 $k=5$

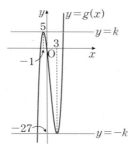

09

정답 ②

STEP Ⓐ **부등식을 $h(x)\ge 0$으로 정리하여 $h(x)$의 증가와 감소를 표로 나타내기**

$h(x)=f(x)-g(x)$로 놓으면
$h(x)=x^4+3x^3-2x^2-9x-(3x^3+4x^2-x+a)$
　　　$=x^4-6x^2-8x-a$
$h'(x)=4x^3-12x-8=4(x+1)^2(x-2)$
$h'(x)=0$에서 $x=-1$ 또는 $x=2$
$h(x)$의 증가와 감소를 표로 나타내면 다음과 같다.

x	$\cdots$	0	$\cdots$	2	$\cdots$
$h'(x)$	$-$	0	$-$	0	$+$
$h(x)$	↘	$-a$	↘	$-24-a$	↗

STEP Ⓑ **$h(x)$의 (최솟값)>0임을 이용하여 k의 범위 구하기**

따라서 함수 $h(x)$는 $x=2$에서
극소이면 최소이므로 최솟값은
$f(2)=-24-a$
모든 실수 x에 대하여 부등식 $h(x)\ge 0$
즉 $f(x)\ge g(x)$를 만족시키려면
$-24-a\ge 0$
$\therefore a\le -24$
따라서 상수 a의 최댓값은 -24

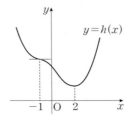

10

정답 ②

STEP Ⓐ **위치를 미분하여속도 $v(t)$, 가속도 $a(t)$의 함수식 구하기**

t초 후의 속도를 $v(t)$, 가속도를 $a(t)$라고 하면
$v(t)=\dfrac{dx}{dt}=6t^2-10t$, $a(t)=\dfrac{dv}{dt}=12t-10$

STEP Ⓑ **$v(t)=0$을 만족하는 t의 값 구하기**

운동 방향이 바뀌는 순간의 속도는 0이므로
$v(t)=6t^2-10t=t(6t-10)=0$
그런데 $t>0$이므로 $t=\dfrac{5}{3}$

STEP Ⓒ **$a\left(\dfrac{5}{3}\right)$의 값 구하기**

따라서 $t=\dfrac{5}{3}$의 좌우에서 v의 부호가 바뀌므로 이때 점 P의 가속도는
$a\left(\dfrac{5}{3}\right)=12\cdot\dfrac{5}{3}-10=10$

11

정답 ①

STEP Ⓐ **두 점 P, Q의 가속도가 같은 시각 구하기**

두 점 P, Q의 속도를 각각 $v_P(t)$, $v_Q(t)$라 하면
$v_P(t)=t^2+9$, $v_Q(t)=4t$
두 점 P, Q의 가속도를 각각 $a_P(t)$, $a_Q(t)$라 하면
$a_P(t)=2t$, $a_Q(t)=4$
$2t=4$에서 $t=2$

STEP Ⓑ **두 점 P, Q 사이의 거리 구하기**

$P(2)=18$, $Q(2)=3$
따라서 두 점 P, Q 사이의 거리는 $18-3=15$

12

정답 ③

STEP Ⓐ **양변을 x에 대하여 미분하여 $f'(x)$의 함수식 구하기**

$f(x)=\displaystyle\int\left\{\dfrac{d}{dx}(3x^2-2x+1)\right\}dx$
　　　$=3x^2-2x+1+C$ (단, C는 적분상수)
이므로 양변을 x로 미분하면 $f'(x)=6x-2$

STEP Ⓑ **미분계수의 정의를 이용하여 극한값 구하기**

$\displaystyle\lim_{h\to 0}\dfrac{f(1+2h)-f(1+h)}{2h}$
$=\displaystyle\lim_{h\to 0}\dfrac{f(1+2h)-f(1)+f(1)-f(1+h)}{2h}$
$=\displaystyle\lim_{h\to 0}\dfrac{f(1+2h)-f(1)}{2h}-\lim_{h\to 0}\dfrac{f(1+h)-f(1)}{h}\cdot\dfrac{1}{2}$
$=f'(1)-\dfrac{1}{2}f'(1)$
$=\dfrac{1}{2}f'(1)$
따라서 $\dfrac{1}{2}f'(1)=\dfrac{1}{2}\cdot(6-2)=2$

13

정답 ④

STEP Ⓐ **양변을 x에 대하여 미분하여 $f'(x)$의 함수식 구하기**

$F(x)=xf(x)-2x^3+4x^2-1$의 양변을 x에 대하여 미분하면

$F'(x)=f(x)+xf'(x)-6x^2+8x$

$F'(x)=f(x)$이므로 $xf'(x)=6x^2-8x$

$\therefore f'(x)=6x-8$

STEP Ⓑ **양변을 적분하고 $f(0)=2$임을 이용하여 함수 $f(x)$ 구하기**

$f(x)=\displaystyle\int(6x-8)dx=3x^2-8x+C$ (단, C는 적분상수)

이므로 $f(0)=C=2$

따라서 $f(x)=3x^2-8x+2$이므로 $f(1)=3-8+2=-3$

14

정답 ⑤

STEP Ⓐ **함수 $f(x)$가 $x=2$에서 연속임을 이용하여 a의 값 구하기**

함수 $f(x)$가 $x=2$에서 연속이므로 $\displaystyle\lim_{x\to2}f(x)=f(2)$

즉 $-2+a=4$이므로 $a=6$

STEP Ⓑ **구간에 따라 다르게 정의된 함수의 정적분 계산하기**

$\displaystyle\int_0^4 f(x)dx=\int_0^2(-x^2+4x)dx+\int_2^4(-x+6)dx$

$\displaystyle\qquad=\left[-\frac{1}{3}x^3+2x^2\right]_0^2+\left[-\frac{1}{2}x^2+6x\right]_2^4$

$\displaystyle\qquad=\frac{34}{3}$

15

정답 ③

STEP Ⓐ **기함수이고 최고차항의 계수가 1인 삼차함수 $f(x)$의 식 작성하기**

최고차항의 계수가 1인 삼차함수 $f(x)$가 모든 실수 x에 대하여
$f(-x)=-f(x)$를 만족시키므로 $f(x)=x^3+ax$ (a는 상수)로 놓을 수 있다.

STEP Ⓑ **우함수, 기함수의 성질을 이용하여 정적분 계산하기**

$\displaystyle\int_{-1}^1 xf(x)dx=\int_{-1}^1(x^4+ax^2)dx$

$\displaystyle\qquad=2\int_0^1(x^4+ax^2)dx$

$\displaystyle\qquad=2\left[\frac{1}{5}x^5+\frac{a}{3}x^3\right]_0^1$

$\displaystyle\qquad=2\left(\frac{1}{5}+\frac{a}{3}\right)$

$2\left(\dfrac{1}{5}+\dfrac{a}{3}\right)=\dfrac{12}{5}$에서 $a=3$

STEP Ⓒ **$f(2)$의 값 구하기**

따라서 $f(x)=x^3+3x$이므로 $f(2)=8+6=14$

16

정답 ①

STEP Ⓐ **$\displaystyle\int_1^1 f(t)dt=0$을 이용하여 a의 값 구하기**

$\displaystyle\int_1^1 f(t)dt=0$이므로 주어진 등식의 양변에 $x=1$를 대입하면

$7-3+a=0$ $\therefore a=-4$

STEP Ⓑ **주어진 식의 양변을 x에 대하여 미분하여 $f(x)$의 식 구하기**

$\displaystyle\int_1^x f(t)dt=7x^2-3x+a$의 양변을 x에 대하여 미분하면

$f(x)=14x-3$

따라서 $a+f(1)=-4+(14-3)=7$

17

정답 ①

STEP Ⓐ **함수 $f(x)$의 증가와 감소를 표로 나타내기**

$f'(x)=\dfrac{d}{dx}\displaystyle\int_a^x 3(t+1)(t-3)dt=3(x+1)(x-3)$이므로

$f(x)=\displaystyle\int 3(x+1)(x-3)dx$

$\displaystyle\qquad=\int(3x^2-6x-9)dx$

$\displaystyle\qquad=x^3-3x^2-9x+C$ (C는 적분상수)

$f'(x)=0$에서 $x=-1$ 또는 $x=3$

함수 $f(x)$의 증가와 감소를 표로 나타내면 다음과 같다.

x	$\cdots$	-1	$\cdots$	3	$\cdots$
$f'(x)$	$+$	0	$-$	0	$+$
$f(x)$	↗	극대	↘	극소	↗

STEP Ⓑ **극솟값이 -12임을 이용하여 적분상수를 구하기**

함수 $f(x)$는 $x=3$에서 극소이고 극솟값이 -12이므로

$f(3)=27-27-27+C=-12$에서 $C=15$

STEP Ⓒ **함수 $f(x)$의 극댓값 구하기**

따라서 $f(x)=x^3-3x^2-9x+15$이므로

함수 $f(x)$는 $x=-1$에서 극대이고 극댓값은 $f(-1)=-1-3+9+15=20$

18

정답 ①

STEP Ⓐ **곡선의 대칭축이 B 부분의 넓이를 이등분함을 이해하기**

곡선 $y=x^2-4x+k=(x-2)^2+k-4$가 직선 $x=2$에 대하여 대칭이다.

A : B$=1:2$에서 B$=2$A이므로 B부분은 직선 $x=2$에 의해 이등분된다.

STEP Ⓑ **$\displaystyle\int_0^2(x^2-4x+k)dx=0$임을 이용하여 k의 값 구하기**

곡선 $y=x^2-4x+k$와 x축 및 y축,
직선 $x=2$로 둘러싸인 두 부분의
넓이가 서로 같으므로

$\displaystyle\int_0^2(x^2-4x+k)dx=0$

즉 $\left[\dfrac{1}{3}x^3-2x^2+kx\right]_0^2=0$이므로

$\dfrac{8}{3}-8+2k=0$

따라서 $k=\dfrac{8}{3}$

19

정답 ③

STEP A 증가함수임을 보이고 $y=x$와 교점 구하기

함수 $f(x)=x^3-3x^2+4x$에서

$f'(x)=3x^2-6x+4=3(x-1)^2+1>0$이므로 함수 $f(x)$는 증가함수이다.

$y=f(x)$와 $y=g(x)$의 그래프의 교점은 $y=f(x)$의 그래프와 직선 $y=x$의

교점과 같으므로 $x^3-3x^2+4x=x$에서 $x(x^2-3x+3)=0$

$\therefore x=0\,(\because x^2-3x+3>0)$

STEP B $y=x$에 대칭임을 이용하여 넓이가 같음을 보이기

다음 그림과 같이 $y=f(x)$와 $y=g(x)$의 그래프는 직선 $y=x$에 대하여

대칭이다.

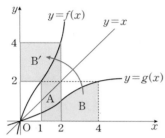

$\displaystyle\int_2^4 g(x)dx$의 값은 색칠된 부분 B의 넓이이고 역함수의 성질에 의하여

직선 $y=x$에 대하여 대칭이동시킨 부분 B′의 넓이와 같다.

STEP C 직사각형의 넓이를 이용하여 정적분 구하기

$\displaystyle\int_1^2 f(x)dx+\int_2^4 g(x)dx=2\cdot4-1\cdot2=6$

20

정답 ④

STEP A 시각 $t=0$에서 $t=3$까지 점 P의 위치의 변화량을 이용하여 a의 구하기

시각 $t=0$에서 $t=3$까지 점 P의 위치의 변화량은

$\displaystyle\int_0^3 v(t)dt=\int_0^3(t^2+2t+a)dt=\left[\frac{1}{3}t^3+t^2+at\right]_0^3=18+3a$

즉 $18+3a=9$에서 $a=-3$

STEP B 시각 $t=0$에서 $t=3$까지 점 P가 움직인 거리 구하기

$v(t)=t^2+2t-3=(t+3)(t-1)$

이므로

$0\le t<1$일 때, $v(t)<0$

$t\ge1$일 때, $v(t)\ge0$

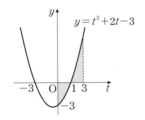

따라서 시각 $t=0$에서 $t=3$까지 점 P가 움직인 거리는

$\displaystyle\int_0^3|v(t)|dt=\int_0^3|t^2+2t-3|dt$

$\displaystyle =\int_0^1(-t^2-2t+3)dt+\int_1^3(t^2+2t-3)dt$

$\displaystyle =\left[-\frac{1}{3}t^3-t^2+3t\right]_0^1+\left[\frac{1}{3}t^3+t^2-3t\right]_1^3$

$\displaystyle =\frac{5}{3}+\left(9+\frac{5}{3}\right)=\frac{37}{3}$

따라서 $p=37$, $q=3$, $a=-3$이므로 $p+q+a=37$

서술형

21

정답 해설참조

| 1단계 | 함수 $f(x)$가 $x=1$에서 극댓값 5를 가짐을 이용하여 상수 a, b의 값을 구한다. | ◀ 40% |

$f'(x)=3x^2-12x+a$

$f(x)$가 $x=1$에서 극댓값 5를 가지므로 $f'(1)=0$, $f(1)=5$

$f'(1)=3-12+a=0$에서 $a=9$ …… ㉠

$f(1)=1-6+a+b=5$에서 $a+b=10$ …… ㉡

㉠, ㉡를 연립하여 풀면 $a=9$, $b=1$

| 2단계 | 함수 $f(x)$의 증가와 감소를 나타내는 표를 구한다. | ◀ 40% |

$f(x)=x^3-6x^2+9x+1$이므로 $f'(x)=3x^2-12x+9=3(x-1)(x-3)$

$f'(x)=0$에서 $x=1$ 또는 $x=3$

$f(x)$의 증가와 감소를 표로 나타내면 다음과 같다.

x	$\cdots$	1	$\cdots$	3	$\cdots$
$f'(x)$	+	0	−	0	+
$f(x)$	↗	극대	↘	극소	↗

| 3단계 | 함수 $f(x)$의 극솟값을 구한다. | ◀ 20% |

따라서 $f(x)$는 $x=3$에서 극소이고 극솟값은 $f(3)=27-54+27+1=1$를

갖는다.

22

정답 해설참조

| 1단계 | 원기둥의 밑면의 반지름의 길이를 $x\,(0<x<4)$, 높이를 $h\,(0<h<8)$로 놓고, h를 x에 대한 함수로 나타낸다. | ◀ 20% |

오른쪽 그림에서 $\triangle ABD \infty \triangle ACE$이므로

$\overline{BD}:\overline{AB}=\overline{CE}:\overline{AC}$

$x:(8-h)=4:8$

$8-h=2x$

$\therefore h=8-2x$

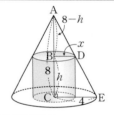

| 2단계 | 원기둥의 부피를 $V(x)$라 할 때, $V(x)$를 x에 대한 함수로 나타낸다. | ◀ 20% |

$V(x)=\pi x^2 h=\pi x^2(8-2x)=2\pi(4x^2-x^3)\,(0<x<4)$

| 3단계 | 원기둥의 부피가 최대일 때, 원기둥의 밑면의 반지름의 길이를 구한다. | ◀ 30% |

$V'(x)=2\pi(8x-3x^2)=2\pi x(8-3x)$

$V'(x)=0$에서 $x=\dfrac{8}{3}\,(\because 0<x<4)$

$V(x)$의 증가와 감소를 나타내면 다음 표와 같다.

x	(0)	$\cdots$	$\dfrac{8}{3}$	$\cdots$	(4)
$V'(x)$		+	0	−	
$V(x)$		↗	극대	↘	

$V(x)$는 $x=\dfrac{8}{3}$일 때, 극대이면서 최대이므로

원기둥의 부피가 최대일 때, 원기둥의 밑면의 반지름의 길이는 $\dfrac{8}{3}$ cm

| 4단계 | 원기둥의 부피의 최댓값을 구한다. | ◀ 30% |

$V(x)$는 $x=\dfrac{8}{3}$일 때, 원기둥의 부피의 최댓값은

$V\left(\dfrac{8}{3}\right)=2\pi\left(4\cdot\dfrac{64}{9}-\dfrac{512}{27}\right)=\dfrac{512}{27}\pi\,\mathrm{cm}^3$

23

정답 해설참조

1단계 $x=0$, $y=0$을 대입하여 $f(0)$의 값 구한다. ◀ 20%

$x=0$, $y=0$을 $f(x+y)=f(x)+f(y)-2xy$에 대입하면

$f(0)=f(0)+f(0)$, $f(0)=0$

2단계 $f'(0)=2$을 미분계수의 정의로 나타낸다. ◀ 20%

$f'(0)=\lim_{h \to 0}\dfrac{f(0+h)-f(0)}{h}=\lim_{h \to 0}\dfrac{f(h)}{h}$이므로

$\lim_{h \to 0}\dfrac{f(h)}{h}=2$

3단계 도함수 $f'(x)$을 구한다. ◀ 30%

$f'(x)=\lim_{h \to 0}\dfrac{f(x+h)-f(x)}{h}$

$=\lim_{h \to 0}\dfrac{f(x)+f(h)-2xh-f(x)}{h}$

$=\lim_{h \to 0}\dfrac{f(h)}{h}-2x=-2x+2$ ◀ $\lim_{h \to 0}\dfrac{f(h)}{h}=2$

4단계 1단계를 이용하여 적분상수를 구하여 함수 $f(x)$를 구한다. ◀ 20%

$f(x)=\displaystyle\int(-2x+2)dx=-x^2+2x+C$이므로 $f(0)=0$에서 $C=0$

$\therefore f(x)=-x^2+2x$

5단계 $f(3)$의 값을 구한다. ◀ 10%

따라서 $f(3)=-9+6=-3$

24

정답 해설참조

1단계 상수 a, b의 값을 구한다. ◀ 40%

$\displaystyle\int_1^x (x-t)f(t)dt=x^3+ax^2+bx-2$에서

$x\displaystyle\int_1^x f(t)dt-\int_1^x tf(t)dt=x^3+ax^2+bx-2$ ······ ㉠

㉠의 양변을 x에 대하여 미분하면

$\displaystyle\int_1^x f(t)dt+xf(x)-xf(x)=3x^2+2ax+b$에서

$\displaystyle\int_1^x f(t)dt=3x^2+2ax+b$ ······ ㉡

㉠의 양변에 $x=1$을 대입하면

$0=1+a+b-2$ $\therefore a+b=1$ ······ ㉢

㉡의 양변에 $x=1$을 대입하면

$0=3+2a+b$ $\therefore 2a+b=-3$ ······ ㉣

㉢, ㉣을 연립하여 풀면 $a=-4$, $b=5$

2단계 $f(x)$를 구한다. ◀ 30%

㉡에서 $\displaystyle\int_1^x f(t)dt=3x^2-8x+5$의 양변을 x에 대하여 미분하면

$f(x)=6x-8$

3단계 $f(a)+f(b)$의 값을 구한다. ◀ 30%

$f(x)=6x-8$에서 $a=-4$, $b=5$이므로

$f(a)+f(b)=f(-4)+f(5)=(-32)+22=-10$

2회 기말고사 모의평가

01	②	02	③	03	③	04	②	05	①
06	④	07	②	08	⑤	09	⑤	10	⑤
11	②	12	③	13	②	14	②	15	③
16	④	17	②	18	②	19	③	20	⑤

서술형

21	해설참조	22	해설참조
23	해설참조	24	해설참조

01

정답 ②

STEP Ⓐ 모든 실수 x에 대하여 $f'(x) \geq 0$임을 이해하기

$f(x)=\dfrac{2}{3}x^3+\dfrac{1}{2}(a-1)x^2+2x$에서 $f'(x)=2x^2+(a-1)x+2$

모든 실수 k에 대하여 직선 $y=k$와 곡선 $y=f(x)$가 만나는 점의 개수가 1이
되려면 삼차함수 $f(x)$의 최고차항의 계수가 양수이므로 모든 실수 x에 대하여
$f'(x)=2x^2+(a-1)x+2 \geq 0$이어야 한다.

STEP Ⓑ 이차방정식이 중근과 허근을 가질 조건 구하기

이차방정식 $2x^2+(a-1)x+2=0$의 판별식을 D라 하면
$D=(a-1)^2-16 \leq 0$에서 $a^2-2a-15 \leq 0$, $(a+3)(a-5) \leq 0$
$\therefore -3 \leq a \leq 5$
따라서 정수 a는 -3, -2, -1, $\cdots$, 5이므로 그 개수는 9개이다.

02

정답 ③

STEP Ⓐ $f'(-1)=0$, $f(-1)=1$임을 이용하여 a, b의 값 구하기

$f(x)=x^3-ax^2-bx-1$에서 $f'(x)=3x^2-2ax-b$
함수 $f(x)$는 $x=-1$에서 극댓값 1이므로
$f'(-1)=3+2a-b=0$
$\therefore 2a-b=-3$ ······ ㉠
$f(-1)=-1-a+b-1=1$
$\therefore -a+b=3$ ······ ㉡
㉠, ㉡을 연립하여 풀면 $a=0$, $b=3$
$\therefore f(x)=x^3-3x-1$

STEP Ⓑ 함수 $f(x)$의 극솟값 구하기

$f(x)=x^3-3x-1$에서 $f'(x)=3x^2-3=3(x+1)(x-1)$이므로
$f'(x)=0$에서 $x=-1$ 또는 $x=1$
함수 $f(x)$의 증가와 감소를 표로 나타내면 다음과 같다.

x	$\cdots$	-1	$\cdots$	1	$\cdots$
$f'(x)$	$+$	0	$-$	0	$+$
$f(x)$	↗	극대	↘	극소	↗

따라서 $x=1$에서 극소이고 극솟값은 $f(1)=1-3-1=-3$

03

STEP Ⓐ 조건 (가)에서 $f'(-1)=0$, $f'(3)=0$임을 이용하기

최고차항의 계수가 1인 삼차함수를
$f(x)=x^3+ax^2+bx+c$ (단, a, b, c는 상수)라 하면
$f'(x)=3x^2+2ax+b$이므로
조건 (가)에 의하여
방정식 $f'(x)=3x^2+2ax+b=0$의 두 실근이 $x=-1$, $x=3$
이때 이차방정식의 근과 계수의 관계에 의하여
$-1+3=-\dfrac{2}{3}a$, $(-1)\times 3=\dfrac{b}{3}$이므로
$a=-3$, $b=-9$
$\therefore f(x)=x^3-3x^2-9x+c$

STEP Ⓑ 조건 (나)를 이용하여 $f(x)$ 구하기

조건 (나)에 의하여
$f(3)=27-27-27+c=0$ $\therefore c=27$
따라서 $f(x)=x^3-3x^2-9x+27$이므로 $f(1)=1-3-9+27=16$

04

STEP Ⓐ 도함수를 이용하여 함수 $f(x)$의 증가와 감소를 표로 나타내기

$f(x)=x^3-3x+a$에서
$f'(x)=3x^2-3=3(x+1)(x-1)$이므로
$f'(x)=0$에서 $x=-1$ 또는 $x=1$
닫힌구간 $[-1, 3]$에서 함수 $f(x)$의 증가와 감소를 표로 나타내면 다음과 같다.

x	-1	$\cdots$	1	$\cdots$	3
$f'(x)$		$-$	0	$+$	
$f(x)$	$a+2$	$\searrow$	$a-2$	$\nearrow$	$a+18$

STEP Ⓑ $M \times m=-100$을 이용하여 a의 값 구하기

닫힌구간 $[-1, 3]$에서
함수 $f(x)$의 최댓값은 $M=a+18$, 최솟값은 $m=a-2$이므로
$M \times m=(a+18)(a-2)=-100$
$a^2+16a+64=0$, $(a+8)^2=0$
따라서 $a=-8$

05

STEP Ⓐ $f(-x)=-f(x)$를 만족하는 함수 $f(x)$는 원점에 대하여 대칭임을 이용하여 함수 $y=f(x)$의 그래프의 개형 찾기

최고차항의 계수가 1인 삼차함수 $f(x)$가
모든 실수 x에 대하여
$f(-x)=-f(x)$이면
함수 $y=f(x)$의 그래프는 원점에 대하여
대칭이므로 그래프의 개형은 오른쪽 그림과
같다.

또, 방정식 $|f(x)|=6\sqrt{3}$의 실근의 개수는
함수 $y=|f(x)|$의 그래프와 직선 $y=2$의
교점의 개수와 같으므로 방정식 $|f(x)|=6\sqrt{3}$의 실근의 개수가 4이려면
함수 $y=|f(x)|$의 그래프는 다음 그림과 같아야 한다.

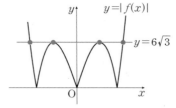

STEP Ⓑ $f(x)$가 극댓값을 갖도록 하는 x값을 구하여 a의 값 구하기

즉, 함수 $f(x)$는 극댓값 $6\sqrt{3}$, 극솟값 $-6\sqrt{3}$를 가져야 한다.
삼차함수 $f(x)$의 최고차항의 계수가 1이고
$f(-x)=-f(x)$를 만족시키므로 $f(x)=x^3-ax$ $(a>0)$로 놓을 수 있다.
$f'(x)=3x^2-a$이므로
$f'(x)=0$에서 $x=-\dfrac{\sqrt{3a}}{3}$ 또는 $x=\dfrac{\sqrt{3a}}{3}$
함수 $f(x)$는 $x=-\dfrac{\sqrt{3a}}{3}$에서 극댓값 $6\sqrt{3}$를 가지므로
$f\left(-\dfrac{\sqrt{3a}}{3}\right)=\left(-\dfrac{\sqrt{3a}}{3}\right)^3-a\left(-\dfrac{\sqrt{3a}}{3}\right)$
즉 $\left(-\dfrac{\sqrt{3a}}{3}\right)^3-a\left(-\dfrac{\sqrt{3a}}{3}\right)=6\sqrt{3}$
$a^3=3^6$ $\therefore a=9$
따라서 $f(x)=x^3-9x$이므로 $f(1)=-8$

06

STEP Ⓐ 삼차함수와 직선이 서로 다른 세 점에서 만날 조건 이해하기

곡선 $y=x^3+2x^2-x+k$와 직선 $y=3x+2k$의 교점의 개수는
방정식 $x^3+2x^2-x+k=3x+2k$의 서로 다른 실근의 개수와 같다.
$x^3+2x^2-x+k=3x+2k$에서
$x^3+2x^2-4x=k$ $\cdots\cdots$ ㉠
이고 방정식 ㉠의 서로 다른 실근의 개수는
곡선 $y=x^3+2x^2-4x$와 직선 $y=k$의 교점의 개수와 같다.

STEP Ⓑ $y=f(x)$의 그래프를 그려 주어진 조건을 만족하는 k의 범위 구하기

$f(x)=x^3+2x^2-4x$라 하면
$f'(x)=3x^2+4x-4=(x+2)(3x-2)$이므로
$f'(x)=0$에서 $x=-2$ 또는 $x=\dfrac{2}{3}$
함수 $f(x)$의 증가와 감소를 표로 나타내면 다음과 같다.

x	$\cdots$	-2	$\cdots$	$\dfrac{2}{3}$	$\cdots$
$f'(x)$	$+$	0	$-$	0	$+$
$f(x)$	$\nearrow$	8	$\searrow$	$-\dfrac{40}{27}$	$\nearrow$

함수 $y=f(x)$의 그래프는 오른쪽
그림과 같다.
함수 $y=f(x)$의 그래프와 직선
$y=k$가 서로 다른 세 점에서
만나도록 하는 실수 k의 값의 범위는
$-\dfrac{40}{27}<k<8$

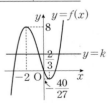

따라서 정수 k의 값은 -1, 0, 1, 2, 3, $\cdots$, 7이고 그 개수는 9개이다.

07

STEP Ⓐ **함수 $f(x)$의 증가와 감소를 표로 나타내기**

$2x^3-3x \geq 3x+a$에서 $2x^3-6x \geq a$

$f(x)=2x^3-6x$로 놓으면 $f'(x)=6x^2-6=6(x+1)(x-1)$

$f'(x)=0$에서 $x=-1$ 또는 $x=1$

$x \geq 0$에서 $f(x)$의 증가와 감소를 표로 나타내면 다음과 같다.

x	0	$\cdots$	1	$\cdots$
$f'(x)$		$-$	0	$+$
$f(x)$	0	$\searrow$	-4	$\nearrow$

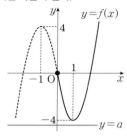

STEP Ⓑ **a의 최댓값 구하기**

즉 $x \geq 0$에서 함수 $f(x)$는 $x=1$일 때, 극소이면서 최소이므로

최솟값은 $f(1)=-4$

$x \geq 0$인 모든 실수 x에 대하여 부등식 $2x^3-6x \geq a$를 만족시키는 실수 a의 값의 범위는 $a \leq -4$

따라서 실수 a의 최댓값은 -4

08

STEP Ⓐ **위치를 미분하여속도 $v(t)$ 구하기**

물체의 t초 후의 속도를 vm/s라 하면 $v(t)=\dfrac{dh}{dt}=20-10t$

STEP Ⓑ **[보기]의 참, 거짓 판단하기**

ㄱ. 최고 지점에 도달했을 때, 물체의 속도는 $v=0$이므로 $v(t)=20-10t=0$

$\therefore t=2$ [참]

즉 돌이 최고 높이에 도달할 때까지 걸린 시간은 2초이다.

ㄴ. 물체의 최고 높이는 $t=2$일 때의 높이이므로

$h(2)=15+20 \cdot 2-5 \cdot 2^2=35$(m) [참]

ㄷ. 물체가 땅에 떨어질 때까지 움직인 거리는 $(35-15)+35=55$(m) [참]

따라서 옳은 것은 ㄱ, ㄴ, ㄷ이다.

09

STEP Ⓐ **점 P의 운동 방향이 바뀌는 순간 시각 구하기**

두 점 P, Q의 시각 t에서의 위치를 각각

$f(t)=t^3-12t$, $g(t)=2t^2-4t+1$이라 하자.

점 P의 시각 t에서의 속도를 $v_P(t)$, 가속도를 $a_P(t)$라 하면

$v_P(t)=f'(t)=3t^2-12$, $a_P(t)=\dfrac{dv_P}{dt}=6t$

점 P의 운동 방향이 바뀌는 순간 $v_P(t)=0$이므로

$v_P(t)=3t^2-12=0$에서 $3(t-2)(t+2)=0$

즉 $t>0$이므로 $t=2$

STEP Ⓑ **두 점 P, Q의 가속도 p, q 구하기**

$t=2$일 때, 점 P의 가속도는 $a_P(2)=6 \cdot 2=12$, 즉 $p=12$

점 Q의 시각 t에서의 속도를 $v_Q(t)$, 가속도를 $a_Q(t)$라 하면

$v_Q(t)=g'(t)=4t-4$, $a_Q(t)=\dfrac{dv_Q}{dt}=4$

$t=2$일 때, 점 Q의 가속도는 $q=4$

따라서 $p+q=12+4=16$

10

STEP Ⓐ **$g(x)$가 $x=-1$, $x=2$에서 미분가능을 이용하여 $f'(x)$를 구하여 극댓값을 갖는 x의 값 구하기**

ㄱ. $g(x)$가 $x=-1$, $x=2$에서 미분가능 하므로

$g'(-1)=g'(2)=0$이 성립하고 ← a, b가 상수이므로

$f'(-1)=f'(2)=0$이어야 한다.

즉 $f'(x)=3(x+1)(x-2)$ 이므로 ← 최고차항의 계수가 1인 삼차함수 $f(x)$

$x=-1$에서 $f(x)$는 극댓값을 갖는다. [참]

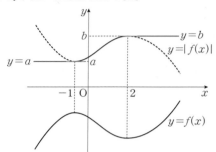

STEP Ⓑ **$f(4)=0$일 때, $f(x)$를 구하여 진위판단하기**

ㄴ. $f'(x)=3(x+1)(x-2)=3x^2-3x-6$

$f(x)=\displaystyle\int(3x^2-3x-6)dx=x^3-\dfrac{3}{2}x^2-6x+C$ (단, C는 적분상수)

$f(4)=0$이므로 $f(4)=64-24-24+C=16+C=0$

$\therefore C=-16$

$f(x)=x^3-\dfrac{3}{2}x^2-6x-16$이므로

$f(-1)=-1-\dfrac{3}{2}+6-16=-\dfrac{25}{2}$, $f(2)=8-6-12-16=-26$

즉 $a=\dfrac{25}{2}$, $b=26$이므로 $a<b$ [참]

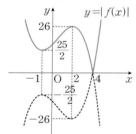

STEP Ⓒ **$a=b$일 때, $f(x)$를 구하여 $f(0)$의 값 구하기**

ㄷ. $f(x)=x^3-\dfrac{3}{2}x^2-6x+C$에서

$a=f(-1)=-1-\dfrac{3}{2}+6+C=\dfrac{7}{2}+C$

$b=-f(2)=-(8-6-12+C)=10-C$

$a=b$이면 $\dfrac{7}{2}+C=10-C$ $\therefore C=\dfrac{13}{4}$

즉 $f(0)=C=\dfrac{13}{4}$ [참]

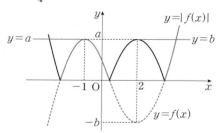

따라서 옳은 것은 ㄱ, ㄴ, ㄷ이다.

11

정답 ②

STEP A 부정적분을 이용하여 함수 $f(x)$의 식 작성하기

$y=f'(x)$의 그래프가 $x=0$, $x=2$에서 x축과 만나고 아래로 볼록하므로
$f'(x)=ax(x-2)(a>0)$로 놓으면

$$f(x)=\int ax(x-2)dx=\int (ax^2-2ax)dx$$
$$=\frac{a}{3}x^3-ax^2+C \ (C는\ 적분상수)$$

STEP B 함수 $f(x)$의 증가와 감소를 표로 나타내어 삼차함수 $f(x)$ 구하기

$f'(x)=0$에서 $x=0$ 또는 $x=2$
함수 $f(x)$의 증가와 감소를 표로 나타내면 다음과 같다.

x	$\cdots$	0	$\cdots$	2	$\cdots$
$f'(x)$	+	0	−	0	+
$f(x)$	↗	극대	↘	극소	↗

함수 $y=f(x)$는 $x=0$에서 극대이고 극댓값 4, $x=2$에서 극솟값 0을
가지므로 $f(0)=4$, $f(2)=0$
$f(0)=4$에서 $C=4$
$f(2)=0$에서 $\frac{8}{3}a-4a+4=0$ $\therefore a=3$

STEP C $f(1)$의 값 구하기

따라서 $f(x)=x^3-3x^2+4$이므로 $f(1)=1-3+4=2$

12

정답 ③

STEP A 구간별로 부정적분을 이용하여 $f(x)$ 구하기

$f'(x)=\begin{cases} x+2 & (x<1) \\ 3x^2 & (x>1) \end{cases}$이므로 $f(x)=\begin{cases} \frac{1}{2}x^2+2x+C_1 & (x<1) \\ x^3+C_2 & (x\geq 1) \end{cases}$

이때 $f(-2)=3$이므로 $2-4+C_1=3$에서 $C_1=5$

STEP B 함수 $f(x)$가 $x=1$에서 미분가능하면 $x=1$에서 연속임을 이용
하여 적분상수 구하기

함수 $f(x)$가 모든 실수 x에서 미분가능하면 $x=1$에서 연속이어야 하므로
즉 $f(1)=\lim_{x\to 1+}f(x)=\lim_{x\to 1-}f(x)$

$1+C_2=\frac{1}{2}+2+5$ $\therefore C_2=\frac{13}{2}$

STEP C $f(2)$의 값 구하기

따라서 $f(x)=\begin{cases} \frac{1}{2}x^2+2x+5 & (x<1) \\ x^3+\frac{13}{2} & (x\geq 1) \end{cases}$이므로 $f(2)=2^3+\frac{13}{2}=\frac{29}{2}$

13

정답 ②

STEP A 피적분함수가 같은 경우 정적분 계산하기

$$\int_{-1}^{0}(2t^2-t+1)dt+\int_{0}^{1}(2x^2-x+1)dx$$
$$=\int_{-1}^{0}(2x^2-x+1)dx+\int_{0}^{1}(2x^2-x+1)dx$$
$$=\int_{-1}^{1}(2x^2-x+1)dx$$
$$=2\int_{0}^{1}(2x^2+1)dx$$
$$=2\left[\frac{2}{3}x^3+x\right]_{0}^{1}=\frac{10}{3}$$

14

정답 ②

STEP A $y=f(x)$의 증가와 감소를 표로 나타내기

$F(x)=\int_{0}^{x}f(t)dt$의 양변을 x에 대하여 미분하면
$F'(x)=f(x)=2x^3-6x+a$
$f'(x)=6x^2-6=6(x+1)(x-1)$
$f'(x)=0$에서 $x=-1$ 또는 $x=1$
$y=f(x)$의 증가와 감소를 나타내면 다음 표와 같다.

x	$\cdots$	-1	$\cdots$	1	$\cdots$
$f'(x)$	+	0	−	0	+
$f(x)$	↗	극대	↘	극소	↗

$x=-1$일 때, 극대이고 극댓값은 $f(-1)=4+a$
$x=1$일 때, 극소이고 극솟값은 $f(1)=-4+a$

STEP B $F(x)$가 오직 하나의 극값을 가질 조건 이해하기

사차함수 $F(x)$가 오직 하나의 극값을 갖기 위해서는 $F'(x)=f(x)$의 부호가
오직 한 번 변해야 한다.
즉 삼차함수 $f(x)$가 x축과 오직 한 번 만나거나 x축과 접해야 하므로
삼차함수 $f(x)$의 극댓값과 극솟값의 곱이 0보다 크거나 같아야 한다.
즉 $f(1)f(-1)\geq 0$이므로 $(-4+a)(4+a)\geq 0$, $(a-4)(a+4)\geq 0$
$\therefore a\leq -4$ 또는 $a\geq 4$
따라서 양수 a의 최솟값은 4

15

정답 ③

STEP A $f(x)$가 주기함수임을 이용하여 $y=f(x)$의 그래프 그리기

$0\leq x\leq 8$에서 $f(x+2)=f(x)$를 만족하는 함수 $y=f(x)$의 그래프는
다음 그림과 같다.

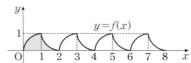

STEP B 함수 $f(x)$의 그래프가 같은 모양이 반복됨을 이용하여 주어진
정적분 구하기

따라서 곡선 $y=f(x)(0\leq x\leq 8)$과 x축으로 둘러싸인 부분의 넓이는
$$\int_{0}^{8}f(x)dx=4\int_{0}^{2}f(x)dx$$
$$=4\left\{\int_{0}^{1}(-x^2+2x)dx+\int_{1}^{2}(x^2-4x+4)dx\right\}$$
$$=4\left(\left[-\frac{1}{3}x^3+x^2\right]_{0}^{1}+\left[\frac{1}{3}x^3-2x^2+4x\right]_{1}^{2}\right)$$
$$=4\left(\frac{2}{3}+\frac{8}{3}-\frac{7}{3}\right)=4$$

16

정답 ④

STEP Ⓐ 정적분의 성질을 이용하여 주어진 식을 정리하기

$$f(x)=4x^3+\int_0^1 (2x-3)f(t)dt=4x^3+(2x-3)\int_0^1 f(t)dt$$

STEP Ⓑ $\int_0^1 f(t)dt=k$로 두고 $f(x)$의 식을 대입하여 k값 구하기

이때 $\int_0^1 f(t)dt=k$ (k는 상수) ······ ㉠

로 놓으면 $f(x)=4x^3+2kx-3k$ ······ ㉡

㉡을 ㉠에 대입하면

$$k=\int_0^1 (4t^3+2kt-3k)dt=\left[t^4+kt^2-3kt\right]_0^1$$

즉 $-2k+1=k$에서 $k=\dfrac{1}{3}$

따라서 $3\int_0^1 f(x)dx=3\cdot\dfrac{1}{3}=1$

17

정답 ②

STEP Ⓐ $\int_0^1 f(t)dt=k$로 놓고 k 구하기

$\int_0^1 f(t)dt=k$ (k는 상수)라 하면

$\int_0^x f(t)dt=x^2+2kx$ ······ ㉠

㉠에 $x=1$을 대입하면 $\int_0^1 f(t)dt=1+2k$

$k=1+2k$에서 $k=-1$

STEP Ⓑ 양변을 미분하여 $f(x)$ 구하기

㉠의 양변을 x에 대하여 미분하면 $f(x)=2x+2k=2x-2$

따라서 $f(3)=6-2=4$

18

정답 ②

STEP Ⓐ 주어진 곡선과 x축의 교점을 구하여 그래프 그리기

$$\int_{-2}^a |x^3|dx=\int_{-2}^0 (-x^3)dx+\int_0^a x^3 dx$$
$$=\left[-\frac{1}{4}x^4\right]_{-2}^0+\left[\frac{1}{4}x^4\right]_0^a$$
$$=4+\frac{1}{4}a^4$$

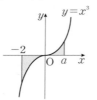

STEP Ⓑ 넓이가 5일 때, 양수 a의 값 구하기

$4+\dfrac{1}{4}a^4=5$ ∴ $a^4=4$

따라서 $a>0$이므로 $a=\sqrt{2}$

19

정답 ③

STEP Ⓐ 곡선 $y=f(x)$와 직선 $y=x$의 교점의 x좌표 구하기

두 곡선 $y=f(x)$, $y=g(x)$의 교점의 x좌표는
곡선 $y=f(x)$와 직선 $y=x$의 교점의 x좌표와 같다.

$\dfrac{1}{8}x^3+\dfrac{1}{2}x=x$에서 $\dfrac{1}{8}x^3-\dfrac{1}{2}x=0$

$\dfrac{1}{8}x(x+2)(x-2)=0$

∴ $x=-2$ 또는 $x=0$ 또는 $x=2$

STEP Ⓑ 두 곡선 $y=f(x)$, $y=g(x)$로 둘러싸인 부분의 넓이 구하기

오른쪽 그림과 같이 두 곡선 $y=f(x)$, $y=g(x)$로 둘러싸인 부분의 넓이는
닫힌구간 $[0, 2]$에서 곡선 $y=f(x)$와 $y=x$로 둘러싸인 부분의 넓이의 4배와
같으므로 구하는 넓이를 S라 하면

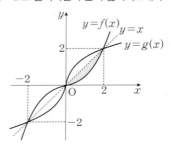

$$S=4\int_0^2 \left\{x-\left(\frac{1}{8}x^3+\frac{1}{2}x\right)\right\}dx$$
$$=4\int_0^2 \left(-\frac{1}{8}x^3+\frac{1}{2}x\right)dx$$
$$=4\left[-\frac{1}{32}x^4+\frac{1}{4}x^2\right]_0^2$$
$$=4\cdot\frac{1}{2}=2$$

20

정답 ⑤

STEP Ⓐ 점 P, Q, I의 t초 후의 위치 구하기

시각 t일 때의 두 물체 P와 Q의 위치 x_P, x_Q는 각각

$$x_P(t)=2+\int_0^t (-2t+2)dt=-t^2+2t+2$$

$$x_Q(t)=-1+\int_0^t (3t^2-1)dt=t^3-t-1$$

선분 $\overline{PQ}$를 $2:1$로 내분하는 점인 I의 위치를 x_1이라 하면

$$x_1=\frac{x_P+2x_Q}{3}=\frac{-t^2+2t+2+2(t^3-t-1)}{3}=\frac{2}{3}t^3-\frac{1}{3}t^2$$

STEP Ⓑ $v_1(t)=0$을 만족하는 t의 값 구하기

이때 점 I가 방향을 바꾸는 시각은 $v_1(t)=0$이므로

$$v_1(t)=2t^2-\frac{2}{3}t=2t\left(t-\frac{1}{3}\right)=0 \quad \therefore\ t=\frac{1}{3}$$

STEP Ⓒ 절댓값을 씌우고 적분하여 점 I가 움직인 거리 구하기

따라서 점 I가 방향을 바꿀 때까지 점 I가 움직인 거리는

$$\int_0^{\frac{1}{3}}\left|2t^2-\frac{2}{3}t\right|dt=\int_0^{\frac{1}{3}}\left(-2t^2+\frac{2}{3}t\right)dt$$
$$=\left[-\frac{2}{3}t^3+\frac{1}{3}t^2\right]_0^{\frac{1}{3}}$$
$$=-\frac{2}{3}\left(\frac{1}{3}\right)^3+\frac{1}{3}\left(\frac{1}{3}\right)^2$$
$$=\frac{1}{81}$$

서술형

21

정답 해설참조

| 1단계 | 구간 $[-1, 3]$에서 $f(x)$의 최댓값과 최솟값을 구한다. ◀ 50% |

$f(x)=x^3-12x$에서 $f'(x)=3x^2-12=3(x+2)(x-2)$

$-1\le x\le 3$이므로 $f'(x)=0$에서 $x=2$

$f(x)$의 증가와 감소를 표로 나타내면 다음과 같다.

x	-1	$\cdots$	2	$\cdots$	3
$f'(x)$		$-$	0	$+$	
$f(x)$	11	$\searrow$	-16	$\nearrow$	-9

따라서 함수 $f(x)$의 최댓값은 11, 최솟값은 -16

| 2단계 | 방정식 $f(x)=a$가 서로 다른 세 실근을 갖도록 하는 실수 a의 값의 범위를 구한다. | ◀ 50% |

방정식 $x^3-12x=a$의 서로 다른 실근의 개수는 곡선 $y=x^3-12x$와 직선 $y=a$의 교점의 개수와 같다.
$f'(x)=3x^2-12=3(x+2)(x-2)$
$f'(x)=0$에서 $x=-2$ 또는 $x=2$
$f(x)$의 증가와 감소를 표로 나타내면 다음과 같다.

x	$\cdots$	-2	$\cdots$	2	$\cdots$
$f'(x)$	+	0	−	0	+
$f(x)$	↗	16	↘	-16	↗

따라서 방정식 $x^3-12x=a$가 서로 다른 세 실근을 갖도록 하는 실수 a의 값의 범위는 $-16<a<16$

22
정답 해설참조

| 1단계 | 잘라 내는 정사각형 한 변의 길이를 x(cm)라 하여 x의 범위를 구한다. | ◀ 20% |

잘라 내는 정사각형의 한 변의 길이를 $x$cm라고 하면
x의 값의 범위는 $x>0$이고 $12-2x>0$이므로 $0<x<6$

| 2단계 | 상자의 부피를 함수 $V(x)$로 나타낸다. | ◀ 20% |

상자의 부피를 $V(x)$(cm³)라고 하면
$V(x)=x(12-2x)^2=4x^3-48x^2+144x$

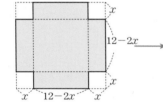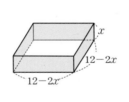

| 3단계 | 함수 $V(x)$의 증가와 감소를 표로 나타낸다. | ◀ 30% |

$V'(x)=12x^2-96x+144=12(x-2)(x-6)$
$V'(x)=0$에서 $x=2(\because 0<x<6)$
$0<x<6$에서 함수 $V(x)$의 증가와 감소를 나타내면 다음 표와 같다.

x	(0)	$\cdots$	2	$\cdots$	(6)
$V'(x)$		+	0	−	
$V(x)$	0	↗	극대	↘	0

| 4단계 | 상자의 부피의 최댓값을 구한다. | ◀ 30% |

잘라 내는 부분의 한 변의 길이가 $x=2$일 때, 상자의 부피는 최대이고
최댓값은 $V(2)=2(12-4)^2=128$(cm²)

23
정답 해설참조

| 1단계 | 곡선 $y=x^3+x^2-2x$와 직선 $y=-x+k$가 서로 다른 두 점에서 만날 때, 양수 k의 값을 구한다. | ◀ 40% |

곡선 $y=x^3+x^2-2x$와 직선 $y=-x+k$가 서로 다른 두 점에서 만나기 위해서는 서로 접해야 한다.
이때 $f(x)=x^3+x^2-2x$로 놓으면 $f'(x)=3x^2+2x-2$이므로
$3x^2+2x-2=-1$에서 $(x+1)(3x-1)=0$
$\therefore x=-1$ 또는 $x=\dfrac{1}{3}$
이때 $k>0$이므로 $f(-1)=2$에서 $2=-(-1)+k$
$\therefore k=1$

| 2단계 | 곡선과 직선의 교점의 x좌표를 구한다. | ◀ 20% |

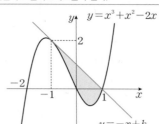

곡선 $y=x^3+x^2-2x$와 직선 $y=-x+1$의 교점의 x좌표는
$x^3+x^2-2x=-x+1$, $x^3+x^2-x-1=0$, $(x+1)^2(x-1)=0$
$\therefore x=-1$ 또는 $x=1$

| 3단계 | 곡선과 직선으로 둘러싸인 부분의 넓이를 구한다. | ◀ 40% |

구간 $[-1, 1]$에서 $-x+1 \geq x^3+x^2-2x$이므로
곡선과 직선으로 둘러싸인 부분의 넓이를 S라 하면
$S=\displaystyle\int_{-1}^{1}\{(-x+1)-(x^3+x^2-2x)\}dx$
$=2\displaystyle\int_{0}^{1}(-x^2+1)dx=2\left[-\dfrac{1}{3}x^3+x\right]_0^1=\dfrac{4}{3}$

24
정답 해설참조

| 1단계 | 시각 t에서 점 P의 위치를 구한다. | ◀ 30% |

시각 t에서 점 P의 위치를 x_P라고 하면
$x_P=-3+\displaystyle\int_0^t(3t^2-1)dt=-3+\left[t^3-t\right]_0^t=t^3-t-3$

| 2단계 | 시각 t에서의 점 Q의 위치를 구한다. | ◀ 30% |

시각 t에서 점 Q의 위치를 x_Q라고 하면
$x_Q=k+\displaystyle\int_0^t 2dt=k+\left[2t\right]_0^t=2t+k$

| 3단계 | 두 점 P, Q가 동시에 출발한 후 두 번 만나도록 하는 k의 범위를 구한다. | ◀ 40% |

두 점 P, Q가 만나는 시각은 $x_P=x_Q$일 때이므로
$t^3-t-3=2t+k$, $t^3-3t-3=k$
이 방정식의 서로 다른 실근의 개수는 곡선
$y=t^3-3t-3$과 직선 $y=k$의 교점의 개수와 같다.
$f(t)=t^3-3t-3$로 놓으면 $f'(t)=3t^2-3=3(t+1)(t-1)$
$f'(t)=0$에서 $t=1(\because t>0)$
$t>0$에서 $f(t)$의 증가와 감소를 표로 나타내면 다음과 같다.

t	(0)	$\cdots$	1	$\cdots$
$f'(t)$		−	0	+
$f(t)$	-3	↘	-5	↗

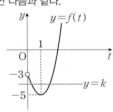

이때 두 점 P, Q가 두 번 만나려면
$t>0$에서 방정식 $f(t)=k$가 서로 다른 두 실근을 가져야 하므로 오른쪽 그림에서
곡선 $y=f(t)$와 직선 $y=k$가 두 점에서 만나도록 하는 k의 값의 범위는
$-5<k<-3$

| 참고 | 두 점 P, Q가 동시에 출발한 후 2번 만나기 위해서는 $t>0$일 때, 방정식 $t^3-t-3=2t+k$, $t^3-3t-3-k=0$의 실근의 개수가 2이어야 한다. $f(t)=t^3-3t-3-k$라 하면 $f'(t)=3t^2-3=3(t+1)(t-1)$이다. $f(0)=-3-k$, $f(1)=-5-k$일 때, $f(0)\cdot f(1)<0$이어야 하므로 $-5<k<-3$ |

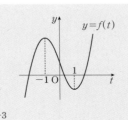

마플시너지
내신문제집
MAPL SYNERGY SERIES

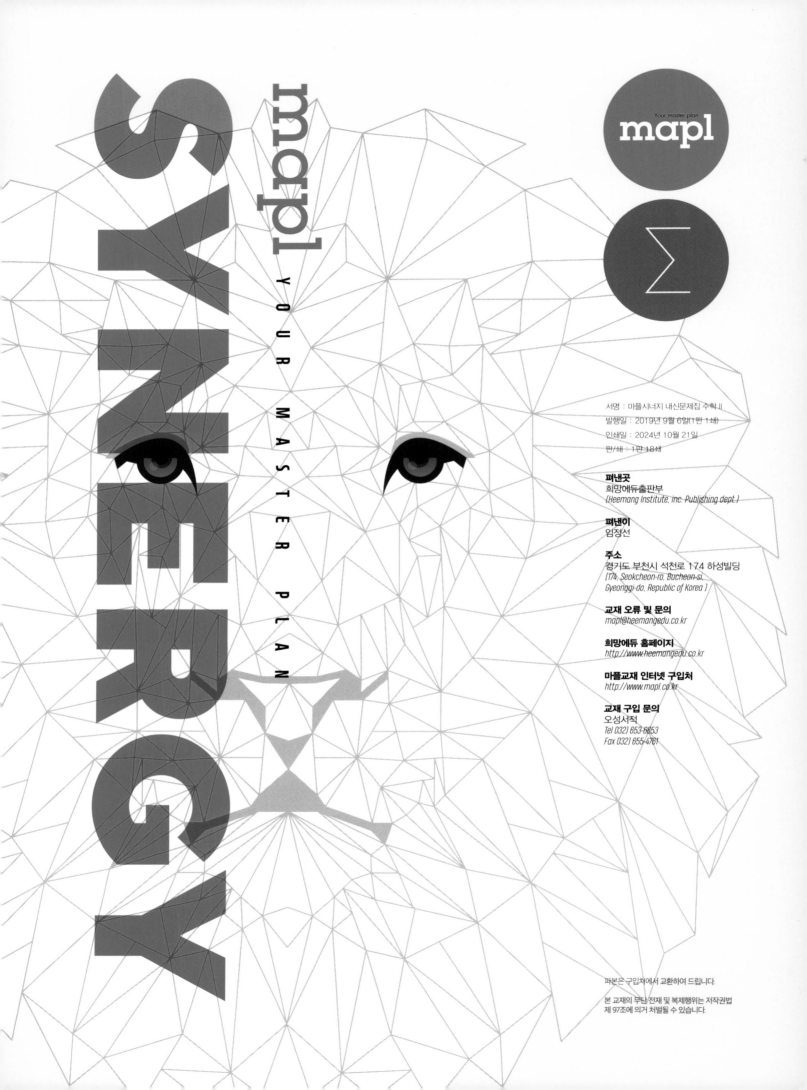

SYNERGY

mapl

Your master plan

mapl

YOUR MASTER PLAN

Σ

서명 : 마플시너지 내신문제집 수학 II
발행일 : 2019년 9월 6일(1판 1쇄)
인쇄일 : 2024년 10월 21일
판/쇄 : 1판 18쇄

펴낸곳
희망에듀출판부
[Heemang Institute, inc. Publishing dept.]

펴낸이
엄정선

주소
경기도 부천시 석천로 174 하성빌딩
[174, Seokcheon-ro, Bucheon-si,
Gyeonggi-do, Republic of Korea]

교재 오류 및 문의
mapl@heemangedu.co.kr

희망에듀 홈페이지
http://www.heemangedu.co.kr

마플교재 인터넷 구입처
http://www.mapl.co.kr

교재 구입 문의
오성서적
Tel 032) 653-6653
Fax 032) 655-4761

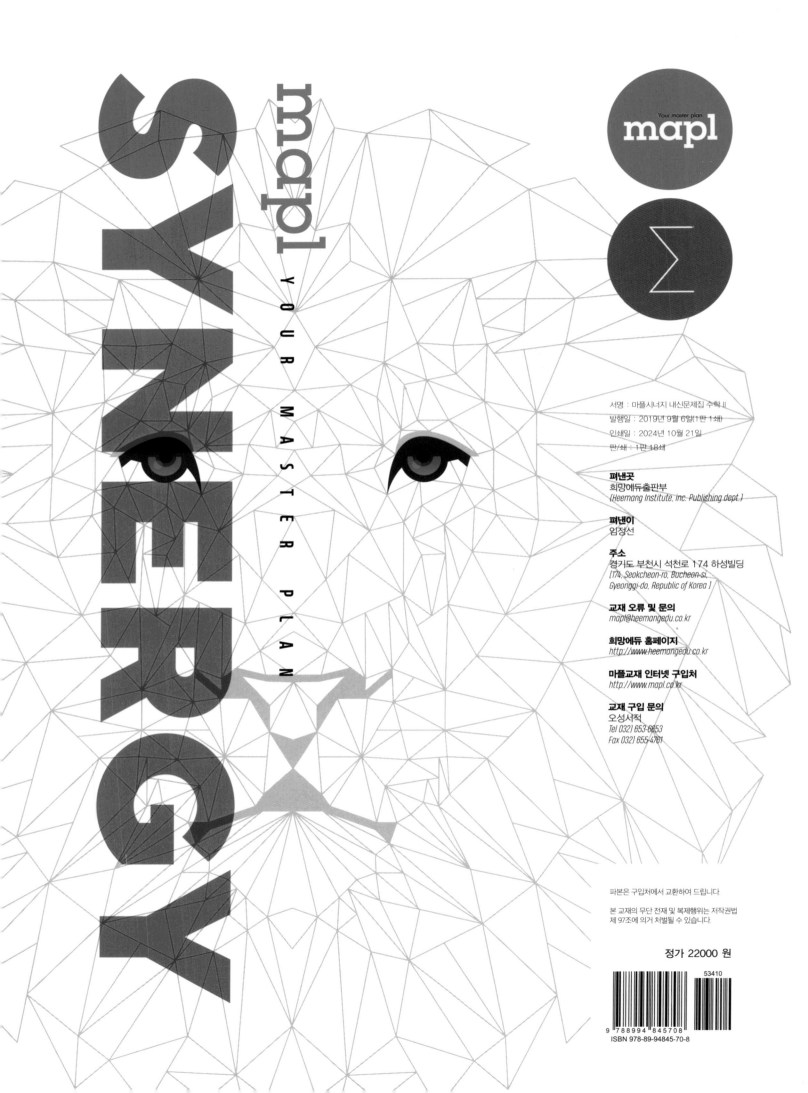

mapl
Your master plan.

SYNERGY

mapl
YOUR MASTER PLAN

서명 : 마플시너지 내신문제집 수학 II
발행일 : 2019년 9월 6일(1판 1쇄)
인쇄일 : 2024년 10월 21일
판/쇄 : 1판 18쇄

펴낸곳
희망에듀출판부
(Heemang Institute, inc. Publishing dept.)

펴낸이
임정선

주소
경기도 부천시 석천로 174 하성빌딩
[174, Seokcheon-ro, Bucheon-si,
Gyeonggi-do, Republic of Korea]

교재 오류 및 문의
mapl@heemangedu.co.kr

희망에듀 홈페이지
http://www.heemangedu.co.kr

마플교재 인터넷 구입처
http://www.mapl.co.kr

교재 구입 문의
오성서적
Tel 032) 653-6853
Fax 032) 655-4761

정가 22000 원

53410

9 788994 845708
ISBN 978-89-94845-70-8